自由人（四）

自由人總目錄

動盪時代的印記——《自由人》三日刊始末

陳正茂（北台灣科學技術學院通識教育中心教授）

一、前言：《自由人》三日刊創刊之背景

民國三十八年是中國歷史上驚天動地的一年，隨著戡亂戰局的逆轉，中共席捲大陸，國府敗退遷台，真是國命如絲風雨飄搖的危急存亡之秋。處此動盪時代中，除大批軍民同胞隨政府播遷來台外；尚有一部分人士選擇避難香江，南下港九一隅，這些人當中，有不少是失意政客和知識份子。基本上，當年選擇避秦來港的知識份子，其心態上有兩種，一則對國、共兩黨均感不滿；再則係看上香港為自由民主之地，較能有揮灑發展的空間。此情勢考量，誠如雷嘯岑所言：「在一九四九－五〇年之間，因大陸淪陷，香港乃成了反共非共的中國人士望門投止的逋逃之藪」。

這些投奔港九的政治難民，以高級知識份子居多；兼以香港時為英屬自由之地，所以只要不違背港府法令，一般而言從事任何活動是百無禁忌，相當自由的。不僅可以高談政治問題，甚至於從事政治活動亦不加以限制。於是，「從大陸流亡到港九的高級知識份子群，乃相率呼朋引類，常舉行座談會，交換對國事意見，而美國國務院的巡迴大使吉塞普（Philip Jessup），斯時亦在香港鼓勵中國人組織『第三勢力』運動，目的以反共為主。」在此背景下，港九地區的自由民主人士，在美國幕後撐腰下，「各種座談會風起雲湧，熱鬧非凡；而諸多以反共為職志的大小刊物，更是應運而興，琳瑯滿目了。」[1]所以，《自由人》三日刊，就是在此大時代氛圍下孕育而生的。

二、《自由人》三日刊誕生之經過

《自由人》三日刊醞釀誕生之經過，最早鼓吹者，一般而言，說法有二，一為由王雲五號召發起。據其《岫廬八十自述》書中提及：「自民國三十九年開始以來，由於中共匪幫建立偽政權，並先後獲得蘇俄、緬甸、印度、巴基斯坦及英國的承認，於是匪幫的勢力在香港突然大振，不少反共分子漸呈動搖態度。旅港有識之士深感囂風日長，漸使全港華人隨而動搖，乃相與集議挽救之道。我因在港主辦一個小規模出版事業（按：即華國出版社），尤以一貫堅持反共方針，遂由多數參加集議人士推任領導。由臨時的集會，變為固定的座談；其地點經常利用國民黨在銅鑼灣某街所租賃之四樓房屋一層。每次參

1 馬五，〈「自由人」之產生與夭折〉，見馬五（雷嘯岑）著，《政海人物面面觀》（香港：風屋書店出版，一九八六年十二月初版），頁二一二。又此種座談會多在週末舉行，也有人稱之為「週末座談會」或「星期六座談會」。見馬五先生著，《我的生活史》（台北：自由太平洋文化事業公司出版，民國五十四年三月一日初版），頁一六一。

加座談者，多至三十餘人，少亦一二十人，皆為文化界人士，或為舊日與政治有關係者，各政黨及無黨派人士皆有之。後來我以香港政府最忌政治性的集會，凡參加人數較多，尤易引起猜疑，動輒干涉。加以如此散漫的座談，亦未必能持久，因於某次座談中提議創辦一小型之定期刊物，每週或半週出版一次，既可藉此刊物益鞏固反共人士之維繫，且刊物一經向港政府註冊，則在刊物辦公處所舉行的座談，皆可諉稱編輯會議，可免港政府之干涉。此議一出，諸人咸表贊同，遂計劃如何組織與籌款。結果決辦三日刊，定名為自由人，其資金由參加坐談人士各自量力提供。我首先代表華國出版社提供港幣一千五百元，此外各發起人分別擔任，或一千，或五百不等；並經決定撰文者一律用真姓名，以明責任。其後，又決定委託香港時報代為印刷發行。因是，籌備進行益力，發起人等每星期至少集會一次，間或二次，一切進行甚為順利。」[2]

二為眾人集議，早有志於此，雷嘯岑即主此說。雷言：「這時候，即有原在大陸上服務新聞界的報人成舍我、陶百川、程滄波，協同青年黨人左舜生、民社黨人金侯成，以及國民黨人阮毅成、無黨無派的王雲五，外加香港時報社長許孝炎、新聞天地雜誌社社長卜少夫一干人等，於每週末午後在香港高士威道某號住宅中，舉行文化座談會。大家談來談去，得到一項結論，要辦一份刊物，以闡揚民主自由思想，在文化上進行反共鬥爭。……適韓戰爆發，預料東亞局勢將有變化，刊物必須及時問世，刊物取名「自由人」，由程滄波書寫報頭兼撰〈發刊詞〉，標題是〈我們要做自由人〉。」[3]

然由當事人之一的阮毅成事後追記，似乎《自由人》三日刊能草創成功，仍是由王雲五一手主導的。阮說：「民國三十九年十二月二十日，雲五先生在香港高士威道約大家茶敘，其中特別提及『今日我約諸位來，是想創辦一份反共的刊物，以正海外的視聽。間接幫助臺灣，說幾句公道話。我們讀書人，今日所能為國家效力的，也只有此途。』」[4]由阮之記載，合理推論，《自由人》三日刊能順利催生問世，王氏為登高呼籲之首倡者，可能性是很高的！

但就在王氏積極創辦《自由人》三日刊之際，突發一件暗殺事件，則頗值得一述；且對後來《自由人》三日刊的發展不無影響。事緣於三十九年十二月下旬，王氏在《自由人》三日刊諸人集會散會後，在香港寓所遭遇暗殺，幸子彈未命中，逃過一劫，這突如其來之舉，使王氏決定立即離港赴台定居。此事來台後，王氏曾將真相告訴繼我而來的成舍我。王氏謂：「到臺以後，除將此次提前來臺的秘密暗中告知兒女外，他人皆不使知。後來事過境遷，才漸漸透露給若干至好的朋友，首先是對於不久繼我而來的成舍我君；因為他覺得我向

2 王雲五，《岫廬八十自述》（台北：商務版，民國五十六年七月一日初版），頁一〇四～一〇五。

3 馬五，〈「自由人」之產生與夭折〉，同註一，頁二一二～二一三。

又見馬之驌，《雷震與蔣介石》（台北：自立晚報社文化出版部出版，一九九三年十一月一版），頁八一。

4 阮毅成，〈王雲五先生與自由人三日刊〉，見蔣復璁等著，《王雲五先生與近代中國》（台北：商務版，民國七十六年六月初版），頁三〇～三一。有關《自由人》之發起，另有一說為萬麗鵑博士論文所言：「《自由人》為『自由中國協會』成員所辦之三日刊。」見萬麗鵑，〈一九五〇年代的中國第三勢力運動〉（台北：國立政治大學歷史研究所博士論文，民國九十年七月），頁一六四。但根據「自由人」社發起人之一的雷嘯岑回憶說：「『自由中國協會』為當時在美國的胡適、蔣廷黻、曾琦等人所發起，胡、蔣、曾諸氏希望以『自由人』全體發起人為主幹，先在香港成立總會，台灣暨歐美各省都設立分會。嗣經提出座談會詳細研討，大家認為總會以設在台灣為妥，香港亦只設分會，庶合體制。結果不知如何，這個會沒有成立，終於流產了。」馬五，〈「自由人」之產生與夭折〉，同註一，頁二一四～二一六。故萬氏此說，恐不確。

來很少患病，在約定聯合宴客之日，我竟稱病缺席，舍我不免將信將疑。其後到我家探病，見我毫無病容，更不免懷疑。及我不別而赴臺，他懷疑益甚，所以在他來臺後，偶爾和我詳談及此，我也就不好意思對朋友有所隱瞞了。」[5]

上述言及之十二月下旬，實際上是民國三十九年十二月三十一日，除夕。阮氏說：是日「王雲五先生約在高士威道午餐，我應約前往，王臨時以腹瀉未到，由成舍我兄代作主人，謂『自由人』籌備事，大致已妥。」而四十年的元月三日，阮氏也說到是日，「應卜少夫、程滄波二兄之約，到高士威道二十二號四樓午膳。據滄波兄言，是日原應由王雲五先生作東，而王於當天上午，離港飛台，臨行前以電話托其代為主人。」[6]

王氏的不告而別倉促離港赴台，也使得後續有不少參與「自由人」社同仁跟進，紛紛來台，這對於原本人力吃緊資金短絀的《自由人》三日刊之發展，當然有不小的影響。至於《自由人》三日刊籌組的經過梗概，雖在王氏離港來台後，仍按部就班的進行。四十年元月十日下午，阮毅成與程滄波及左舜生又約至高士威道聚談。關於創辦刊物事，左舜生主張宜立即出版，卜少夫則以須現款收有相當數目，方能創刊。是月三十一日，雷震自台灣來，亦參加「自由人」社活動。會中大家一致決定《自由人》三日刊，於農曆年後出版。並在職務安排上初步有了規劃，即推程滄波撰〈發刊詞〉，以辦報經驗豐富的成舍我任總編輯，陶百川為副總編輯。又另推編輯委員十四人，分別是劉百閔、雷嘯岑、陶百川、彭昭賢、程滄波、陳石孚、許孝炎、張丕介、吳俊升、金侯城、成舍我、左舜生、王雲五、卜少夫。[7]

四十年二月九日，內定為總編輯的成舍我自香港致函王雲五，說到：「自由人半週刊已將登記手續辦妥，『館主』係由少夫出名，因渠後來未再提出不能兼任之困難，……編輯人經由弟以本名登記。股款雖交者仍不太多，但讀者則頗踴躍。……據弟觀察，維持六個月，在經濟上當可辦到。惟編輯方面，則危機太大，因主力軍如我兄及秋原兄均不在此，其他如滄波兄等不久亦將赴臺，（即弟本身亦恐將於三月間來臺）稿件來源，異常枯涸，然既已決定辦，弟亦只有勉力一試。」[8]尚未正式創刊，但資金人才捉襟見肘的窘境，已被成氏料中，這對好事多磨的《自由人》三日刊日後之發展，已埋下艱困之伏筆。

二月十四日，成舍我向雷震、洪蘭友等人報告，《自由人》三日刊已得港府核准登記，一俟台灣方面准予內銷，即行出版。二十八日，成舍我向「自由人」社同仁報告：台灣內銷事已辦好，《自由人》三日刊即將出版，並出示創刊號大樣。因與會者多係辦報老手，提供不少意見，而成舍我也很有風度，博採眾議，為慎重起見，同意改遲數日出版，以便從容改正，並呼籲社員踴躍撰稿以光篇幅。[9]可見在王氏離港後，《自由人》三日刊真正之台柱角色，已責無旁貸的落到成舍我肩上。

5 王壽南編，《王雲五先生年譜初稿》第二冊（台北：商務版，民國七十六年六月初版），頁七四三。

6 阮毅成，〈「自由人」參加記〉，《傳記文學》第四十三卷第六期（民國七十二年十二月），頁一四～一五。

7 見《自由人》創刊號（民國四十年三月七日）第一版的編輯委員會名單。《自由報二十年合集》（一）（香港：自由報社出版，民國六十年十月十日）。阮毅成說為十六人，疑有誤。見阮毅成，〈「自由人」參加記〉，同上註。

8 〈成舍我致王雲五函〉，同註五，頁七四六。

9 阮毅成，〈「自由人」參加記〉，同註六，頁一五。

三月七日，《自由人》三日刊正式創刊，社址位於香港德輔道中一四九號四樓。目前所知參與的發起人有王雲五、王新衡、王聿修、端木愷、程滄波、胡秋原、吳俊升、黃雪村、閻奉璋、樓桐孫、陳石孚、陳訓悆、陶百川、雷震、阮毅成、劉百閔、左舜生、雷嘯岑、徐道鄰、徐佛觀、陳克文、成舍我、金侯城、張丕界、彭昭賢、許孝炎、卜少夫、卜青茂、范爭波、陳方、張純鷗、張萬里、丁文淵等三十餘人。[10]

發刊後，一紙風行，各方咸予重視，發行之初，每期印八千份。為打開台灣銷路市場，內容安排方面，特別增加一些軟性文字，勿使論文過多，淪為說教。雷嘯岑即言：「『自由人』的作者確實很自由，各人所寫的文字題材雖相同，而見解不必一致，祇要不違背民主憲政與反共抗俄的大前提，儘可各抒己見，言人人殊，真有百家爭鳴，百花齊放的景象，……首任的『自由人』主編是成舍我兄，他包辦大陸通訊版，把大陸上的共報消息，參以陸續從國內逃到香港的難民所述情形，寫成有系統的通訊稿，可謂費苦心。」[11]

誠然如是，由於文章精彩，見解深入，內容多元，析論入理，所以出版後不久，南洋各地僑報即紛紛轉載《自由人》文章。故在香港一隅辦一刊物，無形中等於在數地辦了幾個刊物，影響所及，至為廣大。不僅如此，有關《自由人》所發揮的影響力，可以曾任該刊主編雷嘯岑之回憶為證，雷說：「自由人半週刊，頗受台灣以及海外；尤其是美國一般華僑的注意，原有的每週座談會照常舉行，參加的人亦陸續增多了，風聲所播，國際人士來到香港的，亦來參加我們的座談會，交換政治意見，如美聯社遠東特派員竇定，南韓內閣總理李範，日本工商與新聞界人士前來訪談者尤多，……唯有駐在香港鼓勵華人組織『第三勢力』的美國巡迴大使吉塞普，始終沒有接觸過，大概是他認為『自由人』半週刊這些人，多數係國民黨員，氣味不相投，我們亦以對『第三勢力』之說，不感興趣，因而絕交息游，毫無來往。」[12]

雷氏這段記載很重要，不只說明了《自由人》發刊後之影響力；也道出了《自由人》與「第三勢力」毫無瓜葛，這對坊間有不少人一直以為《自由人》是「第三勢力」刊物有澄清作用。《自由人》三日刊甫發行，負責盡職之成舍我隨即寫信給王雲五提到：「連日為自由人半週刊事，頭昏腦暈，尊函稽答，至為罪歉。現半週刊已於今日出版，附奉一份，即希鑒察。大著分兩期刊佈，並盼源源見賜。今後應如何改進之處，統希指示為荷。」[13]另針對其後外界對《自由人》諸多揣測，如與「自由中國協會」之關係等等，「自由人」社也在三月二十一日的高士威道聚會中也做出決議，大家皆一致表示，「自由人」應獨立組織，以別於其他團體，乃推定董事九人，以左舜生為董事長。監事三人，為金侯城、王雲五、雷儆寰。成舍我為社長兼總編輯，卜少夫為總經理。[14]

10 「自由人」社成員，據筆者統計為此三十餘人，且各會員加入時間先後不一，有關會員名單散見於雷嘯岑、阮毅成等人之回憶文章及《雷震日記》中。

11 馬五先生著，《我的生活史》，同註一，頁一六一。

12 馬五，〈「自由人」之產生與夭折〉，見其著，《政海人物面面觀》，同註一，頁二一三～二一四。另萬麗鵑博士論文也提到，為打擊「第三勢力」運動，「國民黨亦透過黨報如《香港時報》、新加坡《中興日報》、美國《美洲日報》，及其所資助的報刊如《自由人》報、《民主評論》等，展開對第三勢力的文宣戰，此即是《香港時報》社長許孝炎所說的以『與論對與論』的鬥爭。」萬麗鵑，〈一九五〇年代的中國第三勢力運動〉，同註四，頁一六四～一六五。又見〈許孝炎意見〉，《總裁批簽》，台（四一）央秘字第〇〇八五號（一九五二年二月二十二日），黨史會藏。

13 〈成舍我致王雲五函〉，同註五，頁七四七。

14 阮毅成，〈「自由人」參加記〉，同註六，頁一五。至於《自由人》與「自由中國協會」之關係，馬五在〈「自由人」之產生與夭折〉已言之甚為了稿源，三月二十二日總編輯成舍我又致函王雲五拉稿，其中說到：「自由人在香港銷路尚好，一般觀感亦不錯。惟共匪刊物正以全力抨擊，弟等亦一反過去自由派刊物置之不理的辦法，強烈反攻。臺灣發行未辦好，少夫兄不日來臺，或能有所改進。同人撰稿，此間仍不太踴躍，盼公能以日撰五千字之精神，多寫數篇，並乞即賜惠寄，無任感幸。又此間稿酬，公議千字港幣十元，前稿之款，已送託香港書局轉交。此數雖微細不足道，然吾輩合力創業，知識勞動之所獲，在道德標準上說，固遠勝於以吃人為業之共匪萬萬矣。盼尊稿如望歲，望即賜寄，以慰饑渴。」[15] 除簡略報告社務外，重點仍是稿源問題，而此問題也是《自由人》三日刊以後長期揮之不去的夢魘。

三、《自由人》之命名與經費及發刊宗旨

華路藍縷，創業維艱，有關《自由人》之命名，似乎是由阮毅成所起。原本成舍我欲名為《自由中國》，因與台灣雷震負責的《自由中國》半月刊同名而不獲採納。故阮毅成認為可參考台灣趙君豪所辦之《自由談》，而稍改其為《自由人》，卒獲大家一致同意，名稱問題因此而敲定。[16] 其實若從五〇年代的背景去觀察，刊物取名為《自由人》並不足為奇。蓋彼時海外正刮起一陣「自由中國反共運動」浪潮，其中尤以香港地區為最。為壯大「自由中國反共運動」，於是乎，海內外的一些知識份子刻意以「自由」二字為雜誌刊物名稱，以凸顯有別於大陸的獨裁極權。職係之故，各種以「自由」為名之刊物如《自由中國》、《自由陣線》、《自由談》、《自由世界》等雜誌，如雨後春筍般紛紛出籠，《自由人》三日刊之命名，應該是在此時代背景下而正名的，且的確有其時空的特殊意義存在。[17]

至於現實的經費來源問題，早在三十九年十二月二十日的聚會中，王雲五即定調說：「我要先與諸位約定，這是一份自由的刊物，所以，一不能接受外國的幫助，二不能接受政府的支援。同仁不但要寫稿，還要負擔經費。」[18] 王氏之所以要如此約法三章，是要避免外界將《自由人》視為拿美國人錢所辦的「第三勢力」之刊物的疑慮或揣測；另外，不接受政府支援，也是想以獨立身分之姿，能在言論上暢所欲言，而不受政府掣肘，更不想貼上政府刊物之標籤。揆之《自由人》草創之初，因經費來源由各會員出資，確實能夠如此。例如在籌備階段，王雲五首捐港幣三千元，各會員至少認捐港幣一千元，所以誠如雷嘯岑言：「大家分途進行，未到一個月，即籌募到港幣一萬七千元了。」[19]

創刊經費有著落，但接下來長期的經費支出，恐怕就不是由會員認捐可解決。到最後仍不得不仰賴台灣國府的金錢支助，在《雷震日記》中即披露不少箇中內幕，茲舉日記一則為證。民國四十年五月二十五日：「雪公（按：指王世杰（字雪艇），時任總統府秘書長）

詳，同註一。

15 〈成舍我致王雲五函〉，同註五，頁七四七～七四八。為稿源及素質起見，成舍我亦曾寫信向阮毅成拉稿，信上提到：「在臺同人寫稿，原約每期供給八千字。希望以兄之熱忱毅力，催請同人，公誼私交，達此標準。」又說：「自由人聲譽，雖日有增進。惟經濟及稿件，均危機太大。現此間已只賸左（舜生）、許（孝炎）、雷（嘯岑），及弟共四人，稿荒萬分。如濫用一般投稿，則水準即無法維持。」阮毅成，〈「自由人」參加記〉，同註六，頁一六。可見身為主編的成舍我，為稿源及《自由人》之內容水準，真是心力交瘁，煞費苦心。

16 同註六，頁一四。

17 馬之驌，《雷震與蔣介石》，同註三。

18 同註六，頁一四。

19 同註一二，頁二一三。

來電話，可助《自由人》三千港幣，但不可明言，因《新聞天地》一再要求援助而未允許也。……《自由人》因經費困難，而負責又無專人，致有停頓之可能，由予（雷震）約集雲五、滄波、孝炎、毅成、端木愷、少夫諸君會商，由予等籌款接濟，每月假定虧二千五百元，至年底約為一萬七千五百港元，改組組織，推定成舍我為社長，左舜生代理董事長，予負臺北催稿及催款之責，總統府之三千元，由予負責，予另外再籌五百元。」[20]由《雷震日記》可知，創刊才二月餘之《自由人》，經費已拮据如此，而不得不靠政府補貼，在此情況下，其日後之文章言論，就頗受台灣國府當局之制約影響了。

另有關《自由人》之創刊宗旨，其實早在刊物出版以前，對於未來言論與編輯方針，「自由人」社同仁即做了幾點規約：（一）、發揚民主自由主義；（二）、發起人按期撰寫頭條論文，且須署出真姓名；（三）、文責各人自負，但須不違背民主自由思想暨反共救國的大原則；同時將全體發起人的姓名亦在報頭下面，表示集體責任。[21]創刊後，首由程滄波撰發刊詞，題為〈我們要做自由人〉，擲地有聲的強調：「我們今天大膽向全世界人類提出一個問題：便是世界人類，現在與將來，要不要做人？如果想做人，從什麼地方去著手奮鬥？……今天世界人類只有兩個壁壘，一個是『人的社會』之壁壘，一個是「非人社會」之壁壘。這兩個社會的磨擦，今天已到了白熱化的程度。『人的社會』中每一個人，是有人性，有人格，根據人性與人格，發揮其個性，以增加社會之幸福與個人之生活水準，從而增進世界的和平與人類的文明。反觀『一個非人社會』中，人除了具備人的形態外，沒有思想與靈魂。『非人社會』中，人只是一群動物，既不許其有人性，亦不讓其有人格，他們是奴隸、是機器。」

程滄波言：很不幸的，今天的中國大陸，全大陸數萬萬同胞一年來，即陷入共匪的非人社會中。因此我們和全世界愛好和平民主的人們，要發動正義的呼聲，救自己，救同胞，救人類。我們要揹著自由的大纛，叫著「做人」的口號，開始「自由人」的運動。爭自由，爭人性，發動全人類自由人性的力量，去打倒與剷除共產帝國主義反人性的非人社會。不殘殺，不掠奪，在不流血革命的原則下，使人人有飯吃。本此目的，以建立新中國新世界。所以，「從今天起，根據以上主張，我們謹以此小刊物『自由人』，貢獻於全世界凡是不願做奴隸的人們，也就是我們這一群人，決心獻身於這一運動的開始。全世界和平民主的人士：我們要做人，我們要做自由人。每個人爭取了自由，世界才有民主和平，人類才有幸福與光明。」[22]我們要做人，我們要做自由人，起來，不願做奴隸的人們！程滄波這篇發刊詞，簡直是一篇慷慨激昂的宣示詞，代表全世界不願在「非人社會」生活下的自由人，向共產專制極權政權，發出堅決的怒吼。[23]

《自由人》三日刊，每星期出兩次，每次十六開一張。主編人規定由原先的「座談會」同仁輪流擔任，一年一換，為義務職，故內部人事組織極為簡單，只有一主編，一助理員和事務員，共三人而已。

20《雷震日記》（民國四十年五月二十五日），見傅正主編，《雷震全集》（三三）（台北：桂冠版，一九八九年八月初版），頁一〇〇～一〇一。

21同註一二，頁二一三。吳相湘，〈成舍我為新聞自由奮鬥〉，見其著，《民國百人傳》第四冊（台北：傳記文學出版社印行，民國六十年元月初版），頁二七五。

22程滄波，〈「自由人」發刊詞〉，見其著，《滄波文存》（台北：傳記文學出版社印行，民國七十二年三月十五日初版），頁一五七～一六〇。

23阮毅成也說到，這是一篇代表知識份子愛國反共心聲的大文章，義正辭嚴，擲地有聲。同註六，頁一五。

該刊內容，第一版分「專論」、「時局漫談」、「自由談」各欄；第二版刊大陸共區消息；三版則記述港、台的社會新聞；四版是「副刊」。「專論」亦由座談會同仁分別撰寫，或徵用外界志同道合人士之作品；唯「時局漫談」和「自由談」二專欄，係由左舜生與雷嘯岑二氏負責包辦。《自由人》三日刊，因撰寫團隊堅強，且作者大多具有清望，故在海隅香港頗有號召力，銷路亦不壞；又可以銷台灣，雖無廣告收入，仍可勉強維持下去，在五〇年代的香港，可謂雜誌期刊界之奇葩。[24]

四、《自由人》的艱苦經營

平情言，《自由人》三日刊從四十年三月七日發行，到四十八年九月十三日停刊，維持約八年餘。這八年多的歲月，可謂艱辛撐持，多災多難。

首先為組織渙散不健全，於是才有民國四十年下半年的重組之舉。此中最大原因為「自由人」社大多數同仁均已離港在台，分別有：王雲五、王新衡、端木愷、程滄波、胡秋原、吳俊升、黃雪村、閻奉璋、樓桐孫、陳石孚、陶百川、陳訓悆、雷震，及阮毅成，幾乎佔了一半以上；而在港的僅有左舜生、金侯城、許孝炎、成舍我、劉百閔、卜少夫、雷嘯岑等人。其後在台參加的，又增加徐道鄰，共二十二人。為連絡方便起見，在台同仁乃公推王雲五為董事長，但又因刊物在港出版，故推左舜生為在港之代理董事長，就近處理刊物，成舍我則為社長。[25]

24 雷嘯岑：《憂患餘生之自述》（台北：傳記文學出版社印行，民國七十一年十月十五日初版），頁一七六。

25 同註二三，頁一六。

然因「自由人」社未有組織章程，也未在台辦理社團登記，所以才有民國四十一年一月十日，在台同仁在王新衡家為此商議之事。時適值端木愷甫自香港返台，報告港方同仁最近決定取消社長制，亦推左舜生代董事長，成舍我為總經理，劉百閔為總編輯。此事，在台「自由人」社同仁有不同意見，在三月七日及十五日的兩次餐敘商討論中，均決定仍採社長制，並仍推成舍我兄任社長。只是一個三十餘人的「自由人」社，就為了區區的刊物人事組織問題，港、台同仁即不同調，其他之事就可想而知了。所幸意見儘管有異，但同仁感情尚佳，阮毅成即言：「自由人在香港創辦之初，同仁常有餐會，交換意見。在臺同仁，於民國四十年七月十二日起，舉行聚餐或茶會，由同仁輪流作東，平均每兩週一次。除談自由人社各事外，亦泛論時局，交換見聞。」[26]

民國四十一年二月九日，「自由人」社在台同仁餐敘時，有鑒於《自由人》三日刊創刊已近一年，但組織與人事及編輯立論之困擾問題仍在，因此大家有必要提出意見交換，以尋求解決之道。席間程滄波首次提出編輯態度問題，但遭雷震反對。程又謂：「劉百閔不宜任總編輯，上次，此間同仁推成舍我任社長，何以改變？此間皆未知悉。」雷震與陶百川又認為，台方不宜干涉港方人事，雙方爭論甚久。最後由阮毅成提出折衷解決方案為：（一）、自由人本係超黨派立場。只知民主、自由、反共，不知其他。此後仍須守定此項立場。（二）、港方報刊如對台灣中華民國政府，有惡意攻訐，或無理批評，自由人不可自守中立，須起而加以駁斥。（三）、人事問題，另函在港之許孝炎查詢，不作決議。

26 同上註，頁一七。

眾皆贊成阮毅成之方法，並請其起草一函，致在香港之左舜生、許孝炎、成舍我、劉百閔、雷嘯岑諸人。阮函送各人簽名後發出，信中報告：「弟等今午聚餐，談及自由人編輯態度。回溯創辦之初，原屬超於黨派之外。……兄等在港主持，辛勞至佩，自亦必贊同弟等態度也。邇後港方報刊如對於臺灣中華民國政府惡意攻訐，或無理批評，自由人似不便自居中立，宜即加以駁斥。如有中國之聲作者來稿，希勿予以刊登，以嚴立場。再則，此間對第三方面各事，多持私人消息。語多片斷，難窺全貌。斯後尚懇時將各方動態，擇要見示。既可為撰稿時之參考，亦為知彼知己之一道。自由人素以民主反共為宗旨。署名：王雲五、程滄波、黃雪村、王新衡、樓桐孫、吳俊升、陳石孚、陶百川、雷震、阮毅成。」[27]

民國四十一年三月十五日，《自由人》創刊已屆滿一年，留台「自由人」社舉行全體會議。會議主席推王雲五擔任，其中：

（一）報告事項：（甲）、經費小組許孝炎報告——擬募集港幣三萬元（其中成舍我、許孝炎約洪蘭友，被分配擬向各紗廠募台幣一萬元）。（乙）、編輯小組成舍我報告：1、組織擬仍採現制，並請加推一人為必要時接替編務工作之用。2、發行擬請先行籌集基金以期達到日後之自給自足。3、編輯方針方面：積極在倡導民主自由，消極在反共抗俄，至對於台灣態度應仍許有批評，但不可損及自由中國之根本。4、在台同人集體意見推定專人執筆寄港，決登載第一版，並不易一字，如係個人稿件，在編輯方面擬請仍保有斟酌之權。5、每期需要稿件二萬四千字，在港同人無多未能盡任，在台同人時惠稿件。

（二）討論事項：（甲）、《自由人》三日刊社是否仍採社長制案。決議：仍採社長制，成舍我擔任社長。（乙）、《自由人》三日刊社費應如何加募案。決議：1、經費小組在進行籌募之港幣三萬元，於兩個月內籌足，作為基金，備日後擴充發行之用。2、另由經費小組加募港幣一萬元，作為最近數月經常費不足之需，在未募起前由許孝炎、成舍我負責維持現狀。3、加推樓桐孫、程滄波參加經費小組，並以王董事長雲五兼經費小組召集人。（丙）、《自由人》立論態度應如何確定案。決議：1、除積極的主張民主自由，消極的反共抗俄外，並須維護現行憲法倡導議會政治。2、凡外界對台灣有惡意攻擊影響國本時，應予駁斥，立場務須堅定，態度務須明確。3、除專門問題研究外，宜多載通訊及趣味性文字，理論文字及新聞性宜各佔三分之一。[28]此次會議至關重要，它為已紛擾年餘的《自由人》定調，但此為台方同仁之共識，港方同仁只是被動告知，並不見得完全同意，所以日後港、台雙方仍存有歧見。

其次更嚴重的是經費短絀，入不敷出，以至於時有停刊之議。這棘手問題其實打從創刊起即已浮現，只是苦撐待變，能維持多久算多久，但情況並沒改善且持續惡化中。四十一年六月十四日，王雲五、阮毅成與程滄波等聚會，商議如何應付《自由人》三日刊之困難。王雲五謂得左舜生與成舍我二君信，信上，成舍我堅辭社長，又每月不足港幣二千元。如無法解決，則自本月十八日起停刊。劉百閔則說香

[27]〈阮毅成致左舜生諸氏函〉，見王壽南編，《王雲五先生年譜初稿》第二冊，同註五，頁七六八。

[28]同註五，頁七七〇～七七一。

港紙價日跌，印刷係由《香港時報》代辦，印費可以欠付。以往亦每月虧空，並不自今日始。

對此，王雲五建議是否能改為月刊，移台出版，但眾意覺得移台出版，則《自由人》功用全失，仍宜繼續在港發行。最後決定由王雲五函復，請成舍我維持至七月底止。[29]是年十二月二日，「自由人」社同仁又再行會商，由王雲五主持，會中卜少夫表示願接辦，至少可免招致停刊命運。然未幾（十二月六日），卜少夫以有人表示異議，乃謂其《新聞天地社》同仁不贊成其再兼辦另一刊物，打消原意。王雲五即席宣布仍在港出版，推成舍我兄回港主持，並改為有給職。[30]

成謙辭未果，旋即表示接受。後當場推定王雲五、程滄波、樓桐孫、胡秋原、陶百川、黃雪村為在臺撰述委員，程為召集人。另推成舍我、程滄波、胡秋原三人起草言論方針。王雲五、端木愷、王新衡為財務委員。香港方面撰稿委員，由成到港後約定人員擔任。事後，當事者之一的阮毅成，對是晚之會的結果表示很滿意，還稱為是《自由人》中興之會，同仁莫不興奮。但其後，主要的重點之一，《自由人》未來的言論方針並未草成。[31]四十二年三月十四日下午，「自由人」社同仁聚集在成舍我處，參加茶會。會中，成舍我出示香港許孝炎來信，謂自由人又不能維持。因已積欠《香港時報》印刷費港幣六千元，稿費十一期。且人力亦明顯不足，雷嘯岑將來台灣，左舜生又將赴日本旅行，主持無人，不如停刊。經同仁交換意見，仍認為不能停辦，並催成舍我兄速赴港負責。

因茲事體大，三月二十一日，「自由人」社另一要角阮毅成，也在家中約集在台同仁茶敘。會上，成舍我表示其有困難不願赴港，而港方近日來函，支持為難。眾意乾脆移台編印，仍推成舍我主持。[32]二十五日下午阮氏親訪成舍我，成表示三點立場：（一）、決不去香港。（二）、《自由人》如移台出版，願意主持。（三）、未移台前，可先在台編輯，寄港印行。同月二十八日下午，以《自由人》問

---

29 同註五，頁七七四。《自由人》經費之窘困，自創刊伊始至結束均如此，阮毅成即言：「我只記得在創刊第一年中，就賠去了港幣參萬參仟元。時歷八年半，為數甚為可觀。這尚是距今三十多年前的幣值，如以現在幣值計算，則更為巨大。」阮毅成，〈王雲五先生與自由人三日刊〉，同註四，頁三四。到《自由人》停刊止，其經費仍入不敷出，茲舉結束前致王雲五等人之二信函為證。四十八年九月十一日許孝炎自港來信王雲五，報告「自由人」結束時經費情況。「雲五先生並轉鑄秋舍我儆寰滄波新衡秋原佩蘭少夫諸兄惠鑒：關於自由人停刊事，前經兄等決定函達克文。兄弟回港後，復經再三磋商，始於前日由在港各有關友人舉行特別會議議決定停刊，並於本月十三日起實行。茲將會議紀錄抄奉敬祈鑒察。」「預計自由人可能收入之款（連登記費在內）約為乙萬四千餘元，支出除舊欠稿費約乙萬三千元；及克文兄之欠薪近九千三百元暫不計入外，此外薪工紙張印刷房租，今年稿費應退報費及空運費等，共計約為二萬乙千餘元，不敷之數約為七千餘元。倘預計可能收入之款有一部分不能收入時則虧欠之數將必更多，如何籌還以資結束頗費周章。而有把握之登記費乙萬元則尚待少夫兄回港簽字後始能提出備用。」又十二日社長陳克文亦致函王雲五。「岫公賜鑒：茲奉上『自由人』在港同人特別會議紀錄一份，請　察閱。『自由人』經濟情形截至本年九月十二日止，共欠債務三萬餘元，除登記費一萬元外，尚可能收回之款二千餘元，結束用費約五百餘元，並此奉告，統請轉知在台各位同人為禱。」見王壽南編，《王雲五先生年譜初稿》第三冊（台北：商務版，民國七十六年六月初版），頁一〇五二～一〇五三。

30 同註五，頁七七九。《自由人》主編是不支薪的，可見其艱困於一般。同為主編的雷嘯岑曾說：「首任主編人成舍我兄苦幹了一年之後，因為準備移家台灣，不能繼續盡義務了——主編人不支薪——大家公推下走承其乏，因係義務職，唯有接受而已。」馬五，〈「自由人」之產生與夭折〉，同註一，頁二一六。

31 同註五，頁七七九。

32 雷震日記當天即記載：「下午三時半至《自由人》座談會，阮毅成提議《自由人》表面在港，實際遷台，無一人反對。我內心不贊成，但不願表示，因《自由人》遷台完全失去效用。今日雲五未到，他們囑我報告。」《雷震日記》（民國四十二年三月二十一日），見傅正主編，《雷震全集》（三五）（台北：桂冠版，一九九〇年七月二十日初版），頁四八。

題緊迫，急待解決。「自由人」社同仁乃在端木愷家中餐敘。對《自由人》前途，共有四種主張：（一）、停刊。（二）、移台出版。（三）、在台編輯，寄港印行。（四）、推成舍我赴港主持。討論結果，決定用第四法，成亦首肯。然成謂：《自由人》除發行收入外，每月須虧四千元，此問題亟需解決。[33]

四月十八日，因港方同仁頻頻催促速做決定，眾議又思移台編印，王雲五亦同意移台出版，但謂須改為半月刊或月刊。三十日下午，成舍我與端木愷、阮毅成、王新衡、程滄波等人，又應王雲五約茶敘。時端木愷甫自港返，謂港方「自由人」社已無現款，勢不能繼續。因以由今日到會者商定：（一）、香港方面自五月十日起停刊。（二）、在台登記改為月刊，推王雲老為發行人，成舍我兄為總編輯。[34]然不久，港方同仁又變掛，五月十一日，阮毅成訪成舍我，成即謂卜少夫前日到台，攜有左舜生致王雲五函，主張《自由人》仍在港出版。

此事經緯，雷震在其日記亦提到：「見到雷嘯岑來函，對我們囑香港停刊，決議移臺辦月刊則大不以為然，來信措詞甚劣，決定去電並去函說明，以免誤會。」[35]雷嘯岑甚至為此來函欲辭去社長職務。

33 雷震日記載：「下午四時，在端木愷處討論《自由人》移台問題，王雲五、徐佛觀、端木愷及我均不贊成，程滄波、阮毅成、成舍我願移台，最後決定請成舍我至港辦至六月再說，因行政院之款發至六月底止，如停刊或移台亦須至六月底再說。」《雷震日記》（民國四十二年三月二十八日），見傅正主編，《雷震全集》（三五），同上註，頁五二。

34 這問題一直延伸至四十三年依舊如此。雷震日記：「《自由人》在港不易維持，決遷台辦週刊，由成舍我任社長，王雲五任發行人。」《雷震日記》（民國四十三年八月七日），見傅正主編，《雷震全集》（三五），同上註，頁三一四。

35 《雷震日記》（民國四十二年五月九日），見傅正主編，《雷震全集》（三五），同上註，頁七四。

《雷震日記》記載：「今日午間約來臺之《自由人》報有關各位來鄉午膳，除端木鑄秋、阮毅成、吳俊升、胡秋原外，到有十五人，即王新衡、樓桐孫、陶百川、張純鷗、陳訓悆、卜少夫、卜青茂、程滄波、范爭波、王雲五、成舍我、黃雪村、閻奉璋等及另約陳方。飯後討論雷嘯岑來函辭去社長職務一事，經決議慰留。」為此事，雷震感慨的說：「《自由人》發起人在臺者，不過十餘人，港方不過數人，兩方意見不合，終會扯垮。民主自由人士之不易合作，於此可見一班。」[36]

由於雷嘯岑堅決辭社長職務，八月一日，《自由人》在台同仁藉由茶敘機會，聽取甫自香港來台之劉百閔報告，劉謂：在港同仁意見為（一）、必須在港繼續出版。（二）、改推陳克文任社長。（三）、每月不足港幣八百元，在港有辦法可以籌得。王雲五說：「左舜生有信來，克文係其物色，本人絕對贊同。」眾亦皆表示贊成。但成舍我認為每月八百元之說，計算必有錯誤，至少每月亦需賠二千五百元，所以決定請王雲五再去函新社長，請重為估計。其實《自由人》經費之短絀，可由總其事的總編輯都不支薪一事更可看出，四十三年七月十日，左舜生自香港致函王雲五即說到：「弟意，自由人編輯者，原規定每月可支三百元，以舍我、百閔兩兄任編輯時，未支此款，後任編輯一年，亦即未支。」[37]如此窘境，要不是有台灣國府當局在幕後經費贊助，《自由人》三日刊能支撐八年餘，根本是不可能的。[38]

36 《雷震日記》（民國四十二年六月二日），見傅正主編，《雷震全集》（三五），同上註，頁八五。

37 〈左舜生致王雲五函〉，同註五，頁八二四。

38 雷震日記：「王雲五約『自由人』社在台同仁晚餐，以「自由人」在港經濟困難，重申移台出版，由成舍我任編輯之議。」《雷震日記》（民國最後為文章之尺度問題，除上述言及《自由人》三日刊甫創刊即面臨稿源不濟的困難外，更麻煩的為自從接受政府補助後，基本上，《自由人》的言論立場在相當程度上已受政府箝制。以至於在很多議題上，不僅不能秉公立論、暢所欲言；且須為政府妝抹門面，極力辯解。稍一不慎，隨即惹禍，遭致抗議。如民國四十一年六月一日，「自由人」社王新衡即訪阮毅成，談話重點就說到，《自由人》最近兩期，刊載左舜生〈論中國未來的政黨〉一文，有人表示不滿。[39]為避免誤會，乃一起同訪王雲五，請其以董事長身份，致函香港總編輯成舍我，請其勿再刊出此類文字。[40]

雖係如此，但言論自由乃是知識份子的普世價值觀，用強制力約束是沒用的。果然到民國四十四年又發生更嚴重的文字賈禍事件，差一點讓《自由人》無法在台銷售。事緣於是年三月二十三日，王雲五即接到司法行政部部長谷鳳翔來函，表示《自由人》三日刊，登載雷嘯岑文章，影響政府信譽，要求王雲五代向該社方面解釋。全函內容為：「頃閱本月二十三日自由人刊載『自由談』及『半週展望』雷嘯岑先生文內謂，揚子公司貪污案牽涉本部，曷勝駭異，此種無稽之詞，殊足影響政府信譽，茲特寄上函稿二份，送請　察閱，並祈賜檢一份轉致雷君查明更正，仍乞代向該報社方面照拂解釋為幸。」[41]

四十三年七月十一日），見傅正主編，《雷震全集》（三五），同註三二，頁三〇二。有關國民黨高層提供《自由人》之經費支援，尚可參閱〈對港澳政治活動之指示〉，見中國國民黨中央改造委員會第一六五次會議紀錄（一九五一年七月四日——附件），黨史會藏。

39 左舜生〈中國未來的政黨〉（上）、〈中國未來的政黨〉（下）二文分別發表在《自由人》第一二九期（民國四十一年五月二十八日）、《自由人》第一三〇期（民國四十一年五月三十一日）。

40 同註五，頁七七三。

41 雷嘯岑，〈半週展望〉，《自由人》第四二三期（民國四十四年三月

由於《自由人》所刊文章得罪當道，引起了國民黨中央黨部對《自由人》言論的不滿。三月二十六日，時任《中央日報》社長，亦是「自由人」社同仁的阮毅成至中央黨部參加宣傳政策指導小組會議時，即受到中央黨部秘書長張厲生的警告：「香港《自由人》三日刊，近日言論記載，愈益離奇，須採取停止進口處分。」幸阮毅成趕快緩頰，除報告《自由人》艱難創辦經過外，並謂：「現在台北各同仁，久未與聞港事。王雲老曾去函港方，請以後勿再刊載不妥文字。又以所載台省情形，與事實相距甚遠，曾通知港方，以後遇有記載台省情形稿件，先行寄台複閱。認為可用者，方予刊布，亦未承照辦。惟自由人參加者，多為各方知名之人。如忽予停止進口，恐反而使海外人士，對政府有所批評。不如一面先採取警告程序，依照出版法，由內政部為之。一面通知在台之董事長王雲五氏，促其改組。如再有違反政府法令之事發生，則採取停止進口處分。」[42]

為此，是晚十時，阮氏尚先訪成舍我，說明會議經過；再與成同訪王雲五，報告此事。王雲五似乎對此頗為不悅，乃決定於三月三十日下午五時，在端木愷家中，約集「自由人」社在台全體同仁會商。在三月三十日的決議中，提到《自由人》的現實問題，「本刊如不能銷台，勢必停刊。為避免使政府蒙受摧殘言論之嫌，希望政府妥慎處理，使其能繼續出版。在台同仁，願意退出。惟在港同仁意見如何，亦盼政府逕與洽商。」並推阮毅成與許孝炎二人將此項決議，轉達黃少谷，另函告在港同仁。[43]

二十三日）。雷文所寫之論揚子公司案，因涉及上海時期之揚子公司，對孔祥熙有所批評，遂奉命查辦。又〈谷鳳翔致王雲五函〉，同註五，頁八四七。

42 同註五，頁八四七～八四八。

43 同上註，頁八四九。

換言之，針對當局對《自由人》的不滿，「自由人」社在台同仁採取了委曲求全的態度，一方面願意退出，此舉可能有兩層深意，一為逼香港「自由人」社同仁，小心謹慎，莫再刊登批評政府之文章，否則與渠無關，二為多少有向政府交心之意，明哲保身，不想惹禍上身；再方面亦有請政府介入之意，希望儘量保留能讓《自由人》繼續在台銷售。[44]果然如此，四月七日，王雲五即致函總統府秘書長張群，說明「自由人」之情形，並建議將「自由人」社改組，由政府指定負責主持言論之人實行接辦。信的內容為：「惟是該刊經費本奇絀，全恃內銷而維持，一旦停止內銷，勢必停止刊行，外間不察，或不免對政府妄加揣測，弟愛護政府，耿耿此心，竊認為消極制裁，不如積極輔導，將該刊改組，由政府指定負責主持言論之人實行接辦，可變無用為有用，弟當力勸原發起各人，本擁護政府之初衷，竭誠合作。」[45]

一週後，以國民黨並無接手之意，在恐不能銷台的情況下，成舍我與王雲五、陶百川、徐道鄰、陳訓悆、程滄波、胡秋原、吳俊升、端木愷、黃雪村、阮毅成等決議：「茲因環境困難，經濟無法支持，決議停刊，由主席（王雲五）根據本決議徵求在港同人意見。」其後，在台同仁復在成舍我宅聚餐，決定在台同仁既已必須退出，而中央黨部又規定不得再與《香港時報》，發生關聯，則無地可以印刷，亦無處可再欠印刷費。外界聞知中央處分，亦必不願再行認指，環境困難如此，只可宣布停刊。並請王雲五函詢港方同仁意見，如港方同仁堅持續辦，在台同仁自不能再行參加。[46]

由於文章得罪當局，以致有禁止銷台之聲，在港負責《自由人》編輯工作之陳克文旋致函阮毅成、王雲五等人，表示「咎衍實無可辭」，「自由人停止出版，唯覺可惜，形勢如此，亦復無可如何，文與左劉兩公對此均無成見，惟此間尚有其他股東，又年來出錢出力者，頗不乏人，此事似不宜由文等三人遽作決定，即為港方同人之全體意見，擬於最近邀集會議，提出報告，徵求多數意見，再作正式答覆。」[47]但不久，事情又有變化，四月二十九日，一向敢言的左舜生，終於自香港來函，明確表示反對《自由人》停刊，並謂在港「自由人」社同人決暫予維持。信中言：

「雲老賜鑒：四月七日阮毅成兄來信，並附有留台同人退出決議一紙，十八日奉　公手書，知同人復有集議，以經濟環境關係，主張停刊；均已誦悉。此間於當地環境，已洞悉無遺；對　公等所採態度，並無不能諒解之處。惟念同本刊宗旨，一面在『堅決反共』，一面在『爭取民主』，四年以來，奉此週旋，雖不無一、二開罪他人之處，但大體上並未

44 《自由人》三日刊，國民黨中央嘗指示「扶助」之，以批判中共，擁護政府並同情國民黨為原則。故該刊早期立場為中間偏右，後來對國民黨的批評言論日益激烈，台灣當局乃禁止其輸入，並停止所有經費資助。故《自由人》能否銷台，對該刊影響至鉅。萬麗鵑，〈一九五〇年代的中國第三勢力運動〉，同註四，頁一六四。

45 〈王雲五致總統府秘書長張群函〉，同註四三。

46 同註五，頁八五〇。有關王雲五在此問題之角色，阮毅成有相當持平之看法，阮說：「雲五先生名為董事長，出錢出力，卻不便範圍各黨及無黨人士，一定均作統一的宣傳，致反而完全成為俗套，失去向海外為政府說話的影響力。於是在發刊期中，常常發生選稿欠當的問題。每次有問題發生，雲五先生首當其衝，常為他人所不諒解，致生煩惱。臺港兩地同仁，為此書信往返，謀求各種補救辦法，效果均不甚彰。」阮毅成，〈王雲五先生與自由人三日刊〉，同註四，頁三六。

47 〈陳克文致王雲五、阮毅成信〉，同註五，頁八五一～八五二。

> 逾越範圍。今赤燄正復高張，而民主亦勢非實現不可；大約在二、三月內或有變化，前途殊未可知！故此間同人，經過再三考慮，仍決定暫予維持，並囑舜代為奉復，即乞轉達諸友為荷。公等即不得已而必須退出，仍望不遺在遠，隨時予以指導，除宗旨不能犧牲以外，同人無不樂於接受。海天遙望，曷勝悲憤憂念之至！」[48]

從此以後，《自由人》三日刊似乎終於渡過了這段風風雨雨的歲月，儘管港、台大多數「自由人」社同仁情誼依舊，但經費、稿源、立論尺度等問題仍在。《自由人》三日刊即帶此痼疾，跌跌撞撞的支撐八年餘，在民國四十八年九月十三日宣佈停刊。[49]

五、結論——從《自由人》到《自由報》

無論如何，在五〇年代那段風雨飄搖的歲月，《自由人》能以香江一隅之地，在內外環境相當險惡的情況下，擎起「我們要做自由人」的大旗，反抗共產極權，與中共做誓不兩立的言論鬥爭，其勇氣和決心仍另人刮目相看的。另一方面，《自由人》雖義無反顧的支持台灣國府當局，但在恨鐵不成鋼的期待心理下，對台灣當局若干錯誤的舉措，仍一本忠言逆耳之立場，毫不留情的提出批判或建言，即使在經費斷炊的威脅下，亦不為所動，這份苦心孤詣之意，也令吾人感佩。

而此即所以《自由人》在發行的八年餘中，雖屢有遷台之議，但大多數同仁始終仍以在香港立足為佳之看法，因其言論立場較客觀中立，雖稍偏向國府，但非無原則的一面倒，兼以香港為基地，較少政府、政黨色彩之觀感，且因對國、共雙方均有批評，是以其在香港作用較大之故也。當然《自由人》之悲劇，除上文已詳述之經費、稿源、言論立場受到制約等外緣因素外，尚有深一層內緣因素存在，此即中國傳統知識份子屬性使然。知識份子主性強的「書生本色」，誰也不服誰之個性，長落人「秀才造反，三年不成」之譏，因渠主觀意識強，所以容易堅持己見，是其所是，不大能夠為大局著想，且因自視太高，未能屈己就人，所以較乏團隊精神。

這情況在「自由人」社這批高級知識份子間亦是如此，雷嘯岑曾舉一事證明之，在《自由人》是否遷台之際，「王雲五以董事長資格，致函於我，囑將自由人報遷赴臺北發行，且將繳存港府的押金萬元一併匯去。旋由代董事長左舜生召集在港同仁會商，決議仍在香港出版，但在臺北的同仁，亦可刊行臺灣版，然王雲五很不高興，說我不以他為對象，悻悻然嘖有煩言，殊堪詫異。未幾，許孝炎由臺北回港，主張自由人停刊，他怕我不贊成，先囑我莫持異議，我表示無所謂，而自由人三日刊，即於一九五八年九月十二日宣告停刊了。現代中國高級知識份子之沒有團隊精神，於此又得一實驗的證明，曷勝慨嘆！」[50]所以當年左舜生在《自由人》創辦之初，樂觀的夸談「自由人」社同仁可以組織聯合政府，永遠合作無間之見解，雷嘯岑說，實係幼稚幻想。文人相輕，自古而然，《自由人》三日刊的緣起緣滅，依然落得一個「殺雞聚會，打狗散場」的結局，這也是中國現代高級知識份子的悲劇，想來仍不禁令人浩歎！[51]

48 〈左舜生致王雲五函〉，同上註。

49 雷嘯岑說為四十八年九月十二日停刊，恐有誤。雷嘯岑，《憂患餘生之自述》，同註二四，頁一八二。

50 同上註。

51 馬五，〈「自由人」之產生與夭折〉，同註一，頁二二〇。其實雷嘯岑自己亦如是，當《自由人》剛成立時，「大家的情感很融洽，精神上團結

《自由人》雖然走入歷史停刊了，但未及五個月，一份延續《自由人》餘波的《自由報》在民國四十九年二月十七日，另起爐灶又在香港創刊了。《自由報》社址位於香港銅鑼灣高士威道二十號四樓，也是採取半週刊（三日刊）的形式，於每個星期三、六發行。社長為雷嘯岑，督印人黃行奮，出版第一期有由以本社同人署名撰寫的〈我們的志願和立場〉為發刊詞。該文強調「我們是一群崇尚自由主義的文化工作者。對社會生活篤信『人是生而平等的』這項義理，珍重個人的人格尊嚴；對政治生活認定『政府是為人民而存在的』，要求基本人權之確立與保障。……我們膺受著共產極權主義的荼毒，深感國破家亡之痛苦，流落海隅，於茲十載，內心上大家不期然而然地具有強烈的愛國情操和政治理想，要從文化思想方面，努力培育民主自由精神，發揚其潛能，成為救國救民的偉大力量。職是之故，本報的言論方針是國家至上，民生第一，我們的立場是超黨派的。」[52]

簡言之，民主、自由、愛國、反共乃為《自由報》創刊之四大宗旨，嚴格而言，此宗旨仍是延續《自由人》三日刊的精神而來。阮毅成曾說：「後來，雷嘯岑兄在香港出版自由報，乃係另一新刊物，與原來的自由人，完全無關。」[53]此話恐有商榷之餘地。《自由報》在《自由人》的基礎上，發行至民國六十幾年才結束，期間刊布了《香港自由報二十年合集》、《自由報》合訂本、《自由報二十週年年鑑》，影響力不在《自由人》之下。

無間，對任何事體決無爾詐我虞，或以多數箝制少數的作風。我（雷嘯岑）當時曾聲言：假使憑這種精神組織『聯合政府』，擔當國家政務，國事沒有不振興的。」馬五先生著，《我的生活史》，同註一，頁一六一。

52 本社同人，〈我們的志願和立場〉，《自由報二十年合集》（一九）（香港：自由報社出版，民國六十年十月十日）。

53 阮毅成，〈「自由人」參加記〉，同註六，頁一八。

中華民國僑務委員會僑務登記證台數新字第一零二號
中華民國郵政登記第一類新聞紙類

自由人

THE FREEMAN
（半週刊每星期三六出版）
（第三四八期）
每份港幣壹毫
督印人：雷嘯岑
社址：香港高士威道二十號三樓
20 CAUSEWAY RD 3rd. fl.
HONG KONG
香港及僑務事務接洽
電話：[illegible]
承印者：[illegible]

菲化案所得的教訓

彭楚珩

菲化案由來已久，菲人士反對的很多，今日的惡果，全出於我使節顢頇，當局應付失宜，亡羊補牢，猶未爲晚。

菲律賓總統麥格塞塞於六月二十日，簽署了零售商菲化案，[illegible]限的感慨，有如[illegible]

菲化案[illegible]

本來，菲律賓[illegible]謂菲化案，並不[illegible]前今日始。早在[illegible]律賓制憲國會就[illegible]度提出而沒有通過[illegible]就是實施菜市菲化[illegible]的事，到現在也是[illegible]個年頭了，時間不能說不長。而施行菲化[illegible]的吧！[illegible]主管部門，也總不能[illegible]菲僑所受的損失，[illegible]間，最突發生了今天這[illegible]機，一個『熟視無睹』的[illegible]筆者實在覺得太可憤慨了。我主管當局，何以事未發生之前，不能事先防止，又無良策；事發之後，又無良策以謀對付。時到問題已成，徒然喊出一些有失風度，更爲『仇者所快，親者所痛』的空言，讓實在是無濟於事，即或有濟，也就落居下乘了。本來菲律賓有識[illegible]

[illegible]一體。而執行第一件案[illegible]化案，也是七年[illegible]新任總統才開[illegible]季里諾總統[illegible]菲律賓國會[illegible]通過菲化案，[illegible]擱置，而沒[illegible]過去沒有執行，并非我國外交努力，而是菲人自己的自覺。例如今年五月間，菲律賓國會曾提出一百多件菲化案，在某一次會議席上，菲國會衆議院長小劉禮會憤然對議員們說道：『你們什麼菲化案都提過了，但都不容易實行，我一議，最好再加提一個「娼妓菲化案」，這個案子，也許通過時不大礙面，但執行起來，卻很容易。因爲菲島的娼妓，百分之九十九以上都是菲律賓人』。這幾句話，看來好像是笑話，骨子裏在有很大的道理，菲律賓有識之士，幾乎是沒有一個人不了解的。所以二十年來，只實施一件菜市菲化案，實在也有不能推諉的理由，這是有識者所共喻的。菲人士不特覺得清楚，並且反對的還大有人在。比如今年六月一日，菲參議院工商委員會主席[illegible]，就是曾經反對菲化案而不惜辭職的一個。只可惜我們沒有注意而已。

華僑在菲的地位

『同胞相處，同氣相求』，『殊途同歸』的外交，實在太好辦了。[illegible]筆者去年十一月間，寫過一篇關於[illegible]解及此，也就太覺遺憾了。[illegible]

[illegible]內，完全歸附菲政府，菲律賓如果不成擁護[illegible]世界，那才怪哩』。今日的情勢，華僑在[illegible]二者交相爲利，並[illegible]菲人是懂得的。然而[illegible]

使節顢頇令人氣結

何以言之？外交部長的地位何等重要，爲甚麼外交部把失職的駐菲大使陳質平，一任就任到八年之久呢？陳質平在季里諾總統任內，任爲駐菲大使，是有理由的。因爲他和季里諾總統私交甚篤，縱不能達成他的使節任務——有證明，可還能探問到一些信息。前乎此者，在一九四八年菜市菲化案通過的時候，他不特沒有聞到信息，就通人也都在香港。今年五月十九日，他在立法院兩個委員會的聯席會議席上，拍胸膛肯定地說：『再過二十四小時，菲國會就要開會了，零售商菲化案是不會通過的，請立法委員們放心』。可是，正是他說話的那一天，那一次會，零售商菲化案竟在菲國會通過了。一個駐外的大使，顢頇到了這樣的地步，該是何等可嘆！蘇俄帝國主義者常利用其駐外的大使館，作爲它在駐在國的特務機關；我們當然不屑爲此，但正當的外交職務，總不應該瀆職至此！筆者以爲，陳質平是應該撤職查辦的，這樣才可以『以謝國人』，而『慰僑胞』的！

亡羊補牢並非無術

最後，筆者要向外交僑務當局，提供個人的意見，希望能按照我所指出的途徑，尋求阻止菲化案施行的辦法。我相信辦法一定是很多的。（下轉第二版）

蘇聯經濟眞相

風行

[illegible]蘇聯經濟問題的美國學者諾姆·乍斯尼博士（NASNY）[illegible]文載英國『每日電訊報』。他所著的書，曾研究此種問題者所奉爲圭臬。目前他正[illegible]，本文論與數字皆有極確鑿的根據，非普通論文可比。欲明瞭蘇聯經濟之眞相，不可不讀。——譯者——

工業和農業的進展

莫斯科常以[illegible]，西方國家則常以懷疑的眼光看之。但我們可以說，蘇聯的工業由一九二八年至一九五三年的二十五年中，擴大了至少有四倍半至五倍半。[illegible]倍半至六倍半。農業方面，却大爲落後，自一九二八年以來不能與人口的增加並進。在糧食方面而情形更壞。所謂國家收入，在我共黨指物資生產總量。在此一段時期，增加一五至三十倍。以人口增加三分之一來計算，則每人之收入增加百分之[illegible]。增加率可算相當高，尤其是在此二十五年中，遭遇第二次大戰及戰後復原的時間已占了三分之一。可是，事實上蘇聯國家之收入在一九二八年已是嚴重的缺乏，雖然目前已增加到二三倍，但仍不敷國家現在的需要。在一九二八年蘇聯是一個貧窮、落後的農業國家，城市的人民佔全人口還不及百分之二十。現在自然大可以稱爲工業化國家。蘇聯的武裝軍隊之強大，不遜於任何一國，祇有美國是例外。而蘇聯的鄉村人口沒有多大改變，但目前都市人口約擴大三倍，約佔全國人口百分之四十。[illegible]

工資還在低落中

由一九二八年至一九五三年的投資之增加少則五倍半，多則六倍半。已公佈的軍事支出增加三十餘倍，尙有未宣佈的支出可能增加更多。國家收入被軍事支用及投資所吸收去的，至少增加三倍。而每人民收入以增加其消費的享受，則微小[illegible]

[illegible]九五二年眞正工資的計算。她的結論是一九五二年的眞正工資比一九二八年的低落百分之三十三。到一九五三年及一九五四年稍加調整及物價減低，但仍比一九二八年的工資低落約百分之二十三。所謂「成功的」改進，[illegible]

[illegible]國家收入，可以獲得此結論。從每人消糧食的計算是最簡單的求出眞正工資和農民收入的方法。這樣便露出極大的降落。因爲我們要計及都市人口增大三倍而其食的情形一樣糟糕。至於房屋的情形亦如[illegible]

提高生活祇是空言

二十四年以來，克姆林宮常自詡偉大的工業化大大提高了消費的水準，但事實上證明適得其反。每一個投進重工業的盧布，都是從人民的口中奪過來的。現在蘇聯領袖改變了姿態，揚言『要擴張重工業，同時又要提高生活水準，是不可能的』。但他們又說：『現在重工業已充份發展了。』所以消費水準將大爲提高。在兩三年內便有大量的消費用品。

克姆林宮誇言大量投資於重工業也有相當根據的，在一九四八與一九四九年將指定作經濟社會主義化的資本百分之七十用於重工業。但所稱經濟生活中其他方面，包括農業在內，已指撥給充份資本，則無事實證明。雖然因大戰而損失許多牲口及機器而農產品的生產祇及大戰前的一半，但在一九四八——一九四九年指撥社會主義化的投資中給農業生產的祇佔百分之七或八。甚至到了一九五三年新農業政策已着手實施後，此數字仍然是百分之八而已。

農業生產始終低落

蘇俄常自誇其農業係世界上最機械化的。但事實上極缺乏引曳機，這又反映出其對農業的投資不足。引曳機不足六十萬輛。其他的機器和肥田料亦是同樣的情形。

目前蘇聯農業陷入苦境，究竟投資不足負咎到什麼程度，也難斷定。我們知道現在正謀補救，但另有其他的弊病。

馬林柯夫與赫魯曉夫已指出：許多指導與管理的錯誤及浪費在蘇聯的農業中。還不單是爲着投資不足，而還有下層幹部的錯誤，及其他不從政策上作基本的改革，而妄冀求挽救之因素。最近之報告表示聯個集體農場制度拒絕作有效的工作。

大規模運用機器所應有的利益，都給農夫缺少工作情緒，管理不善及缺少農作基本練習所抵消了。二十五年的經驗未嘗表示過集體農場制度能大有助於農業生產增加。到目前亦未見能節省出大量人力轉移到非農業的工作上去。

赫魯曉夫的併合集體農場成爲較大的農場單位，將三十萬的農場減到九萬二千個，但結果生產不見增加，反而減低。

現在又有開墾東方新土地的運動，但其結果與政府許下之諾言相比，則微少不足道。最近蘇聯的報紙說道卡薩克斯坦今年所種的穀此去年更少。而在上星期赫魯曉夫到阿爾瑪塔托旅行，亦表示此種運動成績不佳。

供求不相應

前途黯淡

貿易部長米高揚最近之預算演講中作警告道：『肉類的計劃又失敗，（正如一般有識之士所預視），而貿易預料不能如去年之迅速擴大。當我們談近馬林柯夫預言「豐盛」的時期，我們應更多點警惕。』

蘇聯政府不得不面臨兩種矛盾的現實。一方面人民渴望提高生活水準，但一方面農業生產的前景殊爲黯淡。需要及可能供應不平衡，則爲未來之大問題。當它成爲目前迫切之問題，蘇聯政府怎樣應付呢？（請參閱本期另文蘇聯歷年工資表）

半週展望

· 軍旭

越南局勢一誤再誤

越南已成爲國際冷戰之熱化點！自中共干涉越南戰爭後，已非法國一國所能負承抵抗之責。內蘇聯中共越盟已成爲祖子孫三代一體。法國畏印支權利喪失，既不肯早給印支三邦完全獨立，又不顧友邦徹底共同合作。弄成一誤再誤。

共黨知法國被迫終必有求於美英，遂藉日內瓦會議製造和平幻想，以給英法，且孤立美國。主動與優勝之勢早已在俄共集團手中。苟不幸印支有一天淪陷入鐵幕，則禍之始則在日內瓦會議。

明知越南戰爭已爲國際戰爭，爲何不團結一致對付敵人，而尙各懷心事。苟不憬然覺悟，奠邊之失繼以河內淪陷，不足爲奇。甚至整個印支以及東南亞皆入鐵幕。誠哉諾蘭之言曰：『共方必須在亞洲獲得幾多勝利，自由世界始肯承認其危險耶？』

紅河三角洲的撤退

紅河三角洲南部法軍實行撤退，就戰術而言，很難判定其正誤。祇能從其達成之政略目的而判定。若因沒有外援情況惡劣縮小防綫以求久守，在戰術上不一定是錯誤。縱屬錯誤，亦非守軍本身之錯誤。苟法英美能一致同心協力保衞越南，則法守軍此種行動不足重視。

共黨在越南戰爭目的求冷戰勝利爲上，以熱戰迫使美英法陷於危疑不安之中，逐步蠶食，逐步恫嚇，其厲害在此，而不在熱戰勝利本身。如果西方三大國不與共黨開日內瓦會議，祇要表示團結共同防衞，奠邊府可以不失。並非過甚其詞。苟英法早同意與美國切實訂立東南亞聯防。蘇聯是可以見風駛舵，臨時收束，亦不足爲奇。過去如希臘內戰，柏林封鎖，都是鐵證。小小河內的安危是不足道的。所以我說越南戰爭是冷戰熱化。如果冷戰的策略正確，可以熱不起來的。英國圖使越南問題解決後方肯團結與友邦訂立聯防。眞是因果倒置，輕重不辨。老實說如果奪取印支而引起西方三強切實反擊報復，則共方若無大戰之決心亦當讓越南問題永久拖延下去，永遠不解決。祇要自由世界團結不起來，讓他們準備大戰實力，他們的目的已達。不必固執一方的。越南啃不下，他們可以向緬甸印度下手。總之共黨在冷戰中以小熱戰作試探，吃得下便吃。若吃不下亦已達到了拆散自由陣綫的重大目標了。

艾杜應有的腹稿

說來道理很淺，但今日自由世界陷於麻痺狀態，就是受圖求苟安的幻想所麻醉。

本來大戰形勢中共是必捨南而守北。江南及上海的工業建設大量移至西北。如以公債之發行亦以江南上海居其大部份，不惜破壞上海江南以建設北方的政策，可見在中共看東北方是基礎，東南戰爭到來時，是預備放棄。這是大熱戰的形勢。但其南進係由冷戰蠶食。得手則逐漸擴張。如不得手可轉移他方，故自由國家以強硬手段反擊共黨，必然龜縮，是毫不足猶豫顧忌的。

在今之計，美國應毫無顧慮擺脫英法在東南亞之牽制，急速建立東亞的聯合陣綫，先將受共禍最深而反共意志最強之台灣及南韓武裝強化起來，此兩鐵師足以令中共不敢恣意南進。同時使日本加速建軍及作東南亞自由陣綫之兵工廠。以菲律賓及沖繩島作空軍大基地。如此則堪稱奠下保障太平洋安全之基礎。如此局勢形成紐、澳更充其實力，則英法不必夜長夢多，印度尼赫魯之流亦無掮客生意可做。不知艾森豪威爾及杜爾斯心懷中有此腹稿否？時機迫矣。還要從大處落墨。何須顧及政客之口舌是非哉？

投資政策應公開討論

·陳訓烱·

台灣通訊

一喜一憂的新聞

【台北特訊】不久以前，中央日報載有這樣一則新聞：「中央社訊，行政院頃通知各公營事業機關，不得購買與業務無關之書畫。行政院准審計部之函稱：各公營事業機關年來常有書畫費用之開支，大部份係作家書畫展覽之出品，每幅少則數百元，多則數千元，本部對此業務以外之開支曾分別予以剔除糾正，惟各機關因有關人士之推荐介紹難於婉却，或借以作為交際餽贈之需，故仍多繼續購買。現時各公營機關營運資金原極短絀，如投置於與業務無關之需要，既不經濟，且更增加社會風氣之激盪。在書畫原屬藝術作品，為保存國粹發揚文化，似亦未可厚非，惟不宜由各公營事業機關分別價購，致使資金之效用浪費，函請通令所屬公營事業機關切實予以制止，以期節省開支。」按當日中央日報所用的標題，乃「公款購買書畫，政院通令禁止」，小小兩行，大概不會引起一般讀者的注意，而我於最近翻閱家人剪報，無意中見及此則，遂不禁為之一喜一憂。

何謂一喜？喜的是自由中國的行政當局對所屬公營機關之浪費公款，仍在通令嚴禁制止，尤其是審計部此函，字字珠璣，實不啻為許多公營事業之當頭棒喝。以此行政與監察部門間能協力糾正頹風，比較從前大陸時期之往往不聞不問，畢竟大有進步，自是可喜的事！

無謂開支仍嫌太多

何謂一憂？憂的是，上述之函既明明指出，對業務以外之開支曾分別剔除糾正，而各機關仍多繼續，則今後公營事業之浪費究竟能否有效的制止，似乎尚屬疑問。百尺竿頭還須多進幾步，其實，浪費之道，何止購買書畫一端（請注意這裏的「書」並不指有用的書籍，乃專指作家的法書），各事業機關之購置房屋、汽車、濫報醫藥，以及主管交際費用等名目的開支何止幾百幾千？最著之例，三年前當局不曾下令嚴禁各機關購置房屋嗎？可是，有的事業機關只要有錢轉動，便可逃避禁令，把數萬元以至數十萬元的購置房屋支出，列入修理費的科目，還是公營事業會計的公開秘密，誰也不能否認的。至於使用汽車何嘗不在限制之列？但如今台北所見奔馳於飛機場，殯儀館或交際娛樂場所的汽車，還似過江之鯽！（當然非全屬公營事業的，但依許多國家在國難時期嚴格限制使用汽車和汽油的往例，這反共基地所有事業的董事長，總協理以至附屬單位主管是否都非專用汽車代步不可，却是一個問題）單說經常維持一輛汽車連同汽油、車捐、修理費、司機及其加班費等等的合計，亦不亞於購置書畫一項，再加上其它種種不必要的開支，為數自然相當可觀！姑不說節約克難與所謂勿忘在莒的涵義若何，即依保守的估計，假定把幾年來各大小事業不必要的開支切實予以撙節，移用於擴充學校校舍，或增購公共汽車，或改善低級員工待遇，深信把彼注此，必綽綽有餘。其於民生的效用，與人心風氣的影響，較之滿足少數人的享受，必勝得多多！因此，我益信台灣一般生產成本之偏高，總不能忽視公營事業開支仍嫌過大的因素。生產效率既不如人，成本負担總應力求減輕。倘不此之圖，縱令當局變更匯率以鼓勵輸出，恐怕我們輸出品的價格還是一樣不易與人競爭！

錯誤投資萬不可有

說到此，又想起五月五日中央日報的另一則新聞：「中央社訊，立法院在四日舉行的秘密會議中，通過四十三年度國營事業綜合預算案，包括中央信托局，中紡公司，漁業善後物資管理處及中交兩行轉投資的雍興公司，中本公司，民織布廠，台北紡織公司的營業預算」大家知道，我們所謂國營或公營事業，範圍頗廣。這次立法院在秘密中所通過的營業預算，大部份屬於紡織事業，而且上列各公司的盈虧情形，平日報上很少提及，還在過去，原已成為習慣，但在政府有心擴大民主自由與緩意發展公營事業的今日，此中有兩個問題似乎值得提出討論：（一）當前國家應做的事甚多，像紡織這一類的事業是否仍須由國家以有限的資金來經營？（二）立法院對此類國營事業營業預算之通過，[illegible]

[illegible]（事實上台灣的紡織業亦已相當發達，本大有可為）[illegible]現在國家資本無多，[illegible]有限，浪[illegible]

為甚麼不公開討論

[illegible]至於此類公營事業預算既與國防機密無關，我實在不解何以要以秘密會議通過？我實不解其故！時至今日，公營或國營事業，投入與產出的效率，以及資本的比例，以至等等，對此應詳細考究，重加檢討，在民意機關何妨予以公開討論！總之，公營事業是台灣經濟中極重要的一環。在整頓公營事業聲中，慎防錯誤投資與袪除浪費同是當務之急。為此，我們以國民的立場，不但希望行政當局能貫徹其初衷，且更希望立監委先生們能發揮其力量！（完）

蘇俄歷年的真正工資

一九二八年——一九五四年

蘇聯自一九二八年到一九五四年歷年真正的工資平均水準如下表：

年份	指數
一九二八年基數為	一〇〇
一九三二年——一九三三年	四六
一九三七年	五九
一九三八年——一九三九年	六七
一九四〇年	五七
一九四八年	四二
一九五二年	六六
一九五四年	七七

（今年比一九二八年較低百分之二十三）

本表為美國經濟專家珍納卓曼夫人研究的結果

斐列特飛港購物內幕

這裏有一則關於剛訪台的斐列特將軍的內幕新聞。

在斐列特趕返華府參與英、美、法、澳、紐五國軍事會議以前，他曾一度來港小遊，表面上是與夫人來港選購物品，其實却是聽取有關越南局勢的第一手報告。因此他由港返台後，即馬不停蹄匆匆飛往東京，他在港所獲的越南情報，是由美國駐越軍援顧問團團長奧唐尼爾少將直接供給的，原來當斐列特抵香港的時候，奧唐尼爾也奉命秘密飛抵香港，只因為後者是用的假名，而且只穿了一襲中校的制服，所以未被外間發覺。

埃總理轉採反共立場

許多熟悉埃及內幕的人士，曾一度為埃及總理納撒中校對共黨的軟弱態度而担心，他們認為納撒是當今埃及最有權力的鐵腕人物，他對共黨的態度實影響埃及及全國的安危，可是最近，這些人士却一反憂慮的態度了，因為納撒中校已有了突然的，雖然不是為人所共知的轉變。

納撒最近與朋友談天，或甚至發表公開演說的時候，他已開始猛烈抨擊共黨和共黨的同情者了。據悉：共內幕原因乃在，納撒最近獲悉共革命委員會中的某會員竟是共產黨的特務，不禁勃然大怒，開始對共黨切齒痛恨，他從此洞悉了共黨的陰謀，而且，他也知道共黨已滲入了他的陸軍，反共態度從此益趨堅定。

李治威將軍另有主張

美國陸軍部中，有許多高級設計人員建議，將現有的美國師的編制縮減為較小的單位，以求其更為機動化，而適合未來的原子戰爭。但陸軍參謀長李治威將軍却極力反對這一項主張，他雖然贊成軍隊應該富有機動性，但他更認為目前的每一個師有其個別不同的歷史，也有其不同的渾名及傳統，而這些都是保持軍隊士氣的重要因素。因此，在李治威將軍看來，改制各有利弊，儘管許多高級軍官主張改制，他却堅持不改的主張。

美國戰畧家注目挪威

在法國屢次延宕批准歐洲軍條約之後，不僅美政府已暫時扣留對法義二國的軍援，而且美國高級戰略家也重新對歐洲的戰略形勢，作了一番新估計。他們認為根據新的戰略眼光，北大西洋公約組織的防衛重心，現在已不是法國，而是斯堪的納維亞半島了。他們認定，設在挪威的空軍基地，更能證明比設在法國的更有用處，而他們的結論是：誰控制了挪威沿海，誰便控制了北大西洋。（孟衡）

天下小事

人物述評

新省自殺殉國第一人 佘伯朝將軍

·吳彥傑·

（一）

佘伯朝湖北應城人，為軍校十四期畢業生，筆者三十四年任職新省二軍政治部時，佘在該部任二科上尉科員，時幣制貶值日速，每屆薪餉發放，人多臺購物資，惟伯朝獨否，筆者始漸注意其人。伯朝強毅倔果，不同凡俗，筆者嘗以大器許之，渠亦視筆者若師。未幾，筆者因憤張治中媚蘇賣國，叠書諫面諍之責，張始終怙惡不悛，乃退除兵役，藉行醫之名，轉入地下工作。寄寓新省景化縣醫會，該會與新二軍政治部同一房屋，故伯朝過從甚密。因知伯朝誠實可靠，故彼此言行均無隱諱。旋因新二軍整編為七十八師，政治部改為新聞處，伯朝曾任該處二科少校科員，旋陞該科少校科長，任職日久，誠實篤踐，深得該師官兵愛護。

（二）

三十八年元旦，蔣總統引退後，余因適應環境，遷居迪化。是年秋，得第八補給區司令曾振武飛迪，僞勸陶峙岳附逆消息，知邊疆局勢必將逆轉。於是馳歸景化，與伯朝面商，並約集該師認同事之可靠者，共同密議。先行團結力量，準備緊急時，一致擁戴該師師長葉成將軍，作反共誅奸之舉。當時推定伯朝負聯絡之責。不料葉成於三十八年九月中旬赴迪化會議，被迫離新，一去不返，事遂不果。筆者於新疆陷共之後之一日（九月二十七日）復馳回景化與伯朝等密議：咸以在共軍未到新疆之前，策動國軍，拒絕投降，實行反共，實為最有利時機。因決定十月一日下午四時實行通電反共，並聯絡綏來駐軍中的中下級幹部，同時響應。綏來方面亦已同意。屆時將由景化師部駐城外各部隊及該師一七九旅駐景之李營各連開進城內，策動反共。城內師部各直屬部隊亦將起而響應。城內部隊則由××營長××長二人負責聯絡（現該兩人已被中共發交永久勞動改造，姑隱其名）。城外部隊則由一七九旅李營第一連劉少農連長負責聯絡。總負責者，則為佘伯朝。同時又決定，行動開始後，一面須向迪化進攻，一面對西方俄寇與伊犁匪須加警戒。景化兵力單薄，事極艱險，故由筆者負責召集漢哈兩族騎兵團及民兵三千人，作屆時增援備用。部署既定，各分途準備，只待就期舉義了。

（三）

不料九月廿八日，[illegible]親率該部（新疆警備總司令部）新聞處長梁客蕩到前綫宣慰，命梁下車[illegible]直屬部隊尉以上官長會議，即席宣佈新疆「和平解放」理由，對國民政府，與蔣總統誠極詆譭，[illegible]遠離會場，[illegible]機，倉卒離去。伯朝以大勢已去，[illegible]遂萌死國之念。是夜撰遺書一字一淚，以身殉國。[illegible]十萬軍民首先自殺殉國之第一人。佘氏死後，影響所及，不旋踵，即激起新疆軍民反共抗俄的大怒潮，十萬國軍均不願投降，或為新省的游擊戰鬥，砥礪於三山兩盆的地區中，前後殲滅共軍基本部隊無數。佘氏的行動足以撼頑立懦，故表而出之。希望政府能優予褒揚，以厲末俗！

× × ×

菲化案所得的教訓

（上接第一版）史記平原君列傳，毛遂能夠說服楚王，完成趙楚合縱盟約，就是他那『合縱者，為楚也，非為趙也』的論據，太動楚王之聽了。今日就任何方面來說，菲化案的實施，有利於菲國者少，而有害於菲國者多。事實和理由，希望當局要『不恥下問』，要『虛懷若谷』地去求教於菲國和僑胞當中的有識人士，只要眞是『有心人』，包管能夠尋出很多的好辦法來。至於六月二十日，我外交部長的聲明，什麼『將妨害中菲兩國間現存的友好問題』，以及『此項法律之公佈，係受謬誤的國家主義的情緒所促成』，這些話，不特以新興國民自視的菲國人民和英雄式的菲國總統，不會接受這樣抗議，就是渺小得如筆者個人，也並不認為十分合理。因為，中菲兩國間的友好關係，不是更有大於菲化案的事件吧？一個國家的元首，他要為着他的國家利益，而簽署一個法案，又怎能說他是『謬誤的國家主義』呢？問題的重心，就是要使他明白所簽署的法案，並不是眞正有利於他的國家的一回事，那就對了。—完—

稿約

本報園地公開，歡迎讀者投稿，性質不拘，最好勿超過二千字，譯作請註明出處；來稿如不合刊用時，當儘速退還。—編輯室—

編者　讀者

△論什誌內容▽

△陳薇先生來函（上略）「自由人」源源讀到，至以為快！……據個人觀察，美國人辦雜誌的方法似可參考……對於雜誌內容，中美看法可說不同。美國雜誌內容，完全偏重事實的敘述和分析，很少發表議論、建議、或主張。故什誌本身的內容稱為「故事」（STORY），另闢一小欄發表意見，稱為「評論」（EDITORAIAL）。中國什誌則注重議論的發揮或主張與建議的提出。例如美什誌述越南戰事的文章，多係敘述作者個人的經驗，或分析事實，甚少發表空洞的議論。或提出解決的計劃，（除非作者係名將領如麥帥者）。中國什誌即常有洋洋大文，好像當年的「獨立評論」，甚少事實內容。對外宣傳，中國什誌上的資料，甚少合用，即在於此。……

貴刊關於時事與大陸現狀報導，亦有時「論」事太多，而「敘」事太少。且徵引材料不夠詳細。……抽見以為中外什誌根本體裁不同，不必勉強仿效，惟可加以參考……陳薇上，六月十八日，華盛頓。

△王厚生、章政通、雁秋、徐玉虎、李化成、陳邁子、吳振寰、諸先生：承惠稿，已收到，謝謝！

△彭楚珩先生：函悉，稿費單已寄台，請將該單寄交港友，即可在港取款。

談中共「憲草」的本質

·司馬璐·

中共公佈了一件所謂「憲法草案」，這個「憲草」，如果略加解剖，揭開它的眞面目，當然使世人更易于瞭解中共政權的本質，消除若干人對中共的幻想。

加强俄化與獨裁

它的「序言」說：「從中華人民共和國成立到社會主義建立，這是一個過渡時期。國家在過渡時期的總任務，是逐步實現國家的社會主義工業化，逐步完成對農業、手工業和資本主義工商業的社會主義改造。」因此，中共必須「同偉大的蘇維埃社會主義共和國聯盟」……同時在「總綱」一章中，中共更具體的指出以下各個要點：（一）「中華人民共和國」是以工人階級領導的，工農聯盟爲基礎的「人民民主專政的國家」。（二）「中華人民共和國」保證逐步消滅資產階級，以建立社會主義的社會。（三）「中華人民共和國」的生產資料，實行國家所有制，合作社所有制，個體勞動所有制。（四）鎮壓一切「叛國的」和「反革命」的活動，懲辦一切「反革命份子」，剝奪地主階級和官僚資本家的政治權利。由此我們獲得第一個結論，中共「憲草」的本質是加强俄化與獨裁。

中共一手保辦的東西

中共「憲法草案」製訂的經過，根據中共「人民日報」六月十六日的報導：「一九五三年一月十三日中央人民政府委員會第二十次會議通過了『關於召開全國人民代表大會及地方各級人民代表大會的決議』，中央人民政府委員會並決定成立以毛澤東同志爲首的中華人民共和國憲法起草委員會，進行憲法起草工作。一九五四年三月二十三日毛澤東同志代表中國共產黨中央委員會提出了「中華人民共和國憲法草案（初稿）」……已經完成了憲法起草的工作。」六月十四日中共「中央人民政府」舉行第三十次會議中，又已經把這份「憲草」毫無修正地通過。出席這次中共「中央人民政府」會議的委員，計有四十六人，其中公開的共產黨員有二十三人，計開：毛澤東、劉少奇、朱德、陳毅、李立三、林伯渠、劉伯承、吳玉章、彭眞、薄一波、聶榮臻、董必武、賽福鼎、羅榮桓、鄧子恢、烏蘭夫、徐特立、蔡暢、劉格平、陳雲、林楓、鄧小平、習仲勳等，其他不公開的共產黨員，尚不在內。由此我們獲得第二個結論，中共「憲草」的製訂，是「根據中國共產黨中央委員會提出的」「憲草」；通過這份「憲草」的是中共絕對控制的中共「中央人民政府」。毫無疑問，這份「憲草」的產生，完全是由中共獨家製造，一手包辦的。

大權集中一人身上

中共「憲草」的特點之一，擁護份子替中共捧場的話說：「這部憲法草案完全根據蘇聯……斯大林憲法」，這就是說，這「憲草」除了代表蘇聯和中共外，毫無一點民主意味，毫不符合中國人民的願望。

中共「憲草」的特點之三，中共公開承認他的政權是維護特權者的利益的。如第十二條說：「保護公民的私有財產」。而第八條則提出對富農經濟採取「逐步消滅」的政策。第十條「禁止資本家破壞國家經濟計劃的一切非法行爲」。根據這一事實，中共的所謂「保護私有財產」，祇能解釋爲「保護」一批特權者的「私有財產」。

中共「憲草」的特點之四，中共公開承認他的獨裁，中共「憲草」中的「主席」，一切最高權力完全集中于一個人的身上，「中華人民共和國主席」，除統率全國武裝力量，擔任國防委員會主席，最高國務會議主席外，並有權任免官吏，對外締結條約，……

國家領土隻字不提

中共「憲草」的特點之四，它沒有規定中國的「領土範圍」，只是在「地方自治」中，把「內蒙古」……附庸國地位。中共要以隨時便利中共的方式，把中國的領土變爲「自治」……「中華民國依其固有之疆域，非經國民大會之決議，不得變更之」。中共對于國家「法」，而可能實行……根據「蘇聯憲法」，一切社會主義國家，都有權「請求」「參加蘇維埃聯邦」。

中共「憲草」的特點之五，對于人民權利公開抹殺，任何一個國家的「憲法」，莫不規定人民的權利與義務，而中共的「憲草」則僅在最後幾項基本權利中說：「有言論、出版、集會、結社、遊行、示威的自由」，「宗教信仰的自由」，「人身自由不受侵犯」，「住宅不受侵犯」，「通訊秘密受法律保護」，「居住和遷徙的自由」，一看這些規定，好像完全……中共政權下的實際情況，無不完全相反，中共雖然明知這些話不過是騙人而已，但中共也怕說得滑口了。

特點之六，中共公開承認中共奴役人民的事實，中共在「憲草」中說，人民必須「遵守勞動紀律，保護公共財產，遵守公共秩序，納稅，和參軍作戰等義務」。

奴役人民　蔑視僑胞

中共「憲草」的特點之七，中共公開蔑視人民，對人民採用鎮壓的手段。要「鎮壓一切叛國的和反革命的活動」，要「懲辦一切反革命份子」，要「剝奪地主階級和官僚資本家的政治權利」。在中共心目中，凡屬異己者莫不都加上「叛國」、「反革命」、「地主」、「資本家」的罪狀。

中共「憲草」的特點之八，中共完全漠視華僑利益，中共「憲草」中對于華僑並無特別規定。「中華民國憲法」一五一條有「國家對于僑居國外之國民，應扶助並保護其經濟事業之發展」。而中共「憲草」關于華僑部份，甚至連擁護份子陳嘉庚也說：「太少」和「沒有特殊規定」（新華社北平十五日電）。此一俄國出品在中國製造之中共「憲草」，不久將提出中共所召開的御用的「全國人民代表大會」，當然，又將「毫無修正地通過」。反正不過如此而已。　六月二十二日

讀·史·評·述·秦漢之際的讀書人（三）

·毛以亨·

（三）幫閑的一羣

一　孔鮒

船山讀通鑑論曰：「孔鮒藏書，陳餘危之，鮒曰：『吾爲無用之學，知吾者惟友，秦非吾友，吾何危哉？』嗚呼，能爲無用之學，以處亂世，而避亂于亂世，能爲非聖人之徒，而能若是乎？」亂世讀書人入山讀書，以無用自娛，而啟下一代的文化，以成無用的大用，這是中國讀書人認其分內之事。沒有五代之亂，就沒有隱居終南山的道士，沒有終南山的道士，不會有宋朝新起理學的根基，亦不會有開創新紀元的北宋文化。太極圖這些玄妙之學，本爲無用的東西，然把心思訓練得廣大而深密，轉化爲程朱之學，對社會發生直接影響了。然孔鮒終不肯安心于無用之學，而想進一步，作幫閑者。史記儒林傳，『陳涉之王也，而魯諸儒持孔氏之禮器，往歸陳王，於是孔甲爲陳涉博士（孔子八世孫，名鮒，）卒與涉俱死。陳涉起匹夫，驅瓦合適戍，旬月以王楚，不滿半歲竟滅亡，其事至微淺。然而縉紳先生之徒，負孔子禮器，往委質爲臣者何也？以秦焚其業，積怨而發憤于陳王也。』孔子世家，謂鮒父慎，嘗爲魏相，鮒弟子襄，爲惠帝博士，遷長沙太守。襄之孫即孔安國，爲武帝博士，官至臨淮太守。儒家孔氏之嫡傳，亦以幫閑而光大其族，未能與君主抗衡，以成爲教主，悲夫！

二　陳餘

船山以周市不王魏，陳餘自王。故揚市以抑餘，並盛周市『天下昏亂，忠臣乃見』之言。市後爲魏相，與魏王咎同因兵敗於章邯而死，誠可謂篤守善道者。史稱陳餘好儒術，嘗與張耳爲刎頸交，而父事耳，耳則嘗爲信陵君客。二人先投陳涉，勸勿自王，曰『夫秦爲無道，破人國家，滅人社稷，絕人後世，罷百姓之力，盡百姓之財。將軍瞋目張膽，出萬死不顧一生之計，爲天下除殘也，今始至而王之，示天下私，願將軍毋王，急引兵而西，遣人立六國後，自爲樹黨，爲秦益敵也。敵多則力分，與衆則兵彊，如此則野無交兵，縣無守城，誅暴秦，據咸陽，以令諸侯，諸侯亡而得立，以德服之，如是則帝業成矣。今獨王陳，恐天下解也。』當時始有非立六國後不可的輿論，而支持此一輿論者，爲六國卿相散之門客說客者。范增亦以同一理由，勸項氏立楚懷王後，項氏卒以能與秦抗衡。故以六國爲號召，而散秦之勢，在秦未亡時是必要的。迨秦既滅，則必爭取羣力，對付西楚霸王的局面。高祖與韓信的辦法，爲誰佔到的地方就算誰的。竟藉以使割據反項歸己，亡了項氏之後，再削平羣雄而使天下統一。宋人陳傅良，謂管仲取人于盜，高祖爭天下，亦資羣盜之力，黥布、彭越皆是盜也。蓋世爲韓相的張良也反對了。陳餘見陳涉之不聽其言而必敗，欲轉而設法自己貫徹其立六國後之主張，乃請奇兵徇趙地，帶三千人，以武臣爲將軍，陳張爲校尉借往。以『攻無道之君，報父兄之怨，而成割地有土之業』，說豪傑，立得數萬人。」纔立武臣爲趙王，又屢陷武臣而欲自立分王趙地，張耳恐與陳餘爭王趙地不勝，始立歇爲趙王，亦章邯圍趙，趙王歇與耳俱困城內，陳餘擁兵數萬，壁城外不救。項羽破章邯軍，耳收餘印綬，從羽入關得封常山王。餘襲常山，張耳敗歸後，餘乃與趙王台，分王趙代二地。漢三年，兵敗俱爲韓信、張耳所殺。

陳餘仍以幫閑自居

太史公曰：『張耳陳餘，世傳所稱賢者，其賓客廝役，莫非天下俊傑，所居國無不取卿相者。然張耳陳餘，始居約時，相信以死，豈顧問哉？及據國爭權，卒相滅亡，何鄉者相慕用之誠，後相倍之戾也，豈非以利哉？』宋人永嘉學派的陳耆卿亦曰：『君子重信義而輕利害，利害非可輕也，蓋以信義爲重，則必以利害爲輕。……其相趙歇，猶夫武臣也，猶夫陳勝也。利之所在，雖一日而十易其主，不以爲怪，豈但三乎？……大抵一迫于利害，無所不至，曩昔刎頸之言，能復記否？』（未完）

英人請聽毛勳的說話

署理教育司毛勳，於本月二十六日在香港教師中文部舉行之第四屆教學會議中，演講『未來的公民培養』一題目。除共黨的報紙外，皆轉載毛勳先生能針對目前兒童及青年遭遇之危機，尤其毛勳先生所說的：『如果任何一個國家指引它的兒童離開它的父母，和鼓勵他們批評父母對於他們的父母既不尊敬又不服從，這種國家可能是趨向自殺之途。』這幾句話是有所感而發的，各報均表示折服，不再發言。但筆者讀了毛勳先生的演詞，亦有所感。即不近鐵幕不知共產黨的厲害。毛勳先生之能有精闢的見解，是由於他在香港，對於共黨政權統治的兒童及青年的受愚弄以及他們的父母如何的悲哀失望，知得很清楚。共產主義與其他的主義與制度根本不相容。在這裏是一個極顯明的例證。英國的政治家有許多是認爲蘇聯共產主義集團是可與自由世界相安共存的。請他們拿毛勳所說的話再三思維。假如鐵幕邊緣擴展到英倫海峽，你們便會知道是否可以共存了。

三·日·小·評

·風行·

香港人對輸血不踴躍

輸血可以救人性命，造福同羣，英國紅十字會香港分會於一九五三年乃有「血銀行」——血庫之設。但香港居民對此善舉不大踴躍。一九五三年輸血者祇有一千八百九十七人，每人僅輸血一品特。故血銀行也祇得一千八百九十七品特。以香港二百五十萬人口來計算，其比例未免太小。是不是香港人民自私心重呢？也不見得。香港人捐輸金錢做善事的很多，但要他們捐血其心理便與要他們捐錢不同。因爲他們是恐怕對生命發生危險，所以在宣傳生理常識也有關係，任何尋常的人祇要他不是太瘦弱或有毛病，凡自十九歲至五十九歲每年可以抽血四次，每次一品特，而不致危及健康。

去年美國有三百萬至四百萬人從血或由血製的藥獲得挽救其生命。血漿可儲蓄至五年之久。但純血至多少一天。在歐美各國如國家需要大量血漿供給傷兵，他們的國民都是紛紛踴躍捐輸的。

不論你是是屬那一種族，都歡迎你捐血。血有四型，即A型、O型、B型、AB型。我們人類大約百分之四十六屬O型。百分之四十屬A型。百分之十屬B型。百分之四屬AB型。O型是普通血，無論那一種血型的人都可用。但其他三型的血，祇可注射給同型血的人。血銀行之設，就是用來儲蓄血漿，以備醫院的需要。因爲不單受傷流血過多的人需要輸血，而且有許多病，從未出世的胎嬰的黃疸病到老年人的血管硬化病也要輸血來挽救生命。

台灣中南行（十七）

荷蘭侵台遺跡

魏希文

台南監獄一瞥

據戕：荷蘭人侵佔台灣，首於安平建赤嵌城，城基廣約二百七十餘公尺，城高三丈，雉堞鋸列，瞭亭星佈，城牆是用紅磚夾以糖水糯汁調和的蜃灰砌成，所以堅硬異常，鄭成功進兵台灣，曾經圍攻赤嵌城達七個月不能破城，後來，因城內彈盡援絕，這才向明軍投降了。至今赤嵌樓上還繪有荷人向鄭成功獻降的油畫，供人憑弔。

赤嵌樓，也爲荷人籍於赤嵌城所建，樓高三丈六尺，週方四十五丈，其堅固如赤嵌城一般。鄭成功克攻之後，改爲火藥軍械庫，到乾隆十五年，由台灣知縣魯鼎梅之請，將赤嵌樓改爲史蹟，歲時酒游開放，供游人覽勝，並選爲台灣八景之一，名爲「赤嵌夕照」。清時詩人劉彰曾作「赤嵌夕照」七絕一首云：「百尺高樓鎮海東，夕陽斜照滿城紅，分明繪出昌圖壯，想見當年汗馬功。」當台灣光復後，赤嵌樓又經重修一次，屋宇樑棟，煥然一新，現在爲市立民衆教育館史料陳列室，其中陳列了許多明清的史料，而鄭成功親畫的中堂一幅，以及鄭成功所用的飯碗，更爲名貴。

我們佇立在赤嵌樓上遠眺，極目四望，市內街衢及安平一帶之風光，溯入眼簾。在我們中華民國的歷史上，安平爲抵禦外侮侵入的古戰場，不僅先有荷蘭人之侵入，在同治十三年，日本藉口琉球爲共保護國，因琉球漁民捕魚飄風至台南，爲高砂族所殺害，乃藉口侵台，後清光緒帝派欽差大臣沈葆楨來台處理，沈乃奏請築安平海防，築安平城砲，並設大砲五門，小砲四座，以水師副將率兵三百名守之，城表門額由沈葆楨親書「億載金城」，城門額爲「萬流砥柱」。」

現在，我們偉大的反侵略戰爭，爲自由與正義的反共抗俄戰爭，爲時不遠了，我們低徊於赤嵌樓上，瞻會我們反侵略的光輝歷史，興起了我們復國的萬丈雄心！（未完）

他真老了！

馬五先生

邱吉爾近在加拿大對新聞記者說：他這次訪美所收的效果很偉大，所見到的人亦很和睦善，並未遇有甚末「暴風雨」！但他又說：「我不懂有些人爲甚末不願與歹徒和平相處」？

他這段話，等於「此地無銀三百兩」！家裏，證明此行訪問「外婆」家，不但是沒有吃到糖菓，而且被那般舅舅老表們，不免數說一番，至少是冷落相看了。邱翁過去每次前往華府時，必定請他出席國會演講，表示歡迎，只要國會兩院當時未休會，他到議府向參衆兩院議員致詞，一句就說：「我不是來借錢的！」結果取得了一百萬噸鋼鐵運到倫敦去，兩院參議立時熱烈喝采，這次也沒有。有的就是那幾句官樣文章的艾邱聯合聲明，令人讀後若有所失而已。

邱翁初進白宮之際，那見的女速記員爲了迎接他，即說「他眞老了」！沒甚老也，就之在得，邱氏一心以保持英國的既得利益爲前提，而放棄自由世界的領導責任，所以就很難異地說美國人爲甚末不願與歹徒和平相處？說比較他於六年前在美國富爾敦演說，首先指稱「鐵幕」這一名詞的激昂反共氣概，前後判若兩人，當然得不到「外婆」家中那些青年老表的同情呢！

「他眞老了」，這不特白宮的女速記員如此觀感，我亦云然。照中國的說法，凡是一個老年人忽然間變了性情，那他的生命就快要發生問題了！「吾日暮途窮，故倒行而逆施之」，這是任何垂死時的變化，今日邱翁對衰邁的反常言行，就亦佐是之流露歟？我希望他不是這樣的才好！

學詩散論（一）

（並簡陳文受君）

·王世昭·

（一）

詩的範圍很大，依據竹書紀年的記載，中國首先發明的是音樂一則云：「帝顓頊高陽氏，二十一年，作承雲之樂。」又於帝啓十年載：「帝巡狩，舞九韶於天穆之野。」是則，不特能樂，而且又能舞了。尚書亦云：「嗟嘆之不足，故詠歌之；詠歌之不足，故不知手之舞之，足之蹈之。」於此可見詠歌與舞蹈是打成一片的了。又云：「詩言志，歌詠言，聲依詠，律和聲，百音克諧，無相奪倫，神人以和。」這裏又把詩歌與音樂打成了一片。不但如此，而且說可以感「人」，可以感「天」，即一切藝術工夫已入化境之謂，所以我說：「詩的範圍是很大的。」

如果依據西方學者的定義，詩的範圍也是很大的；他們把詩分作三類，即史詩——敘事詩，頌詩——神詩與劇詩。亞里士多德在其所著詩學中說：「語言，文字，節奏，聲調，格律之綜合的藝術表現便是詩」，這與中國古人詩的定義亦相髣髴。

中國有沒有史詩？我說：「有！」詩經中的大雅把它貫穿起來就是中國古代最完整的一部史詩，那是敘述周及周之先民艱難締造的事蹟的。屈原創作中有一篇天問，也是中國古代的史詩，那篇敘述的範圍更加擴大，其內容超過了周以前以及周初的歷史事蹟（徐亮之著中國史前史話序，以西王母等皆非神話）。後來描寫片段的歷史創作，有孔尚任的桃花扇傳奇，洪昇的長生殿傳奇，是歌唱，音樂與舞台動作合而爲一的史劇，應該把它放在史詩的範圍以內。

中國有沒有頌詩？我讀商頌、周頌、魯頌，以及屈原的九歌，漢唐山夫人安世房中歌，都是頌神的歌曲，所以我說：「中國也有頌詩。」

中國有沒有劇詩？王國維在宋元戲曲史中舉出元曲百六十種，其中「竇娥冤」與「趙氏孤兒」，王氏謂爲「即列之於世界大悲劇中，亦無愧色。」那是關漢卿與紀君祥的大作，安能不震鑠古今，成爲名著呢！至於喜劇，王氏謂「明以後傳奇無非喜劇」，是則中國劇詩中，不特有悲劇，也有喜劇了。

因此，西方有史詩，頌詩與劇詩，中國亦有。但詩歌演進歷史上，除史詩，頌詩與劇詩之外，還有一種普及人羣，深入任何角落，任何社會，任何著作中，人人愛寫，人人愛唱，人人愛讀，不勝枚舉的抒情詩。即孔子所謂可以「觀與羣怨」的作品，英國百科全書在希臘文學條下所謂「能表示更深更濃的感情」的意思。

（二）

今日中國一般人所謂學詩，學舊的謂之學舊詩，學新的謂之學新詩。而所謂舊詩也者，即指三，四，五，六，七言與絕律，長短以及不定語句而必須用韻的絕對原則。所謂新詩也者，即無一定形式（自己可以創造形式，如徐志摩朱湘等，即創造出甚多的詩的形式），用自己所創造出來的語言與情感，以表現於文字上，有韻的可以，無韻的也未嘗不可，總之，成篇即得之謂也。

於此，我得先討論一個主要問題，即做詩要不要學問經驗或社會經驗。譬如說，一位有學養的詩人，他寫出來的詩，一定不會離題太遠。不過鄉村中也有不少男女，他就憑自己的經驗，衝口而出唱出天眞無邪動人的歌謠來。

然而，這個很難說，但有學養的詩人，可能寫出更偉大的史詩，頌詩或劇詩，而無學養的則不能，他們最多只能唱出抒情小品以及民歌民謠這一類東西來。

所以，同樣能詩，成就則有時不可以道里計了。

依我學詩的經驗，最先是由聽民歌而起的，以後經過相當時間，就會跟着他們也會唱起民歌來了，漸假又會創造民歌了，那是七字一句，合四句而爲一首的。之後，能讀平話小說等之，又次會看封神，西遊，三國演義，征東，征西，說岳，水滸等，又次會讀花月痕，鏡花緣，聊齋誌異，雪鴻淚史，紅樓夢等。尤其花月痕與紅樓夢二書的詩詞歌賦，我無不手抄熟誦，多數都可以背得出來。另外，同時在私塾裏我還讀千家詩，唐詩三百首，聲律啓蒙，古唐詩等，但這書給我的影響，遠不如花月痕與紅樓夢中所有的詩作。可惜當時中華書局喩守眞編註的「唐詩三百首詳析」還沒有出版，（此書與喩編「唐詩三百首」選材大有不同，不可誤爲一書！）不然，讀了花月痕，再讀紅樓夢，又讀唐詩三百首詳析，則對於做舊詩這一門似可以得事半功倍之效。

草山春游

吳石仙

山色泉聲今昔同，一年容易又東風，
杜鵑似解迎春意，搶着櫻花遍地紅。

其二

白雲如帶束山腰，風撼松聲似海潮，
拾級登高翹首望，青天已近故鄉遙。

其三

溫泉浴罷夕陽斜，陣陣歌聲起酒家，
燕子堂前如對語，隨春漂泊到天涯。

其四

無邊春色似杭州，祇少西湖樓外樓，
蝶戀花香人亦醉，陶然忘却棹歸舟。

讀「談逃脫覆舟」有感

讀馬五先生大作「談逃脫覆舟」一文，不勝感慨系之。

「逃脫覆舟」這一句話，如出諸現在大陸打游擊的忠貞愛國志士之口，不獨使居在海外的人士聞之，衷心折服，且不免有愧色。因爲「大陸之舟」已覆，我們的確是逃脫了！

台灣這「舟」，彼馬關條約傾覆了半個世紀。但光復以後，從未覆過，凡愛國之士，誰也不願意他再覆；而且都在祈禱上帝保佑，早日把這隻「舟」上的乘客，開回家鄉——大陸去。

今日「相國」拿「逃脫覆舟」四字作比喻，似乎有點欠妥吧？據外國電訊報導，新「相國」說此話時，並且面帶怒容。如此說來，或許是當時受了立法委員尖銳質詢的刺激，一時情感衝動，偶而脫口而出，未加考慮罷了。不然何以先一天說：「歡迎反共非共人士來台」，第二天就矛盾其說呢？

我國有句俗語：「貴人出語遲」。爲什麼貴人出語要遲呢？「遲」，就是有時間考慮這話說的當不當？所謂貴人，就是指的做大官的人。那末「相國」是一人之下，萬人之上。講一句話，皆足以影響社會人心。所以，夫人不言，言必足以爲天下後世法，才是古時所謂「良相」。蓋「良相」不獨注意到當時毁譽，還注意到將來史筆的褒貶。希望今之「相國」，亦如古之「良相」。當前國難，庶有豸乎！

新內閣，是以財政內閣著稱的，我們總希望于財經方面，發掘新猷，挽救危機，配合軍事，早日反攻。同時更希望國計民生，兼籌並顧，不重蹈大陸上財經政策的覆轍。須知「大陸之舟」是被法幣，金圓券，銀圓券弄沉了的。如有新的財經政策，使「台灣之舟」永遠不覆。那，不僅筆者，舉國上下，皆是馨香禱祝。至于偶爾說錯了一句話，也不足爲怪；這是時代風氣使然，外國的達官貴人，也在常鬧笑話哩！筆者只是很誠懇的祈禱也不要做錯了事。因爲「相國」所做的事，皆是國家大事。諺云：「棋錯一着」，我們現在正如與敵人對奕，要嬴這一局棋，即非着着留心不可。

「敏于事，而愼于言」，是孔子的遺訓。現在做官的是以「YES」「OK」爲時髦人物，當然認爲這些話是迂腐之談，然筆者還是希望中國人能夠懂得中國先賢的哲理爲上呵！

·泊公·

中篇小說　金珠

勞影

我簡直急得說不出話來了。

這時，房門上有人故意碰了一下。阿梅的神色加倍焦急起來。

「這是阿婆……」她喃喃地說。

我拉開房門。

她拉我的袖子低聲叮囑道：「可別和阿婆說我們沒有……」

我點點頭。滿臉泛紅地跨出房門。阿梅在身後故意提高聲音爽朗地說：「再來坐呵。」

我略略回了回頭，然後急步走出大門。

天已經黑了好一會兒了，大巷子裏更形熱鬧起來，脂粉、酒氣、歌聲、笑語……像肥皂沫一樣到處飄飛着。

回到宿舍，我關上門，在燈下我又取出了那條手帕，上面還是一朵無名的小野花，二片草汁，幾塊口紅印，一些淺黃的水斑，以及那兩個由牙齒磨穿的小洞孔。……

現在，我將阿巧丟到一邊去了，雖然我也想將阿梅同時丟到一邊去，可是不能夠。「一個普通神女罷了，」我嚴肅自己地想：「還有什麼值得苦思不放的呢？……這年頭這種女人並不比蒼蠅少，……嘿，你去想吧！」

我試着合起眼睛，眼前立即飛舞無數條白色手帕，而每一條手帕上都有兩個被牙齒磨成的小洞孔，那些小洞孔裏面齊都映現出一張相同的面孔，彎眉細長，兩眼渾圓烏黑，眼梢呈現着一抹細長而美麗的紋痕，筆直的鼻子微微向外悄皮地翻出，嘴唇拱成一個驕傲而動人的弧形……。

我可笑地失眠了。

第三章　一張照片

第三天。

我在植物園裏等到十二點半。

第四天。

傍晚時份，我又去到華西街。老太婆對我比第一次更表歡迎，正好阿梅也在，經過一陣點頭和微笑，阿梅把我領到前天的那個房間。仍和上一次一樣，她關好房門，我就將錢交到她的手上；她朝我笑笑，臉上顯出一抹在神女們身上稀有的紅暈，那片紅暈帶給我一陣無法形容的迷惘。

她又把手伸到自己的衣鈕上。

「把手放下來。」我說。

「嗯？」她用眼光發出一個問號。

「怎麼？」

「你眞是個傻子。」

「傻子是人類中最可愛的人，不是嗎？」

「哈……」

「別笑了，阿梅，我並沒有說錯什麼，在這個世界上，祇有傻子才無害於人，而無害於人的人……」

她不笑了。

「那麼，」她想了一下說：「你是爲什麼來這種地方的呢？」

「因爲這裏有個女孩叫阿梅。」

她又笑起來。

（十）

民族詩人張家玉

·劉需如·

明末有兩詩人，一爲張煌言，當時盛稱着水先生；一爲張家玉，世人以二張並列。這並不是說他們的詩如何了不得，而是因爲他們是書生，當國家危難時，能夠執干戈衛社稷。同是民族英雄，大明的孤孽臣子。他們意氣相同，遭遇相同，結果亦相同。

（一）

張家玉，字元子，明末東莞人（今廣東寶安縣）崇禎十六年進士，嗣入福建，授編修兼治事中，擢翰林侍講，以右僉都御史巡撫廣信（今江西上饒）。永曆帝立，以起兵東莞，進兵部尚書提督領東軍務，兵敗，投水死，追贈吏部尚書，少保，武英殿大學士，增城侯，諡文烈，遺著有名山，西征，燕山三集。

他是唐名相張九齡的後代，他有感懷一首，即自敍家世。並註云：「雨行馬上，縱目山川，愴然追念余祖九齡公至宋世傑公，皆孤忠表表，凜然萬古。」原詩云：

「處處洶洶若戰征，炎方烽火幾時平？雨聲偏灑孤忠淚，風景空憐異代情！國破何如千古恨，心懸明月一身輕。唐朝宋室家聲在，肯使吾曹落後名！」

家玉少年任俠，喜擊劍，好交遊，結識民間英雄豪傑不少。他之所以屢仆屢起，也得力於這般草莽俠士之助。他生平最仰慕于忠愍，揚椒山，曾有詩云：

「前有于兮後有揚，鬚眉男子兩堂堂。全忠自古難全孝，何況家亡與國亡！」

又軍中夜感詩云：

「慘淡天昏與地荒，西風殘月冷沙場，裹屍馬革英雄事，縱死終令汗竹香。」

（二）

當時深恨朝廷用人失當，知人不明，致召亡國慘禍，古今興亡，如出一轍，曾有感懷詩三首，慷慨陳詞，痛乎言之：

其一

徵兵籌餉日何窮，少府金錢盡廢供，
不見犁庭殲勁敵，惟聞棄甲走元戎。
權璫禁死煤山火，零落朝儀建業鐘。
遙憶鼎湖龍雪窖，忠魂曾有幾從龍？

其二

北問天驕憤未平，無衣痛哭不成聲，
撫忠若個能披瀝，報國何人死戰爭？
漢室威儀他日望，商郊禾黍此時情。
廖兵幾迷民心苦，猶見經天太白橫。

其三

防邊歲歲事專征，不見顧運九廟驚。
古堞有城荒白下，斜陽無語老燕京。
單于夜嘯巡屯馬，上將壞空宿衛兵。
惆悵行吟秋月白，不知今夕爲何朝。

（上）

自由人
中華民國僑務委員會僑報登記證台僑新字第一零二號
中華民國郵政登記第一類新聞紙類
THE FREEMAN
（每星期三六出版）
（第三四九期）
督印人：雷嘯岑
社址：香港高士威道二十號四樓
20 CAUSEWAY RD 3 rd. fl. HONG KONG

新經濟部面臨的考驗

•張九如•

台灣的工業問題，今已面臨非全盤根本解決不可的緊要階段，這是本屆行政院無可躲閃的工作，尤其是經濟部是無從推卻的職責。

從金融物價看公營

台灣工業的病根，遠在第一任省政當局時候，就已種下了，那合營的各種工業，不度德不量力的一把抓，到今日，便變成了政府的一大包袱。既把財政壓得要死，而這個包袱裏的撈什子，也正在發霉腐爛或乾癟。據經濟部表示，他所主管的十九個單位事業中，只有十五個單位尚能勉強維持，四個已大賠本，這真夠我們十分警惕的。即令如官方宣傳，生產指數確比戰前增加，但由於成本過高，品質欠佳，外銷既待補貼，內銷又使人民增加支出，統扯計算，結果還是賠墊。雖說公營事業所繳盈餘，對政府財政收支上有些幫助，其實還是得不償失。如四十年度所繳盈餘爲一億七千餘萬元，四十一年度爲二億二千餘萬元，四十二年度爲三億七千六百餘萬元，四十三年度預算所列爲四億四千六百餘萬元。四年總計爲十四億餘，不但所繳之數，逐年遞減，並且這十九單位向銀行的長期低利借款，截至四十二年底，已達七億三千九百萬元。繳稅亦達數千萬元。不但在財政上無所裨益，並且在金融上顯受其累。由於各公營事業需要巨額借款，不得不限外發行，於是改行新台幣的功效，早被他冲消了。不但幣值被他動搖，並且由於外匯偏高，出口衰退，於是國際收支的逆差，也日益加大了。不但人民沒有享受工業增產的益處，並且由於發行的增加，與工業成品的高價，致一般物價指數比三十八年改幣時期漲達六倍以上。就算靠了這些公營事業可以得到一些外匯差額，可是這些差額的利益，也在低利貸款方面早被抵消。如再透視各公營事業本身的營業收入與支出，並可發現支出增加的速率，決非收入所能及，僅以四十年四十一年爲例，四十一年的收入雖較四十年增加百分之四十，但支出則增加百分之五十八。倘更透視各公營事業本身的盈利，同樣發現一年不如一年，僅以四十年四十一年爲例，則四十一年度每資本一元年獲盈利一角二分七厘，已較四十年度平均數減少八分二厘。而且這種盈利，絕非由物質價漲而致，純由產品漲價而來，兩年來國際物價不斷下跌，台灣物價始終上漲，如去年一至十月香港物價下跌百分之五點四六，台灣物價照零售計算卻上升百分之七點一七，照躉售計算則上升了百分之十一點六八，這還不夠說明盈利成於產品漲價的眞相麼？像這種扼殺國計民生則有餘，裨益國計民生反不足的公營事業說他是計劃經濟麼？事實上由於成品堆積，銷售不出，結果卻同於自由經濟的盲目生產。說他是統制經濟麼？事實上由於一部分工業享受大利，竟演成資本主義生產程序的結果。說他是自由經濟麼？從沿行的政策及各種措施上看，又顯然不是。這究竟算是什麼制度呢？難道自甘承認這是「官僚經濟制度」不成？

不必諱言，計劃經濟或統制經濟，是需要必備條件的，而這些條件在台灣卻不存在，怎能不窘態畢露。如（一）實行計劃或統制經濟，必需具備高度的社會經濟基本條件，同時需要社會秩序安定，（二）推行計劃或統制經濟的先決條件，必須政府握有充分的資財，（三）在經濟落後國家，除非用共產黨的殘酷手段，對全體國民經濟實行高壓恐怖剝奪手段，否則計劃或統制經濟即無從推行，（四）在政治道德淪落國家，除非用極權國家的嚴刑峻法，遏止承辦國營企業的一切人員不敢貪汚舞弊，否則計劃或統制經濟適足以便利從業者上下其手。前二項條件台灣顯然不足，後二項條件台灣自不應有。

令人懷疑的民營補助

本來至今日，確實需要自由企業制度來刺激生產動機，改進生產效率，尹仲容氏在出任經濟部長前，早有放寬經濟自由尺度，補助私人企業發展的議論，今既大權在握，便該認眞做去。不過我們希望能夠立即獲得解答的，首爲出讓公營事業移歸民營時，是不是眞能放給具有企業條件的人們去經營？在實行補助民營事業時，能不能明定標準？能不能保證使切合標準的工廠必能得到補助？使不合標準的工廠必然得不到補助，並且必然予以打擊取締？然而，過去[illegible]廠，已有幾宗使人異常懷疑而不滿。

第一件，過去核准設廠並撥款補助的新竹玻璃廠，廠房設在山上，是某一位先生的錯誤投資，移禍於玻璃廠金蟬脫殼妙計。這個新設的玻璃廠，原料須從平地運上山去，運費必增高，成品須從山上運下平地來，[illegible]廠，限制另一家玻璃廠設立，硬使人民購用成本較大售價較高的玻璃。那又算是什麼工業政策？亦何貴有這種經濟建設？試問像這種沒有標準的補助，不提倡競爭的保護，今後有無改正的辦法與決心？

官商勾結的怪事

第二件，關了幾年的振昌木行請購羅資式木材注油防腐機器的案子，究竟是什麼回事？爲什麼美援會不按照合格條件准許振昌申請承辦，僅許條件較差的大華工廠承辦？又爲什麼捨棄公開競爭的辦法，改爲秘密拍賣黑市外匯的方式，若這兩家的外匯黑市價格高，就作爲得標的一家，膽敢破壞合約置貨的禁令？既用美援撥補這種企業，就該公開招標，爲什麼只准大華一家投標，獨家投得，變成獨家秘密交易？大華既無此起家，振昌既會憑自力設廠，則台灣鐵路局所需枕木的加工防腐工程，理應准此兩家投標比價，爲什麼獨交大華辦理？振昌的注油效率，既合國際標準，他所需的注油費，每根枕木又只需三元五角，可算得價廉物美，爲什麼鐵路局偏交大華辦理，而核准大華的注油費，每根卻在十一元以上？此種不合理不公允的保護民營企業辦法，經命決約主持[illegible]，批定三解決方針，可謂合理合法嗎？爲什麼主管當局對此始終沒有遵令辦理？像這種官商勾結，偏袒一家的怪事，雖發生不肯官吏與國營任內，今後能否担保不再發生？

第三件，近聞一家公司準備自製水管，並已得到美援，購就糖業公司一個廠房及部分廠料，但其計劃表示，將來出品價格要比現在進口貨高二成，如確有此事，這是打的什麼算盤？是利民呢？還是專來有利於某公司？要是自來水管確有設廠自製的必要，又爲什麼不明定標準，公佈條件，准許民間企業家競爭投標？難道私自授受的交易，仍有可供迷戀的價值存在麼？

第四件，本年五月間經濟安定委員會工業委員會已決定用美援補助煉焦、製膠、純鹼、水泥、人造絲、汽車輪胎六家民營工廠的開設，並已核定了承辦人及美援撥補年度，請問當時核定的標準如何？會否允許有志建設上項事業的所有企業家同得申請設廠的機會？抑或係出於秘密接洽的方式，一如大華木材注油防腐公司的獨享一切特權？

扶植民營的基本條件

我舉出上述四案的原因，意不在算舊賬，只在借此說明要使台灣經濟有生路，就必先改變工業國營的政策，要使人民樂意自營工業，就先要看政府扶植民營能否得當，對內鼓勵競爭，對外盡力保護，斷然爲扶植民營的基本條件。鼓勵競爭的第一步，事前必須公布取捨的明確標準，必須以自由平等的機會，讓各家競爭設廠，並鼓勵各家競爭設廠，核准時必須依據標準，公正決定。如明年擴充紗錠的申請辦法業經公布，這自然是進步的作風，但希核時必須公正，必須從實公布准駁的理由。對於新設工廠的扶植或保護，更須有標準與限度，必須從根拔除偏私與歧視的心理原因。過去政府內爲本省有一家薄荷腦廠，就停止薄荷腦進口，致本省生產不足供應一家牙膏廠的需要，總由物資局辦理進口，可是供應仍然不足，終於造就「走私進口」的機會，前車既覆，允宜懲毖。

最重要的是建設經濟，必先建設心理，一個人的觀念，往往影響這個人所辦事業的成敗。

（下轉第二版）

英人眼中的美國領袖言論

•堂弟•

西方國家人士，從大體上說，對美國能夠避開問題，不作正面答覆的天才，有關越南局勢的評論，多含有矛盾而欠協調的言論，必然難以瞭解。不過我們總該努力去求瞭解。

美國宣傳上的新趨勢

[illegible]

英美政策各有不同

[illegible]

領袖言論與實際政策

[illegible]

（摘譯倫敦泰晤士報）

半週展望

•雷嘯岑•

聯合國開門揖盜問題

美國議員與政黨領袖們，近日忽然爲着中共進入聯合國問題，掀起一陣暴風雨似的辯論。這當然不是無的放矢之談，而是出於國際間所蘊藏的潛伏暗流，快要公開地向着成功湖畔的大廈衝盪了！

站在自由中國人民的立場上，對這種不祥之兆，不用說是要引爲煩悶的。可是，我覺得大家不必徒然從事口舌之爭，力量是最緊要的，是自由中國能立於不敗之地的唯一條件。假使我們能夠把海內外的中國自由人力號召團結，集中擬固，大有作爲的話，怕誰出賣呢？如其不能這樣，而以聯合國憲章精神這類空論鶗鶘呼，只有自取其辱。

日本與西德，皆被拒於聯合國大廈的門外，但，日德現在已成爲時代寵兒，今日在國際上縱橫捭闔的對共妥協主義者，亦不敢出賣他們，[illegible]「需者事之賊也」！不能自立自強，示人以未可輕視的內在氣質，而欲乞靈於外在的特效藥方，實係危道。要構成「未可輕視的氣質」，政治條件第一，軍事次之。

談到政治條件，千言萬語，要在如何能夠使海內外的中國自由人力，皆心悅而誠服地願爲效命馳驅，唯恐弗及。這就需要有效的作法，狹隘固不可，虛驕更不行。自由中國的內外環境，都是大有可爲的，我們不怕國際上的妥協主義，只怕自己的苟安主義，等待主義，以及故步自封的心情！

駐美大使真要換人嗎？

報載：我駐美大使顧維鈞將於八月回國述職，可能在政府另任他職，不再回新大陸了。如是，新任使節的人選問題，傳說紛紜，甚囂塵上。

我認爲駐美使節的任務，如其專在跟美國政府周旋折衝，那就隨便甚麼人都能勝任愉快。因爲美國政府對我們的一切情形，知道得比一般的中國人更清楚，中美兩國的交誼也格外親切，該怎樣援助我們，再用不着外交官特別說詞，多事活動了。若以美國是今日國際政治經濟軍事的樞紐所在，而聯合國亦在新大陸，國際冠蓋萃萃之地，需要從事於多元的外交工作，萬不得。那末，這人選就應該特別地慎重銓衡，馬虎不得，起碼條件，其人必爲國際間約略知名之士，其才至少具有外交官的技能，而其學識更足以應對進退於國際坫壇之間，不致鬧笑話，丟人出醜，方爲上選。現階段的駐美大使，由於上述兩種情況，要說容易做，那是容易極了，要說困難，那就難到極點，問題只在政府所希望於這位大使者，是啓承轉合的照例工作呢？抑是衡繁關鍵的非常任務？

菲律賓的排華政策

菲島政府以乘人之危的卑劣心理，從事排華運動。前政府爲着選舉關係而大捕華僑，據人勒贖；現政府則進一步實施消滅華僑的所謂「零售商菲化法案」。想不到以久嘗西方統治生活的新興亞洲民族國家，竟以仇視亞洲民族爲急務，這種「兄弟鬩牆」的愚蠢作爲，將來自食其果的日子，很快地就會到來，乃可斷言。

現在我們跟愚人講理，等於對牛彈琴，與狂徒論交，一定自尋煩惱。我希望政府暫時不必再勞那位「勞苦功高」的駐菲大使已經回國來了，也不必另派人去接替。在所謂菲化法案未得合理解決以前，重返任所，兩國似無正常的外交關係可言，讓它處於「靜寂地帶」（SILENT ZONE）以表示我們無言的抗議，有何不可呢？

李承晚博士有根兒！

美國白宮主人柬邀南韓總統李承晚博士過訪，李說：國務多忙，暫時無暇出國！他似乎有些對盟友失敬的模樣，「端」起來了。

然而，他確有「端」的本能與作法，不是胡來的。他能夠自由釋放俘虜於前，決心揮戈北伐於後，就有「端」的力量與方策在，使人不敢小覷他，誰說弱小國家無出路，只看你是否有根兒？

從「七七」事變說起

·姚仇·

今天是蘆溝橋「七七」事變紀念日，過去十七年的往事，不禁一一湧上心頭。

宋哲元的迷夢

十八年前，宋哲元用蕭振瀛作謀臣，勾結日本，由日軍撐腰，明目張膽地率領曾在古北口光榮抗日的二十九軍，從察哈爾進佔了河北全省和平津兩市，這時候，宋哲元變成了「華北王」，日本侵略的野心，也就隨着日益加強。自是以後，宋哲元爲了實現他的「華北共和國大總統」的迷夢，自然不惜一再分期開給日本以實日本的禁臠。華北變色，便成了早晚不可避免的事了。後來的「七七」事變，接着「八一三」滬戰誕生，以至演變成爲一發而不可收拾的第二次世界大戰，可以說都和宋黨這一類冷血軍人勾結外力，出賣祖國的陰謀有關。

盟友竟出賣我們

抗戰期中，我們遭遇着艱苦卓絕的日子，在這期間，我們盟友對我們的態度，現在回想起來，也是够我們觸目驚心的。當年的蘇俄一面和日本維持正常的外交關係，一面暗中培養中共的實力。英國在我們最困難萬狀的時候，竟封鎖了我們對外唯一的交通孔道——滇緬公路。造成了當時最黑暗的日子。珍珠港被襲後，美國才加入戰爭，算是一個和我們共同作戰最可靠的盟友。使我們在得到一綫光明。然而誰也沒有想到，這一位可靠的盟友，在勝利的時候，竟和蘇聯和英國來一個雅爾達協定，我們爲世界和平，爲國家獨立，犧牲了幾百萬生命，所換得的竟是幾萬方里的土地喪失，和東北工業設備的被劫掠。我們對於蘇聯的背棄信義，並不驚奇，最可憤慨的是講道義講國際秩序的美英，當時竟如此出賣我們，眞使人大惑不解。

人必自侮而後人侮之

人必自侮然後人侮之，回顧我們自己，實在也有自招恥辱之道。當時的行政院長宋子文和外交部長王世杰，竟不知道信賴美英，一方面飛往蘇聯獻盛國土，一方面又派雷法章到外蒙古去監督什麼「公民投票」，使外蒙古從此陷於萬劫不復的地位。外蒙古「獨立」了，沒有人向聯合國代爲申請加入，彷彿我們的政府還有過代爲向聯合國申請外蒙加入的事，這眞使人欲哭無淚了。

調停害了中國

再談談勝利後的事情。「接收」那一幕悲劇，如今想起來，還有些令人心悸。不論是「天上」降下來的，或是「地下」生出來的「五子登科」，皆大歡喜，民心都變成冰冷了。這時候，中共橫行日甚，「接收」鬧得烏煙瘴氣，政府威信日見低落，這時候，我們最可靠的盟友——美國，爲我們的「內戰」操心，派了馬歇爾特使，辛辛苦苦，前來調停，苦心是可感的。可是和事老的辦法，是要政府有國防任務部隊，共產黨多裝置幾個師，共產黨不過在「在野黨」的地位，減少裝置幾個師，本來是公平不過的，對方竟不肯接受，難怪馬特使要一怒而去了。可是竟爲中共造成了獨佔整個大陸的基礎。這不能說盟友居心不良，最少政策錯誤是絕無疑問的。

中原會戰之後，我們已到了生死存亡的邊沿，這時候，我們需要盟友的援助，無論什麼都是好的，那怕是一句空空洞洞的情話，也是寶貴的。可是我們最可靠的美國盟友，偏偏在這緊急關頭，投井下石，助桀爲虐，發表了比原子彈還利害的白皮書。從此以後，千萬的中國人便因此遭遇「清算」屠殺。幾百萬人過着流離的淒慘生活。四億多的人口完全陷入鐵幕之內，如火益熱如水益深。這固然要怪我們自己，我們的盟友美國也不能不負極大的責任吧？

美國能有贖罪心情否

過去的已經過去了。五年來，我們臥薪嘗膽，謀圖復國。我們最可靠的盟友美國，是否已正覺悟過去政策錯誤，誠心誠意的幫助我們收復大陸，恢復獨立呢？解鈴還是繫鈴人，這責任美國似乎是不應該逃避。這幾年來美國對我們的幫助，雖然不少，可是在我們看來，還是絕對不够的。美國在南韓並沒有眞正做到警察的責任，在越南也沒有做到制止共黨侵略。對自由中國的援助，又這樣的不痛不癢。我們不知道美國如何可以解救亞洲？更如何可以領導自由世界？

「七七」事變是中國遭遇侵略的開始，由「七七」而演變爲第二次世界大戰，則爲赤色帝國主義侵略中國和蔓延亞洲，種下了不易挽救的禍根。這十多年的亞洲變局，國民政府固逃不了責任，領導自由世界的美國，其所負的罪戾，亦決非史家所能輕恕。亞洲現局，糜爛至此，我們最可靠的盟友——美國，亦能痛定思痛，抱贖罪心情，從頭做起乎？余竊望之。（完）

共黨眼中的貝凡

·加雪·

中共歡迎英國工黨代表團今年八月到中國大陸觀光。觀光團的領隊是工黨的領袖艾德禮，和工黨左翼領袖貝凡。貝文是英國政壇上最激烈，最左傾的分子，理應最受共黨歡迎。可是共黨出版的近代百科全書，一九五三年訂本，却把驕驕派的貝凡，與艾德禮、艾登等同歸反動份子之列。該書對貝文作如下批評：

『貝凡和英國其他工黨的黨員一樣，都是穿着社會主義的長袍，用以掩護那他資本主義特務的猙獰面目。他欺騙英國人民，阻礙英國工人的革命。事實上他是英帝資本家的走狗。貝凡和艾德禮等都是一丘之貉。』

人物述評

商業怪傑 西沙禮斯

·牛布衣·

（一）

『顧客總是對的，』這句話表示商業上一個革命精神。瑞士旅業巨子西沙禮斯（CESAL RITY）發明這個理論，並且徹底加以實行。在他的旅館和餐館裏，顧客要是認爲價錢太貴，他很恭敬地把發票收回，不收費了，還向客人道歉。顧客要是認爲酒或菜不好，可以隨時更換。他的旅館和菜館一切都爲顧客求便利舒適，是以賓主如歸。當代最有聲譽的富貴人物都變了他的上賓。他的旅館成了王宮，他的名字「禮斯」也變成了一個通用的商業名詞。代表優良，精美，和奢侈的意義。世界大商埠都到處看見他名字。旅館，餐館，和舞場用「禮斯」做招牌的，多不可數。香港有一家戲院，一家舞場，和一家泳池用「禮斯」做招牌。（港譯作麗池或麗斯）。

（二）

禮斯生長於瑞士的一個山村裏。十六歲在附近一家餐館裏工作。只幾個月老板便把他開除了。而且教訓他道，『你根本沒有這做菜館工作，需要才能，資格。』

禮斯在另外一家菜館找到工作，不久也給老板踢走了。他跑到巴黎，找到第三和第四次工作，總是供職不久。第五次工作是在一家小而精美的餐室裏。他由開車門的僮廝，升到侍者，再升到經理。這時候，他只有十九歲。老板很看重他，要他合股，並且兼任總經理。禮斯是一個有雄心的人。他拒絕了老板兼經理的職務，跑到巴黎最著名的羅新餐室當助理侍者。因爲他的天才，不消幾個月，便把羅新餐室經營的奧妙都學會了，

（三）

二十五歲那年，他當了瑞士一家名勝地區的餐室經理。

多天最冷的一天，餐室裏的熱氣機壞了，要好幾天才能修復。正在煩悶的時候，電報來了。四十位富有的美國人當晚要到他的餐室晚膳。禮斯發展身手的機會來了！他把客廳裏的簾幔改爲紅色，看來暖些，又把餐廳暫時移到客廳。客廳裏原有四個大銅鑪，是安放棕櫚的。他把棕櫚移去，倒滿了火酒，都燃點起來。又把烤熱的坭磚，包上法蘭絨，放在餐桌下面，給客人暖腳。融融火光，加上最精美的冬季食品，四十位富豪感到十分滿意，對禮斯大加稱讚。他就這樣一舉成名！

禮斯天才洋溢，聲名雀起。歐洲的大旅館爭相羅致。他大有點石成金的力量，凡他所到的地方，無不賓至如歸。倫敦最大的夏蕙（SAUOY）旅館虧折太大，支持不住了，把禮斯請去當經理。在極短時間內，夏蕙便成爲倫敦最時髦，最興旺的一家大旅館。英國威爾斯王子也便是這旅館的經常顧客。禮斯把夏蕙旅館的燈火用種種方法遮蓋起來，始創現代的間接燈光。

（四）

不久，禮斯和夏蕙旅館的董事會發生爭執，辭了職。夏蕙旅館的上賓都對禮斯表示同情，當時曾由威爾斯王子領銜發表了一段新聞。威爾斯王子說，『禮斯到那裏，我們便到那裏。』

後來，禮斯跑到巴黎，創設一所最華麗的禮斯大旅館。在旅館的大花園裏，設備茶座和咖啡座，供貴客清談之用。牆壁均加油漆，以便洗刷。旅館的裝飾全部採用名畫家允的氏（VAN DYCK）一張名畫裏的彩色。最駭人聽聞的，是每一客房裏都附有浴室。開幕那一天，不曉得有多少人跑到禮斯旅館參觀，他們要來看看每一房間裏的浴室。客房連浴室，也是禮斯對於旅業的大貢獻。

禮斯兩字的吸引力太大了，他的旅館總是賓至如歸，不久禮斯旅館也便布滿了世界。

『顧客總是對的，』禮斯的成功全在這六個字上面。

讀者來函

關於政委兼職問題

編輯先生：近讀貴刊三四五期及三四七期讀者來函，其措辭顯見對個人有成見，而遇帶批評政府的政策及制度，在這個孤島上大家掙扎求生存求復國的時候，猶有這種淆亂相妨害國家利益的議論，誠屬不幸之至。

在行政院組織法第十四條規定：「行政院爲處理特定事務，得於院內設各種委員會」，鹽務整理與剩餘物資清理，均屬特定事務；因我國鹽之腐敗，逾千年以上，前內閣認爲欲革除積弊，當使鹽之生產與鹽之徵稅，不再由一個機關統辦。故特設鹽理委員會，欲大事調整，使將來與鹽機關隸屬經濟部，而徵鹽稅機構歸財政部。惜整理工作未完成，而內閣改組，但這種鹽務政策，我相信是絕對正確的，不但在台灣爲然，即將來回大陸後，欲革除鹽政積久弊病，非將生產與徵稅分開管理不可。

剩餘物資許多軍政機關都有，因種種法令及事實牽掣，多年不能變賣，任令腐霉。行政院不得已乃特定辦法，設委員會專事清理。年來清理之物資，計值一億七八千萬元。清理出之廠房土地很多，中外人士凡知其情形者，無不稱讚行政院之政策正確，及執行人員之成績卓著。乃上述貴刊讀者來書，均稱「應歸財經兩部主管的鹽與剩餘物資，不由主管機關負責」，不知他們這種斷語根據什麼來的？

至於說「政務委員去管不應管的事」，「以政務委員身份兼不應兼的職務」，不知他們心目中，政務委員到底應該兼什麼？行政院各部會首長都係政務委員兼，而獨整理剩餘物資之委員會，派政務委員主持，即屬「破壞制度」「紊亂行政系統」，實屬持平之論！

他們攻擊某委員個人之辭，我沒有辯解的必要，但他們說：「竟有舊內閣某委員藉詞向新內閣請求，仍繼續他所經管的某某會某某班等」云云，我敢負責證明，這是一些謠言，眞是「對舊內閣爲遺憾，對新閣爲滑稽」！某委員若眞爲人求小差事，那眞是一文不值，汚辱同僚，爲採擇八，而胡亂受人請求，還談什麼崇法務實？某政委辭一次委後，新內閣首派要員堅請他繼續清理其事，某政委請不可却，始允暫爲維持。他主持的某某事業，與吾國經濟建設前途關係很大，凡屬稍有愛國心者，完成此務。此時以無根據之謠言，橫施攻擊，恐怕不是愛護國家及政府之道吧？素信貴刊持論公正，請將此函公開披露爲禱。

田佩錦 七月二日

新經濟部面臨的考驗

·張九如·

所望於經濟部者

（上接第一版）

如其人深明經濟是財政之母，民生之本，確信自己有魄力有辦法能在經濟上培養財源，開始即懸的以赴，其後必水到渠成，若被環境束縛，並無胆識糾正以往殺雞取卵的技術，不惜昌言軍事財政爲先，而置經濟於第三位，則必至於一籌錯滿盤輸，此實爲首須明辨篤行的根本方針政策。其次則爲必須實行民主集權的經濟行政之作風，在各種工業建設的計劃階段，應公開博採民意（依照憲法似乎也應當聽取立法院的意見），以免閉門造車。過去配紗的技術，管制棉布價格的辦法，就由於獨行其是，所以一度造成紗價高漲，供不應求，特別缺乏本省人民愛用的印花布，不得不向日本訂購救急的事實，同時造成領紗承織以紗貴布賤，竟將配紗變賣，另向市上購進細布轉繳的現象。要是在計劃階段博採工商各界意見，何致如此、在執行指揮階段，應減少會議方式，免得一推二拖三擱置，而其基本的改革，則在速經濟部確能負起主管全國經濟行政與經濟建設的最高責任，儘量減除許多旁枝機構費時誤事操功卸責的弊害。

上述觀念的改正，政策的改革，技術的改進，確爲挽救台灣經濟危機所必要，不知多年來埋首於中央信託局習慣於統制行爲的尹氏能作一念之轉否？我們誠摯希望尹氏也能像西德經濟部長艾哈德教授（Prof. Erhard）一樣，立即着手經濟改革，「讓經濟回到頭來」（TO Give the economy its head！）

天下小事

越戰中三千德兵被俘

據西柏林盛傳的可靠情報說，越共在奠邊府一役中，俘獲法聯軍極衆，其中有一大部份是著名的外籍兵，這些外籍軍團中，德籍兵所以連同越戰七年來被俘的兵，總數已在三千人以上。最近越共接受克里姆林宮的唆使，已打算把這三千德俘德兵全部解交東德，而不管他們願意與否。

英希爲塞浦路斯反目

位於地中海，二次大戰中對盟國頗有貢獻的塞浦路斯島，最近將來可能成爲英希兩國爭執的重心。希臘要求英國將該島歸還希臘，如果英國拒絕，希總理巴巴果斯計劃將此案提交聯合國討論。在此案醞釀中，美國已出作和事佬，由美駐希大使請求希臘放棄此種計劃，以免盟國陣營發生裂隙。但據說，美國的調解努力將徒然自費。巴巴果斯政府可能受公衆的壓力採取一些步驟。（孟衡）

大陸工人 人命如草芥

·沈著·

大陸淪入鐵幕後，一般工人的健康都差了，疾病傷亡，日益加多。其原因，除安全及衛生設備簡陋，幹部盲目強迫工人工作之外，與中共的「突擊生產」和「勞動競賽」，不斷的提高「工作定額」，亦有極大關係。

中共的報紙對於工人疾病與傷亡情形，向來不肯報導的，現在也時有透露了。各大行政區或省市的地方性共黨報紙，則透露較多，綜合起來，約如下述：

最嚴重的肺病

工人的疾病，最普遍嚴重的，首推肺病。十九皆由操勞過度，營養不足，及長期在污濁空氣中工作所致。據去年三月間上海「解放日報」統計：上海「人民銀行」上海分行所屬工人中，有百分之四十患有程度不等的肺病。一九五二年一年中，該行因肺病死亡的即達八十六人之多。又據該報披露，上海市衛生局統計，用愛克司光檢驗上海紗廠工人的結果，八千人中，竟有三千三百餘人患有肺病，佔全數百分之四十以上。又據同年六月天津大公報消息：鄙承天津紗廠，第一、二棉紡廠，天津建築工程公司，天津烟廠等五個工業單位，愛克司光檢驗結果：有百分之二十五至百分之四十的工人，患有程度不同的肺病。病重者約佔百分之十五左右，輕者佔百分之三十左右，初患者約佔百分之五十五左右。該報更說：肺病的人「担心病好不了」，「精神憂鬱」，工作情緒極低，嚴重影響生產。

腫脹症與腸胃病

其次為腫脹症：大多皆因在潮濕地面或水溝中工作過久，下體受震所至。其次則為呆坐或直立之工作，時間過長，血脈不和所致。此種患者，以西北地區為特多。據去年七月間「人民日報」披露「西北行政委員會衛生部」的統計數字，僅甘肅一省，約七十萬工人中，即有四十八萬餘人患有此症，約佔百分之六十八以上。其次為西南地區，據同時新華日報披露，成都及重慶兩地之織紡工人及築路工人，約百分之四十左右患有此症。

再次，亦即最普遍的，實為胃病與痢疾。十九皆係飲食不調，食物不潔及營養不足所致。此種患者因過於普遍，中共沒有具體統計，惟據長江日報指出，工人不患胃病者，幾百不得一。患痢疾者，尤以西南及中南區方面之建築工人為特多。

流產中毒窒息

以傷亡言：最慘無人道者，厥為孕婦被迫作過度的勞動以致流產死亡。去年十二月十日中共「華東監察委員會」公佈，僅淮北鹽場在二百九十一人因工傷者中，女工流產的即有六十五人。又去年八月十五日「山東省政府勞動局」披露：該省新華藥廠在一次「加班加點」的趕工中，九個孕婦，就有五個流產。（均見「解放日報」）。又如去年一月間重慶「新華日報」披露：「國營」五煤礦，因不許臨盆之女工請假，有二個懷孕女工暈倒礦場，其中二人流產致死。諸如此例，多不勝計。其次為強迫冒生命危險，盲目工作，造成傷亡。其中一為中毒。如去年六月間重慶「新華日報」披露：成都市搬運公司（中共國營）於五月間連續強迫二百六十餘名不戴防毒面具搬運瀝青，結果除五十餘人為輕度中毒外，餘兩百十餘人均為重度中毒。眼腫、嘔吐、發熱等。據當時消息，除百餘人已脫險外，尚有約一百人仍在昏迷中。有十二人已死亡。又一種為窒息。例如今年四月間「人民日報」披露，天津鐵路管理局為開掘廊房隧道，因通風設備不健全，在開至一千餘公尺深度時，即已發生窒息，但工地領導幹部盲目強迫工人趕工，至造成大批死傷。類似此種情形事故，亦屢見不鮮。

意外傷死情形嚴重

最為普遍的，為暈厥、吐血、勞損、跌死跌傷、墜死墜傷、礦死礦傷、或炸死炸傷。此類例子，更多不可舉。去年二月間「新華日報」載「西南工業部」副部長萬里報告：在四十七個礦廠的三個月中，發生傷亡事故三千二百四十五宗，死傷三千三百三十七人。又如去年四月中共「開封日報」披露，在一百另三萬治淮工人中，約有百分之十五以上積勞成疾，約百分之三左右死亡。（實際數字可能尚不止此）。去年五月「新華日報」載：「國營」二〇二廠在一個月內因工死亡三十餘人，傷百餘人。又據該報透露：僅重慶一市之搬運工人，在二至四三個月內，死傷即達一千一百二十餘人。如去年七月上海「解放日報」披露：上海市六十萬工人中，有十二萬四千多人患有各種疾病，有二萬六千餘人因工傷亡。又據四月間該報透露：南京市建築工程公司所屬僅浦口一個工地的一千九百餘名工人中，因工傷亡的即達三百二十餘人之多。

總之：本文所舉者，僅為一些略較突出的例子，已可想像大陸工人在中共的統治之下，疾病傷亡及健康損害的悲慘情形如何了。

讀·史·評·述 秦漢之際的讀書人（四）

·毛以亨·

爭天下者，必以利害為前提，平日信義，多不能顧，豈獨陳餘為然？特陳餘奄有趙代二地之後，仍分王趙王，而自為趙王相，則仍以六國之後有號召力之故，驁守臣道，又不肯自己負起責任來，而自居于幫閒階級。然既不能如周市如田齊之割據獨立，更無法期望與劉項爭天下，所謂儒者，果如此乎？史記韓信傳，謂『成安君（陳餘）儒者也，常稱義兵不用詐謀奇計。』故不聽李左車之計，擁二十萬人，竟敗于韓信之數萬人。蓋徘徊義利之間，而不能澈底為利害打算。其得地多收效于反秦之宣傳，亦是義利並稱而不能專言利。韓信則受過項氏軍之嚴格訓練，而又胄出于盜者，鉅鹿之戰，成安君亦戰慄作壁上觀之諸侯也。李左車知餘不能與之打硬仗，而欲以奇兵絕其糧道勝之，餘則自恃為義兵，不務奇計，卒以身死國亡，誠為宋襄之續。在幫閒階級中，固為最積極者，然其弊在不能跳出幫閒的範疇耳，亦即船山所識為非忠臣也。

三、蒯通

蒯通是標準的幫閒者，先事武臣，中事韓信，終事曹參。代本名徹，燕人而遊于齊者，具齊人的風格，而少似魯仲連，惜未能守處士風度，而其計也多不行耳。但通素看不起高祖與項羽，史記田儋傳贊曰：「蒯通者善為長短說，論戰國權變，為八十一首。（漢書曰書名為雋永）通善齊人安期生，安期生嘗干項羽，項羽不能用其策。已而項羽欲封此兩人，兩人終不肯受亡去。」其與高祖亦從無關係。大概項羽是代表楚人的作風，而高祖則以蕭何為留守，盡襲秦人的舊制，故與齊燕的風氣不相協調。史記無傳，漢書有蒯通傳，儘將其見于陳涉世家，淮陰侯傳等處的資料集在一起，而亦稍有增益。

蒯通先為武臣說降范陽令徐君，以兩全其美之道啓迪之，與高祖之納降宛令不謀而合，於是趙地三十餘城，傳檄而定。通有得起韓信，信之才具與品性俱出劉項上，然其志亦在幫閒，而無心于自王，故信終不聽通計，使天下卒歸高祖。蓋通祇見信之心長，而不見其志短，鍾離昧恨其賣友而駡為『公非長者。』近取張耳陳餘之不能全交，遠取句踐之殺范蠡邅文種為喻，以證漢王之必加害于信，都是實話。通見其不聽後，即佯狂為巫，又能自脫于高祖之烹，其說之澈底，非燕齊夸誕之士，不能為也。晚年為齊相曹參客，並薦隱居山中之東郭先生及梁石君。

漢書論通言過其實

漢書以通一說而喪三儁（謂酈食其、田橫、韓信），未免言過其實，田橫、韓信，即無通而能倖免乎？班固此說實襲自太史公，史公之言曰：「甚矣蒯通之謀，亂齊驕淮陰，其卒亡此兩人」痛恨謀士，而出此憤激之辭，固未嘗不可，若謂其合于實情，則未必盡然。然幫閒者，要皆為謀士型，漢三傑亦何一而非謀士，要其遭遇不同，而成功亦自異耳。船山之論，尤為軼出題外，他說：「三分天下，鼎足而立，通徹狂惑之計耳。……信反于齊，彭越控其南，鼎足先折，而徒為天下蠢賊。信知其不可而拒徹，計之深也。……卡莊子小死大斃，一舉而兩得之術，俟時而發，發不旋踵矣。……劇王而侯……尚欲因陳豨以發難，擁三齊之勁旅，西擲而虎視，尚難忌哉。」此皆為不知當時環境者之推論，司馬光承漢人舊說，謂信無反狀，全出呂氏誣陷，則船山為無的放矢了。太史公曰：「假令韓信學道謙讓，不伐己功，不矜其能，則庶幾哉？於漢家可以比周召太公之徒，後世血食矣。」然漢家並不容有分茅裂土之周召太公，即有之亦非珍滅之不可，史公曲辭，實于漢家有微辭。

四、叔孫通

太炎先生雖志於稱叔孫通，其言曰，「儒既于驪山，而伏生叔孫獨脫。及秦之廢，通腼溪朝焉，其違于守節歟？當其前則有夏太史終古，與受之臣攀矣，踵是則有陸元朗，孔神逸矣！夫以身衛禮樂儒術，不卹其污，此誠非溝瀆之小諒所能跂也。」然讀叔孫通傳，見其詐偽百出，此特纖取高貴之雄耳，何有乎保衛禮樂儒術？二世諱言反，叔孫通前曰，「諸生言皆非也，……明主在其上，法令在其下，使人人奉職，四方輻輳，安敢有反者？」於是二世將言反者下吏，賜叔孫通帛二十四，衣一襲，拜為博士。「諸生曰，先生何言之諛也？通曰，公不知也，我幾不脫于虎口，乃亡去。」其詐偽固可賤人，然其富機立斷，不舍二世且夕之富貴，有足多者。

× × ×

台灣中南行（十八） 工廠化的監獄

·魏希文·

台南監獄一瞥

別了赤崁樓，我們在台南市監獄主持人的邀請下，去參觀那裏獄中囚犯的生活。

在我們的想像中，監獄的囚犯總是蓬頭垢面，囚室當然也是暗無陽光潮濕不堪的地方，但我們到台南監獄，走進一道鐵門，兩邊便是一間一間的囚房，囚房內是一塌塌米的床鋪，鋪上有毯子，摺疊得整整齊齊。可是房間裏都空無一人，後來我們問陪同參觀的人，才知囚犯做工或者上課去了。

我們走到工作場地，一間一間的工作房，有的在製膠器，有的在縫製衣服，有的製火柴盒，其中部門甚多，可惜我一時記不起來，他們一邊在低聲談笑，見我們來了都不約而同的站起來，他們不但沒有蓬頭垢面，而且穿着的衣服也很整齊清潔，如果不是事前知道這是監獄，我們能說不是到了工廠？

走過囚犯的工作場所，便是一個很大的運動場，有些休息下來的囚犯，正在那裏玩球，我們走過時，有幾位覺得自己做了犯法的事，有些害羞的低着頭，我們問一位囚犯他的生活怎樣，他向我笑着，原來他是台灣人，聽不懂我的問話，後來另外一位懂普通話的囚犯對我說，他們生活很好，一切都是自己管理的。

監獄的環境佈置得很美化，他們有的是人力，把環境改造得如一座花園，一草一木，花圃草坪，也使人覺得這是一所學校一樣。此外還有一所女監獄，我們進去時，她們正坐在一隻長櫈上，她們的房間不但整齊清潔，而且在牆壁上還貼着照片，有的把聖誕卡裝飾在牆壁上，由此可知女人是比男人要愛美多了。

我們男同人當然無法同她們交談，可是我們女同人却成為她們交談的對象，我們走出監獄時，中工作的人員站在門口和我們握手道別，並且要求我們指導，自然像這樣家庭化學校化的監獄，已經很夠理想了，我們還有什麼話可說，當然是稱讚不已。

我們上車以後，同車的同人還有好幾位沒有出來，大概別一輛車上也有同樣的情形，所以他們一再撳喇叭催他們出來，可是等了很久，他們才匆匆的跑出了，其中以女同人最多，問起她們，才知她們同女囚犯作個別訪問呢？女同人們都告訴我說，女囚犯中有一個是謀害親夫的，她談起來神色很沮喪，充滿無限懺悔。人都是有人性具有良知的，今天大陸上的共匪要消滅人性，要大家獸化，造成人類自相殘殺的悲劇，這種殘暴的獸性行為，真是人類千古的浩劫，我們要把恩魔一般的共匪，失去人性，失去愛的千萬同胞拯救出來。

二十五年開花一次

參觀台南監獄以後，因為時間已晚，赤崁城、五妃廟都不能去一觀勝景。據說開元寺為鄭成功之子鄭經所建築，作為其母董太夫人之所，據老人說，那裏環境非常幽靜，並種有千葉蓮，七絃……每屆二十五年才開花一次，誠屬奇觀。（未完）

青年失學易入歧途 如何挽救亟待解決

港九各公私立學校就讀學生，本年度該超過廿二萬人。這一個龐大的數目，就三百多萬人口比例看來，並不是一個恰當數字；可以想像得到失學青年及學齡兒童，至少逾十萬名，這個現實的嚴重問題，并不是遍設學校可以解決，也不是輔導升學、就業可望打破，絕不是單純的。問題是生活水準普遍低落，工商業不景自是基本原因，迫得力謀另闢蹊徑，生活既感不易，對於子弟就學問題，根本無暇兼籌，這種情形，已極普遍；雖有許多街坊機構設置義校，以及許多中小學校設有免費半費名額，但為數極少，而前者僅限稚童，且須支付一些雜費，後者祇是一種鼓勵性的點綴，而並非純係濟貧。

原有就讀於私立學校學生的家長，他們為了減少學費負担，差不多沒有一年不向官校申請。本年度教育司署接受這種申請表格，共達三萬八千多名，實際各校所遺學額却不足二千名；就這些申請者中，很可能有許多因為不能就讀官校；私校學費無力負担而輟學的。其中並非完全小學學生，極少部份是要求升學中學的，因為中等學校並不公開招生，學額有限。本月十七日各官校舉行考試之後，實際容額究竟有若干，教育司署將根據報告——大約不出五天——幸獲申請投考官校的學生當可收到通知；否則，又失去了一個機會。這個一年僅有一次的機會，誰也沒有絕對可以有一定把握的。

投考官立小學既難，升學高中官校更難，而後者的問題比較更嚴重，至少百分之六十以上的初中畢業學生，無力向私立高中問津，因而退一步去投考英文書院，指望畢業後可以就業。這對於本國文化來說，確是大大的損失，他們將來連本國史地都不知道。投奔自由祖國吧，名額（四百名）更少得報名投考也不一定有錄取之希望。雖然，從「民主櫥窗」中不難看到大陸上的景象，而他們頭腦大致無認識，因為僅是受到淺薄的教育，除了亟圖打開眼前升業的途徑以外，別的還有什麼？因此，這一批青年一旦失學，很容易走入歧途。何況邪惡環伺周遭，他們挑逗；當地既不能滿足他們的要求，祖國不能儘量地收容，向那裏走？迷失了方向，闖進歧途，誰也沒有本領把他拉回來。斷送了他們的前途，是人得失畢竟有限，國家民族的損失，是無比的。他們並不是肩上負不起承先啓後的責任，而是堵塞了奔向復興民族，改造社會的救亡圖存之路！

× ×

再談王瑤卿之死

馬五先生

自由談

我前次談北平藝人王瑤卿之死，認為他是受不了共黨的精神虐待而神經失常，以致喪命的。現在看到他的至友梅蘭芳在共報上發表一篇「我的老師」一文字，（見六月廿日北平光明日報）更可證明吾說不謬了。

梅說：「我問醫生，究竟王老先生還否恢復健康」？醫生告以「王先生的病是語言神經失去控制」，這即是說他的神經受刺激過度，近於瘋狂了！共報諱稱其為「神經病痛」，徒見其欲蓋彌彰耳。

梅又說：「當他——王[illegible]的前夕，他還給學生說戲和審查天河配一劇本」。天河配原是一齣古老的舊劇，因為共黨大力改造戲劇，一切情節都要加入甚麼「階級鬥爭」和「勞動人民勝利」的事實，如「三堂會審」一劇，即須將王金龍演成為地主惡霸身份，強佔民婦，最後由「人民」起來鬥爭，將其活活打死，才算是[illegible]相配合的思想，[illegible]。天河配這類帶有神話性的故事戲，則要與「馬恩列史思想」相配合，王瑤卿的任務就更艱苦，責任更艱鉅了。像這樣胡說八道的改劇本的行為，稍有廉恥與是非觀念的人，自然難以忍受，受不了又沒法抗拒，除了神經錯亂以外，還有甚麼辦法呢？

再看梅博士所述「王老師」臨死的狀況：「當我走到他的病床邊，我們兩個人的眼睛一接觸，眼淚就同時都流下來。我們緊緊地握着手，他想跟我說話，但是說不出來，只迸出一點聲音，他用眼睛望着我，用手指着他的嘴，接着又把手一揮——歎了一口氣……我看了他的樣子，止不住淚流滿面」。梅博士這篇文字，對王朝大事恭維一番，說：「當然要[illegible]」「人民」對王老師是如何的特別照顧，王老師在「人民」特別照顧之下，又是怎樣的「興奮」「快樂」！但他這篇文字[illegible]不出，而且還[illegible]，即知大陸上一般真正的文化藝術工作人士，他們是過的甚麼生活，受的甚麼罪了！

絃邊偶憶　三聽遏雲

·婆婆生·

（一）

卅年前，余客故都，業餘惟以聽劇為遣興，處山陰道上，[illegible]王靈石，太平陳[illegible]，亦有同好，相與過從，[illegible]，偶走滬南，遇明，見有遏雲女士登台，其時梅尚留滬，[illegible]，每思尋覓新進人物，以換耳目，[illegible]曲之[illegible]，靈石尤力，相率以登院一聽，覺得唱做稍欠，但是嗓音頗不壞，彷彿似在梅友會[illegible]，遂毀桓之初也。其時同班有三坤伶，即遏雲與胡碧蘭、王韻芳三人。余與靈石，頗贊遏雲之可造，[illegible]，於是每逢週末假日，必去聞聽，如是者約有一年。後來遏雲忽不見，碧蘭改搭，而王韻芳亦隱，[illegible]，並未失濟且，是[illegible]遏雲，而其成名，亦頗引以自慰。

新豔秋是王[illegible]之改名，遏雲[illegible]，但此中尚估其二，[illegible]碧蘭無成，不可謂余

（二）

每逢梅氏串演，則必借其妹來聽，釵光鬢影，極為豪麗，明珠垂掛，一如貴婦人。余聽梅一回，必可見[illegible]。後聞方地山公子考吾一次，頗訝其既已入侯門，何以猶在若搞清研，不明其意。事[illegible]甫音，知為已證軍閥[illegible]之下直棄，[illegible]之罪均，給以消息，[illegible]者。遊廣信父讚嘆，[illegible]曾充閩陽國臨時，該缺口證院各關之最顯，更有其一味會變，因是灣中，不下數十萬，認豐想可安矣。

（三）

民十七，國府成立，余奉派首赴上海，已與保氏晤話[illegible]諸公，聯座。蓋保氏諸子於有神死後，保爭財產事，提停六日而不論，可知其品格不堪問。某日偶在[illegible]上購得其[illegible]遏雲河唱大登殿，則語聞朗澈，直可追梅，已非吳下阿蒙，所惜無餘一見其登台彩串，是可聞而不可望。引後余走江漢，及抗戰軍興，轉輾滇蜀，益務利來臨。則殺派赴贛門，共匪亂中原，更倉辛來台，[illegible]，欲聽遏雲，此生殆已難遇。今夏總[illegible]就義大典，香港之發成諸人，頒詩參加來賀，並以勞軍，遏雲亦翩然蒞止，中心滿欣可得再聞，回首前塵，近三十年，恍如隔世，不勝其感慨。

（四）

余以久不聞其歌，因此，連聽三次，且均為全本金鎖記代法場，知其已得梅稿，改變其腔調矣，所惜在客席中生地得意餘，未會留日，首次所聽在三軍球場，座券僅十元，距離較遠，場中不甚準，音一紙聽其音調婉轉，而未見其韻色。杜維藩兄知余嗜曲，已貴券務處晚會，以貴券相貽，李奇小姐亦一聽，即約同往，二次乃能聆妙音，其行腔吐字，悉依王派初期之調門為本，有相當成功。慢板既紆迴曲折，原板能工整穩妥，而反二黃的佳腔，閉目靜聽，宛然高亭唱片之翻版。念白尤見工夫，幾句叫頭，悽哀欲絕。做作更精彩絕到，初場送婆婆至牢門，一個身段，非常好看，而就門相認，神情表現從茲死別，極為逼真。法場上，在兩劊子手挾持之下，一副死喪臉色，杏淚時閃時閃頭，即顧盼時，亦無勁，完全現出內心的悲哀，無從說起之態，足可叫絕。所以來台一月，大概演出有五六次，或謂其善唱二黃，但其念做，亦非初學者可比。因是台北學程的名票，幾乎全部到場，所謂又聽而又學之意。遏雲此來，頗使他們不禁所唱，有點改觀。配周長華的京胡，邱季湯的二胡，更是襯托有力。尤其周小心翼翼，全力以赴，蓋周為王瑤卿操琴，是後期時間，容有不同，因此轉而精采非常，也是耳福。三次承毛向新夫人邀，在郊外士林再聽一回，其精采一復如是。鄭子褒兄相與評判，謂其扮相過於老法，不很勳看，現在化裝，已大進步，不妨改良。余昔以遏雲所扮，頗似當年陳石頭模樣，唱此劇尚可，倘演其他，似應稍改，鄭兄頗表同感。（完）

青年節日諸公聯讌陸覺老桐綺丈為譜木蘭花慢一闋依韻奉和

·申齋稿·

祝青年節日，齊晉壽，老復丁。共問說當年，推翻帝制，因果相成。幾艱辛民權建，長盼望，揖讓致承平。政制先開新局，於今回數萃英。

相看世變自分明。此夜憶攻城。振起義聲開。靈光如故。是老人星。難忘萃生抗刦，苦相思，民約待重賡。白日青天偉大，古稀年酒同傾。

中篇小說　金珠

·勞影·

「先生，」她說：「這種動人的話，我已經聽得太多了，你們男人才來想討好女人又不懂得討好女人的方法，令人聽起來反覺得有點可憐。……現在我問你，是你先知道我在這裏才來看我的呢？還是被誰勸到這裏後才知道有我？」

「當然先知道你在這了！」

「[illegible]」

「換了我也會這麼說，可惜它不能代表一種理由。」

「我有理由要你相信！」

我認真的口吻引起她的興趣。

「我倒要看你怎麼說。」她的眼睛盯着我。

我本想立即從袋裏掏出那條手帕，但又怕她那晚的行動或許隱於一個不可告人的秘密，當一個人的秘密一旦為別人拆穿時，會不會有反感呢？還有，假如某些因素迫使她不得不斷然予以否認，那麼，我這二三天來的心血究竟為誰花費的呢？以後我還有什麼藉口再來她這裏？我很清楚，我的情感已在逐漸改變了。

我縮回準備伸到袋裏去的手。

「我從你家裏得來的消息。」我試着開始我的謊言。

她笑了一下。

「我有個朋友在太平町那一帶辦理戶籍方面的業務，」我繼續揣摸着說：「有一天，他告訴我，他說：在他的管區裏，有一個叫許月梅的女孩子，長得很美……」

我說到這裏，柯梅已經放聲大笑起來，笑得前仰後台，眼淚都笑出來了；我實在想不透我的謊言裏有什麼地方露出破綻。便問道：「你笑什麼？」

好容易她才忍住笑說：「你真像一個相面先生，專拿別人家的自供來作為自己編造的材料……你說，你所說的這些，那一點不是從我口中聽來的？」

「不，」我正式地說：「我早曉得了，我再問你一次祇不過是為了證實我那個朋友對我是否誠實而已。」

她用手背揩去笑出來的眼淚。

「那麼你說的都是真話嘍？」

我高興極了。

「怎麼不真呢，」我說：「你若不相信我還可以發誓！」

「發誓吧！」

我有點為難，但又不得不兌現我曾波尚未完全消失的諾言。

「假如我的話是偽造的，」我說：「我願……」

她一手拖住自己的嘴，一手扯下我舉起的右臂。

「現在你總該相信了吧？」我如獲救地說：「說真，我長到二三十歲還很少扯過謊哩！」（十一）

學詩散論

（並質陳文受君）

·王世昭·

中國詩感於齊而興於古，而唐尤開後來作者無窮法門，其意義之重大，遠非不學的人所可以論難。但唐詩之成功在成了定式，而失敗也在成了定式。古詩是沒有一定形式的，如詩經，如楚辭，如漢魏樂府，以及魏晉六朝之詩辭歌賦，何嘗有一定形式？自從沈約倡四聲八病之說，沿及有唐，則有固定的形式了。故自宋明以至滿清，多數詩人都在老磨盤中兜圈子，寫出來的東西為形式所限，所以長於短篇抒情，而短於長篇敘事。宋詞一變為詞，詞亦為音樂所限，有大才的作家如蘇東坡辛棄疾等亦衝不破，於是元人打出了一條新路，那便是我手寫我口，我口寫我心的元曲了。元曲一變而為明清的傳奇，其實元曲與傳奇都是詞的胎生子，詞以一調為起結，元曲與傳奇則以一齣為小起結，集多齣為大起結，中國的詩歌氣運遂恢復了本來面目，跳出唐人的窠臼，創造出前所未有的東西來。

三

五四運動所反對的是舊詩——即唐人所倡成為定式的詩，並沒有反對不鄙的宋詩元曲與傳奇。王國維等因鑒於曲劇在文藝上的價值極高，所以埋頭發掘人們所未經意的書卷中的寶藏，而成「宋元戲曲史」，把中國的文學從故紙堆中理出一個端緒來，他的成就是恐怕還在研究小說一般人之上。總之，五四運動時代的詩作，他們有可貴，沒有好辦法，所以到了現在，除了不拘一體，不限一式的恢復古人面目的一點成就之外，大氣磅礴的東西是沒有的。

自由詩運動雖得胡適之先生的嘗試集，而其成功則詩品在徐志摩、朱湘、陳夢家、饒孟侃等人身上。至於劉成體系的，則印度太戈爾所影響的冰心的繁星與春水；郭沫若雖自成一格，而近於粗獷；李金髮雖自成一格，而近於晦澀；梁宗岱雖自成一格，而近於纖弱。

自由詩如果老在抒情的磨盤中兜圈子，一定兜不出什麼名堂來。於是王獨清翻譯但丁的新生，郭沫若翻譯歌德的浮士德，田漢翻譯莎士比亞的哈姆雷特，傅東華翻譯荷馬的依利亞特與奧德賽，錢稻孫翻譯但丁的神曲，惜未窺全豹，一百篇的大作只譯到四篇，真可謂美中不足了。王維克繼之，以散文體翻譯神曲，雖不傳神，却易於普及。晚近糜文開翻譯印度的羅摩耶那與摩訶波羅多二大史詩為故事體，又譯迦里陀莎的莎恭妲羅劇曲，因此，東西各地的大詩作都撮到我們中國來了。其中荷馬的依利阿特，歌德的浮士德，但丁的神曲，莎士比亞的哈姆雷特，一向被歐洲文學稱之為世界文學四大寶典的。如果再加上屈原的二十三篇創作，荷馬的奧德賽，印度的摩訶波羅多與羅摩耶那，以及莎恭妲羅，可稱之為世界文學九大奇書。若論時代，則中國的屈原，印度的無名氏（印度二大史詩至今未知作者主名），希臘的荷馬，可稱之為世界最古最偉大的三大詩人。

四

我想，中國詩如果要有更偉大的成就，舊的不可廢，新的不可忽，世界名著尤不可不多多介紹到中國來。讓中國詩人把眼光放大，讓中國詩人想像力向更高的地方發揚，讓中國詩人作更多方面的嘗試；這樣，也許中國詩才有嶄新的前途，才有磅礴的氣象，才有更偉大的創作出現在我們的面前。

我過去責怨中國現代詩人太不爭氣，其實責得很多餘的。因為，偉大的詩人是不世出的，偉大的創作不是一蹴可冀，需要長久時間的努力，醞釀，薰陶與培育，而且還有絕大的忍耐性以及有人有我的胸次與人無我的精神，以後才談到偉大的創作。一月一年不為少，十年二十年不為多，懸此鵠的而為世人告，也許二十世紀的中國文學界，會拏出一部震古鑠今的大著來。（續完）

民族詩人張家玉

·劉露如·

詩中「惟聞戰甲走元戎」，「報國何人死戰爭」？使我們想起大陸淪陷的時候，若干聞風而逃的將領，眞是古今如出一轍。

（三）

當時鯤顏事仇，降清求榮的大臣亦比比皆是。例如家玉退守增城，情巡撫王芋自恃與家玉至交，函勸家玉薙髮投降，並附函云：「楊朱為我，不肯拔一毛以利天下，孟子闢之，吾兄豈惜數根青絲而使國人受屠殺之災乎？」家玉得書大怒，覆函責王云：「本師，南都不守，為大臣者應為國盡忠，汝既不能盡忠，復甘心媚敵，有何面目見我？更何況以不堪入耳之言汚我耳乎。」家玉痛恨漢奸，故屢作很多斥責漢奸的詩，為虎作倀，賣身投靠，如贛中晚坐云：

韓門坐冷客悠悠，烽火何依飛入闈。萬里山河悲戰伐，百年身世自憂舟；獨攜我抱滄桑淚，冠履誰計倒懸？欲借朱雲當日劍，晉來高斬佞臣頭。

又云：「憶昔燕畿之變」

首逆何人竟國先？遂令滋禍竟綿延！內廷已失金吾守，外地寧誇鐵甕堅！萬井桑麻餘戰壘；千家城郭靜炊烟。誰憐去國孤臣遠，禾黍興悲幾淚漣。

（四）

王芋勸降既不成，老羞成怒，遂促降將李成棟進兵，九月一日，成棟命部將杜永和，閻可義等分兵進攻。家玉亦三分其兵，相持十日，部下死者數千人，無一降者。矢盡，諸將已盡，清兵包圍，家玉慨然曰：「矢盡砲裂，欲戰無人，將傷卒殘，欲走無路，[illegible]以頸血濺敵，痛快何如？」以命拜諸將，自投野塘死。時年僅卅三歲，慷慨赴義，求仁得仁，方之張煌言，從容就義，如出一轍。煌言絕命詩云：「我年四十五，恰遇九月七，大廈已不支，成仁萬事畢！」煌言死時四十五歲，家玉則以三十三歲死，都是以忠義自為天地間保留正氣，為之年，[illegible]，亦同以詩名於世。

自由人
中華民國僑務委員會頒發登記證台數新字第一零二號
中華民國郵政登記第一類新聞紙類
THE FREEMAN
（第三〇五期）
每份港幣壹毫
督印人：雷嘯岑
社址：香港高士威道二十號四樓
20 CAUSEWAY RD 4rd. fl. HONG KONG
香港發行及事務接洽：香港高士打道六十六號
電話：七〇四五五三
承印者：東南印務出版社
地址：香港高士打道六十四號
海外總經銷：友聯書報發行公司
香港[illegible]26A號二樓
臺灣特派員辦事處：臺北市館前街五十號
臺灣總經銷處：臺北中華路五九四號之一
臺郵政儲金劃撥戶二九五二

大家照照一面歷史鏡子

曾胡左李與太平天國的一場惡鬥！

左舜生

時局慣無可談，只好談談故事：去今一百零四年以前，即一八五〇年，亦即清道光三十年的六月，洪秀全起兵於廣西桂平縣的金田村。

這是中國歷史上一次稀有的亂子，時間經過一十四年，蔓延的區域牽動了十七省，洪秀全建都南京，也居然延長了十一年以上。尤其奇怪的，乃是把這次亂子平定下去的並不是那班能征慣戰的武將，而是一羣無拳無勇的書生！

內憂外患的當年

在『太平天國』這一幕大亂子以前，中國已經遭遇過一次空前的外患，即歷史上有名的鴉片戰爭，其結果則造成一個五口通商之局。在中國內部這一大紛亂的過程中，外患不僅沒有中止，而且越來越激烈：咸豐七八年之交，我們的東南沿海繼續為外力所侵擾，九年十年，外力更侵及北方，而英法聯軍之攻破天津北京，咸豐帝被逼出走熱河，也就正是咸豐十年的事（一八六〇），當時清廷的命運，真是不絕如縷！

關於太平天國的真象，自南京被湘軍攻破以後，以迄清末革命運動的再起，世人大率得自口碑，其正式的文件是很少能看到的。清末的革命運動以民族主義為號召，因為洪楊也有排滿的一義，於是太平天國的價值，在新興革命者的眼中乃驟然抬高。其實，裏面包括一個很大的矛盾：孫中山先生於中華民國元年元月元日在南京就職臨時大總統的宣言說：

『國家之本，在於人民，合漢滿蒙回藏諸地為一國，如合漢滿蒙回藏諸族為一人，是曰民族之統一。』

五族的關係既是如此密切，五族的地位又是如此平等，那麼，中國的皇帝何以只有老大可以做，老二老三便一定做不得呢？不過，中山先生革命主張的重點畢竟在政治而不在種族，當時其所以提出『驅除韃虜』的一個口號，只是為了革命進行的一種方便，同時也是為了要給予保皇黨一個正面打擊，而他真正的宗旨，乃在『創立民國』，與洪楊那種充滿帝王思想的造反是截然不同的。更說得明白一點：為了推倒滿族的帝制，建立一個五族平等的民國，如中山之所為，這是當得起革命兩字的稱號的；推倒一個滿族的皇帝，依然捧出一個漢族的皇帝，如洪楊之所為，這實在是沒有什麼革命的意義。

洪楊史料陸續出現

入民國以後，關於太平天國的史料乃陸續出現，尤其以近二十年左右出現的更多，甚至連李秀成一篇供辭的原文，過去為曾家收藏着的，最近也已居然印出與世人共見了。為什麼能辦到這樣？原因是很簡單的：

一，清朝亡了，一切忌諱都已解除。

二，因為近幾十年內亂外患的刺激，引起中國史學界對近代史研究的特別注意。

三，保存在外國圖書館一部分的材料，也為一般熱心的研究者抄錄或影印回來。

四，近年中國學術界有一種奇怪的風氣，便是凡事都要打翻案，凡事都要重新估定價值，因此對失敗者的洪楊一方，總想找出他們的優點；對成功者的曾胡左李一方，也總想找出他們的錯處。

五，近年的中國共產黨，對太平天國這一幕又另有一種牽強附會的看法，因此他們更樂於把這些有關的資料，大量印行。

在我看來，洪楊依然是必討之賊；其本身原也具有必然失敗的因素甚多；如果承認中國五大民族原來平等，滿族在中國做做皇帝也沒有什麼稀奇；或更承認清朝的十個皇帝並不比過去漢族的皇帝更壞，則曾胡左李等在當時所保持的立場，也便沒有什麼錯誤；甚至就在今天看來，他們也依然沒有什麼錯誤。

現在我所要研究的，便是洪楊之所以敗，清廷或曾胡左李之所以勝，其真實的原因究竟在那裏？這個話說來太長，而且我自己也還在繼續研究中，現在我只想就勝敗兩方所得到的一些簡單觀點，分別列舉在下面，以供大家參考；我相信，就為研究當前的時局，這些參考資料也並不是完全無用。

太平天國之所以失敗

先說明洪楊等之所以失敗：

一、洪楊這羣人，大率都是土包子，並沒有多少組織，他們的種族觀念，並不比他們的帝王思想更為濃厚。說他們真正有什麼平等想法，或甚至說他們『發動了廣大農民為推翻封建的土地制度而鬥爭，並且担負起反對外國資本主義侵略勢力的任務』，如中國共產黨之所云云，當然更是向壁虛造，白晝見鬼。

二、洪楊等的組織，原由中國下層社會的秘密結社脫胎而來，再加上一種由他們改造過的外來宗教，他們這種欺騙手段，僅足以愚弄一般比他們更為愚昧的下層份子，對中國的知識分子自然無效。他們因為這種方法在初起時收了一點小效，一直進到長江流域也依然不肯修改，甚至還要變本加厲，既然得不到中國知識分子的同情與贊助，不敗何待？

三、中國的傳統文化，也許有它的毛病，可是根底甚深，豈是洪楊等那一套淺薄無聊的東西所能代替得了，而洪楊等居然胆大妄為，對中國固有文化摧毀之不遺餘力，其足以激怒一般中國正統派的讀書人起來和他們拚命，自是理所當然。日本某史學家說湘軍對太平軍之戰，在某一意義上乃是一種宗教戰爭，不為無見。

四、依據中國歷史的教訓，南京根本不適於建都，偏安也往往不能長久，太平軍一到金陵，便迷戀着江南的子女玉帛，進取的雄心，已嘎然中止。其實當時北方的社會比較南方更為貧苦，潛伏的危機也比南方更大，假定他們不甘小就，能一鼓作氣，以全力直搗北京，則清室之亡便可能提早六十年也很難說，惜乎他們見不及此。

五、咸豐六年八月金陵發生的內閧，表面上只是洪楊的爭權，據我近來的研究，覺得[illegible]間似乎還有一些桃色的糾葛。自經過了這一幕以後，洪秀全覺得除掉他的親屬和親信以外，已無一人可以信任，石達開固已別樹一幟，甚至連對一個忠忱耿耿的李秀成，也都不免帶上幾分猜忌，規模的狹小一至如此，更何能與曾胡那班廓達大度的人物去比權量力？

曾胡輩之所以成功

其次說明清廷或曾胡左李等之所以勝利：

一、咸豐帝不是一個糊塗的皇帝，當時的清廷確實還有人才，我們看他們應付這一次亂子，自始至終，可以說並沒有犯什麼重大的錯誤，而賞罰尤其分明，例如青麐、何桂清等的殺頭，賽尚阿、桂綸，以楊霈等的罷免，以及胡、江、羅、左、李等的不次擢用，都可看出當時他們那個政府還很像樣子。尤其文慶、肅順等人，他們居然懂得滿人的暮氣已深，非特別重用漢人不可，僅此一點，已可看出他們確已立於不敗之地。

二、曾國藩這個人，他從二十五歲起便已在北京讀書；從二十八歲成進士以後，便一直在北京作官，同時還留心當世之務，和倭仁、唐鑑、吳廷棟等這班人研究宋儒的義理之學。他雖以一種儒家的姿態出現，但他卻大有一種法家的精神，我們看他居官，處家庭，處友，無一處不表現精力充沛，一切有條不紊。他關於這一方面的修養，足足做了十五年以上的工夫，所以一旦起而當大難之衝，儘管是遭遇種種人所難堪的困難，但他究竟能度過無數的難關，而卓然有以自立，他在當時其所以取得一個領袖的地位，夫豈偶然？

三、曾國藩這一羣人，並不只是一種泛泛的結合，他最初的一個班底，大率都和他有鄉誼，友誼，或師弟等等的關係，並加上他求才若渴，用人惟賢，凡見某人有一技之長，即贊不絕口，同時又有服善的雅量，最善於以他人之長，補己之短，我們看薛福成所記他的幕府人才之盛，是何等大觀，豈是一般具有小家子習氣者所能比擬？更豈是洪楊輩所能望其項背？

四、當太平軍由湖南衝出長江的時候，那一種高張的氣象，真是勢如破竹，豈是一般老朽昏庸的人物所能應付得了？現在一般人讀曾胡左李等的著作，大家總以為他們出來抵抗太平天國的時候，年齡已經很大，實際並不如此：曾國藩以丁憂侍郎初出在長沙辦理團練的時候，其年齡不過四十有二；左宗棠參與張亮基駱秉章幕府的時候，不過四十出頭；在太平軍末期，他到浙江去獨當一面的時候，也剛剛才到五十；江忠源以安徽巡撫死在廬州，是四十二歲，胡林翼以湖北巡撫死在咸豐十一年，也才到五十歲；李鴻章於同治元年到上海去收拾江蘇，還是一個三十九歲的少年；至於羅澤南這位老諸生，似乎是年齡要大一點，可是考他戰死武昌之年，也不過五十而已。以少壯對少壯，以新人物應付新事變，這在當時的滿清政府，確實是做到了的。

五、凡一件事之所以成功，首先必得抓住要點，曾國藩其所以能戰勝太平天國，關於他接受郭嵩燾江忠源的提議，以全力創建水師，確實是一大關鍵，否則一條長江，太平軍可以橫衝直撞，曾軍必陷於束手無策，那裏還有成功的可能呢？

六、與人共功名，是一件難事，與多數年相若道相似的人共功名尤其是一件難事，曾國藩有過人的修養，他雖以一身當萬難之衝，可是他的神明始終不亂，他總覺得除現世的功名以外，他還另有千秋，因此他對於人才的進退，功過的賞罰，始終是一秉至公，能使人樂為之用，雖死無怨。左宗棠是和他鬧過意見的，但等到曾死了，左還是佩服他的知人之明，謀國之忠；李元度是受過他的制裁的，但曾還是念念不忘於李，李亦未嘗忘曾；李鴻章也是受過曾國藩的挫抑的，但李卻始終受着曾的感化，當他攻下蘇常的時候，本已奉命直搗金陵，但他看見曾國荃苦了一個很長的時期，乃終不願去奪他的垂成之功，而屯兵不進，以表示退讓，其結果則淮軍成了湘軍的繼起，李鴻章也成了曾國藩的替人，而一個垂亡的滿清，也總算因此又延長了五十年之久！

當前的時局怎樣？

上面關於雙方成敗的十一點，我不過就一時想到的隨便談談，實際也為篇幅所限，不能盡量的暢發，然而成敗之故，豈不也已經大略可覩？今天的時局怎樣呢？馬恩列斯與天父天兄，固同為一種騙局，毛澤東、劉少奇、周恩來、劉伯承之流，比起洪秀全、楊秀清、陳玉成、李秀成之類，實際也並沒有什麼高明之處，可是亂子卻是比起太平天國要大得多，情況也複雜得多。自由中國既以反共復國號召國人，也以此昭告世界，可是當日清廷和曾胡左李等的種種措施，是不是也值得我們加以借鏡呢？最後我要說幾句老實話：我對於自由中國登用人才的標準，培養人才的方法，以及黨派的成見，始終是不大了解的！

（完）

半週展望

·旭　軍·

法朗士到日內瓦了

法國求和內閣總理法朗士，快到日內瓦去完成其越南休戰談判了。他的「光榮的和平」就是劃地求和。

法軍與越共軍停火談判代表八日在中亦舉行會議結果雖未公佈，想不外擬定分劃越南的藍圖，留待日內瓦會議決定。共方能使越盟政府合法化，雖在分劃地盤上對法國退讓一點，俾法國面子不致太難堪，但已完成蠶食印支第一階段了。

法朗士在主觀上及客觀形勢之下亦祇有此辦法，（一）他要實現七月二十日以前達成其所謂『光榮的和平』，使其內閣壽命延長。（二）在英國贊同劃界分治的原則及美國對越南實無法實現其英美法共同防衛的情形下，亦祇有此策。

本來共同防衛軍在韓國對付共軍的辦法是以麥克阿瑟將軍最徹底最正確的辦法，使戰爭進入侵略者遙遠的基地，工廠，與資源，令侵略者沒有「特權避難所」。此種辦法在有限度的戰爭原則下，早已行不通。至於驅逐越盟返山嶽區，或令法越聯軍繼續戰爭，在法國看來仍是無了期的消耗。法國人民是不願意有此負担，故法朗士亦祇有先行劃界妥協，苟安於一時，再作打算。因為不願抽調歐洲防軍至越南，萬一歐洲發生戰爭，不能兼顧印支，亦祇有守衛本土。不但防蘇聯之侵犯，亦欲防西德的軍事勢力復興，這是法人不分輕重緩急，留給共黨不准友邦扶持印支三邦之近視政策所釀成之局勢。

法國與德國的建軍

說到顧忌西德軍事力量復興，也是法國國內一般不分輕重緩急的人之謬見。七日德國總理艾特諾爾聲明：如歐洲軍計劃不能實現，則西德決建新軍，這是有理由的，因為不能因法國阻延而令西歐防侵略的陣綫建立不成。本來德國應獲修改其被佔領的地位而正式參加北大西洋公約。但法國懼德國軍國主義復活危及法國安全，故法國在邱吉爾於一九五〇年八月於史他斯堡歐洲諸議會中提出建立歐洲軍之議後，法國提出具體計劃，此種計劃着重以超出各國主權的組織去約束會員國。其用意在共同控制德國新建立之武力。其後英國不願參加此種有超國家權力約束之組織，故又不願參加。法國祇要求英美保證德國軍參加歐洲軍後不得中途退出。雖經英美提出保證，但法軍繼又加上一條附款即『德國軍之徵募與編組須在各國批准條約之後，』故稽遲至今無法實現歐洲軍。此種僵局如何打破，問題癥結在歐洲防衛集團是有超出各國主權的組織去約束會員國。故德法將領們不耐此種僵局，而有『歐洲同盟』（EUROPEAN CONFEDERATION）之議。唯有此法可維繫英美法之團結而保證法德不致重起戰爭。法國之所以反對目前的歐洲軍計劃者，因他不願其主權受制於一超國家勢力之組織，以致如指揮軍隊等重大措施不得自由。但如成立歐洲同盟，則除去歐洲防衛集團的超國家主權性質。英法因見約束少而必願加入，則西歐之政治結合將較順利，西德能以獨立國身份重整武裝，參加大西洋聯盟，自由國家又保持原子優勢，則大戰自可避免。

今日之國聯

最近兩天艾森豪威爾總統及國務卿杜爾斯均發表拒絕中共進入聯合國的決心。但未言及萬一中共進入了聯合國，美國是否退出聯合國。足見未夠堅決。

聯合國已不能成為防止侵略的有效機構，早已是鐵一般的事實。聯合國出兵討伐北韓，不過偶逢蘇聯缺席不能用否決權而已。本來聯合國有蘇聯存在，即失去維護和平之機能。祇係一種國際論壇，供共黨宣傳之所而已。無甚功用。至板門店與侵略者相對磋商更喪失聯合國之尊嚴。日內瓦會議開會，聯合國被棄置一旁，幾同廢物，無怪羅慕洛說它快要死去了。假如中共打入聯合國，美國及一般為正義奮鬥的國家，應行退出，現聯合國已尊嚴掃地，蘇聯且能使美國在聯合國內孤立，美國還不退出，尚待何時？

爲卅萬漁民呼籲

冷少泉

台灣通訊

【台北特訊】台灣一千一百多公里的海岸綫上，散居着卅三萬多漁民，仍然靠着沒有動力的木船和竹筏，從事沿岸漁業。終歲辛勤，每戶所得，不過半噸到一噸的魚，生活艱苦的很。

漁業建設的目標

台灣最大的一隻動力漁船，只有二百七十噸，全部動力漁船總共兩千多隻，每隻平均不滿十五噸，其中還有不少的逾齡舊船。嚴格的講：台灣還談不上遠洋漁業（離根據地四百五十浬以上爲遠洋），現在一般所說的遠洋漁業，不過是日據時代的近海第三區（菲列賓北海南島東）。近海漁業，近年頗有進展，其情形固然比沿岸漁業好，但是較諸東鄰，無論在海上陸上設備方面，在技術方面，莫不瞠乎其後。

再說漁業資源，台灣東岸，並沒劃禁漁區（爲保護沿岸漁業而設，禁止動力漁船入漁），西岸禁漁區不過六十浬寬，試想偌大的海面，已經有了七，四四三隻木船和一一四，九五〇隻竹筏（四二年底統計），定置漁業還不在內，漁業資源怎能不年趨萎縮呢？何況還要保護魚類在沿岸繁殖呢！因此部份沿岸漁民需要改事近海漁業，以裕資源；以利漁業。再說近海：自光復以來，從沒有增闢新漁場，試驗船最近才開始工作，原有屈指可數的魚場泰半枯萎！若干種常出現於市場的魚，一年比一年少，便是資源年趨萎縮的有力證明。現在二，〇八四艘動力漁船計二九，四三四噸（四二年底統計）已近飽和了！今後只容許增加少數在較遠海面作業的大船，而急需要增闢魚場改換新船和加強設備。說到遠洋：三百噸以上的漁輪尙在計劃中，赤道附近漁場，從沒飄揚過中國旗，遠洋漁業資源還問津不到呢！是以台灣漁業建設目標；應該發展遠洋漁業；改進近海漁業，和扶助沿岸及養殖漁業。

外人投資條例的顧慮

在現階段的漁業，自然缺乏資金。可巧，友邦援外趨勢轉變，我國政府又有外國人投資條例草案的擬訂，修正草案第十八條，有關漁業的，原文如下：「左列各項法律條款之規定，對於本條例之投資人或其投資之事業，經行政院就案核准後，不予適用，（一）略。（二）漁業法第三條第二項。（三）略。」再看漁業法第三條：「凡在中華民國領海或其他公用水面而取得漁業之權利者，應依本法呈請該管行政官署核准登記，轉報主管廳部備案。前項之呈請人，以有中華民國國籍者爲限……」如果外國人投資條例草案照案通過公佈施行後，後果將如何呢？

一、依一八九四年巴黎國際法會議決議：以落潮時最低之水陸分界線起算六浬（一，八五二公尺爲一浬）爲領海，我國民國二十年十一月中央國務會議決議以沿岸水落處所現出地爲起點計算，三浬爲領海，十二浬爲緝私範圍，其他公用水面更包括河海湖沼；灌溉地和溝渠等。以上範圍正是養殖和沿岸漁業的心腹之區，漁業最弱的部份，如何能允許外力深入？不但農家副業受影響；最貧苦的漁民將無以爲生，而沿岸資源勢將由枯而竭。因此，養殖和沿岸漁業需要政府扶助，不容許外力深入。

二、日本自上年起：計劃三年內淘汰十五噸左右的漁輪共五萬艘，這些漁輪開到我國來作業，加上日本人的經驗和技術，其效能絕不弱於我們同型同噸級的漁輪。那嗎，近年慘淡經營的近海漁業，首先遇到強有力的競爭。若是日本把性能較佳的漁輪開來，我國現有的民營近海漁業勢必同歸於盡。恐怕擁有較新式漁船的部漁營處，也不是對手吧！所以我國近海漁業除應增闢漁場等外，確需要外來的資金和技術，但就前述情形論，也只能照現行中外合作辦法爲止。至於遠洋漁業，由行政院就案核准外人投資，似乎尙無不可。

關於影響緝私和海權等，這裏姑且不談。從保護漁業資源和漁民生活計，原修正草案第十八條第二項應當删除，至少也要加但書：「但以經營遠洋漁業者爲限。」也就是只有遠洋漁業准許外人經營，否則；勢將由資源待闢業漁難的現況，轉爲利權外溢，資源竭的情形，那就悔不當初了！

四二，五，三，台北。

台白報紙的成本問題

——答徐道隣先生

自由人社　貴刊五月十五日所刊徐道隣先生「有拖垮整個經濟可能的台灣工業建設」一文，其中一段對本公司所產白報紙成本及價格，有所論列，查與事實頗有出入。特撰擬「台灣白報紙的成本問題」一則，加以說明。至祈惠予披露，爲荷

台灣紙業公司啓四十三年六月廿六日

（一）台灣機械製紙工業，並非公營獨佔，除台灣公司所屬五廠外，現有民營紙廠二十六家，民國四十二年度全省生產各種紙張二八，九三五公噸，台紙公司佔一六，六〇八公噸，其中白報紙（NEWSPRINT）一項，則歷年均由台紙公司按核定配價供應，其配量隨各報刊發行額而逐年增加，三十六年度僅一二八八公噸，至四十二年度已增至四〇〇〇公噸，徐先生原文謂台灣報紙的生產每年二五，六〇〇噸一節，數字殊不正確。

（二）徐先生原文所說，美國的白報紙品質比台紙好，這一點也還有商討的餘地。美國是消費白報紙最多的國家，但出產白報紙並不多，目下每年從加拿大輸入約四，九八〇，〇〇〇噸，從北歐國家輸入約一八〇，〇〇〇噸，各國各廠所出白報紙的品質高低不一，並且距離很大，其中比台灣好的固多，但是差的也不少，前年本省進口一批外貨白報紙，不獨遠不如台紙，根本就不合用。下面是台產白報紙和一種美貨的比較試驗：

	厚度	不透明度	白度	破裂強度
美貨白報紙	0.117M/M	91	54	5.6
台產白報紙	0.09M/M	90	58	10

由此可見台紙和此種外紙尙無遜色而台紙公司逐年徵詢各報刊使用所產白報紙的效果，不斷改進，現已完全適合新式高速輪轉印報機之要求，則屬事實。

（三）台灣白報紙之核定配售價格爲每公噸新台幣四六三〇元，三年來未曾變動，美國白報紙（多係由加拿大輸入，）現價每公噸一三九美元（即每短噸一二六美元）如購運來台，照現行滙率（一：一五・六五）結滙：加上運稅什費及防衛捐，應値每公噸新台幣四三〇〇元，較台紙配價僅低8%，如由香港進口，較爲便捷，其成本應値每公噸新台幣四九〇〇元，較台紙配價高6%）若照美金黑市折合率（一：二八）結算，則每公噸應値新台幣六八八〇元，較台紙配價高出50%。

（四）吾人分析白報紙之製造成本，直接原料佔63.5%，直接人工佔4%，製造費用（包括煤電間接材料人工及稅捐利息等費用）佔32.5%所需用的外滙材料，爲數甚少，約佔總成本3%，製紙原料以木材、竹、稻草及蔗渣等爲主，均係農村產物，就地取材，經利用工加製紙，實可淨省不少外滙，凡此類纖維原料，體積龐大，運輸困難，在外國並不大値錢，事實上也難於出口，更談不到能賺更多的外滙，至所製紙張之內銷價格與國際價格之比較差額，徐先生似有故意張大其詞的嫌疑。如謂此項台幣差額，爲了養活人口，則似不僅養活三千紙業工人（實際上不止此數），凡與紙業有關的農林工礦，如硫磺、石灰、木材、竹料、稻草、及酸碱產銷業務，亦均分沾惠益。

（五）目下國產紙張之成本，較外國爲高，無可諱言，其原因爲（一）所用本省原材料之價格較貴，按現行滙率（一：一五・六五）折合美金對比，台灣的造紙木材較美國貴六・七倍，較日本貴四・二倍，硫磺較美國貴四・七倍，較日本貴約二倍，其他化工藥品亦較昂貴甚多，況台省一般工業條件，均難與美國相提並論，如木材運輸在美國借用水利，而吾人大半依賴人工（二）本省各紙廠大部係接收日據時代的遺物，所有機器年齡既老，制式又陳舊，效能上自難望與新型機競爭（三）本省利息之負担遠較美國爲重（四）本省在政策上不能不維持現行之外滙率，但如以此滙率折比中外物價則不獨工業品較美國爲高，農產品又何嘗不然呢？台灣紙業近年來正努力於改良設備及製造方法，以期增加效率，減低成本，已獲得很好的成效，規模較大的台紙公司，已曾發表其用料率與美國相接近，倘一般工業環境改善，同時在外滙滙率上加以適當的考慮，似不難與外紙一爭短長。紙爲文化上基本工業，當此國際風雲變幻莫測之時，似不能不有較遠大的眼光，力求自給。

人物述評

陶峙岳降共始末

吳彥傑

（一）

佔中國領土五分之二，向稱「騎兵世界」的甘甯青新四省，淪陷的原因，固誤於張治中、鮑爾漢、馬步芳諸人之手。但新疆坐擁十萬大軍的統帥陶峙岳，一槍不發，向遠在六千里外的蘭州中共軍望風投降，則又另有隱密之內幕，尙少爲國人所知。

（二）

勾引陶峙岳降共的，是「兩振」，即現任僞二十二兵團九軍二十五師師長劉振世，與曾任國民政府第八補給區司令的曾振武，二人均湘籍，係陶峙岳多年舊部，陸大特訓班畢業生。劉振武魁梧奇偉，有謀略，他在大陸淪陷前一年，任劉戡兵團參謀長，兵敗被圍，與兵團司令劉戡共矢自殺殉國。惟劉司令雖已成仁，振世則自殺未死，後爲彭德懷所俘，多方誘勸，因遂變節降共。當和談代表張治中等滯留北平時，中共積極進行分化和招降國軍工作。時曾振武任第八補給區司令，以聯絡該區所轄甘甯青新四省國軍，及溝通新疆警備總司令兼西北軍政副長官陶峙岳投降自任。與劉振世密向朱毛彭獻計。大得中共贊許。曾振武遂攜同毛澤東親筆函，前往對陶峙岳勸降。此外尙帶有彭德懷及劉振世等密函多件。當時曾以視察新疆補給爲名，於三十八年七月二日由蘭州專機飛到迪化，即住東營房陶峙岳官邸內。時正蘇皖贛諸省相繼淪陷，西安緊張之際。曾與陶見面後，縱談時局，漸出毛彭劉諸人密函交陶。盡情渲染，陶初時未置可否，最後曾復進言謂：『固守必敗，趨順潮流。』現時時機與「六爺」有利，（陶排行第六，舊部咸以六爺呼之）六爺以西北副長官兼新疆河西兩警備總司令要職，將來西北軍政長官，捨六爺其誰屬？至此陶已心動，惟識答考慮，並未直接答復，蓋座中尙有不滿之人在也。

（三）

所謂不滿之人者即新疆警備總部參謀長陶晉初是也。晉初係峙岳從堂兄弟。峙岳任營長時，晉初任該營書記，劉振世曾振武均同爲該營連長，同事多年。嗣後三人又同進陸大特訓班。晉初畢業後，曾參宋希濂兵團戎幕，在滇緬路抗戰，建有殊勛，宋甚佩其爲人。晉初溫文儒雅，有氣節而具大志。所以就任峙岳幕僚長者，以新疆爲國防重鎭，西有長蛇，東有封豕，致力邊陲，爲國守土，義不容辭也。惟就職後，覩峙岳毫無主張，媚事蘇俄，實鬱鬱不得志。曾幾次請假入關，擬再投宋希濂，峙岳均勵以兄弟之情，堅留不放。當曾振武勸峙岳降共時，晉初大感不快，默不發言，隨後復不辭而去。峙岳機變，說晉初不滿，故以考慮爲詞。振武留迪三天，晉初始終避不與見。知峙岳有意降共，兩星期不再到部辦公，亦不與峙岳見面。時中央航空公司班機已斷，西安陷落，蘭州吃緊。晉初遂偕其妻密乘中蘇航機赴哈密，擬轉乘汽車入關，投宋希濂部。峙岳聞訊，立電哈密駐軍旅長莫我若代爲挽留，囑莫陪同返迪。時交通紊亂，候車不得，晉初羈滯哈密，進退維谷，不得已折回迪化。卒因峙岳不戰降共，晉初亦同爲叛逆，實爲可惜！新疆淪陷後，筆者得以脫離虎口，晉初實與有力。可見他身雖在曹，心實未忘漢也。

（四）

三十八年八月二十五日，蘭州陷落，鮑爾漢（新省主席）劉孟純（西北軍政長官公署秘書長兼新省秘書長）等指揮地下共幹，大肆活動。惟新疆十萬忠義國軍，仍主張抗戰到底。此時陶峙岳尙不敢明白表示態度。迨武威張掖相繼失守，遂於九月二十二日，在迪化警備總部，召開高級將領會議。除四十二師師長趙錫光所部駐防南疆喀什，距離太遠，無人參加外。騎兵指揮馬呈祥，七十八師師長葉成及所部各旅長，與騎一師師長韓有文，及新省將級以上官佐，均參與會議。峙岳任主席，並不多作主張。與會將領雖多主張作戰。峙岳始終模稜兩可。與會將領不知峙岳已蓄意變節，惟以大勢已去，事無可爲，祗有離新，徐圖後劾。於是忠貞將校二百餘人，取道南疆，經印度往台灣。峙岳於此等將領離新後，滿以爲可以掌握十萬大軍，投効僞朝擢爲新貴矣。殊不知人心不死，竟演爲以後之血戰。此固非峙岳始料所及也。

（完）

史密斯十月間退休

美國副國務卿史密斯這次從日內瓦回來後，體力愈感到不支，因而他又興起了退休的打算。據說，史密斯一再向艾森豪總統陳情後，艾克已初步允許接受他的辭呈，一俟繼任人選確定後，再正式批准他辭去副國務卿職。而據熟悉白宮內幕的人士說，在繼任人選中，現任美駐法大使狄龍的呼聲極高，同樣有出任副國務卿希望的，一個是前任空軍部副部長麥克柯尼，另一位是現任對外工作總署署長史塔森。他三人究竟誰將當選，迄仍在艾森豪和杜爾斯國務卿的考慮中。目前史密斯退休的日期已暫定在十月，無論如何，新任人選將會在九月底或十月初揭曉。

捷共屠殺工人令人髮指

以重視工農階級相標榜的共產黨，其對付工人的毒辣手段委實極爲驚人。捷克地下情報機構頃有報告致美國情報處，聲稱在捷克境內俄國人澈底控制的傑契莫夫鈾礦中，上週有工人七十三名因傷寒病死於非命。可是俄國人雖對外宣稱他們是罹染傷寒病而送命的，但究其實，這些可憐的工人只不過剛染上這些嚴重的傳染病，只要給予適當的調養和醫藥，倘有很大的治癒希望。只因僞總監工柯奈尼担心傳染日廣，致傷寒病四處蔓延，乃不惜採取最殘酷的手段，於一夜之間將這七十三名可憐的工人統統槍斃。風聲走露後，礦工們憤恨異常，大家敢怒而不敢言，一有相當機會，這股仇共的洪流是會爆發的。

天下小事

編者　讀者

△本報現委托友聯書報發行公司（香港德輔道中廿六號A二樓）爲海外（香港台灣除外）總經銷處，今後對海外讀者當有較多的便利，希海外讀者注意。

△鄭士珪、劉千雲、易健夫、劉靄如、涓士、林長林、姚中人、夏默、高清心、刁抱石、楊柳青、孫旗、陳雪英、郭戈、雷餐子、諸先生：惠稿已收到，至感謝！

△王子厚、何進、李世中、賀玉麟、諸先生：大函均悉，這問題，雙方意見既已發表，本刊以後不擬再登載此類文字，謹復。

△鄭紀夢先生：函悉，該件已於七月二日付郵，謹復。

△方曙先生：函悉，已函知高玉清先生，謹復。

讀·史·評·述

秦漢之際的讀書人（五）

·毛以亨·

先從項梁，梁敗從義帝，帝徙長沙改從項羽，高祖入彭城，又降于高祖，高祖惡儒服，乃改易短衣楚製。從者百餘人，以不爲漢王重用爲懟，遂以漢王方用打天下的人，請待數年，看他的顏色。漢王即皇帝位于定陶，通就儀而稱化之。七年乃定朝儀，高祖曰：「吾今乃知爲皇帝之貴也。」拜爲太常，而隨從諸生皆爲郎，以賜金五百斤盡予諸生。「諸生乃皆喜曰，叔孫生誠當世之聖人也，知當世之要務。」其舉措與今日各黨派的領袖，曾無少異，悉以順希當道意旨，使其少數團體中人有辦法爲主，一切是非利害，皆置勿問。

九年徙叔孫通爲太子太傅，張良且出其下，爲太子少傅。十二年叔孫通諫廢太子，謂「呂后與陛下攻苦食啖，其可背哉？陛下必欲廢嫡而立少，臣願伏誅，以頸血汚地。」此又以呂氏實力，來威脅高祖了。太史公謂「大直若詘，道固委蛇，」蓋謂是乎？」今日各黨派領袖之中，率大智若愚，以呆行權，以擬行詐者，是叔孫氏之德，迄二千年猶未稍衰也！

結論讀書人的悲劇

當閒的讀書人，甚多如過江之鯽，茲特于每一類型之中，取其一人爲例，藉資說明。若酈生、陸賈、婁敬，則自鄒無譏，吾尤嫌陸賈隨和親之說，謂漢女生子做單于，高祖即可以外祖父地位不亡國，無怪其游說南越之無補實際，徒得全言之承諾也。輔助高祖的讀書人，其最得力者第一爲蕭何，何非僅爲掌圖籍之刀筆吏，蓋吏即是史，而其所頒佈之法令，即古所謂禮，較叔孫通之朝儀重要得多。太炎先生以未央宮三字，爲蕭何以大篆題額，其時大篆已不通行，故蕭何實爲讀書人。蓋固不愧爲人師表者。第二爲韓信，信與高祖定滅項大計，首以收拾人心爲務，此蓋戰國以來所視爲迂闊者。蓋當時祇重有組織之武力，而不知以人心爲武力無窮之源泉，此非讀戰國以前書者所不知。葉心水謂，韓信自稱其用兵得自孫子，而孫子之書喜言奇謀，而歸本于先王之仁義，亦頗似信等之言。若史記敍孫武言兵以司馬法爲本，悉如春秋戰國人風氣，與孫子書之好言奇謀者不同。孫子實爲西漢初年筆法，我嘗疑爲韓信門客所撰，其成書類于呂覽及鴻烈，若無佐證以實吾說。韓信出言典雅，殊可欣賞，無怪恥與絳灌伍，充分表現其智識上的驕傲。如曰，「陛下善將將，臣善將兵，」此將引自起善將兵，始皇善將將之故事，以訣高祖，冀自免刑戮。高祖未知詩書，至反問如何爲我所擒，眞是煞風景。迨後人都誤認爲韓信，身既爲囚，猶作自誇之論，不得不嘆讀古書之難。范文瀾直認信爲流氓，眞是輕蔑天下士了。

第三爲張良，固爲公認之讀書人，黃石公三略，多疑爲良托名之作。且以家世相韓，韓不能復，即不能繼續事漢，顯與赤松子遊，船山亦慕其志節。自漢以至魏晉，皆贊「張子房之道高廊廟，德參造化。」然張良之似較爲韓高出一籌者，即爲超出當閒型而接近始高蹈型故。至宋代于有譏其不學與無識的議論。大概以良爲道家而非儒學所致。然漢初實無道家一詞，而與儒家不分，胡適之先生已先言之矣。

總之，自漢以後，讀書人高蹈不仕者固多，然積極而從巍闕，至願自王的人，則越來越少。惟其愈遲疑，則愈徘徊，愈少決心，無此志以帥其氣，則氣不王，而事亦弗克舉。然讀書人智識較優，斷無造反技術不如無識之人之理，特其顧慮多，謀生易，故祇願居于幕後，以玩弄一般英雄好漢耳。但英雄好漢做了皇帝之後，必然是掉頭來玩弄而踐踏讀書人的，此即爲智識階級的悲劇了。（完）

台灣中南行（十九）

興盡歸來

·魏希文·

而七紘竹傳係臥龍崗所移植，又爲名貴的奇種。至於五妃廟，又稱五妃墓，係明寧靖王朱術桂從死姬妾袁氏，王氏，秀姑，梅姐，荷姐等同葬處。可惜這些史蹟只有待之異日的來遊了。

回到台南市府禮堂，大開筵席，在這種盛大的宴會中，到沒有什麼謙讓的麻煩，各人找着有熟人的席次上坐下來，今天晚上，可說是我們旅行期中最後一次餐會，葉市長很客氣，每席不但有台灣特級清酒，這種酒與紹興酒相似，不過味略淡而已。此外還有氣水，今天同席的人喝酒的喝少，只有我同秦琦樂山兩兄喝了兩杯，大多都只是喝氣水的。

上菜以後，葉市長起立敬酒，並向我們致歡迎詞，雖然他的話我們不能聽得很明白，可是他那溫和誠懇的態度，使我們對他的印象甚好。[illegible]時，有一位同人大概多喝了幾杯，跑來向我們敬酒，他是歡喜寫詩的人，在日月潭，和台中的醉月樓上，他都有佳作。

席中，代表同人中由陳劍如先生致謝詞，詞簡但意頗扼要。散席，即登車回高雄，葉市長和各界人士，均在市府門前送我們上車，隆情盛意，至爲可感。

高雄市的夜景

到高雄市，不覺已近九點鐘了，同住在中央別館的僑琢如先生邀我同遊高雄市的夜景，因爲明天一早我們就要搭乘空總飛機回台北了。

高雄市有不少巍峨的洋樓大廈，尤以高雄火車站之氣宇軒昂，椰樹影裏搖幌着人影，我雖然沒有去過南洋，但我直覺的想法，它頗有熱帶的風光。那靜靜的高雄港口，閃爍着的燈光中有點點帆影，那聳立着橫過市區的大橋，那橋上的燈光，那愛人河畔的小舟，使人有仲夏夜之幻夢。我們漫步回來，有人說高雄市之夜是瑰麗而又迷人的，這海港的情調，它會引人起海洋世紀的感情。

回到旅舍，時已十一時了，同人們都在收拾行裝，明天早上八時半以前，我們就要別了高雄！

三個不同的市長

次日早晨，我們離開中央別館，登車時，旅館的侍女都站立門口揮手送別，雖然只是三幾日的旅客，但她們的禮貌過到，這是在其他地方的旅館所沒有的。

我們到「華僑之家」集合，在開車之前，高雄市長謝掙強先生趕來送行，登車和我們一一握手送別。在我們這次旅行中所見到的三位市長，顯然各有不同的外貌和應對的方法，但他們都有和藹可親的態度，台灣省市縣議員和市縣長的產生都是由民衆直接選舉的，和藹可親的態度是作爲做人民公僕的第一個基本條件，如果今天的官吏，仍高高在上，自然不會取得人民的擁戴，現在第二屆選舉又到了，我們聽說謝市長當選連任的把握頗大，從他的熱情和能幹上看，顯然他在競選上不會失敗的。

空總派了五機送我們回到台北，九時五十分起飛，當起飛的時候，一位助理駕駛員很禮貌的向我們介紹正駕駛員，他自己的姓名，我們報之以鼓掌。他微笑着點頭答謝的回到駕駛室去了。在十一時一刻不到，我們便降落在台北機場。僑委會在機場門口預備好了車輛，把我們送到各自的處所。

七天的旅行，就這樣愉快的結束了。走出機場，同人們提着簡單的行李，揮手告別。從此，我們雖然天各一方，但這一段愉快的旅行生活却永遠活躍在我們記憶中的。（全文完）

共產黨的貿易政策（上）

·風行·

克勞維茨說：『如果你不便於在戰場去征服你的敵人，你便要用外交術與貿易，不知不覺中去解除敵人的武裝。』

自從去年三月五日史太林逝世後，俄共維持一種「和平與貿易兩面攻勢」其目的在搗亂與離間自由世界。中共已作適當的響應，提出新口號，說要擁護和平關係與和平貿易。去年七月的韓國休戰會議，今年初四強在柏林討論德國統一的會議，與目前在日內瓦解決遠東問題的會議，皆附帶作東西雙方貿易的談判與訂立貿易協定。共產黨的宣傳伎倆是故意宣揚祇有美國的主張禁運戰略物資，阻礙由增加貿易與就業而獲致的「資本主義」國家的繁榮。

馬倫可夫的目的

在外交方面，共產黨的和平攻勢日趨黯淡。這是由於共黨拒絕在德國與韓國舉行自由選舉，以及他們要求人口較少的北韓與東德，和人口較多的南韓與西德居同等地位，甚至於還想要獲得否決權。凡是看過馬林柯夫的和平建議及其表示承諾改變克姆林宮的心腸，都很失望的斷定俄共新政權的願望不過係想暫避免世界大戰而已，並非想獲致全世界和平。莫斯科及北平繼續在共產帝國的邊界作小規模的戰爭，印度支那是一顯著的例。他們攪小規模戰爭，是有一個限度。就是勿使自由世界動怒而向着他們這一班禍亂魁首施報復。

自由世界一般人尚抵同樣顯明的證據，去揭露共產黨的貿易政策新姿態係同樣的虛僞詭詐，故他們尚不覺悟。共產黨在貿易攻勢的宣傳上，比較獲得成功，係因：（一）普通人不明瞭共產主義經濟組織；（二）某種國家感覺找尋市場與物資供應的眞正困難。

東西經濟的差異

民主國家的經濟與共產主義國家的經濟極大之差異，在前者普通是以消費爲主的經濟生活。生產物資在滿足消費者的需要。祗在面臨外來威脅國家安存時，才暫時轉變到軍事生產。但共產主義國家的經濟生活，是永久屬於戰爭的經濟生活。集中力量到工業基礎，而犧牲了消費者的日常消費品。獨裁政治必留心到不讓消費者因不滿足而危害及其共產政權。——自然，有特權的官僚的生活是奢侈豪華的。——但縱然是極嚴厲的獨裁者，也知道人類的忍耐是有限度的，因此克姆林宮也要週期性的進入世界市場去求供給消費者的物資。然而並不放棄其軍事工業的經濟基礎。

共產經濟的目的

其次是，不管目前共產黨怎樣宣傳與世界各國維持正常貿易，但共產黨的經濟目的不是國際自由貿易，而是達到完全自給自足。蘇聯一位著名的經濟學專家密士胡斯丁在一九四一年刊出一書，內稱：『蘇維埃入口貿易的主要目的，是利用外國的生產，尤其是外國的機器，務使蘇聯不依賴外國的技術而鞏固經濟獨立。蘇聯的入口政策，是盡量快速免除入口的需要。』在一九四六年，另一位蘇聯經濟專家伏斯諾遜斯基確定蘇聯的經濟目標道：『蘇聯將來要繼續維持對外國的經濟關係，但要依照蘇維埃政府經過試驗的路綫，務求達到蘇聯的技術獨立。』

對外貿易乃權宜計

因此共產黨的突然與高采烈起來購買，祗限於應急權宜計。當物資極度缺乏的時候，（例如：去年東柏林因糧食缺乏發生暴動。）不得不向國外求取消費品，但共產黨於不得已而爲之事，係爲出於情願，而且利用去求取最大的政治利益。共黨告訴我們說：東西雙方貿易的衰落美國應負其咎。其實，眞正原因係大戰後東歐經濟與俄共已聯爲一體。在第二次大戰前那些在目前構成歐洲蘇聯集團的國家互相貿易，占對外貿易不到百分之十。但現在已超過百分之七十五了。克姆林宮中人不准西方的貨物流入東歐國家，若非如此，他們早已根據馬歇爾計劃而獲得西方物資了。要證實目前共黨鼓吹「經常貿易」的詐僞心腸，最顯著的例證，是一九四八年克姆林宮爲迫令鐵托元帥屈膝起見，首先減少——其後切斷——南斯拉夫對東歐的貿易。

印共的經費來源

·又鳴·

尼赫魯以玩弄中立政策自鳴得意，可是共產黨對印度的陰謀是不會放鬆的。祇看這一篇印共經費來源的報導，即可見一斑。

—編者—

最近印度共黨在新德里紛紛設立並擴張共機構，使當地非共人士懷疑他們的經費來源。一般人都認爲這種龐大費用，唯一可能來自國外，意即來自莫斯科。

印度也有富有的『天使』肯捐錢給共黨活動，但人數並不多。印度的共黨國會議員，在國會開會期間，都把他們收入的百份之六十捐作黨的經費，這就是說，每一共黨議員，每天要捐出四十盧比。現在印度國會議員的待遇已經修改，規定每議員月薪四百盧比（八十四美元），開會期間每日另加約美金五元作零用。但國會裏共黨議員共祇三十五人，他們捐出的錢，決不足維持共黨的開支。

單在新德里，共黨經常雇用二百人，每人每月的薪水在二十美元至八十美元之間。若以二百人都拿二十美元來計算，每月至少也要開支五千美元。這在印度是相當大的一筆數目。

印共居然能以大量現款在新德里購買地皮和建築物。最近已經買了九份地產，動用近一萬一千美元。在印度人眼裏，這確是一筆很大的款子。

印共在印度其他地方也有不少地產，租用很多房屋，雇用數千工人。因此印共絕對不是靠黨員的捐輸，來維持他們龐大開支的。

最近印度國會通過了議員們在印度境內，可以免費乘坐火車的，印共議員讚成此舉，他們以後可以乘免費火車，去向整個印度作宣傳共產主義的工作。

據非共組織研究的結果，印度共黨絕對不是靠售賣宣傳品維持開支的，這種宣傳品的錢可賺的，可是印共有錢維持這種宣傳工作，例如在新德里市區最熱鬧的地方，租用了一幅面積甚大的商用廣告牌，作推銷印共的宣傳。他們的錢是那裏來的，很可注意。印度反共的人士都承認印共的宣傳，幾乎都是與莫斯科和「北京」之間的秘密勾結了。懷疑印度人民對共黨自然是抵抗共黨宣傳的，證據是印共經費來源的可以拿出來。（採自紐約時報）

蟲燈纏夢錄

羅自芳

作者：錢歌川　　出版：自由出版社

錢歌川這一本短文集子，蟲燈纏夢錄，可算得是當前的文壇上，許多著述中，一部比較使人感覺耳目清爽的作者的名字在當代中國文壇上，並不陌生。他的學識修養和他的寫作技巧，都是許多讀者所熟識的，不必再多作介紹。這本集子，雖不是作者代表力作，只不過是些隨時隨景的隨筆雜文。惟本身仍具一貫的心理思想，不爲時代社會所惑，得有條有理，頭頭是道，不爲時代的偏見所囿。全書共計三十個短篇，每篇都不過二三千字，中間涉及多有什麼高談闊論，廣徵博引，因爲作者對中西典籍涉獵甚多，凡所徵引，均極恰當。行文運筆，恢閎自然，猶如在豆棚瓜架之下，對小孩子講故事一般，娓娓動聽，使讀者自然接受他的講述，心中發生共鳴。

大抵寫文章之道，一部分是注重氣勢的，又一部分則注重詞藻的粉飾。此外，別有一部份則注重自然和平淡。錢歌川這本集子，其長處便是得力於平淡自然。我所以願意把它介紹給讀者，就爲這個緣故。這一類的作品，在目前也不是容易多得的。

草猶如此！

馬五先生

草是所有植物中最平凡而不受人珍惜的生物，牠好像人類中之尋常百姓一樣，任憑他人踐踏玩弄，毫無所謂。但，草中有名「卷施」者，我最贊賞愛護牠，且以其名名吾書齋，藉以自勵焉。

按本草釋義：「卷施」拔心不死。弱質小草，雖拔去其心而生機猶能卓然獨立，其生命力之强韌可知，其抵抗外來暴行之潛能爲何如者！返觀羣卉，雖姹紫嫣紅，爭妍鬥艷，非不悅人心目，逗人憐愛，然稍經風霜，飄零化而成沾泥絮，或枯謝而爲濁流物，以視拔心不死之卷施，豈可同語？

人們但知惜花春起早，欣喜其表面色象，盛稱「花王」之可貴，却不知植物中尙有本色高質，可與松柏媲美之「草聖」如卷施者在，儕於芊芊雜草之列，即物喻人，心乎愛矣！社會上最有能力的人，多是表面韜其平凡之態，而眞正不屈不撓，剛正倔强的志士，更係平日不爲權貴所知的無名英雄。這與人們好賞識嫣媚悅目的有色花卉，而鄙視草類的心情，是相符合的。地上的草太多了，有如芸芸衆生的老百姓，非有廣知博識，誰能辨認此中竟有拔心不死之卷施草呢？亦猶之乎有權有勢者，但知表面諛媚忠貞，其本質與「五色瓶」（一搖即變態也）相同的多元式人物，而忽視社會大衆中富有良心血性的本色英雄也。哀莫大於心死，卷施的心却能永恆不死，寧非可愛可敬之生物乎？

馬五先生曰：草猶如此，人何以堪？

望塵小記

・一丁・

小引

下面所記，以個人親見親聞，加以體驗，確會深切感動，並影響到個人立身行事者爲限。行文力求簡潔。想到便寫，寫完放手，先後詳略，並無軒輊意味存乎其間。

錢玄同風範

錢玄同有三件事最使我敬佩。（一）章太炎被袁世凱軟禁北京龍泉寺時，錢不避危疑，仍以學生身份向章請安問學不輟。（二）「五四」以後，北京大學名氣之大，如日中天，許多在北大當教授的人，都不免紳氣十足。其時錢既任北大教授，同時又任北京高師教授。但他在「新青年」雜誌等發表文章，文末常附記「於西北閎北京高師教職員宿舍」字樣。錢原在高師附中任敎，默默無聞，後爲高師校長陳寶泉識拔，擢任敎授。錢以不忘本故，始終以高師一份子自居。文末附記即表示此意。國府於錢逝世後，頒給褒揚令，稱之爲國立北平師範大學教授，可謂深得錢氏之意。（三）錢與周作人於日軍侵佔北平時，倉卒未及隨軍撤退，錢周多年交好，相約同爲蘇武。結果，錢不爲僞命所汚，確實做到了。顧周何如？

沈兼士點滴

這裏要說的，是吳興三沈（士遠，尹默，兼士）的沈兼士。兼士飽讀綫裝書，可歸入我國舊式文人之列。他在抗戰期間，却有熱情和膽量在華北淪陷區內和日軍諜報人員鬥法，數年如一日。兼士教書，最看重學生當堂親手寫下的筆記，他常逐字逐細閱的看學生筆記本，並加指正。學生考試時，要看自己的筆記本，兼士是許可的，或可說是歡喜的。如果平時不大上課，上課又不作筆記，考試時毛手毛腳，即使是老爺班的大學四年級學生，兼士也會毫不客氣的加以干涉。他對學生親切，和敎學認眞有此如者。

陳通伯（源）兩事

一、某年張宗昌進京，學校雖在例假中，但不敢休課，因爲怕長腿將軍不講理。當天陳氏未照上課。但不請假，也不到校，事後他對學生說，他體諒學校不放假的苦衷，却不能不略略表示「士節」。他說「溫池動亂的世界，「士節」是無價寶。

陳氏讀書很多，學問淵博，平日答覆學生問難，簡明扼要，一個疑似模棱的錯綜複雜問題，他往往先來一個YES或NO，然後詳加解釋，要言不煩，恰到好處。

壽圓光寺蓮

・彭楚珩・

俗以六月二十四日爲荷花生辰，中壢圓光寺池荷大開，寺僧本際大師，以詩柬來，召作壽蓮雅集，羈於事，不克躬與其盛，詩以致意云耳。

大地何渺渺！人海更茫茫！天涯連海角，難遇君子鄉。獨爾嘉遯遠，深山傲羣芳。居停屬仙客，高蹈亦廟堂，花辰報花放，壽爾舉壽觴，共賞期高會，代柬騁佳章。俗務紛累累，阻我近澤鄉，斯情堪悵惘，幻境乎無常！幾度躬存問，未覩着靚妝，今始小爲別，花發噴幽香，緣慳花若拒，花開人亦藏，即此又何憾，在天有參商，太上唯一德，執着貴能忘。空門既爾植，我復處遐荒，入世等出世，人花兩逍遙。出汚終無染，傍佛足徜徉，濯漣且不妖，肯伍濮上桑。壽爾誠爲愛，賞爾須意良。我躬違雅集，我心祝上蒼，願壽與天齊，長供好圓光。

筆者謹按：本際大師，俗龍姓，籍皖之桐城，年逾七旬，矍鑠猶六十許人。早歲爲同盟會員，致力革命，大具宏毅，今於其言談中，獨依稀彷彿見其當年之慷慨激昂也。詩文章，承桐城遺韻，書法遒勁，頗有軍筆意，性元爽，而恬澹寧靜，故能高蹈；自云禮佛持齋者垂念餘年，民三十八年來台，四十年始祝髮爲僧，初住鉢沙止靜修禪院，繼移錫中壢圓光寺。筆者以偶然而識，心儀其人，而私淑其文，年來過從，以詩唱和，於其『髮落愁皆盡，心胸企大同』之聯，固知爲有心人中之傷心人也。筆者偶與際遇，非緣亦佛緣耳。——荷辰前夕，誌於台北新公園之東南隅。

中篇小說　金珠

・勞影・

「你才二三歲？」她插進來問。

「我知道我看起來比實際老些。」

「怎麼會的呢？」

「因爲……」我說：「現在你相信了沒有？」

「我相信，」她把手放到我的手裏：「我很相信，我相信這可能是你二三年來的第一次謊言。」

我差點跳了起來。

「那麼，」我反駁道：「証類也要用反證明才對呀！」

「我用什麼來證明呢，」她苦笑道：「難道你以爲一個姑娘的第一次就會把眞心話告訴客人嗎？」

我的頭低了下來，哦，我現在才清楚了自己的身份，我不過是一個神女的普通客人罷了，我想得太遠了。

「那麼，」我抬頭說：「你所訴我的一切都是假的嘍？」

「也有眞的。」

「那一部份？」

「就是我爲什麼到這裏來。」

「我忘記了你怎麼說。」

「自己的生活，」她認眞地而說：「以及一些依我爲生的人。」

「這應該是每個女孩子來到這裏的共同原因。」

「你說得不錯，先生！難道你就因此而不肯相信這是實情嗎？」

「我沒有說不相信……。」

我們沉默下來。

房門外響着二三個男人的腳步和笑語，之後，我聽到隔壁的房門打開了，一個女人以沙啞的喉嚨重復着一隻流行曲的一句歌詞。

我用力握緊阿梅的手。

「阿梅，」我說：「你的對話豐富極了——你受過很好的教育吧？」

「我沒有讀過書！」

「沒有讀過書？」我喃喃地說：「照理……初中總該讀過才對。」

「初中？」她冷笑了一下：「假如你知道我高中祇差一學期就畢業，你又該如何想法？」

「高中？」我不勝驚訝。

「我倒願現在我一字不識，」她露出稀有的傷感說：「假如今天我一字不識的話……」

（十二）

朱柏廬與朱子家訓

・孫真・

朱柏廬治家格言，詞意溫厚，諄諄以勗人爲善及勸儉持家安份做人。三百年來，雖代異時移，迄今尙有恭求名家法墨裱而懸之廳事者，台灣鄉村人家更所在多有。但稱爲「朱子家訓」，直認爲朱晦庵（熹）所作，應加正誤。

（一）

按朱名用純，字致一，柏廬其號也。明末諸生，以理學自命，父死於兵，慕王襃攀柏之義，自號柏廬，康熙間卒於家，門人私謚爲孝定先生，遺著有愧訥集等。因治家格言，爲世誦習，故流俗有不知朱用純而莫不能舉柏廬者，然朱於治家格言外，其他文字如所稱愧訥集等，迄少概見，至其生平，則知者尤鮮。

撰歸玄恭（莊）恆軒集中致邱繩若書，有：「……朱家壽文承命作跋，弟素不能諛譽，不過道其實，但措辭略少蘊藉耳，何意「致一」（柏廬字）遂積怨深怨至此也？前聞其逢人輒怨，固已怪之，亦置之不足較，昨過於季重兒家，弟整衣冠與之揖，彼不爲禮而極口肆罵，弟見其勢猛氣強，非復可理喩者，走避之，猶追罵不已，異哉……」又云：「致一粗知文義，欲自附於淸流，一旦忽與歸玄恭爲難，咄咄怪事，且昨日情狀，竟類市儈無賴所爲，當年以發表叔之辭譏家風，一變至此，可歎！」曾兩提「致一」。

玄恭與柏廬同里，爲明季淸節之士，與顧亭林（炎武）齊名，時有「歸奇顧怪」之目，史可法死揚州，玄恭仲兄殉之，叔兄亦死於兵，崑山破，嫂陸氏張氏畏滿兵之辱均自殺，其父亦殉國變。迨滿淸定鼎，玄恭奉母隱居不出，覓父兄遺骸歸葬，嘗作萬古愁曲，瑰瓌姿肆，於古人無不詆訶，蓋其生逢桑海，狂歌當哭，藉洩胸中憤痛耳，然其與顧亭林固同爲明末氣節之士也。

歸朱同里，且有姻誼，其所述柏廬爲人指爲「粗通文義，欲自附於淸流，」「行爲則又「竟類市儈無賴，」」則柏廬之言行可知，殆一迂滯而又悻悻之俗儒而已，言行殊不一致，顧以治家格言一文，垂名至今，流名徽猷，倖矣！

（三）

惟近朱晦庵選著之「朱子全書」，卷末確附有此文，目爲「居家要言」，不作「治家格言」或「朱子家訓」。蓋疑淸代初葉，崇尙理學者多，朱子全書爲儒生所必涉覽之書，竟附有此文，曾無疑異之者？晦翁爲有宋大儒，不必因柏廬之作以增重，抑柏廬自命理學家則攘晦翁之作爲己有，冀以欺世盜名？考朱子全書凡六十六卷，淸康熙五十三年，李光地（閩安溪人，字晉卿，號厚菴，康熙進士，學宗程朱，曾疏陳平定耿精忠叛變及攻剿台灣策略，終文淵閣大學士，）等奉勅撰集宋儒語錄時刻本，當是滿人入關奄有中華之後，於科舉招誘士類之外，提倡宋學，以鎭定人心，李光地等以柏廬之作，語語馴順，安份守己，足以資治理之助，而又以柏廬俗儒，不足以懾服世人，特以屬附朱子全書中，混爲晦翁原著，冀收潛移默化之效，其理較近。一般稱爲朱子家訓者，自是根據朱子全書以稱，細審頭巾氣味十足之文句，與宋儒語錄迥別，終當以柏廬所作爲無疑。

（完）

學生至上的馬君武

馬君武晚年長廣西大學，有終老意。他對學生極爲關心。如果有人對他提到學生晚上自修，燈光不夠亮，伙食不夠營養，他一聽到，便焦躁不安，對事務人員大加訓斥。廣西大學，初建於梧州蚨蝶山，馬氏自謂是一種「陰謀」，他說，把教授宿舍搞得好好的，使任教的人，「先生要走，太太捨不得走。」其風趣有如此者。

蔡元培與范源濂

蔡孑民（元培），以前清翰林，做過民國第一任教育總長，後來居然還到德國一本正經的做學生五年。范靜生（源濂），也於做過第四次教育總長之後，再到美國，選習教育學。他們決不是志在鍍金，留而不學的人。蔡氏任北大校長時，常說，「我向無本校他校之分」。他的學問和氣度，是大家都知道的。范氏任北京師範大學校長時，最重視師生相處之誼，和人格教育。（上）

「可口可樂」的故事

・楊力行・

（一）

誰也知道「可口可樂」是世界暢銷的飲料，但台灣却沒有可口可樂的蹤跡。

在美國早在一八八六年，有一位南北戰爭中的退役軍人，名叫約翰・潘勃頓（JOHN PERPUNTON）的，是南喬阿特倫泰省人。原是一個經營藥品的小商人。一日忽然大發奇想，要弄一種新奇的飲料，以供同好。於是，他在自家的後院裏，裝起一隻三腳熾鍋，架上柴爿，像煉丹一樣，進行試驗起來。他每次嘗試味道後，再加一點藥料進去，再嘗嘗味道，又加一點藥料進去。如此許幾次，才合製成功。便裝滿一大桶，帶到附近的一家藥房裏，再加入一點蘇打水，正式發售。顧客們祇嘴嘖舌，紛紛提供意見。潘勃頓也虛心接納輿情，加工重製。萬事齊備之後，獨缺一樣——名字。那所藥房裏的掌櫃，原是一位藥劑師，知道這新製飲料內，有一部份的香料得之於可可樹葉和椰子，便眉頭一皺：立刻給他想出了一個名字：COCA-COLA。後來傳到上海，給聰明的中國人直譯爲「可口可樂」，使得人們的嘴吧快活極了。

（二）

「可口可樂」開始問世的第一年，潘勃頓售去了二十五加侖，第二年一千加侖，獲利頗多。不幸，老潘突然病倒了，醫藥費需款孔亟，不得已把他藥方三分之二的專利權，以一千二百元的代價售出。翌年，在他去世之前，又把僅剩的三分一出售，得款五百五十元。假使他能留下十分之一的專利，他的後裔子孫，到目前爲止，可以分到五千二百六十五萬零六百八十一元四角四分的紅利，豈不成爲巨富了嗎？

買得「可口可樂」專利權的是阿薩・甘特斐，一個三十七歲的青年藥商。他經營有術。從一八八八年至一九一九年，竭力把這飲料推廣出去，名利雙收。他後來又以二千五百萬美元轉讓給別人，受主有好幾個人，經理其事者爲伍特洛夫。一九二三後，由其子鮑勃繼任。當時甘特斐何曾夢到：現在的「可口可樂」公司，一年裏的淨餘，也要超越這個數目多少倍呢？

（三）

「可口可樂」的暢銷，一部份得力於廣告，那位開山老祖潘勃頓，第一年的廣告費就花了四十六元，佔他收入的百分之九十。現在的「可口可樂」有兩個常用的廣告語：「DELICIOUS AND REFRESHING」和「THE PAUSE THAT REFRESHES」，前者開始應用於一八八九年，後者也已使用了卅五個年頭。「可口可樂」的裝瓶發售，實際始於一八九四年，以前都是桶裝的。到了一八九九年，有兩個南美人不費分文，取得了全美「可口可樂」裝瓶的特權，然後，轉讓出去，獲利無算。

（上）

自由人

THE FREEMAN
（第一五三期）
中華民國僑務委員會登記證
中華郵政登記認為第一類新聞紙類
每份港幣壹毫
社址：香港高士威道二十號四樓
20 CAUSEWAY RD HONG KONG
海外總經銷
友聯書報發行公司
香港德輔道中二十六號A二樓
台灣特派員辦事處
台北市館前街五十號
台灣總經銷處
台北　中華路五九四號之一
郵政劃撥儲金戶九二五二

自由工會運動

·李加雪·

第二次大戰後，蘇聯利用歐洲的工會，想藉工人的力量來接收各國政府。那時法國，意大利，和德國的工人窮困不堪，蘇聯乘機以威迫利誘的方法，把這些國家的大部分工人引誘入彀。於是工會裏的工人大半都赤化了。各國政府因此大感不安。當時法國的一位負責人士曾經這樣說，『要是共黨想接收法國政府的話，二十四小時內便可以成功。』情勢惡劣，可想而知。那時候法國工會和工人大都受共黨的支配，若果共黨下令總罷工，法國政府實在沒有力量支持到二十四個小時。進一步說，若果法、德、義大利都因此歸附了蘇聯，自由世界可以說是完結了。

自由工運的成績

正在這個危急關頭，美國的自由工會把他們的援助之手伸展到歐洲去，慰勞和資助同時並進。把窮苦無告的工人一個一個拉回自由世界來。假使當時沒有自由工會的援手，恐怕法、德、義等國工人，即使不至被拉入奴工的集團，赤色的霉菌也一定要比較現在更加深厚。這是自由工會運動的最大成效。

自由工會運動發源於美國，是自由工人的一個組織。第二次大戰前，這個組織反對德日軸心，現在，他們反對莫斯科北京軸心。自由工會的最高目的在維護人權，尊重人類威嚴。自由和人權便是自由工會運動的兩大目標。

遠在七年前，自由工會便請求美國政府向聯合國提出調查世界奴工制度，同時擬定辦法消滅奴役的恐怖，以期維護人權。

大戰後，世界各國工會多數依附於蘇聯的特務機構『世界工會聯合會』（WORLD FEDERATION OF TRADE UNION）世界工會聯合會的旗幟之下。因此自由工會請求聯合國調查世界奴工制度的提議，初時並沒有獲得任何支持。可是後來經過好幾年的努力，美國政府和民主國家都同情自由工會的意見，同時各國的自由工人組織紛紛脫離蘇聯的『世界工會聯合會』，去組織一個『自由工會國際聯合會』（INTERNATIONAL CONFEDERATION OF FREE TRADE UNION），並派員出席『聯合國經濟社會委員會』。『聯合國經濟社會委員會』和『自由工會國際聯合會』組織了一個特別委員會事宜，這個委員會的負責人不是美國人，而是印度人。蘇聯和他的衛星國家對於調查奴工特別委員會大肆抨擊，拒絕委員會進入共產國土。可是蘇聯的虛偽表情和內心恐怖已使世界人士明白知道，蘇聯和衛星國家境內數逾千萬的奴工，是不容許外人看見的。

非常現實的組織

自由工會繼續不停的和共產黨搏鬥，予以致命的打擊。自由工會揭發共產黨的陰謀，消滅共產黨的特務，鞏固世界民主的陣綫。我敢肯定的說，對於反共工作，自由工會在世界上的貢獻是非常偉大的。每遇共產國家有所提議，或者國際上發生重要事件時，自由工會往往將他們的決議或主張向世界宣布。這種自由聲音，揭發了共產國家的奸謀，也提高了民主國家的警惕。

自由工會是一個非常現實的組織，他們注重事實和統計的資料。蘇聯時常說，共產國家是工人的「天堂」，資本主義國家，特別是美國，是工人的「地獄」。自由工會會印行下列兩個統計，證明「天堂」和「地獄」的生活情形。

「天堂」和「地獄」對照

第一個統計，將蘇聯工人現在的生活情形和二十五年前作比較。二十五年前，蘇聯正在實施新經濟政策，集體農場的計劃還沒有開始。但那時工人的生活，比較現在，還要好得多。現在的蘇聯工人，要比較二十五年前多做百分之五十三時間的工作，才能夠得到一磅麵包。多做百分之四十三時間的工作才能夠買到一磅牛肉。多做百分之二百五十的時間工作，才能夠購得兩磅牛奶。蘇聯的工人生活壞到這個地步，還能說是天堂嗎？

第二個統計，說明「天堂」裏頭的工人和「地獄」的工人們生活程度的比較，他相差到什麼地步？蘇聯的工人，要工作十五分鐘，才能夠得到一磅麵包。美國工人只需工作六分鐘。蘇聯工人需要七分鐘的工作，才能夠得到一磅極小的洋山薯，美國工人只需要兩分鐘。蘇聯工人想買一磅牛肉，得工作一百一十七分鐘，美國工人只需二十四分鐘。「天堂」裏頭的工人要比「地獄」裏頭的工人多做七倍工作，才能夠買到一磅牛油，多做六倍工作才能夠買到兩磅牛奶。一打鷄蛋也一樣要多做六倍工作。至於衣裳，那相差得更遠了，「天堂」裏頭的工人得比「地獄」裏頭的工人多做十倍至二十倍的工作，才能夠買到同樣的一套衣裳。

（下轉第二版）

台灣工業建設平議

·任之·

自由競爭與機會均等．兩原則未能充分發揮

兩年來，台灣經濟建設的呼聲甚囂塵上，民國四十二年起，且已開始執行四年經濟自立計劃，頗引起國內外注意。最近政府改組，行政院長及省府主席均由財政界人士出任，似更顯示當局推行經濟建設的決心。四年經濟建設計劃以工業為中心，「工業化」一詞遂以膾炙人口。究竟在台灣所具備的經濟條件之下，可能達到的工業化程度為何？似乎值得探討。

台灣的經濟性質

近半世紀來，國人醉心於西洋工業國家之突飛猛進，以為非工業化無以自強，遂亦以為工業化為解決台灣經濟問題的百靈丹。其實台灣為一海島，在經濟地理上言，本質上為一農業地區，工業原料大部缺乏（如鋼鐵、石油、棉花等等），僅有的少數原料，亦因氣候與地質的影響品質不良，成本昂貴（如鹽與煤）。在資源貧乏的限制下要求工業化，不免奢望過奢。我們僅僅可以說，為了擴大台灣經濟的基礎，不要單純依賴農業生產的一面，而要將工業生產在整個生產的比重中予以加強而已。

工業建設有其遠的目的，與目前的需要，兩者均決定於時間與空間的條件，台灣為中國行省之一，就長遠目標言，自應配合整個大陸的經濟地理，為適切的分工配置。但就目前的需要言，則肩負着反攻復國的重任，必須配合戰時需要，以適應反攻的要求。

就空間論，台灣一方面為一海島，資源貧乏。另方面因位於西太平洋的前哨，瀕臨鐵幕邊緣。前者先天上限制了工業的發展，後者則局勢的緊張不易吸引資金的聚集。就時間而論，重工業的建設恒須長遠的努力，輕工業的建設則比較迅速有效。故無論從長遠與近時間而論，均以從事輕工業建設為宜。由於台灣國民所得甚低，資金不易聚集，如果萬般俱舉，定必一事無成，故在工業建設之中，又應採取重點主義，以有限的資金用之於若干國防民生最為迫需的建設。

三年建設的檢討

以這個原則來衡量三年來的工業建設，在基本上並沒有什麼很大的偏差之處，例如三年來發展最多的工業為電力、肥料、與紡織。電力為一切工業的基礎，日據時期雖已建立相當基礎，但在二次世界大戰末期破壞甚劇，供電量降至每年二萬八千瓩，三年來損壞工程均已復舊，另又建立新的發電廠，至四十二年止供電量增至二十八萬六千瓩，增加幾達十倍。肥料工業為糧食生產所必需，日據時期，曾因戰時交通阻梗，肥料未能輸入，以致食米年產量降至三十六萬噸，砂糖年產量降至六萬噸。近年台灣人口激增，食米消費量粗略估計每年約一百四十萬噸，年需肥料五十五萬噸，如果肥料供應不繼，後果嚴重可想。近年肥料工業擴充結果，已自年產九千餘噸增至四十二年度十六萬噸，預計四十五年可增至二十五萬噸，約增三倍。計劃中之尿素肥料廠等，於四十五年可以開工，則肥料產量可續增至五十萬噸以上。紡織工業過去本省幾無紗錠，全部由國外進口，現則已有紗錠十七萬八千錠，除產品自給之外並有餘力外銷，紡織工業需費較省，建立亦易，故三年來發展最速。以動用美援款項而論，三年至四十二年電力，肥料，與紡織三項之建設費金如左：

	美金	台幣
電力	二、〇三四萬	八三〇〇萬
肥料	六八九萬	二七〇〇萬
紡織	一五五萬	無

保護政策下的商榷

經濟落後地區的工業，無法與工業先進國家相抗衡，在發展過程中採取保護政策，以培養其茁壯，原屬必要之措施，但對外作有時間性的保護即可，對內則不宜採用，軍事用造成少數特殊階級的壟斷，獨佔習慣，工業成依賴惰性，未能自立，此種溫床中的工業何能望其有所發展？雖然年來也曾一再標榜對外保護對內競爭，實際上對內競爭的成份並不顯著，二年以來政府曾以生產過剩資金浪費，宣佈十一種工業停止設廠（近已解除其中的四種），此種限制之流弊以下所舉之例可資佐證：

甲，電燈泡工業　現有公民營工廠六家，生產能力為一二〇萬隻燈泡，而市場銷量僅為四十萬隻，於是政府宣布禁止燈泡進口及禁止新燈泡廠之設立，已有之六家工廠乃乘機聯合經營，定額分配產量，協議價格，既無外貨輸入之威脅，又無設立新廠之競爭，在此「外患內憂」俱無之下，根本不求器質改進，坐享保護政策之利益。

乙，肥皂工業　製造肥皂主要原料之牛油全部仰給於國外，過去迄今均由美援進口，定額配售各肥皂工廠生產，祇須將原料轉售即可獲得厚利，故台灣一個肥皂廠多達九十八家，較之美日等國超過數倍，近來當局於配售價格較低，取得配額者無不於配售之外，並規定以規模較大之二十五家工廠始有配給原料之權，明知配給原料可得厚利，何可以行政力量給予二十五家大廠以特殊待遇？而其他各廠於不顧，且第二十五家與第二十六家之規模大小，未必有何懸殊，劃分時亦不易得到絕對公平的辦法，此種措施，不能不說有違平等的原則。（近來傳聞當局有變更辦法，改配售為標賣辦法，各廠均可參加標購，尚不失為較為合理公平的辦法。）

美援的捷足先登者

現行經濟措施的另一種缺憾即為「不公開」的作風，以美援而論，近兩年來若干新工業計劃經過美國安全分署及華盛頓國外業務署的贊可後，當能得到若干資金的援助，例如計劃中之肥料工廠，電力工程，塑膠工廠，水泥工廠，煉焦工廠，均先後得到相當數額資金貸款，其中電力建設屬於公用事業，肥料工業關係民生亦大，自可由政府經營，而塑膠工廠煉焦工廠水泥工廠等等，則屬民營範圍，在計劃初期，理應儘量公開，凡願意投資者均可申請，然而實際上卻往往由少數人先期獲悉，捷足先登，美援貸款之利益遂為部份人所先享，例如煉焦廠副產品——瓦斯，可供家庭燃料之用，煤氣公司曾要求煉焦廠計劃由其出資辦理，竟以提出較遲而未得許可，為其他私人取得承辦權，即為一例。

結論

自由中國三年來的工業建設，就基本原則言，尚能切合當前時間與空間的要求，其成就亦頗為迅速，但在推行的方式上言，則自由競爭與機會均等的原則尚未被充分重視，而有待當局的檢討與改進。（完）

半週展望

由吳修璜出國案說起

·雷嘯岑·

吳國楨的兒子修璜，原在台灣初級中學讀書，去年吳氏要求把兒子帶到美國去，政府以其與現行法令的規定不合，未便照准。今春吳國楨在海外公然發表誹謗政府的言論，從事反動，指政府扣留他的兒子作人質，簡直是八道，危詞聳聽。五月間，他的兒子即已合乎出國條例，領到護照了！上一週，吳國楨又在美國發表文字，強調台灣保安司令部故意留難他的兒子出國，不發給出境證，藉示他又要興風作浪的氣概。這一週，吳修璜的出境證即已取得，定於十八日高飛遠走了！

吳修璜應否赴美，原屬無關宏旨的小問題。但，一經吳國楨藉此對政府妄加誹謗後，即予核准出國，既已發給出國護照，自可讓其趕快滾出去，然又兩個月不能成行，治吳國楨再加攻訐，而出境證乃迅速照給了。但此情節，政府當局無論具有任何理由與事實，皆予世人以「除良安暴」的不良印象，認為如非實行搗亂反動，而僅是觀良人民的正當要求，即有被漠視之虞。如要自由生存，乃可犯上作亂！最有效的方法，是走洋人路綫，挾外力以自重；其次即搞第三勢力，發反對論調，也比一般循規蹈矩服從政府法令的良民為有益，這不是獎勵惡人嗎？

政府為肅反共復國的前途計，常以忠貞精神中勵國民，而對平日言行稍有疑問的人，每不許其隨便出入台灣境內，這政策我們並不反對，只盼望手續較簡，尺度稍寬而已。像吳國楨之言行，忠貞乎？反叛乎？假定另外一個沒有洋人背景的人士，在海外有如吳國楨的同樣言行，而其妻室兒女又是住在台灣的，政府亦能予以吳修璜同等待遇否？如其不能，那就是人民在法律之前，並不平等；如說可能，那就一般不搞亂的人更應享受其自由人權，否則不足為訓。我們基於正義公道與國法的觀點，期期以為不可！

昔人有言：「凡物不得其平則鳴」。風木水火猶然，何況萬物之靈的人呢？革命黨人的精神與氣質，就是看不慣世間不平的事！由於吳國楨的兒子出境事件，不由使我對於一個現時流落在越南的忠貞難民，不能不向政府主管當局發出不平之鳴。因為這是我所深知的事實，我希望政府當局一視同仁，無使善良者寒心，狂悖者竊笑，這對反共復國的關係，是很大的！

其他類此情形的海外忠貞難胞，當然還有，只是同時流落在越南難民營中，有個名叫「雷中定」的人，（他並非我的親屬，其親弟「雷中和」是軍校畢業生，抗戰前，奉軍統局長戴雨農命，在安徽工作殉職；其胞兄「雷忠」，軍校畢業生，卅八九年間，任交警總隊長，初駐粵漢綫郴州，廣州淪陷後，撤至湘南桂陽藍山一帶，與土共「雷孟炎」作戰，被共軍捕解長沙處死；而其子姪二人亦遭共黨屠殺了。他自己是軍校政訓班出身，於湘南淪陷時，尚出任嘉禾縣長，努力抗共，最後攜其妻與次子，逃到廣西，再入越南作難民。像這樣一門兄弟子姪為國殉難的情形，難道還不夠忠貞嗎？政府如果得知這種事實，應該特別照顧，以資激勵，且示崇尚忠義之意。然而，他近來因為越南局勢嚴重，害怕又落入共黨魔掌中，乃向台灣申請入境，結果是不予核准！不核准的原因當然有，只是我們局外人莫悉其詳。若以吳國楨的兒子作比例，却不能不令人認為這是對敵人寬容，對同志殘忍的表現。我受着良心血性的驅策，要為今日流落在天之涯，海之隅的一切未能核許入台的忠貞難民，表示嚴重的抗議！

我不知主管機關（如大陸救災總會，如僑委會）對於流亡在海外的政治難民的身世與經歷等，是否作過可靠的調查工作？對於有些為國犧牲慘重的忠義之士，似應與一般官僚土劣人物有所區別，妥為救護。萬一官僚土劣之流，藉着其他關係，隨便混進台灣，而將真正的忠貞分子，屏諸國門以外，委於溝壑，那我們還談甚末革命的話呢？

新亞書院與耶魯大學

·張丕介·

一條漏網新聞

今年五月，美國耶魯大學（YALE UNIVERSITY）透過報紙，發布了一個意義相當重大的消息，大意說：

「美國耶魯大學之中國雅禮協會，於一九五一年停止其在長沙實施多年之醫藥及教育計劃，[illegible]協助東南亞中國人民之新措施。此項新措施由此間與遠東方面作數月之研究後，於五月一日起開始施行，對中國流亡教授及學生在香港所創設之高等學府新亞書院，作財政上之援助。

「香港雖為英國統治下之殖民地，惟大部人口均係中國人民。新亞書院設有大學課程，用中國語言教學，[illegible]

[illegible]以改進便利。新亞之未來發展計劃，將徵詢香港教育司長之指示辦理。」

「新亞書院在錢穆教授主持下，[illegible]

[illegible]錢院長業已宣佈擴充新亞書院董事會，包括耶魯代表在內。」

[illegible]自由人的讀者大都關心文教問題，所以我就已知的具體事實，來作一個簡要的報導。

兩位文化使者

美國耶魯大學創於一七〇一年，[illegible]校址設於東部的紐赫文（NEW HAVEN），[illegible]中國雅禮學會（YALE—IN—CHINA ASSOCIATION），先在長沙創辦一所雅禮中學，繼設雅禮醫學院，[illegible]雅禮會的事業不幸因大陸變色而中斷，五年以來，[illegible]設法恢復，但迄未發現適當機會。去年夏季該會特派史學教授盧鼎（PROF. RUDEN）前來東方考察[illegible]

[illegible]四處的教育和醫藥情形，方能有所決定。[illegible]

合作的三點理由

[illegible]

幾件初步的決定

[illegible]（REV. CHARLES HENRY LONG），[illegible]

[illegible]

人物述評

湯恩伯病逝東京

劉雪如

（一）[illegible]

（二）[illegible]

（三）[illegible]

重大的意義

新亞書院創立五年以來，除去對中國文化的熱誠與信心，除去當局錢院長等人的堅苦支撐，[illegible]物質方面而[illegible]先天不足，[illegible]一切精神條件之餘地。

新亞學生們之窮，至於衣食不繼，而減低了教學的效果。現在是好轉了，這是每人都意識到的，所以它的師生們莫不興奮鼓舞，準備以更大的努力，來實現他們的理想。

但這一合作更大的意義還不限於新亞本身，而是創造了一個中西文化合作的最好典型，一個意義深長的紀元。中國的前途若有新希望，便應在於自己固有文化的發揚與對世界文化的融洽合作，而這又有待於良好的合作方式。耶魯大學的態度，能在了解中國文化價值上着眼；能在保持新亞的獨立立場，教育理想表現。我不知道，是否還有比這更恰當的合作方式。但是我們準知道，這一合作將是今後國際文化合作中最有價值的，其對今後世界文化的貢獻將是不容輕估的。

自由工會運動

李加雪

（上接第一版）自由工會現正積極擴大它的組織到世界各處，把自由工會運動伸展到全世界。如果世界各處的工人都能夠認識自由的寶貴和生命的尊嚴，奴工制度還能夠存在嗎？所以自由工會運動實在是抵抗共產黨的最有力武器。

最近對日內瓦會議，自由工會曾發表長達萬言的宣言，對於共產黨的陰謀揭發無遺。對於最近亞洲的危機，自由工會又於五月十九日發表另一個宣言，冠頭提出一個七點計劃。這七點計劃，是對付共產黨侵略，最切實而有效的辦法。其大要如下：

（一）韓戰停頓後，莫斯科北京軸心將轉移兵力到安南。為應付新侵略起見，聯合國應即召開全體大會，以解決安南戰事，保衛安南獨立，和謀求安南復興。

（二）聯合國全體大會中，美國代表建議在安南舉行自由選舉，和以前主張高麗和德國的總選一樣。

（三）依照聯合國憲章，美政府應設法聯合亞洲愛好自由的民族，建立太平洋聯防。

（四）亞洲若有若干愛好自由國家，暫時不準備加入聯防，美國應鼓勵他們和援助他們，增進他們的力量以應付共產黨破壞民主組織的陰謀。聯合他們的力量，來應付莫斯科北京軸心對於他們國家和主權的侵略。

（五）美國及其他民主國家應將在安南數達三十億美元的投資交還安南人民，以供戰後建設費用。在安南民選政府未成立以前，上項投資可交由巴基斯坦、泰國、緬甸、印度、及菲律賓五國聯合組織的委員會暫時保管。

（六）美國參議會應該授權艾森豪總統執行關於援助越南的一切事宜。同時在日內瓦會議期間，民主國家應該在安南發揮最大的軍事力量，作強有力的抵抗。

（七）最後，希望法國和英國政府能夠從安南戰事中得到教訓，改善他們的政策。殖民地主義是要不得的，特別是在埃及[illegible]他們才肯做民主陣營的盟友。

以上簡單敘述，可以說明自由工會運動的大概，我們覺得這一運動是實切而最反共的，我們應該努力協助其發展。

編者讀者

旅美僑情

易安之紐約來函：

編者：（上略）[illegible]

美驅逐俄武官內幕

美國最近將蘇俄駐美大使館武官三人驅逐出境，指控他們從事間諜行為，這件事很可能引起聯邦調查局和國務院鬧開爭執。據說，在老早以前，聯邦調查局就曾抗議過，這三個人不時藉「旅行」為名，在美國軍事重地或戰時工業要衝偷攝影片，甚至竟包租專機在美國中西部各州城鎮上空作偵察旅行。當時聯邦調查局曾要求對他們的旅行予以限制，但國務院却加以拒絕。國務院所根據的理由是，這樣的行動可能引起克里姆林宮的報復，而同時限制美國外交人員的行動。這件事吵了很久，一直沒有結果。後來聯邦調查局聲言要提交國家安全委員會解決，不久，當局才下令將這三個俄間諜驅逐出境。

俄諜供詞急電拍華府

請求澳政府作政治庇護的前俄駐澳國使館三等秘書彼德洛夫，最近曾向澳當局供招有關俄間諜網的祕密。美國中央情報局對此事深感興趣，他們已請求澳政府將每日供詞的摘要用快電拍致華府。隨後再將供詞全文由外交信差專程送交中央情報局參閱。據說：彼德洛夫已揭露了蘇俄間諜網如何遍佈世界活動的完整藍圖，他們利用外交上的豁免特權，常在與蘇俄維持邦交的國家中從事間諜活動。

葛羅米柯胃病嚴重

據極可靠的消息說：蘇俄出席日內瓦會議的第二號人物，副外長葛羅米柯已患有最嚴重的胃病，以致於在俄外長莫洛托夫前次離日內瓦返國的第二天，也匆匆趕返莫斯科。依據克里姆林宮的指令計劃，在莫洛托夫返國期中，葛羅米柯本該代理俄代表團團長的。據說：葛羅米柯的病症已日趨惡化，這次胃病就是因癌症而引發的。在葛羅米柯登機的時候，他的顏色青白，在場的記者無一不說他面容十分難看。

胡志明成了中共俘虜

儘管最近周恩來說是和胡志明（越盟領袖）在中越邊境上談判了三天，可是西方情報人員仍對這一則消息表示懷疑的態度。他們認為胡志明的究竟仍存在於人世否，深深值得研究。他們說：三年以來，迄沒有任何西方人看見過胡志明，也未聽見過他的聲音——甚至不曾聽過越共電台廣播他的親口演詞。他們認為，關於胡志明的存在與否之謎，可能有兩種解釋：其一是他已成為中共的俘虜。第二，他或是其他越共領袖正患着重病，（胡志明一度患過很嚴重的肺病）。（孟衡）

天下小事

哲學神與科學神

伍憲子

我以「哲學神與科學神」七字命題，作聞之，當莫名其妙，以爲我又來談空說玄了，寫此不着邊際不切實際之文章，正當國命垂危人心動搖不寧時候，到底有何裨補。我請閱者不必多疑，幸息心靜慮，細思我命題之意。

儒家哲學已死

先從哲學說起，哲學貫通古今，包羅萬有，我在此短篇中，當然不能痛透發揮，我此文之範圍，亦非要發揮世界上包羅萬有之哲學。我此文目的，只想略說一說我們儒家的人生哲學。

儒家哲學向來不說神，說神，就不是儒家哲學。西方哲學反爲說神，自希臘以來，以宇宙本體論起，都是多研究人與神之關係。直至中世紀後，基督教會權威日盛，神學院幾乎替代了哲學。殆至近代，科學大興，漸將古代研究人與神之精神，轉變而研究人與物。風氣所趨，不是科學打倒哲學，而是科學打倒神學，由是哲學無神，科學更無神。

然則我易爲又說哲學神，哲學神云者，不是神權之神。有以爲神權之神者，則是諷詞，今先闢之。

現有許多不甚了解儒家哲學之人，詆毀之以爲神，此神不是好名詞，換言之，可以謂之無用，與事實距離太遠，不適用於現代人生。他們之意，總視儒家哲學爲過去之物，譬之夏鼎、商彝、乃陳列太廟、太廟內之祭神之品，太廟未必有神，神器亦未必有用，雖流傳至今，徒供玩古物者摩挲鑑賞耳。故儒家之爲物，正所謂「此事可束諸高閣，俟太平始用」，這是一種輕藐之詞。他們用此口吻，批判儒家哲學，是非常錯誤，當然，自海通以來，歐風東漸，中國對外着着失敗，其原因是人才寥落，政治不良，其所以至於人才寥落政治不良之原因，是中國固有最優美之儒家哲學已死。然須知其所以死，不是其本身之生機剝奪，更不是其本身之不適時宜，而是不肖之子孫，博奕，好飲酒，不顧父母之養，將趙主父餓死沙丘宮。革命以後，此風氣愈盛，喜新厭舊自卑媚外之流，差不多感覺到中國種種事物皆百非無一是，外國種種事物，皆百是無一非。在此種風氣之下，儒家哲學就束之高閣，就變成夏鼎商彝，就變成過去受香火之神權，質言之，就爲無用之物。

何謂哲學神？

但我今所說之哲學神則異是，我相信有不少深切了解儒家哲學者，能領略其妙用。不只可用之中國，且可以推之全世界，不只是過去不適違，今日尤爲適用，與其說是過去之物，不如說是當時得令之物，因爲其確具有一種神而明之之神。神而明之雖爲於研究者，然必其所研究之本身能神，而後可以顯出神而明之之神。至其本身之神爲何，孟子曾申言之。孟子謂「可欲之謂善，有諸己之謂信，充實之謂美，充實而有光輝之謂大，大而化之之謂聖，聖而不可知之之謂神」。故神也者，合善、信、美、大、聖，而運用之，擴充之，使充塞於宇宙之間，從每一個人之心坎中透出，融合而成爲整體之精神，如太陽之光，無處不到，如太空之氣，缺此不生，此就是聖而不可知之之謂神。我所謂哲學神意義如此，妙用如此，並非如無知者之說，是夏鼎商彝，無用物，說是束諸高閣之陳列品。以上將哲學神略說明，繼續當一說科學神。

何謂科學神？

科學是無神論者，科學安得有神，科學神云：聽來頗費解。西方自中世紀後，神在宗教氣氛之下，神的領域所佔太廣闊。自文藝復興，宗教改革，科學始漸漸萌芽。正是在此無神之境界中，二三百年間，科學始有此昌盛。但是科學太幼稚了。此是科學要打倒神權，此是科學之朝氣，科學能夠成功，能夠發達，就是憑藉此朝氣，我當然不願抑之。但我確可憐之，科學太幼稚了，幼稚就是無知。以宇宙之大，其蘊蓄不盡磅礴鬱積之秘奧，斷非開始萌芽之幼稚科學家所能知，遽昌言打倒神權，無乃太不自量，結果，恐復爲神權所困突。自愛恩斯坦四度時空宇宙界場之說出，原子能繼續發明，原子武器震撼大地，全人類皆惴惴焉，一面覺得原子時代之可貴，一面又覺得原子時代之可恐怖，將毀滅人類。於是，科學就不容易打倒神權。中國人說：「人窮則呼天，疾痛慘怛，未嘗不呼父母」。西方人亦不外是，無論你如何智慧，到無可如何時，亦不能不祈禱上帝。最近宗教之熱，已因原子彈之熱而加熱，從前已冷者亦復熱，大家不願見地球末日，就想見天堂，此風氣已漸漸轉變，此確是科學神。其所以至此，亦有原因。

人類的矛盾性格

世界人類，有兩種極矛盾的性格：一種是自大狂；一種是自卑感。二者之出發點，皆在知識方面。知識，是從客觀事物得來的，知識常向外追求。假令一個人，其知識慾太發達，而缺乏內省修養工夫，其仁與勇皆不足以駕馭其知識，其知識就會流連忘返，想入非非。從好一方面觀之，當然有所成就，即如近代西方科學知識之發達，大都是用心於客觀事物之研究所得來，因此容易養成其自大狂，同時亦容易變成一種反面之自卑感。只管科學發達到原子時代，原子能何以不利用之於生產事業，裨益人群，反用之於殺人武器，亦等於自己毀滅，到底科學之目的何在。而況宇宙秘奧，是否現在之幼稚科學所能透知，所能驅使。最近西方之科學信仰者，已漸由科學之自大狂，轉變而成科學之自卑感了。美國紐約理學院前院長莫理遜已如此說，「自達爾文迄今九十多年來，我們有驚人發現，由於眞正科學之虛懷若谷，以及根據科學知識的信仰，我們正在走向神的途徑，比較任何時代，更爲接近」。此話如何解釋呢？他們就感覺到我們的太陽系，我們的地球，我們動物之智慧與生命，若從知識方面求其解釋，還科學以測其究竟，太迂渺了。太陽是我們生命之源，但爲什麼太陽的熱度偏不多不少，恰恰可到華氏一萬二千度。爲什麼我們地球與之距離，不遠不近，恰恰可可陽光够溫暖我們。假令太陽放射熱，比現在減了一半，我們人與一切生物，不都被凍死嗎？又假[illegible]，爲什麼不多不少，恰恰可可每小時自轉一千哩，假令減少至每小時只轉一百哩，那麼我們的一日夜，就要比現在長十倍，我們在日間，能長期不斷受此酷烈太陽之放射熱，而不被炙死嗎？反之，在夜間，又能長期不斷過此陰冷之漫漫長夜，而不被凍死嗎？再由此類推，假令地球不是以二十三度之傾斜角度自轉，我們就不能享有四季，海洋裏之水蒸汽便要向南北發散，堆成了龐大無倫的冰洲。又假令月球離地球只有五萬哩，則潮水可以一日之間，淹沒陸地兩次。又假令地殼再加厚十呎，則地上氧氣缺乏，動物就無法生存。又假令海洋再加深十呎，氧氣盡被吸收，植物亦無能生活。諸如此類的推想，就自然而然，感覺到冥冥中確有主宰者，換言之，就確有上帝。此則非現在之科學所能解釋，就再經過一個很久時間，亦未必能解釋。此不是宗教家之言，而是出諸科學家之口，我無以名之，就名之爲科學神。

哲學神可轉移刦運

其實我們若深想一層，此等知識之事，是永無窮盡的，我們以短短的生命，換幼稚的科學，要解答宇宙無窮之秘奧，是白費心機，我們不如心安理得，幕天席地，彼將終不會掉下來，擊破我們的頭顱。我們不如稍斂其知，堅定其勇，擴大其仁，從人事著想，我們要發揮哲學神，我們不必妄想科學神，我們要尋求所以安定人類之道，與其在世界之混亂，現在與和平之道，人類之禍，不在科學之不能，而在知識之不能，仁與勇之不能駕馭其知，因之不能運用其知，人類遂爲知識所役。現在似覺悟了，由自大狂之科學萬能知識，回頭到自卑感之科學幼稚人類渺小境界，甚而再返回到中世紀之神學院，向上帝祈禱，向造物主請命，依皈了所謂科哲學，經過歷代操政權者之不識運用，與許多小人儒之自行糟蹋，似乎哲學神已死去了，尤其是到最近，囿於知識之流，震驚西方科學之知，沾沾自喜，成了西方科學之奴隸，爲西方科學之自大狂所懾，因而對儒家哲學，更形成其渺小之自卑感，遂造成中國當前不可救藥之慘局。不知哲學神不會永死的，哲學神是可以再生的，只要我們不做知識奴隸，我們仍以大仁大勇運用其大智，我們不須乞救於科學神，我們眞要識得哲學神是經過善、信、美、大、聖、之後，到聖而不可知之之神，而不是無用代名詞之神，不是脫離現實，不適應近代人生之神，我們之哲學神，就可以起死回生，轉移世界刦運。然此義可爲眞有大智慧之人言之，朝菌不知晦朔，蟪蛄不知春秋，淺識下士，或聞道大笑也。（完）

讀：「野薔薇」

·鐵髯·

著作者：傑克

出版者：基榮出版社

（一）

野薔薇是以三角戀愛作主題，寫出青年男女之間的悲喜。這問題在中國數千年來沒有澈底解決過，西方人更不要說；東方人雖安於習俗，可是時時總也發生了無數問題，其間即使四千年前有娥皇女英妻舜的故事，已被現實的社會與法律的桎梏把它粉碎無餘，所以，最後的結果不外下列四個方式：

一、姑且相安。

二、時時口角。

三、尋死覓活。

四、眞的自殺。

傑克先生抓住了主題加以發揮，使嫉妬變成了歡喜，使仇恨變成了團圓，使危險變成了和平，於是不能解決的問題，他卻輕輕地予以解決了。

（二）

全書的關鍵在三個男女，其一文淡如，男，四十餘歲，眼高於頂，自學成名，是一位建築工程師，而富於文藝修養。其二田薇，十七歲，農家女，論年齡，最小，但卻結過兩次婚。其三趙靜姝，受高等教育，爲大學文科講師，三十一歲，猶雲英未嫁，愛上了文淡如。

在本書的開頭，傑克先生以貓鼠打架作引子，處處引人入勝，漸漸地說到田薇的嫁錯人，而又轉折到文淡如與田薇的關係，陰差陽錯，遂以成婚。其間穿插着趙靜姝與文淡如的邂逅，無巧不成話，三角戀愛於宛轉與微妙之間開始。

田家女有鄉村婦女的天眞和純樸，但也有驚人的醋勁。而趙靜姝則既愛名譽更愛文淡如，因此文淡如周旋於二美之間，最後問題不能解決，遂自沉於水中。本書於此似可告一段落，留有餘不盡之意讓兩個女人去想想，也讓無數的讀者去想想，更讓無數戀愛問題專家去想想。可是作者傑克先生卻抱悲天憫人的情緒，以大團圓的方式作結，於是悲劇變成了喜劇。在道德哲學觀點上，是成功的，而在藝術觀點上，似乎尚留有多少研究餘地。

（三）

然而，傑克先生目的在解決問題，其實中國人傳統觀念上，一男配兩女以至數女，民國以前已爲法律所許可，民國以後法律上也沒有明文不允許一夫不得配多妻，只是說多餘的准作「妾侍」而已。北方人妻妾的觀念蛋明，南方人卻有妥協的傾向，即平妻制度之存在是也。既有平妻制度，男女之間的問題似可以得到補救，然而，這種補救仍有遺憾，故家庭勃谿每從此生，這是無可如何的。但傑克先生爲救文淡如，爲解決歷史上不能解決的問題，創造了一個三角戀愛妥協的結論，這個結論是哲學的，超時空觀念的。可是，問題也在這裏了。假使有男人，借傑克先生野薔薇的結論作護符，那麼無數達官貴人大紳巨賈也口口聲聲都說我是多情種子那又怎麼辦？

因此，我希望傑克先生再爲我們創造一部反唱小說，讓假的賈寶玉多吃一些苦頭才是！（完）

醫生能夠延時應診

求治病人不難減少

關於清潔衞生杜絕病源問題，本報屢向有關當局提供建議，呼籲市民合作；市政衞生當局，對於醫察郊區環境衞生以及張貼醒目標語，均已採納而且已迅即實施。但是有關醫療設施有待改善之處甚多，這是屬於醫務當局範圍，也有從速改進必要。一般說來，今年的氣候過異往年，疾患種類既多，而且求診待治頗衆，依照慣例，星期例假，原係無可非議的，就理論上說，星期日例假拒納病人是說不通的。本港除了星期例假之外，又有公衆假期；因此每當假期停診次日，候診人數特別衆多，而且很多的貧病者從早晨候至日暮，結果未被輪到的也有不少，非但病勢無法減輕，而一天的疲勞也會跟隨病勢增加，痛苦自亦不必說了。

就目前情況看來，假如公立醫院在夏令期間，能夠取消例假，對於貧病求診的人，不特痛苦減少，且能使一般傳染病患者的病勢可以減輕，尤能有效地遏制蔓延；雖然，每一位從事於醫療工作者，假期休息，原係用以消除疲勞、調劑身心，是不可缺少的。倘使採用（權宜）輪調制度，或者每逢假日診症的時間縮短，則病者的受惠，殊非淺鮮。何況祗有短短的一個夏令，夏季過後自不妨恢復原狀。每一病人總不希望他自己有病，而每一間醫院何嘗希望每天人滿爲患。因此，病者與醫院也須密切合作，遵照醫生囑咐護理，否則，診者數衍塞責，病者糊糊塗塗，非但病勢不能減輕，雙方均同感困惱的，這種情形，誰都不希望它存在，但絕非沒有。

其次是兒童就診問題，港府對於嬰兒保健，確是辦得很好，參加保健的兒童，雖然並不是個個活潑可愛，對於防止疾病這一方面，效果確實很好；然一經遇到有病，則就夠麻煩了，照例不是當天可獲診治，而需等到第二天早上；沒有參加保健的，例須早晨到院輪籌，下午是不予受理的。普通的病症，多耽擱些時間不會發生變化；如猩紅熱，肺炎等症，自難免要發生變化，這是醫務當局在這夏令易患疾症之時，不能不加注意的，假如能夠全日應診的話，求診者病況既可減輕，而且每天輪症數字一定可以大爲減少，對於病者或是醫生，均能減少大大的煩擾。

讀者論壇

致「權」之道與用「權」之方（上）

·姚中人·

本刊第三四六期載徐道鄰先生「論權力的運用」一文，闡[illegible]權勢觀念，確是一帖清涼劑，徐先生所引用西[illegible]於「權」的理論上，提出一點，以供研討。[illegible]段，當權的人們，現在在自由中國[illegible]

[illegible]都經過「實踐研究」[illegible]知行合一[illegible]

[illegible]天下之[illegible]利萬物而不爭[illegible]濟天下之艱[illegible]不可一日去[illegible]

緩談獎勵吧！

·馬五先生

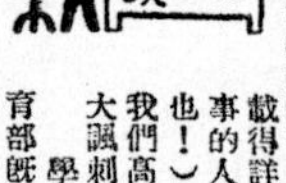

自由中國教育部，最近對於發展文教事業，大爲努力，延聘若干學者專家，組織「學術審議委員會」，決定了八項工作大綱，中有「獎勵刊物」一項。這在我輩濫竽文化界過筆耕生活，而忝欲以「文章報國」的書生們看來，頗感興奮，也多牢愁。

出版自由，原爲憲法上明文規定的人民應有權利，祇要出版物內容不違背國策（如現在的反共抗俄大業）或觸犯國家現行法令（如出版法）應該是不能隨便予以禁制的。可是，事實上似乎不是這回事。要在台灣出版或發行一種刊物，比人們取得出入境許可證更困難倍徙！爽考其禁制的理由，有時不但毫無道理和法律根據，而且荒謬絕倫，令人啼笑皆非。例如：我在香港時報按日連載了幾年的筆記文字「新世說」，報紙每天在台發行，並未聞黨政機關有所指摘。迨集册出版，台灣卻不許發行了。理由是不該說譚延闓爲「庶出」，說楊杰主持過國軍的工兵營訓練事宜，更不該說韓復榘在抗日戰爭時通敵被捕，是在警報聲中設計執行的。盡人皆知的眼前事實，硬要否定，這與俄共們變造和僞造歷史有何分別呢？又有一位曾經在國民黨宣傳機關服務多年的作家，著有「王昭君」歷史小說一册，也不許在台發行。理由是沒有寫王昭君死在番邦的情事，卻不知漢書匈奴傳紀載得詳詳細細了。（管這類事的人，固不知漢書爲何物也！）憑這樣的文化思想，我們高談反共抗俄，豈非一大諷刺？

學術二字包括甚廣，教育部既有「學術審議」的機構，政府爲甚末不把出版物的審查工作，集中在一起呢？讓學者專家來審查刊物，無論如何比交由知識簡陋者流胡亂審議好得多！

建議懂得文教功用的「張尚書」：緩談獎勵刊物出版，先求消除非法無理的禁制出版物，對國家前途，即爲功德無量矣。否則你在前面寬生靈，後面有人叫不辣，寃哉枉也！

不打自招文鈔

吹牛匠（上）

·文抄公·

這是中共雜誌譯載蘇聯「鱷魚」雜誌的一篇特寫，作者德·別列耶夫。讀後，我們可以想見鐵幕內的官僚嘴臉，和特務遍佈，互相監視，行動絕對不自由的情形——文抄公。

（一）

火車在一個大站停了下來。旅客們互相告了別，從臥鋪單間裏走出去。單間裏只剩下我一個人，離開車只有五分鐘了，還沒有一個人來，看起來是該孤單單的了。

一個穿黃皮大衣的大個子在門口出現了。大個子一隻手提着一口大箱子，另一隻手拿着一個脹鼓鼓的黃皮包，皮包上有好幾條皮帶，拉練和按鎖閃閃發光。大個子脚上穿着一雙套着套鞋的白得刺目的毡靴，頭上戴着一頂什麼細毛皮做的帶有遮耳的帽子，因此，看起來腦袋顯得特別大。

大個子低低地彎着腰走進臥鋪單間，幾乎沒有眉毛的那對小小的圓眼睛上下打量了一番，把皮包放在下鋪上。然後，大個子用怪聲怪氣的腔調說：

「您好呀！我叫米列格，奧巴那斯·米列格。」

「庫斯米奇·米列格。請原諒。我希望我不致於誤佔別人的鋪位吧？」

「不，三個鋪位全是空着的，請您任擇一個好了。」

這個新來的旅伴摘下了帽子，露出剃得光光的圓腦袋。然後脫下大衣，坐在我對面，從口袋裏拿出方格布手帕，喘着氣，揩起臉，頭，和頸子來。

「啊哈！我幾乎趕不上火車。坐在『梅則克』牌小汽車上飛奔了一百五十公里，一點也沒有休息，啊哈！」

汽笛響過，火車開動了。車站上的燈光在臥鋪單間的窗前閃過去。旅伴打開箱子，從箱子裏把紙搭，紙包，罐頭都搬了出來。把這些東西一齊陳放在桌子上之後，又拿出一瓶白蘭地，打開了封口。

「請吧，老鄉，歡迎您一塊來吃。這是香菰，這是白蘑菰，魚子醬……您是從遠處來的吧？」

「從莫斯科來。」

「啊呀！我更得請您嘗嘗。難道在莫斯科的人們會知道這麼好的眞正香菰嗎？」

我嘗了一點香菰。

「啾，味道如何？」

「香菰眞好！」

「對對……對不起，您到那裏去？」

當他知道了我去的那個城市正是他的目的地時，他非常高興。

「出差嗎？」

「出差。」

他沒有再提任何別的問題。他吃飽喝足了以後，那圓圓的臉更顯得紅潤，並且露出心寬體胖的神情。他滔滔不絕地談着。過了半小時，我就了解了他的全部歷史，他的妻子的歷史和他所有的熟人歷史的。他這一類型的人是不會停止滔滔不絕的談話的，甚至不懂時間已經晚了，頭已經疼了，已經疲倦了的暗示。

他詳詳細細報告了關於他自己，關於他的家屬和親戚朋友們的一切以後，就開始談起他的工作來。

「我，老弟，既然是這樣，托辣斯經理高洛夫科同志請我去，懂了嗎？我，我的老弟，您看這就是，」他指着皮包，「我帶着這個……」

他走到門口，把門扣上，對我講解起一種非常重要的發明，這種發明是他當6P/3主任的那個工廠大家研究出來的。

火車停在一個站上。我望望窗子，喊了起來：

「您瞧瞧，多麼好的夜晚！月色多麼好呀！」

可惜，月色沒有用處。

「什麼？月亮？哈——哈——哈……月亮——……我的朋友，月亮很快就要如同作家契訶夫所描寫的那樣沒有了的，而看見天空撒滿了金剛石，你懂嗎？我們的發明會引起改變，能超過世界各國……現在我就拿給你看看……」

我伸手去拿那個脹鼓鼓的皮包。

我說我很想睡覺，拿起肥皂、毛巾就出去了。我沒有急忙回房去，那種煩擾不清的，像哨子一樣響着的怪聲怪氣把我吵夠了。我站在過道裏休息一會，想等我那旅伴睡着。果然，當我回房的時候，米列格已經睡着了。幸福安靜的微笑凝聚在他那圓圓的臉上。皮包丟在脚旁。我很小心地撿起皮包，放在他的床頭，並且用報紙蓋了起來。

金珠

中篇小說

·勞影·

「我想不到你讀過高中。」我近乎自言自語地說。

「難道知識能絕對保障我們物質的無虞？」

「我想不到。」我搖搖頭，嘆了一口氣。

「未免太可惜了是不是？」

「我說是……」

「當我讀書時，」她啞聲說：「我會想到今天嗎？」

我沒有開口。

她不安地從門縫中向外張望着。

我伸手拉開門扇。

她感激地朝我看了一眼。

我把領結整理了一下。

「有空就來玩，」她拉住我低聲說：「但不要三天二天就來一次。」

我點點頭，沒有開口。

以後我有四、五天出公差到台中，沒有去，從台中回來，我第一件事便是去華西街。四、五天的日子在我是夠長的了，而阿梅卻劈頭第一句就是：「你又來了。」

我默默握住她的手，什麼也沒有說。

以後的個半月中，我幾乎隔不上三天就去一次，我說不出理由，我承認我的行爲又有點反常了；同時我覺得阿梅也是個與人有異的女孩，一般神女所表現的，唯恐客人不多，唯恐得一個客人不能傾家蕩產……而阿梅對我，卻正一切相反。也許這就是我一次又一次答應她不再去，而終又撕毀了自己諾言的原因。

每次我都想：「我不能越陷越深，我應該止步了。」

每次，我答覆自己：「這是對的，好吧，今天是最後一次。」

每次，我都想把手帕拿出來交給她，但最後我還是告訴自己：留待下次吧，下次交給她還不一樣？

十二月中旬一天，我又去了。

她默默把我領進房間，我交錢給她，這次她拒絕了。

「別給我錢了，」她說：「閉門談一會兒你走吧！」

我堅持要她受下。

「也好，」她嘆了一口氣：「我希望這是最後一次……我眞不明白你爲什麼還要來，並不是一個當姑娘的討厭客人多……你看你，一個月來，也花去不少，你到底得到了一點什麼呢？……是的，我們這種人永遠是爲錢而活着，但我們拿到一個客人的錢並不容易……這點，我們不怨人，也無愧於心，因爲它是一種交換……而你，我簡直不知道如何說好，……你倒底是什麼意思呢？……每次，你要我無緣無故的受下你的錢，你眞的以爲我們這種人的情感已全部麻木，對錢以外的東西就什麼都不知道了嗎？……你是好心呢？還是一種侮辱？……噢不，先生，原諒我，我知道我說錯了，……假如你還這樣對待我，我希望你眞的不要再來。……我，我們……這種人是不會再有……噢你太年青了，這是危險的地方，——我知道你要說什麼，但你可以不說出來！——你不能拿我作比，我是命，而你……這個把月，我對你看得太清楚了，……我求你……以後不要再來了！」

聲聲慢

端午

·羅自芳·

榴花吐焰，荔子凝丹，天涯節物多妍。角黍包金，艾旂蒲劍還懸。爭觀賽龍奪錦，更滿隄裙屐翩翩。風光好，但總渾不似，故國山川。

漫道湘魂寂寞，自神州板蕩，幾許新寃。弔古傷時，楚騷讀罷淒然。思量赤氛未靖，莫長教淺醉閒眠。待起舞，趁滄流畫鼓正喧。

望塵小記

·丁·

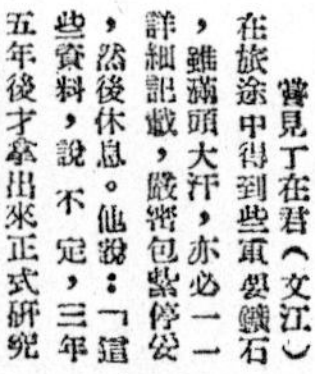

丁文江以宗淹爲字的

嘗見丁在君（文江）在旅途中得到些重要礦石，雖滿頭大汗，亦必一一詳細記載，嚴密包紮停妥，然後休息。他說：「這些資料，說不定，三年五年後才拿出來正式研究，說不定，還要寄到外國，現在偷懶一分半分鐘，將來可能多費百倍千倍的時間。」丁氏衣褲袋子裏，時常放着小用具和儀器等，隨用時，一摸就得。民國十五六年間，丁氏做過上海市政督辦，這是一個「肥」缺，但丁氏一下台便鬧窮，據說，多得那位素以不識乎自豪的楊樹誠暗中接濟五千塊錢，才得過關。但丁氏在世之日，始終不知錢是誰送的。丁氏爲文，有時署名宗淹，該是由於崇敬「以天下爲己任」的范仲淹的。

梁任公與胡適之

五六十年來，對我國文化教育以至一般思想，影響最大的當推梁任公與胡適之。梁氏爲人，熱得像一團火，怪不得他自名其書齋爲「飲冰室」，取飲冰內熱之意。人們體梁氏授課或講演，大概共同的印象是一個傳字。梁氏藏書十萬册，手稿幾大箱（梁的初稿從不出門，由別人抄正付印。）遺命一概送贈國立北平圖書館。因病給協和醫院拔牙割腎，均不得要領，白受痛苦，但事後絕不出怨言，生怕別人用作反對科學新知的借口，其氣度胸襟，實非常人所及。

胡氏很 SOCIAL，和易近人。在十人八人以至千百人的場合中，他似乎從沒有冷落任何一個人。能使人抱着殷切的期望而來，懷着愉快滿足的心情而去。胡氏從外國「點了翰林」回來，年紀輕輕二十多歲，已卓然爲舉世所重，卻乖乖的聽媽媽的話。他回到績溪鄉下，聽父母之命，媒妁之言，和「改組派」江冬秀女士結婚，和諧到老。當年反對他的衞道之士，對此能無內愧於心？

謹厚的張少涵

張少涵（貽惠），在北京高師和改大後的北京師大先後任教授系主任和校長。張氏最可風的有兩點：一、他爲着學生的職業，書信之勞不必說，時常還要掏個人腰包打電報，每年這類開銷，可能花去他一個月薪金，他視學生的吃飯問題，一如他個人的飢渴。二、即使學生要向他借錢打牌，他必先整衣肅冠而後出見。見到他家裏去的人，即使說話很冗長，他仍始終無倦容的聽着，隨時答話，絕不表示厭倦。他從來不肯下逐客令。他一生爲學生爲學校，耗費心血，孜孜終日，不以爲勞，也未嘗以此居功。（下）

荒唐集

廉有摘譯

有了十一個兒女的父親說，爲了岳母來家做客，要他在牛圈裏和牛同住兩個星期，倒還願了。可是當生了兩頭小牛，把他擠出牛圈後，卻逼迫他到雞窩中跟小雞們同睡，終於驅使他走上了離婚法庭。

×××

一個妻子向法官陳訴，她倒是頗爲饒恕她的丈夫，回家喝得醉醺醺的，還打烏了她的眼，可是當他突然忘掉了這一切，第二天反而問她怎麼把眼睛化裝得烏黑的——於是就完結了。

在堪薩斯城，一位年青太太上法庭請求離婚，說道：「他告訴我是七十八歲，誰知實際上他大了五歲。」

本期稿擠，「可口可樂」的故事續稿下期刊出。

朝開暮落的木槿

·鄭士珪·

屋旁木槿密密的團成短籬，夏秋之際，開着白色、紫色、或深紅的花朵，臨風招展，映日作光，別成一種幽趣。

木槿是朝開暮萎，世人往往因此興榮華易逝之歎！語云「蜉蝣之虫朝生而暮斃，木槿之花晨開而夕落」。木槿短命，和櫻花是差不多的。

白居易詩：「松柏千年終是朽，槿花一日自成榮」。但從生生的道理講，木槿從初夏開花到深秋，花期之長，在普通花卉中也是罕有的。崔道融有一首咏木槿的詩云：「槿花不見夕，一打一回新，東風吹桃李，須到明年春」。就含有一種曠達的觀念。

木槿一名櫬，一名椴，是一種落葉小灌木，禮記二月令云：「仲夏之月，木槿榮」。它自五月開花至秋始衰，花如小型葵花，花瓣作三裂狀，春天取新芽長約二三尺，遍地插之即活。「珠館薰燃久，玉房梳掃餘，燒蘭才作燭，襞錦不成書，本以亭亭遠，翻嫌脈脈疎，回頭問殘照，殘照更空虛」。（李商隱詠木槿花）對着這朝開暮落的木槿，見物興懷，實在不能自已！「物情良可見，人事不勝悲，莫恃朝榮好，君看暮落時」，讀劉廷琦的咏木槿詩，也起人世間華屋山邱，朝興暮敝之悲。

自由人

THE FREEMAN
（第五五二期）
中華民國僑務委員會
頒發登記證僑新字第一一二號
中華郵政登記第一類新聞紙類
每份港幣壹毫
台北市售價台幣七角
督印人：羅夢冊
社址：香港高士威道二十號四樓
3 rd. fl. 20 CAUSEWAY RD HONG KONG
香港發行及事務接洽
高士打道66號 電話：七○四五三
承印者：東南印務出版社
地址：高士打道六十四號
海外總經銷
友聯書報發行公司
香港德輔道中二十六號A二樓
台灣特派員辦事處
台北市館前街五十號
台灣總經銷處
台北 中華路九五四號之一
台灣郵政劃撥帳戶九二五二

新內閣的大進步

喻之義

六月三十日「自由人」有一篇「新內閣與立法院」的台灣通訊說，俞氏出長政院半月，「立法委員們，在讚美賀詞中，已經把過去戴高帽子的手法拋掉了，不再用欲抑先揚的手法，開門見山的提出問題，應該是委員們的進步」。筆者讀此報導後，感慨再三，乃正襟危坐，援筆而大書特書曰，此乃「新內閣的大進步」。此一進步，比其他所說的種種進步，更為真實，更具意義。讀者若疑此言，願得稍申其說。

欲抑先揚的由來

立法院這幾年來先戴高帽子，欲抑先揚的發言格局，是從台灣今日整個的政治風氣中來的。神州淪陷，遷避來台，大家都說要重新幹起，而重新幹起的起點，似都一致認為應自反省始。這本是中國歷史文化古訓人從憂患中站起來的一條老路。即是反省出一個人自己藏在隱微深處，而又實在是主宰着一個行動的東西，這東西就是由無明所形成的一串壞作風壞作法的種種壞的東西，演出來的所形成的根源，決心要將其去掉，並以自己能夠新生，並樂于見社會的新生，鼓勵社會的新生。自反，雖然不深刻，表現宗教的懺悔精神，但是最低限度，還必有一種補償不能自足之地方，可以讓人他人的意見，遵守客觀的法則。但時代進步，過去的反省途徑，未免近于虛怯。現在則是要以反省來鼓起勇氣，一是反省的途徑，似乎是各人發掘過去所隱藏在深處而未為人所發現或未為人所承認的偉大。只要各人把隱藏而尚未發舒盡致的偉大，表現出來，則新局面立可出現。台灣將以事實證明補反省的正確性，于是台灣年來的進步，成就，便要負起五千年歷史所未有的偉大，而略統計，五年有半的台灣歲月，將是使用「偉大」一詞最多的歲月。在此整個偉大的歲月中，在空氣中，立法院裏有所謂「護航隊」一類的委員，專爲維護此偉大性的安全而奮鬥；稍遇風吹草動，即如手足之捍頭目，以丈六金身的發言格局，自然應運而生。要有所獻替，有所進言，其第一考慮，當然是在進言時如何先揚後抑，如何不傷此偉大的尊嚴，于是戴高帽子，欲抑先揚，自然應運而生。

需要偉大痛恨權威

不過，這裏有爲有偉大，從來沒有一個問題。古今中外，只有以進言，以納諫爲偉大，只有諂媚，以拒諫有傷偉大。何況立法院根據憲法代表人民監督政府，其發言的地位，當然應該立于監督的地位，豈是這種情形可比。立院諸公，學識非常，當然了解一般政府任使監察的職能，只然而助成政府的偉大，這要先揚後抑的手法，則諸公所謂，豈實是有權威的問題，而實是第一個揭穿了說，即是前任內閣比現任內閣更是權威。話就得十分小心謹慎，在這種小心謹慎中，有兩點值得注意的：第一，講話與被講話的人，無形中，不是立于平等地位，講話者在精神上已先忍受了一種委曲。第二在這種委曲精神之下，所講的問題，常流于避重就輕，言不盡意，很難真正盡監督之責。因爲這種權威的感覺，致使民意的代表還要受委曲，致使正式而且專門以監督政府爲職責的機關尚不得盡其辭，則天下之人，誰個不在權威之下受委曲，誰個敢在權威之下得以盡其辭。處于二十世紀的中途，忝列爲民主的自由世界之一份子，過去立法院諸公發言的格局所代表的只是恥辱而不是偉大。我們痛恨權威。

不流血的革命

新閣成立有人批評說這是第二流人物的內閣。可是正因爲如此，俞內閣本身不覺得自己是權威，立法院諸公也不覺得他是一個權威，在沒有權威的感覺中，彼此都立于堂堂正正的人的地位來講話，來聽話，于是自然把過去卑微委曲的一套說話的格局丟掉，以直直挺挺的人，講老老實實的事，這才是立法院裏一個真正不流血的大革命。有了此一革命，才慢慢的在政治中也可以看出彼此的人格尊嚴。有真正的人格尊嚴，大家才有真正的責任心，才有真正智慧與效率。爲是政治之所以爲政治，乃至人之所以爲人的起點；其關鍵，只在俞內閣之不以權威自居。所以第二流的內閣實際是第一流的內閣。因爲他帶來了我們千辛萬若所企求不得的這一大進步。假定將來真能出現昨日的白衣成爲今日的宰相之局，內閣根本與權威絕緣，那便是太平盛世了。「春生秋殺」，春之氣和所以生；秋之氣刻所以殺。台灣的處境，似乎須要的是生而再無可殺。所須要的是振作人心，不要由什麼權威來控制社會的生機生命。詩經說「愷弟君子，遐不作人」。愷弟是春風和氣，在春風和氣之下所以沒有不振作之人。俞內閣之不以權威自居，若可進而爲愷弟的君子，豈非國家的大幸。願立院諸公，守住現在堂堂正正的人的立場，以促成之。

假如美蘇開戰

·長林·

假如大戰真的爆發，美蘇兩個主角要怎樣週旋呢？這不但兩個當事者在焦慮，實在是全世界的人，也在關心着。這裏有一個客觀的報導，從這報導裏，可以預測俄帝兇殘，很快便會被撲滅，並不如那些恐共病的人想像那麼可怕。

戰爭爆發之日，蘇軍必定以雷霆萬鈞之力，向下列幾處躍進：一以閃電的動作把柏林包圍，使它孤立起來；二疾馳通過德國，突擊北大西洋公約國軍，使他們措手不及；三穿過義大利，向西挺進；四南下伊朗，攫取中東油田。這個大熊有足夠軍力同時向這幾個方向齊頭併進，且有可能強渡白令海峽，佔據阿拉斯加，以作轟炸美國的基地。

美陸軍的弱點

美國兩億人的衆多，照目前美軍的徵兵來看，除了節節退却之外，是無能爲力的。因爲蘇俄陸軍有一百七十五師，每師一萬人計，是一百七十五萬人；美陸軍只有二十師，每師一萬七千五百人，僅三十五萬人。如果以人對人，無論體力，或能力，意志和配備，一個美兵起碼要敵兩個俄兵，要犧牲一個美兵來換兩個俄兵，是美國人也認爲不值得的。但在中美軍火北大西洋公約國的師團，只在也會說是十足的盟友。到危急時，誰敢有這種信心呢？所以在初期，美國兵有以退却來爭取時間，好在美國的新型重坦克，是勝越俄國所有的，俄人最怕坦克。他們的野砲，雖多過美國，然火力與準確性，則不及美國，原子大砲還不計算在內。這些卓越的裝備，自可確保安全退却而有餘。

美國陸軍還有一個弱點，是後勤的人數過於龐大，美國陸軍的人數已達一百萬，但只有三十五萬人是戰鬥員，其餘都是非戰鬥員，只是跟着作後勤的工作。在一個美兵後面，至少另有三個人在工作。在一個俄兵的背後，則二人已足。韓戰發生以後，美國陸軍兵源，已作過新的安排，每個人都已盡定了任務，從前要經整年，才能徵集成軍，現在兩個月內，便可使七百萬人，都穿起軍服來。這就是美國在陸戰初期，不能不退却的原因。

美蘇兩國的海軍

說到海戰，則完全兩樣，美蘇在海上軍力的對比，如隔霄壤。茲先把兩國海軍力量，作一個比較：

航空母艦　美國一百零二艘，蘇俄沒有。

戰鬥艦　美國十五艘，蘇俄兩艘。

巡洋艦　美國七十五艘，蘇俄二十艘。

驅逐艦　美國三百五十二艘，蘇俄八十三艘。

驅逐護航艦　美國二百五十艘，蘇俄三十八艘。

潛水艇　美國二百零二艘，蘇俄三百七十艘。

從這比較表來看，戰爭發生後，美國海軍的主要任務，是對潛艇作戰。蘇俄的潛艇，是在二次大戰後，扭奪德國的潛艇製造計劃及技術人員，才有現在的發展。從前希特拉以六十五艘潛艇，便使西方盟國海軍，疲于奔命，現在蘇俄已擁有德型潛艇三七〇艘，還有一百艘在建造中，其威力當然不容輕視的。但美國航空母艦上的A·D型轟炸機，已能把原子彈帶到千哩外扔下，而從容地飛回艦上，這意味着美國海軍的準備，不但要消滅蘇俄潛艇于海中，並能保護航運的安全于海上，而且對一千哩以內的蘇俄海港，也可以原子彈加以毀滅，而掃蕩所有俄國海軍基地。現在中途島上，珊瑚海中，雷達縱橫，黃昏以後，電光四射，就是對蘇俄潛艇所佈的天羅地網。

美空軍頸鍊戰略

美國對蘇的空戰，是頸鍊戰略。什麼是頸鍊戰略呢？這就是美國現在略戰空軍基地的佈置，已構成一條珠鍊，圍着俄國的頸項。這一粒粒的珠子，就是格林蘭，英國，西班牙，法屬摩洛哥，的黎波里，土耳其，沙地阿拉伯，沖繩島，關島，日本和阿拉斯加。距離俄境最遠的一粒，是B三十六型的巢穴，這是世界最大的轟炸機；毗鄰蘇境的一粒，是B四十七型的基地，這是世界上最快的一個噴射機，其中有一個地方，到列寧格勒，只是二小時的距離，到蘇俄疆域上，在整個戰略內，美國沒有一個地方，是不能給以原子彈轟炸的。蘇俄對這種危機的理解，是很明的，而且也知道美國派一架轟炸機的司令官，都已認定了一個特殊目標，並從雷達地圖上認識了這標的，的城市，充分認識，一條街，都不放過。既然蘇俄的頸項，隨時有被扼殺之危，所以在戰爭爆發之日，莫斯科陸軍正辦的勤，免使成爲粉碎；她必不會首先攻擊西雅圖，省，羅，而在開戰之日，和必不會首先攻擊紐約，三藩市，和羅省，而在戰爭爆發之日，她必不會首先攻擊，那會使她致命的頸項，故她會以全力掙脫，以免被扼殺致命，每一粒珠子，同時施以神秘的襲擊，只要在美國方面有警報，在三十分鐘前有一個基地的飛機，任何都已在途，飛取蘇俄目標，扔下原子彈。就算有些珠子，遭受襲擊，其他珠子也可施以粉碎。莫斯科及其他大城市，除非這條頸鍊已毀滅了一粒珠子，都有遭受威脅的可能，這俄國的轟炸基地是在百慕達羣島，或在夏威夷的話，美國決不會于戰爭初啓時，去攻擊列寧格勒或海參威，必須先消滅近處的敵國機地。

美蘇會不會發生戰爭呢？只有克里姆林宮才知道。原子專家與本海瑪會預言：「美蘇均擁有原子武器，像兩頭蠍子困在瓶內，誰也不敢外出，但誰也不敢睡覺」。這話或許會應驗吧！（取材自天主教文摘六月號）

新閣提出十項民主要求。

△西歐反共組織用氣球向捷克投擲的傳單，促人民對共黨提出十項民主要求。

半週展望

·陳克文·

越局的新發展

杜爾斯參加巴黎英美法三外長會議後，十五日回到華盛頓。他表示西方國家已從新團結，美國不至有放棄其所持原則的危險——即反對任何姑息的和平。美國並已同意派遣副國務卿史密斯軍行出席日內瓦會議。

共產集團對巴黎會議備加攻擊，說是美國存心破壞日內瓦會議，同時他們也趕緊集會，籌商對付。可見杜爾斯所說的從新團結和不姑息政策，並不是徒托空言的。

西方如真能團結，自然可以增強日內瓦的發言權。但西方在日內瓦所能做得到的，恐不過是劃越南、高寮中立，與延緩越南的選舉而已。這樣的結果即使能實現，祗是穩定法郎士的政權於一時，對於防止共產黨侵略東南亞可謂並無用處。

處目前情勢下，法國之急求越南停戰，本無足怪，法國如能於越南停戰後，從速推進歐洲軍的建立，並積極參加東南亞的反共聯防，如此方能避免投降的和平。杜爾斯所說的不姑息政策，和不放棄原則，其意義亦應在此。否則越南分割之局，恐怕要比韓國的分割，更有利於共黨侵略的發展。共黨在越戰中的軍事地位遠較韓戰爲優；而越戰的主角法國又較韓戰的美國遠爲脆弱，上述假定條件，共黨顯然不易接受。日內瓦會議能否於本月廿日前獲得滿意的結果，還是不易知道的。

中共加入聯合國的問題

越南問題之外，最可使西方國家陷於分裂的便是中共加入聯合國這一問題。過去兩周，這問題使英美兩國同陷於極端困惱的境地。邱吉爾看見情勢惡劣，急向下院聲明，此時不是中共加入聯合國的時候，此一聲明不祇美國輿論表示讚許，英下院議員也大加鼓掌。大概今年一年內，這問題不會再成爲阻礙英美外交合作的因素了。

但問題並不就此解決，要解決此一問題，非根本推翻中共的統治不可，至少非英國改變其承認中共的態度不可。英國承認中共所得到的結果是甚麼呢？已往的不說，即就最近對中共的貿易而論，中共的態度和他們所提出的要求——他們所要的是戰略物資——英國也應該憬然覺悟了。雖然如此，英國的錯誤承認還是不會改變的。也就是說英美的外交矛盾是始終不會銷除的。

盛名之下應有的恐懼

美國朋友稱譽自由中國的話多了，最近聯合參謀部主席雷德福和參院外交會小組主席史密斯的話，更可說是贊揚備至，無以復加！雷氏說，台灣已變爲遠東模範區。史氏說，台灣進步神速，生活水準和一般狀況幾乎比遠東任何地方爲佳，中國大陸一旦回到民主懷抱，中國人民將得到一個模範政府。這些話在我們中國人聽來是很興奮的。然而「盛名之下，其實難副」，我們不要因此過於興奮，我們要恐懼，要反省，更要多聽一些逆耳之言。最近台灣一位很有地位的人士來信說：「台灣比大陸有很大的進步，比現代文化和政治水準，却差得很遠。」又說，「我不滿意黨和政府裏太濃厚的家長意識。」這一類的話，我們不能講道理，評是非，只能伺候意思，還引歡喜。面的恭維話更少貢獻。當然這些話聽來是很刺耳的，決不會比上人是不願意聽的。不過能夠聽不願意聽的話，會比聽好聽的話，得益更多。個人如此，政府尤然。

馬來亞獨立的暗礁

·祝修衡·

馬來亞的獨立運動現已遭遇到一大暗礁，非一時可以解除。在東南亞危機日亟之際，這是不容忽視的問題。除非英國殖民政策能夠改弦更張，否則馬來亞政局無從澄清，對於剿匪戡亂亦將蒙受根本的影響。

馬共猖獗由來

二次大戰後，印度、緬甸獨立了。一九四八年英駐東南亞高級專員麥唐納，聯邦欽差大臣葛尼爵士（一九五零年遇狙殉職）對馬來人提供獨立建國保證。使馬來亞人民感覺興奮。全馬五百六十九萬八千一百名人口，華巫占大部分，華族二百十五萬五千七百人，巫族（馬來土著）約二百八十萬零八千四百人；印度族六十五萬一千人；其次為巴基斯坦及白種人以及鄰近國家的僑民（數字比較上最少）僅八萬三千人。（聯邦公民共四百十三萬九千人。）一九四六年英國殖民地政策取消了酋長制度，促成「馬來亞聯合」（MALAYA UNION）政治單位；到了一九四七年又恢復了酋長地位，建立了「馬來亞聯邦」（FODERATION OF MALAYA）允許全民歸化，成為該政治機構下的合法公民。聯邦政府於一九四八年頒布憲法，實行選舉。這種自治規範制度，本來並未能使人十分滿意的；於是，共黨就藉為口實，在是年六月二十日發表了一篇爆炸性的廣播宣言，標榜「反抗帝國主義，向鎮壓民族主義者鬥爭」呼籲五百萬馬來人支持這一「解放戰爭」；並「保證」建立一個「馬來亞人民共和國」。此後，馬共就無法無天地進行着全面性的恐怖活動，尤其在一九四八至五零年間更為猖獗，馬來亞九州及新加坡、檳榔嶼、馬六甲三個海峽殖民地每月發生的恐怖事件，平均逾五百件之多。予英國打擊固重，遭殃區域人命和財產的損失且無法可資統計和估值。

獨立黨成立的經過

牟出暹羅血統的吉打蘇丹，雖是名義上的統治者，馬來亞邦欽差大臣手中。已故葛尼爵士與麥唐納專員面對這一惡劣的局勢，為了糾正馬來人心目中的一個偏狹觀念：即「馬來人當年辛勤出力，英國人坐享其成」。此時恰當中共在大陸上得勢的時候，更助長了馬共的聲威。因此便決定了一個兩全辦法，使英國在東南亞仍能保持一個立足點，不讓馬來亞陷入共黨手中。這一個辦法是：允許馬來亞九州交與人民，建立一個統一獨立的國家；使英國能擁有新加坡、檳榔嶼、馬六甲三個海峽殖民地。經過麥、葛兩氏與華巫各族領袖一再研究磋商之後，獲得了具體決定。華巫兩大民族領袖亦提出了結合各族，動員全民，一致抗共的保證，最後雙方均信守「緊急狀態」結束之後馬來亞即正式邁向獨立建國的途徑。此種努力；於「獨立黨」成立之時更為顯著。一九五一年九月十六日，以象徵獨立的馬來亞「獨立黨」正式宣布成立前後，筆者曾在本報陸續發表三篇專文，指出馬來亞的獨立，端視英國能否遵守諾言以及馬來各族間的推誠合作程度如何。否則將是徒勞。並對該黨領袖（聯邦政府內政部長）拿督翁寄予極大希望。翁氏係巫族領袖，力主「解決民族間的分歧問題，與擯棄所有民族間的不和諧及懷疑心理，以爭取一個獨立的馬來亞。」馬華僑領拿督陳禎祿在獨立黨成立大會中被推為主席，於揭櫫該黨宗旨中，闡明「馬來亞獨立黨為各民族之團結、友善與合作起見，悉力打擊種族主義；蓋此一主義乃馬來亞獨立與民族團結之生死敵人，具有破壞勢力者。」此一讜論，極受各族推舉支持。

葛尼爵士慘遭毒手

馬來亞獨立黨的成立，馬共在政治上受到了致命打擊，給予民間的影響也很大。人民對於英國將因此一反過去仇視心理，對麥唐納更有親切之感。麥氏被譽為「東南亞共黨的剋星」。英政府雖然已承認中共，麥氏為扭轉一般人對共黨的錯誤心理，堅決痛斥馬共為恐怖匪徒；且發表世界性演說，指責蘇俄為威脅和平的侵略者；力言英國對中共的政策，徒然白費心機。他說：「英政府已承認北平政權，欲與中共交換大使，贊成它進聯合國，倘中共真能合作，吾人願已達到此目標。現在看來，可知英國之努力，皆屬白費。」並說：「中共領袖正按照蘇俄計劃進行侵略；胡志明係蘇俄鷹犬，侵略東南亞的先鋒。」這篇演辭會贏得自由世界反共領袖們的喝采。因之，馬共恨之刺骨，欲加害而無由。惟聯邦欽差大臣葛尼爵士卒於偕其夫人乘車時，途次遇伏中彈喪命。馬來人深感痛惜。對共黨恐怖手段，亦更加切齒。從此馬共也逐漸失勢了。

拿督翁輕舉妄動

一九五一年十月，英國保守黨重掌政權，馬來亞獨立前途不啻伏下了大暗礁。馬來亞人民深恐英國不容堅決反共的麥唐納，在麥氏任滿之前，向英表示不允麥氏他調，（按：麥氏已蟬聯四任，以訖本年終）。邱吉爾自亦不能不慎重考慮，於是派殖民大臣賴迪頓前來遠東視察。麥氏政治地位總算保持住了，但他的言論却由此有了顧慮。倘馬來亞各族間如能始終「推誠合作」，英國對於馬來亞獨立，還不致過分冷淡。誰知拿督翁不知自愛，企圖以獨立黨為個人政治資本，欲藉眼前權勢，排斥異族，建立一個馬來亞獨裁政權。不惜運用各種手段打擊馬華僑領。初時，巫總首腦東姑鴨都拉曼，及華總主席陳禎祿爵士，為顧全大局，力促翁氏言行慎重，切勿自毀前途，以至影響馬來亞獨立。翁氏不僅不加理會，反厚誣馬華公會及全馬總商會。去年三月廿五日發表了一篇演辭，說中華總商會為國民黨黨員所控制，而馬華公會則為中華總商會所控制，誣指華人欲使馬來亞成為中國的第二十個行省。並謂馬華公會已代替了以前馬來亞的中國領事館地位。至此，華巫兩族人士，認為翁氏捏造謬論，撕毀黨綱，顯然別有企圖。對華巫團結不無影響。於是他們隨即組成一個「聯絡委員會」，發表宣言，力斥翁氏之非，主張籌組國民大會黨。一度聲勢煊赫的拿督翁卒至陷於孤立。號稱馬來亞獨立象徵的「獨立黨」，原擁有數達十萬黨員，從此遂無形瓦解。

華巫領袖再接再厲

由於獨立黨瓦解，翁氏藉其內政部長的地位，每向尋隙報復，陳禎祿與東姑鴨都拉曼社會地位高出翁氏之上，德高望重，自然不至輕受動搖，倒是首當其衝的陳六使。陳氏首倡籌辦南洋大學，因此頗受影響。翁氏先施籠絡英人，主張馬大增設中文部，繼之以拒絕撥給南大校址。結果南大仍能打破困難，順利開展，拿督翁的陰謀遂亦落空。惟以往英國對馬來亞許下的獨立諾言，却因此而擱置了。去年八月二十三日，華巫領袖，因英國拒絕提早終止「緊急狀態」；無異延宕馬來亞獨立建國。他們為了爭取獨立，邀請各政黨單位及社會人士舉行國民代表大會。贊以和平合法手續建立一個在英自治領內獨立的馬來亞國，包括各州及殖民地在內。全體決議：（一）建議聯合邦立法會，須在一九五四年實行民選；（二）成立一個委員會負責考慮及修改聯合邦憲法，委員包括有李孝式、翁毓麟、楊世謀、伊斯邁醫生、英智沙頓、英智溴力、東姑鴨都拉曼、梁宇皋、陳修信、默夏勿布星等。

白皮書帶來了政潮

洽倫敦宣布第一屆普選內容，建議：乃係以民選代替現在的官方任命者。馬來人要求以四對六比率組成一個包括有議長一名的一百名立法議會，四十名為官方任命，六十名民選。迄今月二十七日白皮書發表，英殖民地大臣僅同意全體議員人數九十九名，包括議長在內，官方任命議員四十六名，民選五十二名。因此，激起了各族不滿，紛紛集會研商對策，並向殖民地部要求派遣一個特別調查團赴馬來亞實地調查。至上月間，仍無滿意答復。這顯示英國對於馬來亞獨立問題，並不如過去工黨政府時期那樣熱心。致使華巫領袖們大感憤慨。各政黨政團領導人物為了獨立前途，不能不對五百餘萬人民負責，而採取堅決行動。首先是華巫同盟會議決定，授命各會員辭去政府及議會職務。當十五日新任聯邦欽差大臣麥基里萊爵士准予聯合邦交通部長李孝式上校與天然資源部長伊斯邁醫生辭職後。其他政黨政團亦將採取同樣的抗議。此一嚴重的政治局勢，將發展到何種程度，現時尚難臆測，假如華巫各族繼續保持一致態度，加強團結，則當前的困難必能克服，而獨立礁石也不難消除。英國若不履行諾言，一旦紅禍泛濫，恐整個馬來半島亦難以保全了。

人·物 述·評

蜚·聲·海·外·的——藝術家方君璧女士

·紹莘·

（一）

在巴黎藝術界中，為東方藝術樹起獨立的一幟，這不是他人，而是福建閩侯的方君璧女士。遠在一九二四年，她在巴黎美術學院肄業的時候，即有作品二幅參加當地的美術展覽會，開幕之日，巴黎各報章雜誌爭刊方女士之像，並翻印女士之畫，稱為東方傑出的女畫家。以後經過若干歲月的觀摩，研究，鍛鍊，造詣益深，而躋於世界藝術之林。一九四九年，巴黎舉行藝術展覽會，方女士所作騎道人、揚子江、及花卉等四幅，被選懸於顯著的地位。一九五一年六月方女士復假賓底畫廊舉行個人畫展，陳列油畫及國畫各三十餘幅。彼邦人士嘖嘖稱讚。由是巴黎國家近代美術博物館購藏她所作「錢塘江」油畫一幅，巴黎東方藝術院購藏她所作「不食嗟來食」及「松月」兩幅。巴黎市政府亦購「南京古院」國畫一幅。中國畫家的作品在花都的藝苑中，女士首佔了一席地位。其後復由法轉英，開畫展於倫敦，更得英倫人士的好評。中華協會亦購藏錢塘江風景，題為「歸後」的一幅，以示不忘祖國河山之意。數年以來，方女士在歐洲藝壇上，總算為中國及東方貢獻了不少的心血，對於東方文化的交流，鋪下了不朽的基石。

（二）

方女士為著名的黃花崗七十二烈士之一方聲洞之胞妹。她的性格寬厚溫和，而且生來聰敏，為人慷慨大方，具有一種高貴的品質。誠如法國著名文學家彌亞孟德所說：『君璧夫人是一位質實詩人。在那明確外表的背後，叫人感到一種精神的質實；這種精神的質實，有似神秘的光明，把我們的靈魂和自然聯繫起來。』因此她所畫的東西，沒有不受這種光明的啟示，譬如那幅鶉衣百結，而神遊象外的哲學乞丐，（按即抄化度日的騎道人）嫣然微笑，有如花嬌艷的少女，婆娑弄影，姿態橫生的牡丹和丁香，或奇峯橫嶺峙立於雲霄，或陰暗天宇籠罩於渺茫河水的風景，都可證明上述種種。所謂「非天機清妙者，安能如是？」

（三）

她一方面有藝術的天才，它方面又下了一番苦功夫。民初赴法留學，入巴黎朱里安畫院習西洋畫，時正值第一次歐戰劇烈之際，乃避亂至法國南部的波爾多城，轉入省立美術專門學校，畢業後復至巴黎，考入國立高等美術專門學校，受業於名畫家殷伯先生，成為高足弟子。一九二五年學成歸國，受聘為國立廣東大學教授。一九二六年重遊法國，以畫為業，師事當代大畫家巴黎國立高等美術學校校長伯那爾先生。一九三〇年方女士返國，常於國內著名的名勝如黃山、廬山、北平西山、及杭州西湖等處寫生，並與北方畫家齊白石觀摩國畫，繼與南高奇峯兄弟研究繪事，以中畫融入西法，獨創一格。蔡孑民先生說「君璧夫人留法甚久，歸國以後所見本國特殊之風景與人物，時時以歐洲之工具與筆法寫之，既為中外知畫者之所嘆賞。近又以中國之紙筆與色彩，參用歐洲技巧，而寫本國之風景與人物，藉歐洲寫實之手腕，達中國抽象之氣韻，一種嘗試，幽已成功」。（見一九三八年上海商務印書館刊行方君璧畫集序）於此可見方女士的畫在時代上開闢了一條嶄新的途徑，在藝術上創造出一種新的風格，其對於藝術上的貢獻，可謂偉大了。

共產黨的貿易政策（下）

·風行·

實施禁運的經過

暫不問共產黨的誇大宣傳，先問西方干涉正常貿易到什麼程度？和限制貿易是不是屬必要？第一主要限制不是由美國領佈實施，而是由聯合國一九五一年五月十八日聯合國臨時措施委員會通過一項議決案。即：實施對中共之經濟制裁。這是由於中共實行侵略，干涉聯合國軍在韓國作戰。至於美國的禁運，不是單獨對付中共的。而是對付一切的共產國家。這是透過一九五一年十月美國國會通過的『共同防衛互助管理法案』，普通簡稱為巴特爾法案（BATTLE ACT），這法案規定：任何國家如故意准許在這法案規定禁運之物資輸到共產集團國家，則不能獲得美國的軍事經濟及財政上的援助。但假如這些物資不是軍火或原子能物資，當在特別情形之下斷絕援助將有害於美國的安全時，則美總統有權實施繼續援助。由此觀之，對於美國之禁運，任何國家可以自由不介意的。——例如錫蘭在一九五二年實行改變——祇要那個國家肯放棄美國的援助即可。

禁運的影響如何

事實上，極少國家招致停止援助條款的實施。可見民主世界各國尚能團結一致的。縱有特別情形亦不過係因經濟困難，而並非有意增加共產國家的軍事力量而輸出戰略物資給予共產國家的。美國援外總署長史塔森論及巴特爾法案時，很智慧地承認這種困難。他說：『當自由世界的商人被貿易障礙所阻，而不能在其他自由國家出售其貨物，他們較易於趨向蘇維埃集團去找市場。……要獲得其他的市場和供應，不是一朝一夕便可成功。但這個問題是必要解決的。這就要美國減少許多限制，讓我們的朋友及盟邦輸運許多貨物來，也要其他自由國家同樣的鬆弛限制，甚至要經濟落後區域發展其經濟。』如要看清這個問題的真相，我們必須記憶：甚至在聯合國和美國未實施禁運的一九四八年，世界各地對蘇聯中共及東歐附庸國的貿易，也不過二十億美元而已。試看實施禁運了的一九五三年，非共產國家的互相貿易有一千四百八十億美元之多。所以對共產集團的貿易實不足希罕！雖然其他國家自由准許輸出非戰略物資到共產世界，而公開宣佈不售出何種貨品，但共產黨的政策是阻礙購買其他國家的管制。走私乃共產黨國家政策之一部份。在共產國家裏沒有私人的入口商。當貨物輸入時，不是個人的行動，也不屬個人的利益，而是政府有計劃的政策，以賄賂引誘他國的人民去幹違犯他們國家法律的事。

共產黨政府固然有一個時期必須向外國購買若干消費品，使其人民的衣食不至太缺乏，而維持在至低限度的生活水準。但他們是堅持要充實他們的軍事工業經濟基礎的，因此自由世界不准戰略物資輸往共產世界，確是明智之舉。（原文載在本年六月十九日出版之新德里 THOUGHT 週刊）

編者讀者

△劉鐵如、孫柏遠、秋水、方曙、王鐵昌、莫强、刁抱石，諸先生：惠稿均收到，至感謝！

△楊柳青先生：惠函敬悉，自當照辦！

△吳彥傑、易敏子、陳健夫、王耀荊、又京、王孫楚、劉信驄，諸先生：惠稿均收到，謝謝！

△李大錚邵士宜等九位先生：來函敬悉，本刊上屆期已有說明，恕不另復！

△本刊三五〇期，「中共的貿易政策」一文，續稿未及於三五一期刊出，本期補完，並向作者和讀者道歉！

中共「憲草」解剖

·辛植柏·

中共於本年六月十四日經偽人民政府委員會通過了一個憲草，自由文化界人士多已指出其荒謬，茲就所見略加剖析以見其原形的一斑。

應有的一個衡量

誰也知道，自美法革命後所掀起的立憲運動，其最大的成果，就是把許多專制政體的國家，都改為立憲國家。無論是民主立憲，或君主立憲，在憲法上均有一個共同的原則，這原則即民權主義與三權——立法司法行政——分立，這原則也就是憲法的精義所在，違反這原則即無所謂憲法，這是憲政史實所明白告訴於吾人者。同時憲法是國家的根本大法，是民權的保障，英國的大憲章，就是爭民權的結果，沒有民權，根本用不着憲法，也根本產生不出憲法，有之就是偽造與騙人，以上述簡單的道理來衡量中共的所謂憲草，就可知中共憲草，實全無憲法意味，況「中華民國憲法」早經制定頒佈，其制定的原則，係依重慶政治協商會議所協商決定的，中共在重慶政協會議是一個重要的出席單位，其制憲原則並曾為中共所承認；制憲原則最重要的一項；就是根據孫中山先生民權主義的五權分立制，此制亦係參照孟德斯鳩的三權學說，憲法學上的制衡原理，及中國固有的考試監察制度，創始為適合中國需要的一種民權制，今中共憲草，竟完全把民治的五權制棄若敝屣，甚至把辛亥革命所完成的「推翻專制，建立民國」的歷史勳績，也一腳踢翻，這就是中共的憲草的一個基本荒謬處。我們應當首先加以了解的。

偽憲草由來與其形態

歷史上實行專制的國家，而又標榜立憲之治的，尚未之前聞？有之即今日的蘇俄。蘇俄本來就是在立憲潮流下獨自抱殘守缺的一個落後國家，其人民始終落入在自由的窒息中——從沙皇的專制壓迫轉入俄共的獨裁奴役——加以俄共的新式專制，故雖有憲，亦等於無憲，而現其憲法，根本是反民主的，是集獨裁主義與奴役主義之大成的。憲法的主體，顯然不是人民，是跨在人民頭上的統治者——因憲法的產生根本不是出自民意，在政治上民意更無表現的機會——憲法的功用，更不是民權的保障，而是獨裁權與奴役權的憲法化。蘇俄憲法的胎型如此，今中共憲草，就是從這個母胎產生出來的。中共憲草與蘇聯憲法，大體上是唯肖唯妙，不愧為蘇憲的一個卵育子。蘇憲的形態，常自詡為屬於「社會主義類型」，這個社會主義，並不是普通所稱的社會主義，而是蘇俄布爾塞維克獨家所有蘇維埃式的社會主義，即以獨裁主義及奴役主義為本質的社會主義。換言之，蘇憲就是屬於獨裁及奴役之類型的，中共人民日報於六月二十二日發表過一篇社論，題為「我國的憲法是屬於社會主義類型的憲法」，其所指的社會主義，自然就是蘇維埃式的社會主義，是集一切罪惡之大成的社會主義。這篇社論就是說明了偽憲草與蘇憲是同一形態，由此也更說明了偽憲草的原質，就是新式的專制奴隸主義。

國家主權的荒謬移轉

「主權在民」，「主權的不可分割」，這是歷來政治學者所公認的合理的一種民權理論，中共憲草對於主權一項，規定得非常奸巧，偽憲草第二條雖規定「一切權力屬於人民，人民行使權力的機關是全國人民代表大會和地方各級人民代表大會」，但同條又有這樣一項附文：「全國人民代表大會，地方各級人民代表大會和其他國家機關，一律實行民主集中制」。所謂人民代表大會，僅規定鄉、鎮人民代表大會由選民直接選舉，縣以上人民代表大會，均由下一級的人民代表大會選舉（第二十三條），全國人民代表大會由省市自治區的代表組成（第二十三條），由此可知縣以上的代表的選舉，顯然不是直接的民主的，而是統治者的意志——因下級代表大會必須服從上級代表大會，[illegible]全國人民代表大會行使人民權力的機關，這便是國家最高主權的一個移轉，[illegible]試想一個擁有四億五千萬人口的國家，由[illegible]簡直是風馬牛不相及。

寡頭專政的政治結構

中共慣寫披上一件民主外衣，偽憲草第一條也稱「中華人民共和國……人民民主國家」，所謂人民民主專政的怪論而來，然是根據毛澤東人民[illegible]的結構去剖析，實際上中共憲草的政體是寡頭專政。偽憲草規定的中央政治結構，是以偽主席為中心，即「全國人民代表大會常務委員會委員長」、「國務院總理」及「人民代表大會常務委員會」、「共和國主席」、「國防委員會」，其權力均取決於全國人民代表大會，各掌握一部分權力，[illegible]來，顯然不是作「集體領導」，或「集體領導」，其實甚明，結果，此種政治結構，自然即形成為一種寡頭專政，這也並不是新事物，如果完全模仿蘇俄「集體領導」的話，就不應設主席，既設主席，則常務委員會就不能實行「集體領導」，而是古代專制政治的復活。

退守主義的經濟制度

偽憲草第五條至十二條所規定的經濟制度，與其過去所行的經濟制度大體相同，例如所謂「生產資料所有制」，「包括國家所有制」、「合作社所有制」、「個體勞動者所有制」、「資本家所有制」，「保護農民的土地所有權」，「保護資本家的生產資料所有權」，[illegible]財產權及其私有財產的繼承權」，[illegible]經濟制度或以如此溫和面目出現，是要使人迷惑。但要瞭解偽憲草的這種經濟制度，乃係一[illegible]度。所謂「退守主義」一詞，讀者也許不大明白，當蘇聯十月革命成功後，即實行戰時共產主義，[illegible]後來才改行「新經濟政策」，承認私有制度，這就是退守主義，[illegible]

恐怖主義的憲法化

恐怖主義是獨裁政治的一個特點，中共偽憲草在「總綱」第十九條特規定：「……鎮壓一切叛國的和反革命的活動，懲辦一切賣國賊和反革命份子」，又「依照法律在一定時期內剝奪封建地主和官僚資本家的政治權利」，所謂「懲辦一切賣國賊和反革命份子」，這是非常廣泛的，而且是可以隨便給老百姓戴的帽子，這種恐怖主義，竟規定於憲法中，此即說明了偽憲草對於恐怖主義，必然要繼續實施，也即說明了在偽憲草社會內的人民，必然是要過着一種恐怖的生活。

中共的「木乃伊」

北平的「國際書店」，是唯一供銷英俄文書籍的機構，各大城市，均有分支店。北平總店最近被指犯了「本位主義」作風，在共報上受到酷烈批評。原因是：福建泉州市中共泉州市委宣傳部寫信給「北京國際書店」，要求英文版的一般書籍目錄，和英文版的地理書籍的目錄各一份。該店服務科把一份英文的一般書籍目錄寄去了，並附了一封印好的「只需填寫的回信」。信的原文：「杜潤治同志：三月五日來信收到。目錄隨函寄上。[illegible]供應。我店熱誠配合。[illegible]行計劃發行，專門性圖書全部暫停供應，一般書籍目錄，按照需要進口，一般進貨期均不大。你處周密需要何種書籍，希能隨時函告目錄上的書名、書名，定價詳細寫清，讓我們能更好地為你服務。此致敬禮！國際書店總店服務科（蓋有印章）三月二十四日」。還有一緊接在這封印好的信文的後面，寫一行不是印就的而是手寫的字如下：「英文版地理方面的書可寫信與我店代辦科（地址與本科相同）聯系，索取目錄」。

假如說得坦白一點，就是：「我店服務科與我店代辦科雖同在一個地址，但[illegible]，請你直接跟他們聯系好了。」事實正是如此，服務科不肯替讀者向代辦科要一份英文地理書籍目錄，[illegible]

就做了這樣一個結論：「這件事情告訴我們，在我們機關、企業內部分工日趨細密和內部機構加多的情況下，部門與部門之間的[illegible]只管本位的工作，不看全局，只顧自己省事不顧群衆利益的本位主義。這一事件說明了：本位主義已經嚴重到[illegible]掛着服務招牌的部門裏去。」[illegible]自己就變成了木乃伊，一切機關，企業的領導者和幹部能效法嗎？

實在說來，所謂「本位主義」[illegible]（穆）

讀者論壇

致「權」之道與用「權」之方（下）

·姚中人·

[illegible]

著可。人有賢佞，私恍之，明賢者佞而佞者賢。議論以私而不同心，則建明於此者，彼之所掖瑕。政事以私而不同力，則規制於甲者，乙之所阻撓。有觀望而無愛憂，有虛誕而無忠實，傾軋而無協和。夠我對立於胸中，而國家若置於度外。』

試把這兩段理論比列研討：王氏所謂「至誠立德」，「植善多輔」，「無不容之量」，「無所蔽之心」和吳氏論「私之為弊」，誠有相互證明之處。換言之，必須袪除吳氏所說「私之弊害」，始能實踐王氏「權之道理」。願將王、吳兩先哲的話，貢獻今日當權者或企圖將來當權者，作座右銘。（完）

日人助胡志明成名

·飽勤·

一九二〇年胡志明在法國讀書時已經加入共產黨，他至莫斯科受訓以後，受史達林指使負責越南、馬來亞和香港的共產黨組織工作。二次大戰期間，他以「抗日英雄」的姿態出現時，他已經在東南亞地區潛伏活動十年。因此可以說訓練他的是俄國人，助他成名的是日本人，使他保持目前地位的，是無數的越南人靈魂。

稿約

本報闢地公開，歡迎讀者投稿，性質不拘，最好勿超過二千字，譯作請註明出處；來稿如不合刊用時，當儘速退還。

—編輯室—

讀「評中共文藝代表作」

丁森著：新世紀出版社印行

·驟客·

驟風驟雨在四十一年中共搞文藝整風運動的時候，我有意寫一部評中共文藝的書，可是當時我無法得到足夠的資料，無從動手。現在我看到丁森去年九月出版的這一本書，因此我特別感覺興趣。

（一）

丁森的「評中共文藝代表作」，（一）是真正把握到中共文藝核心的。中共文藝是根據中共的文藝政策而來：即一、文藝必須服從政治，二、文藝祇是政治的工具，三、規定文藝上的概念，造成公式化，[illegible]作家，提拔新的工農作家。在這樣的[illegible]限制之下，文藝不能不成為公式化、概念化，[illegible]一律、簡單、枯燥、乏味，呆板的東西。因為有了政策的規定，便得有管制，有了管制，便[illegible]配給思想，配給主題，[illegible]還能有什麼創作價值可言？（二）丁森批評的立場，是用文學表現的藝術立場，態度是客觀的立場，文藝乃可取的，（三）丁森對於中共老作家還作了分析比較，即將他們在沒有接受中共文藝政策以前與接受了以後的情形作比較，可以看出中共文藝政策限制下，文藝的優劣如何。他對於作家（老作家也在內），根據人情、世理，來衡量作品的價值，是否符合文藝的要求。（四）本書作者對於文藝的知識很豐富，他對於詩、小說、戲劇、和散文等都很有見解。其次，作者的文筆也很犀利流暢。他說「暴風驟雨」中，述及人物變化的不合理。他說「猿變人，要十萬年；人變猿，只要一天，」即其文筆鋒利處。（五）所評作品，雖只四類十一篇，但就其細微的分析，和簡要的指摘，已是使人看出中共文藝祇是政治的宣傳工具，而且寫作技巧拙劣，毫無文藝價值可言了。

（二）

我對本書覺得還有幾點美中不足之處：一、所選作品太少，如以此書作為第一集，以後續出二集三集，繼續批判中共文藝的荒謬，則更為理想。二、作者所選作品，多是中共竊據大陸的出版物，還有若干前期作品，如艾青的「吳滿有」詩集等似可選入。其次，小說方面，除新人趙樹理外，如路翎等，似乎也應該加以批判。三、這部批評，雖然也指出中共文藝政策的荒謬，但略嫌少些。如什麼「毛澤東的文藝路線」「延安文藝座談會的講話」，乃至「中共文藝政策」之類，也應加以澈底的剖析與批判。或者再進一步，從「史太林的文藝政策」，到中共的文藝政策，合併加以研究，批評整個共產世界的文藝政策，和文藝作風，則本書的價值，必然更為偉大。

這是有益於文藝的工作，我們在台灣的深望丁森先生能繼續在這一方面努力。

四三年六月廿六日夜

求知的煩悶

馬五先生

幹新聞記者活路的，每天總得花費三幾個小時，閱讀各種報章雜誌，以廣見聞。由於求知廣聞之故，即自然而然地要引起喜怒哀樂之情。大而如：看法國內閣總理法郎士那種向共黨乞憐告哀的求和狀態，替他難過；小至於見到一個體重兩百八十磅的美國婦人，隨時網打她的「借死件」，而驚動警察上門來的消息，也不免爲那位被鞭管的男子漢大丈夫叫屈。只有一項新聞，使我讀過後麻木不仁，渾身沒有絲毫反應，那就是鼎鼎大名的美國總統艾森豪先生的外交政策演說詞。

很奇怪，這位叱咤風雲，指揮百萬大軍打垮納粹帝國的蓋世英雄，一朝主政，不特在實際政治上，一年多以來，毫無作爲，即其每次講演，也與牧師在禮拜堂上講經說教的內容差不多。不談吧，他是自由世界的領導人，其言論或許有些特殊內容，未可忽視。讀了卻使我昏昏欲睡，不知所云。這是我每天求知工作中，最感煩悶的一件事。

自由談

有人說：艾森豪可與第一次大戰後的柯立芝總統媲美，這話我還不敢肯定的OK（這不是中國要人之名，讀者幸勿誤會！）但，如果韓戰是在艾總統任內發生，我敢打賭，他決不會毅然決然的出兵討伐侵略者。杜魯門對邱吉爾所倡巨頭會議之說，很坦率地聲明：史大林要跟我晤談，請他勞駕到華盛頓來！艾克卻要走到半途去歡迎馬倫科夫，而別人還是不理。杜魯門說：與蘇俄簽立條約，其價值尚不及寫條約文字的那張紙哩！艾克卻隨時表示願與蘇俄從事有誠意的談判協定。

大概初次作官的人，其心情總是過於矜持，好像初次登台的演員，常常「怯場」一樣。矜持怯場到不打緊，我只盼望艾總統不是柯立芝第二，幸甚！

夢蝶詩存自序

•伍憲子•

（一）

有詩家之詩，有學人之詩，有英雄豪傑之詩，有里巷勞人思婦農夫擊壤之詩。講格律，研聲調，摹做漢魏唐宋諸家法，閉門苦思，孜孜焉務博名傳世而始下筆，此詩家之詩也。炎實說理，變散文之法以爲詩，有時擺脫法律，仰天高歌，發詩工詩護之音，達牢騷鬱抑之意，此學人之詩也。橫槊大江，飲馬長城，對樽酒而悲歌，倚東門以長嘯，發揚抱負，慷慨激昂，不規規於所謂李杜韓蘇，更不識有所謂陸尤楊范，此英雄豪傑之詩也。領略大自然之眞趣，而發抒其性情，受環境之刺激，而感動其胸襟，無所顧忌，率爾爲之，不事修飾，盎然出之，此里巷勞人思婦農夫擊壤之詩也。是四者，各有取焉。吾於詩，未嘗下苦功，從來亦無占詩家一席之想，詩家之詩，當自媿弗能，無庸說矣。學問無窮盡，竭數十年精力，於國學尚窺藩籬，世界之學既未通，意境何能壯闊，古學人之詩隘，今學人之詩雜，非吾所尚，亦非吾所屑也。至英雄豪傑乎，竊有志焉，然過去碌碌，無所表見，小雅盡廢，不廢六月之章，大事無成，空拔王郎之劍，日月逾邁，悲傷奈何，亂世之音怨以怒，亡國之音哀以思，每自迴思，益愴慚愿。無已，則里巷歌謠，發情率性而已。少作多散失，三十歲前，僅存六七十章，近三十年間，檢得五六百首，近體居大半，間爲古體，皆無家法，苟持詩家嚴律繩之，謂無一足傳可也。然而仍存弗刪者，所以表吾眞，亦以紀吾事。古來作者，孰爲優劣，斷斷辯此，無乃費詞。

（二）

詩評汗牛充棟，毀譽各隨愛憎，同是一人，譽之則曰神韻，毀之則曰膚廓，譽之則曰深刻，毀之則曰纖仄，以孟東野之變澀窮僻，韓昌黎譏贊爲榮名傳大半，然則毀譽又何濫乎。白香山之長歌，有人譽爲率直，黃山谷有人譽爲生澀，陸放翁有人譽爲滑易，范石湖則被譽爲纖弱，楊誠齋則被譽爲鄙俚，所謂詩家，其受抨擊，且如是也。自蘇陸並推爲大家主，論者猶謂非詩家正宗，然則大家又如何。王漁洋謂陳后山终落鈍根，然則名家又如何。唐宋以後，自明初四傑，至嘉靖七子，乃至公安袁氏兄弟，竟陵鍾譚，可謂下劣詩魔矣。然而其倪也自若，嗜之者仍日衆與嶰嵎，詩歸出而洛陽紙貴，鍾譚之名滿天下也。即宋南渡後之四靈諸公，其方幅狹隘，一覽都盡，然而葉水心極譽之，謂其琢思奇峭，橫絕欻起，冰懸雪跨，所使讀者變掉慘慄，譽亦何嘗不然。故予謂詩家毀譽，毫無常也，吾所以不孜孜求爲詩家之詩。而況若者爲高妙，若者爲豪放，若者爲冲淡，若者爲俊逸，若者爲奇拔沈雄，麗，大抵皆以意爲之，變所愛而毀所憎。誦其詩者如何，吾亦聽其意可矣。

（三）

吾性耽吟詠，然不喜苦思，興到，半日十章。興不到，經年不動筆，有時偶得佳句，怕苦思故，不續之，零句斷章之堆存不少也，今皆棄焉。其成篇者則存之，勿論精粗，乃至綺夢無聊之作，苟有寄託，亦所不棄，吾非求名也。古人有萃其畢生著作為之者，吾友蒹葭，自訂詩集，亦去其所作之大半，是皆好名，妨劣者存而受譏也，或慮所臆不中，供後人指摘也，或懼有所諷刺，開罪他人也。吾皆無慮懼焉，既不好名，復無慮懼，則上天下地，獨往獨來，寫宇宙之奥奇，探人生之窮秘，性靈不屈，曲折奔赴，情無能通，纏綿悱惻，亦何所思而不逢哉。萬法盡歸眼底，河嶽星辰，百年牧入夢中，歡哀歌泣，吾果何愛也，吾亦果何憎也，誦吾詩者無於迹象求之，澄澈天空，嚴鏡俱寂，如是焉耳矣。（完）

中篇小說 金珠

勞影

我被這番話激動得幾乎想立即擁抱過去，啊，可愛的孩子，是誰讓你的語氣變得像個老年人？你竟忘記了你自己，你生活在罪惡裏還能辨別罪惡的存在，你需要別人憐憫而卻能同時憐憫別人……我聽到一個靈魂的眞正語言了，我太感動了，我要……我要用行動來發洩我澎湃的感情，我太需要了……可是，我能這樣做嗎？能！我眞能這樣做嗎？不能！不能，我不能放縱我一時衝動，此刻，我能在她身上取得的何止於擁抱呢？假使我一定要這樣做，她不會拒絕的，可是，我這樣做了之後，我還能同時獲得這個有着眞正純潔靈魂和純眞情感的女孩的其他一切嗎？

「好的，」我斷然地說：「阿梅，我聽你的話，從今以後我不再來這裏了。」

「眞的嗎？」

我咬緊牙齒點點頭。

她出其不意地攫住我的頸子，喘息着說：「啊，我太高興了，先生，你自己是不曉得的，因爲你不同於一般用虐待別人而滿足自己的客人，你的墮落令人惋惜，你的好心使我更加痛恨其他的男人，我……我恨極了他們，可是，我恨他們卻又不能不同時取歡於他們，……我痛苦極了，先生，你不要再來了，讓我還和沒有看見你之前那樣活着，那樣我會在痛苦裏活得安靜一點的……啊，先生，你不來了嗎？眞的不再來了嗎？……我……我太高興了。」

她用力抱着我的頸子，柔髮像一團散絨似的塞滿我的胸脯，我有些感到窒息，但我不忍掙脫，我用手輕輕撫摸着她的頭髮，撫摸着她圓潤而纖助的肩膊，撫摸着她纖細堅實的腰肢，……我在窒息中感到快樂，我在快樂裏體味到無窮無盡的苦味。

忽然地她鬆開抱住我頸子的手，端相我的臉頰，孩子氣地說：「讓我再看看你的眼睛，從眼睛裏可以一直望到一個人的心底呢！」

說完又摟上我的頸子。——直到時間將我們分開。

臨走時，她揩淨面孔送我到門外，我勉强轉身笑着揮揮手。

巷子裏比較黑，我偷偷地擦了一下眼，心想：「不再來這裏也好，一個人的精神負荷是有限度的，數年來的風風雨雨，積壓我的心倉早已載滿了，增一份新愁也許可能減去舊的回憶。」

我點着烟，緩緩踱開車擦……

才待跨上車座時，身後有人喊了一聲，我聽得出是阿梅的聲音，回轉身，她還站在台階上，正朝着我招手，我定過去，她四面張望了一下，然後在我耳邊低聲說：「明天上午八點鐘你再來一次！」

「還來做什麼呢？」我想問，她已縮身躲進屋裏去了。我祇好離開這條巷子。

（十二）

甲午詩人節賦贈越南阮文心先生

張維翰

台嶠新蒲綠滿觴。曆過甲午海生桑。騷壇勝集懷湘水。使節遙臨自越裳。奕代車書同軌躅。百年唇齒感興亡。西來覇業廿年後。東土終能破虎狼。

上巳士林修禊

一年一度又重三。禊事同修過劍潭。蝶舞初開蘭栩栩。鶯鳴不見柳毿毿。驚心花鳥愁難遣。極目河山亂未戡。鼓吹中興原盛事。亦將斗酒下雙柑。

不打自招文鈔　吹牛匠（中）

•文抄公•

（二）

第二天早晨，醒來以後，我看見的又是昨天那一幅圖景：旅伴坐在那兒，拿着一瓶沒有喝過的白蘭地。

「啊！老弟，我看你眞愛睡呀！趕來罷，我馬上拿一罐新香菰出來。」

「謝謝，我要洗臉去。應該提醒您注意，您太輕於相信別人了，並且……這該對您說您是坦直的人，昨天您對我講的那些……：」

「哈——哈——哈！我呀，老弟，我是知道對誰能坦白直說的，我看得出誰是正直的人，我的眼睛管用……」

我洗過臉，吃過了早飯。這時候，車上一個鄰人到房裏來，提議玩「猜迷」遊戲：

「否則我們要三缺一了。」

我很樂意地去玩骨牌遊戲去了，丟下了旅伴，讓他一個人自言自語。

過了一個到一個半鐘頭的樣子，我回到了臥舖單間，我是多麼驚奇：一個可愛的淡黃頭髮的女人坐在米列格旁邊，她有一雙聰明的灰色大眼睛，兩條粗大的金色的髮辮繞在頭上。

「要嗎，奧巴那斯．庫斯米奇，」我取笑他說：「看起來，你是個富有經驗的追求女人的能手。」

「請您不要誤會，」淡黃頭髮的女人笑了起來：「您的朋友已經糾纏我半個鐘頭了，眞的，眞夠奇怪的：他所談到的那些，不僅在車廂裏，就是在自己家裏也是不應該亂談的。」

「眞的，奧巴那斯．庫斯米奇，」我儘可能嚴格而且懇切地說：「您爲什麼要談自己的工作呢？忍耐一會吧，就要到省城了，到了那兒您再向應該報告的人講述一切去吧。」

「我是要報告的！」米列格高興地喊了起來：「我是要向高洛夫科同志本人報告的呀！」

「向誰呀？」淡黃頭髮的女人十分好奇地問。

「托辣斯經理高洛夫科同志，」聽您說過這個人嗎？」

「我聽說過，但是我不認識他本人，那麼您認識他嗎？」

「噢，還十分熟呢。喂，同志們，在我們之間來說，高洛夫科同志叫我在月年去！嗽，我決定早一個星期。眞的……那莫五千盧布的獎金已經領到了！眞不錯……喂，親愛的朋友們！今天晚上請你們到旅館裏來，到飯店裏去。娜達麗雅．尼古拉耶芙娜，請您不要見怪，我是誠心誠意請客，並無任何別的打算。那麼，好嗎？我們坐一會，隨便聊聊。我看得出誰是合適的人，我的眼睛很管用。怎麼樣，說定了嗎？」

娜達麗雅．尼古拉耶芙娜嚴肅地看了看米列格，冷冷地說：

「謝謝，我的丈夫很愛吃醋的……嗅，沒有什麼，在路上一塊走還是很好的，讓我躺下來睡一會能。」米列格同志，我求求您不要高聲談話。總而言之，我建議您，我建議您，不要對初次見面的人們亂談除您之外任何人都不必知道的事情。」

我們走出臥舖間，望着車窗外面。

「可口可樂」的故事

楊力行

現在，全美有一千零五十所的裝瓶工廠，但只有五十所是屬於「可口可樂」公司自己的。國外的工廠則遍及全世界各大都市，只有一個國家還沒有，那就是蘇俄。現在，東德已開始做製「可口可樂」了，可知蘇俄今後也不會例外的。

（四）

「可口可樂」的歷史已有六十八年，但，知道它的原料的，恐怕不到七個人。據一般的研究，它大概一半是水，一半是糖，再加上香草，焦酪，一點兒咖啡精，可可樹葉精和椰子油。此外，還有七種不可知的成分，這七種不可知的成分，價值就是六億四千萬美元，等於美國市場上「可口可樂」股票的總值。這七種成分只有兩個化學師知道，那就是威廉．希斯和彼特．威爾斯。他們兩個人也和美國的總統副總統一樣，決不同時乘坐一架飛機，或同時乘坐一部汽車，以防不測。

第二次世界大戰期間，五十萬瓶「可口可樂」由美國起運到歐洲戰場。北菲登陸之後，盟軍總部收到一封電報內稱：「急需可口可樂工廠八所。艾森豪威爾（簽名）」。（本文取材自讀者文摘）

更正

昨報本年七月十日刊出拙作「陶峙岳降共始末」一文中原稱騎兵師長世襲的甘肅青海新四省，滿籍騎軍原內所四回國、兩奏及鎧兵師世將原有馬鴻逵等部又將…「馬步芳」，應更正，以別忠奸為禱。

吳彥傑敬上　七月十二日

預測胎兒新法

布衣

太太有了喜！那是人生一件快活事。可是，是男孩子呢？還是女孩子？還得等候八個多月。

最近法國的威博醫生在美國大事宣傳他的新發明，他說在法國經已試驗過三萬以上有孕的婦女，準確性超過百分之九十八。他的辦法是很簡單的，他給孕婦一塊有一點像威化餅乾的東西，把這塊東西放進口裏十五秒鐘，拿出來，附上五塊錢一起寄給他。他把這塊東西浸在藥水裏，若果這塊威化變成了紫色，那就是有了男性荷爾蒙的反應，腹裏的孩子是男的；若果沒有反應，仍然是白的，那麼孩子便是女的。可惜這方法，在香港，現在還不能夠實行。

自由人

THE FREEMAN

（第三五三期）

中華民國僑務委員會
僑務登記證台字新字第一零二號
中華民國內政部登記證第一類新聞紙類
（半週刊每星期三六出版）
每份港幣壹毫
台北市售價台幣七角
督印人：[illegible]
社址：香港高士威道二十號四樓
3 rd. fl. 20 CAUSEWAY RD
HONG KONG
香港發行及事務接洽
高士打道66號　電話：七四〇五三
承印者：東南印務出版社
地址：高士打道六十四號
海外總經銷
友聯書報發行公司
香港彌敦道中二十六號A二樓
台灣特派員辦事處
台北市館前街五十號
台灣總經銷處
台北　中華路五九四號之一
台郵儲金戶九二五二

美國為何舉棋不定

·旭軍·

美國對遠東外交措施，舉棋不定，久為自由世界有識之士所痛心。陷入日內瓦會議圈套後，更搖擺得厲害。最近杜爾斯曾表示對日內瓦會議談判不願參加。十日美國務院發言人亦宣稱杜爾斯國務卿或史密斯副國務卿回日內瓦並無任何真正裨益。誰知不到三天，杜爾斯竟跑到巴黎去，且更令副手史密斯到日內瓦去了。真令人氣結。無可否認的，在今天能領導自由世界去反抗奴役的共產主義者，祇有那具有雄厚實力的美國。但現在她這樣的搖擺猶豫，殊堪太息。

美國認識共黨更清楚

以往人多謂美國人民比較算是新興民族，優點是有朝氣、有熱情、有毅力、但弱點則是太天真、太幼稚、眼光往往欠遠大。但我以為就目前的情形看，美國人民除少數外，並非太天真幼稚，亦並非目光不遠大。美國人對於共黨的認識遠比歐洲人，尤其是英法，來得清楚。第一、在美國不論朝野，不論共和黨或民主黨，大多數人已深信和共產黨開談判是白耗時間而危險的。第二、美國人已知與共黨談判訂下的協議，是等於廢紙。如雅爾達波茨坦的協定之被蘇聯廢棄，一若洛迦諾公約之被希特拉撕掉。但英法等國雖不確知蘇聯之意向，但以為史大林死後蘇聯可能有改變。中共總給予改過自新的機會，更懷戀過去洛迦諾公約簽訂後，足有十四年的和平。但美國人認為自由國家被談判的樂餌所迷，足以鼓勵中共再行侵略。然而英法方面以為雖然可能繼續侵略但不會立即到來，而且鬆弛國際緊張局勢係有益處，如果戰爭立即爆發，世界成為悲慘之廢墟，所以保持談判是道義上的責任。美國人視印支戰爭是極權與自由對抗之一方面戰場。但英國方面不看重這個，而認為印支人民為民族主義所驅迫甯願與共黨聯合，已無希望。美國人民以為應立即建立武裝防衛，而英法方面認為應該與亞洲國家商量從長計議。

搖擺不定的原因

由上觀之，美國人民對共黨的認識和應付共黨的主張，比英法方面較為正確。共所以猶豫不決，舉棋不定之故，正是因為雙方發生了歧見，如不遷就英法，便不能團結，因此不能不忍痛遷就。否則恐怕西方團結會破裂。這的確是一個難題。為美國政府所不能輕易應付的。由此美國政府與國會發生歧見，沒有一致的主張。艾森豪威爾總統說：尋求方法與共黨在亞洲方面和諧相處。但參院多數黨領袖諾蘭說：與共黨談判完全是無用的。四月十六日尼克遜副總統說要派陸軍到印度支那。但至四月二十日因為盟國的關係，又改口說：不進入印支。出席聯合國首席代表洛治論及泰國之提案時，稱美國加速援助小國，但對危地馬拉向聯合國呼籲時又說讓小國自己打理自己事。艾森豪威爾在軍事上有英勇決斷，但在政治上往往對於一個嚴重的問題保持緘默，或發表含糊不清模稜兩可的談話。在美國的政府制度下，總統應有明朗的政策，堅決的行動。慎重並非不好，但最後必須有果斷。羅斯福與杜魯門究竟比艾森豪威爾總統較有果斷的魄力，不管他們的判斷是正確或錯誤。艾森豪威爾總統命令國家安全委員會從事協調外交與國防政策，但實際上往往國防部，國務部與商務部各趨歧途。這也是常因與所謂盟國發生歧見，而國內對與盟友謀公協的主張又不同而形成的現象。針嘴不能兩端銳，在今之計，美政府應權衡緩急輕重，然後出以果斷的行動。

中共是蘇俄的鷹犬

一九四八年是蘇聯在國際形勢中達到最低潮的時候，其時南斯拉夫已脫離共控制，希臘的共黨被消滅，其後柏林封鎖之詭計遭粉碎，幾乎下不得場。但一九四九年中共奪得政權後，便平反了蘇聯的劣勢。因為中共甘心給蘇聯差遣，雖赴湯蹈火而不辭。蘇聯變得這一筆資本實在太大了。由於自由陣綫失去中國，以至產生韓戰的悲劇。由於韓戰之被共產集團利用，遂產生今日越南的局面。可能由越南的局面波及為東南亞，得遠東，蘇聯指揮中共實在遠勝過自由世界的原子彈氫彈千萬顆。這個「不辭赴湯蹈火」的中共，可以替她滲透，破壞，蠶食，搗亂，製造困惑，瓦解自由陣綫。而蘇聯本身可以不損一髮，坐享其成，而大吹自己的如何愛好和平。今天給中共放一把火，明天開一個談判會議，後天裝着休戰休戰，又劃一條分界綫。不知不覺鐵幕又擴張了。試問山姆叔叔你的盟友在那裏？你的氫彈有何用？你的「堅決反對姑息行為」，直到共黨劃分界綫在那裏才兌現呢？越南完蛋，來一個聯防公約，未嘗不是一個補救的辦法。但如果沒有撲滅火頭的決心，消防隊員萬不能高枕無憂的。

美國的錯誤觀念

以往美國人有一種錯誤的觀念：以為美國唯一目的在對付蘇聯，擒賊先擒王，他們沒有把中共作為敵人的必要。以為蘇聯一旦被打倒，中共問題自然解決。也以為過去日本看不清這個關係以致身陷入泥淖。其實這是似是而非之論。蘇聯的計謀是不必與美國決戰，而可以中共去瓦解自由世界陣綫，逐個加以擊破。因此克姆林宮的計謀，剛與上述的美國人見解相反。他們以為蘇聯沒有與美國作正面交戰之必要，祇要有中共給他當鷹犬，到處放火，便足以使自由世界焦頭爛額，疲於奔命。而美國雖然擁有原子武器，也將一籌莫展。一旦退縮到美洲，山姆叔叔也便要被紅流淹沒了。

因此美國沒有剷除老虎爪牙的決心，被短視盟友所牽制，必然永遠口硬行動軟，永遠是搖擺不定。有定識定見的盟友，才易有堅定的政策。鐵幕並非鐵桶江山，鐵幕內已埋了火藥，祇要看當局能否有大仁大智大勇的精神而已。在亞洲鐵幕內外有決心為自由而奮鬥的人，何止千千萬萬。這些人才是美國可靠的盟友。中共對這些人，早已惴惴不安。如果美國真正有解放奴役的決心，可以不流美國人子弟一滴血，而拔去了蘇聯的爪牙。可避免世界大戰，蘇聯的鐵幕亦將隨着崩倒。

評·革新司法

·馬龍·

司法為吸收民心建設民主法治的要政，自司法行政部閣成立伊始，新任司法當局，非痛下決心，大刀闊斧予以改造，實不足以饜各方的胶望，筆者特舉數事以供參考：

法治基礎的奠定

一、如何奠立法治基礎：近年司法當局倡導司法「配合」，但果能真正配合國策嗎？核其實在，過去數年所謂「配合」者，乃為配合私人之好惡和權勢之強弱者多，配合國策者少。且有違反國策之事譬如地方自治，國策之一也。台中地院竟兩度否定地方自治之法規，難怪識者譏為祇是配合某人做官，既屬違憲，又使訴訟人深惡痛絕。三民主義旗幟下的法治應法及其子法，司法確能獨立，才能造成上下守法的良好習慣。

審判獨立

二、審判必須獨立：憲法第八十條明載法官須超出黨派以外，依據法律獨立審判，不受任何干涉。近幾年來，凡較重大或屬有權有力的訴訟案件，初二審法官的審判，往往受到干涉，也可說是受部方控制。致在檢察方面已不起訴又復起訴者有之，應起訴改為不起訴者有之。在審判方面，主審推事的判決書已定，被部方召至密室改判詞者有之。案經判決無罪，聲請覆判之期已滿，某院長奉命填好聲請書，聚迫檢察官蓋章並倒填時日，聲請覆判者有之。宣判之期未到，判決書已滿天飛者亦有之。凡此，均有人與事可稽。法官具有傲骨不肯接受控制者，主管長官竟公開於司法檢討會議中，指斥為：「這是英雄主義，絕對要不得」！審判一經被控制，則訴訟當事人還有何寃與不寃之分？訴訟理由，也無所謂曲與直了。這是幾年來司法上混亂的原因。司法清譽，日落千丈。影響所及，使法官辦案，喪失獨立精神，依違兩可，瞻顧因循，是非功過，並無標準。審判既不得其平，當事人自難甘服，於是終於上訴第三審。最高法院既見判決有瑕疵可指，又富教育意味，因此發回更審的案件日多。用意雖善，但當事人經年累月不獲清結，難免痛心疾首。初二審的審判既不能獨立，又復勸以時限，結果，祇有推出了事。吾人檢閱政院政績之司法部份，所列「辦案效率比較一欄」，最關人民生命、身體、名譽、自由、財產與精神的刑事部份，略為「刑事則兩年相同」之寥寥七字，輕輕一語，不知蘊藏著多少訴訟人的血淚與怨讟！此種積病，若不痛改，人民之戾氣加深，實不勝隱憂。

革新之道甚簡，政府宜一面宣佈改革司法。今後審判，絕對保持其獨立精神，不受任何方面之干涉。一面嚴誡法官，務宜清正將事，依據法律獨立審判，不受法律以外之干擾。否則一經檢舉屬實，即依瀆職論處。且無論當事人辯護人及其他人，如有請托或奔競者，法官應依職權檢舉，使受法律上之訴追。果能如此，內外兼顧，上下同心，則必能挽此頹風，恢復司法的清譽。

整肅吏風

三、整肅吏風：近年司法人員，清廉自持，守正不阿者固多。但往返應酬，饋贈徵逐者，亦不鮮見。凡曾為訴訟當事人，或司法界與律師界，類知其內幕。綜其病因，約有下列數點：一、上級干涉審判，法官不知所守，反之，有例可援，上行上效；二、外界如稅務局機關，以獎金、津貼、乃至汽車為餌，誘使法院為其傀儡征追比，查封財產，同為國家機關，以利相誘，使人易為物慾所動；三、上級任免無定，調遷頻仍，使法官職位失其保障，家屬生活失其安定，子女入學，增加困難，若干人心緒不甯，意存消極；四、上級以訓練之名，製造親疏圈子，坐收小報告，使老成者或清正者不屑為伍，於是心理上受新舊之分，遠近之別的威脅；五、上級既干涉審判，因此法官每遇一案，不知案內關係人有何背景，有何勢力，為顧全功過，不得不瞻顧因循，致無胆識，無担當，只求推案出門了事，無暇顧及事實與證據的調查是否週全允當，一味意存敷衍。四十一年度，判決確定，經非常上訴救助之案件有二十餘起之多，堪為明證；六、部方控制高院以下各級法院的人事特嚴，小如錄事之微，非部放不可，知者每有高院院長，如部裏總務科長之譏。各級法院之人事、財務兩方面，完全不能自主，影響心理與作為至鉅。此六端不過舉犖犖大者，司法吏風如此，非大刀闊斧予以革新，實不易收整飭之效，更不足以言步入法治之途。

改革司法人事制度

四、培養法官獨立風格：三權分立的國家，無不重視法官的地位，即佔據台省五十年之日本帝國，其司法之清正如何，法官之地位如何，台省人民亦類能道之。人家法官之所以有此地位，受此重視，良原因是：一、法官確受憲法和法律的保障；二、社會養成此種風氣與習慣；三、法官自身具備主觀因素，返觀我國培養法官的法律教育，自清末以還已有四十年以上歷史。

（下轉二版）

半週展望

·左舜生·

從韓越局勢看台灣

不幸的越南休戰協定，已大有於今日（七月二十日）簽字的可能，這原在意料之中，決非意料之外。在這次談判的過程中，活動最力者，一面為蘇聯與中共，一面為英法兩國，而越盟與保大兩方則幾乎沒有說話的機會；美國的態度是默許，多少在為英法撐腰；印度為一攪媒攪保的丑角，實際則為共方賣力。

越局的緊張，始於韓戰的停火，美國對韓戰急於要求脫身，即斷沒有挺身再介入越戰之理，這一弱點已充分暴露，蘇聯與中共始敢於在越南為所欲為，因此，直接斷送越南的是英法，間接斷送越南的則仍為美國。

邱艾華府之行，世人或疑其毫無成就，但歐化美國所持亞洲政策能得到美方的相當諒解，則仍為事實。我們只要看杜爾斯出席巴黎，史密斯仍返回日內瓦，則越南必成為一澈底妥協之局，即已昭然若揭。

現在韓國與越南已造成同一局勢，除掉以南韓統一於北韓，以整個越南完全由越盟統治，恐怕便要實現一暫時的所謂和平局面，亦絕少可能。

據我觀察，共方對韓越兩問題，可能如現狀的暫予擱置，一面使北韓能得較多時間的休息與整理，一面亦必須使越盟於飽餐之後，能得一消化的機會。共方的最高原則，在多製造問題，製造矛盾，而決不汲汲求任何一問題的澈底解決，目前我們所應多多特別注意的，便是共方另一新問題的發起，其箭頭究竟指向何方？

最近英工黨領袖艾德禮，極力鼓吹以中共入聯合國換取和平的代價之一；邱吉爾從華府回倫敦以後，也公然說：「看不出有何理由」；艾登在日內瓦和周恩來見面，邱吉爾和艾森豪在華府會談，關於台灣問題究竟說了一些什麼？這是我們所無從知道的。然而所謂中共入聯合國問題，所謂台灣託管問題，遠在去年三四月間，並不是怎樣新鮮的問題，可稽，近來且有兩件事實可證：看來中共所必須爭取的是一個實際的名義，入聯合國一個空名，老實說，到手或不能到手，於中共的實際利害並無所損益；惟有確定台灣的地位，則中共必以全力赴之，甚至進一步裝出一種更像真的和平姿態以加強主張綏靖者的信心，亦正難說。

美國到底不會採取單獨行動；最近英法兩國的領袖的談話，斷不能不衝突，而邱吉爾的說法乃更為辛辣；下月上旬工黨代表團對中國大陸的訪問，實際上應該是保守黨所贊許的，何嘗不可以去北京走走？我們不要認為美國的輿論絕對可恃，過去對韓國問題、越南問題，乃至對麥克阿瑟的去職問題，美國輿論又何嘗不激昂，但究竟於事實何補？我們也不要誤解美援可以增加台灣對於托管的保證，須知道美國對台灣的攻防，要有一千架軍用飛機，但於托管之說有什麼矛盾？而第七艦隊也應永遠不離台灣海峽一步。今日海外一千三百萬的僑民，其期待台灣有實際的民主改革，已經四個月，似乎當局是在退步；諸言已從緩，總還是不失為一個可以採取的態度吧！

說大話與吃稀飯

「口裏說大話，鍋裏煮稀飯」，這兩句道地的湖南土話，必須加以解釋，大家才會明白。原來湖南人最忌說吃稀飯，一說吃稀飯的，便是一種窮困的暗示。這個人已窮到一無辦法，周恩來率領一所謂「蝦兵蟹將」者，到處宣示闊綽，今天請艾登一請，明天請法郎士，甚至還要請梅農，現在乃至通別林也得請一請了！現在大陸的老百姓，連稀飯也無可能，而周恩來的「大話」卻方興未艾，究竟不知道他這批外匯從何處括來的？

新的教育措施

．方曙．

嚴重的升學問題

【台灣通訊】在台灣人口直綫上升的今日，由於教育當局對設立私立學校的限制，每年暑假期間，就有十數萬家長整天爲兒女就學而焦急。十萬以上的從國民學校或高級中學畢業的青年爲升學問題而弄得神魂顚倒。結果每年被摒棄於校門外的，光以初中統計，據聞民國四十一年度初中入學人數是百分之卅五點強，四十二年度是百分之四十二，今年（四三）一般估計可能增至百分之五十，其餘百分之五十，就祇有望門興嘆了。例如台北市有一所中正國民學校，去年度應屆畢業升學初中的人數是四班計一百六十人，但眞正考入初中的，僅二十餘人。餘下來的既不能升學又不能就業，苦況可想而知。由於失學問題如此嚴重，歷年民意機構一再呼籲開放私立學校；但教育當局仍抱「因噎廢食」的閉關主義而不予理會。教育當局自然也有不得已之苦衷，原因是一旦放鬆，即不免「學店」到處林立，管理困難。還是寧缺毋濫的好。所以教育當局只好每年在省縣各公立學校大量增班收容外。但數量有限，還是解決不了問題的一半。

私人興學的障礙

私人興學憑法本有明文規定，這幾年來教育當局限制私人興學，並沒有明令規定。限制的辦法就是台灣省教育廳於民國卅九年一月九日公佈重訂台灣省中等學校開辦費及每年經常費標準表單行辦法。它訂定高級中學，高初級農業學校，高初級工業學校，高初級商業職業學校，高級護士助產學校，家事學校等開辦費及每年經常費，差不多設立一所初級中學，照目前的生活指數倍算，開辦費即需新台幣八十萬元，等於四張愛國獎券的特獎。試想一個與貧困結了不解緣的眞正教育事業者，那裏有這樣的力量來興學？至於那些有錢的大佬官，大腹賈，又有幾個肯來投資呢？因此在划算不來的十五體算盤下很少有當大傻瓜的了，因此設立不易，正中了教育當局變相限制的下懷。

幾項值得稱道的措施

六月間政府全面改組以來，教育部由一張其昀氏繼長，他上台四十餘日，似對於今日的台灣教育問題，有大規模改進的決心。像久懸未決的淡江英專立案問題已解決了。東吳大學補習學校的設立問題，也將予以合理的解決。再其次留學問題也大大的放寬了。但這些問題，僅僅是整個教育問題的點滴，而目前最大的問題，最迫切不過的還是升中學和升大學問題。而升中學的人數較升大專爲多，因而更爲嚴重。舉個例來說，本年度台北市一地國民學校應屆畢業升學的初中人數據七月十日市政府招待記者公佈是一萬二千餘人，而目前台北市公私立學校，據估計頂多容納五千餘人，那麼還有六千多人如何辦？台北一地是如此，其餘各地就可想而知了。這眞是教育當局最傷腦筋的問題。因此教育部普通教育司針對此一問題，曾經開過兩次會議，研究私立中學如何開放問題，並重訂設立標準。據聞原則上已決定開放初級中學，並將設立的辦法加以變更。原設立辦法依據部頒私立學校規程第二章第九條是要先成立董事會，再遵照台灣省中等學校開辦費及每年經常費標準辦法，先行籌足經費方准董事會設立。開辦核准後，方可招生。如此在手續上時間上就大大的不經濟了。新辦法是先訂定各級中學設置標準，即每校應具備的條件，如校舍、教具、課桌、圖書、儀器、醫藥等。並明白規定設立一班應有多少設備，二班三班甚至十班廿班應具備多少設備。先由設立人照規定設置標準，準備妥當，報請設立，經主管教育當局核可後，隨即成立董事會開辦招生。原則上是在一次即予解決，不要分成兩次手續。至於學校正式立案問題，又較現行法延長一年，共兩年（現行法是開辦後一年內）。如果在一年內經營辦理不善者先予警告，再試辦一年，如在第二年內仍在「誤人子弟」即予停辦。惟此種二年內正式立案辦法，張部長甚不主張，他主張的，是一次就給予合乎設立標準者立案，不要延長到這樣久。這些問題，自然有利有弊，聞將在學術審議會加以討論解決。

要改進工作態度

教部這樣的新措施，當然是很好的，今後的問題，是在執行「人」的問題了。因爲今日許多問題，儘管都是人謀不臧，辦法完善，往往執行上有了毛病，變了質，鬧或許多笑話，譬如去年函授學校風潮，教育當局自己不能辦，（前某教育當局在立法院會上聲言要辦函授學校，結果到現在，並不兌現）但又怕麻煩，妒忌私人辦。在公開的言詞中，多所指摘，因此給眞正想爲國家辦點教育事業的工作者，予以撫情的打擊。這些都是因噎廢食的關閉主義作祟。

我們希望教育當局今後要糾正工作態度，既然要開放私立中學，如果有人辦理，應該多予鼓勵，及適當的指導。把挑剔變成協助，厭惡變成歡迎。認清辦教育是爲國育才，不是來找麻煩。同時訂定設置標準時，應多估計事實，切合實際。在實施時，最高教育主管當局，要時時督促檢討，不要一紙公文下達，後事就不管了。因爲今天一切的問題，癥結往往是在「人」的。四三，七，十日夜台北。

評：革新司法

。馬龍。

（上接第一版）即國民政府下亦有二十餘年歷史。凡受正常法律教育而願爲法官者，主觀條件，多已具備，所缺者在客觀因素。行憲之後，憲法既明定法官獨立審判，但近年在上者干涉審判，社會間不得不奔競請托，致影響法官的獨立風格。於是清正耿介者大多退而改業，不甘捲入濁流，其仍有少數眷戀宿守，珍重歷史的忠誠法官，多爲有家之累或其他不得已之苦衷。法官獨立人格與精神，一經動搖，試問訟案如何能期其平直？革新之道，首在確立司法人事制度，任免調遷，悉依法律辦理，此其一。凡合格法官資格者，應予實任，使成爲憲法上之終身職，此其二。[illegible]厲行[illegible]，斷絕干涉審判之弊，[illegible]競請托之風，此其四。絕對不許有派系、校別、圈子、小組織的活動，此其五。厚獎清正勤介之士，嚴懲貪贓瀆職之徒，此其六。果能如是，則風氣必爲之[illegible]

[illegible]

（下轉第三版）

駐德紅軍殘殺俄兵

據西柏林接獲通常可靠的地下消息說：駐東德的蘇俄紅軍最近曾槍斃士兵十八名，指控他們參加「反蘇活動」。當時紅軍當局的此種舉措，頗引起一般士兵不滿，有許多單位且有騷動的現象，但因共特們組織嚴密，並用殘酷的手段強硬對付；事情才逐漸平息下去。又據說，紅軍當局將俄兵槍決後，在通知他們國內的家屬時，竟將實情瞞住不說，而說他們是死於交通失事。

喀斯貝里將退出政治

義大利前總理喀斯貝里在一年前還是一位國際知名的人物，近年來，他雖辭去了總理，可是仍任基督民主黨（義國第一大黨）的領袖，幕後操縱政治，權位依然炙手可熱。然而最近幾個月來，喀斯貝里的身體却大爲退步，有些人因此預料，他不久後將被迫退出基督民主黨的實際領袖地位，而退居元老身份。因爲最近基督民主黨在那不勒斯召開黨員大會時，喀斯貝里老態龍鍾，身體既衰弱異常，而又病容滿面。他竟須將主要演說分爲兩部份宣讀，中間休息頗久。同時散會時，還須兩人從旁扶持才始能步出會議廳。

瓜新政府措施可慮

瓜地馬拉共產政權爲革命軍推翻後，自由世界的人民無不額手稱賀，就連美國務卿杜勒斯也鬆了一口氣說，西半球的共黨威脅已完全解除。可是繼革命軍領袖阿瑪斯被推爲新總統後，美國最高級官員又不禁爲新政府的施政大爲憂慮。因爲新政府完全廢止舊政權所實施的政治改革，此舉定將引起農民的憤怒，說不定共黨再死灰復燃，又有重掌政權的機會。

日駐美武官拋頭露面

在日本未公開整軍以前，日本已派了幾位武官駐在美國，担任搜集軍事新知識及有關建軍情報的工作。只是那時日本禁止整軍，這些武官也未便拋頭露面，於是當時他們名義上的職位並非武官，而稱爲外交助手及顧問。而今日本已合法地擁有陸海軍，於是過去若干非正式的武官已沒有改頭換面的必要，自七月一日起，他們已由秘密而挺身一變，變成軍事武官了。

美定向飛彈增援西德

駐在西德的美國空軍即將舉行第一次B—61鬥牛士型定向飛彈演習，向假想的共黨侵略者進攻，這些飛彈的射程將近六百哩，但由於安全的原因，其精確限制則未公佈。同時，現駐在美國佛羅里達州的另一個無人駕駛的轟炸機中隊，將於本年秋間調駐西德。這將是鬥牛士型定向飛彈中隊調駐西德的第二個。（孟衡）

人．物 述．評

發．表．怪．論．的．最高法官陶格拉斯

劉靄如

（一）

一部份的美國人對亞歐情形的隔膜，以及對共產主義的不了解，往往令人驚異。美國最高階層人物中，也可以發現不少實例。

例如美國最高法院法官陶格拉斯最近的怪論，便覺令人有觀止之嘆。陶氏反對美國派兵介入越戰，此種主張是否正確，那是另一問題。但陶氏所提出的反對理由，却是這樣說：「如果美國派兵到越南去打仗，則此一舉動，將使整個亞洲都淪入共黨掌握。」

照美國政治傳統，最高法院法官，對一般政治問題，總是採取超然態度，以便遵守司法獨立精神的。因此，美國歷來德高望重的法官們，從不輕易對時局發表意見。陶氏却是一個例外。過去，我們也常常聽到他發表時局的主張，論調總是奇奇怪怪，莫名所以。此番他說，美國出兵越南，就會把整個亞洲斷送，眞不知何所據而云然。

（二）

威廉．陶格拉斯，是美國最高法院九位法官中最年青的一位。最高法院對於任何法律紛爭具有最後裁判權，它的裁判，是不能再上訴的。

陶格拉斯於一八九八年十月十六日誕生於美國中北部明尼蘇達州。他父親共生子女三人，陶氏行二。陶氏六歲前，合家遷居太平洋沿岸的華盛頓州，其父卒於該州，陶氏家境清苦，藉艱苦工作糊口，這種幼年生活，使他養成一種強烈的自恃心理。

陶氏在孩提時期曾患小兒痲痺症，爲助長腿腱，遂肯起見，他開始作路程日益增加的長途旅行，捕魚及往山地狩獵，並從事消譽旅行。以後遂成爲一個有經驗而耐勞的爬山家。山嶺控制了他的想像力，他開始相信：人們如能習熟山嶺，便能獲得在城市中難以獲得的美德。這種對於山嶺的「光明正大而感人心弦的感應力」——偉大，堂皇，而健全的感應力——這十分玄秘的信念，是陶格拉斯最基本信念之一。但他的事業。他們言論，使他遠離了他年青時期所嚮往的高山峻嶺，和仁者樂山的美德。

他在故鄉的華盛頓州韋持曼學院畢業後，執教二年。繼即東往紐約市哥倫比亞法學院研習法律。他從法律中體念到爲人民服務的機會，因爲他認爲法律是人類社會關係中一項主持公道的工具。陶氏經由法律透入現代美國經濟的核心——不是生產方面，而是財政方面，在這一方面，患得患失的心理常常有害於創造性。

（三）

陶氏認爲最大的需要，是保持財政健全和安定，使生產物品及勞動的創造性工作能不受妨礙而進行。一九三〇年早期的經濟不景氣，使這些問題成爲美國的主要問題。陶氏因爲是這些問題的專家，而享盛譽。所以他自一九三四年起便在美國證券交易所委員會中服務，其後且成爲該委員會的主席。

他的觀點密切符合促使羅斯福總統的「新政」，臻於最佳境地的那種精神。一九三九年，最高法院有一空缺，羅斯福總統便任命陶氏充任該職，美國參院批准了他的任命案。他已婚，生有子女二人，爲德麗和威廉。他喜歡抽暇從事旅行及寫作，他前年寫了一本著作「人與山」，解釋他對於自然對人類的「偉大堂皇，而健全的」感召力的感想。

陶氏向有環遊全球的計劃，他於一九四九年和一九五〇年旅行過近東和中東。一九五二年他又利用假期，於七月下旬開始東來考察東南亞各地政治實況。他於九月二日由西貢飛抵來港，在到港之前，曾訪問菲律賓。留港兩日，旋於四日飛往台灣，在自由中國曾作爲期三日的訪問。六日又離台飛東京，繞道阿拉斯加，於十月底返國。

（四）

陶氏雖曾經遊歷亞洲各地。但走馬看花，和浮光掠影的觀察，未必一定能夠增加見識。甚至會發生錯誤的判斷，亦未可定。陶氏反對美國干預越戰，其所持理論，便是錯誤的。假若美國人都抱持陶氏這樣觀點，更到處宣傳，影響人心，却是一件非常危險的事。

人民積怨之府

[illegible]狗碎的瑣事，往往驚動官府，興起訟詞。[illegible]

五、保民便民：政治總以政簡刑清爲原則，今日社會複雜，事務紛繁，固所不免案件增多，但打官司總是不得已的行爲。近年司法部設檢巡制度，用意未嘗不善。果能因此減少社會上之不平，平反民間之怨屍，自是好事。但流弊所至，[illegible]

編者．讀者

陳伯莊先生文

△王素眞先生來函▽

編輯先生大鑒：我也是一個愛好自由的自由人讀者。[illegible]

讀者論壇

民主才是權力消毒素

讀徐道鄰先生「論權力的毒害」有感

·王厚生·

（一）

在本刊第三四六期，讀到徐道鄰先生的文章：「論權力的毒害」，很是欽佩，現今是權力的濫用時代，發表此一類的文章，對於世道人心極有益處。

徐先生於說明權力爲什麼是毒藥後，接着試擬了一種預防權力毒害的心理消毒法，其中包括七點，盡是些反求諸己的自我檢討工作，因此作者覺得徐先生的辦法稍爲消極了一點，因爲徐先生在文章的前面部分曾經引用了布脫勒的話，說：「權勢是要沖昏人們的頭腦的。」所以，要使頭腦已被權勢冲昏了的人去做反求諸己的檢討工夫，好像有些矛盾！「凡是作大官的人，有權有勢的人，對於自己目前的職位十分感覺舒心滿意足的人」是否會「注意到自身膨脹的危險而每星期作一次自省自反的工作」呢？能不能「切實的自我檢討一下」呢？作者深表懷疑。而且「自省自反」與「自我檢討」這一類的工夫往往不容易做，却極容易唱成口號，演變成爲高調，尤其不好的是上級藉這一類的高調作爲加一切過錯於下級的口實，實徑下級不肯在日常生中做「自省自反」與「自我檢討」的工夫，以致行政沒有效率，國家大事被就誤了。譬如，大陸上的共產黨唱出「批評與自我批評」的口號，實際上是高級的幹部從來不作「自我批評」，而一天到晚只是硬叫下級的普通的黨員作「自我批評」。所以，「自省自反」與「自我檢討」的毛病是失之消極，倘使有權有勢的人不「自省自反」也不「自我檢討」，旁人無可奈何他。當然，作者也知道，凡肯眞正做自省自反與自我檢討工夫的人，那末這種工夫的意義也是極其積極的，但是那班有權有勢的人肯不肯那樣做呢？這必須要有一個先決條件，就是自覺，就是要那班有權有勢的人恒常的保持對自己言論、行動與作風的覺悟，在這種覺悟中省察出自己的缺點與錯誤，從而進行自我的檢討，做一番心理的消毒工作。可見，有權有勢的人能否保持恒常的覺悟呢？這一點，正如上面所說，要使頭腦已被權勢冲昏了的人去做反求諸己的檢討工夫，同樣是個矛盾。

（二）

作者以爲從根本上預防權力毒害人心的消毒法還是民主政治，唯有推行民主政治，保障人民的基本權利，容許批評，非難與反對的言論，以及承認在野黨的合法地位和存在，始有防止權勢冲昏頭腦的功能。蓋在民主政治之下，政府由人民選出，任期一定，且其行政責任須向人民的代議機關負之，儘管有酷嗜權力者用機詐登台，使他有濫用權力，發揮其統治慾的機會，但他的作爲終不能踰越法律的授權範圍，要是踰越了，則其任期未滿，即有被彈劾被指責被人民推倒的危險。即使他在法律的範圍以內相當的玩弄權力，以滿足其統治慾，那末，他的隨心所欲也還是有固定的時期，當其任期屆滿時，因平日的弄權作風給人民一種下良的印象，下屆決無連任的希望，故權力雖是毒藥，民主政治總可及時糾正之。事實上，凡推行民主政治著有成績的國家，其政治雖不免仍有「下賤成分在內」，但民主國家之政治家大多均能守住本份，避免濫用權力，其所以如此之故，一方爲遵守法治，另一方爲爭取人民的愛戴與信用，爲下屆的選舉運動鋪平勝利的道路。作者爲此提出預防權力毒害的積極方法應爲民主政治。

（三）

不過，話得說回來。作者以爲徐先生所擬的心理消毒法仍是重要的，不可缺少的，但問題在於：太寄希望於政治家的「自省自反」，實在有點靠不住，故認爲必須要有民主政治的環境，在外面逼迫着那班有權有勢的人非「自省自反」與「自我檢討」不可。同時，我們應該提防另一種不良心理狀態的發生，即提防作了大官的人會僞言自己已經「自省自反」過了，已經「自我檢討」過了，從此權力不致再被濫用了，那末民主政治也可以不必提倡了。這樣一來，我們豈不是大上其當？爲此，作者認爲作大官的人不管他「自省自反」了沒有，「自我檢討」了沒有，民主政治總之是要推行的，我們應該一面推行民主政治，一面勸告作大官的人進行心理消毒。兩者能雙管齊下，則權力的害處自可日漸減少到最小的程度。

正如徐先生在文章的前段中所說，我國的傳統政治思想，一向是在鼓勵讀書人去作官，但是如何替老百姓謀福利，也是我國傳統政治思想中的一部分。我國的儒家思想着重講「修齊治平」，其第一項「修身」正是心理上先做一番準備，以免日後作官爲害百姓。這一種心理消毒法在我國固有思想中本不缺乏，所缺者還是實行民主政治的制度，所以二千幾百年來，儘管有一套心理消毒的說法，因民主政治始終沒有推行，所以心理上的毒害老是消不淸。從今而後，我們所應努力者在樹立民主政治的結構與規模，造成民主政治的環境，使心理上的權力之毒不易產生，縱使還有產生，也有抗毒的方法；一面是民主政治的環境逼迫有權有勢的人「自覺的卑遜」，那末，不僅是我國的民主政治將有光明的前程，整個國家的各方面——經濟、文化、社會等都會有快速的進步。

（四）

末了，作者願表示對徐先生的同情，如果「作大官的人，有權有勢的人，對於自己目前的職位十分感覺舒心滿意足的人」眞能切實的誠懇的「自省自反」，「自我檢討」，「自覺的卑遜」的話，對於我國推行民主政治一事，將會有很大的幫助，但作者更願重說一遍，這條道路比較迂迴，容易迷途，也較容易落空，達到目的的把握不很多，較有把握的正當的道路，該是強調民主政治的推行，這條路如不走，權力的毒害實在很難消除，試想一想，我們能希望今天在大陸上的新貴們「自省自反」，「自我檢討」與「自覺的卑遜」嗎？這當然是不可能的，因此，我們唯有拿民主政治的武器去對抗中共的極權統治，將四億五千萬同胞們從特務、警察的權力統治下解放出來！（完）

評介

評：招魂曲

·沈者·

作者：楊瑞明　出版者：亞洲出版社

（一）

這是一個悲壯的史詩般的故事。故事係由男主角陳健民的表兄高志遠和女主角黎虹的妹妹黎素表達在敘談中，用追述的方式表達出來。

故事的大意是：——陳健民是金陵兵工廠的一個年青有爲的工程師，樸實，善良，堅毅而倔強。黎虹是南京中央大學外文系的一個品學兼優的高材生，美麗，聰明，嫻淑而堅貞。黎虹在中大原有「校花」之稱，素爲一般男同學所羨慕。其中有名陸德志者，活躍，機巧，神秘而陰狠，頗具魅力。曾在校中秘密主持「反內戰反飢餓反迫害委員會」的共諜組織，擁有盲從的羣衆，其愛慕黎虹追求不遺餘力，而爲黎虹所不齒。黎虹與陳健民在其姨母的撮合之下，由相識而相愛，陸德志即以共黨名義予黎虹以威脅、警告。但黎虹不爲所屈，竟向學校當局告發，陸因而被開除，隱去。黎亦終於毅然與陳健民結合。婚後，男女分別服務社會，精神愉快，兩情歡洽。

不久，共軍渡江，各地混亂，陳因其妻待產而不及南撤，被困南京。此時之陸德志，已貴爲「軍管會」之副處長，當即利用權勢，拘陳入獄，圖佔黎虹。黎知事無可免，爲營救其丈夫並保全其孩子計，不惜犧牲一己，開明條件，委身事陸。陳因而得以出獄，其後，即逃港。陳到港後，其姨妹黎素亦相繼抱送其子來港。陳念念不忘其妻，竟化裝去南京，圖復仇並營救其妻。不幸在車中擊斃陸德志時，亦中彈遇險，賴民家父女之助，終於脫險。返港後不久，以其志在反共，毅然請纓，效法荊軻，再入虎口，慷慨北去！

（二）

故事曲折動人，頗有傳奇意味，饒有興趣。文字簡練流暢，詞藻美麗，詞彙亦豐富。尤其在故事的編織上，很能把握經緯；在鋪敘和穿插方面，也處理得很恰當；在描寫到共產黨的若干地方，也能不落時下一般主觀俗套。因此，不失爲一部有思想有精神的文藝創作。其故事的主題，似在刻畫此一時代綜錯混亂的主題，似在刻畫這一代不屈於暴力的男女們的勇敢，堅毅和悲壯的情形。

作者是一位青年作家，寫作的態度嚴正；在他的筆端，帶有濃厚的散文格調。此種格調，在他這一類的小說中，也有可取，藉更能因此發揮他的情感。尤其在末後，那種慷慨悲沉的情感，正如編者在卷首所說，頗能激迴讀者的信心和豪情！

（三）

不過這部書也有他的缺點，即在若干情節的處理上，思慮還不夠週到。若干地方的描寫，也還欠深刻。例如一個有十年黨齡的久受中共教條訓練的陸德志的心理狀態及其行爲，似乎決不會像作者所寫的只爲了一個女人的事那麼簡單，他的作風和他的身份，亦似有不能相稱之處。又如陳健民回南京和他妻子取上連絡和他在車中擊殺陸德志與脫險等節，似乎都說得太容易了些。尤其是：當陳健民脫險時，竟能以男扮女裝而輾轉長江和粵漢等地而不爲任何盤覺或懷疑，似乎也缺乏此種可能。至於到廣州後如何恢復男裝，到香港後又如何進入大陸，此等地方也似乎都不是那麼隨心所欲的事情，雖爲小疵，當不能說不是白璧之瑕。

當然，小說故事，原可隨意組織，不一定要「確有其事」，却不能不「能有其事」和「然有其事」。否則，便不無「謬譜」之譏。

反共鬥爭生死關頭

學生趦趄十字路口

香港大學入學試揭曉這一天，每一位關心教育文化界人士，都不無覺得學生成績的低降，大爲震驚，雖然這次港大計算考試成績方法，是第一次採用的新制度，就投考人數與錄取名單看來，四百五十八對六十名，總覺得這一個差額，距離得實在太遠了。從港大此次嚴格考試看來，與不久以前倫敦泰晤士報呼籲港大儘量收容，以免無辜學生於無所適從之時被中共誘赴大陸的要求恰恰相反。一般人認爲港大本年度倘不實施新制度，錄取學生名額決不會這樣少得可憐，這是根據去年比率而言，去年應試四百六十二名學生，却錄取了一百七十名；比前年更不對了，一九五二年度及格的比率是佔百分之四十點六；假如眞正出於學生成績降低的話，這種過失應該由誰人去負，難道受了社會環境不良的影響？

根據當局的統計，就讀學生數字已達二十三萬六千零二十一名，其中大多數雖係中小學學生，而本屆畢業亟待升學的中學學生則數達七千以上，這是升學道途缺乏中的一個龐大數字。現時雖難精確估計究有幾分之幾獲得了升學就業機會；剩下來的，相信決不是一個小的數目，這，自非單純的學生本身問題，對於社會也有極大影響。共黨正以挑逗的手段四出遊說，並稱廣州、汕頭、海口及廣州灣均遍設了「招待所」。儘管有許多學生的家長們聽到共黨兩字深痛惡絕，學生們於無所適從之時，恐不誤入歧途，此時似乎誰也不敢保證。

自由祖國今年對於港澳回國升學的僑生，名額雖已放寬，總數也不過一千二百名。港澳學生對這種恩惠，却並不覺得滿意；他們認爲祖國既不見外，爲什麼一定要規定名額，造斷了回國之路？就報名投考數字超過限額幾近一倍看去，不難想像到他們怎樣熱愛祖國，怎樣深切祈求祖國收容。然而爲什麼大多數學生均無此種機會？這是教育部錯有適當理由可以解釋的，推說學校太少或是糧食不足，以絕非充足理由，何況他們錄取以後，不但自備旅費而且自理膳食。由於此種原因，便招致了許多學生不滿。更有許多清貧學生，他們面對現實，很難確定他們應循途徑。他們面對了共黨遊說的機會，無形中促成了民主對極權的鬥爭已臨到存亡續絕的門關頭，無辜的學生竟然被置於徬徨瞻顧於十字路口。

評：革新司法

·馬龍·

（上接第二版）使訴訟成爲當事人的泥淖，試問身受者痛苦如何？損失多少？凡此，實與司法保民，政府便民之旨，大相違悖，難怪司法成爲人民積怨之府了。

革新之方，必須特別着力於高初審兩級，自法官心理，服務道德，上至部方功令，表報，辦法等等，均須加以徹底研究，分別去留與改造，簡言之，在形式上須隨收隨審，隨審隨結。須注意辦案的確實，民事及輕微刑事案件，應以調解爲先。檢審兩方人員，如確以事繁，不敷應用，亦應設法增加。至於法官辦案的責任心，榮譽感，道德觀念，亦宜設法鼓勵與激發。

調整院部關係

六、調整院部關係：自國府成立以來，司法行政部隸屬於司法院與行政院者爲時各半，現制司法部爲行政院管轄，而依憲法第七十七條規定，司法院爲國家最高司法機關，掌理民事、刑事、行政訴訟之審判及公務員之懲戒，第八十，八十一，八十二等條規定審判獨立，法官保障，及各級法院組織，均置於司法院一章之內。姑無論司法部隸屬何方爲適當，但司法院與司法部之間，無論就理論與事實需要言，縱非母子關係，亦應爲姑姪關係，雖不妨分門立戶，絕不能完全脫節，分庭抗禮，影響政府之行政效率，製造訴訟當事人之痛苦。法律上，院轄的最高法院，一則有統一解釋法律之權，一則有覆訂判決之權，最高法院且爲最終審之民刑案審判機關，部方把握之高地兩級法院，其情節已如前所述，上訴於最高法院的案件不多，假使稍存意氣於其間，則上訴於三審之案件，往返駁復，自易造成訴訟上之稽延拖累，豈不令當事人大吃啞虧？當然，能爲三審法官者，皆法學名流，或老成練達之士，所以，近年清譽可聞，自不會產生意氣作用，可是無論在行政效率，或爲訴訟人的便利，總望現隸於行政院之司法部，能在事實上接受院方的指導（不是干涉），院方在道義上亦有挺身指導之義務，姑姪關係，究出一門，總不能視同秦越也。

七、推廣法律教育：欲求國家步入法治之途，必須人民敬法守法，欲人民大衆敬法守法，首在知法，欲大衆知法，則必自推廣法律教育，灌輸法律常識着手，合者教育普及，人民普遍的已具守法習慣，惟近年似已遭受某種傳染，了解社會情況變化者，每引爲憂，故司法行政部門應計劃好一套有步驟有程序的方案，從各方面，如電影、戲劇、漫畫、廣播、演講、辯論、講習會、報章、定期及不定期刊、教科書等等，以推廣法律教育，使之知法、敬法、守法、愛法，則於建立民主基礎的地方自治，必大有裨益，三民主義模範省的規模，必斐然可觀。至培養司法人才的正常法律教育，決非短期訓練班所能收效，司法部還去每年一度之法官訓練班，未見其利，徒爲利祿黨心者所利用，定親疏，壹圈子，敗壞法界清正不阿之風，誘使法官損其獨特風格，法界已深惡痛絕，外間更噴有煩言，實有改弦更張之必要，質言之，吾人贊成訓練，但訓練之要旨，在使法官深明「三民主義即打不平的主義」（國父語）認識反共抗俄，建立民主，奠定法治，使國家成爲現代化的國家，以法而訓練的辦法，似可毋庸集中，採散在式的個別的，或集體的就原有法院，分別其審級與各個程度，頒發課題，令其自修，按期考課，評其研讀心得成績，定其獎懲，即可。現在國軍即採取此種訓練方法，近年國軍政治認識之突飛猛進，未嘗不得力於此。（完）

死症

馬五先生

由於科學日益昌明，生理技術精進不已的結果，在醫藥問題上，有了很多新發明，使人類素所認爲無可救藥的惡疾，都能藥到病除，妙手回春。這是科學對人類所貢獻的偉大功績，值得大書特書的。

但科學儘管發達，而人類中的疑難雜症，亦隨之新生突發，頗有道高一尺，魔高一丈之象，使「醫先生」皺眉束手，無可奈何。例如所謂癌症，醫藥界即沒有特效的方劑可以治療它。人們害上這種毛病，就是死症，除假塞以待神降臨外，別無希望。近來有人發明『鈷36』的電療法，據說亦祇能延長患者有限的死期，並無根本治療之方。所以，像美國那樣科學進步，特別愛惜生命的民族，對癌症即談虎色變，連吸香煙也害怕引起這種病魔上身，奔走駭告，如防瘟疫瘴氣之來襲。你說這是無病呻吟也罷，他們是有心理上這種時時警惕着，防患於未然，對生命實爲有益無損，未可厚非。

然在我們這些科學落後，多半是過着靠天吃飯生活的國度裏，人們對於自己生命之修短，無暇設計，過一天算一天，甚至叫作稀症，根本就不求甚解，渾渾噩噩，聽天由命，好少理！這種麻木的生活狀態，其所表現出來的生活觀念，就是我們這民族性的特徵。職是之故，我們整個社會的一切現象，都好像害着不治之症，習以爲常，敝不畏死，無論是私的或公的方面，都抱定「混過去」(Muddling Through)之意念，不知警覺，不願反省，所謂「諱疾忌醫」之說，就是我們的寫照，悲夫！

贊公房問詩記客（上）

杜甫夔州詩

·賴愷元·

三十二年元旦，汪辟疆先生枉顧賀歲，余爲言：聞黃山谷曾將杜公夔州詩親寫鐫刻涪陵，以後方虛谷亦有竹馬年思大曆中，草堂詩到夔州後之句。若先生平日言談，更似有意謂夔州詩實即江西詩之濫觴。然則夔州詩之勝處，究何在？辟疆當時即就我書案，不假思索，寫成下一段文字。文云：

杜公夔州詩，約四百餘首，爲涪皤一生得力所在。此惟涪皤諳退體堂詩者深知之也，即朱晦庵亦不能解也。詩以骨幹堅蒼，風韻內瀉者爲極至。杜公在開元東都所作，與天寶初年所爲，固極沉雄渾厚，人所習知。秦州紀行，則又勝矣。草堂則無大題目，僅體物寫興，而其中所感亦大，然由才大力厚故也。惟僑居夔州。山川雄秀，石礫嶙峋，江洪湍急，盡成漩渦。公則棲息於瀼西東屯之間，目接神遊，自然與山川相會。故見諸詩者，皆能以骨幹運偉辭，筆力千鈞，萬牛難挽。初讀則覺鉤章棘句。繼續則如橄欖回甘。久讀則奇境循環，妙緒絡繹。又覺前此之沉麗者，視此有天上人間之別矣。宜涪皤終身撫之，若不得到。老骨秋筋，正與白鹽赤甲相發，此非尋常人所能共喻也。

近年余以此復問於孫念希先生：曰「聞山谷老人，曾說過人做不好詩，乃由於未能讀熟杜詩。若先生一首，集杜句成聯數十勵楓集杜句成詩數十聯，可謂杜編三絕矣。然則先生又以杜公夔州詩之佳處何在？」念希此亦爲我寫出一文，茲節錄如次：

在詩從大謝言之，夔州爲晚作代表。五古詩至此，猶於一小滴，想大波瀾。鯨末生風，掀天蕩也，注涙成河，不復能自測其言之所至。至是得一字一句之工，遂若無用，非果不工，所工有大於此者。不再於此等工處賞積還珠，自小其器量也。五言如步兵，少陵用之，能正所向無前，縱橫濕決。何況七言精騎乎。五言排律，以古文章法，御濤瀾詞閎文，綺麗森嚴，二美兼至。似是由賦脫胎，少陵本賦家，善於用繁，故於此擅絕場。至是乃移之於七言，而麗有騁章七律之偉製。金碧樓臺，悉入江山脈絡。一兩石鯨鱗甲，風動管鳴，一兩織女機絲，雲穿無際。詣小則鏗鏘搖曳，無曲不妍。詣大則卓立開張，橫空盡掃。觀諸將，詠懷古蹟，秋興諸作，闢所謂雖有他樂，吾不敢請者也。七律詩，於此期之特色，大抵以天驚幅強者爲最勝。往往用奇語窮騖思，而寄之於危勢之上。白帝城最高樓一首，可爲代表。五律至此時，特多超曠幽靈之境。超曠由絕塵而得，幽靈以默會而生。西閣諸作，及東屯月夜，最足見出。律句至此時，佳妙應接不暇，摘其特異，疑有五勝：一曰電掣，謂當前現境，一閃全收，速寫非常，橫斷切面者也。例如：「鼓角悲荒塞，星河落曙山」「四更山吐月，殘夜水明樓」二曰霜雕：謂細心冷察，迹物入微，窮極秋毫，遍生春色者也。例如：「山虛風落石，樓靜月侵門」「飛星過水白，落月動沙虛」三曰風掠：謂聲響天外，由乍實地飛，一印，落地欲飛，爲鴻，翱翔者也。例如：「身世雙蓬鬢，乾坤一草亭」「高齋依藥餌，絕域改春華」四曰雲停：謂納風神，歸於迷冥，吞吐太空者也。例如：「寒水光難定，秋山響易哀」「大江秋易盛，空峽夜多聞」五曰波折：謂雅恐句之甘美溢出句外，拗折以深之，使意干紆曲隱伏於內者也。例如：「春知催柳別，江與放船清」「老去悲秋角，人扶報夕陽」又如十字句之「令節成吾老，他時見汝心」「病中吾見弟，書到汝爲人」本聯自惡離旋顯，萬轉千回，亦波折之一式。

夢蝶詩存題詞

·憲子·

三百篇詩數倍之。但存風雅頌無詞。祇因亂多哀怨，況有悲歡在合離。一覽莫餘容蓋說，千迴到底勿輕嗤。偶然舉例聞收蓟，急傾懷愈恣奇。

眼中漢魏連唐宋，都是詩才結習深。不信人工奪天籟，何妨鑿石作鳴琴。有時放軼猶嚴律，無地哀傷敢廢吟。得失若明良史在，早從法外度金鍼。

中篇小說 金珠

·勞影·

走在路上我才想及，這次，即使阿梅不吩咐我再來，我也得還背自己諾言，我也沒有理由仍然把這條手帕留在自己身邊了。

下一天。

早上七點不到我就醒了。

我披衣起床把椅子靠在床架上，目不轉睛地呆視着擱放在床頭上的這條手帕，我默念着，一小時之後，它就要回到另外一個人的身邊去了，我說不盡我對這條手帕的依戀。

四五天來，無論白天或黑夜，我都沉淪在一片悵惘之中。今後，繼續這條手帕的離去，一切該將有個了結。我想我應該從此安靜了。

「我真的能從此安靜了嗎？」我問自己：「能嗎？我沒有欺騙自己？」

情愛竟是一朵怪異之花，它最容易放在失去溫暖和情愛的人們底心靈中。

神女通常是此人們用以侮辱女性的名稱，不錯，何嘗就是一個在世人們心目中認爲最下賤不過的賣淫女，可是，有幾個人能更進一步去了解她們淪落的原因，以及她們的苦衷？所有的女人都是女人，是她自己決定的生活形式吧，還是受天環境驅使她們所能從的路呢？又有幾個人能用銳利的目光來透視這個罪惡的宇宙，爲什麼同樣的生命卻同時活在許多不同的小世界裏，而那些世界分明區劃了高貴，下賤，歡樂和痛苦？

另一種我們憎惡妓女的原因，是因爲妓女太無情，我奇怪，爲什麼人們對那些被侮辱被損害的女性要求她們去愛那些她們所討厭的人們呢？假如我們對妓女能寄以懷惜憫之心，今天這個社會裏早就應該沒有這種階層的存在了，而妓女也不會被人們視爲乞丐也不是爲下賤的人物了。

就讓我講次和阿梅的事吧，我的目的在那裏？

想有助於她？

那麼，我爲什麼又答應了今後不再去她那裏？

祇是一次偶然的好奇心的衝動嗎？那麼，我覺得她是一個神女已經夠滿足了，爲什麼第二天還在她那裏直到深更半夜？爲什麼在以後的日子裏還繼續對她表示關懷？我還想什麼住一個陌生人的手帕不放手？

我要把她救出那片污穢的泥淖嗎？我的能力在那裏？那麼，我爲什麼要那樣做呢？我的目的在那裏呢？

難道是一種變態的虐待狂要挑逗一個神女的情感來滿足我的英雄心理？

不是，不是，不是！那麼，我的目的在那裏呢？（十三）

吹牛匠（下）

不打自招文鈔

·文抄公·

「多麼漂亮的女人，啊！」米列格對着臥鋪單間點了點頭。

「她是從哪裏來的？」

「她是在列什那亞車站上車的。在那裏，有一個大工廠，在和我們的工廠競賽，嗅，可是現在我們超過他們了，不是嗎……她是一隻厲害的蝴蝶……」

過了一個半鐘頭，我們回到了臥鋪單間。淡黃頭髮的女人睡着了，胸前擺了一本書。是一本外交書。

我和米列互相望了望，他突然打了一個噴嚏，淡黃頭髮的女人醒了，驚慌地豎起眉毛，快速把書收起了，轉臉向着牆壁。

我們出來到走廊裏，米列格跟着我出來了。

「你，要知道，奥巴那斯・庫斯米奇，很可能，這位淡黃頭髮的女人是想勾引您……準確些說，不是您，而是您的發明。您一切都告訴她了嗎？」

米列格紅潤的面孔突然蒼白起來。他小圓眼睛的目光變得冷靜了。他走出臥鋪單間，把自己所有的紙卷、紙包、皮包、繩子收拾起來，放到箱子裏，把它們一齊鎖在最上面，放在自己身旁，手臂肘靠着箱子，望着窗子外邊。他就以這樣一種姿態沉默着一直坐到目的地某一個省城。

（三）

我和他住在一個旅館裏。開飯時他回來了，很沮喪地告訴我說，托辣斯經理沒有接見他，由副經理交給他一張出席經濟工作積極分子會議的證件。米列格的皮包交到托辣斯裏保存起來了。

在積極分子會議上，發生了這樣的事情：

當米列格來到俱樂部的時候，禮堂裏已經坐滿人了，只有前幾排剩下幾個空位子，他對着講台坐了下來。

作主席的人宣佈道：「現在由托辣斯經理高洛夫科同志作有關政治警惕性的報告。」

我想，如果在這一瞬間發生了地震的話，地震也不會像我們同車的旅伴，淡黃頭髮的女人娜達麗雅・尼古拉葉芙娜出現在講台上，使他吃驚得那麼厲害……

我望了望米列格。他不死不活地坐着，看着地板。

高洛夫科同志開始報告米列格的故事。講完了這個故事以後，她向聚衆發問：「可能有些人不相信會有這種事情吧？他們也許認爲完全是我爲了讓報告生動才杜撰出來的吧？爲了讓米列格自己來證實我的故事，那麼，就只有問一問米列格同志了，恰巧，他現在在禮堂裏，就坐在我的對面。」

於是她指着米列格。許多人都站起來望着我的旅伴。我似乎覺得大個子與巴那斯・庫斯米奇收縮了，減小了五寸，而且他好像要和椅子生在一起似的：他在衆目睽睽之下縮做了一團。

「是的，同志們，」禮堂裏靜了下來的時候，達麗雅・尼古拉葉芙娜繼續說：「一個普通的偶然機會，暴露了這個吹牛匠的……多少像米列格這樣多的人在火車上，飛機上，在輪船上大吹大擂，時時成爲間諜們的意外收穫！……」

回到旅館房間裏，我問米列格：「爲什麼在車廂裏您說認識高洛夫科？」

「鬼才認識他，醉後吹牛罷了！我本來以爲高洛夫科還是一個男人。一個月以前她才作了經理。偶且該死到這種地步！這還是開在明天。眞是有眼不識泰山！我是個窮啦，眞是……」（續完）

荒唐集

·康有摘譯·

在好萊塢，B・M・她吉的狀是，她丈夫把她的兩個孩子抛下和朋友們在一起，而自己卻同別的女人去玩他的電動小火車。

在洛杉磯，A・B・夫人，判了無理徒刑，在坐監，想想一切都完了，和她丈夫離了婚，但也是一個無期徒刑犯人呢。

××××

在洛杉磯，S・W・L・夫人，提出離婚要求，訴述說她丈夫天天拖她去看病，不讓她出去找朋友，並他們只要她一千元的支票，而等到要客人回家後，他總是把那張支票撕得粉碎。

××××

在克利佛蘭，E・G・向離婚法庭訴冤：她要是在早上忘記吻他太太，每次她都要罰他八十大元。

××××

在聖路易斯，M・B・太太的離婚法庭告狀：她那丈夫，一個四尺高的侏儒，卻硬要立在椅子上來敲她的眼。

××××

在米亞米，關娜夫人要求法庭准許離婚，其理由是，她同丈夫打算把她，他們的九歲女兒，和他們的十一歲孖仔，來交換一部新汽車。

左翼夫人

·震銘·

正當英國勞工黨左翼領袖勃凡在國內遭遇到挫折的時候，他太太李珍妮五月間在美國和加拿大各地演說，卻受到聽衆的熱烈歡迎。戰前她已經是個很出色的演說家，戰時她在國外發表的旅行演說，更博得無數人的同情。實際說來，勃凡太太也沒有什麼過人的高見，那些擁擠的聽衆，也不一定是贊成她的主張。大多數聽衆都是懷着好奇心——甚至美國聽衆也無例外——去看這位女政治家，何況她生得又是那樣溫柔美麗！

雖然隔着廣闊的大西洋，但是她發表的意見和勃凡並無不同之處，勃凡在政治方面的挫折，一部分可能是這種原因造成的。所以一位國會的老議員說：「我們翻翻政治史，便可以發現最成功的政治家，他們便失政治的太太。假如二個政見相同的男女結婚，他們一定不會去考慮第二個主張的機會，於是極容易發生偏見和固執。」

自由人
THE FREEMAN
（第三五四期）
每份港幣壹毫
社址：香港高士威道二十號三樓
3 rd. fl. 20 CAUSEWAY RD HONG KONG
承印者：東南印務出版社
地址：高士打道六十四號
海外總經銷 友聯書報發行公司
香港彌敦道中二十六號A二樓
台北市館前街五十號
台北中華路五九四號之一
台灣郵政劃撥儲金戶九二五二

日內瓦會議後應有的新認識

·黃華表·

日內瓦會議的結果，必然是民主集團的慘痛失敗，共產集團的巨大勝利，是我們早就料定了的！吾人今日正不必驚詫！也不必沮喪！但我們却應該澈底檢討過去，並應該有澈底的新認識！

認識英法的立場

這一次日內瓦會議，自其始「爲什麼會有這一次會議？」便是英法兩國「自私心理」在那裏作祟！英法這一種自私心理一日尚存在，這一種會議，遲早是不能避免的！爲着「反共」的前途，我們實願英法兩國提早充分暴露出他們這一種自私的心理，成就了「共產」的擴展！或者他們會有一日因「共產」「順是」的擴展，感到也有「反共」的必要，而後再「焦頭爛額」地乞靈其所忍心犧牲的小國，也未可知。我們作此預測，是有日寇時代封鎖滇緬路一事作證的，而這一段歷史的重演也恐怕不會太遠吧！

我在拙作「美國對「反共」的責任」一文中（載今日台灣與國際形勢的小册）曾經說過，英法根本是不反共的，而且也不可能有反共的意識；因爲他們尙未感覺有「反共」的利害。美國始終不能認識英法的利害立場，要強拉英法一同「反共」，是爲「反人情」！英法之「臨利害而變」，正爲事理之常，無足怪者。故此，美國這次在日內瓦鍛羽而歸，只應懺悔，不該怨尤。因爲一方是自己絕未能形成一個確定的「反共」政策，一方是自己尙未認識誰是眞正「反共」的盟國？誰是眞正「有力」反共的盟國？

英法難實現其理想

我們可能不怪英法之助長「中共」，但我們却想推究英法這一種助長「中共」的結果，是不是一如英法所理想？法國實已同於孟子所說「既不能令又受命」的國家。她對越南一切政治軍事的措施，無一不是爲了要保存她在越南三邦殖民地的利益。英國之所以要綏靖（其實是助長）「中共」，也無非是要保存她在東南亞殖民地的利益。然而恰巧英法的「殖民地主義」，正是共產集團（特別是「中共」）向東南亞號召「解放」的目標。英法愈要保存「殖民地」，「中共」就愈要「解放」！針鋒相對，毫無疑義！我們初不料英法會不明此理，竟然會做出「以肉餧餓虎」的錯計！美國當初大聲疾呼，要先成立「東南亞聯盟」，而「堅決反對」的，竟是英法！這豈是常情常識所能測度？今日日內瓦會議就英法言之，可謂已得到預期的結果，然而應該慶幸其成功！但英國的「孟徹斯德衛報」，似乎已甚感不安，已提出了中共次一步將是用政治方式爭取日本印度脫離其西方聯繫的警告！假定孟徹斯德衛報所推測的不幸而確，我們就不能不疑問，英國在東南亞殖民地的利益將如何保存？

邱艾且慢歡喜

從前日寇南侵，英國雖曾失去東南亞「半壁」，還幸保一個「半壁」的印度作爲基地；還幸保有一個「以德報怨」的中華民國，終於爲英國打倒強敵，返回一切失地。今若「印度」已爲「中共」爭取，脫離其西方聯繫的英國；「中華民國」又已一變而爲英國「極力擯棄，始終欲置之死地」的敵國；而必須「解放」英國東南亞殖民地的，又正是英國今日排萬難，積極助長，惟恐其不強大的「中共」。倘若竟有這麼的一日，我們斗膽，敢問邱翁艾相，那時誰更會來爲英國打倒由「英國多方扶植而起成爲亞洲代表」的中共？再次爲英國返回一切失地？美國嗎？美國或已因爲英國的慫恿與困擾，返回其過去的「孤立主義」，即不然，美國有什麼理由，又有什麼義務，要爲英國的殖民地，不計勞犧牲他們寶貴的資？而且又是「英國」肯可獨行其是，用盡擯而助長惟恐其不大的「中共」？至於韓、泰國、中華民國，屆時或都已爲英扶植強大的「中共」所吞併，即或倖存，英國又有什麼顏面而乞憐於津等「隨時可以犧牲與中共」的小國呢？據我們的觀察，「中共」無論就共主義上，政策上，形勢上，是必然要「解放」東南亞的；中共會先拉開「印度」，這一次周尼會晤，已兆其端，「中共」有的「手段」，是「威迫」「利誘」，尼赫魯勢不能不站在「中共」的一方，也會一情願站在「中共」的一方。這一次周尼的聯合聲明，也已早兆其端。英國在東南亞遲早必將陷於完全無救的境地，是任何有常識的人所能推論得到的！我們是局外人，靜而思之，也不寒而慄！中國有一句古語：「天作孽，猶可違；自作孽，不可活！」其大英帝國之謂歟；吾人須邱翁艾相且慢過分歡欣者以此也！

法國引狼入室

至於法國，從前拿破崙，甚之第一次大戰時克里莫梭的雄風，已隨時代而消逝了！她目前政治、軍事、經濟的情形，只有美國還認她是世界上的第三名強國，要靠她解決世界最大威脅「共產」的問題。她這一次對越南的犧牲，是往過七年「保衛殖民地」的若職，實在已精疲力竭之後，在眞不得已之舉！她要在越南求得「和平」，是人同此心，無可厚非。我們所感到的，是她不知道「殖民地主義」在今日已無存在的餘地，要爲保衛殖民地而戰，始終是要失敗的！而且又不認識「中共」之扶植胡志明，是其「解放」東南亞的初步，英法未完全退出東南亞，是絕對不會休止的。今之「越南和平」，是中共解放東南亞由軍事轉爲政治方式的轉換，絕不是共「解放」政策的改變。所謂「十七度分界」可以限制軍事，不可以限制政治，「政治滲入」，還其「中共」所將採的要策略，將是「無孔不入」，豈區區一條分界線所能限制？而且越南的人民無論是十七度以北或以南，共政治主張，縱有「共產」「反共」之分，而痛心疾首於法國的殖民地主義則一，無時無日不欲與「法國偕亡」，法國焉能復藉之以抵抗「中共」的滲入及煽動！法國是聰明的，應該早放棄殖民地的利益，讓三邦完全獨立；再讓美國直接訓練三邦的土軍，然後自動退出越南，保存在越南現有的實力，以保衛歐洲，方爲上策。不此之務，而妄冀藉邱艾的安撫政策，阻止「中共」的進取，這豈止是委肉於餓虎，眞是引狼入室！故此，法國今之所謂「越南和平」，實際乃是法國在越南殖民地的終結。而法朗士還自我陶醉引爲慶幸，豈不可笑？

所謂反共的「民主集團」既如此！我們寄望「中共」的小將如何？我個人的意見：第一、要勸美國重新決定其對「中共」的政策。如果不積極澈底，一切只[illegible]「盟國」的姑息，就不如迅讓英國的安撫主義，作爲亞洲的領導。乾脆的返回其過去的「孤立主義」！第二、要請我們政府，重新考慮，應要求美國鮮明對我的立場，是「防共」！抑或是「反共」！若止是「防共」，作爲美國的貓爪，還隨時可以讓英國作爲「媚共」的犧牲。我們則應請美國的第七艦隊，立刻撤離台灣，讓我們自己奮鬥，奮鬥不勝，寧可爲「中共」所吞噬，不能坐待美國的犧牲！第三、要勸我們「反共」的人士，從今以後，要澈底認識美國。美國的政策是難免隨時變動的，隨時可以因爲「英」「法」而犧牲我們！美國視我們不過是他們所謂「反共」或「媚共」的犧牲！

美國的朋友，將以吾言爲過激乎？則請美國人設身處地以言之！

多寶王國——委內瑞拉

易敏子

本年七月五日以最高自由勳章贈給自由中國蔣總統，委內瑞拉合衆共和國（THE UNITED STATE OF VENEZUELA），是南美洲的一個小國，該國有華僑二千餘人，可是這一小國，在經濟上是一個多寶的國家，很值得我們注意，現在簡述其國情如下，藉供讀者參考：

珠寶滿地黃金世界

一四九八年八月一日，哥倫布在他尋覓新大陸的第三次旅程中到達委內瑞拉外海，進入了里巴亞海灣。翌年，哥倫布的夥伴沃傑達率領一個商隊到這里作珍珠黃金和白銀的採取。珍珠在委內瑞拉北海岸，俯拾即是。黃金和白銀則在東西南部各山區裏，也在在都有。東部的金礦說是世界蘊藏最富的。一八九五年以前的四十二年間，西班牙人在那金礦採金達一百五十萬盎斯，現由美人和英人分採，仍然是「出」無疆。不過，因爲當地土著印第安人堅決而勇敢的抗拒外人侵略。先賜的白人，多成爲「金珠夢」裏的可憐人，喪身異鄉的，比比皆是。後來經過「教會」（聖芳濟派）不斷努力，才漸漸和當地土人建立起友誼來。可是土人是各有「權限」的，白人偶然大意，闖入另一個區域，就得生命不保。

委內瑞拉着實是一個多寶的王國。地下的寶藏，除黃金白銀石油外，還有鐵和銅。鐵的品質極高，近年因美國技術的援助，年產純鋼近兩百萬噸。鐵礦和煉鋼廠，都是美國資本家所經營的。更有舉世珍視的金剛鑽，也有可觀的產量。水裏的珍珠，更是取之不竭。由西班牙人採取到現在，始終是委內瑞拉一筆大財富。地面的咖啡，年輸出達八千萬磅，可可三千五百萬磅。畜牧業亦甚可觀。不過委國雖說是農業國家，但糧食不足，需要外求。

石油產量世界第二

進入二十世紀，石油成爲委內瑞拉首要的財富。它是世界最富的石油產區。在全世界石油產量中，據六年前的統計，它在世界石油王國佔第三席次。一說佔第二席次。一九四七年油的產量日達一百一十九萬一千四百七十八大桶。油公司是美國資本家經營。委內瑞拉政府按量徵稅。這筆油稅佔該國歲入總額百分之九十五。有名的石油城馬拉開比（MARACAIBO），就是隨着油業的開發而建立起來的新興都市。有近十五萬的人口。已是一個重要商業城市。不僅石油，該國其他農產品如咖啡、可可、糖之類，也都集中該市，使這一新興都市，盛極繁榮。還有一間規模最大的水泥廠，建築於馬拉開比湖。那裏有天主教堂，耶穌會教堂，電影院。凡是歐美各大都市所有的，無不應有盡有。市郊有高聳天空的油塔和鐵工廠水泥廠等的烟囱，地面則油井和花圃，人力設施和自然點綴，顯示着地利的和人爲的精巧。那里還有一間大學。馬拉開比是南美最富的地區，它的得名，是由於他們的民族英雄馬拉在十六世紀對西班牙人戰役裏被射死，他們高呼「馬拉死了」，馬拉開比就是馬拉死了的土語。馬拉開比湖面積八千畝，湖裏有最完美設備的豪華遊艇，租給遊客。

國號小委尼斯

當沃傑達一夥人進入馬拉開比湖區，他們看見沿湖而居的土人草棚，和水上景物，恍若置身于委尼斯（VENICE）水鄉，不禁脫口而出，說是「小委尼斯」。委尼斯是義大利有名勝地，委內瑞拉的涵義就是小委尼斯。它在西班牙殖民地時代，受哥倫比亞總督的管轄。獨立後，也曾受轄于哥倫比亞，是哥倫比亞共和國的一省。在社會文化方面，它受秘魯的印迦文化最深。在殖民地時代，曾飽受英國海盜的掠奪。一八二九年委內瑞拉合衆共和國成立後，歷經軍事獨裁，直至一九三五年軍事獨裁專政才告終止。

（下轉第二版）

半週展望

·雷嘯岑·

莫洛托夫笑了！

出賣弱小民族的越戰停火協定簽立後，俄共代表莫洛托夫以勝利的微笑姿態，在全體會上演說，大駁反對中國傀儡政權的國家，說是「這次會議的進程表明，某些國家的侵略集團仍在設計的阻撓中國參加解決國際問題的人爲障礙，已經被生活本身掃除了」。這是當着和尚罵禿驢，教坐在一旁聽講的美國代表史密斯夠受的！

同時，莫洛又對英代表艾登大大的恭維一番，稱讚艾氏「在這個日內瓦會議過程中所起的卓越作用」。的確，由於艾登的「卓越作用」，既把美國的聯合行動摧垮，又使法國的投降主義實現，再將越共的勢力提高，佔有越南大部領土，共產政權合法化，而且取得國際上的事實承認。如此豐功偉績，替共產世界幫忙，自然値得感謝稱讚。

一九三八年慕尼黑協定簽訂時，希特勒對張伯倫感謝恭維的表演，比莫洛托夫今天所演出的更熱烈而親切，弄得張伯倫一下飛機，即高撐洋傘大呼「和平是屬於我們的」！曾幾何時，張伯倫又站在倫敦的廣播機前，以激越而顫動的音調，聲明在納粹侵略之下，一致奮鬥，張伯倫引咎去職，激英國人在其老友溫斯頓．邱吉爾領導之下，一致奮鬥。這類歷史悲喜劇，我們不久又有機會看到，依然會在倫敦上演吧！

法蘭斯也在笑

法蘭斯亦以阿Q式的「勝利」姿態，回到巴黎廣播，說越戰停火條件，「是法國所希望之最佳者」！

俄共集團暫時未教法國從越南半島完全滾出去，准其苟延殘喘，讓中越共慢慢地收拾它。法蘭斯即因這項「和平」大功勞而穩坐相國之位，跟着英國的背後團團轉。於公於私，都可說「是法國所希望之最佳」結果，焉得不樂呢！然而，由於越南情形的鼓勵，北非摩洛哥的民族獨立運動，勢將激化。法國在北非有的是飛機大砲坦克，一定猛烈鎮壓，而且軍隊也一定勇敢善戰，决不會像在越南一樣，被打得哀哀告饒，叩頭乞和的。可悲的「四強之一」可憐的殖民主義者！

只有美國啼笑皆非

美國當局一面聲明對越戰停火協定「恕不負責」，一面又聲明决不予以推翻，儘尬萬狀，啼笑皆非。

美國所賴以解嘲的，即爲從速組織東南亞集體防衛聯盟，所以急不及待，更不考慮實際情況，主張九月初即在菲律賓的碧瑤召集聯盟各國會議。這項聯盟工作如不中途變質，最佳的結果，也不過是替西方國家的利益作保鑣，與亞洲人類的自由生活絲毫不相干！英國對它的看法，它就是東方洛迦諾公約式的組織，要跟俄共集團相約互不侵犯。因此，它主張必須取得印度、印尼、錫蘭、緬甸加入聯盟，那就決非阻遏共黨再侵略的軍事性聯盟，而是藉此國家與俄共集團作政治妥協的「和平公約」，有如二次大戰前的「九國公約」一樣，形同廢紙。假使這聯盟一如美國所希望的，是爲防範共黨對東南亞再作進一步侵略的軍事防衛體系，那末，印緬等國决不會參加，真正的東南亞國家只有泰國，菲律賓不過是陪襯，因爲美菲已有安全互助協定，參加與否，無關宏旨。然英國已表示不願負擔「克拉地峽」以北的軍事防衛責任，換言之，即不願爲着泰國的安全而有所盡力，這樣，將來除非共黨大舉進攻泰國，分向印度和馬來亞侵略，這聯盟即不會發生作用。且加上一個法國儼然以越南高寮三邦的保護國地位出現，如法蘭斯所說，「在和平中担任遠東的任務」，這不啻是對亞洲自由人類的一種侮辱！

美國平日大呼反對殖民地政策，而其所作所爲，却處處遷就殖民地國家的利害關係，不能自拔。憑這種作風來領導亞洲的自由運動，祇有吃力不討好，自尋煩惱而已。

粵省文物浩劫

——中共燬滅文化一斑——

·竹園·

七月七日香港工商日報載「本月一日，匪中共公安局共幹，率命督導民工三十餘人，將該局存貯河南海幢寺西廳的綫裝書共三萬餘卷，扛赴南武操場，用火焚燬，警察十餘人，到場監視，歷二時許，始焚畢。據悉，這批書係中共去春迫害道教，從各道堂及道徒家中，搜刼而來。焚書時道徒不期而集，觀者咸潸然流淚云」。

古本舊書盡成紙袋

査一九五〇年，中共已有焚書之舉。一九五一年後，大陸物資日形缺乏，中共遂把掠自民間之書，逐本拆散，投入紙廠，用爲再製原料，名曰還魂紙。鄉村人家藏舊書，中共名之爲「封建殘餘」，一槪迫令獻出。然後零售與製紙袋小販。因此，用山貝紙印製之書（如廣雅叢書，全上古文，九紀事等）普通售人民幣四千元一斤。因山貝紙厚，適合包裹物料。連史紙之書，以紙質輕薄，售價僅每斤人民幣二千元。廣州文昌路，連登巷，及河南，均有小販收買此種舊書。去年臘月，筆者到文昌路，見一小攤，忙於拆書。所拆者，均爲明板，種類多至數十，已無一齊全之書。間有印章，視之，知爲吹萬藏書。問諸小販，知書來自上海，並均係散亂運來，並無整套之書。筆者每半年，必回廣州一次。每回，必留連於紙販攤中。去年無意中，於河南龍花廟旁，見一紙袋，係元至正本華嚴經所製。嗚呼！此河南海幢寺三百年來僅存之舊本也，今竟如此毀滅，余不禁爲之涕淚滂沱矣。

華嚴龍藏兩經均散亡

海幢寺，爲吾粵五大叢林之首。其開山諸祖，如天然和尚，光宣臺，阿治和尚，澹歸等諸大德，或爲前朝宰官，或爲儒林叛逆。均以不甘臣事異族，遂遁跡山林者也。海幢寺初建時，不獨佛經充盈，而諸子百家之書，亦汗牛充棟。第二次大戰後，筆者嘗與該寺主持澂明和尚時相還往。因得見元至正本華嚴經，書係摺册，用楠木箱盛載。雖間有虫蝕，然大致完整。筆者因時常展覽，故一見紙質及字體，即能識別。此經今竟繼龍藏經而散亡，佛書成住壞空。佛經亦如是空，可慨矣乎！

龍藏經者，海幢初建時，清帝御賜之大藏經也。民國十三年間，南武學校再剏海幢寺西偏爲校舍。時校長何劍吾將此經全帙，及明人手寫血經全帙，搬往南武學堂。但該校既無書櫃安置，亦乏妥善地方保存。該校閣書館員，亦不暇整理。時筆者以桑梓關係，嘗言於何校長。致函編列及修補該經，藉供衆覽，惜未能償此願。旋日寇入粵，設憲兵司令部於南武附近。日軍將此二經裝箱運往日本。勝利後，此事竟無人置談。此經是否尚在人間，已是一謎。

海幢書版變成柴薪

華嚴經既如是毀滅，其他海幢藏書，亦當同其命運矣。計筆者在澂明和尚處所見之書，印象最深者，有澤律文集，皇明文衡，璽書治要，韓昌黎集，六臣注文選，均嘉隆以前舊本，且尚完整。其餘尚有數百册不完整之明板書，每本均有光宣臺印章。今此批書籍，非被焚毀，殆盡被中共售出，拆作裹物之用矣。傷哉！

海幢寺雕板亦甚多。勝利後，筆者所見，存於舊庫房內者，亦達八千塊。據澂明和尚言，此係完整之雕板，其中被白蟻蛀蝕者，已一槪毀去云。

佛經雕板外，尚有羅浮山誌，鼎湖山誌，千山堂詩，光宣臺集等雕板。均係有用之書板，外間流傳者甚少。共軍到粵之翌年，此等梨木書板，已盡被共幹破作柴薪之用，至今一片不存矣。

中共所焚不限道書

工商日報所載，謂共幹焚毀三萬餘卷道書。筆者不能無疑。蓋各道堂所存道書不多，諸道徒家亦不多藏道書。據筆者所知，廣東人所藏道書，世所共知者，印之道藏輯要，亦至寥寥。其他三元宮所藏，亦只刊道泉仙館刻本及樵雲，藏書均爲中國舊書，均取節前放肆之法，則今次所焚者，果爲何書不能無疑。中共近年掠自民間之書籍，不止十萬册，其中一部份，係已移從海幢寺內佛殿東側房間，此房黑暗，日久霉爛，大損白蟻蛀蝕甚多，不能拆作原料，故付諸一炬。故該報所載，中共焚書，當非全屬道書。

現時大陸人民，凡不獨用書紙裹物，且公廁中，亦滿棄書紙，一般青年共幹，更悍然不顧一切，雖善本孤本，明清佳刊，均投毛廁中。末法時期，覩此現象，誠爲有識者所悲慟！

多寶王國——委內瑞拉

·易敏子·

（上接第一版）一九五四年十月十八日的軍事革命成功後，才正式實行政黨政治，頒佈新憲法。凡年滿十八歲的男女，都有選舉權。全國行政區分爲一個直轄市，二十個州，兩個特別區，總計有三百五十萬人口，它位於南美洲的北部，北面是加利賓海，東北臨接大西洋，海岸綫長達一千五百哩，南鄰巴西，西鄰哥倫比亞。地形像一把張開的摺扇，在南美十個國家中，它是佔加利賓海最多的一個國家。全國面積三十五萬二千一百四十三方哩。首都卡拉卡斯（CARACAS）也是瀕近加利賓海的一座城市。它和主要港口拉圭伊拉（LA QUARRA）是隔着一道山嶺，現在有公路鐵路交通，計程二十五哩，如果翻山而過，那就祇有七哩。這條二十五哩的公路，據說是南美最好的公路，全用水泥舖成，每哩的築路費是美金二十萬元，因此又被稱做全世界最貴的公路。

人物述評

不屈不撓的——教育家李應林

·紹華·

崇基學院院長李應林，秉基督的精神，爲人羣社會服務，歷三十餘年如一日，不疲不倦。他不特是一位虔誠的基督教徒，而且是主持南中國高等教育成績卓越的人物。自嶺南大學被中共歸併之後，他在港和美國教會中人創辦崇基學院，奮鬥精神，到底不懈！

（一）

他是廣東南海人，一八九四年生，出身農家。他生長的鄉村，是距離佛山鎮不遠的石灣，以出產陶器著名。年青的時候，在佛山聖經學校唸書，即受洗禮，其後攷入康樂的嶺南。民初由教會資助赴美國留學，入俄亥俄州的奧柏林大學肄業，專攻神學。美國來華的傳教師，不少是俄亥俄州人，因此他們和當地居民對中國學生特別具好感。當日中國學生在奧柏林大學唸書的，有蔣廷黻、陳伯莊（宗嶽）等是由政府資助的；而李應林和簡又文等，是由教會資助的，這一些清貧的學生，後來都獲得相當的成就。

應林於民九歸國，首先出任廣州靑年會總幹事，極力提倡康樂運動，如開闢游泳池，新建室內籃球場。此外又增設查經班，並定期舉行學術演講，使南中國的靑年，對靑年會發生一種良好的印象。及孫哲生出任市政，他出任社會調査局局長，對於勞工生活，和物價指數，都有正確的統計。

民十四前後，中國教育協會會員在中華教育界著論鼓吹收回教育權運動，一時風起雲湧。及國民政府在廣州成立，即採取這一項方針，命令所有教會學校，須向政府立案，且規定校長一職須由中國人担任，於是鍾榮光首任改制後嶺南大學第一任校長。民十六年由美籍校董包令留提議增設副校長，聘應林担任，同時兼任該大學的文學院長。自那時起，文學院著名的教授有楊壽昌、陳受頤、朱有光等，陣容頗盛。

（二）

民十八年太平洋學會在加利福尼亞州舉行，應林充任中國代表赴會。此行有一重大的收穫，便是獲得日本田中的秘密奏章，揭露日本侵略中國的計劃。「征服中國，必先征服滿蒙」，然後可實現日本軍閥「八紘一宇」的美夢。此秘本揭露，舉世震駭；而淺薄之士，將信將疑。及九一八事變起，世人纔明白日本軍閥的包藏禍心。目前美國國會收藏檔案中的中共五年內征服東南亞計劃，其可信程度，與此相等。

李氏返粵不久之後，復組織考察團赴英德俄三國考察。他曾對親友說及到蘇聯考察時，在莫斯科所見商業蕭條，街道寂靜，人民購買日用品，要大擺長龍；那時新俄建立，已滿十年，人民還沒有得到幸福。參觀集體農場時，想深入民間，和農民接觸，卻處處受到特務干涉。

（三）

蘆溝橋事變起，不久廣州即受轟炸，嶺南大學遷港，借用香港大學的課室上課，及太平洋戰爭爆發，香港淪陷，鍾榮光病死九龍。應林化裝冒險入曲江，借用第七戰區在仙人廟的辦事處復課，該地山環水繞，古林參天，原本是該戰區避空襲時臨時的辦事處，戰區司令余漢謀爲幫忙李氏復校計劃，慨然借給他。後來，港大回到內地的學生亦獲得收容，可說是以德報德了。

嶺大復校後，蓋搭不少木屋，如格蘭堂、八角亭紀念等，康樂舊日的建築皆具體而微。這個小村莊，嶺大員生，陸續來歸，立刻繁榮起來。不過最感缺乏的，便是員生沒有公糧；李氏又和湖南省政府主席薛岳洽商，採購湖米，供應不乏。二十三年日軍進攻曲江，他率同員生越過連平山，至梅縣復課，愈挫愈奮，沒有宗教精神，是辦不到的。

復員以後，嶺大恢復原來的規模，他才向校董會辭去職務，由陳序經繼任，及陳氏辭職，他又以辦理嶺南的精神，來辦理崇基，再接再厲。近年來李氏體弱多病，然猶力疾從公。老當益壯，窮且益堅，環境和疾病，是不能挫折非常人的意志的。著有英文本蘇聯視察記、勞工論、廣東情勢等書行世。

共特圖誘奧本海瑪逃亡

有一則表面驚人而實際並不離奇的消息，共產黨利用「原子彈之父」奧本海瑪博士爲美政府禁止接觸核子秘密的機會，最近正大舉向奧本海瑪進攻，派了許多人遊說，希望他能訪問歐洲一次，然後再陰謀於奧本海瑪留歐期間，用威迫利誘的方法，迫他就範，使他成爲彭蒂柯夫第二（彭蒂柯夫是英國原子科學家，一九五〇年潛入鐵幕爲共黨工作）。這件事已爲美國高級保密官員獲悉，據說當局已採取縝密的措施，不使共特們得逞。

貝隆患頭痛下野在即

阿根廷的獨裁總統貝隆目下正患着嚴重的眼耳神經痛症，以致影響到他的頭部也鎮日患起頭痛症來，心緒不寧，病況十分沉重。據熟悉內幕的人士說，阿根廷政府當局現已預作祕密準備，期貝隆一旦無法視事（照現時的病情看，短期內定有可能）時，能有人負責國政。這一個將來負責阿根廷軍政大局的據說是一個五人小組，暫時是過渡性質，此中包括國防部長及軍要議員。

克里姆林宮牛皮破產

儘管美國聯邦調査局局長胡佛估計，現時美國共產黨黨員不足兩萬五千人，可是克里姆林宮仍堅持美共黨員在六萬人以上。由蘇俄共產黨中央委員會所發出的共黨活動指示中，詳細列明美國共產黨黨員數目爲六萬人，這本小册子落入聯邦調査人員的手中，大家都笑罵克里姆林宮吹牛不已。

俄製造氫彈計劃受阻

據極有經驗的維也納地下人士所獲之消息說，蘇俄雖已於數月前舉行過氫彈爆炸，但迄今仍不能造出一枚可以運載的氫彈。他們並相信莫斯科大學物理系主任將成爲這件事的替罪羔羊之一，因爲近幾天來眞理報正大力攻擊這位可憐的系主任，指斥他的核子理論犯有嚴重的錯誤。

緬甸總理是反共大將

有人認爲緬甸總統宇努是一位親共份子，其實認眞講起來，這位年青的總理卻是一位反共的人物，周恩來自動要求訪緬，他格於形勢不能不勉强接納，但言談之間，卻予周冷嘲熱諷，表面上雖裝着頗爲熱絡，骨子裏卻毫無親善可言。他處理緬甸政務，首要目標就是力阻共黨滲入，而迄今爲止，在這一方面上已獲得相當成就。同時，他還努力不懈，使印總理尼赫魯比較傾向西方。尼赫魯受他的影響很深，所以雖在共黨壓力之下，他還是禁止國大黨黨員及政府官員參加任何共黨支持下的「和平理事會」活動。周恩來訪印時，雖爲此事說得舌敝唇焦，力圖說明尼赫魯廢除此項命令，但結果還是寃哉枉矣。（孟衡）

天下小事

玻利維爾的家鄉

西門玻利維爾將軍（SIMON BOLIVAR）是南美各國獨立運動的英雄，由他領導獨立的國家除他的祖國委內瑞拉而外，還有秘魯、厄瓜多爾、哥倫比亞、玻利維亞、智利、海地等國。玻利維亞這個國家，就是以將軍之名而爲國名的。現在卡拉卡斯的玻利維爾紀念館，就是將軍當年的降生地。也是將軍童年時代的住室。室內所陳列的傢俱，據說還是當年的舊物。最堪惋惜的是這位舉世景仰的革命英雄，生前卻沒有得到他國的溫情。他手創的大哥倫比亞共和國，包括現今哥倫比亞、厄瓜多爾、和委內瑞拉三國聯成的共和國。

編者讀者

一個小辨正

△莫强先生來函：

本月七日第三四九期的本刊，登有婆娑生（原刊爲娑婆生）先生「三聽過雲」一篇文章，在（二）（三）節中，有如下的記述：「事後聞方地山公子辜吾相告，知爲已被軍閥倪嗣冲之子道煩，寵之專房，殆被迫而嫁者。道煩籍父遺孽，曾充鳳陽關監督，該缺爲蘇皖各關之最肥，更加其一味貪婪，因是囊中不下數十萬，過雲想可安矣。民十七，國府成立，余樸被南歸，微聞過雲已與倪氏脫幅，爲其慶幸。蓋倪氏諸子於嗣冲死後，爲爭財產事，屍停六日而不殮，可知其品格不堪問。……」

據筆者所知，與事實頗有出入，因作辨正如下：一、倪道煩爲倪嗣冲之姪，非子；大排行居四，民六，七，八年間曾任鳳陽關監督，但非討過雲者。二、過雲下嫁者爲倪道杰，係嗣冲長子，字幼丹，排行居七，曾於徐世昌時代任新國會參議員，未曾任過官吏，爲人尚忠厚，貪婪談不到也。三、倪嗣冲病於民八年，卒於民十三年，當時北洋政府尙派大員代表赴津致祭，所謂「倪氏諸子於嗣冲死後，爲爭財產事，屍停六日而不殮」之說，亦非事實。四、道杰之討過雲似在十八九年間，正爲失意之時，且曾爲張學良所不滿，故移居大連以避之，所謂：『被迫而嫁者』，似亦不符。五、道杰與過雲結合未二年，即以年齡懸殊而告仳離，聞道杰曾付過雲五萬金爲生活費云。茲道杰墓木已拱，過雲猶享譽人間，走筆至此，不禁滄桑之感矣。七月十二日盛暑中。

△靜觀、羅自芳、王世昭、李元正、楊海宴、葆眞、彭楚珩、田駢、準文人、小丞、蔡俊光、程瑞興、楊力行諸先生：惠稿均收到，至感幸！

△本報上期「論革新司法」一文，題目「論」字誤植爲「評」字，合更正。

△毛以亭先生爲本報續撰「西漢人民生活」一文，從經濟觀點，論述史實，極爲精闢，下期陸續發表，謹先預告。

讀錢穆「中國歷史精神」

・黃煥文・

最有價值的一本書

這幾年來台港出版中文書籍很多，其中最好而最有啓發意義的莫過於錢穆先生的「中國歷史精神」這一本書（共約一百多頁，八萬字）。筆者與錢穆先生素昧生平，但受這書的感動最深。相信任何中國知識份子讀了這本書，一定會受很大的影響。錢先生把中國歷史研究得那麼清楚，指點得如此明白，使我們相信中國決不會亡，中華民族一定會復興，共產黨一定會失敗。

我同意該書附錄中，張自銘先生的話，他說：「這是一本不平凡的書，這是一本五十年來最有價值的書。」錢先生自力苦學四十年，成爲今日遠東第一位中國史學家，非普通學者專家所可比擬。中國革命數十年，能够產生像錢先生這樣的史學家和思想家，實爲民族的光榮。以錢氏的人格學識，操行及尉性而言，讓他在香港苦辦新亞書院，實在太委屈了。

錢先生的著作很多，不用多所介紹，但「中國歷史精神」這本書是他「最近一部關於中國文化最扼要的、最精巧的、最淺顯的、最分析的而又最綜合的一部著作」（張自銘語）。凡是中國愛國志士，學生青年，以及軍公教人員，或其他學者專家們，讀了該書，必然愛不釋手，可以說百讀不厭，年來未見港台報刊有人作書刊評介，藉以引起海內外人士注意，筆者深覺不解。前些時只有蔣夢麟先生發表「歷史論」於台灣新生報，其文尾曾提到錢穆先生主張恢復中國歷史道德精神而已。

該本書原爲錢氏三年前在台北對國防部高級將領的演講，共計七次，分成七講。除第一講爲史學精神和史學方法外，其餘六講都是討論中國歷史上的政治、經濟、國防、教育、地理和人物，道德精神等問題的。前年七月，始由印尼耶加達天聲日報社集印初版，本年一月方在台灣國民出版社再版。這樣重要的一本好書，出版流行如此曲折迴滯，令人不勝浩歎。

國人最缺歷史智識

友人胡秋原先生，前年著「俄帝侵華史綱」，曾感慨的說：中國大陸之失，非敗於共匪之手，乃敗於不明俄帝侵略之眞歷史。他心營四代，目睹三洲，誠非虛語。但錢穆先生更上一層樓，鑒古知今，究往窮來，貫通中外，指出中國史學在三百來日漸衰亡，實爲失敗之根源。舉世均知，中國歷史文化最悠久，最偉大，最豐富。但奇怪的是「今天中國人却又最缺乏歷史知識」。錢先生說：「史學精神最該注重的是現代歷史，不是古代歷史。滿洲人統治中國二百六十年，逼得中國人對現代史沒有興趣了，縱有研究歷史的，也都講古代，不敢講現代。都只有考史，不敢再著史和寫史」。又說：「直到最近，革命成功了，沒有革命史。抗日勝利了，沒有抗日史」。這些話眞是一針見血之言。

我們更可以老實說，過去勦匪失敗了，沒有勦匪失敗史；大陸整個被共匪佔領了，沒有大陸失敗史，或得失史。大家蒙蒙糊糊。我們這一代，對現實史既弄不清楚，到了下一代當然更加眞相不明，馬虎不清了。其實，失敗乃成功之母，兵法兵經亦云：「不知其害即不知其利。不知己，焉能知彼」。君不見德國古德林（GUDERIAN）將軍把納粹德國軍事上的成敗得失，寫得那麼清楚明白，不但今天德國人看了有所警戒，英國人、法國人、美國人看了也是獲益無窮。又不見英國李德哈特（LIDDERL HART）英國著名軍事評論家，戰史家）澈底研究英國敵人隆美爾，並稱贊他是拿破崙以來歐洲近代史上少見的大將。又不見日本人如重光葵等寫作日本軍事政治之失敗史，叫大家明瞭日本以往戰敗幾至亡國之眞相。

一般人或者以爲寫現實史，說老實話，不啻長敵人志氣，減自己威風。其實不然。因爲歷史是最現實的，好的硬是要好，壞的實在危險，眞假分明，人才畢竟是人才，奴才終究是奴才啊？

認識自己才能獨立

「中國歷史精神」這本書，篇篇精采，語語眞誠，字字珠璣，不但青年要讀，中年人老年人也要讀，尤其是大官們更要細讀。因爲中國人不懂中國歷史，未免太慚愧了。何況不懂過去，豈知未來，遑論現在。雖然大家並不是不讀歷史，但亂世紛紛，那有時間去研究廿四史，就是你有這股牛勁，恐怕也弄不通。錢穆先生乃是今天中國歷史文化眞正的發言人，他替我們這一代省下不少精力，功績眞可謂不朽。今天教育當局，如果眞有學術審識，鼓勵出版，那麼，錢先生這一本書，應該首獲重視，大量翻印供應，視爲全體國民基本知識，必讀之書。

錢先生在書中說：「近代西方人在領導這世界，已有二百多年了。歐洲文化控制了全世界，這是眼前的事。但不要認爲歐洲文化便可以永久地領導統治這世界。第一次第二次的世界大戰，一切問題並未得到解決，第三次世界大戰大概不可免。却爲什麼呢？戰爭並不是人類所希望的，可是終不能免，這原是近代西方文化本身犯了病」。筆者是一個專治世界戰略學的人，深感乎錢先生之言。眼看今天英美加速建立德國和日本的武裝，作爲歐亞兩洲政策戰略之基石，可以說，十年前英美連做夢也想不到的。如今英美只有著美，但吃虧最大的還是我們中國。

錢先生又說：「我們要解決我們自己的問題，應該回過頭來先認識自己。因爲一切問題在自己身上，解決也要在自己身上求解決。若要認識自己，則應該用沉靜的理智來看看自己以往的歷史。中國歷史知識的復活，才是中國民族精神的復活，才是中國傳統文化精神的復活，到那時中國才能眞正的獨立自存了。」這眞是歷史與時代的呼聲。我記起日本伊藤政之助在其所著「戰略與戰術」一書中幾句話，他說：「一講起戰史，中國可謂老家。起義，叛亂和戰爭均爲革命之附屬品。故中國革命次數最多，戰爭之次數亦爲世界之冠。但中國乃一大國，土地遼闊，物產豐富，人民衆多。在高山大河之中所生產的，中國人，自然秉有山川之靈秀。一般言之，事物構成愈大，亦必有其瑕疵，心胸廣大，氣慨長遠。雖戰敗亦不以爲苦，中國人具有這種不在意的風度。例如漢高祖雖連戰連敗，從未忽神經衰弱病，而終獲致最後勝利，貴爲天子」云。日本人研究中國戰史向來十分認眞，而我們中國人自己幾十年來，勦匪、抗戰之成敗得失，反無人澈底研究，也未見有一本好的戰史出現。所謂「知己知彼，百戰百勝」，眞不知從何說起。

結論

總之，錢先生在「中國歷史精神」一書中所提出的問題，無論是政治上、經濟上、國防上、教育上、地理人物上、以及道德精神上，都是最切實，最具體、最根本、最嚴肅的。可以發人深省，感人心脾，限於篇幅，恕我不能在此短文中盡情論述。我惟有改左宗棠的名句爲：「中國不亡民族興，千年復見黃河清」以表示個人熱誠與感動。期望自由中國海內外同胞大家都來細讀這一本五十年來最有價值的書。七月十五日寄於台北

讀者論壇

民主·自由·法治

・陳謀煊・

自由中國急于要反攻，反攻就要有力量，統一才能發生力量，團結才能統一——民主，自由，法治才能團結，——這是一個淺顯而不易的道理。因此，民主要以自由爲基礎，自由要以法治作保障，法治是民主和自由的表現。基於上述，申論如次：

（一）實現民主政治的基本精神

國人企求民主的政治，不是今日始，中山先生四十年的革命努力，就是要實現民主政治的理想。實現民主政治最基本的條件，就是給予每個國民都有平等的權利與自由，非依法律不得限制，同時也必須實現黨派地位平等，容忍異己，成爲現代化的政黨，改變黨派的作風，使就是承認對方存在，所謂現代化的政黨，儘可公開爭取政府，而不受干涉，仍無礙於政府權威的樹立與維持。相反的，却有攻擊政府機能的作用。所以，我們爲反攻國，重建中華，安定中國政治，消除以往政治上的亂源，黨派應該澈底改變過去的作風。須知執政黨總有一天在野的，在野黨也應有執政的一天，彼此設身處地爲對方着想，（即是爲國家民族着想）可以和緩了許多。就自由中國現在來說吧！國民黨，青年黨，民社黨，其他海外各新興的黨派，在相互間都是諍友，而且是難友，都應有高度的熱誠，唯其如此，所以大家都應不容情的批評，不容情的指摘，目的都是希望走向民主大道，及早反攻大陸，復興中國。因此，我們希望國民黨與其他的黨派之間都應有互相容忍的雅量，互相諒解，團結起來。

（二）民主，自由與法治不可分

民主政治的特色，在以人民的意志，爲主權，國家尊重人民的身體，財產，居住，信仰宗教的自由，讓每個人向上發展，自由無阻地發揮其才智和能力。但話又得說回來，自由有各個人的自由與國家的自由。個人的自由，要不妨害別人的自由，尤其要不妨害國家的自由。這個限度的分法，就要有法律來規定，這種法律的創制，必須基於立國的主義和貫澈國家的意志爲最高目標，並且必須經過代表人民議事機關的通過，國家元首的公佈。故法律是國家最高的規範，既約束人民，也約束政府，政府與人民必須共同遵守，法律之前，人人平等，不論政府，人民的一切行爲，均須要受法律的制裁——是即所謂法治。故法治，惟有在民主制度下才能實行，亦惟有實行法治，才能使民主制度的基礎健全，使人民有確實的保障，蔣總統曾這樣說過：「我們爲了保證自由與民主的發展。第一，要實行法治：……」大家都知道自由世界的精神，是民主自由與法治不可分。共黨極權國家則無之。雖然它也在掛羊頭賣狗肉，高唱什麼新民主，但它那種以馬列恩斯作典範而製造的階級矛盾與特務鎮壓控制的統治魔術，以今日自由世界，實行民主自由；法律之前，一律平等；人民權利，不受剝奪與之相對比，它那套魔障，便毫不費力的揭穿了。所以，自由中國，今日要反攻大陸，消滅朱毛政權，就在能否眞正以「民主政治之果實，貢獻與中國大陸人民」（俞院長對合衆社記者說的話）

（三）民主、自由、法治與團結統一不可分

民主、自由、法治之不可分，既如上述，所以，我們的國家，必需要是一個民主自由的國家。而且要建立在團結基礎上的統一民主國家。有了民主和自由，自然水到渠成的團結起來，厲行法治，統一更爲容易。今日我們反共抗俄，所需要的力量，就先要有民主和自由，並且要以法治來保證民主自由的發展和成長。這樣的團結基礎才能穩固，力量才能統一。

今日政府正在實行民主，號召團結海內外反共人士，加緊反攻準備之際，俞鴻鈞氏以院長的身份，竟「面露怒容」的表示他「個人不歡迎」那些「逃脫覆舟」的民選立委赴台。他的理由是曾經「有些人士拒絕來台」。這種「以游離相拒」（文天祥致陸秀夫書語）的態度，殊失中興大業的氣象。筆者不忍多言，希望俞院長和政府諸公，對本日「自由人」（第三四五期）馬五先生寫的「議逃脫覆舟」一文，痛自省察，以慰陷溺于大陸水深火熱的同胞和海外人士的殷切盼望！

顧全校譽學生招殃

課餘補習額外收費

・瓊・

港九各公私立學校，上年度學期告終之時，大多數學生家長爲其子女升學問題遍感煩躁。因爲中學會考制度實行之後，公立學校學額原極有限，而若干私校則爲爭取校譽，大考特別嚴格，留級或藉口續分不足，不予畢業者爲數頗衆；某校學生因羞憤自殺消息已見報載；此種不幸事件，學校難辭其咎，平時課程既不嚴格，管教鬆弛，臨考則又不顧學生程度，驟然提高評判水準，降低續分，直視教育猶同兒戲，此等學校若不加以取締，殊無以挽頹風，貽誤學生實非淺鮮。學期終了考試不及格，學生蹉跎一年時間不去管它，家長們白費金錢也不算，予他們心理上的打擊委實太

所謂教育，旨在導人於正，輔人以智，爲社會儲材。現時有甚多學校，竟視教育如投機買賣。據說有等學校，學生名額不足，始業入學考試之時，扯於爭取業多學生，不惜增加續分；竟在入學之後，又說學生程度不够，必須課餘留堂補習，額外收費；但也有若干學校，於課餘設班補習，確係顧全校譽，指定教師替學生補習，既認眞又不收補習費。前者恒見於初級小學，學生大多數非由幼稚園升入，程度容有不够；後者則係初高中，然亦不能一概而論。今年也許受了新制度的影響，各級學校不及格的學生，數字雖難確計，然一般估計殆係史無前例的。此一嚴重問題若不及時糾正，前途堪慮。

公立學校向不公開招生，校考學生循例先向教育司署聲請。凡是土生子弟，均有優先權利，其次則爲居留久暫，以定取捨，一經認可，再向聲請的學校報名赴試；但教育司署尤須等候各校取新生實際名額之後，通知聲請學生，其間不特公立學校考試日期短促，入學試期錯過，而欲轉向私立學校報名投考機會亦告消失，負這種損失的學生雖然不太多；尤其中等學校學生，每年擬向公立學校報名投考的，學生衆多，波及容納太少，各方咸盼當局能够適時考慮，擴充學校，數量，尤其是漢文中學，如果格於經費，自不妨擴大原有各校校舍，庶免有志投考公立學校學生，不致額滿見遺。誠然，自由祖國對僑生能予充分便利與廣泛而普遍的收容，對於居留地的公私立學校還有什麼苛求呢？

「頑固」的基督徒

・大醉・

最近聽故鄉來人說，戰後才加入基督教的余崇眞夫婦，三個月前竟以「頑固」罪名，而在原籍東江××縣給那些「人民首長」判處了極刑。他們倆是小學教師，也是道地的良民，從沒有過問政治的勇氣。也沒有參加什麼黨派的興趣，他們納粹的教書，拜神，所不同的以前拜的是木彫石刻的什麼「大帝」或「娘娘」，後來是用內心崇敬他們信仰的神，可憐這對良善的夫婦，爲了靈魂的安慰，竟也不容於「人民政府」！

原因是這樣的：

自從××縣土改後，教會在「整頓」的名義下變了質，從前頌揚耶穌基督的愛，改爲宣傳共產黨的恨。前者是被釘死在十字架上也要救人，受難了七十七次也要恕人……。後者是講詭辯，倡鬥爭，挑撥人與人間的仇恨，然後坐享漁人之利，而又美其名曰「共產階級專政」……。

他們何嘗不是參加過「教師受訓」？也和「幹部」們一樣高呼過「毛主席萬歲」……但也沒有用；他們畢竟是人，而不是畜牲，也不是機器，正如要呼吸空氣才能够活命的人，改換了呼吸霉氣，怎麼受得了？……爲了避免「整頓」了的教堂呼吸霉氣似的那套使心靈不安的「證道」，他們把到教堂參加禮拜的時間，改在自己家裏做家庭禮拜，就……送掉他們的命了！

他們實在太「頑固」了；也太使人感動了！起初批評他們的時候，「在魔鬼面前要站得住」他們又說「要和耶穌一樣拒絕試探」……。他們拒唱鬥爭大會上「人民讚美詩」。他們說：「天父」和耶穌被釘十字架的時候，他們是前受到同樣的……人是有痛苦的……[illegible]……他們說「施比受更有福。」

閒話宣傳

馬五先生

宣傳工作對現代人類社會生活的重大關係，人人能知之，亦能言之。可是，[illegible]人人會變，各有巧妙不同，而宣傳之術，[illegible]矣！

無論運用任何類型的宣傳術，有一項基本原則，必須認識清楚，牢牢地把握着，即所謂宣傳的對象是外向的，決非以內向爲主。否則變成了自我陶醉的玩意，其效力將等於零，此宣傳機關報之所以不易見功也。

宣傳術之最上者，知所本末，使人們自然而然地隨着宣傳的觀念前進，形成普遍意識。最拙劣的作風，就是[illegible]眼，事無鉅細，一味地孤芳自賞，顧盼自雄。這其間，需要有相當的智慧，匠心獨運，方能獲致預期的效果。神而明之，存乎其人，決非隨便甚末人都可以勝任的事。

我們自由中國現在行的是民主政治。民主生活的最要條件，就是還要容許有不同的意見發表，而歸本於多數取決。所以，議員們對政府當局的政治措施多所批判檢討，報紙上一一尤其政府的機關報多所記載評論，正是表現着民主的眞精神。只要不洩漏國家機密，不妨害現行國策，在宣傳作用上，是有益的。如果[illegible]，那表現內部不一致，有礙國際觀瞻，那就是差之毫釐，謬以千里的觀念，世界上宣傳思想表現得最一致的國家，莫過於蘇俄了。所以，法國文學家紀德從蘇俄游歷回來說：「跟一個俄國人說話，等於跟全俄國人說話」，難道我們也要表現着種「一致」的景象，才合乎民主原則不成麼？

宣傳上最忌諱產生相反的副作用。最近看到一項出自官傳機構的消息，引述大陸上某[illegible]報紙[illegible]共黨開會不休的文字，意在暴露共幹們的腐敗和爭權詭態。殊不知無形之中，竟替那人作了義務宣傳，因爲這是表示大陸上還有譏評暴政的可能哩！

宣傳是重要的，幹這項業務的人才，尤其重要！

贊公房問詩記答（下）

說韻與平仄

・賴愷元・

（一）

往歲汪辟疆先生出示陳弢庵先生評其詩一橫披，內中有善用韻一句，余曾以何謂善用韻，問孫念希老人，據答：所謂善用韻者，依愚揣想，只有三個可能：一、險韻押穩。此須胸富典故，擅善鑪錘。於步韻重叠往返最需。二、窄韻選能。不忘生僻，於詩之表庭强意態者最宜。韓昌黎似擅此。三、選用韻部，與詩境協調。緣聲情爲互相發動之物，欲其交融而不欲其兩殄。妄謂杜公贈哥舒翰排律，意取雄渾，則用一東。其贈汝陽王璡，意取清迴，則用十蒸。其中皆有機契。

（二）

用韻格式。據愚時歸納，只得如下六軌：

甲、一韻到底。五七言同。起句可入韻，可不入韻。

乙、四句一轉。四句中第一第二句連入韻，至第四句滿三韻而止，五七言同。

丙、一韻到底。每句押韻。此爲柏梁體，限於七言。

丁、兩句一轉。或三句一轉。此二體中，句句入韻。二體皆見岑嘉州作。限於七言。

戊、長轉短轉相間。長者或四句一截。或更至四句以上，其中間以短者。（此限於七言，）每以兩句爲其轉軸。此兩句互爲韻，而上下皆異韻。二句爲起結者亦有之。

己、長轉相承。長不止四句，經三五轉而畢。

常軌宜於甲，乙求之，乙，太平。丙，丁，戊，太激，激者非情景合不可施。

（三）

長短相間之例略如左：

一、兩句中軸例：

韓愈八月十五夜贈張功曹。（於非軸處但標韻不舉全句）

一起河，波，歌，四句三韻，接兩句「君歌聲酸詞且苦，不能聽終淚如雨。」此兩句苦雨二字，互相爲韻，是軸。下接高，號，逃，臊，皐，八句五韻。下接「赦書一日行萬里，罪從大辟皆除死。」此兩句里，死，二字互相爲韻。又是軸。下接遷，蹇，研，讞，間，艱，八句五韻。下又接，[illegible]，多，仙，何，五句五韻。

（註）所謂軸者，指押韻之[illegible]二，與意義不相涉。

二、兩首兩句自相爲韻，上下轉韻例：

高適送渾將軍出塞：「將軍族貴兵且強，漢家已是渾邪王」。

劉禹錫平蔡州三首中第二首，「蔡州城中衆心死，[illegible]」。

三、[illegible]兩句自相爲韻，兜尾例：

[illegible]

遙祭黃陵

・郭敏行・

設位孤懸地，招魂大水濱。天涯遙祭奠，海角暗悲辛！萬馬披荊立，千軍櫛棘巡。吞聲規舊業，忍死欲亡秦！

與衣雲超哉慨談鄉賢往事

匡廬天下秀，風骨自嶙峋。介甫眞能相，文山的可人。詞章千古重，忠義萬年新。放眼殊堪痛，滔滔幾竊臣！

嘉定屠城的李成棟

・狷士・

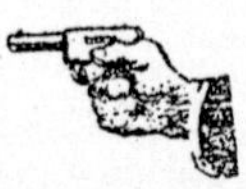

最近本港出「萬世流芳」[illegible]一片，主角李成棟，便是清初入關屠嘉定城的人。據嘉定屠城紀略云：「崇禎殉國之次年乙酉六月初六日，清將李成棟，[illegible]，率領二千，鎮守吳淞，是夕以百餘艘[illegible]步騎二千，沿東關外，初七日過羅店鎮，大肆淫掠，婦女不勝其辱，死者七人，從兵大掠，西至月浦羅店，南至江灣楊家行，北至錢家樓，[illegible]驟百姓[illegible]，自殺，其妻子[illegible]……磚橋東，清兵乘勝直前，走者不知所爲，[illegible]交，相踏溝死，[illegible]不計其數，前阻大河，幾兵一一撲沒水死，[illegible]，尸僵陸下，一望無際，成棟大陳兵伏，[illegible]鄉兵所架高台及兵入鎮，肆行屠戮，共殺一千七十三人，[illegible]，悉去衣裙，淫穢溝瀆，不可名狀，分部括取金帛，滿載往婁東。」

又「嘉定本縣城，嘉隆間倭奴屢擾，[illegible]」

攻不能下，成棟[illegible]大炮轟之，[illegible]……闖草澇棘，必用槍亂攪，[illegible]兵丁每遇一人，輒呼蠻子獻寶，其人[illegible]兵脅取如前，所獻不多，盡則殺，故僵屍滿路，[illegible]入匿路草中得免，竊見[illegible]殘近，之命之認，嘻雖[illegible]以後雖閨[illegible]然不動，[illegible]刀，大呼恐嚇饒命，至[illegible]勝計，骨肉狼藉，[illegible]望[illegible]，也數千人。三日後自[illegible]浮藏露河，白齊浮於水[illegible]……一見輒殺，大家閨秀，[illegible]者皆生[illegible]，白晝於衢坊[illegible]，其兩手于板[illegible]不從者，[illegible]其兩手于板[illegible]重婦節，慘死者無數[illegible]集民船裝載金帛子女及[illegible]殺而去，初十日士民始[illegible]非蕭然，無不大哭，[illegible]元吉者，尤殘暴，因[illegible]鞭髮爲名，日出行刦，[illegible]許，勸以百計，雖遇親[illegible]其父鳴鹿，素長厚，得[illegible]大大號，元吉怒而殺

日甚，與朱[illegible]分部殺掠，數十里內，草木朱殷，時城中無主，[illegible]成郎，惟三四僧入，撤取屋木，[illegible]之，民間炊烟斷絕。

忽婁東成棟別將浦[illegible]兵至，民衆，不勝憤，而數之曰，[illegible]六，我嘉興太倉一水之隔，嘉定[illegible]出十日，汝復公然來作賊，狗鼠不食，[illegible]而反走，歸愬成棟曰，嘉定恃其[illegible]，將復叛矣，成棟怒，二十四日遣婁東降將萬識昌等，率兵至葛隆鎮，本鎮劉教王遠等，集衆約千餘人，推牛盟誓，連合外岡鎮鄉兵，吹角鳴鑼，通設大砲，挺刃挨戰，清兵稍郤，二十六日五更，成棟率大隊至，鄉兵未集，清兵逕入鎮，屠人尚未起，[illegible]行屠戮，流血沒踝，乘勝居[illegible]外岡鎮，[illegible]以嘉定初破，然不剿絕，後必有變，內力勸成棟，再屠其城，是日[illegible]者，幼弱不留，遺民重足而立，男婦悉用亂草叢頭伏水中以避害，遠近[illegible]髮，稱順民。

是役也，城內外死者二萬餘人，設誅以來，絕無僅有之異變也」，觀此則李棟誠萬死不足蔽辜，雖然他後來反清復明，也不能推卸殘殺的滔天罪行的。

中篇小說　金[illegible]

・勞影・

看看錶，已經七點半，心裏一驚，連忙從床上跳起……趕到華西街時，八點過二分。沿路街門都還沒有開啓，這一帶因爲生活方式不同，門戶關得更緊了；巷子裏冷清清地，我眞担心來得太早了；或者阿梅已經忘記了她的諾言——噢，不會的，昨晚我看到她悄悄地擦過眼睛，假如男兒的眼淚貴過黃金，則一個神女的一滴淚水比一滴聖水還要珍貴。

我沒有想錯。

我的車子剛進小巷子口，阿梅已經換了一件黑色大衣站在台階上等我，我驚喜地從車上跳下，快步跑上去[illegible]手說：

「我[illegible]相信你會等我。」我握住她的[illegible]

「我也相信你會來！」她很高興，朝我一笑，用手指指屋裏：「別吵醒她們，跟我來吧，你的手都冷了。」

我們輕步走上房間。

「老太婆沒有關係吧？」我低聲問

「她不同娘姑娘們的熟客多，」阿梅說：「她就怕姑娘對客人發生眞感情」——她希望我們的注意力祇在金錢上！」

「你以爲她的看法對嗎？」

「她的看法並沒有錯，」阿梅嘆了一口氣說：「而我們對任何一個客人也就是這個樣子。」

「就像待我這個樣子？」

「這個樣子又怎麼樣？」她捏了我一下，輕輕地笑了。

「你要和我說什麼？」我停一停問

「說什麼？」她反問我。

「不然我這麼早會來？」

她忽然絮着自己的手指尖，呆呆地不發一語。

雖然我不知道她將說些什麼，心卻跳得很厲害。

之後，她轉身抽開抽屜，似乎在翻尋什麼。

「把你眼睛閉起來！」她背對着我說。

我照做了。

「把你的手伸出來！」

我也照做了。

我感覺到她把一塊涼涼的硬紙片塞在我的掌心裏，我也忍耐不住了，低頭偷偷睜開眼，我快活得跳了起來，啊，一張照片。

照片和她的人一樣美：一頭蓬鬆柔和的秀髮，雙眉細長，兩眼又圓又黑，眼角的那一抹暗色的魚尾紋顯得更深了，鼻樑挺直，鼻尖俏皮地微微向前翹出，嘴唇拱成一個醉甜而動人的弧形……大概攝于早秋，在那翻起的洋裝衣領下，我看到一串乳色的掛珠隱在豐腴的頸胸間。

我情不自禁地吻了一下。

她要來搶，我藏到背後。

「你要再這個樣子，」她瞪大一雙黑眼說：「我就收回了！」

「我回去了以後，」我說：「你用什麼來監視我呢？」

「你敢再說！」

「我敢——敢不聽你的話嗎？」

她的嘴角往下沉，帶着又恨又怨的可愛神情咬牙笑着轉過頭去。

（十四）

（說韻與平仄）

（四）

[illegible]，誰家搗練風淒淒」此兩句中之月字風字皆是。五言如義山之「薄宦梗猶泛，故園蕪已平」梗字蕪字亦是。

通首多處錯綜用之者；例如老杜「城尖徑仄旌旆愁」「獨立縹緲之飛樓」兩首黃碧稻白鶴棲」兩首此通首多處錯綜用之者。

（五）

在五言律中可能讀見許多怪聲。如上句有五仄，兩端四仄及上三仄下三仄，下句上三平下三平等平起之三四五換。下句有上三平下三平等句。此等異常破格之句。非有多處錯綜以互爲匡軒抗墜，則孤偏過甚，讀去必至梗喉。此但歸入於處錯綜一類中，配合研究之，不能獨立看作一種法式也。

拘是律體中之變律。不是平仄讀訛用乖其序之失粘。而亦不同於平仄無拘束之古。然五言古者有通三句如五律之調平仄，則將有感其不似古之病。七言古作家，亦對於押平韻之句，亦多喜取第五字之爲平聲，以示蹻健。有時落五、六、七、字連用三平，而讀去更別有姿勢，此亦古體中平仄之拘束也。

（完）

荒唐集

康有摘譯

一個丈夫，本來是很喜歡動物，從不多沒有不喜歡的，上法庭控她太太一狀，就祇因爲不能忍受她那要把她的小猴子放在他床上睡的習慣。法官對這案子採取了一個意想不到的處分，讓妻子離婚，而由丈夫給予贍養費，而因爲這個丈夫呆到不會把猴子丟下床去。

× × ×

自由人

THE FREEMAN

（第三五五期）

中華民國僑務委員會
頒發登記證僑新社字第一零二號
中華民國內政部登記證第一類新聞紙類
（半週刊每星期三及星期六出版）
每份港幣壹毫
台北市售價合新台幣七角
督印人：羅夢冊
社址：香港高士威道廿二號四樓
3 rd. fl. 20 CAUSEWAY RD HONG KONG
香港發行及事務接洽
高士打道66號　電話：七四○五三
承印者：東南印務出版社
地址：高士打道六十四號
海外總經銷
友聯書報發行公司
香港九龍彌敦道中二十六號A二樓
台灣特派員辦事處
台北市館前街五十號
台灣總經銷處
台北　中華路五九四號之一
台灣郵政儲金戶九二五二

特級附庸——中共

。。張風行。。

記者寫此文時，正値法國在日內瓦會議節節退讓，越南停火簽字已勢在必行。杜爾斯此次返巴黎與艾登及法朗士會談，必然係以建立東南亞聯防爲條件，而答允不干涉越南停火協議。美國之用意在給予英法眞正認識蘇聯之擴張是否有限，以及與蘇聯和平共存是否可能。苟停戰談判失敗，英法與美國加緊團結聯防，苟停戰協定簽訂成功，亦可以如韓國之暫時竄下一幅防堵據點。共方如再進侵，英法縱欲妥協，亦無法自解，不能不有聯合抗敵之行動了。

「頭痛醫頭，脚痛醫脚」的辦法未可厚非。第問題在止痛後是否有廓清病源之決心而已。

苟安心理的根源

蘇聯擴張爲世所周知之事，但謂苟安者竟不知蘇聯之火終及己身耶？不致燃至己身。然而他們的心目中有兩物：長久「苟安」者，在（一）原子武器，（二）狄托型的國家可以自然出現。謀妥協者對原子武器的觀念，即（一）美國原子武器優勢可維持至相當時期，（二）繼續使蘇聯顧忌原子武器上美國，亦不敢輕易啓釁。（三）如蘇聯果有發動原子大戰之可能，則更需求外交上的調和，謀蘇聯之同意，不然，己身將首蒙原子彈之禍，非妥協不可。

於共「鐵幕反叛」自然型國家之脫胎，乃基「變化論」。爲自一九四八年夏，南斯拉夫的狄托元帥與蘇聯集團的共產國際樹立反叛旗幟以來，實令蘇聯在國際上的聲威大受影響。如希臘共黨游擊隊的失敗，蘇聯柏林封鎖政策之失敗，尤有甚者，因狄托的國家第一主義給國際共產主義以思想上巨大的打擊。在東歐各共產國家中，出現了狄托主義的人物。如捷克的外長克門蒂斯，匈牙利共黨首領拉伊克，保加利亞的狄米脫羅夫，羅馬尼亞的安娜巴克等，或受審殺，或受鬥爭，蘇聯惶惶不安，加緊控制。因此謀妥協者幻想終有一天中共可能發生自然變化而脫離蘇聯的控制，是則不費絲毫力量可以遏止蘇聯的擴張了。

此種見解亦有一部份理由。但筆者認爲必須「蘇聯沒有中共，「苟安」才可延長。

中共對蘇俄的作用

中共之爲蘇聯之附庸也，與東歐諸附庸之性質迥異。簡而言之，蘇聯有了中共可以發生連鎖擴展。但東歐諸附庸祇限於作附庸而止。而不能爲蘇聯作擴展之工具。試看西鐵幕能有半寸之擴展否？反而自一九四八年以後鐵幕現有岌岌可危之崩塌現象。但東鐵幕便大不同了。中共作蘇聯擴張之工具，更推動北韓越盟，發生連鎖反應的擴張。今日之越南實爲最明確之例證。由此我們首先認識中共並不是像東歐諸小國不發生連鎖擴張作用的附庸。這是謀苟安者在今天越南的局勢上首先應認識的第一點。

第二點應認識的，是蘇聯將中共與原子武器有同等價值，甚至其價值超過原子武器。

一九四八年南斯拉夫既脫離蘇聯的控制，引起危殆情形已如上述。但當日中共在大陸戰場上節節勝利，至一九五〇年中共完全佔領大陸，而史毛二人簽訂同盟協定後，蘇聯從劣勢反轉變爲優勢。從此以後，使中共在東方製造緊張局勢，分散西歐力量，而令自由國家因對中共的態度相異而發生意見分歧，終容拆散自由陣綫。中共北韓越盟逐步蠶食割。沒有原子彈的史太林，賴中共以維持其聲望，更恣意的侵略，毫無忌憚的進攻南韓。在沒有史太林的俄國，亦賴中共去困擾西方，不特克姆林宮政權穩定，而且還有今天在越南的成就。

中共是蘇聯擴張工具

蘇聯以中共向亞洲滲透蠶食，美國雖擁有原子武器，亦一時無法施用，因爲中共是使自由國家發生歧見的東西。原因在：（甲）中共似可能產生狄托，但其實不可能。（乙）許多國家誤認中共政權足以代表中國人民。（丙）中共利用民族主義去作騙人的幌子。（丁）以爲中共足以對抗日本保持東亞均勢，以及中共在地理上遠離英法，不能給他們以直接威脅。西歐各國以及亞洲國家不知蘇聯利用中共實行間接滲透蠶食的厲害，所以始終不放棄與蘇聯謀妥協的幻想。美國格於此種形勢，痛癢地不敢用原子武器。

可是中共不是延宕大戰的反而是加速大戰的主要因素。就是因爲她是蘇聯實行擴張的最好工具。越南之失，在好的方面着想，當是開始覺醒自由世界的信號了。東南亞各國應該知道蘇聯的擴張加速進行。澳、紐、印度、印尼、亦感到不能高枕無憂了。總之，東歐附庸國不能發生擴張作用，而中共令全世界大戰危機迫近，是無可否認的事實。

反之，假如沒有中共，的確可以和蘇聯共存苟安。其理由至簡，即從上述的理由作反面着想即可。簡言之，蘇聯無擴張之工具，東西即可苟安。假如沒有中共，何從發生越南韓國的問題？日本非三十年以上不能獨力恢復戰前的向外發展的力量。（自戰後十年到今天方告穩定經濟基礎，而且還未）東南亞可告長期安定。西歐國家無東顧之憂，蘇聯更無法向西擴展。法國可以從速批准歐洲軍協定，德國可以在均勢下建軍，成爲西歐一穩定的力量。至此時，英國目前夢寐以求的「洛迦諾公約」亦可以實現。此種情形之下，縱使美蘇原子武力平衡也可以維持至相當長久之時期。此時英法大可以大做苟安之夢了。所以我們要苟安，也要有消滅中共之道。無他，消滅中共政權即可。

緩和緊張先滅中共

我說苟安是保守的說法而已！其實蘇聯若長久時期內不能擴張，必起內部變化。鐵幕政府亦隨之而崩潰。蘇聯的極權統治是要擴張的，要吸取附庸國的營養源，去緩和國內人民的危機，以緩和舊附庸國的危機，再用新附庸去，才能維持其政治壽命。

因此，在今天以領導反奴役極權自任的美國，應把握着問題核心，欲解決世界局勢緊張的問題，不必憂慮和蘇聯怎樣攤牌，而祇是先解決中共即可。如解決了中共，不但立即回復到一九四八年的形勢，而且鐵幕可能立即搖動。我看美國對蘇聯之道，千萬頭緒，亦唯有這一條途徑最切實而中肯。

或曰，中共豈易解決哉？曰：他無不能之事，不爲而已。中共之能淹有大陸，實爲美國當時的政府「一筆勾銷」之賜而已。在今天大陸民心完全叛離的情形下，中共的二三百萬兵是不能長恃的。解鈴還是要繫鈴人。中國是在中國人之手上失去，亦必然由中國人光復。越南已矣。美國戰術家司令魏德邁將軍說得好，如果中共行動促使美國參加越南戰爭，美國將不直接在越作戰，而將以原子武器轟炸大陸共區，而不致引起蘇聯參戰，蘇聯除了這個特級附庸，便無所憑藉了。

危國反共勝利及其影響

·柳鳳桐·

危地馬拉爲中美之重要國家，雖僅有人口二百八十餘萬，幅員不過四萬八千餘平方英里。但以盛產品質優良之咖啡，及香蕉，且地處太平大西兩洋之間，勢當南北美洲之要衝，頗具戰略價值。故蘇聯指揮下之共黨國際，擇定該國爲滲透之起點。

大戰後危共得勢

第二次世界大戰時，危總統本有親納粹跡象，因之民怨沸騰，英美亦爲之側目。一九四四年十月，該國發生革命，左傾勢力漸漸侵入。革命後，首任總統阿雷弗羅統治的六年期間，共產黨建立了穩固基礎。第二任總統阿耳本士於一九五一年繼任，更進一步，借共產黨力量以鞏固其個人政權。不特工會農會爲共黨份子把持，即政府各部及外交機構中，亦爲大量共黨所滲入。依照危國憲法，總在禁止之列。但總統阿耳本士竟容許危國共產黨以工黨名義登記爲正式團體，參加競選。致有四名共產黨徒當選爲議員。此外如土改法令之通過，農工份子之囂張，危共及其他左傾份子紛紛赴蘇聯朝拜，在在足以說明危國左傾勢力日漸擴大。

危國政府既日漸左傾，此反映於外交上者，則爲親蘇反美。舉凡蘇聯一舉一動，危政府均表贊美。即聯合國大會及其他聯合國機構中，危國代表亦每與蘇聯及其附庸國，隨聲附和。危共機關報及半官方和官方報章，幾乎每日均有推崇蘇聯的文章，同時大肆反美宣傳，對美國在危經濟投資事業，如香蕉公司，危國電業公司，和中美洲鐵路公司等，均盡量攻擊。本年五月十五日，危政府更由鐵幕國家運入捷克造軍火一千九百餘噸。處心積慮，希望在拉丁美洲建立赤俄之侵略大本營，乃益趨具體化。

反共軍突然起義

美國以與危地馬拉相距咫尺，且恐巴拿馬運河遭受威脅，乃聯合中南美洲各國，擬於本年七月初旬舉行外長會議，以討論應付之策。當此之時，適有危國流亡人士加士提留中校突於六月十七日由洪都拉斯率反共軍攻入危國。將以消滅國際共產黨徒在危國勢力爲己任。其所部羣衆，多爲數年來不容於危國之反共健將，中有學者、名流、醫生、學生、工程師、公務員及退役軍官等，爲數在三百名左右，但對外宣稱爲五千人。彼等所持槍械均極精良，且有新式飛機。每日輪流空襲危國港口及首都。以斷絕危國對外交通。並轟炸危國儲藏汽油之汽油庫。蓋汽油庫均仰給船來，一旦汽油告罄，則危國一切均將停頓，即共軍隊之調動亦將大受影響。此爲反共軍戰略之一大成功。

危國政府軍雖有五六千之衆，但平時缺乏訓練，且武器窳敗，無法與反共軍相比。由鐵幕國家運來之一批軍火，多係笨重之大砲及防禦戰車用之地雷等項，殊不適用。故雙方交火之後，政府軍立即慘敗，傷亡頗重，數達三千名左右，於是軍心動搖，全無鬥志。

親共政府終告崩潰

政府軍隊既已無法作戰，危總統阿耳本士猶欲利用民兵，急將共黨平日所組織之農工羣衆加以武裝，臨時集合者約千餘人。但屬烏合之衆，毫無作戰能力。尤可笑者，在大西洋某港口竟有數百名之印地安人，手持大刀，坐列於海邊，面向大洋，以待反共軍之來攻。此蓋無知識之農民，因受共黨煽惑，以爲大刀可以對付機關槍也。六月廿七日，政府軍參謀總長狄亞斯上校見大勢已去，乃強迫危總統去職，自任爲臨時總統。翌日又另請二人共同組織三人軍事議會，統治全危。並僞裝宣佈共產黨爲非法組織。反共軍領袖加士提留立即表示反對。認狄亞斯本人即有左傾之嫌。於是提出哀的美敦書，迫其去職。由蒙松上校另組三人議會，於三十日雙方在聖薩爾瓦多舉行和平會議，新政府正式成立。於是左傾九年半的危國政府遂告壽終正寢。國際共產主義在拉丁美洲的勢力亦遭一嚴重打擊。

危共失敗後的影響

此次親共的危國政府之傾覆，對世界共產勢力，有重大影響。第一、目前中南美洲之共產勢力，相當猖獗，爲中美洲之哥斯達里加，南美洲之英屬圭亞那、波里維亞、及智利等國，均有不少的共黨潛力。

（下轉第三版）

每週展望

·旭軍·

蘇俄國際會議的用意

本月二十四日蘇聯向西方三國提出照會，建議[illegible]歐洲各國及美國參加[illegible]集體安全會議，以討論如何組織歐洲集體安全制度爲主旨。[illegible]

蘇聯此次照會主要目的，在假藉歐洲集體安全制度以破壞歐洲軍的組織，以阻止德國建軍。足以說明蘇聯欲求瓦解北大西洋公約組織，與蘇聯共產制度共存」的言論可與蘇聯的實行滲入[illegible]。該集團係對蘇聯侵略的一個基本原則。[illegible]

[illegible]

中共爲何擊落民航機

中共飛機擊落國泰民航機一事，至記者爲文時未獲確實消息。但中共自稱是由於誤會爲台灣國軍飛機，則係厚顏的謊言。以當日之天氣清朗，與國泰機的顯明標記，此種藉口，實屬可笑的荒謬。故可斷言此事件係中共政府有意識實現一種陰謀的行動。

我們可以測度中共有幾種的動機：（一）海南島係共黨南進重要基地，不容自由國家的任何飛機接近探察。不惜以國泰機作一警戒例子。（二）台灣與泰國爲美國積極援助的對象。[illegible]（三）[illegible]亦屬可能。但中共政府欲維持世界緊張局勢，使之有名目。（四）顯示中共在東南亞的威力，以測探各方的反應。

從上述觀之，我們亦可看出幾點：（一）中共以海南島爲準備大戰之重要基地，[illegible]共黨有席捲東南亞的野心。（二）[illegible]（三）[illegible]對於台灣之反攻[illegible]

中共的「一長制」

控制工人日加嚴密　剝削勞力愈趨殘酷

・沈秉文・

中共對控制及奴役工人，手段日加嚴酷。繼「整飭勞動紀律」，設立「專門法院」，「勞動保護庭」，以及「同志審判會」等機構之後，最近復宣佈全面實行所謂「一長制」，以加強其高度的統制性。

變本加厲的工頭制

所謂「一長制」，照中共在天津大公報的解釋：就是每個生產部門都有一個全權的領導人。他對所領導的生產部門，各種工作都可以全權處理，並對上級負完全責任。凡在他領導下的工作人員，都必須絕對服從他的命令。因此，所謂「一長制」，也叫做「個人專責制」。換言之：所謂「一長制」，就是加強各廠礦中各級生產組織的統一控制。

此一制度，也完全是蘇俄廠礦生產組織的翻版。據中共自述，目前所以採取此一「先進」的「經驗」，乃基於兩種理由：其一：鑒於以往各廠礦中黨和行政之間的職權與工作混亂，嚴重地妨害了生產。混亂的主要現象，是黨組織的盲目干涉，形成了多頭的領導與不必要的紛擾，或形成了傾軋與推諉。使整個廠礦生產的領導工作，陷於無計劃，無秩序，乃至成為眞空的狀態。其二：鑒於以往的多頭領導，對工人控制不能劃一，且欠嚴密，給工人「鑽了空子」，減低了工作效率，影響了日常的生產定額，不能按照要求完成或「超額完成」。

基於此種理由，中共乃將各廠礦的生產組織，單純而嚴格地劃分為三個領導層。其一，即廠長或經理在整個計劃或業務上，對上分別向主管機關及本廠礦的黨委負責，對下統一向車間主任發號施令，除廠長或主管生產技術的副廠長以外，任何科室主管已不再有權指揮車間主任。其二，即車間主任負責對本車間生產計劃的編制與執行，向上直接受廠長或主管生產技術的副廠長領導，對下全權指揮所屬各工長。其三，即工長直接對車間主任負責，而全權指揮和控制所屬工人。此節，實即所為一變本加厲的「工頭制度」，亦即為「一長制」的主要目的所在。蓋中共實行「一長制」的主要目的，即藉口為生產而「絕對服從」的理由，通過工長的絕對權力，而具體表現之。此點，可從工長的職權中一覽而知。

工長掌握了工人命運

工長的職權是：

一、工長是工礦企業最基層生產的全權指揮者，一切命令必須通過工長而下達。

二、工長為專任職，不担任本職以外的工作。

三、工長有權以紀律處分違反勞動紀律的工人。

四、工長有權撤銷工人的工作或使用新工人。

五、工長有權決定工人工資等級，並有權審核產量定額（即每日生產指標）和計件工資單價。

據此，中共實利用工長的絕對控制權，以掌握工人整個命運——包括工作、待遇、勞動強度，生產定額，乃至身體自由等。因此，可見實行所謂「一長制」的主要目的，乃在藉「制度」以加緊奴役工人。

三堂會審　引起反抗

但據本月六日「人民日報」，指出：「一長制」實行的經過，並不順利。其主要原因，不僅工人普遍引起反感，實行頑抗。即一般工長，亦因生產的要求過高，而深感困惑。

該報指出：過去，領工員和工長都是各人照自己的打算佈置工作，現在要嚴格地按計劃辦事，有些人就嫌麻煩，實行計劃管理和「一長制」後，對完成計劃的要求非常嚴格，不管那個單位，當天不能完成任務，在每天一次的日常生產會議中，就要受到嚴厲的批評。很多人受不了這種嚴厲的批評，不少車間的領導幹部都跑到黨委會訴苦說：「不行呀，對計劃要求太嚴格了，那能吃得消！」更有些幹部（指工長）吵嚷着說日常生產會議是「三堂會審」，（「三堂」，係指黨，行政和工會）。「不講民主」，「強迫命令」。因此，該報說，很多人「抱屈不滿」，「消極退縮」。例如中共江岸機車車輛修理二廠，某一車間的六個工長都「鬧情緒」，其中有四個已「呈請辭職」。該報又說，有些人「甚至抗拒批評」，「向領導上做假報告，作空保證等」。

剝削勞力有加無已

該報又指出：有許多工長受不了車間主任在日常生產會議中的嚴厲批評，甚至到了「公然反抗」的程度。在車間主任訪問時，竟有人坐着，置之不理。至於工長之受嚴厲批評，是由於日常計劃不能完成；而不能完成的原因，乃在上級交下的工作定額過高，不是工長用權力強迫工人，所能完成的。

根據上述報導，中共實行「一長制」，雖極嚴密，成效仍屬有限。惟其鎮壓工人，剝削勞力的方法，則已愈來愈見嚴密，愈來愈見殘暴矣。（完）

▷美國「一九五四年敎師」魏德鑾全家訪問艾森豪總統。

人物述評

馬步芳棄守蘭州經過

吳彥傑

（一）

三十八年秋西安陷共後，彭德懷率部遠沿約千六百華里的甘陝公路，向西挺進，直薄蘭州，進迫西北軍政長官馬步芳的青海部隊。當時馬步芳亦待共軍逼近蘭州約四百華里的定西，甘草店一帶，才開始激戰。當時稍有軍事常識的人，總認定這是有誘敵深入，然後聚殲用作的。因那時遠處蘭州前方約二千里的東南漢中一帶，胡宗南所部重兵，至少在十五萬以上。蘭州前方，東北角上，馬鴻逵的寧夏步騎兵，亦至少在五萬以上。共軍不顧南北兩側翼的重大威脅，深入袋形地帶千餘里，以進犯蘭州。設胡宗南由漢中出天水取定西，馬鴻逵經寧夏中衛取甘肅平涼，鎖緊袋口，堵擊共軍後路，則彭德懷的野戰軍十八萬人，雖插翅難飛，必然全軍覆沒矣。

未幾，共軍攻抵蘭州近郊，原來駐甘國軍約十萬人，因各將領受北平張治中派來之屈武誘惑於外。又因第八補給區司令曾振武煽惑於內。以致拒抗長官公署命令，一味向河西走廊後撤，於是馬步芳雖負西北軍政長官之名，實際號令不行。在蘭州一帶苦打硬打者，僅其本身所部之數萬青海部隊而已。

（二）

八月二十日後，蘭州已被包圍。馬步芳所部憑皋蘭山脈與近郊黃河兩岸工事，扼險死守。共軍以優勢砲火與人海戰術猛撲，作劇烈之陣地爭奪戰。馬氏所部以逸待勞，共軍傷亡之重，倍於國軍，前後犧牲約二萬人。雖陣地略有陷落，但捷報頻傳。八月二十五日，蘭州狗娃山一役，又擊斃共軍二萬餘人。彭德懷的進攻，戰鬥兵約十二萬人，文工團與政治人員等雜色軍佐約六萬人。分兵四分之一，迂迴襲擊青海。屢次攻擊，因犧牲過重，已下令全綫撤退三十里，從事整理。狗娃山大捷電報傳到後方，新疆馬呈祥騎兵指揮部所辦之天山日報，曾發號外。但當時新疆各民族以漢中寧夏數伏不動，馬步芳孤軍苦戰，對於西北戰局，已不敢樂觀矣。未幾，蘭州陷落消息果隨狗娃山捷報接踵而來。大家亦祇有歎息而已。

蘭州屏障河西走廊，管轄青海寧夏二省，南衛四川西康。蘭州既失，青海寧夏與四川西康，必然陷落，殆屬無疑。蘭州得失，實關係西北西南整個局面之安危。

（三）

蘭州陷落後，共軍分兵五萬進攻寧夏。時馬鴻逵已飛抵重慶，僅由馬鴻賓軍長在靈武渡河處迎擊，斃共軍萬餘人。為僅次於狗娃山之大捷，外間至今猶不知此次大勝之確實情形也。寧夏部隊，固為勇敢善戰之部隊，但兵力有限，獨力難支。此時甘肅已無兵可調乎？則駐甘國軍三十九軍（該軍副軍長黃祖勛率一部在祁連山脈打游擊）及一一九軍，一二〇軍，三個軍共約十萬人，竟一味向河西走廊後退。官無鬥志，兵恨官奸！除沿途散失外，迨曾振武為國軍投降代表團首席代表，率各軍師投降代表，在酒泉向彭德懷投降時，尚存殘兵三萬人也。徒因氣節陵夷，或存越瘠秦肥心理，以致整個西北擁有比較彭德懷多出一倍以上之兵力，與據可守之險地！竟遭受各個擊破之慘禍。思維往事，曷勝悲傷！

（四）

當狗娃山大捷，敵人全綫潰退之後，整個西北竟相繼淪亡。筆者始終大惑不解，後晤甘肅永登縣長王尚仁，與西北軍政長官公署上校參謀某於迪化。細詢蘭州陷落情形？據稱：「西北之戰，蔣總裁曾召集馬步芳，胡宗南，馬鴻逵三人，面議機宜。先由馬步芳誘敵深入，再由胡宗南馬鴻逵二部，從漢中寧夏分別包抄共軍後路。然後馬步芳開始反攻。中央並決定派重轟炸機一大隊，赴西北助戰（是時共匪尚無空軍）。以期實現殲滅彭德懷部的預定計劃。惟迨共軍攻抵蘭州近郊，馬芳步已展開激戰，中央僅派轟炸機一隊，飛臨西北上空一次。漢中寧夏，亦不如約出擊。馬步芳遂陷於孤軍苦戰。狗娃山大捷，共軍全綫潰退三十里，馬步芳當時喜出望外。旋得報共軍已迂迴攻抵西寧近郊，青海部隊已悉調前方，西寧空虛，心中遂大受刺激，但尚决心撐持。此時蘭州近郊陣地，經共軍數日集中砲火轟擊，陣地守軍，僅存十之二三，又無預備隊可以補充調整。一方面電調馬繼援所部騎兵，星夜馳援。一方面以電話致寧夏馬鴻賓，迅速增援蘭圍。詎馬鴻賓竟加拒絕。形勢至此，馬步芳知事不可為，故於共軍退卻四小時之後，放棄蘭州。翌日彭德懷聞訊遂進駐蘭州。馬繼援所率騎兵一千五百人，適於此時趕到，復攻克蘭州。因兵力單薄，防守未及一日，仍被共軍進逼放棄。退經黃河鐵橋，被共軍大砲擊斷，人馬墮水死者五百餘人。殘部退至永登，繼援見大勢已去，遂下令所部各攜槍馬回籍，暫行遣散，聽候征召。西北戰事，遂爾結束矣。」由此觀之，西北陷敵，非兵不足，實各將領坐令友軍危亡，使共軍遠道冒險挺進之戰略得以成功。

（五）

馬步芳主持青海軍政甚久，平時功過，姑不具論。此次以二十餘年積練之青海部隊，盡為國家民族而犧牲，忠義報國，可謂已無愧慚。較之潘文華，鄧錫侯，劉文輝，盧漢輩，平時擁兵割據，一遇危險時投共附逆者，大有天壤之別矣。筆者後來入關，經過蘭州黃河鐵橋，破毀雖已修復，創痕宛然在目。詢之兩岸居民，咸云：橋斷時，馬軍墜水人馬屍骸，漂流數十里外，慘狀不堪細述。筆者亦不禁為之揮淚哀悼忠魂，用幷誌之。

天下小事

九十八萬噸裝備成問題

在法軍準備撤出紅河三角洲及河內、海防兩大據點聲中，美國派駐越南的軍事顧問團卻遭遇到一件極為棘手的困難，也們担憂法軍會突然大舉撤退，這樣將使九十八萬噸美國軍事裝備落入共黨手中，美國顧問團本來奉令一旦越南休戰時，即將這批龐大的軍事物資轉運泰國，但在目前法軍仍與越盟軍對峙的情況下，轉運實也無從動手。

越共强迫寮國青年參軍

據西貢截獲的秘密情報說，停戰協定雖規定越共必須撤出高寮兩邦，可是在共軍尚未撤出寮國以前，他們却已開始强徵寮國青年加入越盟軍，共黨此項陰謀異常毒辣，原來他們準備撤退時，將這批寮國青年一道擄走，將來訓練完後，再派入寮國充當共黨的特務。

去年暴動今年公審

去年六月間的東德大暴動震驚全世界，這樁驚天地而泣鬼神的抗暴義舉迄今已一年有餘，當時俄佔領軍與東德共產黨政權當局曾濫捕良民，指他們的愛國行動為受西方唆使的破壞行為，被捕者究有多少人，迄未見共黨公佈數目，不過由東家有人失蹤西家有人被捕的情形看起來，被共黨拘捕者確不在少。一年多來，這些人的下落如何，根本無法知道。但最近駐波恩（西德首都）的美國情報機構却已接獲機密情報，證明東德當局正擬在東柏林佈置龐大法庭，對去年六月參加革命暴動的反共份子舉行公審。當然，這種虛僞的審判，完全是做來給西方看的，而一些暴動者經過一年多的洗腦後，他們很可能當庭「供認」故意誣稱去年的大暴動是根據美國特務命令行事的，一方面藉以達到共黨加緊反美宣傳的目的，一方面也在挽回東德赤色政權去年失去的面子。

波蘭火車的「新面貌」

最近由波蘭駛抵東德邊境的火車帶來了一個意義重大的暗示，這表示波蘭境內反共抗暴的怒火已經再度燎原起來，原來這些火車抵達時，機車前面都附有兩列裝滿沙袋的客車，這是鐵路當局防範機車觸雷（地雷）的裝置，由這一新奇的裝置就可以知道，波蘭地下反共運動並未因共黨的嚴厲鎮壓而趨於消失，相反地他們却在利用每一項機會，最近行動更見積極。駐波紅軍和當地附庸政權的恐慌與驚懼，也可由這些火車的「新面貌」中看得出來。

捷外長養病另有內幕

來自捷克的可靠情報說，捷外長威廉西羅基現在正患着嚴重的肺病，不久就可能離開布拉格，往俄國接受「進步」的治療。可是西羅基赴俄之說雖確有其事，但其赴俄的原因，却並非「肺病嚴重」，據說：西羅基近來言行有脫離共黨指導的傾向，莫斯科之命他赴俄養病，只是召他去接受批評與訓練而已。（孟衡）

編者　讀者

伍憲子先生文

△程瑞興先生來書▽

編輯先生：本月廿一日讀貴報十四日刊登伍憲子先生「哲學神與科學神」的偉大論文，深深感到人同此心，心同此理。伍先生痛切陳述，儒家哲學為人類之寶典，而惜其已死也，正須要儒家哲學復生，來維繫現代之精神文明。否則，人類將來實不堪設想。請貴社予以倡導。此所謂「任重而道遠，以仁為己任，不亦重乎」者也。伍先生以大無畏精神，振臂高呼，定會使許多學者羣起響應。草草奉書，請為亮察。

程瑞興拜　七月廿二日。

△辛植柏、易健夫、錚、諸先生：惠稿已收到，謝謝！

△史鳳儀先生：大示敬悉，關於簡體字問題，本報業已聲明，不擬再刊有關文字，謹復！

西漢人民生活（一）

●毛以亨●

讀史述評

（一）土地與農民

秦始皇二十六年，分天下為三十六郡，後增五十四郡，共一郡。高祖時增二十六郡，文景時增十二郡，武帝開邊，增二十八郡，昭帝增一郡，共郡與國合一〇三單位。輻員東西九、三〇二里，南北一三、三六八里提封（總面積）一四五、一三六、四〇五頃。其中一〇二、五二八、八八九頃為道路、山林、川澤、里居。可墾地三二、二九〇、九四七頃，已墾田八、二七〇、五三六頃。成帝時人口五九、五九四、九七八，若合計可墾已墾之田，平均分配，則每人幾可得一頃。然事實上決不能到此數，因為長江以南多數可墾土地，尚未開墾，長江以北未墾者亦多，已墾之田，豪富之霸特殊甚。而且人力亦感不足，五口之家，能耕者不過二人，所耕不過百畝，（六尺為步，步百為畝，）所收不過百五十石。成帝時的人口，是西漢人口最多的期間，有人甚至疑心其統計的錯誤。然以土地分配于人民，總是够的，不如今日每人祇有二畝，病在土地不够分配。

食貨志說：「除十一之稅十五石，餘百三十五石，食人月一石半，五人終歲為粟九十石。餘有四十五石，石三十，為錢千三百五十，除社閭嘗新春秋之祠，用錢三百，餘千五十，衣、人率用錢三百五，五人終歲用錢千五百，不足四百五十。不幸疾病死喪之費，及上賦斂，又未與此，此農夫所以常困，有不勸耕之心。」如此農民雖不寬裕，而非絕無辦法，祇要提倡節儉，平準谷價，軍事上政治上勿太濫費即得。取以與今日農民收支相較，直可令人羨慕不置。

秦亡漢興與農村經濟

古時井田為方一里，共九百畝，但經界已慢于春秋，魯宣公初稅畝，李悝教魏文侯盡地力。商鞅開阡陌，無非兼并，於是「庶人之富者累鉅萬，而貧者食糟糠，」蓋問題為不患寡而患不均。使關中盡成沃野，得田四萬餘頃，不與歲學，則地力不可不謂盡。至是則井田已不可復，蓋為地形之利用，而不得不然，積漸之勢，非商鞅一人之事。

秦以食貨而興，亦以食貨而亡，始皇收泰半之稅，發閭左之戍，竭天下以奉之，猶嫌未足，以百姓之窮困，遂天祿之永終。古者稅祇什一，賦為車馬甲兵士徒之役，即六國之橫征暴斂，亦不如秦之甚。而秦實以暴斂甚于六國，故能兼併六國，其賦則甚于稅，其役民是空前的。白起勝趙于長平，阬其卒四十萬，然秦發關中十五歲以上，六十二歲以下之卒，死者過半，僅乃勝之，這不是當時的人海戰麼？漢高祖何傳，謂何「計戶轉漕給軍。漢王數失軍遁去，何常興關中卒，輒補缺，」此又一長期的消耗戰。其實秦勝六國之後，已經筋疲力竭，倖而勝之，而乃得意忘形，內興土木，外攘四夷，使民益困，不得不起而亡秦。亡秦之故，史記稱其苦於徭役，實則因徭役而影響于農業，使民大飢，不得不在死中求生，淮南汜論訓謂「道路死人以溝量。」劉項相爭，為另一秦與六國相爭的局面，項羽以無所得食而東歸，高祖因關中尚有餘粟而得勝利，實則僅能支持至最後五年，往後都打不下去。故高祖以五年而定帝業，為曠古所未有，此種戰功偉烈，實為整個社會不能再支持戰爭所鑄成。百姓已苦于秦與六國之賦稅百餘年，又在于秦之暴政三十年。劉項祇有五年戰事，百姓即死亡過半，故漢代不得不休息了。

（二）與民休息

漢制一依秦舊，這最有名的約法三章，蕭何亦撫秦法改訂九章若干條。其惟一與秦不同者，為破項羽後五月，即罷兵歸家一事。王船山論之曰：「秦項已滅，兵罷歸家，何其罷歸之易，而歸以即乎安？古者兵皆出于農，無無家者也，罷斯歸矣。漢起巴蜀三秦之卒，用九江齊趙之師，不戰其地，不擾其人，無閭井之怨，歸斯安矣。後世召募失業之民，欲歸而無所歸，則戰爭初熄，而遣歸之也難。善師古者，勞通而善用之，則漢抑有民相聚山澤，不書名籍者，復其故爵田里，教訓而優恤之之詔，是可為後世法也。」

我們認為始皇不罷兵而黷武，已是大錯，若高祖而仍不肯罷兵，則為大愚了。試觀當時人民顛沛流離，非與民休息不可的情形——食貨志說：「漢興，接秦之弊，諸侯並起，民失作業，而大飢饉。凡米石五千（以前為石三十），已貴至兩百倍了。）人相食，死者過半。高祖乃令民得賣子，就食蜀漢。天下既定，民無蓋藏，自天子不能具純駟，而將相或乘牛車。」人民久已厭徭役，願罷為民，甚至為避役而逃為奴，所以異姓諸王韓信諸人無兵，亦罷歸家，即英布陳豨之反，亦不殺而兵自潰了。王船山雖認本問題之重要，而實未瞭解當時之實情。漢初戶口，迄無正確數字，惟吳王濞反，在景帝三年，已經二十餘年之生聚，但發民自六十二至十四歲者為兵，祇得二十餘萬人。而吳王則王東陽、鄣、吳、三郡，五十三城者，蓋項羽之兵源所在地，人口之損失，殆不僅過半了。（未完）

書評

（一）

近代福建產生了三位不得的文化工作者，其一，把外國的社會科學名著翻譯到我們中國來，那便是嚴復先生。其二，把我們中國的文化介紹到西方，那便是辜鴻銘先生。其三，把外國的文學創作用優美的中國散文譯過來，那便是林紓先生。有人問我：「近代中國翻譯界出了你們福建三位大翻譯家，究竟是什麼緣故？」在今年間左先生這一問，我想也沒有很完滿的答覆，只自然容易設想是外國文較好的文藝通才，嚴辜的成名，大體上與此似有關係，至於林琴南先生，那是獨創一格的，照他自己的說話，也就算了。

（二）

過了幾個月，左先生因友人送他兩本濤園集，而轉送我一本，那是沈瑜慶字愛蒼先生所著。其中集古今體詩四五十首，詞五十首，內附年譜，墓誌銘校稿。福建通志本傳三篇，年譜極詳，墓之平生。沈氏為兩江總督文肅公葆楨之第四男，以江蘇候補道，會辦水師學堂，補淮揚海兵備道，護漕督，擢湖南按察使，授順天府尹，轉由西按察使，江西布政使，貴州布政使，升貴州巡撫，預見鼎革——武昌之變，遂避難上海，卒年六十一，時戊午九月二日也。為了讀濤園集，使我有所悟，文肅公為林文忠則徐先生的子婿，固時務長才；曾創辦馬尾船政局，及福建水師學堂，栽培人才甚衆。嚴復即水師學堂畢業生，送赴英國留學者；其未來成就，當得力於文肅公之提拔。憶嚴氏入學時，國文試題為「大孝終身慕父母論」，文肅公置之第一名入學，後送英倫，故嚴氏之有所成，無疑的當歸德於文肅公，所以我應該再答左先生說：「福建的近代翻譯人才，亦當歸功於沈葆楨先生之培育。」

讀辜鴻銘的筆記

●王世昭●

（三）

至於辜鴻銘先生，據左先生「辜鴻銘的筆記」代序中引「清史稿」說：「辜湯生，字鴻銘，同安人。幼學於英國，為博士(?)。遍遊德法意奧諸邦，通其政藝。年三十，始返而求中國學術，窮四子五經之奧，兼涉諸子。爽然曰：『道在是矣……。』乃譯四子書，述春秋大義及禮制諸書。西人見之，始歡中國學理之精，爭編傳譯。』這樣看起來，辜先生既以「幼學於英國」，必與宗教事業有關，所以，我的前面結論似乎不是沒有根據的，只是林紓氏較為特別罷了。

如上種種今姑不具述，現在讓我談辜鴻銘的筆記。

「辜鴻銘的筆記」原作「張文襄幕府紀聞」，內除「弁言」外，有文——卷上三十七篇，卷下三十五篇——七十二篇。紀「英將戈登事略」及「葉君（澄衷）傳」特詳，蓋前者為助中國平太平天國之亂之英國名將，後者為中國近代遊俠傳中之特殊人物，辜氏蓋亦欲效法太史公，為天下奇人作傳也。

（四）

辜氏之學博而約，折中於儒家，惟恃才傲物，故不顯貴於當代。張之洞周遊雖奇其才，歷官只「外務部員外郎中，擢左丞」而已；所謂左丞，約當今之外交部司長也。又清史稿以辜氏「好辯，善罵世。」好辯多不容於上官，而罵世更易為世俗所詬病，故辜氏之不能大達，二語可以盡之。

辜氏之筆記雖只三萬言，而於近代人物之針砭，自曾國藩、李鴻章、張之洞、端方以下，無不有間言，其批評多一針見血之語。於中國人物中，極重葉澄衷。於英國人物中，極重戈登，於日本人物中，頗重西鄉隆盛，松枝新一等，時松枝官海軍少佐也。對於中國事，件件看不慣，一切多以嬉笑怒罵出之，其言雖辯，甚有見地，萬萬不可以普通筆記視之。至辜氏作此書之動機，弁言云：「……余概當世之務，僭妄之罪，固不敢辭。昔人謂漆園南華一書為憤世之言，余賦性疏野，動觸時諱；處茲時局，猶得苟全，亦自以為萬幸，又何憤焉！」故辜氏之憤世嫉俗，實有由來。至其弁言之結論，尤值得吾人之警惕，辜氏又云：「惟歷觀近十年來時事滄桑，人道牛馬，其變遷又不知伊於何極，是不能不推愴於懷！古人云：『作易者，其有憂患乎！』識者亮之！」辜氏作此書之用心，已躍然紙上。

（五）

為了這些文字多觸時諱，所以出版的時候，署名「漢濱讀易者」。又為了恐人見疑，故篇中頗有用「辜鴻銘部郎云」的語氣，以第二人稱的口吻，避免自己捲入漩渦。可是善讀的人，一望而知是辜鴻銘的寫作。左舜生先生是有心人，把他這一卷書重新讀過，改正勘訛，付「國民出版社」印行，中華民國四十三年七月出版。書雖舊而義常新，讀後發人深省。上自執政，下至平民，似不可不人手一篇。古人云：「鑒往知來」，清之亡也，辜鴻銘常譏之，國之危也，辜鴻銘亦常譏之矣。今日自由中國又復如何？筆者亦願大人先生們之以古為鑑，以辜鴻銘的筆記之鑑為鑑也。

× × ／

談審查書刊

●準文人●

讀者論壇

讀「自由人」三五一期馬五先生「談獎勵吧」一文，我以區區筆耕生涯的文人，不免感慨萬千，不得不發幾句話。馬五先生提及「新世說」及「王昭君」的小說。該書作者勞書竟受禁止發行處分。「兩書被禁止發行」，影先生曾函筆者說，不久前，「黑世紀」也是一本被禁止發行，不知是否反共反錯了？抑有其他理由？該書竟受禁止發行處分。據我所知這是一本反共小說，比標語口號的反共八股總要好上幾籌。確是一本暴露共黨在大陸陰謀的反共文藝，何以竟被禁止發行？若果依據出版法來審查這本書，我想應該是不會有什麼問題的。

馬先生說「讓學者專家來審查刊物，無論如何比交由知識譾陋者胡亂審議好得多」！我覺得這是對負文化政策責任者絕好的建議。審議刊物不僅是智識問題，還有「責任心」更屬重要。譬如負責審議機關接到一個人的來信，檢舉某段或某句有問題。例如一本民讀裏有「聽腰鼓之聲」一句，說「腰鼓」有問題，共產黨的秧歌舞是打「腰鼓」的，所以這本書就有了「思想問題」。審議機關也就不問青紅皂白，說該書有問題，這樣不「負責任」的審議，對於書刊的影響是怎樣呢？這樣來，出書的人，祇要有人和他有嫌隙，隨便去一封信，隨便挑剔一下，便可以受禁止發行的處分了。恐怕只有「大官」（且要在合上）才能出書了。所以我說負責審議的人，不止要有相當的智識，還要有極大的責任心，不能掉以輕心的。

另外，目前負責審議的機關過多，也是一大毛病。譬如國防部總政治部、中央黨部、省保安司令部、內政部等等，均負審查責任。審議機關一多，意見也就不一，勢必任一機關認為有問題，即便成為問題了，這些機關大可聯合為一，以期事權統一，增加效率。

內政部現在對於文稿不加審查，只須出版後送審，這是合理的。不過，出版後送審，也不是沒有困難。譬如出版物，審查機關認為出版後有局部或字句欠妥，通知出版人修改，已印成的出版物，不修改當然不能發行，要發行，便得修改重印。這顯然倒要出版人化雙倍成本。目前的出版社或個人，那裏有這麼多的資金？這又是審議機關亟應解決的問題。

妨害安寧流毒社會

麻雀學校應否存在

「麻雀學校」這個名稱，風雅別緻，成為香港社會的唯一奇物。誰也不會意識到除了深夜「開課」妨礙公衆安甯之外，比此更為嚴重的問題。直到最近，市政局民選議員貝納祺在會議中提供建議之後，社會人士纔引起注意。貝氏的意見祗是單純的為了「公衆安甯」；他引用本港法例第二八章醫務條例第十二條一段所載：「在下午十一時至翌晨七時之間，任何人不得製造或引致長大時之嘈音，或容許造成任何噪音至騷擾或影響鄰居人之公共安甯。」因此，他認為市政局屬下的處理滋擾事宜委員會（該委員會由香山奴、胡百全及高級衞生官等任委員），能否考慮這一個問題，而採取適當的行動。

市政局主席雖亦覺得：在香港，任何人等對於一種公共滋擾事件，均可提出一種私人訴訟，但市政局則並未賦有這樣的權力。甚至貝氏要求考慮採取一項試驗，以確定一間麻雀學校開深夜而騷擾及鄰居者是否係一種公共滋擾時；李察斯則認為他不能以主席地位代表市政局採取一項試驗，且亦不擬提出一種私人訴訟。貝氏繼又引據一九五三年公共衞生（潔淨）條例第二十一條規定，力言市政局可有較廣泛權力以處理滋擾事務。結果，李察斯猶覺此一問題，關於法律上解釋，尚須慎重考慮。但是他在答覆貝納祺質詢之前，曾向律政官徵詢若干懷疑之處。於是，貝納祺的提案卒被延擱了。

市政局今後是否會將此案重加討論，現時尚難斷言。但是「麻雀」既有「學校」之稱，應具教育意義；事實上卻適得其反，不特毫無教育含義，而且具有「賭博」行為；然「賭博是否與法律抵觸」尚待研究。「麻雀學校」既為「合法」，總應有負責管理機構，總不能視為誰都沒有權力過問，任其自生自滅。深夜「開課」，有的終宵達且，妨害公衆安甯，似乎誰也沒法否認。然而比此更為重要的事實，除非涉足其間，目擊那些「學生」淪至傾家蕩產，難以置信。於是，標榜「教育」的「麻雀學校」，是形成了製造罪惡淵藪；應否存在，倒是一個值得研究課題。至於「公衆安甯」的問題，市政會議縱未賦有充分權力，為了維持公衆安甯，自應設法糾正的。所謂「未獲授權」之說，似乎不能構成推卸責任的理由。何況「麻雀學校」，不僅干擾公共安甯，其流毒社會，為害猶不祗此哩！

香港三日

危國反共勝利及其影響

（上接第一版）親共的危國政府既其他政府為防患未然計，亦將努力防止倒共產黨之滋長，際此第二次世界大戰後，共產黨勢力由沒落而趨擴張之勢，在拉丁美洲，使此次共軍到處沖激，有無往而不利之勢，共軍在十一天之內救出，實為把危國由共產黨之反共精神者甚大。第三所以共產黨以鐵幕統治的殘暴、恐怖，共軍經此次危國戰爭，大勝利，反共士兵均今人慘不忍睹，身已發現共黨殺害，稱七八十人。知者千百人，其他被虐待以至漏網民，由此以後不至於輕信共黨之花言巧語。（完）

不怕事·即無事

馬五先生

英國國泰航空公司的郵航機在海南島天空，被共黨的米格機擊落大海中兩小時後，英美雙方的飛機與飛船，聞訊急赴出事地點援救。但因當地共軍不答覆聯絡信號之故，英機兩架即不敢降下海面施救，徘徊瞭望而已。美機卻不理會那末多，俯衝下海，救出了九個生人，一個垂死者。第二天再派兩艘航空母艦，前往海南島搜索其餘死難的乘客，決不怕惹出甚末禍事來！

從這幕驚險的表演情節中，我們首先即看出英美兩個民族性的特徵：一是注重現實，不願意吃眼前虧的紳士，一是熱情奔放，見義勇為的青年。紳士們最害怕的是打架，最拿手的玩藝是議論，弄權術，爭領導地位。所以，紳士一遇着流氓，就祗有忍辱含垢，犯而不校，避免挨揍，以保顏面。

英國近來正在大力替共黨幫忙，口口聲聲說是要請中共進入聯合國，為的是害怕流氓式的中共跟他搗亂。共黨知道紳士們這種弱點，乃一面由其宣傳機構——「人民日報」——發佈文字，大駡英國不趕快請它進入聯合國，不阻撓美國對亞洲的軍事聯防計劃；同時即以機槍鋼砲公開擊落英國的郵航機，看你怕不怕？怕就趁早識相點，替共黨作進一步的幫助。這等於打「梭漢」，在緊要關頭「累斯」一下，教你丟牌屈服。

共黨這種暴行，既非出於誤會，也非一時盲目行動，而是有所本的。本諸中國對日抗戰時，日軍飛機在長江擊毀了英國兵艦，而倫敦唐甯街官邸卻以封鎖滇緬路相報答的歷史教訓。說不定經此天空攻擊之後，英倫又「和平共存」聲浪，更要高唱入雲哩！

現在的世界是先講門力的。我們如不能表現一點「力」的作用，日唯仰望於中美安全互助協定，或希望把一切沿海領土都劃入美第七艦隊的協防範圍內，那徒然給含垢忍辱的紳士們竊笑，而更見義勇為的熱血青年們灰心，不智孰甚耶？

自由談

糧食大革命

青苔的營養價值

·加雪·

可養七十億人

講到風景，我們總是說，地方好極了，青山綠水。青山綠水的確是一幅美麗的圖畫。可是水是白的，那裏來的綠水呢？那是因為水裏長了青苔；那無數的青苔使水轉變了顏色。

在最近幾年，好些國家都在研究青苔，他們獲得了驚人發現。他們認為這發現比較原子能還重要得多。

青苔這東西滋味不錯，極富營養。青苔裏頭有脂肪、澱粉、維他命、和其他一切營養品。最重要的青苔是一種取之不盡，用之不竭的下賤東西。可以在任何地方加以培植。海裏、河裏、湖裏、池塘裏、甚至我居住的房間裏都行。培植青苔單簡極了，只需要水和陽光。青苔的蕃植力最大，二十四小時內可以增加八倍。根據估計，若果以地球面積百分之十九種植青苔，收穫可以供給七十億人口的糧食。

青苔的功用是第二次大戰時發現的。有好些科學家提議，以戰時研究原子彈的規模來研究青苔的發展，因為他對於人類的影響比較任何發明都要重大。美國空軍現正準備在往月球的飛艇上培植青苔，以供給艇上人員養氣和糧食。他們計劃在艇上安裝透明的水箱，箱裏的水和陽光接觸，便能夠產生大量的青苔。美國海軍對於最近原子潛水艇的養氣供給找不到解決的辦法，現在他們計劃在潛艇上培植青苔來解決這個困難。因為青苔需要炭養氣，而發出養氣，剛好解決了潛艇的疑難。

青苔裏頭含有最豐富的蛋白質，是人口過剩國家最需要的營養。泰國現在在海裏收取青苔，每年的產量達到五千噸。海裏頭的青苔品質不純淨，含有多量海裏的微小生物。日本和以色列都有研究青苔的設備。日本近來派了好些專家到美國去專門研究這個問題。

青苔是什麼東西

青苔是一種最原始的植物，沒有根，也沒有莖，只有一個細胞。肉眼看不見青苔。一千棵青苔的容量只有一根火柴頭的大小。青苔蕃植在海裏、湖裏、塘裏。青苔是蝦、蟹、魚類，和其他細小動物的食糧。青苔在水裏吸取炭酸氣、輕氣、和磷質，體內的葉綠素得到陽光或燈光的援助把那些原料變成蛋白質，脂肪、澱粉質、和其他營養物品。青苔的蕃植是爲於細胞的分裂。一顆青苔每天可以分裂兩次以上。

科學家試驗青苔可取用玻璃容器，容器裏放滿了水，在水塘裏取些綠水放進去。經過幾天陽光的曝射，容器裏的水轉變成綠色，裏頭的青苔隨時可以取用作為食物。

青苔蕃植之快，收穫之豐，實在驚人。根據統計，以一英畝的地方培植青苔，每年可以收穫四十噸。此四十噸之中，含有蛋白質二十噸，脂肪三噸。黃豆是植物中含蛋白最豐富的一種，可是以一英畝土地種植黃豆，每年蛋白質的收成還不夠半噸。若果以一英畝的土地養牛，每年所得到的蛋白質只有二百五十磅。

青苔的滋味如何

青苔的滋味什麼樣呢？美國記者第威臣氏專為這件事到特西司大學去。他的報導說：培植青苔的一位小姐，在玻璃容器裏取出大約兩磅的綠水，把一種屬於離心式的儀器在水裏轉動了大約幾分鐘，便把青苔和水分離了。不一會，收集了一大湯匙，好像橄欖色的糊。我很小心地嘗試此種新食品的滋味。他的滋味近乎青菜，有些像椰菜花。凡富於蛋白質的東西都是易於腐壞的，可是青苔也沒有例外。青苔曬乾了，成為一種極細的粉，可以保存極久的時間。曬乾了的青苔味道有一點像蠶乾，另有一種風味。泰國的青苔取自海水，裏頭含有好些他種生物，味道卻像廣東出產的蝦膏。

青苔可以製成麵包、麵、湯、冰忌廉、和其他各種食品。嘗試過的人都說味道十分可口。日本一位專家把曬乾的青苔加在青茶裏，據說營養的價值遠在濃的牛肉湯之上，而味道並沒有改變。青苔製成麵包的營養價值等於同分量的牛肉，一碗青苔麵的營養等於一大塊牛排。青苔製成的食品是病後最好的營養。

窗戶上面培養

青苔是現代糧食的一個大革命，是營養不足地區的唯一救星、最妙的是任何一個人都可以培植青苔。種米麥，種蔬菜，需要土地，養牛羊需要牧場，養魚缺少不了池塘。可是培植青苔可以在任何一個所在舉行，甚至城市的居民也能夠參加此種最富營養的生產。你家裏只要有窗戶，只要有陽光照得到的地方，只要有一兩個玻璃缸，你便可以進行你的生產。普通一個熱帶魚的玻璃缸可以容水六十磅，兩個的容量便是百磅以上。這兩個水缸所生產的青苔足夠泡茶和燒湯的需要，每月給你的營養夠二十磅牛肉。你想爭取營養嗎？你想自給自足嗎？你想做一個自耕農嗎？請你記着，培植青苔是你唯一出路。

贈嶺風中學一九五四年畢業諸生

·蔡俊光·

負此頭顱四十年。慰情有爾輩薪傳。
臨歧莫灑江郎淚。攬轡先揚祖逖鞭。
一力勉將仁己任。百行應不愧人前。
最親切語今相付。記取文山正氣篇。

中篇小說　金珠

勞影

我繼續翻看背面，背面是一片空白。我扳轉她的肩頭，說：「你不如拿回去的好。」

她有點訝異。

我把空白的背面指給她看道：「別人不疑心我是從照相館裏偷出來的？」

「我的字寫不好看！」

「我又不拿出來展覽！」

「那麼還有誰知道你是照相館裏偷出來的？」

我深深地吸進一口氣，我很想不到她的口齒竟有如此鋒利，我點點頭，含笑把筆遞給她。

她笑着把筆接過去時感嘆地說：「兩年沒有寫字了！」她旋着筆套「不曉得寫出來還像不像字。」

她在床沿邊上蹲下來，我俯身按着她，看她寫，她把我推開了。

「你別看好不好。」

「你預備寫給誰看？」

她把頭一揚：「我叫你別看[illegible]」

「我寫字從不給人看。」我說。

「我要求你，」她蹲下來：「你看我才抓起筆來試了試。」

[illegible]

忽然間我聽到阿梅噗哧地笑起來，我看相片，上面一點墨水也沒有。我拉直她的身子，她臉上沾滿了笑出來的眼淚。

我也有點發笑，但不曉得倒底是怎麼回事。

「你笑這張照片不像人嗎？」——我以為她在搬弄我，先發制人地說。

「不，這是一張人的照片，但我卻預備在它的背面畫上一隻狗，然後在狗頭上寫一個『贈』字。」

我也忍不住大笑了起來。

到目前為止，我還一直沒有說出我的姓名哩！

我接過筆，在另一塊紙片上寫下我的名字——王亭飛。寫好我又把頭別過去，隔了好一會兒她才把筆交給我，我要去接照片，她用手把我的手隔開了。

「別忙，讓它乾一會兒。」又隔了一會兒，她把相片湊近嘴唇輕輕地吹着。她把字寫在照片的左下角，字寫得非常的小。寫的是：『給一個名叫王亭飛的人永遠留在身邊　薛金珠。』

「薛金珠？」我重覆地唸道：「你為什麼不肯寫上自己的真姓名，阿梅？」

「難道告訴了你我的假名你反而不歡喜哦？」

「哦。」我想：「原來阿梅是假名。」

我小心地把照片收起。

（十五）

口香糖史略

又京

（一）

美國人之吃口香糖，大約和我們中國人之嗑瓜子一樣的普遍。美國人所以變成愛嚼「香糖」，主要的由於三個人的功勞：湯姆士．雅當姆斯——他把「巧克力」（CHICLE一種似樹膠的東西）做成香糖；約翰．高爾爾——他把香料放入「巧克力」裏面；另外一位是小威廉．格萊李——他把香糖放在美國人的嘴裏。

雅當姆斯是一個業餘發明家，一八六九年的某一天，他正在傑西城的一家藥房中，聽到一個女孩子要買一些石蠟樹膠去嚼，他便對橡皮糖發生了興趣。雅當姆斯記起他曾經看見那被放逐在司提扭島上的墨西哥獨裁者山塔安那，撕裂一片片的「奇可」而大嚼，於是他和他的兒子當晚便開始用先前原欲用作一種橡皮代替品的「巧克力」加以研究；他把「巧克力」放在熱水中軟化，揉捏，然後滾成二百個小丸，把它以每粒一分錢的定價寄在藥房裏出售，很快地就傾銷淨盡。

不過雅當姆斯父子所做出來的口香糖，實在只能稱為「嚼用的巧克力」，因為它是毫無滋味的，這是「味同嚼蠟」。加香料的約翰高爾爾原是路易士威爾城的一個藥商，他把香脂放在「巧克力」裏面，命名「太妃糖」。

（二）

但是，大規模製造和推銷口香糖，要以小威廉格萊李為始。他在一八九二年將推銷術帶入口香糖。在經濟蕭條的一九〇七年，他居然決定在「廣告上投資一百萬美金。」但是他就沒有百萬美金，就是二十五萬也沒有。他做廣告是用賒賬方法，當時，格萊李的廣告招貼遍貼在全美的每一輛「巴士」。一年的功夫，他的口香糖銷售額從十七萬元增至一百三十五萬五千元。他的公司自創辦迄今，售出的口香糖有一千一百五十多億條，所付的紅利有一百九十億餘元美金。

（三）

美國人消耗口香糖數量，在一九一四年是平均每年每人嚼三十九根，到一九二五年這個平均數增加到一百根，而在今天則已超過一百五十根了。雖然其他國家的人民也有嚼口香糖的，但美國總消耗量比全世界其他國家的消耗量還大六倍。數年來格萊李的「留蘭香糖」和「美國巧克力」等口香糖公司賺了四億三千多萬元——他們所賣的全都是一分錢的東西，成本卻只有五厘。

（四）

美國人何以特別喜歡嚼口香糖呢？曾懸賞徵求答案，時間先後達三年之久，應徵者多不勝計，但他們所列舉的理由，大多數都不外乎當年格萊李所特別強調的廣告詞句，直到如今，尚難發掘新的理由。大多數用的是：「增加效率」和「振作精神」，或「解除煩惱」，「保持嘴吧年青」，樣樣都有。聰明的人們，你能想出一個特別的理由嗎？

芝岩妙奏

·娑婆生·

六月中浣，梅花館主約宴鳳林，席次鄭重相告，週末郊外芝岩，有一可遇而不可求的盛會，主人囑特邀參加，但未言所演何劇，余敬諾之。屆時余驅赴點心世界。承其賞飯，並睹寶島標準紅娘吳寶璐小姐。吳小姐以善演紅娘著稱，聞名嚮往，已有三年，茲今相值，可算幸會。飯罷，毛夫人遣車來迓，往芝岩，至場，始知此夕有兩妙奏，毛向新夫人之全本金山寺代祭塔，邵章遏雲之全本金鎖記代法場，咸是莫大眼福，頗自欣慰。

毛向新夫人才藝不凡，最近甫曇花一現，成績受一致贊許，展復鼓其餘勇，演此唱做吃重的金山寺，實可驚佩。此劇在一般伶角均不敢嘗試，四大名旦惟尚小雲能演之。名票之中，更無人能演，可見毛夫人的劇藝修養與工夫，已相當深湛，而肯於一試，尤見其毅力氣魄卓越。所謂時時刻刻在動，而無一會兒的靜止，無休息透氣的空閒，活潑動作，美妙身段，處處合拍，處女作有此，值是可貴。此劇共分四折，計水門斷橋合鉢祭塔，前段為崑腔，後段為皮黃，而大段反二黃尤為不易，毛夫人自始至終，一無懈色。表情既真切，充分傳出愛恨兩點。唱工則佳腔疊出，聲調哀婉，確是平日勤研苦練所致。是日名票全到，焦大姐鴻英在座，稱為才大心細，膽量不小，也是的論。[illegible]

[illegible]此晚兩齣青衣戲，而均有大段反二黃，可謂絕無僅有，各有千秋，允稱妙奏。

自由人
THE FREEMAN
（第三五六期）
中華民國僑務委員會
頒發登記證台政新字第一第二號
中華民國郵政登記第一類新聞紙類
（半週刊每星期三六出版）
每份港幣壹毫
台北市售價台幣七角
督印人：雷嘯岑
社址：香港高士威道二十號四樓
3 rd. fl. 20 CAUSEWAY RD
HONG KONG
香港發行及事務接洽
高士打道66號　電話：七四〇五三
承印者：東南印務出版社
地址：高士打道六十四號
海外總經銷
友聯書報發行公司
香港彌敦道中二十六號A二樓
台灣特派員辦事處
台北市館前街五十號
台灣總經銷處
台北　中華路五九四號之一
台郵撥儲金戶九二五二

論文化清潔運動

·傅中海·

七月二十六日台北中央日報，登載中央社消息一則說：「一項文化消毒運動，正在醞釀期中，據文化界某士人談：這項文化運動，可名之為『文化清潔運動』，或『除文化三害運動』。」所謂文化界某人士，雖未詳其姓氏，但經過中央社發表消息，其言論之具有權威性，值得重視，當然不在話下了。

言論界的現狀

根據中央社的報導，清潔運動的對象是「赤色的毒」，「黃色的害」，和「黑色的罪」。初聽起來，這運動是無可非議的。但細心一想，這運動的內容，似乎還有值得考慮的地方。第一，在台灣，「赤色的毒」，照理應該已早不存在。上述消息，某人士所稱：「其中部份雜誌之主張，不但已越出言論範圍，且已違背國策，觸犯出版法令，」若果這便是「赤色的毒」的範圍，似乎大有研究的必要。因為果有此種刊物，照理早該被勒令停刊，無待文化界的呼籲肅清」。現在經政府登記有案的三百多家刊物，應該都是合乎出版法，不會違背國策的。某人士所指的「部份雜誌」到底那一些雜誌呢？實在令人懷疑。所謂越出言論範圍，是否指為當局所不喜歡的言論，或某一部人所不喜歡的言論而言呢？

記得胡適博士在四十一年十二月九日，向台北市編輯人協會講言論自由的時候說過：「在美國，就沒有一個報紙可以說是國家的，政府絕不辦報紙，政黨也不是以黨的資格來辦報。」他又說：「我個人的看法，感覺到勝利之後，政府把上海幾個私家報紙，都收為政府辦黨辦，至少黨或政府的股東佔多數，這個政策我想是不對的。」後來領導自由中國文藝運動的張道藩先生，也在四十二年的一月一日台北新生報上公開的說：「三年來反共的小說，很多是千篇一律的形式，千篇一律的佈局結構，千篇一律的敘述描寫，千篇一律的語言文字。」換句話說，張先生所說的「千篇一律」便是反共八股。現在的文藝或論壇；除了反共八股之外，還有許多阿諛逢迎的應景文章。文過飾非，吹拍捧場，無所不用其極。許多文字都不是根據自己良心，或根據自己對是非善惡的判斷？好的固然說好，壞的也一樣說好。寫文章，不是為了發表意見，而是為了討權要的喜歡。辦刊物，不是為老百姓說公道話，而是為了捧場喝彩，好將來升官發財。台灣言論界的情形如此，張先生概括說明了現狀，胡先生又指出其原因。在這種情形下，我雖不敢說台灣言論界絕對沒有赤色毒素，但某人士所稱的「部份雜誌」似乎並不是真正的赤色毒素範圍。

切勿上演思想改造

自然，自由中國也不是沒有值得稱道的報刊，不過平日還稍能說幾句話的報紙雜誌，實在並不太多，而且是時常謹慎小心，唯恐闖禍的。某人士所指的「部份雜誌」如果是隱指這些平日肯講幾句逆耳之言的少數報刊而言。那麼，這個消毒運動的部份意義便不能不使人寒心了。憲法規定的言論自由和出版自由，也將掃地無餘了！

今天我們要反共，誰也不會有異議，但反共應根據事實和真理，絕不能靠反共八股，這是大家知道的。反共八股是反不了共的。說謊造謠，固不能反共，把天下最醜惡的字眼全部搬出來罵共，把一切歌功頌德的字句都用來給自己粉飾太平，更不能反共。如果藉反共之名，排除異己，造成清一色的局面，我敢說，這種人在意識上和觀念上便先中了「赤色的毒」。因為這種把戲正是共產黨所優為的。三年前中共在北平上演的「思想改造運動」，自由中國是不應該搬來重演的，美國的「自由人」（THE FREEMAN）說得好：「照流行的話來說，自由人既是激烈的，自由的，保守的，同時又是反動的。自由人是激烈的，因為它要探究到問題的根本。自由人是自由的，因為它要維護最高度的個人自由。自由人是保守的，因為它相信要保持過去偉大的建設性之成就。自由人是反動的，如果所謂反動意義是反對在所謂『進步』底名義之下，以愚昧和魯莽的方法，恰好要摧毀吾人在經濟上、政治上、和文化上最有價值的遺產。」這樣一份所謂既激烈，又自由，更保守，亦「反動」的刊物，現在在台灣似乎還不多見呢？但它的反共力量倒是遠出於台灣一般反共刊物之上的。這是我們今日談清潔運動和反共運動，最值得參考的地方。

黃黑二毒滋長原因

至於清除「黃色的害」和「黑色的罪」，在文化界當然值得努力的。不過追溯根源，這種毒害的滋長，也許和我們對刊物管制太嚴，而且嚴到不得其法有關。以台北而論，大小報紙已上十家之多，但究其內容，各報不同的地方在那裏？新聞大都採自官方報導，其餘多是些訓話講詞之類的官樣文章。雜誌的情形也復如此。今天本來是個煩燥苦悶的時代，人類本來是個複雜的動物，許多刊物如此單調，無形中使讀者厭膩了精神上的空虛，造成了心理上的疲勞。自然而然的便需要另找新的刺激，以求獲得新的滿足，於是所謂「黃色」「黑色」，便應運而生了！某人士所謂「公然散佈殘害國民心理健康的毒素」只見其一面，而忽略了另一面，因為這是和出版的環境有關的。我不願意為「黃色」「黑色」的刊物辯護，但我們要根絕這些毒素，不能不探本正源。必須設法從根本上謀補救之道，如[illegible]大家從精神上心理上找到一條出路，如果純粹採禁止的辦法，恐怕是無補於事的。

揭發隱私應訴諸法

說到[illegible]

中國道德主張隱惡揚善，因此，[illegible]

不如做文化建設運動

據去年聯合國統計年鑑的記載，全世界在一九五二年新書出版的統計數字，以美國最高，共計出版有一萬八千七百四十一種，其次是西德，再次是英國，再其次是法國意大利，美國雖只是第三位，但還出版了一萬一千八百四十種之多，自由中國的台灣合計出版的新書，不到八百種，這一數字內，還包括重印的舊書，以及小冊子不成書的印刷品，這是文化界的可悲現象。因此，今天與其要消極的推動甚麼「文化清潔運動」，或「除文化三害運動」，倒不如積極的做個「文化建設運動」，在海內外網羅一些有計劃，有條理的做點文化建設工作。果能如此，則所謂「黃色」「黑色」也都不除而自滅了。

有關台灣紙業的幾個問題

並向台灣紙業公司請教

·徐道鄰·

我兩月前在討論台灣工業建設的一篇文章裏（五月十五日本刊），曾經略略談到台灣的紙業。乃承台灣紙業公司不棄，一再指出鄙文中之錯誤，我十分心感。但是我還有幾點不甚明白的地方，想提出來請台紙業公司惠予指教。

台紙的價格問題

一、台紙公司說，台灣生產的各種紙張，去年是二八，九三五公噸，內中白報紙祇佔了四〇〇〇公噸。我估計的白報紙的比例太高了（我估計成二五，六〇〇噸）這是我的錯誤。但我想知道，其餘的二四，九三五噸紙張，其售價是否比國際市場的價格便宜？台紙公司如果把它去年生產的一二，六〇八公噸的紙張，其種類、產量、生產成本、出廠價格、和外國主要產紙國家同類紙張的出廠價格（台紙公司強調造紙業係就地取材，因為原料的體積龐大，運輸困難的緣故。所以我們應當以出廠價格和出廠價格比較，才算公平，而不應當以產地價格和進口價格比較）。一一的對列出來，則台紙公司對於國家社會的貢獻，豈不更容易使大家明白？

二、台紙公司說他們的白報紙全數都是照配價台幣四六三〇元一噸出售的。那麼他們為什麼一直維持八〇〇〇元一噸的牌價？牌價和配價的差額，是每噸三三七〇元，那麼去年四千噸就是一三，四八〇，〇〇〇元的差額，就台紙公司的賬目說，這個數字算不算是一筆虧損？而這一筆虧損，結果是算在了什麼人的頭上？

台紙的品質問題

三、在我那一篇文章裏，說台灣生產的報紙不如美國的好而比美國的貴。台紙公司說有一種美貨，遠不如台紙，但又不說出這一批美紙的價格是若干。那麼這種紙講品質而不講價格的比較，似乎並沒有太大的意義。（台紙公司提起加拿大和北歐國家來，但是如果我們拿挪威作標準來比較，恐怕台紙公司所處的地位更加不利了。）

四、我說台灣紙業工人是三千乃係根據工業委員會發表的數目字，台紙公司說：「實際上不止此數」，那麼最好也告訴工業委員會知道。

公營產品價格過高

五、我為了說明公營事業產品之價格太高，而舉出報紙的價格和國際價格之比較為例，台紙公司說我實有故意張大其詞的嫌疑。這句話未免說得重了一些，因為台灣紙業的售價太高，似乎一向人都是這樣看法，也許是一種錯覺。主持台灣工業行政的尹仲容先生，在去年十二月二十八日的第一次生產會議上就說到「何以永泥公司的產品，可以按一五、六元之高價外銷，而紙業公司之紙價則高於外國四倍」，雖然他又附帶了「現在實在如此，尚待調查」的一句（見某官方刊物一卷三期一九頁），但是已足證明具有這種錯覺的，實在不止我一人而已也。

（七月十八日）

▷美國B－四七巨型噴射轟炸機最近以四小時四十分鐘打破橫渡大西洋紀錄，平均時速每小時六〇九哩◁

週末展望

·陳克文·

李承晚的讜論

李承晚總統昨在美國議會演講，認為解決世界性的共產黨問題最有効辦法，是美國使用海空軍協助韓國和自由中國對中共反攻。他大聲疾呼說：『我們非奪回中國大陸，則自由世界的最後勝利是談不到的。』又說，『中國大陸歸回自由世界，則韓戰越戰自動的產生勝利結局。』這樣簡單明了的讜言偉論，實在令人佩服之至！

但李氏的主張不僅在英國引起了極大反對，便在美國，反應也不見得十分熱烈。美國領袖雖贊揚此老政治家對建設國家及反共黨的堅強決心，但私下拒絕考慮採取恐怖毀滅性的戰爭。本來美國對于預越戰的積極行動既不能實現，則對統一韓國決不至採取武力行動自在意料之中。故李氏此次美國之行，雖抱有說服美國採取武力統一韓國的志願，其結果恐怕祇能獲得增加若干美國軍事和經濟的援助而已。

姑息妥協政策在西方國家仍佔上風的今日，李氏這一番至理名言，至多亦不過博得有識人士之一場喝彩而已。此其可嘆也歟！

海南事件的演變如何

中共在海南島外公海上擊毀英泰民航機事件，雖曾引起世界人士的許多焦慮，但演變至今，似不至成為另一熱戰或世界大戰的導火線，則已甚明。

中共對於英國抗議，已迅速實行道歉，惟關於懲處負責人員一節，則並未實行。對於美國抗議，更悍然不肯接受。美國認為中共拒絕抗議，實為對美的侮辱，事件不能就此了結，有提出聯合國之說。凡此種種，均可視為此一事件尚在繼續演變之中。

演變是否會愈來愈劣，以至成為東西集團的武力衝突呢？日內瓦會議之後，英法和中共蘇俄都同時感到相當的滿意。北平和莫斯科關於此事件的宣傳，儘管叫囂漫罵，但並沒有絲毫表示行動的決心，英國雖表示與美國一致，仍竭力求避免事變擴大。由此可以推論，此一事件亦不過冷戰中一段驚險的插曲而已。

艾森豪總統說得好，經過越南停戰之後，共產黨需要相當的喘息時間，他們下一步的侵略行動要在十二或十五個月之後，這觀察是不會錯誤的。所可怪的，是明知共產黨的侵略不會停止，為甚麼還要給他們以喘息機會，待時而動呢？當斷不斷反受其亂，美國是不會不知道的，這便是西方政策矛盾，團結不固所造成的現象。這現象也便給予共產黨以不斷擴張，繼續侵略的機會。

英埃運河糾紛的解決

英埃兩國於本星期二簽署了有關蘇彝士運河問題的協定，結束了兩國長期糾紛。此一協定的影響不僅有關英埃兩國國交，同時更影響到中東的安全。共產黨想利用英埃糾紛以擴張其侵略中東的企圖，從此當受到嚴重的打擊。

然而，我們還不要忘記，此一協定的簽署在埃及的獨立自主是得到滿意結果了，埃及人民於協定簽署後的狂歡慶祝，已可見一斑。但威脅埃及發展的，是貧困和落後，民族主義解放了埃及，但貧困和落後仍是埃及的死敵，也便是製造共產黨徒的溫床。西方國家如何援助埃及的經濟發展，自然是今後應急之務。

其次，則埃及和以色列的糾紛也是中東問題的癥結。以色列的安全如果不能保障，則中東還是隨時可以發生亂子，共產黨還是有機可乘的。現在英美法三國已宣言保障以色列的安全，此一問題如能得到合理安排，我們相信中東問題可以有一長時間的和平安定。

中共在印度邊境的活動

·矜式譯·

中共的另一個滑伏的侵略行動，正橫越亞洲喜馬拉亞山，由這世界屋脊，經過該山邊界，移向中立的印度。

中共的新軍事基地和公路，已伸展到西藏，三年以前它佔有了那個神秘的高原。另外一些補給根據地，和戰略性的公路，也已在新疆修築起來了。那些活動，把中共的軍事力量接近到印度的緩衝國家——尼泊爾和喀什米爾，那些邊緣上小國，有在某些早晨突然被喚醒起來的危險，這時候它們將發覺自己忽然成了中共的一部分。

中共在這裏的活動，迫使尼赫魯改變了對中共的意見。雖然新德里沒有正式證明，印度總理正着手加強印度邊界的防務，而中印軍隊間不時的小衝突，已露出更多嚴重情勢的預兆。

[illegible]度的花樣，可從山地旅客帶來的情報，來加以分析。那些報告指出，由西藏新疆各處而來的共黨間諜，輸運軍械和交通器材，到尼泊爾及其他鄰近地區，共黨又[illegible]員潛入動搖那政府人心，[illegible]了不安。中共政府的正式地圖，把那個藏印邊界很廣的地方，劃爲它的領土，而印度在那一面的地圖亦[illegible]應。

三年以前中共侵入西藏，安然的未費一槍一彈。它衝破了[illegible]，把軍隊帶到印度邊界的尼泊爾和喀什米爾附近，在那一個地區[illegible]迫向沒有清楚的邊界。

中共把西藏握在手中，他們最後目標據說已有，但是在他們這種活動已進行較慢。重要的理由是這個在世界最高的佛教王國，已用最大力量，把國內人民團結起來，僧侶是最有名譽的職業之一，而就是他們最高的精神上與世俗方面的統治，現在仍屬年青的達賴喇嘛，但他是佛教十四代化身，而受人崇拜。中共以懷柔手段，操縱達賴，[illegible]共產化的國家，亦不直接的控制政府權力，而間接的加緊掌握[illegible]們太快的剝奪達賴的權力，可能惹起蜂起的不安，[illegible]氣味。共黨還不能夠對抗領導游擊戰的西藏僧侶。（譯者按：[illegible]不久以前，他們已在北平。）

[illegible]注目於建築公路的計劃，以連結西藏使與中共更緊接近，意在供應他們的軍隊。最後將有三條路進行修築，[illegible]到拉薩，另一條由青海到拉薩，第三條則連結拉薩經成都而到中國西部。

[illegible]西藏的軍事基地，是由印度兩條商旅小徑而擴展起來的。[illegible]公路改善以後，印度的軍事前哨線[illegible]威脅。但[illegible]漸強，正企圖以全力取得西藏政府的直接控制權。共黨的根據地也能利用將西藏的共黨邊界推到深入印度[illegible]謀滲入尼泊爾的總機關。

共黨逐漸的封鎖印藏邊界，在接近邊界建立檢查站，印度商人和旅客，每次經過，要完全受檢查，禁止他們運軍械到西藏，有許多跡象表示共黨正將西藏和世界其他的地區隔離，這工作且已做得相當成功。中共吞下了西藏，而轉移目標到尼泊爾的跡象，已經大的增加了。共黨加強他們的顛覆行動，並利用那個國家久不安定的尼泊爾政府，尼泊爾政府被中共攫取認已爲具有眞正的危險。

據可靠的報告說：中共對接近尼泊爾邊界的游擊隊，在西藏已建立一個訓練中心。由西藏丟的驟隊有運輸軍械到那個多事國家的嫌疑。共黨間諜且化裝和尚，在尼泊爾首都負責指揮挑起人民的反印情緒。尼泊爾政府衰落無能，並且政治很不和諧。貧困在這產生喀克蘇兵著名的小國，差不多是很普遍的。在二次大戰時，他們與英國並肩作戰，現在他們有許多人還一樣的服役於英印兩國間的軍隊，而他們被共黨騙使，作有計劃的叛變，以攫奪政權的情勢也即要到臨了。

共黨的威脅，已迫使印度加強尼泊爾軍隊的力量，印度供給四萬人的軍械和現代的裝備，成千的喀克蘇兵，在三次世界大戰時，都有戰場的老練經驗，又完成一條接連印度與尼泊爾首都的公路。經濟計劃亦已開始實施。印度正在尼共尚未掀起內部紛亂以圖顛覆政府以前，加速扶助尼泊爾以獲得強大的支柱。

共黨在新疆另建了一個陣線，亦是滑伏侵略印度的一部份。新疆交通和工業的發展，顯示中共意在支援西藏，並加強中共與印度巴基斯坦的地位。據聞在喀什喀爾達中共建立一個巨大軍事基地，接近巴基斯坦和喀什米爾邊界。去年十月，中共曾封鎖那塊地區，迫使印度及巴基斯坦關閉他們的領事館，並禁止印度商人在那地區經商。橫越新疆接連蘇俄的土耳其斯坦與蘭州的戰略公路，也已建築起來了。

在新疆與西藏的側翼喀什米爾，共黨的顛覆活動正配合着對印度施施壓力的運動，其情勢比印度政府公開承認的更嚴重。根據情報名單，喀什米爾內閣閣員中，有三人是共黨間諜或同路人，副總理與共黨外國組織亦有聯絡。目前共黨在喀什米爾的活動還是在暗中進行，但據可靠報告，他們正佈置滲透幾個政府的間諜網。當前的印度軍力可能使他們不致加速攫取政權，而共黨陰謀，另採蠶食策略來深入政府的體系。

印藏間的全部邊界未清楚劃定，並且有一部份已成爲爭辯目標。據情報機關透露，中共的地圖指明西藏與中國邊界，正伸展到原定界限之外[illegible]礎的，如果那些地圖是正確的，中共顯然要求取得毗連西藏邊界尼泊爾的兩個小國錫金和不丹，和印度的阿沙省一部份。經印度到西藏，經錫金和不丹的大道，是中共駐西藏軍隊的食物根源地，對它是值得注意的一項利益。

尼赫魯政府採取幾個經過熟思深慮的步驟，加強印度政權的地位，不丹和錫金取消保護國，錫金的國王繼續同意印度控制它的外交政策、交通、和國防，這樣可能因爲印度保護錫金的政治獨立。而給予印度在那個戰略性的小國，以軍隊駐留權。據說，尼赫魯已與不丹的國王協商，加強兩國間的團結，並准印度軍在那裏駐留。特別努力建立阿薩廣大地區的統治權，尼赫魯正在試驗培植部落的領袖，並組織全地區的執行機構。結果，尼赫魯總理已顯示變爲較少對美國的批評，對中共蘇俄較少好感的跡象，他不願意介入西方國家的任何防衛組織，但某些觀察家覺得有確實可能性，即他對於美國領導的具體安全的意見，將緩和他的極端見解，不久以前，他自己可需要反共黨的某些援助。

（美國新聞與世界報道）

人物述評

艾娃死後的阿總統貝隆

·祝修衡·

阿根廷的獨裁者，貝隆總統，現在和他死去將近兩年的妻子患了同樣不治之症，恐怕也將不久人世。假如貝隆一旦逝世，阿根廷的政局即使不至立即混亂，也將陷入極端嚴重的危機。

（一）

貝隆今年五十九歲，就年齡說，並不是一個垂暮之年。然而兩年來，他精神上所受的磨折，卻使他生命的活力，消耗殆盡了。

九年來，貝隆的政權並不是憑他個人的能力得以維持的。他還得力於他的夫人艾娃不少。現在艾娃死了，雖然還[illegible]，但時間是不會太長的。

一九四三年，貝隆還是拉米萊茲政府中的陸軍部次長。當時艾娃還不過是拉氏的情人。貝隆自從在一個公共宴會中，和她相識之後，兩人一見鍾情。從此，陸軍部的汽車上，經常有他兩人的倩影。那時（一九四三）拉米萊茲推翻了保守黨的地主政權不久。方悉力鞏固他臨時政府主席的地位；對貝隆勢力，亦力加排斥，形成了敵對狀態。鷸蚌相爭，拉米萊茲終於遭貝隆部下的六個軍官拖下了台。改以貝氏工具法萊爾執掌名義上的統治權。貝隆本人則以副總統名義兼任陸軍部長。大權在握，變成了叱咤風雲的人物。

二次大戰告終，貝隆起了獨裁的慾念。但當時民主自由運動正是如火如荼，這一位崇拜墨索里尼的法西斯主義狂熱者，所處地位當然不利。惟貝隆不特不肯放棄他的觀念，反而憑藉權勢逮捕數會千名的自由分子。因此，全國輿論沸騰，法萊爾雖係貝隆工具，也因衆怒難犯，不能不採取緊急措施，下令逮捕貝隆。把他送去瑪丁加塞島充軍。這是驕橫的貝隆所夢想不到的。

一九四五年十月十七日，是貝隆永遠不會忘懷的一日。這一日他被送回布宜諾斯艾爾斯，檢查肺病。艾娃聽到這消息，動員了五萬沒有上衣連汗衫也沒有的工人，衝進陸軍醫院。高呼「釋放貝隆！」警察和陸軍守衛，瞪目不知所措。京都交通和廣播電台，都由艾娃指揮工人，加以控制。後來，她從容陪着貝隆，坐汽車駛出陸軍醫院。第四天，兩人就秘密結婚。此時艾娃纔二十六歲，貝隆則已五十歲了。

（二）

一九四六年二月，貝隆當選總統，艾娃也就躍登了阿根廷第一夫人的寶座。初時，她任勞工部秘書，未及一月，掌握了實際權力，勞工部長反受她指揮，降爲傀儡。她和貝隆一樣，每天參加許多集會，接見許多來客，親赴各個工會演說。工人有甚麼要求，她不僅不加推諉，反而鼓勵他們。

工人是貝隆的救星，也是他夫婦兩人的唯一政治資本。他們對工人的生活，非常重視。鐵路工人要求加薪百分之四十，艾娃竟下令增加百分之五十。電話工人祇請求加薪百分之五十，她卻替他們加到百分之七十。於是，全國工人都瘋狂地擁戴貝隆夫人艾娃，高呼「艾娃萬歲！」這樣，全國規模最大的總工會，也變成了貝隆的實際支持者，無條件受艾娃的支配，艾娃可以對部長以下的官員發號施令，貝隆也並不否認，反而誇耀他太太能幹。貝隆曾說，她的價值超過他手下五個部長。因此把阿根廷政府最高勳章頒給艾娃。（上）

鮑魯斯東德受冷落

去年蘇俄釋放的德國俘虜中，有一位前德國第六軍軍長鮑魯斯將軍在內。第二次大戰期間，鮑魯斯奉希特勒之命，率軍團攻列寧格勒，一九四三年兵敗投降，在蘇俄集中營內度過近十一年的悠長歲月。去年釋出後，許多人預料他將出任東德新軍司令，但時至今日仍未成爲事實。也許克里姆林宮認爲他雖經十一年洗腦，仍未到足資信賴的程度。

鮑魯斯是目前留在鐵幕後面唯一的德國元帥，他現時卜居在東德德累斯頓郊外一所別墅中，穿着平民服裝，經常在東德軍事學校授課，有時候也奉東德赤色傀儡政權之命，發表一兩篇抨擊西德政府的宣傳演說。

收音機中警報高鳴

美國最高級民防官員正在考慮一種新的空襲警報裝置，這種裝置研究成功後，能安置於普通收音機內，使用的人只須在夜間將收音機打開，並轉動至一特定的「民防週波」上，敵機如果來襲時，民防總部的警報便可一直傳到閣下住宅裏來，任憑一家人睡得如何酣甜，也沒有不被這種淒厲的警聲叫醒的。民防總部之所以研究此種警報收音機，其原因有二：第一、美國城市的市區太大，警報發出時，不一定家家戶戶都可以聽到，尤其是在晚上已入睡鄉的時候，遠處傳聞的警報聲音很難將熟睡的人從夢中叫醒。第二、安了這種特別的裝置，市郊以及窮鄉僻壤的居民也可以聽到警報。

「誠實約翰」今秋運西德

在世界風雲日益緊張聲中，據說美國國防當局已決定將渾名「誠實約翰」的原子火箭新武器於今秋運往西德。這種巨型火箭能將一塊九平方哩的地區一掃而光，較之已運往西德的原子大砲效能尤好，因爲安裝有這種自動推進的火箭的裝置，機動性遠較原子大砲爲大，它在被敵人發現時，即能迅速發射，或遷往另一安全的地區。

胡佛主持塔虎脫基金

美國故「老虎參議員」塔虎脫的親友爲了要使他對公共事業的貢獻與理想永垂不朽起見，最近已組織了一個塔虎脫紀念基金會，這是一個絕不謀利也不涉及政治的組織，它的龐大基金只限定用于宗教、慈善、科學、文學及教育上的目的。担任此一基金會主席者，是高齡十七九歲的前總統胡佛。

胡佛今年雖近八十，但他卻精神矍鑠老當益壯，據華府宣佈，這位共和黨元老政治家短期內將恢復他在公共事業方面的活動，他將於今秋遠涉重洋，應邀訪問西德，作爲德國政府的嘉賓。（孟衡）

天下小事

吳修璜出國案

行政院新聞局來函說明經過

逕啓者：頃閱七月十四日貴報載有雷嘯岑先生半週展望一欄「由吳修璜出國案說起」文內關於政府核發吳修璜出國護照及出境證各節，頗多傳聞失實之處，特簡單說明如後：

一、吳國楨去年五月赴美時，尚爲行政院政務委員，須有爲期一年之公務護照，本年二月以來吳國楨開始在美誣衊政府，背叛國家，經政府予以撤職處分，並將其公務護照改爲普通護照。至吳國楨之子吳修璜係於本年五月四日向外交部申請護照，附繳吳國楨已經美國芝加哥論壇報聘爲該報遠東編輯，聘期三年，期滿可續聘兩年之證件並經美國公證人予以簽署。經外交部審核此項申請與出國護照條例施行細則第九條第十七款之規定相符，乃依法發給吳修璜普通護照，是吳修璜之領得護照，係由於彼具有合於護照條例所規定之事實，而非如外傳係由於吳國楨在美誹謗政府從事反動之結果，本年五月十五日本局曾爲此事發表聲明，遍載中外各報，想雷先生亦已見及。

二、關於吳修璜出境證之核發，經向主管機關查悉，吳修璜係於本年七月五日申請發給出入境證，經主管機關審核與規定相符，乃予照發。而吳氏適又於七月六日散佈謠言，此則屬於吳國楨方面一貫之無賴行爲。主管機關處理此事，係循一定之程序，既不因吳國楨之誹謗政府而特予省略必要之手續，亦不因其繼續散佈言而扣留應發之文件，雷先生文謂：「迨吳國楨再加攻訐，而出境證乃迅速照給了」顯係傳聞之誤。

三、凡中華民國國民申請出國護照，祇須合於出國護照條例及其施行細則之規定，政府無不依法辦理，過去如是，今後亦然。

四、本函全文請貴報惠予刊登爲荷。

行政院新聞局啓 四十三年七月廿三日

編者 讀者

關於出入境限制

△鄒明先生來函△

編輯先生：自由人言論公正，評述客觀，不事譏諷和挑撥性的批評。當對政府作中肯的建議，又對民主政治，宣揚不遺餘力。此所以自由人之愛讀「自由人」也。最近「自由人」（三四六期）雷嘯岑先生有一段何不效法友邦的文章說：『台灣基於安全的必要措施，不許外面人自由進入，殆也未可厚非，但對於顯然出境者，也限制綦嚴，有些人根本就不許離境的辦法，似乎莫測高深。如果認爲某人不忠貞，則留住他，毫無益處，敬鬼神而遠之，即所以淨化反共陣營也，若有反動嫌疑，既不能置之於理，更以讓其走開爲上策，姦黨貽患，而又背上剝奪人身自由的違憲之名，所爲何來乎……』所謂背上剝奪人身自由的違憲之名，自然是指違犯憲法第十條「人民有居住及遷徙之自由」之規定。目前台灣係屬戒嚴地區，出入境之管制，係依戒嚴法第十一條第九款之規定。按中華民國憲法第三九條規定，總統有依法宣佈戒嚴之權。依據戒嚴法以限制人民之出入境，似非違憲？即令限制綦嚴，以法理度之，也不應歸罪違憲？讀者尚有不解，不知雷先生亦能賜教否？讀者鄒明敬上七、二五。

西漢人民生活（二）

·毛以亨·

讀史述評

漢減賦稅輕徭役

漢得天下，總算把奴工反秦的目的兌現，即為將賦稅大大減輕。秦稅占百姓收入之大半，而天子私產少府之收入，尚不在內。漢則覩周代什一之稅還少，改為十五征一，後改為三十征一，文帝時至免民田之稅共十一年。賦即徭役，一為兵役，二為工役。兵役自二十歲起為更卒，每年一個月，共三年；為衛士一年，材官一年，戍邊三日，即丞相子亦不得免，至五十六歲止，計共服兵役五年又三日，衣服自備。漢無募兵，而祗有征兵，是以無兵費，而將亦難擁兵自衛。至工役之治城郭，築隄防，通運輸，亦祗需更卒之每年三十日而止，過此即須付值。故惠帝時發六百里附近人民十四萬修長安城，至三十日而罷，蓋不罷即須付傭值。此與秦之發數十萬人修阿房與驪山，終身服役無止境者絕不相同，范文瀾之中國通史，則有意無意的混為一談。不服役而願用代命者聽，謂之更賦，錢穆認為即「人頭稅」之起源，地丁之丁稅，即秦漢之賦。食貨志據董仲舒說，謂「力役三十倍於古，」蓋據古書歲服役三日；古書傳說，殊不盡合於事實。惟視秦制十五歲至六十五歲可能終身服役者，漢初制則須服役五年，實際上僅占其十分之一，不得不謂較秦大輕。以奴工叛變而得天下之高祖，當然能鑒秦之失，而減輕徭役以為維持其政權之道的。

不過奴工制雖減輕而未取消，與秦一切制度之仍舊，為人民未能滿意之故。高祖生於動亂時代，亦非知與民休息之人，而卒迫於環境，不得不走與民休息之道。蓋其人民實厭兵禍，韓王信、英布，陳豨凡舉兵反者，無不殺滅，蓋已無人願為之作戰。高祖以追逐韓王信故，而對匈奴用兵，終於忍辱罷兵，力謀和親，連秦代已入版圖之東越與南粵，也視為甌脫而放棄了。高帝在位十二年，於五年平定天下，以後七年雖未獲安定，亦可稱為半休息時代。

呂后狠忍穩定漢室

惠帝在位七年，呂氏在位八年，此十五年中，可謂呂氏全權，亦可稱為全休息時代。呂氏在高祖時代，不特助其打天下，而尤助其穩定政權，殺異姓諸王，實出呂氏之謀，呂氏為人狠而忍，其狠處以待戚夫人為人彘，殺韓信，醢彭越。其忍處為不特對南越王趙佗之僭稱武帝而不較，即對冒頓與其開玩笑，「以其所有，易其所無，」使她其餘聲之事，亦能隱忍下去，大凡陰鷙的女性，未有能狠而不能忍者。惟呂氏本意，實欲以呂氏代劉氏之天下，乃任齊王肥，吳王濞同姓諸王之坐大，這是與王諸呂之基本原則衝突的，但以顧到與民休息之大原則，終不肯剷除諸劉以引起變亂，所以呂氏祇是亂宮庭而不是亂天下之人，反之她是創議把天下穩定下來，而讓人民絕對休息的人，但劉呂的暗潮，終是精神上不安的因素，宮庭陰謀，隨時可以擴大而荼毒天下。可以說，勉強把天下安下來，而人心實未能全安，然人民已得休息之實惠二十二年了。

三、文景之治

劉呂矛盾解決，諸呂既誅之後，文帝即位，使人民精神上物質上俱得休息，為當時人心惟一之期望。眞正使人民獲得休息者為文帝在位之二十三年，景帝在位之十五年。文景共有三十八年，合之高惠二十二年，共有六十年，始將戰國至秦末百餘年，摧殘人民元氣之社會，起死回生。諡法經天緯地謂之文，荀悅漢紀謂「功莫盛于高祖，德莫盛于文帝」，漢代輿論之推崇可知。司馬遷稱「孝文施大德，天下懷安，」又以「王者必世而後仁，善人之邦，勝殘去殺」稱之。班固文帝贊曰，「即位二十三年，宮室苑囿，車馬服御，無增所益，有不便輒弛以利民。……身衣弋綈（皂繒所服之厚繒）……帷帳無文繡，以示敦朴，為天下先。……專務以德化民，是以海內殷富，興于禮義，斷獄數百，幾致刑措，嗚呼仁哉！」班固之景帝贊曰，「漢興，掃除煩苛，與民休息，至于孝文，加之以恭儉，孝景遵業，五六十載之間，至于移風易俗，黎民醇厚。周云成康，漢云文景，美矣！」（未完）

讀者論壇

救救青年（一）

一錚

最近在貴報讀到方曙先生：「新的教育措施」一文，一種直諒公允和愛國家愛政府的精誠，洋溢字裏行間。

這一次政府任命國民黨的秘書長張其昀先生出綰學部，可以看出政府對於教育是如何的重視。張先生畢竟是有理想有抱負有眼光的學者，他一開手，便給自由中國的教育做了許多良好的措施，尤其是他對於高等教育方面，所已發表的幾點，都是關百年樹人大計的。

可是美中還有不足的地方，這就是即到了今天，下情還是不能充分的上達。舉一個例來說吧。最近省臨時議會議員林王少華質詢教育案：提到某省立師範學校校長與教育脫節甚久，人品極差，立法院教育委員會似也有類似的質詢，這不能不說是全省老百姓的呼聲。

據我所知，議員的說話，多少還有點顧慮到政府的體面。這位某校長云云，豈但和教育脫節甚久，人品亦極差。僅僅在若干年前，做過一個短短時期的私立托兒所所長而已。基本的常識也很缺乏，每次開會當主席，總要鬧得笑話百出，寫一張便條，看一件公事，都得請人幫忙。整天在學校裏罵人，而今居然當起師範學校的校長，作人師表，眞是古今罕有的奇聞。

聽說該校曾有八九年歷史，前任校長因為不能兼職，同時也因為身體不好，堅決地辭了職，繼任的縱使不是一個碩德宿學的人，也不應是這樣的一個人才呀！

張部長一再表示師範教育的重要，可是等到此事報告上去，聽說，由於某某方面的人事關係，終於把這人留住了，外間的謠傳，確否不可知。又聽說主管當局，認為控告的人，多半沒有具眞姓名，置諸不理。當這年頭，誰不怕飯碗摔破，而且在一年發一次聘函的制度下，又有誰敢出眞姓名，自討苦吃？（該校長到任不上一年，已換了三個訓育主任，一個教務主任，三個總務主任，三個庶務組長，三個訓育組長，十幾個職員，另聘了好幾個新教員，撤了十幾個工友，此外校長室的工友就換了四個，三輪車伕換了七八個，連超然的主計主任也換了三個，學生被記大小過的三十幾人，（都沒有經校務會議）開除學籍的三人，（都沒有經校務會議）其中一人距離畢業考試只有七八天，僅僅為了留長一點頭髮的小事情，便硬把他退了學，雖經導師們再三請求，該校長還是獨斷獨行，悍然不顧）。

（二）

我舉這一個例子，並不是對某校長個人有什麼意見，只深深地感到就在今日的自由中國，下情的上達還不是一件很容易的事情。誰都明白，當前中國最主要的課題，是如何掌握人心，爭取青年。政府對於這一點不是不知道，但似乎以為只要把「組織」「訓練」辦好，這一個目的便安然可以到達到了。這樣的看法和做法，都是非常危險的。教育如同政治，在人民表面上歌功頌德的話愈多，人心與正的傾向，愈不容易看出，人民和政府距離也就一天遠過一天。我寫這一篇文字的動機，只是看出今日大多數自由中國青年的心理，都不免有望治過切的傾向，對於政府常不免有愛之愈深責之愈嚴的心理，因而常不免有苦悶和空虛，彷徨的感覺。這是一種嚴重的病態，要救治這種病態，據我個人多年和青年接觸經驗說：

（一）是要慎重選擇教育和領導青年的人。尤其是中等以上學校的校長，導師，軍事教官。這些人的學行修養，對於青年的心理關係太大。政府對於這些人員的任免，千萬再不要以人的關係，或組織的關係為標準，更千萬不要為了偏護一二人，而失去千千萬萬的人心。

（二）要取消今日一年發一次聘函的制度，予教師以切實的保障。養成教師人人愛護自己人格尊嚴的觀念，養成師生崇知砥礪行，追求眞理的風氣。而不必時時要顧到個人飯碗的問題。我不相信一個有學問有操守的教育家，會不忠於國家，出賣自己的靈魂，那些出口擁護，閉口擁護的人，到了重要的關頭，會眞正擁護領袖，為國家而犧牲。

（三）要提高教育人員的待遇，使其無仰事俯畜之憂，以養成教育界重廉恥，重氣節的風氣。

我以為要振作青年的士氣，爭取青年，先要提高教師的士氣。改善教育，最主要的還是人的問題。「舉直措諸枉，能使枉者直」這句話是沒有古今的不同。

讀「歷史文化與人物」

·徐復觀·

程君滄波錄其平生所為文，凡二十七篇，都為一卷，由中央文物供應社印行，名曰「歷史文化與人物」，余受而讀之，蓋不能無所感。

（一）

二十年前，論天下文章，余即知有滄波。顧不僅未識其人，實亦未嘗讀其文也。在南京時，陳布雷先生主持某一會議，前列中有瘦幹短小，而發言之際調銳利，余雖不能盡解其意，但實為其氣勢所震悚。就旁坐者問之，則曰此程滄波也。余私自忖，此公清勁旁薄之氣，溢於眉宇，其負文名也固宜。遷亂在港，始稍稍過從，亦得稍讀其文。近兩年來，則凡滄波之文無不讀，讀後輒與感舊發，思有所追摹，而又若無把捉處。蓋滄波常驅遣古今中外之人物事理於一短文之中，如煙雲之湧現，變幻生滅，使觀者目不暇接，心神炫駭，而在彼舒捲回卷無心，往來無迹，所謂行其所無事也。讀者試執余言以讀集中之「獨立與獨行」，及「君士坦丁堡陷落五百年」諸作，殆亦可默會於心，而覺無所餘憾矣。余嘗謂滄波君文，如大馬行空，仙人勉強趣步，且將蹶蹶以死，甚矣文章之關乎稟賦，而人各有其極限，此眞無可奈何之事耳。

（二）

然滄波以文名傾天下者垂三十年，主國民黨宣傳之壇坫，以文章鼓暢主義國策者亦殆十年以上。顧集中所錄，大陸淪陷以前者，僅四篇。此四篇中，三篇，懷念其本校本師之作，乃關係於其前期學術之淵源及其性情之所篤至。此外二十三篇則皆其離大陸以後者，而壯年主宣傳壇坫之文，概不預焉。豈其中無一雄文偉論，可一當滄波之意？誠以文之至者，其氣必伸，其情必實，其學之積也尤不可不厚。滄波抑塞豪邁，不事飾偽。遷亂以來，與政治之中心，稍稍離隔；乃得肆其筆力于中西編簡，日夕不倦。又身遭顛蹶，感深觸切，既得以功業聽天下之急，其旁薄之氣，通達之識，遂一于文發之。顧忌少，斯其氣伸，酬酢閒，斯其情實。則其文之彌近而彌工，乃必然之勢也。天下蓋有挽人于勢者，輒亦欲挽其文；僥倖于勢者，輒亦欲自僥倖其文。思一身隨斷天下可喜可好之事物，以君臨于彝倫之上。然結果，則必與其所欣羨者相背馳；于此，亦有以見天道之公。與夫人類心願志業之必不可掩。天下之有志于文者，由滄波之所遭所守所成而推之，殆可思過半矣。

（三）

君籍常州，清代常州學派，治經由專精而轉通治，為文由質樸而轉瓌瑋，與惠戴之學，別為一幟；而其所以震盪一世之人心，鼓舞天下之風氣者，非復經生之業所能限制。讀滄波之文，蓋可知其陶鑄師承之有自，不僅關于其稟賦也。君年來頗稱道余文，余乃由僻間褒人子耳；學問之所蓄，昔日之所接，均不能望君之項背；然憂患之所積，輒欲自忘其鄙陋而不可得，故見之于文者，常村野粗獷，不足供大雅君子之把玩，其無以副君之獎者審矣。近年君來書，謂今後或更能漸進以副愛我者之望。討冥搜，相期白首。則僅以此集論定滄波者，吾固知其過早計也。

四三，七，廿四日于台中市。

吉伯萊擬透過鐵幕　探尋英機失踪乘客

越南停火談判達成協議，英國具有綏靖主義心理的政治家們，正當沾沾自喜之時，二十三日突傳國泰DC四型客機，在離海南島海外國際航線上空，慘遭中共兩架戰鬥機攔截擊落墮海，機上十八人，其中九人失蹤，一人卻於獲救後殞命，八人受傷留港醫治。

這個自由世界的消息，引起了各方許多揣測。對於只想與中共建立貿易關係的妥協者來說，無寧是一個極大的諷刺；英國雖然立即提出抗議，北平偽政權亦唯恐事態擴大，使其「和平姿態」暴露出猙獰面目，忙然不迭地向英道歉並賠償，態度裝得特別「安詳」，表示「遺憾」。

國泰航機雖有鮮明標幟，遇襲之時天氣晴朗，極易辨識，除非出於預謀，絕不會被「誤認」的，事實昭然，毋需研究。而且根據目擊者的指陳，國泰機墮海之時，海面發現甚多小艇，此等小艇係屬海南島的，自係中共早有安排，陰謀擄劫機上所欲綁架人物。人們當還記得，一年前中共曾在港海擄去「寇時」號遊艇，綁架美國記者事件；至今仍未獲釋；英艇「伊蓮娜」號亦曾被擄，艇上英籍海員九人獲釋未久。此次國泰班機的遭遇，與上述擄劫事件如出一轍，毋庸置疑。失蹤的九人料係被擄，其原因可能是強徒一時無從辨明所欲綁架的對象，而將此認為可疑者將之全部以小艇載去。

現已判明失蹤者中有英人也有美國人。美籍巴里殊本人迄今生死不明，其夫人和他的女兒已獲救來港；他的朋友吉伯萊於二十八日自西貢抵港，企圖設法通過鐵幕，到海南島探尋下落。美國遠東空軍當局於泰機罹難之後，協助救溺，竟遭共機干擾，發生空戰，中共機兩架卒被擊毀，由於此事件更加深了自由人士的恐懼。民航機構的了恐懼。一架飛港途中，具有遭遇共黨此舉，當非各作交通班機。但均已奉公司命令改離海南島外原航線。中西各報大多持有是世界輿論的警覺誤計。世界各地輿論，對中共暴行，亦無不同表憤慨。但此次事件正是一個考驗，若不取得適當保證，後危堪慮。

共產黨利用暑期強迫兒童幹特務

據中共「人民日報」透露：「中央教育部，青年團中央，曾下令強迫兒童暑期活動，特要求各省、市、縣、區的教育行政、青年團、教育工會等方面組成暑期工作委員會，指導暑期兒童工作。」據悉，中共此舉，志在加強對兒童的控制，除規定的兒童公開活動事項外，尚有若干秘密任務，須由「暑期工作委員會」迫使兒童照行。例如對「改造」的反應，對家庭「訓練」的態度，城鄉反共人士的活動等，均為兒童在暑期應行秘密調查的工作的一部。

試舉例以明之

馬五先生

少時在中學讀書，每星期作文一篇，國文先生常好出類乎性的題目，題尾必有「試舉例以明之」這句話，地形勢的問題，教我們「試舉例以明之」。我對於這句話至今印象甚深，且用來談談自由中國的民主問題。

最近台灣的「聯合報」發表社論，指摘特務人員常有干涉報館言論和新聞消息的行為，又說政府的「新聞官」對報館有如大老爺對小百姓的氣派，其言也徵，其氣也盛，使那號稱世界最民主的美國新聞記者，也大感驚奇，向各地發出電訊，報導此事。而聯合報並未受到政府的任何究問，照常出版，此一例也。

本報前兩期的「牛渚漫筆」中，因批評吳國楨的兒子出國案，後替海外若干不能取得入台證的忠貞難民鳴不平，且對有關機構如「大陸救災總會」等，不無責難之詞。現該得該會救災總會並非政府機關外，表示接受本報諍言，對留在海南的忠貞難胞，一定特予注意，要設法把他們接回台灣，此又一例也。

援此兩例，可見自由中國的民主政治，確已有長足的進步，一方面表現着容忍的雅量，一方面證明言論享有與論的精神，這種民主風度，比諸歐美各先進民主國家，亦無多讓。

若在今日的中國大陸上，你有此言論自由之可能嗎？我人政治怨怒的「有苦之汪」，不但不敢於私人，對於自由中國的民主政治的進展，自應引為欣慰，亦說台灣是毫不民主的吧！

當然，我決非認為台灣的政治，已經民主到了「至矣盡矣，蔑以加矣」的地步。但是，十分完全的民主生活，決非一蹴可幾，要逐漸累積而來。我們既希望政府實行民主政治，即對於真正的民主表現，應該讚美稱道，以促進其向前發展，因而我乃不得不舉例以明之也。

淺論夢窗詞（上）

羅自芳

（一）

南宋詞中，吳文英的夢窗甲乙丙丁稿，向來被稱許為大家之一。但其對當時詞壇的影響，並不十分深切。雖則尹梅津曾說過「求詞於吾宋，前有清真，後有夢窗，此非煥之言，天下之公言也」。其實尹煥的話，不無阿於所好之嫌。當時所共同推許的，如姜白石、周草窗、張玉田、王碧山輩，聲望之隆，都遠非夢窗所可比並。張玉田對夢窗詞，所下批評，說是「夢窗詞如七寶樓臺，炫人眼目，拆碎下來，不成片段」。沈義父於夢窗，其關係在師友之間，相與推敲商榷，過從最密，然沈義父樂府指迷，亦謂夢窗之失：「在用事下語太晦處，人不可曉」。足見夢窗在當時的評價，並不很高，未能受人重視。直到晚清之季，夢窗詞才交了好運，被捧成了宋詞四大家之一，而且自周介存舉之為：「天光雲影，搖蕩綠波，撫玩無斁，追尋已遠」。又說：「意思甚感慨，而寄情閒散，使人不易測其中之所有」，彼詞壇奉為圭臬，一字一句，都被拿來作為摹擬揣摩的對象了。

晚清競學夢窗的風氣，遂勃發展，不可遏遏。入民國後，猶有朱彊村陳述叔諸大老，為之推波助瀾，鼓吹不絕。朱選宋詞三百首，一以夢窗氣息為指歸；陳述叔的海綃說詞，則更奉夢窗集中諸詞出處，詳加索隱，並一一演繹其段落章法，極力揄揚，認為是化工妙境。夢窗詞地位之高，至此已無可復加了。中間雖有王靜庵的人間詞話，對夢窗詞說「映夢窗凌亂碧」；胡適之選詞，也謂為「詞匠」的詞，但[illegible]力排擊南宋一般[illegible]，仍未能稍移夢窗詞在晚近詞人之深，影響之大。

（二）

現在，我們研究夢窗詞，到底它的內容如何，是否值得崇為宗師，似應研究探討一番。相信愛好邑詞的，都會覺得這是很有意義的事。

[illegible]

外，若就詞格方面而言，則夢窗詞更不足道。中國文學上的傳統理論，文學好壞，其餘事，而品格必求高尚。而文格之高卑，又視乎有無寄託。所謂寄託，[illegible]三百篇寓美刺于諷諭，楚騷以美人香草喻君子，[illegible]

吳君特生當南宋末造，異族憑凌，國運如縷，胡騎縱橫四野，同胞輾轉乎溝壑，且當時朝綱不振，百事多非，有心者無不疾首痛心，發為文章，類多家國興亡之悃。同時諸家，如周密、張炎、王沂孫等，俱無例外，獨夢窗不然。試翻閱夢窗集中，求一稍具感懷「家國」的作品，竟極難得。

述·懷

——調寄蝶戀花并序——

彭楚珩

『誰個思不歡？誰能飢不食？日暮當戶倚，惆悵底不憶！』昔人名作，大抵皆為有所思，有所憶，有所惆悵而發，有所不得已之心聲也。亂之亂世，比於今何如哉？古今同慨，爰選取杜丹亭起唱之『蝶戀花』前闋以寄意，作後闋以誌慨，尚友古人，殊不以『續貂』為嫌也。

忙處拋人閒處住，百計思量，沒個為歡處；日日消磨腸斷句，世間只有情難訴！

北市公園朝復暮，歲易三年，國難敢如許；又惹閒愁添壓負，多情總被多情誤！

痲瘋症的今昔（上）

·小丞·

最近讀明的特效藥「蘇鋒」（SULFON），可以根治痲瘋症。同時痲瘋並不是遺傳，兩代都患痲瘋的，只是由於後天的接觸傳染而已。

一段香豔的痲瘋故事

據兩般秋雨盦隨筆記載：粵東有所謂痲瘋者，沾染以後，不可救藥。故當地有痲瘋院，其間自為婚配，三世以後，則許出院，以毒盡故也。珠江之東，有寮曰「痲瘋小舟」，以聚痲人。有痲女，貌絕佳，日漾小舟，賣果餌以供母。有順德某生，見女可相契合。定情之夕，女峻拒不從。及生求其故，且承痲瘋族叔故也。再泣。生去旬餘，女投江死矣！生大慟，為封其墓，若伉儷然。番禺李[illegible]作歌紀其事云：「[illegible]病葉狂花正愁絕。痲人有女初長成，貌似天桃心似鐵。[illegible]石城雲，錯被旁人[illegible]南部記，麗詞[illegible]江洗留不住，黃金[illegible]。[illegible]佳人最可兒，[illegible]眉。枇杷花[illegible]麗珈。鳳城年少暮傾[illegible]。冀北馬空[illegible]少偶，花南鳥嘆況多情。阿嬌早把多嬌重，絲珠不惜明珠奉。知命從教薄小星，背入好把衾裯送。情極難斷窗鐵綿，背負君情兩可憐。流傳一葉歌若苦，懊恨更番事管法。抱語入郎心心已稿，欲為淚灑郎懷抱。桃葉江心欲渡難，迎香卷內因惜。一從分作兩鴛鴦，鎖日懨懨掩房。已拚精衛終填海，無復啼鵑哭望鄉。香魂泯滅蛟龍宇，水仙為伴香妃友。消息驚傳太瘦生，斷腸人似柔絲藕。鬢影釵光倚宛然，招魂南紙問江天。歲時得遂三生約，再結韋家後世緣。」

道一個痲瘋故事，固然極其哀艷動人，而黃詩的命意纏綿，措詞典麗，尤為可誦。由於近代醫學進步，這種悽慘的現象，將成為歷史的陳跡，徒供後人的憑弔而已。

金珠

中篇小說

勞影

「金珠，金珠……」我默誦着這個應該熟悉而卻陌生的名字，內心又是欣慰又是黯然，我為自己已經獲得金珠的一縷眞情而欣慰，但我也為葉已逝去的那一百多個小時而不勝黯然。

她像一頭小綿羊似的倒進我的懷裏，我們忘記地窒息在第一次長吻裏……。

當她一滴眼淚流在我的臉頰上時，我想起手帕。

「金珠，」我低聲說：「我也有一樣東西要給你。」

她滿臉紅暈地望着我。

剎那間一個意念飄過我的腦際。

「噢，我說錯了，」我改口道：「我有一件事情告訴你。」

她仍然一動不動地茫然望着我。

「我這幾天常做怪異的夢。」我說。

她眨了一下眼皮，然後掠着我的頭髮近乎自語地說：「你想了一些，大概你想得太多了……你想些什麼呢？」

「我的宿舍在植物園附近……」

「什麼，」她叫道：「植物園？」

「嗯，植物園，」我繼續着說「我時常愛在黃昏人靜後到裏面去玩；我愛那高大的椰子樹，我愛那嬰綠如茵的草地，我愛那小巧玲瓏的蓮池，我愛那夜闌人靜時月華如水……，我更愛那一二株及時而開的聖誕紅，我覺察到金珠的呼吸急促起來。「也許是由於我過份偏愛那塊小小的天地吧，尤其是這幾天，我一入夢就會盤桓到那片椰林立的水池傍邊。」

「你夢見什麼沒有？」她急急地問。

「怎麼會沒有！」我嘆口氣說：「還好做的是夢，不然才眞荒謬呢！」

「嗯。」

「大概五六天以前吧，」我回憶着說：「我夢遊於那個蓮池之側，我看見池心土丘上那株聖誕紅比前幾天又憔悴了些，當時我想：多美麗而又可憐的花啊！它就像人一樣，它消瘦了，是忍受不了凋遭的無邊寂寞呢？還是渺茫的未來使它暗自傷神？是否造物者妒嫉它天生的嬌豔，故意把它安置在這塊落漠的土壤裏，與繁榮隔絕，與野草為伍？它多孤獨啊，它該有多少不平與委屈需要伸訴啊！可是，除了能夠摧殘它的青春的風雨，以及那些隨遇而安的凡花俗草外，又誰能看出它不同凡俗的高潔，賜給它同情的慰藉呢？它要控訴，又無從控訴，它也懶得控訴；它將一切不幸都諉諸命運安排，它並不掙扎，祇是暗自憐惜着有限的和飛快消逝的青春；睜睜地等待着那落紅滿地的一天。……唉，啊，整個大地都已入睡了，唯一仍然陪伴着它的祇有那永遠緘默的月亮，她了解它嗎？她同情它嗎？它問過她沒有？她又回答過它沒有？……我當時恍恍惚惚地，彷彿聽到一陣陣的無助的哭泣聲；我想，這一定是我的幻覺，我實在想得太深遠，太離題了，雖然人們常把鮮花和少女比喻在一起，但花與人之間還有莫大的分別，縱然花也有和人一樣的生命，但花到底還祇不過是一株花罷了，假如眞有一個少女有着一樣的命運，那才是眞的不幸呢！唉，夢終究是夢，夢境是可以隨着意念而連續變幻的，當我想到這裏的時候，你猜怎麼樣，呀，那株聖誕紅居然不見了。」（十六）

韓國旅行業

·明之譯·

南韓還到處滿佈可怖的戰爭傷痕，遊客見了，莫不黯然，但由於李承晚總統的努力，這些瘡痍滿目的景象，正迅速逐一掃除，為韓國帶來了蓬勃的復興氣象，也招引來許多外國旅客。南韓政府年來對遊覽事業異常重視，它的主要目標自然是化錢豪爽的美國遊客，他們既能助長韓國的繁榮，也能有助於宣揚韓國的文化與政府。因此，韓國政府正全力推動種種計劃，開闢美麗公園、狩獵場、射擊場、魚池及海濱別墅。並加緊興建[illegible]。

在去年七月停戰後，李承晚總統所要做的第一件事，就是修復漢城五百年來的古城門和城牆，在韓戰期間，它們都曾受嚴重破壞。

李承晚且最早看到旅行事業的利益，曾下令大規模修建漢城周圍的歷史性古蹟名勝，他認為這工作關係國家文化，甚至比修建炸彈所毀的政府大廈更加重要。

南韓政府在漢城建造全國最大的一所旅館，使化了二百萬美元，其中傢俱和一切設備都是向美國定購，旅館各房間的裝潢上，且特聘韓國名畫家，繪上仿照韓國古書的圖案。這旅館有八層，有八十二間房室，一百另二間附帶浴室，它專供招待外國貴客之用，對本國人士暫不開放。政府估計，這所旅館一年便能收入三十六萬美元之數，入息使二百萬美元的修建費仍相當值得。

李承晚總統也已宣佈計劃，將以一百萬美元在漢城火車站附近建造一所「鐵道旅館」，專供外籍火車旅客之用。

在釜山以北八十哩的古城江州，政府修繕一切歷史性房的工作，已告完成，王陵古墓，各處古廟，都已有寬闊柏油路直達。江州曾經歷一場韓戰中極慘烈的戰爭，但這裏的一所著名古廟，一切已恢復舊觀，而這裏其石階明滑如鏡，最早的「世界第一所」石製天文台，也依然兀立無恙。

在漢城本身，除了修築城牆城門外，李承晚也下令修復三座古宮，這些宮殿，在漢城即佔了全城五分之一的面積，現在都已修建完竣，由一位新聞處主任管理，歡迎各地旅客參觀，須經聯合國軍也自在歡迎之列，參觀費每位二百韓元。

漢城以南二十哩，有一座國王陵寢，左右是韓國的名山，現在[illegible]公路直達山頂，而在山頂開闢了一個小機場，供直昇飛機升降。[illegible]

[illegible]

自由人
THE FREEMAN
（第三五七期）
中華民國郵政局登記認為第一類新聞紙類
每份港幣壹毫
HONG KONG

中共動向與英國權術

英國欲以權術代替戰略，須知共黨原是以詐術起家的。美國也應特別小心警覺，以免連帶上當。

·黃煥文·

[illegible]意七月廿五日美聯社記者的報導，他說：「讀次日內瓦會議，周恩來不過是共產中國的一個要人，而今[illegible]北平比克里姆林宮收獲更大。蘇聯的收獲[illegible]」

[illegible]歷史了解甚深。老子道德經有言：「將欲取之，必先予之。」管子政治哲學更講「知予之為取，政之寶也」。英國現時對中共玩弄的這一套權術，究其淵源於世界歷史上的均衡主義（BALANCE OF POWER）[illegible]

擊航機可能是蘇陰謀

現在大家業已看得洛托夫返莫斯科之時，[illegible]周恩來則於廿三日由日內瓦飛[illegible]英國首相邱吉爾與外相艾登。我們細心觀察，深覺英國當局導演這一殘讓共黨分割越南之停火協定的悲劇，頗有以權術代替戰略之勢。可是停火協定墨猶未乾，中共即在海南島附近，擊落英國客機[illegible]實不能不令人懷疑。

艾登七月廿二日由日內瓦飛返倫敦，當即出席下院報告[illegible]「[illegible]越南停火之另一途徑，即不再繼續戰爭[illegible]」在英美基本政策力圖避免總體戰爭[illegible]

詭道詐術乃共黨圭臬

我們細味英國這「以夷制夷，以毒攻毒」的一套權術[illegible]英國漢學權威翟爾斯博士（Dr. LIONEL GILES）所譯我國孫子兵法一書，一九〇一年出版於[illegible]，吾人多少可以窺見[illegible]，同時又有引誘中共[illegible]權（包括基地在內）[illegible]

[illegible]蘇聯的專家路易士費歇（LOUIS FISCHEN）在七月份[illegible]

舊式權術已屬無用

[illegible]

[illegible]之確保，是美國戰略命脈所繫，絕對不許共黨觸及，否則原子戰爭，集體報復（MASSIUE RETALIATION）戰略，美國就要付之實施。從軍事觀點言，中共今後的動向，當走下列三條路子：

（一）韓戰再起；

（二）向東南亞發展；

（三）進襲台灣外圍島嶼。

如果眞像尼赫魯與周恩來晤面時，尼氏所說只要越南問題解決，中共不再侵略，關起門來建設，實大有可爲的話，恐怕蘇聯是不會願意的。因爲，一旦中共果眞與西方國家和平共處，豈不眞要吃了英國權術的大虧？共產黨對英國的老謀深算，老奸巨猾，極爲清楚，彼此勾心鬥角，眞可說是鬥智不鬥力，看誰的權術高明，並不在乎原子彈的多寡了。

美國已退休的空軍名將斯巴茲（GARL SPAAT）七月十九日在美國新聞週刊發表專文說：「除非我們坐令共黨獨裁者控制全部亞洲資源，否則必須在某幾處地區和某一時間內建立一條界線，阻止共黨之蔓延。」當然，在這界線內，南韓、日本、菲律賓、台灣，必定包括在自由陣線這一邊。如果這些地區任它成爲俄帝版圖之一部，則美國和其他自由國家的生存，將要受到威脅的」。他又說：「但今天空權世界中，除非直至自由世界支配了天空，一如英帝國以往支配過海洋一樣，集體報復主義便不能保持和平」。斯上將所謂劃定界線及確保優勢空權的戰略思想，很明顯的沒有什麼權術意味，而是眞正戰略方針。我們希望美當局特別小心，不要因英國權術與外交而上當。際此原子時代，對付共黨來玩舊式權術，實在害人又害己。

（下轉第二版）

中共進聯合國的法理問題

徐澤予

聯合國憲章的漏洞

今年九月，聯合國大會開幕以後，中共進聯合國問題或將成爲國際間援擾的中心。蘇聯集團數年來在聯合國各種會議上，要求中共出席，已達一百五十餘次。最近一次是七月中旬聯合國託管理事會開會，蘇聯代表又提出這個問題，結果贊成者僅蘇聯與印度兩票，英國棄權，其餘九國反對。

中共進聯合國，是個政治問題，不是法律問題。可是聯合國有們憲章，政治要力必須藉法律的漏洞來做事。現在各國的國際法專家，正研究蘇聯與印度集團如得他國支持，可能用甚麼方式，拖中共進聯合國去。

聯合國憲章第四條，新會員國的加入，其程序的第一步，是安全理事會的推薦；第二步由大會決議。照普通字義解釋，「建議」，「決議」之權，屬於大會的決議，和理事會的推薦，應該是相同的。但是這一條有兩個漏洞，必須注意嚴格的法律解釋，「建議」，「決議」之權，屬於大會如採取相反的「決議」，是合法的。

安理會有大國的否決權，大會是沒有否決權的。安理會中，蘇聯代表對新會員國的加入，如日本及義大利，都施行否決權；那麼美國與中華民國的代表，也當然有效施行否決。所以這件事情，蘇聯與印度等國，一定要把他拖到大會去。

否決權

第一　憲章的文字，並沒有限制大會的決議，必須與安全理事會的推薦相同。聯合國大會有權自行決議，安理會不過是

唯一的問題，是中國由誰來代表？照過去舊例，他們可能先在聯大的「代表資格審查委員會」，提出這個問題，認爲這是「程序」問題，不是「實體」問題。代表資格審查委員會，爭持不決，下一步當由大會來解決。

根據憲章第十八條，大會的「重要」問題，應以到會及投票之會員國三分之二多數決定。如屬尋常問題，過半數會員國的同意，即可處決。但是第一步，要先決定這個問題是否「重要」？他們一定企圖集合三十一個會員國（過半數），認爲此事並不重要，選出三十一會員國的同意票，決定這個「程序」問題。這個時候安全理事會，應當開會干涉。不過萬一蘇聯與印度，能集合三十一個會員國，舉手投票，應付就十分麻煩。

程序問題與實體問題

第二　蘇聯與印度等國，可能解釋此事與第四條無關，因爲第四條所說的，是新會員國的加入，現在中國早就是會員，

今年大會的形勢

所以無論聯合國憲章有無法律的漏洞可尋，最後的處決，還是國際間的政治力量。照目前的情形來看，美國，拉丁美洲各國，土耳其，希臘，泰國，菲律賓，南韓及利比利亞，這些可靠的會員國結合起來，在二十票以上，已經超過三分之一，如果適用第十八條的三分之二的規定，認爲這是「重要」的案子，大會不能作非法決議。

美國如果要集合過半數（三十一個）以上的會員國，則英國集團（如英國，澳大利亞，紐西蘭，加拿大等）及若干歐洲大陸國家的支持，是必要的。

去年聯大開會，爲避免正面的投票，把這問題看做「時間不適宜」（QUESTION OF TIMING），如果今年也如法泡製，將其拖延下去，那麼這樣的案子，投票贊成者，可以較多。那些遲疑的國家，都可能同意。邱吉爾已經在英國國會表示，中共進聯合國，尚非其時，這種辦法可能會重新提出，以減少阻力。

半週展望

·雷嘯岑·

中美安全互助問題的展望

據說，自由中國和美國即將簽訂安全互助協定了。所謂「安全互助」，即是變名的「攻守同盟」，是彼此共安危禍福的誓約。就整個自由世界前途說，這是應有之舉，就中華民國前途說，更是一項可喜的現象。

然而，「安不忘危」的古訓，今天大家却應該特別牢記在心，隨時警惕。否則「福兮禍所伏」的後果，難免不發生的。我們若因此即認爲台灣已安如磐石，不虞大陸上的賣國賊來進犯了，遂準備醉生夢死，惰性滑澁，以坐待美俄兩大勢力之最後決鬥。好像打牌一樣，以爲有一個能手替自己「挑土了」了，儘可安然靜候分享勝利的果實，準備無輸，那就萬分危險！

古往今來的國際政治，都是「力學」的實驗資料，天下決沒有不能自立自強而可以獨立生存的國家也。中美安全互助協定問題已商談好久了，迄未聞有如現在之具體而實踐化的消息，其故安在？我以爲在乎中共賣國賊們對英美姑息主義之不顧完全接受，而以海南島大客之亂暴攻擊爲促進此一齊約的有力因素。可是，翻孟所貴，趙孟亦能賤之，國際上的姑息主義並未消沉——消滅更談不到——試看李承晚在美國呼籲，以強硬政策對付中共暴徒之際，即得不到絲毫同情共鳴的反應，即可省悟了。英美世界政策的目的，第一是「和平共存」，第二是保護西方的生存。對於東方這些弱小國家，只不過以餘力「攜帶」一下，也像賭博一樣，這些東方的弱國，充其量祇能站在旁邊從事「釣魚」，除非你有「當莊」的資力，敢作孤注一擲，必要時即可棄置不顧的。

假使俄帝基於其世界革命的策略，將來忽然拿點事實來對美國作「誠意的行動表示」，藉以迎合艾森豪總統近年來迭次對蘇俄所發的演說意旨，中美安全互助協定縱然正式簽訂，其作用也就有限於「不使台灣落入非友好國家之手」而已。我們能够長此局促於台灣這一隅的彈丸之地嗎？不能的話，就得自己有辦法，有力量，利用內外的形勢與機會，革面洗心，奮發有爲，表示我們具有卓然樹立的能耐，敢於破釜沉舟孤注一擲，這才使人另眼相看，不致認爲是一個站立在賭場側的「塘邊鶴」。（粵人對「釣魚客」的綽號）

因此，我們對於中美安全互助協定之訂立，固然感到高興，認爲這是自由世界之安全不可分的應有措施。但不宜視爲這就是反攻復國的絕對保證，尤其不可稍存依賴友邦拔刀相助的心理。老實說，這安全互助協定如一旦正式簽訂後，在消極上我們雖然增加了一層安全保障，然就積極作用來說，也受到了一項約束，即在軍事行動上，不能不徵取盟邦的同意而可以自由攻守了，我們應該特別警惕的，也就是這一點。如果自己能自立自強，萬一國際間的姑息主義又告抬頭，我們彼出賣的可能性，並不亞於越南哩！二次大戰時，英法與波蘭捷克皆訂有互助同盟條約，結果怎樣呢？爲着要與史大林妥協的關係，所謂互助同盟的條約義務，究安在耶？尤其是波蘭反共愛國志士在倫敦設立的「德波林政府」，還不是聽任史大林把他們逐一消滅掉，有誰來互助呢？

中美安全互助協定能正式訂立，我們十分欣慰歡迎，萬一又是止於宣傳作用，不過藉此以對俄共集團表示一種示威性的姿態，也不必引爲失望。智者不惑，勇者不懼，祗要自身有預識利害關係的智慧，有「大學法金石而不熱，互淹稽天而不溺」的勇氣，則任何可能的國際姑息陰謀，皆在意料之中，無所用其憂懼。最要是「因人成事」的惰性作祟，俯仰由人，不知振作。從前廣東有一位學人，曾用粵語寫過一首詠牌九賭場「釣魚客」的詩，內有兩句精警的話：「至衰幾隻塘邊鶴，未到開牌靄定先！」希望大家對中美互助協定問題，千萬不可有這樣的意態啊！

談國粹思想

馬五先生

英國首相邱吉爾先生的高壽快滿八十之年了，但他不顯慾退休，說是要向過去那位行年八十三歲尚秉國鈞的名宰相格萊斯頓看齊，因而使他自己一手培植起來的繼承人艾登「賢姪壻」，不無老驥伏櫪之感，有若寡婦守節，好不慾煞人也！人們都認爲邱翁未免過於貪戀權位，然他却自命是爲國家負責到底，死而後已哩！

一個具有雄才大略的政治人物，責任感一定很強烈，事業心也極旺盛，要他在四肢尚未殘廢之時，自動退休，實屬不可思議的事。邱翁上月訪問華府，進入白宮拾級登堦之際，不肯讓艾森豪總統攙扶而上，即爲不服老的心理表現，這與我國漢代名人馬援，當着皇帝面前彎弓躍馬的用意相同，都是不甘寂寞之一念所致也。

中國的人生哲學講究「保持晚節」，主張「急流勇退」，西方人的觀念却不是這樣的，他們頗有「春蠶到死絲方盡」的氣概。就公生活方面說，這種精神當然值得欽佩，然就私生活設想，實在大可不必。年老氣衰，縱使四肢猶未敗壞，但一定缺乏健全的機能了。即如邱翁，現在跟人談話出席議會時，便要在耳間掛上聽音機，總不免有些彆扭勁兒，人生何自苦乃爾呢？雖說英國政治界的後輩人還沉得住氣，並未喊出「打倒昏庸老朽」的口號，也未擬訂「禮遇黨國元老」的法規來，以表示不耐之狀。然年紀過大的人，似應識相點，不必久霸賢路，致干未便！

因此，我認爲中國古先聖賢垂訓的人生觀，實在比西洋的哲學思想來得高明些。我們樣樣都不妨學習西方人士的所作所爲，唯有貪戀政治權位這一項，還是保存國粹的好！

紅色文壇的抄襲風氣

蔡容羽軍

（一）

中共統治之下，政治經濟固然要完全統制，文化上一切活動，也要絕對統制。因此作家的路向和作品，非完全服從共黨的既定政策不可。於是作家的思路日趨狹隘，作品也便變成千篇一律的東西了。比如說：本月開始，他們的文化部對作家指示，要積極歌頌「憲法」的重點。舉凡詩歌、小說、散文，無一不要服從這一規定，結果，大陸上所有散文詩歌都變成了「頌聖詩」。中共文協機關報「文藝報」立即發動作家，響應這一運動，跟着鄭振鐸、梅蘭芳、蔡楚生、史東山、劉開渠、吳作人、鍾敬文、艾蕪等人無一不寫了一大堆酸八股，既歌頌「憲章」，又歌頌毛王。內容貧乏，單調，可說是破『文藝』史的先例。

（二）

今年六月初，中共「文化部」就感到創作內容與思路的狹窄，使作家無法舒展，於是一班難于下筆的文人，便在「文化部」支持之下，到蘇聯去向老大哥學習創作。根據中共「文藝報」本年第十二號載稱：六月初中國文藝工作者到蘇訪問。參加的人有張光年、陽翰笙、方紀、傅鐸、黃佐臨、嚴正、呂驥等。由蘇聯作家協會派出波列伏依、西蒙諾夫、斯坦因、斯凡巳考夫等，指導這一班前往訪問的中共御用文人。對他們講解如何在藝術散文作品和戲劇中創造典型的問題，蘇聯抒情詩問題，發展諷刺和幽默作品問題。自然，對這班御用文人是「得益不淺」的。然而這一批文人經過學習之後，對于「服從政策」的創作，還是無補於事的。相反地，他們因爲有了蘇聯老大哥在前，誰也沒有信心去發展自已的創作天才。唯一保障可以不至越軌，不至受清算的方法，就是蘇聯有什麼，他們就做效什麼。蘇聯有了某種作品，他們也依樣葫蘆的模仿一番，便不致有闖禍的危險了。

（三）

基于上述原因，現在整個大陸的御用文人，莫不有意無意的摹仿蘇聯作品。一如中國舊小說一樣，有了「紅樓夢」，再有「續紅樓夢」，一有「紅樓圓夢」……這種現象的發生，中共似乎也看不過眼了，于是，「文藝報」又有了批評文字出現。他們舉例說：一幅榮獲史太林獎金一等獎的名著「戰後的休息」印行後，接着就出現了「勞動後的休息」，「耕種後的休息」和其他類似的書。一輛描寫一個不用功讀書的蘇聯名著「又得了兩分」印行不久，便又出現了「女教師來訪」這類的書。不止題意上摹仿的，甚至某些人物的形狀，也是摹仿的。

（四）

此外，在文學創作上，諸如安東諾夫，波列伏依的作品，大陸上的御用文人也一一利用爲摹仿資料。「文藝報」又說：不論從題材、藝術手法以至具體描寫，都可以看出顯明的摹仿痕跡。他們還舉出千眞萬確的例子說：例如安東諾夫的在「震車上」等作品譯出後，許多小說都不約而同地出現了這一類似描寫：譬如一個剛成年的少年如何想把自已裝成大人啦，如何看見一個女孩子突然發生好感却又很害羞啦，怎樣在別人面前誇口而事後又覺得不好意思啦！與及毫無理由的在作品中插上一大段風景描寫，心理描寫等等。這些現象，可以表明中共統治下的文藝創作，已經被官僚極權的鐐銬扼殺了，他們想挽救也是無從挽救的。即使展開一百次一億次的批評，或自我批評，也難擴拓作家的思路。

錢賓四先生六十壽詩

·張維翰·

生逢約締馬關年。愛國忱誠出性天。搴史殫精周甲子。雄文得氣自山川。書成夾漈今漁仲。銘勒燕然古孟堅。濟濟英才歌壽愷。海濱鄒魯一城絃。

錢師六秩華誕奉庭命學賦小詩爲壽

·張鼎鍾·

史學名天下。東南一大師。探原明治亂。稽古證興衰。耆壽初開日。儒風丕振時。宮牆遙跂望。祝嘏獻新詞。

中篇小說 金珠

勞影

「被風吹折了嗎？」

「不是。」

「唔？」

「變成了另外一樣東西！」

「唔？」

「它變成一個異常美麗的少女。」

「啊！」

「我不是說過嗎？夢的形成祗不過是人類大腦停止工作後的一種潛在意識底運動；當時我祗不過這麼想，要是眞一個少女……而現在，那株花竟眞的變成一個女孩，啊，那個女孩站立起來了。她倉惶四顧，我連忙隱身到一棵椰子樹後，她見四面無人，便從袋裏掏出一條手帕，這時，眼淚從她眼內有如斷綫一般湧流出來；她把手帕的一角放到嘴裏拚命咬絞着，彷彿要撕毀那一片包圍着她的迷濛夜色……好久好久，她把手帕改鋪到地上去，撲地跪下，……她是面對着月亮跪下的，而我則站在她的身後，所以我沒有看清她的面孔……這頗令人遺憾，其實，一個人在夢裏，看什麼都是似是而非的，正如一個人醉酒後對這個世界的看法一樣。」

說到這裏，我停住了。

「以後呢？」她面色蒼白地問。

「以後我就醒了。」

「就這樣了嗎？」

「假如祗到這裏爲止，」我搖搖頭說：「那還有什麼值得敍說的呢？」

我看到她的嘴唇在顫抖，想說什麼又沒有說。

「我醒了以後，」我繼續說：「天已經亮了，我渾身流滿冷汗，我連臉也沒洗就奔到植物園；你看這多可笑，一個男人居然相信夢，事後我反省，可能那時的夢魘尚未消退盡……我說我奔進園裏，你猜猜看，我竟然在我神遊的那片草地上撿到了什麼？——這裏便是神蹟的最高潮了」

「一條手帕？！」她驚喘地說。

「一條手帕，正是一條手帕！」我撚了一下頷頭：「一點不錯，一條女人用的手帕，你完全猜着了。」

「手帕呢？」

「我一直帶在身邊。」

「借給我看看好不好？」

我把那條手帕取了出來。

「你看，」我指點着說：「這裏一朵小花證明它不是男人的東西，這裏，看到嗎？兩個小洞孔，應該是牙齒嚙穿的，看，這些口紅印，嘿，這裏是二片草汁，我剛才不是說它曾被放在膝頭下過嗎？至於這微黃的一大片，我想，可能是草池上的露水，不過，也未嘗不可能是一些眼淚。」

（十七）

麻瘋症的今昔（下）

·小丞·

麻瘋症已有治愈希望

其實，癩瘋只不過是一種熱帶皮膚病，由於長期的與患者密切接觸，可能傳染，但是其傳染率，遠不及腦膜炎，流行性感冒，而僅及結核病的傳染率百分之一。

最近證明的特效藥「殺瘋」（SN LFCN）這一類藥物，可以根治癩瘋，台灣樂山療養院治愈的，和本港的喜靈洲癩瘋村治愈的，就有幾十人之多。同時，癩瘋並不遺傳，兩代都患癩瘋的，只是由於後天的接觸傳染。

癩瘋不是一種性病，癩瘋的傳染並非由於男女交合，因此，癩瘋不是一種可羞的病！癩瘋不是一種嚴重的傳染病，不是一種不可治的病。癩瘋病菌，在顯微鏡下看，有如一條蟠蠶，它的名字就叫癩瘋桿菌，它離開病體後，在日光下活不了廿四小時，但是，在病體裏却活得很長久，繁殖力也極強，潮濕、溫暖的地方，較適於生長。所以癩瘋的分佈多在埃及，中非洲、印度、南洋；在我國則多發生於廣東、廣西、雲南、浙江、福建、山東。甘陝一帶亦有此病，患癩瘋的，各種民族人均有。

瘋菌及其症狀

健康的皮膚，對於癩瘋桿菌沒有反應，破裂的皮膚，進入了少數的桿菌，仍不見得一定感染，最怪的是研究癩瘋病的醫師，曾以病菌直接種入皮膚，而結果亦無反應。

癩瘋病，潛伏期，可以達二、三十年，有些人感染了癩瘋，終身未發，而以別的原因死去，有些人則由於衛生狀況或營養不良，身體抵抗力減低而爆發數十年前感染的癩瘋病。

癩瘋沒有一定的標準症狀，較顯著的，其前驅病狀是輕度的倦怠、失眠、食慾不振、鼻血。然後它分爲三種型態出現。第一種叫做斑紋型癩瘋，初發的時候是面部或胸腹部發生花環狀或蛇行狀的斑紋，稍爲隆起在皮膚上，先是桃紅色，然後變成黃褐色，最後變成白斑，或者完全消失，常使人誤以爲完全痊癒，實際上它只是初期。第二種癩瘋，叫做結節型癩瘋，初期症狀是在皮膚上現出斑點，漸漸變爲結節，隆起皮膚上，呈黃褐色或紅褐色，體溫升高時，結節紅腫脹痛。第三種斑紋型與結節型混合症，因而叫做混合型，也叫做移型癩瘋，初期症狀兼前二者而有之。

這三種癩瘋除第一種因爲病菌潛在病體深部所以不傳染外，後二者都有傳染的可能，在初期症狀中，三種症狀都可以治療，但是轉入後期症狀後，情形就兩樣了。

癩瘋的後期症狀是：皮膚喪失知覺，局部肌肉萎縮或肥大，毛髮脫落，眼睛內翻或外翻，鼻腔咽喉或全身各處潰瘍化膿，因而鼻樑塌陷，呼吸吞咽困難，遍身有奇臭，手指彎曲或蟹爪形，大多數此類患者嘴吧不能嗑攏，或大半開着嘴，流着口涎，面孔更是奇醜無比，恐怖無比，但是，他們的心智却始終是清明白，他們也往往能夠這麼捱好幾年才死去，帶着人們的誤解，譏咒與厭惡，悄然死去。

末期癩瘋病人是醜的，是臭的，但是，這不是他們的罪惡，我們不能讓一些荒謬的傳說來污蔑他們，傷害他們，不要讓初期的患者，由於這些傳說而「諱疾忌醫」。

（續完）

淺論夢窗詞（下）

·羅自芳·

（三）

原來吳君特的詞，除却一部是應酬的作品外，其餘十九皆爲其「去妾」而作。他腦海中所存在者，朝思夕想，都離不了一些過去的旖旎溫情。故清明踏青，他就只會記得：「黃蜂頻撲鞦韆索，有當時纖手香凝」。（風入松）又會感觸到：「晚妝嫞理瑞雲盤、針綫傍窗前，燕子不歸簾捲，海棠一夜孤眠」。（朝中措）端午佳節，他便回憶：「當時明月重生處，樓上宮眉在否」？（杏花天）中秋見月，他更說：「燕辭歸客尚淹留，垂柳不縈裙帶住，漫長是，繫行舟。」（唐多令）重九登高，他所未忘的，仍然是：「走馬斷橋，玉台妝榭，羅帕香遺」。（采桑子慢）

這些跟着節令推移而觸景生情的話，或爲一般人所難免，然而那些在別人最易引起感慨的場合，他的心目中仍然脫不掉那「孤人」的影子。即如閏重九飲郭園（即郭清華池館）：「知道池亭多宴，掩庭花，長是驚落秦譜。粉闌干，猶聞憑袖香留」。（聲聲慢）又如過都城舊居有感：「春夢人間須斷，但潛得當時，夢緣能短。繡屋秦箏，傍海棠偏愛夜深開宴；舞歇歌沉，花未減，紅顏先變。佇久河橋欲去，斜陽淚滿」。（三姝媚）諸如上述的這類句子，集中觸目便是，可惜現在手頭沒有一部完全的夢窗甲乙丙丁稿，祗能就記憶中聊舉數例。於此已足覘吳君特的思想狹隘，品格卑下，即令文辭精麗，也難當於大家之名，奉爲宗師，益見其未可矣。

（四）

或謂牧之，義山之詩，淮海、小山之詞，亦多言情之什，何以俱不失爲大家，奈何獨苛論乎君特？是又不然，蓋牧之，義山，小山，少游諸子，際遇承平，未嘗顚沛流離之痛，其與君特之時代，判然有別，寄情絲竹，理所宜諒，君特自不應爾。所謂知人論世，應就其所處環境而看，豈能一概論之？

我們現在這個時代，較諸宋末，其悲慘程度，猶有過之。我們的文學作品，若徒屬於一些蒼涼感喟之辭，已經不够，必也激昂慷慨，鼓勵奮發，學蘇東坡辛稼軒的豪邁樂觀；學岳武穆，陸放翁恢復河山的若志；具顧習齋，顧亭林改造世道人心的抱負；殿文文山，史閣部的忠貞氣節。必須這樣，我們才能振發雄心，光復大陸，完成拯救國家民族的時代使命。因此，如果我們多讀夢窗詞，已有使人志氣衰失之虞，若更奉爲宗師，步趨唯謹，那實在是傻瓜一個罷了。所以照我的見解，夢窗詞是不足爲法的。

也許又有人說：「我們學夢窗，不外依循它規矩法度，並不是叫你照他原來的立意造境，也依樣葫蘆畫下來呀」。不錯，道理是這樣講，但只要你多讀某一家詞，浸潤日深，則一切胎息氣度，浸有不受其影響的。然而即令就詞的法度規矩言，則白石，碧山等，似更嚴密，固非夢窗所獨擅勝場者，均一一可學，又何必一定要步武夢窗呢？（完）

西漢人民生活（二）

·毛以亨·

讀史　評述

文帝不逞才氣

文帝之難能可貴，本為雄才大略的人，不特隱藏其才氣，而始終不肯逞其才氣，他本性未嘗不喜奢侈，其倖臣鄧通，富且敵國，而反以節儉為天下倡。他能順應人心，拋棄其私見，以成天下之大公，不特西漢基礎，於以穩固，即在全部中國史上，亦為獨一無二顧及人民的賢主。舉外藩兵以反諸呂者，為齊王，而陳平周勃為內應，勃因其較齊王易制而立之。勃在渭橋上天子璽，文帝即拒其私相授受之迹，乃謝曰，「至邸而後議之。」文帝本欲擊匈奴，太后勸乃止，匈奴入寇，除遣灌嬰衛將軍，迎敵外，即親征太原。濟北王興居乘匈奴入邊時反，即遣柴武以十萬人擊之，未一月而定。可見其對內對外，非不知兵，而祇知和親者。吾尤喜其賜南越王趙佗書，開頭即曰，「朕高皇帝側室之子也，」好漢不諱言自己出身低，其才氣且高過曹孟德，孟德至少諱言其為宦官養子。趙佗亦不失為老英雄，其答書則曰，「老夫故越吏也，……處越四十九年，於今抱孫焉。……改號不敢為帝矣！」即去南越武帝號，而仍稱王，從此邊境又安。若謂文帝一紙書，勝過十萬甲兵，亦不為過。

賈誼何以不見用

最奇者，為文帝之賞識賈誼，而終不見用。史記稱河南守吳公，與李斯同邑而師事之，治平為天下第一，乃擢為廷尉。吳公「乃言賈生年少，頗通諸子百家之書，文帝召以為博士。……超遷一歲中至大中大夫。……賈生以為漢興至孝文二十餘年，天下和洽，而固當改正朔，易服色，法制度，定官名，興禮樂。……文帝初即位，謙讓未遑也。諸律令所更定，及列侯悉就國，其說皆自賈生發之。於是天子議以為賈生任公卿之位，絳灌，東陽侯，馮敬之屬盡害之。」出為長沙王太傅，年餘召！，文帝嘆曰，「吾久不見賈生，自以為過之，今不及也。」但始終不留用，出為梁懷王太傅，史論多稱其厄于絳灌之少文，實則以與為丞相十餘年之張蒼，論五行改制不合。我以為文帝旣欣賞其才華之與己相若，然尚不肯自用，豈能用賈生之才華？

蓋其唯一所獨為者，就是與民休息，而任民生聚，予民以利益，一反秦代盡取人民所有之政治。初即位，「賜民爵一級，女子百戶牛酒，酺五日。」第一道的詔，即曰，「方春和時，草木羣生之物，皆有以自樂。而吾百姓鰥寡孤獨，窮困之人，或阽於死亡，而莫之當憂。為民父母，將何如，其議所以賑貸之。」二年詔曰，「天生民，為之置君以養治之。……朕獲保宗廟，以微眇之身，託于士民君王之上，……因各飭以職任，務省繇費以便民。」其二十三年將死時遺詔曰，「蓋天下萬物之萌生，靡不有死，死者萬物之自然，奚可甚哀。……朕獲保宗廟，以眇眇之身，託于天下君王之上，二十有餘年矣，賴天之靈，社稷之福，方內安寧，靡有兵革。」為生民而立君，一切惟求便民之政治概念，自文帝行之實較老莊之自然主義，已有進步。

由農業轉為工商業

文帝除寬民休息之消極態度外，尚有積極發展經濟的計劃，而從農業開始。二年正月即籍田躬耕，以農為天下之本，督民種子，糧食，這是當時的農貸了。元年令縣道年八十以上，賜米，人月一石，肉二十斤，酒五斗，其九十已上，又賜帛，人二疋，絮三斤，這是當時養老救濟的辦法了。十二年詔曰，「道民之路，在於務本，朕親率天下農，十年於今，而野不加辟。歲一不登，民有飢色，是從事焉尚寡，而吏未加務也。吾詔書數下，歲勸民種樹，而功未興，是吏奉吾詔不勤，而勸民不明也。且吾農民甚苦，而吏莫之省，將何以勸焉？」其賜農民今年租稅之半。」十三年六月詔曰，「農天下之本，務莫大焉。今廑(勤)身從事，而有租稅之務，是謂本末者，無以異也（謂務本之農，與逐末之商，待遇平等）。其除田之租稅。」

在文帝稅民甚少，而賞賜又多，誠周之大賚也。究其賞賜所從出，除賦稅之積餘外，少府天子之收入，實為其主要來源。蓋已由農業社會，進為工商業之社會，而少府所入，則以銅鐵之鑄為主，而農業稅之有無，已不關重要。十七年詔曰，「間者數年比不登，又有水旱疾疫之災，朕甚憂之。……將百官之奉養或費，無用之事或多歟，何其民食之寡乏也？夫度田非益寡，而計民未加益，以口量地，其於古猶有餘，而食之甚不足者，其咎安在？無乃百姓之從事于末，以害農者蕃？……」這是社會已轉變為工商業經濟的佐證。

文帝時，河決，水旱，外患，內亂頻仍，匈奴入寇，烽火且及長安，然海內晏然。眞所謂堯有九年之水，湯有七年之旱，一年耕留三年之食，而黎民不飢不寒。自然在此轉變為工商業的時期，有田的農民，固相形見絀，無田的農工則更苦，這是有的社會，與漢初之無的社會，大大不同。文帝雖終身節儉，為天下倡，然民間豪富，窮奢極侈之風，已莫能遏，儉樸之本，信然！（未完）

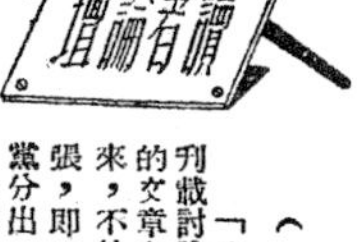

我對建立反對黨的意見

王毅君

（一）

「自由人」近來刊載討論反對黨問題的文章多篇，綜合起來，不外下列五種主張，即（一）由國民黨分出一派作反對黨，（二）由民青兩黨合併，（三）由胡適先生領導自由人士組反對黨。（四）以民青兩黨為基礎再加入自由人士及社會賢達，（五）暫時不組反對黨以言論自由或獨立的報紙代替反對黨的工作。

筆者認為反對黨之建立，勢在必行，值得熱心人士奔走，成功也是一定的。問題在吾人有否克服困難之決心而已，」爰提出吾人意見，就正於關心憲政的人士。

（二）

中國所以走到今天這種地步，政治腐敗為其主因，政治腐敗則源於一黨政治。現在要結束一黨政治，實行政治改革，除組織反對黨外，必不能團結全國，增強反共抗俄的陣容。因此反對黨的建立，實屬絕對需要，不容或緩。

有人以為強有力的反對黨，在現政治環境中，無法實現。其理由不外為（一）人民無「自由選擇」的習慣，（二）無適當的領袖人物，（三）於覺沒有人願意出來負這個艱巨的責任），因而主張以言論自由和獨立報紙來代替反對黨。這種主張雖然不無理由，但言論自由和獨立報紙，無論反對黨是否存在，都是不可缺少的。言論自由及其他基本自由，是建立反對黨的先決條件，但不能代替反對黨。正如陳啓天先生所說「如果有了「基本自由」不組成一個團體——反對黨來策動，也不能發揮力量」。何況現在已有相當尺度的言論自由。至於人民「自由選擇」的習慣，也並不是想像中那麼脆弱，這次台北市地方選舉就是一個很好的實例。

過去的民青兩黨所以未能成為有力的反對黨，當然是由執政黨的態度和作風，其主要原因也可以說是由於人民無「自由選擇」的習慣。但兩黨本身之不健全，也是不可否認的事實。故以民青兩黨合併成立反對黨，事實上很不可能。正如左舜生先生所說「在今天國民黨之無法可分，也正如民青兩黨之無法可合」。我個人認為即使民青兩黨合併，也不能成為有力的反對黨。這並不是我對民青兩黨過輕視，而是兩黨過去和現在所表現的事實，太使我們失望了。

民青兩黨不能合，國民黨也不能分。反對黨的責任自然是落在自由人士的身上了。胡適先生雖然拒絕出來組黨，但我們總不能因為胡先生不出，就永遠不作這個運動。難道除了胡先生之外，自由中國就沒有第二人？我覺得如果不是自由人士推卸責任，是毫無理由去拒絕此一工作的。建立反對黨不是沒有困難，但困難終究要人去克服。張南容先生說得好：「政黨政治硬是要人來幹的，並且還要熱心志士百折不迴的來幹」。這幾句話就是道破了問題的關鍵所在。今天要建立反對黨，不是能不能的問題，而是為不為的問題。自由人士如果真正的認清了他們的責任，毅然擔當起責任，以百折不撓的精神，抱着救國救民的決心，去從事此一運動，我想一定會得到海內外大多數人士的支持，以順利完成使命。

反對黨的責任，自然要以監督政府為要務，以爭取政權為目的。但今天反對黨的工作，也並不以此為止。我認為還應包括以下各項：（一）團結海外反共非共人士，共赴國難。（二）加強國際宣傳，爭取與國援助，（包括精神及物質）。（三）爭取海外華僑及留學生。（四）力求憲政的實踐。

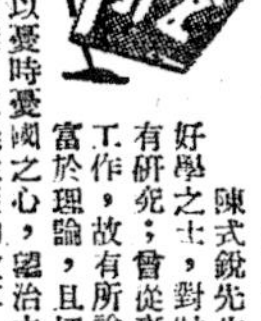

台灣經濟

作者：陳式銳　出版者：財政經濟出版社

·山禾·

（一）

陳式銳先生為一深思好學之士，對財政經濟極有研究；曾從事工業生產工作，故有所論列，不僅富於理論，且切中時病。

近年在台，以憂時憂國之心，望治之情，對台灣財政經濟政策，工農生產的改革，以及其他有關社會經濟之行政措施等，根據其深入的研究，透闢的見解，發表論著甚多。先後刊載於「財政經濟月刊」，「風雲新聞」，「眞理世界」，「自由中國」，「民主評論」，「民力」，「自由世紀」，「中國地方自治」，及本報等處。向為自由中國學術界所推崇，蔚為台灣經濟論壇的權威。

（二）

本書，係作者適應若干學者的要求，集合其一部份經濟論文而成。計有：台灣經濟的生長，台灣經濟面面觀，再談台灣經濟，現階段底台灣經濟，台灣經濟改革之意見，台灣經濟革新芻議，台灣經濟概觀（兼論經濟安定委員會）台灣經濟的動向，當前經濟改進方案草案，當前經濟改進方針案（國大第二次會議通過）及談談戰時經濟，繁榮的雙腿——農業與工業，論設置台灣生產力，論「生產本位發行」說，由經濟總體談改變外滙政策，台灣糖業之困難及其出路，台灣米荒的檢討，論台灣糧食政策，台灣棉布問題面面觀，再談台灣棉布問題，解決台北市公共車輛加價案等，共二十一篇；分為上下兩篇，約十三萬言。

（三）

本書的特點：立論切實，不尚空言，研究和檢討並重，建設多於批判。不僅可供關心祖國經濟問題者的參考，尤能予一般讀者以具體的經濟知識。其中雖內短篇集成內容略有重複，但亦因此使讀者對問題的重心，更容易獲得瞭解。

本書上篇，着重政策底檢討，研究、與建議。下篇偏重若干問題或業務的論述。綜觀作者立論的主旨，約可括為下列數端：

研究台灣的經濟環境和條件；指出台灣經濟建設的任務，現有的基礎、病態、及其改革的方向。其中對開發資源、增產，擴大就業機會，幣制、輸出、輸入，工業資本，國民收入、負担、購買力、以及如何支持戰時經濟等；皆論列甚詳。

提倡經濟民主化；鼓吹「唯人哲學」，強調自由經濟及國家經濟政策的專家化，和民主化。他引證美國民間組織的「經濟發展委員會」為例，主張民間對國家經濟政策的反應和意見，應參和於國家的政策部門，使國家政策密切地配合民情，作不斷的改進和發展。

檢討國家現行的經濟政策，主張自由為主，管制為輔，以活躍經濟，發展生產。作者對貿易、外滙、投資、國家經濟的出路等，有許多具體的建議。特別對公營與民營之間的利弊得失，作反覆的剖析、比較、論證。提出改進的意見。又對國家現有紛雜而繁多的經濟行政與業務機構，提出了建設性批判。

作者倡導工農並重。主張整頓工業，使工業與農業等以及與人民的消費和國家的貿易等，密切配合。又竭力強調開發台灣東部，擴大工農生產，以充實反攻復國底經濟基礎。

（四）

「經濟為國家的命脈」，政府遷台以後，吸取了以往的慘痛教訓，經濟措施多有改進，惟缺失仍所不免。作者以望治之切，故對政府的責備也很嚴。謀國之誠，躍然紙上。實為目前出版界一本不易多得的好書，謹為讀者推介如上。

虧蝕推翻配售制度

統制堵塞平米途徑

配米制度存在，原係用來調劑民食的措施。香港光復後恢復配米制度，在二百多萬市民心目中，是無可否認的德政。三年前配售米價格比市上確是平得多，大概是那時領有購物證（俗稱「米證」）的市民並不普遍，所以他們配到的米，每月至少有幾期是又平又靚的好米。後來的情形似乎不同了，配好米的次數減少；穀米批發處發出的米證數量也大大增加，尤其是一九五三年度發出的「米證」最多；配米的零售價也採取了隨時核定制度，米質的低劣，使市民不願光顧；有時候米糠的配售價竟然比市上商米價高。而上等好米，一年中難得有幾次配得到。這種情況使每個有「米證」的市民難以想得通的。

配售公米價格儘管上漲，也儘管任由市民拋住米證觀望，配米站雖然有時形同虛設。但是市民們對於手中的「米證」卻看得十分重要的，他們認為：米不配沒有關係，米證非珍藏不可。而他們差不多都有一種觀念：香港萬一到了緊急時期，執有米證的市民口糧，當局不會不設法供應。因此，由於國際緊張局勢的影響，港九市民請領購物證的人數，特別踴躍了。可是，九年來的配米制度，突然自八月一日起取消了。這是每個市民都想問一聲：為什麼？難道當局要把這些米糧存儲起來，等到緊急時期拿出來用麼？事實上誰也不知道究竟是甚麼原因。當局則宣布去年度配米蝕去了一千三百餘萬元港幣公帑。

配米的蝕本，似乎很難使人相信的，何況一千三百餘萬港幣是個驚人的數目呢！穀米批發處結束了，配米站也關閉了；剩下來，是人們的煩躁，今後吃貴米抑係能夠吃到平米呢？担心的，當然是生怕商人們自由賣買的結果，將會使市民增加負擔。一個老於米業的商人說：「要吃平米不難，祇要希望港府撤銷食米進口統制；米商自由採辦，糧價即刻大跌，大概每石可以削價二十元左右。」這是市民們都願意傾聽的，常年累計，二十元不是個小數目。然後他又舉出了一個例子：一担頂靚的暹羅米，從產地運到香港，加上了僱脚及其他雜支的成本，祇合到五十元左右。可是，統制不撤銷，成本是無法減輕的。那末，當局取消「零售配給制度，從此不會虧蝕了。換句話說，進口統制的存在，目的祇在「總批發」的形式下，要賺回過去蝕掉的本錢。對於市民來說，卻不是一個較小的負累。

中共動向與英國權術

（上接第一版）

所幸美國現時軍政首腦多是廿世紀傑出戰略家，相信不致於受共黨的欺騙。例如美國副國務卿史密斯先生在七月廿三日返抵華府時，有一句話可為證明，他說：「……且我可指出的，當吾人分析及討論日內瓦之結果時，應謹記戰場上所不能獲得或爭取的，決不能在會議席上藉外交手段而取得之。」這句話，要請英國權謀家放在桌上做座右銘。雖然如此，但我們仍要請美國當局袞袞諸公，特別警覺特別小心才好。

一九五四年七月廿九日。

台灣的廣播事業

強迫吃剩飯應加改良　徵收執照費因小失大

·郭戈·

台灣通訊

【台北通訊】如果你在台北有一架收音機，祗要扭開旋鈕，滿波段都是本地的廣播電台，百藝雜陳，聲音既大又變，熱鬧已極。根據「廣播雜誌」刊載，全省公私營廣播電台已不下二十八家之多，使用的週率長短波在四十個以上，各台電力若干，未見宣佈，據聞公營電台每機均在千瓦以上，民營亦不低於四百瓦特。陣容之強大，非大陸撤守前任何省區所可比擬。然而自由中國這一項強大的力量，海外報章對此甚少登載，特就平日收聽各廣播電台的體驗，略加報導。

官營各電台概況

台灣的廣播電台，以中國廣播公司規模最大，電力最強，該公司下轄中央廣播電台和台灣廣播電台兩部份。中央電台專對國際廣播，用十幾種語言發音，最近增設了一部電力特別強大的中波電台，向鐵幕中苦難的同胞播送自由中國消息，傳送給大陸人民以新的希望。台灣電台偏重省內廣播，經常播送兩種節目，一個用國語發音，一個使用台灣話，每天都播出一兩個廣播話劇，以宣傳政策和揭露共匪暴行，內容方法都很不錯，祗是有時一個話劇播了又播，也許是劇本來源不多，不得不讓聽衆吃剩飯，該公司在台中、嘉義、台南、高雄、台東、花蓮等地設有分台，除了聯播台北總台的節目外，也都有自己的節目播出。

總政治部軍中播音總隊設有台北、台中、左營、高雄、花蓮五個軍中之聲電台，電力都很大，節目着重於海陸空三軍的政治教育和康樂指導，一般聽衆都喜歡軍中台晚間全本的平劇錄音，前些時香港影星及戲劇界回國，都到該台演播勞軍，順便也使我們一般聽衆一飽耳福。

軍方的廣播電台除了軍中播音總隊五個台以外，空軍也在台北設了一個空軍之聲電台，播出的節目很活潑，爵士音樂唱片時常放送，許多有「腳癢」的聽衆，可以在「塌塌米」上和自己的太太「派對」一下。該台的兒童節目，也擁有不少小聽衆。

此外，還有一個屬於軍方的正義之聲電台，專用來對大陸廣播，節目有「輕輕的講」「拆穿他」，非常別緻，內容也親切動人，因爲專對大陸廣播，所以本省聽衆不很多。不久以前，台灣省警務處也辦了一個警察廣播電台，聲音特別清晰悅耳，播音節目別創一格，時常報告兒童走失或招領的消息，放送音樂的中間，插播幾句注意清潔、防火、防盜之類的話，對於社會治安，甚有幫助。

民營電台甚發達

在台灣民營的廣播電台，非常發達，北部的有正聲、民本、民聲、中華、益世六家，中部的有農民、國聲、中聲三家，南部的有鳳鳴、正言、勝利三家，東部因爲商業不發達還沒有民營電台成立。在台北大概祗能聽到正聲、民本、民聲三個電台，這三個電台的節目都有可取之處，大家既然要在營業上競爭，所以必須在節目上下功夫，以求適合顧主和聽衆的喜好，過份遷就的結果，廣告報得太多，流行歌曲播的更多，雖然如此，收聽民營電台的聽衆還是比較多。其他的民營電台，筆者沒有聽過，不便多作介紹。

非常好的風氣

目前台灣的公私營廣播電台，有一種風氣非常好，大都設有英語教學節目，和各種學術講座，利用收音學好英文的人已不在少數，趙麗蓮博士在台灣電台播講的英語最叫座。學術講座則推空軍電台的「歷史」，警察電台的「法律」，內容比較充實，前者由師範學院教授陳致平擔任，後者由台灣大學教授梅仲協播講。教授們能走出課堂，向社會各階層傳播智識，無論如何，這是十分可喜的現象。

強迫吃剩飯

作爲一個聽衆，在台灣也有許多苦惱，看樣子台灣還沒有一家好的唱片公司，新的唱片除了西洋音樂以外，中國戲曲大概絕無僅有。台灣也沒有比較好的樂隊，像京戲和地方劇的人才自然更不多，所以各電台播來播去，老是幾個走馬燈式的調兒，聽的多了，實在倒胃口。這是廣播界、文藝界應該共同注意的問題。每天晚上八點鐘有半小時的各電台聯播節目，內容並不見得如何精彩，剛聽過的新聞，也要再聽，播過了的廣播劇還要強迫吃剩飯，在最好的收聽時間，不讓聽衆有選聽的自由。

執照費應該停收

最奇怪的，一部收音機每年要繳納二十元的執照費，執照上要自貼十六塊錢的印花，如果遲一個月，還要加倍處罰，收費的機關不是稅收國稅地方稅的稅捐稽征處，而是各地電信局，一部收音機其價值不過四五百元，每年要繳四五十元的執照費和印花稅，收音機不是奢侈品，不能和小汽車，電冰箱相提併論，政府收這樣重的稅，無異是限制人民使用收音機，許多人繳不出執照費，索性把收音機存在電信局報廢，政府一面要利用廣播宣傳政令，推行社會教育，一面又限制人民使用收音機，這種背道而馳的辦法，使人莫測高深！並且台灣的收音機並不很多，大家都繳執照費每年也不過一兩百萬，和政府其他稅收相較，直是滄海一粟，微不足道，不值得道不值得如此見小遺大，因小失大。日本佔據台灣時期，收音機不僅不收什麼執照費，而且還以最低價配給民間收音機，希望新內閣能權衡輕重，停收這莫明其妙的收音機執照費，否則大家如果都封存報廢，你還向誰廣播呢？（完）

天下大事

克拉克將作獅子吼

韓國聯軍統帥克拉克將軍自返美出任衛城軍校校長後，報紙上久已不見到有關他的消息。但不久後，這位叱咤風雲的將軍又將成爲報紙上的重要新聞了。原來克拉克將軍現已同意出任參議員韓納領導的國內安全小組委員會公開會議中作證。據熟悉內幕的人士預測，屆時克拉克將措詞痛斥前杜魯門政府中的左翼份子。因爲在戰後克拉克擔任駐奧高級專員期間，他已擁有充分的證據，證明這些左翼份子曾從事親蘇活動。

艾登籌組第三勢力

英外相艾登的態度近來越搞越不對勁，連美國務院的官員也大爲不安起來，他們根據艾登的言論行爲，認爲英首相邱吉爾所一向主張的英美密切連繫，現在艾登竟有背棄的意向了。他們感到艾登有意組織一個在英國領導之下的自由歐洲，作爲世界政治上的「第三勢力」，這勢力雖仍可說以反共爲標榜，但決不致如現時的北大西洋公約組織或歐洲軍一樣，採取那般具體的反共行動。同時艾登還打算親赴莫斯科一行，與克里姆林宮談判組織自由歐洲的條件，希望將來在英國領導下的自由歐洲，能與蘇俄簽訂互不侵犯條約。

無人直昇飛機將問世

美國防部正準備試驗一種新的設備，如果林肯在世時擁有這種設備的時候，他將可在白宮中親眼看到蓋特斯堡的戰爭。這是一種小型，無人駕駛而由電力操縱的直昇飛機，可以藉遠射裝置彈至最高的高度。美陸軍訊號兵團計劃用這種飛機作爲供電視閉麥拉攝取鏡頭的「空中平台」。因此將來成功後，數百哩地區內的風景與活動都可在電視機上顯現。

保大王位卽將不保

法國政府現正秘密地研究可行的辦法，以求解除越南元首保大的職務。法政府認爲在越南休戰以後，要確保南越，唯有建立一個堅強的越南反共政府，但在保大的領導下，却不可能完成這種重大的工作。近年來，保大已失盡越南的人心，最近河內撤退中，許多居民將保大像片當衆撕至片片碎，以求消洩心頭的積恨。據說，保大所最不得民心者，是他不能與越人同甘共苦，共赴國難，鎮邊府陷落時，他猶在法國南部的避暑勝地聖維拉渡度假，他與民衆脫節的情形也可見到一般了。

金氏元帥與病床爲伍

凡是稍稍知道第二次世界大戰史的人，幾無一不知道美國有一位金氏海軍元帥的，當時他是美海軍作戰部長，指揮着美國歷史上最龐大的海軍艦隊。戰後他雖名義上仍在海軍部服務，但實際上却已成爲緬因州基特尼海軍醫院的長住病人，他今年七十五歲，自一九四七年患中風後，卽長住醫院，據說現在也許體力衰弱的關係，病況更見嚴重，半身不遂，在病牀上幾已動彈不得。（孟衡）

人物述評

艾娃死後的阿總統貝隆

·祝修衡·

（三）

艾娃於一九四七年代表阿政府訪問歐洲，當時聲勢的煊赫，誠如她對西班牙婦女所說，她正如「長虹」一樣，她溝通兩國邦交。獲得了佛朗哥的大十字勳章。但物極必反，曾幾何時，他夫婦的威望便隨着一九五一年春天的鐵路工人罷工風潮而貶落了。不過獨裁者，畢竟有他擅作威福的一套。此時貝隆藉口反對派企圖發動「政變」，於是加強了他的獨裁權力。宣布阿根廷已擁有原子彈，艾娃在國際間也被冠上了「原子夫人」的頭銜；實際上那裏有什麼眞正原子彈。

八月三十一日，全國勞工同盟提名貝氏夫婦爲下屆（卽本屆）總統和副總統的候選人。陸軍方面首先反對，公開表示「不願受裙子獨裁」。此時艾娃已患「白血」病，臥床三月。乃扶病走入會場，發表演說，但並未得到羣衆歡迎。於是不得不向全國大選籌委會聲明，放棄競選副總統，竭力呼籲國民支持她的丈夫。從此，她的病勢一天天加重，但她對於丈夫的權位，却看得比自己的病更爲重要。貝隆終日陪伴病榻之旁，無心國政，跟着另一重大刺激又向艾娃逆襲。那便是九月廿八日晚上，有人陰謀行刺艾娃。第二天，貝隆宣佈有人企圖顛覆政府，下令搜捕嫌疑人犯。這事件，不時不能取信國人，輿論反斥爲「獨裁者增強權力的詭計。」大選競爭，正逐漸趨向高潮之際，艾娃卧病榻上，依然保持十年前在廣播器前的魔力。全國各地的播音器，不斷的播送出令人傷感的管律。她說：「親愛的，赤裸着上身的工人弟兄們，請你們支持我的丈夫，猶同支持我一樣，使我十分感激的。」貝隆終於獲得了勝利，繼續取得六年統治權力，但艾娃的病況日見惡劣了。

（四）

一九五二年八月二十六日，在世三十三年兩個月零十九天的貝隆夫人艾娃，卒因白血病變成了不治的癌症，與世長辭了。當消息自電台播出的時候，受惠的工人放下了手中工作，掉下淚來。貝隆也像孝子般，悲慟欲絕。並且感到他的政治生命，也快臨末日了。他爲了維護危殆的政權，將已死的老婆入注防腐劑，化裝得栩栩如生，裝進透明棺裏，讓國人瞻仰。據說棺上的案蓋，也是特別設計製成的，據說可燃燒百年之久。這種匠心獨運，苦心孤詣的安排，無非希望他的獨裁政權能夠持久不墜而已。貝隆經此劇變之後，神情沮喪，再也不像是個英雄人物了。

艾娃生前的耗費實在驚人。僅服飾一項，每年卽達四萬美元。這種鉅額消耗，若就她賺錢的方法看來，也並不令人咋舌。因爲艾娃不僅是阿根廷統治者的有力助手，而且還是個不出名的財閥。她所主持的「社會救濟基金會」，創立時僅得二千元，現時每年却有一億美元的收入。她並辦有六家大報，一家電台，與兩間工廠，都是大規模的生產機構。這些巨額財產現在均由貝隆繼承。然而貝隆經不起精神上的磨折，兩年來得了神經痛的病症，整日感到頭痛，看來是不會能夠繼續支持得很久。假如他一旦死亡，平時在他認爲能力不及夫人的五位部長，可能組織一個委員會，來維持過渡時期的政局。不過共黨魔掌伸向西半球，稍一不慎，阿國亦可能陷於鐵幕之內，這是留心世局的人士所應注意的。（下）

水深火熱話惠陽

·大辭·

（惠陽通訊）廣東惠陽縣，原屬惠州府，據東江咽喉，乃省會屏障，縣屬海岸綿長，港灣險要（大鵬灣是港人熟稔的海盜出沒區，大亞灣是倭寇登陸處），廣東有事，惠陽必先告警。基於地形及歷史，惠陽人心之治亂，就是省會安危的預兆，徵之以往，屢試不爽。

本縣居民以「客家人」爲最多，爭取自由與冒險犯難的精神最富。故向外謀生的，幾無地無之。東南亞，菲律賓，澳洲，南北美洲，印度，幾乎遍佈惠陽人的足跡。遠出異地謀生的，約佔縣民五份之一。

民國四十年春，中共在惠陽完成「土改」的時候。由有錢的「華僑地主」「鬥爭到毫無資產的「富僑地主」，由「惡霸」「鬥爭到「善霸」，由「戰時」「鬥爭到「文特」……那種少壯遠謀，晚年歸息的遺老被「清算」了，尊賢敬老的習慣被「打倒」了，男婚女嫁的良風俗「解放」了。「大力生產」的捐獻「，驪賤販貴，行走省港的是「違法」了。眼見「鬥爭」的「果實」歸了「人民」，分到的土地除了「捐獻」以外，也只准每人每月留二十斤穀，多餘的要繳交「人民政府」保管。較諸以往僱佃農時代更苦。同時鹽稅加重，連他們放棄了暢銷國外的「惠州梅菜」。唯一希望的僑滙，也只是經過「人民政府」七折八扣的「捐獻」才能按月乞得一點睡餘。從「土改」到「三反」「五反」，惠陽同胞眞是山窮水盡。那些「優待僑屬」，「替代僑眷服務」，「保障僑資回鄉生產」，「僑胞登記」，「僑眷聯誼」等等美麗詞句，惠陽同胞反應得最冷淡。香港惠陽人士年來對中共的態度，可以反映惠陽人民的心理。

今天惠陽同胞水深火熱，遠較淪陷在倭寇鐵蹄下的時候，更難得自由與溫飽。尤其限制他們營生的政治壓迫，使他們對中共有「時日曷喪，予及汝偕亡」的憤怒。現在反共游擊隊已逐漸獲得民衆暗中合作。因此幾年來，惠陽附近給予「人命政府」的威脅最大，「反動份子」和「國特」被殺的亦最多。但游擊隊滋生暗長，極爲迅速健全。中共鎮壓不了這些不願作奴隸的人民。他們都是本着反迫害，反飢餓的自動自發抗暴的精神，和那些「騎在人民頭上」的中共作殊死戰的。將來一旦反攻，惠陽這一着棋子是最值得重視的。

編者　讀者

△捐士、詹取鑫、詹炎、朱可立、鄭秀之、楊力行、彭楚珩、郭敏行諸先生：承惠稿，已一一收到，謝謝！

△彭先澤先生：函敬悉，仁者之言，藹如也，實深銘感，當囑當儘速辦理，謹復。

△張忠建先生：示悉，當囑自當儘速辦理，謹復。

△鄭建先生：示悉，尊稿稍俟卽可刊出，謹復。

自由人

THE FREEMAN

（第三五八期）

中華民國僑務委員會頒發登記證台教新字第一零二號
中華民國郵政登記第一類新聞紙類
（每星期三六出版）
每份港幣壹毫
台北市售價台幣七角
督印人：雷嘯岑
社址：香港高士威道二十號四樓
3 rd. fl. 20 CAUSEWAY RD HONG KONG

中共攻台的「空大鼓」

——既不能，也不敢——

左舜生

中共並沒有力量可以攻取台灣；在事實上她也無攻取台灣的必要；果真要這樣做，並不能得着他們主子的支持和贊許。可是在越戰停火以後，中共攻台，攻台之聲卻已高唱入雲；如朱德粟裕等關於這件事的發言，都是「語焉不詳，擇焉不精」，我們要研究中共何以於此時突然發出對台灣的「紙面攻勢」，當然仍得以六月二十三他們在「人民日報」上的一篇社論，作為分析他們這種心理的一種根據。

「人民日報」這一篇社論，從大體說來，好像是異常凶狠，一如中共平日所發表其他凶狠的文字一樣，但稍一加以分析，卻立即發現這篇東西實在做得非常「蹩腳」，被指定的執筆者，至少應該打屁股一百。

我們從這篇文字所得的印象，並不是在說明他們決心攻台，而僅僅足以說明他們對美國實在是不勝其恐懼，而不能不裝出一副攻台的凶狠面孔，對美國再來一次恫嚇。

我對這一問題的回答是這樣的：如果中共的恐嚇伎倆僅僅止於空言，這是把美國嚇不倒的；反之，如果除空言以外而繼以行動，則美國可能要加以考慮。最近美國已給了中共一個有力答覆：美國即「中共攻台，美國必斷然加以抵抗。」

可是這裏的所謂「斷然抵抗」，與中共的所謂「一定攻台」，真是一個半斤，一個八兩，彼此彼此，都不過是一種空言而已。美國對越南問題，過去何嘗不是激昂慷慨，表示絕不容許共方的侵略力量，進入這一的東南亞重要地帶？可是演變到最後關頭，美國卻終於袖手，李承晚最近在美國揮淚陳辭，希望美國協助南韓以武力統一韓國，但美國一般的反應，尤其是官方的反應，卻似乎是異常冷淡！美國對韓越兩個問題的態度如此，我們說美國一定可以效死於台灣問題，以無條件的以武力把自由中國送回大陸，誰有勇氣敢於作這樣太不可靠的假定？

有人說：中共對台灣，如果先之以轟炸，繼之以傘兵，再精選十五萬有作戰經驗的地面部隊，載以無數的登陸艇與機帆船，乘優勢，壯聲威，居然向台灣施行一次猛烈的攻擊，北起旅大，南達榆林，更藉東老大哥的潛艇，這何嘗不是對台灣一個絕大的威脅？

中共無攻台勇氣理由

但我敢斷言，中共依然沒有勇氣敢於作這樣一次試驗：

一、今天大陸的財政情形，已經成了油乾燈盡的死症，實備攻台非有大宗的金錢準備沉到海底去不可，中共的錢從何出？

二、美國對越南問題，採取如今天這種態度，雖說已經無可原諒，可是在美國究竟還有一點理由；美國即令不能保持韓越和東南亞這條第一線，北起琉球，南達馬尼拉，畢竟還有這第二線可守，如果從第二線的中間再把台灣抽出，這便不只是放棄台灣，實際是同時放棄日本菲律賓，這樣一來，美國除退到珍珠港去準備挨打以外，更有其他的補救辦法？把美國的孤立精神，發揮到從整個的亞洲退出，即令艾森豪政府為苟安所動，有一種苟安心理在那裏，但今天的共和黨政府究竟不敢冒天下之大不韙，這也就是中共攻台之所以止於空言，並決不敢採取行動的最主要原因之一。

三、明知空言無效，然而還要敲着這一面空大鼓，我很懷疑共產黨又在賣弄他們的另一手法。兵法有所謂『實者虛之，虛者實之』，懂得打仗的，原不一定戰戰都打硬仗，中共對韓戰比較是打的硬仗，對越戰已經是虛，對攻台當然更是虛之又虛，無非要把這一緊張局勢不使之歸於冷卻，而別生事端，以求達到他們的另一目的。現在已由蘇聯發動召集四強外長會議，而以中共爲觀察者，以爭取西歐團結的徹底瓦解，使西德建軍成爲不可能，只要把西歐對蘇聯的這一威脅解除，掉轉頭再來解決亞洲問題，豈不更有把握？

台灣還是鬆懈不得

我在這裏說明中共無力攻台，也不敢攻台，並不是希望台灣因此就可以流於鬆懈，兵法說：『毋恃敵之不來，恃吾有以待之』，今天台灣的大願在反攻大陸，並不在死守台灣；要反攻大陸，並不是單單在軍事上要與中共爭高低，同時更重要的，是要在政治上與中共比優劣；老實說，今天台灣的這兩個反攻條件——軍事的，政治的，——去理想還甚遠甚遠，而政治且不如軍事遠甚，提心弔膽還來不及，那裏還有鬆懈的可能呢？

空言攻台的目的有三

攻台的叫囂，其實要達到的主要目的不外三點：

一、藉攻台嚇退美國，不敢和蔣簽定一個「中美共同安全」的雙邊協定。

二、藉攻台嚇退美國，不敢積極從事組成一個中、日、韓、菲、泰、越五國足以致中共死命的「太平洋反共聯盟」。

三、藉攻台嚇退美國，使她不敢繼續阻擾中共進入聯合國。

此外，美國在台擴大軍事代表團，加強台灣基地部隊的裝備，擴大台灣的海空實力，以及加大對台灣的經援，這一切都是中共所痛心疾首，而不能不出以恐嚇攪擾，以求得這個形勢能逐漸趨於和緩的。

美國會不會真被嚇倒

現在我們要進一步研究的，究竟這種恐嚇，能不能對美國發生相當的作用？

英還埃基地的意義

風行

殖民地主義殘餘思想，是反共的絆腳石。共產黨利用民族主義的名目去煽動落後區域的人民入其圈套。希昔日爲殖民地宗主國不知掃除殖民地殘餘思想，持短視之目光，不能與舊殖民地人民合作，必爲共黨所乘。埃及要受完整的主權，方能和埃及合作，進而保持英國在阿拉伯世界的友好地位，及西方國家建立近東的軍事聯防。

放棄運河乃政治理由

英國對埃及簽訂歷史性協定歸還蘇彝士基地，最重要的意義是雙方對民族主義問題讓步處理。

英工黨批評保守黨政府，以軍事理由而放棄蘇彝士基地，係掩飾其不能當機立斷而已。七月十三日邱吉爾首相宣佈：這價值七億鎊而駐軍八千人的蘇彝士基地，因爲在核子戰爭之下，這基地易受全部摧毀，放棄蘇彝士基地之主要理由在此。「政治家與民族」週刊說：既然蘇聯的氫彈可以一舉毀滅蘇彝士基地，何不遷往塞浦魯斯或約旦呢？甚至西德與英國也不必談得上戰爭的防禦了。試看去年十月邱吉爾首相還斤斤以英國三千名技術人員撤退一個小問題，和納撒爭持。現在竟忽然承認撤退了。蘇聯發表氫彈未爆正爆炸，就壞得第一次勝利了麼？這是說不過去的。

因此有人說：英國以軍事爲理由而急速簽訂歸還蘇彝士基地，其主要的理由爲政治上的。即英國使埃及協議。例如對於英鎊區的入口貨之限制給予放寬。又在六月廿六日簽訂外國石油公司在埃及開採之新協定。以往埃及政府爲死守民族主義的成就，在一九四七年訂立反外國公司的法案，和一九四八年訂成價格補穩的障礙。外國石油公司在埃開採出之石油僅能供給埃及本國所需的三分之二，其餘的三分之一，還須仰賴國外輸入。納吉培在一九五三年雖然改訂採礦法案，但不能使所有外國石油公司均蒙其利。現在納撒擬設與外國石油公司合作，足見其眼光勝人一籌。目前英埃大問題已解決，美國更保證軍經援助埃及。埃政府表歡迎，兩國將在開羅舉行談判。

納撒的靈敏手腕

埃及總理納撒中校也是個明智的少壯政治家。他的成功，不是偶然的。據說在經濟上，對英國作若干的讓步，方達成協議。

昔日爲殖民地之國家久受不自由之苦，渴求獨立，此乃人之常情。但獨立並非祇是脫離宗主國便了。因此脫離後還有種種的建設性的工作，例如脫離了，是否能自立，是否祇是改換主人而已呢？

獨立以後的問題

英國歸還蘇彝士基地給埃及後，英國將駐蘇彝士的軍隊遷移到塞浦魯斯島了。拐騙由婢女而淪落娼妓嗎？現在以塞浦魯斯島的共產黨徒玩弄民族主義的幌子欺騙塞島人民爲例證。

但塞島的政治背景有不利於英國因素存在，必須英國努力解決。其原因是塞島人民十有八九是希臘籍，其文化風俗是希臘化的。因此塞島希臘正教教會具有相當勢力，其組織主幹乃塞島民族黨。他們力主將塞島歸併於希臘。前塞島總督溫士頓曾提出塞島自治建議，但塞島人民仍不滿意，而堅持歸併希臘。

在塞島具有相當勢力的塞浦魯斯共產黨人，原以民族自治爲幌子作號召。但看見反對自治而贊成併歸希臘的人民占大多數，於是突然改變政策，亦主張「歸併希臘」，將黨中應排除的不穩份子，假藉「擅倡自治」之罪名而將其肅清。但共黨亦明知「歸併希臘」不能成功，而胆敢附和。因萬一歸併希臘成功，共黨必被消滅。這是共黨玩弄民族主義許多例子中之一而已。

互讓與合作

共產黨不會發展人類的良好德性。以同情爲濫情之怯懦，以忠貞爲死硬，顛倒是非，不勝枚舉。反而利用人類之劣性與弱點，如利用貧窮，怨恨，提倡仇恨鬥爭。因此在落後區域以及昔日多殖民地之中東，非洲，亞洲之中，共黨易於利用民族主義去挑撥引誘。故在此等地區中，大國對小國，應知輕重緩急，實行互讓與合作，則共產無所施其伎倆。故英國歸還蘇彝士運河基地最重大的意義乃在此，而非在軍事上了。

半週展望

旭軍

切實應付東南亞危局

美國向聯合國提出一套聯合國反侵略集體措施之指導原則，並申明倘聯合國以面對侵略者爲天職，應對擬議中之東南亞公約組織，予以最大支持。這是美國欲想挺身而出，要像在韓國遏制北韓一樣，把東南亞洲的共黨侵略阻止。我認爲這是個大而無當，緩不濟急的辦法。在今天共黨正巧施和平攻勢，去拆散自由陣綫，美國欲針對他國的詭計，使用聯合國這塊招牌去號召，固然是在冷戰中外交戰一種策略。但實際上，因爲規模太大，成員複雜，意見紛歧，恐起不了什麼作用。

在東南亞反共，一定要從實際援助中、韓、菲、越，四國的軍力爲首急要務。目前台灣海峽及越南東京灣風雲日緊，美國必須準備一支強大的海軍力量，——包括空中地面和兩棲的部隊，——駐紮南海的中心去。而這支海軍，必須成爲一支持台越菲三地的防禦武力的後備軍。而可以支援任何受共黨威脅的地區。同時它必須確保美國軍火和物資可以暢然無阻地運往這三個地區。這是應急的首先措施。

迅速訂立軍事同盟

至於聯結東南亞反共同盟，就必須與中、菲、南韓、泰、越這幾國切實訂立軍事同盟，那些存有「與俄共集團和平共存的國家」不願反共，而欲訂立洛迦諾式的同盟，我們對他們祇好敬謝不敏。

中、菲、韓、越、泰，表面上看來力量很不夠，但力量是培養出來的。最重要的是她們反共意志堅強，尤其是中華民國他有四億五千萬的內應在大陸上，這個因素不容忽視的。可怪的是美國和台灣還沒有訂立一個軍事的同盟協定。原因祇是怕那些所謂「盟友」的反對。試看美國在太平洋訂有美日、美紐澳、美菲、美韓的共同防衛協定，但對中國仍維持在艾森豪時代的「美對台軍援協定」的消極態度。在今日階段東南亞的防衛已不應是挨打的防衛，而必須要有報復的能力，從何而報復，便是台灣的反攻大陸。美國如果不從這一點埋手，任何措施都是抓不着癢處。

如何防中共侵台

據「大道新聞社」報導稱，中共軍已調抵對台灣臨海區福建省。據目前國際形勢看來，中共未必敢大規模正式進攻台灣本土。中共的計劃大概是在南中國沿海採取攻勢的防禦。向台灣的外圍據點攻擊，不聲不響的逐一折去台灣的前衛。共黨可能向着那些地方發動空襲和兩棲性的攻擊。爲了幫助自由中國的防禦，美國必須協助及加強台灣的空軍及海軍。試看中共的六千噸之「重慶」號重巡洋艦已出現海上覬覦浙江沿海據點，中共的「華東艦隊」正企圖進攻浙江海外自由中國外圍據點了。這足以證明中共有此攻擊台灣外圍的企圖。

美國對台灣的援助應該急速由防衛的而扭轉到攻勢的裝備。在空軍應迅速加強，準備向大陸軍事和民用設備鐵路橋樑以及共軍集中區發動空襲。在海軍台灣原有之八到十艘的護航驅逐艦，十五到二十艘的掃雷艦，二十艘的登陸艇，和其他小型海岸船隻，最近增加的海軍艦隻，仍未能負起反攻奪取灘頭陣地的任務。因此除迅速加強中國海軍實力以外，美國應派駐海軍：航空母艦兩艘，每艘應能出動戰鬥機，另外重巡洋艦兩艘，及若干驅逐艦，同時有琉球和關島的長距程轟炸機支持以襲擊中國大陸的空軍基地。

美國對東南亞危局，非是藉着大而無當的防衛協定所能應付。應該從中韓增強力量上做去。韓國雖然是屬東北亞區，但韓國在今天具有影響東南亞的力量，這也是不容忽視的。

從今天展望，有人認爲這是奢望，但筆者希望除了這個「奢望」以外，並沒有一個更切實的應付東南亞之辦法。

中共新統制下：
手業工人無死所矣

沈著

筆者本年六月十二日，曾在本刊（三四二期）發表「大陸手業工人的劫運」一文，指出中共逼害手業工人的方法，及手業工人所受的生活痛苦，以及大陸手工業日趨崩潰的實際情形。現在中共對於手業工人的壓迫，仍屬有加無已，其所採手段則變本加厲。以下係根據大陸報紙，撮述中共最近對手業工人的種種措施，作綜合性的報導。

統制手工業的指示

據本月十三日天津大公報指出：今後大陸的手業工人及其生產將完全納入「生產合作」的統一管制和經營之內。中共中央因此鄭重向其各級黨委發出有關「第三次全國生產合作會議報告」的指示，該指示強調下列四點：

（一）省級以上的黨委，必須指定其一定的工作部門（城市部門，農村部門，政商業部門），改行共黨對統制手工業統一專責的領導。

（二）各級「人民政府」必須將手工業視為「國營」、地方工業的重要組成部份。因此自中央到地方設置一系列的專門管理機構，負責對於手工業的行政管理，並全力「改造」手業工人。

（三）規定今後必須由「生產合作小組」、「生產合作社」，或「生產合作供銷社」等組織，分區控制工人。以替代原有的自由生產經營方式，使變為「地方國營」性質。

（四）規定已組織起來的生產合作社，必須由當地黨委派遣幹部，加以高度的控制，並發展黨團工作，建立「黨團領導核心」。使共黨壟斷全部手工業經濟。

經濟目的與政治目的

中共所以要全面統制手業工人，並劫奪其生產，據該報告指出：係因為目前大陸城市工業不發達，手工業在中國整個城市社會中，仍佔極重要地位之故。據稱在農村中，依賴手工業供應的生產品及生活資料，幾佔百分之八十。手業工人的人數，幾年來顯著雖已減少，據初步統計結果，仍達一千九百餘萬人之衆。故必須統制生產，壟斷經營。

上述係為中共統制手工業的經濟原因。此外尚有政治上兩大作用：其一，即中共認為自由生產經營的手工業，本身有滋長及刺激其他生產部門，使生產自發的資本主義傾向。必須予以從根「撲滅」之。其二，中共認為必須通過嚴格的組織和集體的生產，方能對衆多的手業工人「加強團結」（實即控制，奴役）和施行「社會主義」的「改造教育」。

手業工人無死所矣

在中共初期對待手業工人及其生產，係採取限制、壓縮、淘汰、和改造的政策。此一政策，係通過「國營公司」，或「供銷合作社」，以控制生產原料——主要如煤、鐵、竹、木等類——及壟斷市場，雙管齊下。此政策實行的結果，大部份手工業都無成停工、轉業，或併入「國營工廠」。一九五二年實行「生產合作制度」之後，乃改上述政策，為局部性的統制。用宣傳利誘及強逼的雙重手段，使一部份含有集體生產性質（如鐵匠、木匠等）的手業工人，納入組織之內。兩年來，此一「制度」執行的結果，由於中共一般合作幹部的低能、顢頇、腐敗和貪污，以至產品質量普遍下降，信用普遍喪失，銷路普遍阻斷，成品普遍積壓，原料嚴重浪費，資金普遍虧蝕或被盜用淨盡。於是手業工人的生活，遂陷入絕境，不知死所矣。

西德保安首長
約翰的神秘失踪

·羅譯·

上月底某晚，西柏林邊境的關警攔住了一輛汽車，對車裏的人發出慣常的警告說：「你們現在將進俄區了。」那個駕車的人笑了一笑說：「我們正要到那兒去」，隨即駛進了東柏林。

這個人，就是負責西德反間諜工作的保安首長奧圖‧約翰。他這次在鐵幕後宣告失蹤，不僅震動了西德總理愛德諾爾政府的基礎，更使柏林到華盛頓的特務組織無不大為驚詫。他進入俄區的動機，或共黨將他誘入共區的方法，到目前為止，還是一個未獲解答的秘密。

約翰是個複雜的人，徘徊於他這時代的混亂和矛盾間，他個性上的特徵，是對納粹深惡痛絕，這個率直的宗旨，使他過着雙重生活，在第二次大戰中，他一面擔任德國反諜工作，另一面又替英國從事間諜任務。他既是納粹的民航公司的法律顧問，又兼做反納粹的地下工作者。在十年前某一天，他搭機降落於柏林機場，他的兄弟漢斯已在等着他。

他詢問了一個簡短的問題：「什麼時候？」漢斯輕輕答道：「明天」。兩人就騎往柏林市。第二天，[illegible]髮染成黑色，[illegible]入葡萄牙，又轉赴英國，[illegible]

在一九四九年，[illegible]「護憲局」局長，這是西德保安機構，負責偵緝間諜、破壞份子及叛國份子等，[illegible]員的秘密。

不過在他擔任護憲局長四年的任內，他在對付共黨及破壞活動等工作上，也顯然有卓越成就，也獲得英美佔領當局充份信任。一年前，他曾協助破獲了一個共黨間諜網，一二週前，他所搜集的證據，又導成西德的取締共黨青年團。

奧圖在失蹤時，是去柏林參加謀刺希特勒事件的十週年紀念的，這一天，他顯得異常激動，在和一個朋友談起共產主義時，他曾說：「你們都怕共產黨；我卻怕納粹份子。」他太太也說，他當時似乎十分抑鬱。

當晚，他驅車去找一個叫華格莫斯的朋友，華是醫生，差不多人人都知道他是個共黨黨徒。就在這天晚上，華坐在他寫字桌上寫了張字條說：「約翰不再回到西區來了。」於是兩人就一起駕車進了東柏林。可是有一件事却十分奇怪，約翰在旅館裏竟會留下一本記事簿，這對政府調查和他來往的那些人將有極大幫助。（上）

編者　讀者

田中奏摺取得人是誰？

△趙尺子先生來函：

編者先生：貴刊三五四號（七月二十四日）載「教育家李應林」，內稱：「民十八年太平洋學會在加利福尼亞州舉行！應林先生任中國代表赴會。此行有一重大的收穫，便是獲得日本田中的秘密奏章，揭露日本侵略中國的計劃。『征服中國，必先征服滿蒙』……此秘密揭露，舉世震驚」云云。似與眞像不符。鄙人於民國十八年春，已開過東北外交委員會黃皮書（對外不公開）發表「田中奏章」，[illegible]北外交部印成白皮書，始提出太平洋學會。[illegible]北外交委員會委員後任外交部次長之王家楨，得悉「田中奏章」係「台胞蔡某」（王語）所取得，由王家楨於十七年譯者。三十八年鄙人來台，在中央日報刊登「眞偽難定扎記」，已與「蔡某」完成聯絡，迄已五年。蔡先生名智堪，今年六十七歲，苗栗縣人。鄙人五年來細心研究求證，早已論定「田中奏章」係蔡智堪先生所取得，詳見去年聯合報所刊鄙人「蔡智堪先生六秩晉六壽序」。按：「田中奏章」關係中日戰史及二次大戰甚鉅，其取得人自屬功在國家，不容漠視。此五年內，該件究由何人取得？已有蔡智堪、林快青及貴刊李應林三說。林快青先生亦係台灣抗日志士，曾有所貢獻於國家，但所取得者非我黃皮書及白皮書之「田中奏章」，而係另一文件：此點已經林先生默認。鄙人頗希望李應林先生能提出「獲得日本田中的秘密奏章」的眞實證據。

趙尺子敬上，八月四日於台北。

捷克陸軍全部俄化

捷克共產政權最近依照蘇俄的編制，改組陸軍，據西德首都邦城接獲的秘密情報說，今後捷克陸軍的制服配備不僅與紅軍一模一樣，而且操典與口令也悉以俄軍為依歸。捷共政權與克里姆林宮派來的大員經密切商量後，已決定未來捷克新軍的兵力如下：一、陸軍二十師。二、空軍三個軍。三、總兵力三十九萬人。據說：日內瓦會議期中，世界局勢表面上雖較緩和，但其實內弛外張，蘇俄在東歐整軍經武，尤其以全力來整編各附庸國的軍隊，捷克的編練新軍不過其中之一環而已。

越共中共亦步亦趨

日內瓦會議已決定將北越劃與共黨，雙方在北緯十七度附近劃界，可是在越共軍尚未退出北越（河內及海防與其附近地區）以前，越共電台却已發動了宣傳與心理戰，揚言對「解放區」的反共份子，決不採報復手段，而勸他們繳出武器與情報資料，靜候越共派人接收。越共此舉幾乎與中共的一套騙人伎倆完全相同，中共在未入上海前，何嘗不大肆廣播，說得天花亂墜，但一入上海後，即暴露了猙獰的面目，市民被清算，遭屠殺的屠殺。現在越南的大撤退以及越共的陰謀，竟與大陸撤守前的情形相吻合，這固然共越共在師承中共的「故智」，我們身經其痛者看來更不禁感慨系之。

印度即將露出原形

印度究竟在東西方衝突中處於何種地位，最近的將來可能有更進一步的表白。現在駐印度的東西方外交使節都在密切的注視，印度「中立」政府究將如何出售它的剩餘武器？究竟將這些武器賣給那些國家。因為印度政府最近宣佈，他們武器的生產已超過他們的需要，並透露過剩武器將賣給「友好國家」。因此，那些才眞正是印度的「友國」，東西方則可藉此獲得一清晰的答案。

胡佛人緣勝過杜魯門

本月十日是美國前總統胡佛的生辰，他今年整整八十大壽，美國民主黨議員已聯合共和黨議員（胡佛是共和黨員）通過一條議案，決議在胡佛八十大壽的那天，向他正式道賀。這節決議案中並表示國家對胡佛盡忠公務的態度與精神致欽敬之忱，並希望他將可[illegible]有許多年愉快而有結果的生活。在愛阿華州的西布朗治方面，胡佛的鄉人並計劃舉行大規模的慶祝。由目前種種跡象看來，美國前總統現雖有杜魯門與胡佛兩人，但胡佛的人緣及聲望似乎還要較前者好一點。（孟衡）

人物·述評

懷張八石侯

·易健夫·

（一）

湘人張輝瓚，是過去剿共戰役裏，第一個以身殉職的高級將領。他是十九年冬（或二十年春）死于江西東固之役的。時張任十八師師長，並兼領江西省會戒嚴司令。那時毛澤東自湘贛邊境的井岡山進入江西瑞金、東固、龍岡險要點。十八師以三旅之衆壓敗毛衆于東固龍岡。毛衆的西竄，（所謂二萬五千里長征），就是因為在東固龍岡兩地遭挫敗。張在東固一役被俘原因，由於對敵情判斷錯誤，加以友軍不能及時到達。是時張滅敵心切，不顧部隊疲勞，挾戰勝餘威，一往直前，他率領王捷俊戴岳兩旅拚命打前綫，殿後的是朱耀華旅。一個昏黑之夜，漫山遍野的敵軍，把他的師部包圍起來。當時他要走，本來可以走掉的。可是他是一個任氣仗義的男兒，決不肯負「逃將」之名。結果他和王捷俊旅長，一同被俘。戴岳旅長以化裝士兵，未爲敵軍發見。他被俘後，聞毛澤東曾著著勸降。他和毛原屬舊識，王捷俊且與毛爲小同鄉（湘潭）。王先見殺，輝瓚的遭害大約在被俘後月餘。張被殺後，贛江發見一木匾（「張氏宗祠」的木匾）上釘張氏頭顱。經人撈取，歸葬於長沙岳麓山。與黃（興）蔡（鍔）兩公墓相鄰。政府以張的爲國捐軀，優卹有加。張以師長剿共殉職後，精誠感召，繼起者如岳維峻，公秉藩，諸將軍能完大節，終於逼令毛澤東，棄巢西竄。再後如張靈甫，蔡仁傑，孟良崮之死；劉戡及嚴明陝北之死；黃伯韜碾莊之死；邱清泉蕭永間之死；戴之奇蘇北之死；李仲辛開封之死；詹英鳳萊水之死；楊幹才蕪湖之死；以及許多英勇壯烈的殉難，爲國族爭光；都可以說是張輝瓚將軍開其先河的。

（二）

張輝瓚字石侯，湖南長沙人，出身日本士官。一付不平凡的儀表，溫文爾雅，大有儒將風度。友好多以「張八爺」稱之，部下尊長則呼之以「張八」，也有稱以「八爺」的。「爺」乃湘省人尊稱。張八爺在湘軍中無疑是一位傑出人才，極受譚組安（延闓）器重，筆者和他相識，是民國十二年。當時譚氏受中山先生「湖南討賊軍總司令」之命，入湘。總司令部採委員制，張任軍務委員，我則濫竽「文書委員」。此外尚有政務委員，財務委員等類名稱。說來，已是三十年前的往事了。我和他最後晤談，是十九年前的黃梅時節，在漢口關陵街十八師留守處。那時張氏正由江西打[illegible]回來，我問他江西匪禍民情。他慷慨激昂的爲我陳述，印象至今未泯，說來，也是二十多年的陳蹟了。

（三）

譚組安湖南討賊不成，回粵。所部改稱湘軍總司令部。下轄六軍（實際祇有五軍在粵，第六軍蔡鉅猷在湘西）。張輝瓚任第一軍第一師師長（或第九師長）。這時湘軍在東江既無大戰，駐北江的，也祇和吳佩孚所部打過一仗而已。以才略自負的張八，不免有撫髀興嗟用武無地之感。等到「建國軍北伐」江西受挫，湘軍經過整訓，編爲國民革命軍第二軍。張八任二軍第四師師長。二軍軍長先爲譚組安，後爲魯滌平（魯原爲二軍副軍長）。十八年，二軍[illegible]宜昌，時軍長魯滌平在南京養病，張八以副軍長領其軍。時唐生智駐紮武漢，稱兵自雄。對二軍取敵對形勢。二軍孤立無援，張八運其才智，西聯楊森於萬縣，北聯方振武于襄陽。終于以少擊衆，打跨唐生智的基本部隊第八軍吳尚部于當陽。當陽大捷也奠定了中央西征軍的勝局。從此張八「能軍」的威名，正如譚組安在慰勞張八宴席間，信口吟出「張八奇男子，威名震四方」，兩句詩所說的無異。

（四）

現在說到張輝瓚長沙殺劉麻子的故事。這事在長沙曾傳誦一時，稱頌不衰的。劉麻子是長沙有名的淫媒。民十、十一年間，湘人趕走北兵後，文恬武嬉。尤其那時的省議員和一般軍人，縱欲無度，風氣很壞。樊西巷的官娼，和福祿坤班的女伶，盛極一時。劉麻子也就因此應運而生。她交遊甚廣，專以勾引良家婦女爲事。許多名門閨秀，都歸劉門下，拜劉爲乾媽。招搖過市，道路側目。張八時任湖南省會警察廳長。他搜得劉麻子罪證甚多。但礙于劉麻子的奧援，有巨室千金和省議員和軍人，做她的義兒，做她乾女。非採快速行動，反將會招致麻煩。於是搜得罪證後，事先擬好一道劉麻子處決罪狀，手續既備，立捕劉麻子綁赴瀏陽門外處決。大力者雖欲求情，已來不及了。此事亦可見張八爲人，疾惡如仇，處事敏決的地方。（完）

西漢人民生活（三）

·毛以亨·

讀史評述
務農政策的結果

景帝政治，乃文帝之延續，元年復田租，但三十而稅一。然梁孝王富甲天下，宮室半合，三十餘里，而吳王濞以銅鹽致富，免百姓之賦稅，蓋其時工商業已極度發展了。時外迫于匈奴，內則竇太后欲立梁孝王爲嗣君，七國之亂起，宮內長公主當權，長公主（帝姊）以女嫁徹，遂立徹爲太子，而廢太子爲臨江王。宮庭已極度不安，景帝則一味以彌縫爲事，總期其不至禍延天下，甚至殺其親信之晁錯，試與吳楚言和，不成始用兵。其勸農政策，亦一師文帝，十四年詔曰，『雕文刻鏤，傷農事者也，錦繡纂組，害女工者也。農事傷，則飢之本，女工害，則寒之原也。夫飢寒並至，而能亡爲非者寡矣。朕親耕，后親桑，以奉宗廟粢盛祭服，爲天下先，不受獻，減太官，省繇賦，欲天下務農桑，素有蓄積，以備災害。強毋攘弱，衆毋暴寡，老耆以壽終，幼孤得遂長。」十五年詔曰，「農天下之本也，黃金珠玉，飢不可食，寒不可衣。……間歲或不登，意爲末者衆，農民寡也。其令郡國，務勸農桑，益種樹，可得衣食物。吏發民若取庸，采黃金珠玉者，坐贓爲盜。』故其時工商業雖發達，仍以農爲本。

景帝時，始造苑馬以廣用，宮室列館車馬，民間奢侈之風，已延及朝庭，非文帝時之可比。食貨志曰，「七十年間，國家無事，非遇水旱，則民人給家足。都鄙廩庾盡滿，而府庫餘財，京師之錢，累爲鉅萬貫，朽而不可校。太倉之粟，陳陳相因，充溢露積于外，陳腐不可食。衆庶街巷有馬，阡陌之間成羣，乘特牡者，擯而不得會聚。守閭閻者食粱肉，爲吏者長子孫，……人人自愛而重犯法，先行誼而黜媿辱焉。」若以此有的社會，與秦末漢初殘的社會相較，以此輕徭薄賦的社會與徵大半之稅相較，所謂會無稍異，無奈離開事實說話！吾不知當仲舒，所謂人民衣牛馬之衣者，是否以少數之不幸者，而概其餘。

船山持論失當

讀通鑑論，文帝景帝二篇，極少可取。如曰，兵不可農，農不可兵，相不可將，將不可相，三代之制不可復。然漢行此制而卒富強，現代亦多師此意。又如斥文帝之使民自鑄錢，而以鹽茶須由國家專利爲言，實與近代自由貨幣與自由經濟之義不合。且鹽茶爲貧富共同負担之間接稅，不宜過重，亦爲財政學上之常識。其駁入粟拜爵，以爲農民不能積六百石以上之粟，而祇便富商大賈。不知入粟拜爵之議，本以實邊，且有平準谷價之意。商人例不得爲官，亦不得占此便宜，與後世之賣官鬻爵不同。范文瀾亦誤認爲賣官之始，這是錯了，試讀清劉光蕡之食貨志注可糾正范氏錯誤。船山先生大概不甚注意古代經濟的理論，而文景之治，則以經濟政策爲中心。

三、商與工的生活

食貨志曰，「於是罔疏而民富，役財驕溢，或至並兼。豪黨之徒，以武斷于鄉曲。宗室有士，公卿大夫以下，爭于奢侈，室廬車服，僭上亡限，物盛而衰，固其變也。」這是從吳王與鄧通的私鑄錢，說到游俠之經營工商，以及商人藉卿大夫勢力以放高利貸。

商業的媒介爲金錢，秦有黃金，銅錢二種，銅錢有半兩重。漢初以秦錢重難用，改鑄莢錢，於是百物騰躍，米至石萬錢，馬至匹百金。文帝鑄四銖錢，亦有半兩重，除盜鑄錢令，使民放鑄。吳以鑄錢而富埒天子，鄧通以鑄錢，而財過王者，故吳鄧錢布天下。

漢時徭役，已非秦代之終身論戍可比，然猶有五年另三日之兵役制。而畏役則爲當時之普遍的恐懼心理，以是逃役爲普遍習慣。以金錢代役，固法所許可，而平民若於無錢，商人乃出貲爲之免役，而使其爲己服務。若徙至吳業，則不必出免役金，而祇要爲吳梁之諸侯服務即得。任俠則恃勢橫行，使長吏不敢問，庇護逃役之人，而美其名曰賓客。其實賓客，與奴婢，均爲遊客之別名。因爲工商業發達，需要大量人力，而此大量人力之來源，即有逃兵役而又不願納賦者，自甘報効。其性質類於戰國諸公子門下之食客，而其名，則假奴婢之賤稱，以作掩護。奴僕之生活殊優，可以代商人爲非經理與夥計，亦可以交結達官貴人，更可以娶妻生子，如自由人，有自願鬻爲奴者，其生活且勝於一般平民。漢初常免奴僕爲庶人，毋論官奴私奴均免，是防其逃役與逃賦之辦法，並非一定爲政府對人民的恩赦。至此等私室之奴，其性質固與眞正之奴隸有別，茲摘史漢數段以證明之。（未完）

讀者論壇

論文藝政策

·神凡·

反共抗俄應該注重文藝，但怎樣才能發揮文藝應有的力量？以達成對敵人攻心的作用？其次，文藝是否一定需要一個文藝政策？這是本文要討論的兩個問題。

（一）

不久以前，台灣文藝界，發起建議國民黨中央委員會，迅速制定一個「文藝政策」，同時建議政府設立一個專門機構來推行此政策。我們是否需要一個文藝政策？是值得首先討論的。

去年秋冬之際，「自由人」曾有過一場很熱烈的文藝論戰。當時我覺得，台灣確實有寫作自由。所謂文藝成爲政治的工具，祇是一部份的情形而已。所以，我一直平心靜氣，不說甚麼。現在既有制定文藝政策的建議提出，影響當然很大，因爲政策對每一個作家，甚至對中國文藝的前途，都是直接有影響的。

文藝政策既由黨或政府制定，黨和政府有其一定立場，勢必以本身立場，把文藝劃出一個有限的範圍，着重宣揚黨和政府的主張或成績。結果，必然形成文藝的一面倒，導引文藝澈底變成政治的工具。

其次政策是針對大多數的，就文藝而言，眞正的天才作家，不是大多數。作家也不是從封贈得來的。偉大的作品，都是極少數的天才創造。文藝，科學，哲學，永遠是少數聰明才智之士的產品。聰明才智之士，必然有其固有的自尊心，與其一己的見解和抱負，應該享有自由發展的機會，才能有所成就。文藝政策無異給少數的天才加以摧殘和壓迫。

再其次，推行文藝政策，當然需要成立專門機構。於是一些文化官僚，便不免利用權勢，打擊異己。他們既拿了政府的錢，就不得不仰承政府的意旨，給政府吹噓。過去事實多是如此。有人說，如果沒有抗戰時期的第三廳，和文化運動委員會，我們的文藝情勢，也許要好得多，過去國民黨的失敗，也許不至這樣的厲害，實不爲無見。

因此，文藝政策的建立，實在是利少而害多的。

（二）

再說文藝反共問題，決不是文藝政策的有無問題。而是糾結不清的思想問題。一個作家表現的主體，是受時代思潮影響的。如果作家在思想上是反共的，那末，他的作品，一定也是反共的。可惜，今天台灣的情形，並非如此，許多文藝作品，都是缺乏生命和無思想的。祇是就各種不同的文字，硬加上一頂反共帽子而已。可以說是反共名詞的玩弄。許多所謂反共作品，都是粗製濫造的，千篇一律的無聊故事。這種反共文藝，會發生甚麼力量呢？

今天的台灣，思想上還是空虛混亂的。舉例說。台灣文藝界始終認爲五四運動，是中國的文藝復興，殊不知五四的新文化運動，是否定中國一切固有文化的。西方的文藝復興，在歷史脈絡上，卻是希臘精神經過消沉的再生。不論文藝復興後近代西方文化與希臘古代文化有何不同；但在復興之爲復興一點說，終不能否認再生文化的意義。五四運動，事實上不是復興，而是摧殘和毀滅。

中共把「五四」名爲青年節，因爲五四運動否定固有文化，助長共產黨在中國的發展。台灣文藝界每年宣揚「五四」，特別重視這一天，如果不認清「五四」的破壞精神，豈非和中共同一鼻孔出氣？我們還說甚麼反共呢？

我以爲這種思想到現在沒有發展，是由於「人」的因素：一方面，在台人還沒爲把錢投書丟入毛廁裏的主張是值得推崇的。另一方面還有年參加五四運動的大將在台灣。每年到這一天，總不免要表揚自己對新文化運動的功績。

本刊觀念，認識不清，影響到今天的文藝界，於是在思想上變成空虛混亂。這樣的思想，是永遠打不倒共產主義的。因此，今天談文藝，祇談政策，立場，是無用的。

評：「紅衣女」

·鐵髯·

著作者：傑克　出版者：基榮出版社

雞有多種，有羽白如雪，可作婦科聖藥者，曰烏雞。有爛如朝錦，雙尾高聳，翹然栩然，可插大將之首，可飾婦女之容者，曰錦雞。有可佐餐佈酒者，即詩所謂「斗酒黃雞處士家」是也。有冠紅、距健、桀然、皎然、皓如披霜者，曰立康雞。有腫如鵝，肥如老鴨者，曰日本雞。有頸長，身黑，可供聖誕聚餐者，曰聖誕雞。而此諸雞，或供飲啖，或供餚饌，或作藥物，或作飾品，不一而足。可以價購，可以力攫，齒於禽類，畜之得利，吃之有味，玩之可愛，是眞雞也。另有一種，貌之似人，即之似鬼，喜之似妖，惡之似草芥，爲人類社會所不齒，爲家庭朋友所恥笑，自陷於汚泥，自溺於濁中，十目所視，十手所指，共笑之曰：「此野雞也！」嗚乎！

傑克先生寫「紅衣女」小說，即以野雞爲題材。惟此野雞，有莊嚴的品性，有偉大的同情心，有捨己爲人的美德，有「不入地獄誰入地獄」的抱負。識之者王秋原，諒之者湯姆，愛之者鍾士，攫之者克萊佛，而蹂躪之者則爲無數之嫖客，而被供養者則爲家庭，並及最後爲之擁抱而死之詩人。情節雖短，意義深長，萬縷歸諸社會，是非付之公論，此傑克先生之所以爲傑克先生也。

紅衣女是良家女，受高等教育，爲了家庭，犧牲色相，初夜標界之湯姆。自此之後，生張熟魏，有奶是娘，只要有錢的人，皆盡可夫。惟臨時丈夫不得其門而入者有王秋原，心許丈夫且予以助力使成名士詩人者有鍾士。故紅衣女之最後，肉體是殘碎的，但靈魂卻乾淨的也。

請看傑克先生寫紅衣女失貞：

「那水兵的眼睛燃燒得像冒火，伸出一雙毛森森的大手，緊抓着她的柔嫩的臂膀，把她抱入懷裏，像餓虎擒羊，像老鷹抓小雞。……紅衣女閉着眼睛，這頃刻，諸天失色，萬花斂笑，雲飛雨泣，天地神鬼皆爲這聖潔的童貞女歷劫而哀唱悼歌！」

紅衣女歷盡了一切劫難，最後問題卻解決不了，她打什麼主意？寫信給王秋原說：

「我不能勉強自己！我不能對不起湯姆！我不能使鍾士失望！三個糾纏不清的問題，歸併起來，是一個無可解決的矛盾。可是，這矛盾又必須解決！到今天，已拖延到無可拖延，不解決也得解決。」

因此，紅衣女服毒了！服毒之後怎樣？紅衣女到醫院留醫，鍾士從王秋原那裏讀到她的絕命書，趕到醫院對她說：

「……至於我，妳太不了解我這個人了！妳怕失了童貞，我會瞧不起妳；妳怕我發現了妳是『雛』，會瞧不起妳。那是萬分錯誤！我所需要的是……妳這樣忠誠高潔的靈魂！」

王秋原也上前撫慰她說：

「鍾先生把妳心中的悵惑問題全解決了！不是嗎？他對妳的戀情又是那麼忠實，專一，妳還有什麼不放心？」

湯姆聽到紅衣女自殺的消息，急匆匆冒雨趕來，一腳跨入病室，恰和紅衣女打個照面，傑克先生怎樣爲之作結束？有句云：

「窗外風雨交作，閃電如金蛇亂舞，一個大霹靂，像戰神怒吼，活埋了落紅無數。」

傑克先生以詩人的手腕，寫出一篇偉大的悲劇，這一位女主人翁便是爲社會所咒詛，爲社會所犧牲，爲社會所吞噬的健美女性紅衣女。

眞的，紅衣女像一枝嬌艷欲滴柯娜獨絕種在火坑裏的金蓮花。

求職學生大擺長龍
高中畢業出路太少

數逾千計的高中畢業學生，已面臨失學厄運。能有餘力續升大學預科的，寥寥無幾。本屆英文中學會考及格的畢業學生，共有一千二百餘名，經教育司署正式公布後，他們爭先湧至輔政司署人事處登記的，第一天申請備用公務員的學生，即有一百多人，連日來繼續不輟；何時可以錄用，誰也沒有把握。可見學生們請求解決生活問題，比升學預科更爲迫切，更足反映出這些學生的家庭，已無法再行負担他們子弟修畢大學的力量。而此等學生登記求職雖然十分踴躍，可以意識到絕非均出自願的。但是他們的前途，自始即已注定了祇有在殖民地升學、就業，除非獲得此種機會，祇有失學了。然則這一嚴重問題，並未被人重視。

除了英文中學畢業生就業機會比較多些之外；中文中學的畢業生，唯一的希望能夠去台灣繼續學業，或繼續賠上一年大學預科，但前者錄取的數量實在太少；後者的家庭大多心餘力絀。本屆中文中學參加會考學生一千二百一十一名，及格僅八百四十一；不及格不予畢業的竟達三百七十名之多，他們除非繼續就原班再讀一年，否則，既不能升學，更不容投考港府附屬機構，當然，投考國內大專學校亦未必僥倖錄取，學生及其家長對於這一個非常難決的問題，確是很難解除的。然而，及格的八百四十一名畢業生，而前的出路也是很少，現時祇有一條路，消防局擬聘幾位分隊長；本月十日截止報名。

消防局招聘分隊長資格，所以不限定英文中學的畢業學生，祇需執有教育司署發給的中學畢業文憑的原因，是規定能寫讀流利中文，要不是名額少，倒是一般急求解決生活的畢業生提供。因此，該局擬聘祇有數名的競選數十倍，審查自需時日，九月十日接獲覆信約見，倖獲錄用的恐怕不足十名。錄取之後試用兩年後升爲實職，待遇自第一年三百二十元起，逐年遞升至六百三十元。另有生活津貼，已婚有子女加二百十七元六角，已婚無子女的一百六十三元二角，未婚加一百零八元八角。除此以外，未聞有適當的機構招聘人員；但每年畢業的學生多，港府各級機構雖儘量延攬，在商業還吹淡風之時，就業自不獲，局鼓勵學生升學工專，卒業之後，或不致感到謀事難之歎。然而，如何解決高中學生畢業的升學就業，實爲不容忽視的難題。

×　×

南韓軍將改制

據消息靈通的人士透露，李承晚總統訪美歸來後，預料當局即將宣佈南韓軍隊進行改制。在韓戰劇烈進行中，一批南韓部隊依着美國的傳統方式組建起來，但現時韓境聯軍司令泰勒將軍及高級參謀官員已感到這種編制殊不適合南韓本身的需要，他們已草擬改制的詳細計劃，目的在建成編制較小，機動性較大的新軍，同時並將擁有更多的自動武器。

換藥不換湯

馬五先生

胡漢民先生在生時，對政治問題的處理方針，常揭示一句格言，叫作「換藥不換湯」。他認爲政治搞不好的原因，多半是方法不行，有如病人吃藥一樣，病症不能霍然而癒，一定是藥不對症，非改換不可。至於改換了的藥劑是何湯頭，歸那個人經手煎藥，都不必問。他這意思是主張對事不對人。政策若有錯誤，處理的方法如果不對，即非予以變換糾正不可，至於政治上負執行任務的當局者，祗要他按照新法行事，卻不一定要更換。如果不講究藥劑的作用是否對症，而但知更換湯頭，發藥亂下，不特不足以起沉疴，且有庸醫殺人的危險！

胡先生這項政治理論固然不錯，且具有天下爲公的精神，然其中亦不無顧慮之處。藥方縱是出於名醫之手，包管服之有效，但經管病人吃藥的家屬或親眷，必須不自作聰明，絕對按照大夫所擬的單方辦理，才有效用。我有一位姻長，每逢兒女和孫輩因病服藥時，必將大夫所開的醫方先給他親閱過，纔允許煎服。然他並不懂醫理，只知道大黃是瀉藥，石膏是涼藥，如果方上列有這類特性藥物，而其份量超過了三錢者，即以很嚴重而內行的態度，提筆塗減一半。愚而好自用，決不聽從醫師的主張，旁人勸他不要私行增減，應該相信大夫，他反說別人不懂其中利害。因此，他家裏常年皆有病人，甚至於小孩每以微恙而致死，即由於他這種糊塗胡搞所使然。許多醫生都知道這種情形後，凡是他家裏請看病，都謝絕不去，以免被他損害信譽。

依照胡先生所示處理政治問題的方針，若遇着管理衆人之事的行政當局，縱然是跟我那位姻長一流性格的人物，把中西藥劑都變換盡了，其結果還是無效的。換湯不換藥固然要不得，換藥不換湯也有流弊，最重要是在管理病人服藥等事者，不要強不知以爲知，妄改藥方，庶乎有瘳！

宋二哥

・秋水・

提起『宋二哥』，是一位名不見經傳的人，但他生活在我們工廠型的環境裏，卻有聲有色爲人注目，好像『二哥』一頂油帽子一樣的堆滿了塵垢油膩，使人一認便知他是忠實而苦幹的人，『二哥』有北方人的俠義作風，愛朋友，講義氣，像他的健壯的體格似的，始終站在『正義』『眞理』的一面；爲人所擁戴。

『他媽的！好！看我的！』二哥在做工的時間，總是絲毫不苟，對別人搬不動的機件，他都一舉至上，毫不費力。

『我說二哥！你眞行！就憑咱哥兒們這兩手，走遍天下有飯吃……』王胖子大姆指一伸，向二哥讚揚着說。

『對！咱哥兒們決不含糊，由一等兵到上尉，電校畢業到連長！出操，野外，識積，木馬，打仗帶頭，您說哪樣，咱老二沒落過後，……抗戰八年，剿匪四年，就說來台灣吧！咱幹靑年軍××師連長，推選模範啦，英雄啦！咱老二沒坐過涼板櫈，現在……現在連長當工，還有啥話說？』二哥像是相聲專家，每句話都簡潔有力。

『我說二哥！別忙！反攻大陸少不了咱哥兒們！看吧！打仗要有勇氣的，想當年，咱哥兒們南征北剿，打鬼子，打共匪，從沒吃過敗仗，反攻還會少了咱們？少了咱還能成？是嗎？二哥！哈！哈！哈！』胖子和二哥眞是棋逢對手，一拉一唱談得津津有味。

『二哥』和『胖子』是軍隊的老伙伴，電校畢業到退役，以及到我們機關當工人，一直像一對生死相共的難兄難弟，他們一胖一瘦的身材，也代表兩個不同的個生。二哥的剛直義俠，往往會被胖子的輕言勸告，把火氣消下去。

『二哥』因爲太戇直了，生活在這一環境裏，時常爲一言之差，被別人以『小報告』的方式反映到上級，使『二哥』遭受到申誡或者暗算，但『二哥』並不因之屈服，那就像他常說的：

『咱老二，憑本事吃飯，天不怕，地不怕！一天八小時，上班下班，不遲到不早退，做出的東西不含糊！要在部隊什麼英雄，模範，老早就給咱佩上了，他媽的！這機關！大舅子，小同鄉，吃飯拿餉，升官領賞，咱老二，一肚子怒氣沒處放，不找麻煩就夠受了！……』

眞的！老二是豪放的，他有充沛的情感和活力，公餘之暇，他脫下工作服，一次淋水浴過後，往走廊下一蹲，三五伙伴，自動的走過來，談上三皇，下五代，談個不休，他以具有感情的熱誠，換來許多同情的熱愛，「二哥」是黑夜裏的燈，隨時向人們心房中發出亮光！

老二是誠懇有爲的青年，有朝氣，有毅力，當着同伴，打開話匣子，講得頭頭是道，但二哥有一個牛脾氣，那是他對『大腹便便的大老板』們，時常表現得很撇扭，就像他常說的：『他媽的！有什麼了不起！還不是走小路來的！可惜我老二沒有姐姐妹妹，否則，我二哥也能被人家稱一聲：二爺啦！』

胖子比二哥的年紀大幾歲，而且一家大小的生活，都要靠血的汗水工資來維持，油鹽柴米壓得他吐不過氣，他吃過苦頭，嘗過人間的酸甜苦辣，對於二哥這把牛勁，時常以朋友的情份去勸戒他：

『我說，二哥！咱們都不小了，常言說得好：「識時務者爲俊傑；」咱哥兒們不想什麼升官發財，也別老叫人討厭啦！咱哥兒們不吹牛不拍馬，但也不要老當眼中釘呀！二哥！少講話，多做事吧……？』

二哥生平就有一股牛勁，但對這位難兄難弟——胖子的話，卻是非常信服的，近兩月來，二哥居然很少開口，但是代替的是苦悶與煩燥……

會議席上，老板召開年終獎評會，獎賞名單上沒有二哥的名字，他的理由是：「宋××常發牢騷，不滿現狀，思想待考查……」

二哥越來越沉悶，一頂油帽子，戴得更低了！

薙髮痛史（一）

・狷士・

（一）

薙髮是滿洲的虐政，和我們的剪髮，和薙髮大不相同，那是將男子前額的頭髮，剃掉二三寸，快到頭頂，然後從後面結束長辮，形容十分難看，那時叫做「剃頭」，還有詩爲證「聞說頭堪剃，何人不剃頭，有頭皆可剃，無剃不成頭，剃自由他剃，頭還是我頭，試看剃頭者，人也剃其頭。」

薙髮這項命令，是出順治元年起，直至道光末年因爲太平天國起事，才使這種胡俗發生大大的騷動。但在滿人入關以後二百年間，漢人爲了諱髮運動，被殺頭的，眞是不可勝數。太平天國定都南京時，首先傳檄遠近，革除薙髮結辮的法令，要民衆一律蓄髮，文中說：「夫中國有中國之形像，今滿人悉削髮爲禽獸，中國有中國之衣冠，今滿人則頂戴猴冠，而壞我中華之服冕。」那時曾國藩曾有信與他的友人說，「鄉民刦於粵寇之凶威，或不敢薙髮，或不敢辮闈。」可見太平軍影響之大。

（二）

光緒朝行新政時，康有爲上書，說得非常大胆，他竟說，「請陛下身先斷髮易服，明詔天下，同時斷髮，與民更始。」然而清廷各大臣，尤其是滿人，卻大加反對，極力攻擊康氏。光緒亦因爲這是祖制，遲疑不決，不敢革新。戊戌八月政變，這事便擱置不行了。到了光緒十三年甲辰七月，練兵處奏稱「各省兵弁，一律剪髮易服，」又不許。第二年中國駐義大利出使大臣吳宗濂又請，方才由外務部議覆「照閱操軍服式樣，稍事變通，」剪辮一事不提。可是那些外交官員，穿着後邊很短的所謂禮服，後面垂着三尺多長的辮子，形容更爲古怪醜惡了。

（三）

那時伍廷芳博士出使美國，就因爲有了那怪模怪樣，曾被西人包圍戲弄，幸而他臨時作小丑狀態，用詼諧解了圍。後來他上了一封奏摺說：「中南美洲各埠華僑，辮髮下垂，屢被外人譏笑，轉請明降諭旨，任官商士庶，得剪去長髮，改易西服，與各國人民一律，俾免歧視。臣謂髮不妨剪，服制則不可更張，吾國服制，褐裘深衣，各適四時，尤便結束。」這項奏摺也不批覆。這時回國的留學生很多，他們在外國時都已把辮剪去，回國後做起官來，戴紅纓大帽，裏面裝上假辮，常鬧笑話。不久香港商人發起剪髮會，市民紛紛響應，這是受了革命黨和報紙的宣傳而行起來的。

（未完）

哀法朗士

・郭敏行・

屈指百年間，滄桑堪浩嘆！堂堂法蘭西，光芒冰雪散。徒餘文弱名，虛擁風流冠。區區一越盟，其始發流竄；詎言傾宗邦，羣衆以爲叛。山民性樸純，況久處糜爛！自尊奪不予，自立延不斷，致令生貳心，坐使燎原漫！九載師無功，將士心俱渙。朝野爲惶然，翻地求談判。一夜撤千城，哀號震霄漢。嗟嗟弱國民，強梁雞狗看！在昔逢不仁，今也淪塗炭。賊既肆其謀，聲焰轉驕悍；狼狽互爲奸，東西股掌玩。忍讓豈無涯？安撫當有畔。飲鴆止渴饑，死活置不按！吾爲卿相悲，溺深胡自岸？養虎貽後譏，引領看防扦！

中篇小說　金珠

勞影

她抖手接過去，反復地看了三四次

「送給我好嗎？」她忽然抬頭強作鎮靜地微笑着說。

「當然可以。」

「謝謝你。」

「不過，」我說：「我可以另外買一打新的送給你。」

「我要這一條！」

「你太欺侮人了，金珠，」我認眞地說：「你以爲我已經窮得事以一些撿來的舊東西作爲禮物送人嗎？」

「我不是這個意思……」

「那麼還給我！」

她的臉色變得更爲蒼白，猶疑了一下，在無可奈何的情況下祗好伸出了手，手裏，緊握着那條白綢手帕。

我沒有去接。

「假如你眞因我的奇夢而對這條手帕發生好感的話」我說：「我還是可以送給你。」

她反而怔住了。

「你再說一次。」她喃喃地說。

我把她拉倒懷裏，我們默默地依依偎着，相互聽着彼此急劇的心跳聲。

她忽然抬頭蹙起眉尖問道：「你說的眞是一個夢？」

「假如這不是夢，」我反問她道：「難道你還相信眞有其事？」

「不相信，絕不相信！」她急辯道：「你聽得我說相信兩個字沒有？」

我點點頭，她得到很大安慰似地綴了一口氣。

我搶去她肩頭上一條斷髮。

「王先生，」她又仰頭問：「你這個夢奇極了，你時常把它說給你的朋友聽嗎？」

「今天是第一次，」我說：「也是最後一次！」

「爲什麼呢？」

「爲什麼我要把這些在別人也許會認爲是荒謬絕倫的遭遇到處換取訕笑呢？」

「你怎麼會跑到這裏來的？」她憂然問。

我用一聲咳嗽掩蓋了我的窘。

「我有一個朋友住在這前面，那晚我是來喝喜酒的。」

「我記得那晚你身上一點酒氣也沒有。」

「我剛去。」

「我是問你怎麼會走進了這間屋子。」

「老太婆叫我的，就是外面那個老太婆！」

「囈，老太婆叫你的，」她諷刺地接下去說：「老太婆叫了你一聲你就進來了，你倒很懂禮貌。」

「人類的好奇心有時會比冒險心更爲強烈。」

「好奇？」她冷笑着從我懷中掙扎開去：「哼，你是第一次來到這種地方？」

我把她強力拉回來。

（十八）

談談肥與瘦（上）

・牛布衣・

（一）

『閣下發福了！』這是一句對人恭維的話。不說「肥」，而說「福」，因爲我們中國人認爲「肥」是一種福氣，只有有福氣的人，才會肥。你沒有看見大肚佛嗎？他那便便大腹表現雍容，也表現和善與愉快。雍容，和善、愉快是人生最大的福氣。

肥人的性情是和善的，只有性情和善的人才够得上肥。性情好的人，感情衝動少，身體精力消耗也少。消耗不了的精力便變成脂肪。瘦人便不然。瘦子多數是性情暴燥的，感情容易衝動。感情衝動或劇怒，便消耗極大量的精力。所以脾氣不好，性情暴燥的人只好瘦。

我們中國人都想自己胖，同時又欣羨別人的胖。作者是一個屬於胖的人。朋友看見我，總表現一種欣慕的神氣。他們時常這樣對我說，『你又胖了！我還是一樣瘦。你有什麼秘訣可以指示我，使我胖些呀？』

肥人性情好，能够還就人，所以受人歡迎。胖的朋友最低限度不會容易和人發生劇烈爭執和詬罵。肥人對人對事，多數馬虎，馬虎。這是最妙的一種處世哲學。胖小孩表現出笑容，好像鮮花，使人舍不得離去。瘦小孩則不然，瘦小孩時常啼哭，表情緊張，使人見而生畏。

（二）

天地間沒有一件事物，是盡善盡美的，若果肥是人生的一種福氣，你可曉得這種福氣的代價嗎？

肥第一個代價是心臟弱。瘦人也可能心臟弱，可是比例不過百分之十。肥人心臟弱的比例，卻達到百分之一百。肥人爲什麼會心弱呢？理由簡單得很。一個人身體上每一顆細胞都需要養氣，只要五分鐘沒有養氣供給，身體上的細胞便不能够支持。帶養氣到身體各部份的是血液。血液經過肺部吸取養氣之後，由心房灌入動脈而輸運到身體的各部門。心房的大小是有一定比例的。肥人因爲體積太大了，需要養氣特別多。所以肥人的心房總比較常人的大，那是因爲工作太繁重，非擴大容量不能够應付身體的需要。心房漲大是一種病徵，危險程度相當大。一兩歲的小孩子，若果過胖，身體的面積過大，也可能有心房漲大的病症。

（三）

肥的第二個代價是苦楚，可是因爲習慣了，或者不大表現出來。一個人的體重和高度是有一定比例的。若果身體太肥，體質超重過了五十磅，即等于多背了五十磅東西。你有過背着五十磅東西走路的經驗嗎？背着五十磅東西走路，不是辛苦嗎？體重超重過了五十磅的肥人，不單走路的時候要負担這五十磅的重量，就在坐下的時候，也不能够卸下的。肥人跑路不快，是因爲負担太重。多走幾步，便感覺呼吸急促，是因爲運動的時候，身體細胞需要更多養氣的營養。

自由人

THE FREEMAN

（第三五九期）

中華民國僑務委員會 頒發登記證台教新字第一零二號
中華民國郵政登記第一類新聞紙類
（每星期三六出版）
每份港幣壹毫
台北市售價台幣七角
督印人：雷嘯岑
社址：香港高士威道二十號四樓
3 rd. fl. 20 CAUSEWAY RD HONG KONG
香港發行及事務委託
高士打道56號 電話：七四〇五三
承印者：東南印務出版社
地址：高士打道六十四號
海外總經銷
友聯書報發行公司
香港德輔道中二十六號A二樓
台灣特派員辦事處
台北市館前街五十號
台灣總經銷處
台北 中華路五九四號之一
台郵儲金戶九二五二

國民黨與自由中國

·王聿修·

在此須先聲明，筆者不屬於任何政黨，沒有做過官，沒拿過政府一文錢；純粹以愛國家愛自由的普通中國人立場，來看國民黨。

國民黨領導三件大事

中國一向是一個落後的國家，要把這樣一個國家改造爲民主自由獨立和現代化的中國，有三個先決條件：（一）推翻專制的滿清；（二）抵抗侵略中國的東鄰日本；（三）抵抗赤化中國的北鄰蘇俄。這三件大事都能完成，中國方可以開始穩定，方可以開始眞正現代化，開始眞正改進一般人民的生活。

在中國近代史上，這三件大事都是由國民黨領導的。我們平心而論，國民黨對於中國國運的幾次重大決定，都是正確的：推翻滿清的是國民黨，決定抗日的是國民黨，開始實行憲政的是國民黨，絕不向共產侵略低頭，不把中國出賣給俄國的也是國民黨。

在這幾次重大的決定中，任何一次如有錯誤，中國的國運便早已完了。到今天，保留住自由中國旗幟的，仍是這個國民黨負責的政府。

現在，中國的災難，也可以說是全世界由自人的災難，就只剩下一個了——共產黨的侵略。在這一點上，自由中國與自由世界同其命運。以往的災難都已克服了，我們對人類和中國的前途有堅決的信心，這末一次的災難不久也必能克服。因爲人類是進步的，到了今天，決不會再願意長久忍受奴役。一俟自由中國完成這個使命，中國人在自由安定的環境下，大家一齊努力，才會使偌大一個國家進步。因爲搞好一個國家，主要的責任在人民，政府只是站在輔助和指導的地位，絕不可把一個國家的好壞，都推到政府身上。

指摘應從大處着眼

不錯，今天仍有不少人批評國民黨，但據筆者的經驗，批評國民黨的多半失之於瑣細。而且多半出於國民黨自己的黨員或已下台的官吏。當然，天下無十全十美的制度，更無十全十美的政黨，也絕無盡滿人意的人事行政。站在人民的立場，我們批評一個執政的政黨，須從大處遠處看。因爲如果從細小處着眼，全世界的任何政府都有很多毛病。在此筆者須說明，筆者不是說國民黨所主持的政府，其施政完全沒有可指正處，筆者是說，國民黨所走的大方向，一直是對的！

有人指摘國民黨一黨專政，筆者以研究政治學的看法，對此完全不同意。所謂一黨專政，是說一個國家裏只許有一個政黨，不許有反對黨和反對的意見存在，例如法西斯時代的意大利，納粹時代的德國、和今天的共產國家。至於說一個政府由一個政黨去主持，一切民主國家都是如此。由人民選舉而執政的政黨，爲實行它的政綱，除事務官外（大多是由考試而來），一切政務官多半都要換成自己的黨員，或所信任的人，然後才眞能負起責任來。至於一個執政黨要請反對黨入閣，只是在緊急情勢下，爲表示全國一致對外，例如二次大戰中英國保守黨執政，請工黨入閣，負一部分責任。人民和在野黨監督政府的方式，除借輿論外，便是表現於議會中，因爲雖然政府常是由一黨主持，但議會中則永遠有反對黨的代表，決不可能爲清一色的一黨代表（在民主國家）。在議會中或在議會以外，反對黨可以發揮它的力量，以指正在朝黨的施政，但絕不是爭取政府（內閣）中的席位。所謂聯合政府，是因爲沒有一個政黨在議會中得到多數的支持，所以才聯合幾個政黨組織政府，例如在法國。

對國民黨的根本建議

不過，我以黨外人的地位對國民黨提出一點根本的建議，就是盼蔣總統爲國民黨重新寫一個原則性的政綱。

世界各民主國家的政黨，大都是隔幾年便修改一次政綱，以配合時代與環境的需要，因爲沒有一成不變的時代和人民，政綱是時代的反映。美國的政綱不必說，每四年總統選舉時，便發表一個切合當時需要的政綱。即以有一貫政策的英國工黨而論，它在一九三七年發表了一冊『工黨的展望』，而在一九四九年又作修正，以艾德禮的名義發表了『工黨的展望——十二年後』，作爲工黨的新指南。

孫中山先生領導中國的革命，完成中華民國，成爲近代的偉人。但其後更大更多的艱難，多由蔣介石先生擔負，尤其是今天在如此惡劣的國際環境之下支撐着自由中國，在中國人民的眼光中，蔣先生的功績，絕不在孫先生之下。因之，我們以黨外人的看法，覺得最好蔣先生重寫一下國民黨的黨義，改爲一種原則性的政綱，使之面目一新，合乎今天的時代精神與中國和國際的情勢；並可以爭取全中國人的擁護，使大多數人民都聚集在這些新的原則之下。

國民黨的黨義至今已三十年，在這三十年中，無論在政治制度上，經濟組織上，生產技術上，科學進步上，都有極大的改變。我們相信，中山先生是聖之時者，假如中山先生仍在，也不會三十年來不修改他手訂的政府綱領，尤其是在經濟方面。現在這個工作落在蔣總裁肩上。

我這意見，是出於愛國家的至誠，因爲自由中國與國民黨，與我們個人的命運，今天已是同一命運。現在國際環境正處在萬分險惡之中，自由中國大敵當前，國運之艱難，不絕如縷。大家多一分力量，自由中國便多一分支持；把自己的力量加到政府的力量上，前途便增加一分光明。我們希望每個人都把所有的力量加到全中國人的一塊，爲中國的自由和命運作最後的奮鬥。

巴爾幹三國締盟展望

·祝修衡·

希臘、土耳其、南斯拉夫的軍事盟約，已於本月九日在南國布勒特簽署，正式名稱爲「聯盟，政治合作，軍事援助協定。」

南脫離蘇俄後的形勢

誰也都知道，南、希、土三角聯防的醞釀，遠在希臘和保加利亞爲加瑪島爭奪構釁。當時巴爾幹半島波譎雲幻，西方對南斯拉夫處境，征怵危懼。他們認爲希臘和土耳其已經加入北大西洋公約組織；保加利亞繼一九五二年七月侵佔阿爾法島之後，續陷加瑪，祇是一種試探性質，旨在窺伺南斯拉夫，南國在保、羅、匈、阿三面威脅之中，已經發生了嚴重危機。

一九五一年九月，北大西洋公約組織准許希土加盟，南斯拉夫更呈孤立。南國是共產國家，曾被俄帝驅策，聯合阿爾巴尼亞支持希臘叛亂，致與希臘結成「仇怨」；且因的港爭執，又與義大利不睦。一九四八年狄托背棄蘇俄後，極力傾向西方。英美欲把握這一個從鐵幕中分裂出來的國家，用以阻遏蘇俄囊括巴爾幹中東的企圖。但不無疑慮，因此，儘管狄托聲言無條件接受美國軍經援助，美英亦充耳不聞。祇期遏止俄略勢力的壯大；故對南國以俄帝手段對付其人民，亦祇好熟視無睹。狄托於就任總統之後，對社會改革各項設施，比較上稍加改善，但畢竟是準共產國家，祇藉「民主」美名，炫耀世人，掩蔽其極權統治而已。

南希兩國的心理

美國一方面加強援南，在調和南希，南義之間的關係上，着實花了很多時間，替他們排怨息爭。義南的港之爭擾攘至今，最近始有解決之望。

希臘則自保加利亞侵佔阿爾法與加瑪兩島之後，打開了希土門戶，巴爾幹伏下了一大危機，一旦戰端突起，十餘萬兵力自難於初期作戰中，挫敵鋒鏑。希臘考慮到大西洋盟國艦載飛機，裝甲援助的力量。因之願意接受美英法土的安哥拉會議決定，以希臘、土耳其、南斯拉夫締結三角聯盟。共同組成軍事、經濟、政治合作的體系，使南歐側翼的防衛空隙得以彌住。同時且擬誘導中東國家，建立一個相似的安全組織。

狄托的心理是很難捉摸的，他對於本身的危機並非忽視。但恐懼觸怒俄帝，徘徊「中立」，一再強調：「南斯拉夫不能簽訂任何協定，除非南國面臨有立即發生戰爭的危機。」迨去年二月二十八日簽訂三國「政治協定」之時，各方甚表驚訝，認爲這一「協定」祇在政治經濟合作，實在是徒具形式的。

蘇美英三國的手腕

史達林暴斃，馬倫科夫企圖以和平姿態攪擾西方對歐洲的防禦計劃，一方面向南斯拉夫頻示關切，引誘狄托重回鐵幕。另一方面向土耳其放送秋波，宣佈放棄達達尼爾領海的爭執；使西方所關心的南希土軍事同盟，受到了重大障礙。

最近局勢的發展，使美國對歐洲大陸，巴爾幹與中東防衛憂慮。由於法義兩國政暗洗洶湧，一九五二年五月簽訂對德和約與巴黎條約，遭遇到無限期延擱，阻礙了西德重整軍備。日內瓦會議後，法國對歐洲軍條約的批准，希望更小。因此，美英兩國行政首長會晤之時，曾經廣泛交換意見。英國也覺得會以參加歐洲軍向法國表示歐洲防禦的重要，却不能扭轉法國成見，祇有採取斷然行動，承認西德獨立。西德的「和約」雖然與歐洲軍條約具有聯帶關係，西方認爲前者既已生效，自可單獨建軍，而歐洲軍條約不過是作爲盟國貢獻於歐洲防衛的保證。巴爾幹軍事聯盟也不容再拖延，南斯拉夫所以不再推諉的原因，大抵係受西德重新武備的影響，醞釀年餘，數逾百萬的巴爾幹協約國軍隊，自本月九日起隨着軍盟簽署，已奠定了一個反抗侵略的力量。

事實上，巴爾幹過去也曾有三次聯盟，但過去的聯盟，其意義迥非現時可比。一九一二年十月保加利亞、希臘、塞爾維亞、蒙得乃哥羅四國對土耳其交戰之前，曾締巴爾幹聯盟，這個聯盟的目的無非要「收回」土耳其在巴爾幹半島的屬地。然而，一九一三年五月戰事告終，四國又因分土地發生爭執，終至撕毀盟約，燃起戰火。先是保與塞希作戰，繼而羅馬尼亞亦捲入漩渦；土耳其於是捲土重來，攻保，混亂兩個月。停火之後，使土耳其土地大大擴張。歷史的教訓，使各國從此有了戒懼。到了一九一八年，奧匈帝國傾圮，塞爾維亞擴大而成爲今日之南斯拉夫，巴爾幹杌隉之局比較稍見穩定。直到一九三零年間，除了南斯拉夫內部紛擾，並無大規模戰爭。由南希羅土阿保六國成立「巴爾幹會議」，每年集會一次，但並無若何成就。一九三四年二月保加利亞與各國邊境發生紛擾，「會議」不復再舉行；希臘乃與南羅土構成「聯盟」，目的似在對付保加利亞。二次大戰勃起，此一「聯盟」也就解體了。歷史上，巴爾幹的聯盟，禍患相乘，從未能發揮共謀合作的精神。今日希臘、南斯拉夫、土耳其三國締盟，就目前國際緊張局勢，與巴爾幹地位而言，實爲一極重要的舉措。但三國兵力希臘最弱，南、土均在擴張，幾達四倍之衆。希臘沒有盟國支持，顯然無法抵禦侵略。相信三次大戰以前，這三個盟國大抵不致分裂。如大戰發生，俄帝難免必敗，南斯拉夫的崛起自是毫無疑問的。那時，巴爾幹未必還是今人目爲扼歐陸與中東的「定力」了。因此，我們在三國軍盟締訂伊始，重提歷史上的已往事實。不得寄望阿爾巴尼亞以及匈、羅、保三國能自動打開鐵幕，尤盼廣結與國，淸除「鬥雞場」話柄，使巴爾幹永遠成爲地中海安定力。

救救大陸的空前水災！

目前中國大陸的水災，據連日報章記載，和中共電台的報導，慘重程度，實爲空前所未有。上星期日的水位較歷來最高之一九三一年水位，尚高過一公尺，（已達九六·〇六英尺高度的新紀錄）。北平廣播說：『江淮沿岸地區百分之五十六農田，受到大水打擊，此一地區乃中國穀倉，早稻已遭損失，夏稻爲水所淹，晚稻無法及時播種，且水位無下降之勢，對本年農產，構成嚴重威脅』。

據一般保守估計，這些地區的災民最少當在一千萬以上，可能達二千萬左右。這些災民一方面因受目前浩劫影響，另一方面，加以幾年來中共的「土改」「清算」，劫掠存糧，已陷於飢餓死亡綫上，傷病疾疫，比比皆是，死亡慘重，不言可喻。

中共政權對這慘重空前的災情，實在無心拯濟，也無力拯濟。水災發生以來，中共始終不肯將災情實況盡量向外宣佈，反號召全國，努力完成一九五四年的農業計劃。又侈言農業產量超過去年。其爲無心救死，已暴露無遺。中共參加韓越戰爭以來，悉索敝賦，竭澤而漁，財政枯竭，物價騰漲，其無力救濟空前浩刧，更屬顯而易見。且也，於此救死扶傷唯恐不遑之際，尚高唱其反對「美帝」，「解放台灣」的好戰口號，欲藉此加強剝削，鎮壓反側，以鞏固其殘暴獨裁的統治，嗷嗷待哺的災民，唯有坐以待斃，輾轉溝壑而已。

凡人道的世界人士，尤其是自由中國九百萬軍民，以及海外一千二百萬華僑，時至今日，忍坐視災民，見死不救乎？以解救四萬五千萬同胞出於水火爲職志的中華民國政府，以維持世界和平，拯救世界災黎爲標榜的聯合國政府，亦能袖手旁觀，熟視無睹乎？

今日之事，民間輿論與社會慈善機構，對於搜集災情，籌募振品振款，切實進行救濟，固已職無旁貸。國民政府與聯合國更應本其職責所在，坐言起行，迅速採取行動。

不能讓中共以鐵幕禁閉災民，使災民就死。印度水災，災民一千萬，已引起世界人士的注意與救濟，中國大陸災民達二千餘萬，又安能坐視而不加援手耶？

一週展望

艾德禮的熱磚上行走

·陳克文·

英前首相艾德禮率同工黨議員左傾份子貝萬等一行八人，已於本月九日從倫敦出發，取道蘇俄前往赤色中國大陸作「和平共存」的訪問。逗留共區爲時約三周，九月二日即取道香港回英。

艾氏此行，不僅引起美國朝野及其他西方國家的反感，即英國有識之士亦多持異議。曼徹斯特衛報即喻爲「在火熱的磚上行走」。認爲彼等此行徒然予共產國家以加深英美間裂痕的機會，使中共達到宣傳和政治陰謀之目的。

艾氏於各方極力反對聲中，自行解釋謂此行無損於英美友誼，又說「我們贊成世界和平，愈多作接觸愈好。我們承認一個政權，並非意味我們同意強權的所作所爲。」工黨機關報且說：「共產主義雖含有人所共知的危險，工黨仍相信中共可能轉向和平。」他們還有一種理由，說他們不過是民間代表，與英國政策無關。

這些解釋，我們姑承認可能自完其說。也許訪問之後，會同最近的日本大陸訪問議員和去年印度的訪問團一樣，離開鐵幕之後，即不免發表對中共失望的言論。然而，艾氏此行最少已給中共在國際關係上以利用和挑撥的機會，則爲絕無可疑的事實。艾氏一行既決心供人利用，吾人尚有何說？所望艾氏能在大陸上以冷靜縝密的頭腦，多加了解事實眞相，離開大陸後，多聽鐵幕外中國人民的意見，然後再作結論。能如此，或不至終爲中共所欺騙玩弄。

不。可。征。服。的——
阿比西尼亞近況
·長林·

「國際條約的尊嚴，和由此以維護小國主權完整的諾言，已受到致命的威脅；所謂國際道義也完全破產。這致命的威脅，不僅使小國遭殃，即大國也難逃劫運。上帝和歷史都不會忘記這次的裁判。」這是一九三六年六月三十日，愛西屢皮西國王（即阿比西尼亞王）海爾斯拉賽第一，為了國土被慕沙里尼侵佔，向國際聯盟訴請制裁，竟遭失敗之後！在日內瓦發表演說的警句。

他的預言，在第二次大戰中應驗了，然而慘痛的教訓，卻沒有使所謂大國者憬悟。戰後，跟着中國大陸變色，再有北韓、北越，先後給俄帝鐵蹄踏遍。國際間對這些慘變的反應，還是重蹈國際聯盟的覆轍。海爾斯拉賽當年慷慨陳詞的場面，現在好像又活現眼前，不禁令人想起這東非的倔強小國，一種寧為玉碎，不願瓦全的精神。她復國以後，情狀何如，也當為讀者所留意吧！

國名和民族性

愛西屢皮亞的國名，或許有點陌生，阿比西尼亞當為世人所周知。她的國人不喜用阿比西尼亞的名稱，因為這字源是出自阿拉伯文，有「混雜」的意思。愛西屢皮亞則從希臘文得來，是「紅光滿面」的意思。他們愛用後者來表徵自己的國家，是有理由的。

在北非洲土人中，這個國家的上層社會，是不甘與黑人為伍，而自視為白種人的。那些黑色人種，則被目為蘇丹的奴隸之苗裔，非其族類。事實上，他們是高加索種。故和黑色非洲在文化與經濟上，都沒有聯繫。像怯尼亞雖是她的近鄰，然精神上距離，則遠過於阿拉斯加。

有史以來，她是一個獨立國。在非洲除埃及外，她的立國歷史最長久。然埃及曾受英國長期統治，她雖被義大利侵佔，為期不過五年而已。除意國短期佔領外，歐洲人始終未能到這裏染指。葡萄牙人最先發見這個地方，但立足不牢。十六世紀土耳其人來了，很快便知難而退。一八六八年英國遠征隊也到這裏來營救被捕的臣民。但結果化了九百萬鎊的代價，才達目的。一八九六年，義大利向她發動征服戰，結果鎩羽而還。這就是阿比西尼亞引為光榮的亞杜華戰役。她足有三千年的獨立史。唯一不可征服的原因，就是崇山峻嶺做她的天然屏障。所以也養成了她不屈不撓的民族性。

足以自豪的地方

她是朕即國家的專制王國，雖有象徵的議會，但國王統治宇內，像管理幼稚園一樣。這自然是因為民智愚昧的緣故。可是，她有一種特殊現象，足以自豪的：非洲其他各地的土著人，是替外來的白種人服役。而在這裏，則歐美的知識分子，要替她服務。在國王的無上權威底下，孜孜不倦地工作。這無疑的，是她促進現代化的捷徑。

目前，御林軍、空軍、和警察，都是瑞士人在管帶和訓練；陸軍則由英國的軍事專家來組訓，治安設施和海關制度，也是英國人代為計劃；唯一的鐵路是由首都亞的斯亞比亞通達海港秩保泰，全長四百八十六哩，卻是法國人投資建築和管理的。意大利人也還留在那裏工作，多屬醫療業務。

美國人的地位在這裏也一天天提高，在京城裏的美國人已逾三百五十人。境內的航空事業，就是美國人主辦，政府機關如外交，財政和商業三部的顧問及要員，多是美國人；國家銀行的首腦，是美人，故流行的鈔票，是美國人簽字的；全國建設委員會也是美國人當主席，甚至宮廷的內務總管，也是一個美國婦人。她的西化程度，可以想見。

蘇俄勢力極為有限

外間傳說，俄人在這裏也具潛勢力，且指首都亞的斯亞比亞，是俄諜向非洲各地進行破壞工作的神經中樞。但美英僑民和當地官員卻否認其事，這起因，或者由於在埃及與南非聯邦中間，只有阿比尼亞容許俄國外交代表留駐。

實際上，俄國的外交官員在首都者，只有三人，全境俄人，不足五十。俄國外交代表團的威望也遠不及美國大使館，而這些代表們差不多沒有謁見國皇的機會，俄新聞處裏，除史大林的畫像及一些俄文書籍外，沒有什麼引人興趣的東西。如果說，俄人藉此作宣傳中心，則效果殊微，因對外交通甚為困難，且管制亦嚴，等閒不給一個人進出的。全國只有兩家報紙，都是週刊，一是法文和英文，一是本國文合編。出版要經事先檢查，而且出版前五日，便要把稿件送審，故日報成為不可能，如想藉出版物來宣傳異端，難過登天。

提倡教育不遺餘力

國王有一項最值得贊揚的善政，就是關於教育的設施。國王兼攝教育部長，教育經費占總預算三分之一，還有國王私人財產資助。國王巡幸所到的地方，認為那裏的學校或醫院欠缺，便立即撥款興建。他對公私財產是不加分別的。他是世界有數的富翁，但對錢財並不重視。尤其是辦理教育事業，毫不吝惜。且資助許多學生，到外國留學，經費由他自己掏腰包，目的所在，是急求國家的現代化。

國人信仰回教的很多，但王族卻是基督教徒，彼此相安無事。可見在專制中還有雅量。他樂用歐美人才，西方人亦樂為所用，當由信仰相同原故。在擾攘紛紜的世界裏，這個倔強小國，能夠偏安一隅，朝着現代化邁進。最大的動力，應該是一種自強不息的民族精神吧。

人物述評
江西羣醜素描

中共現在正假託民意，宣布制憲，還要召開什麼「全國人民代表會議」的時候，偽江西第一屆人民代表大會，已於七月十一日在南昌開幕。群醜一場，沐猴而冠。到會的傀儡共四百零四人。會議當中，照例聽取偽江西省人民政府五年的施政報告，又作了一九五四年工作任務的決定。最後選出了出席「全國大會」的偽代表二十一人，當選的名單如次：邵式平，劉俊秀，陳奇涵，姚依林，危秀英（女）劉建華，陳劭先，羅隆基，許德珩，吳有訓，趙承嘏，郭清四，易瑞生，李友秀，陳翊科，程孝剛，楊惟義，黃家駟，朱仙舫，劉之綱。

這一群傀儡，除了極少數為人所熟知者外，大多數是很陌生的，茲略加分析如次：

三位一體的寨主

這次選出三個中共老幹部，一個是偽主席邵式平，一個是池委兼組織部劉俊秀，一個是偽江西軍區司令陳奇涵。恰恰代表了江西的偽政，黨，軍。這三位一體的寨主。自從大陸易手以後，他們就登上寨主高位，竊據江西，而且在江西的搜括，「募債」，「徵糧」，「支前」，「屠殺」，總是超額完成，所以他們在這次「大行政區」的調整當中，還沒有遭受到黜黜，這三個劊子手，在江西屠殺的人民當在一百萬以上。

一支獨秀的危秀英

在這些代表中，唯一的女性只有危秀英。說到危秀英，風頭之勁，連邵式平的壓寨夫人胡德英也望塵莫及。她是江西南城人，新生紗廠女工。南昌淪陷後，她就以「前進之花」的姿態出現，以跳「秧歌舞」最妙曼而見賞於共幹。身材中等，婀娜多姿，而且頗善於詞令，滿口新名詞。一時的新貴，趨之若鶩。她現在以團員的資格，進升為黨員，已經成了不折不扣的女共幹。

一羣無恥政客

這些代表中，有三位是極其醜惡而無恥的。那就是鼎鼎有名的羅隆基，許德珩，陳劭先。他們的汚穢歷史，國內外人士知道的亦頗不少，羅隆基是江西安福人，他留美後即已執教清華，地位清高。但他向來不甘寂寞，到處賣身投靠，天天做發官的迷夢。民國二十年之間，他曾經到過河南，想要同鄉主席劉峙，保他做民政廳長。當時以他無從政經驗，致令未能實現。後來抗戰，與許德珩，王造時等一行回到江西，供職於江西的政治講習院。後以分贓不均，打狗散場。回到昆明又鬧桃色糾紛的新聞，轟動全國，他因為在政治上不得志，從此加入民盟，為共張目，搖旗吶喊。

許德珩，也是一位熱中利祿的急色兒，他是九江人，他自己投共，意還未足，又使其堂弟許德瑗廁身民盟，作為江西的負責人，任偽江西省委員兼文教廳長，他自己則任中共法制委員會的主任委員。他原本是改組派，十七年在上海與陳公博，蕭淑宇，施存統等創辦「革命評論」，後來又參加九三學社，為中共作應聲虫。

至於陳劭先，他是江西清江人。一口清江土話，土頭土腦，他一向在廣西供職，在廣西亦不過清客之流，與附逆的廣西參議會的議長李任仁頗為相得，狼狽為奸。抗戰時期，他主持廣西的建設學會，出版了一些廣西建設叢書。一方面為廣西的建設標榜，另一方面收留了不少的左翼文化份子，作為中共勾結的橋樑。[illegible]！

所謂「民族資本家」

小丞

當這些傀儡中，還有一位「民族資本家」出現，他就是朱仙舫，他是江西臨川人，他雖然是紡織界的科班出身，[illegible]他向來對待工人極其刻薄，[illegible]

[illegible]與朱同鄉）也投資了七千美金，還有若干其他的官僚資本。[illegible]吳健陶以為「泰山可靠」，避居上海，以為安全得計。殊不知土改以後，吳健陶即被解回原籍鄉下，償還「血債」，一命嗚呼。

百無一用是書生

代表當中，有幾位真正是學人，對政治毫無認識，為了自己是治學的人，心裏以為共產黨來了也無所謂的，致令陷於竹幕。[illegible]

約翰的神秘失踪（下）
西德保安首長
·羅譯·

當約翰逃入東區的消息傳到波昂，西德內政部[illegible]

[illegible]

……從未參與軍事問題，而西德首都的外國外交官今日卻仍在考慮，約翰事件最後究將引起了怎樣嚴重的影響？（取材「時代」及「新聞」週刊）

編者讀者

田中奏摺問題
△張景人先生來函▽

編者先生：貴刊三五八期，載趙尺子先生函，談及田中奏摺取得人是誰，是後還希望李應林先生提出「獲得日本田中的秘密奏章」的真實證據。

本人與李先生頗有交往，對此事知之甚詳，現在把這事的經過寫出來，[illegible]

[illegible]

張景人啟

△出入境問題▽

編者先生：讀自由人三四六期，雷嘯岑先生[illegible]

[illegible]

美國新政黨將問世

[illegible]

西漢人民生活（四）

•毛以亨•

讀史評述　私奴與奴隸制有別

貨殖傳，「蜀卓氏之家，趙人也，用冶鐵富。秦破趙，遷卓氏之蜀，夫妻推輦行。……致之臨邛，大喜，即鐵山鼓鑄，運籌算，賈滇蜀民。富至僮八百人，田池射獵之樂，擬於人君。」「齊俗賤奴虜，而刁間獨愛貴之。桀黠奴，人之所患，唯刁氏收取，使之逐魚鹽商賈之利，或連車騎交守相。然愈益任之，終得其力，起數千萬。故曰寧爵無刁（寧放棄爵祿，不可不爲刁奴），言能使豪奴自饒，而盡其力也。」「……師史……轉轂百數，賈郡國無所不至。……故師史能致七千萬。」太史公傳貨殖曰「其在閭巷少年，攻剽椎埋，劫人作姦，掘冢鑄幣，任俠並兼，借交報仇，篡逐幽隱，不避法禁，走死地如騖，其實皆爲財用耳。」朱家藏奴數百人，季布亡命時，亦匿在奴中。劇孟把握着與中人力，周亞夫謂吳王濞反，而失劇孟，知其無能爲矣，若郭解則以盜墓著。故如認爲任俠重意氣，固不如謂爲以意氣結納爲手段，以達利爲目的，較近事實。今日之幫會領袖，能逐利，而始能聚人，古代亦是如此。要之皆秉國家法令之疏，以欲法從中而取利。然謂俠非儒乎，則又不然，蓋儒亦賴貨殖而始大，孔塚孔廟，全賴子貢之財力，有以發揚光大之也。然逐工商之利，富埒天子者，吳王濞，與梁孝王武也。梁地既爲天下膏腴，尤屬四通八達之地，故擅鹽運輸之利。吳饒銅鹽，鄧通則無異文帝之外府，天子諸侯，均以經濟爲中心。商人凡能爲天子諸侯謀利者，輒能自己亦從漁利，而以任俠，賓客，奴婢爲其生產手段。至武帝則鹽鐵入官，奴婢亦多入官，諸侯式微，任俠遂誅，天子遂專新興事業之利，此亦經濟發展之當然秩序也。武帝以後，社會經濟與人民生活，爲截然不同的另一階段，將再論之。

結論　社會主義非萬應方

農民在任何時代，都是最苦的，因爲農業之生產方式最落後。爲了少不了農業，爲了不能如十九世紀英國之農業在海外，而自己僅營工業，所以要幹斷本的農業。然而同時農民又是國家徵稅，與資本家找利潤最穩當而簡便的對象，是以苦上加苦了。不過從秦末漢初到文景之治，雖可以說一樣的苦，然其苦的性質不同，前者是無的社會之苦，後者是有的社會之苦。我不相信社會主義是萬應方，實行之後，即可使農民生活改善而獲得總解決了。古代本是共產主義，何以行不下去，而改爲私營經濟呢？現在之蘇聯中共，不過以政府代地主，而取其百分之五十的收益而已，農民之被剝削，祗有加甚，是萬無減輕之望的。

漢代經濟性質

再須提起的，漢固未變秦的奴制，然與秦的奴工不同，秦之奴工，爲服兵役與工役之奴，漢之奴僕，則爲逃避國賦之私人奴僕，此不同者一。秦之奴工，幾于不給値，漢之私人奴僕，給値較曠，有時甚至可以發財。而所謂賓客者，實與奴僕無異，我疑沿戰國食客之風以俱來，戰國諸公子門下食客之多，我疑亦爲奴僕之變，爲逃避國賦而蟻聚于公子門下。漢之吳王濞，梁孝王武，鄧通，以及漢初異姓王之陳豨，貫高等，實代替諸公子之地位。但漢初此等特殊勢力，已散而在民間爲工商與任俠。所謂商人者，多以商爲副業，而其主要業務則爲工業。當時的工業，除開鐵鑛做工具，與煮鹽運輸外，實鮮可營者。要皆多少有專利性質，取得政府之默認與特許後，始可經營。然尙須得任俠之諒解，始能取得人力，而任俠在未與商賈合作以前，輒以其所控制的剩餘人力，濫用于爲人報仇而殺人越貨，以及發棺盜塚諸事。

上自朝廷，下至任俠，俱爲當時社會之經濟結合所不可或缺的因素。而所謂遊俠者，所謂商賈者，對各階層均有參加，而所謂豪強者，亦以此現勢力而成就之。漢武帝之際任俠，廢奴婢，以救文景之弊，集中財政經濟權于政府的必要爲勵。太史公之傳任俠，亦不過謹守史法指出任俠對時代之重要性，幷非發什麼牢騷，更不含有個人偏好與欣賞的氣味。（完）

談大專畢業生軍訓問題

徐玉虎

女生也應接受訓練

四十一年政府頒行大專畢業生集中軍訓辦法後，教育部對出國留學辦法也有了修正。「凡大專畢業生未受一年預備軍官訓練的不得申請出國」。所謂「大專畢業生」當然是包括男女生而言。政府這種規定，目的在造就一批允文允武的全能青年，糾正輕視軍人的錯誤觀念。這在原則上是對的。但實行起來，卻不是那麼一回事。第一二兩期接受訓練的，全是男生，半個女生都沒有。並且教育部規定，「未取得軍訓畢業證書的，不得發給大學畢業文憑。」（身體殘廢的及青年軍不受此限），並沒有規定女生可以例外的。既然如此，爲甚麼女生可以不受訓呢？照理女生即使不能和男生受同樣的訓練，起碼也要受護理訓練，這樣才能達到總動員的目的。如果說籌備不及，暫緩召集。第一期不召集還可說得過去，第二期仍不召集，則作何種解釋呢？政府既規定大專畢業生須受軍訓訓練，如果女生可不受軍訓，便應該明文規定女生可以不受訓練。

平時許多場合，如果不讓女性參加，往往被生麻煩，便有人提出「男女平等」的問題來。獨這次軍訓，竟沒有女性出來向政府請求受訓，似乎也有點奇怪。不受軍訓，依照規定，不僅取不到文憑，更談不到出國。但政府居然准許她們出國了，這不是自相矛盾嗎？我並不是忌妬女生出國，我要問的是政府這樣的措施，是提倡男女平等嗎？還是鼓勵天下做父母的「不重生男重生女」呢？

評：荊棘火

作者：趙滋蕃　出版者：亞洲出版社

•沈著•

荊棘火是亞洲出版社新近出版的中篇小說，是趙滋蕃先生繼「半下流社會」之後的又一力作。（一）

趙先生的作品，除「半下流社會」一書已譯英文外，其餘都散見各報章雜誌發表的短篇，文字精練，詞藻美麗，思想豐富，見解深刻，實有目所共覩。

「荊棘火」係精確而纖密地通過了作者的性格和哲理思想所構成的小說。作者巧妙地用一個乾淨俐落的悲劇戀愛故事，表達他的人生態度：即詛咒人間的罪惡和詛咒仇恨，更詛咒牢獄制度。他以爲牢獄對於人性「祇有使人墮落的影響」。因此，他竭力歌頌人間的愛，而認爲人間的愛是不能用「邊際效用」的尺度來衡量，他認爲「無價」。他認爲偏見是不能恕過的罪過；他認爲，爲了愛，人們會勇於犧牲。人們對於愛恨不應該麻木，而應該「寬恕」。人們所不能或缺的是信，是望，是愛。其中最大的是愛。他認爲生物進化和繁盛雖蒙自私（指生存繁殖而言），然而使人性顯得靈美、高貴、莊嚴的，卻完全依靠不自私底愛。最後，他認爲「人性與神性，渾然一體，生命與愛情，不可分割」。因此，愛情能使人性靈化，愛能使人們純化自己而成全他人，亦因此，愛情的衝擊，會使人的生命變得崇高而美麗，而造成悲哀。（二）

作者認爲監獄制度是違背這些精神的心理，他認爲人們被迫犯了罪，犯罪者的心理本已充滿了怨恨和仇恨，而監獄制度更具有相當的機能，加深了犯罪者的偏見和仇恨，以及妄自誤認的變態心理，而終至喪失了人性。他說一個人一旦淪入監獄，便可能一躍千丈以監獄爲家，這種怪現象，其故事中用母女兩代的身世，明確地刻劃了這一點。他由擊監獄制度，糾正仇恨心理，鼓勵人間的情愛，便成了這本書有力的和正確的主題。

本書故事的構造，確如亞洲出版社所說：有如抽繭剝蕉，層層曲折動人，在傳奇色彩中富人情味、眞感情。作者並不是想以故事去趣，而是想通過故事給讀者以淨化的思想，經過謹嚴的作出深刻的表達。除了給讀者以必要的趣味之外，還使讀書獲得一個清新的理念。職是之故，讀者必須用心去細細咀嚼、尋味。在著澀不易讀，但有如口含橄欖，便回味無窮了。目前一般文藝創作，大多有一種傾向，即着重趣味，而忽略鮮明的意識。此種傾向之由來，除給予讀者消遣外，實出於「商品思想」所支配。本書作者極力避免此種傾向，最值得推重。（三）

本書文字還有可以商榷的地方。便是過事雕琢，因爲文字過於求工，往往使人不易了解。例如：「美麗的火燄，如果專爲那些獻身的飛蛾而燃燒；美麗的理想，如果專爲煽動青年、欺騙青年而存在，這火燄，這理想該含有多少不人道毒素。我不相信：死人的屍布，可以做新生小孩的衣裳。我也不相信：暴力能換來眞正的自由。」「唉！使花凋謝的法則，也正是開花的法則：……當生命的躍進停頓的時候，白髮將替美麗的青春，添上註腳。這就是人生。」「祇有凝心最不容易解釋，因爲它本身就祇有強烈的意志自由所孕育，要求精神在現實事物中的寄託。」「唉喲，人的位置的喪失，就是這個時代的特徵。」「……毀滅，戰爭、流血、死亡，最後必代替了人類的愚蠢。向戰爭乞取生命，向饑饉要求營養，是這代人類進入昏迷狀態的徵兆。……」這一類詞句，不僅普通讀者不易了解，即文學有相當修養的人，也不免要多加思索。這對於雅俗共賞，或深入社會各階層，不能不說是一種障礙。然而比一缺點，祇能說是美中不足而已。

米商要求自由辦運

港府將有妥善計劃

本月一日起港府撤銷配售平價米之後，商米零售價迅躍提高身價，A字米漲二元餘，安南粘漲七元，新界米亦受影響，扯高了五、六元。自六日那天港府推出A字暹羅米後，微見回跌。這一次商米上漲雖說毫無理由，一般認爲係「人爲操縱」。事實上是民與官的挑戰，旨在促成撤銷統制。過去因爲實施配售計劃，當局對於食米供應能夠適當調節；以統制手段加強管理，自屬無可非議的；但在終止配售計劃之後，應由商人直接辦運，無需再加統制。不特多了一道手續，而成本並不減輕，對市民負担反而增加，使人們盼望吃到平米的日子到來，許多事實證明，似已無大可能。

前一期本報呼籲港府撤銷統制食米辦運之後，各方頗表重視。大多數關心市民日常生活人士，均認爲「統制」已絕無理由存在，港、九米業商會與嘅米零售商會三個米業團體會通過九龍總商會向當局請求，准予食米自由入口。他們列舉停止配米後應由商人自辦的理由，而強調此舉對市民得食平價米的事實，盼能考慮撤銷「統制」成例。經「九總」轉致財政司後，財司祁樂嘉迅即覆函，他說，政府對食米入口問題，短期內將有詳細及妥善的辦法公布。在此以前，零售米商仍堅持他們的主張，以爲米商既可自由採辦入口，在自由競爭的原則下，任何一方面都不能操縱米市。倘若將辦米入口權利祇付託少數人手上，則配米停止期間，不特米價不會下跌，反而會使米價無理由上漲，殆無置疑。然就目前情形看來，米價即令上漲，不會長時保持。因爲港九數達一百九十幾個配米站自經本月一日關閉後，已紛紛規劃轉業，且大部分已成爲零售米店，他們在戰前原係商米零售店，現則無異「還原」。使商米的零售店數量驟然增加，同業間競爭自亦難免。但也有人認爲這種現象也僅是一時的刺激，決不會持久。持久平抑的根本辦法，萬流歸宗，問題祇有一個：撤銷統制。則自由大量辦運的結果，商人且又不顧擱置資金，脫貨求現，競爭傾銷勢所難免，市民吃平價米，自是毋待苛求了。

預備軍官制度的商榷

我是主張軍國民教育的，政府頒行大專畢業生集中軍訓的辦法時，我是極力擁護的。但經過了一年訓練，並參加了本年度首次陸軍春季動員演習之後，我覺得「一年的預備軍官訓練」，應改於中學生考取大學後，第一年便開始。理由如下：

（一）年齡過大——不能接受體能訓練——沒有大學入學考試年齡限制，十八以上，五十歲都可投考。考取以後，經過四年才畢業，畢業後才入軍校受訓，年齡又增加了。畢業後接受各種嚴格的體能訓練，因爲年齡的關係，不免增加困難了。就我所知，第一期預備軍官的體能訓練，成績並不甚好，不能和軍校正式生相比。記得有一次爬障礙跳牆，就有一位同學把腳跌壞了，住了半年醫院，行動還不方便。這就是年齡太大的緣故。（略）

（二）沒有實習的機會——大專畢業生受一年軍訓後，政府依着他們的志願分發到社會各部門或工作。假如沒有動員集訓，從此以後根本與軍隊脫離關係，所學到的一點軍事常識，時既久，便忘得一乾二淨了。如果能改在入學前受訓，則求學期間，仍有軍事課程，寒暑假亦可到軍中實習，體會眞正的軍中生活。萬一眞正動員起來，他們一定成爲勝任愉快的軍人。說到這裏，一定有人要問，政府不是已規定高中畢業生要受四個月的預備軍士訓練嗎？考入大學的高中生如再受軍訓，豈不要受雙重的軍訓？其實高中畢業生不必受軍訓，我認爲高中畢業生要立刻參加大學入學考試，錄取的即接受一年的預備軍官教育，名落孫山的即接受四個月的軍士教育，如此豈不兩全其美？

（三）大專畢業生不能安心學習——雖受一年軍訓，但訓後仍要參加所謂「就業考試」，政府分發及格的到各機關服務，不及格的要自己努力去找工作。因此大家在受訓期間，總在討論就業問題，找時間溫習功課，預備就業考試。有個口號說「民生第一」，大家心裏總是惶惶不安，怕考試不及格，萬一找不到事業，安去那裏找飯吃呢！尤其在快到考試的前一個月，情緒低潮，教官在講台上講他的，學員在下面做各的。這樣的訓練有何益？這些問題，根本就發生了。年初開始的軍訓，筆者曾參加預備軍官訓練，又應召參加本年春季演習，親身經過事實，有所感想，謹述鄙見，希望當局有所改進。

領導者的必備條件

·馬五先生·

艾森豪總統最近告誡美國人，不要隨時強調美國對世界的領導地位，美國祇希望做一個自由世界的良好伙伴而已。他教美國人應該「多想像，少吝嗇」。這段話我認爲是艾克進入白宮以來講得最漂亮，也極合理的言論。

美國今日以其富強甲於全球的國力，又有青春活潑，見義勇爲的民族性，自然而然的居於自由世界的盟主地位，實至名歸，不成問題。但，作領袖却須具備一些條件，最忌諱的就是予智自雄，目空一切；其次即爲吝嗇小氣，不肯吃虧。若處處擺着領導主的面目，以爲當今天下舍我其誰，這一定將招致許多不必要的反感，倘再遇事想檢便宜，對人常常表示難請有德色的氣派，那就非弄成衆叛親離的結果不可。

在二次大戰期間，以及戰後七八年來，美國以大量的財力物力援助世界各友邦，許多金元物資，並且是贈予的，可算得慷慨大方了。然除却蘇俄那些共產國家根本與美國不能兩立，必須「以怨報德」外，其他的自由國家，大多數也對美國抱着不滿的態度。這其間，政治歧見的因素自然不少——英國即是最著者——而美國人犯着艾克所指述的毛病，似乎亦不輕吧！

世界的領袖固然不易當，即一國或一國體的領袖也不是隨便可以勝任的。領袖地位必須由羣衆自發地真誠擁戴，才可鞏固形成，然其唯一要訣就在不以領袖自居，盛德若容，使衆人皆朝着共同目標，儘情發抒其智勇辯力的本能，領導者淵默涵攝，以集大成。如果領導者遇事予智自雄，不懂得運用衆力的道理，只是教衆人以後知後覺的心情，奉命行事，那就沒法博得天下英雄翕然歸附的盛況，將如王安石所謂「雞鳴狗盜之徒出其門」，而其事業的成敗，亦就可想見了！

自由談

談天寶前後的杜詩

·莫可非·

（一）

我們如果想知道一些唐代開元，天寶之間的歷史，在所有的文獻中，能夠供給一些新鮮而確實的證據的，就必推杜詩。歷來人稱杜詩爲詩史，其實不是阿其所好之論，就我所知，大概從天寶中葉，他所作的兵車行和前後出塞等詩起，就已經顯示出那時的政治現狀，一面是：征役煩苦；另一方面則是：邊將驕橫。『且如今年冬，未休關西卒，縣官急索租，租稅從何出？』這情形是政府一面要兵，把壯丁大量征調到前線去，一面又要榨老百姓要糧，而當時的對外用兵，又實在說不出一個不得已的理由，那，即是所謂黷武。而：『主將位益崇，氣驕凌上都，邊人不敢議，議者死路衢，』的情形，便說出了因爲黷武而使邊將『氣凌上都』，却又不准老百姓呻吟一下，這樣的措施，其實即是一種役使民力過當的暴政，這樣的政治，無疑地要闖出亂子來的。

（二）

這以下，他接着寫了麗人行、虢國夫人、自京赴奉先詠懷等詩，使我們看見，除了征役煩苦，邊將驕橫之外，還有一些是宮廷生活的荒淫與無恥：「君臣留歡娛，樂動殷膠葛，賜浴皆長纓，與宴非短褐。彤庭所分帛，本自寒女出，鞭撻其夫家，聚斂貢城闕。……況聞內金盤，盡在衛霍室，中堂有神仙，煙霧蒙玉質，煖客貂鼠裘，悲管逐清瑟，勸客駝蹄羹，霜橙壓香橘，朱門酒肉臭，路有凍死骨，榮枯咫尺異，惆悵難再述。」老百姓納不起糧賦，逃荒逃役，自然[illegible]終不免[illegible]骨道路[illegible]天子[illegible]見于詩[illegible]幾個大[illegible]「麗人行」[illegible]前丞相[illegible]已頗有[illegible]年代[illegible]「明皇[illegible]便乾脆[illegible]扶歸宮[illegible]薛王[illegible]的荒淫[illegible]是無以[illegible]，都是[illegible]詩，[illegible]動地[illegible]來：「漁陽百萬師，」[illegible]

（三）

[illegible]往者散何卒？」「明皇車駕，狼狽西行，杜甫終于看到了自己意料中的變亂，他寫了哀王孫、哀江頭、春望等詩，吐露出銅駝荊棘，故宮禾黍的悲哀。不過，這些詩仍只算是以第三者的身份寫的，似乎還未到十分痛切處。肅宗至德元年（即天寶十五年），他從白水逃到鄜州，聞肅宗在靈武即位，乃自鄜州羸服奔赴行在，中途爲賊所俘，直至至德二年四月，纔得逃脫了，終于到達鳳翔，謁見了新即位的皇帝，他那左拾遺的官職，也就是這時候獲得的；到又因疏救房琯（當時因陳陶兵敗負罪的宰相），詔付三司推問，幸有宰相張鎬，得也開脫了。同年八月，墨制放還鄜州省家，途中間，他寫了自京竄至鳳翔喜達行在、述懷、得家書等詩，都寫的是自身在變亂中遭的遇，一種骨肉流離，生死不能自保的慘痛經歷，却處處出之以溫柔敦厚之情，沉鬱頓挫之致，實在是亂離文學中不朽的作品，無怪元微之要說：『自有詩人以來，無人能及子美者。』了（上）

再諫邱吉爾

·郭敏行·

昏迷常不醒，垂老更何爲？不世英名替，無雙帝業墮。謀皮愚及虎，結契枉希鵰。忍鑄千秋錯，空遺萬代悲！

夫夏邱翁訪美，力主召開三頭會議。余曾作七絕二首並附長跋以示諷諫。茲並錄於後：

「浮海班師事不遙，堂堂百萬氣驕驕！天朝自有神孜在，那許三頭又密調」。

「八年抗戰事堪驕，[illegible]兵不歸牆。大國自來君子度，中堂何忍負天朝」！

薙髮痛史

（一）

·絹士·

宣統二年，剪辮運動最受國人擁護，資政院議員羅傑提出「剪髮易服案」，說：「今日出使大臣及陸軍大臣，外部侍郎，皆已剪辮，朝廷既不能禁止，殆成默許，不如明發上諭，使天下耳目一新，當可振起立憲國之精神，今我國軍人及外交官到外國時，感情往往難於融洽，如會葬看操等事，他國皆乘馬，我國官吏以禮服累贅之故，勢須坐，然馬車不能直達會場，又須下車步行，人乘馬，我步行，殊屬有辱國體」。經過清廷討論後，頭腦較新的都一致贊成，說人之不同禽獸，是因爲沒有尾巴，現在留這一條長辮子，和尾巴有何分別，無怪給外人輕視了，但頑固守舊的人，還是大加反對，說「剪髮等於用夷變夏，是顯然違背聖教，萬不得已，」有些主張中庸，用折衷辦法，贊成剪髮而不易服，終於也沒有下文。

但那時革命潮流，已瀰漫全國，宣統二年冬天，資政院常會，有人說，「剪辮風潮日急，每日彼剪者甚多，法律既不便強爲干預，與其默認，不如明許，」院議表決，多數贊成通過，但是翰林院竟劾他們一奏，說「資政院討論剪髮一事，上關國憲，竟不候聖裁，殊屬違法，請飭旨申斥。」果然奉旨「所有各色人等，均應恪遵定制，不得輕信浮言，特此明白宣示，俾衆周知，以靖人心。」

當時風氣已成，很多剪髮的了。清廷也掩耳盜鈴，開眼閉眼，北京商人很懂得投機，紛紛在船板胡同等地，開設理髮店，（以「是剃頭店」）。並大貼廣告說延聘日本上等理髮師，並可以電話召往奉妝，這些店那時營業撈了一筆。次年三月廿九日，廣州革命起義，兩廣總督張鳴岐下令閉城搜捕黨人，凡是剪了辮子的，不論是不是革命黨，捉住就殺，死了許多無辜的人民，也可見封建時代的淫威了。

辛亥革命成功以後，清代的亡國大夫，大抵是受恩深重的緣故，住在北京和津滬租界裏，多數還留着一條辮子。可是那時他們的主子溥儀，早就剪掉了辮子學時髦了。有一位曾任湖南巡撫的余誠格，有一次參加一個典禮當行禮的時候，突然被人將他小辮子剪掉。等到他發覺了，當場哭起來喊。其他遺老，[illegible]大起恐慌，[illegible]來。民國以後，有名的辮帥張勳，[illegible]安徽督軍。他十餘萬軍隊，[illegible]。果然民六他還要搞一次復辟。那時段祺瑞馬廠誓師，傳檄討伐，檄文上也有「帥着長辮，陰懷異志，沐猴而冠，窃所雄容」的話。自從辮勳兵敗，他的「安武軍」也一律改編，強迫剪髮，這便是辮子最後的一幕滑稽劇。

× ×

談談肥與瘦

（中）

·牛布衣·

呼吸器官只好速加工作，來送新鮮補給需要，特別在夏季，肥人的痛苦是說不出的。筆者有一位朋友，體重二百八十磅，比較正常超重過了一百三十磅。每到夏季，他得在兩腋之下，兩股中間再裝置一個石灰布袋，用來吸收汗水。沒有這些石灰袋子，腋部和股部便會因腫爛而致腐爛。

（四）

肥的第三個代價是半冬眠，好些朋友說、革命先進譚英伯先生因爲太胖了，會客的時候，就睡大作，不知不覺進熟睡了。那是因爲他已進入半冬眠狀態了。一個肥人身體各部都給脂肪纏住，特別是腦部和身體各處的神經在脂肪纏繞狀態之下，神經是不能夠活潑的。肥人脾氣好，便是因爲神經不能夠活動，提不起精神，所以對人對事只好馬虎了事。太肥了的肥人，有類乎動物的冬眠，一個人睡眠的時候，需要養氣最少，心房可以藉此休息，所以胖子總是喜歡睡的。

（五）

肥的第四個代價是疾病，容易[illegible]人抵抗力弱，特別是三十年前[illegible]說，一個人到了五十歲[illegible]稍爲肥一點[illegible]，現在[illegible]轉了來了。在現在，一個人[illegible]十歲[illegible]比例輕些。瘦是長壽的象徵，一個人太肥了，壽命不容易超過六十。五十歲以後的肥人容易血壓高，糖尿，血管變硬，風濕，心臟病，腎病，嚴重的心病等。上面所說的都是致命的疾病。

想瘦點嗎？

[illegible]爲肥是遺傳的，或[illegible]了肥，[illegible]傳的[illegible]者在肥人是沒有傳統之下，辦法可以瘦的。近代的科學家都以爲「肥[illegible]遺傳的東西，絕對不能夠遺傳的，肥是沒有一句話說，個人之所以肥，是因爲吃得太多，用不完的加路里（CALORIES熱單位），保留在身體內，變成了脂肪。肥跟遺傳沒有關係，只有性情和吃東西的習慣和先代有關連。有些人一連好幾代都是肥的，表面看起來，好像是從遺傳下來的。可是仔細加以研究，便可知道幾代傳下來的肥人，都是都有同一習慣，都是吃得過多。

減肥的唯一方法

肥人想瘦，唯一的方法是節食。因爲到現在止，還沒有一種藥物，不論是口服的，或者是注射的，能夠消除體內的脂肪。最近幾年來，外國——特別是美國——外國對于食物作極詳細的分析。含加羅里多的食物，[illegible]

[illegible]

中篇小說

金陵[illegible]

·勞影·

一盞燈，」我平心地說：「也許我當來[illegible]，不過你可以試着跟我這附近跑一圈，看看可有誰把我當熟人樣的打招呼。」

她睜了我一眼。「你有功夫，你一個人去跑吧！」

我知道她已滿意於我的抗議。

這時已經九點多了。

若太太已經起床，經過房門口時朝我點頭笑笑，我想我該走了。

這時我想起她昨天最後的一句話：「明天上午八點鐘你再來一次」。

「再——來一次！」我的心情沉重起來。

因爲我已答應過她，而分別前後的幾個問題都已解決，我且額外獲得一份珍貴的紀念品，讓我的呼吸不停止，她不就永遠活在我的心裏？難道……

我默默站立起來。

「走了？」

俊沒有開口。

「要不要喝杯茶？」

我仍然沒有開口。

「怎麼不說話了呀？」

我低頭走向房門，我怕洶湧在心胸的、火樣的情感會從口裏冒出火舌而將自己的諾言焚毀。

她把我拉回，搖着我的手。

「我要說一句話再走！」

她要推毀一個男人的自尊？——我憤怒起來。

「偏不開口嗎？我要你開口！我有方法要你開口！現在你聽着：今天是禮拜五，明天、後天——後天中午，十二點正，我要你在新世界門口等我，不許遲到，呵呵……你笑了……笑了……好不要臉呀！」

第四章 我的母親是日本人

禮拜天下午二點多，我和金珠站在成都路左側的人行道上，第一場電影已經散場了。今天她穿着一套淡灰色的女式西服，黑色半高跟鞋，[illegible]寬大的翻領，下面[illegible]質闊巾，臉上沒有一點[illegible]蒼白，分外顯得端莊和秀[illegible]着，眼梢那抹黑色又顯[illegible]的氣質。——這時，我[illegible]正朝我望着，我已看出她的心意，於是我揮手叫來一部三[illegible]

「植物園！」我告訴車夫。

「什麼地方？」她問我。

「植物園！」我說。

「哦，植物園？」

「你常去嗎？」

「很少去，但我喜愛那地方。」

因爲是禮拜天又是下午的關係，園裏遊人很多，她緊緊地依偎着我，像一隻幼雀初次捉出窩巢而猛烈的陽光一樣。我故意帶她經過那小蓮池，再走向對面那片挪林中的草地——她不懂識落手帕的地方。

（十九）

自由人 THE FREEMAN
（第三六〇期）
中華民國郵政登記認爲第一類新聞紙類
每份港幣壹毫
3 rd. fl. 20 CAUSEWAY RD HONG KONG

歡迎美國經濟顧問團

陳式銳

（全文大要）……政府與學者合作遠優於與政客官僚爲伍……過去美援效用以消極治標爲主……台灣根本需要長期發展工業，才能解決經濟財政問題……台灣經濟中心問題，爲制度與政策……問題解決應先經科學研究……過去祗是「官主」，不重視專家與輿論……國際收支之所以入超，乃經濟制度與政策失當之過……台灣經濟現在十字路中，希望新開是新的開始，不是舊的延續……有效運用美援，作積極開發是主要課題……望政府官吏虛心接受現實，莫主觀曲解實情……（編者）

一個月來，在經濟方面最受人注目者，可以算是美國經濟顧問團。八月十日來華底新聞，據華盛頓電訊，美政府循中國政府之請，派遣一個特別經濟顧問團，從事研究台灣島上經濟的「主要方面」，並協助行政院作經濟設計。該團團長史蒂芬，團員拿幹事芮賽岑克、白登、史孟史萊、范錫葛。他們的年齡除史孟史萊四十四歲外均在六十歲以上，在資歷上看，他們全數爲經濟與財政專家。總之，政府召回派在國際貨幣基金會服務底兩位經濟專家劉大中博士與蔣碩傑博士，並已先於八月四日抵台，以備協助美國經濟顧問團工作。

由這一點觀之，我們的財經內閣，似乎是朝向合理底「軌範」了。我一向主張「學術配合政治」，方足以解決當前底亂局。我每以美國爲實業鉅子，她的政府機構的設立，我們情況不如人自不待言，然她的官吏或爲專家或一體意見，隨時有諮詢，是顧問性底機構尤爲不可少了。所以我曾建議：「行政院果要採行經濟民主制度，以科學底方法處理經濟政策，那末對於學者專家底意見，應該有容納的雅量。這一容納，同時也是一種配合；政府與學者合作的安全性，遠高於與政客官僚爲伍……行政院在進入『革新時期』之前，先成立一個『經濟問題研究組』，從事對全盤經濟問題的研究」（台灣經濟五三頁）。

美援的檢討

美援的經援部份，自卅八年到四十二年，卅九年以來四個年度比較成數，合計三億九千六百萬美元。其分配如下：物資供應計劃，二億一千八百四十萬美元（占五五．一五%）。工業建設計劃，八千一百三十萬美元，（占二〇．五三%）。協助軍援計劃，八千五百八十萬美元，（占二一．六七%）。技術援助計劃，一千零五十萬美元，（占二．六五%）。而工業建設計劃，就已利用援款言，計四千五百九十四萬美元，較成數者爲電力占一千二百六十萬美元（二七．四%），交通占一千一百七十二萬美元（二五．五%）化學占三百九十九萬美元（八．七%），肥料占二百三十二萬美元（五．五%）。此外，由到達物資轉作「相對基金」計新台幣三十億零八千萬元，對工業援助占四億八千八百萬元（占一六%），農村復興援助三億九千九百萬元（占一三%）。四十年七月至四十三年六月共補助中央預算約八億零五百萬元（占二六%）。而工業援助方面，交通占四〇．八%，電力占三七．八%，肥料占六．五%，運輸工具占五%（以上數字大概根據夏期岳君的統計）。

由上舉數字觀之，美國的經濟援助，對自由中國的國際收支及物資供應底貢獻，自屬甚大。而對財政赤字的彌補，就其占「相對基金」至百分之三六，其影響亦可以想像了。不過，過去美援的效用，仍以消極面治標著爲主，積極而有建設性者祗有電力與交通。而台灣根本上還需要長期底發展工業計劃，才能提高生產力，以增加國民所得，從而充裕稅源，藉以解決經濟及財政問題。

研究重實情

台灣經濟的中心問題，爲經濟制度與經濟政策；前者如公營與民營的比重，後者如自由與管制的調和。數年來在論壇上底爭辯總算略有歸趨，今後如何由理論進入實施，才是問題的實質。一個問題的解決，應先經科學底研究，第一步、搜集、分類，與解釋經濟實況；第二步，推論它的變動與趨勢；第三步，才根據立國原則以制定政策與計劃。我們過去不必諱言，未曾這樣做，其原因在「官主」，不重視專家與輿論，譬如行政院的「經濟安定委員會」，既負「設計與審議」之責。

（下轉第二版）

共存的觀念是錯誤的

鐵幕外的人，對蘇俄共產集團的看法，分爲兩類：即（一）與俄共可共存；（二）與俄共不能共存。在今天極權奴役與民主自由兩陣營對峙中，這個對俄共的觀念分歧有極大的重要性！

由「共存型」觀念發展而成的思想、理論、政略、戰略，必然和「非共存型」觀念發展而成的思想、理論、政略、戰略，不能合作而且會發生互相抵消作用。今天自由世界的一切聯盟必須考慮此點。

俄共倡「和平共存」之說，係爭取時間養精蓄銳的一種策略。一九二五年史太林在解釋「和平共存」一名詞時，曾暴露共有陰謀的動機。他說：『現今外交關係中，最基本及重要之點，在使我國與資本主義世界各國兩方勢力暫時建立一個平衡。此種平衡是決定蘇維埃與資本家主義國家和平共存的現勢。』究竟俄共願意及能夠和鐵幕外的制度能共存麼？是不能的。列甯說過：『在資本主義與共產主義之間，非到最後決定局部戰爭的狀態，將繼續不斷。』史太林本人也說：『帝國主義者隨時在準備襲擊我們，這是無可懷疑的。』由此證明「共存型」的思想是錯誤的。

在冷戰中若有「共存型」思想存在，必然解除精神武裝，如此則有形之武裝何由而建？[illegible]西方國家的冷戰基礎非常之[illegible]，就在這個爲敵所乘的弱點上。[illegible]「共存型」的思想發展出來的政略外交戰略與冷戰戰略。歸納之，即所謂『圍堵主義』。

論東南亞聯盟

張風行

縱然在「無思想與主義之戰」的以往歷史中，雖能以勢力均衡謀一時之安，但若將之擊潰，則吞併之禍終不可免。以戰國而言，秦地居關中據崤函之固，六國合縱以進戰退守，但秦兵不敢出函谷關者十五年，是蘇秦倡行合縱計策以保有安。然而張儀倡連橫戰略之連橫計將其破壞。[illegible]是以兄弟之親尚有爭執，各國的合縱不足恃，而秦兵若出，魏首當其衝，只要魏絕了趙的援救，魏即難以自保。魏王先背約而請和。於是張儀又轉而說楚，離間齊楚合縱。楚王受威嚇而事秦。接著張儀再說韓、齊、趙、燕，先後成功。六國逐一被滅。蘇老泉說合縱之敗[illegible]。但這是知其然而不知其所以然，「何以賂秦」，就是中了張儀「和平共存」[illegible]

東南亞的聯盟應是以打擊俄共集團爲目的，不應以維持東南亞現狀爲目的[illegible]

東南亞聯盟的條件

以中國當日一國之小，謀結六國合縱[illegible]

[illegible]的狀況而論，欲破連橫之計必須有活的合縱之計。助韓魏以攻秦，燕趙近秦受威脅，苟能忘却實助韓魏，張儀詭辯必一籌莫展。

[illegible]主義，而是求眞正發生作用的聯盟。假如印度感受到中共自西藏來的威脅，而眞正願參加同盟，自當歡迎之不暇，固無拒絕之理。

在今日各國的利害不一，應行分區聯盟，自由參加，不參加者不受聯盟條約約束，亦不能妄加干涉。總要行動迅速。美國[illegible]應聯合具有冷戰基礎堅固的國家之國家——中華民國、大韓民國、菲律賓、越南、泰國等國[illegible]受俄共集團侵略最基，而反共意志最堅強，具有『與漢賊不兩立』的決心，不要小覷她們的力量，須以援助北大西洋公約[illegible]來增強她們的作戰能力[illegible]

[illegible]變化，但常在鐵幕外加以壓力，必然促相反極權的革命，這是毫無疑問的。

因此東南亞聯盟應以目前台灣的國軍爲急先鋒去反攻大陸。可怪的是目前美國沒有在全球反侵略中給予台灣應有的充分援助。美國對中國的援助雖然增加，但不脫一九五一年美民主黨政府艾其遜宣佈的「美國對台軍援協定」的限於自衛之範疇」。杜魯門時代，美國爲對付東南亞的韓國戰爭故在東南亞列出三個目的：（一）防止共產黨進攻台灣。（二）支持法國和越南保大政府抵禦來自國內和國外的共產黨對越南的進攻。（三）確保菲律賓的安全，以抗禦內部外部的共黨侵擾。但到了今天情勢大變，共黨自發訂印支休戰協定後，大有席捲東南亞的野心。正如美國副國務卿史密斯所說：『中共對東南亞作任何新的侵略，可能引起美國捲入戰爭中。』欲避免此危機，對於台灣越南及菲律賓的援助，不能限於給予當地防禦軍隊大量武器物質及技術上幫助爲止。而必須給予能進攻的海空陸三軍力量。

遏抑赤禍的有效方法

自中共盤據大陸，造成東南亞今日危難之局面，禍源來自中共[illegible]目前蘇聯以中共爲侵略之主要工具，[illegible]受奴役迫害的中國[illegible]內最大的內患。這[illegible]冷戰最堅強的基[illegible]，也是東南亞聯盟[illegible]雖然不能自然發生[illegible]

南韓總統李承晚最近在華府講演稱：『美國應準備一項拯救中國大陸，免受共黨蹂躪的長期而又明確的計劃。』這不獨是慨乎言之，而且是指出遏抑東南亞紅流最切實的方法。因爲他知道中共是蘇聯企圖囊括亞洲最有力的工具。中共政權不滅，越南與韓國戰火復燃，整個亞洲受俄共集團的威脅。願美國朝野在沉默中再三思維李氏之語。

東南亞聯盟前途

美國所汲汲推動，沾沾自喜的東南亞聯盟工作，據說已有了八國參加，而眞正的東南亞國家，只是泰、菲、巴基斯坦三國。顧名思義，已經有點尷尬之象了。那眞正受着侵略威脅的南亞半島各邦——越南、高棉、寮國，卻因越戰停火協定之約束，不在聯盟之列，然又說這東南亞聯盟是要保障高寮安全的！

如果這東南亞聯盟眞是一種軍事攻守同盟的性質，相約對於「俄共集團侵略行爲，無論它是出於任何形式，都只許『到此止步』，否則，美英實行制裁」，那也未嘗沒有益處。但是，按諸英美的實際策略，決非如此的。英國決不願意在亞洲有軍事行動，尤其不願對中共有戰爭行爲；美國也決不願意在亞洲單獨對付中共。要遏制亞洲的赤禍，又不願跟禍首——中共作戰，那還談得到什麼同盟的話嗎？

除非中共佔據了泰國與高寮等地區後，再又左右開弓，進襲馬來半島和印度洋岸，這所謂東南亞聯盟才會赫然震怒，起而作軍事行動。如其只是用政治魔術，製造內亂，先把南越併吞，再使高寮歸附，而中共即信誓旦旦，說這是當地人民的「內戰」問題，它未過問，且保證越共今後決不再向外發展了，並請尼赫魯先生出來担保作證。我相信英美還是爲着「避免大戰」的理由，願與中共「和平共存」哩！

因此，我對於錫蘭主張由科倫坡集團國家另組「防衛同盟」之說，認爲未可厚非。反正西方列強對亞洲反共政策是要避免軍事行動的，何必又戴上它們的大帽子，名義上說是爲亞洲人幫忙，實質只是替白種人的利益作聯盟保障，何苦乃爾！

一週展望

雷嘯岑

戰爭的恐嚇

莫洛托夫在莫斯科英大使館宴會中，對英工黨訪問團艾德里一行，大唱其戰爭曲，說世界大戰如果發生，英法俄三國均將遭受不堪想像的災害。

俄共們這套魔術用之於英國人，可謂對症下藥，有意想不到的效力。試看：李承晚在美國說了一句要以武力對付中韓共的話，而英國報紙即咻咻然咆哮，指李氏爲想引起世界大戰，是要「使原子彈落在我們頭上」，那種歇斯底里的戰爭恐嚇病，眞有「驚弓之鳥，畏聞秋[illegible]，脫餌之魚，怕見新月」的可憐樣兒。現在這戰爭恐嚇曲調，乃發之於俄共頭目莫洛托夫，不致艾德里目凡一聲人，聞而喪胆失魂麼？

越是怕鬼的人，越就容易遇着鬼，甚至於白晝也常常可以見鬼的。看吧，將來艾德里們回到倫敦來，若不極力指證共產世界可以和平共存，不再鼓吹請中共趕快進入聯合國，不再指摘美國對中共採取強硬政策爲「走向戰爭之路」，那就算是還未被俄共的戰爭曲嚇破了胆囊呢！

異哉所謂「改造社會思想」者！

報載：台灣省府擬訂了四大施政方案，其第一案就是「改造社會思想」。說我國現在是由農業經濟生活過渡到工業社會，對於中國固有「歷史文化」的美德，應予保持維護云云。

我實在自慚識陋，不明瞭我們現在所謂「由農業經濟生活過渡到工業社會」的社會思想，究竟是何內容？它是一套甚末體系？而所謂應予保持維護的「固有文化」美德又是那些？更不知台省府所擬定的「改造社會思想」的辦法是怎樣的？因此，我對於問題的本身，暫時未便有所批判，且聽下回分解。

不過，我希望「衛道」的政治家們先考慮兩點：要以政治權力控制人民思想，又從而改造之這套玩藝，祗有共產極權國家才敢於開這種玩笑，號稱民主生活的政府，也要搞甚末「思想改造」，那是荒謬不經之談！二是構成思想的因素很多，非短官可盡。但，無論構成或改造，決非官府所能爲力，所應干預的事。作官的人，有精神可以多替老百姓幹些興利除弊的事業，不必越職來弄這種自己莫名其妙的思想問題！

台北小學的學區制

王擇良

台灣通訊

【台北通訊】七月二十一日台北各報載「北市三省立小學，仍維持學區制」的新聞，這新聞，除台北市古亭、大安、城市等區，有幼年子弟的居民外，其他任何人都不會注意的。然而，我覺得這是一個相當重要的新聞。不可不略談其經過與意義。

學制區的由來

原來，台北市設有三個省立小學，（以下簡稱省小）。其任務是以實驗成就，輔導一般國民學校，（以下簡稱國校）。所以此三校的師資、經費、設備都較一般國校爲優。更由於台灣是實施義務教育的，每一國校都有其一定學區，凡在學區內的學齡兒童，一概憑區公所的通知入學。但省小不然，向採考試制度，學生均選自受過幼稚教育，而資質優異，服裝整齊者爲合格。國校學生來者不拒，入學後也沒有留級之事。而省小則爲劃一程度，凡學期考試成績不佳的，即予以留級。因此，國校和省小便發生如下的差異：

一、省小學生，服裝整齊，國校學生，則很多是赤腳上學的。

二、省小環境整潔，設備齊全，而國校一切較差。

三、省小每一課室的學生人數不會超出五十人，國校則有六十人以上的。

四、省立中學招考，錄取學生的比例，省小高，國校低。（但今年台北市省中錄取初一新生，比例最高的是西門國校，最差的是省立某小）

教育平等與學區制

以此，近年來做父母的，都以子女能入省小爲榮。每到學期終始的時候，拜託請求之聲，瀰漫遠近。不僅學校當局感覺困難，就是教育主管人員，和達官貴人，也因家長要求寫介紹信或出名片，而感到難以應付。因此去年教育廳便毅然決然把省小劃入學區之內，凡附近學童，一概憑區公所通知，即可入學。從均衡發展國民教育的角度看，此項決定是極爲合理的。今年七月初省小當局，以採學區制後，很多家長把學童戶籍遷至學校附近，戶籍發生虛僞。同時又有冒塡年齡的，於是智力測驗亦因而失却準確。基於上述原因，實驗工作不無影響。提請恢復考試制度。結果，省政府並未接納此項提議，仍維持學區制。此即上述新聞之由來。筆者認爲從教育平等的觀念言，省府維持學區的決定，是值得稱道的。惟吾人希望省府不僅以維持學區制爲已足，必須進一步充實一般國校的經費，人材，和設備，提高國校的教育水準，才能根本解決問題。（八月一日）

編者按：今年香港各公立學校招生，爲防止學生冒塡年齡計，必須繳驗正確年齡證明文件（例如出生紙），缺乏此項文件的，須往高等法院宣誓，取得宣誓證：藉資證明。此似乎可供台灣教育當局參考。蓋正確年齡不僅在教育上有其重大意義，亦可防止共黨職業學生之滲入學校也（指高中以上學生言）。

歡迎美國經濟顧問團

陳式銳

（上接第一版）那末它的重點在研究，它的組織份子應當是專家而不是忙碌底各部門的首要官吏。此次美國經濟顧問團之來，我希望是政府重視「研究」之開始，更希望它乃是台灣經濟進入「革新時期」的前奏。

但是，美國友人是客卿，他們先天上是外人，對於文化、政風、語言不同底異域，能否於短短時期中瞭解整個底實情，那要靠自由中國朝野的眞誠合作。美國經濟顧問團的目的，在協助行政院作經濟設計；而這一設計，必須根據實情。但是這一「實情」，「朝」與「野」每有不同底爭論。譬如說「公營事業制度」爲台灣經濟的病根，我在「台灣經濟」一書裏反覆陳述，不厭其詳，輿論大多持相同見解，立法委員張九如且以質詢方式在立法院向經濟部長尹仲容提出。尹氏業已對張氏致答，我於八月七日收到尹部長函送「答詞」一份，內就四十二年公營事業的納稅、盈餘、合銀放款，暨國外貿易等列表加以說明，爲現行制度辯護，兼對「社會上一般之看法」解釋。

問題在制度政策

我看了尹氏「答詞」的內容，覺得尹氏僅表明公營事業片面的數字，在納稅方面，未會指出在整個稅收中所占底比率，（四十一年爲二三%）。在盈餘方面，亦未會與日據「私營」時期底數字比較，况且他於六月二十二日在記者招待會聲明，四十二年度的盈餘不過屬於賬面上，其實是「虛盈實虧」。在台灣銀行放款方面，尹氏就資產與營業舉出數字，以證明公營事業借款的合理；但是無論其合理性如何，台銀借款的來源不是「存款」而是「發行」，因此新台幣在「生產本位發行說」之下，「限內」「限外」發行超過「限內」三倍以上，已經造成通貨膨脹之害！至於國外貿易，依尹氏所言，四十二年與廿六年比較，進口方面加入自備外匯及美援進口，相差有限；出口則關鍵在米，如加入出口六十萬噸以上，（每噸淨値二二四美元），則四十二年可以超過二十六年底數字。尹氏指明其所以入超者，乃人口增加之故。

但我要指出，美國的生產力，二十年增加一倍。廿六年至四十二年相隔十六載，就說我們的發展無法比美國，總不致於前後相等，則以光復及大陸撤退而人口增多，他們曾隨帶財產而來，倘當時公營開放民營，讓其參加正當生產事業，何至於生產不追隨人口增加；而不以公營事業虧損被迫借款乃至增加發行，因而新台幣貶値，更何至於高估外匯而致出口不增加？由此觀之，國際收支不出超而爲入超，不能歸咎於人口的增加，實乃不當底經濟制度與政策之過！

憧憬「革新」

所以對「實情」，如果客觀，彼此看法終歸一致。我們批評公營事業，係就根本上著眼，本錯則枝葉皆誤：其中從業人員容有「優秀的建設人才」，「埋頭努力」，惟何濟於事？對他們「一語溫存」，究何補於大局？我們由客觀底「實情」，而歸結到主張「公營開放民營」，或整頓仍歸公營底事業，讀尹氏近來底言論，對此已無多大出入，只在主觀上，因他習於公營，仍帶着「溫情」，所以陷入矛盾。台灣的經濟，現在十字路中，何去何從，得失在此一舉；尹氏現負經濟行政的最高責任，不少人說他很有「幹勁」，我希望他在內閣中不失「舊人事，新作風」，更期待「新」是「新」的開始，而不是「舊」的延續。台灣經濟對於反共復國太重要了，張委員九如在質詢中期望尹氏爲西德的艾爾哈特；在這當兒，誰不希望政府官吏的行政成功？

我無時不憧憬台灣經濟的「革新」，我尤深信必有「革新」」這一天。新聞既借重美國顧問團從事研究台灣經濟，將據以作經濟設計，而排在我們眼前者是現實底制度與政策，美援對台灣，大體上又是消極底救濟多於積極底建設，今後如何轉變方針，有效地用美援，（及外資僑資），才以作積極底開發，才是主要底課題。在這當兒，希望政府官吏虛心接受現實，莫再主觀地曲解「實情」，讓研究底人以科學底方法，求得科學底結論。那末，由理論而實施，才有落着。近日自由中國經濟學人，正擬於美國經濟顧問團來台之便，共同提出對台灣經濟的觀點與主張；這一舉動，可以幫助台灣朝野——尤其美國經濟顧問團——加強認識台灣經濟，想必有益於「革新」之工作。

編者讀者

△本刊三五六期（七，卅一）發載了傅中梅先生「論文化清潔運動」的文章後，現陸續收到有關的文字多篇，可見各方面對此問題的重視。本期續刊余偉韜先生的「纍赤色，黑色，黃色」一文，其餘各篇，仍將擇要陸續刊登，謹先預告。

△冷少泉、賴豐元、方沛、易敏子、留鳳池、鄭士珪、吳孝傑、王世昭、辛植柏、王孫楚、莊申、鍾秋文、孫旗、劉鶴如、涓士、傅中梅、楊柳青、諸先生：惠稿均收到，謝謝！

杜諾萬推薦繼任人

美國駐泰大使杜諾萬將軍奉調回白宮擔任艾森豪總統顧問，此事已成定局，他將於下月返國述職，並就此一去不返。據說，新任駐泰大使已內定由海軍陸戰隊的艾爾斯金將軍繼任，任命短期內即可發表。艾爾斯金將軍是杜諾萬將軍的密友，他這次出任新職，完全得力於杜諾萬將軍的鼎力推薦。他是第二次大戰期間美海軍陸戰隊最年青的將領之一。一九五〇年曾來東南亞區訪問，考察各國防務，回國即向美政府呼籲加緊對東南亞的援助。

六枝左輪滿城風雨

第二次大戰結束後不久，美國戰略情報局（由杜諾萬將軍主持的一個戰時機構）亦隨之結束。但時至今日，外間竟盛傳一則離奇的謠言，說是在日本佔領越南期間，美戰略情報局曾支援胡志明的地下組織，以致越盟日益壯大，戰後竟與越南政府分庭抗議，而終於壓挫法越聯軍，造成今日越南分割而治的局面，好像今日越南危機，全爲戰略情報局所一手促成。然而儘管外間謠傳甚熾，但據熟悉內幕的人士說，事實決非如此。他們說，爲了證明他們的報導正確，必要時可以拿出戰略情報局的檔案作證，據說事實的眞象是：當時胡志明的部屬曾援救幾位跳傘降落的美國飛行員，後來美戰略情報局曾送給胡志明六支口徑〇．三二吋的手槍，作爲酬謝。

工黨內部責難艾德禮

英國官方雖未透露，但前工黨首相艾德禮確實在繼接獲中共邀請訪平之後，最近復接到東德傀儡政權邀其訪問東柏林的請帖。艾德禮一向懷着與共黨「和平共存」的幻想，所以在接獲邀請後，當即表示願意接受。不料消息傳出後，英國朝野大譁，部份正義人士認爲艾德禮即錯誤於前（接受中共邀請），不應一錯再錯，嚴詞斥責此舉不當，終於迫使艾老頭改變原來的主意，而將東德的邀請拒絕了。據說：艾德禮此番斷然拒絕，主要尤爲工黨內部的責難，他們認爲艾德禮如果公然訪問東柏林，勢將大大削弱西德反共的社會黨的運動。

法國政府左右爲難

在越南停火聲中，法國官員所遭遇的最大的難題之一，莫過於對數約七十萬的越南人民展開精密的調查。據悉：願意離開北越，隨同政府南撤以求逃脫共黨統治的越人共達七十萬以上，但由於共黨已派遣大量特務（已獲有極可靠的情報）滲入這些難民中活動，法政府深感左右爲難，拒絕難民南移固然是極大的錯誤，而共黨大舉滲入南越又將造成莫大的危險。（孟衡）

自來水筆發明者惠特門的奮鬥史

人物述評

（一）

四千年前，埃及最先發明自來水筆。那時埃及人採用一種空心木管，木管前頭加上一塊銅片，灌入墨水便成。羅馬帝國時期，改用一種小竹管，竹管前部削成筆尖形狀。可是六十年前的墨水筆，有一種通病——漏。墨水筆的款色和牌子只管多，却沒有一種是靠得住的。不漏的墨水筆乃十九世紀末年，美國紐約的一位人壽保險經紀惠特門發明的。

惠特門是一個異常緊張，機警，而又專心的商人。他雖然是保險經紀，對於筆却非常注意。每一次接洽生意，總隨身帶備一枝筆。起初，他不敢信任自來水筆。因此放一瓶墨水和一枝筆在背心的兩個口袋裏。接洽生意的時候，只要顧客不表示反對，或者稍表同情，便極其迅速的把墨水和鋼筆拿出來。點了墨水，連同保單送給顧客簽字。他對事業非常專心，是一個成功的經紀，收入還算不錯。

（二）

把墨水和筆放在口袋裏實在是一件不得已的事情。他每次非常注意報上的廣告。後來發現一家筆廠在報上大肆宣傳新發明了不漏的墨水筆。他高興極了，買了一枝回來，取銷了墨水和鋼筆，把自來墨水筆插在西裝外面的小口袋裏。

機會到了，一天惠特門會見一位建築行大老板，沒有幾句話，老板答應購買極大數額的保險。惠特門以最快的速度打破了他的紀錄。連同保單，交給老板簽字。老板執起筆，對着簽字的空格正要寫。筆尖忽然滴出三四點墨水，剛好滴在簽字空格上面。完了，這是一種非常不祥的兆頭。他推開保單，掉頭便走。

（三）

惠特門撫糈打彩地回到家裏，好幾個鐘頭沒有說話。他是一個有雄心的人，決定要自己發明一種不漏水的自來水筆。他拆開了鋼筆，細加研究。發現筆裏只有一個小孔，出墨水和透空氣全靠這一個小孔，是不合道理。他以爲應該多添一個小孔，用來透入空氣。出入不生障礙，漏墨水的毛病便可消除。於是多鑽一個小孔在筆頭的邊，果然墨水出了。經過相當時期的試驗，果然墨水流得均勻了。後來再在筆身一邊上第三個小孔，同時改良筆尖，前後經過三年專心努力，他發明了第一枝不漏墨水的自來水筆。惠特門高興極了。從此以後，再不致遭遇障礙和困難了。建築老板簽字的悲劇，也再不致發生了。有了這種特殊工具，一枝不漏水的筆，他可能在保險界放一異彩。他決定打破以前保險經紀的紀錄，要成爲美國最成功的一個商人。

（四）

插了新發明不漏水的墨水筆，惠特門加倍努力向各方兜攬生意，可是顧客對於他的保險生意反而減少了興趣，他們都要求參觀他新製的墨水筆。他是一個相當機警的人，他不但示範，並且詳細表演給他們看。不漏水的墨水筆，在那時是一種奇蹟，好些人要求惠特門替他特製一枝，他也樂得賣給他們。

此後，惠特門自來水筆的銷路日增，保險的生意反日減。好些人不惜重價求他代爲製筆。一枝筆的收入超過了保險好幾倍，而且銷路還日在增進中。於是他放棄了保險的職業，專心從事自來水筆的製造。他第一個製造自來水筆的廠房是在他的房子後面的飯桌子。第一年，他製成了二百枝，全數銷售出去。

（五）

惠特門覺得墨水筆的生意大有發展機會，他化兩塊錢在雜誌上登了一個小廣告，登出了一個月，收到一千多封定製的信。買了點簡單機器，再僱了幾個工人，開了工廠。再化上四塊錢在另外一家雜誌登一個小廣告。果然生意興隆，頭一年製成九千枝，第二年在五萬封以上。營業擴大，建造了新廠，第二年營業數目，達到六萬枝，第五年達到五十萬枝。

惠特門不漏水的墨水筆在美國到二十年的專利權滿期時，距今三十年前，市面上只有兩種墨水筆，一種是好的，就是惠特門公司的標準出品，一種是壞的，就是其他[illegible]廠商都做造他那不漏水的筆。現在美國一國便有自來墨水筆廠一百七十五家，每年出產的數量達到四千萬枝。（牛布衣）

讀者論壇

釋赤色·黑色·黃色

——評論文化清潔運動——

余偉韜

讀自由人七月三十一日傅中梅先生大作「論文化清潔運動」一文，對傅先生精闢的見解，至爲欽崇！傅先生的意見有些確能使人發生共鳴，但亦有若干論點頗有再事推敲的必要，不能不提出就正於傅先生之前與及有心之士。

（一）

在未入題之前，我想了解此次「文化清潔運動」的發端。文化清潔運動在反共抗俄的若干年來，還是一件新鮮的詞兒。它的由來，恐怕是由於最近牛龍之爭作導火綫的。牛是牛哥——青年漫畫家李費蒙的筆名。龍是唐賢龍，中國新聞雜誌的發行人。前者經常在台灣各報紙各雜誌上以潑辣尖銳的筆觸，透過漫畫的力量，刻畫着衆生相和社會相，作些建設性的批評與反共抗俄的宣揚。後者是專門搜羅內幕奇聞刺激傳奇，以新聞的形式作消遣性和趣味性的報導。他們各有各的內容與立場，各有各的讀者，本來可以河水不犯井水，分道揚鑣的。但是自從牛哥批評一位女畫家開畫展衆舉行跳舞表演以後所引起，雙方即展開了筆戰，此一文化事件迄今數閱月，可謂曠日持久，愈鬧愈烈，甚至訴諸法庭了。當此戰況方酣，勝負不分之際，台灣的文化界應運的發動了一個運動。以清除三害爲口號，所謂三害，即是「赤色的毒」，「黃色的害」和「黑色的罪」。並在台灣新生報的星期畫刊發行一次清潔運動特刊，都是台灣響亮的漫畫作者集體創作，使沉靜的台灣文化領域浪花四濺，這是此次文化清潔運動發端的梗概。

（二）

假如我的看法不會錯誤的話，這一文化清潔運動在此刻的台灣應該是需要的，雖然這一次的發起多少挾有一點點「意氣」，但是，以我們冷靜的讀者的客觀看法，我們始終同情此一「意氣」運動的因素，亦支持此一運動的展開。問題就是說：他們清潔運動的對象是否無可非議？以傅先生的見解「赤色的毒」在台灣照理應該不復存在，我却以爲這句話未免近於武斷。至於「赤色的毒」「是否指當局所不喜歡的言論，或某一部份人所不喜歡的言論而言呢」一節，我想以七月三十一日自由人馬五先生「試舉例以明之」一文，便是一件最好的答復。平情而論，台灣的言論尺度，雖去理想尚遠，但亦不至於封喉鎖舌，且對於放寬言論自由的尺度，政府似亦有見之行動與日俱寬的表現。爲了鞏固此一反共最後基地，台灣對於肅奸防諜的工作已執行得頗夠澈底，所以亦使台灣得到相當的安定，但是太久的安定，亦使一般人忘却了赤色的恐怖，他們都認爲「赤色的毒」業已不復存在，這是一件頗值得頓足的錯覺，站在反共復國的立場，我們不但不能鬆懈警覺，而且亦支持肅奸工作的繼續進行直至反共復國而後已。故此，文化清潔運動的對象少不了要注意赤色的毒害乃屬當然！但是，「赤色的毒」絕不是逆耳良言，而是那些有意或無意受共匪所利用的，有違反國策，分化人心，瓦解鬥志的一些毫無根據或事實的挑撥性的言論，這種言論多數以含混籠統的方式挾言論自由爲擋箭牌哄着讀者，這些都可目爲「赤色的毒」。

關於「黑色」，以我個人的解釋，它應該是屬於一種無中生有的，危言聳聽的一種恐怖讀者心理的一種事捏造或渲染的一類文字。我們對這「黃色的害」一名詞，已知之有素，它所指的是卑鄙無聊的色情故事，離不開男女猥褻的文字，還無教育意義的誨淫誨盜的描寫，又如某文化人士所說的藉揭發他人隱私而懷不法企圖的報導。這兩種有色文字，它的產生並不是像傅先生所說：「由於我們對刊物的管制太嚴而且嚴到不得其法有關」所造成。究其實，此兩種有色刊物，在大陸未陷匪以前，則早已有之的，而且，我們可以說，在任何一個國度與任何一個環境，都有它的存在，只是存在數量的多寡和發行的普遍不同而已。檢討它的產生原因，不外是道德墮落的文化市儈，他們看準了「今天本來是個煩燥苦悶的時代」。他們看清楚這時代的讀者需要「新的刺激」以求獲得「新的滿足」，於是黑色和黃色的讀物，便投其所好的應運而生了。

（三）

傅先生說：「揭發他人隱私，所施敲詐勒索事實，言論界如有此等敗類，自當訴諸於法，以求解決，法律有保障私人名譽和權益之責，只要厲行法治，此風自息，這不是文化清潔運問題。一部人看法，又與傅先生有所出入，因爲法律固負有制裁不法行爲的力量，但是法律的效能畢竟是一事後的補救，它是一種消極性的措施，屬於沒有充分的教育性以防止不法行爲發生的力量。因此，文化清潔運動就具有防止的用意，這一運動是促使文化界的覺醒，自我檢束，杜絕或減少黑色黃色的文字，以這種力量減少許多無謂的訴訟。而這種工作亦正如我們推行學校教育和社會教育宣揚中國傳統美德，與及國家之設置警察機構一樣，其目的都在防止不法行爲的發生和滋長。假定不事積極的防止工作，而一味倚仗法律，聽任其不法行爲隨時發生，那豈不是訟獄繁與盜賊滋熾嗎，則縱能厲行法治，誠恐治不勝治矣！

（四）

傅先生又說：「中國道德主張隱惡揚善，因此貪官污吏的罪惡醜史老百姓往往難得知道」。我想這也許是傅先生將隱惡揚善的意思誤解了吧。隱惡揚善本就不是一種道德的行爲，也絕非中國道德的傳統，這一句話只是在刻畫人性的卑鄙吧了。每因爲人類的天性，每一個人都喜歡在別人跟前道自己之長，掩自己之短。甚至說他人之短，以襯自己之長，此謂之「隱惡揚善」，是充分的個人主義。與國楨事件掩抑不讓老百姓早日知道，只是反映了官場醜聞公佈的尺度問題，而並不是隱惡揚善問題。

傅先生說：「以台北而論，大小報紙已上十家，[illegible]都自官方報導，其餘多是些訓詞講稿之類的官樣文章」。[illegible]

防止罪犯重蹈法網

應先革除社會惡習

香港人口超過二百三十萬，十二萬難民與三十萬失業者，社會問題的嚴重性，在一般人看來，難民與失業者佔了大部分。事實上，難民與失業者倒不一定就是罪惡的製造者，[illegible]

最近有幾位關心社會改進的中外人士，[illegible]

香港三日

新書介紹

一部現代史論

介紹程滄波著：「歷史文化與人物」（台北文物供應社印行）

樓桐孫

（一）

[illegible]

（二）

[illegible]

（三）

[illegible]

（四）

[illegible]

（五）

[illegible]

（六）

[illegible]

[illegible]月八日於台北

洋務歟？洋奴也！

馬五先生

近來陸續接得從台灣寄出的政治性印刷品，內容都是紀述一般內政建設情況。中文以外，附以英文，華洋合璧，漂亮得很！

但，我不知道這類印刷品要附上英文的意義安在？記述內政建設的文字，當然是給中國人看的，爲啥還要重刊一套洋文呢？若說藉此使外國記者們亦可看懂，希望在國際間發生一些宣傳作用，那就應該把其他各種洋文——如德、法、日，甚至於俄文皆附上，才算夠料。如果認爲還祗在對援助我們作各種建設的友邦——美國人士宣傳。那末，今日美國朋友對台灣的內容，比我這個中國的新聞記者更清楚，實在不必多此一舉。何況，美國人對於他們所發表的內政外交問題文字，從來也未見有附以中國或其他外國譯文的事。只有聯合國，才應該有此「四海一家」的作風。一個獨立國家的人士搞這套玩藝，而又不是具有世界性的學說，或者是科學專題討論的文字，那除了表示殖民地的生活意識外，還有甚末呢？

八十年前的中國士大夫，多以能「辦洋務」而洋洋自得，構成了全民族懼外媚外的不良性習，貽害匪淺。現在似乎又恢復了「辦洋務」的時代精神，處處換洋務以自重。中國名字要叫成洋化式的聲音，中國人對中國人說話，要夾些洋字句，乃至寫文字所用的動詞，分明一望即婦孺皆能了解的字眼，也要附上洋文，例如「滲透」二字之下，就要附以「INFILTRATION」之類。既非外國特有的字義，又不是甚末新造出的洋字，碎嘴要表現這種醜態？若以此來表示我是通洋文懂洋務的，那更是俗不堪耐，臭不堪聞，眞正博學而通洋文的，決不如此。

得意時對外驕矜，失意時對外怯媚，這不是具有獨立自強的民族所應有的心理吧！

「古代歌舞」與「脫衣」

・王世昭・

問題的發生

爲了新希望週刊第十五期發表了一篇文字，題爲「中國的古代歌舞」，作者南山燕先生，玆摘錄其一段原文如後：

「原來中國古代，有一個時期是流行過現代人認爲有傷風化的脫衣艷舞的；而且它的沉艷與猥褻，簡直遠非現代的裸體艷舞所能望其項背。它的名字，有時叫做「韶舞」，有時叫做「萬舞」，有時又叫做「桑林舞」或「經首舞」……其實，這種前人盲目崇拜爲「聖樂」的所謂「韶處舞象」，無非都是一種蕩魄銷魂的浪漫歌舞，它們的內容與姿式，不僅比現代的脫衣舞更大膽而徹底，甚至還可以公開表演集體的猥褻行爲。」

爲了南山燕先生說話太武斷，所以我寫了一篇文章，題爲：「論：舞，韶，萬，象」在新希望第十九期發表，我從文字學上說明舞，韶與萬舞的意義，又從屈原創作中，找出舞的形式，更從竹書紀年，莊子，呂氏春秋，淮南子諸書中，找出一代不如一代畫蛇添足的舞的痕跡，以否定南山燕先生的錯誤見解。最近新希望第二十五六期又代南先生發表了一篇稿子，題爲「再論中國的古代歌舞」，這裏祇分作三段來答覆：一，「什麼是中國古代歌舞？」，二，「古代歌舞是否冶艷？」，三，「歌舞的結果——神前姻緣」。最後，新希望又附帶發表了「陳文受先生來函」，故南山燕先生在大題目之下附了小標題，曰：「並答王世昭陳文受兩先生」。新希望編者雖有偸運軍火出境之嫌，可是學問是公器，這也算無關大體罷了。

引用典籍問題

若論「藝術的起源」，嗟歎、詠歌、手舞足蹈與亞里士多德在詩學一書中的見解相同。我引證毛詩大序，因詩經與周初的史蹟有密切的關係，無人敢於否認，毛詩說舞在嗟歎詠歌之後，也是沒有錯的。而我在藝術發展史中引用竹書紀年與尚書二書，因爲二書比較可信，所以我用上了。

至於南先生提出周禮、禮記、樂記諸書，那才眞有問題。爲了引用原文很費神，且非通人之所需，所以，我介紹南先生以及有心的讀者，翻閱先秦經籍考上卷「禮記類」，以及「左傳引經考證」就知道周禮諸書靠得住到什麼程度了。所以，南先生舉周禮、禮記、樂記說明中國古代歌舞是很有問題的！

古代歌舞是否冶艷

古代歌舞是否冶艷？我答覆：如南先生所提的，「韶舞」，「桑林舞」，「萬舞」，以至「韶處舞象」，絕不是冶艷的，而且，我可以肯定地說：必非「裸舞」，亦非「脫衣舞」，像現代色情狂的人之所想象的。至於南先生提出春秋「公如齊觀社」，穀梁傳解「觀社」非禮原因爲「尸女」。屍女有二解，其一以「祝」爲「尸祝」，古亦謂之「尸」，即以女爲祝意。其二，以女爲犧牲以饗神，此褻瀆社神之事，故云非禮。果如南先生之所釋：「有人指出這種『尸女』就是通淫之意，」那就未免成爲大大的笑話了，又引周禮禖氏載：「仲春之月，令會男女，於是時也，奔者不禁。」這就等於雲貴高原以及廣西西部苗猺與土人的跳月之類。換句話說：仲春二月爲性的大解放，然亦只限於「男女之無夫家者」並非亂交亂配，在人前大演風流劇之謂也。至云禮記月令：「仲春之月，玄鳥至日，以太牢祠於高禖。天子往，后妃帥九嬪御，乃禮天子所御……」這個「御」字是「車」，不是御女，南先生誤會了，以「御」爲「幸」，放解「后妃要率領宮人，隨侯天子行幸選中了的宮人……」豈非滑稽之至！我奉勸南先生，讀古書不明字義萬不可曲解。若論「歌舞的結果——神前姻緣」，又引證詩經大雅生民篇，謂因祭神歌舞而發生姻緣，此事依我看，亦猶叔梁紇無子與孔母禱於尼山之神，以求子嗣一樣。今人亦有向觀音廟燒香以求生子者，求子自求子，敦倫自敦倫，求子是明的，敦倫是暗的，今世豈有求子立即敦倫之夫婦也耶？生民篇亦此意。南先生把中國古人都看做急色兒，都看做肉慾者，把唯物論的全部歪曲理論來代替中國古人『不孝有三，無後爲大』的人生觀，連歌舞也看了裸體或脫衣的色彩。那麼照南先生的看法，今日西洋人以及中國流行的舞會，一男一女抱着梆梆跳，再過八百年，豈不也會解作水銀燈下集體宣淫的喜劇呢！

至於陳文受先生的來函，我覺到很平實，亦足糾正南先生的錯誤。我希望新希望今後發表文章，更要慎重些才好。像南先生的大作，會「誤人子弟」，我是不敢恭維的呢！

聲聲慢

・羅自芳・

甲午清明過後作

煙迷路窄，雨壓檐低，一春遊事成虛。閒憶當年，珠城花柳扶疏。輕衫踏青去好，任登臨隨分清娛。今何許：望關河欲渡，鐵幕如罠。

苦恨縱橫豺虎，念交親疢痒，里舍荒蕪！滿紙辛酸，驚心怕讀家書！相思幾時是了？教夢魂暫賦歸歟。歸夢遠，偏青山啼徹鷓鴣。

中篇小說

金珠

勞影

經過蓮池，她頭低下，腳步也加快了。「我們跑慢點。」我說。

「我想找個地方坐坐。」

「到那邊草地上坐去，」我說，停下腳步：「你看，那株聖誕紅！」

「喔！」

「美不美？」

「美的花容易被人攀折是不是？」

「愛花的人情感都比較豐富。」

「推殘難道也是愛的一種嗎？」

「愛是自私的，佔有便是愛的最高表現！」

「離開枝頭的花朵還能鮮豔幾時呢？」

我聽得出這後面一句話的淒涼意味，便換一種語氣說：「這株花離岸邊相當遠呢。」

「人們便無能加害於它了。」她有點高興起來。

「可不也很寂寞麼？」

「對於一朵花，尤其是美麗的花，寂寞也許就是幸福。」

我們開始移動腳步。

「這株花居然還沒有凋謝。」我不勝安慰地嘘了一口氣。

「有永不凋謝的花嗎？」她仰起頭說，神氣有些黯然。

我沒回答，牽着她的手，默默地繞過木柵，走到那片草地上坐下來。

「上次你告訴我的那個夢是假的！」她忽然說：「你不要再辯護了——我已清楚一切。」

「……」

「其實你說的並不是夢話，」她繼續說：「我知道你是怎樣才會跑到我那裏的，……其實，這一切，並不比一個夢更容易令人置信。你說我身上有日本血統，你沒有猜錯。」她停了一下，我抬頭懇切地朝她望着；我想，金珠應該能從我眼光看到下面這幾句話：「傾吐吧，小珠！信任我，雖然我也身爲男人，憑你的智慧來決定我的善良與否吧，別將委屈常留心中，你脆弱稚嫩的心靈絕對經不起那些回憶的小蟲的齧蝕：……傾吐，儘情地傾吐吧！小珠，我不會打擾你。」

「我的母親是日本人，」她接着說：「在我還沒有記憶能力的時候，她就離開了我。她是東京人，那時台灣與日本間的交通很便利，有一次她回東京去，生了病，沒有能馬上回來，以後病好了，仍然沒有回來，從那時候起，她就沒有再回來過。爸爸也曾趕去東京一次；她的家已經搬了，搬到什麼地方去呢？誰也不知道！據說，我媽媽也是出生在一個窮苦人家。我以後漸漸長大的時候，爸爸回憶着說，媽媽不回來，也有她不得不做負心人的苦衷，愛情固然偉大，但仍然不能與眞正的窮苦相比：……到今天，已經整整的十八年了。在這十八年當中，她祇當她女兒寄來一樣東西。」（二十）

談天寶前後的杜詩

・莫可非・

（四）

初到鳳翔時，他興奮感激，流淚嗚咽：「生還今日事，間道暫時人，司隸章初見，南陽氣已新，喜心翻倒極，嗚咽淚沾巾。」但，一路上，他是躲躲閃閃，從叢林茂草中逃竄而來的，「茂樹行相引，連山望忽開，所親驚老瘦，辛苦賊中來。」這時候，他離開寄居鄜州的妻子，又已一年多了。述懷詩上說：「去年潼關破，妻子隔絕久，今夏草木長，脫身得西走，麻鞋見天子，衣袖露兩肘，朝廷憫生還，親故傷老醜，涕淚授拾遺，流離主恩厚，柴門雖得去，未忍即開口。」妻子隔絕了一年多，又在兵荒馬亂的日子，誰不想到要回去看看呢？然而揮涕受官，流離恩厚，正當共赴國難的時機，朝野少暇日，如何開口乞歸呢？「寄書問三川，不知家在否？比聞同罹禍，殺戮到雞狗，山中漏茅屋，誰復依戶牖？……」終於躊躇下來。但，到底也須寫封家書去探問一下，于是：「自寄一封書，今已十月後，反畏消息來，寸心亦何有？」如今，我們從大陸逃出來的朋友們，怕不少人都有這種經歷吧？不過，安祿山却還比不上今天的共產黨兇殘，雖說隔得很久，援來的家書竟居然到了，他在「得家書」一詩上說：「今日知消息，他鄉且舊居，熊兒幸無恙，驥子最憐渠，臨老羈孤極，傷時會合疏。」我們今天對於大陸的家書，自然早就絕望了，我們的「熊兒」、「驥子」，也許在韓國的戰場上，也許在集中營裏，也許……誰還能相信，他們可以平安地「他鄉且舊居」呢？

（五）

至德二年閏八月，他請假往鄜州，抱着一面依戀朝廷，一面愴懷家室的心情，匆匆地跑回鄜州去會他的妻子去了。這一役，他寫成了「北征」和「羌村」：

「妻孥怪我在，驚定還拭淚……夜闌更秉燭，相對如夢寐」。這種恍如隔世的感覺，多麼深刻？多麼沉痛？然而當時一般老百姓所感受的痛苦也愈甚了。

（中）

談談肥與瘦（下）

・牛布衣・

減肥的餐單

早餐，採有極薄牛油的麵包兩塊，清茶一杯，加脫脂奶粉亦可。午餐，飯一平碗，精肉少許，蛋一枚，青菜可以多吃，晚膳同。每日可吃金山橙或他種橘子兩枚。此外，早，午，晚不能吃任何零星食物。根據實際經驗，二百一十磅的人，若果嚴格實行上列節食辦法，能夠在三個月內將體重減到一百八十磅。實行的時候辛苦嗎？這可關乎習慣，開始的一兩天或者覺得不舒適，甚至晚上不能入睡，可是經過三四天之後，便習慣了。身體的重量一天一天地減低，身體上疾苦也一天一天地消除。

節食無礙於精神

作者一位學生體重二百一十磅，患有神經痛的軍風濕病症，風雨交作的時候甚至不良於行。他依照作者的節食辦法，實行滿兩個月，體重減到一百九十磅，風濕完全痊癒了。節食會影響精神嗎？節食對於精神絕無影響。節食後，胃和心房得到休息，於身體只有益絕無弊病，到此，本文可以結束了。可是作者想起中醫對於染有疾苦的肥人，每指爲體虛，請多服滋補物品，作者也曾身受此苦。所以在結束的時候特爲留下八個字的諍言：「肥人只堪餓，不堪補。」

荒唐集

廉有摘譯

在克利夫蘭，有幾個竊賊夜間闖進一家麵包房，自己調弄了咖啡，抽嘗了糕餅，吃淨乾了杯盤，臨走帶去了兩本烹調大全。

× × × ×

在俄關特，街車司機柏頓，朝那些熱得滿頭是汗的乘客們端詳了一下，找個站口停下車來，買了大把雪糕批，分給每一個人。

× × × ×

在米亞米，考賓曼控告吉姆藥房把兩種藥的封籤弄亂了，害得他一年來用胃藥來擦頭皮，却吞服了潤髮水。

× × × ×

在巴提摩，警察逮捕了三十八歲的吉姆·考倶，因爲他爬進當地動物園的鐵籠去，把遊客丢給熊吃的花生，一顆顆撿進袋子裏。

× × × ×

在加州格林德地方，阿平·納爾遜抱怨道：他的鄰居馬德遜小姐，自己太聽其共和黨大會的廣播吵得他整夜不能睡，還不說，但他收聽民主黨時，她竟把水龍帶子塞進他的窗口，對他噴了一身水。

× × × ×

自由人
THE FREEMAN
（第三六一期）
社址：香港銅鑼灣道二十號四樓
3 rd. fl. 20 CAUSEWAY RD HONG KONG
台北總經銷　台北中華路五九四號之一
台灣郵政劃撥儲金戶二九二五二

止步綫該在那裏？

·魯男·

諺語說：壞政策好過無政策。年來艾森豪政府的國際政策，應該說：不現實的積極政策更壞過現實的消極政策。

美國政府的先天困難

什麼是「解放戰爭」的價值？可說是：取消了自由世界對蘇聯和中共的戰爭。因爲解放戰爭的目標必須是改變布爾什維克統治的世界現狀，也即是說，其執行者必須要主動的以求取戰爭。「主動」的意思是行其所信，「求取」的步驟是選擇有利時機。

共和黨政府不堪負荷此等雄圖大略，實有其先天的困難。美國的政治制度和輿論趨勢，不允許它的政府主動的發動任何性質的戰爭；此其一。共和黨內部儘管在許多內外政策上不一致，但它將是個輕賦稅，省開支的政府，則爲無法變更的傳統；此其二。我們把美國現階段的輿論分析下來，其結語該是：它們對布爾什維克的邪惡：確是厭惡萬分，但瞭解程度，實在還很幼稚。前者的影響是：不足做爲發動一次新十字軍戰爭的社會基礎；後者的影響是：不明白如何對布爾什維克作勝利的進行戰爭自然更說不上爭取有利時機。在並沒有進行解放戰爭的社會背景下，而高唱解放戰爭，必儘是使世人獲得熱情號召的安慰，而不會成爲見諸實行的政策。因之，解放戰爭的姿態雖是凌厲的、銳利的；而解放戰爭的腳步則比「圍堵」還要更爲姿虛和不切實。

解放戰爭只是空話

解放戰爭所由來的背景是什麼？爲什麼美國選民會抉擇了非其傳統習慣所歡迎的政策（只就對外政策部份說）？大體說來因爲那是一項比「圍堵政策」可以減低財政負担的道路。在世界各處維持防禦力量的成本，是遠比只在美國本土及少數主要地區來維持防禦力量的成本爲大的。且集中花費的結果，照它們的邏輯來說，不但比在世界各地維持防禦力量爲省錢，還[illegible]威力更大的軍事力量集中，[illegible]。另一方面也是從世界各地退卻，退到中心自由世界之領導中心的美國本部（不是撤退[illegible]），[illegible]一支[illegible]的艦隊，[illegible]集中，集中則必須[illegible]；亦即許多區域[illegible]共黨徹底放手了，只是用之[illegible]中的軍力[illegible]而使用的。那麼，事實所限則是：內被限於國內意識形態而不可能發動意識形態的戰爭，外被格於共黨所用「國內革命以代行世界革命」的詭略，以致無法發動戰爭；於是，解放戰爭的主力被內外因素所凍結，「解放戰爭」也成爲隨風消逝的一句漂亮空話。

報復與解放的異同

[illegible]以做最後一戰的，不會是輕於局部事件的。不論主觀如何，客觀上是[illegible]，於是搖身一變，產生了所謂「大規模報復」政策。想法與做法則也是解放戰爭的精細的去[illegible]，亦惟有[illegible]比解放戰爭更爲消極[illegible]事實上不會可能，但解放戰爭還不免含有主動前進（改變現狀）的意識，至少可令人發生此種期望，

大規模報復則不同了，它只是需求對方滿足於今日以前之所得，莫再來改變現狀了：「如肯止步，我亦罷手」；「如更前進，則將報復」。若非這樣解釋，則老早應已出現了戰爭；既止說到報復，已屬今後的事，不是於現狀是什麼？惟這裏有一個致命的「侵略形式」問題，也就是報復的時機問題：要對方怎樣的前進法纔是應該（値得）給予報復的時機呢？幾足以成立報復的條件呢？合理的想法是：使略的形式愈直接，和進攻的力量愈鉅大，纔會召致近乎毀滅一切的「大規模報復」吧？布爾什維克們可以躊躇滿志，且可以一往直前了：在以「國內革命」代行世界革命的紅色詭略下，將永也不會召致報復了。

和平共存的政策

「大規模報復」之等如沒有報復，還更壞於解放戰爭之取消了戰爭。不現實的政策即是沒有政策。所以與「大規模報復」政策相伴而來的是「止步綫」。亦即傳說中「[illegible]」中的區域防衛。和進行中的分明是一種「有條件的和平共存」政策，其條件爲「只要你不再進了，我便安樂你了」；換言之即「如你止步，我亦止步」之意。這是以本身之安全而不要求以文化前途的爲出發點的，爲目標的。就前者言，件合了美國之社會背景來說，止步綫可能是在福金山或阿拉斯加的，亦即共方既珍珠港式的前進即大可凍結了大規模報復；就後者說，止步綫應該在日加爾湖，而至少要在北平；根本就不是什麼報復或以報復爲防衛問題，而防衛是以集中國力量的再版。則圍堵爲堵圍，以圍的堵當還不如可行的。這是三十年代美國的悲劇。當不同的性質而不同都是「既不知己」，「美國和自由世界」（「又不知彼」），「北平」（「它」），更莫斯科和勢」，將「如何的做？我該怎樣做？——惟智」的產物。——懸味足以縱容邪惡，聽其成爲力量。（八·一四）

爲甚麼不宣佈非法

西方民主國家如美英法等大國政府，雖然日與共產黨爲敵，但終不肯宣佈共產黨爲非法組織，其主要原因在不欲將共產黨驅入地下，致令治安法難於有效實行。

本來，在西方許多國家的共黨，已日趨衰微，因爲中層階級把社會主義加以相當程度的修改，使就資本主義社會的固有體制中，求得工人階級生活的改善，不論在民族性，宗教傳統，或種種關係，均不贊同以暴力造成無產階級專政的政權。

美國有公開黨籍的共黨已減少到三萬人。英國共黨有黨籍的，據經濟學人說，有四萬餘人。法國是歐洲共黨人數最多的一個國家，但現在共黨已失去民心，政府對共黨又嚴加制裁，法共已無鬥志。可見各政府對他們的公開活動，感到不足憂慮，而是其暗中活動如滲透、搗亂、破壞、分化、等等的地下活動而已。

然而不宣佈共黨爲非法組織，亦有許多害處。法國政府不打算宣佈共黨非法，政府的見解是目下禁止共黨活動並不能消滅它，只不過迫它轉向地下活動，那時可更難控制。當共黨還是合法時，它的領袖對於一切非法活動便要負責。然而其弊在讓共產黨在法國議會中從事分化煽動工作。又如日本共產黨利用竄金山會議爲契機，以統一和平運動陣綫的形式來煽動和爭取反政府的黨派，及私人乘機擴大其活動，其手法是相當高明的。所以日本政府徒然以逮捕騷亂的方法來應付，還嫌不够的。當一九四五年共產黨成爲合法後，它的黨員即擁進[illegible]，共黨中央委員會命令[illegible]業之間。共黨隨後活動[illegible]的反共人士常發怨言，他們深感爲什麼會准許共產黨活動如此之久。

美參院的意外行動

此次美國參議院在八月十二日採取完全出人意料的行動，通過取締共產黨案，亦因鑑於共產黨不論公開活動與地下活動均應一律加以制止。該法案規定凡參加或仍爲共產黨黨員，或任何以共產黨目標行動者，可以受到高至五年的徒刑及一萬美元的罰金。該法案並將使任何共產黨員在工會中任何職位，爲非法。

該法案由參議員亨富利提出，以代替另一曾經由艾森豪威爾總統支持的法案，意在消除共產黨對於若干工會的控制。亨富利提案係作爲政府提案之補充案。總檢察長布朗尼爾原係奉艾森豪威爾的[illegible]

美參院共黨非法案重點

重大意義不在內政實在外交

是美國反共歷史的新轉捩點

地下活動早有準備

本來共產黨是極詭猾的，不論你認爲合法或非法，他們早已有了很縝密的計劃來應付的了。而且他們還是側重在地下工作。例如日本的共黨首領野坂參三的太太[illegible]以受莫洛托夫的保護出名的莫斯科列寧學院讀過書。一九四七年她回日本，莫洛托夫準備一個計劃交她帶回去，預備到了黨被宣佈非法而必須地下工作時之需。日共在一九五一年[illegible]以後，日共從有形活動轉入地下的活動，並沒有多大的損失，相反地，且在北海道、關東、關西有相當基礎。日本是如此，那麼在其他各國亦是同樣。因爲共黨是受蘇聯克姆林宮主子指揮。法國共產黨暴動所有被警察沒收的木棍，長度都是四十吋。而法國警察所用的木棍只不過三十吋。根據紀錄，知道日共在該年五月三十日暴動時，也使用同樣尺吋的武器。這種事實使警方相信一切共黨的騷動，都是經由莫斯科策劃的。

至於在美國，共產黨地下組織比較公開組織重要得多。一向如是。自政府打擊公開組織以後更形重要。據估計有三分之一黨員似乎已離黨籍而轉入地下組織。目前地下共黨人員估計至少有一萬人。在一九四八年開始作特別準備轉入地下。一個在一九五〇年被革除黨籍的約翰洛特納，曾被命令起草一在共黨被宣佈爲非法組織時而實行的地下活動計劃。洛特納亦起草類似的計劃。黨人每一小單位有三人，每一黨員祇知本單位及其他單位之三人。又建立新的領導機構。洛特納被命令起草列出二十八個可靠非共黨人捐出二萬元予共黨用。

美參院提案的重點

因此美國若最後決定實行以共黨爲非法組織，則反共的工作必須加強。共黨在美國地下活動的目的計有：

（一）滲入工業及軍事機關作戰時的破壞。（二）滲透入非共組織，甚至右翼政治社會及普通人民團體。

我們從亨富利的提案中看主要點不在對付已是共黨之人。而是側重在『或任何意在達成共產黨目標「行動者」』便受到處罰。不管是不是共產黨黨員，凡意在達成共產黨目標行動的，便被刑罰。共產黨到了今天，非但寓者在對莫斯科忠誠的共產黨第五縱隊。而且在第六縱隊。這個第六縱隊的人物係不知不覺被共黨利用的人物。

亨富利的提案若被通過實行，便是美國反共的歷史的新轉捩點了。

美國共產黨在一九一九年成立以來，事實上不斷的和美國鬥爭，但大部份時間，他們可以實行滲透破壞秘密陰謀不軌，而少被懲罰。在一九三三年至第二次大戰末，事實上，常被縱容與鼓勵。到了希斯一案，而成爲轉捩點。自一九四八年以來，幾乎沒有一個星期沒有爭門報告。然而自此共黨已變成守勢。黨員登記被禁止。在最近四年沒有發過黨證。黨的紀錄已被銷毀。公共大會已減少到最低紀錄。電話和郵遞已被嚴厲禁用。共黨財政經費缺，『工人日報』久陷於困境，常募捐以維持其壽命。差不多有一百五十個「共黨戰綫」失去其效用，已被政府指稱圖謀不軌。

然而此次宣佈共產黨爲非法之提案，重要之意義何在呢？便是在強調與蘇聯勢不兩立的決心，強調與俄共集團與自由世界隔不能共存。其重大意義不在內政，而在外交。美國若眞正通過實行此法案，英法朝野必感到美國愈來愈強硬，而感到震動！

·旭軍·

半週展望

·左舜生·

中共眞要攻台嗎？

我在本刊寫過一篇『中共攻台的「空大鼓」』，說明中共不敢攻台，不會攻台，也用不着攻台，這是假定毛周這班人多少還有腦經，似乎不應該胡鬧到這一步田地。但根據本月十一日周恩來的這篇外交報告，以及連日一般應聲虫的言論，乃至關於中共以大兵集中到浙一帶的新聞報導，又似乎眞要幹的樣子。可是儘管他們密鑼緊鼓在那裏亂打亂敲，却依然不足以動搖我的信念，充其量不過擺出這樣一個姿態，或在金門大陳一帶騷擾騷擾，希望下月在聯合國開會以前造出一個討價還價的形勢而已。

不過爲台灣設想，却不失爲是一件好事：

一、台灣的空氣不够緊張，能借此把空氣緊張起來，無論在官方，在社會，能把那種『且以善樂，且以永日』的生活變換變換，總比較有益。

二、台灣本來便要反攻大陸，可是條件還不會具備，現在既有這種送上門來的買賣，當然甚爲妥當。只要金門有五萬大陳有三萬可戰之兵，海空也有相當配備，便不難予以迎頭痛擊，胡璉石覺都是能戰的將領，士氣也絕對可用，如果能消滅中共的陸軍十萬，傘兵一萬，再把他們十萬噸的破爛海船聯帮解決，這對於中共豈不是一個有力的教訓？

三、美國態度，還要經過一度試驗才有把握，這次美國正式聲明：對台灣及澎湖列島，絕對負責，而金門大陳，則在第七艦隊的責任以外，這總算是十分的明朗化了。現在本來，我們沒有責任完全交給美國的道理，防衛台澎，既決定由美國，金門大陳由我們自己完全負責，我覺得也是一件好事。

我有一點仍得提醒台灣的當局：即對金門大陳，只要我們的戒備嚴密，中共依然可能不動，因爲毛澤東是著名的『鎮蠅槍頭』，他頗懂得量力而後進，沒有把握的仗他是不打的，但話仍得說回頭：他們對金門是吃過虧的，對大陳也曾經有過試探，這次不動則已，如果動手，這一鎚一定來得頗重，因爲一擊不中，頗響他們年來向國際所吹的牛皮，當此大陳正在影水深火熱之際，如果再吃一次敗仗，全部的人心便可能發生動搖，周恩來的腰桿，也便從此硬不起了！這眞是一個打擊中共最好的機會，我們在這裏打算出專號，爲我們寫得勝利的將士們紀功！

還有一點，也不可不預防：即中共撤消金大不管，而直接威脅台灣，我們的準備又怎樣？

艾德禮等在北平

英國工黨的領袖們艾德禮貝萬等一行，這次居然能够出來走走，我看總是一件好事。英國工黨素來實行節約，即令是工黨的紳士們，平日在英國本土，若干年來也沒有什麼好的吃，這次在莫斯科和北平受着盛大的招待，欽欣伏爾加和茅台，尤其是吃中國有名的北京菜，看看中國帝制時代的建築，也可藉此了解所謂代表工人階級的中國共產黨，即令中國的老百姓是被中共的老爺們騎在頭上過着那樣非人的生活，但他們統治者的生活却是相當豪華的。

多聽多看，少說自己的意見，凡我所接觸過的英國人似乎都是這樣一種性格，這次艾貝諸君很少說話，我想他們聽過看過以後，必定能有若干心得。

工黨也是一個隨時可以組閣當政的黨，並不是一個普通的民間團體，這次『周總理』居然大擺其架子，連機場也不肯到，至於毛澤東的約見，更不知道能够賜予幾分鐘，這雖然是二流的共產黨要維持他們一副『英帝』的面孔，但也可看出小人得志是何等的狂妄。凡是願意擺架子的人，其肚皮裏面往往是一包草，中國人非常清楚，凡對付這種人，照例是嗤之以鼻，連責備也不屑於去責備。

莫王

考試院的正副院長，這次居然抬出了莫德惠和王雲五兩位先生，即令考試院不是一個對政治能生出什麼直接關係的機構，但在今天總算已經是難能可貴。要求得反共復國的成功，一黨執政的局面便早已應該過去，我們不妨假定這是一個發端。

談台灣的新農業政策

·鄭士珪·

前些時候，筆者在報上讀到台省政府農林廳長金陽鎬向省參議會施政報告說：「提高單位面積產量，減低成本，打開農產品外銷的門路……」深覺用時有如，因爲這些話都是針對台灣過去農政措施積弊而言的。

農業建設的課題

光復以來，政府只注意扶助農業生產，但對於農產品價格及外銷方面則無計劃，致使米穀和蔗糖，在近兩三年來價格跌落實低廉，這對於一般消費者雖然有利，但過農產品價格太低，對於三分之二的農民就是有相當影響，會發生「谷賤傷農」情形的。[illegible]

美國般價高至三元美金，本省農民鑑於此，[illegible]實行耕作茅的黃金時代，一躍而執斯業國際牛耳。生產量足供世界所需百分之六十以上。[illegible]

農產外銷如何促進

談到減低生產成本，外採用改良品種，以節省勞力，增加產量，同時舉辦農業貸款，以補充農民資金缺乏，使農民春耕時，所用之肥料種子等，不必以高利借貸，[illegible]

負担其損失，助之售款，以流通農村金融。請參照中國經濟四五期拙著工業化與合作社，使農民所勞農作物，直接運往市場銷售，減少中間商人之剝削，並可集中產量，合理運銷，推廣國外輸出。[illegible]

適應新時代新環境

農業是環境的產物，環境變化，農業亦必隨之而變化，台灣農業爲適應新的時代，必須發展新的農業，必須適合國際市場，故其農業亦應增加及改變經營方式不可。台灣爲人口衆多，土地狹小之農業區域，目前農產物以米，甘蔗，茶，香茅栽培最多，[illegible]

年多禁止共區物資輸入後，前途隨着大有發展希望。因爲此類物品帮僑多喜食用惜乎產量不多，目前正宜趁此機會獎勵大量種植。視爲新興產業。將米能與米糖茶，鳳梨，並爲齊驅。增加農村一大收入。此外竹製品，羽毛，香茅油等基礎良好，亦應力加提倡之必要。（完）

人·物

數學辭典編者——趙繚的生平

·健夫·

（一）

[illegible]

（二）

趙繚先生，別號賦叢，晚年自署負沉老人，湖南長沙人。他出身于一個簪纓世家，他的故居距離長沙三十多華里，叫做[illegible]，他在那裏有一片橘林和幾座田莊，他所鄰居，掛上一塊「黛蒼書屋」小木牌。他的家却在長沙居住。雖說是負郭之田不無百畝，不過他在城裏却是賃屋以居。他在同胞的兄弟行中排行第六，大家平常對他，稱之曰六爺。他在清末就留學日本，專攻數學，他當參加同盟會，是湖南留日學生中最肯用功的一人。學成歸國，辛亥革命民國成立。他恬淡成性，不願什麼版權版稅合直約到羣益書局陳家兄弟分家時，才送了他一筆錢。那時他正在筆者的南京寓所。他笑對我說，「這就是那本數學辭典的身價」。那時他買了些玩物給我的孩子們，同時也爲他的小兒女買了些玩物。他說「入世間的事，原是玩玩而已，玩來的儘可玩去」。其實他在上海做亡命客期間，湖南田租所得，依然可以滙來，聊濟澆裹之需。可見軍閥雖然殘暴，却不比今日大陸那干東西。（上）

追逐同輩，從事「活動」。他牢守着書本子，好在他祖業頗盛，縱不顯親揚名，也大可席豐履厚，逍遙自在。後來却不過在黨政間掛上一個清高的「少年」盛情，在黨政間掛上一個清高的名義。可是這一無礙于他的清閒情趣的湯薌銘督湘時代，至被通緝，不得不逃到上海，去作羈旅客。到了上海，他不得不從事撰述，以贍生計。數學辭典，就是他這時期的產物。數學辭典編成，交由羣益書局發行。羣益書局的陳老板也是湖南長沙人，也是留日學生，同盟會中人。陳趙兩家原有親誼，因此沒有商訂

蘇俄和平攻勢下 東德的困難

·殷毅譯·

蘇俄最近又對西方發動外交攻勢，要求重開外長會議，討論所謂「歐洲安全制度」，其主要目標，自然仍是法國新總理，企圖引誘法國擱置歐洲軍計劃，因而阻撓西德重整軍武。在另一方面，蘇俄本身在東德進行的擴軍計劃，却已遭遇意外的障礙，去年共黨的「放寬控制」，不得不再度加以收緊。蘇俄表面上說是容許東德「自主」了，東德人民却並未墮入共黨圈套，實際上，東德對克里姆林是一種痛恨的負債。德國人不會變成馴良的共黨；他們不肯加入克里姆林指揮的德國軍，他們也不肯照莫斯科的意志去工作，逃亡的情緒仍是與日俱增，一有機會，東德人民就逃往西德，因此共黨百般的防範。不過自東柏林反共大暴動後，蘇俄加緊控制，東德現在已絕無擺脫共黨魔手，和西德合併統一的希望。

克里姆林宮的傀儡們現在正努力把東德變成小蘇聯。西方的觀察家對於僅僅處於共產區一百哩內的東柏林，可以瞭如指掌的觀察其全部動態。

最引人注意的是東德邊境上防範囚犯樣的鐵絲網一度放鬆後，目前已再度樹起。這一條鐵絲網名叫「安全帶」。一共有三道鐵絲網——設立鐵絲網的原意就在防止東德人民逃往西德，以便共產黨隨心所欲的蹂躪東德人民。沿西德邊境全綫都用十至二十碼寬的鐵絲網隔絕起來，造成一片無人地帶。如果邊境上原來有建築物，就毀掉。原來有居民，就趕走。原來叢林，就蕩平。並且把邊境的土地用犂耕鬆，以便可以看出逃亡者的足跡。東德的警察奉令，凡有人出現在邊境地帶，即可格殺勿論。

第二道鐵絲網在第一道之後，大概寬可達四分之一哩。內爲設立這道鐵絲網，約有全東德居民的三分之一被強迫疏散，因爲他們都不幸的住在設立這條絲網的地區之內。在這一區域中並已實施燈火管制。在這一區內來往的人民，必需隨身攜帶許可證。不論室內室外，人民不得羣聚。

第三條鐵絲網由邊境深入共區有三哩達五哩寬。強迫疏散也已執行，不過不如靠近邊境地帶的激烈。全區嚴格禁止外人觀光。留居在這一地區的人必需請領特別許可證。邊境地區滿佈瞭望塔工事，警察瞭望哨，及通訊網。

在東德「自立」以前，蘇聯對於東德比對其他附庸國間所曾使用的手段，較爲慎重遲緩。蘇聯多少爲了以他們的條件統一東西德留着微小的迴旋餘地。不過這個希望現在也完全的絕滅了。

在共產黨加重其殘酷的控制中，邊境差不多已全部緊密封鎖。第二次大戰結束以來，至今已有德國全人口的十五分之一由東德逃往西方。每月的逃亡人數，過去曾稍降低，現在却又保持每月一萬四千人的高額了。在東德人讀樣大量的逃亡下，共產黨損失了無數的科學家，技師，熟練工人，和那些可以使德國澈頭澈尾變成附庸國的青年。

除去這個邊境上的鐵絲網外，蘇聯更在東德內部的極樁上釘上一枚鐵釘。那就是強迫東德建立的蘇俄軍隊，這個步驟蘇俄早於三年前開始計劃。這是共黨擴大板的地方。因爲東德人民都並不願服兵役。雖然施用一切宣傳和壓力，現在的東德軍隊也只有五萬五千人，比二年前僅有少許增加。宣傳和壓力的施用無所不用其極，一方面征募志願兵。另外由高級學校通知學生；如果不入伍就得不到文憑。無職業的青年只有軍隊才予收容。並且各工會在工人間鼓動從軍。

這些設計皆無所成效。而只爲共黨爭取到一萬人左右。共產黨現在被逼迫有出爾反爾，忘掉中的和平，攻擊「和平主[illegible]

美駐泰大使行情有變動

美現任駐泰大使杜諾萬退休後，他擬向艾森豪推薦前海軍陸戰隊將領艾爾斯金將軍繼任，本刊上期已有報導。但現在華府消息傳來，艾爾斯金出使泰國之說已成過去了。據說，關於駐泰大使人選，白宮幕後計劃已有變動，由目前的發展看來，這一個重要的職位或將落在著名的「糾紛調解人」普里福埃的頭上。普氏在最近瓜地馬拉的政變中，很表現了他傑出的才幹（他協助瓜國革命政府推翻了共黨政權），深得艾森豪總統讚賞，而深爲在泰國那樣複雜的環境中，普氏應爲最適當的大使人材。

邱翁訪美自誇有傑作

英首相邱吉爾於最近一次訪問華府期間，曾就未來的氫彈試驗問題向艾森豪總統提出一項別出心裁的建議，據某高級英國官員說，這是邱翁訪美歸來後所自認的得意傑作之一。事後他曾向人津津道及此事，那種愉快的表情實掩飾不了他內心的自滿情緒。據說，他在白宮會談時，曾向艾森豪建議說，將來的氫彈試驗還在太平洋中部的浮島上舉行，這些所謂「浮島」，乃是用許多廢棄的舊船拼湊而成的。邱吉爾還解釋說，此舉的動機在避免刺激亞洲國家對放射能的憎恨。他此議是否已爲艾克接納，未向外人表示，但由他的表情，艾森豪已予接納的可能性較多。

越南休戰協定的伏綫

在越南休戰協定簽字的同時，美國共和黨領袖就已注意到這項休戰協定有對共和黨不利的內素在。因爲根據協定，越南應在一九五六年六月舉行全國普選，這時距離一九五六年的美國總統大選僅只四月之遙，如果選舉結果，全越淪於共產黨手中（此種後果似乎極有可能），對於共和黨的打擊，自是非同小可。

緬總理高舉反共大纛

對於共產主義的恐懼，已使得緬甸的內心起了歷史性的改變。據說緬甸總理努眼見到蘇俄中共的逆施倒行，目恐怖與憎恨已培養了他反共的堅決意念，日本雖在第二次大戰中佔領緬甸，在許多緬甸人眼中，十二年前日人殘踏的血淚未乾，但努總理情願與日本更加可怕，因此他決定爭取與日本來親交，打算賭共產黨對他的國家（越南）侵吞蠶食，遠較二次大戰前的現在的中共與蘇俄，這較之日本要國家的邦交，打算與自由國家友好協同，他也可能訪問其他的亞洲自由國家，共同研討防遏中共擴張及共產帝國主義的途徑。（孟直）

本刊啓事

本刊三四一期以前各期稿酬，已分別致奉，其中尚有地址不明者，請函知，以便送上，爲感！

編者 讀者

△請政府改善兩事

編者先生：

自由中國雖天天在進步中朝向民主的路，但仍有一些不合理的現象存在。我的一個朋友供職於政府機關，他因親戚病在澳門，欲往探親後再返回申請出境，竟不獲准。這實在很不合理。因爲政府不信任他，爲什麼把公事交給他辦呢？希望政府於申請出境者，不但要取銷保證，同時應予自由。一般機關學者，如營業機關（公司，銀行之類）人員薪俸比一般行政機關，可多拿一兩倍，這也是不公平的。以上兩點希望政府予以改善，則人民幸甚，國家幸甚。

周益煌敬啓八月十二日

△傳中梅，惠如，鄭士珪，余陽，諸先生：惠稿收到，至感謝！

△震岩先生：示敬悉，意見甚佩，謹覆。

△台北趙永洛先生：請示尊址，俾便奉送稿酬。

「鮮卑利亞」歧名的統一（上）

·趙尺子·

蔣君章、李鹿苹兩先生主編的「最新世界地圖」，經過兩年的就擱，最近已告出版了。這是中華五週年紀念地圖以後，我國出版最好的一冊輿地圖。就學術和歷史的見地，這冊地圖的最值得介紹的地方，是專繪了一幅鮮卑利亞圖。這是三百年來中文地圖中把鮮卑利亞繪入俄國地圖，寫上「西伯利亞」或「西比利亞」等字樣；除了在台出版由楊鏡釣先生主編的兩種地圖之外，只有蔣、李兩先生這冊地圖訂正了鮮卑利亞譯爲「西伯利亞」這一歷史的錯誤。

西伯利亞是中國領土

我們打開過去的世界地圖來看，烏拉山以東，外蒙古以北，有一大片地方，平常是寫着SIBERIA，中譯寫着「西伯利亞」或「西比利亞」的字樣。這固然不像中國字眼兒，也不像中國的地名。圖上的顏色又都印成和俄國一樣，更使學生們認爲是俄國的「領土」了。其實這片地方之成爲俄國「領土」（注意引號），只是明、清兩朝之交間的事；在這以前，這地是我們中國的，（濟）博士所說，那裏是「中華民族」的老家（見「□」之「小屯出土的青銅器」殷文，台大出版）；人也道道地地是黃種，和我們同爲黃帝的血胤。友人王蘇先生近著「西伯利亞是中國領土考」，對這問題作了詳確的研究。此土此民，在尚書上寫爲「織皮」，這是「鮮卑」宗族四千多年以前的名字；織，古音試，通「西」；皮，古音比。這族，遠在夏禹時代已經「敘」入夏族（後譯爲漢）的譜牒，就是「即敘」了。筆者前撰「織皮考」，已經刊發表。

古典籍的佐證

夏朝建立過丑座殿，名爲「五藏」，也就是五座圖書館，「五藏」的牆皮上畫滿了經書，由蘇滿（SUMER）執筆。這些經書名爲「山海圖」，歷經殷、周兩朝，隨處散佚，現在只存着說明書，每幅作一說明書，名爲「山海經」。孔子、莊子對於「山海經」都很信賴和欣賞，屈原雖寫出「天問」，對「山海經」提出懷疑，但根據也是信賴的。「山海經」上，把烏拉山、裏海直到目加東，稱爲「大荒」，以「大荒」東、西、南、北四「經」，都是說明這片地方的史地。

「大荒」之中有一個人名爲「番比」，番，古音失，通西；「番比」就是「織皮」，也就是「鮮卑」；「番比」已被尊爲神明（「尸」），和黃帝、顓頊、鯀、夋、羿、后稷一同供入祠堂（「五藏」）了。近二千年，沒有懂得「山海經」的人，除了海甯王先生（「鰥難」）以外。

戰國時代有人寫成一部左傳。左傳昭公元年云：「虞有三苗，夏有觀扈，商有姺邳，周有徐奄，自無令主，諸侯逐進」。這引文裏的「姺邳」，也就是「織皮」即「番比」。姺，古音西，邳，古音比，在商朝已被列爲諸侯之一了。和左傳同時，有一部周語記載，周成王有一次大祭，設了燎火，由「鮮卑守燎」，地位和楚是平等的。周朝直到末葉——戰國時代，「鮮卑」宗族由「鮮卑郭洛」（□）南來經商的很多，大部是販賣「鮮卑」，女老板尤其招搖，楚辭大招指女性美，便說「小袖秀若鮮卑只」。鮮卑，古音西，係漁牧象形，義爲美麗；卑，古音比，實乃婢字，合起是「美麗的姑娘」。

大陸商人的反抗活動

抽走資金，毀壞生產設備，秘密團結，進行政治反抗，不堪劫奪兼併的結果，準備同歸於盡。

沈著

據七月十日天津大公報透露消息：大陸商人爲反抗中共以「實行國家資本主義」爲名而以劫奪兼併爲實的「公私合營」制度，正在秘密團結，作有計劃的及有政治性的破壞活動。

政治性的破壞活動

據該報以「加強」爲題的社論中公然指出：正當「公私合營」制度在加速推進的過程中，大多私營工商業者紛紛採取了所謂「消極的經營態度」，有的採用各種辦法抽走資金，例如提前分紅、歸還墊款，以及請職工吃喝玩樂等；有的利用生產資金購買消費品，故意使生產癱瘓，有的拉攏幹部，予以送饋物；有的遣散職工，增加工資，大吃大喝，抱着大家吃光用光的宗旨；有的不僅在經濟上反抗「國家的限制和改造」，而且已發展到了進行政治性的破壞活動。

據中共在解釋此種所謂「不法資本家」（指私營工商業者）的「違法」、「破壞」行爲時，曾指爲係與「美特務勾結」的「反革命間諜活動」。因此，他們說最近天津、上海等「個別地方」，已發現有「不法資本家」，爲了抗拒「國家」的「加工訂貨」和「公私合營」，竟至故意破壞他們的生產設備。而商人的所以普遍發生此種破壞行動和前述抽走資金，癱瘓生產等等的「違法」行爲的原因，乃在目擊一般規模較大，業已被中共用「公私合營」的名義兼併了的廠商的無條件犧牲情形之後，大多產生了怨忿的情緒所致，此等破壞行動的目的，即在不甘拱手聽受中共的封奪兼併而預先自行破產，以同歸於盡。

中共將嚴厲鎮壓

中共當然認爲此種結果非常嚴重，而大爲震怒。據稱：此種結果，除已使生產量普遍下降以外，生產的品質亦已普遍下降。他們說據廣州市的初步統計，僅該市針織業今年第一季的次品率和廢品率，平均已達百分之三十，其中一部份竟已達一分之六十之多。同時基於商人的此種反抗情緒，所謂「重犯五毒」的情形亦極普遍嚴重，該報說，天津上一次「重點檢查」中檢查了機器鑄鐵業大小十七家工廠和一家新業砂輪廠的結果，竟發現全部都有「五毒行爲」。此外，中共也不否認，商人之此種破壞行動，與幹部的貪污腐化有密切關係。他們說部份「國家工作人員」在與商人業務上「打交道」時，「沾染了卑鄙的資產階級個人主義的思想，竟和不法資本家同流合污，成了他們盜騙國家資財的代理人」。而此種表現最明顯的，乃在「加工訂貨」之中的成本估計過高，產品不合規格，到期不能交貨，幹部從中圖利。

因此，中共除嚴重警告其幹部外，更嚴厲恐嚇商人說：「如果誰不願意這樣作（指遵守中共的法）而要繼續以消極態度對待企業的生產和經營管理，繼續從事「五毒」活動，特別是政治性的破壞活動，那就是自絕於國家和人民」。言外之意，中共對商人的反抗「公私合營」，必將採更嚴厲的鎮壓手段的。

中共統戰戲劇

作者：丁淼　出版者：亞洲出版社

·沈秉文·

（一）

中共「統戰」的文化工作無孔不入；戲劇，亦爲其所利用的主要手段之一。

中共的所謂「統戰」工作，概括言之：即在因人、因事、因時、因地相宜的情形之下，選用其認爲「相宜」的一種手段，以予敵對者以諷刺、攻擊、暴露，予「中立」者以拉攏、暗示，予人民羣衆以挑撥、僞惑、鼓勵，乃至予敵對者以麻痺而解除其警惕心和戰鬥性；而戲劇，則適爲其中最通用的，也是最爲吸引觀衆而發揮其「統戰」宣傳作用的手段之一。且因戲劇有劇情的情緒，興趣和舞台氣氛等控制觀衆的情緒，不但下層觀衆發覺而揭破其陰謀，往往能使觀衆自墮其詐計而達成「統戰」的目的。

因此，中共的統戰戲劇，實爲中共「統戰」工作中最普遍而又最毒辣的一種手段。以往一般人對「雷雨」、「日出」、「五奎橋」、「洪水」、「晚宴」、「討漁稅」、「秋瑾傳」、「殘霧」、「面子問題」、「蛻變」、「法西斯細菌」、「屈原」、「虎符」、「歲寒圖」、「陞官圖」、「清明前後」、「清流萬里」等戲劇的「愛好」情形，和今日在海外自由地區一般反共或非共的學校社團依然在上演此種劇本的情形，即可知其技巧底高明（就意識言）及其作用底惡毒和可怕的一斑了。

（二）

丁淼先生有鑒於此，因此在其繼「中共文藝總批判」（亦亞洲出版）一書之後，特以精明而清新的反共文化戰士的姿態，悉心撰成是書，以促起大衆——特別是學生和社會知識份子大衆對中共統戰戲劇的注意和警覺。

中共在各個時期配合其「鬥爭」情勢及「策略」所編的劇本甚多，是書列舉其主要者前後達十七個劇本逐一加以分析，剝去其偽裝的糖衣，指出其所含的陰謀毒素。此等劇本，若在當時而言，倘有人指出認爲是「統戰劇本」，若非被譏爲「故意挑剔」，便是被罵爲「黑暗」，乃至被罵爲「反動」。但在今日而言，中共「統戰」當局，以及一般劇作家本身，均已不諱此等劇本所發揮的「革命的功用」中，一一自供不諱。丁淼先生，對此等劇本有功地一一作了精當底指陳以後，並分別引證了中共的此種自白式的「檢討」，將此等劇本底究竟是否「統戰劇本」，一一作了血淋淋的解剖，公諸於社會大衆之前。致其真知灼見之宏富，觀察之深刻，辨別之精細，指斥之有力，無不堪稱獨到。

丁淼先生在作了有力的批判指陳之後，希望一般反共非共的學校社團今後再不要在黑白不分，是非不明的情形之下，渾渾噩噩地爲匪張目。

同時，除了此種消極性的防範之外，復提出了積極的主張，希望反共文化界多多提供優秀劇本的創作，也希望出版界多多發行一些優秀的劇本，以補救戲劇界所需——他認爲香港出版界的經濟潛力，是力能勝任的。

最後，筆者特在此向社會各界——特別是各反共非共的學校社團鄭重推荐此書。相信此書對各反共非共的學校社團的演出工作，乃至整個香港以及其他自由地區的社會安全方面，都有不可估量的功用的。

救青會應負起責任　何妨自辦清潔公司

香港救助失業青年協進會，雖然是熱心社會的名流們發起組成的，過去半年從事登記救助工作，由於工商業不景氣，各界人士對該會協助，不惟太少，而且也欠熱心，使會務進展受到了一大阻礙。依照該會原先決定的辦法，並不是以救濟的方式來解決失業青年們的困難，而希望於工商界能夠給予這一批失業者獲得自食其力的謀生途徑，因爲救濟既非基本辦法，而且又無龐大救濟款項。市民九生活水準直線下降的現階段，自無足以担負起從事經濟上援助失業者的責任，即令對社會公益熱心的人士，也有心餘力絀的感覺。「救青會」能夠負起一部分責任，確實是件難能可貴的事情。然而，這絕不是該會能夠一力承担的事。

今年春天，「救青會」在市民熱心支持下，完成了一項裝釘門牌的艱鉅工作，時間是很短暫的，總算在這一短暫過程中，解決了一部分失業青年饑餓。貝納祺和區達年對於裝釘門牌完竣後的次一步驟，也曾考慮到的，他們計劃將這批失業者能夠常年能夠餬口，以低的代價去幫助人們進行清潔工作。可是，計劃尚未成熟，却受到了港九「清潔公司」的抨擊，說「救青會」要搶他們的生意。一方面表示異議，公開反對；另一方面則要求「救青會」答應他們條件，和「清潔公司」拆帳。這是情理上說不通的；「救青會」的目標，無非使失業者就業，幾經爭執結果，「救青會」考慮到商人們的利益，同意清潔公司僱用方式解決了極少數的失業青年們工作；假如「救青會」當時堅決獨行其是的話，也何嘗不可能，而且說不定那些清潔公司早已關門。因爲「救青會」主張每戶收月費二元；而清潔公司却要收三元一戶的清潔費。於是，使「救青會」主持人員納祺和區達年的地位及處境頓時發生了困惑，假如採取斷然行動，支持失業者，勢將開罪了納稅人，而他們又是納稅人的代言人。在這樣情形下，纔同意了清潔公司的苛刻條件，答應由公司方面僱用該會的失業青年，當時也曾有人說過：「商人們根本就沒有誠意，他們已決定將來以淘汰方式，逐步開除這些失業青年的。」區達年認爲「商人也應該有道德心，不會這樣毫無情義。」如今却不幸而言中，九龍清潔服務社竟然開除了三人，而且準備第二批開除名單了。誰都以爲「救青會」該拿出辦法來，要發展會務，廣泛救助的話，何妨自辦清潔公司，怕甚麼？

香港三日

「愛聽報告」的人

【本報訊】中共各級機構中，存在着所謂嚴重的「官僚主義作風」，到處皆有；批評儘管任人批評，大小共幹沒有一個不打「官腔」，搭「官架子」的。「文藝工作者」自命爲赤色「文」人的袁水拍，半年前曾和謝冰心隨丁西林訪問過印度；返平之後，則被迫從事紅色著作，裏則非常活躍，在各地報紙寫稿。最近北平的「人民日報」上列出了他署名的一篇非詩非文的東西，以「一個愛聽報告的人」爲題，反映出共黨內部官僚主義的作風，已到怎樣嚴重的階段。原文並未列明時間、地點、姓名，祇說明了具體的事實，人們當會意識到這些事情，大陸上已成爲普遍的現象了。他說：

「這是一個愛聽報告的人。讓我介紹給你：他工作雖則沒精打彩，聽報告却從來不肯放棄。秘書科每次發聽報告的表，誰有誰沒有，他十分注意。有他，就一臉畢竟不凡的神氣；沒有他——「嚇，幹部政策有問題！」特別是奇子不多的報告，有他就高興，沒有他就生氣；至於一般的報告會，一般他不太感興趣。可是，他聽還是去聽。不但聽了，而且還打了瞌睡，也打了呵欠，也咳了嗽，最後，還跟着大夥兒鼓掌一陣。「解放」四年，日子不算少，報告少說也聽了百來個。筆記本燙金字，招牌是「學習」，只是記上了之後，再也沒有翻過。他聽報告，光聽不做，光說不練！一抽屜筆記本，給老鼠做了窩，算是他「爭取」聽報告的光榮戰果。」

雖然，他指的是某一個共幹，相信必然是大多數的人如此。否則，一個袁水拍，決不敢冒然觸犯衆人的。四月十四日天津的共黨報上，又有人反映出一件類似的事情來，並且還附了一幅插圖，一間辦公室中，共有五個人，擺出各個不同的臉譜，有的伏在桌上打瞌睡，有的高談闊論，也有抱住了後腦，靜聽，或是喝茶玩味，祇有一個人面前攤了一大堆文件，抓着頭皮忙個不迭辦公。另外還附了一段說明文字，敘述怎樣一回事情，這眞是一個鮮明的對照。據說：爲了提高工作效率，上級號召總務科進行精簡。王科長想：我們部門既不「臃腫」，又不「龐大」，沒有什麼值得「精簡」！人員安排得有條有理，分工明確，沒有半個人空閒。

王科長果斷地回答上級：「若是從工作出發，我們的人員不能減少，只能增添！」事實上——王科長領導的這個部門，連他一共十二個工作人員，只是文書老陳比較忙；[illegible]每天在辦公室，都是聊天、看報，吸着香烟，也不斷地打呵欠，如此的「分工明確」！請問一聲：這些人情況如何？少數人忙，多數人閒，打着呵欠的，分明；「科長！你的根據是什麼？」科長只能說：「人員不能減！」可是文書老錢呢？只管打瞌睡：這種答覆的「官腔文章」。（梅）

清除灰色毒素

馬五先生

我們因爲反對共產極權的秧歌王朝，自然就得擁護民主憲政的中華民國政府；既然擁護這政府，那對於主持這政府的行政首長，不問是張三李四，也由衷的擁戴，實爲常識性的結論。

因爲擁護這政府及其行政首長，即盼望及早打倒秧歌王朝，還我河山，對於政府一切措施，如認爲有不同意的地方，自然要抒其所見，予以批評忠告。這猶之乎對於一個利害相同，患難與共的好朋友，勸善規過的心情乃更切，決無絲毫惡意，這也是常識性的結論。

在這種觀念之下，擁護與批評，不但並行無礙，而且相輔相成。我們對一個泛泛之交的朋友，誰願意管他的閒事呢！

如果說：既然表示擁護，則對於這政府及其行政首長的所作所爲，只有盲目服從，不能稍持異議；即對於一切行政人員，亦不能有所批評反對。因爲他們都是行政元首所任用的，批評反對他們，就等於反對元首，就是不忠貞份子，這話似乎也言之成理。不過，這種「理」乃是希特勒史大林所創立的理，而非古今中外一般講民主憲政者所謂理性之理。我們既反對極權主義，自不能相信這套理論。

近來自由中國文化界有人提倡清潔運動，說要掃除文化思想上的赤黃黑三色毒素，我認爲上述這種灰色的思想毒素，更有清除之必要也。

前甲午的——台戰巾幗英雄

·王耀翔·

（一）

今年甲午，乃中華民國第一個甲午年。

前一甲午，日本挾其「堅甲利兵」，迫脅顢頇的清廷，強佔台灣。經過「六十甲子」，滿廷早已淪爲中華民國。經過長期抗戰，總算湔雪了馬關之辱，台灣回歸了祖國懷抱。

活在這六十年間的人們，遭遇實在太多了，說來眞是「感慨萬千」。左舜生先生說：「時局無可談，只好談談故事」。這年頭能多談些故事，作爲今人的「借鏡」，豈是「無益之事」？

（二）

現在台灣一般軍中女兒，號稱「木蘭」，某君贈女兵詩有「落落奇情千萬絲，中宵起讀木蘭辭。芳心自轉隨金柝，綺夢單飛繞纛旗，亘古雄風傳馬革，如今豪氣屬蛾眉。花前脫手龍泉贈，我亦低頭拜可兒。」台灣的木蘭，可的確了不得，英壯不下男兒！這且不說，且說六十年前的巾幗英雄。

樊樊山老詩人詩紀台灣割時，劉永福將軍有女將戰，英姿風爽，饒有奇氣。偶閱「台戰實紀」知劉女之外，尙有一張夫人，爲孫開華之媳，當爲辛亥光復時福建都督孫道仁兄弟之妻，孫氏之裔，多流寓福州，惜不能詳考。

「台戰實紀」謂：「有張夫人者名秀容，適提督孫開華（開華）之子，當台戰既啓，孫戰死於三貂嶺，秀容銳志報仇，遂散家財，募死士，以二子託於老僕楊明六，乳媼周張氏，其姊名美容居蘇州，因命乳其二子，間關以投，其託孤書云：「愚妹秀容灑血上書，美容賢姊妝次：敬懇者，愚妹命生不辰，痛先夫之殉難，悲慘何可勝言，本欲捨却殘軀，從先夫於地下，細思夫仇未報，死亦尙餘無窮之恨，況張孫兩姓，世代簪纓，將門之後，焉有寃仇而不報之理？且先夫爲國爲民而盡節，愚妹豈忍義而忘仇？豈效邵姬之風，惟有竭愚誠而盡智志。刻已素服從軍，招集先夫舊部，並招新勇成營，誓除倭寇，以雪夫仇。惟是兵凶戰危，事機難入，古云：百行以孝爲先，其最者莫如存嗣以繼夫宗。今命老僕楊明六，乳媼周張氏，挈同豚兒來蘇，到日，望賢姊念骨肉之情，同胞之義，代爲看顧，使先夫宗嗣有存，不啻愚妹感激難忘，即孫氏幾存，均皆感佩！若得逢志復，掃盡倭氛，夫仇雖報，則母子重逢，或當有日；倘其力不從心，惟有付之一死，以報先夫之志，於本月十八日，已身臨行伍，與衆督師，勞苦相加，百端交迫，語云：成敗由天，凡事只管盡其人力。泣血臨書，教言不盡，閏月廿日。」

（三）

又載：「劉大將軍之女公子，運籌決勝，饒有家風，大將軍嫌其婦人，不許獨將一軍。至是，令與張夫人同營，紮住旗後。」既曰「實紀」，自非一味懸空，惜自唐景崧丘逢甲諸人去後，不旬日間，全台淪陷，此替夫報仇之張秀容，與劉女公子，諒亦以身殉也，以巾幗荷戈，今隔六十年，讀其遺書，猶覺其剛腸烈魄，虎虎如生，獨惜台灣收復以後，無人考其遺蹟，爲之闡揚，使潛德幽光，炳耀後世。至夫人之夫孫某，戰死於三貂嶺，六十年來，名字不彰，亦屬憾事，容俟稽考，另文詳之。

以亨學長，新第落成既有安仁閒居之樂，復深子山故國之思，詩以贈之

·涂公遂·

高言侃侃西河士，築宅瀛濱接大荒。時有嘉禽鳴古木，每憑修竹送新涼。匡時論政心猶壯，談藝評人老更狂。一事悵懷君莫問，天涯今日是何鄉？

去國愁無天可問，避秦喜有屋依山。三餘讀史疑成敗，一杖觀雲自往還。汩汩泉聲移寤寐，翩翩帆影入欄干。故人此地猶多是，杯酒勸君莫更南。

此爲贈詩中最心愛之什，我喜讀秋興哀江南二賦，未審公遂何以知之？拙著三餘室劄記，曾發表於獨立論壇。「勸君莫更南」，尤見故人拳拳之意，行將不復南矣！以亨附識。

談天寶前後的杜詩（下）

·莫可非·

『莫辭酒味薄，黍地無人耕，兵革既未息，兒童盡東征。』在那種滿目瘡痍的情形下，生還了又如何呢？而我們的詩人却並沒有灰心，他在北征裏，敘述到家後的情形說：『新歸且慰意，生理焉得說。』他的意思是，只要能夠團敘，重見太平，今天的苦，也只得忍受下來了。他對於當時的局勢，仍然抱着希望，他說：『仰觀天色改，坐覺妖氛豁。』他以爲：『伊洛指掌收，西京不足拔』。他的信念是：『胡命其能久？皇綱未宜絕！』他的根據是：『憶昨狼狽初，事與古先別，姦臣竟菹醢，同惡隨蕩析』。他以爲明皇到底不失爲一個英斷的領袖，能毅然殺了楊國忠和貴妃，他的這些議論，和陸游那種：『天地神靈扶廟社，中原父老望和鑾』遙遠的憧憬不同，而唐室也終于使肅宗、郭子儀、李光弼們幾個將帥，把安史之亂平定下來，不像南宋由偏安而至于亡國那末教人失望。（六）

我們今天的處境比杜甫的時代更壞，國家民族所受的禍害亦更深，像杜甫那樣的詩人，能夠把一場大禍亂，鋪敘得頭頭是道，使我們千載下讀到他的作品，一樣的心往神馳，不能自已，固然使我們生出了無盡的嚮往，而我對於這一世代的人物，却特別不能忘懷一個唐明皇，記得新唐書玄宗紀上有這樣的一段文字：『明皇避祿山亂，至扶風，士卒頗懷去就，流言不遜，召入論之曰：「朕託任失人，致逆胡亂常，須遠避其鋒，卿等倉卒從朕，不得別父母妻子，朕甚愧之！今聽各還家，朕獨與子弟入蜀，今日與卿等訣，歸見父母及長安父老，爲朕致意。」衆皆哭曰：「死生從陛下！」自是流言遂絕。』

唐明皇雖然糊塗過一些時候，但終于他還悟了，他並不想推卸責任，這幾句說話，說得何等動人？因此我又想起杜甫詩『生逢堯舜君，不忍便永訣』也並非歌功頌德的濫調，他平生戀闕懷恩，眷眷君國，也只是他的忠厚，却不是他的鄙俗。（續完）

金珠

中篇小說　·勞影·

她用顫抖的手指摸着頸子裏的珠串：「她走時連照片也沒有留下一張，所以我祗能憑幻想去揣摩我親生媽媽的容貌；我每看到別人家的媽媽慈愛地照顧她的孩子們，我就想，假如我的媽媽……可是，我的媽媽在哪裏呢？我有着怎麼樣的一個媽媽呢？隔壁一些老年人都說我祗有一雙眼睛像媽媽，從此我愛照鏡却又怕照鏡子；我要看看鏡子裏我媽媽的眼睛，但又痛恨不能從我眼睛裏看到我整個的媽媽！沒有媽媽已經是世界上最痛苦的人了，但還有比媽媽活着見不到，甚至連思念的憑藉都屬虛無的事實更令人痛苦的嗎？……假如我媽媽仍然活着，同時她知道她在中國的女兒已經長大十八歲，她該多高興?!啊，假如……假如……」她失聲啜泣起來。「假如她老人家進一步知道了……她可愛的女兒……正……正……」

任我百般撫慰，她總是不聽，我祗好讓她盡情發洩，最後我說：「金珠，暫且想開一點，人生的痛苦太多了，讓我們站得高些，看得遠些，到那時候我們就會知道，在這世界裏，有一大半人都掙扎在不同的痛苦裏。假如你有堅強的生活信念和勇氣，你就該把眼前的現實看輕些！」

「你要我爲自己打算嗎？」她抬起淚眼哽咽地說：「我怎麼打算法呢？除去後母，我沒有養她的責任外，——因爲她年輕——。祖父年老了，爸爸一腿殘廢，失業已經兩年，債負得那麼多，二個弟弟還在讀書，雖然他們不是我的親弟弟，但他們終究是我親爸爸的兒子，何況他倆一直把我當親姊姊看待。你看，每當我回去基隆家裏，他倆多快活，二人手牽手地圍着我，一面跳一面喊『姊姊回來了，姊姊又回來了！』當我分給他倆一點零錢時，我多驕傲，我想：『啊，我有能力養活一家了！』我也想念會減去我生活裏大半痛苦！你爲我想想看，整個的家都靠我一人支撑，我能有何打算？……我也曾這樣想過，祗要我閉上一隻眼睛，我會很容易幸福起來的；可是，我忍心那麼做嗎？假如他們五個人生活在斷炊的窘境裏，即使我一個人活得很好，又有什麼意思？……因此我深深感覺到，每個孩子在自立以前都無法不受親人的保護，自從我知道自己等於一個沒有媽媽的孩子，我就知道我的苦命是前生註定的了。我就決定讓命運來擺佈我。……爸爸是在東京學藝時和媽媽由戀愛而結婚的，我清楚，我爲媽媽失而痛苦，爸爸又何嘗不爲失去心愛的妻子而十倍痛苦於她的女兒呢？因此，我更愛我殘廢的爸爸，他的殘廢也是爲了家，爲了他的父親以及他的兒女，我的爸爸多麼可憐而偉大啊！我不能爲自己的幸福着想，我不能，我不能讓這樣可憐的爸爸有一個自私的女兒，爸爸離不開我，我也將陪伴到他老人家最後一口氣……。」

「什麼時候你才爲自己着想？」

「到他們一個個不再需要我這個大孩子的維持！」

「那時候的你……。」

「我看得很清楚，我週遭有着無數活的鏡子，」她淚若湧泉地說：「但是我不在乎！」

（二十一）

美帝糖菓的故事

——竹幕側影之一

·秋文·

（一）

同居駱小姐母親在廣州生病，費了許多手續，才領得一張進入廣州來的回鄉路證。駱小姐長久不曾回家，這次特別買了十多塊錢的金山橙及罐頭菓帶回去，準備孝敬母親，並分送親友。我勸她不要多帶，因爲深圳的檢查員是不會放過的。駱小姐青春活潑，思想單純，她說：「我又不是販賣圖利，是帶給生病的母親吃用的，爲甚麼不可以帶去？退一百步說，頂多是納稅，總不致於打回頭。」我祗有一笑置之。臨行那天早上，我到隔鄰士多買了一小包雜色糖，送給她作路上吃用。她很高興的接受了。

（二）

過了一星期，駱小姐從廣州回來。她說母親病已痊癒，故依期返回香港。

「你的金山橙及罐菓平安通過了罷？」我問：

「啊，提起那件事，眞把我氣死！」

駱小姐說，「那一罐菓子，我一路小心謹愼的保護着。到深圳，給共幹看見了，便垂涎欲滴。他們一手攔住我，說這是美帝的生菓，不許入境。我說，這是生菓，不是毒品。我母親生病，需用些東西，是帶給母親吃的。共幹說，生病要用藥物治療，內地醫藥發達，用不着這些美帝菓品。他們態度堅強，不許我通過。另一共幹說：『要嗎？你帶這些菓子返回香港，要嗎？這些菓子寄存這裏，你可以去廣州。』我當然不能因爲這罐菓子而多費來回羅湖的車費。因此，我祗好把那罐菓子給他們。」駱小姐忿忿的說。

「你回來時，他們把菓子交還你嗎？」

「他們本來有收條給我的，但當我拿出收條向他們要回東西時，他們兇狠狠的，要我等；而且，向我問這樣，問那樣，好想不許我出境，我祗好不要那罐菓子了，他們才放我出來。」

（三）

駱小姐略休，繼續說：「你送給我那包雜色糖，說來更氣人！」

「怎麼，那包糖也有問題嗎？」

「問題眞大，我幾乎被拉去坐監。」

「怎麼呢？」

「當深圳的共幹檢查行李時，看見我手提籃裏那小包雜色糖，就一手搶着，問我這是甚麼東西。我說是吃的糖。他們幾個人都說這不是糖，糖不會有紅的，黃的，白的，黑的那麼多種顏色。其中一人檢取一顆黑色的糖湊近鼻子聞聞。那時，我又好氣，又好笑。他們難道會連糖都辨認不出？他們神經緊張，像有了甚麼重要發現一樣。我再三解釋，他們都不信。我說：『不信，我吃一顆給你們看。』他們仍不放手，要我回到他們檢查所去見他們的長官。這時，我開始有點驚慌，因爲他們這樣不講理。」

「後來呢？」我問。

「後來不得已和他們到檢查所。一位長官模樣的人走出來，聽共幹報告以後，那位長官也檢取那顆黑色的糖湊近鼻子聞聞。他大聲呵我，要我從實招供。我仍說是糖，不信我可吃給他們看。他半信半疑。我檢出那顆黑色的糖，剝開包紙，準備當堂吃給他們看。那兩個小共幹還攔阻我說：『若不是糖，千萬莫吃啊！』眞把我氣壞！」

「後來呢？」

「後來我一連吃了三四顆，他們便放我出來了。」

駱小姐說完，臉兒還脹得紅紅的。

自由人

THE FREEMAN

（第三六二期）

[illegible]

社址：香港告士打道二十號三樓 3 rd. fl. 20 CAUSEWAY RD HONG KONG

海外總經售　友聯書報發行公司　香港九龍彌敦道中六十二號A二樓

台灣特派員辦事處　台北市館前街五十號

台灣總經銷處　台北　中華路九四號之一　台灣郵政劃撥儲金戶九二五二

卅年來的法國國策

●李加雪●

筆者在本刊三四四期（六月十九）發表過一篇「法國的毛病在那裏，」的文章，是討論法國當前國情的。本文再把第一二兩次大戰對法的影響，和卅年來法國國策的根本原則，以及今後法國可能傾向，作一簡單的評述和推測，以就正於目前關心法國問題的人士。

保守和現實的性格

法國總理法蘭士請國會給他一個月的時間去解決越南戰事。美國記者問他有什麼把握，他答道：『我是一個注重現實的人，共產黨也是同道的。他們已曉得我只有一個月時間，來解決這問題。若果他們不答應我的條件，我只好下台。我跑了，法國下一屆內閣當然是戰爭內閣，只好和共產黨作戰到底。共產黨曾聲明不想打了，所以我對於和議十分有把握。』和議在日內瓦簽了字，法蘭士坐飛機趕回巴黎，在國會報告說：『但是萬分僥倖，共產黨答應了越南停戰。你們曉得越南危險到朝不保夕，我們又沒有兵可派，即使有兵，也不能夠及時趕到。』上面兩段新聞，表現出法蘭士是一個非常現實的人。不錯，現實是法國人民的性格，但此外法國人民也最重保守。法國人民這兩種性格——現實，和保守——反映出法國最近所採取的國策背景。

兩次大戰對法的影響

法國的保守，起源於世界第一次大戰。十九世紀初期，除了俄國，法國的人口在歐洲佔首位。到了末期，法國人口降到第四位——德國爲首，英國次之，奧國又次之，然後才輪到法國。到了二十世紀，意大利又將法國迎頭趕過。一八七〇年起，法國人口已開始減退。第一次世界大戰，法國得盟友援助，僥倖打勝了；可是喪失了一百三十五萬壯丁，傷的又是好幾百萬。在人口衰退的國家，這實在是一種最嚴重的打擊。好些人這樣說，法國雖然戰勝了，所付的代價卻遠在戰敗的德國之上。流血太多，支持不住了，法國只好採取保守政策。戰後俄國變成共產，退出同盟，美國呢，又回復到孤立政策。戰時盟友只剩下英法兩國，但彼此國策實相違反。法國眼見德國日趨强盛，爲維持現象，只好和其他小國締結盟約，如法比同盟，法波同盟便是。此項同盟伸展到捷克，羅馬尼亞，和南斯拉夫，後來發展成爲羅加洛公約。在羅加洛公約裏，法國保證各小國獨立，而成爲歐洲抗德的領袖。一九二九年，法國在德國邊界築馬其諾防綫，放棄了軍事攻勢，採取守勢。羅加洛公約的意義，就完全消失了。一九三二年至一九三六年，法國內閣是右派。因爲弄得不好，左派抬了頭，由左派大同盟主持政府。左派大同盟係由激進黨、社會黨、和共產黨共同組織的。左派的口號是反納粹反特權，可是法國內部組織缺乏效能，羅加洛公約國家又有解體趨勢，德軍一來，法國便跨了。

保部份比全數損失好

法國曉得支持不住了，國會自動解散，把政權交給貝當，成立了維琪政府，做了德國的保護國。他們的意見是：能夠保留一小部份，總比全數損失好些。第二次大戰，法國又僥倖得到盟友援助，再打勝了。雖然打勝了，法國對於下列五項迫切問題總沒有辦法解決：（一）戰爭損失的復興問題，（二）工業的復興和擴展，（三）社會制度的改革，（四）越南戰爭（五）軍隊軍備的計劃。第二次世界大戰結束了十年，法國的內政始終弄不好。越南戰事呢，又拖延沒有解決，把美國的援助全數消費盡了。注重現實的法國人民心裏已經十分不高興，法軍最近奠邊府一役，最精銳軍全軍覆滅，法國的國際盟軍全數被俘，法國本國的軍隊既不願意到越南打仗，殖民地的軍隊又根本結不住。越南情形十分危急，在危急的時候左派又開始出現。

恐德甚於恐俄

一九五三年，法蘭士曾以同一政策請求國會組閣，但被否決了。到了今年，却以懸倒優勢的票數通過他的組閣。日內瓦會議，他把越南的一半奉送給共產黨。和議完成後，他覺得十分得意。他是一個現實家，認爲能夠保留一半，總比全數丟了好。

關於國際問題，法國一時還不能夠解決的便是歐洲聯軍問題。歐洲聯邦和歐洲聯軍都是法國提出的計劃。可是法國人民心裏最怕德國，加以近年來德國的復興邁進不已，法國人民心裏更懷疑懼。若果以蘇聯和德國比較，法國人民總認爲德國的危險性比較俄國大。最近一個世紀，德國給予法國以多次的災禍，俄國倒歷來和法國相安無事。這幾天消息：法蘭士已擬定了修正歐洲聯軍的方案，準備在國會提出。法國是北大西洋同盟的主體，他能夠置自己的提議於不顧嗎？結果如何雖然還不能夠知道，可是『現實和保守』恐怕是解決這個案子的兩個原則。

最使法國頭痛的便是國家的政制問題。法國人民遭受拿破崙朝的兩次教訓，對於獨裁十分憎惡，因此法國的國家大權要掌握在國會手裏。國會有權斥退內閣，而本身不負任何後果責任。此種國會集權制，有他的優點，也有他的缺點。優點是國家避免獨裁，缺點是國家的政權太不安定了。

法國的未來趨勢

法蘭士去年請求國會任命的時候，曾請國會付予特權，未獲通過。這次法蘭士提出國家經濟方案，國會却給他一個短期間自由行事的權力。國會權力太大了，內閣動彈不得，對於政治改革，和國策推行，政府不能夠放手做事。因此，好些人推測，物極必反，今後遇到一個有能幹的內閣，法國可能恢復到獨裁政治。

最近，法國政府推行一個很聰明的國策，給予農工階級兒女以相當數目的津貼，因此，近年來法國人口的生產額，又由末位而直升到歐洲的首位。法國希望能夠在二十年後，採取一種積極政策，恢復歐洲的領導地位，成爲世界柱石，不必再取保守政策。

不安定的加勒比海

佘陽

一年來，在加勒比海的四周，發生過幾件不愉快的事：一是英國在南美洲碩果僅存的殖民地圭亞那之反英事件，（英屬圭亞那位於南美洲北部偏東，與英屬的小安的列斯羣島聯合，正好控制了加勒比海四部的出海）；一是美國屬土（轄屬於佛羅利達州）波多黎各的騷動；最嚴重的，就是月前危地馬拉的戰爭。這些事件的發生，可以說明加勒比海已處在不安的狀態中！

環繞加勒比海的共黨

加勒比海沿岸（參閱第二版附圖）共產黨力量的繁殖，是二次世界大戰以後的事，也可說共產黨的活動近年來才表面化。環繞於加勒比海的中美洲九個國家和英、美、法幾個屬地中，幾乎都有很難處理的問題。其中主要的一項，是與美國的關係日趨分離，而領導與美國脫離的力量，也幾乎是共產黨組織。現在我們先來分析各地共黨的活動情形：

（一）在危地馬拉之前，尼加拉瓜與巴拿馬之間的哥斯達黎加已經一度成爲共產國家，經過內戰流血後，才把共黨驅逐出去。戰爭的洗禮，使哥斯達黎加所受的損失，非經十年努力建設，不能恢復元氣。

哥斯達黎加共產黨雖被懾服，但並非被消滅，他們在國內仍然潛伏於工人羣衆與各地工會中，其流亡於國外的，則嘯聚於兇狠的「放火者」。如不久前南美洲工人聯合會的危地馬拉代表，就是一個哥斯達黎加[illegible]同時也是危國親共的阿本茲政府的特別顧問。哥斯達黎加共產黨在中美洲共產黨聯合[illegible]佔着頗爲重要的份量，[illegible]加六十餘萬人口中（有工人五萬餘），共產黨不會超過五千人，然而這些已是哥斯達黎加難以拔除的禍根。

（二）在古巴的共產黨領袖，雖有許多已被捕下獄，但古巴的首都哈瓦那還是中美洲共產黨活動的聯絡總部，一個在哈瓦那出版的「[illegible]」報，在未被禁止以前，[illegible]登加勒比海沿岸各地的文字，幾乎專供共[illegible]加勒比海共黨機關報亦不[illegible]，估計亦約有三千人[illegible]與哥斯達黎加是加勒比海周圍共產黨份子最多的兩個國家。

（三）巴拿馬是戰後共產黨發展組織最積極的地方。該地的共產黨份子，最少在千人以上，與都拉斯和薩爾瓦多的共產黨，可說與危地馬拉共黨的發展有密切關係，在與都拉斯或薩爾瓦多兩地發動罷工，其命令可能自危地馬拉發出。就是此次進攻危地馬拉的革命軍，是獲得與都拉斯等政府的支持，可是共產黨也能夠在與都拉斯，薩爾瓦多及墨西哥等地發動支援危地馬拉親共政府的示威遊行。

（四）波多黎各的共黨活動，一直使美國大傷腦筋，在波多黎各東南部之小安的列斯羣島中，共產黨的活動更爲公開，其中兩個較大的島嶼——法國屬土瓜德羅普島和馬提尼克島，共產黨就佔有政府人員的極大比數，市議員中亦有三份之二是共黨份子。

（五）在中美洲兩端的哥倫比亞（南美）及墨西哥（北美）共產黨組織亦甚積極和嚴密。最後要說到的，就是近正發生戰事危地馬拉，共產黨控制此一國家已歷四年，其在危地馬拉三百萬人民中所種下的反美思想，自一九五〇年以來四年間，美國人對之幾乎束手無策。

腰斬美洲牽制兩洋

整個美洲，除去加拿大接近北極海一羣冰島外，其形狀有如一隻展翼飛翔的蝙蝠。中美洲，加勒比海和西印度羣島，是這隻蝙蝠的身首，如果此一身首有失，美洲就被支解爲兩截。再就南美至北美及大西洋太平洋這一範圍劃一個「十」字。加勒比海及其周圍，恰好就是這個「十」字的中心。

加勒比海形勢的重要，在第二次世界大戰期間已顯露得很清楚，雖然戰爭的發生是遠在歐洲和夏威夷羣島以西的亞洲，但兩處的戰爭都要依賴美國的支持；維持大西洋海上運輸的安全，是歐陸作戰最先的要求。而美國在亞洲方面擊敗日本，最重要的過程也是在太平洋上把日軍迫回日本本土。因此，加勒比海成爲美國調節兩洋作戰必經之地。同時由於其地理環境之複雜，敵方也潛伏在此一地區活動。說據二次世界大戰期間，在加勒比海担任破壞活動的德國潛艇，有二十艘至三十艘之多，雖然其中大部份被擊沉，但英美兩國却有五倍以上的船艦噸數及更多的戰略物資陪同沉沒在大海中。

（下轉第二版）

本週展望

·旭軍·

法朗士阻撓歐洲軍

政治家的智慧首在明辨緩急輕重而識大體。歐洲軍之成敗以此爲最大的決定因素。法國一貫的反對西德參加歐洲聯軍，緣自德法兩國世仇，而不放心西德重整武裝。然而昧於時勢，不知暴俄時立於側，旦夕可一舉而橫掃全歐。西德之力量，與未來之威脅，與蘇聯相比，幾微至不足道。豈能固抱宿怨而甯同歸於盡麼？

今者，六國比京會議已揭幕，將決定歐洲軍之成敗。法總理法朗士以分割越南倖獲苟安，沾沾自喜，視其求和政策如萬應靈丹。昔日怨越南軍責牽制其對歐洲軍之努力，今則幾似前言盡忘。唯保其權位是視。討獻於議會之苟安與仇德之短視議員，提出其修改歐洲軍約建議，謀改變歐洲軍之特質，歧視德軍，建議僅以目前駐德之法軍被編入歐洲軍，而在歐洲軍條約下所准許成立之德國軍隊必須完全編入歐洲軍，又使歐洲軍之超國家性被沖淡，以及政治團結之組織被拖延。總之法朗士所提約二十項修改條文，無異於摧毀原有經縝密擬定之歐洲軍約，而另草擬一同盟國萬難接受之新條約。考法朗士之用心根本欲與蘇俄謀和，而視歐洲軍條約如贅疣。據巴黎電稱：『目前國會中有一甚爲明顯之意見，由總理法朗士加以支持，即在國會休會期間，總再度與蘇俄舉行會談，會談如有結果，法國國會即根本不批准歐洲軍條約了。』歐洲團結計劃之父前法國外長舒曼氏抨擊法朗士的歐洲軍修正案道：『修正案實際認歐洲軍條約主要條文均有疑問。否決權之廣泛將使任何問題均被擱擱。』然則，是否法朗士存心破壞歐洲軍呢？這又不然，法朗士並非大政治家，而其所爲僅爲政客之行徑。他雖然在比京會議以盟國必須修改歐洲軍約否則西歐聯防將告崩潰相恫嚇，但他心目中還有兩個月法國的國會即休會，不如趁此表演其講價本領。他念念不忘他造成的『日內瓦會議成功』的奇蹟再現。因此他極力主張與蘇聯召開四强外長會議，以討好一部份國會議員。

本來，法國對歐洲軍條約之批准，取決於國會，但其短見與無魄力要爲法國阻撓歐洲軍建成之一大因素。

世局重心仍在東方

但美國艾森豪威爾總統已對法國重申警告，謂：防共急需德國建立新軍，歐洲軍不容再拖，否則美國將重新考慮對歐洲外交之政策。是則本年年底法國對歐洲軍之最後決定態度當可揭曉。如亞洲方面無其他壓迫美國遷就之因素，則法國當然不能抗拒歐洲集體防衛五盟國的壓力。

現在蘇聯致力點還在東方，竭力扶持其附庸中共，復在台灣問題上更製造許多引起西方紛歧的因素。歐洲軍已受共黨在東方製造之糾紛所延宕很久了。現在這個政策還是維持着。因爲越南的戰火隨時可以復燃。祇要中共存在一天，英法便牽制着美國不能實行其解放政策，則西歐的堵圍亦無甚價值。祇是在重整軍備的重担下苦撐而已。

我看美國的撤退駐韓美軍與史登浦將軍之視察大陳及努力組成東南亞聯防，固然是一翻「新面目」佈置。但推其量還不過是「報復」的準備，而不是解放政策。解放政策還須由中華民國造成其契機。台灣要力行恢復中國大陸人民自由的革命。目前在人禍天災痛苦中的大陸人民，亦是促成恢復自由的革命之契機。世界是否能免原子戰爭之禍，亦視乎中國的自由革命是否成功而決定了。

更正

上期左舜生先生半周展望「且以喜樂」句，「喜」誤植「善」，我們沒有把責任完全交給美國的道理」句，「把」字漏植，「當此大陸正在水深火熱之際」句，「陸」誤植爲「陳」，合併更正。

除三害和——台灣出版界

・楊柳青・

台灣通訊

（一）【台北通訊】前些日子，台灣文化界一位內幕新聞的主持人，和一位漫畫作家——牛哥，對簿公庭，互控誹謗。開審之日，公庭內，旁聽的人非常之多。雙方各執一詞，互不相下。

（二）八月六日，中國文藝協會常務理事陳紀瀅先生，爲文化清潔運動發表一段說話，大意說：我們要徹底肅清文化三害，赤害，黃害，黑害。他說，赤害曾經遺禍黨國，使我們失去了大陸。黃害，遺害青年。黑害，藉不負責任，顚倒黑白，揭人隱私，播弄是非，造謠誹謗，使社會風氣日趨惡劣。敲詐勒索之風日熾，傷倫敗德之事日多，影響國民身心，公民道德，已有不可估計的不良後果。……又說：少數自命文化工作者的敗類，出版黃色文藝，與黑色新聞，散佈毒素。以暴露黑暗爲榮，暗示政府無能和台灣一片黑暗爲目的：……這些人彷彿說，「誰來管我，就先『內幕』他一番」，因此人人莫可奈何，致怒而不敢言。挨了打，還得恭維它。他又說：兩年前，我們自己力量微薄，無力與惡勢力搏鬥。而且對此類事，我們只有義務，並無責任。……現在我們雖依然沒有力量，但我們已有了決心……。他最後聲明：（一）絕非少數人藉此出風頭，（二）也不是幫人打筆墨官司，（三）更不是替黑暗面作遮蓋工作。因爲黑害已妨礙了文化陣容。他並忠告內幕刊物的主持人，要慎重取材，嚴肅寫作。考量文字道德。

跟着八月九日，文化界四百餘人，還有卅六個社團，聯署發表宣言。內容大致和陳氏的談話不相上下。

以上三件事，都是近來台灣文化界値得注意的事件。

（三）

說到台灣的出版界，的確有許多令人痛心的現象。許多報紙副刊和定期刊物，不是千篇一律，便是反共八股，讀者感覺無味。精神糧食缺乏，無可諱言。一枝獨秀的，到是最流行的黃色或黑色刊物。這些刊物，內容大概可分三項：（一）政治內幕：如政府改組，縣市長選舉，官海風潮之類。這些新聞，有些接近事實，不一定是馬路新聞。因爲有些政治掮客，供給資料。雖消息來源不一，可是事出有因。（二）要人隱私：幾年來，到台的在野首長，司令，主席，處長，市長，不一而足。有的半生淸白，一貧如洗。有的宦囊豐富，養尊處優，私生活可供談助的，自然不少。譬如說，他們的不肖子弟——阿飛型的太保太妹，連治安機關，有時都感到頭痛。主持內幕新聞的文化老板，便乘機利用，求達某種目的。中國人最講面子，家醜不可外揚。並且有時還要顧慮將來的政治前途，被「內幕」的人只好忍氣吞聲，任人「欺凌」。爲息事甯人起見，花點冤枉錢也不算什麼了。照理，一般寫文章的，都有些稿費可領，但內幕稿件，有時恰好相反。有些人爲了自我宣傳，或打擊對方——政敵或情敵，登出一篇稿子，不特不要稿費，甚至花上三千五千元也不定。內幕新聞有一秘訣：即打落水狗，不遺餘力，對於有勢人物則捧拍惟恐不至。這樣自然一帆風順，無往不利，不至有刊物被封閉，或觸犯罪嫌之虞。（三）黃色新聞：今日的黃色新聞，盡是誨盜誨淫，低級無聊，千篇一律。正如昔年張競生博士寫性史，遺害青年，影響社會風習，實在不淺。何以多數人會欣賞這類不値一錢的刊物？還和缺乏良好讀物不無關係。而且文化界有責任的人，有些祇知鬥爭，吶喊，呼口號，又有些祇知罵，等待。造成文化界的空虛狀態。因此黃色刊物，自然而然的發達起來了。陳紀瀅先生等的大聲疾呼，自然不是沒有原因的。不過我們還要拿出一些値得看的貨色，以代替黃色和黑色，方爲正本淸源之計，否則，祇是消極的治標，不見得能夠發生若何重大效果。

不安定的加勒比海

余陽

（上接第一版）現在，作戰距離上，美洲已經不是個很遠很遠的絕對安全地區，而且共產黨正主動的在美洲上選擇目標。戰後共產黨慣用的方略，是向落後的地區滲入，加勒比海正好是美國在美洲中的弱點。就全球性的戰略地理說，加勒比海沿岸在美洲中的地位，也同中東地區，遠東方面的東南亞相似。中東是歐亞大陸聯絡非洲的通道，東南亞是太平洋印度洋間的「十字街口」，同是落後和民族關係複雜的地區，也同是西方國家與共產集團正展開爭奪的地區。

安定加勒比海之道

一世紀以前，西班牙人在中南美很活躍，其後是英國人入侵，近數十年來，美國在中南美洲後來居上，尤其是經濟上，美國更有優越的地位和大部權益。

加勒比海沿岸，依地理環境可分爲三部份。第一部份，是連結北美南美的狹長地峽——中美洲。計有英屬閩都拉斯、危地馬拉、薩爾瓦多、尼加拉瓜、哥斯達黎加及巴拿馬等地。其中除英屬閩都拉斯及美國在巴拿馬中長達八十餘公里的永久租借地巴拿馬運河外，餘爲獨立國家。全部面積爲四十六萬餘平方公里，人口約七百五十萬，以危地馬拉人佔最多數，約三百萬人。居民以紅種人及與西班牙人混血種之米特斯索人爲多。

第二部份是加勒比海北部及東部的西印度羣島，合大小千餘島嶼成一大弧形，計有古巴、海地、多米尼加等獨立國，英屬牙買加、美屬波多黎各及英、法、荷屬參錯之巴哈馬羣島等和小安的列斯羣島等。全部面積共約二十三萬二千方公里，人口約一千二百萬人，其中古巴佔地十一萬四千五百餘方公里，人口約四百四十五萬餘。居民中除古巴國白種人較多外，其餘均以黑人爲多。

第三部份是南美洲的西北角，也即加勒比海的西南岸，有哥倫比亞、委內瑞拉，和英屬的蓋亞那，其邊臨加勒比海的海岸綫，長可二千五百公里以上。

落後，不安，和複雜，是加勒比海的特質。這種特質，對美洲的安全方面來說，是一個共產黨乘機滲入的弱點。二次世界大戰以後，共產黨的世界計劃，其最拿手的一個侵略策略，就是向落後的地區滲入，既可使教育落後的民族相信共產黨主義，又可挑撥當地民族仇視西方國家。在東南亞，在中東，共產黨這種策略都已行之有效。共產黨看中加勒比海沿岸，實有兩個顯著目的，一是以此爲基地或跳板，南侵南美洲。一是以主動之勢，將混亂帶到美洲，將戰爭帶到美國門口，讓美國受困，再無法遠出援助歐亞兩洲的反共戰爭。

目前克服此一弱點的責任，幾乎要全落在美國身上，但其方法亦至爲簡單。政治上，軍事上美國措施尙無不當之處。經濟上，美國被攻擊爲一控制者，和支配者。一個美國的水菓公司，就控制了若干小國家的經濟命脈。不過水菓公司誠然賺了許多錢，但美國用於軍事、政治，及對中美洲的社會救濟的錢，可能比水菓公司所賺的還要多。這雖然是取之於中美洲，用之於中美洲，但方法上是値得檢討的。換言之，要克服共黨對加勒比海的滲透和挑撥，美國對此一地區的經濟措施，應該有從新加以改革的必要。（完）

△加勒比海沿岸及島嶼▽

數學辭典編者——趙繚的生平

・健夫・

（三）

等到湯居（湯薌銘好殺，湘人稱之曰湯屠）去湘。他復賦歸來。不過這一回，卻不容他高蹈了。在同輩友好慫恿下，他眞正袍笏登場了。他出任某一個重要地區的權運局長。權運局和鹽金局，是當時的「財源」。也就是最闊的好差使。可是這位精于數學的趙局長，不僅沒有發財，而且還賣了長沙負郭之田，才得辦淸交代。

北洋軍閥再度南侵，張敬堯做了湖南督軍兼省長，他又得再過流亡生活，他這次到上海，比第一次，要寒酸得多了。他捱受兩年多既窮且悶的生活，他那搞數學的腦袋，不過四十來歲的人，已是白髮蒼蒼了。經過北伐（國民革命軍）西征（中央討伐唐生智）兩役，他在做過一度湖南省黨部委員後，他那老態的容貌，格外讓老起來。民國十九年紅軍佔領長沙。他扶着年過八十的老母，攜着方在襁褓中的幼女，倉皇逃到漢口。這時他已沒有力量到上海居住了。抗戰期間，他一家生活，更是悽慘萬狀，這是侯老母已棄養。長沙大火時鄉居無恙。可是軍情緊急，驟梨市居。他繞着長沙附近往復打轉，最後逃到湖南「南極」圈的郴縣，勝利後，他已經是垂垂老人，「偏廢」在牀。三十八年我在廣州見到老人的長公子劭民，詢知老人仍在人世。論年老人已經七十七八的高齡了。

（四）

老人精圍棋，日常一局，如果沒有對手，便自翻「奕譜」評點黑白，或者教他的小兒女擺佈角擺陣。老人有六子四女，六個兒子中，個個喜愛數學，長公子劭民留英學天文，任敎中山大學理學院，次公子友民留美習電氣，任上海電氣公司總工程師。三五六三公子，皆學成。眞個是一個數學之家。老人健談，語多幽默，生平不善理財。

抗戰而後，家人生計，時虞不繼。子女們皆各有所成，可也各有家室之累。因此，這位精通數學的老先生，除了賣田鬻地而外，別無生財之道。不過老人並不仰屋興嗟，憂形于色。有一次，我過他的黛蒼書屋，在閒聊的當兒，他那小女兒扯了扯他的衣襟。他跛進內室時，我隱約聽見他那位繼配夫人，輕聲的告訴他，「斷之炊矣」。他的笑聲卻掩蓋了「下文」。同時老人爲于親朋友好間的急難，常常指囷脫驂，了無悋色。老人不祇精于數學，對文詞也深得其中三昧，他在日本留學時期，就和國學大師章太炎往還。太炎晚年過老人滬居時，書有條幅，錄杜甫李白句，並敍往昔交誼，有今茲登堂拜母語。想見二人情誼之篤。而今，大陸沉淪，鐵幕低垂。老人消息，無從問訊。望着這冊數學辭典，誠所謂睹物思人，情何能已！不禁擲筆太息，彼蒼蒼者，眞個予之角者，去其齒，豐于才的人，大都慍于其遇，而嗇于其生的爲多吧？（下）

蘇俄和平攻勢下 東德的困難

・殿毅譯・

共黨想在東德建立爲克里姆林宮而戰的軍隊的困難，與蘇聯希望東德建立工業的困難等量齊觀。現在他們所面臨的事實是：

東德的食糧幾乎能夠自給，但是工業方面卻大不能自給。東德的工廠原來是爲配合魯爾河所設的鑛場及製粉工業——但現在大部失去效用。因此，東德必需設立新工廠，以轉變製造幾百種從前根本沒有製造過的工業品。

混亂的結果使一切陷入茫無頭緒的境地。東德去年度所生產的農場機械量，雖然比自用，外銷全部的數量還多，但是發電廠，採鑛設備，及無數的機械工具，又感到極端的缺乏。鋼的產量增加了百分之五十，不過仍只足正常需要量的一半。東德現有從蘇聯、波蘭、捷克進口的鋼，然而仍不敷用。

東德的問題是：一方面是一般人民感覺種種東西都感覺缺乏，另一方面卻又感受工業擴展的痛苦，官僚式的計劃就是造成這種困難的一個大原因。最近一次的共黨自我批評會議中，就承認；浪費原料，坐下開會空談的時間太多，對於工業研究及發展的工作時間不夠應用。

其實最大的困難是工程師、技師、和熟練工人的大量缺乏。報紙上充滿「徵求助手」的廣告。無數的高級的技師早就逃到西方去了。而留在東德的技師，既不創造，也不管份外的工作。他們所以無精打彩極不積極，是因爲在共黨的工資制度之下，技師所賺的錢，比普通工人多不了多少。

共產黨現以特別補助的高工資來向工程師、技師、工人等獻媚。有的甚而可以加到百分之三百，及加到五倍的高薪。蘇聯此舉志在吸引逃亡的人，重返東德。

新的工薪應該可將東德工人的生活提到接近西德生活標準的地步。但是大多數的東德人民的生活標準，實距離西德的生活標準甚遠。

東德生活標準的低落，據說因爲工業復興工作比西德落後至少十八個月，而蘇聯的佔領和撤退的經費，又佔領了東德國家收入的百分之十二到十五。自東德「自主」後，這筆費用，實際上並沒有減輕多少。俄軍的撤退現在更遙遙無期了。

（下轉第三版）

五角大廈擬具新計劃

美國軍事設計者最近已擬具了一套新的國防計劃，而決定把美駐日韓部隊逐漸調往太平洋中各島嶼。由於越北的淪於共手，美軍事專家認爲遠東的形勢已較前大爲緊張，而由目前共黨的動向看來，他們顯無進軍日韓的打算，主要目標是在泰、緬、馬來亞等東南亞一帶，因此美軍事當局感到現在將軍兵向南太平洋一帶疏散，準備應付共黨的新侵略，是一件刻不容緩的舉措。只是根據新訂的計劃，日本本土的防務應由日本自己負責，而困難之處乃在，日本迄無意負起這一沉重的負担。

美陸軍部長即將轉業

美陸軍部長史蒂芬斯，自從與參議員麥卡賽發生爭執後，當時一度盛傳史氏將辭去陸長職務，後來艾森豪總統鑑於；第一，史蒂芬斯即刻去職，與政府情面頗有重大影響；第二，由此將更增加麥卡賽的氣焰。因此幾經考慮，卒把這件事擱置下來。到現在麥史之爭業已成爲過去，於是史蒂芬斯調職之說遂又甚囂塵上。據熟悉內幕的人士說，史蒂芬斯將於最近的將來調任駐外大使，因爲他本人很樂意接受外交方面的職位。

馬丁議長紅透半邊天

美衆院議長馬丁現在已成爲艾森豪總統的最高級政治顧問，舉凡有關政治上的重要決策，艾森豪幾無一不與他商討，過有立法上的問題，他先將總統的意旨向衆院傳達，那些是議員所能接受的，那些又是議員們所將拒絕的，他再向艾森豪一一解釋，據說他的意見一般都能爲艾森豪總統所接受。（孟衡）

編者　讀者

△周廉，易與，寶廣，諸先生：惠稿收到，謝謝！

△豈弟先生：示悉，盛意至可感謝！

△徐澤予先生：示悉，本報稿酬概以港幣計算，請示存戶名稱。

△鄭士珪先生：示悉，均可照辦，請開示地址。

△味朕，蓬槧，趙永洛，姚味辛，余靜，稽，行素，楊柳恕，楊柳絲諸先生：請示通訊地址，以便奉送稿酬。

「鮮卑利亞」歧名的統一（下）

趙尺子

鮮卑領土是中國領土

自從「鮮卑」二字叫變了之後，「織皮」、「奢比」、「犀毗」便被束諸高閣了。這兩個字從戰國一直用到宋朝。凡是由這一宗族所建的中國王朝，如東漢檀石槐的「鮮卑王」國，南北朝時拓跋珪的「北魏」，宋朝的「西夏」，全是「鮮卑」宗族的政權，因此這兩個字在我國正史上佔有權威的地位。「鮮卑王」國約值今天熱河到貝加爾湖一帶，「北魏」國境北到北極海，這是英國名史家韋爾思在大著「世界史綱」上載得明白的。「西夏」北境達於今天唐努烏梁海一帶。「鮮卑王」國屬於東漢；「北魏」爲我國正統王朝之一，留有魏書、北史兩大部正史，列入二十四史之中；所以「鮮卑」的領土當然是中國的領土。

「北魏」後被「北周」所滅。「北周」宇文氏也是「鮮卑」人。「北周」又被隋朝所滅。隋文帝楊堅的姓名原是那羅延，我疑惑他也恐怕是「鮮卑」人，自稱「四知」先生楊震之後，「多悉必利」、便是依託而已。隋朝，「鮮卑」宗族退回貝加爾湖和內外蒙古一帶，自立爲「沙鉢略」可汗，稱雄漠北。「沙鉢略」仍是「鮮卑」的另一錄音。唐朝，突厥強大，但也稱爲「結骨」可汗，統一大漠到烏拉山一帶。「結骨」正是「鮮卑」，我認爲突厥派的系「鮮卑」人。

宋朝，成吉思汗起家鄂嫩河，地在外蒙古以外，赤塔以南。他的民族名爲「蒙古」，就是舊唐書上的「蒙兀」，血統屬於「室韋」。「室韋」仍是「鮮卑」，見清乾隆「東三省戰蹟輿圖」所繪「室韋山」一稱「錫伯山」，即「鮮卑山」；今天黑龍江「室韋」縣的滿宗族也自稱他們古名「室韋」，後名「錫伯」，即「鮮卑」，都可以爲證。成吉思汗統一「失必兒」，封長子朮赤爲汗，國境東達鄂博河（譯「鄂畢河」，誤），跨過烏拉山，西至窩瓦河，名爲「欽察汗國」。據元史家洪鈞考定，「失必兒」就是「鮮卑」，見元史譯文證補卷四「朮赤補傳」。朮赤逝世，次子拔都嗣位，遷都薩萊（在窩瓦河下流，今譯「薩拉多夫」），立國二百四十多年，統治尼泊爾河（今譯「聶伯河」，誤）以東到鄂博河一帶。這個「欽察汗國」可以說是元朝的一個「聯邦」。元朝既爲我國的正統王朝，元史，新元史既爲我國的正史，則「欽察汗國」的領土（至少烏拉山東西）當然也是中國的領土。直到明朝，「欽察汗國」分國「鮮卑汗國」（烏拉山和鄂博河）才被俄國所吞滅。「鮮卑汗國」國都名爲求綿，又作闊斂，就是今天烏拉山以東的第烏門。

鮮卑有二十七個異名

滿清入關以前，稱東三省的「鮮卑」宗族爲「席北」，「西夾」，「錫百」，「席帛」，「寶伯」，「什百」，「洗白」，「說白」，至高宗乾隆間才欽定爲「錫伯」。迄今東北，新疆的「鮮卑」宗族一直沿用「錫伯」一名，除了極少數有學問的人以外，早已不知自己的本名是「織皮」以及「鮮卑」了。在蒙古有關的史地書裏，又稱蒙族境內的「鮮卑」爲「斜婆」，「窩伯」（東蒙）和「沙賓」（西蒙和外蒙），例如唐努烏梁海的北山便名爲「沙賓達巴哈」，見中俄「北京條約」，「布連斯奇條約」，和「塔城界約」和「塔爾巴哈台界約」。蒙語讀「鮮」爲「沙」，讀「卑」爲卑，下加「後尾語」回乙，「卑回乙」便拼成賓的音了；達巴哈義爲山，「沙賓達巴哈」就是「鮮卑山」，乃是北史上的「大鮮卑山」，其中一脈名薩彥嶺。

此外，「鮮卑」在戰國策上名爲「師比」，國語上名爲「師比」，史記匈奴傳上名爲「胥紕」，漢書匈奴傳上名爲「犀毗」，晉孔晁注國書名爲「西卑」，高誘注淮南子名爲「私鈚」，洪鈞元史譯文證補名爲「辛卑爾」。總計從「織皮」到「辛卑爾」共爲二十七個異名。松室孝良大佐，通蒙文，自居爲「蒙古通」。他說蒙古史料裏的「窠櫛」也是「鮮卑」。

這上邊共二十八個，都是見於我國經史和方志裏的名稱。但自明朝末年西洋教士利瑪竇等來到我國以後，翻譯西文世界地圖，成爲中文。他們不通我國史地，放棄現成的二十八個譯名不用，硬把烏拉山到太平洋，北極海到外蒙古這片地方和這一宗族，譯成「悉卑爾」、「悉卑利」、「悉畢兒」、「錫伯利」、「錫伯爾」、「錫比利」、「西卑爾」、「西伯利」、「西伯利亞」、「悉比利亞」、「悉必利亞」、「西北利亞」和「西比利亞」共十四個怪名，尤以「西比利亞」通行爲廣。市場上中文地圖除了楊德鈞和蔣君章兩先生主編的三種地圖，已復原名爲「鮮卑利亞」或「鮮卑地方」之外，其他完全採用「西比利亞」或「西伯利亞」了。

名稱紛歧遺害無窮

這是一個漫天的大謊，也是一個文字的「鐵幕」。致令二三百年以來的青年學生，不知道烏拉山到太平洋通名爲「鮮卑地方」，也不知道「鮮卑」宗族和中華民族的關係，更不知道「鮮卑地方」是我國夏、商、東漢、北魏、西夏、元朝的領土，及清初的一部份領土了。

我曾仔細統計過，「鮮卑」的異名被我發現的已有四十二個（其中包括日本人發現者十四個），沒有被我發現的可能還有。近來南洋日報蔡簡流君便創造「鮮卑里」和「鮮卑里亞」兩個，見「今日世界」；我不甚同意。舊名已濫，何必添新？由此可見「鮮卑」在我國史地上的重要性，「此地三四十名字，從今學者認不來」，連地理學家都不承認「西比利亞」是「鮮卑地方」的「胡譯」，別人就更不必問了。我從民國二十四年以來一貫主張統一稱爲「鮮卑地方」或「鮮卑利亞」，廢除「西比利亞」等荒謬絕倫害透了中國的怪名，一直等候了十七八年，才自親這一主張的實現，真是值得欣快的一事了。希望讀者對蔣君及楊君的地圖特別留意，這是有功於反共抗俄的名圖。

此文寫成後，鮮卑籍學者黎文林先生見告：「濊貊」也是鮮卑的歧名云云，我曾撰「朝鮮考」，考定朝鮮人係鮮卑人；朝鮮人本含有「濊貊」成份。今承黎先生以其專門研究相示，益可證拙說的可靠，誌此爲謝。（完）

撤銷統制仍有窒礙
米商咸盼自由辦運

米是必需的生活資料，自本月一日港府宣布停止配售平價米後，民間反應並不強烈，商米零售商則對於自由辦運曾向當局力爭，要求撤銷統制規定。幾經堅持結果，當局總算不負衆望，十日正式頒布新訂糧食進口辦法，規定於本年底以前放棄經營食米，而准許商人辦運，但必須保持一年存糧條件；存糧細則並未同時公布。從表面上看來，商人們在今年年底以前，可以自由向產米區採辦米糧進口，實際上仍有很重桎梏，第一必須保持一年存糧，這勢非一般普通米商的資力可以撐持，港九人口逾二百三十萬，月需食米達十五萬包以上，一年存糧則須積壓二億元港幣資金，其次，即令有此鉅資，他們勢必要將利息打進，這樣計算，市民吃不到平米，反而貴比現下的米價貴。事實上非普通商人可能染指。

當局規定一年存糧的限制，理論上原亦無可非議的，因爲香港是一個島嶼，萬一過去的採米區域輸出受阻，對本港民食受到影響，另闢米途自非立時可望解決的問題，因此，當局這一規定，純爲二百餘萬市民打算，但並沒有考慮到米商的資力實難擱置一年存糧。遲遲未見公布存糧細則，也許當局認爲這一項規定尚有研究的必要。然而依據一般米商意見，「認爲當局根本就不顧米商自由辦運，假如確係撤銷統制，自可任由商人請領辦運入口護照，毋須硬性規定一年存糧的苛刻條件，換句話說，除非有一年存糧貯倉，否則，申請額必須超過一年存糧數字。對於食米的供應雖後控制，相信當局尚未考慮到控制米價的根本辦法。」

市民唯一的要求，不在乎商人採取任何方式獲得供調均衡，而係能夠買到平米，希望於當局計劃貯米防荒之時，兼顧到米價的適當控制。米商們的唯一希望，也無非博取合法利潤，既有利潤，爲了資金周轉，自不顧紙理提高米價，於是乎市民有平米可買，假如必須硬性規定一年存糧，米商不特難望普遍自由辦運入口，獲得實際利益的，仍將落在少數（二十七家）享有特權的米商身上，與比從前的統制自無顯著區別。以此，人們希望當局能夠進一步考慮一個足以使米商有力普遍自由辦運入口辦法；同時更盼擁有鉅資的商人向米業投資。倘能實現，市民才有享受購買平米機會。

蘇俄和平攻勢下
東德的困難

·殷毅譯·

（上接第二版）

蘇俄對佔據的東德工廠，最近已表面交出。一九四六年蘇聯佔據了二百間大工工廠，改組成爲俄式的工廠，完全以蘇聯的利益決定程序及品目。後來，有九十七間大工廠交還東德共黨政權，政府立即將工廠收歸國有。去年，蘇聯又交還六十六間工廠。蘇聯仍佔據百分之十五左右的工廠，據說也隨東德的「自主」而移交德共，但實際一切仍在俄人掌握。

蘇聯將東德變爲附庸國的工作，到現在爲止，還在審慎用事。東德距離蘇聯所說的「社會主義」實在也還遙遠得很。爲了爭取東德人民的友誼，蘇聯在其他衛星國所施用的激烈手段，在東德曾避免了一部份。不過，到反共大暴動後，這種甜蜜的蜜月即告終止。共產黨究竟將東德如何處置，不難在東德亦步亦趨的追蹤其他附庸國的情形中看出端倪。

到現在爲止，只有批發貿易、國外貿易、銀行、運輸完全國營。工業方面所有的大工廠——像蔡斯眼鏡公司，瑪辛瓷器公司等——全歸國營，但是仍有四分之一的工廠，爲私人所有。三分之一的零售商，一半的建築商，三分之二的私人商業，仍然還由私人經營。

不過，現在共黨却又展開全部「社會主義化」工作——共黨使用的手段，就是高稅、限價，並且對私人商業百般限制，壓迫私人退出商業。然後，政府就接收破了產的生意，重新開張，以可以信任的共黨黨員監督，留用以前的經理，以受薪職員資格執行命令。這種手段已日漸變本加厲的在進行中。

東德的農民雖然還能保持自己的土地，不過却已完全依賴共黨的合作機構，和共黨的牽引車服務站。集體農場在東德尚未大規模展開。

對於宗教，俄人雖然並未完全禁絕，但是教會和教徒已在各方面飽受治上的政壓迫。最近東德舉行全德宗教大會，還邀請西德代表參加，不過是點綴「和平攻勢」的門面而已。

東德共黨內部現正空前緊張，準備將共國家向俄賣身投靠，歸伏鐵幕集團。東德共黨已經完成了對「機會主義」的大清算。共產黨只要死硬派。其共產黨的黨員有百分之廿被清除。黨員的數目減到一百三十七萬人左右。

讀：「論語類輯」

王世昭

編寫者：許同萊先生　發行：正中書局

（一）

論語這一部書，是極有價值的書，論其地位，與六經匹。論語：「衛公孫朝問於子貢曰：『仲尼焉學？』子貢答之曰，『文武之道，未墜於地，在人。賢者識其大者，不賢者識其小者。』」這一段的註解，日本學者有個叫作狩野直喜的，爲之譬喻道：

「論語譬如知恩院之大梵鐘，視其叩鐘之人之力量如何，而加以大小之反響；大撞則大鳴，小撞則小鳴。所以讀論語者，視其人之器量及境遇，而與以特別感動。」

這個譬解是很正確的。我今天在小說家傑克先生家裏吃午飯，恰好許同萊先生這一本書由郵局寄到，我和傑克先生正在欣賞許先生一毫不苟的書法，以及他的自序，我說：「論語這一本書，因編排層次的混亂，讀的人很難入門。如我幼年的時候，讀『學而時習之，不亦悅乎？』能解；而至『有朋友自遠方來，不亦樂乎？』則難解了；因爲其間加個「遠方」二字，我的朋友都是近處的，那有遠方？爲了經驗不夠，所以便不能解了。說到『人不知而不慍，不亦君子乎？』我則更加糊塗矣；何以故？我的待人接物處世的人生歷程才走到百分之一有奇，那懂得人不知而不慍的道理？任你老師說到唇敝舌焦，我還是依然故我，字是認得的，意義則不能明也。」

在座的傑克太太也同意我這個意見，她說：「我當年也是一樣不懂。」

前不久遇到左舜生先生，他正在讀論語，他對我說：「這一部書的是好書，孔子眞是一位了不得的人物，他不但善於說解，更懂得教育心理學，而且談到天下國家大事，更頭頭是道，說得淺顯明白，使人易行。」

不錯，左舜生先生是六十以上的人了，所以他懂得論語的好處，因此，我又覺得讀論語真有深淺之分，誠如程子所謂：

「今人不會讀書，如讀論語，未讀時是此等人，讀了後又只是此等人，即是未會讀。」

程子分析讀論語的方法是很深刻的，我幼年所讀的論語，眞如他所說的：「讀了後又只是此等人」呢！

（二）

許同萊先生這一本的「論語類輯」，擊過手就使人覺到雖古色古香而有新寄之感：第一，這一本書全部七卷，附卷末附錄。及自序，凡例，計一百四十二頁。許先生以七十歲的老人一筆不苟的恭楷，騰寫得端端正正，這種精神已使我們後生小子望之生敬。其次他那篇洋洋灑灑的自序，開章明義以「漢賊不兩立」始，以「人人親其親長其長，忠君愛國，奮捍外患」終。在時代的意義上，不特正確，而且可以發聾振聵，有裨於從政，有裨於做人，有裨於爲學，可謂不刊之論。其三，他把全部的論語——自上論至下論，分爲七卷。第一卷「學之大綱」，凡四篇，曰博學、曰審問、曰愼思、曰明辨。第二卷「道德仁義」，亦四篇，曰弘道、曰明德、曰志仁、曰尚義。第三卷「孝弟忠信，詩書禮樂」，又四篇，曰孝弟、曰忠信、曰詩書、曰禮樂。第四卷「誠意正心，修身齊家」，也是四篇，曰誠正、曰修身上，曰修身下，曰齊家。第五卷「治國平天下」，計三篇，曰爲政上、曰爲政下、曰保民。第六卷「聖學指歸上」，第七卷「聖學指歸下」，上下各三篇，共六篇，曰繼道、曰感唱、曰弟子、曰綱舉目張、曰動容、曰衣食、曰瞻聖。這個工作是空前的。前賢於聖人書，不敢稿便移易，許先生却把一部混亂的論語，將它整理起來，重編起來，使讀的人可以觸類見義，要爲學，讀第一卷，要從政做人，讀第二三各卷，讀第四五各卷，要知聖人之嘉言懿行，則與立論本意，可讀第六七卷。最後，他在附錄中，又把論語錯簡的地方，顯出的地方，把它校刊下來，這個工作是發明，是科學，而不是單獨「編寫」二字所能盡了。但許先生以七十三歲的老人——今年七十三，編寫論語在七十——寄書給我的時候，先給我一封信，說：「論語類輯一冊，聊抒胸中之所欲言，足下觀之，有可以補吾之不足者，幸率直見告，勿效世之達人，恭維三而降，作猜塞也。」我以一日夜的工夫，拜讀一過，挑剔不出他的毛病。即同見此書的傑克先生，也說：「老人精力充沛，能人謂『後生可畏』，今見此書，則老生亦一樣可畏了。」

（三）

許先生於封面書「自號老人手寫袖珍本」，老人以自號二字命名，有君子不息之義。自由中國的人，如果老的都如此，那怕共匪帝國不亡，大陸不復，毛澤東不倒。自此書出，使天下人精神爲之一振，知民主之終於要戰勝極權也。八月十八日於香港清風台上

談同行的人與事

馬五先生

報載：執政黨掌理宣傳業務的首腦又換了新人。三位新人之中，有兩位是熟識的朋友，而且在我的觀感上，天理良心認爲他們是適才適任，決非阿其所好，濫事捧場的。

縱然是適才適任，如果環境不相配合，職權又不分明，那還是無從發揮其能力，表現成績的。我常常有一種感覺：在台灣的黨政軍一切大小業務中，最不容易搞的就是宣傳事宜，而以第四組和黨的機關報尤爲難中之特難者。

由今之道，不變今之法，雖教孔夫子來當組主任，孟子當助手，子貢担任發言人；老聃來作社長，荀卿担任總主筆。也依然落得一蹶莫振，滾蛋完事！

任何一項事業，如果權能不分，職責混淆，同類性質的機關林立，監督與執行纏夾二，經理先生隨時找掌櫃的算零帳。結果必然是大家不負責，同時又大家都要負責。不相干的事，你要管，我也要管，此大家負責之說也。遇到眞正要負責的事了，你也推，我也諉，一是皆以向上面請示爲本，此大家不負責之說也。

譬如：台灣管理宣傳事業的機關，現有第四組，新聞局和新聞處。（省府的）在理論上，組是職司黨的宣傳政策，以監督指導的責任爲多；局處是職司政的宣傳事宜，事在執行其固有的任務。性能截然有別，河水不犯井水。可是，事實上，局處只不過搞些啓承轉達的勾當，職責範圍以內的事亦不能作主，如審查書報之類，即其明證。前年我依法向新聞處申請審查一種小册子，鬧了好久沒下文，最後說是要由第四組負責，而第四組也不敢負責，說要請示中委們，中委們又還有「宣傳會報」，皆得一一經過審核，中委竟管及民間的游戲文字小册之發行與否！像這樣權能不分，職責不專，監督與執行攪作一團的作風，（這與制度無關，法制上是分得很清楚而堂皇的！）你說教孔聖人孟亞聖來幹這宣傳事業，他們就能够勝任愉快嗎？

「民主集中」（又叫集權）這句俄共飽羅庭所創立的屁話，不知誤盡了若干的天下蒼生，再不覺悟糾正，豈但宣傳事業搞不好而已哉？

詩人拜倫

——爲自由而奮鬥的——

劉震如

（一）

詩人拜倫，他的全名是喬治戈登拜倫。一七八八年一月二十二日約翰．傑克約續絃妻子凱色琳．高登生下了獨子喬治．拜倫。他是個熱情而眞誠的自由信仰者，在希臘曾無條件地幫助爲自由而奮鬥的人們，後來流浪到法國，享年僅三十七歲，於一八二四年的四月十九日逝世，負才早死，顏回命短，誠然有如互星的隕落，曇花一現，值得人們的哀悼與追思，現在迴憶起來，恰恰是百三十週年紀念，但全世界的人們，仍在爲着自由信仰而奮鬥。

幼年的拜倫就是一個沒有父親的孩子，不過他承繼了他父親的粗野豪放和漂亮，加上他母親由於早寡，有了狂暴怪僻和執拗的病態，他變成了一個不平凡的兒童。他聰慧而又熱情，從小就有男子漢的英雄本色，他又非常美貌英俊，並保有家庭傳統的貴族高傲。可不幸一隻腿在降生時很厲害的扭傷了，這當然是他一生的缺憾，也許影響到他的步態和心理。但是，即使是一個跛脚的人，女孩子仍愛慕他，爲他的氣度和外表所震懾。

拜倫的家族也是世代簪纓，他的祖先曾受英王賜封男爵的光榮。六歲的時候，他那沒有子嗣的大伯也死了。他祖父的兄長，拜倫老男爵還孤獨的活着，因此只要老男爵一死，年青的拜倫當然是爵位承襲人了。他在學校並不用功，不過他的聰慧使校中的師長們對他很重視。「你可用一縷細絲把他引上一點，而不能拿一根粗繩將他拉了去。」[illegible]長朱里博士對拜倫在校時所下的評語。

九歲的時候，他就早感受到愛情的秘密，他感覺到只有跟他所愛的人在一起的時候，才找到無限的快樂。這「初戀的人」是他的表妹瑪麗。他讚賞她的容貌，時常整夜不成眠，和她分離以後，日夜思念着她。他逼着母親代他寫情書給瑪麗。

（二）

愛情啓發了人的一切智慧，就在這時，幼年的拜倫開始理解了他身上的缺憾，一想到他的跛腿，他便會覺得難堪，羞慚和憤怒，特別是在美麗的女孩子面前。一七九八年，老男爵逝世，十歲的拜倫承襲了第六世的男爵爵士，他到他荒茫湖上的紐斯德祖宅去，對那古舊的住邸有了堅決的愛好。同時他又對另一個表妹發生了愛情，她名叫瑪格爾。一個十三歲的瘦弱女孩子，他把他表妹形容爲「一條彩虹編成的透澈的愛情」。瑪格爾死了，他常常跑到墓場裏去，幻想死去的人生如走進一個沒有夢的睡覺，他常在靜寂的墳場，寫下了一些纏綿悱惻的詩句。

拜倫在十五歲時，又愛上一位小姐，名叫瑪麗威華斯，這位十七歲的姑娘，她住在安娜斯里，鄰近紐斯德的一所同等華麗的大屋。拜倫老男爵曾和她的祖輩有過得失，互不往來。下代的拜倫，却和那位同樣年青的瑪麗有着極度的傾慕。他沉緬在浪漫小說和悲劇裏，做着荒唐的夢，因爲莎士比亞有一部極其動人的悲劇，羅密歐和朱麗葉曾經用一度不完整的愛情，把兩家重新結合在一起。不但爲了愛情，在年青的拜倫心中，更激起了豪俠的心情，想做一次現實的羅密歐。

爲了愛情，拜倫養成了一種習慣，每天早晨，他要騎馬奔跑到安娜斯里，從高大的馬背上用跛脚翻蹬下，直入到她的臥室，卿卿我我，縱情談笑，直到深夜才回紐斯德去。後來竟深夜也不回去。他沉醉在愛情醉夜裏，白天則並轡馳驅，享着大自然的旖旎風光，這是拜倫有生以來，值得紀念的狂樂，他已經把瑪麗當作宇宙間唯一的主宰；可是威華斯小姐的念頭全然相反，她只把拜倫當作小弟弟看待。

後來拜倫深深地感到對方的冷淡，他開始經驗到失戀的痛苦，他還只十五歲，以後是一連串不快樂的日子，最後他終於離開安娜斯里，甚至紐斯德，而到外面求學去了。

（三）

從此以後，拜倫認識，當時他竟忸怩說不出話，後來他們混得很熟了。他又從孤寂中解放出來，同時除了伊麗莎白而外，他又多了一個知心的女友，那是他的異母姐姐奧格斯丁，他的父親第一個妻子的女兒。她自幼由她的外祖母撫養，沒有跟拜倫見過一面。外祖母死了以後，她再跟她的繼母和弟弟見面，對拜倫發生極度的興味，她已經和皇家軍隊的中級軍官訂了婚。拜倫常常與她通信，在他充滿稚氣的詞句中，他常常和她討論愛情和其他一切。這位姑娘[illegible]弟的信，覺得滿心歡喜，瞭解他弟弟內心疼苦的人，這眞是難得的[illegible]他們不斷通信，拜倫[illegible]在他的[illegible]母性的溫安和溫暖，取得[illegible]奧格斯丁也是第一個[illegible]格斯丁來調停。（上）

中篇小說　金珠

勞影

我默默擦去她的眼淚，爲她剝開一隻橘子，又爲她講了無數輕鬆有趣的神話故事，她的心情才逐漸開朗起來。快五點了，我們依然沒有感到肚餓，我拉她起來走了一圈，再回到原來的草地上坐下。園內一角，擴音機正播送着一些流行歌曲。

「好聽極了，」金珠說：「這是誰在唱？」

「白光！」我說。

「唔，白光！」她說：「白光不是個大明星嗎？」

我點點頭。

「這是一隻什麼歌？」

「烟花女子——」我想縮口已經來不及了，她的面色變得很難看，我心中不勝懊悔，便站起來說：「時候不早了，我送你回去吧！」

「我不要送，我又不是孩子。」

「我替你叫部車子。」我說。

她默許了。

在她上車之前，我塞給她一張字條，字條上寫着我辦公室裏的電話號碼。

第五章　我懷孕了

轉眼又是一個多月過去了。

這一個多月裏面包括了兩個新年，舊曆新年和新曆年；兩個年節我都是在她基隆自己家裏過的，因爲我的台語頗够標準，她們一家都和我很合得來，尤其兩個可愛的小弟弟，對我又愛又敬，這令我想到金珠爲什麼時常提到他們的原因。金珠非常滿意我能得到她全家的友誼。我們已經不能够否認我們之間的愛情；我們都爲着這種情感而陶醉，但也爲它而痛苦；因爲我無法鼓勵她拋開家庭來與我結合，也許這樣做了我和金珠都會幸福。可是，我能這樣做嗎？假如我不顧一切地暗地裏向她提出此項要求，她將陷入愛情與家庭不能兼顧的情勢之中，這是絕大矛盾的悲哀情勢。

那麼，我怎麼辦呢？

說出來吧，我已經預知將一切說出來的必然後果！

等待吧，等到幾時，有誰能忍心眼睜睜地看着心愛的人一天又一天地生活於非人的汚窟裏？

我的思維像跳出一道火圈又落入一道火圈似地，日夜的燒烤着我的身心，我有什麼辦法呢，這不是一個難題，但是窮，窮，窮若就是一個永遠不能解答的難題！金珠爸爸爲窮若失去一隻腿；她媽媽爲窮若拋下了丈夫、女兒和家。一個少女爲窮若而廉價出賣了靈和肉；……窮、窮！窮若令我們忍凍受餓，窮若令我們家破人亡，窮若令我們奔走天涯……。（二十二）

燒鷄、鹵肉、蘿蔔乾

——竹幕側影之二

．秋文．

（一）

來港轉瞬五年了。甯兒初來時，還未學步，現今已能讀「人手足，刀尺布」的教科書。外婆最痛愛他，常從廣州託人帶食品來給他。頭一年，每逢有熟人來港，外婆總託帶滿滿的一瓦煲的燒鷄來。我曾幾次託人轉告外婆，不必寄來，省得麻煩；因爲我們自己雖不養鷄，香港也有鷄賣的。外婆却依舊寄來，她說，香港雖然有鷄賣，但價錢太貴，不比內地便宜。

大約過了一年，外婆寄來的，不是燒鷄而是鹵猪肉，有時是鹵牛肉。那來人說，現在內地沒有鷄賣了。我問他爲甚麼。他說：「去年鷄很便宜，這原因是，第一是老百姓不敢買鷄吃，怕被共幹知道了，說你有多餘的錢，敲詐；其次，鷄市既不値錢，米糧價又貴，大家都不願養鷄，鷄便在市場絕迹了。外婆是偸偸地託鄰居代買代[illegible]在因爲鷄買不到，外婆[illegible]來。」

每次收到這些鹵肉時，我一方感激外婆的苦心，一方替在赤魔掌握下生活的老百姓難過。

（二）

這樣，又過了一個時期，一天，我有客人從廣州來，是外婆託帶東西來的，我以爲又是鹵猪肉或鹵牛肉的了。當時，香港的猪肉賣到五塊錢一斤，若外婆寄三五斤鹵肉來，這可以大吃幾頓呢！出乎意料之外，外婆寄來的，不是鹵猪肉，不是鹵牛肉，而是一包蘿蔔乾，一包豆豉。據說，這兩包東西都是外婆自己親手製作的。來人並說，內地猪肉缺市，買猪肉，每天要排長龍，而且限制購買額。他自己經一多月不知肉味。我內心想，猪肉都買不到，[illegible]來客還說，學校裏有學生問先生：「爲甚麼近來市面沒有猪肉賣？」先生回答：「因屠夫太少，所以猪肉不够賣。」學生說：「那我們畢業後，大家都去學宰猪，倒不致於失業的了！」這眞是一段諷刺話。

（三）

過後不久，聽說內地生油也缺市了，買生油要排長龍，每月限買六兩，而且不是純正生油。其他，白糖、紅糖，也都受嚴格限制，不得隨便購買。因此，內地老百姓，大多數成了鳩形鵠面。天啊！

當初還有鷄可買時，外婆偸偸寄燒鷄來；鷄買不到了，改寄鹵猪肉牛肉來；猪肉買不到了，就將自製的蘿蔔乾寄來。將來連蘿蔔也買不到時，大陸的老百姓怎樣過活呢！我不禁慨然。

本刊啓事

本刊三四一期以前各期稿酬，現已分別致奉，其中尚有地址不明者，請函知，以便送上，爲感！

聯．唱．三．首

．彭楚珩．

序曰：七月十一日，肖赴中壢，謁本際上人於圓光寺，承示井塘閣員酬寄原作及上人和句，筆者不敏，驟節之餘，爰亦效顰附驥，步韻三章，後學之作，非敢云詩，以誌鴻爪云。

奉酬本際上人寄示近作

．余井塘．

閑子年七十，能從心所欲，不再戴儒冠，樂爲一白足。知子好吟詩，禪心時有觸，豈不掛寸絲，斷絲還續續。詩本言性情，性情焉可塞，空虛信有之，安禪心放下，得句情吐出，遂使詩與詩，有緣永相結。詩來有三昧，如禪參乃得，禪似空中音，詩河水中月，都非參上乘，妙悟透徹，參禪復參詩，子有何妙說？何日來山中，聽鼓廣長舌。

次韻答余井塘部長

．本際．

天風落玉珠，爾我證同欲。幻相糅六塵，痴心希兩足。驅輒向虛靈觸，參絕去來觸。斷絲懺續。詩思與玄機，浩蕩乾坤[illegible]

步井塘閣員酬本際上人原韻

．筆者．

德崇始於容，剛振在細欲。兹滄粟易，靈飄自可足。邪攻相織，道心惟微觸，眞性情[illegible]此召沉淪，沉淪辨復出！寧不究因？便與善緣結。儒釋同一旨，不患失與得，失固松間風，得亦覆外月，萬緣原渾然，敢敗何說！長吾伴漁樵，鼓腹不管舌。

自由人
THE FREEMAN
（第三六三期）
中華民國郵政局登記認爲第一類新聞紙類
（每星期三六出版）
每份港幣臺毫
社址：香港高士威道二十號四樓
3 rd. fl. 20 CAUSEWAY RD HONG KONG

注視中共的「填海工作」

多預備房子招待這羣攻台的勇敢青年

左舜生

關於所謂『解放台灣』的宣傳，中共已整整鬧了一個月，儘管花樣是形形色色，內容卻是平平凡凡，空空洞洞。今天早晨起來看報，連僞政協所謂六十八個人的發言，也居然不長不短排列得整整齊齊在報上公布出來了。這一大羣早已沒有靈魂的傢伙，儘管若干篇一律的在高呼着攻台，攻台，但我以爲共黨難爲情的，乃是扯下了這樣一個彌天大謊，究竟準備如何收網！

最殘酷的政權

中共是中國歷史上一個空前無比的殘酷政權：他們爲了討主子的歡喜，可以「抗美援韓」，[illegible]的屠殺中國的善良老百姓到一千萬以上；他們爲了討主子的歡喜，可以平白無故去干涉越南的內戰，不惜用最兇惡的手腕，把中國三百萬的優秀青年，丟進韓戰場的火海；他們爲了討主子的歡喜，也可以平白無故去搶救越南的內戰，爲越盟這一反叛集團去撐腰；他們爲了討主子的歡喜，更可以把中國[illegible]聯和捷克，不惜讓中國一億以上的老百姓在洪水大災中[illegible]，無動於中！

現在他們居然在高呼攻台了！爲了完成他們主子的所謂所提出世界革命要「從亞到歐」的遠一命而要攻台，爲了打倒「美帝」孤立「美帝」而要攻台；爲了向主子多討幾個賞錢，多得一份賞賜而要攻台；爲了證明毛澤東是不折不扣的「千古風流人物」而要攻台；爲了幫助他們的「周總理」到國際上去再搶幾個鏡頭而要攻台；爲了要打進聯合國和一般帝國主義者去「排排坐」而要攻台；爲了加強尼赫魯貝萬等這些寶貝的誠心向化而要攻台……

攻台的理由可以像這樣一直數下去數到無盡無窮，攻台使命的偉大可以偉大到比一顆原子彈還要大兩寸半，那末，中國的人民既是多到「六億」，便再驅使五百萬到一千萬到台灣海峽去完成這一「填海工作」，又算得什麼呢？

風流人物寫照

在韓戰中當百萬壯丁投入火海燒得焦頭爛額，哭天無路的時候，毛澤東正一股子的詩氣，口含一枝「美帝」的香煙，坐在西山上面乘涼！假定今年冬天，果然攻台的戰爭發動，儘管第一回合，便可能有十萬二十萬的中國青年「寬沈海底」，毛澤東可不是依然可以坐在中南海的「寶座」上吟詩，喝酒，賞雪！

「赤日炎炎似火燒，野田禾稻半枯焦，農夫心內如湯煮，公子王孫把扇搖！」

本來，所謂「風流人物」，眼看着大多數人求生不得求死不能的時候，照例是要拿着一把白紙扇兒輕輕搖動，去完成他們那一份風流工作的！從前中國有一位風流皇帝亂政，以他那一種親啓六合的雄風[illegible]

好優秀的宣傳

提到中共『優秀的』宣傳技術，[illegible]四三和一九四五這兩份「開羅宣言」和「波茨坦公告」。[illegible]是你們所說的[illegible]「中華民國」，決不是你們的「中華人民[illegible]

叫得凶不咬人

從前的日本軍閥要炸珍珠港，在轟炸前一分鐘，美國[illegible]

[illegible]待你們自己的子弟來了！

俄國革命在醞釀中！

旭單譯

下面是英國「每日電訊」報登載一位在俄國出世的馬蒂爾夫人所寫的文章。她陳述一個名NTS的俄國難民組織。

俄國革命出自西方

一九四五年「歐洲勝利日」數星期後，某西方外交家問維辛斯基道：『爲何蘇聯當局要堅持戰時被德軍放逐到西方或自願撤退蘇境的俄國人回返俄國呢？』那時西方和蘇聯還維持着很好的友誼，因此維辛斯基還肯說老實話，他微笑答道：『我們也記得我們的革命在西方。』一九一七年俄國革命以後，從俄國逃出來的是那些不再有作用的知識份子，軍人，[illegible]在這兩次大戰當中的二十幾年，[illegible]歐洲不受人重視[illegible]。人們會忘記一九〇五年俄國叛亂以前的幾年之情形，此次叛亂是一九一七年俄國大革命的前奏曲，其時列寧和他的若干高級幹部都是在俄國國外倡導革命運動的。

全國團結同盟的主張

在過去三個月中，有兩事件表示在克姆林宮中的人看來，逃出國外的俄人不能等閒視之，而是會給他們政權以嚴重威脅的人。那兩事件呢？就是那力山大，托洛希諾維夫在西柏林被架綁回去。另一件是陰謀刺殺與柯洛維夫。

這兩事有一共同點，就是這兩個受害人都是屬NTS會員。什麼是NTS呢？就是『全國團結同盟』（Natsionalni Trudovoi Soouz,）亦即英文的（National Allanoe of Solidarists），這個機構是三十年代創立的。他們的政治哲學是聯邦主義，反對共產黨的階級鬥爭，同時也反對蘇聯少數民族之被逐者所宣傳的極端民族主義。

NTS的宣傳，主張各階級反俄羅斯境內各民族團結。現在西德有十餘個俄人政治組織，他們很活躍。其中成員包括由保皇黨至馬克斯主義者各種人物。但他們有一個特點，是對於一旦從克姆林宮統治解放出來以後，他們的國家前途如何，卻沒有明確的方案。他們堅持將來的新俄羅斯政府讓俄國人民自己選擇。

NTS的力量

在過去四年我曾屢次訪問西德晤見許多NTS黨員和他們的領袖人物。我可以說他們的力量有兩來源：（一）會員的犧牲精神，和他們組織內的友愛氣氛。

全世界的NTS會員照例將他們十分之一的收入貢獻出來，充該會基金。試看其他的難民機關幾乎完全依賴美國的國庫支付去援助他們。但這個「團結同盟會」卻能夠自立。每月論百萬的小冊子私運入德國蘇軍佔領區內，並由此而轉運入俄國，去表示他們的意見，——但完全不受美國的援助。

逃到西方的鐵幕中人很容易從NTS中人獲得幫助。最近從東方逃出的人被稱爲「反叛者」。但以這個「團結同盟會」包容的「反叛者」最多，超過其他難民組織包合的總數。該同盟會出刊的週刊POSSEV之編輯，不過三十餘歲，一九四一年以前已是一個蘇聯的報紙編輯，和同志們一般的節儉。在佛蘭福特許多同志負担難民公寓的租金。

他們了解蘇聯人民的心理，知道怎樣宣傳，可以打動他們。這是舊式難民辦不到的。他們常尋出蘇聯的弱點。在托洛希諾維支被綁架去的時候，他們的機關報發表他所著的一連串幾篇文章，討論去年六月十七日東德叛變的教訓與經驗。托洛希諾維支很注重蘇聯陸軍中不滿份子運用俄國革命的方法。在蘇聯內有不滿份子，這是逃出鐵幕的「反叛者」證實的重大事實。從蘇聯勞動營或從流放出境的俄人，也同樣的證實，這種消息源源不絕透露出來。

克姆林宮惴惴不安

『團結同盟會』會員很留心此種逃出來的人所帶來的消息。據稱：托洛希諾維支就是遭這種[illegible]而被誘入共黨的陷阱。[illegible]

[illegible]傳所討論的理想和蘇聯大學生所討論的極相似。這個「團結同盟會」經常和俄國境內的份子互通消息。但列寧格勒莫斯科和其他各大學的學生對於國家的前途獨自獲得的結論，可能是偶然和團結同盟會相同。這些蘇聯政治局的警戒紅光。目前在鐵幕外已有一革命的機構，和一九〇五年前由放逐的布爾什維克黨人的組織很相似。太相似了，以致克姆林宮感覺惴惴不安。

× × ×

半週展望

陳克文

比京六國會議的失敗

法、荷、比、盧、西德的比京六國會議，雖經美國極力斡旋，終於宣告失敗。失敗的主要原因在法國所提有關歐洲防衛公約的修正方案，爲其他各國所不能接受。會議失敗的影響爲歐洲軍計劃的失敗，亦即歐洲集體防衛共產侵略力量的瓦解。

日內瓦會議，法國[illegible]向共產集團屈服，造成西方的分裂局面，予共產集團以有利形勢，現在法國[illegible]拆散歐洲軍防衛計劃，使蘇俄的和平攻勢再次勝利，這將爲未來的歐洲種下極大危機。

史達林死後，馬倫可夫所提出的和平攻勢，經過一年多時間，到現在可算得相當收穫了。但這並不意味世界緊張局勢的鬆弛。現在美國已經認識歐洲局勢「很嚴重」，國務卿杜勒斯已經有「痛苦的重估」對歐政策的表示。[illegible]恐非出於這一條路不可。這樣，蘇俄集團一時勝利固不可恃，緊張的世界局勢也必愈趨險惡而已。法國以對德宿怨未消，不惜採取坐令蘇俄得勢的政策，短視軟弱，一至於此！誠不能不爲法國人悲！

中共的「解放」叫囂

中共「解放」台灣的宣傳日來甚囂塵上，所謂民主人士，御用團體，亦一致響應起來了之後，大呼其「解放」台灣的口號。這種積極宣傳，自然也和歐洲的局勢有關：[illegible]

[illegible]和對內的形勢上，這時候是非大陸喊出這一口號不可的。因此，我們不要以爲中共之呼喊這一口號是意旨於軍事。他們只要達到分裂英美，加緊鎮壓內部的作用，則他們已經達到目的了。

東北亞聯盟的組織

東南亞聯盟本爲西方國家防止亞洲共產進一步侵略該地區的組織。[illegible]已經有胎死腹中之勢。將來即使勉強成立，亦恐限於地域，不能發生大的作用。現在擬議中的東北亞聯盟，倒不失爲適應需要的補救之道。[illegible]我們希望韓、菲、日本、自由中國，和美國，能在此[illegible]。美國在亞洲的地位和威望能否維持，亦將於此一運動卜之。

幾年來——

台灣社會變遷情形

王擇民

發奮贖罪的心情日減，奢靡徵逐之風日增，法律尚欠公平，生活距離愈趨愈遠。

台灣通訊

車掌一句話即低頭

【台北通訊】台灣社會這幾年來有了很多的改變。三十七年冬季，東北淪陷，到三十九年夏季，韓戰發生，這一階段的台灣社會，人心雖然緊張，尤其是大陸來台的人士，無論軍政界、工商界，乃至於學人，誰都不免爲慚憊、焦慮、憤怒、悲傷，種種不安情緒所交織。也誰都懷着發奮贖罪的心情。這個時候，即使是軒昂之士，如果在公共汽車上受女車掌不禮貌的對待，以至發生爭執，祗要女車掌說一句『你要逞威風，請到大陸去』，就會啞口無言，低下頭去，一言不發。

韓戰發生後至今四年，大家從痛苦中漸漸生出樂觀的希望，有如暴風雨後，天現晴朗，先前瀰漫的瘴氣和壓力，這時期雖有不少投機商人，因失敗而自殺，或互相訴訟，正如激流中的泡沫幻滅，乃爲自然淘汰現象。現在台灣固有不少進步情形，但實際也有很多不和諧的矛盾現象產生。

奢靡與不平公

例如，現在應該是大家臥薪嘗膽的時候，但該過最節約的生活，林肯牌新汽車，台北市卻隨處可見，這些汽車的主人，有做官的，也有商人，也有市「民意代表」的。……革命元老很多是乘三輪車，或者乘公共汽車。在同樣生產未發達的社會，而且是克難時期，這種現象，豈非極大的諷刺？

還有我們的法律似乎也不能貫徹平等的精神。例如立，監委員，本年經大法官會議解釋，是屬於公務員範圍的，公務員依法不能兼職。但立法委員做律師和會計師的，卻一仍其舊，主管會計師登記的經濟部，不但不敢依法禁止這些兼職的人執行業務。並且把經濟部所屬公營事業機構的會計事務，交給由立委兼做會計師的人辦理。其他非立委的會計師於本年七月十八日舉行座談會，想請立委做會計師的把二十八萬新台幣公費，捐出半數，給會計師公會作總樂會所。但立委會計師們說，「會計師也是營業，要自由競爭」，拒絕接受此要求。經濟部的解釋則是「公司請會計師和病家請醫生一樣，有他的自由權」。我覺得還是有欠公平的。

欠稅達七千餘萬

還有一般人民因爲結交官吏，可以獲得便宜，於是大家拼命在應酬場中活動，於是台灣的飲食事業特別發達。應酬自不必要增加支出。支出增加，除來自合理的收入之外，便要減少其他支出。那一部份的支出可減呢？「捐稅」是一種和自己沒有直接關係的支出，自然首先設法避免。因此，台北市政府歲入預算，經常門是一億二千萬元，但根據六月中，稅捐處催征檢討會上，稅捐處長報告，台北市歷年積欠稅捐已達七千餘萬元，原因恐即在此。一位熟悉各種稅捐情形者的分析：台北市是工商社會，欠稅以公營事業爲多，約佔總額十分之七。台北一般人民，與小戶商小戶，則欠稅的很少。這不僅說明社會風氣習於奢靡徵逐，更說明法律和行政措施，有欠公平。

傷患軍官和工友

我們在市區裏，時常看見傷患軍官，最幸運的，是受聘爲金融或公營事業機關的顧問，再其次是替商號推銷文具和其他物品。常聽他們很有禮貌的說，『假使能夠的話，請照顧我這小生意吧』。或者說：『我們一個月生活，還不及大佬官的一頓煙酒哩』。這話雖說得溫和，其實充分表示我們社會的不健全和不公平。

還有一種現象，……再其次，是以工友名義，擔任案頭工作。但因爲以工友名義擔任案頭工作的人數日增，於是又發生了勞逸不均的問題，最近若干地方即有工友提出辭職。故所謂「工友」，有「有幸」，「有不幸」之分，此雖小事，意義並不簡單。

……由中國，必須以公道的思想，平等的法律，公正的生活，來做維繫社會的工具，策進步，才有反攻復興的一日。如果社會各階層間，各自謀取特權，取得多的貪得無厭，取得少的悻悻不平，取不到的存着「打碎狗食缽」的心理，沒飯吃，社會上的生活水準，距離愈拉愈長，致人與人間充滿冷漠、仇視、破壞的情緒，便給共產黨以可乘之機了。

台灣廣播節目

——中國廣播公司來函——

自由人報台鑒：貴報八月四日刊載「台灣的廣播事業」一文，對于各電台內容方式都很好，但節目及設備情形，報導尚屬實在，惟關於各電台聯播節目謂「剛聽過的新聞還要聽，廣播劇播了又播」，與事實頗有出入。查各電台聯播節目，係由本公司承辦，茲將情形列後，敬希披露爲感。

（一）各電台聯播節目二十時播送之新聞，一部份採用台灣之「省市新聞」稿。該項新聞，係本公司記者採訪之最新消息，十九時在台灣電台播送，中波部份僅台北及台北附近各縣市可以收聽，故二十時再選擇要在聯播時間復播一次，全省聽衆屆時均可收聽。查廣播新聞，與報紙刊佈消息，性質不盡相同，報刊上之新聞既經發佈，讀者可以隨時查閱，而新聞廣播，每次播送時間僅數分鐘至十餘分鐘，如當時不及收聽，事後即無從獲悉，故復播重要消息，以廣傳佈，確屬必要。如世界各國對國外新聞廣播，有重複達三五次以上者，即爲例證。

（二）自由中國各電台聯播節目，每星期廿時至廿一時，播送廣播劇一次，其他日期，另播廣播劇兩次，劇本均係新創作者，因播出效果尚佳，頗受聽衆歡迎，每遇優良劇本，聽衆即紛紛來函請求復播。本公司爲應聽衆要求，間或擇優重複播送一次，並非經常「播了又播」。郭君所指「播過了的劇本還要強迫吃剩飯」，與事實不符。

上述兩點，敬祈亮察刊載，以資說明。海內外聽衆如有指教，均所歡迎。中國廣播公司八月十八日。

人物述評

泰王拉瑪和他的愛后

·鍾愛梅·

在中南半島大部地方極度擾攘不安的現局之下，泰國總算是比較安定的一角。與越南、寮、高棉相比，泰王拉瑪九世也是年紀最輕的君主。泰國的政治制度也和上述三國大不相同。泰王是一個沒有實際權力的人物，軍政大事都集中到國務總理鑾披汶的身上。

（一）

拉瑪九世，原名蒲眉蓬，今年纔二十七歲。一九二七年十二月五日誕生於美國麻薩諸塞州的康橋醫院，第二年返國。他的父親馬希道親王，當他誕生的時候，尚在哈佛大學醫院求學，後來獲得醫學博士學位。可是，不幸得很，他還在很年青的時候，父親便與世長辭了。父親死後，他和哥哥阿南大被送往瑞士，就在洛桑長大。那時候，國王拉希博叻殂沒有兒子，就册立阿南大爲王太子。阿南大在洛桑大學攻讀「君主學」，一九三三年老王禪位於年僅十歲的阿南大。阿南大在位十三年，一九四六年六月，因患瘋疾，在病榻上被人於無備中，用手槍擊斃。一年後，傳說兇手係國務總理的秘書，也有說是乃比里，拍儂榮暎使的，究竟眞兇是誰，至今尚無有力的證明。

阿南大被刺斃命的時候，蒲眉蓬正在瑞士攻讀建築學，淡到乃兄噩耗，非常悲憤，於是中途改變計劃，轉攻「君主學」。所謂「君主學」者，即一般稱爲「法政專科」。直到一九五零年三月二十四日，他讀完了一部分課程，即返國爲他哥哥——前王拉瑪八世——舉行葬禮。場面的偉大，史無前例，全部費用，竟達三十萬美元之鉅。

（二）

葬禮完畢後，蒲眉蓬於四月二十八日和吉蒂亞卡公主結婚。婚禮簡單，並不怎樣鋪張。五月五日，舉行加冕大典。這一天曼谷城開不夜，萬衆歡騰，繼續鬧了幾晝夜，他偕王后重返瑞士後，纔逐漸平靜下來。

王后絲麗潔·吉蒂亞卡公主，本是蒲眉蓬的表妹，泰國駐英大使莫召南親王的女兒。她和蒲眉蓬的認識，是一九四七年。他們相見於巴黎泰國大使館。此時，蒲眉蓬已被册立爲新王。他們兩人對於音樂，都有同嗜，而且同受西歐教育，又同在歐洲長大。因此，吉蒂亞卡公主，對蒲眉蓬以心相許，於是離開巴黎，也到洛桑中學讀書。泰國政府因爲不知道新王已經有了知己，特意選送一批王族貴女，赴瑞士求學，以備拉瑪九世就中選擇皇后。這種努力，自然是徒勞無功的了。泰國政府此一舉動，是基於一七八二年以來，查克里王朝傳統——王室不與外族通婚的規定而來的。當年的君主儘管實行多妻制度，但必須限於王族女子，這是鞏固王權的一種手段，專制國王可利用一羣后妃貫通王宮內外消息。說得過分一點，后妃無異是國王的特務，或王公侯爵們的人質。立憲以後，新的泰國，已革除了此種封建制度，憲法規定一夫一妻，多妻便違憲非法了。

一九五一年六月二十九日，泰國再次發生「不流血政變」，總理鑾披汶被暴徒劫持，後來幸得死裏逃生。政變後，鑾披汶覺得國王不能長期遠離國外，同時拉瑪九世的學業也已經完畢。因此，馳電促駕，拉瑪九世遂於同年十二月一日偕同愛后和未滿一歲的公主，欣然自瑞士返國。

（三）

泰王拉瑪九世和王后不僅酷愛音樂，而且喜歡攝影。泰王不僅是勤於學業的政治家，而且是學有專長的建築人才，以此極受國人擁戴。

不過泰王雖是多才多藝的青年學者，胸襟亦甚恢宏；但處世經驗畢竟太淺，膽略亦似嫌不足。體格更見柔弱，多愁善感，時常接近湯藥，實爲一大缺憾。並且他因爲哥哥在病中不明不白的死去，故面對着動亂頻仍的局勢，對於本身的安全，總不免有怔忡危懼之感。因此，他身旁經常佩用一枝實彈手槍。這手槍雖三年來從未用過，想不到一發子彈，竟在不久以前，射到了警察總監𠰌砲的身上。𠰌砲那天覲見國王，匆忙中忘記摘下防身武器，致啓國王疑慮。幸喜，𠰌砲傷非要害，不久創痕即已平復，否則，眞是一個大大的不幸了。

美兩黨競選劍拔弩張

還有三個月，美國會就要開始競爭，目前美民主共和兩黨正緊張爭取控制國會的勝利，在參議院內，共和黨現握有四十八席，民主黨四十七席，另獨立派議員一席，因此共和黨若失去一席，控制國會就成了問題。

在此次參院改選中，待選的席次共有三十七席之多，其中計共和黨議員十五席，民主黨議員二十二席。共和黨十五席中，七席被認爲是安全地帶，該黨候選人能繼續穩操勝券；民主黨的安全地帶是十二席。因此，事實上將發生劇烈競爭的，是共和黨的八席，民主黨的十席，這十八席是今秋美國會選舉上的「戰區」。

因而從表面上看起來，今年的參院改選，共和黨似要略佔優勢的，理由是共和黨有問題的席次不過八席，而民主黨卻多達十席，也就是說，民主黨的風險要比共和黨多出五分之一。不過，據熟悉兩黨內幕的人觀察，在上述十八席中，眞正爲短兵相接的地區的，不過十一席，其中共和黨倒佔了六席，民主黨僅僅五席，這超出一席，不只爲共和黨的生死關頭所在，而且也是艾森豪目前的頭痛問題。

這十一個危險地帶是：

共和黨：肯塔基州，密契根州，紐澤西州，馬薩諸塞州，俄勒岡州，埃達荷州。

民主黨：新墨西哥州，俄亥俄州，伊利諾斯州，伊阿華州，蒙大拿州。

英議員指斥日內瓦會議

英國議員對日內瓦會議的結局不滿，可由下述一則趣聞中見之。

日內瓦決定將北越劃給共黨以後，國會中一位保守黨議員很憤激但卻很含蓄地質問政府說：「我能詢問政府，對於日內瓦會議，政府是否準備發表任何聲明嗎？能夠告訴我日內瓦距慕尼黑究有多遠嗎？」答復是：「約三百哩，坐飛機需一個小時。」

諾蘭大聲疾呼的內幕

前不久，美參議院共和黨領袖諾蘭曾經一通發表幾篇強有力的演說，要求政府（一）堅決反對中共加入聯合國；（二）如果聯合國竟許中共加入，美國爲表示立場起見，即應立刻退出。他這些演說深得美國朝野的共鳴，一時反對中共入會的怒潮，此起彼伏。到今天中共已無關入聯合國的希望，論此中的貢獻，諾蘭實在最多。據說，諾蘭當時之大聲疾呼，實因他接獲極可靠的情報，知道在當時情勢下，中共加入聯合國的機會頗多，他還憑聯合國將於今秋對此一問題採取行動，而且又據報英國要求中共加入聯合國，是英國要求中共解決亞洲和平的條件之一，當時韓戰已經結束，共黨在越南戰場上佔了上風，國際形勢對中美兩國均極不利，若不是諾蘭及時登高一呼，英政府有所顧忌，否則一兩月來英政府幕後活動的結果，局勢恐怕有天壤之別了。（孟衡）

天下小事

日本的新軍

L. Tasgott 著　矜式譯

東京一位敏銳的觀察家——不是美國人——曾說：「日本不是任何人的盟國」，這在佔領時期可能不可靠，但是在衡量美國獲得這東方新夥伴的價值時，將這句話記在心裏卻很有稗益。

日本甫經過一場大辯論。防衞協定或沒有協定，建軍或不建軍，接受美援或不接受美援，日本處在共產亞洲和自由世界衝突之間希望中立，以上這些問題都激烈討論了，所得的結論是批准對美國共同防衞協定，及有限度建軍的計劃。

議會的辯論和表決中，似沒有一件事可以支持麥克阿瑟說「獨立的日本可以成一個健全的民主堡壘」的話。日本爲建軍而接受美援並不熱烈，意見也不一致。國會雖通過批准案，僅以稍過半數的多數勝。

社會黨議員更憤慨，他們說，吉田……這種政策正把日本導致走向警察國家的路線。

日本在亞洲大陸附近的地位，它的工業力量與智能，人力，都對西方十分有決定性的利益。（上）

編者　讀者

△關於田中奏章取得人究竟是誰？本刊曾刊過蔣尺予先生和蔡智堪先生信。現在我們得到眞正取得這一張驚世界秘密文件的蔡智堪先生的自述一文，是一篇很有歷史價值的文章，應爲研究歷史的人士所注意，此文將於下期發表，謹先預告。

△莫可非、郭嶽行、魯男、戴學文、劉鶴如、秋文、雪夫、辛直白，諸先生；惠稿均收到，謝謝！

△劉佔曦先生：函悉，可照辦。

諸復—

讀者論壇

重寫國民黨政綱問題

——答「國民黨與自由中國」作者王聿修先生——

·陳金鹿·

自由人第三五九期刊載王聿修先生「國民黨與自由中國」一文，這篇文章是以純客觀的立場依據史實來立論的，語重心長，其愛護國家民族，愛護國民黨之心情，溢於言表。不過王先生最後提出的建議：「盼蔣總統為國民黨重新寫一個原則性的政綱」，這一點並沒有詳細說明，似乎將「政綱」與「主義」合為一談，因提出「重寫中國國民黨政綱問題」，以就教於王先生。

國民黨現階段的政綱

如我所知，中國國民黨並不是沒有政綱的，而且中國國民黨的政綱也不是一成不變的。以往的有民國十三年第一次全國代表大會製定的政綱；民國二十六年臨時全國代表大會製定的抗戰建國綱領，姑不具述，即現階段反共抗俄時期的政綱，也早已寫好了，這還是四十一年十月卅日由國民黨中央委員會公布的。這個政綱，雖然不是蔣總統一手寫成的，但的確經過千錘百鍊，而後產生。當國民黨七全大會開幕前三個月，黨的中央即根據「以討論決定政策」「領導原則」，公告四大議題，政綱便是四大議題中之一，發動全黨同志普遍討論，縝密研究，中央根據同志意見，製成草案，提交改造委員會通過，改造委員會又提交七全大會，再討論，再研究，然後公布，因此這個政綱就其產生過程來看，實在是集國民黨全黨智慧之大成，有蔣總統的智慧，也有其他同志的智慧。

歐美各政黨在競選的時候，常常發表政綱，但他們的政綱只是標示其一時的主張，或描繪一個美麗的遠景，號召羣眾，爭取選民。我們的政綱卻不如此，國父孫中山先生，認為政綱是「實行主義的項目」，因此，政綱不但要適應現實，而且要根據主義。國民黨在製定現階段政綱之先，曾經確定以下各點為準繩：一、以三民主義為基本原則；二、顧及國家民族的需要；三、顧及時代與環境的需要；四、針對共匪措施，提出有效對策；五、具有號召性，特重實踐性；……這一政綱共分七章，計三十六條，政治部分以滅共復國為總目標；外交部分以獨立自主為精神；軍事部分以總動員為中心工作；經濟部分以自力更生為基本原則；教育部分以三民主義為內容；社會部分以社會安全政策為精神；僑務部分以保僑為實質，條分縷晰，綱舉目張，而且因為特重實踐性，截至現在止，很多地方已經實現了。如：僑務方面，已召開了全球性的僑務會議，成立了華僑救國總會；社會方面，農會已經改組，勞工及公務員工已辦理保險，漁、鹽民生活已經改善；經濟方面，已製定四年經濟計劃，實行了耕者有其田……諸如此類，其餘的不必一一細述了。

主義和政綱有別

其次，王先生在提出上述建議：「盼蔣總統為國民黨重新寫一個原則性的政綱」之後，接着說：「……我們以黨外人的看法，覺得最好蔣先生重寫一下國民黨的黨義，改為一種原則性的政綱。」又說：「國民黨的黨義至今已三十年，在這三十年中，無論在政治制度上，經濟組織上，……都有極大的改變……」，那麼這個建議不是說國民黨的政綱，而是說國民黨的黨義了。國父在創造三民主義的時候，認為歐美近二百年來發生了民族革命，近百年來發生了民權革命，近數十年來發生了民生革命，這三個問題表現在中國的，一方面是帝國主義緊迫，一方面國際地位淪為次殖民地，一方面是滿清專制政治腐敗；一方面是生產落後，人民生活痛苦，因此國父對症下藥，主張民族主義革命，民權主義革命，民生主義革命，三個問題同時解決，這是以往的事。至於現在呢？俄寇及其工具朱毛匪幫正縱蹤整個大陸，這不是民族問題嗎？朱毛奸匪施於大陸人民的暴政，恐怖，屠殺……集歷代暴君漢奸流寇之大成，這不是民權問題嗎？大陸人民正面對着的饑餓政策，農奴制度，……不是最嚴重的民生問題嗎？那麼，我們以往有三個問題，需要三民主義，現在也有三個問題，需要三民主義，是很顯然的，而且三民主義是有建設性的，反共抗俄勝利之後，建設富強康樂的新中國，還是需要三民主義的，至於全世界是不是也需要三民主義呢？任卓宣先生說得好：「各國原有強大和弱小的不平等，今天都感到蘇維埃帝國主義及其附庸國之威脅，重新出現一種侵略與反侵略之分野，這不是民族問題嗎？各國家在反封建之後，又要反極權，第二次世界大戰把法西斯極權主義打敗了，共產黨極權主義還在，其獨裁又遠過於法西斯，這不是民權問題嗎？各國的社會黨（包括工黨和社會民主黨）主張社會主義，這是資本主義社會問題的結果，而資本主義不發達的國家，土地問題更爲嚴重，經濟不平等，人民生活困難，這不是民生問題嗎？」因此，我們可以得一個結論，三民主義在時間上是無分「過去」「現在」或「未來」的，在空間上是無分「中國」或「世界」的。擺在我們面前的問題，祇是如何去研究三民主義，如何去實行三民主義而已。

總之，「主義」和「政綱」是有分別的，「主義」是最高指導原則，「政綱」是「實行主義的項目」，政綱可以變，主義是不可以變的。

新書介紹

評·代·價

沈秉文

作者：黃思騁　出版者：亞洲出版社

（一）

喬喬是一個小學將要畢業，尚未歷世的少年，他有一個在鄉村中為一般人所羨慕的好家庭。

因為他父親經年隻身在省城工作，他的母親乃成了家中的全權主人。他母親是一個雍容大度而樂善好施的女人，但她幼年遭逢極悲慘的命運。初曾為她母親遺棄，五歲以後又遭受她母親和姐姐的非人虐待；不僅要作牛馬般的操作，還動輒遭受鞭笞，直至出嫁以後，方脫離悲運。因此，她在心田裏，永遠埋藏着一種無可報復的仇恨。

恰巧，喬喬十四歲這一年冬天，他母親姐姐的夫家送來一個十一歲的，託他母親寄養的女孩子——宋士琴。這個女孩子正是虐待過他母親的姨母所生的表妹，現在已是一個父母雙亡的可憐孤女了，因此這個孤女便成了他母親復「仇」的對象。

可憐，在他母親的變態心理之下，這個表妹從此便遭到比他母親幼年更悲慘的命運，他目覩母親對這個可憐的表妹毫無人性的種種虐待，便在他天真純潔的心田裏燃起了正義的同情之火。處處給予表妹以勇敢的、流血的、乃至足以斃命的護衞。由是而母子失和。他們的傭人亦因同情和忿懣含淚離去。從此一個融樂的家庭便急劇地變爲惡化。

第二年夏天，他小學畢業，進了省城中學。他將此種情形告訴了他的父親。他父親也非常憐惜士琴的不幸。便在這年冬天回家過年時勸告他的母親，並予士琴以愛撫。然而他的母親已虐待成狂，不僅無動於中，且變本加厲。由是而夫妻也反目了。

從此，整個家庭便趨於沉淪——父親因心煩而飲酒、嗜賭、失業、入獄，出獄並重獲職業後，又迷於醇酒婦人。士琴則因失學而作工，飽受欺凌。喬喬則被打破頭顱、傷目、淪爲他家的奴工，乃至出走。他母親也就此而瘋癲，並和他的弟妹同受饑饉——完全宣告破產。

最後，喬喬一面勸回了父親，一面找回了士琴，一面又找到了她母親的奶娘，奶娘滂沛滂沱的用愛去勸說他的母親，使他母親狂性中止，變恨爲愛。從此[illegible]的懺悔眼淚中，透示出未來的重振，和快樂家庭的遠景。

這就是「代價」故事底概略。

（二）

本書作者是一位年青的多產作家。他的作品我曾讀過不少。他對小說的寫作可說是「專門性」的；有心思，也有才華。本書可稱爲他過去所有作品中最優秀而成功的一部。

從前述這故事，我們可以看出作者的才華：他用一個簡單的家庭，少許的人物，作集中的表現；將童年的心影，鮮明的形象，極自然而生動地托出一個爲這一個時代，假定爲一個殘酷暴虐的時代——所感到特別需要的主題：「恨不能止恨，惟愛能止恨。」他用純化的情感生動地深刻地告訴讀者：仇恨和報復必導致人們共同沉淪、乃至共同毀滅。惟寬恕、大度、和發乎人心的至情至愛，才能建立和維持人們的幸福。他輕輕地而又清新地告訴讀者關於「人性重要」這個問題。人性底喪失，恰正是這一個時代一切動亂悲苦的根源。

（三）

本書在結構、文字、和描寫的技巧各面都是相當成功的。

故事底結構相當緊湊，而且特別富有切親的人情味，很能吸引讀者興趣。

文字簡練生動，尤其在他筆下的人物，淡淡幾筆：兒童就十足是兒童的表現，成人十足是成人的表現，墮落十足是墮落的表現，狂虐十足是狂虐的表現，老人十足是老人的表現，餘如善良和兇惡，振作和頹喪，純正和卑劣等等意識形態和行爲，都表現得極貼切自然。此種成就，不單要豐富的生活經驗和想像力，也有賴文字和學問的修養。

在描寫技巧方面，最大的一個優點即爲「自然」，毫無生硬雕琢的痕跡。自始至終，都表現得相當乾淨俐落，清清楚楚。

總括的說：這是一部份很有文學價值的作品，有興趣，有光彩，更有思想。它勉人爲善，感人甚深。爲亞洲出版社繼荊棘火等創作以後的又一佳獻。

如此食品公司

管理毛猪不善，經理推說政治領導者不懂得業務。

·梅·

去年十一、十二兩月，河南「商邱食品支公司」的損耗帳上，列出了毛猪死亡兩千四百六十七頭數字；今年三月份不完全統計，圈存毛猪死亡已在一百六十頭以上。據說三月二十四日第一批運出的毛猪二十二車共一千四百七十六頭，中途逃跑九頭，死亡四十二頭。這樣高的損耗率，究竟說明它什麼問題呢？五月六日的共黨報紙反映係「吳經理政治領導」的結果。

「商邱食品支公司」的領導共幹，對於本身業務，向來不甚關心，對倉儲工作從未做過系統的具體的研究，對幹部和工人不加領導和教育，形成公司吃飯人多，幹活人少的混亂現象。三月二十七日「北京食品公司」有人到「商邱支公司」聯系毛猪的運輸問題，等了兩天才見到該公司「吳經理」。談到業務時，吳經理說：「我是做政治領導工作的，業務我不懂，你去找別的同志談談好啦。」三月十五日以後，庫存毛猪每天死亡五頭以上（有兩天每日死亡在十頭以上），省公司派幹部下來協同「專署」工商科對該支公司倉儲工作進行檢查時，吳經理見面就說：「我們的工作不過人少事繁而已。」當問到他業務情況時，他說：「這些問題我不夠了解，你們還是到儲運股找股長們談談吧！我一天到晚去「專署」開會，忙得不可開交，哪能知道這些瑣碎的事呢？」

但是，儲運部門又是個什麼樣子呢？兩個股長，一個倉庫主任，一個倉儲工，實際上，形式上是分工，各搞各的，互不通氣。組織機構更是一團亂麻，只見人吃飯，不見人幹活，難得的倒是他們三個人都能熟視無睹，安之若素。倉庫物資、飼料、麻袋、用具向來沒有專人保管，飼料沒有準數，麩皮霉爛沒有人管，每頭猪每天多少飼料，飼養組也不知道，如有人發問「怎樣知道猪是吃飽了呢？」飼養工的回答是：「我們不管三七二十一，反正猪啥時候不吃就算飽了！」猪死了，沒有人知道是什麼時候死的，問檢查組，回答說：「大概昨天夜裏，要不然就是今天早上。」這次省公司去進行檢查時，發現這些問題，問倉庫主任，單說：「我才來，時間不長，情況不夠了解。」問劉股長，推說：「我光管要車皮，輕易不來倉庫，有些問題我也弄不清。」問儲股長，儲說：「我做儲運工作，光會做，叫我說我說不上。」檢查組作了反映：吳經理一向強調自己搞的是「政治領導工作」，對具體業務如倉庫工作就放任自流到這樣的程度，不知他的「政治領導」究竟是什麼？

再說，該公司吸收工人時，事先不向「勞動局」介紹情況，只一味盲目要人，既不審查，更不教育，只要進來了，幹倉庫就算，幹活沒人管，猪圈裏不經常打掃，餵猪的用具也長期不洗，老工人新工人經驗根本交流不通。新工人初來時膽子小，又不懂技術，好猪吃不到食，只要發現猪有病，馬上就拉到病猪圈裏去。結果，是沒有病的猪也有了病，病猪圈裏越擠越滿了。老工人懂技術，由於領導上缺乏教育，不但積極性不高，而且和新工人鬧不團結。（上）

香港三日

失學加重社會問題

籌辦漢大力戒空言

人們感覺到當前社會問題的嚴重，卻不知道比社會一般問題更甚的青年學童失學。現在各公私立中小學校準備秋季始業的時候，港九就讀學生大致有二十四萬左右；但是失學的青年和適齡兒童的失學者，據非正式的估計，也佔有三分之一，他們在無力升學與無法就業的情況下，務必陷於苦悶，在可預知的將來，他們的遭遇及其後果是不難想像的。因此，熱心社會人士，憤於社會不良，問題嚴重，卻不從根本去設法解決，殆將更爲嚴重，自無疑問。

然而就讀的學生，其失學危機也跟隨着一般經濟力量薄弱的家境而來，尤其若干私立學校的主持人，以辦學作幌子，營商爲目的，繼有「學店」名稱出現。這種學校的收費高固不必說，教育水準低劣，使入學過於低，教學不負責任，學生程度無法提高，考試不嚴格，級級推升，以致學生畢業之後，無法升學，這種現象，尤以小學爲甚；但使學生課外補習，藉口學生程度不夠，迫使學生補習，乘機額外收費。校方斂財方法殊多，莫此爲甚，其他如硬性規定購買書本，竟由學校購買，較市價高出若干，也有若干學校指定書店採購，已是公開秘密，校服更是學校生財有道。

本屆高中畢業學生，一部份雖已準備投奔自由祖國或是升學外國，然而因經濟能力而無計，只有少數人主張籌辦一間漢文大學，就理論上說，香港大學既不能容納衆多學生，而學費之貴更使一般家長止步；籌辦第二所大學實有必要。可是，港府五年計劃，原擬港大附設中文部，幾經專家研究，中文部擬議卒被擱置。漢文大學的籌設，社會人士仍能攜手合力爭，最後仍有打破困難，才能獲得實現。

另一令人困惑的問題，乃是公立學校太少，大多數服務於港府各屬機構的一般普通市民子弟，欲進公立學校之份極難，很多的公務員們正計劃向當局建議設立一間「公務員子弟學校」，或者使他們的子弟們能普遍的就讀公立學校，因此，當然，這些都是在眼前的嚴重的教育問題，直接影響到社會，負有教育責任的當局，自應及時考慮。

戒之在得

馬五先生

自由談

據說：南韓總統李承晚先生最近又向議會提出修改憲法的要求了。主要的修改意見只有三點：一是將原定總統只能連任一次的限制條文，改爲得連選連任三次；二是廢除內閣總理職位，因爲總統既是國家行政首長，即不需要再設置這種分劃大總統職權的宰輔之官了；三是取消國會對內閣的不信任投票權，這是由第二點的聯帶關係而來的應有文章，總統既兼任了內閣總理，議會焉能再玩弄這項職權呢？

記得上次南韓大選之前，李先生也曾嚴厲要求議會修改憲法，把原定由國會議員選舉總統的規定，改爲人民普選，因爲當時執政黨在議會未佔有絕對多數的控制力量也。李總統且因此而逮捕過若干名反對黨的議員哩！

李承晚先生的愛國熱忱，與其盡瘁國事，堅決反共的奮鬥精神，是世人所欽佩的。可惜他對於總統選舉和其權力範圍的大經大法，事前缺乏深謀遠慮，未能一勞永逸，而但作臨渴掘井式的枝節之計，未免太老實，也太不漂亮了。試看當年咱們中國的臨時大總統袁世凱，把約法的總統任期和職權，一下子就修改爲大權獨攬的終身制，何等爽快俐落呢！李先生是東方人的本質，腦經中却似乎對東方的文化思想印象不深，或許平日只對西方人馬基維里的「原君論」，具有精湛的研究心得，因而隨時表現一種執法玩法的作風吧！

要想治國平天下，玩法手段是幹不得的。這對於本身的毀譽得失關係尙小，影響社會人心，流毒後代子孫的關係甚大，將來決難逃避歷史家的公正裁判，成爲時代罪人。中國袁世凱所流播下來的政治毒素，至今尙未澄清，豈不可怕？

孔子云：「及其老也，戒之在得」。李承晚先生以年近八旬的高齡，他太太曾說過「李總統作英雄的時日無多了」的話，再配上李先生的大名，可見其心情頗有爲目的不擇手段的「烈士暮年」之感，犯着孔老夫子所指點的毛病。政治權力奪案之貽害於人，有如此者，可懼也夫！

爲自由而奮鬥的——詩人拜倫（中）

劉霧如

此外，溫文的伊麗莎白簡直做了拜崙在學問切磋上的益友，她是那麼溫柔，誠摯而又正直的女子，絲毫沒有賣弄風情的言語和行爲。這是一個男孩子在需要熱情戀愛時不會去愛的女孩子，不過她可以是一個最值得結交的女友。拜崙曾經寫過兩首詩給她，眞是音節鏗鏘！詩爲：

其一

「安娜斯里的小山荒涼而寬亮，
我天眞的童年曾在那裏消磨；
北方的狂風是在怎樣的搏鬥，
在你的簇草迷離的山陰追逐！」

其二

現在再也沒有了，那忘憂的時光，
我再見不到日前時心愛的遊樂地方，
現在再也沒有了我的瑪麗的微笑，
而你對我像是一片斷湊的蒼茫。」

伊麗莎白被他這兩詩迷住了，她感動於他那一件不幸的戀愛回憶。其時拜倫正恰在最傷心的時候，他在九歲時戀愛過擁抱過的表妹瑪麗結婚了。在這同一年中，他又在另一瑪麗處受到心底的委曲，威蕪斯小姐終於和那普騎的鄉村紳士莫士德先生訂婚了。拜崙還幾次的被請到安娜斯里去玩。他明瞭她的處境，瑪麗威斯華只是在把他開着玩笑，想以他原有的癡情來愚弄他自己。不過這會拜崙明白了，安娜斯里再沒有往常的魔力，他不再熱情沸騰，學會對一切輕視，而以極度冷靜來對付瑪麗。

（四）

以後拜崙進劍橋大學讀書，一八〇八年得了文學碩士學位。在以前他是感情的，幾年的大學生活，使他認識了理智上的友誼。他回到紐斯德邸去後，許多鄰近紳士都來看他，安娜斯里來的一張請柬使他亟感到心煩意馬，去好還是不去好？最後，爲了想再見一次瑪麗，那嫁了現在是莫士德的夫人，他又決意去了。

住在紐斯德，在安娜斯里鄰近，和一個先前熱烈地愛過的女友住得那麼近，這種痛苦幾乎是不能忍受的，拜崙隨時要感到愛情的死灰復燃。在先前對她是多麼熱情的男子，現在變得冷淡無情，[illegible]，拜倫覺得還是避免的好，這次不會再受愚弄。[illegible]出門旅行，他的姐姐奧格斯丁也早已於一八〇七年和那軍官結婚，而且有了孩子。後來拜倫和姐姐的通信也漸漸稀疏，[illegible]。終於一八〇九年六月，拜倫十九歲，和幾個同學到國外西班牙，葡萄牙，意大利，希臘等地去旅行。他早年的戀愛故事，也在這裏告一段落，不過他的深情還是寄在瑪麗（莫士德太太）身上的。

以後的十多年，拜倫的全部精神都用在研究詩的一方面。他得天和大自然的一些景物接觸，自然召致了靈感，而寫下美麗的詩篇。他在寫詩的時候，有一個習慣，就是喜歡把一句句子讀出來，一面寫，要是遇到困難的句子寫不下去，他就不吃東西，不睡覺，專心一意的在這困難的句子上推敲，必須把這句子推敲出來以後，才肯吃東西，才肯睡覺。他對於研究詩的音調，也是經過一番苦功的。

（五）

一八二三年，希臘因爲反對土耳其的暴政，想獨立起來革命，那時拜倫已經是三十六歲的中年人。他抱着非常熱烈的同情，做了不少慷慨激昂的詩，爲希臘人民吶喊。這年七月，他坐了哈克魯斯號輪船向東方走去，他要參加希臘的軍隊，幫助他們作戰。

輪船開行後的第二天，拜倫就開始向許多同志演說：「一個人的生存條件是自由，一個國家的生存條件也是自由。現在希臘人是被土耳其的虐政所統治，我們必須援助希臘的獨立，雖明我們的本身並不是希臘人。」（中）

中篇小說　金珠

勞影

窮苦就如第二個影子，它無所不至地追蹤着你，只要你還存有一口氣，它就會永遠留停在你的身邊。有時，我們似爲窮苦而生，而整個的生命過程就好像專爲打發一段冗長的窮苦歲月而設！啊，窮苦，窮苦，窮苦！……窮苦窒息我們的時候我們無出路可喊；窮苦束縛我們的時候我們無能挣扎，窮苦逼我們的時候我們找不到奮鬥的對手。即使有幸和它門上了，可憐的，我們難得在千百次回合裏獲得少一次勝利的機會！窮苦是平民化的，它永遠崩潰在中下階層，也許我們會從生到死看不到一次人參或燕窩，但我們決不敢說從沒有嘗過窮苦的滋味，就如一個人不能一輩子沒有一個名字一樣！窮苦的形式有千萬種，而窮苦的定義祗有一個；我們可以[illegible]五百磅重的石頭，但我們却沒法擺脫窮苦[illegible]的隱憂！這就是人類不能脫離物質生活的苦刑；窮令我們痛不欲生，但同時我們却不得不爲週旋它而活下去！

另一個春天已經開始了，人們活躍起來，似乎單就春天這兩個字就已代表了歡樂的一半。但在我個人的感覺並不如此，早春的料峭寒流業已中和了春日應有的向陽氣息；加以我心底的春天還沒有開始即已消逝！

二月中的一天下午，金珠打來一個電話：

「晚上七點鐘，三號水門等我！」

她簡單而微帶喘息地說：「務必要來！」

沒等我回話，她已將電話截斷。放下聽筒，我惶惑了，發生什麼不幸不成？不可能，因爲她沒有吩咐我馬上就去，要說是普通的見面吧，她的聲調語氣都與往常有異。……我單作七八種的推測，皆無法成立。因此我到七點，時間也似乎比往日長了七八倍。晚上，我趕到淡水河邊時，天已經黑了，金珠早已徘徊在那裏等我，神色自若，見了我點頭一笑，雖然笑容不及往日開朗，但她到底笑了，我放心不少。

「這裏太冷了，」我挽着她的手說：「找個地方坐坐去吧！」

「哪裏呢？」

「龍山寺。」

她搖搖頭。

「衡陽街。」

她還是搖搖頭

「那麼，」我說：「上天罷，人間沒有你去的地方了！」

「那些地方人都太多。」她遙望着陽河三重鎮的點點燈光，緩緩地說。

我陪她默默繞過環河路，坐上一部車子。

「去什麼地方？」她蹙起眉尖問。

我輕輕撫着她的手背：「珠，我知道……」

（二十三）

贊公房近詩

賴愷元

喜水心至兼懷念希

把臂驚看降自天。斯須一晤百繇緜。沉沉若有元精注。落落還儲晚節堅。無復逢春花似海。尙堪穿古筆如椽。文心吾念孫夫子。何日成三共拍肩。

初聞辟疆已在南京歸道山既而又傳說尙健在回憶相於之雅不能無詩

初聞高跡躡雲霄。選枋西江失久要。遊宴八年懷舊蘖。沉冥萬古見孤標。重哀庾信江南賦。失喜東坡海外謠。落筆九天彭澤令。詩人鄉貫此堪驕。

拔頭髮的刑罰

——竹幕側影之三——

‧秋文‧

上週一個中午，我於工作疲乏之後步出門口換換空氣，忽見小張偕一老太太走來，神氣慌張。我問小張有甚麼事。他說是同他伯娘去看醫生。說完，仍匆匆向前行。

第二天清早，小張獨自一人來，坐定後，我問他昨天是誰生病。他說不是生病。

「不生病爲甚麼去看醫生？」我問。

「那是因爲我的伯娘頭部受傷。」

「頭部受傷？遇着甚麼意外事件嗎？」

「她的頭髮被人拔光了，滿頭創傷。」小張又憤恨，又傷感。

「有這麼一回事？被甚麼人拔的？」我驚奇。

「共產黨徒。」小張說完，長嘆一聲。

隨後，小張告訴我，他有個伯爺，二三十年前去舊金山，始初在一商店做學徒，後來，稍有積蓄，便自開一間小餐館，生意還算過得去。以往，他是每三五年就回國一次，探望家鄉：今年，他聽說大陸內人民生活很艱苦，便回來想接他的伯娘去舊金山，以免兩邊牽掛。到香港，查知竹幕內種種情形，恐入去後，不能再出來，便寫信叫他的伯娘來香港，以便同返美國。誰知，共幹知道他的伯爺係華僑股商，要他親自回去申請。他的伯爺知道事情不妙，更不敢冒昧回到內地去。這樣，書信來回磋洽了兩個多月，共幹一定要他的伯爺回去申請，才放他的伯娘出來。結果，他的伯爺卻堅決不肯，他的伯娘被僞縣政府拘捕，要她購買一萬元美金公債。他伯爺以爲買了公債便可釋放，因此，忍痛買了一萬元美金公債。買公債後，他的伯娘被放回家，但是不到兩天，又被僞縣府第二次拘捕，要她再買五千元美金公債。他的伯爺是學徒出身，當然知道金錢得來不易，那還肯再買；共幹就不講理，使用毒辣的刑罰，將他的伯娘的頭髮一把一把的拔起。他的伯娘痛不欲生，但共幹並不容她自殺。他的伯爺知道她在獄中，不得已，又寄金五千元，作購買公債之用。——

「後來就准許出來了？」我問。

「不，」小張繼續說，「寄回那五千美金後，他的伯娘當天釋放，但她驚慌與痛苦過度，以致神志昏迷。他的伯爺趁共幹監視稍懈，[illegible]逃出香港。」

「啊，[illegible]嗎？」

「[illegible]不是逃避得快，怕還要受第三次拘捕，就要受刑罰。唉，簡直不成世界！」小張無限感慨。

若不是你親眼看見[illegible]，又[illegible]伯娘頭上慘遭拔掉頭髮的那樣殘酷的事情呢！我和小張兩人沉默了許久，說不出話來。

浪漫文人徐子益

‧狷士‧

徐子益之行誼，與蘇曼殊絕相類，徐贛人，早年留學日本，學書學劍兩無所成，但與文學相近，章行嚴常與遊，民初歸國。潦倒春申，僦居亭子間，貧至不能舉火。一日因房東催租，頓萌厭世念，甫自縊未絕，適友過訪獲救，詢知其故，乃曰章行嚴，王孟迪非君故人乎，方任事南中軍政府，曷往謁之，徐以爲然。友乃資其往粵，章時爲軍府秘書長，王爲辦公廳主任，徐既至，乃任爲剪報員。未幾請假游白雲山，逾限旬日始返，某日王巡視各室，見有着僧服而剪報者，視之徐也。王曰辦公廳衣此，不倫不類，曷易之，徐以無錢購衣對。與之資，乃易中山服，章知其事笑其狂未嘗過之也。

徐居西濠酒店日食西餐，酒店知爲軍府中人，聽其記賬，月終索付款鉅，徐又無以應，夜半徘徊長堤，竟投水，邏警援之起，徐怒批警士頰曰：我欲解除煩惱，汝必欲我生困愁城，何也？警尉喻之，見其佩軍府證章，乃送其至府，章王知其事，駭且怪，由王代費三百餘金，次日徐照常到府，未一月不辭而去，不知所往。

後數年，章復遇之於上海，貧困如故，章時資助之。一日章途遇郭同，郭告以徐於某日縊死。章爲檢其遺文付梓，語人曰：「昔王導謂我不殺伯仁，伯仁由我而死，有至理，嗚乎子益，豈謂由余[illegible]？[illegible]生今日，生亦不了，而又爲余所知者有限，[illegible]四方，尙能整理以自聊，[illegible]遺稿，不任政治，而感懷遺詞，甚諧法度，余特存之，留與知子益者，情文相生，如讀昌黎柳子厚篇，徐早歲禪悅，余嘗得其手書，風飄，野鶴溪雲，去留無跡，徐殆所謂游戲人間者乎。」

本刊啓事

本刊第三四一期以前各期稿費，現已分別致奉，其中有地址不明者，請函知，以便送上爲感！

自由人

THE FREEMAN

（第三六四期）

中華民國僑務委員會登記證台新字第一〇二號
中華民國郵政登記第一類新聞紙類
（中華週刊每星期六出版）
每份港幣壹毫
台北市售價台幣七角
督印人：黎嘉獻
社址：香港高士威道二十號四樓
3 rd. fl. 20 CAUSEWAY RD HONG KONG
香港發行及事務接洽：高士打道66號 電話：七四〇五三
承印者：東南印務出版社
地址：高士打道六十四號
海外總經銷：友聯書報發行公司
香港彌敦道中二十六號A二樓
台灣特派員辦事處：台北市館前街五十號
台灣總經銷處：台北中華路五九四號之一
郵政儲金戶二九五二

美國應果斷援台

·張風行·

我讀倫敦「星期快報」對中共叫囂「解放台灣」的批評，其中所說認為中共可能採取試探攻勢，以測驗美國和世界的反響，這一層道理，是對的。但文中說：『……中共固知攻台是與美國為敵，但仍然號召攻台，可見中共並非懼怕與美國為敵。中共所懼怕的，則是國際的輿論，與美國的民意。如果國際諸領導國家決心防共反共，中共攻台時，美國必會受到國際的支持，否則美國對台灣的支持亦將在猶疑與觀變中，變成越南式的進退失據。因而予中共以可乘之機，一鼓而直取台灣本土。……』這一段話，有修正之必要。

美國如要等候所謂「國際諸領導國家」決心防共反共」來支持，然後打擊共黨之擴張侵略，則須俟黃河澄清之日方可。不錯，「星期快報」說得好，『美國對台灣的支持將在猶疑與觀變中變成越南式的進退失據。』但弄到此田地的原因必然是在美國猶預不決坐待『聯合行動』。

杜爾斯的外交政策，弊在過於信賴「聯合行動」。歐洲軍到了今天還是組織不起，東南亞聯防恐怕亦將流入象徵性的聯防，這是拜所謂「國際諸領導國」之所賜。

筆者並非完全反對「聯合行動」。而是主張有領導性有主動性的組織聯合行動，則果斷尚矣。怎樣說呢？即以果決的行動來領導聯合。以韓戰為例證，當日若干的盟友力言打回到原來三八綫即可。千萬勿越過三八綫，否則蘇聯干涉，世界大戰便由此而爆發。但後來麥克阿瑟揮軍北上，打到鴨綠江，何嘗會由此而發生世界大戰呢？當日所謂「國際諸領導國家」力言不能轟炸鴨綠江外的兵工廠，但倘來轟炸了，又怎樣？心理戰固屬重要，但要運用的條件與環境，同時亦必須以實力相輔。不能以廉價的口頭戰略換取勝利。因此，要看清敵人的弱點，一擊而中，便可引起盟友的信心，這樣才可以領導聯合行動。

果敢行動自救救人

目前美國對於援助解放奴役是義不容辭的，但美國連這個基本信念都沒有，則最好退回到孤立主義，坐[illegible]……探進攻台灣外圍的島嶼。[illegible]……頭堡。[illegible]……國軍能將[illegible]防守改為攻勢，[illegible]宣佈美國的[illegible]阻止中共進犯台灣[illegible]

及共軍如圖攻擊大陸沿海岸線，美海軍將不待受攻即可開火，及海軍，在接近大陸的島嶼作試探進攻[illegible]……這是最有力的心理戰。至於台灣之防衛[illegible]……湖之各島嶼，以彭湖本島為第一綫，以金門為第二[illegible]之馬祖等島嶼為第三綫。以台灣本島[illegible]……閩浙海岸，[illegible]……不獨爭取表現實力的大條件。

……的機會，而且以行動粉碎中共的外交[illegible]……去反擊中共的號召「解放台灣」。以正國際之觀聽。

……行動去領導。共黨必能利用美國的「盟友」[illegible]……看「經濟學人報」社論所說的：「即使不[illegible]為美國的敵人，[illegible]」……美國必須以果敢行動去領導。[illegible]……國的果敢行動不但是救人的[illegible]

中共怕的是甚麼

我們必須分別清楚：——中共怕的是那一種美國？中共不怕的是那一種美國？

中共所怕的美國，是不被苟安自私的「盟友」所牽制，澈底實行解放奴役的美國。中共怕的是：一聲不響把干涉援助海南島外英民航機之中共飛機擊落的行動。中共怕的是：麥克阿瑟將軍「將戰爭帶入侵略者的領土，讓侵略者沒有逃避所，」的非有限度戰爭的行動。中共怕的是：殲滅「人海」於韓國鐵三角地帶的無情打擊，以致她不得不呼籲休戰的行動。

中共所不怕的美國，是被苟安自私的「盟友」所牽制的美國。中共最歡迎的是美國那些『打不得，一打，氫彈便掉落在你頭上』的「國際輿論」。中共在韓戰之所以倖免覆滅，是由於美國受「有限度的戰爭」之庸人策略所誤而已。否則縱然沒有那些象徵的友軍，美國早將韓國境內共軍，掃蕩淨盡是可斷言的。

和我新訂商約的——薩爾瓦多

·易敏子·

本年八月七日，我國政府特派乘駐薩爾瓦多共和國特命全權公使王季徵，為中華民國與薩爾瓦多共和國商訂友好條約全權代表，我國僑民之在薩國的祗有百四五十人。茲略述該國國情，藉供讀者參考。

中美最小的國家

中美洲五個國家中（危地馬拉、洪都拉斯、尼加拉瓜、哥斯答黎加），論土地面積，薩爾瓦多，是其中最小的一國，全國面積，不過一萬四千方哩，但人口，則僅次于危地馬拉，五國中佔第二位。同時它又是拉丁美洲甚至可說是全世界農業國家人口密度最高的國家，每方哩達一百四十四人。東北和洪都拉斯毗連，西與危地馬拉接壤，東南角端的芬斯卡海灣（GULF OF FONSECA）和尼加拉瓜相通，南瀕太平洋，海岸綫長一百六十哩。薩爾瓦多是中美五個國家中，唯一沒有大西洋通路的國家。

西班牙未到前，也就是哥倫布未曾發見新大陸以前，薩爾瓦多屬于印第安人的馬雅族（MAYAS）和托爾特克族（TOLTECS）。現在最主要的民族是披皮兒族（PIPILS），他們含有托爾特克族和阿瑞特克族（AZTECS）的血統，由遺存的文化業績來看，無疑是屬于馬雅的托爾特克的和阿瑞特克的文化。他們以農耕和漁獵為生，菸草，穀類，可可，已早有出產。他們的貴族，穿着白色衫褲，白色的外套上繡着飛禽走獸，雍容華貴。他們的生活是閒逸的。一般平民穿着，祇有一襲短衣，在清涼的高地上，男的從肩至踝披長袍，腰間緊束帶子，頭上包上一塊布帕，赤腳不鞋。女的一件雜花彩色上衫，外披一幅白布，腰中，將身子嚴密的包裹起來。據說以往，他們的宗教是崇拜太陽和祖先，還有用人做犧牲以祀鬼神的習俗，用七歲到十二歲的童男，他們要殺害神床或者祈讓邪祟，除了犧牲生命而外，再似乎沒有可以討得神鬼歡心了。

三十年來大進步

一八二一年，墨西哥宣布獨立，成了一個帝國，中美國家就被轄治在這個帝國之內。一八二三年中美國家脫離墨西哥帝國，組成中美聯邦。不過這個中美聯邦在洪都拉斯的軍閥管制之下，捱受了好幾年的軍事獨裁，後來才規定了一個基本人權的法令，但是彼此間仍不時以兵戎相見，難得和諧。薩爾瓦多共和國，於一八四一年正式成立。它的正名是伊爾薩爾瓦多共和國（THE REPUBLIC OF EL SALVADOR）。後此二十年，經過一段暴亂時期，時時遭受強鄰危地馬拉的威脅，許多執政者不免要仰承危地馬拉的鼻息。國內又黨爭不已，[illegible]……一九〇三年[illegible]……產業開展，農業改良，實業振興[illegible]

咖啡樹一億兩千萬

薩爾瓦多境內有十四座火山，最高的[illegible]聖塔安那火山祇有八千呎，伊薩爾科火山是中美活動最凶的一座火山，位于該國的西部，[illegible]二十五哩，可是在太平洋上航行的船隻，經常受到它所噴發出來的灰石的襲擊，同時也就受到它的燈塔的照明——人們便叫它做「太平洋的燈塔」。伊薩爾科，原是當地土人的族名，他們是與西班牙人血戰多年的[illegible]。薩爾瓦多每年分乾濕兩季，乾季為十二月至翌年三月，濕季是五月至十一月，最冷的月分是十二月和一月，最熱的是三四兩月。咖啡是此邦最主要的經濟作物，全國有咖啡樹一億兩千萬株，在世界咖啡產國中佔第四位。由于勞工的工資低廉，咖啡生產成本也因之而不高，加上產區有良好公路和鐵道交通，並且離出港口又不遠，所以薩爾瓦多的咖啡在國際市場上[illegible]。還有棉花、蔗糖、稻米、麻、豆類、[illegible]、植物油、[illegible]的生計所資。礦產，金銀而外，還有小量的銅和鐵等。此邦的牛隻甚多，牛皮和牛肉在輸出品中也相當可觀。麻袋的產量[illegible]，除自用供應咖啡袋外，每年還有一百二十萬隻供給它的鄰國。

精巧的手工業

薩爾瓦多的銀匠和鞋匠，是以精巧技藝聞名于中美的。所有中美各國，製造首飾和製造鞋子的工人，大都來自薩爾瓦多，甚而可以說，這些銀匠和鞋匠，百分百是薩爾瓦多人。還有，那聞名于世界的巴拿馬草帽，也是薩爾瓦多所製造的。[illegible]……典型的薩爾瓦多人的雙手，是夠得上稱為精巧的。

薩爾瓦多，還有一種舉世無二的特產，那就是秘魯香膠，這種名物產于該國中部太平洋岸區，此地謂「秘魯香膠海岸」（BALSAM COAST），所謂「秘魯香膠」（BALSAM OF PERU），也是藥品，也是香料。其實此物非產自秘魯，[illegible]世界之上，多此一香，生產此物的[illegible]任何地方[illegible]植物[illegible]秘魯香膠[illegible]國際市場[illegible]大物博，[illegible]香膠被當地土人叫它做「PIRU」，在陶器的[illegible]之訛，[illegible]秘魯香膠了[illegible]林，長達[illegible]膠是來自[illegible]久的樹，須經過[illegible]才可提煉[illegible]高達五十呎至六十呎，[illegible]極其美麗，[illegible]皮，剝下[illegible]內，經過[illegible]功熬煎，[illegible]出來。[illegible]盛于[illegible]形[illegible]放在[illegible]的[illegible]始的[illegible]化的都市[illegible]化粧品[illegible]養藥。[illegible]香膠的[illegible]樹齡和[illegible]限制，[illegible]範圍，從而就[illegible]樹，[illegible]也就不能擴大生產，因此保持了它高貴的身價，不容易貶值下來，這也是薩爾瓦多政府一筆「專賣」財富。

一週展望

·雷嘯岑·

台灣應該籌劃的大問題

不管共軍敢來進犯台灣與否，有一個大問題，希望政府要注意：由於東南亞風雲之日形緊急，不知道甚末時候又會發生越戰一類的事變。許多旅居在東南亞以及香港一帶的自由中國人民，必要時祇有望着台灣的祖國之門而投止，政府對於這些難民也不能不照顧，近來派機船赴越南撤運僑民，即其例證。

可是，若使大批的海外難民到台灣後，都要靠政府來養活，這就是一種很嚴重的問題！漫說政府祇能救濟於一時，即令有此力量，也不是辦法，政府祇供養活所有進入台灣的人民，卻不能養生於永久。

因此，我認為政府此刻應該未雨綢繆，假定將來台灣再容納一百萬人，如何設法替大家開創一些求生之路，實為當務之急。依台灣的面積，生產量，以及尚待開發的資源，養活一千萬人似乎不成問題的。現有人口約為七百萬，再增加一二百萬，決不致於發生饑荒之患。但，這些源源增加的人口，若完全倚賴政府來養生，那就非誘致恐慌現象不可！

第一當然是發展生產，藉以利用大群大衆開創求生的途徑，使其皆有所養。其次是改善現行工業的體力和智力的勞動本能，使其皆有所養。其次是改善現行工商企業的管制政策和方法，獎進民間的文教事宜，讓其儘量發展。這些都是人民求生之路，祇要政府予以提倡保障，社會各階層自然會樂於推動的。

台灣不包括在東南亞聯防之內

據說，即將在馬尼剌舉行的東南亞聯盟會議，所擬聯防地區，台灣並不列入。

台灣根本不是東南亞地區，而且是堅決反共的國家，跟那些希望與共黨和平共存的國家去談甚末聯盟問題，不但是廢話一場，也是一種諷刺。不列入聯防範圍內，頂好！

共軍登陸古寧頭？

據美聯社東京電訊，轉述北平廣播消息，說共軍曾於本月廿三日登陸金門島西北端的古甯頭，當地已發生戰事云云。

共黨近來絕叫「解放台灣」之際不歇，英美人士一致認為它是空口叫囂，別有用意。或許共黨為表示其並非「空口叫囂」的阿Q精神起見，選擇隔大陸很近的荒僻小島，派幾個游雜部隊試行騷擾一下，作為宣傳資料，也未可知。如果它眞是正式進攻的軍事行動，而這所謂「古甯頭」地方又為金門島緊接之區，那末，從廿三日到今天，已有六天了。何以不聞金門的國軍有甚末動靜呢？金門若有戰事，絕對瞞不了的！可見這項「特別消息」，並不值得重視。（昨晚已有報導，說共軍「擊斃了國軍十名，俘去一名後，已撤退了」。好大的「解放台灣」戰役！）

我們倒不怕共軍來進攻台灣各地區，只怕它不敢來。它若能够越海進犯，那很歡迎，國軍以逸待勞，正好一顯身手。他們在台灣各地區枕戈攢中數年了，深感髀肉復生，無地用武，共軍既能前來作鎗砲的垜靶，越多越好，幹一回痛快的射擊演習，不亦快哉！

邇來海外的自由中國人士，每以台灣未能向大陸反攻，感到煩鬱，認為縱然一時不大舉登陸，即三五萬人小規模的突擊性反攻，亦應該實現，藉以振奮海內外的人心。這種想法殊不健全。國軍如要實行反攻，不論規模大小，必須運輸補給萬全無缺，更得預防海上的敵艇（潛水艇）決不宜孟浪從事的。

國軍不實行反攻則已，一旦出動，那就是破釜沉舟，祇許成功，不能失敗，否則對人心士氣的影響，比不反攻還要壞呢！

最好是共軍能以大量的人海，源源朝台灣海峽進犯，讓國軍先殺它一個血流漂杵，海水盡赤，給它們一次大解放，實為大快人心之事！

台灣正在製造大批登陸艇，在這些運輸工具尚未製成以前，共軍要來「解放台灣」，減少國軍將來反攻大陸的射擊對象，划算之至。

我怎樣取得田中密奏？

——六七老人蔡智堪自述——

種下中日大戰禍根的田中密奏，其最先取得人係台人蔡智堪先生，本刊三五八期（八月七日）所載趙尺子先生函，已說明其大概。茲承蔡先生爲本刊特撰此文，詳述田中奏章之由來，及其親身抄取該項重大文件的經過。我們讀後，不唯覺得這是一篇很有趣味的歷史事實，同時更可窺見當時日本侵華政策的內容，與日本內部黨爭之一斑。確是一篇現代中日關係史中，不可多得的寶貴資料。我們應在此向蔡先生致謝！

蔡先生今年六十七歲，台灣苗栗縣人，趙尺子先生前函已經敘述過了。——編者——

蔡智堪先生近照

田中侵略東北的企圖

日本田中義一大將，是長州軍閥最後的巨魁。幼年家貧，買賣木炭爲生。稍長，在元老山縣有朋家執茶房役。受業樺山老將，讀破曾文正公全集和大清一統志，成爲日本軍閥裏第一個「中國通」。

他繼承山縣大將和福島大將的衣缽，以武力呑併我國爲素志。

當民國十六年時，田中任政友會總裁，時日本有兩大政黨：一即政友會，一爲民政黨。民政黨總裁若槻禮次郎先任首相，主張用經濟方式侵略東北滿蒙。民國十六年四月（一九二七年），政友會組閣，田中任首相，目覩本黨北伐，主張強佔東北。六月廿七日田中內閣召集「東方會議」，至七月七日止，先後集會十天。凡日本派駐我東北、北平、天津、上海、漢口等使領，駐蒙古的特務人員，關東軍長官，南滿鐵道總裁等，都齊集東京，密議佔領東北後，在政治經濟方面如何施設：大要爲對抗中國國民黨，在東北組織「協和會」；懷柔國民黨的要員；強擒張學良，黃袍加身，迫他稱帝或稱「滿洲國大總統」等等，議論紛紛，莫衷一是。

至八月十六日，田中又召集駐我東北的外交和軍事人員，舉行「大連會議」，研究「東方會議」未決的問題。大連會議後某一天（約爲八月二十五至廿九日），田中將兩次會議的結果，即所謂田中奏章，上奏天皇；並向世界宣言說：「中國內亂能波及滿蒙，紊亂治安，帝國因有特殊地位與權益，不論亂自何方，帝國決予以適當之處理。」

各國爭欲取得密奏

世界各國對這晴天霹靂的最後宣言，頗爲震驚，預料日本行將佔領東北，然後用「以戰養戰」方式，征服我國和南洋。因之各國情報人員到達東京一地者即達二千餘名之多，企圖偵察「東方會議」及「大連會議」的眞實內容；東京警視廳也增加外事警察三千名，嚴密監視，郵局稅關添員千餘名，檢查郵件，並在築地海軍部內新設間諜速成學校，招募學生九百名，實施訓練。

上海英國記者已探知田中首相業既密奏天皇，決用武力呑併東北。世人對於田中密奏內容如何？又成爲追求對象。其後外電又傳田中密奏已經蘇俄由日本外務省某高官手中取得，代價三十萬日元云云。

當時我外交部長王正廷博士對於田中密奏當然也亟欲一知，秘密派員專赴東北哈爾賓欲截購蘇俄買去之件，聞準備出價五十萬現洋。又傳美國也願出款二十萬美元，勢在必得。但結果都成泡影：田中密奏截至本人親自抄出之前（民國十七年六月間），並沒有落入英美俄任何人的手中。

大餅內的秘密

民國十七年四月的一個星期天，正値本人宴請中野正剛，出雲代議士和金森貴族議員，在東京私寓的三樓大飲五加皮。下女送上瀋陽寄來小包郵便一件，打開一看，乃係大餅（點心）一枚。中野正剛說：「中國大餅轉贈與我如何？」本人答以「餅非煎過食之有害。」散席後，剖餅視之，得王家楨手書（水筆寫成，製於餅內）云：『英美方面傳說，田中首相奏章，對我頗有利害，宜速圖謀入手，用費多少不計。樹人』。樹人乃王家楨先生之大號。在此我先稍稍說明我和王家楨的關係。我自清末親奉總理孫公指示，在日本辦理國民外交。民十三年我和李烈鈞先生合作，迎接總理赴大阪，完成某項外交工作。以後李先生囑我多多爲「滿蒙問題」盡力，張大帥作霖被日本炸死後，我向王樹人先生（時任東北外交委員會委員主持東北對日外交）提供炸彈破片。多年以來，經常把所知日本內幕政情，純義務地供給張學良將軍都由王先生經手。王先生每到東京都下榻本人經營的蔡豐源行內。

利用國民外交技術

接到餅信之後，很是驚愧。我雖然知道田中決定武力呑併東北，但未注意外面所傳田中秘密奏章上給天皇。這是日本最高機密，絕對不容易拿到的。萬一事敗，在日本法律立場（我係日本臣民，時台灣已歸日據），我非犧牲生命不可。經過仔細考慮，我認定不可使用「間諜手段」，因爲這不單性命危險，萬無一成，而且空費金錢；必須運用國民外交技術，利用民政黨和政友會的矛盾，使民政黨拿出政友會（田中）的秘密文件來。

辦法決定後，我私人分別宴請前內務大臣床次竹二郎和外相永井柳太郎。床次和永井都是本人多年的老朋友，在金錢上頗有往來。日本政黨首領原來都是很窮的，對外交又不能不講排場，開銷很大，尤其床次永井和下文將要談到的內大臣牧野伸顯伯爵等人，都有鴉片煙和五加皮酒的嗜好，這是中國式玩意，只有我們源源供給，所以大家相處得很好。此嗜好皆由近衛及犬養老傳授的。

民政黨和政友會

我先向永井提議，要他拿出田中奏摺，在我主持的「日華」雜誌上發表，藉以發動輿論，一心向滿蒙躍進。永井立即謝絕。同時我要求床次，爲了民政黨要打倒政友會，應揭發田中奏章所持武力佔領滿蒙政策，必將召致中日絕交，兩敗俱傷。

床次說：『田中奏章對滿蒙雖然利害，無如國民輿論不容何？你如果必要，我當爲你打聽線索。』

不數日，床次來說：『保皇黨（皇道派）元老級認田中武力呑併滿蒙政策，終將激起軍人革命，危及天皇萬世一系，正急於破壞田中的政策。但如由天皇或元老直接干涉田中，必要引起少壯軍人革命。元老中現正在進退兩難階段。我可利用這個機會以謀取田中奏章，頗有成功的可能性。請爾準備高等中國料理和五加皮酒；作我宴請元老之用』。我即約請梅蘭芳的[illegible]師譚某，給以五十元日金，預備最上等好菜，在床次邸內開席。席上床次致詞云：『田中武力呑併滿蒙，終必惹起國內革命，危及天皇』。我的演說也和床次呼應，以敷衍之。

六七日後，床次來說：『牧野伸顯內大臣稱：中國政府如敢將田中奏章公表國際，保皇黨方可利用英美輿論，阻止田中發動武力政策。中國如能承允這一點，牧野將許爾去抄寫』。

我接到床次傳遞來的牧野所提條件後，立即利用東京每夕新聞紙，朱點要字，把這條件秘密函告王樹人先生。

又過四五日，王先生以「王川」爲名，電匯五千元來，並有一電，文曰：「病床費五千元奉返（按此指床次宴客費）。其病如要歐美醫治者，余擔保負責。」其意是答覆牧野所提的條件。我和床次持電往謁牧野伯爵。伯爵見電大喜，伯爵言曰：「皇位可保全，我的老命又可延長了。」

當即命令其妻弟山下勇，約妥日皇室書庫官，夜間布置本人入內，抄取田中奏章。

（下轉第三版）

國外通訊

令人失望的五人朝聖團

王可

【馬尼拉通訊】」眼看美國如此洩氣，眞使我們憤慨，此間令人悲嘆的事也很多，本來我們自己不能振作，要希望別人看得起，是捨本逐末，緣木求魚的。

我覺得台灣應該多努力做點實事求是的工作，表面粉飾，虛應故事，是不足以救國的。譬如最近從自由中國來到此間朝聖的五人團，即不免令人感覺到只是一種表面工夫。這五位先生似乎一切都外行，懂得的事情實在太少了。而且這樣的小團體還要內部意見紛歧，互相嫉妬，以至力量分散，他們應該做的事，都因此而不能做事了。他們此行，似乎祗求回到台灣後，做一篇堂堂皇皇的紙面報告，便算了事。因此，我覺得國家」前途實在可惜。多數人做事，都是虛僞十足，缺乏合作，團結，和犧牲的精神。

就說這五人朝聖團，便有四個背景，彼此互不相讓，各有各的打算，各有各的使命，試想這樣的一個團體，如何能夠完成使命？並且，這一團體不祗意見紛歧，智識水準也太低了，彷彿裏面是一把草，對外還要裝模作樣，大吹牛皮，豈不哀哉！試想這樣一個代表團體，能不令此間的僑胞覺得傷心嗎？對於國家前途覺得失望嗎？（八月十五日）

編者　讀者

△艾德禮和貝文等一行，下月一日將由赤色大陸到港。下一期我們有一篇詹男先生敬告艾德禮的文章，這不僅是對艾德禮有很好的意見貢獻，也是關心亞洲問題的人士應該一讀的。

△關於中國大陸空前未有的大水災，我們收到好幾篇文章，下一期我們將先發表余陽先生的「江淮大水災」。這一篇文章對於災情有很詳盡的敘述，對中共應付災情的無能，也有極公平的敘述，謹此預告。

△張化民，易啟予，易傳夫，建邃，閉門老衲，余陽，雷綱南，書影，許鶴倫，丁辰，諸先生，惠稿已一一收到，謝謝。

△勞思光先生：函悉，通知已寄台，不日可到。謹復。

人物述評

西德總理阿登諾的自傳

（一）

一九四五年希特拉武力解體的時候，德國只剩下一片廢井殘垣。好幾百萬無家可歸的人居住在山洞裏，而不堪共黨壓迫來歸西德的人民又不下幾百萬人。那時德國分裂成四個佔領區。紙幣失去了價値，商店空無一物，沒有食物，也沒有希望。經濟生活可以說是完全停頓了。

戰後九年德國完全恢復了原狀。摩天大廈在廢井殘垣裏伸展了上來，城市恢復了戰前的繁榮。由一九四九年到現在，西德建築了一百五十萬幢房子，現在每年建築的數目超過四十七萬幢。爲數還在英法之上。

現在的西德可說是繁榮極了。馬路上跑的都是新汽車。汽車的產量由一九四五年的六千八百輛，增加到四十五萬輛。商店裏頭都堆滿了貨物和食物。

德國生產的指數達到戰前的百分之一百五十，通貨在歐洲最著信用，出口的貨物在最近五年期間增加了七倍，國家的收入增加了兩倍，工人的生活指數也增加了百分四十。

沒有一個不說德國的復興是一種異蹟。可是這個異蹟的創造者是總理阿登諾。

阿登諾是德國基督教民主黨大同盟的領袖，這幾年來，他們復興了德國的物質繁榮，又同時恢復了德國人民的莊嚴。他要把德國回復到原來基督教文明的國家。他主張德國參加歐洲聯邦，他認爲在歐洲聯軍中，德軍應該是其中的一枝勁旅，用來防衛蘇聯的威脅，而同時用以防衛德國軍國主義的復興。

（二）

阿登諾是一個做事最徹底的人。德國人民都十分敬仰他，因爲他是最能夠盡責任的一個人。下面是他自傳的節譯。

『父親對我講的話，現在還在我耳邊震動。他說，「你應該走完最後的一英里，由完成了自己的責任而感覺到安慰。」父親這一句話是我處世的南針，是困難時候唯一的慰藉，我的事業建築在這句話上面。

父親是德國一個兵士，他能夠盡責任，所以升級做軍官，這在普魯士的軍伍當中是一件十分難得的事情。後來他在法院裏當書記，勤於事而盡責守，良心淸白，他是一個十分滿足的人。他認爲幸福只能夠在工作裏找到，只有完成了責任，才能夠得到快樂。達到最後的一英里，便是要完成個人的任務。

『父親又這樣教訓我。他說，「對於學業，你應該竭盡你的責任。你應該集中你的力量來對付你的學業，千萬不要分心去做其他的事情。假定在你身旁發射一門大砲，你也不要回顧，你得先完成了你的功課，因爲那是你的任務。」

『眞得感謝父親，讀書的時候，我沒有放棄我的責任。父親對我的態度雖然十分嚴厲。可是當我完成了責任，我便是最快樂的一個人。不錯，只有工作才能夠產生快樂。

『當我進入大學的時候，我的責任是以極短的期間完成學業，因爲家庭經濟需要我的幫助。晚上我總在洋油燈下研究法律書籍，直到深夜。當疲倦不堪的時候，我便想起了父親的教訓，但是，要用怎樣的方法才能夠達到最後的一里呢？

『我想起了一個辦法。把我的洋磁面盆加滿了冷水，放在書桌傍邊，脫了鞋子，我赤着脚讀書。當我感覺支持不住，不能睜開眼睛的時候，我把一雙脚放在冷水裏頭。冷水當堂恢復了我的精神，使我能夠繼續研究法律書籍。因此，在三年的期間內，我便完成了大學的學業。

（三）

『做事的時候，我還是嚴格依照父親的教訓去做。我從來不理會辦公時間。因爲要達到最後一里，我就不去理會六點鐘是否已經敲過，正如讀書的時候不理會身旁放射了大砲一樣。

『一九一八年我做了高郎市的市長。我決定要把環繞着全城的砲壘拆去，改建公園。

『市議會裏頭沒有一個人贊成我的意見，我漸漸感到有讓步的需要，可是當我想起了父親的教訓，我獲得了新的勇氣，我向他們力爭。後來一位議員起立說道：「答應他罷，他是非達到目的不肯終止的一個人。」

『當納粹政權佔領了德國，我認爲我應該反對他。因此我竭盡力量反對納粹，結果我們夫婦兩個被困在特務牢裏，在那裏渡過我們銀婚的紀念。因爲雖然在獄中，我心裏感覺到安寧，因爲我行完了最後的一里。

『只有行完了最後的一里，才能夠得到滿足，只有盡了自己的責任，才能夠找到快樂。』

阿登諾成功了，可是他把自己的成功完全歸功於嚴父。偉大人物的行爲眞値得我們做模範的。

・李加雪・

讀「江南的憂鬱」

趙光

南宮搏著　亞洲出版社出版

本書作者南宮搏先生是知名的小說家，這裏用不着多介紹了。本書內容可從書名看得出，充滿了作者對江南的懷念之情。「江南是可哀喲！」（第二六八頁）「他吻着過去：江南的過去。」（第二六八頁）然而他所懷念的是怎樣的江南？江南又是怎樣的可哀？

（一）

蕭子陽，書中的男主角，在抗戰開始那一年在杭州一間大學畢業，受了愛國心的驅使，他參加了戰地服務團，於是和他有口頭婚約的女友許慧嫻告別了。戰爭一下去就是八年，等到蕭子陽從重慶回到杭州時，許慧嫻已經嫁了他的一位同班同學而且因小產逝世了。他懷着一顆失望的心在上海一家報館任職，工作之餘，整天出沒在燈紅酒綠的交際場所，迴旋於酒吧女，交際花，投機商以及一些與他同類的文人之間。然而他的一顆心卻始終在許慧嫻的妹妹慧芝身上——一個與慧嫻相彷彿的小家碧玉型的少女。只是他陷於經濟困境，又缺乏勇氣，遂致因循自誤，慧芝終於又和慧嫻的前夫——一位相當富有的廠商——決定結婚；他在失望之餘，轉而想和他一向聊慰寂寞的酒吧女郎李貞妮結婚，也不可得。就在這一羣糊塗虫過着醉生夢死的生活之時，中國大陸有了急劇的轉變，江南的局面陷入一片緊張混亂之中。金元券千千萬萬人的經濟生活崩潰了，紅色恐怖籠罩着江南！於是投機商，交際花之類的人紛紛南逃香港，依土地爲生的許明遠（許慧嫻的哥哥）瘋狂而自殺了，慧芝的未婚夫不幸中流彈身死。慧芝做了修道女。書中這一位風流倜儻的男主角蕭子陽遂淒然地離開了他所眷戀的江南，開始步上了流亡的道路。

他所收獲的只是貞妮留給他的一個煙盒，和慧芝留給他的一封告別信。「再見！——江南！」全書在惆悵而感傷的氣氛中結束。

（二）

「這是因循與頹廢的生活的紀錄！」（第二六八頁）正如亞洲出版社的介紹所說：「這是一本刻劃書生感懷的作品，也是一部抒情重於言志的作品。」稍覺遺憾的是，作者對這種因循與頹廢生活的譴責之意，似乎寫得不夠明朗。因此使讀者所得到的也多少不免有因循頹廢之感。然而，作者對江南之美是有着入微的述描的。「江南的土地，江南的春風春雨……他戀戀不捨……」（第二六七頁）「祇有江南的春天才有這樣子的泥土底芳香。」（第二一頁）是啊，江南原是可愛的呀！可悲的只不過是江南的人事，「江南土地上的災難」（第二六七頁）而已！

江南的人事可哀，江南的土地卻叫人懷戀無窮的希望。江南並沒有在人的心中死去，卻活生生的跳躍在哀國者的心中。江南充滿了溫暖，江南是多麼美麗多姿啊！

爲了個人的利益慾望，我們和書中的主角感到同樣的悲哀；然而，爲了江南，我們也和書中的主角一樣感到有光明的希望。

「江南完了！中國完了！個人的事業，個人的愛，完了！完了！一切都已走樣，生存是爲什麼？生活是爲什麼？」（第二五九頁）過去的是多麼沉痛的教訓！讀者讀到此處時，該會到人生原不僅僅爲了物質的生存啊！因爲我們如果甘願做奴隸，願意出賣自己的靈魂，在極權制度下也一樣可以生存啊！但是我們要做一個人，要做一個自由獨立的人，不做出賣自己的人，我們就無法在奴役制度下求生了。於是書中的主角爲了自由的理想而寧願流亡。

（三）

「他有抱負，有信念，年紀還輕，應該作久遠的打算，留下來就完了！」（第二四四頁）這裏稍爲可惜的是，作者把蕭子陽的抱負與信念說得似乎空洞一點，如果有其他具體的解釋，就更好了。

「子陽，我們自己也都是悲劇的製造者！」作者顯然痛恨書中主角的淪沉，其實，環境也絕不容許我們自己再去製造悲劇了。不過，我希望作者能容忍我說，作者對於這一悲劇主角的刻劃，似乎顯得模糊不清，而書中其他幾個角色的性格都寫得極其成功。

全書佈局嚴整，條理分明，故事的發展也很引人入勝。特別是對人與人之間感情上交流的描寫簡潔動人。這種描寫書中到處可以找到例證。這裏限於篇幅，無法一一列舉。此外，書中最有關鍵性的戀愛情節，我和作者的看法卻不一致，作者似乎有點拘泥於中國傳統的觀念，因此對一個男人愛上已故的愛人底妹妹，有了懷疑；其實，這正是一個男人「愛」而不是「色情」的表現，因爲只有「愛」才是不輕易變化的，一個人缺乏了「愛」就會隨時見異思遷了。

這本小說好似一杯醇酒，然而我們的讀者在今天似乎更需要牛奶豆漿。這一點，我們對於作者南宮搏先生，期望尤其殷切！

香港步向自由民主
必須擴大選民範圍

香港號稱「民主櫥窗」，許多現象事實反映，使酷愛自由崇尚民主人士不免遺憾。二次大戰以後，英國聯邦及殖民地政治改革，均有顯著進步，如星加坡升格爲市，立法局民選議員名額增加，改進政制草案繼續研究。雖然未臻理想要求，與香港無可比擬。但是香港在自由世界地位，並不次於星洲，就人口密度而言，它並非沒有改市條件，而市民所要求的殖民地政治，祇望能夠逐步趨向民主。英國與香港觀感容或不同，比十九世紀的殖民地政策雖已改善，但這種改善乃由時勢所趨與香港革新會頻年努力結果。

香港的殖民地制度，行政、立法、司法三權分立，原亦無可厚非，倘若順利推行，行政、立法局均設非官守議員，市政局亦設非官守議員，代議制不特早已建立，足以媲美其他進步的殖民地了。可惜香港的民主進展得太慢，對於市民要求，拒絕的[illegible]議員與立法局[illegible]局民選議席[illegible]經革新會努力[illegible]意反映，認[illegible]要求，並無[illegible]臣現已易人[illegible]在了。據香港[illegible]納祺說，過去[illegible]要求設立立法[illegible]今後仍將繼續[illegible]目民力[illegible]祇市政局有[illegible]既少，權力[illegible]力不從心[illegible]這本來是[illegible]過實施，然[illegible]

[illegible]將實現。就最近[illegible]事情，大體說來[illegible]情，他們均已盡[illegible]（一）房屋建設機[illegible]增加，這個機構[illegible]屋宇，以便適合[illegible]合廉價屋宇區域[illegible]所以應居民需要[illegible]樂場地，有好幾[illegible]不以爲滿足，將[illegible]騰出空地以供市[illegible]改善未盡符理想[illegible]見提供，他們仍[illegible]（五）各處街頭的清[illegible]

我怎樣取得田中密奏？

·蔡智堪·

冒險入宮抄密奏

（上接第二版）

日本皇宮有大門二十四，偏門三十六，皇警多名，穿長衫，執長刀，日夜守望。各門前設有長橋，日本人呼爲「斷足橋」，如有人潛渡門橋，皇警必揮長刀，砍斷其足，然後再處以不敬之罪（死刑）。

民國十七年六月某日的一個夜間，十一點五十分鐘，我攜帶皇室書庫專用的黃色册皮大小襯三四十張，綠色綉綫數圈，銀錐三支，大小針一包，扮作一個補册工人，攜帶牧野伯爵交來的金盾圓形的皇居臨時通行牌，（號碼七十二號），由山下勇領路，到達皇城。原來預定從「西凡大手門」入宮，因皇室書庫便在這個門內，後來決定由「紅葉山下清門」進入，因爲「西凡大手門」外「斷足橋」很長，四面樹木不足遮掩。「紅葉山下清門」入門後，距皇室書庫約走五六分鐘。我進入書庫的時間是零時五十分。

田中奏章係用日本內閣奏章專用的「西內紙」精繡而成，共六七十張，標簽「田中首相奏章」。我將炭酸紙壯舖原件上，用鉛筆以描出。所用炭酸紙係民政黨總裁專用的薄質原稿紙。費時兩夜，細心抄畢。

抄出田中奏摺後，歡天喜地，致電王家楨先生曰：「我務既果，明去賠罪」。

我把奏章密藏在皮箱夾底裏面，親往瀋陽。到小西關外王公館，交王先生手收，王先生躍喜，無暇招待本人，立即親送給張學良將軍，回來方爲我洗塵。次日王先生便去南京，我也返回東京。

田中政策的後果

以後田中奏章成爲國際聯盟席上中日代表舌戰的大問題。日代表松岡右洋指陳田中奏章係由我國僞造，我代表竟也洩漏田中奏章係由皇室書庫抄出。松岡代表電知日本政府追究責任，結果皇室書庫官山下勇等全體二十七八人一律免官，當時日本報紙大字標題云：「蔣介石駐日二十八宿歸天！」

我當時幸逃法網。但山下勇等免官以後，生活費三萬日元由我私人拿出，不久又強行估去我的私宅，至今仍然未能索回。牽延許久，我也入獄，在日本的全部產業約值二百萬美元也被沒收以盡。

事隔二十餘年，重述這段歷史，不勝感慨之至！田中奏章是日本軍閥斷送日本，斷送自身，也斷送中國的瘋狂政策的結晶；若不是我蔣總統極力主張戰後保持日本天皇制度，這一文件也便斷送了天皇。牧野和床次先生見及此，藉我國之手洩之於外，原爲打倒田中政策。從一切斷送之後的今天看來，牧野床次應該是見諒於日本君民的。我爲此件遭受的產業犧牲，固然很大，和牧野床次名譽犧牲似乎相同。牧野床次因安定天皇，不惜洩漏機密！我則是爲了中日和平共存共榮才從事國民外交。日本朋友應知道我蔡某不是「間諜」，而是一個九分愛祖國之中國，卻也一分愛日本的人。但你們卻連九分之一的產業也沒有給我留下。（完）

如此食品公司

·梅·

管理毛猪不善，經理推說政治領導者不懂得業務。

他們對輕病的豬，有時給調理調理，也對新工人說明道理，當然新工人提心吊膽地問他們：「豬病啦，還不拉走不是要傳染嗎？」他們會諷刺地說：都像你們那樣處決，圈裏早沒有豬了。慢慢地，新工人學會了他們那一套，再以這種冷酷驕識的態度，去對待後來的新工人。

這種被省公司作爲對工作毫不負責的混飯吃的態度，商邱食品支公司領導上不加理會，不但聽其存在，有時甚至由於一種奇怪的本位主義思想作祟，不惜利用一下，來幹損人利己的事情。三月下旬，有一批毛豬即將啓運，其中有些不合規格的病豬，對方已經挑出來了，工人們又偷偷地給送了回去；押運的工人又分成新舊兩派，新工人是缺乏押運常識的生手，老工人取旁觀態度；中途裏飼料不調勻，保管不善，開車後才走十八里就有九頭豬跳車，到了目的地，又死去了四十二頭。這不過是個例子，儘管省公司的調查員反映了許多情況，要求商邱支公司從上而下徹底糾正這種官僚主義作風的嚴重錯誤，與經理畢竟有他那一套「政治領導」的「法寶」沒法奈何他。

今年第三季度（七至九月）湖北鄖縣柳陂區的合作社與鄖縣「食品商店」簽訂了代購活猪三百頭合同，分三個月交清，柳陂區社因爲價格定得太低，第一個月將到，一頭猪都沒有法子買到，以致到期無法交貨。「食品商店」於無豬脫售，向社方要求履行合同，「合作社」推說「這裏農民沒有養猪習慣。」而猪款則已全部用以購買其他物資。「食品商店」自然不肯甘休，迫使「合作社」派人帶秤下鄉，原定猪價三十二萬元爲一擔，因爲別處「合作社」早已派人收購，每擔出價四十萬元，接連奔跑了一個星期，高出四十五萬元代價，祇買到八頭猪。因此，柳陂區社被指爲「寬工作不主動，不深入羣衆，不能完成任務」受到批評，這個買猪糾紛，現在還沒解決哩。（下）

日本的新軍

L. Tassott 著　矜式譯

可是對於共黨，日本卻有極大價值，日本所缺乏的天然資源，祇越過一條狹海，在共產亞洲處處都有，例如西北的油田，東北的煤礦，都緊握在亞洲共黨手中。日本在太平洋有不凍港，在沙皇時代，即爲俄國所垂涎，日本有各種工業，均爲蘇聯與中共在遠東所欲努力建立的，共黨如在大陸利用成千萬的日本勞工，他們所能做的事，是可想而知。日人在國內人口過剩，衣食不繼，但亞洲大陸卻是他們可以發財的地方。

的確日本貢獻於自衛和共同防衛體系上的數量，是微不足道，將來的計劃，包括建立十三萬人的陸軍，五萬噸的海軍，和沒有轟炸設備的空軍，也沒有火箭或原子彈。現在日本的地面部隊有十一萬人，他們全是國家保安隊的人員，記者所見到的這些士兵，他們的訓練都甚優良。在新的自衛軍中，海軍軍官百分之六十，陸軍將校百分之五十以上，均是舊皇軍中的老兵。

新軍的戰鬥力怎樣？他們自然缺乏戰場經驗，但負責訓練新軍的人，相信這支軍隊在日本本土，即使其軍備有限，也可能表現其優良戰鬥力。至於日本軍隊如何配合在太平洋防衛組織之內，不論這太平洋組織是仿照大西洋公約或歐洲方式，則是另一問題。

軍事專家們曾不滿日本新軍的觀念，例如某有名將官就警告議會說，在這原子時代，日本這種新軍就是在未組成以前即已落伍了。美國供應的一〇五糎和一五五糎口徑大砲、坦克、無挫力砲、和其他裝備，對付可能發動原子進攻的亞洲共黨，是毫無用處的。

除了大戰爆發，日本派遣軍隊到國外，是不可能的。亞洲國家受蘇俄蠶食而發生局部性戰爭，如朝鮮戰爭、越戰、以及印尼，或其他國家的內部動亂，都不要想獲得日本出兵援助。日本且甚至不能亦不願擔負本土自衛的全部義務，美國空軍、海軍、或地面部隊一定要長期肩起這付重擔。

爲什麼日本不願多出一點力呢？其理由是，日本一部份人士有一種不安的憂慮，以爲日本防衛軍備能作爲美國戰略計劃的一個附屬品——這種觀念損傷了初獲獨立的日本人優越感，他們有一向忘不了的自爲「大國國民」的複雜心理。他們又說，日本可能實際上變爲美國的「軍事殖民地」。

「殖民主義」是共黨常與「白種人侵略」並用的一個名詞，但對非共黨人士，也有一種煽動性的作用。日本是遠東唯一從未遭受「白種人殖民主義」的國家，它本身在韓國、台灣、東北亦是一個殖民國家，但它之畏懼被外國統治，正與那些過去曾爲西方殖民地的國家同樣激烈。東京反共最烈的主要報紙「讀賣新聞」，最近就率直警告說，日本接受美國軍援，不應該即表示日本人將配合美國在亞洲及太平洋的安全政策。又說：「日本和印度一樣，沒有任何理由應該參加一個以白種人爲中心的亞洲防衛聯盟。沒有人能預料，日本不會有被拖入美英政策的一天。我們現在就發出這個『警報』，也許爲時過早，但我們必須現在就開始建立一個獨立性的世界政策了。」

日共曾乖巧地安撫日人對它的憂懼，由著名的五月暴動以來，這二年多中，它一直避免公然行動。而暗中在勞工組織和大學中建立外圍陣綫，這方面已有某種程度的成功。在國外，蘇聯和中共以空洞的諾言及有利的大量貿易，向日本頻送秋波，表示祇希望日人能把「反動」的吉田政府一腳踢出去，和把美國船艦趕走。（中）

自由談

反對黨的風範

馬五先生

英工黨艾德里貝凡等人，在莫斯科馬林科夫的公宴席上，暢論世界和平問題，貝凡說完他的意見後，特別聲明：連保守黨和英國首相在內，都跟我們是同樣的主張。

美國民主黨要人史蒂文生，近日致函法國內閣總理法蘭斯，說美國對於歐洲軍問題的看法，乃超黨派的，國務卿杜爾斯對此問題所發表的言論，是代表全體美國人的意志。

中國的李宗仁，和一些在海外高喊民主自由，以反對黨自命的先生們，却一味地向着外國人揚家醜，把自己所認爲需要的本國政府，說成一無是處，連反共也是假的，非完全打倒不可。恨不得請美國澈底實行艾奇遜的「一筆勾消中國」政策，先把台灣的自由中國政府搞垮，然後用第七艦隊護送他們這些反對黨再回到台灣去設政府，掌政權，而中國的反共救國大業就有成功希望了！

我渴望中國政治上能有反對黨產生，在本報鼓吹了兩三年了。不料，實際所見到的一般以反對黨自居的人物，竟是這末一堆貨色！不識大體，不顧大局，專門以個人的權利慾望和政治恩怨爲前提，不惜與共黨所豢養的「統戰」份子互相呼應，沆瀣一氣。再看看英美那些反對黨的言行，不覺羞憤難忍，咄咄書空！

是則是，非則非，兄弟們儘管隨時吵鬧，對外決不自揚家醜。主張如果不合，請我作總統亦不幹，主張如能貫澈，做個老百姓也是高興的。批評時政，臧否人物，每一公民都有此自由權，決不放棄。做反對黨若不具備這種氣質和風範，那祇是濫政客而已，鴨屎臭！

詩人拜倫（下）

爲自由而奮鬥的——

劉霧如

大家聽了他的演說，都拍手稱讚，其中有一個意大利的醫師名叫勃魯諾・斐萊基的，他也發表意見道：「是的，我們同情希臘人，援助希臘人，完全是受着感情的衝動。我們能看到一個被壓迫國家抬頭，就是我們的幸福，我們能看到許多被剝奪了自由的人們解放，就是我們的得救。人類是靠着互助生存的，別人的困難，也是我的困難，別人的痛苦，也是我的痛苦。我是一個意大利人，但是我要如希臘人一樣的愛護希臘。」拜倫聽了以後，也感動極了，後到他們就做了好朋友。

翌年一月，拜倫已不是握筆的詩人，多情的賈寶玉，而是執刀的將軍了。他穿了一身赤色的軍服，在街道上威風凜凜的走來走去，兵士們向他行禮，百姓們向他注目，這是他一生認爲最榮幸的一件事。隔了不久，他就被百姓們舉爲當地的總督了。這時，他更是英氣勃勃，全是英雄本色。他消滅了多愁善感易怒易嗔的性格，而表現了壯志凌霄慷慨悲歌的雄姿。

還有一件事情，表現拜倫的偉大，就是他把歷年自己所節下來的一些金錢，都捐給希臘軍，作爲兵士們的糧餉了。這一點，感召了軍民的合作，爲獨立運動而到處鼓吹革命了。

（六）

果然前線的軍隊，在熱情奔放下一齊努力，總是節節勝利。然而不幸得很，在軍事已將近結束前的一剎那，拜倫忽然被病魔所纏繞了。在病危的時候，那位意大利醫生勃魯諾・斐萊基就走來給他作最後一次的診視，其他拜倫的朋友——那些詩客，也都圍繞擁來，日以繼夜的看護着他。

終於他的熱度猛然高起來，他雖然發熱，嘴裏却還是喊着有力的口號：「前進呀！前進呀！爭取自由的人們快前進呀！」這樣，他的聲音又慢慢低弱下來，最後臨終的話是：「自己把自己的時間健康所得都犧牲了，現在自己的生命也是這樣！希臘！究竟成功一個甚麼呢！」可憐這一位革命的詩人，沒有親眼看見希臘的獨立！

他死的日子是一八二四年的四月十九日，當時希臘的人民得到了這個噩耗，希臘的將士是被悲嘆和哀情的呼聲所包圍了。軍隊裏放了三十七響哀砲，紀念他的偉大，這哀砲的次數，正是拜倫在世之年，他享年是三十七歲。

過了六年，希臘的獨立革命告成，拜倫的遺志也終於實現了。希臘政府爲了報答他生前援助獨立之恩，就特地請雕刻名家，替他製造了一個像。這像現在還立在英國的哈米爾公園裏，像的旁邊另有一條狗，由拜倫一手牽着，據說，這條狗是他生活中的一件寶貝，亦即是他生前最知己的一位朋友。

（七）

這一位負才早逝的詩人，畢竟還是曾容宛在，他自由正義的呼聲，還是爲我們後人前仆後繼的去爭取。歲月如流，剛剛是一百三十週年了。最近詩人光中先生曾在台灣中央日報副刊上輓以詩云：

「他們說你是個不忠的情人；
但是你忠於自由女神，
你爲她決鬥，死在希臘！
臨終還發出前進的呼聲。
× × ×
威靈頓，卡梭里，海特涅克，
和蹂躪希臘的土爾其大軍，
都已經靜悄悄地躺在墓裏，
不能夠再做自由的罪人。
× × ×
但如今自由的空前大敵，
要奴役中華，東方的希臘，
誰想到同情暴徒的掌聲，
却嚇自由的衛士之家！
× × ×
只有爲自由戰作的我們，
才能在異域爲你招魂；
自由在招手召你歸來，
來加入我們的堂堂之陣。

薄倖

悼亡　孟玉

薄情風雨，惹離恨，千條萬縷。况客舍啼急，更阻夢魂歸路。最難堪，倩影依稀，亭亭玉立臨風舞。記北閣酬詩，西窗論字，美羨神仙儔侶。俱往矣，風流事，都化作，淡烟飛土。悵年華如許，斷鴻零雁，悠悠歲月如何度？向誰傾訴？覷臙紅殘綫，又添俛仰悲今古。夜台何處，知否情深恨苦？

傷春怨

惜春

去歲春來雨，添得生機無數。杜宇滿山開，姹紫嫣紅飛舞。有情共春訴，無計留春住。搔首禱情天，且恁我隨春去。

中篇小說

金珠

勞影

我們走進南昌街一家小型咖啡室，這個地方的燈光特別黯淡，客人也少；我想，金珠絕對不會討厭這個地方。我們選擇了一張靠牆角的沙發椅坐下，泡了兩杯茶，靜靜地倚躺着，她緊握我的手，一句話也不說，她的手是那麼熱，我疑心起來。「難道……」我的心怦怦地跳着，不敢信任地想：「難道她家庭那一方面的困難已經解決了嗎？」我又想：「這是很可能的，不然，她怎麼會在這個時候跑出來？」

這時，二個青年人併肩從外面走進來，繞過我們的檯子，坐在我們的斜對面。

「噓，」其中一個輕聲警示另外一個說：「聽我說，眼睛看住我，——現在坐在我們斜對面的那一男一女，其中那個女人，就是上次我向你提起的那個，等一等我指給你看，現在把眼睛正對着我。想不到居然有人會在妓女身上覓取眞情！嘿，這個女人倒有她一手；要不是老子也玩過，還眞不會疑心她不是個大家閨秀哩，嘿！」

我急出一身冷汗。還好那人說的是道地上海話，要不是金珠在我身邊，我準不會讓那個傢伙睜着眼皮回去！我從袋裏拔出筆，摸出一隻舊的信封套，撕去有字的一面，在黯濛濛的燈光下，急速地寫成下面這幾行話：

朋友：別再炫耀了！用愛情去博愛一個女人的愛心是一種勝利；但以金錢的力量而欺侮過一個女人則不是一件值得驕傲的行爲。妓女是人，正如你我的姊妹們也是女人一樣；祗不過妓女是女人中最可憐的一種女人罷了。當每個人開始獲得生命的時候，生命是一律平等；請問可有人把神女生涯選作一項事業？所以，我們的姊妹們能有幸在整個生命過程裏逃避了這種可怕的命運，我們就應該以更多的憐憫和寬恕之心來同情這些不幸的女人！因爲我們人類之所以能成爲高級動物，就因爲我們比其他禽獸富有寬恕和憐憫之心；假如我們連這一點都毫無認識的話，那我們就要比她們那一羣還要可憐些了！

寫好了，金珠問道：「你寫些什麼呀！」

我含混地推諉過去，她似乎心思很重，也沒有繼續追問。

「我肚子餓了，」我說，把她拉起來：「走吧，我們先去吃點東西。」

交錢給侍者的時候，我把紙條摺緊遞過去。「給對面檯子上我那兩個朋友，」我低下聲音說：「可別告訴他們我是二個人來的，他們還沒有看淸我們兩個呢！」

侍者以明白了一樣東西的微笑點點頭。

我們走出這家咖啡室。（二十四）

讀伍憲子蝶夢詩存序

魯鵬

我國自有文字以來，第一部文藝作品爲詩經。我對於詩的見解，以爲這是最富有民族生命力表現的東西。從雅樂觀點言，詩是可被歌也。史記孔子世家「詩三百，孔子皆絃歌之，以求合韶武雅頌之音，禮樂自此可得而述，以備王道，成六藝」。故數千年來詩教影響於國家民族的地方甚大。

近讀伍憲子：「蝶夢詩存自序」云，「有詩家之詩，有學人之詩，有里巷勞人思婦之詩，有英雄豪傑之詩」。伍氏自謂詩家之詩，有媿弗能。學問無窮，學人之詩亦弗敢望，而竊有志於英雄豪傑。然終自比於勞人思婦。可見伍氏對於詩學用功之深，與自道之謙與對於詩之興趣矣。

今當國族存亡之秋，作者希望海內外詩人建立起民族新生力的詩學基礎。指導人生，創造時代，完成孔聖詩教之主張，應着眼在有「生命力」之詩入手。

西方詩人哥德有言，「我有入世的胆量，人世間的苦樂，我一概都要担當」又甘地說，「你要像太陽一般快樂和健康，它得最遠來用生命力的光輝，普照大地上每一個角落，也永遠沒有感到倦疲，孤立，或是厭？不振」。宋人陳仲陶有：「絕壑孤鸞泉，迅如劍出匣，石根欲相阻，永怒不受脅」之句。此皆足以表新生民族之氣概和力量了。抗日初期，上海報載某將軍詩云：「東海鰐[illegible]逐鹹雲飛，好向江南[illegible]一圍，提得侏儒三百個，歸來摩綠馬蹄肥」。亦是有民族生命力量的佳句。

故我以爲詩足以提起民族情緒，發揚民族雄壯力量，倘吾人以詩爲作玩弄之娛，爲無病呻吟，或以爲互相標榜之私，或以爲應酬之工具，又或以爲假圖章以欺世盜名，或謾罵他人譏諷者，則大誤矣。報載某君論詩人，認爲：「詩人也者，可以名之爲「變相的精神病者」而無識列詩人雅集，社會上多一個詩人雅集，比肺病傳染可怕」。此當指吟風弄月者言之，非所以語於眞正有生命力之詩也。

至若文天祥之正氣歌，岳武穆之滿江紅，氣象萬千，蕩然是「銅琶鐵板唱大江東去」之氣概也。故古人言詩有六義，我今日亦言詩有六義，我之六義爲何？一陶鑄性情，二激揚民氣，三描寫風俗，四鼓勵政治，五發抒[illegible]，六[illegible]。此六者，皆於國家民族有關，使可以創造國家民族之生力量，斷非有肺病及有精神病者所能爲，而且是有肺病與有精神病者所不敢爲的。

蓋其性情偏激，意志怪僻，精神苦悶，心緒不寧，頹唐不出大自然之佳趣，感受不到人間苦樂。麻木不仁等於槁木死灰。與紙紮之人，一切無關痛癢，此誠爲精神病院肺病院中人，若果人人如此，整個國家民族奄奄一息無生氣矣。作者所以希望詩人建立起有生命力的詩學基礎，意在斯乎。

痛苦談（上）

布衣

在東方，對於痛苦最有研究的是釋家。釋家認爲，生，老，病，死，是人生四大痛苦。可是現代科學作不同的解釋：「生」是人生最強烈的痛苦，可是最受這種痛苦的是嬰兒，生後便知覺。根據最近痛苦計算表的度量，女性臨盆時的痛苦達到十度半，是人生最高度的痛苦。「老」是痛苦嗎？到了什麼年紀才算老呢？近代心理學認爲老和興趣和勇氣有直接關係，有些人才不過五十歲，可是已經喪失了一切人生的興趣和勇氣，這可以說已經是八十歲了。有些人年齡已到了八十歲，可是他們的興趣和勇氣還是四十歲的時候一樣。「病」是痛苦，凡是經過疾病襲擊的人都不會持異議的。死呢，這是一個最難回答的問題。死的滋味什麼樣呢？死的痛苦什麼程度呢？沒有人在死亡的路上回來，我們不能夠作肯定的回答。可是近代的科學認爲死不會有過度的痛苦。一個人老了，好像一棵空心的樹，自然而然的倒下來，自然自然的死去，回到大自然去。英國文壇耆宿伯納蕭，九十三歲的時候跌斷了腿骨，醫生和他診治，護士給他藥吃，他總說不要麻煩，我要死了，讓我好好地死罷。他認爲死的痛苦沒有什麼，死對於他來說，不是一種痛苦。

爲使讀者對於痛苦有比較具體的觀念起見，現在以問答的形式，分別開列如下：

（一）痛能否致人於死？

答：可能。可是不常有。一個人遭受到極強烈的痛苦，或者長期的痛苦，能够發生一種血毒，致人於死。

（二）女性比較男性能夠忍受痛苦嗎？

答。對，內外科醫生都認爲女性比較男性能够忍受痛苦。什麼緣故呢？醫生也不能夠回答，因爲男女的神經機構是相同的。

（三）痛苦對於人類有益處嗎？

答。對，痛是一種警告，是疾病和內部受傷的最可靠的警告。長期間的痛對於身體有極大的傷害，宜速爲診治。

自由人
THE FREEMAN
（第三六五期）
[illegible]
3 rd. fl. 20 CAUSEWAY RD HONG KONG
[illegible]

敬告艾德禮先生

魯男

就艾德禮先生的旅行目標說，香港比中國大陸更爲重要。因爲在大陸他只能聽到一種意見，是在倫敦也有不少機會聽到的，那祇是精製過的，和千篇一律的意見。但在香港，他可以聽到許多自由良心的吶喊，是倫敦很少機會聽得到的。

甚麼是和平基礎？

艾德禮在倫敦機場曾說，他們此行目標在追求和平與友好。我們信任他的良心，却極端痛惜其所選擇的道路。經過兩年多的廣泛宣傳和精心設計，莫斯科在國際輿論上似乎已經取得了領導世界於「和平」的地位；工黨訪問團似乎要親自再行檢討這項貨色，這是錯誤的也是多餘的。莫斯科和北平將給你們些什麼呢？你們又能夠看得什麼呢？你們旅行的最高收獲，恐怕不能超過碰杯。你們想就所看得的做爲處理世界事務的依據，必然會陷入嚴重的錯誤！

主要的前提是，莫斯科和北平之所謂和平，其內容是怎樣的？很明顯，其意在於現狀的苟安。我們則認爲和平的基礎必須放在自由的理性之上。目前的世界現狀多是強暴與陰謀的產物，如把這種既成事實當做和平基礎，其性質是屬於苟安的，事實上，則是陰謀的繼續發展。

如今中國、韓國、印支、德、奧都是分裂的國家，也是國際局勢緊張的原因。此等情節的來源，有的由於各該國家以外，另一些國家的武裝干涉。其成因既出於國外暴力，則世界便不應反對當事者之一方假國際援助以改變現狀。又有些出於國內的陰謀造成，則不安於邪惡統治者亦自有權起來推翻陰謀者。總之，現狀既非基於自由理性，以維持現狀爲和平，即僅屬一時的苟安。不除去擾亂和平的因素而追求和平的結果，艾德禮先生，你們所選擇的途徑，何殊緣木而求魚？

不問原因並非現實

如果不問原因，但問結果，認爲勝者即是對的，敗者即是錯的。這種現實主義的觀點是最不現實的。因爲比賽尚未終結，勝敗即未能遽斷。如果限制第一回合的暫敗者，不得再次臨場，這便不是現實觀點了。這對現狀與和平的前途說，都是不現實的。

我亦並不以爲改變現狀，使世界局勢立於合理基礎，其方法只有原子戰爭。如果憑藉強暴與陰謀以造成目前現狀者，能放棄其強暴與陰謀的努力，願意把各國的前途訴之於理性，我們也是反對原子戰爭的。故人類能避免原子戰爭，必須看用強暴與陰謀造成現狀者，能否接受理性的約束[illegible]。故和平並非罪過，主張維持現狀者[illegible]原子戰爭。[illegible]分裂的國家，都應使用投票方式，聽由人民抉擇。惟必須雙方當事者在其統治區內都放棄暴力和陰謀的控制。亦即任何區域都需充分允許自由文化交流，民主的政治活動，[illegible]。不經過這等各自在其國內的投票，[illegible]都是不足保證和平的。

和緩緊張的主要途徑

如何使世界緊張趨於和緩？在國際間協議並維持友好？這必決定於鬥爭的性質。如果[illegible]只是原子戰爭[illegible]，便不失爲一條好路。

[illegible]際友好的氣氛，產生於彼此的信任，在共產黨國際組織大英對各國施行滑行侵略破壞之下，誰能有友好的信心？

以眞和平抵抗假和平

[illegible]

如果共產黨的攻勢是[illegible]，他們當前的和平號召，[illegible]

[illegible]輸給共產黨的和平攻勢，目前的要務應搶救和平。應從利用和平爲侵略工具的手中搶救和平，以眞和平抵禦假和平。和平在各國內部之所以遭破壞，是出於現狀乃反理性的產物。欲使之返於理性，惟有打破鐵幕。國際緊張的形成，由於共黨從非理性的擴張之所得，更經過其由射擊方式之所得。故欲爲眞實的國際友好創立確切的條件，惟有共黨放棄其滑行侵略的國際組織。

當前的世界現狀很奇怪的，在被攻爲好戰的一面，日月挫，連一條止步都決定不下來。反而高叫和平共存的一面，則始終在擴張之，步驟雖有快慢，擴張却未休止。而且把他們的擴張行動以和平的辯護，爲甚麼竟落到這樣田地，並非共產黨掌握了理，而是西方的愚，再加以懶惰。

台灣的國民所得

我對台灣經濟的討論，着重在制度與政策，所以敍述也多以此爲中心。在這一方面，我強調現行制度與政策，應作根本底改革；雖然當局底人表面上接受輿論而骨子裏尙作辯護。我深信它是繁榮的必然歸趨。看一國的經濟，最現實底是人民的生活；人民生活的榮枯，也就反映經濟的成敗。我在這裏，轉一個方向，由另一角度來看台灣的經濟。

由「四年經濟計劃」的估計，推定台灣的國民所得。它以民國廿六年爲基期，至四十一年八月生活指數爲＝八四九五；那末照它的估計，四十三年的國民所得爲台幣一二二四元，折新台幣爲一、八五四元。再由此以一美金等於新台幣廿五元（貶值至五分之一），推算爲七四美元，照官價一五·六元推算則爲一一九美元。這一數字如果可靠，自由中國的人民生活尙能維持或接近戰前底生活水準；蓋戰前底國民所得，我計算爲一一五美元，彼此距離尙屬有限。

農村　但是，另據國民黨的農村與社調査（四十一年）——「台灣農家經濟」——農家每戶平均農業收益爲新台幣六、四〇三元，農業以外收入一、二二三元，合計七、六二六元，扣除負担一、六八九元，生活費五、六二〇元外，剩餘三一七元；惟分別計算，自耕農可剩餘八四二元，半自耕農則不足二二二元，佃農不足一五七元。而佃農佔四一·三四%，半自耕農佔一九·四〇%，合六〇·七四%；農才佔二九·八七%（餘爲自耕農兼土地出租人佔九·三九%）。由此觀之，不足底農民，佔到百分之六一底數字。再看農村的個人所得，農家每戶收益新台幣七、六二六元，照上面方法折算，每戶平均八·三人，每人平均[illegible]九元；雖怪調査報告的結論是：「窮困之根繼續存在」。

城市　在城市及工業地區方面，美國海外業務總署駐華安全分署及國立台灣大學於四十二年七月至九月，聯合主辦一「台灣城市與工業地區調査」，在全省選定十七個城市，舉行一、八三一個家庭底調査。而這一調査的結果，獲得城市家庭每戶的平均所得爲新台幣七、六八九元，每戶平均五·四人，每人平均一、〇五三元。每戶所得，依照上面方法折算，亦僅值四二·七美元；[illegible]公務員一六%，其他一六%。

各業每戶的所得，依次爲新台幣七、二[illegible]由此觀之，每人所得[illegible]二%，[illegible]三分之一；所得最低[illegible]佔三分之一以上。根據調査的統計，舉債的目的，四九%爲飲食，一七%爲醫藥，[illegible]及其他費用。

台灣自營行業的發展

——不是正常發展，乃是病態——

陳式銳

就業不及人口

人類的天性，是朝向進步。農村既是「窮困之根繼續存在」，那末農村的人爲着希望較好底前途，逐漸移向城市。一方面，城市人口的增加，超過正常就業的機會，經濟情形勢必發生變化。這裏，我引用「台灣城市與工業地區調査之觀感」（初稿）的一段話，藉以說明這個新底經濟現象：

「由於每人平均工業生產量仍未達光復前的水準，致使在城市人口中轉入自營行業，以謀生存者，爲數激增。經濟的需要，人們的進取心及努力促使家各個人在各種行業各自獨立謀生。例如拉板車、踏三輪車、經營街頭臨時攤販，或沿街販賣，以及家庭工業等項。綜計所調査之八個較大城市及工業地區，十五歲至五十歲的男子中，從事此項行業者，至少有全體的六分之一。根據實地訪問所得，如機會許可，此種自營職業者，大部份皆願意轉業到正式的工業生產。」

台北市中華路的攤商，早就很發達之重鎭：[illegible]北路及羅斯福路（靠近台灣大學一段）攤商發展尤爲迅速，其他也比比皆是；小販與車伕，則大街小巷，無處無之。台灣目下城市化的形成，並非由於工業化的要求；人口不是隨就業機會而增加，反之前者已經跑在後者的前頭。我有幾位朋友，他們資本不足以正式開店，便在台北市作攤商，後來攤商多了，無利可圖，就轉到其他城市，起先尙可維持，不久，攤商逐漸增加，又感無利可圖，甚爲苦惱。可見台灣城市新生底「自營行業」，也有將會達到飽和點。

台灣經濟的病態

「自營行業」，不獨資本小，而且負担輕。大概取得攤位向「特殊人」付「權利金」外，課稅少甚至不需納稅；因此，成本輕。而價格較一般商店便宜，亦因此，「自營行業」便成爲一般商店的劇烈競爭者，而迫使後者陷於無利可圖彼此對立之情形，攤商店呼籲取締攤商，攤商爲生活必予對壘，且以其佔十五至五十歲男子的六分之一，殆成爲一個不小底問題；而這問題不但紛亂了經濟的行列，而且影響到財政的收入。如果有人在城市對攤商加以調査，當可得很有價值底資料；攤商之中，除本省籍由農村轉入外，有大陸撤退軍人、公教人員、技術人才……等。無疑地，「如機會許可」，他們「大部份皆願意轉業到正式的工業生產」。

（下轉第三版）

半週展望

左舜生

關於所謂「解放台灣」

毛澤東、周恩來、劉少奇之類，至少懂得他們今天並無力量可以攻台，但在蘇聯整個的世界政策之下，却非命令中共宣傳攻台不可。

一、蘇聯決不容許中共從事所謂眞正的和平建設，中共果然建設好了，這於蘇聯有什麼好處？

二、蘇聯決不容許留在中國大陸的三億人民對中共發生好感，果然這三億人民對中共有了好感，這於蘇聯有什麼好處？

三、宣傳和平，這只是蘇聯攻策的一個幌子，如果弄假成眞，讓中共向一切蘇聯世界的敵人去勾勾搭搭，這於蘇聯有什麼好處？

四、蘇聯自然要利用中共去闖禍，但闖禍的地點却以隔蘇聯越遠越好，只要中共向亞洲的南部發展，向海上發展，一定可以把中共弄得焦頭爛額，死無葬身之地，能繼續有三五年的消耗，則中國大陸的北方，勢必流於空虛，蘇聯的勢力乃可繼續向中國的北方推進。現在蘇聯還只有旅大到伊犁的一綫，進一步便不難推進到黃河以北。說蘇聯要統一世界，這自然還相當遙遠；就說統一亞洲，也決非一蹴可幾；但如果再用下十幾年的苦功，好好來運用中共這一套國際集團，由蘇聯來統一中國這塊大陸，却並不是毫無希望。無論唆使中共攻台也好，唆使他繼續搞東南亞也好，這與蘇聯的侵略方針，絕對沒有什麼衝突。

從前日本的軍閥會狂妄的說：「要統一世界，必得先統一亞洲，要統一亞洲，就得先統一中國。」三十幾年來的蘇聯政策，便一直是向日本的軍閥看齊：在中國建立傀儡政權，蘇聯是模仿的日本；擁抱支那，運用支那的人力物力向世界作戰，蘇聯也是模仿日本；蘇聯是日本軍閥的徒子，毛澤東，周恩來，劉少奇却接受了溥儀，汪精衛，梁鴻志，王克敏的衣缽。所不同的，便是蘇聯比日本軍閥更有耐性，毛，周，劉等比溥，汪，梁，王等更來得恭順，此無他，因爲日本畢竟是島國之民，蘇聯却是苦寒大陸的一個民族，同時又還有一套世界革命的邪說，足以愚弄一般狂妄的野心者而已。

毛，周，劉等雖然沒有知識，但多少也還認識幾個中國字，偶然照照鏡子，也還彷彿覺得自己是中國人，眼看着蘇聯這樣狠毒而又絕對不會成功的政策，何以便甘心賣國，一直要倒行逆施錯誤到底呢？這便是由於一種歷史演成的命運，使他們無法擺脫，不能不急起直追，去躬蹈溥汪梁王等的這一惡運而已。

最近聽說蘇聯飛機也有增加，蘇聯一部分的兵艦和潛艇已向中國大陸的沿海移動，大家不要以爲蘇聯眞會幫助中共攻台，更不要誤會她眞會動用自己的本錢和美國去碰，實際不過是保護她已得的權益，同時加強對中共的控制，使得這幾隻毛猴子無法自己跳出她的魔掌，這在中共的立場看來，不過是又一次的引鬼進門而已。

中共在蘇聯的高壓之下，無法不向南移，攻台可能是她工作的一部分，成功固蘇聯之所願，失敗則於蘇聯的亞洲政策乃更爲有益，所成問題的，便是中共的軍人，會不會一旦覺悟，突然放下武器，直接向中共的首腦人物倒戈，間接向蘇聯淸算？促成這一趨勢的有效方法，便看台灣和美國能不能給予中共侵台的部隊一杯苦酒而已。

艾德禮等的遠東之行

艾德禮和貝萬等一行的東來，最初我確實也有幾分爲他們擔心，深恐中共果有一套什麼神機妙算，足以令他們上一次當，同時也能達到離間英美交誼的這一目的。及至看見毛澤東招待他們時所說的那一番話，如希望他們使美國撤退第七艦隊和停止武裝日本和西德等等，我才知道老毛這十年來毫無長進，依然像一九四五年和我在延安談話時的態度一樣。

艾德禮這一羣人並不怎樣簡單，他們畢竟是一個曾經執過政的大黨，毛澤東竟是這樣以兒戲出之，他們的本領也非常低劣，實出我意料之外。我相信：艾德禮等此行，一定大有收穫！

中共竟高呼——「洪水浸不死共產黨」

余陽

此次大陸空前水災，災民在一億左右，中共錯誤政策加重水災程度。中共有意隱藏災情，拒絕國外援助，反高呼「洪水浸不死共產黨」，要「解放」台灣，不審居心何在？

本年長江空前大水災的消息，到八月上旬才到達香港，這次水災，初時中共似乎有心封鎖，使外間不能知道，到底終於封鎖不住了，開始受海外人士的注意和重視。

中共只强調水位高低

自八月三日起，中共半官方通訊社「中國新聞社」一連三日發表有關江淮水災的消息，但祇限於報告今年一月至七月的雨量及水位的高紀錄，其中主要的幾項如：

『一九三一年長江大水災，漢口一月到七月的總雨量是一千二百八十公厘（按一千公厘約等於一公尺），今年漢口一至七月的總雨量是一千八百四十三點七公厘，超過一九三一年大水災雨量約百分之四十二』。

『岳陽方面，常年全年平均總雨量一千三百四十點七公厘，今年六月一個月的總雨量即爲八百五十八點九公厘，約等於常年全年總雨量三分之二，比有紀錄以來六月份最大雨量四百零一點八公厘，超過一倍多，比一九三一年大水災的六月份雨量超過六倍多。』

『上海今年一月至七月的總雨量，打破有紀錄以來八十二年的高紀錄』。

『今年一月到七月，北緯四十度以南地區，雨量比常年爲多，其中尤以長江及淮河流域一帶爲嚴重。』

八月五日，中共官方新華社才發出如下一段消息：「淮河長江水勢益趨漲溢，現有將近一百萬人民出動搶救，在武漢，人民搶救修築，仍追不上堤堰被冲裂之速，今日長江的水位，與一九三一年同日比較，高出六尺，一九三一年同日，武漢區已有大水之患。沿淮河堤堰較弱之區域，當局正在趕運物資與糧食前往搶救，搶救工作已臨最緊張階段。」

八月六日，新華社報導長江水位稱：『長江水位至今午三時，已漲至比已往最高紀錄（一九三一年）二八・一四公尺，高出三英尺左右，即已漲至二九・〇八公尺之紀錄。』

八月七日新華社又稱：『在武漢地區及淮河沿岸，與洪水鬥爭之千萬軍民，現已獲得飛機投下物資接濟，有三架運輸機，曾向淮河地域投下九萬個麵包，用以裝入泥土，增强堤圍。』『據昨日之報告：淮河自經大雨之後，兩岸堤圍被已冲崩，近日來，淮河流域雨水之盛，亦爲歷年最高之紀錄』。

八月十五日，新華社再報導稱：『武漢關長江水位，今夜已漲至九十六英尺最高紀錄，長江若干其他地段水位雖有減退，但武漢關水位反漲至新最高紀錄，比一九三一年水災高出六英尺。一九三一年水災，單在南京一地，曾冲毀四千間房屋，與造成一萬人民無家可歸。』又同日據北平廣播稱：『據去週消息　武漢市街上積水已深達二英尺；長江水位較以前武漢受水災侵襲時，又高出四點四二英尺，川省上流又有洪水冲流而下』。

不肯盡量公佈災情

上面中共官方半官方所公佈的消息，雖然僅强調水位之高紀錄和搶救的大概情形，但水災下人民的傷亡，農村的損失，却隻字不提。不過，嚴重的事實卻使中共封鎖消息技窮，水災慘重的情況依然逐漸暴露出來，例如：

第一、『在武漢，人民搶救修築，仍追不上堤堰被冲裂之速』一語便可以證明長江主要的一段堤堰已被冲潰，搶救已來不及。『武漢街上積水已深達二尺』又是說，高出農村地帶約十五呎的武漢市街已受洪水淹沒，其周圍的農村、農田，淹沒於洪水中，情況當更爲嚴重。又『武漢關水位反漲至新高紀錄（即九十六英尺之高紀錄）比一九三一年水災高出六英尺，一九三一年水災，單在南京一地，曾冲毀一千間房屋，與造成一萬人民無家可歸』。亦可說明現在武漢的水災比一九三一年的長江大水還要嚴重。一九三一年長江大水，受害最重的地區是武漢一帶，而南京是受害輕之又輕的地區，中共舉南京爲例，其用意一方面是避免提起搶嚴重的災區，一方面是以一九三一年的慘重紀錄來掩飾目前更慘重的事實。

第二、『淮河兩岸堤圍之被冲崩』，這是說淮河流域也遭決堤之禍，而電訊報導中不提明何處冲崩，語意含糊，這無異是中共否定了過去「治淮」之成績，而淮河堤堰潰決範圍，相信也是相當遼闊的。

第三、『與洪水鬥爭之千萬軍民，已獲得飛機投下物資接濟』。這便是說直接與洪水作戰軍民有千萬人，而間接受洪水侵襲將比千萬人要多出許多倍，且依賴空中接濟的千萬人中至少有大部份是被洪水所困，或是說水災地區，實際上已無正常的陸上交通可言了。

我們首先引述中共半官方和官方公佈的水災消息，目的是在保持我們對水災禍害一事先有一個冷靜和嚴肅的判斷態度。儘管中共不願把人民受害的眞象公開出來，但既是公佈水災破紀錄的嚴重，不肯把人民受害的慘狀公開，是比把眞象坦白公開於世，其居心之卑劣和殘忍可想而知。

災區遼闊災情慘重

現在讓我們舉出外間目擊的災情現象：

第一、幾個由北平飛衡陽（當然經武漢上空）經廣州至香港，然後返日本的日方貿易代表人員，他們說在長江上空所看到的洪泛區，有北海道那麼大。

第二、一些被驅逐的外籍神父，指明自武漢至長沙（直徑約五〇〇公里的農村地區），都被前所未見的大水災所侵害。

第三、一個與大陸內陸交通有密切關係的商業組織，根據其所得的可靠資料，判斷下列幾段鐵路在大水下的通車狀況：

一、津浦路鐵（天津至浦口）南段，自徐州至南京對岸浦口，六月下旬起至八月上旬，因大水影響，不時斷絕通車，七月四日至七月十八日半個月間，該段鐵路完全停頓；

二、平漢鐵路，郾城（河南屬）至信陽至豫鄂交界的武勝關一段，若干鐵軌被洪水冲毀，武勝關南部約七十公里的蕭家港至漢口一段鐵路（直徑約七十五公里），自六月下旬到現在，就完全淹浸在洪水中。

三、南潯鐵路，九江至南京一段。浙贛鐵路，貴溪經南昌、清江、至萍鄉一段，七月上旬至八月上旬通車時間只有四分之一。七月下旬一連十二日來往車輛完全停頓。

四、粵漢鐵路北段，武昌至咸甯一段（直徑約七十五公里），其情形一如蕭家港至漢口。咸甯經蒲圻，至羊樓洞的通車情形未詳。羊樓洞西南的岳陽至長沙，（直徑百五十公里），六月下旬至七月底，未聞有通車消息。

綜上四項有根據的判斷，則地圖上所包括的地區中，北部起於徐州郾城，東部起於南京貴溪，南部起於長沙，西部止於沙市，因爲大水情況嚴重，兩月來此大陸中原區的心臟之鐵路交通，可說是陷於癱瘓狀態中。（下轉第三版）

大陸空前水災圖

人物述評

悼李應林先生

·紹莘·

崇基學院院長李應林先生，於八月二十二日息勞歸主。二十四日早上，我曾親到萬國殯儀館吊喪，並代羅香林兄致送輓儀，親十字架前，儀型宛在，「蒙莊一指，殆先覺於勞生；秦佚三號，詎忘情於怛化。」這幾句話，最可以拿來說明我們的心情了。

（一）

我認識李先生是一九四三年九月，那時嶺南大學由香港遷到曲江仙人廟。以偶然的機會，承黃延毓兄介紹我到那裏發幾小時的功課，担任的課程是國文系的文字學，和羣經與諸子。第二年，增加一門訓詁學。到暑假時候，日軍進犯粵北，企圖打通粵漢綫，當局下令疏散。我隨省立文理學院而遷羅定，後來嶺南亦播遷梅縣。復員以後，延毓兄仍徵求我回嶺南任課，我以時間不許可，婉辭。同時覺得嶺大國文系已增聘了容庚和李滄萍，人材濟濟，用不着我這一枚「過河卒子」了。我在嶺南短短一年，雖屬「客串」性質，但本之於與人共患難之義，站在文化崗位，不敢不勉！

（二）

李先生在嶺南，由副校長而正位校長，一共担任了十五年職務，時間總算得長久。友人毛以亨先生曾說過，在外國當大學校長，只要在學術上站得穩，學校行政是可以不管的。當中國大學校長，情形就不同了，起碼要把學校行政弄得好。（原文見懷已故馬君武先生）。如所週知，李先生和南開大學校長張伯苓，都是處理學校行政很有經驗的，處處表現他們辦事的能力和精神。譬如吳有訓以物理學家的資格出長中大，就要出亂子，這是中國環境和外國不同之處。

我以爲李先生辦理教育的成就，有好幾方面：第一，是以身作則。作爲一個教育家，必須作到以身作則，才能够一方面轉移風氣，另一方面蔚成風氣。嶺大遷到曲江時，員生領不到公糧，生活萬分困苦。李先生便設法和湖南省政府購到湖米。當這一批米運到仙人廟時，他鼓勵大批學生從事搬運，起先由他本人和總務長謝昭杰，附中主任司徒衛等，把重一百八十斤一袋的米由車站抬到格蘭堂，以示提倡。跟着一批批同學便照樣做了。

第二，是人事公開。李先生名義上是校長，但對學校行政，完全是公開的。學校裏有一個人事委員會，（相等於北大從前的評議會）關於聘請教授和講師，全由人事委員會審查決定。不會因政治關係，宗教色彩，而異其愛憎。對於學生留級，記過，處分，亦一本之於規程辦理，絲毫沒有偏袒。只有這樣，才能折服人心。

（三）

李先生個人操守廉潔，私生活亦很嚴肅。據我知道，復員以後，李先生兼任善後救濟總署廣東分署副署長，是出於羅香林兄介紹的。香林先生平日敬重李先生爲人，親向當時廣東省主席羅卓英提出，便毫無異議通過。「如入寶山，空手而回」。李先生在任內，絲毫不茍，公私分明，在他人是難於辦到的。

去年冬天，我知道李先生病重消息，曾和馮紱屏兄到山村道看他，那時他眼睛已經不能看見東西，但聽見我們的聲音，仍然可以分別出來。他和我們談奧柏林大學時代的生活。這是我和他最後一次的見面了。「要爲天下惜，一慟不爲私。」這是我寫這一篇哀悼短文的本意。

日本的新軍

L. Tassott 著　矜式譯

最後，反對建軍的人且以憲法爲論據，指保持武裝建軍、都是非法行爲。有人譏責政府不先謀求修改憲法，即對美國締結協定，是政府的狡計。修改憲法需要舉行公民投票，這是政府不易應付的。這些以憲法爲論據的，也具有一種唯心的動機，他們認爲在戰爭擾攘世界中，日本宣布永久中立，便能確保她的安全。這種使日本成爲「太平洋的瑞士」的論調，最初是麥帥所引起。但這些人忽視了一點，就是像瑞士這樣傳統性中立的國家，也保持着一支軍隊，也有軍事預算及徵兵。

美國對於日本不甚願意與自由世界聯盟應該怎樣辦？首先，美國對日本不須完全跟着西方國家走，必須負起一部分責任，因爲日本的非戰憲法，由美國人所主持制訂的，這培養了戰後日本的中立思想，美國當初的觀念，就是一個永久不設武裝，永久中立的日本。

第二，美國不妨把「半客氣」的姿態放下，美國駐日軍人及外交官掛在嘴邊的「我們是日本的客人」之類的話不必再提。美國人應該對日本採取更親近的態度，藉以向日本坦白解釋，今日美日之間的安排，不僅對美國有利，對日本也同樣有利，這是一種「保險」的政策，值得雙方都付出相當代價，即使雙方都有不愉快之處，也仍值得。

最後，美國必須促使日本堅信民主一方面以長久之計而論必是勝利的一方，至少具有勝利的決心。如有「遠東慕尼黑」，「出賣」韓國、越南，或其他國家，或西方不支持亞洲反共國家的徵象產生，在日本一定會發生十分嚴重的影響。日本接受共同防衛援助協定是自由世界的一個收穫，但如把那個收穫，或日本對西方國家的義務估價過高，那是危險的。（譯自「紐約時報」）（下）

編者讀者

東方學術會議

倫敦八月廿五日航信

編者先生：筆者現到劍橋大學參加第廿三屆國際東方學術會議，該會議定於八月廿八日開幕。世界學術專家會聚一室，互相交換意見，往來極爲頻繁。來自世界各國的代表不下千人。蘇俄所派代表竟達廿一人，並以莫斯科東方研究院院長及蘇俄學院專家充任團長，蘇俄之重視國際文化宣傳工作，於此可見一斑。

所可嘆者，吾國對於此種國際文化場合，竟毫無作爲，坐令敵人喧囂。此次會議，中共雖然無代表，惟嘗致電道賀，預料下屆會議（二年後），中共如尚未垮台，必將多派代表大肆宣傳。世界舞台上，非有國家力量支持，發揮組織力量，個人決無從置喙餘地。自由中國不知在英法等國從事宣傳工作，無怪彼等淡漠相視，艾德禮等此次訪問赤色大陸豈無因哉！

中共對於英國人民心理，努力宣傳，期收潛移默化之效，已非一日。大英博物院傍邊，且設有專門出售中共各種刊物的書店。回顧自由中國則如何？歐洲大陸雖有代表，大多祗知作官，不知作事，情形亦多隔膜，能不令人浩嘆！

于强敬啓八月廿五日

剖視中共的選舉

雷耀南

一年來中共在政治上一直在進行所謂「普選」工作，最先是基層單位代表的選舉，以後是省市代表的選舉，現在又是「全國人民代表」的選舉。「中央政府委員會」於八月十一日舉行會議，決定九月十五日召開「第一屆人民代表大會」，這幕自編自導自演的把戲，至此算全部完成了。

共幹操縱下的選舉

所謂基層選舉，是去年下月開始的，至今年六月公佈「憲法草案」時，同時宣佈完成了該項選舉工作。據「政務院副總理」兼「中央選舉委員會」秘書長鄧小平的報告：除西藏地區及其他邊遠地區暫不進行普選外，全大陸舉行基層選舉的單位共爲二十一萬四千七百九十八個，在選舉中動員了二百五十七萬九千三百個共幹担任選舉的「督導」工作。

「全國人民代表」的選舉，自本年七月中旬開始，至八月二十日止，已先後在江西、貴州、新疆、河南、河北、四川、西康、雲南、福建、陝西、山西、江蘇、吉林、廣西、湖南、廣東、遼寧、黑龍江、湖北、熱河、青海、甘肅、山東、浙江等二十四省，及西安、重慶、廣州、瀋陽、旅大、哈爾濱、撫順、天津、長春、本溪、鞍山等十一個市舉行了「第一屆省市人民代表大會」，選舉了「全國人民代表大會代表」共一千零九十六人。

中共指定候選人

這些代表的產生，不是選民直接選舉的，而是由中共中央硬性指定，再由省市代表會間接選舉的。因此，各省市所選出的代表，主要是中共的各級負責人員和地方的重要幹部；其次便是他們御用的幫閒人物，再次是各附庸黨派的領導人，但這些不過是一種陪襯而已。據「新華社」的報導：此次中共在廣東所選的「代表」爲葉劍英、方方、馮白駒等四十六人。湖南所選的爲林伯渠、徐特立、蔡暢、李維漢等五十人，湖北所選的爲董必武、李先念、王樹聲、張體學等三十三人，上海爲陳雲、陳毅等六十三人。以上被選的人物，有中共中央書記處書記，政治局委員，有省市委書記和組織部長，有僞省市長、廳長、局長及「勞動模範」等。因之，凡由共黨公佈的候選人，均要當選，甚至要得全票。新華社北平八月二十二日的電訊說：「由於選舉以前有充份的協商，有充份的準備和進行，使當選代表所得票數非常集中」。這說明了他們的代表人選都是幕後決定了的，所謂「選舉」也者，全是自欺欺人的把戲。

包辦選舉的手段

基層選舉的情形亦同，根據中共統計：河北保定、唐山、石家莊、邢台、定縣、張家口等六個專區六十二個縣二千三百六十二個鄉選出的代表共計[illegible]萬一千一百人，其中共產黨員及新民主主義青年團團員即佔五萬三千三百人。四川酉陽，彭水等縣選出的三千三百八十二名鄉鎮代表中，共產黨員佔一千零二十三人。由此可見共幹的包辦選舉已到了如何的程度。

爲「保證選舉的順利完成」和徹底剝奪「地主階級」及「反革命份子」的政治權利，中共並在選區內設立「普選法庭」，各「人民法院」亦紛紛調派人員隨同「普選工作隊」工作。共區報紙報導：江西三十六個縣，成立了七十五個「普選人民法庭」。江蘇在第一批基層選舉的地區，成立了「普選人民法庭」一百七十二個。甘肅成立了一百七十五個。天津市以區爲單位成立了普選法庭十二個。

從一般事實看，中共的「人民法庭」，就是屠殺人民的劊子手，因之他們所加予選民的迫害，也就可想而知。反之，由「人民法庭」保障選出的「代表」，自是中共御用的爪牙，是其他各種鬥爭的骨幹，是直接或間接騎在人民頭上的職業統治者。他們之「當選」代表，只是爲共黨的統治工作服務，與人民的利益當然毫不相關。

中共竟高呼——「洪水浸不死共產黨」

（上接第二版）

災民一億左右

一九三一年長江大水災的損失，據香港[illegible]日報及新生晚報等八月九日前後發表的統計數字如下：一、受浸地區十一萬方公里；二、受禍人民二千五百萬，淹斃人民十四萬人；三、財產損失二十億元；四、受災省份爲蘇、皖、湘、鄂、贛等五省。但根據同月十七日親共的新[illegible]報發表的『江淮的洪水和防汛』一文，却有幾個不同的統計數字：一、『一九三一年江淮水災受災區』有十六個省份，單是湖北、湖南、安徽、江蘇、江西、浙江、河南七省境內，遭受水災最嚴重的就有二百九十個縣』；二、『根據當時極爲縮小了的估計，被災面積達三十一萬八千多方公里，將近佔七省總面積的三分之一』；三、『被災人口四千三百多萬人，佔七省總人口四分之一強，其中無家可歸的有好幾百萬人，因飢餓害病而死的無可計數』；四、『天災加上人禍，就這樣給廣大人民帶來了慘重的損失』。

上項兩種報導，我們不必去分別那一個正確，可是站在求了解目前江淮災情的立場上，我們覺得依據親共報紙所報導的資料來作說明及分析，會更加恰切：第一、中共一再強調目前江淮水災，比一九三一年嚴重，換言之，比上述親共報紙所統計的四點損失更爲嚴重。第二、一九三一年受災的有十六個省份（是那些省份，該文未全部列出），現在發生水災的地區，計有：湖北、湖南、江西、江蘇、安徽、河南、河北、浙江、福建、廣東、廣西及西藏等省。

第三、此次水災，以長江中下游及淮河流域所經地區，災情最嚴重，其大概的情況是：一、漢水，洞庭湖間三角地帶，就有近三千萬人直接或間接受災害；二、淮河流域所經的河南省南部，安徽省北部及江蘇省西北三個地區，就有近二千五百萬人直接或間接受災害；三、自鄱陽湖至安慶至蕪湖至南京至蘇州的沿江南北兩岸，至少就有二千萬人直接或間接受災害。

第四、長江中下游各省是中國最主要的產米區，河南及蘇北是中國最主要的棉花出產地，因爲水災爲害，早稻失收，晚稻無法下種，及百分之六十的棉花失收。米棉損失重大，區舍被沖毁，無疑地，今年江淮水災已造成一億以上的人民流離失所，破產和陷於普遍絕糧的恐怖與無援的境地。

天災加上人禍

研究此次水災的發生，不外兩個原因：第一是人力所不能估計得到的一連數月破紀錄的大雨。

第二、是中共政策錯誤所種下的後果：以江漢一來說，漢水與長江匯集的三角地帶（縱橫直徑約二百公里），湖泊星羅棋布，這些湖泊，是漢水急流天然的儲水庫。中共爲增加生產，並不把這些天然儲水庫加工濬修，反盲目將填之爲耕地，及至江水急漲，無地容納，遂成爲沉城沒鎮萬頃，難阻的大水災。同時，中共席捲大陸之初，建設方針本相當注重中原地區，如『治淮』一事，開始即大吹大擂，即其一例。但後來爲了蘇俄老大哥意旨，將建設目標北移，變「治淮」爲興修黃河水壩，捨中原億萬人民的生存利益不顧，就蘇俄擴充新西伯利亞之侵略要求，這實在够得上如共方報紙所說：『天災加上人禍，就這樣給廣大人民帶來了慘重的損失！』

就常理論，就實際需要論，國家及數以億計的人民受水災侵害，若中共真的爲人民苦難凍餓着想，對國外的援助，是只怕其無，而不愁其有的。中共却違背此一道理。最使人痛心的，是中共一再拒絕國際紅十字會所提出的對水災援助。國際紅十字會是超國界的慈善機構，中共且有分會的設立，爲甚麼拒絕援助？居心又何在呢？

洪水將淹沒中共政權

中共置水災的慘狀一字不提，把他們高唱的「和平」，忘得一乾二淨，還瘋狂的喊出「解放台灣」口號，以戰爭的姿態來掩飾內部的天災人禍。有人估量中共將把水災與戰爭兩者互相利用，把無數無家可歸的災民，驅充戰爭的犧牲者；既可省卻救災救病餓的重負，又可增加如左舜生先生說的「填海工作」的戰爭炮灰！這種估量，我想瘋狂殘酷如共產黨政權，是會做得出來的。驅迫災民充當炮灰，那才是天大無比的人禍呵！最後，我們懷着愴痛的心情，引述一句中共最近提出來的口號：『洪水浸不死共黨』。這像是一句近乎心慌意亂口不擇言的囈語？洪水當然浸不死跑得快的共產黨，淹死的祇是千萬[illegible]

台灣自營行業的發展

——不是正常發展，乃是病態——

陳式銳

（上接第一版）

所以「自營行業」不是台灣經濟的正常發展，而是它的病態；解決之道不是取締，而是我一向反覆提到底開放或創造正常底「就業機會」。所謂開放，係指「公營事業」；所謂創造，就是經濟的開發。有人或將申辯公營開放非自營行商所能接受，何得與此問題併爲一談？我則以爲着眼於整個經濟，此一制度不變，等於一個大障碍立於路中，路人無法通過，況且，公營事業日趨虧損，不是直接陷台灣於窮困嗎？

工業背上救濟包袱

我說台灣經濟，每從根本着眼，所以所敘述者或有人指爲專在缺點方面做文章，難道台灣經濟無一是處嗎？那末，美援及美方人員在台所爲何事？我要說，過去中美的努力不是沒有功效，只是大體上屬於治標及救濟方面。上引底城市調查曾有如下底敍述：「台灣工業的特徵，爲應用很多人力操作……管理人員及工人未免過多……這種現象，在若干公營事業中，尤爲顯著。不採用自動機械並雇用衆多的工作人員，固可增加就業機會，具有失業救濟之作用。……此外，公營事業職工的全部待遇，是根據職工眷屬人數的消費需要，而並不是根據職工在他所服務的工廠中，對於業務所負的責任和所作的貢獻而定」。工業——尤其公營事業——至於失却企業精神而背上救濟底包袱，它的前途可想而知；而工業一朝在政府之手，它們就無法放下救濟底包袱而納入企業範疇。這一點，又是關於制度根本問題。

該城市調查又說：「所調查的十七個城市及工業地區，發現有三種工業正遭遇困難：大甲地方之手工編帽工業，由於外銷和出口問題而受到窒礙，（下略）」。台灣的經濟方針在增產，而增產的出路在出口，這是正確無誤；但是當局另有一套管制政策，它的效力適在窒息出口而堵塞生產的出路。這一點，不也是關於政策的根本問題嗎？

可以不變嗎？

由以上所引用底兩個調查，我把資料整理一下，編一個城市及農村家庭生活費的項目及其比率，藉以明瞭台灣的家庭生活。飲食：城市五七、九七，農村五三、六五；衣服（前城市，後農村，下同）：七、三九，一二、八三；宗教及交際：一一、二一，一一、八三；醫藥：八、一三，七、一四；其他：一三、三〇，一四、五五。由這一數字看來，台灣家庭的生活，顯然是處於餬口底基礎之上。一方面，可以看出一個趨勢，就是農村人口移向城市謀生；城市[illegible]工業化而本質上未嘗納入當軌，以致就業機會趕不上人口，而使個人所得底落從而降低生活水準。據上引底城市調查，尚可以看出更顯劣底情形：「據實地調查人員觀察所得，若干台灣籍而居於城市的小家庭，由於疾病或失業致陷於困乏之境地。可知他們和原籍親屬之互助關係已告中斷，或因彼等親屬也極貧困，致無力給予所需之援助」。

我在這裏所引用的資料，一屬於在朝黨，一屬於中美（美援機構及台灣大學）合作，均帶有研究性質，當不是我個人所指出的造作；而它們所見底趨勢，正可以充實我對台灣經濟底見解——應當革新，而除非大家願意開倒車，而走向「自營行業」經濟，並且安於貧困。但是，「自營行業」也有它的飽和點，並不好景常圓！（完）

出境潛回周而復始
社會人士研究對策

罪犯被判刑滿遞解出境，不特是屢犯，出境潛回，缺乏生活必需資料，當局且基於妨碍社會安寧理由，判令出境。根據已往成例，此等被判遞解出境的滿刑罪犯，如係中國人則由警方備文將出境犯押解出境，交由中國治安機關驗收處理，其他國籍的，就其國籍的交由工具帶回返國；祇有土生的，因爲放逐無由，留在境內，經常由當局注意其行動。

遞解出境的法例，原係杜犯防漸的根本辦法，但在大陸陷共之後，中共拒絕接納和他們有關的出境犯。警方則格於法例，每次將出境犯逐出英界，就算已經辦妥了遞解出境措施，在當局看來，遞解出境的原旨，不過是不容其留在英界，却不知道，對方既不接納，也加驅逐，因之便有了「潛回犯」之名。

出境潛回，就法律觀點言，那是極端嚴重的，但是法庭對他們的懲罰，通常是最少三個月徒刑，期滿重行遞解出境。因此出境以後潛回，判刑期滿，再行遞解，此種周而復始的數量雖然並不多，對治安當局却是够困擾的了。然而，此一嚴重的問題，迄今並無適當的良策，「遞解出境」自非一個杜犯防漸的基本辦法了。就一般估計，遊蕩於中英邊境的出境犯，目前尚有二百名左右，還是不久以前，警方曾經在邊陲捕回約近百名潛回犯以後的數字；捕回的怎樣處置現在還不知道，而遊蕩於「不管」地帶的，更難保證他們不會潛回爲非作歹。

因此，若干研究社會問題專家，面對這一出境潛回的嚴重問題，覺得並非輕易可望解決的。他們認爲目前社會上的誘人犯罪的罪惡淵藪，[illegible]如賭館、烟格、娼寮，[illegible]來祇有孤注一擲，絕無[illegible]而穿插於賭館的人，大[illegible]之流，在毀家失業以後[illegible]。被判出境罪犯之中，[illegible]賭博失敗，吸毒、狂嫖[illegible]還是少數；至於涉及政[illegible]，不特少之又少，而且[illegible]的，顯然迫於生計，爲[illegible]接的危及社會安寧的。於[illegible]士，目前正在規劃擴大[illegible]時，人人都希望於對遞[illegible]，兼籌並顧，並作深刻考慮。倘能各方熱忱捐輸舉辦懲教成年人罪犯事業經費，不特收效迅速，社會安寧毋待把變了。

中共在農村遍設：吸吮膏血機構

陳敏

中共搞的「供銷合作社」，說是「社會主義性質的經濟組織，它在過渡時期負有爲農業生產服務並促進農業、手工業和農村的社會主義改造的任務。」[illegible]是如火如荼的展開了，似乎已担當起「這樣繁重而光榮的任務」，經過三年的合作社」，如今搞了三年了，中共確已煞費苦心。中共自我宣傳的供銷合作社幹部，社員已達八十七萬多人。這裏面絕大數是「解放」後參加工作[illegible]，現已逐漸演變成爲一些在農村中的吸吮人民血液的機構了。

慰勞艾德里先生們 馬五先生

英國工黨魁艾德里率領的中共訪問團，據說日內就要從中國大陸飛來香港了。『遠道遊客，長途跋涉，樂乎？』衆位民主社會主義英雄們，得無恙乎？艾德里先生是當年主政唐甯街，搶先承認中共秩歡政權的英國首相，也就是西方資本主義世界唯一對中共表示友好的大國也。這次率領工黨代表團到中國大陸作「和平共存」的親善訪問，想必大有所獲，滿載而歸吧！

艾先生一行，走到北平，首先見着貴國那位久坐冷板凳，被稱爲「外交專員」的威廉代辦時，不知心裏作何感想？害了四年多的單相思病，我見猶憐，而狠心寡情的「同志」，卻依然不加理睬。英國人的忍耐功固然令人佩服，共產黨的冷面孔，亦就够體面的啦！最使艾氏難堪的，我認爲莫過於在北平故宮勤政殿會見「毛主席」那一幕，他既不談如何艾首相當年爭先承認秩歡政權的美意隆情，也不談促進中英兩國友誼的話，卻指派反對「美帝」世界政策的任務，視工黨衆位英雄爲替他火中取栗的貓腳爪。我想此時此語，一定使艾先生感覺啼笑皆非，不知如何是好呢？

「如要和平共存，乃可拚命反美」，這就是俄共集團企圖工黨英雄們立功之處。否則原子彈就會落到英國人頭上來，不特生意做不成，連生命也有危險，害怕不？怕就有大力反美之一途。

香港居民二百萬盡是中國人，究竟在港中國同胞有說話之自由的，對秩歡政權有何意見，我希望艾德里先生們亦不妨訪問一下罷！

藥王——甘草

・鄭士珪・

（一）

甘草是有特殊甜味，而最使胃臟容易受納的唯一妙品。因此中醫藥方多用「甘草」。中醫的湯頭歌訣（這是一部中醫必讀之書）共有藥方三百餘方，其中用「甘草」的藥方計有一百三十三方，這就是說有百分之七十的中藥方是用甘草的。於是「甘草」便成爲中藥之王了。

甘草的別名很多，有蜜草，美草，蕗草，靈草，靈通等名稱。陶弘景稱作國老，此外尚有汾草之名，又因甘草在藥中的主藥，上爲緩和劑及調味劑，所以又有「國老」的稱號。

甘草爲多年生草本，春季從宿根生苗，高至三四尺，葉互生，羽狀複葉，葉莖俱有茸毛，夏秋之際，開淡紫色蝶形花，地下莖及根爲黃色，有甘芬氣味，除入藥外，還有許多裨益人生的效用。人類使用甘草，歷史悠久，遠在三四千年前神農本草經已列甘草爲上品。漢張仲景傷寒論，在處方上應用甘草，亦佔重要地位。古埃及國內用甘草根浸在水中作飲料，名曰「美涉」，至今埃及人民仍愛飲用。印度每年四月初八日即釋迦牟尼的誕辰，舉行浴佛典禮，當大家祈禱時，必用甘草水沖濃佛像三次，隨時將水收存，用以療病。他們深信禮讚雖然有些近於神話，但甘草有療病的功能，即使不治佛像的「聖靈」也是和宗教的關係。本是「兩位一體」，那麼印度民族應用甘草病，當然也有很悠久的歷史了。

（二）

甘草的功用，經科學家不斷研究，應用的範圍，已比從前擴展了許多。它不但在醫藥上有許多用處，即工業上，化學品，食品方面也應用漸廣，佔了相當重要的地位。大家都知道國產藥物大都有澀辣味，中醫用甘草的甘味來調和人的舌頭是好不過的，這與西醫中加甘草浸膏和甘草糖漿同調了。中醫方劑用湯也以甘草潤喉爲主劑，能治咳嗽，西醫製拉賀（Glafn）爲鎮咳要藥，即用甘草浸膏製成。以甘草配合薄荷等清涼劑製成軟糖或仁丹，於旅行或行軍時含於口中，可提神止渴生津，消除咽喉的疾苦，並可治健忘病，遠志，菖蒲，益智，又可治健忘。而煎佐對於可驚煙咽喉諸汁湯淡湯飲之，功效尤佳。他如用甘草和土茯苓合劑，治梅毒淋病，能收解毒止痛之特效。北洋制藥之桑膏性能解百毒，尤非他項藥品所能望其項背。

甘草部分製造烟草，可以增加愉快感，爲烟草工業不可缺少的原料。純淨甘草的甜度，比甘蔗高到四五十倍，用於製造糖菓食品，遠非甜菜甘蔗所可比擬。甘草熬到沸騰的時候，生出一層很厚的淡白色泡沫，加重炭酸納和以硫酸鋁而溶解於水中，可造成一種容易滅火，爲非常有効而最有價值的滅火劑。

世界甘草產地很廣，西班牙，土耳其，意大利，希臘以及俄羅斯等地，均有出產，但這些地方產量均不及我國之豐。而我國栽培甘草遍布東三省，蒙古，山西，熱河，陝西，綏遠，察哈爾，甘肅，新疆及四川等地。每年有大量甘草輸出歐洲，美國及日本各國，爲農村一大收益。

痛苦談（下）

・布衣・

（四）癌瘤等險症，到了某一期，有劇烈痛苦的警告嗎？

答。不然，癌瘤之所以劇痛是因爲瘤腫迫附近神經發生出來的，可是並沒有一定期限。若果身上有莫名其妙的痛或者腫脹，以看醫生爲妙。

（五）如何對付？

答。身體上的廢物每深積在腫瘤的地方，應該用熱敷治。熱的東西能夠深其血液，而血液能夠清除此種廢物。

（六）痛能否易作很準確的解釋？

答。不容易。每一個人對於痛有不同的感覺。如果身體上的一部份痛苦的時候，可以將下列五個問題問自己。（一）什麼地方最痛得厲害？（二）散布的範圍有多大？（三）是繼續性質，或者時作時輟？（四）什麼藥物對於你的痛發生作用？（五）對於此種痛你的感覺如何？這五種問題都是醫生所想曉得的。

（七）小孩的肚痛和骨節痛重要嗎？

答。小孩的肚痛可能是盲腸炎，骨節痛可能是急性風濕症。以上兩種疾病應該特別加以注意。

（八）愛會發生痛楚嗎？

答。對！詩人羅倫氏一句名詩說，「愛你的痛楚使到我不能夠忍受了。」愛是人生最强烈的快樂。失敗的恐怖能夠使到的筋肉緊張，此種緊張的筋肉能夠壓迫神經，使到發生痛楚。

（九）痛能夠量度嗎？

答。能夠。最近科學家發明了一種儀器，叫做痛苦計算表。經過好幾年的研究，現在算是完成了。一個測驗的結果是，一個人所能忍受最高的痛楚是十度半。生母臨盆時的痛楚是十度半，是人生最高度的痛苦。

（十）一個人饑餓的時候，對於痛楚有更銳利的感覺嗎？

答。對。肚饑是一種不快樂的感覺，凡不快樂的感覺都能夠加强痛楚。

（十一）失意能夠發生劇痛嗎？

答。對。失意的痛楚和本身的痛楚沒有兩樣。下面是一個很好的例子。一位年輕的少女，自從和她的愛人斷絕之後，左臂發生了一種莫名其妙的劇痛。經過好些醫生診治，總找不出病原。後來一位心理治療醫生，經過多次診斷的對談，才曉得她的劇痛是這樣發生的。這位少女很愛一位男子，心裏渴望他提出婚約。最後一次會面的時候，這位紳士跑到她面前，很溫存地把手放在少女的左肩上，很像是求婚的樣子。那曉得他把手向少女的左肩上拍了兩下，說了再會，便一去不回了。發現了病原，再經過一個多月的診治，少女的左肩才告痊癒。

（十二）痛苦是否限制於受病的機構範圍？

答。不。膽囊病發生兩肩刺痛。舌部的疾病感覺到耳痛。劇烈的心病影響左臂作痛。（完）

甲午七夕

・懷冰・

偏恨情多賦別離。如何今夕重興悲。洗車恰值風飄雨。繞樹誰箋鵲踏枝。脈脈仙凡嬴一面。悠悠生死會難期。揭來莫問人間世。河鼓天孫慰爾思。

溥儀的晚景（一）

雪夫

（一）

民國廿五年的春天，日本關東軍，忽然要在長春建立一座護國神廟，以紀念日本建立「滿洲國」的功勞，最初擬議的廟名，是護國神廟，忠靈廟等等，後來決定稱「建國廟」。當時有人詢問廟中預備紀念甚麼人，日本軍部答說：凡是建「國」有功的，無論生人死人，均在其列。一座祠廟中，把生人及死人供在一起，不勝滑稽之至。日本的伊勢神宮，是天照大神的靈爽所在，所以建國廟的內院應該是小伊勢神宮，建國廟的位置，應該是朝向伊勢神宮的地方。那時身爲「滿洲國」尚書府秘書官長的日人高木三郎，看不慣這種肉麻的行爲，辭職返國去了，他說明治天皇有遺訓，不容許伊勢神宮在海外設立「分靈」，怕的是軍人帶兵去海外闢疆獨立。當時的關東軍儼然有另成一國的氣勢。難怪他要着急了。

跋扈的軍人，尤其是落伍的軍人，橫行無忌之時，是不可理喻的。日本皇室的尊祖，居然兼任了溥儀的祖宗。這個門對日本伊勢溥，裏邊有小閣龕的建國廟，果然是奉祀日本皇室的祖宗而又兼詔書，並把「天地內有了新滿洲」的「國」歌取消，改唱「神開光宇宙。」物換星移，幾度春秋，想不到十年之後，便被溥儀大皇帝的庶民，糟蹋到面目全非了。

（二）

民國廿八年四月溥儀三度訪日。這次朝日的任務，是專程去日本接受所謂「分靈」。同時「滿洲國」宮內府設立了祭祀府，一個名叫橋本虎之助的陸軍中將作了祭祀府的總裁，宮內府大臣沈瑞麟作了副總裁。在他們主持的「建國廟」開始舉行建國典禮中，日本神宮式的祭祀用中文日文同時用來作祝告詞。人員分着中日古典服裝，好像運動會中兩隊選手。生人和死人，土鬼與洋鬼，濟濟一堂，胡鬧一頓，神和鬼都大笑了。卅五年溥儀在東京國際法庭陳述日人誘其建立「滿洲國」的經過時，曾說日本天皇將其權力的象徵，劍與鏡送給他。當這些話傳出之後，日本內外覺得奇特怪誕，不可思議。其實，溥儀的話，並非虛構故事，只是他被日本軍人欺弄於前，又被人家嘲笑於後，此在溥儀爲莫大悲劇，而日本軍人則爲莫大的醜劇。

金鐲

中篇小說

・夢影・

「那張條子上你寫什麼，」在車子上金珠問我：「他們眞是你的朋友？」

「你先告訴我呀，」我說：「你是不是要和我商量些什麼呢？」

「我懷孕了！」她突然翻身抱住我的頸子哭泣起來。

我被這突如其來的霹靂擊昏了。

「苦難又開始了！」我喃喃地說，緊緊抱住她。

天地在我們的週遭旋轉起來。

× × ×

金珠的懷孕甫足三月，雖然到生產期還有一段很長的預備時間，可是，要解決的問題實在太多了。她的生產費用呢？她一家的生活費用呢？這不是一個微小的數目啊！我開始計算並整理着我可憐的財產：一枝五一派克筆，一隻西馬金錶，一件比較值錢的大衣，一個菲力浦六燈收音機以及一台八成新的菲力浦腳踏車；這便是我流落到南國四年來的全部積蓄，其中金錶和派克筆還是一個朋友到美國去時所留下來的紀念品。因爲天氣還相當冷，大衣比較容易賣得好價錢，我便先將大衣賣去，另外買了兩件衛身衫穿在西裝裏面，這樣我就不怕冷了。至於鋼筆，我可以改用蘸水筆。錶的問題更好解決，房間裏有隻古老的檯鐘，辦公廳裏有的是電鐘。沒有腳踏車可以走路，收音機吧，等環境好轉了可以再買。於是，我把這些東西全部交到一家信譽卓著的委託行去，祇要我不着急，定然能夠賣到滿意的價錢。我約略估計了一下，大概在四千元左右，我將其中兩千元算作金珠的生產費用以及產後的調養費用，另外的二千元則留作她家裏這以後幾個月的生活費用。雖然問題並不就此爲止，那也祇有留着再說。我把這計劃告訴了金珠之後，她感動得淚流滿面地說：「亭飛，你不要這樣做啊！我的命……：」我用掩住她的嘴，她掙脫了：「我的命是若定了，活着，我有勉强活下去的責任；人一死，什麼罪孽也該洗淨，也許這次就是我最好的收場……」

「珠，別傻了，你有什麼罪呢？」我費力地道分辯。

「不，」她堅持道：「我長得美，又生在一個不幸的家庭裏，我的罪孽是與生俱來的。」

「假如這也是罪孽，却與你無關呀！」

「不，不！亭飛……」她又哭起來：「我是罪人！」

「你不是罪人，小珠！這個世界上很少有眞正的罪人，假如我們肯易身處地想一想，也許他或她們並沒有做錯什麼！」

「你自己呢，」她哽咽道：「你一個人流落在外頭，沒有親人也沒有朋友，一旦發生意外……那個時候，要是我仍然無力還報，你教我如何向良心交代？」（二十五）

侯朝宗文采風流（上）

刁抱石

明天啟崇禎間，逆閹竊柄，戕害善類，一時俊傑，雖不在位，而猶然主持正義，形成輿論於南都者，即商邱侯朝宗，與桐城方密之，如皋冒辟疆，宜興陳定生四人，時人稱爲「四公子」。

先生固負才名，早以明經舉於鄉，惟試輒不利。無聊之餘，頗耽聲妓，繼又自悔，發奮如故，專修詩古文辭，詩追步杜甫，文則出入韓歐兩家，遂以文著。所作才思橫溢，嬌變不測，如健鶻擊空，長鯨赴壑，使人目眩驚魂。及甯都魏叔子（禧）出，與之並稱侯魏。侯長於敘事，而文中最精彩之作，當推在督師史可法幕府時，爲可法答清攝政睿親王一書。於詩殫心探討，垂二十年。所作各體皆備，有疏宕者，有莊嚴者，有清新者，亦有典奧者。方之錢（謙益）吳（偉業）王（士禎）朱（彝尊）四家，誠未多讓。然詩名多爲文掩，如漁洋批評：「近日論古文者，率推侯朝宗第一，遠近無異辭，其不工於詩，猶宋蘇老泉陳龍川之流，未足爲朝宗憾也。」蓋漁洋亦眩惑先生文章，未深究其詩者歟？

秦淮河畔，金陵歌舞之鄉也。媚香樓名妓李貞麗，夙與陳定生善，性豪俠負氣，嘗輸於賭，一夜擲千金不爲意。養女李香君，亦俠而慧，年甫十三，學歌於吳人周如松，對諸種傳奇，皆妙得音節；尤工「琵琶詞」，獨不輕謳。爲人風調俊爽，以身材短小，綽號「香扇墜」。因獲騷人墨客吹噓，其名噪南曲，四方才人，爭以一面爲榮。

當崇禎十五年壬午，先生年正二十有五，先生張天如（溥）夏彝仲（允彝）漸以香君之美說先生。時先生寓居南闈，鬱懷無所遣，始訪香君於媚香樓，姬審請先生作詩，而自歌以償之。逆閹餘黨阮大鋮，屏居金陵已久，欲東山再起。陳定生與吳社領袖吳次尾（應箕），則極力反對。先生與陳吳二人友誼篤厚；大鋮頻向先生結歡，冀邀陳吳諒解。既而阮大鋮食客王某，日載酒與先生遊，姬私語先生曰：「今阮大鋮爲清流所不容，以宜興陳君貴池吳君實首其事，不得已，欲假公子解之耳。

（上）

自由人
THE FREEMAN
（第三六六期）
每份港幣壹毫
20 CAUSEWAY RD HONG KONG

中共叫囂「解放台灣」的分析

黃華表

自中共叫囂「解放台灣」，繼之郎是美國第七艦隊誓保台灣的反應，一般觀察者便大都認爲中共這一種狂妄的叫囂，目的祇在於鎮壓內部，事實上不會有眞正的行動。因爲，美國保衛台灣的主張，既堅決而明朗，中共憑什麼力量可以摧毀美國的第七艦隊，而橫渡過一百里闊的台灣海峽？不能橫渡台灣海峽，又憑什麼力量可以消滅台灣現有五六十萬訓練精良，裝備充足的海陸空部隊？故此就軍力而論，中共之叫囂「解放台灣」，只不過是一種狂妄的叫囂，絕無見諸行動的可能！

中共已考慮過的問題

不過，我們若深一層去研究，事情絕不會有這樣簡單。尤其中共爲什麼要不先不後，恰在英國工黨代表團將到達僞都的時候，由其最高層十分鄭重地決議，又十分鄭重地宣佈這一種主張？其渲染叫囂的程度，也絕不在當年「抗美援朝」之下？中共不都是傻子，倘若他們事先沒有精思熟慮過而決心這樣做，不會輕率狂妄到這步田地！

我想，中共事先必然曾精思熟慮過下面一些問題：

（一）他們現有的海上力量，是不是可以克服美國在台灣海峽的第七艦隊？如不可能，還有什麼力量可以不戰而克服這一種海上的障礙？

（二）中共內部現有的饑荒與水災，是不是會障礙他們這一種冒險的行動？抑或有助於這一種冒險的行動？抑或由於這一種冒險的行動，反可以解決或減少內部的困難？

（三）在外交上是不是會因這一種冒險的行動，而引起想像不到的嚴重後果？抑或由於這一種冒險的行動，反可以得到一次外交上的偉大勝利？

中共的如意算盤

他們的答案可能是：

（一）他們現有的海上力量，絕不足以摧毀美國的第七艦隊；蘇聯一向的政策，是保持軍力強大，但絕不輕於使用，故要蘇聯使用其遠東艦隊或潛艇以牽制美國，也絕不可能！但根據過去三四年來對付「美帝」的經驗，只須運用外交的力量便可以不戰而屈「美國之兵」。

（二）中共內部最困難是三大河流的水災。因水災而致饑餓的人民，自然以千萬計。但這是「無拳無勇」「待塡溝壑」的難民絕無力量足以危害「威震殊俗」的中共政權，反之，這一類嗷嗷待哺的饑民，正可以利用做「解放台灣」所需人海戰的兵源。這些饑民不獨不致成爲「解放台灣」的障礙，正是「解放台灣」的力量。

（三）在外交上，「解放台灣」，不獨不會招致嚴重的不幸後果，反之，還可以獲得偉大的勝利。

英工黨救了中共

中共如是的答案，完全不是虛妄，是有其事實經驗根據的。他們這一種事實與經驗，在韓戰之前，是沒有的。韓戰以後，他們才慢慢地試驗出來。韓戰初起的時候，他們是絕不會料到杜魯門和艾奇遜會那樣「迅雷不及掩耳」的，不商之聯合國，不商之國會，居然在接得消息幾小時之內，便完成動員的任務！又居然能在戰場上抵住絕對優勢的共軍！後來雖則中共動員了成百萬最精良的部隊，畢竟不敵麥克阿瑟的突擊。這時候中共軍事上的頹勢，幾已瀕於絕境。不知是不是天意要「故留秦越」？在這個時候共黨集團[illegible]法朗斯斷送越南十七度以北的人民和土地？如何暗示哥倫坡集團離開反共的立場，以孤立美國？打擊杜爾斯東南亞聯盟的政策？甚至於法朗斯扼殺歐洲軍的生命，這一連串有利於共產的事實，那一件不是共產集團運用英國的工黨，以牽制保守黨；運用邱吉爾艾登以控制艾森豪杜爾斯的結果？自韓國休戰迄越南分割，美國曾經過多少次「報復」的恫嚇？美國「報復」的行動究竟在那裏？這是什麼道理？是不是中共眞已強大了？這也是稍稍具有國際常識的人都能夠解答的！可謂完全是英國控制美國的結果！然而表面是邱吉爾，骨子裏還是工黨的艾德禮先生，這也是任何人都不能否認的事實！

一條萬應靈方

我們只須認定上面所分析的事實，便能夠了解中共上面的答案，確非虛妄，確是有事實經驗做根據的！認識了中共的事實根據，便可以了解爲什麼中共要不先不後，要恰在艾德禮先生一行將到達僞都之前的時間，才由他們的最高層鄭重地決議，又鄭重地宣布，又擴大渲染他們要「解放台灣」的決心！

中共由於這三四年來的經驗，已充分透澈英國工黨以至於邱吉爾一流人的心理，最害怕的是「戰爭」！只要爾裝像「戰爭」的模樣他們便會竭盡力量來「緩和」爾！「安撫」爾！他們最愛聽的是「和平」，不管爾是眞誠或僞裝。只要爾主張「和平」，他們會以爾的所主張「和平」來壓住好戰的「戰爭販子」。這是「中共」「俄共」對英國屢試屢驗的萬應靈方！中共本來是幾乎瀕於死亡的，就靠了這一條萬應靈方救了他！又靠了這一條萬應靈方獲得了今日的「強大」！然則中共爲什麼不再用一次這一條萬應靈方來「解放」最心腹大患的台灣呢？如果中共不好好地利用這一條萬應靈方來打倒「美國的戰爭販子」那才眞是傻子！所以毛澤東要在接見艾德禮一行代表團的當兒，明朗的「指示」「和平」要他們負担三個使命。三個就是說：爾該是最怕「戰爭」的，爾該趕速完成我這三個使命吧！爾「台灣」是必須「解放」的！「解放」自然是和美國作戰！自然即是第三次世界大戰！自然第一顆原子彈，是落在英國的倫敦！自然最先毀滅的是英國！

（下轉第二版）

共黨虎視下的泰國

祝修衡

越南被分裂後，泰國已成爲共黨侵略東南亞的次一目標，它將成爲越南第二，抑給叻比里以「政變」篡奪方式，歸入共方呢？實爲可慮的問題。

堅決反共的立法

一九三二年的政變終結了卻克里王朝，改爲君主立憲。拉瑪八世即位，一九四八年七月二十日改爲泰國。近二十年來，這個古老佛教王國，成爲中南半島著名多變亂的國家，最近兩年局勢比較穩定，乃得力於一九五二年恢復了一九三三年的刑法，通過「非泰活動」法案。再度宣布共黨爲非法組織。泰人對共黨本無好感，鑒因泰國政府請加入聯合國，積極取消了不准共黨在國內活動的法令，改刑法和容共條件，停止杯葛的交換條件，造成了中共與越共滲入，扶植泰共的機會。從此泰國內在危機逐漸增加，直到一九五二年一月，泰國在一次的內部危機之後，總決定恢復取締共黨法令。此一法令，比三十三年前的刑法，更爲嚴厲，於是有效地遏止了亂萌。

中共的傀儡勢力

根據「非泰活動」法案成立後，跟蹤就大規模搜捕潛伏地下的共黨分子，內在危機雖已大爲減少，但客觀形勢，對泰依然不利，不僅助長共黨的勢力膨脹，尤其是國內的共黨，在中共控制下的滇南，滲入泰國。去年二月，中共宣布「自由泰國」在滇南「正式成立」，實際上以召存信爲首的傀儡政權，中共於一九五零年間，已開始在車里安排了。召存信曾任車里宣慰土司，爲暹羅土司的後裔，娶泰族之女爲妻。中共利用他在政治上的名望，用以號召泰緬邊境擁括有二十八個縣的十二版納泰族二十萬人民，使其成爲中共所製下的「統治」者，供其驅策。初時並無積極進侵泰國的企圖。到中共正式宣布，並作事實上承認其「合法」地位之後，召存信的傀儡政權，亦擴大組織，以叻比里爲「人民解放軍總司令」，泰國政府才加注意，鑾披汶宣佈泰國緊急狀態及頒布動員令，同時討伐「自由泰國」傀儡政權。然而車里畢竟控制在中共手中，除了警戒之外，祗有任令其坐大。

泰奸叻比里

叻比里戰前曾任總理，泰國淪陷期間組游擊隊抗日，戰後復支持鑾會龍，率人民黨黨員組成新閣。於拉瑪八世死後，叻比里漸見失勢。隨着一九四七年十一月八日政變，阿斐瑣領導組閣，鑾披汶則於幕後操縱，藉口追查行刺拉瑪八世兇手，叻比里任內幕僚三名涉嫌被捕，而鑾會龍與叻比里均被視爲次一目標，無法在國內存身，於是亡命香港。迨中共在大陸擴張，國際共黨積極準備大規模侵略，收買東南亞各國的失意政客，軍人，知識分子。叻比里、鑾會龍，遂氣餒赴平。但叻比里的妻娘乃戍仍留曼谷。她是泰共幹部，泰政府以叻比里已離國，對她並不重視，使她獲得替共黨張目機會。她並且秘密籠絡叻氏昔年抗日舊部，因此助長娘乃戍地下武裝的發展，促進政變的危機。

佛教與共產水火不容

泰國共黨勢力之發展，固出於共產國際之陰謀，但本身弱點亦有檢討必要。假如本身沒有毛病，便不會迭次發生政變。誠如泰國政要叻寬所說：「百分之九十五的人民，不知道共產黨是什麼東西；他們的信仰都集中在國王一人身上。」可見泰人對國家觀念非常深刻，是不易受共黨控制的。過去泰共領導人叻巴寨頓，曾經對共產主義與佛教教義兩者並存，作過深刻研究。最後終認爲共產主義不特與佛教教義相悖，而且亦有違國情民意。於是他提出一項中庸主張說：「改造國家，趨向眞正民主和獨立。」用來號召民衆。他是一位文學士出身的泰共首領，遭到貶黜之後，由中共加以庇護。到去年二月，泰共的領導權，纔逐漸轉移到叻比里手上。

自強自存之道

泰政府倘能團結內部，加強國防實力，「自由泰國」的傀儡召存信與叻比里之流，無非是國際共黨一時利用的鷹犬，到底不足爲大患。所可顧慮的，是中共以「自由泰國」作掩護，將使越的手段對付泰國。泰國目前可用的實力，包括警察不過十萬之衆，自難抵抗中共大舉進侵。所幸泰國反共立場堅定，如能與自由亞洲反共國家密切聯合，則安全的威脅可望減輕。泰國要團結內部，加強反共力量，保持獨立與安全，應做的事情很多，惟下列各點，尤應及時努力：即（一）善視華僑，華僑對泰國貢獻甚大，無待多言。希望泰政府應及時考慮取消對華僑的各種歧視待遇。（二）來自湄公河彼岸的泰族六萬人，應妥爲處置，使其生活與教育能得解決，才不至爲共黨所利用。（三）增強國防軍事，實行動員。（四）團結內部，消泯猜疑，積極刷新內政，收拾人心。必須如此，才可不至爲共黨所乘，自強自立意斯在乎！

半週展望

旭軍

不必請齊人客才開飯

在今天我們漸漸看出，圍堵性的多邊聯防，不及解放性的雙邊協定的切實而易舉。杜爾斯的「聯合行動」外交主要政策的目標是不錯的，但其方法有修正之必要。

圍堵性的聯防是依着地理形勢看，要搆成一個防堵圈，先安排定要有某某等國家參加，如果某國家不參加，便生出某方面有缺陷（GAP），——或漏洞，——的遺憾。在英文「GAP」這個字最切合我的意思，因爲它不但有缺口陷落之意，而且有精神不融洽或發生距離而有意見齟齬的含義。例如歐洲軍組織的「GAP」在法國。而東南亞聯防的「GAP」便多了，許多謀與共黨「和平共存」的東南亞國家根本不願參加，可見圍堵性的多邊聯防不易達成。一般人對目前正將舉行的東南亞聯防會議，咸抱悲觀，認爲不會有重大之結果。他們說：由於美英兩國代表反對北大西洋公約或協定的先入爲主立場而反輕視，菲律賓軍事聯盟之主張。我認爲北大西洋公約沒有歐洲軍的建成，也不見得有何大用處。

因爲自由世界沒有一種思想主義，作冷戰基礎——好像中古時代的歐洲十字軍的結合，在現況看來，難以出現了。——所以聯合行動祇有是爲勢所迫而自然構成。

反過來說：解放性的雙邊協定較平易切實。就在有共同利害和迫切需要，存有反侵略的意志——即冷戰的基礎——而沒有圍堵性防衛因成員利害衝突，及經濟、信仰、傳統、種種歧異，而聯合不起的弊病。

七月澄清東南亞的局勢，八月澄清西歐局勢，但自由世界却飲了兩個苦杯，即越南分割與歐洲軍近於死亡。然而却鐵一般的證實我上面所說的意見。

因此，我們在九月的展望，應期望美國急速改變其政策。不能爲着一條聯合堵牆，而硬行「拉夫式」的聯合。事實上，決不能請齊人客才開宴，應行肚餓便吃的切實辦法。對盟友不能不有選擇取捨。

中美雙邊協定

美駐華大使藍欽於本月二日至中國外交部拜訪葉公超外長，據悉係討論擬議中的中美「雙邊協定」問題。這個是一個令人渴望的好消息。希望杜爾斯先生自東南亞會議完畢後，來台灣更切實的推進這一個計劃。

中國問題是整個世界問題的中心。並非誇大之語。中共的一面倒向蘇聯，是世界的禍根。這是自由世界應該認識的。此禍根不除，世界和平永受威脅。曾來遠東視察的杜威先生說過應援助自由中國收復大陸的正確見解。杜爾斯當時在「太平洋安全問題」一文中，認爲締結太平洋公約尚非其時。可見他們在遠東全局看法是對。但未選擇一個切實的方法。杜爾斯的困難便在「請不齊人客開不得飯」。現在應該和遠東最渴望解放的人民切實進行自由革命，瓦解鐵幕。雖此事艱巨，但方法正確，便不致困惑而進退失據，步驟必能堅定，最後必然成功。若以反共抗俄爲目標的中美雙邊協定成功，則比較現在擬訂中的東南亞聯防公約實要得多了。也足以證明雙邊協定值得美國重視。

扶起德國來

在西歐方面我們亦希望與預期美國有所取捨。德國是值得扶持起來作自由陣線的健將的。目前的西德和第一次世界大戰後的德國不同。一九一八年德國通貨膨脹，把德國中等階級破壞了。極端的納粹與共產黨，乘機活動。試看KAH RADEK力謀使德國將領與共產黨訂協定，謀以俄國軍事援助重建德國武備。但今天的西德經過佔領後，經濟日益進步，而傾向民主自由，這是不可忽視之事實。法國的短視政客，犯了「一本通書看到老」的毛病。所以德國外交政策大轉變。如果法國阻撓西歐團結，則不復視法國爲盟友。其苦心是值得同情的，而美國亦必要捨棄「請齊人客才開飯」的策略而迅速援助西德建軍了。

「六億人口」的騙局

辛直白

近來在中共報章雜誌上隨時可以看到，卻不大爲人所注意的一個問題，就是「六億人民的中國」這句話。當前大陸人口忽然變成六億之數，那顯然是個謎，也斷然是中共別有用心的一種宣傳。茲根據事實，略加分析，以明其作用的所在。

我國人口狀況的回顧

當然，在世界各國中，中國是人口數字最多的一個國家，此乃事實。中國人口狀況，素有四萬萬之稱，這是乾隆年間較有規模的一次統計所得的結果。民國以來，內政部及郵政海關，均有簡易之調查或估計，其最高數固有達四萬萬八千數百萬者。嗣以國內地方不靖，天災人禍，紛至沓來，加以八年的對日抗戰，出生率減，死亡率高，人口狀況自然祇有相對減少。根據國民政府一九四六年的統計，爲四億五千萬，這個統計數字，是大體可靠的。

中共宣佈數字的可疑

中共於本年六月二十日，由鄧小平在僞政府報告，宣佈人口總數爲：六億零一百九十一萬二千三百七十一人，並謂其中五億七千三百八十七萬六千六百七十人爲直接調查的數字，八百七十萬八千一百六十九人爲少數民族地區間接調查的數字，七百餘萬人爲台灣的估計數字，其餘爲國外華僑的數字（見人民日報）。自此以後，中共便號稱中國爲六億人民的國家了。這個人口數字實在是個謎，斷難使人置信，原因有四：

據稱，中共這個統計工作，係去年六月三十日完成的，何以至本年六月二十日始作此簡略的宣佈？其分省分類的詳細統計情形，事經一年之久，理應印行於世，使世人有所明瞭，其可疑者一。

中共於一九五〇年曾宣佈全國人口爲四億八千六百萬，比較一九四六年國府的統計數，多了三千一百萬，而這次的統計，竟又超出一九五〇年統計數達一億一千多萬，即等於說中共統治大陸的三年中，突增加了如許人口數字，其可疑者二。

照通常人口的生育率爲千分之三十，其死亡率如照一九五一年九月中共「衞生部長」李德全在僞府第四十九次政務會議上所報告的大陸人口死亡率在千分之三十二上，則死亡率還略微高於生育率，這次統計所增加的如許數字，其原因如何？絲毫未據說明，其可疑者三。

又一九五〇年公佈，在四八六，五七一，二三七人的總人口數中，農業人口佔三九四，四九六，四九一，約佔百分之八十以上，當據中共官方報導，「土改」以後，平均每人分到土地一畝至二畝之間，顯係根據前項農業人口數作平均分配，照現在人口統計，其農業人口數自然相對的又增加了八千餘萬，豈非尚有如此衆多的遊民，未曾分得土地，其可疑者四。

由於上列幾個可疑之點，即可推知中共所宣佈的這個人口調查統計數字，決不是一個實在的數字。中共慣於作有利於自己的騙人宣傳，故此舉也就是中共的一個騙局。

擴大人口總數的用心

中共所以擴大人口總數，作此騙人宣傳，顯然包含了如下的幾種作用：

一　掩飾暴政：幾年來在中共的殘暴政權下，被直接和間接屠殺的人民，總數不下幾千萬，即就這一點冤枉死亡的數字言，目前大陸人口也只有相對的減少，中共擴大人口總數，就是企圖以虛僞的事實，掩飾其殺人暴政。

二　對外誇耀：近來中共所以常常稱及「六億人民的中國」這一詞，便是說明中共統治區有如此衆多人口，並代表如此衆多人民，統治及代表着如此衆庶的的一個政權，還沒有資格進聯合國，豈不是最不合理的一件事？可是中國人民絕大多數都是反中共政權的，中共以人口對外作誇耀，根本就是一個無恥的宣傳。

三　引誘西方貿易：中共擴大人口數字，也就是說明大陸消費市場，實較過去一般人所知者爲大。有些唯利是圖的西方國家，也許因中共這一個虛僞事實的宣傳，必然更要增加若干幻想，殊不知大陸人民，現在都在飢餓和死亡綫上掙扎，尤其這次水災以後，無數人民，十室九空，絕無購買消費力。那些幻想與中共貿易的西方國家，根本不要存此幻想。

大陸技工缺乏之原因

·沈著·

奴役工人與參加韓戰為技工缺乏之最大原因。中共的生產和政治均因此大受打擊，中共今後將再向商人開刀。

據最近中共天津「大公報」指斥私營工廠與「國營」工廠爭奪技工情形所透露的事實看，大陸各種技術工人的缺乏，已形成一般嚴重問題。該報指出：「使許多公私營工廠及勞動組織受到破壞，嚴重影響國家生產計劃和加工訂貨任務的完成」。

工業生產大受打擊

據稱，技工最感缺乏的部份，除軍火工業及重工業，此外五金、機電、文教用品、科學儀器、玻璃、搪瓷、熱水瓶、縫紉機、汽車修理、醫療器械等部份，亦有同樣的恐慌。

爭奪技工的現象，在各工業區都有不同程度的情形存在着，其中比較突出爲上海。該報稱，單就去年十月份至「上海市勞動局」受理挖工、跳廠、和在業工人做包活的案件，有關人數已達五百餘人之多。今年四月份以後，更見增加。

大陸技工缺乏的原因，主要係由於老弱的被認爲不能適應「生產定額」的工人，已被擯除。新的一代，則培養不繼，培養不得其法。其次，更由於幾年來，中共盲目奴役工人的結果，使不少優秀技工因工傷亡，或積勞成疾，以至無法繼續工作。此外因參加韓戰，動員工人，死傷甚多，更有所謂「積極份子」的工人被吸收爲工會幹部；凡此種種，皆造成技工人數大量衰減的原因。

國營與私營爭奪技工

技工既逐年衰減，中共的「國營」工廠爲適應本身迫切需要，即公然由各地黨委「政府」以「動員」名義將各地私營工廠技工，驅往「國營」工廠作工。但一般「國營」工廠的工資及其他待遇，遠不及私營工廠良好，於是紛紛往私營工廠（詳本報五月廿二日第三六期「大陸工人遭遇」一文）。私營工廠亦爲維持最低限度生產，不得不設法羅致此種技術工人，以補充所需。在此情形下，許多「國營」工廠的技工遂紛紛向私營工廠「倒流」。

工人「倒流」的範圍甚廣。該報舉例說：上海「國營」之上海電機廠、江南造船廠、市公共交通公司、華東汽車裝修廠、上海玻璃廠等重要單位；外埠「國營」之鄭州紡織機械製造廠、蔡家坡機器廠、蕪湖鐵工廠、吉林玻璃廠、鞍山機械廠、以及新疆、綏遠等地的「國營」工廠，均發生此種現象。其中有些工廠，被挖去的或自動跳廠的技工多達四十餘人。這不過是舉上海爲例，其他各地情形也祇是程度上的差異而已。私營工廠向「國營」工廠爭奪技工之外，私營與私營之間，公營與公營之間，亦發生爭奪現象。

生產陷於停頓

技工缺乏及爭奪的結果，據該報舉例指出：吉林玻璃廠，內瓶胆部主要技工七人先後離廠，不僅影響全年生產計劃的完成，且使大批未製成的瓶胆，因受氣候影響而爆炸，損失極大。又華東汽車裝修廠因板金工人被挖，以至生產嚴重脫節；不但若干季度的計劃未能完成，且影響重要的軍需任務。例如鄭州紡織機械廠，一批由各地「動員」而來的技工二十餘人，技術水準一般在六七級左右。但到廠未久，竟全部先後離去，使生產遭受嚴重損失。又如上海電機廠，被挖去三個技工之後，據初步計算，在五個月內，生產損失即達四億元人民幣以上。餘如私營的阮耀記縫紉機製造廠、文化華文打字機製造廠等，均長期接受「加工訂貨」任務者，亦因部份技工被挖他去，或被「國營」工廠強迫「動員」而去，以致全廠生產一度陷於停頓狀態。

私營爭奪技工方法

此種情形，當然使中共大爲震懼怒惱。認爲私營工廠向「國營」工廠挖取技工的結果，產生了嚴重的政治影響，使一般「國營」工廠的「勞動紀律」，陷於「廢弛狀態」，工人的「團結」和工會工作，都受到破壞。原因何在呢？就是因爲私營工廠的工資及其他一切待遇，都遠較「國營」爲優，使一般「國營」工廠工人（不僅技工）普遍發生浮動、消極、乃至怠工的情緒。該報並舉例說明：私營工廠係以社會關係，用高工資，做夜工，包生活，或送乾股等方法來吸引技工。例如天津復興機器廠，以超過原工資一倍半做吸引力，北平藝虹玻璃廠以超過原工資三倍做吸引力，上海國光霓虹燈廠、大東玻璃廠、鼎大玻璃廠等則以夜工每小時一萬元人民幣爲吸引力（「國營」工廠技工工資每小時平均僅人民幣一千五百元左右），世界工業社、五金螺絲工業社、泉源機器磐井工程行等則以送給技工自六百萬元至一千萬元（人民幣）不等的乾股做吸引力。至於私營工廠何以能以此種利益吸引技工的原因，據上月該報在「工商界的改造」一文中所透露：並非私營工廠有如此資力或盈餘，而是在「加工訂貨」關係中，將此種工資的負担轉加於「成本核算」之中。仍由「政府」、或「國營」企業負担。因此，中共曾指斥商人爲「慷國家之慨」。因此，大陸技工奇缺問題，已引起許多複雜而嚴重的後果，給予中共的生產和政治以很大打擊。

中共面對此種嚴重打擊，當然又得向商人開刀。開刀的方法，據稱將按照情節輕重，依「法」分別予以罰款，吊銷執照，沒收，判刑，各種處分云。

人物　述評

提到我國漫畫，便令人懷念到豐子愷，他的畫在中國畫壇上自有其評價。他純然以溫文恬淡的風格與世人相見，以幽默滑稽的趣味博得讚譽。他的作品沒有粗製濫造，或獷激烈的成份。

（一）

最近中共報紙說，豐子愷已當選爲上海市「人民代表」，是由老闆產生的。當選後，記者爲他作了訪問記。說他以自身經歷所得，遂而談他個人對於「憲法草案」的體會。

「訪問記」提到豐子愷說：「人民把這樣重大的責任託付給我，我覺得很光榮。」又說他近來忙於翻譯。最後說他很高興地說：「他現在切身體會到，國家對於從事科學、教育、文學，藝術和其他文化事業的公民的創造工作，是給以鼓勵和幫助的。」

中共爲什麼對豐子愷這樣欣賞呢？說來簡單得很，猶憶前年中共在整風運動之下，子愷也免不了要自我坦白一番，否認過去一切，甚悄自我侮辱。他當時的坦白，有人認爲是將「豐子愷開刀示衆」，這是人微的觀察，恰當的比喻。此番豐子愷代表，中共要他必當然是「示之於衆」，「以資觀摩」的了。

（二）

前年七月十六，上海「大公報」刊出豐子愷自我坦白書：「檢查我的思想」。

豐子愷的悲哀

劉霧如

這是一篇纖臧無限痛苦的文章。凡知道子愷過去的人，都知道這是違心的認罪，無可奈何的哀音。他在文中歸納過去的錯誤，分爲四點：一、趣味觀點；二、利名觀點；三、純藝術觀點；四、舊人道主義觀點。再把以上「四大錯誤」作一結論說：

「上述四點，合起來造成了我思想的混亂與錯誤。此外，我二十六年來（我在三十歲起不任職務，閒居家中，直到現在。惟其中抗戰到大後方時，我曾任課三年，係在浙江大學等任課三年）隨意家居上），助成了我脫離羣衆的習慣。解放以來，雖然時常出席各種會議，然而舊習的影響還是存在的。總之，我的思想錯誤由於過去脫離羣衆，對政治，不能認清階級立場，不能積極鬥爭袖手旁觀，因而長年從事於爲資產階級服務的純藝術工作，而使我的錯誤思想廣泛地流露在人間。今天，我要向廣大的羣衆表示由衷的懺悔。」

（三）

子愷這種懺悔認罪的理論，實在牽強得很，並非由衷之言。大凡一個人的思想轉變，必有它的路綫可循。驟然的變化，是不可能的。豐子愷富有人情味，與共產主義是相反的。他的漫畫的特點就是富有人情味和詩意，取材於市民的日常生活。在這方面他表現了高度的技巧，合乎人情，使人看了往往從出會心的微笑。他一部份作品取材於詩句，雖然只是素描，卻傳神逼真，比如「一江春水向東流」，「人散後，一鉤新月天如水」，「幾人相憶在江樓」，「楊柳岸曉風殘月」，都是他出色的代表作，教人低徊尋味，不忍釋手。（

編者讀者

田中奏章與中日關係

閑閑老納先生來函

貴刊第三五九期載，李應林先生披露田中奏章於太平洋學會，係由余日章先生得自南京外交部轉送給他的。此自非憑虛僞實，向壁造作。讀後不勝欣喜。

余日章先生爲國宣勞，駐日華僑莫不崇敬其爲人，余先生與馬伯援先生共同從事對日外交，得日本朝野重視，聲譽甚隆，僕當年居日，負責秘密任務，係卿羅文幹先生之命而行事，埋頭潛航，以防日人之疑忌，故與余馬兩先生，未嘗接觸，不相往來。

李應林先生以學界泰斗，做民族英雄之事業，傾九牛二虎之力，輔助王正廷先生，實行自主革命外交。認定田中奏章乃日本侵華政策之「最後通牒」。我國如能將此一文件，善爲宣傳，比之曹操七十二萬大軍下江南，力量更大。當時王先生任我外長，命東北當局，盡力設法取得此項重要文件。至翻譯此一文件，宣傳於南洋及地中海一帶，則李應林先生之力爲獨多。智勇兼備，歷艱若而不辭，實爲時賢之所不易得。

日人之謀華有功者，多博顯官貴族之榮，獨余馬李諸先生，爲國奮鬥，艱苦遍嘗，出生入死，老不封侯，皆「角巾染遍黃泥色，不稱權門作上賓」，無乃美中不足，令人感慨乎？

抗日戰爭，我民氣激昂，博得國際同情援助，得力於田中奏章之披露與宣傳之力不少。日軍駐南京總司令岡村寧次大將，曾於上海法庭受審時言，「日本非敗於兵力與財力不足，實敗於一紙田中奏章」。又日外相重光葵於國際法庭受審，亦言「王正廷外交巧妙，不費吹灰之力，徒恃三寸不爛之舌，宣傳田中奏章，旋轉我日本乾坤。」此可見田中奏章關係之大矣。（按原函末段，係討論日本憲法上統帥大權者，與田中奏章事無關，從略——編者）閑閑老納，八月廿五日，台灣。

中共叫囂「解放台灣」分析

·黃華表·

（上接第一版）

我們試猜英國工黨艾德禮一行人會怎樣的反應？中共的眞正企圖可能只是要「美國」的第七艦隊撤離台灣，或者是「中立台灣」，只要做到「中立」，中共便可不以「台灣」安心，穩定其內部，怕不能養成強大！征服全世界！中共如果以不惜掀起世界大戰的決心，去向英國討取「中立台灣」的代價，我們試猜英國會不會爲他們努力而達成其任務！美國又是不是在這個「勢孤」「理屈」的時候，毅然背棄其盟國，獨力應付「中」「蘇」兩方而作戰？就這三四年來艾德禮，邱吉爾，艾森豪，杜爾斯，四巨頭的行動做根據來推測，誰都不敢肯定他們不會這樣做！

我不是神經過敏，我們要警惕，切不可輕視了中共解放「台灣」的叫囂！

郝懿行與其「山海經箋疏」（上）

趙尺子

傅孟眞的功績

合北演次的「流行性感冒」，竟把我這從來不害小病的人，按例床上四五天。饑過後，身體覺得輕得很，請了幾天假。假期中，會赴楊梅中央研究院歷史研究所一閱郝懿行氏的「山海經箋疏」。自從由小川豚治的書上發現了郝氏，知道他寫過十八卷「山海經箋疏」，一年多以來我向四處尋找這部書。買遍了台港，全然失望。近承董彥堂先生的好意，特准我到他主持的歷史研究所去看。

十八日九點五十分搭車，經萬華、板橋、樹林、山子脚、鶯歌、桃園、埔子脚、中壢、平鎮，於十一點三十分到湍楊梅。下車，便赴歷史研究所，訪徐主任高阮。徐先生謙稱多讀我的文章，拙作因國史經外國雜誌介紹，也已閱過云云，很表歡忙，約定下午一時半特別爲我提前開館（原定四時），並親自送我到一家頗爲涼爽的冰店午歇。下一時半到六時，我專心看了四小時半的書。史所所藏中文書十六萬册，西文書萬册。這是前所長傅孟眞先生的功績，他由兵荒馬亂的大陸上用盡心血運來這些「國寶」，否則便要飽飫秦皇的餓腹了。

山海經的本頭

「山海經箋疏」列於郝氏遺書中。遺書竟有皮木刻大本七十餘册。我先翻覽一過，參看經訓堂（畢沅）原刊山海經新校正（乾隆癸卯開雕），較本好得多了。徐先生還特意出示珍本明板郭景純（璞）注本，明萬曆乙丙刻本刊行，名爲校正大字宜板山海經。有中央文化事業總委員會藏書印。書本頭比起我的成化本來，在校正，刻工方面尚差一籌。據云尚有晒藍本二三種，迄未開箱云云。這當是明、楊愼山海經補註及清、吳任臣山海經廣註之類，因此我所有的山海經註以郭注爲最古，明有楊愼，清有吳任臣，連郝氏的「山海經箋疏」，一共只有五種。

被遺忘的樸學者

對於郝懿行氏，過去一年，我是毫無所知。及至我看了小川的「中國歷史地理研究」（偏重講山海經的書，稍有貢獻）稱許郝氏，我查了幾本學術史和人名辭典之類，都沒有他在內。直到這次翻閱了他的郝氏遺書七十餘册，才發現他是一位被百年來國人所淡忘的樸學者。據遺書首册特載殊印的光緒七年十二月二十四日內閣奉上諭，舉印的順天府府尹游百川奏摺和阮元序（嘉慶十四年夏），郝懿行字皐闌，山東省棲霞縣人，縣廩膳生，乾隆丙午優貢，戊申舉人，嘉慶己未（西一七九九）進士（座主阮元，阮序稱「從經義中識拔」），官至戶部江南司主事。所著郝氏遺書共七十六册，內計：爾雅義疏、春秋說略、春秋比例（進呈本作春秋比）、山海經箋疏（附圖讚及訂譌）、列女傳、列仙傳、詩說、詩經拾遺、書說、汲冢周書輯要、易說、詩問、鄭氏禮記箋、竹書紀年校正、晉宋書故、補（晉宋）刑法食貨志、宋瑣語、荀子補註、寶訓、蜂衙小說、證俗文、曬書堂文集、筆記、筆錄、燕子春秋、記海錯、外集、別集、時文、詩鈔，試帖詩餘和梅叟閒評。治學範圍頗廣。遺書總目後附載「已有成書尚未付梓者」計有：說文廣詁、古文鑑略、漢書註、古文考證、文心雕龍補註、偷閒錄、小爾雅補註、穆天子傳補註、漢紀探考、晉文鈔、讀書記、遊文小史和四書補註。史所所藏，似缺曬書堂文集。我粗看了竹書紀年校正、晉宋書故、宋瑣語等，並據未刊書目裏列有晉文鈔、穆天子傳補註等書推想，郝氏雖係經生，但對晉代的文章和傳註定乎獨有偏嗜，不須一位迂儒。又從他補校的竹書和「山海經箋疏」裏多引古史逸文，納入原書，知道郝氏治學的家法是漢儒以來的正路，所以上面我說他是樸學者。

官私雙方的評價

當年官私兩方對於郝氏的評價，也可以從序跋中看出。上引內閣奉上諭，稱他：「據南書房翰林稱：「學問淵博，經術湛深。嘉慶年間，海內推重。所著春秋比，春秋說略，爾雅義疏，山海經箋疏各書，精博邃密，足資考證」……」；游百川奏摺稱他：「黯齡勵志，皓首窮經，迹其成書，有裨實學」；阮元序稱他：「實學士也」，並云：「妻王安人字瑞玉，亦治經史，與皐闌共著書于車鹿春廡之間」。令人想像老夫婦在「車鹿春廡之間」，相對著書，郝氏能有這七十多巨册著作留給後人，這種學風是確值欽敬的。當年的太平景象和高級公務員（司主事）的業餘生活，也可以從這情景中知之。

讀：四魂血淚記

著者：易君左　出版：自由出版社

書影

（一）

我曾經介紹過易君左先生著的一本歷史故事「中國民族英雄」，現在我再向大家介紹他另一部著作「四魂血淚記」。這兩部書的性質是一樣的，都是以歷史爲背景，但它的故事與時代不同。

前者是寫古代中國民族英雄如何爲了保護中華人民的生命，財產，自由而產生許多流鮮血，擲頭顱的事蹟；後者是記敍明末清初太平天國時剿匪和後來光復台灣的史實。

（二）

本書內容敍述兩篇史實：「漢中之圍」和「四魂血淚記」。

這兩篇文字敍述作者的祖父和父親生平最值得回憶的一段史實。作者把先人所寫下的事實，加以細膩和淺白的描寫，做成兩篇可以用來說故事，也可用來編劇本的文章。作者自己說：在他三十多年寫作中，本書最純潔的靈魂，和作有血有淚的記載，就只有這兩篇文章。我們看過後，可以知道一點關於當年「長毛賊」是如何令人害怕，和台灣怎樣被日本所佔據，後來又怎樣被光復。

（三）

「漢中之圍」寫的是作者祖父易佩紳，在太平天國戰役中被圍陝西漢中名城的一段可歌可泣的史實。

當年——同治二年——易佩紳奉令剿捕陝西「捻匪」。川寇藍大順，藍二順失勢退入漢中，與太平天國翼王石達開合併，同時招集一班土匪流氓加入陣營，增加實力，號稱十萬大軍；而佩紳所率領在城外的官兵，只有三四千人，在這種強弱懸殊的情勢下，剿匪已經不易，更加以糧食不足，交通不便，種種困難，形勢更加不利，看來已不能再維持下去了。但佩紳並不灰心，他本着大無畏的精神，支撐這個局面，去挽救危機。結果，經過幾許辛苦，終於把「捻匪」剿平，使人民重見天日。

（四）

「四魂血淚記」寫作者父親易順鼎，在甲午中日戰役中馳援台灣民主立國運動的一段驚天動地的史實。

這段史實的起因，是因朝鮮東學黨叛亂，朝鮮政府無法制止，要求中國幫忙，因而引起中日之戰，結果中國戰敗，訂下屈辱的馬關條約，割讓遼東與台灣。

當時，易順鼎極力反對，後來，遼東因國際上種種關係不能割讓，只賠款了事，而台灣卻被日本佔領了。

台灣被佔領後，順鼎更加反對，他努力向朝廷陳述台灣地位如何重要，足以制中國的死命。同時他寫了許多文章，深得人民同情，招集第一班愛國志士，水陸進攻台灣，並沒有成功。好容易在五十年後，才把台灣光復，這眞是一段血淚斑斑的史實。

（五）

這本看來好像作者有意數家珍，這點我以爲應該爲作者辯護。正如作者說：對於先人留下英勇的事蹟，作爲子孫的立場來說：應該將宅表揚；作爲歷史與文化的立場來說，應該宣揚民族的精神和人間的正義。所以這本書是很有其歷史上的價值的。

中共的鑽探宣傳

幹部乘機騙取獎金　礦場產生盜竊集團

中共區報紙對地質鑽探工作宣傳得有聲有色，似乎中國所有地下寶藏，都被他們發現了，至今才知道，原來都是假的。中共是藉此以欺騙世人，而幹部亦藉此以騙取獎金，以致中共區的地質鑽探工作，如今弄成一團糟的現象。

這現象是「人民日報」上月二十四日自供出來的。該報說：「地質鑽探工作人員，大部分沒有認識到自己責任重大，兢兢業業把自己工作做好，一心追求個人的非法利益，採取各種惡劣手段，虛報鑽探質量，騙取獎金，不惜損害國家經濟建設事業……這種惡劣行爲，給國家造成巨大損失。」

該報一篇短評上更悲哀的說：「特別需要指出的是：這種假報鑽探質量的行爲，目前不是僅僅存在某一地區及某一單位，所有各礦廠系統，都有不同程度的類似情況存在着，這就更應當引起我們高度的警惕了。」於此，更證實中共區虛報鑽探質量的嚴重性。

例如峯峯礦務局地質處，更是假報鑽探質量，騙取獎金的大集團。該局鑽探隊有二十餘台鑽機，其中有九台鑽機長期有組織、有計劃地假報鑽探質量，騙取國家獎金，其餘的鑽機，間或也實行上述的欺騙行爲。

該局鑽探隊爲了騙取獎金，竟採取對紀錄員威嚇利誘，擺改表報，打碎拉長岩心，甚至製造假岩心等惡劣手段。其中最嚴重的有四個分隊。如十七分隊班長袁運超一九五三年十一月前後共假報了三次成績，先後打碎和增長岩心一公尺。有一次，紀錄員寫好了日報表，他一看質量不夠，即命令紀錄員更改報表，當時紀錄員拒絕了他這個違法的「命令」，並向他提出批評，但袁運超不但不接受，反而親自把紀錄改了。他經常說：「隊錢不賺錢，全在紀錄員。」就這樣地前後騙取了獎金二百多萬元。

另有個十八分隊一九五三年十一月在打四一零眼時因質量不好，將碎心岩拉長仍不合規定，更不擇手段的將粉管內的岩粉、鑽泥、鋼沙和岩絲等調成假岩心四百多公分長，企圖冒充岩心。該隊四二零孔鑽機另一班長李俊生硬叫紀錄員范金舟將一百三十公分的岩心改成一百六十公分，范金舟不肯改，李就在生活檢討會上批評范「勞動態度不好」。該機就用這樣的辦法，自一九五三年九月開鑽到一九五四年一月，月月超額完成任務，騙取了獎金近千萬元。並被評爲「模範鑽機」，該局領導幹部還在鼓裏，大爲這個騙取獎金的「模範鑽機」李俊生，慶功祝賀，大肆宣傳。

二十四分隊代機長黃文青在四月份任務將近完成時，因岩心採取率低，竟故意將岩心拉長一百公分。四月二十三日岩心原長一公尺零五十公分，並已塡好表格，但黃一看採取率低，就親自動手將其中長二百公尺分岩心打碎，並說：「我豁出犯錯誤」。命令紀錄員重新再量一次，重改了表報，結果多報了五百四十公分。又二十八分隊在機長房自修與班長甄有村夥同鑽弊下，將三月十五日表報岩心多報一公尺。三月底，因進尺超額六十四公尺，而岩心尙差六百公分，於是在房自修主謀策劃下，撥三月十一日進尺撥到四月一日八百公分，上報「超額完成任務」，騙取了獎金二百多萬元。

產生上述種種嚴重情況的原因，一方面由於這些鑽探人員品質不好，覺悟不高，對國家建設工作極其缺乏責任心，另一方面，則是由於峯峯礦務局領導上對地質資料正確性的重要意義認識不足，只知追求進度，不顧質量；在工作中忽視對職工進行經常的「政治思想教育」，糊里糊塗片面地以獎金來鼓勵職工生產情緒，以致使該局變成一個「盜騙集團」。

這個「盜騙集團」，由於對地質資料的重要性認識不足，各級領導幹部到區檢查工作時，開口只問：「任務完成怎樣？」「材料消耗怎樣」？而煤心岩心到處亂放，任其遭受風吹雨打的種種錯誤現象，卻無人過問。有的鑽機上中旬專門突擊進度，岩心管直進六公尺也不提取岩心，任其磨損；到下旬再來突擊質量，鑽進一公尺、半公就提出岩心。尤其嚴重的是對十九分隊在四一六孔鑽進時，將四公尺多的大煤打成二公尺，明知打丟了二公尺多，但領導上反因「超額完成任務」，仍然發給獎金一百多萬元。這樣就更助長了基層幹部長期忽視質量，假報成績，騙取獎金的惡劣行爲。

（陳皎）

委任議席亦應民選

市局會議打破紀錄

香港的政制革新問題，本報第三六四期曾經提出檢討，各方對此頗表重視。他們覺得市政局自設民選議席，多數人要說的話，可通過這些民選議員向港府有關當局反映；但嚴格說來，民選議員所能貢獻的，也並不怎樣多，使很多市民因爲愛之既切，期望尤深，就不免責之過嚴，而要求民選議員能多替市民盡力，成爲公衆名副其實的代言人。事實上，這四位民選議員也何嘗敢懈怠他們的職責，有時不免力不從心。這是格於「市政局常規」，牽涉到整個政制問題。

市局常規，每使民選議員在某一問題辯論中，不能暢所陳辭，如最近一次市政局會議中，主席李維斯會經行使此項權力多次，制止貝納祺陳述被認爲超出範圍的演詞。但這一次四位民選議員畢竟衝破了過去一向覺得難以忍受的範疇，於官守及委任議員全部退席時，依市局法例第十一、十二（二）條規定，貝納祺聲明：全體非官守民選議員，仍留議會繼續開會。並選出胡百全爲臨時主席，主持會議。對貝氏所提「市政局極力向督憲建議，最遲自一九五六年選舉時起，市政局非官議員應全部屬民選」議案，經李有璇和議，區達年作補充說明之後，臨時主席交付表決，一致贊成通過，完成了香港民主政制中之壯舉。贏得二百餘萬市民同聲喝采。

貝納祺的創議動機，甚於（一）現時選民範圍過狹，且甚多議案被撤出議程，如有意見提出，卻爲市局常規所限；而法規委會又不研究修訂，以致各項事務均受挫壓，例如要求任命委員會徹査徙置區貪污情事遭否決。（二）香港革新會代表大多數自由意見，受白領階級、工商界人士、教師及其他職業人士與非共黨的職工團體支持，倘該會不能取得所許下的諾言而達到目的，勢將失去他們的支持。（三）已往三年間委任議員只提出兩項動議；民選議員幾約三十項之多；倘委任議員意欲在一九五六年後留任的話，最好參加一項民意的眞正考驗。（四）香港要成爲眞正民主櫥窗的城市，受薪階級，職工團體及工商界人士，也應有代表個人意見發言權利。（五）市政局權力應不受約束，市民享有如同其他殖民地那樣同等權利，但今日香港政制的落後，還不能與非洲相比，更不能與星洲坡相提並論，事實上星洲與香港同屬英國的殖民地。貝氏於會議中力言過去雖曾有多任總督協助市民上書殖民地部，建議改革政制，屢遭拒絕；且遠自一八四九年港人希望成立市政府，一九一零年亦有同樣要求，以迄一九五四年，仍有議員稱爲「未適時勢」之議。而最近市局經通過擴大民選範圍，亦遭港府當局視作大規模性質之政制改革。這一次的貝氏驚人創舉，不特全體市民極力支持，相信凡自由人類莫不贊成。更無異替自由民主大道奠定了堅實的基礎。

香港三日

兩大「之本」

馬五先生

若干年來，我們讀膩了，也聽膩了那煌煌然十二條「之本」的黨員守則。這些教條的道理，對於任何人皆可作其立身行己的圭臬，豈僅某一政黨的黨員而已哉？

假使大家把那些甚末爲甚末之本的守則，在實踐生活上，稍爲兌現了一二分，漫說大陸上的錦繡山河不會變色，共產黨根本就沒法子起來的。不幸，那十二大「之本」的教條愈唸得越多越起勁，國事的敗壞也就越快越不可收拾。今天依然照樣的唸，我覺得其作用比和尚口中的「阿彌陀佛」都不如了！

譬如說「助人爲快樂之本」，這是互助論的精義，爲促進社會進化，而使人類生活在和諧愉悅的氣氛中，向上發展的大道。然而，我們所看到的事實，多半是「整人爲快樂之本」。「整」也者，損害中傷之謂也。中國智識份子的唯一特長，即爲植黨營私，搞小組織，玩小派系，自古已然，於今爲烈。明末阮大鋮馬士英之流，國破家亡了，還要在政治上排擠傾軋，殘害忠良爲快意，極盡「整人爲快樂之本」的能事。

由於派系鬥爭，即不能不以「整人」爲基本要務。整人者人亦整之，即不能不在政治上攫奪權力，因而不能不寡廉鮮恥，無所不爲，以期達顯位，立於不敗之地，結果乃構成「無恥爲成功之本」的政治風氣。所以，跟政治人物講廉恥，等於對娼妓談貞操，多見其爲大煞風景，自討沒趣也！

「整人爲快樂之本」，「無恥爲成功之本」這兩大信條，深中於人心，見效於現實，上不以爲恥，下不以爲非，此而國不破，家不亡者，有諸？

古琴聆奏記

・文華・

（一）

偶然在旭和道朋友家中，看見牆上掛着一張古色古香的七弦琴。主人說這是宋代的樂器，最近他的家人從一位老琴師學習彈奏。現在學習彈奏這種樂器的人已經不多，懂得彈奏的則更少了。我看見這一張古琴冷冷的掛在牆上，傍邊播留機卻不斷的放出流行樂曲，心中不免發生一陣思古的幽情。

過了幾天，主人再邀約我們幾個朋友到他家裏去。

到時，桌子上早擺上了那張古琴，傍邊還多加了另外一張，都是黑色的。這兩張琴，都長四英尺多些，闊七八英寸，一端較小，厚約兩英寸。上面鑿着七根大小不一的琴弦，琴腹底下有長方形的小洞，裏面是空洞洞的。這種琴的製造材料都是的極好桐木。

客廳裏，一位頭上戴着尖頂小布帽，身上一套灰色舊長袍，看來已經是七十多歲的老人。可是鬚髮子刮得光光的，精神很不錯，態度斯文恬靜。經主人介紹，知道他便是琴師吳仁伯先生。是四川華陽（成都）人，到香港已經廿多年了。大概在香港居住稍久，經常來往中環銀行區的人，總可以看見這位老琴師，時常以同樣的裝束，安閒的在街上走動的。

（二）

老琴師端坐琴傍，先向我們解釋，那一張是宋代古琴，那一張是唐代寶器。理好琴絃之後，他右手撥動琴絃，左手調節音韻，全神專注，目不傍睨，鏗鏘的音韻，疾徐高下，無不中節，……他先奏一曲「普安咒」，次奏「漁樵問答」……話」。客聽奏十來個人，大家都屏息傾聽，悠然神往。可惜琴音低沉，除非靜心傾聽，否則不易聽到。據老琴師告訴我們，這種樂器的彈奏最好是午夜子後，萬籟俱寂之時，那末琴音可以清晰，美妙的餘韻亦可一一領略無遺。

彈奏之後，我們聽過了兩曲琴音悠揚，雖然因……清楚。但也領略到一些種和現代流行樂曲顯一種閑深清遠的趣味，那是物外，與世無爭，令人意遠的感覺。老琴師莊嚴靜穆，精神內斂的神態，似乎也足以表示我國古代音樂和現代西洋音樂，彈奏者手舞足蹈，喜怒哀樂，盡情外露者大不相同。

（三）

老琴師告訴我們：我國最好的七絃古琴，現在多已流入日本，在東京的中國古琴有價值數千美金的。在香港，好的七絃琴只有一張，現在某富人手裏。他說，過去上海頗多七絃琴名手，現在恐已風流雲散了。他還爲我們講述許多古琴的掌故，可惜我們不能了解。他曾經爲香港麗的呼聲播送過七絃琴的彈奏。愛好音樂的人，想必已經聽過。

按宋黃思復「小學紺珠」載：「琴七絃，宮、商、角、徵、羽、少宮、少商」據古籍所載，舜作五絃之琴，或謂文王加兩絃，有謂文王武王各加一絃，以爲文絃武絃，共爲七絃者。雖無確證，但七絃琴之爲我國古樂之一，殆可無疑。這種古樂器，因西洋樂器輸入中土，已經漸漸失去原有的地位，再過若干時候，古琴恐怕將成爲博物院中的陳列品了。

江干小立

・郭敏行・

閑看孤舟逆水行，欲持片力竟全程。休誇湖海無雙技，不及風和衆與撐！

慰衣雲

行藏由我毀由人，燐火何傷璧玉身！直道於殷雖不舉，至今猶自美三仁。

溥儀的晚景（二）

雪夫

（一）

劍、鏡、玉是日本皇室的三神器。在古史上誰有這三神器，誰就保有皇位，故可說這是繼承皇位的傳統標識。日本舊皇室典範第十條所說，天皇崩駕，皇嗣即位，承受祖宗神器，即係指這三樣東西。日本古史上爲了爭奪這三樣東西，曾經發生過許多陰謀詐奪的亂事，流過了不少的鮮血。然而這是神權時代天皇神化說的一套法寶，故有「靈器」之說。降及近世，神器的政治影響，已經消失了。新的皇室典範，已經把第十條完全删除。那三件神器不過作爲古物而保藏罷了。現在寶鏡藏於伊勢神宮，寶劍藏於熱田神宮，曲玉（即璽）留於天皇的便殿裏面。

然而，日本三神器，溥儀敢說得其二，原來此中又是日本軍人導演的醜劇。他們那種幼稚墮落的意識，竟把中國的法寶亦拿來開玩笑，眞是不肖的子孫了。

（二）

原來「建國廟」快要落成了，廟中的小伊勢神宮亦將竣工了，那些腐敗落伍的日本軍人，覺得應做照日本的傳統，謀些法寶來供奉，以發揚日本精神。他們中了很深的神毒，却又不惜冒犯神威，大胆從事犯罪行爲，眞是愚昧與可憐。他們想起他們的國家是靠三神器來鎮國的，因之想在他們所建的「滿洲國」中，亦依樣葫蘆，還同樣的法寶來保全國祚。可是他們傳家之寶，何能移作他用，最後便想到做造假法寶之一法了。

溥儀二次訪問日本接受「分靈」時，有些頭腦腐爛的日本軍人，認爲應由日本天皇傳受神器給溥儀，以爲天照大神分靈駕臨「滿洲國」的象徵；當時這種荒謬的舉動，遇日本宮內省的人，亦不以爲然，認爲這是要遭天譴的。可是軍人策士，不顧一切，竟在百貨店中定製一面所謂寶鏡，送到伊勢神宮舉行祈禱，請神靈降臨於那面鏡上，然後將之送交溥儀，命其帶回長春「建國廟」，安置於小伊勢神宮內，溥儀信以爲眞，以爲日本天皇授與了神器之一給他。

（三）

溥儀訪日之際，曾帶了許多禮物進呈日本皇室。他回東北時，日本皇室也贈了他一把日本刀，作爲還禮物品之一，然而日本軍人策士們却又利用這件事情以作弄溥儀。他們將這把日本刀，用黃布密包起來，裝入一個長長的木盒，使溥儀的宮內官員，敬謹捧起，追隨溥儀左右，裝成神器的樣子，對外聲稱這是天皇給他的寶劍。溥儀起程返國時，還把刀在東京車站特別引起注意，紛紛傳說這是神器，後來溥儀在東京法庭侃侃而談，說日本天皇送給他的寶劍原來就是軍人的惡作劇。溥儀以一亡國之君，受人愚弄，原不足惜，可是日本天皇亦竟在鼓內，不知這些陰謀，所以後來溥儀在東京法庭陳述此授與神器事，日皇亦莫明其妙，有口難辯。其實，日本皇帝固然作了傀儡，受軍人之累，而日本的祖宗亦被子孫出賣，作欺詐的工具啊。（完）

侯朝宗文采風流（下）

刁抱石

據假母言，陳君尚義，吳君亦錚錚君子，二君俱與公子善，以公子世望，何可以阮而負至交！」先生深以爲然，乃辭酣而臥，王某覩狀，快快而去。

未幾，先生之逃難也，香君爲置酒桃葉渡，歌「琵琶詞」臨別贈言：「公子才名文藻，本不讓蔡中郎。惟中郎有學無行，公子豪邁不羈。從此妾與公子，相見無期，願終身自愛，毋忘妾所歌琵琶詞。妾亦不再歌。」

迨國變後，先生風塵漸收，歷來江南與遺老遊。於南都淪陷後七載壬辰秋，曾有「過江秋詠」七律八首之作，其同鄉賈靜子（開宗）練石林（貞吉）一致論斷：「較少陵秋興八首，果有分別否？讀者須放開眼光，勿謂今人不逮古人也。」特錄數首，以供欣賞。

其一：「北闕濤聲湧帝京，南徐秋色滿江城。運朝雨靄芙蓉濕，日落晴帆燕雀驅。豈可新亭終有恨？從來故國總關情，鄰舟更奏清商曲，不管霜邊旅鬢生。」

其四：「錢塘江口問仙槎，帶粵襟閩一線斜，秋森天河搖×日，水深宮殿守龍蛇。誰沉漢使千金璽？更射潮聲萬里沙。南極不妨爲北斗，漫開老眼望京華。」

其五：「建業平分渺渺愁，客心日夜大江流；鐘聲先到臨湖殿，暝色偏深結綺樓；龍虎脈從淮泗合，鶺鴒都爲子孫留。三秋遙想埋弓處，不信鍾山王氣收！」

其八：「武昌[illegible]……鴻雁一聲天際下，岳陽遠處是衡陽。」

中篇小說

金珠

・勞影・

「愛心的激發並不是爲了交換，」我若笑道：「金珠，別想得那麼遠，我的身體很好，我若發生意外，也祇有一個人，何況我有固定的職業；這些，都是我的保障！珠，讓我們談談別的罷！」

「過去也有人愛過我，」她拭着淚說：「但他們都是在我不需要賜予而有所賜予的時候，一個當姑娘的，在她年青貌美的年代裏，她受到的愛心將比名伶在舞台上接受的鮮花還多！可是，那些花朵都在時間的考驗下萎謝了！而你，亭飛，你却相反。我不明白，你爲什麼要這樣做，呀！你爲什麼要這樣做呢？一個女人所能持而驕傲的條件我一樣也沒有了。即使這個孩子是你的，對於我們這種爲上蒼所摒棄的女人，你一樣可以置之不理；何況一切與你無關呢？」

「我知道我對這個孩子沒有責任，」我咬斷一切地說：「但是，這不要緊，因爲這個孩子終究是你的！——現在，你還嚕嗦不？小珠，別再多想了，我們都還年輕，保重我們的身體吧！」我抓住她的手，低聲說：「小珠，假如你乖一點，下禮拜我帶你到陽明山看櫻花去！」

我們開始了第二次的熱烈長吻！我要用吻來吻乾她的眼淚；我要用吻來吻淨她心頭的創傷和陰影；我要用吻來賜予一個無助的靈魂在痛苦中掙扎奮鬥的勇氣！

第六章　我要我的孩子

下一個禮拜六，我起得甚晚。次日清晨，天氣晴朗和暖，我們再由基隆趕來台北轉車往陽明山。我要把她兩個弟弟也帶去，她制止了；我說她笑笑，她的臉紅起來。兩個孩子望望我，再望望他們的姊姊，高興地笑着跳開去了。

山路上遊人如鯽，各式各樣的車輛有如織色的甲殼蟲爬行在花木叢間。公路車像由一頭老牛在拖拉着；汽車很遊旋，山路蜿蜒起伏，沿途遍滿遊人隨手丟棄的殘渣。

「你看地下，」金珠拉着我的手，不勝惋惜地說。

我感嘆地搖了搖頭。

「他們把它折下來幹什麼呢？」

「愛美是人類天性，當我們的愛美慾爲外界物體的美麗所激起時，人們的情感通常分爲兩種反應，愛惜和佔有。後者是我們通常所見到的。」

「前一種說法決不存在嗎？」

「那是一種提深的情感，」我說：「決非一般人在一般情形下所能發生或獲得的，也許有人以爲那是一種畸形的情感，因爲多半產生於一種意想不到的場合和人物身上。」

她沉思地點點頭。

「這是一種極少數的而又極少數的特例。」我繼續說：「普通一般人都是沒法悔悟自己的罪惡而無能矯正的。」（廿六）

從魯迅的歷史見解說起

・莫可非・

（一）

昔年讀魯迅雜文，記得他曾提出過一種歷史見解，把中國幾千年的歷史過程，歸納成爲兩種世代：一、想做奴隸而不得的時代。二、暫時做穩了奴隸的時代。前者指舊王朝已經崩潰，新王朝尚未建立的時候，人心遑遑，日日盼望一位『眞主』出來登基，坐龍庭。後者指新王朝已經建立，局面暫時穩定下來，老百姓不再怨天尤人，於是一心守着田園，納田賦，服兵役，讀書應舉。彷彿他還引了水滸傳第一回，陳摶因爲聽說趙匡胤已經出世，歡喜得從驢子背上掀下來的故事，把『奴隸根性』大大地挖苦了一下。

（二）

這中間，其實有一個很大的漏洞，就是他把老百姓推翻舊王朝的革命運動抹煞了。

魯迅爲什麼會有這樣的見解呢？這不是偏見而是『忌諱』。我們知道：辛亥革命的前幾年，他正領了滿清政府的官費，在日本留學，留日學生雖然是同盟會的主要力量，而魯迅當時，並沒有參加革命組織。後來他對爲革命而犧牲的秋瑾女士，曾很俏皮地說道：『秋瑾是給辛亥「拍手」拍死的』。辛亥以後，他在北洋政府做京官，辦完公事之餘，抄古碑，他所走的路，是極其冷僻的，說得冠……

（三）

魯迅成名之後，凡是他的主張，不論對不對，自然一律吃香，於是有幾位後來寫作的人，學得……技巧，把翻案文章……好險小人，朱元璋……勝，吳廣，黃巢，李闖……成了英雄。（上）

本刊啓事

本刊稿酬現已送至三五三期，其有地址不明，尚未收到的，請函知爲荷！

自由人
THE FREEMAN
（第三六七期）
每份港幣壹毫
3 rd. fl. 20 CAUSEWAY RD HONG KONG
海外總經銷 友聯書報發行公司

英工黨的過去和將來

·李加雪·

上月艾德禮領導工黨代表一行八人，路經莫斯科前往北平。在莫斯科的時候，馬倫可夫給他們一個盛大的歡迎。英國駐蘇聯大使回請蘇聯當局，馬倫可夫竟停留英國大使館裏五小時之久，和艾德禮縱談天下事，儼然當他是唐寧街十號下一屆的主人翁一樣。到了北平，周恩來也以國賓之禮招待他們，吃了好幾樣茅台酒，並且不憚煩的領他們去見毛澤東，還專機專車帶他們到不少地方觀光。據說，蘇聯和中共對於西方人士的招待，這一次是打破以前紀錄的。英國工黨到底是怎樣一個組織呢？爲什麼莫斯科和北平要這樣和他們打交道呢？

工黨的起源及其主張

英國工黨的起源是這樣的：一八八三年的時候，英國一小群社會黨人士組織了一個會，叫做『費邊社』，『費邊』是古羅馬一位大將。他的戰略是分批引誘敵人出戰，逐批消滅他們。費邊社的社員有麥唐納和蕭伯納等。他們的策略是以政治方法逐步消滅資本主義。

可是他們不用社會主義的名義而用福利國家作標榜。他們暫時不主張把土地和實業收歸國有。他們還爲放款、電力、交通、和煤氣等應歸國營。

他們爭取工人階級的同情，把工會的組織歸納到自己的掌握裏。開始的時候雖然沒有幾個人，可是經過相當的時間，便進展到今日英國的工黨。起始工黨是和自由黨合作的。等到根深蒂固，工黨即把自由黨踢走。同時向人民、作家、牧師，和學校宣揚他們的主張。

他們的計劃是在英國實行社會主義，可是他們沒有提及社會主義的字樣，只向選舉投票的選民分批提出他們的計劃。一九〇五年，英國社會黨的黨員只有四千人。十八年之後，他們的領袖麥唐納便做了英國的首相。社會黨是善於宣傳的，那時英國一般人民都認爲只有社會黨才能夠改革國家和社會，使其納入正軌。

工黨的勝利和失敗

第一次大戰給英國以極大的打擊。第二次大戰，打擊更加嚴重，使大英帝國整個瓦解了體。戰後，英國對外貿易陷於停頓的境地，國家的經濟制度亦告癱瘓。那時保守黨政府只好實行配給制度，號召人民努力生產。工黨利用這個機會大肆宣傳，答應人民以優良的生活，答應人民以失業的保障，更答應人民由出生至死亡都由國家負責撫育。一九四五年的大選，『費邊社』獲得了大勝。『費邊社的計劃』成功了。可是工黨執政的幾年，成績並不見得好。後來英國人才曉得社會主義的樂園和他們的夢想相差得太遠了。社會主義的好夢變成了惡夢。

英國社會黨說，他們只把國家百分二十五的經濟納入了社會主義制度之下，其餘百分之七十五仍在資本主義掌握中。這是和事實不相符的。事實是英國把百分二十五的經濟制度國營了，其餘百分之七十五呢，也納入了社會主義。英國國營的企業有英倫銀行、電報、民用航空、鐵路、貨車運輸、國內水道、煤礦、電力、煤氣、醫藥。

未經收歸國營的，政府規定了很多管理規則，政府根據工廠的事先決定了產量，原料的優先權，和價格。政府又替工廠裏的工人決定了工資，和擬定了銀行的放款。民營工廠只好依照政府的規定去做，絕沒有伸縮和其他的可能。

若果英國社會主義的試驗是成功的，英國工廠一定能夠產生較多的貨物，而物價也應該比較以前廉宜，工人的生活更應該比較資本主義掌握政府的時候舒適，國家的安定也應該比較從前好。

工黨時代的英國經濟

可是社會黨競選時對於人民的允諾完全沒有實現。英國的社會主義不唯沒有成功，而是一個極大的失敗。生產減少，物價高漲，此外稅率也比較從前高了，而政府的限制又十分嚴格，人民遭遇到空前的壓迫。

英國對外貿易——英國經濟的基石——也完全給社會主義毀壞了，美國每年雖然給英國極大量的美金，英國國庫裏的黃金仍然每年減少。

而且工黨收歸國營的工商業沒有一種不斷本和減低了產量。工黨把煤礦收歸國營，並且添加了一億七千萬美元的設備，可是一九四八年煤的產量卻減少了七百萬噸。工黨告訴煤礦工人說，他們是礦場的主人，可是工人怠工每日達到八萬四千人。

英國的海外航空收歸國營後，運輸一個客人橫過大西洋一次，政府得貼本美金二百四十四元。鐵路改歸國營後也虧了大本。

當然政府對於虧本是不在乎的，對於人民增加租稅，可是人民的負担增重了。同時英國政府能夠輸出的貨物比較從前也大量的減少。政府能夠規定國內的物價，國外呢，因爲英國的稅太重，物價提得太高，市場給別國奪去了。

工黨時代的工農生活

英國工人相信在社會主義制度下，他們都是主人。事實上呢，只是主子換了。從前的主人或者是厲害的，可是仍然不失爲人。現在的主人卻是沒有人性的一種機器。這種沒有人性的機器，得經過極麻煩的手續，才能夠決定一件事情。每一次調整總得歷時好幾個月，甚至一年。

英國的工黨說，他們絕對不干涉工人和農人對於職業和其他的自由。結果呢，爲執行計劃經濟起見，對於農工和雇主不能不有嚴格的限制，因此在工黨政府下，工人失去了轉業的自由，農人呢，得種政府指定的農產物，不然的話政府便要將農地收回。

一九四七年工黨政府決定了建築民房二十五萬間。磚，士敏土，鐵釘，石灰等都準備好了。木料缺乏，只有六萬間的材料，他們只蓋了六萬間房屋，其餘十九萬間屋的材料只好任從霉壞。理由是這樣，個人，或者幾個人，不論他們如何聰明能幹，總不能夠把整個國家的經濟計劃十分周詳，而沒有漏洞。這是社會主義失敗的一個重要緣因。

工黨能夠再上台嗎？

英國工黨議員愛德華 Affred Edwar 曾經這樣說，『好幾年來我無日不指斥資本主義的禍害，現在社會主義的成績，擺在我們眼前。我覺感覺到有說不出的失望。社會主義根本是一件行不通的東西。』當然工黨把他開除了黨籍。

英國的工黨在英國毀滅了人民的自由。他們是政治統治者，地主，和雇主三位一體集諸一身。結果只有專政。一九四九年工黨上議員米華頓 Lord Milverton 自動脫離工黨的時候曾經這樣說，『我從前認爲只有工黨才能夠實現我心裏的理想，結果適得其反。工黨是通到極權國家的唯一的政黨。』

艾德禮和他的同志，這一次訪問蘇俄中共，自然抱着東山再起的希望，可是經過了他們過去秉政的成績，英國人民是否願意他們再行登台？這是不容易推斷的。（完）

爲什麼要發起文化清潔運動？

·陳紀瀅·

文化清潔運動自七月廿六日展開，八月九日發表宣言，八月廿七日政府公佈處罰十個雜誌。在過去一個月當中，我個人始終保持緘默，沒發表過一個字。這個運動得到初步勝利，但並未成功，更未結束。只是由一個階段進入另一階段，我樂意以發起人一份子的資格，趁這個機會給「自由人」的讀者做一扼要的報告。假若不嫌我過分浪費篇幅，請容許我分三個題目，完成關於這一運動的報告。請注意這項運動和愛護這項運動的許多海內外文化界先進賜予不客氣的指敎。

兩百萬人的要求

儘管政府做了件空前的舉措，一次處罰了七個內幕雜誌，三個黃色刊物，表現了堅決態度而順乎輿情，尊重法治的精神，但此時此刻我們仍難平除憤懣與沉痛的心情。因爲這不是一個輕鬆愉快的運動，更不是少數人甚至少數團體出風頭的運動。因此在政府打破以往慣例，把裝聾做啞，推拖沓泄的一套處事哲學拋棄，竟能俯順輿情，處理一件藉惡勢力戕害社會，危害國家的文化敗類，我們應該稱頌；但我們並無得意之情。這件事爲什麼輪到我們來做？爲什麼到現在才做？不能不說大家都疏忽了責任！

我開始這篇文章是在政府處罰十個刊物的第三天，我的心海並未平服。過去一個月內，我們多少朋友和若干團體，尤以我個人所遭受內幕新聞的誣衊、造謠、恫嚇、挑撥、可以說把我們自恃爲武器的渾身解數，施展殆盡；同時少數不明底蘊，隔岸觀火的社會人士有意無意中所放出的冷諷熱嘲，也可以說淋漓盡緻。幸虧這一運動的目標正大，動作有據，一經發動，就得着熱烈響應。截止到政府處罰十個雜誌的前夕，個人簽名的已有一千四百五十二人，團體三百四十八個單位。若再加團體所代表的人數（如軍人之友社代表一百三十七萬人），已超過二百萬人。我們並不以爲人多便勢衆，但我們欣慰的是每一個人都懷有敵愾同仇，嫉惡如仇的氣慨！

大家都有一致的觀念，人同此心，心同此理，這次也充分發揮無遺了！

赤毒依然未清

究竟文化三害（赤色的毒、黃色的害、黑色的罪）在這以前鬧成了什麼樣子？海外僑胞如果到過台灣或已知情，或不十分清楚。沒到過的，更有加說明的必要。

「赤色的毒」，經過治安機關不斷努力，確已收到甚大成效，表面上的確已不見散播；可是由於台灣與外界尚維持着海外交通，以致從郵局、輪船、航空等處仍不時發現。共匪匪徒的各種花樣的宣傳術仍是他們的拿手好戲，他們絕不會因防範嚴密停止他們的滲透工作。今年以前就曾有兩部赤色影片（香江夜譚與小夫妻）不但騙過了影片商，也矇蔽了檢査員的眼睛，本已核准上演，但被觀衆檢擧，才中止放映。從貨物裏面，從海外書報中，轉彎抹角，四方八面，赤色書刊與其他種種宣傳品，仍不斷向台灣流入，絕對有事實做根據。這與我們治安人員的努力不可混爲一談。也就是說，我們治安人員的努力是無可否認的，但不能說治安人員努力，「赤色的毒」就會放棄撒佈。正因爲我們治安人員防範過於努力，「赤色的毒」才極盡機巧，極盡曲折，用盡了他們詭計以達目的。

黃害到處都是

「黃色的害」，如果來過台灣的人士，在衡陽街書攤稍加瀏覽，則可見五顏六色的黃色書刊，幾乎要佔據那書攤書架之一半，什麼「男女性行爲」、「名女人傳」、「名星艷史」、「按摩女」、「蒙面大盜」、「艷窟之秘密」、「十三太保列傳」等誨淫誨盜的書籍。金賽博士那本「女性性行爲」的「名著」，在台灣竟有兩家大書局競爭翻譯，以巨大廣告貼在商店門口，甚至於某機關，學校門前，也曾張貼這種巨幅廣告。我們不敢誣衊那位外國生理專家是故意在販賣黃貨，但他在中國卻被人以閱讀張競生所著性史心理，而發生誨淫的後果。電影也是一樣，在外國尚且禁演的有傷風化的片子，在台灣反而太演特演。

（下轉第二版）

半週展望

·雷嘯岑·

金門砲戰聲中的怪聞

正值金門國軍與對海共軍發生激烈砲戰之際，忽由台北法新社傳出一項怪聞，說是美國要求我空軍勿對廈門一帶沿海岸的共軍大砲巢穴，予以猛烈轟炸，以免引起大戰云。這種「天方夜談」式的怪消息，如果不是台北的英文報紙「中國新聞」同時著文指摘，我們決不會想像世界上竟有此等事！假使美軍方面眞有這項要求，我們希望政府當局把事實宣示國人，以釋羣疑，若無其事，也應有所聲明。這對於一般人心的影響太大了，決不能默爾而息的！

前天共機竄入台北郊外投擲傳單，未見我空軍予以攔擊，海外的自由中國人士，已經覺得可怪了，如今又有這類怪消息傳出，實在令人驚駭莫名哩！

我們對於這問題的是是非非，暫不批判，唯一希望，就是政府趕快將事情的眞象披露再說。

英國官方的「關切」

據合衆社倫敦六日電訊：英國官方對中共進攻台灣島嶼的情勢，表示「較前更爲關切掛念」，若干執政黨與在野黨的報紙，皆認爲這是中俄共有計劃的行動，企圖使美國第七艦隊牽入漩渦，因而可能引起大戰。如是乎，他們一致要求政府對美國施壓力，莫讓台灣國軍採取反攻大陸的軍事行動。工黨的「每日前驅報」說得更妙，指這是「中國內戰終止的時候了」，主張使台灣「中立化」。旣非別國的內戰，試問與英國工黨有甚末屁相干呢？

由於英國人這樣的「關切」，我們相信上述美國要求不炸廈門海岸共軍砲兵巢穴的消息，決非空穴來風。美國代表正在馬尼刺的東南亞聯防會議中，大呼「拋棄殖民地主義」，若又以殖民地主義的意識形態，接受別國對台灣的無理主張，那就趁早不必在亞洲倡導甚末聯防工作，依然致全世界的自由人類爲西方一二大國的利益，聽受擺佈好了。

亞洲人應該警覺

俄共集團深知西方大國始終是抱着重歐輕亞主義，對東方自由人類的前途，除商業利益外，漠不關心的。所以，即拚命向亞洲擴張，而以不怕戰爭的虛張聲勢，來恐嚇英美，遂行其分區蠶食陰謀。如是乎，「和平共存」，「相互貿易」等論調，乃爲西方一二大國所愛慕。

假使俄共集團再對「支美」言行稍示和緩的話，縱令南韓，日本，泰國，緬甸，印尼，高棉，寮都陸續淪入鐵幕了，只要能夠讓英美商人來做生意賺錢，甚末自由不自由的問題，他們是未便過問的。所謂「和平共存」云者，西方列強與俄共集團共存之謂也！

因此，亞洲的自由人類應該知所警覺，團結奮鬥，自力更生。像日本與南韓的猜忌嫌怨，尙宜互相忍讓諒解，即菲律賓以狹隘的民族主義來實行排華政策，也是自殺之道。亞洲已有一個小丑人物尼赫魯，替西方的姑息主義者作倀，招搖闖騙，弄得亞洲人之間，裂痕畢露，予俄共集團以蠶食的大好機會。目前直接遭受共禍威脅的東方自由國家，再不推誠相與，互助合作，那就危險之至！

俄共集團若不對西歐的德法各國實行侵略，所謂「和平共存」之說，今後只有談得最起勁，不成問題。聯合國的禁運政策，現在已解除一半了，不久的將來，下餘的一半也會宣告解除的，因爲這對西方國家的商業利益，損害甚鉅。這也是東方人對此後西方國家的反共政策所應了解的一項重要關鍵。

美機在北海道被擊落

美國一架海軍巡邏機，在日本北海道天空被俄軍擊落了，雙方互提抗議。但結果也只是抗議而已，不會有甚末大問題發生的。邱吉爾儘管聲稱世界大戰可隨時出現，那除非俄共集團對西歐突然進攻，使英國再來一次「敦扣克大撤退」，或者對美國再演一幕「珍珠港事變」，否則還是「和平共存」的局面，不必耽心大戰會在亞洲地帶發生啊！

中共如何應付大水災

·劉露如·

以殘忍的人海抵擋水災，強迫農民出售糧食，侈言「豐收」「增產」，拒絕國際救濟，任令災民餓死。這便是中共應付大水災的方法。

殘忍幼稚的防洪方法

本年中國大陸的水災為百年來歷史所罕見，中共利用「人海」搶救水災，手段殘酷，視人命如草芥，亦為歷史上之所未有。

據中共所宣布的救災方法：「武漢市人民在防汛指揮部領導下，在漢口北部張公堤，許多市民們，在自己身上掛着柳枝，手牽手的站在水裏，擋住浪濤對堤防的冲擊。」這是何等殘忍幼稚的防水方法！還有更殘酷的，據中共報紙報導：「武漢防汛突擊隊於六月十九日，在常德縣三合院堤被洪水冲崩時，突擊隊員劉少和跳入深達三丈多的洪水中，找尋漏洞，由於水勢洶湧，劉跳下水後，便沒有再出水面。」

據中共的報紙載，浙江省杭，嘉，湖廣大平原地區，所有稻田均被水淹沒，當地農民祗能用古老水車，費盡氣力，抽去日夜高漲的洪水。這不是可憐而又可笑的防洪方法嗎？

宣傳豐收是何居心

在這空前大水災的時候，中共的報紙，一方面說早稻已經被淹，一方面又說「豐收」，並且說，「比去年增產一成到兩成」，還要製出統計表，說甚麼「華東區約增產百分之二十五，中南區約增產百分之十三．五，西南區約增產百分之一．八」。又說，「湖南，湖北，江蘇，安徽，浙江，江西等省大部地區，早稻都生長良好，八月上旬就可全部收割完畢，據估計也可以比去年增產一成以上」。不祗是自相矛盾，簡直是無聊囈語，這便是共產黨人的宣傳方法。大家都知道，長江淮河流域的早稻，非到農曆七月中，無全部收割入倉庫之可能。江淮大水自六月下旬到現在（八月下旬）還在繼續高漲之中，淮河堤防已冲潰，他們竟敢閉眼睛說「早稻全部豐收」，這不是說夢話嗎？又何苦在空前巨災之下，侈言「豐收」，其用心又何在呢？

強迫災民出售糧食

中共不祗侈言「豐收」而已，還在災區中，不斷的搜括民糧，據湘省共黨的自白：「早稻收穫較早的攸縣，醴陵兩縣，七月中旬到下旬，農民已出售了十多萬斤早稻，現在繼續出售。早稻收穫較遲的茶陵，劉陽，寧鄉等縣，農民現正利用最近天氣轉晴的時機，趕緊翻曬，颺淨，爭取早日出售。」

農民在災情如此嚴重的時候，那裏會有餘糧出售？又那裏會願意出售？中共是用所謂「預購合同」為根據，強迫農民出售的。農民收了一點定金，等於服下毒藥，決不能因受了水災，便能赦免的。

其次，中共還在災區中強迫「增產」糧食，以便大事宣傳，他們如何「勝利地完成了」和頑強洪水的鬥爭」。關於「增產」計劃，據北平十二日中國新聞社消息說，中共有關部份，現正支持水災區人民排澇和補種工作。人民在大力防洪排澇的同時，要積極進行補種，爭取超額生產。據湖北，湖南，河南，河北，安徽，江蘇等省初步計劃，將爭取「增產」糧食一百廿餘億斤」。各省所需種子，由各省互相調劑，並發動群眾互相調劑，借此，所需種籽互換互借，亦已根本解決云云。

試問受災區域如何互相調劑種籽，如何發動人民互換互借種籽？更如何可以「增產」糧食？大水災之下，救死扶傷一概不談，反空言「增產」，中共的心腸，實非常情所能了解的。

總之，防水，防汛，如可用不人道和不科學的方法，能夠收效，則我們的祖先大禹，還要用化九年工夫去治水嗎？美國的藝凡奇博士，還用化無限心血，去完成它那田納西河的偉大工程嗎？空言「豐收」「增產」即可救濟幾千萬嗷嗷待哺的災民嗎？中共不做沒有半點切實的救濟行動，反拒絕國際紅十字會協助救濟，是誠何心哉！

為什麼要發起文化清潔運動？

（上接第一版）「雲山雨巫欲斷腸」這部傷害戰士「名片」，在美國會遭到禁演，在台北卻演了兩個多星期（筆者並未看過，恕難描寫其猥褻情形。）一個打着改良婦女生活旗幟的雜誌，卻在創刊號上登載着「男女手淫的密秘」。而大多內幕雜誌，充滿「父女同姦」、「白髮老翁強姦幼女」「名星演員出賣靈肉」「小寡婦傳奇」「春色無邊」「紅杏出牆」等等數不盡，列舉不清的傷風敗俗，誨淫誨盜的標題記事。黃色事實的源流並不見得如何洶湧，黃色新聞卻把它形容成了泛濫的汪洋。這不是誨淫誨盜是什麼？那一個國家會容許這種情形存在？

黑色刊物的惡毒敲詐

說到「黑色的罪」更為蹊蹺，也許在海外的僑胞至今連這個名詞還弄不清楚。自從美國名記者約翰根室（寫過「歐洲內幕」、「亞洲內幕」）被譯為中文以後，「內幕」一詞突然興盛而神秘起來。內幕雜誌在抗戰末期崛起，原本以政治內幕新聞為號召，當時因報紙篇幅少，許多重要政治新聞不能盡量刊載，內幕新聞，補闕拾遺，或翔實報導，或正確分析，未嘗對讀者無益。勝利後，內幕新聞便走入偏鋒。到了台灣，三十八九兩年以報導匪諜案事為主要內容，到以後四十年以迄今，大部份則以揭人隱私，造謠誹謗，捕風捉影，顛倒黑白，塡滿篇幅。這種刊物雖然以內幕為名，然而絕無翔實報導，正確分析的內容，更缺乏新聞記者高尚人格的表現與新聞事業的神聖立場。對於政治舞台上的人物，有權有勢者，便以肉麻文字極盡逢迎拍馬的能事，一旦失勢，則不惜投井下石，打落水狗。對於公營事業機關及較大貿易商行，則以揭露該機關公司首長的私生活，做為施行敲詐的武器。譬如某機關首長有某項私生活，一旦公諸社會後，可能影響其聲譽。而我國刑法，對於誹謗罪處罰太輕，所以大多數人都不樂意自討麻煩。甚至於辯白都不肯。因此，也助長了黑色新聞製造者的膽量。他們敲詐方法多端，譬如黑色新聞雜誌探知一項隱私後，先撰成稿件，去拜訪當事人，告以稿件內容。當事人一定是辯白一番，請其別發表。黑色新聞的人就趁機會說：「不發表可以，但這是篇來稿，須付稿費若干始可免登。」那篇稿子，依平常稿費計算，也不過二百元，但他們往往索了十倍以上的價錢。等當事人勉強答應了，他們再做進一步勒索：「老兄！你出兩千元稿費，我這個刊物不登是可以了，但我不敢保證其他刊物不登，假若你再出兩千元，我可以保證別的刊物也不登。」結果，當事人忍痛再掏腰包以求萬全。這是方法之一。方法之二，則是把刊物印出來，在發行以前，先拿給當事人去看，當事人若認為與事實不符，或正揭露他的瘡疤，請其千萬幫忙不要發賣，那時候，黑色新聞的主持人則說：「不發行可以，只要你把我印出來的刊物一齊收買去。」明明他們只印了兩千本，他們往往說：「這次為了你的消息，加印了三千本，你出五千本的錢好了。」至於招攬廣告，推銷書刊，兜售合訂本，各公私營事業機關，更是他們重要對象。這些機關和其首長儘管對於一般正當書刊廣告不加理睬，但對於黑色新聞的要求需索，予取予求，則無不力事敷衍應承。因為怕一旦不遂其目的，被他們「內幕」一番，將發生不良後果。至於「名女人」被造謠誣衊之後，黑色新聞的主持人，竟肯擔當訴訟費，請她控告自己，以收宣傳之效，可以名利雙收，這恐怕是破天荒最惡毒的敲詐術了！諸如此類的情形，可以說花樣翻新，五花八門，開闢以新聞施行敲詐，從未有的繁複法門，傳到我們耳中的不過是幾十種之一罷了！

對海內外發生壞影響

在台灣報紙書刊因請滙困難無法到海外發行之際，獨有黑色新聞在海外暢行無阻。韓國義士歸來後，曾沉痛地說說，在俘虜營中匪諜份子以「中國新聞」和「新觀察」兩本內幕新聞，挑撥義士們不要回台灣的事實。匪諜份子拿着這兩種刊物對義士們說：「你們回台灣幹啥子？你看雜誌裏紀載的是什麼？不都是烏烟瘴氣一團糟的事嗎？」今年春天菲律賓亞運閉幕後，名漫畫家張英超先生回到台北對人說：「我遇到許多僑胞，他們對祖國進步情形抱不信任態度，他們最重要的根據，是台灣出版的內幕新聞。因為那裏面有一半以上的記載是說明祖國是烏烟瘴氣的。」

由此可知，黑色新聞只意圖藉新聞施行敲詐，假誹謗以事勒索，顛倒黑白以圖利，揭人隱私以逞快恨，結果所致，製造仇恨，混淆是非，挑撥離間，敗壞風氣。使正當輿論遭受損害，使匪諜份子據為資料，使海外僑胞對祖國離心，使全國軍民以訛傳訛。黑色新聞已觸犯造謠誹謗的罪，敲詐勒索的罪，擾亂社會的罪，危害國家的罪。試看，今日社會風氣所受黑色新聞的影響是如何之大！黑色的罪是多麼重大確鑿，多麼可怕與可恨！

親愛的讀者明白了以上事實，則可知二害做惡多端，其種類雖不同，但其為害國家與社會則毫無二致。

掛羊頭賣狗肉的刊物

我在八月六日曾以此發表談話，除對赤、黃二害說明以外，並特別指出黑色新聞所以如此猖獗的原因與我們的決心。我說：「五年來，人人皆知黑色新聞之可惡，但誰也不敢予一字之貶，且莫說干涉？因為黑色新聞依恃『誰來管我，就先「內幕」誰一番。』因此，人人莫奈他何！任其誹謗，任其造謠，敢怒而不敢言，挨了敲詐還得恭維它。這種現象實在是全體國民之羞，絕非反共抗俄神聖基地台灣所應有！」又說：「我們自審力量微薄，無力與惡勢力搏鬥；現在我們依然沒有力量，但是我們有了決心，並且相信同情這一運動的無數人士比我們有力量，大家必和我們一起來展開這一運動！我們預料將遭受他們『內幕』一番，甚至造謠誣衊，到後來弄不出絲毫結果來，但我們不管這些，一定藉此機會向社會呼籲，請海內外同胞注意這項嚴重的事實。我們本君子愛人以德的態度，希望他們從速依照出版申請登記時的旨趣，慎重取材內容，嚴肅寫作態度，考量文字道德，自清出版行列。」

我們的勸告不但未生效，反而變本加厲，擴大他們的黑色罪惡。因此，才有八月廿七日政府的處罰命令。新聞局長吳南如直率地說這些刊物都是掛羊頭賣狗肉。保安司令部的負責人說：「這種處置絕不寬枉他們！」他們申請旨趣都是以宣揚三民主義，反共抗俄為宗旨，配合國策，結果則完全不顧旨趣，做誨淫誨盜的宣傳。例如「中國新聞」發行旨趣是宣揚政令，報導新聞。但其內容「台灣按摩女」與「香港某夫人」的長篇小說刊登了兩三年，什麼「仙人跳，犧牲色相，謀財害命」的文字更連篇累牘。「新聞觀察」的旨趣是闡揚國策，宣傳反共抗俄，但每期都有「風流新娘嫂弟姦兒亂倫錄」一類文字。「自由亞洲」的旨趣是爭取亞洲人民自由，反對極權。但內容則多半是揭人陰私的文字，「聯合新聞」的旨趣是揭發大陸匪情，報導反共新聞，結果是大寫艷窟。「紐司」是闡揚三民主義，配合國策。而該刊以描寫強姦艷屍一文馳名台灣。其餘如「新聞評論」、「影劇雜誌」、「新希望」等申請登記旨趣無一不是官冕堂皇，但掉過頭來說起來，誨淫誨盜，他們還要以「言論自由」的金字招牌向臉上貼金，其實像這樣下流的刊物，從來就沒見過他有絲毫「言論自由」，還配講什麼「自由」？但「自由」卻被運用到造謠誹謗、敲詐勒索、傷風敗俗、誨淫誨盜上面。像這種刊物，即使有外國，也不會任其存在這麼久！因之，這些刊物雖被處分了，我們還覺頭痛未已！八月卅日

人物述評

豐子愷的悲哀

劉露如

抗戰時期，子愷的作品很少，其原因便是出於個性所使然。因為抗戰雖是反侵略，為國家爭取生存。但戰爭終歸是殺生，因此他靜默了，潛心養性，只在學校裏做教書工作，靜靜地在偏僻的角落裏過了一段很長的歲月。我們可以看到他當時所畫的一張漫畫：一隻貓把老鼠從籠子裏放出來，題目就叫做「解放」，它的含義是多麼深刻啊！

（四）

子愷從事藝術工作，是受李叔同的影響，他的入禪，也由李叔同而起。李氏皈依釋氏，易名弘一。子愷隨他學佛，宗大同。並隨蘅茹素，反對殺生，所以他的隨筆，也有無常，隨生等的觀念。

他覺得人生是無常的，短暫的。一天天走近死亡之國而毫無察覺者，只是由於把生活歲月，精細加以劃分；年分為月，月分為日，日分為時，時分為分，分分為秒；於是便覺得生活是一條無窮而有趣的道路了。這一觀念，他後來屢次提到。他在「阿難」中說：「在浩劫中，人生原祗一跳」。「大賬簿」說：「宇宙之大，世界之廣，物類之繁，事業之多，我所經驗的真不啻恆河中的一粒細沙。」「新年」與「漸」也講到時間劃分愈細，則人也愈感快樂。

他最愛生物，尤其是渺小的生物，可見他的仁愛之心是無微不至的。「蝌蚪」寫孩子們用清水養蝌蚪，蝌蚪營養不足至死，叫孩子們倒許多泥土到水盆裏去，後來還叫他們掘一個小池。隨感十三則中，有兩則是憐憫被屠殺的牛和馬羊的。

（五）

他的天性如此淳厚，學問上所受的影響，又是超然物外，入禪甚深的，（他自己曾說，到了五十以後，可望到達弘一的境地），居然能夠從「整風的X光」（引用他的坦白語）檢查出他的病狀，改正過去一切錯誤思想，而成為一個「能為人民服務」的藝術工作者！這真是希世未有的奇蹟。

總之，一個人失去了言論和緘默自由的時候，政治高壓不許一個人有自己生活空間的時候，一個毫無憑藉的藝術工作者，他的低頭屈服，是極為平常的。目前極權統治的大陸，思想檢查是極平常的，任人牽着鼻子走，榮辱一聽他人，於是聽人訪問，寫成「前進」人物，當然也是平常而又平常的了。豐子愷的遭遇，除了心中暗嘆「生不逢辰」以外，還有絲毫可以抗議的餘地嗎？

大家對於攏擁者的批評，往往求全責備，試問負担九口之家的豐子愷，他有能力逃出大陸嗎？在高壓之下，放棄信念，不是很自然的嗎？殉道豈能期之於每一個人？因此，豐子愷的遭遇，我們應該憫其處境，而寄予同情。（下）

編者　讀者

△孟玉，劉儒裕，愚公，趙尺子，善同，黃景南，王君實，秋文，趙孔煥，鄭士珪，書影，辛直白，彭楚珩，王毅君，王瑞堃，戴學文，李化成，諸先生：惠稿均已收到，謹致謝！

△台灣惠稿諸先生大鑒：欲托戚友在港領取稿酬的，請在稿末註明在港戚友地址，以便致送，免生轉折，為荷！

△王任之，君勵，申齊，海倫，姚味辛，稽山諸先生：稿酬結算已久，請示地址，以便致送，為荷！

△張渭生先生：八月二十八函悉，通知單即寄，請轉托貴友持單來社洽領，為荷！

本刊上期「古琴聆奏記」，文中老琴師「吳純白」誤為「吳仁伯」，合行更正，並向吳先生致歉。——編者

本刊啟事

本刊稿酬現已送至三五三期，其有地址不明，尚未收到的，請函知為荷！

從「俄蒙回憶錄說起」

——兼答自聯社

毛以亨

近二年來在香港發行的拙著中，有倫理問題，現代民主制度，俄蒙回憶錄，均有書評。友朋之獎借與攻錯，是可感激的，良以其中有不少溢美之辭，愧不敢當，所以雖想答謝，亦若難下筆。但這部俄蒙回憶錄，是與反共有關的書，能將我所提的過去命題，咀嚼一番，則將來積極反共的方案，亦幾可呼之欲出了。

蘇聯已等於帝國主義

我寫這部書的動機，是要闡明蘇聯帝國主義的形態，在政治上爲近代的大帝國，而在經濟上則爲十七世紀英國東印度公司的最苛刻之剝削制度。蘇聯一詞，已從工人會議，轉化爲世界聯邦之意，在我的瞭解上，即等于帝國主義。可惜此一名詞，經哈布孫的解釋，專以指英美在國外的經濟活動。列甯利用哈布孫的觀點，來煽動殖民地次殖民地國家的民族主義站起來，史太林認爲列甯主義的精華在此。西方學者不常稱蘇聯爲帝國主義，或者因爲存心忌諱，或者內爲牠尚够不上稱爲帝國主義，所以運哈布孫本人，也起來辨正與修正了。但是帝國主義，已成了大殖民地的公敵，不稱蘇聯爲帝國主義者實不易引起同仇敵愾之情不是上了當，就是便宜了牠。最近美國學者，始改稱蘇聯爲帝國主義。我則欲進一步稱之爲最原始，最殘暴的帝國主義。爲了使人們有此等基本認識，所以除用回憶的筆調，來陳述其經驗與見解外，更不惜涉及共黨的理論與組織，以增加讀者的瞭解，這雖名爲回憶錄，而實是兼論蘇聯政制的書，不特與隗伯的新文化一書相反，且結論亦與贊揚蘇聯五年計劃者，及吾師君勱先生有異。

毛澤東無異丹巴

我寫外蒙與布里亞特蒙古，目的不僅在貢獻珍貴史料，而在闡明毛澤東一黨羣醜，其地位決不會超過當年之外蒙總統丹巴，與布里亞特蒙古總統伊爾般諾夫。蘇聯沒有必要亦無理由予以格外之優待的，現在有人認爲中共的待遇較其他衛星國爲高，因爲是大國的關係，我決不信。無論爲大國小國，俱不能逃蘇聯政治上與經濟之控制，則中共之與衛星國，即有適應環境而稍有不同，然在政治上不過大元帝國下四大汗之不同，在經濟上，不過如東印度公司之中國公司，外蒙公司，波蘭公司的不同而已。美國朋友深信蘇聯對中共極少干涉，這是僅從表面上看。蘇聯誠然不肯干涉，但身歷其境者，即感到非硬請他干涉不可。沒有得到老大哥的指教，或者把握到其暗示，不特不能積極有所動作，即在消極的態度上亦不穩，而非垮台不可。我想毛澤東平日極清閒，在鴉片床上等莫斯科訓示的情形，可以我當年對丹巴與伊爾般諾夫頗麼之生活的體驗比之。恐怕未得訓示，即不敢出北京城一步，不然何以五年來從未出巡一次呢？韓戰以前的九天，北韓的軍隊已經調動了，而毛澤東尙與其高級幹部，討論如何關起門來和平建設，似乎不像說謊，而實在是不知道。

對馮玉祥的感想

我對馮玉祥的感想，撇開私人感情不談，撇開他的智慧不够，自投共黨羅網不講，從民族觀點上看，至少他是高過毛澤東。我從民國十六年起，就對陳仲甫王若飛說，做共產黨或其同路人，祗好懸崖勒馬于利用其反日的階段上。政協將破裂時，我曾對中共某要人說，倘一味靠蘇聯，以奪取政權爲唯一目的，而竟爲馮玉祥與陳仲甫之所不敢爲，則智慧與品格，連馮玉祥都不如，日後世人其謂公等何？一般人仍認爲馮玉祥在蘇聯一定幹什麼賣國的陰謀，然而這是張宗昌們的見解，當時我在對蘇外交上所負的責任，除馮玉祥本人外，實較任何人爲多，但本人至今尙不敢有賣國的幻想，急切于抗日則有之。且怕對蘇聯關係太深入，所以急于謀開徐州會議，促將馮合作來反共以補過。而且事前曾將開徐州會議的主張，告訴陳仲甫，最可異的，他亦贊成我對俄國人應有戒心，不過他祗願意與武漢政府合作而已。所以本書末章爲徐州會議，是此一運動的最後段落，爲當然的結論，並非蛇足。

幾項問題的答覆

我殊感謝自聯社記者，把我這部書仔細讀畢，足證其爲反共的有心人。關于他所認爲不能滿意的諸點，我勉強答覆如下，但殊無自誇與自文的意思。

一，他說「作者因非共產黨，在莫斯科處於賓客地位，行動無形中受拘束，所以作者生活領域不廣，接觸方面也狹……」自然在蘇聯的行動都受拘束的，所以作蘇聯研究者，均自恨材料搜羅得不够，不肯下結論。其實即使行動不受拘束的話，所得亦不會太多，因爲在極權主義之下，人民不特以閉口爲原則，而且以不敢說實話爲其苟活之道的。我爲拜訪帝俄時代名律師藍新斯夫之家，向其請教蘇聯法律，他亦閉口不敢道一字，僅稱爲「沒有研究」而已。然而維辛斯基則成一派法學大家，論蘇聯的法理哲學。（上）

郝懿行與其山海經箋疏（下）

趙尺子

山海經箋疏特色

關於「山海經箋疏」，上引內閣奉上諭，稱：「精博邃密，足資考證」；游百川奏摺稱：「積數十年之精力而成，其書頗爲賅洽……既富搜羅，復精辨駁」；自敍云：「（山海經）今世名家則有吳氏（按：吳任臣）、畢氏（按：畢沅）。吳徵引極博，汎濫於羣書；畢山水方滋，取證於耳目：二書於此經，厥功偉矣。至於辨析異同，刊正譌謬，蓋[illegible]……今之所述，並採二家所長，作爲箋疏。箋以補註，疏以[illegible]證訂：……計創通大義百餘事，是正譌文三百餘事。」敍作於嘉慶九年二月（西一八〇四），到我讀時正爲一百五十年。

「山海經箋疏」四冊，附圖讚和訂譌，經文大字，箋疏雙行，約近二十萬言。這次我於翻閱三種版本後，集中了三小時半的時間，精讀了西山經和北山經，據我研究，西山經的山水必在[illegible]新疆和中[illegible]在中原。例如「錢來山」[illegible]，而未必[illegible]說係左遼關[illegible]「泑澤」古[illegible]指爲蒲昌海[illegible]即今羅布泊，「昆崙山」非今新疆的崑崙山（此係漢武帝妄定者），當在今高加索或美索波大米亞，「昆侖」當即庫倫（敍利亞古義爲「城」）的古譯；而北山經和大荒經的山水必在今鮮卑利亞（舊譯「西伯利亞」，大誤），例如「北鮮之山」當即今沙賓達巴哈山即北史的大鮮卑山。郝氏「箋註」，大體說來，山水地望已較畢氏遠爲逼眞。古今注家多用中原山水求解經中的山水，這是一大基本錯誤；山海經山水殆全部在鮮卑利亞、中亞和甘、新一帶。因爲山海經係根據夏朝的山海圖而作，夏人是從鮮卑利亞經中亞、新疆、甘肅，來到中原；後又回到鮮卑利亞去，變爲匈奴。郝氏此書最大好處，便是影影綽綽稍知此義；惜限於百五十年前的史地知識，未能充分說明耳。

山海經欣逢知己

關於專門考定山水，不是這篇小文的任務，當於拙著「山海經註譯」中詳之。現僅介紹一條，以見郝氏「箋疏」可稱山海經的知己，且頗有前合於鄙見者。北山經有「北鮮之山」，原文云：

「又北百八十里曰北鮮之山，是多馬。鮮水出焉，而西北流，注於涂吾之水。」（成化本三十七頁）

拙著已定「北鮮之山」係大鮮卑山（即沙賓達巴哈），「鮮水」西流所注入之河（舊譯「上通古斯河」，大誤）。郝氏「箋疏」云：「懿行案：漢書武帝紀云：『元狩二年，馬生余吾水中。』應劭注云：『在朔方北』。文選長楊賦注引此經作『北鮮余吾水』；史記匈奴傳索隱引此經亦作『北流注余吾』，而無『西』字；地理志云：『上郡』，疑縣因水爲名。」他雖案而不斷，但證明「余吾」即「涂吾」，而「余吾」即「萬羅」的「余吾」，這一方說明了漢朝已在今唐努烏梁海設「余吾」縣，一方說明「北鮮之山」即大鮮卑山，「鮮水」即注入上東胡河了。北山經「北鮮之山」南百里有「熊羆之山」，北百七十里有「隄山」，並云「多馬」，始我即疑諸山必在鮮卑利亞；今郝氏也說：

「（隄山多馬）左傳云：『冀之北土，馬之所生』，故此三山，並云『多馬』，今名馬多出西北也。」

更見他認出「北鮮之山」（和「熊羆之山」、「隄山」）都是鮮卑利亞（所謂「西北」）的山，眞是令人欣慰之至。李濟之（濟）博士從青銅器研究上，已結論了鮮卑利亞是「中華民族更老的老家」；今讀郝作「箋疏」，更爲李博士添一註腳。原來我國四千多年前的山海圖上早便畫出「老家」的山水來。可惜後世多認山海經係荒誕不經之書，未加重視。這實由於不解此經係薩滿（SUMER）巫所寫，並誤在中原山水中求經上山水。非經之罪，吾人之罪也。

據我估計，如用我的讀書方法（笨法子）讀完「山海經箋疏」，需要二百小時的時間，可惜我沒有這麼多的時間，不能長期請假，而史所的書又不許拿回家裏來讀。否則，我將把郝氏「創通大義百餘事，是正譌文三百餘事」的地方，一一予以估價，擇其確係「創通」者引入拙作，或能使我和我的朋友們能够讀懂這本和埃及金字塔、巴比侖泥磚、殷墟甲骨文、鮮卑利亞青銅器有同等價值的山海經；對於民主反共大兵團將來在鮮卑利亞作戰，這也不失爲最古的一部兵要地志。

八月二十日記於夢夏書屋。

商米進口登記踴躍

管制糧價不容忽略

港府於八月一日停止配米零售，十日宣布撤銷統制之後，對於批發商向產地辦運進口，祗有原則上決定，迄未公布詳細辦法。以致引起港九米商煩言，他們認爲當局撤銷統制有名無實，遮斷了大多數米商自由向產米區辦運途徑。事實上，一般米商的資金，皆無力擱置一年存糧。因此，他們一方面寄望於當外人投資，另一方面則要求當局放寬此種限制，力陳此種嚴厲限制存在，不特對大多數米商無益，在少數人經營辦運的結果，市面米價，殆至無法下降，與過去之管制存在，祗是大同小異。經過官商幾經爭執之後，當局似已放棄了前此原則上（必須儲備一年存糧）的決定。

但是具體辦法仍未正式公布，要到明春纔能考慮實施。根據糧食統制官梳比於答覆九龍總商會質詢的函件中透露，關於申請糧食進口問題，申請人的存糧，已由儲備一年的供應量，改爲「存儲比照申報進口額四分之一」。如申報辦運米糧進口額爲一百萬包，則必須有二十五萬包存儲方合自由進口規定。但此項規定當局並未正式公布，相信僅屬一時「權宜」措施，是否將來亦復如此，目前不能遽行斷言。對於防止糧食不繼而言，則這一較爲放寬的措施，誰也都表贊同，似無理由反對。就一般米商資金看來，如僅以四分一存糧作準，那就不啻予米商以一大鼓勵，但許多米商們對辦運進口數量有無一定的定額限制，仍感焦慮，耽心在這審查階段尙有其他變卦。

目前入口米商登記雖已截止，相信未及趕辦的也有不少。依據當局規定，此等登記的進口米商，隨時均有退出自由。換句話說，申請登記與退出，在審查完竣之後，均可自由辦理的，人們所希望於當局者，除了四分一存糧規定之外，勿再硬性規定申請者「定額」限制，因爲「定額」限制亦可使辦運商人裹足，例如某號有二十五包存糧，就可申請辦運百包米糧入口；倘規定每次辦運入口糧食非一百萬包不行的話，則辦運權利仍將落在少數米商手裏。這是值得考慮的。其次，商米自由辦糧進口以後，當局對米價亦應作適當的控制，規定米商不得超出合法利潤範圍。倘遇米價波動，當局應將存糧推出，使市面糧價穩定。

評「嘗試集」

王世昭

嘗試集爲胡適之先生所作，其中包括三編一集，有詩有詞有譯作。在形式方面，有五言，七言，長短句，騷體，散文詩，白話詩，古風，絕詩之分。而「沁園春」一題竟達四首之多，是則以比毛澤東以下諸大作？似有先驅之感。如此看來，混世魔王究不若過河卒子之敏而且速；——胡氏自謂：「但開風氣不爲師」，其言自亦可信也。

一、秋窗秋雨讀胡詩

爲了艾黛小姐過港，我昨天由香港回到荃灣。以爲荃灣一定比香港涼些，所以趕回來。那曉得自八月廿八日中午起，到處冲着熱浪，荃灣也不例外。一夜裏睡不着覺，大清早劉尙一兄來看我，冒着風雨到市上飲早茶，回來已是十二時。風更大，雜以驟雨，窗下無聊，拏着嘗試集由頭至尾讀一過，忽然心血來潮，想到詩一句，便是上面標題所謂「秋窗秋雨讀胡詩」也。

二、不止六十四首詩

嘗試集共有詩六十四首，（依胡序），這只算依詩題而言，若照中國的舊辦法，實不止此數。如在「贈朱經農」一題之下，即有詩七首，「十二月五夜月」亦有詩三首，「景不徙篇」則亦有詩三首，餘可類推。故嚴格說起來，嘗試全集中舊詩比新詩多過。

三、若論詩的內容

詩的條件很多，可是最主要的有一句話，即內容決定形式。形式可以隨便自己去創造或因襲，但內容絕不能因襲，非自己創造可。故詩的內容是詩的靈魂，而詩的形式則是詩的外衣。外衣好不好是另一問題，可是內容是不能不從好的方向去努力的。

我們如果依嘗試集內容來看，胡先生的好詩都在五言，如「江上」：

「雨腳渡江來，
山頭衝霧出。
雨過霧亦收，
江樓看落日。」

這首詩，寫景寫得最好。又如「病中得冬秀書」第五首：

「豈不愛自由？
此意無人曉：
情願不自由，
也是自由了。」

這位胡太太名叫「江冬秀」，和胡先生訂了婚後始終沒看見過面。在五四運動前後，男女間結合重視戀愛自由，幾多青年男女爲了這四個字顚顚倒倒。而胡先生雖是新文化運動領袖，可是對於盲婚他卻也不反對，而且在第二首詩中卻自加寬解道：「我不認得她，她不認得我，我總常念她，這是爲什麼？」而第四首又云：「海外『土生子』，生不識故里，終有故鄉情，其理亦如此。」從這三首詩裏，可以看出胡先生高人一等的淑世人生觀。

若說近代寫情詩，胡先生也可算此中能手，如用生查子詞調做了一首小詩：

「也想不相思，
可免相思苦。
幾次細思量，
情願相思苦！」

這是何等心胸，何等手法，何等氣魄？強過今人寫千千萬萬首的情詩。

本來五言詩最難做，做得平乎淡淡尤其難中之難。胡先生深得陶詩三昧，所以吐屬自是不同凡響，而其立意新奇，則將使下筆者歎觀止。

（上）

剃眼眉的官司

馬五先生

台灣高雄市有個新聞記者，因爲寫通訊報導了當地一位警官被理髮小姐剃去了眼眉的新聞，竟遭警局拘捕，大嘗縲絏滋味。

廣東話指予人難堪，或過不去的行爲，謂之爲「剃眼眉」。高雄市的警官老爺給人剃了眼眉，「鬭氣上來」，乃對新聞記者實施「剃眼眉」的手段，未免「表錯了情」吧！

其實，這類事如果不是發生在綽具權威的警官老爺身上，也就不會成爲新聞材料。周恩來二十年前在柏林跟一個女茶房通姦生了兒子，子又生了子，新聞記者從來沒人注意，如今周是一代紅人了，外國記者就沿發電訊，到處替他宣揚。像這類羅曼斯，世人十之七八恐怕都是不免的，然不爲記者所注視。可見高雄記者報導當地警官被剃眼眉的新聞，動機原是瞧得起你警官老爺，而你卻要捉拿究辦，何其如此不受抬舉呢？

台灣近來大倡其「肅清文壇三害」運動，因此而查禁了若干刊物。高雄市記者這項通訊，不知是否含有毒素？若有，又是屬於「紅黃黑」的那一色？且是否有利於共匪宣傳之嫌」呢？現在這樁公案既已移送法院處理，我希望法官實事求是，先查明該警官有無被理髮小姐剃去眼眉這回事？如其查無實據，該記者造謠誹謗，咎由自取。假使事屬眞確，則濫用職權，非法妨害人權的警局長，即非課以法律責任不可。中國的官吏隨便拘捕人民，視同家常便飯，縱然捕錯了，還要敎被捕人取保，這眞是豈有此理的怪事！我們且以此案來測驗台灣的法官，究竟有無依法保障人權的獨立精神和胆量？

顧亭林的詩

刁抱石

（一）

「日知錄」著者顧亭林，負卓犖不羈之才，抱俯仰無窮之志；耿介絕俗，不與世諧。奔走南北，殆三十年，最後死於華陰。永曆十二年，永明王殂於南荒，明社全亡。時亭林年已四十九，鬢髮將斑矣，有句云：「天地存肝膽，江山閱鬢華，」蓋實錄也。旋又北上，五謁思陵，策馬往來河北邊塞者十餘年。途中有「寄懷江南諸友」五古一篇，詩云：

「自昔遭難初，城邑遭屠劏，幾同趙卒坑，獨此一人活。既偷須臾生，詎敢辭播越？十年四五遷，今復客天末。田園已侵並，書劍亦剽奪，尚虞陷微文，雖羅不自脫。卻喜對山川，壯懷稍開豁，秉心在忠信，持身類迂闊。朋友多相憐，此志貫窮達，躡鄰河伯居，未肯求呴沫，出國每徒行，花時猶衣褐。以此報知交，無爲久怛惻！」

康熙十六年，復來謁思陵，計亭林往返數千里之間，南謁孝陵，北謁思陵，至此已第六次，其眷戀故國，切矣！繼又再入陝西，始定居華陰，置田五十畝於華山之下，以供晨夕。常餌沙苑蒺藜而甘之，語人曰：「有此，不食肉不品茗可也。」苟有所餘，必儲藏之，以備有事。嘗作五律一首，題曰「阜帽」以自況云：「阜帽多常著，青山老自看。烏搖池樹影，雲近嶽天寒。蕭食隨人給，鬆牀任地安。閒來過道院，不爲訪金丹！」康熙十八年，出關考察，復還關中，所至弔古慨今，發爲詩歌，皆沈雄悲壯，有杜陵兩家之遺。「失題」云：「長看白日下蕪城，又見孤村海上橫，感慨河山追失計，艱難戎馬發深情。崩車斷鎖周千畝，蔓草枯楊漢二京。今日大梁非舊國，夷門愁殺老侯嬴。」

（二）

康熙二十一年，亭林客死曲鄉，年正七十。自謂「徘徊渭水以畢餘年」一言，竟成讖語。世之傳先生者，多列爲名儒、碩學、樸學開山祖。然若論亭林之志，則可謂非深知亭林者。蓋亭林自倡義崑山失敗，天仇國恨，每飯不忘，到處觀山川，察形勢，力耕牧，備錢糧，一得同志之士，則起而叱咤風雲。奈沉淪已久，人心不振，遂使亭林有「北人飽食終日，無所用心；南人羣居終日，言不及義」之歎。因翻然改志，致力著述。觀其「世事粗諳身已老，古音方奏客誰聽？」及「哲士有懷多述酒，英雄無事且明農」諸詩句，可知其執筆寫作實出於萬不獲已。

亭林詩固斐然可觀，論詩亦多精義，曾評陶韋兩家詩云：「淵明蘇州，其人不惟狷介，實天下有志者也。如淵明詩『惜哉劍術疎，奇功遂不成，』蘇州詩『秋郊細柳道，走馬一夕還！』何等感慨？何等豪宕？凡忼爽高邁之人，易與入道。」惟古來讀兩家詩者，無不謂爲閒適平遠，瀟灑疏澹。遂使世之澹遠之作，輒呼爲「陶韋體」，未有一人言其詩中有血有淚，有志略機略，有之當自亭林始。詩志也，有天下之志之人，始知志於天下者之詩。亭林一生以國家爲志，故能讀兩家之詩，而察其志之所在。是以亭林作詩，亦止於敘志，不追問體之陶韋調之管唐。以心血作字可。悲涼沈鬱，數十年臟腑之衷，一時噴溢筆端，令讀者長歎太息，老杜沈痛，放翁隱憂，無過於此。

（三）

左舜生先生謂曾慕韓的詩，而非詩人之詩，是志士之詩，我對顧亭林詩的總評，亦復如是。亭林擬唐人五言八韻，凡六首，亦言志之作也。茲錄三首，以資參證。

高漸離擊筑

神州移水德，故鼎去山東，斷甕夫人劍，殘烟郭隗宮。身留烈士後，跡混市兒中。服心彌苦，知音一日。沈淪餘技藝，「本英雄，壯節悲風，遨海怨，再奏。羈魂迫固窮，薊丘風，不復荊卿和，哀哉六國空！

班定遠投筆

少小平陵縣，蕭然一布衣，讀書傳父業，握管上皇畿。太乙藜初降，蘭臺露未晞，生涯憑筆札，甘旨爲慈闈。忽見天狐動，聯將電鈇揮，于闐迎轡輅，疏勒候旌旗，凍磧軍營轉，秋山奏捷飛，封侯來萬里，老見錦衣歸！

祖豫州聞雞

萬國秋聲靜，三河夜色寒，星臨沙樹白，月下戍樓殘。擊○行初轉，提戈夢未安，沈幾通霧裏，高鑾入雲端，豈是占時運？要須振羽翰。風塵懷撫劍，天地一征鞍，失旦何年補？先鳴意獨難。函關猶未出，千里路漫漫。

次韻答伯端丈

懷冰

文瀾浩瀚水漣漪。翠閣風清不我私。欲倂哀絃妨折柱。已無鑿缽尚催詩。出塵鷹隼知何日。開路驊騮獨後期。故國旌旂疑在望。江南仍自憶丘遲。

踏莎行

懷隋齋台北　璞翁

偈日催輪，遮塵換扇，故人情逐流波遠。雲帆縹緲入仙山，橘中一局何曾歛。玉麈揮殘，金鈎撫遍，當時有淚花同濺。今宵斜月滿西窗，姮娥似識相思面。

金珠

中篇小說　勞影

金珠想了一下。

「一個人丟棄一樣爲自己愛過的東西，」她問：「內心不是很難受麼？」

「好孩子，不要再以自己的心腸去衡度別人的心腸了。一個人絕不會無緣無故地虐待自己，假如他（她）們會在丟棄這些花兒的時候感到難受，這些花兒就不會被堆滿路邊了。」

「唉，他們不把它們折下來多好！」

「當一朵花兒被折時，」我苦笑道：「它有它被折的價值！當它們被遺棄時，它們也有遺人遺棄的藉口——那一朵花兒不飄零？——這便是一朵好花的必然命運！」

「假如有這麼一朵永不飄零的花：……」

「有的，」我接着說：「世界上有這種花！」

「眞的嗎？」她歡喜得幾乎跳起來：「這種花叫什麼名字？」

「這種花的名字叫『眞情花』！」

我閉上眼睛說：「它是用世界上最純眞的情感灌溉出來的——當它盛開時，我們就已看透了它的枯萎；當它枯萎了的時候，我們仍能從那些敗枝落紅之中，超過空間與時間的限制，回復到它盛開的年代；讓我們的愛心永遠不爲自然環境的變換而轉移。這種花兒要經過千百次暴風雨的摧殘才能開放；它不能種在精緻的花盆裏，它祗有在善良的、不斷爲苦難所折磨的心靈中才能孕育成長——所以，這種花兒祗要一經開放，它就能永遠永遠的搖曳在我們永不褪色的記憶裏！」

車比先前開得更慢，我們沉默下來。

「到了，到了。」有人高興地叫着。我掏出一條手帕遞給金珠，並且搖搖她的肩頭：「別讓別人看到笑話，——陽明山到了。」

× × ×

從陽明山回來，又是二個多月了。我想盡方法才找到一個公餘的家庭教師位置，爲二個家中富有但却天資拙劣的男孩子教授初中英數。每晚七至九時，我說得脣焦舌枯，爲他們兩個演算公式和拚讀生字，爲怕他們兩個對這枯燥的課業厭煩，我在授課外還叫他們唱唱歌，以及講些有趣的英雄故事；因爲我是個什麼都懂祗是懂而不精的人，所以還相當能夠滿足這兩個小少爺的要求；他們的雙親因此而對我另眼相待。本來議定四百塊錢一個月，最後竟給了我六百。每個月我給金珠她們送八百塊錢去，每個禮拜六我就趕去基隆看望金珠，有時由她從基隆趕來，我們詳細地計劃着，假如一直照目前的情形發展下去，等她畫後，我們準備馬上舉行婚禮。

一切都很安靜，一張美麗藍圖上的綫條逐漸顯現了，安靜快樂的日子過得總比較快，春天又過完了。（廿七）

炒栗子趣談

•辛•

看到街頭月餅大量堆出，不免想起炒栗子。上海人曾有「糖炒栗子，難過日子」的諺語，這是貧苦大衆對時令的驚歎。香港人吃栗子之風亦頗盛，秋風一起，街頭的栗子，大都號稱爲「良鄉名栗」，良鄉地在天津附近，以產栗子出名，這裏的栗子究竟是否自來良鄉，恐怕是大成問題。

炒栗子在中國歷史上也有淵源可尋，近讀宋人的筆記，有關炒栗的記述很多。如愛國詩人陸放翁的「老學菴筆記」中就說到：

「故都李和，炒栗名聞四方，他人百計效之終不可及。紹興中陳福公及錢上閤愷，出使虜廷，至燕山，忽有兩人持炒栗各十裹來獻，三節人得一裹，自贊曰：李和兒也。揮涕而去。」

據說這位炒栗名手李和兒自金破汴後，流轉於燕，仍以炒栗世其業。（見趙雲崧「陔餘叢攷」卷三十三「京師炒栗」。）

郝蘭臯著「曬書堂筆錄」卷四中亦炒有栗一則云：

「栗，生啖之益人，而新者微覺寡味，乾取食之則味佳矣。蘇子由服栗法亦取其極乾者耳。然市肆皆傳炒栗法。余幼時自塾晚歸，聞街頭喚炒栗聲，舌本流津，買之盈袖，恣意咀嚼。其栗殊小而殼薄，中實充滿，炒用糖膏，（俗名糖稀），則殼極柔脆，手微剝之，殼肉易離而皮膜不粘，意甚快也。及來京師，見市肆門外置柴鍋，一人向火，一人坐高兀上，操長柄鐵勺，頻攪之令勻偏。其栗稍大，而炒製之法和以濡糖，藉以粗沙，亦如余幼時所見，而甜美過之。都市衒鬻，相染成風，經衢間稱佳味矣……」

郝氏所說，更有風趣，敘述炒栗子的方法，尤爲細膩可喜。蓋由於對名物自有興味，非他人所及。然而，我總覺得他對栗子的看法與寫法，都與放翁不同，因爲缺少一種詩人的情懷，不像放翁那樣從炒栗子中寫出了國家的憂患與人事的滄桑，寥寥數語，而令人感慨無窮。

據放翁自己在「跋呂侍講歲時雜記」一文中說：

「承平無時之日，故都節物及中州風俗人人知之，自喪亂七十年來，遺老凋零無在者，然後知此書之不可闕。呂公論著實崇甯大觀間，豈前輩達識固已知有後日耶？然年運而往，士大夫安於江左，求新亭對泣者正不易得，撫卷累欷。慶元三年二月乙卯，笠澤陸游書。」

讀之可知此老當年，在炒栗子中自有其「故宮禾黍」之思。後之讀者安於北胡與安於江左相同，便不覺得炒栗子中雜加了很多的糖，仍有辛酸之味也。我們豈能說放翁的文字爲無病呻吟耶？雖在短短的筆記文字中，有隱有「家祭毋忘告乃翁」的同一情感。

從魯迅的歷史見解說起

•莫可非•

而我們中國的讀書人，又往往有一種書氣，以爲那些『欽定』的歷史，『成則爲王，敗則爲冠』是沒有是非的，是歪曲事實的；而那些別有用心，把帝王寫成小丑，盜匪寫成英雄的私家著述，倒反具有卓見，記得明代的李贄，極端稱頌武則天，馮道，和丁謂這一班人，又以曹操司馬懿爲聖人，王漁洋筆記述邱某言，以爲秦檜謀國之忠，遠勝岳武穆，這一類翻案文字，原是古已有之的，卻並不見得便足以搖惑天下後世。

（四）

然而魯迅這種見解，就在中共統治下的大陸，恐怕如今也行不通了。第一是那些魯迅的徒子徒孫們，雖然要對現實『冷嘲』一下，也斷乎不敢像他們的先師一樣，裝出異常冷漠的樣子；把『新王朝』的『功業』來一個扯淡。第二是如果照魯迅的見解，則大陸上的老百姓，剛好是到了『暫時做穩了役隸的時代』。不過，共產主義的社會，是沒有奴隸的，不祇沒有奴隸的，而且是不准做奴隸的。因爲所有的老百姓——除却少數的地主，豪紳，反革命份子。全都翻了身，變成了主子，他們不是曾經被強迫勒緊肚皮去『當家作主』，清算那些新奴隸麼？但，照常識說：主和奴，原是相對待的兩種東西，有了主子，就得有奴才，大陸初變色時，自然還有些『反革命』的地主，土豪，劣紳，官僚，以及這些人的兒女，但經過這幾年的屠殺，改造，可以先作奴隸的東西，大抵已快要絕種，這即是說：那些翻了身的工農，雖然做了『主子』，却已沒有了奴才。古沒有羣衆的領袖，一書上稱之曰獨夫，一個沒有士兵的司令，其實只是一根光棍，可見沒有奴才的主子，恐怕依然還只是奴才而已。

中共以魯迅爲『聖人』，他的主張不致於被揚棄，那末，今天大陸上的情形，應該是這樣引伸起來：『做了奴隸而自以爲是主子的時代』了。

懶人福音

一種新的遊藝工具不久將在美國出現，可以爲每個人講故事，這是一種速度最慢的留聲機錄音片，每分鐘僅旋轉十六週，它是爲了目力不佳或是懶人設計的。直到目前爲止，最慢的錄音片是每分鐘旋轉三十三週三分之一，在這以前的錄音片是每分鐘旋轉四十五週，而標準的速度應該是每分鐘七十八週。

去年美國金尼斯無綫電公司就曾展示「超慢速」錄音片的出世，將不在遠，他說這種錄音片將可以講書，十二英吋直徑一錄音片的兩面，可以轉動兩小時——每面一小時。（張明）

自由人

THE FREEMAN
（第三六八期）
中華民國僑務委員會
僑發登記證台新字第一第二號
中華民國郵政登記證第一類新聞紙類
（每週星期三六出版）
每份港幣壹毫
台北市每份售價台幣七角
督印人：雷嘯岑
社址：香港高士威道二十號四樓
3 rd. fl. 20 CAUSEWAY RD HONG KONG
香港發行及事務處
高士打道66號　電話：七四〇五三
承印者：東南印務出版社
地址：高士打道六十四號
海外總經銷　友聯書報發行公司
香港彌敦道中二十六號A二樓
台灣特派員辦事處
台北市館前街五十號
台灣總經銷處
台北　中華路五九四號之一
台灣郵政劃撥儲金戶九二五二

讚揚敢言與直言

——敬禮自由中國半月刊——

南容

最近自由中國社會間，曾經轟動了一個文化清潔運動。現在這一個運動已經產生了具體的結果。這具體的結果，便是台灣十種定期刊物的取締。這一個運動的原則，我們也相當贊成。這是，這個運動的目的與動機，我們還願加以保留的討論。

我們保留與討論的出發點，是在法治的觀念上。因爲如果某種刊物眞是違反了公衆利益。我們明明有許多法律可以依據而措置。司法機關與行政機關遇見自己職權主管的事務，不能也不敢根據法律來措置。而必待社會上來一個運動，然後根據這個運動的聲勢，來有所措置。此在主管當局說，已經是放棄職守。另在社會方面說，更在政治運用上說。政府要貫澈一個政策，社會要清除一件霉害。必須引動社會翕然的運動，然後當局方能下手措置。這是置政府機關於何地？又置國家於何地？所以在法治的觀念上，一件事情的處置，若明明在法律範圍之內，又明明可由法律的途徑去措置，如果捨棄了法律，超越了法律的途徑，而經過了社會運動的方式。這在政治上是一件十分不妥的事。如果在開始的時候不加檢討，將來貽禍之大，是不可想像的事。

應提倡敢言與直言

敢言與直言是老生常談。也是中國數千年來士大夫所提倡，我們今天再來提倡這個風氣。因爲恰恰在文化清潔運動以後，在一番轟轟烈烈，又有了那樣轟烈的成果，我們實在不敢再用「運動」兩個字，也不敢發起宣言和徵求簽名。而其實，這敢言與直言的問題。實在是值得提倡。也值得成爲一個社會運動。因爲這一個問題，不是法律所能解決，也不是政治所能解決，而是一個心理與意志的問題。文化與教育的問題。更是一個社會風氣的問題。黃梨洲先生明儒學案敘東林學案有幾句話：「一堂師友，冷風熱血，洗滌乾坤。」以前我讀這幾話實在有點費解。多年來目擊身臨許多現實，漸漸悟到其中眞理。一個晦盲漆黑，混濁顛倒的社會，實在需要一番洗滌，然後方有起死回生之望。一個社會到了那種地步，不是政制法律所能改造，而需要把整個社會的靈魂，由冷風熱血去洗滌。顧憲成傳中有一段記載：「一日婁江（當時首相）謂先生曰：近有怪事，知之乎？先生曰，何也？曰內閣所是，外論必以爲非。內閣所非，外論必以爲是。先生曰：外間亦有怪事。婁江曰，何也。曰外論所是，內閣必以爲非。外論所非，內閣必以爲是。相與笑而罷。」這是明朝亡國前夕的情景，那是所謂「末世」一種寫照，全謝山記李穆堂，中述李當時黜廢由來，有下列幾句話：「世方以閉目合眼，喔咿囁嚅，伺察廟堂意旨，隨聲附和，是爲不傳之秘，則公之道，宜其所往輒窮也。」這是清朝的雍乾兩朝，號稱盛世。政治社會的形態。其與顧憲成當時所論，相去其實不遠。所以敢言與直言的應該提倡，在中外歷史上，是幾千年來仁人志士一個奮鬥的目標，並不因「末世」或「盛世」而有所分別。

反對閉眉合眼的作風

敢言與直言在理論上的道理，現在姑置不論。我們堅決認定敢言與直言，是有其深遠的影響，也有其具體的結果。古今中外，常有許多自命通達之人。以爲時勢至此。說亦何用。於是熟視各種可悲可憫之現狀，而隱忍不言，更熟視許多敢言直言之傷辱窮餓而相戒不再一言。其實這一種人的用心，與上面全謝山所稱閉眉合眼之流，是同樣的。如果在野一切有心人，實在不能忍受我們廟堂上一羣閉眉合眼的作風，便不應在社會中緘口結舌，而自己規避在「說亦何用」的掩飾之中。敢言與直言的第一個目標，便是使「內閣」與「外論」的是非合而爲一。萬萬不可做成「內閣所是，外論必以爲非。」「外論所是，內閣必以爲非。」是非善惡，必需做到朝野一致，內外相同。然後這一個政治社會，可以談興革，可以談建設。如其不然。朝野的議論是非，是兩個世界。朝野的好惡標準，是兩個宇宙。那是崩潰離亂的前奏。一切復國建設，都無從談起。

取締刊物應訴諸法律

自由中國半月刊幾月來的言論，如論國是會議，論文化清潔運動，論包庇黃案件。這是數年來言論界中值得大書之一章。亦爲民主評論徐佛觀先生所謂諍論後未有之直言。關於文化清潔運動，自由中國半月刊的意見，和我們的觀感是相同的。我們認爲取締不良刊物，應該經過法律的途徑。他們同樣認爲一個法治國家，不當不經法律而靠社會運動謀有所興革。是十分危險的。這一點意見，在台北各種刊物上，只有英文中國日報曾經提出同樣的主張。英文中國日報記者關於取締十種不良雜誌，認爲原則是可贊同，而方法上是應當經過司法的，我們對自由中國半月刊，與英文中國日報的主張，認爲已符合敢言與直言的條件。我們對於取締刊物不經過法律手續的弊害，還覺許多刊物平時的作風與習慣固然可惡，但過去社會及政治若干黑暗部份，亦未始不經那種刊物的揭發而暴露。現在一網打盡。深恐今後正面的敢言與直言既不多見。乃併此側面的揭露亦全湮絕，此豈爲政治清潔與社會清潔之福

可歌頌的報人

至於包庇黃案件，正是合着「暗無天日」一句話，這一件大案，這一個消息，自由中國雖已徧傳於街道巷議，而正式揭載與評論者，只有自由中國半月刊。自由中國半月刊記者的敢言與直言，其大智大勇，實在是值得我們讚揚而做效。自由中國半月刊記者的聰明才智，難道不知閉眉合眼，隨聲附合，其事易，其勢順，而其眼前之後果。在物質上爲「青紫」，而在精神上，則爲由紅而紫之捷徑。然而他們不做容易而輕便之事。必欲敢言與直言人家所不敢言不能言之事。又必然預想其敢言直言以後所受之冷暖與炎涼。這是今日反共復國中第一等英雄，第一等模範。如果習用今天社會上崇奉的辦法，他們是應當披紅帶花，鼓樂前導，遊行通衢，受萬民歡呼而擁戴的。自由中國的文藝協會、記者公會、編輯人協會，何妨來一個盛會，把自由中國半月刊記者披花戴花，隆重祝賀。筆者本人因人微言輕，既不是什麼團體的領導人，更不是什麼名流政論家，搞什麼運動，更不會伺察廟堂意旨，但能憑藉五千年民族正氣，今天，大聲高呼的來擁護敢言直言的文化鬥士，並且想號召許多志士仁人，追蹤響應。這是自由中國的光明與榮耀。我們對自由中國半月刊以及一切敢言直言各位先生致其崇高之敬禮！

希臘的經濟問題

——西歐防俄體系重鎮——

明譯

希臘是大西洋公約會員國，最近與土耳其及南斯拉夫締結軍盟後，已成爲歐洲抗俄體系中的一個重要環節，在最近同英國爭奪塞普洛斯島的爭執，更引起世界對這古國的注意。不過希臘在戰後，接受外國的援助達二十三億元以上，其經濟仍未十分好轉。美國的援助仍是希臘經濟的主要部份，如果這種「救濟」一旦停止，希臘將陷進悲慘的混亂。

失業嚴重

希臘目前這種經濟情況的主要原因是失業，和缺少生產能力，以配合勞工的供應。傳統的解決此一問題的方法，在這個國家中完全不適用，一位外國專家竟說：「這種情況無可救藥」。

希臘是一個貧窮的農業國家。全國約有三千二百五十萬畝土地，其中僅八百萬畝適於耕種。希臘農民，約佔全國人口的百分之六十五，也說是全歐洲最貧困的人民。

耕地。農業由小村莊作中心，主要的農民四五百萬的人民都靠在他們自己的土地上耕作，其中有三分之一的農民所有的土地不足每戶二畝半之多，另外三分之一所有的土地也不超過十畝。

農民的作物主要爲供應國內的需要，例如麥的產量，可以供給國內消耗量的百分之五十八，但是，他們的作物主要的還是較爲珍貴的食物，如，蕃薯，水菓，橄欖，葡萄等物。這些產物構成希臘的主要出口物品。因爲土地的面積不足以供養人民，所以許多主要的食品都要期待於進口。而希臘的出口物，在國外都受到強烈的競爭，在價格競爭上希臘產品時常失敗。同時，希臘的主要的失業問題不能由農業予以解決。據估計三分之一以上的農民[illegible]人的耕地工作，以求[illegible]；如果灌溉改善及利用，當然能夠增加產量，而可以提高農民的生活水準。

理論上，解決希臘失業問題，有兩個改善的辦法：（一）建設重工業，重工業的發展可以吸收大量的人力，從而改善其經濟，（二）將過剩的人力以集體移民的方法消除。

第二個辦法是行不通的。世界情勢日趨緊，希臘的軍事領袖絕不願輕易的放棄其兵源，這些人力對於希臘國防，意義非常重大。

私人投資受阻

建設重工業雖是較好的辦法，但是也不實際。首先，美國顧問指出，希臘缺少使重工業發展的天然資源，第二，希臘的法律及規則對於工業極其不利。這樣打擊了私人資本投資的勇氣——國內國外的私人資本同樣的望而却步。

這些原因再加上過份的利率，及沉重的捐稅，使工業界以可與世界市場價格相競爭的生產也遭重大困難。

但是，希臘政府却又認爲，希臘國內的條件是有利於工業化的活動的。他們說，因爲希臘有許多河流，也有許多未開發的礦藏量，可以獲得廉價的電力，建設基礎工業，自然留有充份活動的餘地。

因此，希臘在美國的援助之下，已動建築一個價值八千萬美元的發電計劃。這計劃完成後，水力及石油發電廠將佈滿希臘。這計劃全部完成約需十年，等到完成時，希臘就可以他自己的資源供應全希臘以鉅大的電力。在過去，發電是由進口的油料作原料——對於希臘的外滙實在是一沉重的負担。

發展輕工業

雖然龐大的發電廠的建設工作正在進行。但是，工業化的計劃却因美援分配的減少而緩慢了。原來計劃建設八個基本工業的計劃，一部份已告放棄。工業化的重點現在已放在改善和擴展現存的輕工業上，這些輕工業主要的是紡織、化工、水泥、罐頭食品、製革、及五金。改善已顯然可見，產量已超過戰前百分之三十四左右。

因爲工業化及移民都不適於希臘，因此，希臘的失業問題終無解決的辦法。結果使國家的財富水準極低，而且極不平衡。

希臘國家的收入主要的仰賴農業，佔全國收入百分之三十六。工業及貿易甚爲落後，僅及百分之十六及十三而已。

一九三八年度，希臘千分之五的人口獲得國家總收入的百分之十。有許多理由使我們相信這種不平均的情形，於現在更爲增加。（上）

一週展望

·陳克文·

中國並非孤立

美國務卿杜爾斯於參加簽訂馬尼拉東南亞聯盟公約後，昨九日經過台灣，作五小時的短期訪問。他在台灣機場對記者說，「中華民國並不是獨力無援，美艦隊正奉命協防台灣」。在中共進犯金門，砲火瀰漫台灣海峽之際，杜卿此言自不僅對自由中國軍民增加士氣的鼓勵而已。東南亞聯盟的成立，雖其實效力如何，有待今後的事實證明，但亞洲的防共形勢已較日內瓦會議前後大有增進已無可疑。東南亞聯盟雖未包括自由中國在內，但足以增加自由中國貫澈反共抗俄政策的力量，自亦淺而易見。故杜卿所言中國並非獨力無援，並不是限於美國艦隊之奉命而已。中共叫囂「解放」台灣，可能爲韓越戰爭後，中共第三次的侵略訊號，因此粉碎中共此項企圖，不僅是自由中國安危所繫，亦爲遏阻共黨亞洲再度擴張的關鍵所在。中國並非獨立無援的意義，其在斯乎！

金門的前途如何？

中共砲擊金門已歷十日，大有一衰三竭之勢。金門的前途可能因國軍海空威力的壓迫，福建沿海，共軍無法立足，從此可以安然無恙。但中共尚未出動其海空軍，今後是否鋌而走險，傾巢來犯，亦未可知。因此，吾人仍不能預斷金門砲戰就此結束。不過，中共如出動海空軍，不僅海空戰決非韓越陸地戰可比，且有冒大戰，以整個政權作賭注的危險，中共其有此胆量否耶！

艾德禮自取其辱

英工黨代表團，艾德禮等八人，還沒有到中國大陸前，我們曾加預料：他們此行必將爲共黨所利用，作爲宣傳，並揣測艾氏可能事後作出不爲共黨所喜歡的言論，現在此種預料似乎都沒有錯。

艾氏到香港後所發言論和文章，雖有恭維共黨的地方，但不爲共黨所歡迎的也不少。莫斯科的眞理報已經對艾氏破口大罵，說他是反動分子，是走狗。我想，中共也要跟着對他攻擊的。他們對艾氏的攻擊便是說明艾氏未能充分爲他們所利用，所以反面無情，老羞成怒，要對這位高唱「和平共存」的使者加以狂吠。

艾氏自己說，此行在尋求實際情形，但據他離開大陸後，所發表言論文字看，他所能見到的，也實在太膚淺，太尋常了。這些都是早已宣騰世界，衆所共知的事實。例如：「中共哲學純係馬克思主義，共組織亦係蘇俄模型」，「中共行政機構均安置一共黨黨員控制一切」，「工會不是保護工人的組織，而是增加生產，使工人俯首聽命的工具」，「希望共區生出眞正民主是沒有道理的。」這些事實，不是在倫敦早已聽得見的嗎？豈待僕僕長途，到過中國大陸才發見呢？以這樣膚淺平凡的觀察，艾氏尙自稱「此行大有補於實現世界和平與快樂，」未免自視過高了。

明知供人利用，竟入彀中，可謂不智。艾氏之爲共黨唾罵，可謂自取其辱！

狐狸尾巴出現了

這一年來，蘇聯集團一致跟着馬倫可夫高唱其「不同政制可以共存」，艾德禮和尼赫魯之流也有意無意的作「和平共存」的囈語，好似共產黨征服世界的策略已經放棄，最少是暫時放棄的樣子。

凡有這種觀念的人，請看蘇聯國防部機關報——紅星報——九月八日的言論。該報說：「蘇聯必須加强其武裝部隊……蘇聯爲全世界革命與民族解放運動的堡壘。」「全世界革命」這何所指？還不是征服世界嗎？共產黨人宣傳「共存」，本無足怪，所可怪的是艾德禮之流亦竟作「和平共存」的應聲虫耳。

共軍的最大弱點

·劉儒祐·

本文作者，曾經參加中共志願軍在韓作戰，對共軍實情知之甚稔。本文係根據其自身的經歷作事實的報導和分析與推論，極富實際價值，讀者幸加注意。編者。

八月廿五日本刊左舜生先生「注視中共的塡海工作」一文，提到中共可能使用傘兵在台灣降落。讀後引起了我寫本文的動機，作爲關懷台灣安危的參考。

我當過共軍的準砲灰

我是今年自韓歸國一萬四千三百四十三位反共同志中的一員。我曾在中共的「強迫與志願結合」的手段下，充過「中國人民志願軍」的準炮灰。雖然我的共軍「軍齡」並不算久，（自四川「參軍」以迄到韓投向聯軍，共計不過十個月），也不曾見過什麼「人民傘兵」。但根據我得自熟悉共軍傘兵情形的反共弟兄口述，（雖然是三年前的舊資料，）以及我自己對共軍控制部隊情形的一些身受體驗，以此體驗和認識來衡量中共一切部隊的情形，包括他們的傘兵在內，我想不會有什末很大錯誤的。

共軍的致命傷

我曾在「剖視中共人海戰術的陰謀」一文指出：「……以黨團員、幹部、積紫、小卒連鎖而成的肉彈……」請注意這個「連鎖」，正是中共以「黨組織」的恐怖力量，控制部隊人員的唯一辦法。換言之，中共在某場合某時間內，所以能發生某種程度的「打得堅決勇敢」的表現，並非出於他們官兵自發的「覺悟」，而是由於他們「黨組織」力量控制所生的效果。便是說，在共軍「黨組織」完整時，他們的官兵是能夠發揮一定的戰鬥力的。但打破了他們的組織系統，或其組織系統失去了控制機能的時候，他們官兵的戰鬥力與向心力就等于零了。這是共軍最大的致命傷，也是殘酷刻毒的中共政權，不可挽救的危險。更具體地說，共軍只有由高壓連鎖而成的「壘胆」砲灰，很少眞正捨命，衷心効忠於毛澤東的「孤胆英雄」。有之，也不過十不得一，祇是些自幼即受毒化，不識字的，頭腦愚鈍的共產黨員而已。

天性未泯的孝子

民國四十年五月底，共軍「一八〇師」「五四〇團」被圍於北漢江邊某山頭。情況混亂中，該團「副團長」劉某忽被其親近警衛員（忘其姓名）打死於陣地上。照共軍一般情形，「首長」的貼身警衛應該是「工農出身」，富有「鬥爭歷史」，忠實可靠的共產黨員，並爲「人民功臣」，並經共黨績衛考核，軍隊政治部特務機關「保衛部門」甄選過的始能充任，決不是一個普通班排級的幹部可比。但終于他們想像不到的，「殺害革命首長」的事發生了。原來這警衛員是山西人，與劉某同鄉，家庭雖爲貧農，但他的父親不知怎麼得罪了劉某而遭殺害，（彼時劉某爲該地鄉村幹部）當時他尚年幼，（抗戰初期）父親被害後，彼拉入共軍當兵，經過中共長期培養，與考驗，後來入了黨，也立過功，共黨對他十分信任。殊知天網恢恢，寃家路窄，這警衛員硬是一個忍辱事仇，胸懷大志，天性未泯的現代大孝子。

同年五月中旬，「五三六團團長」周殊一山派我率領警衛連的一個班前往「六十軍」軍部，領取陸空通絡員。這一班在連內向有「模範班」之稱，每個士兵都很「積極」，「情緒高」，「勞動好」，「有任務大家搶着幹」的，時常受到該連「黨支部」的表揚。可是一撥到我這個「團部」派去的「參謀」手下，自「班長」以至戰士，（有三分之一的黨團員），沒一個不是死狗，住韓人家中，又偷又搶，又打北韓的婦孺。派起任務來，一個推一個，牢騷滿腹，「怪話」連篇。自此，我才恍然大悟，原來這裏已沒有了他們「黨」的「組織」了。

再如「五次戰役」，當聯軍打爛了「一八〇師」的完整建制後，便有成千的「志願軍幹部戰士」投降過來了。

受中共侮辱必圖報復

每一個共軍官兵的家庭，都曾或多或少受過中共政權的殘害、剝削或拆散過的災害，並不因爲他們的家庭爲窮爲富，而有所分別。中共政權在宣傳上雖以「工農聯盟」「窮人翻身」爲標榜；但其本質卻是好殺、奴役、破壞人倫及否定個人價值的。同時，共軍又有一種以「黨齡」「軍齡」「功臣」而形成的寶塔式的新「階級」觀念滋長着。層層壓制，「黨權」、「資格」越老，「功勞」越大的，就越會在這一等的上面作威作福，橫行霸道。他們作威作福的害人手段，有時是無形的。譬如在會議席上，大家指着你一人大罵，甚至迫使你自己不得不「自我」臭罵一頓，以寬恕自己當前的處境。這時你心中自然明白，這是那個掌握黨權的「支部書記」暗中佈置好了的一套，或由其所施恐怖壓力的結果。這種仇怨在你心中越積越深，假如你的良知未泯，血性尚存，到了一旦你有擺脫他們「組織」的機會時，你是不是便要施行報復？共黨拼命以仇恨「教育」人家，必然注定了要自食其惡果的。我肯定的說，凡是經過共黨「教育」的人，他的恩怨最分明，他永遠忘不了他所曾遭受過的迫害與侮辱的。

逃脫中共去打游擊

讓我再舉一例來說明這一點：共軍「五三六團團長」周殊一山是個具有十年以上「黨齡」的老共幹，曾多次替「黨」冒死立「功」，左眼是在國內叛亂時打瞎的。四十年初，部隊開到河北滄縣，他的十餘年未見面的老母親來看他，當他知道母親並未「翻身」，（他家是貧農），相反地，卻討了幾年飯，也受過地方共幹的氣，他傷心極了。在部隊出發入韓前一週，我在團部親見他在電話上怨氣向「上級」請求留在國內侍奉母親，終未被批准。他的「上級」卻密令該團政「委」郭鐵緊緊控制他一路入韓。「五次戰役二階段」中，他終於失蹤了！後來他的「老戰友」劉光華（「五三六團」後勤處協理員」，曾任該團「黨委」，亦是不滿中共而投降到聯軍的，現已回到台灣。）在戰俘營告訴我：周因不願再替中共賣命，又不敢投降聯軍，（中了共黨宣傳之毒，怕聯軍殺他，）大概趁亂到北韓後方山上「打游擊」去了。（在北韓後方，像這種既不願打仗，又不敢投降的共軍官兵，約有萬人以上，他們以搶劫老百姓，及「以大吃小」來刧奪共軍輜重，保持生存。聽說曾被共軍消滅了若干。）

共軍內部這種嚴重矛盾現象，是中共統治者永遠無法「統一」得了的。

由此推斷，共軍決不敢使用傘兵降落台灣。因爲傘兵降落之後，在短時間內，絕不可能保持完整建制，「組織」因即失去控制機能；這時候，也正是傘兵官兵們有仇報仇，自擇道路的絕好機會了。中共素有自知之明，當然它已認識到了此一不可補救的弱點。不過，理雖如此，我們卻不能因此麻虎鬆懈，萬不能有苟安思想，在中共的最高「組織」未被徹底打爛以前，我們必須永遠保持高度的戰鬥警覺，才是中興復國的可靠保證。

人物述評

蔣百里原名方震，可稱得是近代中國的一位兵學大師。因他學貫中西，兼有衆長，在各方面都有很大的成就。尤其是在兵學方面，樹立了許多權威的理論。他軍事思想的形成，是由於他的天才卓越，和先期的教育，以至自身的體驗，乃至時代的影響，綜合融滙，才完成其立言不朽之國防名論。作爲我們建國建軍的典則。

兵學大師蔣百里

·丁辰·

（一）

百里浙江海甯峽石人，生於一八八二年，早年留學日本士官學校，以第一名畢業，曾獲日皇賜刀的榮譽。民國建立後，曾長保定軍校，教學生注重精神和學問，自矢「如不稱職，當自殺以謝天下」。任職半年，百廢俱舉，而舊軍閥多方阻之，百里請款不理，辭職不准，竟憤而自戕，以示軍人重視責任，不計生死。自戕不死，養傷醫院，識日女護士左梅，感其侍奉情殷，遂與結婚。民八，隨梁啟超赴歐考察，頗多心得。極力主張寓兵於農，以爲戰鬥與生活應該一致。尤服膺瑞士民兵制。當時曾著歐洲文藝復興史，並譯近世我之自覺史。歸國後推行文化事業甚力。又參加湘浙二省制憲工作，欲以文化國防爲政治國防之先驅。九一八事變發生，奔走各方，致力團結統一，以期國防建設之實現。廿四年以軍委會高等顧問名義，出國考察歐洲總動法。七七事變，任參政員，並任國防委員會參議員。九月以特使名義，再赴歐洲，與德意折衝，爭取外交援助。廿七年代理陸大校長，首對學生講品格與知能，從事改造學風，延攬各國名教授，擴大圖書館，獎勵自動研究風氣，校務蒸蒸日上。適學校西遷貴州遵義，百里於赴黔途中，過宜山，赴浙江大學晤史地專家張其昀，商洽講學事。並擬請張氏到陸大講史地。不意計劃尚未實施，竟以心臟病，遽然長逝，享年五十七歲。

（二）

百里軍事論著甚多，國防論提示「生活條件與戰鬥條件一致者，強，相離者弱，相反者亡」，更屬不朽之論。又說：「我國根本之組織，不根據於貴族帝王，而根據於人民，我國民之軍事天才，不發展於侵略霸佔，而發展於自衛」，「不治文科者，不足以使人，不治理科者，不足以使物」，這都是百里探本之論。百里曾著日本人一書，預言日本一定失敗，對我建軍抗戰，均有極大貢獻。其他哲學文史，亦有湛深造詣。喜讀康德哲學和歌德著作，對佛學亦用工甚勤，中外歷史，均有研究。他說：治史「要察往以知來，視人以律己」，可謂眼光獨到。又說：「治學要有嗜好和興趣，對各種學問，融會貫通，有煉丹的精神，並要有歷史的眼光，一切方有根據，歐戰後軍事上的專門學問，已經足夠青年將校一生研究」。都是做學問工夫不易之論。

現百里逝世已久，然國人對他的人格、學問、道德文章，崇拜歷久不衰，有爲的中國青年應繼之而起，爲保衛中華民族而奮鬥！（完）

美軍重行部署的內幕

今年是大戰年，在兩年以前，美國某戰略情報專家就曾根據來自各方的情報，向國防部作過如上的估計，他認爲今年夏末秋初之交，蘇俄將擁有足夠的原子彈與足夠的長程轟炸機以發動「原子攻勢」，因此斷定今年美國已進入危險時期，必須適時採取主動，以戰止戰。去年一月，艾森豪政府登台，國防部由威爾遜部長接任後，曾重提這件事詳加討論。當時威爾遜認定蘇俄不能於今秋發動大戰，它的軍備，資源與人力準備至今年尚未達到足以進行大戰的水準，而認爲必須再準備兩年，俄國始可掀起世界戰爭。但威爾遜這種保守的估計卻不能取得各軍戰略專家的同意，他們一致認爲威爾遜的看法實在過分樂觀了一點，俄國很可能在今秋冒險動手，這件事的結論怎樣？自然是美國國防的最高機密。不過由以下的兩件事卻可能使人獲得一種印象，這兩件事是：第一，一月前，外電傳蘇俄準備即向日本大舉突擊，資機艦紛紛集中日本北部一帶戒備，太平洋風雲異常險惡，第三次世界大戰大有一觸即發的模樣。第二，美國防部突作驚人宣佈，撤退四師駐韓美軍，第五航空隊總部遷往日本名古屋，據說是美軍重行部署，以配合全球戰略，保持隨時出擊優勢云云。由這兩件事看來，即使威爾遜未完全同意蘇俄將於今年發動大戰的看法，但對某戰略情報專家的估計，顯然是深加重視的。

俄船員求我政治庇護

據外（美）國記者的可靠消息說，俄油輪「土阿普賽」號運油接濟中共，經我海軍截捕後，輪上的一部份俄籍船員憤於克里姆林宮的暴虐統治，並感於我政府的優厚寬大，憤愧之餘，都有意逃離俄共的魔掌。其中有一位船員且已率先行動，要求我予以政治庇護，並將許多驚人的秘密赤裸裸地供認出來。這位記者還說，在短期內我政府即可將此事作闡動世界的宣佈。

荷比社會黨爭學艾德禮

艾德禮勃凡等英工黨訪問團一行，已於前兩天離開鐵幕，他們此行對於自由世界的影響，究竟嚴重到怎樣程度，這裏且不去說它，但對蘇俄與中共來說，現在即已產生了有利的後果，據非常可靠的消息說，法、比、荷及西德的社會黨現正[illegible]英工黨[illegible]的[illegible]腦筋，他們打算於今後數月內，也進鐵幕內訪問。比、荷與西德政府對這件事頗爲頭痛，可是莫洛托夫卻在一旁竊笑，認爲他的分化伎倆與和平攻勢已經馬到成功了哩。

東德今冬將有大饑荒

去年數以百萬計的東德人民爭赴西柏林領取食物包的一幕，今年或可以重演一次。據西方的情報說：由於今夏東德多雨且氣候（比往年）寒冷，馬鈴薯與麥子的生長大受影響。除非從現在起天氣變得和暖與乾燥一些，否則馬鈴薯的收穫將全部絕望，東德勢必出現較去年更嚴重的饑荒。（孟衡）

天下事

稿約

本報園地公開，歡迎讀者投稿，性質不拘，字數最好勿超過二千字，譯作請註明出處；來稿如不合刊用時，當儘速退還。—編輯室—

編者　讀者

世外桃源的古晉

△淵明先生寄來函：

編者先生：沙羅越人口約六十萬，華僑估三分一，[illegible]土人幾無文化，雖英當局極力推廣土生教育，但[illegible]。華僑之教育則甚發達，故國語通行，有若內地。筆者服務之高中學生逾千人，開學時，當地教育部長致詞，亦用華語，足見其造就之一般。[illegible]當局從[illegible]百萬，以改善教師生活，蓋鑒於馬來[illegible]定華人，尤共智識份子之思想着手也。古晉爲越邦首府，（沙羅越，與北婆羅，乃兩個邦[illegible]首），各設總督統治，均英殖民地，而古[illegible]。人口約五萬，雖年來土產價落，[illegible]見一乞丐，幾乎夜不閉戶，港人恐將[illegible]整潔，環境清幽，到處林木蔭翠綠草如茵，頗有點像澳門，最妙的是氣候地當赤道三度以內，初以爲[illegible]熱法，及至到來，誰知反較港九夏季好過，早晚如秋，午間熱亦不過九十度，夜間必蓋薄氈，一經下雨，則似暮春三月。所謂「四季皆是夏，一雨便成秋」是也。若果有人願意歸隱，此間較之[illegible]桃源，蓋很少有人談及時事，亦無[illegible]與其地理上從無地震，從無颶風相[illegible]有報可看，（可惜見到的，都是兩面的東西）。絕不會不知有漢。假定要參加魏晉蜀吳之爭，無論是演將幹或黃蓋，都不致鑿無洞門可錯，是又勝似桃源一籌也。淵明，九月四日。

可怖的中共勞動規則

沈著

近兩年來，大陸工人日益趨向反共，曠工怠工已成風氣，破壞事件層出不窮，產品質量日見低劣。勞動紀律蕩然無餘，於是中共高呼「整飭勞動紀律」，並實施種種鎮壓工人的「法制性」措施，（如同志審判會，專門法院，勞動保護區等。）最近更由僞政務院政務會議，通過並施行一個「國營企業內部勞動規則綱要」，（簡稱「勞動規則」）。

中共一手造成的枷鎖

該「勞動規則」共分：「錄用，調動和辭退」，「企業行政和職工的基本職責」，「工作時間」，「獎懲」，「處分」等四章，它的目的，在這規則的說明中指出在「保證和鞏固勞動紀律，正確地組織勞動，充分而合理地利用工作時間，提高勞動生產率，出產優等質量的產品。」換言之，中共要利用此一規則對工人加強控制與剝削，本來是共黨一手做成的枷鎖，卻藉口是根據「中國人民政治協商會議共同綱領」第八條」的規定，進而要求「中華人民共和國國民均有遵守勞動紀律的義務」。

根據此一「規則」，大陸工人今後一切待遇（包括工資，職業選擇，工作，生活等）將比以往數年更爲悲慘。可以預言。

鑑定文件制工人死命

這規則第一章，規定工人謀求工作，須向企業行政提交其原工作部門關於過去工作情況的「鑑定文件」，或當地「人民政府」勞動行政機關的證明書，否則，不予錄用」。倘「鑑定文件」所記錄的情況不佳，亦不予錄用。換言之：即工人「違反勞動紀律」，或犯「其他過失」，被記於「鑑定文件」之後，他將永遠失去工作的機會。中共即利用此機乃至死亡的威脅，逼令工人絕對服從其「勞動紀律」，聽受奴役，而不敢有絲毫的反抗。

第一章規定：工人要求離職或轉業時，須於兩星期前向所在單位負責人申請，須經廠長或經理批准；否則，便以「違反勞動紀律」論。這便是說，工人沒有選擇職業的自由，中共禁止工人跳廠的「不成文法」；現在已用這規則加以「固定下來」（中共慣語）了。前規則中的所謂「不許工人自由離廠（申請」，按照現在各工廠的實際情形，亦不過一紙黑字而已，因爲中共的工廠，事實上並不許工人自由離廠（除非因過失被開除）。該規則又規定：工廠開除工人，須在「鑑定文件」或證明書上註明開除的情形和原因。其用意，亦與前文所說的一樣，使被開除的工人，無法再找工作。亦即使工人因有「被開除的恐懼」，而不得不俯首就範。

工人動輒得咎

規則第二章規定：職員方面（即幹部方面）要特別強調「加強勞動紀律，切實貫徹生產責任制」。工人方面，要「遵守勞動紀律，按時上班，準確地遵守規定的工作時間，將全部工作時間用於生產：：：：保守廠礦企業機密，：：及時而精確地完成工作任務和生產任務，完成生產定額並力求超過：：：：保證不出廢品次品，嚴格執行有關設備保養和原材料，成品保管規定：：：遵守技術規程，生產衛生規程和防火規則：：」等等；否則，將以「違反勞動紀律論處」。因此工人的遲到早退、弛緩工作，不完成生產定額，發現廢品和次品，發生機器原材料及成品的損失，乃至發生其他事故，都犯了「違反勞動紀律」之罪。眞所謂動輒得咎，荊棘遍地，寸步難移了。

工作時間漫無限度

該規則第三章規定工人的工作時間，並不明白規定工作時間多少，只規定「工作班」手續，工時內的禁例及工作交替等。足以證明，中共的廠礦工作時間，乃一不可告人的秘密，對工人的勞力搾取，毫無限度。他們嚴格規定，在工作時間內，禁止從事社會活動，禁止召集會議，禁止發放工資或各種證明文件，禁止從事其他一切有礙工作的事情。事實上，中共強迫工人參加社會活動（如宣傳、游行等），及舉行各種會議，向來甚多。頒行新規則後，此等活動，勢必在工作時間以外舉行，這無異對工人的時間和體力，另外增加奴役和剝削。同時，該項原則規定，工人下班時，倘下一班工人尚未到廠接替，則原班工人便須繼續在原位上工作。換言之，若遇下一班的工人，有人因病缺勤或其他原因，未能上班，則原班工人最低限度便須連續工作一整日夜。此種酷苛待遇，實屬不近人情。

嚴厲的處罰

第四章規定，工人「違反勞動紀律」所受的處分，較輕的爲：1.警告，2.記過，3.記大過，4.調任工資較低的工作或降級，另一種爲：1.賠償，在工資中扣除爲止，較重的爲：1.開除，2.留廠察看（等於開除）3.移送法院作刑事處分，此種處分，往往給以「破壞國家經濟建設」的罪名，按照「懲治反革命條例」處以重刑。迄目前止，被處死刑的，已屢見不鮮。試想，大陸工人在這種「勞動規則」之下，將來所過的是甚麼日子呢？

評「嘗試集」

·王世昭·

四　胡先生的新詩

胡先生在嘗試集中新詩當然也算不少的，可是始終衝不破舊的巢臼，請看「鴿子」：

「雲淡天高，好一片晚秋天氣！
有一羣鴿子，在空中遊戲。
看他們三三兩兩，
迴環來往，
夷猶如意，——
忽地裏，翻身映日，白羽襯青天，
十分鮮麗！」

這像塡詞，不像新詩，比起徐志摩或謝冰心來，胡先生實在未免有些落伍之感了。

但胡先生的新詩不是沒有的，如「四烈士塚上的沒字碑歌」：

「他們是誰？
三個失敗的英雄，
一個成功的好漢！
他們的武器：
炸彈！炸彈！
他們的精神：
幹！幹！幹！」

而最後一首餘結到：「他們用不着紀功碑，他們用不着墓誌銘：死文字贊不了不死漢！他們的紀功碑，炸彈！炸彈！他們的墓誌銘，幹！幹！幹！」像這一類的新詩，誠雄氣壯，四烈士遂在人們的心坎中，且留有餘不盡之意，使後死者將聞風而興起！

五　對於胡詩的結論

胡先生把初期的詩集叫作「嘗試」，這眞是百分之百的正確。若依胡先生的嘗試全集的起結來看，起於「蝴蝶」五言詩，終於「沁園春誓詩」。以詩起，以詩終，這是胡先生的新詩仍離不了以五言與詞曲作模範，無怪乎五四運動前後的新詩人，如郁達夫，如易君左，如魯迅，都做起舊詩來了。而其中以郁達夫爲最，郁氏在「骸骨迷戀者的獨語」中說：「講到了詩，我又想起我的舊式的想頭來了。目下流行着的新詩，果然很好，但是像我這樣懶惰無聊，又常想發牢騷的無能力者，性情最適宜的，還是舊詩。你弄到了五個字，或者七個字，就可以把牢騷發盡，多麼簡便呀！」這還不過是[illegible]之語。[illegible]於內容，不決[illegible]「嘗試」是多餘[illegible]造自己的新[illegible]去改變舊有[illegible]的世界是偉大的，無限的，永恆的啊。不知胡先生以爲何如？（下）

從「俄蒙回憶錄」說起

——兼答自聯社——

·毛以亨·

中西研究蘇聯者，都有陷入共黨宣傳之陷阱的可能，而多半談蘇聯者，在形式上與文字上皆反共，而無意中給人的暗示，反助爲共黨主義，亦有一部分道理。例如反共的人，[illegible]黨幹部變爲職業革命家，完全否定民主政治[illegible]亦實爲共黨組織之唯一意義，爲把所有黨員[illegible]職業政治家，則全與政治非職業之民主大原則相違，[illegible]政黨倒近事實。

研究蘇聯的方法

英美人之研究蘇聯，其求諸書本與文件，較得自直接體驗爲多，即稍有體驗，亦爲其豐富的書本意識所淹沒。我的方法，不僅要根據直接的體驗，而是要用自由民主主義者的先觀來透視共產黨，較可以正確點。若共產黨方法來研究，不特不能獲得所預較爲深入的研究，且因爲在方法上有了矛盾，所以其研究亦不會有結果。共產黨的方法，是先培養你的共產黨人意識，即是變相的催眠術，使你對之發生信仰。信仰是完整的欣賞，而非懷疑的分析，假定你對共產黨有批評分析，即不免有批評，一到了批評，就證實你有懷疑，即爲對信仰不堅定。其時你即是動搖分子，就不配做共產黨人，而你所用的方法，便是自由主義的方法，而非共產主義的方法了。例如信仰基督教者，決不肯認歷史家考據出來有三百多個猶太人，其名均爲耶穌，實不知那一位爲耶穌傳教，事實上不過異教的保羅，在那裏胡編而已。然而這是耶穌死後二千年，上帝退位的今日世界，基督信徒纔敢研究這段歷史。假定在耶穌死後一千五百年研究，無疑要遭受火刑。所以共產黨徒要將共產主義弄明白，至少應等待二千年以後，現在還是讓自由主義者來享受此一研究之專利罷。無如自由主義會學自西洋，而根據自由主義的方法，來分析共黨，更加從實際上體驗共產黨，西洋人決趕不上我們，不然美國新聞處也不會培養劉鐵棋之類的人，至十年以上了。」

自由主義者的認識

這些都是有感而發的感慨，與自聯社之善意批評無關。我所欲答覆自聯社的，是中國共黨派往第三國際出席的代表，如譚平山等，其在蘇聯的生活領域，與接觸方面，比我少得多，因爲黨員的受限制，其觀察與認識的領域，是狹隘得可怕的。即中共領袖陳仲甫，與國民黨第二次代表張秋白，其當年對蘇聯的認識，與考察，都比不上我，因爲彼此曾交換過意見纔知道的。我想我有權利要求讀者，對我們自由主義者於共產黨之認識上，勿太輕視，而誤爲我們是未入流之人，所以不能瞭解共產黨，不勝大願。

爲何與馮不能合作

2. 關於馮玉祥，我不認他是壞人，我相信認識馮先生者都會點頭的。至於我之不能與他合作到底，而悄悄地跑去教書，近因是其太太李德全早已是共產黨，對我決不會妥協的，主因是我與馮氏是兩個時代的人，見解上有極大的距離，不會相處得好的。以時代意識論，我與毛澤東周恩來倒是相近，可惜民族主義與民主主義爲我們之間無法逾越的鴻溝。尤其在社會主義上，我們是以人民福利爲指歸，他們是寄其希望與欺騙的幻想大國。然而我與馮先生的私交，在其下野後完全恢復。抗戰將起時，他到廬山來看我，在重慶巴縣中學我還看過他，足足談了半天。在他出國前，我們曾在上海霞飛路底他的寓所，提出許多交已淺而言猶深的罪言。其時我們各行其是已二十年了。至於許多內幕不願提起，使自聯記者極端不滿——自然是好意的不滿，因爲許多有關的人和物，尚未完全過去，至少我要守歷史家政治家的道德呀！哈佛研究所主任勃蘭德先生亦感到同樣的不滿，他曾對我說，「外間知道此等事太少了，而你們親歷其境的都不肯說出來，倒底懼怕什麼」！我的答覆：「我什麼都不怕，祗怕影響將來國家反共益利，因爲我要愛國。」他說，「那就不能相強了」。今願以同樣理由請自聯社寬恕，但我自認已經說得太多了。

幾點小節

3. 自聯記者謂「但純以遊記讀，則覺文字支離，參雜學術氣氛太重，讀之不能感到舒暢。」支離的批評，我完全接受，因爲我在文學上，不肯下洗鍊工夫，許多朋友都如此責備我。至於學術氣氛，我殊不敢當，如其有之，亦是教書匠三句不離本行而已。朋友們又戲稱我的學術論文，爲無字天書，幸而這本書爲遊記式，似可逃避天書之譏了。

末了，要附帶補充一句，勃蘭德先生謂當時與我們交談的蘇聯軍委會副委員長翁歇立克特，實兼總政治部主任。而西北軍的蘇聯林顧問，因爲回國後就任列甯格勒的軍區司令，所以在書上我認爲是第二次大戰前任參謀總長加佛拉契夫斯基。但有人把他在西北軍的照片，與最近被清除的貝利亞，對照一下，覺得很像。就我的記憶中，他曾自稱爲喬治亞人，爲史太林的小同鄉，而加氏則非喬治亞人，以此使我不能下斷語了。

本書寫得匆促，希望知其事者，給以不斷的指正，我是有認錯之勇氣的。（下）

貝萬自稱如囚犯
艾德禮不察民情

英國反對黨領袖艾德禮爲首的「訪問團」，從倫敦到莫斯科，由莫斯科至北平，輾轉瀋陽、上海、杭州、廣州來港之後，作爲該黨叛徒的左翼領袖貝萬，隨即和艾氏分手，帶了其他團員作一次東京訪問，至本月六日，全部行程總算告一段落。此行凡二千多哩。無論艾德禮，貝萬，或是其他隨行人員，既沒有獲得一些所欲搜集的資料，也沒有對他們裨助了解有何實際收穫，旅程中除了在港的短短時間，比較有個好印象之外，其餘誠如貝萬所說，他們這一批人簡直像「囚犯」。「囚犯」是喪失自由及令人厭惡的「名詞」，這個由英國前任首相率領的「訪問團」竟然不受歡迎，何止一大詬病。

艾德禮發起組織「訪問團」前往中國大陸，心理上本來是不大健康的。他的動機，無非以此爭取民心，和打擊執政黨及邱吉爾政府的。這個「代表團」並不代表英國政府，自無疑問，但也可能得到邱吉爾政府的默許。中共雖然表面上裝得很「歡迎」，實際對它無益，所以並不歡迎。貝萬自喻「囚犯」，當非過甚其詞，因爲他在中共控制區的活動日程，確是一名囚犯發配那樣遣來遣去，到了香港，纔覺自由可貴。

香港是自由港，殖民地的設施，在艾德禮看來，從鐵區的建設，或尚無甚可求，且值得介紹的，祇是那位工黨領袖沒有聽取民間對政治上的意見，實是遺憾。該黨叛徒，親共的左翼領袖貝萬，卻在東京黯然返港之夕，參加了一個非共的政團晚會，在貝氏看來，他原先修言此行目的，「希望減輕世界緊張局勢」，畢竟無能爲力了。雖然他並未直言非共反共人士對他表示歡迎覺得驚異，至少他認爲易於與自由人相處。香港革新會招待貝萬的動機，無非要使這一左傾人物進一步了解此一殖民地人民爭取自由、人權、眞理的努力以及反共的情緒。因爲香港接近大陸，市民對於中共的暴政既有強烈尖銳感應，自係自由民主對極權奴役抉擇的最好考驗場合。對於貝氏在這次反映民意的晚會，不能不被認爲是全程旅行中一個收穫。

香港三日

本刊啟事

本刊稿酬現已發至三五三期，其有地址不明，尚未收到的，請函知爲荷！

頌紳士節賢勞

馬五先生

美國要想在多事之秋的亞洲，作些積極防禦共禍的佈署，英國紳士們即惶惶不可終日，奔走駭告，說是將要引起世界大戰，甚至於連一個無關宏旨的東南亞聯防會議，也表示不感興趣，而聞道台灣海峽國共兩方發生內戰，英內閣亦特別「關切」，害怕引起大戰！

歐洲軍公約被法國一腳否決之後，紳士們却如大禍臨頭高呼「危機嚴重」，馬上提倡召集九國會議，以圖挽救，並向美國提示若干積極促進聯防計劃的辦法，再不認爲這樣將有引起世界大戰的危險了。

「人不爲己，天誅地滅」，然爲我主義發展到英國人這末難看的形態，實屬罕見之事也。李承晚先生在美國說了幾句要以強硬手段對付中韓共黨的話，英倫記者即魂飛魄散，著文反駁說：「你是要使氫彈落在我們頭上！」其實，俄共集團現時對歐洲是採的守勢，正表現着「西綫無戰事」的情況，英國又何必急急於這項刺激俄共，有引致大戰之可能的歐洲軍計劃耶？

我想：假使地球來一次激化的公轉幅度，把英倫三島一轉而轉到東半球的亞洲來了。不出半年的時間，它若不要求美國趕緊協同中、韓等反共國家，先對中共實施撻伐，滅此朝食，以維護人類的和平自由生活，那才怪呢！

艾德里，貝萬之流，到莫斯科和北平訪問一趟之後，對蘇俄表示敵意，對中共特別恭維，而貝萬又說是中共與蘇俄間，並未發現有「不和的迹象」。然則幹嗎又不同樣的恭維俄共呢？哦！原來俄共可以進攻到多佛海峽，中共遠在天涯，不致禍延西歐的，所以就得實行「遠交近攻」策略了！

我們決不反對英國的唯我主義，更不希望英國只爲我們的利害而冒戰爭之險。但願紳士們對於台灣與中共的「內戰」問題，少所關切，以節賢勞爲幸！

自由談

世界最偉大的旅館　華都飯店

。牛布衣。

若果以立體面積計算，紐約的華都飯店可稱爲世界最偉大的旅舘。好些人叫他做大城裏的小城。你可以在裏頭施用外科手術，可以買到任何衣物，可以拔牙，可以乘火車到美國任何一個地方，可以請二千位客人吃飯，可以和前任英國國王，前任美國總統胡佛，世界偉大軍人麥克阿瑟將軍晤面，因爲他們都曾是裏頭的長期住客。

每年住客十五萬人

華都飯店經營三種生意，旅社，宴館，和禮堂，旅業部分計有住房二千間，每年住客達到一十五萬人。此外許多人喜歡在華都飯店結婚，招待人客，開會，和雞尾酒會等等。旅館裏的大跳舞廳可容納二千客人，生意太好了，大廳的租用，好些人在五年前即先行預定。

華都飯店的酒菜馳名全世界。裏頭剛是廚子就有兩百人，廚房共分六所。任何一國的酒菜，任何地的食物，均能夠備辦。最得客人歡迎的一樣菜是牛柳排，有八安士半的牛排，幾個薯仔，價錢是五元七角五分。最廉的晚餐取價四元五角。喫啡每杯四角五分。

你喜歡吃鷄嗎？華都飯店有七十一種鷄的菜色，鷄蛋的製法有九十三種。

第十九層樓的一所白磚結成的廚房，是專爲準備家常便飯用的。九個廚子都是女性。長期住客多數是這裏的主顧。

第十八層樓的廚房負責住客的膳食。在同一天早晨，時常得照顧一千位以上客人的早飯。

儼然一個小城市

華都飯店電話制度的複雜超過一個小城市。旅館裏剛是接綫生就有一百五十五人。最近一個機構在旅館裏開會，他們要求接電人員在上午七時三十分把四百五十位代表都叫醒了。這一類的事情只有華都才能夠應付。

每年客人遺落旅館裏的東西共有八千件，由大貓以至假髮，眞是無奇不有。一位空軍將軍把他睡衣留在房裏，中國前任財政部長遺下他的眼鏡，阿比西尼亞大使遺落兩個照相機，一位印度王子留下了一枚金烟嘴，等等。

關於保安方面，華都飯店計有警長一人，警察二十五人，偵探十人，另外兩個書記。較諸[illegible]市的警局實在有過之，而無不及。現警長是二十年前的一位巡士。二十年前，華都的警察全數穿禮服，現在改穿便服了，只有一個人間中穿一晚禮服。保安人員常於午夜得到住客的請求，到房裏陪伴他們。因爲地方太大了，或者樓太高了，住客心裏害怕不能入睡，警察只好進去安慰他們，陪他們談天。

還設有外交局

爲維持外交儀節起見，旅館裏設立一個外交局，這個局主持外國商船的接待，和紐約通商外國文的分印。外交局同時負責[illegible]

中篇小說　金珠

勞影

金珠的臉色紅潤起來，笑容也不時浮現在那張紅潤的面龐上。我們時常帶着兩個小弟弟在海邊散步，談談笑笑，愉快異常。金珠變得更柔馴了，她老愛把頭依偎在我的懷裏，閉着眼睛，任我爲她挑開那一根又一根被海風吹落額前的頭髮。雖然我的工作時間延長了，但我並沒有消瘦下去，我長得反更結實了；幾年來，一直塵封着的心靈頂又活躍起來。同事間業已知悉此事，道賀的有，勸阻的更多，對於後者我祇付之一笑。我想：「我爲什麼不能去愛一個人人遺棄的女人呢？相反的，一個受了若磯磨折才會有更多的溫存；一個爲生活壓逼得幾乎活不下去的人才懂得生命的可貴，生存的艱難！那沒有在風雨中行過夜路的人永遠不會體驗到一張睡床的價值；別人需要用描繪遠景才能增進生活樂趣，我們祇須沉靜地回憶過去便能滿足於眼前的幸福！我們愛一個人，最大的條件便是對方是否值得我們愛，既然金珠是個值得我愛的女孩，那麼，我爲什麼不能愛她呢？」

當天氣漸漸暖和起來的時候，金珠的肚皮也漸漸大了，我在三套西裝裏還一套較新的送入當鋪，陪她作了一次產前檢查，醫師說，這是一種早胎，懷足七個月左右便要出生，根據X光透視結果，產期將在半月之內。醫師又說，這次胎兒的胎位有點不正常，恐怕……我用目光止住醫師再說下去。

回來後，我內心焦急如焚。「這次胎兒的胎位有點不正常，恐怕……」一想醫師的話就冒冷汗，恐怕，恐怕怎麼樣呢？還好金珠沒有聽清這兩句話，其實，瞞住了她又怎樣，事實終究是事實，一切終將在半個月內揭開，到了那個時候，到了那個時候，……我沒有勇氣再想下去了：「讓要來一切來吧！」

即令我能夠忍耐擱下第一個問題，還有那接踵的無數個問題呢？銀行裏我還剩有兩千多的活期存款，加上本月的家教酬勞，也不過三千元左右，應付這次她的生產算是夠了，但她的家呢？還有今後的日子呢？[illegible]不過，在金珠面前，我仍裝做一切都已準備就緒，[illegible]拿出一半的錢交給她，叫她安心[illegible]，身體一有變化就去醫院，一切費用由我負責。

每天下班回來，我總是一個人躲在房間裏東翻西找，[illegible]我自己也不知道我要找些什麼東西！[illegible]三天悄悄過去了，我心頭的氣壓更低了[illegible]

[illegible]這樣，又是三天過去了！

（廿八）

詩二首

郭敏行

謬許江南不羈才，前生劉阮化身來。光陰百歲如流水，曾見曇花幾度開！

其二

我與髯郎共一丘，廿淪湖海侍溫柔，平生但有兩知己，一是陶潛一陸游。

愛國詞人王沂孫

——兼論學詞師法問題——

羅自芳

（一）

宋室南渡而後，國勢危蹙，已如累卵，而君臣晏安，不思振作，湖山歌舞，迄無虛日，自韓平原輕舉妄動，北伐失敗，使一蹶不起，愈趨消沈。上，即文壇中也深染着這種風氣。

說到南宋的文學，自然是應該拿詞來做代表的，南宋詞家作者如林，不可卒數，然而觀諸家之詞，除掉較早期的辛稼軒、陸放翁，張于湖，陳同甫，劉改之等幾位，還能保存其浩瀚磅礴的氣概，過此以下，便是一片靡靡淫聲，這眞是國家將亡的可悲現象。

這樣一直到宋室覆亡，大多數文人仍舊醉生夢死，做其風流蘊藉的詞，[illegible]遇着家國之感，即如近人所最推崇的吳文英夢窗詞，亦不過爾爾，殊無可採的價值。這其中唯周草窗，張玉田，王碧山數人，頗多感慨蒼涼之調，而碧山尤較沈鬱頓挫，故周止庵云：「中仙（碧山）最多故國之感，故著力不多，天分高絕，所謂意能尊體也」。張皋文亦云：「碧山詠物，並有君國之憂」。這幾句評語都是很恰切的。現在我這裏就單挑出王碧山的詞來討論一下：

（二）

王沂孫字聖與，號碧山，又號中仙，另稱玉笥山人，會稽（山陰）人也，約生於南宋理宗年間。元兵南侵，他身歷亡國之痛，[illegible]家國興亡之恨，非徒以文字作無聊消遣也。他其詞有花外集，一名碧山樂府，今所存僅六十餘首，但每首都說得上是精采的作品，無一苟且敷衍之筆。

碧山集中最負盛名的，自要算詠物之作，其實，現存的六十餘首，便大部份是詠物的，（其）中如齊天樂詠蟬，詠螢，綺羅香詠紅葉，眉嫵詠新月諸章，久已膾炙人口，茲錄出於下，讓大家欣賞欣賞：

齊天樂詠蟬二首

綠槐千樹西窗悄，厭厭晝眠驚起。飲露身輕，吟風翅薄，半剪冰箋誰寄。凄涼倦耳，漫重拂琴絲，怕尋冠珥。短夢深宮，向人猶自訴憔悴。殘虹收盡過雨，晚來頻斷續，都是秋意。病葉難留，纖柯易老，空憶斜陽身世。窗明月碎，甚已絕餘音，尚遺枯蛻。鬢影參差，斷魂青鏡裏。

一襟餘恨宮魂斷，年年翠陰庭樹。乍咽涼柯，還移暗葉，重把離愁深訴。西窗過雨，怪瑤佩流空，玉箏調柱。鏡暗妝殘，爲誰嬌鬢尚如許。銅仙鉛淚似洗，嘆攜盤去遠，難貯零露。病翼驚秋，枯形閱世，消得斜陽幾度。餘音更苦，甚獨抱清高，頓成凄楚。謾想薰風，柳絲千萬縷。

前闋借蟬喩比，寫那些愛國有心的志士，[illegible]所釋，至爲詳盡，且引其說如下：

「詳味詞意，殆亦黍離之感。宮魂字點出命意。乍咽涼柯，還移暗葉，慨播遷也。西窗三句，傷敵騎暫退，燕安如故。鏡暗二句，殘破滿眼，而修容飾貌，側媚依然，衰世臣主，全無心肝，千古一轍也。銅仙三句，宗器重寶，均被遷奪，澤不下逮也。病翼三句，言海島栖遲，斷不能久也。餘音三句，遺臣孤憤，哀怨難論也。漫想二句，責諸臣到此，尚安危利災，視若全盛也。」這兩闋詞，在我們今日讀之，猶有[illegible]的地方不少。（一）

詩人楊雲史的風趣

·小丞·

詩人楊雲史，學名朝慶，更名鑒瑩，又改名圻，江蘇常熟人。生於一八七五年，算來今年已八十歲了！他晚年適逢抗戰，卜居於九龍的山林道，[illegible]父親楊崇伊，字莘伯，光緒庚辰進士，授翰林，由御史外放漢中府知府。他的母親曾太夫人，便是「孽海花」作者曾孟樸的姑母；他的太太李道清，便是李文忠公的孫女。他從小陶染於這樣的書香世家，家學淵源，詩文詞章，所以能夠名噪一時。

他早歲便負不羈之才，[illegible]

（完）

自由人
THE FREEMAN
（第三六九期）
中華民國僑務委員會頒發登記證僑台新字第一零二號
中華民國郵政登記第一類新聞紙類
（半週刊每星期三六出版）
每份港幣壹毫　台北市價台幣七角
督印人：雷嘯岑
社址：香港高士威道二十二號四樓 3rd fl. 20 CAUSEWAY RD HONG KONG
香港發行及事務接洽：高士打道66號　電話：七四〇五三
承印者：東南印務出版社
地址：高士打道六十四號
海外總經銷：友聯書報發行公司　香港彌敦道中二十六號A二樓
台灣特派員辦事處：台北市館前路五十號
台灣總經銷處：台北　中華路五九四號之一
台郵政劃撥儲金戶九二五二二

俞大維歸國

·高遠·

國防部長俞大維，已於昨日由美歸國。俞氏何日到國防部就職視事，此時雖尚不可知，大概是幾天以內的事。俞氏爲國防部長的任命，已經是三個多月以前的事。俞鴻鈞新內閣成立後三月餘方回國就任，據報紙所傳載，完全爲治病。我們相信這個原因是真的。在這三月餘中，俞氏滯留美國，遲遲未能回國就職，曾經引起立法委員的質詢，更引起台北輿論界的抨擊。（反攻月刊攻擊尤力）我們對俞氏歸國的感想，和上述兩種意見完全不同。我們相信俞氏是真病，更相信俞氏遲遲未能歸國就職，絕非因本人有意推延。聽到俞大維歸國的消息，我們對俞大維的感想是多方面的。

俞大維的特點

俞大維在政治上週翔多年。可是俞大維的名氏，從來不成爲政治論壇上一個題目。俞大維的特點，也許就是這一種。兩月前自由人有一篇俞鴻鈞論，說俞鴻鈞是民國十六年國府成立後的新人。我們今天論俞大維，我們觀察的角度是另一個方向。就今天台灣的當道人物而論，俞鴻鈞與嚴家淦，出身教會大學。從做學生到進入社會，根本無意於政治。也可說對政治的了解與抱負，根底甚淺。俞大維雖與俞鴻鈞嚴家淦出身同一教會大學，但照俞大維的家世與教育，更就其早年留學時代的言論舉止看，他對政治上的了解與抱負，不是尋常的。

俞氏在學術上的成就

在中國一百年的留學生歷史上，我們可以肯定說，俞大維是一位極有成就的留學生。我們所謂成就，不是說他今天做部長。而是指他過去在學術上的造詣。俞大維在國內中學大學時，十足是一個神童。他在復旦中學一連跳班，五年中學，他兩年便讀完了。他進上海聖約翰大學，也是接連跳班。四年大學，他由聖約翰大學畢業，進美國哈佛大學，一年得着優異的獎學金。他在哈佛大學得了哲學博士學位後，哈佛派送到柏林大學去研究。他也是哈佛出資的。他到柏林，正值第一次大戰以後。德國共和初成立時，國內思想最爲活躍，社會主義共產主義的思潮澎湃。俞氏那時在柏林研究的是數理哲學，而對當時的思潮，是相當感覺興趣的，所以他於政治理論書，可說是無所不讀的。而且他讀書的功力，也是不平凡的。

讀書，說來也是神奇。他讀書甚讀，讀得很廣。當時學界中有一個妙喻……新文化運動大家讀書……後狂言。然而俞氏當時的中心政治思想是什麼？可是也沒有人能說得出來。國民政府成立後，譚伯羽有一個時期在柏林主持一使館商務參贊的事務。俞氏當時是譚伯羽的助手，那一個辦公室主辦事務自爲軍事。俞氏和國民黨的關係，第一由譚伯羽，第二由陳儀。俞氏由數理哲學一轉而爲軍事專家，這是當時許多人甚覺驚奇的。

不談政治的政務官

看了上面一段簡述，我們可以明瞭俞氏是一位不平凡的人。他在辦事能力上也不平凡。而他尤其不平凡的地方，在他的處世上。照俞氏那樣的學術造詣，教育背景，說他在政治上毫無抱負與主見，這是很難使人相信的。但是俞氏從政多年，做了政務官多年，他就從來不談政治。更沒有政治主張。他在政府上出現的姿態，第一是專家身份。第二是非國民黨黨員。我可公開徵詢我這個判斷。從南京重慶以至勝利而戡亂。有那幾位朋友，聽到俞大維談過政治主張？更有那幾位，聽到他對現實政治的意見？聽到他政策性的主張？如果今天台灣省政府主席嚴家淦保持這樣的作風與姿態，是無人覺到驚怪的。但是俞大維能維持這種作風與姿態至二十餘年之久，這是使人不易瞭解的。一個政務官，永遠不談政治，也永遠不談政策。更絕對不去碰政治責任。這是俞大維的謎，永遠留待人去解釋與猜想。

想請教於俞部長的

二十餘年前，俞大維初回國時，有一位朋友對他說，「國民黨把你用錯了。國民黨不用你去研究理論建設，而請你去辦兵工。國民黨讓陳立夫去談理論，而不叫陳立夫去辦兵工。」當時俞大維表示驚訝，連連搖手，叫他不要再講這種話。二十餘年來，陳立夫成了國民黨的理論家。而俞大維則爲非國民黨員的專家部長，絕口不談政治的政務官。而近十年來，俞氏非國民黨黨員的身份，更變成其政治資本之一種。俞氏歷官內外，多少露過一點。俞氏自己亦次自白，對美國人，這個身份關係重大。關於這與國民黨員與非黨員問題，現在暫時存而不論。不過我們的愚見，做了一個政務官，不論是黨員或非黨員，終不能不談政治。也終不能無政治抱負。更不能無政治責任的觀念。我們今天只想請教俞部長一點，你在兵工署與交通部的所謂政績，今天到那裏去了？推動一切行政建設的，何莫非政治？我們更想請教俞部長一點，你在翁內閣時代，翁內閣許多重大政策，你說過一句話麼？像你這樣負中外之重望，你心目中有無政治責任觀念？有無政治上的聯帶責任觀念？

二十餘年來政治人物際遇上的「席豐履厚」，實無出俞氏之上。近數年俞氏每次由美來台小住，其門庭如市。當朝顯要，對俞氏都可說「深厚」。社會對俞家，都可說「澤」。以俞氏內外專家，我們終不願俞氏以專家自了。做一個政務官，俞氏要知道的，歷史上少年巍科，飛黃騰達，自負者所在多有；而結果一無成就，史不絕書。你在「中國少年巍科」歷史上，至多若干古大臣。近代自己不以家國自勉，你或也在辜負了國家社會，也辜負了你自己。俞氏勉乎哉！

論東南亞聯防

·旭軍·

旭軍先生這篇文章，是東南亞聯盟尚未締結前寫的，現在看來，雖其中有些不免已失時效，但根本觀念，還是正確。——編者——

美國以「聯合警戒」的策略對付蘇聯的『鐵幕擴張』，恐怕無實效的。當今反共國家，忽視蘇聯鐵幕的性質與功用，而以過去的經驗、學理，來對付蘇聯的擴張，不獨不能戰勝，甚而失敗了亦不自知，而以失敗自慰，蘇聯之陰謀辣便在於此。

賊贓合法化

蘇聯變於歷史上無論軍力如何強大之國家，斷無法維持征服地之統治，愈擴張而鎮壓力愈散。過去帝國之建立以武力爲主，照例在其佔領與併有土地上駐以重兵，但今之蘇聯擴張，在於政權之控制。換言之，在製造傀儡政權。或曰，昔日之大帝國統治者何嘗沒有傀儡？但昔日最有效的方法是「分而治之」。但今日蘇聯是「吞而化之」。封建主義時代的帝國以統治者自誇耀，祇要被征服者進貢稱臣，便心滿意足。資本主義的帝國目的在收殖民地經濟利益，但赤色帝國主義要取得原料市場便心滿意足，而直要把整個世界人類的頭腦都改造，在共統治之下，全世界人類的……

其擴張法，是一種所謂滲透運動，利用其第五縱隊，即共產黨人，實行滲透，從內政入手，傾覆反共政府，造成其傀儡政府，而用「不得干涉內政」「各種政治方式國家可以和平共存」的口號騙人。因此鐵幕有「賊贓合法化」的辣功用。如遇抵抗阻力，便以「和平共存」甘言去麻醉對方的反抗力。這幾十年來蘇俄集團的擴張，就是這套把戲靈活運用的成績。

東南亞聯盟的弱點

因此目前的東南亞聯盟辦法對抗蘇聯的策略，恐怕沒有多大作用。其主因在缺乏軍事的防衛而無政治的反攻。

號召東南亞聯盟者說：「共黨不能再越雷池半步了。」無異說『好了，共產主義世界的界線至此爲限。』正中了共產黨的『賊贓合理化』的計。豈有祇不准再搶劫，而不追究賊贓的警察麼？

然則共黨的侵略果能在此爲滿足了麼？不然。請看吧，比里的自由泰國運動，又玩這一套法術了。恐怕將來又有一個分裂爲南北泰國的事實出現，也不足爲奇的。美國雖大呼聯合行動，但『盟友』們叫一聲：『打不得，須防氫彈爆發』，來一次泰國談判。結果泰國一半伸入鐵幕，也極有可能！

此次日內瓦會議的結果，除了胡志明政府從『反叛政府』成爲國際承認的政府以外，還有一次不大動刀兵而白得了北越之外交策略的勝利。這是蘇聯鼓勵『和平共存』的思想陰謀。克林姆宮以越南爲例，可能計算：如果美國在東南亞以武力制止中共的侵略，則美國日前在中東謀建立的包圍，將受瓦解。以現在情形看，中東防衛組織，巴基斯坦與土耳其的軍事聯繫，似將順利成功，而伊拉克與伊朗在經濟上亦依賴美國，是傾向西方的國之援助。但越南休戰或會減低中東聯防的興趣。

和平共存的毒餌

法國原以越南休戰爲批准歐洲軍之條件。但今則反以越南休戰而與「和平共存」之念，而忽視歐洲聯防抗共了。這也是越南休戰協定與蘇聯收穫。歐洲軍之被法國國會否決就是越南休戰的惡果。

史太林說的「和平共存」，在今天給馬林柯夫有了運用的機會，而且增加了新的戰略意義。

在克姆林宮中人，大可以搖着扇子說：「山叔叔，你何必如此汗流滿面的攪什麼東南亞聯防呢？我們早已說「和平共存」了，你看韓國、越南、奧國、德國雖然分治，豈不是和平共存麼？」

因此我說東南亞聯防無效的原因，首先在無冷戰的基礎外，即無「打破鐵幕」的意志，永沾於鐵幕的麻醉，甘受蘇聯支解的手術刀割。

東南亞的禍源，是自中共的佔有中國大陸。此係昭彰之事實。如禍根不拔，則蘇聯運用其代理戰爭（WAR BY PROXY）策略無已時。其方法即以中共爲蘇聯之代理人，由中共製造越盟、泰共、馬共，甚至印尼共、印共、緬共等代理人，實行連鎖的滲透，以擴張鐵幕。這個蘇聯的基本策略如看不透，日以「聯合行動」爲號召，但變成「無的放矢」。

必先恢復中國的自由

由此觀之，美國在遠東的最佳策略，決不是大而無當，橫面的「聯合行動」（UNITED ACTION）。而是以其人之道，反治其身的實行縱面深入的「代理戰爭」。

其法即由受威脅的國家，或半入鐵幕的國家，如韓國，自由中國、越南、泰國、菲律賓等，實行反奴役的自由革命，一心一志，從事於推翻傀儡政權。這才是對症下藥之措施。

如無反奴役之鬥志，終屬同床異夢，徒有虛表的警戒，而爲共黨所竊笑而已。

杜爾斯在出席美國國會作證時，特別強調稱：『美國對華政策的基礎，應建立在推翻中共政權的前提上』而艾森豪威爾總統在初上任時，即說：『自由世界喪失中國，是我們這時代最大的國際災禍之一。這種悲劇應勿再重演。』

這兩位當今作自由世界領導反共的人所說的話，是絕對正確的。但最大的意義，在能反省過去之錯若教訓。如此，則應以此爲擬定挽救東南亞策略的基礎方針。

美國如不讓蘇聯擴張，必先恢復中國之自由，如要世界情勢改觀，必先使亞洲情勢改觀，如要亞洲情勢改觀，必先使中國情勢改觀。謹以此敬告東來主持東南亞聯防會議的杜爾斯先生。

本週展望

·左舜生·

中共行動的再分析

（一）

中共大吹大擂宣傳『解放台灣』，已快到兩月；炮擊金門，將近兩個星期；我們雖不必把敵人的力量估計得太低，可是中共這一次的試驗，卻是丟了人！自從七月二十三日以後，我們就不斷的加以推敲；從本月三日他們的社論開始表示炮擊金門以後，我們更不斷的加以探索；截至目前爲止，我們的看法大致是這樣的：

一、日內瓦會議結束以後，韓越兩地的熱戰暫時告一段落，我們料定中共另領一支新令箭，在亞洲繼續造亂，這是極有可能的；但我們沒有想到他們居然選擇了這個對於整個亞洲反共局勢極爲有利的題目——『解放台灣』。

二、中共的首腦人物即在今日，亦不致毫無了解『解放台灣』的實際是毫無可能的，然而他們也總要擺出這樣一個大而無當的姿態，其作用不外下列各點：一、對美國，藉此顯示中共的威風，希望今年打有介事的『聯合國』發生相當作用；二、對東南亞各國，可以繼續試探；三、美英依然可能有若干矛盾，給予離間；四、對中共內部，加強控制，增加主動；五、軍事力量南移，可以激底解決越南，並可能是進一步侵略緬甸和泰國，英國在東南亞的力量，也得特別担心！總之，中共明明白白知道解放台灣並無可能，但在這個攻台的題目下，他們卻絕不是沒有其他的文章可做，因此，我們也就不宜忽視他們這一次宣傳而認爲毫無意義。

（二）

三、依據上舉人物的看法，也有把中共完全視爲蘇聯操縱的傀儡，以爲『中共解放台灣』一定是蘇聯的妙用，但我們這次何以說美國的反應異常堅決？中共發出普通攻台的呼籲，美國便一定要丟臉的，杜勒斯之訪台北，都是這種決心的具體表現；大陸沿海島嶼，並沒有劃在第七艦隊的協防之內，但只要美國堅決保衛這些島嶼，便足以確保這些島嶼而有餘。尤其自國防部長俞大維氏就職以後，更足以予世人一種良好的印象。首長俞大維赴金門前線視察，士氣確實也在鼓勵中。

中共對過去在大陸打過二十多年的游擊戰，自然是不勉強的；但要下海作戰，經驗太少。以幾艘破爛的七海艦隊，若干木船帆船，便想和台灣太平洋所謂空力量較量，『人海戰術』，根本便是一種喪盡天良的戰術，在中國大陸作戰，也許還可『以多吃少』；在朝鮮半島，也許還多少有用；但對於一百海浬波濤洶湧的海面，『人海』有何用處？唯一的結果是『船沈人盡』，卻依然是一無所得。

（三）

中共今天的高級將領，對於這種海陸空聯合作戰的新戰術，可以說一無經驗，即令仰仗蘇聯的老大哥，他們也正未必內行，果要幹，我們是歡迎，準備着他們聯合丟臉吧！三、他們過去在大陸工作，並不是靠真工作，都是收買、打硬仗、折散、僱傭間諜，『解放台灣』乃一無用處，還在隔海而狂呼，是所謂『搖旗吶喊之役』，對於所謂做法依然有效，中共卻不叫『帶罪立功』，李立三不是立過功，請問立什麼功？高崗今安在？誰還會相信這類的鬼話呢？不要說正式作戰，即論宣傳，中共這一次總算表現得低能極點了啊！不要打仗便可看出『敗徵』，我們從古今中外的戰史上曾經得有無數的經驗，這一次中共無論從發動攻台，無論從政略，戰略，戰術，任何一點上看，其失敗大致已成定局，只要我們能小心翼翼，不驕不餒的妥慎應付，勝利是可操左券的！

葡屬帝汶輪廓畫

·瑚康·

【帝汶特約通訊】葡萄牙和西班牙，爲殖民地的最初發現者和殖民事業的先進，曾經擁有廣大的海外屬地，不過時至今日，西班牙屬地所餘已經無多，惟有葡萄牙，在世界的每一大洲，幾乎都還有她底屬地，合計起來，比較她底本土，大過幾十倍之多，而帝汶島就是離開歐洲葡國最遠的一塊土地。

國外通訊

葡人發現東方航路

據說：葡萄牙人發現東方新航路，是歷史上的奇蹟，而考其動機，實在是爲的和中國通商的緣故。當十四世紀的時代，歐洲人只曉得歐洲，而不認識世界。恰好有一天，一個外國人告訴葡國太子亨利，東方的中國是如何的廣大富庶，促起亨利太子派遣航海隊找尋中國通商的動機，經過多少艱難險阻，終於發現非洲、印度、東印度羣島、和中國。有一次法國殖民部長誇獎葡萄牙航海家發現世界航路及殖民地的功勳，他說：「葡萄牙好像海邊的鷹巢，在那裏一羣大鳥向各方飛去，將海外的面幕揭開，讓大家認識認識。」

熱帶情調人種複雜

現在我願意將帝汶島的面貌，向自由人的讀者揭開：

葡屬帝汶（TIMOR—PORTUGAB）是亞洲東南羣島（小巽他羣島），最東最大的一環，與印尼分治一島，首府帝利，是一個山環水繞的中等商港，同時也是一個四時炎炎，鄉村景色多於城市風味的地方，到處充滿着熱帶的情調，人口不多，而種族却頗複雜，除土著及中葡人士外，有非洲黑人，猶太人，阿拉伯人，印度人，馬來人，澳洲人，和歐洲若干國家的人，有純種的也有雜種，即如帝汶各僑民學校的學生，其中百分之一二也不免屬有混血的，有中葡混血，中日混血，或華人與土婦混血，這充份顯出國際通婚的成績，惟在華文教育之下，此少數學生，早已同化爲中國人了。

對外交通不很便

帝汶葡地面積，將近等於半個台灣大，劃爲九縣市行政區，首府帝利（T.MOR—DILI），在南緯九度半，東經一百二十八度的交叉點，最東的一縣勞登（LAUTEM），距離澳洲西北達爾文港約三百七十海浬，飛機一小時餘可達，比較由台北到香港的路程，也不見得遠很多。在最西的一縣，外姑酒（OCUSSI），離印尼屬帝汶首縣沽邦（KUPANG），只有幾小時的汽輪，就可到達，島上交通還算方便，不過對外交通，每月只有三次通印尼的汽輪，另有一次通星加坡和新幾內亞的，定期航空每星期只有一次通沽邦，是小型飛機，只坐得七八個乘客，而且可用的飛機，也只有一架，最近這架飛機壞了，沒有修好，一連幾星期都是由帝利港口開出小汽輪到沽邦，接運航空郵件，原來二小時可收到的東西，要兩天纔可收到。

沒有郵差的郵局

帝汶郵局，也相當特別，就是沒有送信件的郵差，無論什麼郵件，都得派人到郵局去取（掛號信也是這樣），如果不去取的話，別人拿去了，只好怨自己倒霉，這郵局只有一個收信發信的櫃台，每一封信必須經過郵局的職員秤過重量，然後纔貼上郵票，因此，寄一封信，總得就擱好幾分鐘，遇着截止收信的日期，櫃台邊站上十個八個人，便顯得非常擁擠，有時要等候一兩個鐘頭，才寄出一封信，至於收信的時候，擁擠的情形，也差不多。可是，你千萬不要小視帝汶郵局，因爲它也是發行郵票的地方，和澳門一樣是全葡國發行郵票的八個屬地之一，愛收集郵票的人，大概一定是很熟識的對於帝汶郵票，我想吧？

碼頭上香氣撲鼻

帝汶沒有廣大的平原，和很高的山，最高山不過一千七八百公尺，還不及台灣玉山的一半，蘇子由所謂「無高山大野可登覽以自廣，可見不過數百里之間」，這兩句話，在帝汶山生長的僑生而足跡未離開本島的人，似乎都可以用得着，除海天的遼闊而外，帝汶處處開門見山，世世代代居住此地的人，胸襟和氣魄，恐不免受着這許許多多的山嶺影響。記得形容貴州省的俗諺，有「地無三尺平，人無三分銀」的話，帝汶許多地區和許多土人，都可作如是觀。（未完）

人物述評

桂永清的少年生活

小丞

（一）

桂永清將軍於本年八月十二日晚十時二十分，以心臟病逝世台北寓所。他任參謀總長新職，剛剛一個月又半，新猷待展，齎志以殁，聞者惜之！兩年來國府大樓因心臟病突發逝世的，共二人，其一爲總統府祕書業實之，去年因心臟病死於辦公座椅之上，其一即爲桂永清將軍。桂氏爲軍校同學官位最高者，生平事蹟報章報導很多。惟少年生活，尚略而不詳。茲就筆者所知，略述梗概。

（二）

桂氏生於一九〇〇年，庚子之亂第二年，今年五十四歲。他是江西貴谿人，也就是有名於世的道教勝地龍虎山。他與張天師同鄉。陸九淵遊龍虎山，曾說：「老者蒼顏皓鬚，語高欲深；少者襟標嚴容，觀微聽冲，莫不各適其適。」關於當地人物的素描，總算是裝飾備至的了。

桂氏家世寒微，父業農。民國五年，桂氏負笈南昌，考入江西省立一中。校址所在，即江西唯一名勝之百花洲。蘇公圃，冠蓋亭，孺子亭，沈文肅公祠，均環繞左右。耳聞目濡，朝夕盤桓，使人頓興昔賢如在，遺風未遠之思，振頑立懦，至足鼓舞！

省立一中，爲江西高等學堂之後身，中國有名學者王壬秋先生，清末即曾主講該校，時周媽亦同客江西，頗多佳話。後改一中，所聘教員，多第一流人選。該校對學生管理，向不嚴格，採用自律和輔導制。但人才輩出，盛極一時，幾爲江西全省之冠。

（三）

桂氏年少好學，考試每列前茅，課餘雅好體育，一中足球，所向無敵。他與台省前主席魏道明氏均係該校足球選手。桂氏面部有少許麻子；且微駝其背，當時同學給他的諢號爲「桂駝子」。魏道明氏向來碩白美容，體短精壯，綽號「老闆婆」。他們同爲一年級，同爲足球選手，過從極密，確係一時瑜亮。同學對他們常呼綽號，他們亦漫呼楓應，不以爲忤。

桂與魏雖同爲一年級，並不同班，魏氏係英文班，桂氏則爲德文班。德文班升學較爲困難，除上海同濟大學外，直無升學機會。桂氏於畢業後，不得已考入黃埔軍校，他因爲德文有基礎，所以後來留學德國，這是他一生飛黃騰達的樞紐。

桂氏極愛護少年同學，念舊同股。故不少昔日同學追隨左右。據筆者所知，海軍陸戰隊旅長鄒宗奮氏，即爲桂氏昔日球侶，鄒與桂氏並不同班，另外還有一位曾任海軍部的主任秘書章斗航氏，亦爲昔日一中同學。

桂氏鄉情亦重，六十三代張天師張恩溥，由大陸避難流寓到港，備極窮困，得桂資助赴台。其他流寓調景嶺的江西同鄉，每年均得桂氏接濟，按時滙款分別資助，陸續赴台的，又賴桂氏分別安置工作，不至失所。

（四）

桂氏號率眞，可說名副其實，他的坦率天眞，可說出於天性。他從不與人敷衍，亦從不說假話。他能得蔣總統信任，三十年來，迄未稍衰，未始非得力於至誠篤實的性格。

猶憶民國三十六年，筆者曾晤桂氏於九江旅次，那時彼此不晤而已廿年，班荊道故，笑語言歡。述及少年時同遊故事，歷歷如昨。彼時桂氏貌更豐腴，精神奕奕，背亦已不駝，挺胸壁立，儼然武士，大概是軍事訓練，足以壯健體魄，改變形態的結果。

當時，江西省府有改組消息，原任主席王陵基已內定調回四川。桂氏當時有恭桑梓之意，並擬回省號召子弟兵，加強訓練，從事抗拒共黨工作。當時桂氏即坦白以告。後來省主席改派胡家鳳，桂氏主贛之議，遂作罷論。

桂氏的父親係今年春初逝世，桂氏孝友成性，自不勝其風木之痛，不料桂氏在墨經從戎之中，竟亦以逝世聞。喬梓相繼凋謝，此亦人間之慘痛，山陽鄰笛，能勿增悲！

桂氏就任參謀總長伊始，經緯萬端，忽以病逝聞，誦杜工部「出師未捷身先死，長使英雄淚滿襟」之句，令人益增其懷念之私。

西歐防俄體系重鎮——

希臘的經濟問題

·明譯·

（續上期第一版）

由這個可悲的國家歲收來看，只有四分之一的人納稅。因爲國家中個人收入太不平衡，少數的具有勢力的人乃壓迫政府，以不直接的納稅方法收集捐稅。

希臘的納稅制度，比較其他的歐洲國家的納稅制度，是「逆行」的制度；大部份的捐稅落於收入極少的人身上。

希臘的捐稅有不以盈利爲對象而收徵捐稅的趨勢。稅收的法律流其簡陋，行政機關極其貧困。稅收的工作已變成討價還價的生意經，因此，希臘所急需的是在政府與納稅之間建樹信心。

逃稅的傳統

據說希臘人是傳統的逃避捐稅，作爲希臘人就不能忍受依規定的納稅，因爲他知道他的鄰居們都能逃稅而不被查出。

戰後，改善稅收的步驟施行以後，成績尚好。戰前稅收的歲入可以支持希臘歲出的百分之九十五。一九四七年以後，稅收僅佔歲出的百分之四十六，但是，顯然歲入大增。一九四八年佔百分之五十一，一九四九佔五十四，一九五〇年，稅收佔歲出的數字爲百分之六十。

因爲財富集中在少數人手中，使政府很難於激烈的改革稅收的辦法。而且，政治上的壓力也常使政府祇得放棄改革。

對於納稅工作的最大威脅，是輪船主人嚴重的不負責態度，這已引起美國援助執行會的猛烈壓力。一九五二年輪船業迴付捐稅二百六十萬元，到最近才全部繳納，而一九五三年的六百六十萬元尚未動手徵收，這種追收捐稅，是戰後第一次使輪船業感到頭痛的。

事實上，適當的改革納稅法，可以使輪船業的捐稅成爲希臘政府的重要資產。所有的希臘輪船加起來，噸位可以佔世界第三位。

希臘籍的船約有九百五十艘，毛重六百萬噸，但是，其中三百六十艘僅不過在希臘登記而已。希臘可以徵稅的船約爲六百艘。希臘的船主就以於巴拿馬籍登記的辦法逃稅，這些登記都是不合法的。

外滙的補助

數目可觀的希臘海外海員，經常滙款返國，對解救希臘貿易上缺少外滙的情形，幫助甚大。這些錢及移人滙款又是逃稅的「不可見的收入」，每年也有數百萬元之多。一九三八年，這些不可見的收入整個的彌補了希臘貿易上的差額。

戰前，希臘出口可以彌補入口總值的四分之三，其下的四分之一即由不可見的收入彌補。現在情形大爲改變，希臘對外貿易逆差太大。一九五三年的差額約爲二億二千五百萬元。而希臘所需的貨品皆爲必需品，世界市場的價格增加了二倍，而希臘的出口貨則僅增價百分之六十至百分之一百。那是說，希臘被迫低價賣出，高價購入。

如果戰後希臘出口貨增價三倍，即可抵付全部入口價值，而不需美援，現在，美援佔入口的百分之五十五。

希臘出口市場萎縮的另一原因，是市場爲美國與外國競爭所奪取。就煙草一項而論，戰前德國購買希臘煙草的百分之四十五，現在，美國市場上充斥美國煙草。其他貨品則被新興的德國工業搶去了許多市場。

在這種經濟困難下，現在希臘又需負起大西洋公約中的軍隊十七萬四千名士兵的担子，在平時希臘有八萬軍隊就夠了。這開支幾佔希臘預算的百分之四十三之多。

希臘人民正面臨一個大問題：「牛油乎？大砲乎？」世界局勢迫使希臘人民要「大砲」，以準備應付共黨的威脅。但是他們是希望又要大砲，又要牛油，而且，應該是「牛油」在前，因爲在過去十餘年中，他們已流過太多的血，太多的大砲了。（下）

李治威溜出華盛頓

本月初，美國全國退伍軍人協會舉行年會時，大會曾致函陸軍參謀長李治威將軍，請其蒞臨大會演說。可是就在大會開得正熱鬧的當兒，李治威却藉口出巡，故意溜出大會所在地的華盛頓。原來李治威對美國防計劃的若干部份一直表示反對，他感到如出席退伍軍人年會演說，如果不發表自己眞正的意見，便屬對不起聽衆，且有違自己良心，但要作眞誠的演詞，以自己身任陸軍參謀長事實上又不許可。他在左右爲難之下，只好三十六策走爲上策。

李治威不滿於現時的「新面目」計劃，這已是公開的秘密，他反對縮減軍事預算及裁減陸軍兵員。對越戰的看法，又與聯合參謀部主席雷德福上將的意見格格不入，雷德福當時主張介入越戰，海軍作戰部長干尼上將起而附和，可是由於空軍參謀長端寧以及李治威的堅決反對，參戰之議終於未獲結論，而任令鐵邊府落入共黨手裏，以致造成分割越南的悲慘現局。

由現在的情形看，李治威在華府是鬱鬱不得志的，艾森豪、威爾遜對於雷德福的信任遠比對李治威的倚重爲多，更何況杜爾斯與雷德福的政略與戰略配合得很好哩。最近盛傳美陸軍部將大規模改組，李治威將於明年退休，這是很合理也很可靠的事情。

美政府採購水銀內幕

最近美國的五金市場中，水銀價格作直綫上升，一瓶容量七十六磅的水銀，售價兩百九十美元，打破有史以來的紀錄。起初不明內幕的商人不知其究竟，後來才知道美政府已以四千五百萬美元的巨額，購入了二十萬瓶的水銀，並規定賣方於今後三年中分批交貨。美政府爲什麼要購入這麼多水銀，不僅商人瞭然不知，高級政府官員也指出屬於國家的機密。惟據可靠的推測，這些水銀大概是用來供原子引擎的隔熱用的。

克里姆林宮開始疏散

在國際局勢日趨緊張聲中，蘇俄已決定將政府主要部門遷出克里姆林宮，據莫斯科有經驗的西方外交家揣測，俄共此舉的幕後因素之一，大概是害怕遭受美國原子彈或氫彈的彈爆擊，他們將知道像這麼一個權力的集中重心一定是盟國重轟炸機的第一個目標。

編者　讀者

旅美華僑將遊行示威

△張士駿先生華盛頓函編輯先生：（上略）說到政府用錢，我們的政府好似老太婆不問事情要不要緊，而單在用錢的人是否她所寵愛的人。因此，毛邦初一筆，化的不少。孔宋們在美國還是一樣化錢，（中國銀行和廣東銀行的錢，都是民脂民膏，）這是美國朋友的批評。

反共義士到美，收效相當大。蔣夫人在退伍軍人年會的十五分鐘演說，也很成功。還有胡適之駁吳國楨，蒲立德駁吳國楨，都得到許多讀者同情，這是近來在美國聽到的好消息。

聯合國大會開會在即，會有一場大辯論，旅美華僑正準備向聯合國舉行遊行示威，也是值得報告的消息。（下略）

張士駿上九月三日華盛頓

△楊柳青、盧政通、段景瑞、龍一鶚、孟慶瑞、佘陽、左公柳、胡德新諸先生：惠稿均已收到，謝謝！

評台灣林業政策

冷少泉

經濟部長尹仲容先生最近發表其台灣林業政策試擬（文內簡稱原案），見台北各大報。不但以試擬命名，復廣徵各方面意見，虛懷可欽，爰將個人意見分述如下：

保護及保安政策

1.保護辦法欠周詳：原案資源保護政策之下，計有保護林地與林地：原案有：「區劃辦法宜從速規定，但亦不妨就有關保安林區先行試辦」等，殊覺劃分林地利用之初步工作，乃規劃土地之初步工作，倘先行試辦，則一般農地區之濫墾，無法抑止，而保護林地之濫墾，亦無法制止，對於現依濫墾地為生之農民，則當予以安置。B.關於水土保持：原案獎勵公民營辦理，及設立試驗推廣機關示範等辦法。在水土保持有兩點：一種為保安林，在農林業生產上為保持農業生產之一種，保土工程乃農林共同之業務，除由農林機關合作，以水土保持工作配合實施外，在林地方面，尤應加強保安林施業，除必要之工程外，作則可，此即獎勵民營，在農地則可，少此地困難尚多，欠切實際。C.防火：原案僅以「充實防火設備，開拓防火道等周密防火之策，適時之檢查工作」等，亦不無遺憾之處，就輕之嫌，開拓防火林帶防火道與警戒防火，基本之計，確應重要，應竭力推行，以為根本之計。又原案對防止盜伐濫墾為借重警察，但對管問題稍嫌含混，此則警察法已有規定，依法重要或較此更重要之問題，乃賦予林政人員以警察權之問題，如何賦予林政人員以警察權？當有待於立法，原案未提及此。D.啟發愛林思想：前者應借重學校教育，後者應防護學校教育。E.保林為主要之工作，倘有未執行，及施行細則，對於保林規定甚嚴，合辦森林招致破壞，未能依法執行保護，實主因之一。自應依法嚴格執行，並加強查驗及現場監督等工作。

2.保安政策過於消極：原案保安政策過於消極，保安之編定解除依法辦理，並速予重新檢定等，皆係當然之例行之工作。在林學上各種保安林各有其經營管理之方法，保安林予以合理之經營管理，始能發揮並增益其保安效能於永久，過去之絕對禁止砍伐，僅列重新檢定，與將低減其保安效能。

保續及供應政策

1.保續辦法欠準確：原案列舉：加強造林，伐木等三項，即求保持永續作業，實為保續資源之根本，造林在林業之真正作用，如何以最少犧牲達成法正林，尤為法正林之森林，如何達成法正林之過程中，為保護森林，如何改換樹種，研究逐漸改良，以分配林地保續之利用，伐木等工作，均應於伐倒枯倒木，分配林地供給作，均應於利用等工作，均應依法為之。2.租地造林不應繼續：台灣林地租地造林辦法：A.與森林法第二六條相抵觸。B.出租林地不經實地勘察，即行編預定案，招致租地造林人之侵佔，租地造林不公平，因此租地造林之弊，租地人侵佔濫墾者為多，因是辦法中規定濫墾者有優先承租權，實無異承租人之特權，濫墾為合法。D.過去三年實際造林成效亦不高（平均每年三千公頃強）。縱然其項辦法用意甚善，在未辦法立法並能防除流弊之前，似應停止。

3.缺少補導民營辦法：原案中未列輔導民營之具體辦法，但缺少一再說民營，須台灣各部份人口，政府應林業為生。

4.缺少供需計劃：伐木立方公尺，九十五萬立方公尺，伐林立方公尺，既不木材，亦未說明原木，立木材自應設法更換樹種，而更換樹種之所伐之木材不但在內及供需平衡及公營林業，尚待以至於供應木材貿易等均有不足之處，至於木材之供給，尚缺乏全省供應計劃，尤應補列。

5.施業方案之編定與執行：原案有航測資源調查計劃。但未明白提之計劃，日據時代之施業案及近年編定施業方案依法執行，但據日據時代之施業案，不分主管部門，又此項施業計劃，香港調查及編成施業案約需三至五年，在未成立前，似應將來應如何，最近亦應明白規定，依據至五年之例，可資若干年之困難也。

機關，經費，及法律

1.需要堅強統一之機關：A.原案有加強試驗機關之措施，除林業機關外，政府在試驗研究機關一面統一有關機關，一面健全有關機關，一再設林業經濟單位等機構，研究人手。B.過去之林政主管機關，原案提出一個林業管理機構，分林業管理局；又台灣有林業試驗所，關於林業之企業，乃為現在森林機關之營業，機構龐大，為林業之企業性質，分別由林產管理局，並加以林業公營企業經營合理化，經營林業乃是永久之經營事業，林業之主管機關，何況林業局直屬於林業部門下全業化，而其林業機關應由中央主管，政府之組織及政府有關業務之管理，故應速設一個統一之機關，而不應將林業局歸屬於一個經濟部門，而不應將林業與其他事業併為一談也。

2.需要恒久之經費：原案經費來源有：林業收入，國有林地之收益，森林保險等兩項，均以期林業健全合理之經營，而林業之發展，需要長久性之經費，財政穩定，對於林業經費，試驗研究經費，根據造林事業百年大計，先作計劃，及指定林業經費，尚有林業保安之權，此恐為林業部門及電力等收入，應應付保安林業費，非為林業之支出，而不應有恒久之經費，應仿照前進國家之例，由政府設置第五條之第三款，設置林業基金，永久支用之經費，否則一切政策，徒託空言，實不能照現在林管機關之林業務經費，實不建設也。

3.需要崇法務實：原案雖訂法規等，但依法嚴格執行之精神與辦法均感不足，查台灣林政之失常軌，初則日人法規與中央法規並用，繼則忽視中央法規，猶至行政命令代替法律，乃至抵觸法律，法規之作風，乃政策之具體表現，未有不能崇法務實，能實現政策者。何況為政首重風氣，台灣林政風氣，社會每有煩言，故迫切需要崇法務實之作風。

政策中心的商榷

細讀原案之後，不知政策之中心所在，有之；則為資源保護與經濟生產二者並列。光復以來，台灣林業政策爭執之焦點，即在乎此。蓋於木材之供不應求者，則注重經濟生產，鑒於森林破壞堪虞者，則着重資源保護。考諸事實，如合理之生產，依施業案伐木，或更新途中之伐老木，於經濟保安雙方均有利而無害。破壞森林者為災害：濫伐；盜伐木與濫墾等，正當之伐木不與焉，抑更有進者；資源保護與經濟生產實一事——經營管理之兩面，正若伐木與造林為一事——更新之兩面，若分列為二，則執行上不免畸重畸輕之虞，若納之於經營管理，則無爭執之隙而收配合之功。故台灣林業政策之中心似應置於台灣林業資源（包括森林及林地）之經營管理。

又依憲法一四六條；現存整個經濟政策及現代林業建設趨勢，則台灣林業政策之中心；應為林業資源經營管理之工業化。易言之；A、林業作業工業化，如作業機械化，各私營林場及公營之較小林場均待機械化，普修林道等。B、林業經營工業化：如經由森林經理之企業化等。C、林產利用工業化：如樹脂；藥料；精油；木材纖維等工業之振興等。D、森林保安促進工業化：如增關水源電源等。在統一中心下向工業化前進，始能發揮森林利益於至高永久而澤及全民也，不知當局以為然否？

評·西德與東德

王君實

著者邢紀章　香港自由出版社印行

（一）

法國國民會議扼殺歐洲軍計劃後，國際共產黨人雖高呼勝利，但顯然未能打消西德的建軍計劃和阻止恢復它的獨立主權。根據九月二日外電，目前英美外交家正忙於磋商兩項計劃，即（一）准許西德聯邦政府恢復主權，（二）使西德軍隊參加北大西洋防務可能的新途徑；至於英國政府方面，亦經決定派遣西德為北大西洋公約的會員國，以補救歐洲軍的失敗。此後事態的發展，明顯地促使西德早日恢復主權，獨立自主，並可能於明年夏提供新軍五十萬，担任歐洲的防務，法國西的失敗主義者，徒見心勞日拙而已。抵擬都是民主集團和共產集團所一致關切的問題，而德國的復興和統一，是民主集團和共產集團間的一個爭奪，不幸，蘇聯佔據東德以後，使到這一問題益趨複雜；同時國際共產黨人利用民主集團內部的矛盾，挑撥離間，無所不用其極，使歐洲的計劃，一波三折，最後竟因法國的現在由於這場則變，變則通的結果，波恩條約不致成為枷鎖了。假使我們要明瞭戰後德國東西分裂的情形，和德國的前途，那麼，邢紀章博士這本新書：—西德與東德，便是一本很有價值的讀物。

著者邢紀章博士，留學德國凡十三年之久，曾在柏林大學考取博士學位；當他肄業大學時代，（一九二九—一九三四）歷史教授舒里曾稱讚他是愛國思想最濃厚，和反共最有決心的一位中國學生。舒里教授常和他討論中國歷史和文化問題，並介紹他給德國反馬克斯主義學會會長愛盧博士，共同編纂反馬克斯主義叢書，這部叢書是由六十二個國家的專門人材共同編纂而成，邢博士担任的部分，「中國共產主義發展史」，是用德文寫成的。

著者對於德國問題既有精深研究，近數年來，他用種種方法和長時間去探訪和尋求餘寶的消息與材料，從德文報紙雜誌中，從德國朋友的書信中，從英文刊物中，及從德國商人的口述中，把不完整的材料，和零碎的新聞，整理起來，編成這本小冊子。他把德國人民反共產主義，反蘇聯統治的概念和情緒，及西德在復興途上邁進情形，描出一個清清楚楚的輪廓。全書共分十八章。

（二）

第一章指出西德已在復興中邁進，在政治，經濟，軍事，文化各方面均一一顯著表現出來，它為什麼會有這樣輝煌的成就，就是朝野上下能夠一致發揮優秀的民族性，和民主自由精神，遵循阿登諾的政治路線。第二章，著者指出德共組織的自由德國青年，經費由莫斯科負責，他們每年約有二億馬克的津貼，在行動上都組織上，在宣傳上及青年同盟，和基督教民主黨的青年以來最大，和自由民主黨的民主青年[illegible]相巡邏。第三章，他給這個[illegible]大的政治家阿登諾畫出清楚的輪廓，他指出阿登諾在政治上的成就，是由於他能運用一切手腕和[illegible]社會民主[illegible]些日子，現[illegible]號來誘惑[illegible]訂立適[illegible]間。（上）

當局重視學童健康 體格檢查全面進行

由本派的醫師、護士組成的保健隊，按照既定日程，出發指定學校執行檢查任務。但當局同時說明此舉與原有保健計劃無關。

關於學生保健問題，本報歷經提供建議；香港革新會也曾籲請市民廣泛反映意見，以便轉請當局考慮。因此，有關主管機構深表關切；尤其對於本報前此引述一位教授的意見，更為重視，此項意見，即「保健應不分貧富，普遍推行」，每當學期開始，經常指派醫師分赴各校，給予學齡兒童免費檢查體格有病者，指導保身。一幾經當局研討結果，乃決定於港九各校開學伊始，舉行一項特別體格檢驗，凡在六至十五歲，現讀初小一至初中一年級學生，（即第五班）之學生，參予免費檢驗。FORM2（即英文第五班）之學生，參予免費檢驗。以[illegible]一律給予免費檢驗，即可全面施行，先行編排次序，自非一天之期，可分區進行，各中小學校大都已經接獲通知。自前（十三）日起，

這一次是「特別檢驗」，而這一項工作且預計要到十一月底完成。一般市民自不免認為可以「不必參加繳費保健」了，這對於原先的保健計劃，殆將受到窒礙。因之雖然當局並未充分說明，卻已暗示保健學生繳費以後，享受一學期的免費醫療或配眼鏡；特別檢驗祗不過是一次臨時性的體格檢查。對於一般貧苦學童來說，他們不但無力繳費參加保健，而平時對自身健康也不加以重視，此番獲得有檢驗機會，衷心的喜悅，還有什麼話說。

但是多數市民所感到美中不足的，當局對保健收費辦法迄無任何改變意向。香港革新會發言人區達年，對本報曾經表示他個人的意見，區氏以為市政局不能討論這個問題，非常遺憾；革新會倘能獲多數市民建議，自可向有關當局力爭。倘使當局認為免費容有困難之處，那末自不妨減低一些，每人收費三兩元，參加保健人數必然增加，人數增加對保健收入，亦將比率增加，對於保健運動，不難全面推行。上年度參加保健學生實際僅佔總數三分之一，經本報列出此一估計之後，當局隨即公布際參加人數十三萬餘，卻不知剔除了五萬多教師，學生祇有七萬餘人，報港估計無大距離。本年度學生人數與本年九學生總數，預料至少在廿三萬以上，參加繳費保健學生會不會增加，這一大有力考驗。人們期待於有關當局能及時考慮：普及保健，祇有減少收費。否則，殆將成為點綴都市的形式了。

裕仁北巡記

·矜式譯·

日皇裕仁上月巡幸北海道返東京時，他首次乘飛機，他穿着淺黑色西服，紅色斑點的領帶。在途中，他十分小心的坐着，專心看着航線地圖，當侍者指示飛過界標時，他頻頻點頭。這是他戰後首次訪問北海道和本洲，在回程中，坐了兩小時零一分的飛機，在東京下機時，他的神氣比以前輕鬆了好多，一大群群眾向他歡呼萬歲，迎接他。攝影記者站在高過他頭的梯子上，為他攝影，並指點他搞下那頂草帽，把它舉起來。文雅的笑容閃動在裕仁那帶着眼鏡的臉上，對這種民主表現感到無上喜悅。美國授意的憲法，打算摧毀了的天皇神秘，可是已為一種新的神秘所代替，裕仁十八天的巡幸，就是這轉變的一個戲劇性證明。

今天某些保守派人士很願意恢復舊帝國的象徵，希望把裕仁放在竹簾後面，像他的高祖那樣，他們就在主持國務，常用簾子遮掩時候，他坐在上半身，常把瘦削的腿露出膝頭和屏風，但事實上裕仁是沒有真正權力的君主，立憲制下的國王，無法再恢復那種情味，神聖地位。戰後幾年，他的腹部肥起了，而身體也顯得個僂，走路的態度是一隻灰白鴨子。但是在北海道的一人起，那一群歡呼的人，集在一起，擁擠不堪；下淚來，萬歲，舉着紙旗，人全要俯首向前，那一群在則毫無提懼了。他們向裕仁獻給他一種以前絕未奉獻的，那是坦白的熱情。

在扎幌，他參觀了一間學校的課室，裏面坐滿殘廢的小孩子，他們極力忍受着腳的痛楚，而去歡迎他。他們尚未鞠躬以前，裕仁就對這群小孩子，先深深的鞠躬。

日本皇宮自從一九四五年被炸後，裕仁夫婦就住在一座簡陋的十四房間的屋子裏。這是以前一個防空壕。他們每天早餐吃麵包、和麥片，午餐有雞或肉，晚餐則一律是日本飯。

這種轉變的最明顯例子，也許是裕仁允許臣僕們對新聞記者隨便談論他的事了。他們說他不在乎吃什麼東西，放在他的面前，他便吃。醫生說他的胃口好。他不喜歡聽什麼，他的禮節官說，他們常問他：「那些人在笑什麼？」他的靴子是新的鞋匠做的，穿到舊了，總是把裂掉的補了又補。他的理髮師說：他每次理髮都要十分小心，但他的頭髮雖然可以剪得很短，我下次再剪時，他又走樣了。

談「包黑天」案件

馬五先生

合北最近發生了一樁「包啓黃案」，駭人聽聞。包啓黃者，堂堂國家最高軍事機關的軍法局長，惡貫滿盈，經受害人民向國家元首「攔輿鳴冤」，東窗事發，因而革職拿辦的「包黑天」也！

據合灣來客談及「包黑天」的作惡貪贓情事，令人髮指眦裂，也可見那一最高軍事機關平日敗腐昏黑之狀況為何如者！否則何以竟能容許黃這類萬惡幹部，致元首鳴冤纔發之於理呢？「包黑天」固應處死，即使畢他來先任軍法局長，以及對他負有指揮監督之責的人物，都應該一一澈究問，庶足以正紀綱，平民憤也。

凡屬軍法機關，很少不是昏天黑地的，包啓黃不過是其中之一，天下烏鴉一般黑，祇在昏黑的程度上略有差別而已。原因有幾點：一是作軍法官的不一定懂法律，阿貓阿狗都可以濫竽其間，只要博得那一軍事機構首長的信任就行了。二是軍法審判案件是不許上訴的，更沒有陪審辯護這類人的喜怒好惡。三是軍人多半沒有法治觀念，而且心裏最討厭法治之說，所謂「軍法從事」，有此幾種先天的不良素質，軍法機關焉有不昏黑之理？

合灣文壇上近來大倡其肅清赤黃黑三色毒素運動，可謂「明足以察秋毫，而不見輿薪」。政壇上的赤黃黑三色毒素，瀰漫人間，為甚末大家熟視無睹呢？用赤色的法術來管理衆人之事，其赤色可知也；利用權勢的黃色之害也；「包黑天」這類案件，所在多有，其他渝的黃天黑地，無光，黑得不能再黑了！文壇上的三霉素固然要清除，政壇上的三霉素難道就可以「管它娘的」？

漫談工黨的訪問

·燕廬·

中共得志之後，蘇聯增加了一筆難以數計的本錢，老艾是大吃一驚，搶先承認那用暴力得來的利益。如今又屈尊去訪問會誹不以為然的蘇聯。不知道他有沒有勇氣對馬倫可夫說：你們席捲了中國大陸的偉大勝利，是國際工人階級的勝利，連敵黨在內。

至於日萬先生，就先向自己的盟友射出一枝冷箭，——在中國大陸上到過東北，唐山和上海，看過了被接管的英國資產，不免憬然於殖民主義的後果並不怎樣愜意。因而一到日本反對美軍駐日，如果也可說是情理以內的事。不過，我們卻以為英國之所以能夠在國際場合上說話，原因就在於她到底還擁護有一些殖民地，否則到香港來，也找不出一批名流請吃中國菜了。

一九四五年夏天，工黨在英國大選中勝利，那時，恰巧是艾德禮先生擊敗邱吉爾，登台做首相之時，蘇共曾拍了一封電報，祝賀工黨勝利，並且說：這是國際工人階級的勝利，也不當時的工黨很冷靜，也很客嗇，復電說：這種勝利（指擊敗邱吉爾）並非像共黨一樣用暴力得來，同共黨並無關係，一點不客氣也給蘇聯碰一個軟釘子。

國際政治，原可不講道義，卻不可能不講氣節。目前的西方集團，其實是最不澄清的一潭混水，好些自以為負有解決世界問題責任的人物，共產處不是對別人不講道義，而是對自己不講氣節。據說：這一次工黨訪蘇聯和中共，目的在於為未來的選舉拉票。我們知道，蘇聯也一樣有選舉，卻是不必拉票的。他們的「人民」，很自然地會選出必須當選的領袖。事實是：西方式的民主是商業性的，唯利是圖；必須學用「術」。蘇聯式的民主是宗教性的，唯力是視，不容人懷疑。而我們中國只有：「民不諱欲丹朱而諱欲舜，不諱欲益而諱欲啓」的理想，所以中國人對於以上兩種所謂民主，自始都消化不了。但不知道西方的政治家們，在天天為處理歧見而開會的時候，有沒有想到那種敲詐，哄騙的方法，已經是無能為役了呢？

有人說，英國工黨幾位領袖，認為中共頭子們的面孔，都很像卜內門肥田料廣告上所畫的那個農夫，因此以為中共政權不折不扣是個代表農民的政權。這話，是否正確我們不管。因為提起廣告，卻使我想起了長刀牌（又叫老刀牌）香烟牌子上所畫的那個海盜。肥田料，原是跟在長刀後面進來的，如今刀揮不起來，所以日萬先生不免要扮得像個安份的農夫一樣，一面儍笑，一面大罵殖民主義了。但，我們到底是個尊重歷史的民族——連大陸上的中國人在內——對於那些握有長刀的人物，一直是懷着戒心的。

贈四百難胞集體入台七律

戴學文

桓桓四百盡男兒，餓體勞筋志不移；

鼙鼓連天傳戰訊，驪歌一曲近行期；（時值東山島大捷）

扶搖碧海乘風日，痛飲黃龍得意時，

我欲贈君無別物，半憑肝膽半憑詩！

秋夜偶成七律

險阻艱難似履冰，天涯何處覓親朋？

無長物就心少，海上狂潮入夜增；

滿榻橫堆衣當被，一窗斜照月為燈，

年來事事撩人意，感慨千般恨不勝！

愛國詞人王沂孫

——兼論學詞師法問題——

羅自芳

（三）

齊天樂　詠螢

碧痕初化池塘草，熒熒野光相趁。扇薄星流，盤明露滴，零落秋原飛燐。練裳暗近，記穿柳生涼，度荷分暝。誤我殘編，翠囊空歎夢無準。樓陰時過數點，倚闌人未睡，曾賦幽恨。漢苑飄苔，秦陵墜葉，千古淒涼不盡。何人為省？但隔水餘暉，傍林殘影。已覺蕭疏，更堪秋夜永。

讀闋詞是詩人因見螢而生出千古興亡的無限感慨，結處更深歎當日的國運，被那些不爭氣的當局者所誤，已達到無可挽救的地步，但似餘暉殘影而已，沉痛之極。

眉嫵　新月

漸新痕懸柳，淡彩穿花，依約破初暝。便有團圓意，深深拜，相逢誰在香逕，畫眉未穩，料素娥猶帶離恨。最堪愛，一曲銀鉤小，寶簾掛秋冷。

千古盈虧休問，歎慢磨玉斧，難補金鏡。太液池猶在，淒涼處，何人重賦清景。故山夜永。試待他窺戶端正。看雲外山河，還老桂花舊影。

此詞借新月來比擬殘破了的國家。太液二句有城郭依然人事已非之慨。故山二句，寫出離散了的家庭，游子欲歸無計，祗落得那樓頭思婦的望眼欲穿耳。此是暗用杜詩「香霧雲鬟濕，清輝玉臂寒」之句的。結語則仍懷着神州光復的最後希望，期獲天倫聚首於異日也。

（四）

綺羅香　紅葉二首

玉杵餘丹，金刀剩綵，重染吳江孤樹。幾點朱鉛，幾度怨啼秋暮。驚舊夢綠鬢輕凋，訴新恨絳唇微注。最堪憐，同拂新霜，繡蓉一鏡晚妝妒。

千林搖落漸少，何事西風，老色爭妍如許。二月殘花，空誤小車山路。重認取流水荒溝，怕猶有寄情芳語。但淒涼，秋苑斜陽，冷枝留醉舞。

夜滴研朱，晨妝試酒，塞樹偷分春艷。賦冷吳江，一片試霜猶淺。驚漢殿絳點初凝，認隋苑綵枝重翦。問仙丹鍊熟何遲，少年色換已秋晚。

疏枝頻撼暮雨，消得西風幾度，舞衣吹斷。綠水荒溝，終是賦情人遠。空一似零落桃花，又等閒誤他劉阮。且留取，閒寫幽情，石闌三四片。

此兩詞，前闋痛恨那些偏安小朝廷的大小人物，仍復晏安酖毒，奪利爭權，置國家安危於不顧，到頭來不免同歸於盡，亦繁華如夢耳。後闋乃傷國事不可為，縱有志圖匡復者，已難收拾，猶沈痾之人，雖有妙藥靈丹，亦扳魂無術矣。兩首寓意，與齊天樂詠螢略同。

（二）

金錢

中篇小說　勞影

這天上午，我心煩意亂地靠在坐椅內抽烟，忽然聽，辦公室內暴出一陣哄笑，抬頭一看，三五個人正圍着一個胖同事笑鬧。

「我担保老丁夠資格！」一個手裏抓着報紙的同事說。

「不一定，」另一個說「胖並不代表健康。」

我信步繞過去，原來他在研究當天報紙一則廣告，那是一則某公立醫院徵求自願售血者廣告。晚上，我想方法把那份報紙捲放在衣袋內帶回到宿舍裏，路上，我摸摸自己的肌肉，量量自己的胸脯，握握自己的手腕，我的信心大起來。「自願售血……」我想：「祗要售血者自願，即使條件差一點……自願的呀，先立自願書也可以，售血者本身都同意了，不是嗎？一切都是自願的！」我在燈下一字一字地讀着那一連排的條件，我的心冷了，原來自願僅為一種先決條件，底下還要登記，定期檢查，聽候院方通知，……登記合格嗎？檢查通得過嗎？說最要緊的就是時間已不再容許我聽候通知了！一切都像沒有發生過一樣，我白白地興奮緊張了一場，躺在床上，胡思亂想，久久不能入寐，雖然我身體各部皆屬健康，且肌肉亦算結實，但是我太瘦了點，在今天，貧血自不乏其人，公立醫院當然比較謹慎些……「公立醫院當然比較謹慎些！」我想着，想着，忽然高興得從床上爬起來。「公立醫院比較謹慎，那麼——」我繼續想：「私人醫院不就——不就比較馬虎些了嗎？」我趕緊睡下，捻息燈，我要好好地睡一覺，我直希望能在一夜之中養復我幾天來因憂愁而稍現憔悴的氣色。

第二天，我破例地用熱水洗了一個臉，做了一會兒柔軟操，然後託人請了一天假，跑到一家公立醫院掛了一個號，我不是來登記賣血，我是來取一張健康證書的！拿到了那張甲種健康證明書，我立即搭車趕到市郊一家私人開設的療養院，我早聽說那家醫院收費頗昂，因此我聯想到，凡是有資格住到那個裏面去的，必然都是一些有錢但卻怕死的角色，所以我此行充滿了信心。

找着了主治醫師，我出示了證書，拿出那份當天的健康證明書，寫得無法不走這條路，我的血液是O型，請他無論如何要替我一次，同時我巧妙而誠懇地暗示需要我有出厚的介紹費用。

他打量了我一番，又把我的身份證重新對照過，才沈吟着走進去，事情倒巧，大概也正有人需要輸血，居然在一[illegible]二百CC，價錢是一百CC二百元，照公定價格八折，我要求多輸一點，醫師拒絕了。二點鐘，我走出那家醫院大門，一面和醫師約好十天一次，他搖搖頭，說我這樣做不夠水準，我退步到半個月，他才勉強答應了；同時還教給我許多關於營養和休息的要訣。捏着薄薄一疊鈔票，走在熱鬧人的地方，我的眼淚流出來了。

第二天我因失眠遲起而遲到，等我趕到辦公室，工友告訴我，甚麼處來過一次長途電話，電話中說，希望我能馬上趕到基隆去。

（廿九）

兜售員

兜售員：「這是最偉大的詩，裝璜美麗！——」

主婦不耐煩地要關門：「我對詩從無興趣」。

兜售員，「啊，這是聖經，它附有說明和索引——」

主婦：「不，我很忙，不管有無索引我都不要。」

兜售員：「那麼你對於名家的繪畫一定喜歡，這是——」

主婦：「各樣藝術品，我們都有，走吧，我要關門了。」

兜售員：「再等一會，我還可以告訴你一種藥水，一夜之間可去皺紋，還有一種，廿四小時可以——」

主婦：「請裏面坐吧，要喝一杯凍奶嗎，那種藥水是不是在你的箱子裏」

（明）

詩人楊雲史的風趣

·小丞·

這時才是正如他自己的紀事詩所云：「臣言譽入九重清，天子初知我姓名」。滿擬從此發軔，青雲直上；又豈知「人或閒錢戲，嚶嚶離畢詞」，楊雲史不能久任胥吏瑣屑之事，而又不會干請徵逐，終使他失望空虛。

那時適逢他的岳丈李伯行奉命出使英倫，雲史曾肄業同文館，學習外國語言的，因此就隨李西行，旋奉派為駐星加坡領事。在新六年，一度經營橡膠事業，集資租地一萬二千畝，植橡樹二十萬株。他曾親自入山督工，很受了一番辛苦。又因新島風光明媚，景色秀麗，水木清華，他在那裏，頗極山林嘯傲之樂。

辛亥革命後，纔與繼娶夫人徐霞客女士歸隱虞山，蒔花種菜，閉目謝客，有決心不再問世，「長為百姓，瀟洒江海」之思。幸好他的夫人能和他共安樂而又共患難，伉儷情深，佳話頗傳，雲史於此嘗自敍道：

「我妻徐檀，愛容凜義，曳執纖而被明珠，固貴媛也。哀余之志，則裙布而釵荊，從我貧矣，相與奉事我母，婚嫁我子女，怡如也。坐食既久，生牽斯困，營事什一，又復挫折，五年之內，數敗鉅萬，余則稍稍著矣。然余性疎野，樂文字，喜山水，……耳無俗聲，目無世態，我妻則自督奴僕，灑掃閑宇，買魚江市，燒筍竹林，以供我起居吟誦遊覽賓客之興，雖若也，能樂其也，則我妻之助我也。」

他和他的太太霞客女士，有天夜話於池上，憶昔新婚曾納涼於此，有詩云：「憶昔北池上，銀床清露滋，玉人相並棋，新月上來時。荷淨聞疏雨，燈清照鬢絲，十年都似夢，兩鬢有微絲。」

又如民國八年，他自序說：「三月十日偕霞客遊福山食時魚，午至江口觀漁家，俠其擧網，則就舟中烹之，倘佯竟日，乘暮潮歸城，是日也，顛江水，食時魚，讀二部詩，一春惟今日最樂也。」有詩云：「扁舟何必載西施，貧賤夫妻樂有時；網得魚江月上，東南風細到家遲。」

民國九年，江西的督軍陳光遠聞其名，延致幕府，為掌記室。那時文酒之會殆無虛夕，與江西的詩人王瞻湘等時相從，迭有唱和。其時張宗昌盤據袁州，光遠謀以武力驅逐。雲史諫阻無效，之後，宗昌敗走，而江西的老百姓，則受兵災，慘若萬狀。十年一月，光遠集追悼所部陣亡將士，雲史輓聯云：

公等都遊俠兒，我也得幽燕氣，可憐去當關成，鬪鑿鼓一聲，愴然出涕；醉後舞拏長劍，閒來收拾殘棋，慚愧西來依劉表，看春江萬里，別有傷心！

（二）

自由人

THE FREEMAN

（第三七〇期）

中華民國郵務委員會
領發登記證台新字第一〇二號
中華郵政登記第一類新聞紙類
（中華週刊每星期三六出版）
每份港幣壹毫
台北市售價合臺幣七角
督印人：
社址：香港高士威道二十號四樓
3 rd. fl. 20 CAUSEWAY RD HONG KONG
香港發行及本報接洽
高士打道66號　電話：七四〇五三
承印者：東南印務出版社
地址：高士打道六十四號
海外總經銷
友聯書報發行公司
香港德輔道中二十六號A二樓
台灣特派員辦事處
台北市館前街五十號
台灣總經銷處
台北　中華路五九四號之一
台郵政劃撥金戶九二五二

損害國家的行為

——評吳國楨在美國的言論——

・王聿修・

一再的破壞宣傳

近來有一兩個自命愛好自由民主的人，在國外作損害國家的宣傳。例如前任台灣省主席吳國楨氏，近來接連在美國『展望』雙週刊（LOOK）及『記者』（REPORTER）左派雜誌上，發表攻擊自由中國政府的文字。前些天香港一家素來反對自由中國政府的晚報，公開了吳氏致胡適之先生的一封私人信。最近香港某晚報（共產黨的）又刊出一篇節譯吳氏的文字。

這些文字的內容，雖然拉雜寫的很長，總之不外指責台灣政府的選舉弊端和台灣政工人員的權限；而給適之先生的信中，竟至把私人間的應酬談話，拿來作為政治攻擊的工具。朋友間的閒談原是所謂紀錄以外的隨便談話（OFF THE RECORD），在道德上講，是不能作為公開根據的，而吳氏竟亦用之攻擊個人。

至此，我們認為吳氏在美國發表的文字，已至損害整個國家的程度。不論吳氏過去與自由中國現政府中有什麼個人恩怨，而吳氏現在所努力破壞的，不僅是自由中國政府，而是整個自由中國。

自由民主非一蹴可成

自由民主的政治，是一種很高的理想，世界上尚沒有一個十全十美的民主政治。即以英美瑞士等國的民主政治而論，也只可說是比較成功的，因為這些國家的人民有較長久的政治修養和經驗；但也不能說是已經盡善盡美。

所以在民主自由的範疇內，有種種程度不同的民主國家。只要一個國家的基本制度是民主自由的，而且所走的大方向也是民主自由的；這個國家的民主自由制度一定會慢慢進步。民主政治不是一蹴而就的，必須人民有較久的參政經驗和較普及的教育程度。假如拿世界上比較最民主自由的美國政治情形為標準，來衡量剛剛實行憲政的中國，自然中國的政治尚有種種待改進處。所幸中國的執政黨，若干年來所走的基本方向一直是對的，例如抗日，反共，行憲，以及現在保持著自由中國的旗幟。我們更不要忘記，在台灣的自由中國，是正在與共黨集團作生死存亡的鬥爭。

中國人復國的希望繫於台灣，因之共產黨日夜思欲得之。在這樣的情勢下，任何一個政府的政治重點，都不能完全放在推行自由民主上。我們看看各國的政治史，都是政局越不安定，政府的措施越把握得緊。這是一個歷史上的通則，沒有一個國家例外。

政府現在的基本任務

現在的自由中國政府，防守台灣是基本任務之一，除軍事的力量外，防止共產黨的滲入是須時時警惕的。當然我們不是說借此便可不顧憲法中所保障的人權。不過一國家在危急時期，往往有時有不得已的變通，例如在二次大戰之初，美國政府便將住在美國西部的日本籍美國公民，送往臨時集中營。這當然是萬不得已。至於說台灣的選舉有不能使人滿意處，我們知道三十年前美國的地方選舉，也有同樣的不能使人滿意處。（例如在紐約市）。關於以上兩點，以及其他有待改革之處，我們當然要以人民的輿論力量，（不是一兩個人的威脅言論），督促政府漸次改進。而不是跑到美國，去破壞自由中國的國際聲譽。

因為美國是自由世界的最大力量，沒有美國自由世界就不能與共產集團抗衡。不但我們收復大陸，挽救水深火熱中的同胞，須有美國的共同力量，就是今天保衛自由中國的基地，也需要友邦的軍事援助，這是無須諱言的。

與整個中國人作對

那麼，在這個時候，像吳氏這樣在美國大吹大擂的誇張顯意攻擊自由中國政府的弱點，不論有無事實根據，我們普通中國老百姓不明白這是什麼用心？吳氏詆毀自由中國為警察國家，是不是想要美國停止援助呢？如果目的是如此，吳氏是與現政府過不去呢？還是與整個中國人作對？一個真正愛國家愛自由的中國人，今天應該作的和極需作的是這種事嗎？

共產黨的基本策略

國際共產黨在他國煽動革命的基本策略之一，就是引起該國人民對政府不滿。這一點共產黨在侵佔中國大陸之前，已相當成功，那時一般人多以責罵政府為得意。當時作者就曾指出這是一種危險的現象。史達林所寫的『列寧主義與各國的和殖民地的問題』一書，是俄國在外活動的人們的聖經，其中一再指出，鼓動人民不滿意政府，是共產黨的基本準備工作。把反共立場堅定的人，指為頑固與反動。二十年來共產黨在美國的同路人，專以詆毀中國政府為能事。吳氏近來一連串發表的文字，是否已無形中受了共產黨的利用，幫助了共產黨？例如在香港，共產黨的報紙和反對政府的報紙，便將吳氏的文字大載特載。

在民主自由的制度之下，人人有權指責或支持政府。不過我們大敵當前，我們應分輕重緩急。在今天的大環境下，台灣海峽戰火已起，將士們已在犧牲流血；凡屬正愛護國家民族和自由民主的中國人，現在是應當自己搞自己的呢？還是應當集中力量爭取外援，打擊侵略祖國河山和奴役中國同胞的共產黨呢？

兩年前，美國參議院調查美國共產黨與共同路人，如何幫助中國共產黨，其調查報告第四節的結論說：『因為在中國只有兩個對抗的力量，如果阻礙、責難、和破壞一方面的力量，就等於幫助另一方面。』

九月九日於香港

中共休想進聯合國

・風行譯・

九屆聯大快開會了，中國在聯合國代表問題，將被提出討論。八屆聯大蘇俄提議中共進入聯合國的議案，懸下來不付表決，反而以四十四票對十及兩票棄權的絕大多數通過美國的提議，把這問題在當時擱置。預料今年九屆大會這個問題的提出方式及應付辦法，不致有什麼變動。反對擱置也不外是蘇聯集團的五國和有偏見的少數國家而已。

但在冷戰中，中共妄想加入聯合國這個問題，我們不應持消極的逃避，應積極的指斥中共係聯合國之敵人，根本上聯合國不予考慮及表決。

本文作者係美國勞工聯盟副主席及自由工會主席馬賽胡爾（MATHEW WOLL），即以上述之正確意旨立論，甚具有力量，故特譯出。原文載在印度新德里出版之「思潮週刊」（THOUGHT）。・譯者誌・

中共未履行憲章條件

目前有一種普遍的觀感，以為聯合國是一個申請便可加入的機關。依照目前聯合國憲章而論，這種臆斷是無根據的。基於目前憲章，祇有那些能履行一定的條件，才可以成為聯合國會員。在憲章未改變的時候，會員資格的規則當要遵守。

聯合國憲章雖然沒有處理一國兩政府爭代表權問題的規章，但該憲章已規定：如欲為聯合國會員，必須履行的條件。

聯合國憲章分別原有會員與未來會員。中國是原有會員。第四條列出如要成為聯合國會員，應履行規定條件，其條件為：（一）承担憲章規定的責任。（二）必須係愛好和平國家。（三）能夠和願意實行憲章規定的責任。此憲章認定一切原有會員為「愛好和平」國家，可從第四條的說法即一切「其他」愛好和平的國家，去推論出來。換而言之，憲章要「一切」會員，不論原有的與後來的，都是愛好和平。顯然的中共並不履行此一條件。

聯合國會員資格

依照國際法如欲成為聯合國會員，新政府必須具備下列條件（一）它必須獨立；（二）必須有效管理該國之領土及人民。

自從毛澤東賴蘇聯的武器及指導攫奪得政權以來，其政權在外交至內政上，毫不表示其有獨立權。[illegible]何謂有效的管理。聯合[illegible]祇要靠恐怖及無限制的[illegible]，我們以「曼城導報」[illegible]的估計作證：『毛澤東[illegible]千五百萬人民作誇張的[illegible]』。（一九五四年七月十五日）

人民効忠國民政府

同樣的依照國際公法，一個所謂[illegible]的政府，可以被承認為政府。祇要他能繼續努力[illegible]控制該國之領土。無疑[illegible]暫以台灣為政府所在地[illegible]定。中共之統治[illegible]在中國大陸的平民、工[illegible]人，以其常因其忠於民[illegible]，以其受外人操縱的[illegible]逃入強迫勞工營，甚至[illegible]我們不應忘記，在一九五〇年十二月十四日聯合國大會通過下列議決案：「聯合國大會……決定一個以上[illegible]聯合國會員資格時，應[illegible]之宗旨與原則及其情形[illegible]」

（下轉第二版）

△中共手持鮮血淋漓的大刀，還想殺進聯合國嗎？

半週展望

・旭軍・

蘇聯的態度如何？

歐洲軍給法蘭斯弄垮了，中共砲擊金門，東南亞盟約已經在馬尼拉簽訂，在現階段的世局之下，蘇俄的態度如何？是值得注意的。

自越南被分割，歐洲軍被扼殺後，蘇聯獲得勝利。她必須有一個時期去慢慢咀嚼這個戰果，和冷戰上的擴大戰果。她知道東南亞條約組織當中，有若干國是另有用意，而同床異夢，貌合神離的。所謂阻遏侵略是不足畏懼的。最近共黨在越南的工作是擴充『越南民主共和國』的軍隊，與加強軍備，準備進侵高棉與寮國。當然是用間接方法，對歐洲聯防問題與各盟國內發生翻翻，使美國對印支之援助再度發生猶豫，可能印支就此完全赤化，國際休戰監督委員會指控共黨違約強募兵員就是一個證據。

中共砲轟金門係受蘇聯指導去測驗西方反應，及企圖離間。中共被國軍空軍轟炸後即作龜縮，知道自由中國之實力不可侮以及美國態度之強硬。MIG飛機不敢出來拚，中共自然也俯首聽命暫不敢動。

在西歐方面，雖然法蘭斯弄垮了歐洲軍，但反而令到英國更積極的拉緊美國，力謀團結西歐及積極導引德國加入北大西洋組織聯防。莫洛托夫是狡猾的，他知道目前應伺機以待，而不應出來刺激法國，令其減卻法德之宿怨。莫洛托夫要使英法德的矛盾漸漸加深，美國在軍事義務，政治保證，及經濟援助上，顯然已做到最大限度。如果美國有一天等候到不耐煩，深怪英、法、德不能和協，則美國極可能如杜勒斯所說的「忍痛重估對歐政策」。到這時候，莫洛托夫發揮大和平攻勢，把北大西洋公約組織搞到支離破碎，便提出其『歐洲門羅主義』。把美國排擠出門外，即攬他的『蘇聯歐洲公約組織』來代替北大西洋公約組織了。

以上是說蘇聯緘默中腹中的策劃。

冷戰維持到幾時！

共黨的沉默與叫囂，皆有其戰鬥意義，自由國家必須有定識定見，才不致被其迷惑。

首先我們知道：「原子武器之劍」懸掛在克姆林宮主人的頭上，因此第三次世界大戰迄今仍未爆發。假如沒有原子武器或原子武器優勢在蘇聯一方面，則第三次世界大戰必然早已爆發。數年以來，蘇聯因原子武器居下風，故採取滲透蠶食策略，係形勢所造成。西歐之獲苟安，非由於馬歇爾計劃，及北大西洋公約組織。固然，消除共黨溫床，此計劃以及組織自有其安定人民生活，以及作軍事聯防基礎之重大價值。但如無原子武器之優勢，蘇聯是會不顧一切，步希特拉之後塵，發動閃電戰的。

因此我們要認識這幾年來我們未被關入鐵幕的人，實在是在原子武器力量競賽中，獲得一種苟安而已。所謂「和平共存」，非欺騙人，即自我陶醉之語而已。蘇俄集團一天不崩潰，則大戰爆發非但不可免，而且為期不遠。

由此看來，目前原子武器競爭的階段，是非常緊張驚險的。俄共集團一天不瓦解，所謂「和平」從何說起？這「防衛」二字，認真說來，也沒有意義。雙方對敵非進則退，只有進攻，沒有停下來防禦的可能。

美參院議員諾蘭素來發表極正確卓越之見。但他本月十五日所說的：主張在亞洲「劃一界線」以抗共黨侵略，共黨越過此線時即準備大戰。想不到平日表現澈認識共黨之人，還抱有「黃河為界」的落後思想。仍屬圍堵主義。

在原子武器競賽及蘇聯運用滲透蠶食戰術中，她依然是軍事輕歐。美國應以瓦解中共政權為第一步，進而瓦解蘇聯鐵幕，方可免第三次世界大戰之災禍。

鐵幕外之人，或以冷戰可結束而歸於太平，或以冷戰圖苟安。但須感熱戰可能爆發而謀消弭者能有幾人？

變化中的台灣社會

· 鄭士珪 ·

【台北通訊】大陸淪陷後，台灣因人口激增，社會也隨着發生急劇的變化。這變遷，一方面固然有良好的進步，但另一方面，却產生許多不和諧的矛盾現象。我現在單說幾個不和諧的矛盾現象。

女少男多不平衡現象

『男大當婚，女大當嫁』本是極普通的道理，可是在這苦難的時代，棲居寶島的知識份子，有許多已年過三旬，還是曠男，欲娶，而無處可覓佳人。台灣氣候特殊，宜於生育，有些人，結婚不久，便子女成群。甚至在大陸結婚多年，膝下猶虛的，一到台灣，便喜獲石麟。於是有些人是家庭人口過多，負担過重，有些人却家無妻室，隻影形單，造成了一個不平衡的社會現象。

報載，台灣總人口中，男性比女性多五六十萬。在這樣男女比例懸殊的情形下，收入微薄的外省單身涉公務員，要想找一個稍爲相當的對象，實在難如登天。我們只要看，每日報紙上徵求女友及各縣市婚姻介紹所前往登記的百分之百是男性，女性簡直絕無，就可想而知了。

目前，大陸女性既無從來台，寶島小姐又供不應求，許多孤獨的曠男，試教他們怎能度過漫長的日子和寂寞的黃昏？人非木石，誰能無情？近來各地情殺毀容案之層出不窮，未嘗不是因爲小姐太少有以致之。

窮則變，變則通。去年新生報載，考試院有一位聰明的王科長，他向東鄰日本女郎問津，爲我們寫許多曠男打開一條新路。他的眼光與胆量，是值得欽佩的。日本國內，現在正鬧着女人沒有出路。大戰時候，許多男人被召應征，戰死沙場，剩下不少寡婦，無處改嫁。就是年輕貌美待字閨中的小姐，也不容易找到對象，恰與台灣情形相反。

我們希望政府與關心社會問題的人士，能給這許多曠男以方便，爲他們動腦筋，從這方面多想辦法，使他們在不久的將來，能夠找到佳人，享受家庭溫暖。

務實者獨守岑寂

曾國藩答黃麗溪書，有一段話說：「蘇垣爲仕宦鱗萃之場，以弟所聞，大抵攘霸者蒙卓躐，謹守者沈散秩，朱辣者踴起，和厚者蟄伏。標榜者互相援引，務實者獨守岑寂」。這話雖已過了百餘年，似仍可移於今日台灣。近年政府選拔後進，登用新人，多限於高級人員。中下級人員的選拔陞遷，依然多失公允。周德偉先生有幾句沉痛的話說：「中國社會簡是一個潭沒人才的大鎔爐，有學問有識力之人愈不容於各方，因而犧牲或埋沒者何止百千，此豈遭遇者個人之不幸，直國家民族無可計算之損失」。我覺得一個好的長官，不應只辦理例行公事，與應付上司，尤其重要的在留心屬員的學識能力及特長，予以適當的工作，使能「人盡其才」充分發揮特長，增加行政效率。我個人濫竽政府機關多年，長官換了十多位，至今還沒有見到那一位長官是注意「人盡其才」的。這也是我覺得我們應該注意的地方。

人情如紙薄

本刊三六三期，王擇民先生說，台灣社會，「人與人間充滿冷漠，仇視，破壞的毒素」。羅家倫先生在他所著的新人生觀裏也說：「人與人之間，太缺少眞摯的感情，到處都是欺騙詭詐，冷酷無情的現象，簡直找不到可以互相信賴的堅實基礎，甚至親屬朋友之間，彼此心裏各懷鬼胎，不能推誠相見，在這種「爾虞我詐」，不講信義的社會裏，大家只知互相利用，以人爲工具，所以渾厚敦樸之風，早已蕩然無存，甚至人人感覺到四周都是敵人，務須小心提防，儼如芒刺在背，寢饋難安，這種現象何等可怕！何等慘酷」！這些話都不是無病呻吟。數月前報載青年科學家盛沛霖，他的學術成就，在國際上已有地位，可是他公司裏的許多同事，看不起他，愚弄他，甚至破壞他，叫他神經病。假如不是一位丁教授賞眼識拔，有誰同情他？還不是一輩子含冤埋沒，寂寂無聞？所以我也「覺得今日的自由中國，必須以公道的思想，平等的法律，公正的生活，以及人心要於飽食暖衣高官厚祿等之外，別有較高尚較純潔的企求，來做維繫社會的工具，共策進步，才有復興的一日。」（這是王擇民先生的話。）

中共休想進聯合國

· 風行譯 ·

（上接第一版）縱使爲毛澤東政權作極誠懇的悔過者，亦無絲毫證據表示北京政權之行爲合乎憲章的宗旨與原則。不論在韓國在印支，都是如此，其對待人民也，實行野蠻的迫害與殘酷的剝削。

依照該憲章第三節第四條凡具備上述條件經安全理事會提出大會通過的國家，便可爲聯合國會員。依照第二節第十八條聯合國大會有三分之二贊成者便可參加聯合國。又依照第三節第二十七條，安理會必須有七會員國贊成，包括各永久委員在內，才可以提出。因爲這個提出『不是程序問題』，故必須一切永久委員一致贊同方可。

由此可知，如違反安理會五大國之意志，便不得參加聯合國。事實上，蘇聯歷次運用否決權拒絕許多國家參加聯合國，因此，安理會無法向聯大提出。

美國何以不用否決權

美國務卿杜爾斯在一九五四年七月九日在記者招待會稱：『鑑於一種事實：以憲章試驗入會資格，顯然有關於政府，或祗能以政府之名義申請。據余看，如依照實質而不依照形式看，新政府之合格問題，應同樣受一表決試驗，一如容許一新國家之加入。』

因此有一問題發生：『爲何美國不運用其否決權去阻止中共政權加入聯大，好像其阻止其列席安全理事會，——若杜勒斯國務卿所宣佈的呢？』

聯合國的經驗

對此問題，最好回憶過去若干拒絕參加的例，其拒絕之理由可施用於拒絕中共之參加。

憲章第三節第四條規定：祗有「國家」能爲聯合國之會員。漢斯基爾遜所著的「聯合國的法律」（倫敦出版）內稱：『若容許一新國家參加發生問題，則此點甚爲重要。因該申請者尚未獲得聯合國全體或若干會員國承認其爲國家。不承認其爲新國家事實上表示申請者與聯合國會員國無外交關係存在。因爲普通國際法不設立一有權機關，決定：依照國際法，孰可稱爲國家。便要依照聯合國大會及安全理事會會員自行決定。』

因此波蘭拒絕贊成容許外約但加入聯合國，因波蘭不認定外約但係一有主權之國家。美國拒絕贊成容許外蒙古人民共和國參加，因美國政府未接到報告證實此人民共和國係一眞正獨立國。

澳洲代表稱：彼外國軍隊所佔領的國家，（如奧國、匈牙利、義大利、羅馬尼亞、保加利亞）不能被視爲獨立國。在一九四八年安全理事會討論新申請國家時，蘇聯將該理事會延期考慮錫蘭申請，須候報告證明錫蘭政府盡於有主權的獨立國家地位。

在安全理事會討論蒙古人民共和國入會資格時，中華民國宣稱該申請國依照憲章看來非係一個愛好和平之國家。

又蘇聯曾以與愛爾蘭及葡萄牙無外交關係爲理由而不支持此兩國之申請。

中共曾與聯合國作戰

在舊金山會議時第一委員會決定加入該委員會紀錄：『墨西哥代表國之建議，意指第二章第二節（即後來憲章之第二章第四條）不能適用於會與聯合國作戰之軍隊維持其政權的國家。』反對佛朗哥西班牙加入聯合國之公訴，可應用於中共，中共政權以外力（蘇聯）壓迫中國人民，又曾與聯合國作戰，彼證實爲侵略者，一俟在韓簽訂休戰協定後，即揮軍進犯越南，攻擊聯合國之會員國法蘭西與越南。

由此觀之，對中共政權，若以憲章試驗，根本無參加聯合國資格。依照杜爾斯所說，此乃實質問題，不是程序問題，中共「政府」之實質受試驗，已不及格。便不必有程序上是否容許其「國家」加入的表決。

本來蘇聯的政府性質違反聯合國憲章，而爲侵略者之禍首，與中共同樣的無資格參加聯合國。假如蘇聯今天申請爲會員，則毫無疑問的必應將其拒絕！

人物
述評

憶國民外交家余日章

（一）

湖北余日章，是一位著名的宗教事業家，同時亦是國民外交的努力者。當九一八事變發生，日本軍閥製造僞滿洲國，中國政府向國際聯盟控訴之際，他以國民外交代表身份遠渡重洋向美國朝野呼籲，主持正義，制裁侵略者，這種實際行動，在我國外交方面會發生若干影響。現在中共的「中國人民外交學會」爲離間英美計，由張奚若諸人發起，邀請工黨巨頭艾德禮、貝萬之流，訪問北平，在中南海的懷仁堂，大排宴會，打其交道，手法雖同，究不免「薰蕕異器」了。

（二）

余氏，早年肄業於武昌華中大學，這是一所美國基督教聯合會主辦的大學，和四川的華西大學，山東的齊魯大學，華北的燕京大學，蘇州的東吳大學，上海的滬江大學，福州的協和大學，廣州的嶺南大學，是並駕齊驅的學校。他畢業之後，負笈美國留學，入哈佛大學，再加深造。回國之後，任當時總統黎元洪的洋文秘書。黎氏身邊有兩位秘書：一是武昌起義組織軍政府時所延攬的饒漢祥，漢祥素擅駢文，嘗爲黎元洪草擬電稿，暢論建都及裁兵種種大計，文長數千言，洋洋灑灑，每一通電出，國人爭先傳誦，其名亦以此不脛而走。另一人即黎氏繼任總統後所延攬的余日章；余氏既精通英文，同時復嫻習外交儀節國際條約與義務，周旋於當日東交民巷外交團中，莫不中節，有書記翩翩之樂，儼然爲黎元洪的左右手。黎兩任總統，一厄於辮帥張勳，再厄於直系軍閥。退職以後，息影天津，從此余氏亦不再向政界活動，畢生致力於宗教事業。

余氏繼王正廷之後，任上海全國青年會總會總幹事，對於會務，大加刷新，並發行青年進步雜誌。這一份具有權威的青年雜誌，內容除闡揚耶教理論外，對於科學、醫藥各方面的新智識，儘量介紹。對於青年道德修養，亦三復致意。

（三）

日本軍閥攻陷瀋陽，土肥原挾溥儀出關，成立僞滿洲國，美國務卿史汀生發表不承認主張，這一正義棒向侵略者迎頭痛擊。那時日本方面尚有所顧忌，當他們囊括吉林、黑龍江之後，尚不敢向錦州進犯，中國政府方面由外交部長顧維鈞和日方代表重光葵會商，有劃錦州爲中立區的建議。當時余氏不忍坐視中國領土主權喪失，乃以國民外交代表身份，親自赴美呼籲。一九三一年十二月二十五日，關東軍司令本莊繁，不顧一切，下令日軍三路進犯錦州，守軍榮臻部節節撤退，他們竟不費吹灰之力，於一九三二年一月三日佔領錦州。當天，余氏進入美國國務卿史汀生的辦公室，正談論間，史氏以日軍佔領錦州的電文出示，余氏感情激動，悲憤塡膺。他平日本有血壓過高症，至此，血管爆裂，遂倒臥國務院辦公室中。史氏目擊這一悲壯的，史詩般的慘劇，深受感動，立即吩咐送余氏至海軍醫院治療。結果，雖然把他的生命從死神手裏搶回，但從此已成半身不遂症。休養數月後，始行回國。抗戰前一年，病逝於上海。以前主持南京勵志社的總幹事，現在任職於台灣後勤司令部的黃仁霖，便是他的東床快婿。

（四）

抗戰期中，吳鐵城主持國民外交協會，鄭彥棻主持國際反侵略會中國分會，均以主動式的國民外交姿態出現，惜收效未宏。其後英國會議員訪華，王世杰率領胡霖、王雲五、溫源甯等報聘，對於中英交誼，增進不少。此皆過去從事國民外交之有數人物。

當此民主集團與共產集團外交戰日形尖銳化的時候，我們應該怎樣因應時勢，善於發揮國民外交力量。回想余氏當年辦理國民外交這精采一幕，不禁有「寥落吾徒猶作戰，蒼茫國事費堪論」之感了。

紹華。

國外通訊

葡屬帝汶輪廓畫

（二）

· 瑚康 ·

話雖如此，然而帝汶的土質，多半還是相當肥沃的，經時半年的雨季，也儘夠使得一般農作物的生長，嗓啡是在全球上負盛名的，產量雖遠趕不上巴西，但在豐收時，一年中也有一萬五千石以上的收成，以港幣計算，也有政百萬元的交易額。椰干的貿實，也還不錯，碼頭上常有香氣撲鼻，堆積如山的椰干在等待着運輸出口。

煙葉的香味，也屬上等，從前有一個懂得嗜烟的人，將此地所產馬利諾烟草，寄到德國，德某烟公司馬上來函訂貨三十噸，可是因產量太少，無法供應，只有望洋興歎罷了。此外棉花、椰子、穀米、樹薯、玉蜀黍、馬鈴薯、樹蕃薯、鳳梨、香蕉、西瓜、柑、橙、橘、柚、芒果、木瓜、番茄、花生等各種豆類，各種蔬菜，牛羊、豬、馬、鷄、鴨、鵝、犬、魚、鹽、鳥類、獸類也相當多，海洋中的珊瑚、海參、燕窩等物，尤爲名貴珍品，除供給本島消費外，有時也向外口輸出。

還有許多不知道名字，或者僅有土名，而我們不懂在中文裏頭該叫甚麼名字的果實，樹木和花卉，在山上或山谷中到處生長着，迎風招展，充滿了異國的情調。

物產雖則相當豐富，土人還是赤貧的居多，那是由於科學技術不發達，農業方法落後，分配不平均和土著民族太過懶惰和教育水準尚未提高的緣故。

結繩記事的土人

土著民族，大部屬馬來種，皮膚棕色而微黑，頭髮直而眼珠褐黑色，身材中等，鼻子不高，言語屬於「添加語」的馬來語系，總數約四五十萬，信奉天主教的約佔十五分之一強，開化程度尚低，惟信教而曾受教會學校教育者較爲開化，懂葡文，間有做小學教師，看護士和機關低級公務人員，商店店員的。他們的教育程度，似乎比葡屬印度殖民與果阿民族爲低，待遇也較爲微薄。

帝汶土人未受過學校教育，不識葡語的，大概還用結繩記事，比方他做僱傭的時候，做一天工，就打一個結，打了三十個結，就表示做滿一個月了，他於是就拿着這條繩子，到主人那裏支工錢，如果你告訴他，這個月是三十一天，還有一天才滿月的話，他總是表示懷疑，不信有那麼一回事。

黑巫術和白魔術

他們多數相信巫術，尤其足能傷人的黑巫術，和控制男女情感的有關戀愛的白魔術，據悉：不少和土婆結婚的中國人，因爲這土婆懂得巫術的緣故，馭夫有術，常常非聽她底話不可。（未完）

編者讀者

△素以海軍立國的英人，對近年蘇聯海軍的發展，已日漸增加憂慮，最近英海軍大臣湯瑪斯且將前來遠東作爲期三周的視察。或亦與此有關。本刊下一期有一篇余錫先生討論蘇聯海軍發展的文章，他指出蘇聯海軍發展對世界局勢會發生甚麼影響，很值得讀者注意。

△本港中英文高中會考制度，對本港教育前途影響甚大，實施未久，缺點在所不免。今年暑假後有人主張應該根本廢除，也有人認爲應該加改革的。關於此一問題的文章，我們希望本港教育界人士，多給我們撰寄。

△有關雙十節的文章，希望惠稿諸先生，能於十月二日以前寄到。

△盧鐵英，彭楚珩，劉靄如，黃景南，刁抱石，王世昭，誠修，許鵠倫，燕廬，蔡俊光，雪夫，諸先生：惠稿均已收到，至深感謝！

讀史述評

漢武帝（上）

毛以亨

一、傳統的批評

章太炎的意見

前輩對漢武帝劉徹，多認爲瑕瑜互見，而章太炎先生，甚至謂爲比秦始皇還遠不如。其言曰，『自法家論之，秦皇爲有守，非獨刑罰依科也，用人亦然。韓非有言曰，明王之吏，宰相必起於州部，猛將必發于卒伍。夫有功者必賞，則爵祿厚而愈勸，遷官襲級，則官職大而愈治。漢武之世，女富溢，尤寵霍光，以輔幼主。平生命將，盡其嬖幸衞霍貳師之倫。宿將爪牙，若李廣程不識者，非摧抑乃廢不用。秦皇則一任李斯王翦蒙恬而已矣！豈無便嬖之使，燕昵之謁邪？抱一司契自勝而不爲也！孝武一怒，則大臣莫保其性命，其自太守以下，雖直指得擅殺之。……以秦皇爲嚴，而不妄誅一吏也。由是言之，秦皇之與孝武，則猶高山之與大澤也。』

我們讀這段文章，雖知其語有所本，然終不能心服。惟不顯以偏見二字，抹殺其見解之價值所在，所謂知人論世者，不特要知武帝之世，且尤須知論者之世。清末民初，輿論重法治，勿用私人，太炎之論，殆爲時代使然。

太炎本於船山

武帝不知用人之說，太炎蓋本諸王船山。讀通鑑論曰，『武帝狎寵姬，任嬖利，而爲之左右也，用人假耳目於私昵，而不保其子，悲夫。』又曰：「武帝所托孤者三人，而上官桀待我首。……武帝以爲光，日磾者待桀，不知桀也，且不知光日磾也』特太炎從李廣利，而推及衞青霍去病，以內由內寵而將兵，且視霍光與上官桀爲一邱之貉，推論自較前人爲大胆，要不能謂爲無所本。太炎責武帝之不知崇法，則與船山之不知崇儒，結論實似。讀通鑑論曰，『言有迹近而敎異者，不可不察。申公曰，爲政不在多言，顧力行何如耳。汲黯曰，陛下內多欲而外施仁義，奈何欲效唐虞之治乎？於以責武帝之崇儒，以處名而亡實，相似也。然而有異者，申公之言，儒者立誠之詞也，汲黯之言，異端賊道之說也。』船山時代，祇有崇儒，百家在所必黜，至太炎時代，則儒道名法，俱爲國粹，範圍自較擴大了。

船山有褒有貶

惟船山對武帝有褒有貶，且褒多而貶少，則與太炎不同，此實合於中國人傳統的見解，且揆之當代實際情形，亦殊公允。讀通鑑論曰，『武帝之勞民甚矣，而其救饑民也爲得。……徙荒民於朔方新秦者，七十餘萬口，……民喜得於生而輕去其鄉，以安新邑。……史讒其費以億計，不可勝數。然則疾民之死亡，而坐擁府庫者爲賢哉？司馬遷之史，謗史也，無所不謗也。』又曰，『司馬遷挾私以成史，班固譏其不忠，亦允矣！』又曰，『武帝曰，朕不變更制度，後世無法，不出師征伐，天下不安，爲此者不得不勞民。若後世又如朕所爲，是襲亡秦之迹也。有是心，爲是言，而豈有不豈乎。』船山尤重視其以趙過爲治粟校尉，與其罷台罪己之詔。

司馬光班固的批評

司馬光之資治通鑑，評論極少，偶一爲之，輒感持平不可易，其言曰，『天下信未嘗無士也！武帝好四夷之功，而勇銳輕死之士，充滿朝廷，闢土廣地，無不如意。及後息民重農，而趙過之儔，敎民耕耘，民亦蒙其利。此一君之身，趣好殊別，而士輒應之。誠使武帝兼三王之量，以興商周之治，其無三代之臣乎？』

班固前漢書之武帝贊曰，『漢承百王之弊，高祖撥亂反正，文景務在養民，至於稽古禮文之事，猶多闕焉。孝武初立，卓然罷黜百家，表章六經，遂疇咨海內，舉其茂俊，與之立功。興太學，修郊祀，改正朔，定曆數，協音律，作詩樂，建封禪，禮百神，紹周後。號令文章，煥焉可述，後嗣得遵洪業，而有三代之風。如武帝之雄才大略，不改文景之恭儉，以治斯民，雖詩書所稱，何以加焉！』

良史須識的大體

司馬遷係受宮刑者，其怨恨武帝固宜，史記之武帝本紀係褚少孫所補。惟太史公自序，謂『漢興五世，隆在建元（武帝年號），外攘夷狄，內修法度。建封禪，改正朔，易服色。作今上本紀第十二。』則在其正面文章，固對武帝持公允之論者。人們常有想當然的誤會，如認陳壽之三國志，必定要隱諱葛亮，我讀罷全篇，反覺推崇備至。既然是史家，即須識大體，而丟掉其私人之成見，一秉天下之至公。故司馬遷與陳壽，都不能違反衆意而貶漢武帝與諸葛亮，否則便不成其爲良史。惟司馬遷挾感情以俱至於筆下，不免流露其怨憤於凡書及列傳中。

修史與評史者之蔽

惟修史者之持論，專就其後果而言，以成敗爲是非功罪之衡量標準，殊近於現代的實驗主義。而評史者之觀點，又多囿於當時之環境，故在當時認爲至理名言者，待時代過去以後，反成爲腐朽而爲人所厭棄。歷史上之正統，完全以成敗爲依歸，而忠奸之評附焉。朱紫陽以蜀爲正統，雖自稱蹈事春秋，然人常譏其不合史法。宋人南渡以後，復國心切，故民族情緒極高，而秦皇漢武帝乃被奉爲明君。王船山章太炎，雖見解不同，亦爲時代精神所囿。凡此二蔽，殊爲無法避免，祇顧稍加修正而已。（未完）

評：西德與東德

王君實

著者邢紀章　香港自由出版社印行

第五章，著者曾指出國社主義基本精神的納粹主義，依然暗中活動，而且近來更普遍活躍。右傾的政團，已經公開組織起來。第六章，著者[illegible]暴行的輝煌成就，用簡單，明瞭，及有煽動力的標語和傳單，作爲法[illegible]法，在心理上，在精神上，收莫大的效果。第七章，著者提出解決薩爾問題的正確觀點，就是『法國認薩爾區的德國主權，德[illegible]國多少經濟利益，否則談判亦不濟於事』。第八章，著者引述一八〇七年拿破侖進軍柏林，普魯士秘密建軍的經過。和一九一八年，德國[illegible]戰敗，在史克上將積極訓練下，十萬國防軍，變成十萬幹部的事實。並指出德國軍事家對於法國式的歐洲軍，表示不滿。組織一個不以民族爲單位的混合軍，將是一個錯誤的行爲，因爲沒有靈魂的軍隊，必定缺乏戰鬥精神。第九章，著者引述歷史家珍納博士名著，「史太林不會再勝利」一書中所列舉彼蘇戰役史例，回溯希特拉攻蘇一幕，在戰術和戰略兩方面都陷於重大錯誤，使史太林輕易取得勝利。但在目前美國新軍事計劃佈防之下，蘇聯沒有法子衝破包圍封鎖，他們的敗績已見，永遠再不能取得勝利了，對於恐共病者，打下一枝強心針。第十章，著者強調目前柏林劃成二個極端不同的陰陽世界—自由人與奴隸的陳列所，民主與獨裁的鬥爭場，親愛的兄弟姊妹，變爲水火不相容的仇敵，這樣的情形，誰爲之？孰令致之？讓讀者們靜靜地去想。

（四）

第十一章，著者概括敘述西柏林自由大學籌備成立的經過，並指出目前自由大學已是純粹的教育學院了，它不但是智慧的培植園田，而且是國家最高的研究機構，養成偉大的自由民主鬥士，去担任未來世界的反共任務。第十二章，著者發現在西柏林的婦女，比任何時代的婦女爲警覺與有志氣，她們可做她們所欲做的事情。第十三章，著者敘述蘇聯統治下東德的實際情形，例如分割土地，掠奪物資，製造傀儡，摧殘文化，和經濟剝削種種，均有詳盡記載，此外復提及德國地理上重要性，和德意志民族奮鬥的史實，可以供研究德國問題的人作重要參考資料。第十四章，著者敘述東德人民反蘇的悲壯事實，去年東德工人暴動，促使東德共產政府作若干讓步措施，企圖平息革命怒潮。第十五章，著者指出東德工業已變成蘇聯的軍備倉庫，東德的工會已變爲克姆林宮的御用工具，共產黨對勞工的政策，實際上是一種欺騙勞動階級的把戲。此外對於所謂與尼克制度，強迫勞役和集產約法，自由勞動和婦女勞役，均有極正確的批評。第十六章，著者指出東德新組織的人民警察，共訓練由俄共指揮，一切武器，也由蘇聯供給，他們和其他衞星國軍隊一樣，盲目效忠蘇聯。十七章，著者筆下暴露了東德共黨頭子烏布里特的猙獰面目，和他忠實地執行莫斯科的政策。十八章，著者列舉阿登諾提出的統一德國條件，末後，他說「德人也許希望柏林會議完全失敗，及歐洲六國談判的可能破裂，使德國遲早必重獲絕對主權，來單獨進行重整軍備，那縱不爲法國所喜，但亦不爲英美歡迎」可說談言微中，有如燭照龜卜了。

總之，這是本年下半年香港出版界的一部好書值得鄭重推薦的。（下）

中共竭澤而漁

魯七四廠被奪

洪水造成了中國大陸全面災荒，一億人民無家可歸，農村破產，秋收無望，中共所訂的秋征計劃，完全成了夢想，對目前正在擴充軍備的準備，發生嚴重的阻碍；遂把搜刮的目標移到私商頭上，竭澤而漁，吸取商人的血液，作爲備戰經費。截止八月中旬止，僅山東一隅，又有七十四家私營工廠企業被中共全部予以吞併了。

在山東被中共吞併的企業工廠中：包括麵粉、製油、烟酒、醬園等食品工業；造紙、造鐘、玻璃、印刷、紡織、印染、橡膠、火柴等輕工業；以及煤炭開採、鋼鐵冶鍊、機械製造等重工業。資金全部被沒收，生產的進行，在「納入國家計劃軌道」的口號下，全部投入戰時生產，被吞併的企業工廠的資方，或被拘禁改造，或被驅逐出廠，甚至有誣揑罪名，長期監禁；所有工人，則長年供其奴役。

這些企業工廠，有的建廠二十年歷史，有的是對日戰結束後的新興事業，大陸淪陷前，由於生產計劃合理，勞資關係正常，營業鼎盛，工資按時開支，股息紅利也能按時發放，資方固有利可圖，勞方亦安心生產，經營情形已蒸蒸日上。自一九四八年「解放」至今，六月底止，中共征借捐獻的層層壓榨，無時或已，流動資金抽剝殆盡，連「底子」也榨了出來，因而阻碍了生產力的發展，企業遂陷於半停頓狀態。

到了本年七月，中共藉口「進行一系列的民主改革和生產改革」，採「公私合營」的方式，對這些企業工廠實行吞併；截至八月十二止，在山東境內共吞併了七十四家。這些被吞併的工廠，由中共派出爪牙接管，各種制度和操作規程，均澈頭澈尾予以改變，俾便加強管理，起初對資方還給以私股代表名義，最後架詞誣害，不僅取消其私股代表資格，大多數遭其拘禁勞改，甚至判處徒刑。

這些工廠以設置在濟南和青島兩市爲多。如濟南利民染廠，全部資金爲十三億元，其吞併過程，是於「公私合營」僅十日後，即將廠主吳生民拘禁，說他短報資金，一貫地偷稅漏稅，破壞「國家」經濟政策，旋即派幹部接收。又青島晶華玻璃廠，資金已超過二百億元僞幣，因平日經營合理，營業鼎盛，未被吞併的前一年（一九五三）尚能獲得盈利三十億元，是共區中所僅見者，中共對之最爲嫉視，自本年七月間派幹部管該廠後，資方僅以私股代表身份默視一旁，一切措施，無法置喙其間。青島另一家雙蚨麵粉廠，其被吞併的經過，更爲顯露其猙獰面目，在本年三月間，即指其經營管理落後，生產無計劃，勞資關係不正常，決定先施以「社改」。該廠經理吳建光提出「生產事業已提高，供銷一貫平衡」的許多理由和事實，反對中共的誣揑罪名，致觸怒共幹惱羞成怒，遂將吳經理逮捕，說他是工商界的「毒瘤」，資金是剝削得來的「孽錢」，乾脆地把全部資金沒收了，吳經理遂被判處三年徒刑。其他在烟台的瑞豐麵粉廠，淄博的大成新紗廠，青島的華電機廠等三十多個工廠，被吞併經過大致的類似，因其或爲食品工業，或爲輕工業，除吞併其資金外，加緊奴役其工人，以工人的血汗供其超額生產而已，此是中共一貫的政策，尚不足怪；惟對濟新等二十一家機器製造廠，以及橡膠鋼鐵冶煉廠，煤礦等重工業，除全部沒收其資產和生產工具外，並奴役各該工廠工人，每日達十四小時工時以加緊生產，其生產進行序列，已全部投入戰時狀態。（陳敏）

三院義校徵收堂費

各方希望放棄成議

東華三院辦有六所義校，收容學生逾二千人，都是赤貧子弟。他們受三院之惠，俾免失學，社會人士對這一善團此舉，莫不交口稱譽。那六所義校過去從未收取學生任何費用。在本學期開始，據說要向每一學童徵收堂費二元，這個數目並不大，但在貧苦的家庭中，每月負担二塊錢，似乎力不從心；因此他們要求三院當局一貫義學初衷，勿收堂費，免使二千多名學童失學。然而該院當局收費決定，也非沒有理由，因爲學生人數增加，經費支出浩大，每人收費兩元，每個月到底可以多一筆四千餘元進款。

六所義校經費來源，係由各間廟宇開投得來的款項，賴以維持的；現在說是這筆錢收入正逐漸減少，對義校支出沒法相抵，似乎非開收堂費就無法彌補。

這不僅是打破五十年來前未有的慣例，且有違曠昔開設義校之旨，當初興辦義學主要原因，無非搶救港九赤貧的失學兒童。此次打破成例，殆將促成無力繳費的學童失去求學機會，勢將影響堂費收入，綜能有些，顯難符合預算。對於三院當局來說，白璧之玷，令人不無遺憾，自應及時考慮撤銷成議的。

依據社會一般人士意見反映，東華三院畢竟是香港規模最大的慈善機構，每年活人無算。其所以有此業績，半出社會熱心人士慷慨捐助，半亦歸功於歷屆以及當年總理以下的各部門負責者的擘畫和貢獻，就開收堂費數目說來，綜能依照預算收入，充其量僅四千餘元，戔戔之數，在三院整個收支數字看來，實在微不足道。每月撥補義校，自無不智，更非沒有理由，義校亦係附屬三院的慈善機關，固非必須憑藉廟宇開投款項收入纔能辦學，換句話說，廟宇沒有人開投，義校便無法生存，要生存就非收費不可了。這叫什麼義校呢？祇不過比一般「學店」好些罷了。那何必要讓東華三院頂上這個「義」字的美名呢？港九義校固多，許多街坊會均在紛紛興辦，他們根本就連廟宇開投的款全無，然義校成績也並不差。祇怪窮人太多，窮人之間還有赤貧，東華三院是有錢人出了錢，用來救活窮人，尤其是赤貧的。因此，誰也希望於東華三院本飢溺爲懷之旨，辦更多名副其實的義校，廣泛收容失學子弟，社會人士，固樂予支持和贊助的。

大陸青年失學

被迫勞動生產

共區學生已遭遇失學之痛苦，而中共卻仍千方百計地驅騙學生去勞動生產。據八月十四日光明日報透露：中共哈爾濱市委會，對該市約有一萬二千名高小畢業和七百名初中畢業而不能繼續升學的失學生，已分別組成了市級和區級的高小、初中畢業生處理委員會，該委員會對失學生的措施如下：一、「年齡過小既不能升學又不能立即從事勞動的，應以切實負責的精神，耐心進行說服教育，並[illegible]」；二、「[illegible]方面根據情況適當參加一些社會勞動，從事勞動生產做好準備工作」。[illegible]從上列這四項「措施」看來，總括一句，要逼使這些失學學生去「勞動生產」而已。

徒勞無益

馬五先生

不作無益之事，難遣有涯之生，在個人的日常生活行爲中，任何人都不免要作些對自己和別人毫無益處的事，否則人生的意趣就索然了！可是，一個團體，尤其一個政治團體的所作所爲，却不能隨便掉以輕心，枉作無益之事。因爲政治團體的每一作爲，直接間接皆影響到國家治亂與人民禍福前途，不是好玩兒的。

最近在報紙上看到我們的政治機構所規定，用飛機投入大陸去的所謂「紙彈」照片，第一項就是「兇手周恩來」，把二十年前周裔在上海謀殺向我政府投誠的共特顧某家屬親友十餘人的舊事重提，並錄列當年上海工部局通緝周犯的文件。其餘各項圖片，亦專係述周裔在日內瓦會議中的外交活動情事，指其爲俄共的傳聲筒。我認爲這些紙彈對我政府得不到甚末宣傳效用，而對敵人也不能給予心理戰的絲毫壓力，這爲無益之事。

周裔當年在上海教唆謀殺顧某的家屬親友，是因顧某變節投誠，而使潛伏在上海的共黨秘密機構完全破壞的報復行爲，在共匪看來，這正是周裔的「忠黨」表現，我們今天特別向大陸人民給他宣揚，他必定洋洋自得，引爲榮譽哩！這對周裔個人和共黨究有甚末損害呢？若說藉此以暴露共黨黨人的殘賊之性，那末，近三四年來共黨在大陸的殺人情形，比這更兇暴，老百姓早已目擊其事，「周兇犯」的兇行，不過小巫而已，算得了甚麼呢？至於說他在日內瓦的外交活動情節，大陸人民更不會發生特別的感覺和興趣。

水災、戰禍、飢餓、疾疫、死亡……這些才是大陸人民共同的痛苦，我們有的是宣傳材料，足以激起廣大羣衆的心理怨恨，既用飛機散發紙彈，費力冒險，而僅是對共匪個人作些無關宏旨的指摘，所爲何來乎？

宣傳事業不是隨便搞即可以收效的。過去那套失敗了觀念和方法，若不澈底改變，必卜徒勞無益啊！

不打自招文鈔

文抄公

以下是抄自中共出版物的文章，讀者可從這些文章裏看出中共統治下各方面的社會情形。

加強「羣衆觀點」

四川　秦毅

正當農民們積極添置生產資料迎接緊張的春耕的時候，巫山縣各個基層供銷合作社「暫時停業」了。所有的合作社的門都關了，一關門就是整整七天。

農民們要買東西就只好去和私商打交道。有些不法奸商可高興啦，他們抓緊「機會」，哄抬物價。胖老闆店裏，本來只賣一千九百元一把的鋤頭，一下就變成三千一百元了。

你如果嫌他的價錢貴，他就毫不在乎地對你說：「那就請你到合作社去買吧！」

但你到哪裏去找合作社呢？這裏是「暫停營業」，那裏是「暫時停業」，門關得緊緊的，敲不開；即使敲開，也沒有人賣東西。

有的東西一時非買不行，不能誤了春耕呀！每天，總有許多人到合作社門前來探望一番，但有什麼用呢？今天是緊閉大門，明天是緊閉大門。等了一天又一天，整整過了一個星期，好容易合作社的大門打開了。

有人氣沖沖地跑到基層社去問：「你們爲啥了把門一直關了好幾天？」

基層社的幹部回答道：「這是縣聯社的指示呀，要我們全體幹部去城裏整訓。」

好吧，那就再去問問縣聯社吧。

這裏的答覆是「理直氣壯」的：「整訓幹部是爲了加強羣衆觀點，更好好地爲春耕生產服務呀！」

世界的權威報紙 紐約時報

牛布衣

（一）

紐約時報刊行到現在已經一百零三年了，是世界有名的權威報紙。內容豐富，採訪翔實，得到獎金獨多。

時報現在的銷數，是六十萬份，美國及全世界一萬二千個城市都有它的蹤跡。時報是美國總統必讀的報紙，羅馬教皇也每日看它的要聞版。全世界的外交家，政客，無不人手一册。

時報每日印行的新聞，專欄著作，和評論，達到一百萬字。新聞內容多數屬於專訪，和國外特派記者的通訊，此外也參用世界十九個著名通訊社的稿件。

時報是有名破紀錄的報紙，任何新聞，要是編輯部認爲值得一刊載的，無不盡量刊載。凡爾賽條約，珍珠港報告，這些長達幾十頁的新聞，在世界各報紙中，只有時報一家能夠毫無遺漏的刊載出來。可是，一九五〇年，該報發行人，兼董事會主席蘇伯加先生就職十五周年紀念，該報舉行盛大慶祝會，該報當日新聞，竟沒有提及隻字。

（二）

該報在紐約的新聞編輯室，宏偉巨麗，用擴聲器，來查辦公室，誰出去了，誰進來了。該室闊達四十碼，長達二十間，編位一十人。編輯要找有關人員，便有一百擴聲器。

時報從來不限制職員人數，報館裏頭的職員比較別處爲多。若果和普通報比較，時報的職員超出了三比一。可是人多也有人多的用場。一九三八年狂風打擊紐約的長島，死亡達五百人，時報派出訪員三十五人到那裏，在幾個鐘頭內，便採訪到有系統的新聞，發表於報上。但時報有時也只派一位記者前往出事地點去採訪的，例如新澤西州荷活河決堤，死亡十三人，時報只派記者米亞前往，米亞是著名細心而且有系統的採訪記者。他在河堤上走了好幾日，和五六十個人談過話，做成了一篇十分詳細而且有系統的報告。這個報告得到了美國當年新聞最好的訪稿的獎金。（上）

愛國詞人王沂孫

——兼論學詞師法問題——

羅自芳

像上述這些作品，打開花外集觸目都是，這裏不過聊舉較習見的幾首做代表罷了。且其寄意深遠，造辭警拔者，固不獨詠物諸作爲然，即其他朋友親酬答抒情之什，也一樣的精美可愛，也一樣的沉痛蒼涼。我們且再看：

高陽臺

殘萼梅酸，新溝水綠，初晴節序暄妍。獨立雕闌，誰憐枉度華年。朝朝準擬清明近，料燕翎須寄銀箋。又爭知，一字相思，不到吟邊。

雙蛾不拂青鸞冷，任花陰寂寂，掩戶閒眠。屢卜佳期，無憑却恨金錢。何人寄與天涯信，趁東風，急整歸船。縱飄零，滿院楊花，猶是春前。

古調鬱題，隱是春閨念遠之意。言外一片惓惓深情，莫非愛國忠君，熱烈地盼待恢復日子的來臨也。

（五）

望梅

晝閒人寂。看輕盈照水，犯寒先坼。數枝雲碳斂綃，露淺淺塗黃，漢宮嬌額。翦玉裁冰，已占斷江南春色。恨風前素艷，雪裏暗香，偶成拋擲。　如今眼穿故國，待拈花弄蕊，時話思憶。想隴頭依約飄零，甚千里芳心，杳無消息。粉怯珠愁，又只恐吹殘羌笛。正斜飛半窗曉月，夢回孤驛。

右詞乃借梅以喻我政府朝廷者，後半寫人心思漢之情，盼望恢復之心，躍然紙上，較前高陽臺詞尤覺顯露易曉。且此調本名解連環，特標今名，其意蓋亦有在也。

長亭怨重過中庵故園

泛孤艇東風過訊。尚記當時，綠陽門掩。屐齒苺階，酒痕羅袖事何限。欲尋前迹，空惆悵，成秋苑。自約賞花人，別後總風流雲散。　水遠。怎知流水外，却是亂山尤遠。天涯夢短，想忘了綺疏雕檻。望不盡冉冉斜陽，撫喬木年華將晚。但數點紅英，猶識西園淒惋。

醉蓬萊歸故山

掃西風門徑，黃葉凋零，白雲蕭散，柳換枯陰，賦歸來何晚。爽氣霏霏，翠蛾眉嫵，聊慰登臨眼。故國如塵，故人如夢，登高還嬾。　數點寒英，爲誰零落，楚魄難招，暮夢堪攬。步屧荒籬，誰念幽芳遠。一室秋燈，一庭秋雨，更一聲秋雁。試引芳樽，不得消知，幾多依黯。

兩詞命意措辭，大致相類，傷時懷舊，不勝故國喬木之情。（三）

幽居

郭敏行

幽居每覺歲來遲，忽報園花發滿枝，對景方知春已老，喜仍有夢託新詩。

陽明道上

滿山春樹又花開，幾個眞爲訪勝來？折盡千枝無惜意，轉胥情冷傍青苔。

金珠

中篇小說

勞影

我趕到她家時，金珠已經入院，我再趕到醫院時，醫院已經下班，掛號處空無一人，候診室裏也是冷清清地，屋角裏一個婦人把頭埋在臂彎裏，肩胛不住顫動，頗若哭泣，我有點慌亂起來，因爲我已辨認出那個啜泣的婦人正是金珠的後母，我方待去詢問究竟時，有人在背後拉了我一把衣袖，回頭一看，是一個護士。

「大概就是你，」她不安地說：「是王先生嗎？」

「是的，是的，」我急急地說：「人怎麼樣啦？」

「再遲就錯過機會了，快點決定吧！病人堅持要見到你之後才肯讓我們動手術；同時我們也正在考慮着責任問題，因爲這次……噢，是的，我忘記了告訴你，這次胎兒橫生，大人與孩子之間祇能選擇一個：當然當然，我祇是照實際情形說，當然大人要緊！但是，問題就難在這裏，病人始終堅持着要保全孩子的生命，她說，費用你會負責，請問我們知道，天曉得這種安全是無法以金錢換取的呀！你聽，她喊叫得多淒厲！」

病房半掩着，慘叫聲有如刀尖挑割着我的心房，漸漸地，聲音衰弱下去了，我快步奔入房內。

二個穿着手術衣的醫師正在相對私語，手術盤裏的刀剪閃閃發光，金珠橫躺在手術架上，二個護士出力地按着她的兩肩，一面用本省話哄慰她。

「還可以延長五分鐘！」一個醫師脫去口罩向我說。

我點頭謝了她們，一面走向金珠身邊。

「金珠，我來了！」我連連低聲呼喊着。

她睜開浮腫的眼皮，看到是我，立刻哭起來。

「替我做主吧，亭飛……我要我的孩子呀，我要我的孩子！」

「這是不可能的，王先生，請你婉轉告訴她吧！」一個醫師在我身後說，我伸手到背後搖搖。

「金珠，」我抑制淚說：「你要孩子你就把我忘記了嗎？」

這句話生效了，她眼睛再度睜開又閉上，兩大顆熱淚擠出眼瞼。「我要你，亭飛，我要你，你不要離開我！」她嗚咽起來：「孩子，……可憐的孩子呀！」

我感到一陣強烈的痛苦，我知道，由於金珠她從小就失去母愛，她不但了解沒有母親的孩子底辛酸，她更比別人懂得一個母親對於子女的責任。喔，情愛與母愛，會令一個女人痛苦啊！我的愛情竟與一個尚未獲有可能的小生命在爭取金珠底愛，勝利固然屬於我但這將令金珠感到多麼沉痛的悲哀呢？自己對自己一生遭遇感到不滿，而將整個希望播種於第二代，人之常情，雖然我亦同情金珠的悲哀，但是，悲哀又何能換取兩全？

「時間，不能再拖了！」醫生們提出最後警告。

我聽到一陣刀針聲響，護士用手示意我出去，金珠覺察到了，她又狂起來：「別離開我呀！別離開我！……哀哀……我的孩子呀！」（三十一）

詩人楊雲史的風趣

小丞

又賦「南昌軍幕感懷」一詩，有「白首婦山諸將貴，黃金鑄出五「愁」」之句，一時中傷他的人，便進讒於陳光遠，說他有意諷刺陳爵武好貨，又請出劉表相擬，隱寓嘲侮，光遠聽了怒形於色，幸得僚友解救，才得免禍。他從此託詞告歸，臨行留書云：「斯東吳下士，將軍闢采虛聲，致之幕府陳蕃之榻，頗思盡其愚悃，有補萬一。得山妻徐書謂「梅園盛開，君胡不歸？」不禁他鄉之感，復動思婦之懷。清輝玉臂，未免有情，疏影高窗，亦復可念。清狂是其本性，故態內之復萌，敢效季鷹蒓鱸烟波之想，慕林逋妻子之情，予以休假，遂其山野。庶白雲在山，飄裝相對，此中日月，亦足爲歡，則將軍之賜也。」

原書情文並茂，曲麗淵雅，所謂「見梅思婦」的話，一時傳爲美談。不幸在不久之後，吳佩孚爲兩湖巡閱使，擁兵江漢，雲史被聘爲秘書長。當吳氏自湘出走時，適徐霞客女士病逝岳陽，草草殯殮。第二天他就隨軍北行，所以悼亡詩有云：

樓船江下氣如雲，永訣聲淒不忍聞；戎馬書生傾涕倖，蓋棺明日便從軍。

他和徐霞客，實在是伉儷情深，作有「瘞妻記」、「悼亡詩」數十首，刊爲「雲史悼亡四種」。他從此追隨吳氏，有時漢皋，有時駐於洛陽，有時駐於北平，自從徐夫人死後，益覺無聊，只好寄情聲色，在北平眷一校書，名陳美美，極爲寵愛，風流自賞，趣聞頗多。垂老言情，更饒綺語，如江樓即席留贈阿美四絕：

鷄兒酒色似……秋柳旗亭過客多，今朝誰擅惜，玉人含淚唱黃河。

畫簾明瑟捲……淚滿金樽語滿紘，更盡一杯，江山都在美人前。

手酌葡萄勸一觴，多情……韋娘，銷魂天氣重陽後，秋……江柳黃。

年來范蠡久無緣，西湖……若耶，君問歸期戲西子，春……碧桃花。

（三）

自由人
THE FREEMAN
（第三七一一期）
中華民國僑務委員會登記證僑字第二號
每份港幣壹毫
地址：香港高士威道廿四號四樓
3 rd. fl. 20 CAUSEWAY RD HONG KONG
海外總經銷 友聯書報發行公司
台北總經銷處

談立法院的質詢

・陳克文・

本年六月間新內閣成立後，許多人對於行政院新院長在立法院答復立法委員質詢時所採的態度，和立法委員提出質詢的態度，都比以前有了轉變，認爲這是憲政發展過程中一種可以令人興奮的好現象。但也有人認爲立法委員的質詢不免流於繁冗，不啻走一種「疲勞轟炸」，恐怕對於行政院發生不良影響。到底質詢的作用何在？質詢應該怎樣去進行？在憲法上祗第五十七條有「立法委員在開會時有向行政院院長及行政院各部會首長質詢之權」，憲法別無規定。我們的憲政歷史尚短，也沒有許多習慣傳統可循。

質詢權的運用，英國下院最爲著稱，歷史亦最長。我們的立法院雖和英國下院不盡相同，立法院和行政院的關係也和英國下院與內閣的關係有別。但爲明瞭質詢權的作用，及其進行的方法，仍可就英下院質詢權的運用，尋求解答，藉爲借鏡。

質詢案勢必與日俱增

英下院質詢制度，尤其是「質詢時間」的規定乃比較晚近的事，初非與議會歷史同其長短。英國最初的質詢記載，見於一七二一年的上院，質詢紀事錄的印行則始於一八五三年。英國國議會的歷史則遠在一二六五年孟福特時代（MONTFORT），正式成爲法定機關亦在十四世紀。

一八四七年，下院對國務大臣提出質詢，每日只得一件，一八八○年，全會期內質詢案件亦僅一千四百五十六件，換言之，即每日不過十三件而已。從此以後，這種案件即迅速增加，一九○○年，平均每日已增至四十件，多，在英國議會史上已有先例。質詢案究，雖不免有「疲勞轟炸」之感，惟未足爲憲政發展的詬病。

質詢的作用何在？

質詢案件所以日見增多，據英人自己解釋，最主要的原因是現代行政機構日漸繁多，議會必須利用簡短的質詢時間，以促對於行政措施得保持最合理的監督作用。此實爲自然趨勢，並亦即事實需要，非議員有意與政府爲難，或藉此爲個人出鋒頭，求達政治上的私人利益。故英人對質詢極爲重視，認爲質詢時間「可以燭照隱微之處」，質詢目的「在公共事務及對公衆詮釋政務」。

因此，質詢的提出不祗出於議員，也時常由政府自動作安排，使政府得有機會對於行政措施作非正式的宣布。此外，國務大臣亦每利用質詢時間作辯護的機會，有時私人解釋或道歉，亦於此時行之。故英國下院的質詢時間實爲現代議會程序中最富特色最有價值的項目。

以此，議員固不肯輕易放棄其質詢權，行政當局亦從不以此爲厭煩，或拒不答覆。政府遇特殊環境或事關國家機密，雖可拒絕答覆，同時更可利用議會的多數，將質詢時間加以變更，但此乃極端例外，因爲輕易不肯行之。此項步驟不但足以損壞憲法的傳統習慣，且足以顯示國務大臣對本身能力非常缺乏自信，不啻暴露政府的弱點。

並不是漫無限制的

惟英國下院的質詢亦並非漫無限制的。下院每周前四日，會議開始之前有近一小時左右的質詢時間，爲口頭答覆的質詢，此外尚有許多其他的事情，用書面作官式報告，分別送給議員。一九○二年，每一議員每日發問次數已有限制，其中某一時期，每一議員每日限提質詢六次，一九三○年減爲三次，現在仍以三次爲限。即在此新的限制之下，平時每日口頭答復的質詢仍超過一百件，書面答復的質詢尚不在內。

此外口頭質詢還有若干必須遵守的慣例，例如：（一）問題必須與被質詢的國務大臣職務有關；（二）問題不得涉及與本題無關的人名或敘述；（三）敘述必須正確，不宜捕風捉影；（四）現屆會議正在進行辯答中的問題，不能作爲質詢；（五）小組會議中尚未作報告的問題，不宜提出質詢；（六）請求發表意見，或抽象的法律結論，或假定情勢，不宜作爲質詢；（七）除與職務上的能力有關者外，個人的品格或行爲不宜作爲質詢；（八）某些人物——例如總督的承者，殖民地總督，最高法院或地方法院法官等不得作質詢；（九）一問題經充分答復後，不能再質詢。

因此，質詢雖多，並不至增加紛擾，影響行政，也不至漫無標準，致貽外間譏議，啓人輕視。

英下院議員對於質詢權的使用，還有一點值得我們注意，或者可以說值得我們做行的。即遇選民對他提出某一政府措施認爲不滿意時，該議員必須負責處理。例如某選民因養老金問題向某國家保險部提出要求，得不到滿意解決。他可向本選區的議員寫信，說明案情，連同保險部答覆文件一併寄去。該議員如認要求合理，先去函保險部查詢，即於議會裏向保險部大臣提出口頭質詢。這樣，可使保險大臣有機會改正他的決定，或公開的決定辯護。同時也使選民對於自身的不滿得一公開陳訴機會。這是政府和人民之間溝通意見最有實際效用的方法，也是質詢最有價值的地方。

如果今後立法委員的質詢，能夠兼顧到這一方面，我想不但可藉此以宣洩人民許多怨憤不平之氣，同時必定可以減少政府機關許多糊塗顢頇，上下其手的官僚作風。而立法委員亦必勤求民生疾苦，能與多數選民接觸，才不至閉門造車，提出一些與國計民生無關的質詢來。

蘇聯擴張海軍的新形勢

・余陽・

英國海軍部透露：在增長中的蘇聯艦隊在六國艦隊中僅次於美國海軍，且將世界最強的潛艇實力置於現役，有勢力的英國人聲稱，蘇聯海軍力量的擴張，是海島國家——英國最應重視的事。

十個東歐國家轉眼間變成蘇聯附庸，沒有使英國震驚，比東歐大數倍大陸之變色，對英國也很少影響；共黨激進東南亞，英國也還淡然處之；惟有蘇聯擴張其海上力量，會使此一依海洋爲生的大英帝國感到惶急。事實上蘇聯海軍的擴張，對整個西方國家都有無上威脅。

蘇聯擴張海軍的計劃

蘇聯海軍的擴張計劃，據英國海軍當局估計：「在兩三年後」，蘇聯海軍實力將有潛艇五百艘，巡洋艦三十艘，魚雷艇五百艘，掃雷艇千艘，驅逐艦三百艘，海軍飛機四千一百架及巡邏艇無數。

英國海軍當局並指出，蘇聯沒有一艘航空母艦，但其着重於潛艇及快速巡洋艦的建造，對將來戰事發生時，威脅美國援助歐洲、中東、及太平洋的海上運輸，尤值得注意。

事實上，第二次世界大戰結束以後，蘇俄對其海軍的建造計劃，一開始就改守勢爲攻勢。過去，蘇俄的守勢海軍，可稱爲「要塞艦隊」，是以要塞爲中心，依附在國境沿海，其活動任務是保護若干重要要塞。並盡可能防禦國境海岸線的安全。如海參威艦隊，其任務是保護海參威及其附近海岸線，黑海艦隊是保護黑海蘇境海岸線，北海艦隊（波羅的海艦隊）是保護列甯格勒一小部份海岸線的安全，根本談不到出擊的威力。可以說蘇俄海軍在二次世界大戰以前，都祗可守勢的海上力量，其海軍唯一一役攻勢出擊，只有一九○四年「日俄戰爭」時，駐波羅的海艦隊遠涉洋東征，但結果是在日本韓國間的對馬海峽全軍覆沒！

守勢改爲攻勢的計劃

蘇俄攻勢海軍的建造計劃，就所知在一九四六至一九五一年間，已經集中於潛艇的大量製造，和快速巡洋艦的增加，蘇俄的計劃是建造潛艇三百五十艘，特別利用盡所有方法，搜集德國優秀的設計人才，去改良其潛艇的素質。三百五十艘潛艇的實力，已是英、美、法三國目前所有潛艇力量的總和了。

重巡洋艦的建造，據估計已有二十艘完成，速率都達每小時卅六浬，重量均約一萬二千噸，砲位均爲六吋，並已裝上發射引導飛彈的裝置，其威力可能不在任何一種主力艦之下。

二十艘相同於主力艦性能的重巡洋艦，三百五十艘潛艇（英海軍當局判斷其中半數有二萬浬的遠航能力），以及數約十萬的各型艦艇，這個陣容，已經具有發動攻勢的姿態了。英國認爲「兩三年後」，蘇俄的海軍可能超過英國，躍居爲世界第二強大的海軍國家。擴充的進程，一九四六至一九五一年，蘇俄所完成的，五一至一九五五年估計的增加，其實力已距離英國不遠了。

向西方海權國家挑戰

過去，蘇俄沒有良好軍港，海岸線除波羅的海及黑海一隅地區外，沒有可以從事戰爭的海港，其餘都是冰封地區。戰後，蘇聯的海權積極大的伸張。例如：一、在波羅的海方面，蘇俄由列甯格勒一小角的海岸伸張，經北歐愛沙尼亞、拉脫維亞、立陶宛三小國，經波蘭而至東德的交界，換言之，波羅的海蘇俄海岸線伸長約千浬，已爲蘇俄所獨有，一半環境優良的海岸線，已爲蘇俄所控制。（下轉第二版）

△蘇聯擴張海軍後的形勢圖▽

一週展望

・雷嘯岑・

最大的冷戰場面

聯合國第九屆大會，是全世界最大的冷戰場面，前天在紐約開幕，也可說是成功地表演政治大劇的開始了。

在本屆大會會期將臨之際，好像聯合國大會就得贊成或反對中共入聯合國的「跳加官」，此外的把戲，然已無所事事了！蘇俄代表首先提出請中共政權派代表出席的建議，印度代表之流以印度的「隨和」，英國人已表示「怯場」，結果祗落得一場「舌戰」而已。因爲如是，其他的文章紛紛登場的主角，不過是這幾個「列強」的操縱工具，別的國家，祗不過是些跑龍套或配角而已。

韓國的善後問題如何解決，北非民族自主的要求，共匪侵略越南的情形，這些國際大事，聯合國都不該由於「幾個大國」的現實利益而不論了！若說聯合國的任務，是「自由」「和平」，如何防制自私自利的列強，以及對於在前一二年中由弱小的國家參加所幹的大事，還有美國參議院主席克拉克在美國參議院作證時也說過：「我知道聯合國有一間華美的大廈，而且對於有關人類幸福的每一問題，聯合國幾乎無不參預，只是毫無影響」！這是對聯合國很好的「象贊」，可以藏之名山，永垂不朽！

因此，我政府在這次大會召集之前，補繳會費，臨期又派外交部長率領大隊人馬趕去出席，浪費了財力人力。事情很顯明，如果英美兩大國的話，它們爲私有利益，決計讓中共進入聯合國，我們即使派行政院長去預會，又有甚麼作用呢？以現在它們是拿「中國」和「中共」合，並無絲毫正義公道的意念。它們要在這種「大的」場面中搞冷戰，我們只是敷衍場面就夠了。把人力財力加強自身的力量，才是根本大計。

艾德里之無知

英工黨領袖艾德里近日在舊金山發表談話，指說「他在中共區域未發現有對英國的敵意」。洋洋自得，認爲他們此次訪問共區，其自吹之詞：「對世界和平及中國起了作用」！

艾德里却不知道蘇俄現在對英國也不像二十年前那種強烈的敵意了。原因是英國已從資本主義世界的盟主地位退坐到第二把交椅上，不復成爲俄共集團可怕的大敵了。二十年前俄共們聽到別人說句英語，即嗤嗤之以鼻，怒目疾視的情況，並不亞於今日俄共集團反美的仇恨程度。艾德里認爲中共之反美，祗是「因有台灣存在」，如非譾陋無知，即爲昧良撒謊！

自己爲想爭取國內的政權，不惜挾寇以自重，甘願被人利用，來搗亂資本主義世界的安寧秩序，還說是對世界和平起了作用，好幼稚的政治家呵！

心理作戰問題

戰後美英各國皆對心理作戰問題特別重視，美國的心理作戰機構組織與費用之龐大浩繁，尤其驚人。可是，我們至今祗能從各種政治文化的動態上，知道美國對這項工作極盡努力策進，却不明白它那心理作戰機構的主持其事的是些甚末人物？作戰的方法如何？因爲內容是怎樣的？其工作人員是賦有高度機密性和專門技能的，既不宜公開宣揚，更非具有專長的人不堪勝任。

據說，我政府亦已注意及此，從事進行了。然而兩點意見：第一、幹這項工作的人才必爲專家學者之流，決非普通一般的公務人員所能承乏。若教不文不武，只知宣傳標語口號的角色當此重任，效力必等於零。第二、工作必須特別機密而又廣泛靈活，主其事者切不可有「丑表功」的心理。譬如我們對大陸上從事心理戰的廣播，若公然說出我們是心理作戰，是要「攻治」大陸一，這就無異告訴敵人，我要對你放暗箭了，趕快警覺防備吧！寧非天大的笑話？

文清運動觸及的問題（上）

·陳紀瀅·

文化清潔運動宣言發表以前，發起運動的許多朋友和若干團體的主持人，曾經慎重地研討這一運動的意義及其可能的遭遇。每次談話都超過三四小時以上，反覆辯論，逐層推敲，每個參加的朋友必須毫無保留地暢所欲言，如果有任何一點懷疑，就必須明白提出，大家共同研討，一定把問題弄得清清楚楚，明明白白，把發動這一運動的整個觀念完全統一起來，以大家的堅強的信心產生最大決心後，再使這一運動表面化。在七月廿六日以前，像這樣的會我們已舉行過至少有五次之多。以後每增添一個人跟一個團體，都是先把基本問題弄得清楚明白以後，再談其他。雖然沒經過宣誓那種形式化的嚴重手續，可是我們鄭重其事，不稍含混，沉痛的心情與嚴肅的態度，是每個參預其事的人和團體，卻在事先充分領略過了！

事前慎思熟慮的問題

為什麼要這樣嚴肅，這樣認眞？一個文化運動何必做得如此斤斤計較？說來眞是痛心之極！第一、我們怕少數人的見解短淺，把這個運動的意義估計錯誤，弄到小題大做，甚至於根本不值得做；第二、這個運動的純正動機是否會被人誤解？因而使運動變質，由誤解會產生不良後果；第三、這個運動一旦表面化後，可能的遭遇是什麼？對於那些遭遇，如何看法及如何應付？第四、這個運動的可能結果是什麼？

關於第一個問題，我們怕誤把鷄毛當令箭，一件根本不值得的問題，弄得像煞有介事。勞師動衆，結果逮住的是一隻老鼠。如果是那樣子，趁早別費事。但經過多少人，多少時間的反覆研討，一致認為原本是一根鷄毛，原本是一隻老鼠，但因為養癰成患，使其坐大，遂變為令箭，變為豺狼了！文化三害不只是販毒行為，危害國民身心健康，並且直接間接在摧毀民族文化，斷送國家命脈了！文化三害的毒氣已侵入到社會裏層，使成「毒瘤」；但其嚴重性，不但未全被政府查覺，社會理解，而且也如鴉片烟的為害，使吸上了癮的人絕不認為那便是毒品。經過這樣一再反覆研討，我們堅決相信：關於任何禁烟除瘤的手術，絕對有必要。毒蛇在手，壯士尚且可以斷腕，假如毒氣攻了心，不動大手術，有什麼不可？因此，這件事情使它成為運動，讓政府與民間，有深刻痛切的瞭解，任何民主國家，我想絕不會認為這是多餘的事。尤其因政府主管機關，未能澈底執行法令，坐視不合法的事而不顧，養癰成患，這種責任，應有輿論追究，應有民間意思的反映。

絕無黨派或政治背景

第二、自從有了所謂內幕新聞之後，一切事情好像必須有不可告人的內幕，再加上近多年來派系觀念的作祟，使社會充滿懷疑，猜忌和怕事的處世眼光。又因赤色餘毒，使彼此不相信，人人有鬼胎。好像是無論發動任何一件事，必須有不可告人的密秘，一定有什麼政治背景在後支持！否則，就不會有自發自動的運動。因此，文清運動發起之初，除去統一對運動的觀念外，我們曾進一步讓每一個人和每一個團體，考慮運動背後有沒有什麼不純潔的背景？和是否為黨派所利用？甚至外邊傳到的流言，都可以提出來質詢。因為這一運動的動機純良，發自內心，所以當然不樂意染什麼色彩。……

……一運動比做共匪的「整風」，甚至比做秦始皇的焚書坑儒。還是顛覆政府！更不惜扣紅帽子亂飛，倒打一耙！我們的讀者想一想：這種歪伙的胡思是什麼思想？他們扛着「新聞」的旗幟，他們曾知道輿論還有力量！他們假以文化人自居，却從不把民間團體瞧在眼裏！更別說他們對我們這些小卒兒的呼聲入了耳！他們曾想把在大陸時代胡作非為的勁兒，在這兒施展，却忘記這兒畢竟是進步中的台灣！

不違悖言論自由宗旨

第三、一個運動……這一來是否會被人誤會到妨礙言論自由？記得我曾經向朋友們說過：「咱們大家都是要弄筆桿的人，靠言論自由為文章，和從事一切文化工作。換句話說，咱們靠言論自由吃飯，也靠自由職業報效國家。假若是因為這一運動使咱們自己的基本武器受到很大影響，就是損害，我首先……」檢查檢查咱們過去的言論（可以扯到很遠），既沒有提倡過限制言論自由的事實，最近也沒有違反言論自由的行為。這一運動更非有限制言論的企圖。假若文化三害，尤其是黑色新聞的各種報導紀載，眞稱得起是「言論」，則我們也寧可不幹這等傻事！

大家考慮的結果，一致認為文化三害大家已公認，赤黃二害，可以一語道破。黑罪雖不被大家深知，但它絕不配和言論自由並列一起。也是大家所公認的。對於冒名的新聞的下流書刊予以打擊，不但不是摧殘言論，正是維護言論自由！保障言論自由！

其次，大家也會顧慮到這個運動，是否有幫助政府箝制言論自由之嫌？大家一致的答覆是否定的。因為這個運動主要對象既不涉言論，也非正當報導。

編者 讀者

社會主義的阿根廷

蕭立坤先生阿根廷來書

（一）

（上略）本人於一九五二年秋離港，十一月底到阿根廷，正當此間春盡夏來之際，氣候特佳。閑居大個月，學習西班牙文，一九五三年七月，入此間工廠任工程師。此工廠乃阿國最大之私營鋼鐵廠，產品有鐵條，鋼絲，鐵管。營業甚好，機器均係新式。工廠建立已有五年歷史，全廠工人約一千四百人，高級技術人員，德人佔其半數。本人為唯一之東方人。

（二）

該廠有高級人員住宅五十棟，本人亦分得一棟，此種住宅頗寬大精美而舒適。職員待遇頗佳，最低薪給為阿幣一千七百元，最高薪額為阿幣四千二百元（約合港幣四百元左右），此外尚有獎金，年底且發雙薪，並有紅利可領。但每月須付養老金及所得稅，本人現時所付共約五百元阿幣（阿幣現每四元半合港幣一元）。本人進廠後一年，已獲加薪一倍。

（三）

此間食物甚廉，牛奶每公升只值阿幣七角（約港幣一角半），牛肉每公斤只值阿幣五角。一家八口，每月生活費阿幣一千五百元，已極舒適。

阿國社會秩序極安定，鋼鐵為該國主要工業，本廠工資更為各行業之冠。工廠附近，治安甚佳，可以說「道不拾遺，夜不閉戶」。人人快樂，體胖健康。惟以謀生容易，民情不免稍見怠惰，即兒童讀書，亦不甚用功。

（四）

本廠離阿國京城倍諾斯愛勒（Buenos Aires）二百五十里，有火車及長途汽車可通。本人不常到阿京，中國人之旅阿者，情形如何，多不甚稔，惟聞畫家張大千先生已離阿他往，毛鳳祥先生在阿京開洗衣店。又徐學禹，李默庵，劉廷芳諸氏，聞均在阿京，是否經營事業不得而知。香港小姐許家闓曾一度旅阿，現傳亦已他往。

（五）

阿國現實行社會主義，大抵小資本家困難較多，大資本身與工人均較舒適，我國人之來阿者，多屬小資本家，像本人這樣實行做工的並不很多。遠適異國，對祖國不免時常系念。（下略）蕭立坤，九月四日。

△靜觀、廖炳堃、誠修、辛直白、小丞、劉儒裕、賴愷元、于飛、郭敏行、張萬熙、周景韓、晨飛、諸先生：惠稿均收到，謝謝。

蘇聯擴張海軍的新形勢

·余陽·

（上接第一版）

二、東北亞洲方面，蘇俄割去日本的千島羣島，南庫頁島，及共產黨控制下的北部朝鮮，這個變化，一方面使鄂霍次克海完整的為蘇俄所有，另一方面只有海參威一角伸張為佔有日本海幾及一半的海岸綫。千島羣島及南庫頁島，大大的增強了蘇俄在北太平洋的活動環境，北韓的海岸綫如羅津、興南、元山等港口，其作用都不在海參威之下。

三、遼東半島重入蘇俄手中，是蘇俄海港發展中的一件大事。其後中國大陸整個落入共產黨手中，蘇俄的海上活動，一直伸展到海南島，這確是一種不容忽視的巨大變化，蘇俄在此一變化之下，已再不是一個陸上國家，但有更多的必爭的海域，而這海域在蘇俄向外侵略方面，亦佔有極其重要的份量。

蘇俄擴張海軍的目的，一方面是控制其戰後所伸張的海岸綫，一方面是依此有利於海軍活動的新環境，向西方國家作海權的挑戰。

對德海戰的回顧

對蘇俄海軍的擴張，英國海軍部會舉過去與德國海上力量作戰的經過作為照鏡：『德國發動戰爭時，僅有潛艇五十七艘，此數並絕未超過蘇俄實力三分之一的潛艇力量，已幾使盟國屈服；單就一九三九年至一九四一年間而言，德國潛艇擊沉英船隻超過千艘。英國，加拿大，及其國海軍有驅逐艦及輕艦約千艘，反潛艇[illegible]。為協助反潛艇工作起見，必須迎擊敵人的海軍飛機，單就美國言，就有航空母艦三十六艘，護航航空母艦六十六艘。』

使英美海軍難於應付的德國潛艇，祇不過是目前蘇俄海軍實力的三分之一，如果在「兩三年後」，蘇聯海軍的擴張，果如英海軍當局的估計，則戰爭一旦爆發，蘇俄海軍，是有能力使美國海上救濟運輸，無法到達歐洲與中東及西太平洋的。

五百艘潛艇，有一半在太平洋活動，有五十艘在印度洋、波斯灣及紅海，有百五十艘在大西洋，有五十艘在北極海或北太平洋，分佈在各地的蘇俄潛艇，如果奉到立刻作戰的命令，其後果是難以想像的。

今後的世界海權形勢

蘇俄海軍力量擴張後的後果，現在我們可看出的各個現象是：

一、波羅的海的形勢，經已由英德共有的形勢漸漸變成蘇英均勢，而趨向於蘇俄佔優之勢。如此，蘇俄的威脅力量，可自海上逼迫瑞典，挪威，及麥丹等國家了。

二、日本海方面，也由日本佔優勢變為蘇俄佔優勢，如美國的海上力量退出，蘇俄亦能自海上威脅及日本列島的安全。

三、不必懷疑的，南中國海也更危機四伏。

四、如土耳其關不住對黑海的封鎖，蘇俄的黑海海上力量將更使愛琴海及亞得里亞海感到不安。

五、靜靜的北極海，美國，加拿大，英國也將難取得設防的優勢。

六、北太平洋上美國由阿留申島伸向西方的海上鎖鍊，在防衛及出擊上也會有困難。

上述六項的後果，是顯明的，也是西方國家共有的威脅，對於這些即將來臨的威脅，西方國家用安撫政策來對付，是不會有效果的。

葡屬帝汶輪廓畫（三）

·瑚康·

有一次，曾經和土婆離了婚到法院登記的一個中國人，誓死不再見這土婆了，但這土婆對人說，這男子不出二十天，必然來看她，和她和好。結果不出所料，在第二十天的時候，這男子乖乖地去找這土婆，和她重新做夫婦，並且到法院聲明取消他們離婚的控訴。

力利中華學校的女生，據說有一些是害怕巫術的，因為她們聽說巫術的可怕，會使人生病，中毒或是肚子裏面生小蛇，種種可怕的現象，我覺得這種恐怖，是很可憐的，我於是告訴她們避免蠱毒上身的方法，她們雖則將信將疑，可是，對於巫術，倒沒有從前那麼害怕了。

華僑多粵省客家人

土著女子喜歡穿一種「紗籠」和五色斑爛，鮮艷奪目的衣服，多數不穿鞋子或木屐，但是，有些洋化的摩登太太，也有穿着高跟鞋的，頭上多梳髻，似乎有點兒中國舊式婦女的遺風，在山頂若干地方，還有不穿上衣，袒胸露乳的婦女，兩乳堅挺，頗富健美姿態。

與土婆結婚的華僑，雖沒有確切統計，大約總有幾十家，佔全僑家庭總數十分之一強，所以兒女皮膚深黃而微現褐色，性格習慣多和土人接近，縱然用學校教育的力量，也不容易改變過來，孟子說：「吾聞用夏變夷者，未聞變於夷者也！」可是，我們聽到這類變於夷的事實，眞不算少呢！

中國女子嫁給土人或白種人的事實，倒不多見，聽說有一個客家的女子嫁給土人的酋長，很得寵，她在家庭中的權力，却超出了酋長原配之上，另外，一個華人的寡婦，改嫁葡萄牙人，已經生男育女了，彼此相處，却很不錯，他們彼此之間，是靠着帝汶土話來通情愫的，因為男的不懂中國語，女的也不懂葡文。

住在此地十年以上的中國人，個個都會說帝汶土話，尤其是在帝汶生長的僑生，他們對於土話的嫻熟，不在中國客家話之下，這裏僑胞，百分十以上是廣東梅縣客家人，黎頴楊三姓最大，客家話成為此地最通行的中國語，國語次之，眞正完全懂得國語的人，可說是本來很少，只是，這幾年來，學校提倡國語的結果，許多青年學子，都漸漸地懂了普通國語了。

葡文，雖則是此地官方通用的語言，同時對白種人做生意，也必須將它作為交易的媒介，然而帝汶的僑胞，懂葡語的究竟還不太多，精通葡文的，更是沒有，這一層絕不能與澳門的中國人相比，也許因為葡文程度還不大够用的緣故，許多和官方的聯絡，都不免感覺不便，同樣，國民外交上應有的工作，也不容易圓滿進行，現時各僑校一律教授若干鐘點的葡文課程，將來這種情形，也許可以好轉。……葡人，大概都會說幾句法國話或英語，因此對他們辦交涉，縱然不懂葡文，有時還可以對付過去。

華僑執經濟牛耳

葡人最初發現帝汶島，大約在到達澳門以後幾十年工夫，到現在也有四百餘年的歷史，中國人到帝汶，大概與葡人開發帝汶的歷史同其悠久，葡國大西洋銀行帝汶分行發行的鈔票，印有中文的，和香港澳門的鈔票一樣，中國大洋，雙毫，銅仙和港元在帝汶通用，這可見中國人在帝汶的經濟勢力，可是數十年前，一度曾經同阿拉伯人競爭，幸而最近四五十年來，還是華僑在帝汶執經濟界的牛耳，全島商業，大約十分之八九，在中國人手上，不單是土人，阿拉伯人，猶太人不能和我們競爭，就是葡萄牙人，也得讓我們一着，這裏面的原因很多，有人歸功於華僑教育的普及，恐怕也是其中重要的一個因素。

僑教很發達

這裏的僑衆數目僅有四千人，而各僑校及補習學社學生人數的總和幾達一千左右，平均每四個人中有一個在學的學生，就中初中在學學生佔六十餘名，平均每六十人即有初中生一名，這個比例，只有國內教育最發達的縣市，纔可以相比，即以台灣今日的統計數字看來，帝汶山亦未遑多讓呢。

全島僑校大約十間，規模較大而歷史較為悠久的，自然要推首府力利的中華中小學，該校經常有四百以上的學生，而全市落僑僅僅一千七百人，僑商不過七十間而已，如果這幾十間商店的頭家老板，不熱心興學，那能有今天這個樣子，「無僑教即無僑務」，無僑教則數典忘祖，僑胞之土生後裔，也只有相率地變於夷罷了。沒有僑校的最大壞處，是民族文化無所繼承，僑胞精神無所寄託，僑民社會沒有一個文化活動的中心，浸假而由於未受過祖國文化的洗禮，久而久之，一代傳一代，自然地不認識祖國，不承認自己是中國人，我想凡是到南洋住過相當時間的人，都會有這種感覺和體驗！

·讀史述評·

漢武帝（中）

·毛以亨·

二、所提出的命題

我願先行提出三事，來講明我的觀點。第一我是現代人，當不能脫離現代人的觀點，以批評前代人。此雖富於主觀色彩，然而把漢武帝現代化起來，期有以影響於下一代，恐怕歷史教育之目的，或即在此。即在純理論之學術批評上，亦往往用此法。柏拉圖憧憬無限度，然而現代哲學家，多用愛因斯坦四量限度之說，闡釋柏拉圖主義。祇要柏拉圖含有四量限度之精神，甚至不違背此一精神就成了，其目的則爲將柏拉圖現代化起來。否則前數百年已有人把中國歷史寫得很好了，何必重新寫過，又何以會覺得不寫無以適應時代。共產黨以共產主義爲時代精神，大寫其共產式的中國歷史。吾師蘇維埃寫世界通史，則以民主爲時代精神，我們譯其書，現已爲共產黨所禁了。共產黨對漢武帝一味的辱罵，毫不相關。第二，我對傳統的批評，自司馬遷至章太炎，是採珍視的態度，不過對其不滿，而加以補充而已。我最討厭宋人以來的翻案文章，並不因我有保持傳統的傳統思想，而我對傳統觀點的批評，可稱爲各種不同的說法。第三，我打算以武帝同時人，對他當時之實際情形，來講專制獨裁，而自己決定，則成于制度，秦始皇沒有建立起來，因爲秦始皇僅憑武力人之天下的制度，漢武帝之所以能成之惟，是沒有藏的帝權制，而深藏其暴力于文德之中，即是現代的主義與宣傳了。

漢武藏暴力於文德

漢武帝之得立，以其母王太后之權謀，而得立，其權謀譎許，是環境造成的。景帝時，竇太后好老子之五千言，轅固曰：「此家人言耳！」竇太后怒，命往獸圈，使刺豬。景帝使固以利刃，刺豬死，太后默然。此即景帝已非黃老之徒，而武帝生長於景帝之時，目睹身受，自然是傾向儒術了。既喪，稷下儒術始盛，至武帝時，得把權力放在文德上面，來表揚此翻而說儒術，祇是藉用儒術之名，任何人都可以效法的。觀武帝所行的詔書，或稱唐虞禹湯，後又改稱，設教大臣，然擅殺大臣，乃自古本領。而由此實爲漢之儒術所用者，其影響爲尤大。儒術並非爲武帝個人之偏好，而爲儒者之文，乃時代之趨勢使然。

武帝殆患夢遊症

武帝於十九歲即皇帝位，在位五十四年，年號每六年一改，後期四年一改，但改元必假託於天人相應的祥瑞。但在太初元年，爲即位後之第三十七年，以正月爲歲首，改正朔，司馬遷實贊襄之。改正朔本爲歷代帝王表彰文德之始，而武帝表彰文德，與證明天人相應之一端耳。

我疑武帝殆有夢遊症，不然決不會見宮中有小人帶劍行走。因自己精神之不健全，致造成巫蠱之禍，始自陳皇后之廢，而終於戾太子之死，常犯此病。在晚年大悟，盡悔太強盛之志，已有悔意，其自言曰：「朕即位以來，所爲狂悖，使天下愁苦，不可追悔。」又曰：「天下豈有仙人，盡妖妄耳，節食服藥，差可少病而已。」武帝之與始皇不同，在不諱己過，而且獎勵臣下面陳己過。

武帝對我們的功績

對武帝直接之批評，莫如汲黯，而爲武帝所首肯者，「陛下內多欲而外施仁義，奈何欲效唐虞之治乎？」我則以爲武帝之功業，所以能顯著者，在爲中國文化奠定基礎，促成儒術之統一，因爲自己不能獨斷，於是以濟之，必須廣求賢能，以爲全盛時代了。其欲望從對當時已經抬頭的儒術開始，趙綰王臧之言一投，則議明堂，遣擁立他的竇太后，不顧忌而置之腦後了。董仲舒之天人三策，最能迎合武帝意旨，其自己所擬的詔論，連詞句都抄襲春秋繁露（如琴瑟不調則更張，更化，更化二字，爲董子所創的新名詞，而以爲不信有過。）而武帝之待董仲舒，恍如文帝之待賈誼，知其才高於己而反妒之，這亦是野心家應有的常態。公孫宏才華稍遜，建議置博士弟子員，卒擢之爲布衣宰相。六經與儒道，本爲兩股洪流，至武帝乃使其合而爲一。中國文化之根源在六經，六經則在武帝時始置博士來整理，經數世而始成定本。可以說我們現在所讀的中國書，從武帝時開始來編纂的。那末武帝對我們的功績，豈可忽視之麼？

我爲此言，並非欲如今古文家者之互相攻訐，以爲今文是古書，而古文是劉歆所僞造。在西方考據家，亦有謂柏拉圖全集爲亞歷山大城的學者所編造出來，而一部聖經，亦由聖保羅傳採異教教義而成。我以爲當時必然有此等傳統之詞，不過寫爲定本，且以施教於郡國，則自武帝時開始。（祇今文尚書在武帝前。）而紙的初步發明，實在武帝時（三輔黃圖說，後漢蔡倫不過完成紙的製造而已。）因爲有以較便利之紙以代替竹簡之必要，紙就發明出來了。（未完）

現行辦法欠健全

九月十四日，本港一報紙刊布了如下的一段新聞：「東南亞英屬殖民地的教育司，星期一受到警告，着令注意防犯共黨對英殖民地學校的滲入……令新嘉坡，馬來亞，香港的教育司聯合一致，防範共黨顛覆活動。」

防範是早已存在的，大抵現在發覺有了問題，所以必須作一次警告。我們不敢低估英國人的行政效率，許多政令執行，都很有成績。至於防範共黨滲透，卻覺得他們的工作還是很差。

地下反共運動

英國是首先承認中共政權的，因此在法理上，無法執行比較明朗的政策，結果殖民地的反共工作，反而要轉到地下去做，偷偷摸摸地去進行。殖民地政府，似乎一種律例，我說這裏是商港，只准許商業活動和貿易，本質上是和政治活動一致的，所以這種律例，充其量只能做到禁止暴動，非法集會，或取締罷工。但共產黨在殖民地的工作，不一定採用暴動或罷工的方式，去進行其顛覆活動的。

談香港學校的防共

燕廬

英國駐東南亞副高級專員吉克曼，在東南亞英屬殖民地教育司會議時，曾說：「以防範共黨滲入而言，再沒有比在教育方面從事防範更急要的，再沒有比學校更需要保護的了」。這話說得並不錯，但就香港言，所謂防範或保護，現在所表現的不外：

（一）管制學校人事，使之一元化，以殖民地培養出來的師資爲主體，對於非殖民地學校出身的教員，必須覓取太平紳士做担保，作爲「暫准」教師，「暫准」教師在精神上先受到屈辱，物質上又往往不足一飽。

（二）管理學校集體活動。例如學校參加集會，必須兩星期前呈報教育司和警務處，有關開會秩序，演說講稿，或戲劇腳本，音樂歌詞，都必須一一呈請。開會時，還有警方便衣人員，到場巡視。

（三）統一學校課本，將經過審核的教科書，列舉適合各學校，學校須照目錄上規定的範圍，選擇教科書。

這種辦法的執行，自然不足以收到徹底的效果，反而使許多標榜「爲教育而教育」的校長們，得到一個推卸責任的藉口。那些眞正爲共黨所控制的學校，並不重視此種限制，因爲受過高度政治鬥爭技術訓練的共產黨人，他們會很巧妙的避開這些限制的。因此，在某些學校裏，竟有俄式芭蕾舞，大陸的秧歌也流行了，「和平鴿子」成了學生們襟頭的飾物，「首都風景」，「毛主席肖像」，往往在他們書室裏的牆壁上張貼起來。那些不負責任或藉詞掩飾的學校當局，便說道：我們「爲教育而教育」，我們不偏袒任何一方。

香港的反共武器何在

因此，我們知道，不談反共則已，否則必須了解，反共是一個思想文化的鬥爭。即算僅爲防衛，也必須具備一些武器。絕不能僅靠法令條文，或便衣警察，便可收效的。大不列顛的「自由競爭」，「社會保險」，「或紳士風度」，在英國可作反共的武器，但在香港，近一百年來，所培養的，多是「經紀須知」，「帶街常識」，「球經」，「馬經」之類，這是不能抗拒共黨的。

今天（十六）報載，香港總督葛量洪爵士由英啓程赴英之前，發表談話說：「香港將仍是英國的」，同時，他又說：「香港居民，百份之九十九以上是中國人。」那末，香港要保持其原有地位，與防範共黨的顛覆活動，當然非和中國人合作不可了。因此香港教育當局，學校如果無法責令所有的校長，積極負責，又無法利用中國固有的思想文化做武器，甚至使曾受中國固有思想文化薰陶出來的反共知識份子繼續受到歧視，則所謂學校防共陣綫，恐怕終不免是一捏便破的脆弱工具，要維持香港的原有地位，恐怕也有問題了。

笑林廣記有一個笑話說：一個外科醫生，一天來了一個被箭射傷的病人，這醫生把露在外面的半枝箭鋸掉了，對傷者說：「我只是外科醫生，裏面一截，請教內科醫生吧！」

如果把香港作爲傷者，我們所見的醫生，似乎是連鋸掉半截箭桿的勇氣也沒有的傢伙！

讀報論壇

吊民伐罪此其時矣

·左公柳·

最近時論，有人主張，今日大陸同胞，正處水深火熱，欲與中共偕亡，際此時會，伐政府，伐災、伐罪，實大有必要。……看法，的確具有高遠的政治眼光。孫子說：「勝者，謂之神。」「兵無常勢，水無常形，能因敵變化而取勝。」管仲說：「攻堅則瑕者堅，攻瑕則堅者瑕。」武鄉侯說：「兵法乘勞。」這些都是說明戰爭要尋求機會，乘時而動。

今天大陸上，水災災區達十一省，災民達數千萬。饑饉遍地，社會混亂，哀鴻遍地，人心思變，千千萬萬的陳勝吳廣，秋獻，均將伺機而動。王朝，既疲於救災，又急於應變，這是千載一時的好機會。自如能以一支勁旅，自江南登陸，則民衆來歸，猶水之就下，中共安得不望風披靡？

今天還有人把反攻大陸，寄望於三次世界大戰，及雄厚美國軍援，這是危險的思想！三次大戰（美蘇主力戰）何時發生？誰敢預定？會不會在這個世紀內發生？又誰敢保證？假如三次大戰十年不發，我們就十年不反攻嗎？永遠不發，就永遠不反攻嗎？至於寄望美援，更是一種可恥的倚賴！當然，美國能給我們以擊倒敵人的軍火，我們歡迎，萬一他們祇給我們以防衛台灣的軍火，我們又怎麼辦呢？我們要知道，戰爭的勝負，並不是完全決定於數量的大小，如果決定於數量，那末就永遠不會有甚麼軍事家的產生，也就不會有甚麼「奇正」「虛、實」等軍事名詞的出現了。戰爭是一種藝術，祇要藝精，術活，神妙，自有良好的作品出現。我們如果認爲要等到我們的陸、海、空軍，數量上能擊倒敵人，才開始反攻大陸，那是幾乎不可及的想法，也是永遠不可能的事。即使美國給我們原子彈，我們能忍心投到大陸的家鄉嗎？我要舉出岳武穆「乞出師劄子」的幾句話，向我政府呼籲：「我國家厄運已消，中興在即，天時既順，人意悉諧，所在皆賈勇之夫。」……得此而往，我們將不易再找到現在這樣的好機會。「天與弗取，反受其咎，時至不行，反受其殃。」最後，我敢大膽的說，中共雖然表面上唱着「和平共處」，實際上仍……不過是一種詭計而已。我們不要上他的當，應該快快勵反攻！

讀「一個中國人看美國」

王瑞旋

（一）

「一個中國人看美國」作者是世界青年商會中國分會的代表。他去年出席美國舊金山第八屆世界大會，歸國後，以日記體裁寫成此書。全書僅七十面。作者在這本書誠懇地呼籲我政府當局，注意華僑的教育問題。書中所述，均係作者經歷的事實，坦率而不誇張，樸實而不浮華，是值得介紹的一本好書。

（二）

作者先從幼年時代，在上海，所見有優越感的英美人士說起。他初時，以爲到了美國，可能與幼年時代所見相似。但他坐在東京去美國途中的飛機，心理已起了變化。一經抵達美國與原來想像竟完全不同。美國人不但沒有半點優越感，也沒有驕態。他說大致說來，普通美國人均富熱情，坦白，誠懇，謙虛。尤其是個個愛惜光陰，沒有半時在電影中所見的情形。一般時髦朋友，往往仿摹電影上美國人的舉動，眞所謂中了電影毒了。

（三）

著者逗留美國數月，曾旅行新大陸三千餘英里。到過美國各州大小市鎮多處，沿途見聞所及，均以風趣的筆調寫出。他覺得目前美國所施行的是「民主政治」，政府確實做到以民爲主，爲人民服務。他又介紹美國人如何推行「活的教育」，以及若干風土人情，和人民生活動態。他說青年人充滿活力，勤奮工作，爭取時間，利用時間，以真正做到「一寸光陰一寸金」。中年人沒有半點驕態。老年人決不悲觀，人人都生活着。美國社會因爲實行保險制度，使每一個人，無論、生病、失業、年老、死亡，皆有保障。作者亦曾談及美國婦女，一般家庭主婦，全都親自操作，很少僱有傭人。更沒有電影上所見的種種浪漫行爲。作者以生動的筆調，介紹美國人的生活，沒有半點枯燥之味，尤值得稱許。

（四）

作者曾強調，美國援外人員，無論從任何角度看，都有不少人，生活奢侈，居住舒適洋樓，僱用幾個傭人，是極平凡的。此點作者有極詳細的描述，値得注意。最後，作者以沉痛心情，呼籲政府當局，注意華僑在美國的教育問題。希望有關當局，能切實設法改進。本書已有英文譯本，係名記者沈[illegible]先生翻譯。

稿約

本報園地公開，歡迎讀者投稿，文字務求簡短，最好勿超過二千字，譯作請註明出處，來稿不用者，恕不退還，請附足郵票。

政治生活的維他命

馬五先生

我沒有到過印尼，總以爲這一個剛從殖民地生活中翻身起來的新興民族國家，其政治情形必如一般的東方落後地區一樣，頗爲糟糕。尤其對於民主自由生活，一定嗅不到絲毫氣味，滔滔者盡是些不知「德謨克拉西」爲何物的幼稚低能而又橫作威福之流。然而，看印尼總統蘇卡諾最近發生的姨太問題，我對印尼政府的推測殊不正確。

我並非贊許多妻制，而是欣佩蘇卡諾的民主風度。你可曉得：貴爲總統，威加海內，多妾何足爲奇，在咱們這些「東方文化」的國家原係習見慣聞的常事，而在回教民族的傳統風俗中，更係天經地義，沒有甚麼可議之處。即有可議，誰又敢對大總統而上既？難道是「壽星佬嫌命長」，想坐黑牢不成！

但是呀，印尼婦女界却發起抗議，指摘蘇卡諾有失官常，輿論界亦紛紛評判，認爲「我大總統」如果眞是愛上了那已經生育過五個孩子的美婦人，就得效法英國那位不愛江山愛美人的溫莎公爵，解職去位，儷影雙雙，不好再要國鈞，顛覆全民了。蘇卡諾[illegible]到意大利的那不勒斯風景區去作寓公[illegible]，也未下令查封妄議元首家事的報館，未派軍警去抓那些好管閒事的婦女們。這點民主作風，恐怕咱們貴國亦未免是出身[illegible]。

蘇卡諾是職業革命家，年紀並不大，照常理推測，這類人物一旦成功得意之後，很容易流於專橫獨裁的境地，予智自雄，唯我獨尊。據說，他平日頗好讀書，喜與學人接近，集思廣益，精神修養，時代智識並未落伍，他的民主常人不讀書，無以立，[illegible]政治的人不讀書，就不能混。中國的達官貴人，似乎很缺乏這種政治機能的維他命！

理想家庭的創造

·許鵠倫·

（一）有一首英文流行歌曲說：『家，甜蜜的家，世界上沒有一處地方比得上家。』（HOME, HOME, SWEET, SWEET HOME. THERE IS NO PLACE LIKE HIM）。但的，世界上有什麼地方比一個融洽安靜的家庭更可愛的呢？爲着個人幸福，爲着兒女前途，每一個做父母的都有建立一個理想家庭的責任。

（二）一個理想家庭的建立，自然需要一個良好的戀愛基礎。但世界上沒有一個十全十美的人，也沒有兩個性情和思想完全相同的男女。每一個人都有他的情感上，理智上，和性格上的弱點。因此一個融洽的家庭，要靠雙方互相了解，互相寬恕和勉勵。丈夫當然要負起對家庭的責任，妻子也應該使丈夫對家庭感到溫暖，滿足，和需要。

（三）佈置一個整齊、舒適，和藝術化的家庭，是主婦應有的技術。一個家並不需要珍貴的傢俬來做裝飾，但務求簡潔、和諧、清雅，和愉快的家庭氣氛。丈夫爲了事業忙碌，爲事業煩惱，當然希望有舒適的家庭，去休息疲勞，調劑心靈。[illegible]的家庭間，[illegible]發生厭惡，[illegible]蕩漾想從別處找尋精神安慰。

一個理想家庭的建立，要經濟穩固，收支平衡。作爲一個主婦，對家庭收支，應有[illegible]的計劃，[illegible]一些合理[illegible]家庭娛樂。

（四）我們更需明白，夫妻結合，不僅是肉體需要，最重要的是精神需要。一個聰明的妻子，應該了解丈夫的事業，常常關懷丈夫的事業，[illegible]的妻子，是世界上最能幫助自己，最能給予勉勵，使丈夫感到不[illegible]心自己的人。這種[illegible]，不僅在家庭方面需要她，而且在事業上也需要她。

假如對方心境不樂，脾氣暴躁，做丈夫或妻子的，應該溫柔地勸慰對方，轉變他的壞心情。反省自己，[illegible]方面的錯誤，[illegible]己的過失，假如對方[illegible]改善，[illegible]外遇，[illegible]揮自己[illegible]以正義和嚴詞去責備，並且請求對方解釋自己不諒解的原因，反省一方面也應該[illegible]意對方的心理，情智[illegible]子或丈夫應該當[illegible]，預防性格上的弱點[illegible]好辦法。

（五）兒女是家庭幸福的關鍵，在家庭中佔有很重要的地位，[illegible]。父母要有[illegible]的教育，[illegible]兒女[illegible]，[illegible]他們的意見，[illegible]教子[illegible]他們持長的威嚴[illegible]便過份的尊嚴的冷淡家庭空氣的沉寂。因此，融洽的家庭，應保持相當限度的民主化，父母對子女的要求和意見，應作合理的考慮和接納。要求如不合理，並指導他們的錯誤，並解釋他們的意見，鼓勵孩子們發揮自己的意見，讓他們可以明白他們的思想和優點和缺點。以培養他們的意志和獨立性格的發展，增進孩子們的興趣和生活的興趣，妨礙孩子們對於家庭事務的意見，例如家庭佈置，家庭娛樂等問題。足以影響家庭間的和諧，造成兒弟姊妹間的不和睦或暗鬥，以致影響兒童心理和性格的發展。

憶江南

·郭敏行·

春回最易憶江南，處處清流日月潭。開道後園花落早，料因無主惱人探！

送黎生赴台灣

懷冰

丹青難寫是精神。栽籍紛紜要識眞。試察民心徵向背。知從積學貴天人。乘風端不驚駭浪。登陸還期識戰塵。奮發軒昂須記取。無爲兒女淚沾巾。

中篇小說 金珠

·勞影·

我向醫師表示，一切責任由我負，我須立即辦辦保證手續，同時請他們分外照顧病人，務令大人平安。

我又解身在金珠耳邊說：「小珠，閉上眼睛吧，聽我的話，我永遠在你身邊！」

趁她閉上眼睛的當兒，我退了出來。我安慰了一番她的後母，便隨一個護士填寫表並付了保證金，之後，我就躺在一張沙發上抽烟，直到此時我才感覺到一陣輕微的頭暈。

孩子分做十三塊取出來了，金珠也因出血過多而陷入昏迷狀態。我取得三天陪伴病人的寬待，她後母當然信任我會比她照顧金珠更好，並經院方的介紹以十二元一小時的代價請來一位特別護士。晚上，她還算安靜，閉着突出的眼球沉沉睡去。我用手背輕輕撥她額前瀏海，發熱如火，呼出的氣像一陣陣的熱風，我把這種現象偷詢護士，她說沒有關係，這屬於每一個產婦產後的必然現象。我借着燈光去看她的臉，在短短十餘小時中，她竟憔悴得改變了原來的面目，我黯然坐到房間裏最遠的一個角落，輕輕點上一枝烟，我想藉烟的刺激來鎮定我的精神；屋內一片平靜的白色，我靜靜地坐着，呆視絲絲縷縷的烟霧，漸漸地，我的身軀飄忽起來，微微地飄，輕輕地飄：……我發覺我正站立在一隻航行於春日清晨下的郵輪上。金珠倚偎在我的身邊，我的心裏充滿歡樂，我爲[illegible]上那由朝陽照射而蕩漾的萬讚，金光沉醉，而[illegible]；我快樂得[illegible]大洋，[illegible]歌唱，我要讚美，我要在巨浪翻騰的時候讚美金珠[illegible]，在我感覺到自己胸膛裏[illegible]中感到小小的安全，[illegible]從甲板上抓起一根小銅管，[illegible]瘋狂吹奏，激昂的，我將以銅管吹奏出與浪濤讚之美！[illegible]，我將銅管擲入洋心，翻身緊緊抱住金珠，吻她！用力地吻！像追求死亡一樣地吻！我要用火吻來燒烤她，熔化她！我要她在我長吻裏感到死亡的威脅，我要她在重獲新生後恍若隔世。……

海風輕輕吹，陽光暖和地照着，我們雙雙躺在潔淨的甲板上，有如憩息在那一雙柔軟的大搖籃裏，我們手握着手，仰視天際白雲，白雲簇簇，我們的神思再度飛行：沙鷗點點，似乎向前飛舞……。（三一）

世界的權威報紙 紐約時報（下）

時報在世界任何一個大城市裏都派有專員負責採訪。華盛頓時報辦公處，共有職員二十二人。美國總統每年總特別給予時報記者兩個談話的機會。和各部首長負責人會談更是家常便飯。多數機關總把材料送給該報。時報的宗旨是：凡有新聞價值的稿件一定發表，這是報紙的責任。

時報每日刊行一百萬字，編輯稿件實在太多了，稿件往往有些人說：修飾來稿不易，的往往把原稿一字不[illegible]登在報上。對於[illegible]過編輯的報紙是不堪入目的。時報不[illegible]認識爲黃色的。[illegible]新聞，或是不背加以認識爲的。但[illegible]蘇伯祗認爲這一種偏見。他以爲別家報紙能夠刊登的新聞，時報也應該登。他說：『一段小報登出來是不新聞，一經[illegible]入日報，便成了社會學的一段資料。』[illegible]的話是事實，[illegible]

下是自吹自擂，誇耀自己的力量。時報是一個銷路大，廣告刊物，也比別家多。美國報紙慣例，凡刊登在報上發表的廣告，都有權利有本身利益的新聞，一段時報不但能替廣告客太多了。不[illegible]些人因此不表新聞，說要取銷廣告，此事，轉意別家報紙的態度，於是堅決的：老板蘇伯關去時常說：『我們的隨廣告他們在報上，他們不能夠需要止時報，[illegible]。』時報的宗旨是以最公正的方法識表新聞，這是：『我們報紙社論大，各樣比較的：老板蘇伯有效力[illegible]，疾呼來得有效。』所以，[illegible]說，老板蘇伯[illegible]，我們向那一方面[illegible]，民衆[illegible]那一方面跳。民衆自己會當心貓兒。』——牛布衣。

小啓 本期稿擠，「詩人楊雲史的風趣」一文，下期續刊。

愛國詞人王沂孫

——兼論學詞師法問題——

羅自芳

（六）

高陽台和周草窗寄越中諸友。

殘雪庭陰，輕寒簾影，霏霏玉管春葭。小帖金泥，不知春在誰家。相思一夜窗前夢，奈個人，水隔天遮。但淒然，滿樹幽香，滿地橫斜。江南自是離愁苦，況游驄古道，歸雁平沙。怎得銀箋，殷勤說與年華。如今處處生芳草，縱憑高，不見天涯。更消他，幾度東風，幾度飛花。

此詞亦沈痛之極。不知春在誰家者，人民受盡蹂躪，痛苦已甚。窗前夢是日夕盼望反攻，水隔天遮，則王師遲遲不來，幽香、橫斜，所謂「只聞樓梯響，不見人下樓」，只聽得一些消息傳說而久不實現，所以但淒然也。怎得銀箋說與年華，謂反攻須及時，要則人民生機殆盡，恐不能等待矣。如今兩句，深恐王師之終不來，結尾三句乃重言局勢如此，人民只合備嘗忍受暴虐的待遇耳，然而[illegible]起幾許摧殘呢？碧山此番心情，不當爲今日我們寫照，讀其詞，感同身受，不禁涕淚俱下矣。

以上引了好幾首詞，對於碧山詞的面目，已可窺見一斑。其所表達的內心情感，無一不關切到家國興亡的上頭，態度十分嚴肅，絲毫沒有末世文人那種醉生夢死的作風。至莊中白之白雨齋詞話，極賞碧山詞，謂其最有沈鬱頓挫之致。惟我覺略嫌其過於銷沈軟弱，語多淒苦，缺之一種激昂奮發的氣概，雖謂時代環境使然，要亦關乎其人氣質的稟賦耳。

至於碧山在作詞的工夫技巧方面，可算得是最出色當行的一個，無論就結構上，字面上，抑或聲律上，都極有講究，決非尋常作者所能望其項背，即並時諸大家如吳夢窗，周草窗，張玉田輩，亦無出其右者。近人論作詞，多主由南宋入手以上窺北宋，且更其說，謂循碧山以上窺美成，此論最有見地，可謂知言。

（七）

在組織結構上說，碧山詞最整齊，最細密，層次井井，脈絡分明，轉接緊湊，其規矩法度，有條不紊，能不像其他的作家，有時故意以曲筆拗筆出之，故示標奇立異，令人不可捉摸，但雖則如此，他却又並非呆呆板板，千篇一律，而常有變化，不過縱然變化了，仍有蹤跡脈絡可尋，故最便於初學作詞者的效法步趨。

在文字上，碧山用字，造句，都極謹愼，經過千錘百鍊然後下筆，故字字精研妥貼，語語俊妙自然。其雕飾工巧的地方，不像夢窗之流於晦澀；其輕淸流麗的地方，又不似玉田之近於浮滑。南宋諸大家中，在字面上最講究，不隨便輕下一字的，除碧山外，還有梅溪，白石二者；但梅溪祇求工妙纖巧，而絕少寄託，格調終屬卑下，白石意境高妙之至，然又過於空靈，初學詞者，終難學步。（四）

共產黨的經濟學

——竹幕側影之四——

·秋文·

一個舊識朋友，已經五年不見面。上周和他相遇，問他近況，有無家中消息。據他說很少，偶有來信，總是催促寄款，維持生活，其餘概不提及。

問他：「老太太出來沒有？」

「還沒出來，現在就祗家母一人留在內地。」

「老人家近來很好吧？」

他很憂傷的說：「在內地，有甚麼好得的？每月都要寄點錢回去，給老人家過活。最苦的，是我們初來香港那一年，她老人家被「蘇維埃」政府拉去，說是地主，要退押，又要她出錢買公債。老人家兩手被又被捆縛着，後來放入豬籠，不受了刑。後來公家允許，所有動產和不動產都充公了，手才得釋放。又因此老人家受了傷，後來變成殘廢，沒有適當醫藥，舉動極不方便。」

「接她來香港不好嗎？」我說。

「談何容易！她現住鄉下，想還到城市，都不允許。」

「爲甚麼？」

「因爲她分到幾畝田地，要自己參加生產。」

「老人家今年高壽幾何？」

「已經七十二歲！」

「七十二歲，還要參加生產嗎？而且是殘廢的人！」

「其實，何嘗是老人家自己耕種，祗得雇用兩個工人耕田，給她，就是他們繳納稅了，沒法，自己負担人的工資。」

「田地應該有收穫的。」

「那是些瘠土地，全部收穫所得，繳納公糧還不夠，因此，我每月非得寄回三個人伙食。大陸也准許去雇用工人」嗎？

「我倒好奇的不大淸楚，也許我們是特種戶頭，而且他們知道我在香港可以寄款回去，因此要我負担。現在工人的工資要我出，生產品却全要歸公。」

「這就是共產黨的經濟學了，是不是？」我帶着譏笑的語調。

「天知道？」他望望天，像是無可奈何的樣子。

自由人
THE FREEMAN
（第二七三期）
每份港幣壹毫
社址：香港高士威道廿號三樓
3 rd. fl. 20 CAUSEWAY RD HONG KONG

以行動求團結

「予打擊者以打擊」！

左舜生

『和平』並不是一個怎樣新鮮的調子，可以說自有人類以來，戰爭即沒有眞正的停止，同時祈求和平的願望，也隨時隨地由人們在不斷的表示。

和平．戰爭．統一

和平乎，戰爭乎？殊不知道古往今來多少的志士哲人爲這一大矛盾問題絞盡了他們的腦汁；更不知道多少的鐵血無告者在這一大矛盾問題的起伏中供了犧牲：說好戰是人類的天性，未必盡然；說祈求和平爲人類一種過分的奢望，也言過其實。然而自有歷史紀載以來，這短短的幾千年中，理想卻終於是理想，而事實依然是事實。

戰爭的目的在求生存，至少在解釋上總是求生存，但戰爭的結果是死亡和毀滅；戰爭的進行是因爲一個問題或若干個問題已經到了非訴諸一戰不能解決，因而不得已才運用戰爭手段以濟其窮，但過去的事實告訴我們：從來沒有因戰爭而使要解決的問題得到永久或眞正的解決，反之，隨戰爭而引起的新問題，卻是愈趨於複雜而且擴大。

「天下惡乎定？」曰：「定于一！」由這「定于一」的觀念所推演，這也許是古今中外若干戰爭所以引起的主要原因之一，照孟子的解釋，像在他當時那樣一個列國分爭的局面，只要有一個不嗜殺人的君主，便可以把它安定而統一起來。其實孟子這一個簡單的看法，乃與人類的歷史事實完全不合：我們知道，在過去任何一個國家的統一，幾乎是沒有不經歷一段戰爭的過程的；要戰爭就必得爭城爭地，要爭城爭地，就必得殺人盈城盈野，說一個不嗜殺人的人而可以做到統一一個國家的事實，我實在舉不出這種例子。在孟子時代的所謂「天下」，本來只是指他們所知道的『中國』而言，他之所謂『定于一』，當然只是指統一中國而言；羅馬人蒙古人是不是眞有統一世界的觀念？我想就有也並不怎樣清晰；日本軍閥強調的所謂『八紘一宇』，只能解釋爲一種源於中國的一種浪漫大同思想；即希特勒所夢想由他來奮鬥的目標，也僅僅是一種誇大狂的發揮；可是雖然如此，卻已經爲人類召來了莫大的災害，何況是今天的蘇聯呢？

一切動亂導源於莫斯科

自從有了列甯和斯達林的共產黨，他們居然把一個共產極權的國家建立了三十七年，世界一切的動亂，幾乎無一不是導源於莫斯科。有了東歐一串的衛星國，再加上半個德國，已經使得全歐洲人無法安枕；自從她扶植中共搶到了整個中國大陸，再加上半個韓國、半個越南，[illegible]亞洲人皇皇不安，[illegible]澳非[illegible]即美洲又何嘗[illegible]現在蘇聯已[illegible]計劃的發動了所謂[illegible]家，一致集矢於美國，其黨若曰，其他的國家還可以和他們和平共存，（當然是一種欺騙。）惟獨對於美國的獨霸，則絕對不能放手。他們誠然知道，以美國的人力、物力，以及她領導國際的威望，確足以成爲他們一個惟一的勁敵，故不惜以全力來和美國週旋。以蘇聯的立場來說，他們似乎已懂得中國人所謂「擒賊擒王」的道理，其選擇美國作爲他們第一個必須打倒的對手，在他們是並沒有錯的。

我們在這裏不可忽視：自從人類有了一個原始的統一世界的幻想以後，認眞在有計劃的進行，而且得有初步成績，而足以煽動一般野心者的，這一方面實在還是莫如今日的蘇聯。尤其是她控制了整個中國大陸以後，更加強了她這種侵略的凶燄。三十年繼續不斷來毀滅人類和平理想，擾亂人類生活秩序的，蘇聯實爲禍首罪魁！而第一個最大的幫凶，便是中共！中共所控制的土地與人力，實數倍於蘇聯其他衛星國的總和，亞洲有了一個中共，蘇聯才進可以戰，退可以守。這是蘇聯三十年以上，運用陰謀詭計所得來的一個成果，他們公開的，秘密的，下了許多工夫，並不是完全出於僥倖。像這樣一個漫長事實的演變，至今還爲全世界若干近視眼的政客們所忽視；他們總以爲對中共和緩，即可離間中共與蘇聯的交親；他們相信中共除「一面倒」以外，總也還多少有一點國家民族的觀念；他們以爲即令中共經濟[illegible]；他們甚至還相信中共終有改絃更張的一天，決不會甘心樂意永遠做蘇聯的一個役使工具！艾德禮貝萬如此想，尼赫魯如此想，一部分左傾的日本人如此想，甚至蘇卡諾也如此想，以號稱留意世界大勢的政治人物，甚至直接負有政治責任的人物，其淺薄無聊一至如此，這眞是一件令人悲觀扼腕的事。

大勢依然決於美國

可是大勢的挽回，仍然決於美國，我們，在這裏願意斬釘截鐵，向美國提出如下的建議：

要搶救整個的世界，必須首先搶救亞洲，要搶救亞洲，必須首先直接打擊中共。中共與蘇聯的分合，只有在中共直接遭遇重大打擊的時候，蘇聯所持的態度如何一點上，才可以明白的看得出來，保持現狀不變，中共只有繼續向蘇聯一面的倒下去。以大力直接打擊中共，可能不需很長的時間；必須一戰，不必動用美國地面部隊。

今天整個中國大陸，充滿了不安的情緒：眞正的老百姓是反共的；大部分爲自救向中共黨的分子，是隨時在動搖中的；因爲蘇聯的領導錯誤，中共的高級幹部中，已經有了無數的不平分子；（周恩來就是一個！）中共以外的大多數人民，他們富有國家民族的觀念，對蘇聯無理控制，他們更[illegible]心的讎怨。

中國人具有加速實現民主政治的決心，決不能容許共產[illegible]延緩，在與中共進行戰鬥的過程中，中國大陸可能短時間內恢復，時期決不會太長，[illegible]無害，而且事實上還可能有益。

美國要求民主國家的加強團結，只能於行動中求之，這次聯合國以壓倒多數把中共屏諸門外，便是因爲美國對保衛自由中國採取了積極行動。

英美兩大國在平時可能有歧見，在戰時決不應有歧見，這次周恩來在所謂「人代會」上看見英國對東南亞公約以及在聯合國和美國完全合作，乃發出美國對中共『不友好』的悲聲，這不僅是周恩來一個失望的開始，還有更大的失望在將來。艾德禮貝萬等這次對中國大陸的訪問，以爲可能發生良好的影響，但實際所得到的是英美合作的加強，是『不友好』三個字的冷諷批判，碰上一鼻子的灰，活該！

根據人類數千年的歷史，戰爭是可怕的，可憎惡的，但是無可避免的那個戰爭，你越想避免，那個戰爭之神便越會向你招手，避免其無數次的小戰，其結果可能召來一次空前的大戰！中國大陸可能有部分毀滅，中國人民還要繼續的死亡，命運是無可逃的！

要求一個處理蘇聯方案

最後，我要回到我開始所說的一段話：人類是樂分治而厭惡統一，『車同軌，書同文』，使全世界都說俄國話，全人類都向蘇聯歸化，這將成爲一個『黑漆一團』的世界！像俄國這樣一個在政治文化上極端落後的國家，不僅不能容許她去進行統一世界的企圖，而且不應容許她繼續統治像他們本土那樣一個大國；把一件有力的武器握在一個愚昧而精神失常的人手上，毫無疑義是一宗要闖禍的。以俄國的歷史、文化、地理、民族性……無論她如何變化，他們將永遠只能實行極權政治，以一個土地龐大而人口衆多的大國而實行極權，這實在是人類和平的一大威脅！在經過最近一次的大戰以後，我們應該依照蘇聯的地理，民族，等等，而把她分成五十個以上的小國，他們只有再經過三百年的分治，才會有資格進入於那時候的文明國家之林！也只有這樣做，人類才有可能得到一時期的喘息。

但是，我依然不相信戰爭是可以根絕的。

評．中共的憲法

王世昭

不通，不通，不通，眞正不通！

胡說，胡說，胡說，根本胡說！

爲了要批評他，讓我拿出證據！

〔中華人民共和國憲法〕於一九五四年九月二十日由「僞第一屆全國人民代表大會第一次會議」通過，前冠序言，全文分四章，計一百零六條，在數字上比中華民國憲法多一條，如果我們加上附帶條款二條，則又較中共多過一條了。

憲法爲國家根本大法，其原則：第一要普遍，第二要永久，第三要合用，而最主要的一件事，是憲法既爲國家的根本大法，文字必須通順，明顯，實在，一字不能多，一字也不能少。總而言之，統而言之，即是廢話少說。

大言不慚自詡勝利

現在我們翻開中共憲法與各章並列的「序言」，看它的文章通不通？如序言第一段：

「中國人民經過了一百多年的英勇奮鬥，終於在中國共產黨領導下，在一九四九年取得了反對帝國主義，封建主義和官僚資本主義的人民革命的偉大勝利，因而結束了長時期被壓迫，被奴役的歷史，建立了人民民主專政的中華人民共和國。……」

現在我要問：一、「一百多年的英勇奮鬥」由那一年算起？是從[illegible]還是洪秀全造反算起？二、「中國共產黨在中國領導」是那一年？是北伐嗎？是抗戰嗎？三、「取得了帝國主義，封建主義和官僚資本主義的人民革命的偉大勝利」。「帝國主義」是指那一國？美國嗎？不但沒有被打倒，而原子武器在韓戰場上已使中共吃了大虧。英國呢，若論韓戰也是「幫兇」之一，他們的橡皮戰術，已使中共在戰場上低首，在政治上更還要借重。說到「封建主義」和官僚資本主義」拿什麼做界綫？在「封建主義」之中，而「封建」指的是什麼？「官僚」是否包括是新與名詞，幾個有錢官吏就算是資本主義嗎？帽子滿天飛，自詡「偉大勝利」。更自由中國還在，「美帝」和「英帝」也還吉健如恒，這種篡奪民權，強奸民意的集團就算是「偉大的勝利」嗎？眞不要臉！四、「結束了長時期的被壓迫，被奴役的歷史」，[illegible]

一切都是過渡的

序言第二段：「從中華人民共和國成立，到社會主義社會建成，是一個過渡時期。……」[illegible]

（下轉第二版）

半週展望

陳克文

可大可小的金門砲戰

聯合國把中共加盟的提案作再次擱置的決定之後，中共對金門的砲擊便跟着加緊起來。中共叫囂「解放」台灣，以打入聯合國爲其用心之一，但已證明。[illegible]

中共的黔驢之技

中共在高呼「解放」台灣聲中，儘量利用宣傳技倆，原不足怪。所可怪的，竟利用唐生智、黃紹竑之流的叛國份子，[illegible]

艾德禮何昏瞶乃爾

艾德禮訪問大陸，經美返英，到倫敦後，第一次談話，竟公開主張[illegible]

文清運動觸及的問題（下）

·陳紀瀅·

只由於政府疏忽責任，縱容它們到了如此地步，仍不能自動地及時糾正取締，弄得一般書生發肝火，繼之社會沸騰；老實說，政府應該引為慚愧，負責人也應該臉紅的。這一運動無異在政府臉上重重打了一捧，還有甚麼幫助他箝制言論自由的可言？

要擴大言論自由範圍

果真政府有意箝制言論，它也不曾把對象落在黃色，黑色的書刊上，更不須假手於這樣一個運動和這批人身上！這是稍有常識的人會理解得到的；而且言論自由與不自由，要看事實表現。試看，在今天已取締了十個雜誌之後，正當言論受到甚麼與前不同的限制了沒有？

雖然如此，我們不但無意替政府對箝制言論做任何辯白，我們反而要趁這一行除三害之際，要求政府給予新聞界更多的言論自由！扶助正當的新聞事業正當發展，使那旁門左道販賣黃黑貨色的冒牌新聞自然歛跡；擴大言論自由的範圍，使新聞事業加速發展。這當然說明此一運動不但無限制言論自由的企圖，還要求擴大言論自由的範圍！

至於有人講會這一運動將是替壞人遮羞，給黑暗撐飾，更是不成為理由。我們曾一再強調，這一運動除赤黃以外，所反對的是誨淫誨盜、顛倒黑白、造謠誣衊、捕風捉影，人隱私的黑、黃色新聞與那猥褻下流的論調；我們從未反對根據事實，揭露社會黑暗的勇敢報導；我們喝采那些大胆直言有關國計民生對人對事的指責，却不贊同含沙射影，繪聲繪影，不負責任的攻擊，甚至於捧場！我們要求人人有光明磊落的風度，有堂堂正正的氣慨，政治家如是，作家也應如是！一個字，一句話，不但對事負責任，對社會，對道德，甚至於對子孫都須負責任！

要打擊的是壞風氣

我們反對黃黑二色的最沉痛的理由，是因為它們已把這個社會攪得烏烟瘴氣，使社會人士漸漸失去了光明磊落的風度與堂堂正正的氣慨！不講道德，不負責任！此風一長，我們所要看到的將盡是悲劇！因之，打擊的是整個風氣，絕不限於幾家刊物，事理也極為明顯。至於黃害，大家容易看出來，可是內其有麻醉性，則不易為人擦覺。在政府未處分十個刊物以前，一位內幕雜誌的主持人當面向我解釋，[illegible]刊物所登載被人目為黃色的新聞，無一不在警察局有案。我答覆說：「對了，這便是你所持最強有力的理由了！然而你却不知那已成案的事情已然是萬惡滔天，再經你用文字誇大渲染，便構成誨淫誨盜的好資料了。」我又說：「你先生今年也不過三十歲左右，你的子女一定還小，假若再過一二十年，你的刊物依然未改，那時候你的子女看了你的『傑作』，不打你的耳光才怪！假若你今天不樂意讓你的子女看的刊物，偏任它害別人，其心可誅！其行可鄙」！我覺得我的話一點兒也不過火。這位先生尚有良心，他紅了臉。[illegible]的話，也是他的刊物的下免罰停刊。

由於以上所說，可知我們絕無意濫[illegible]，更非替黑暗勢力捧場！

政府無須法外施法

再一個問題，是否因這一運動，會影響政府法外施法？當初有幾位立法委員提出這樣質問，我答覆他：「絕不會！」我所持的理由很簡單，即今天政府倒非北洋軍閥那樣，要搞什麼運動了，張宗昌既可以藉口槍斃林白水、邵飄萍，今天槍斃一兩個[illegible]，且有證據的，有什麼不可？事今天自由中國的[illegible]府既已走上民主憲政的軌道，政府官吏已然不是昔日的軍閥，我們要求的又是那麼溫和緩，現有法律無論出版法與刑法已然足用。有什麼理由必須要法外施法？又何必法外施法？聰明的讀者[illegible]

結果出乎預料之外

[illegible]遇我們倒覺非常坦然了！我們的遭遇就是咱們的特長：（一）說論這一運動是利用黨派鬥爭、打擊異己、扼殺言論自由問題，法外施法問題。這些問題，由今已不必談，事實證明被擊破，在事前我們很想澄清，已經把它弄得清楚明白了。只要有理性的問題，我們都曾加以解辯。（二）說一點或許要拿出這一點我們不怕！我們說笑話：「他們若有本事，最好告到上帝台前，上帝是公平的，那裏去會狠狠地懲罰他們一下！」至於他，則非我們顧及範圍。

關於第四，我們倒可能是早把失敗打在前面。我在八月七日發表談話時曾說：「這個運動弄不好，後來不得不是我們小組結束。」果然，政府隨着輿情，不是過了於政府放任，管首長們的不肯負責，尤其不敢得罪一批新興惡勢力，我們實在不敢稍存奢望，我們只是大家都認為有非除害不可，不論公誼社會，一定心機，無論如何，趁機陳其為害之烈，指以利鈍，當在所不計，所以，處分十個刊物，倒使情形又是一驚。雖然並不滿意，畢竟出乎我們意料之外，尤其使十個刊物的主持人如聞晴天霹靂！這表示輿論有了力量！表示政府俯順了輿情！

這篇文章所觸及的問題，無意詆譭，我們而是思慮的精神，而在今天做沉痛地說明在今天做一件比較有意義的事是如何困難。特別是做一件開罪於人的事是多麼複雜。何怪乎誰也不肯多事？社會先滿自掃門前雪之人？我一再說這不是一件輕鬆愉快的運動，更非出風頭的運動，其故在此。因此，我祈求親愛的讀者勿因我文字的坦率，失去對這一運動的同情！

評：中共的憲法

王世昭

（上接第一版）

文字不通濫用名詞

序言第三段，略。

序言第四段：「我國人民在建立中華人民共和國的偉大鬥爭中，已經結成以中國共產黨為領導的各民主階級，各民主黨派，各人民團體的廣泛的人民民主統一戰綫。今後在動員和團結全國人民完成國家過渡時期總任務和反對內外敵人的鬥爭中，我國的人民民主統一戰綫將繼續發揮它的作用。」

於此，第一我要問：「民主階級」是什麼階級？各「民主黨派」是什麼黨派？各「人民團體」是什麼團體？階級，黨派，團體，怎樣分別？第二我要問：「動員和團結全國人民完成國家過渡時期總任務和反對敵人的鬥爭」之後還要做什麼？是不是鬥爭假定完了，人民民主統一戰綫發揮作用的任務也報告完結，請各階級，各黨派，各團體自由去宰割！

序言第五段：「我國各民族已經團結成為一個自由平等的民族大家庭。在發揚各民族間的友愛和互助，反對帝國主義，反對各民族內部的人民公敵，反對大民族主義和地方民族主義的基礎上，我國的民族團結將繼續加強。……」

各民族既已「團結成為一個自由平等的民族大家庭」，而又「反對帝國主義」以及「大民族主義」「地方民族主義」等的，此話怎講？既是「民族大家庭」，何來「大民族主義」？這眞是狗屁不通之至，虧他們想得到，寫在所謂憲法上！

六用「過渡」必然崩潰

序言全文不及一千字，計分六段，文字不通，名詞也亂用。中國自有憲法歷史而來，如「欽定憲法」，如「臨時約法」，如「天壇憲法」，如「中華民國憲法」，都沒有那麼令人頭痛，那麼可厭，那麼貧乏。請國內外有識之士想一想，以中國人，寫一部中國憲法，第一篇序言就[illegible]「過渡」是什麼？——請注意：六段序言中共用六次「過渡」字眼，平均一段用一次過渡，因此，中華人民共和國是過渡的，必然崩潰也是毫無疑問的，請大家等着瞧吧！

名為集中實為專制

現在我們再來看第一章總綱第一條：「中華人民共和國是工人階級領導的，以工農聯盟為基礎的人民民主國家。」

中華民族論族類，可分漢滿蒙回藏苗傜僮等，論階級可分農工商學兵等，農人尤佔全中國人口百分之八十以上。中共沒有控制大陸以前，喊「農工商學兵」，既竊大陸以後，在憲法上以工為主，以農為附，換言之，即以大都市的工人階級去領導鄉村農民，美其名曰：以「工農聯盟」，輕輕地帶上一句，却把全國農人在憲法上出賣了。從此中國共產黨領導工人，工人又領導着農民，什麼「民主黨派」，什麼「人民」，什麼「民主人士」，那都是多餘的。質言之，中華人民共和國是小資產階級所領導的，下是以利益為前提來共同領導的，豈非滑稽之至！

第二條：「全國人民代表大會和其他國家機關，一律實行民主集中制。」

什麼是「民主集中」？民主而可以集中，還講什麼民主？明明是集權政體，偏說民主集中，偷天換日，欺騙全國老百姓，把「權」字改作「中」字，避重就輕，騙鬼可以，騙人是要不得的。

領導權既在中國共產黨手中，在黨以多數壓倒小數，在政言政，以小數控制多數，小數黨變作花瓶，老百姓成了工具，什麼好聽的理論，勸人的辭句，都是空洞的。所以從第三條至第二十條均如是觀，也可以思過半了！

〔下轉第三版〕

編者讀者

一夫先生來函

編輯先生：

看過八日「自由人」的「半週展望」，誠覺得悲憤萬分。美國真的要阻止我們反攻嗎？真的要在沿海劃一道新鴨綠江嗎？！果如此，希望政府，千萬不能遷就，挑到最后一滴血，都是不能計較的。我們為復國救國，實無勞作的。美國似乎是一個力大的賭十，可借用他的力量，而不能相信他的眼睛。像「雅爾達」協定，「馬歇爾調停」，都是太相信美國人的眼睛。因此我們吃了大虧。美國的朋友先要明了，你們援助自由中國，也是為了你自己的安全。你們不要太相信兩面人英國的擺佈。試問你們現在馬尼剌開的「東南亞會議」，所標準的「反殖民地主義」作何解？中國大陸給蘇俄做了殖民地，你們還不幫助自由中國，解放大陸，你們的「反殖民地主義」還有什麼價值呢？

讀者一夫啓　九、一二、

△清心，徐鐵英，王建國，伍潤三，諸先生：惠稿均已收到，謝謝！

△余錚先生：函悉，通知單已遞嘱寄台王先生轉，已收到否？請復。

△徐澤予先生：函悉，照辦，請復。

小啟

今日稿擠，[illegible]，下期續刊。

人物述評

原子武器專家赫爾將軍

（一）

美國遠東統帥赫爾將軍（J.E. HULL）於七月廿日晚從東京飛抵華盛頓，適值越戰停火簽字後。他極表憤慨，當時他發表聲明，認為越南停火只是臨時的解決辦法。他說：除非西方防務措施堵絕共黨侵略之路，否則越南停火協定，只是暫時的解決而已。他籲請自由世界（指美國）面對該部份的世界現實。

本年五月他曾由東京往所來香港，逗留兩天之後，旋往東南亞各地訪問，接着他又訪問南韓，對李承晚總統保證，美國將不使韓國有被北韓攻擊的危險。

今年一月十二日，他首次訪台，他在台灣，總是很謙虛的對人說，他此來是儘量多看看，多學學，給予台灣人士以極佳印象，有人讚他，大有中國儒將風度。據台灣消息，國民政府將以雲麾勛章分別授贈聯軍遠東統帥赫爾上將，及美第八軍軍長泰勒中將，美駐東後勤司令等，以酬謝彼等將一萬四千名韓反共義士，自韓境送歸自由中國所予之熱誠協助。

（二）

一九一七年冬季某天，大西洋晨曦燦爛，萬頃波濤染成鮮艷的金色。一艘英國驅逐艦正在大洋中執行巡弋任務，艦長站在駕駛室，舉起望遠鏡，向四處搜索前方，似乎被現了什麼。

「喂，你看。」艦長一手指着傍邊的副官從艦長手上接過望遠鏡，向所指方向注視：「呀。是的，是的，艦長，那是人！」艦長倉卒向駕駛員喊。「向北靠一點，快！」

船迅速地校正了方向，向那遠處一個小黑點駛去，小黑點愈接近便愈清晰了，的確，那是人——一個海洋被難的餘生者。最後，這人被救上艦來，他身穿美國尉官軍裝，身材魁梧，年約廿一二歲。飲過一杯熱酒後，他站起來，用勁抖了一抖，爽朗地微笑說：「嘿，這不是一次有趣的游泳嗎？」

他就是現在這位聯軍統帥赫爾。那時他剛從後備進入軍籍，乘法國兵船赴歐作戰，中途遭德國潛艇襲擊，以致在茫茫海洋中，飄流七小時之久，幾乎完結了他的生命。

（三）

去年九月十一日，赫爾被艾森豪總統選任為克拉克的繼任人，一般人都有冷門之感。華盛頓五角大廈的電話鈴聲，整日不絕，記者們紛紛探詢，那是怎樣的一個人物。但這位不知名的將軍，却默默的努力於三軍原子化工作，給美國軍事史創新頁，是美國最具現代科學智識的傑出軍人之一。

赫爾是俄亥俄州人，誕生於一八九五年。一九一七年畢業於美阿米大學，隨後被征召入遠征兵團。在歐作戰一年餘，以果敢英勇，曾獲銀星獎章。不久，戰後返國，隨軍駐防西部及夏威夷。以服務成績優異，先後被選送入貢漢堡步兵學校，陸軍大學，及聯合參謀學校深造。畢業之後，一度充任威斯康辛大學與路易安那州立大學的軍事科學教官。

一九四二至一九四四年，赫爾在陸軍部作戰科主任，協助指揮海外一切作戰。他精力過人，戰事緊張時，整日整夜坐在五角大廈忙碌工作。而治事謹慎，條理井然，很獲彼時參謀總長的賞識，繼即被派任助理參謀總長職，與馬歇爾合作無間，相得益彰。

一九四六年，赫爾出任太平洋陸軍總司令，轄區包括整個夏威夷島。一九四七年，國防部以他科學智識卓越，派充聯合第七派遣艦隊指揮，主持恩尼威吐克島的原子試驗。在一九四八年四五月間一次原子試驗中，新型原子彈爆發了五千萬度的高熱，被證明可供有效引發氫彈，從此開了「氫彈時代」先聲，赫爾殊多勞績。漸被承認為一原子武器專家。此後在原子大砲的發明上，赫爾亦担任重要角色。

一九四九年，赫爾內調國防部，任武器評價主任。一九五一年八月，五角大廈為赫爾舉行一次晉級儀式，參謀總長布萊德雷親自給赫爾配上四星上將肩章，並致詞說：「我代表國家以應有之榮譽，答謝赫爾將軍的勳績」。職務上，赫爾並升任陸軍副參謀長。

（四）

赫爾與他的太太露薏爾結婚已三十七年了，至今猶無子女，因此，赫太太養成一種收集海貝殼的嗜好，她很仔細的把小貝殼分門別類，小心的收藏在玻璃盒子中。他這次返美，亦與夫人同行。

赫爾個性沉靜堅強，不騖名，不誇張，喜歡玩足球，高爾夫球與釣魚，並喜閱讀傳記。他最愛讀漢明威的「老人與海」。這本名著，講述一個老漁人在海洋搏鬥的故事。老漁人搏鬥的緊張動人，與及透過老漁人所顯示的，作者釣魚的淵博智識與技巧，使赫爾大為讚賞。赫爾卅六年軍事生活中，大部份從事運籌帷幄，故不大為人所知悉。

·劉靄如·

·讀史述評·

漢武帝（下）

·毛以亨·

文學及其他學術

繼起之慾爲文學，文學本在梁與蜀，諸王既滅，文學之士皆集長安。在梁有枚乘，東方朔，在蜀有司馬相如，武帝皆收爲己用。民間之樂府九歌，始入朝堂，蔚爲白馬賡歌之歌，上林七發之賦，而西漢辭賦，實爲後來文學之鼻祖。武帝之秋風歌，獨擅其勝，曹孟德父子，皆仿武帝，而建安體爲漢派之開山老祖，成爲中國文學之正統。

其次爲封禪與神仙，此亦與儒術有關係，稷下儒修言瀛洲仙，係附會出來的，神仙家與其說是近于道家，無寧謂近于儒家。而鬼神之事，則出于清廟之守的墨家，要之儒道墨三派，在漢初是無嚴格之區別的。李少君、欒大、公孫卿之說，自有以勝合當時之信仰，否則武帝亦不會輕信。然神仙鬼神之信仰，實爲科學之淵始，西洋科學，即循此途徑而發達，非盡可以迷信闢之。洪範五行，在希臘即爲地水風火之宇宙原始說。十九世紀以前，祇有煉丹學而無化學，牛頓亦曾秘密從事煉丹二十年。漢人九章之學，完全與PATHAGORAS之定理符合。九天御女之說，我曾在葉德輝處讀其秘，要爲極尋常的性心理道理。不過亦有其荒唐不經之處，遂爲道學先生所藉口而一味排斥，甚至淺薄附合的緯書，亦含有初步科學研究的眞理的，這些都要分別論之。我想治中國科學史者，當不至河漢斯言。

邊疆功業彪炳

其最要者，爲解決百年來中國北部大患之匈奴，當今東三省，內外蒙古，新疆之地，地大於中國數倍，人口雖少，而流動性，作戰性很強，其力量超過當時的中國。實所謂其地祇合中國一郡縣者，當揣其人數其全部之故。武帝之擊敗匈奴，可稱爲去掉秦始皇萬里以來心腹之大患，否則匈奴不會到歐洲去建國，而將入主中國，亦未可知。然北方民族沃後方而攜退，以入侵中國，有鮮卑、元魏、西夏、遼金元諸族，以至今日，其大患仍在北方。欲根絕，而竟武帝之遺志，非佔領西伯利亞不可。中國人曾有遊牧士者，大有如歸之感，與荒涼之漠，豈不相同。武帝之南平邛莋夜郎，東甌南粵，交阯，東至朝鮮，西盡西域，殆較匈奴爲事半而功倍。但中國疆土，開拓了一半以上，而中國之地理環境遂確定了。中國之領土，是武帝開創出來的，此豈僅漢族一姓之利，而實爲全民族所當尸祝而社稷之功。班固諷以節儉，譏可與三代同風，不知後王之功業彪炳，早已逾越前代，三代豈可法哉？

漢武之內政成績

內政方面，將漢律增至足用以應付現實，而法律以成。經濟發展，經文景七十年自由經濟之放任政策，不得不變爲國家干涉之國營，如鹽鐵是。同時亦不得不設法救濟貧人，由國庫負担，故經河決，大旱，對外用兵，各種險象環生，而民變未釀成大患。自匈奴平定後，即用趙過爲治粟都尉，教民耕耘用新法，而軍歸于節儉及務農，無邊境之戍兵與民休息。武帝豈特是能發能收之人，而重啓昭宣二代之仁政，樹以先聲者亦是他。文景這一套，他是懂得的。人非上帝不能無過，在位五十四年，積小疵以累大德，遂覺其罪惡已若邱山，然實施古代之社會主義，開闢中國之疆土，創造中國文化，皆爲武帝之功績，實可謂前無古人，後無來者。前人之咎漢武帝者，未見及此，讀者將疑吾言爲溢美，而且論最嚴。時另文以論經，匈奴，及其國營政策，以證實之。（完）

公債變公災

大陸商人被迫躲債

近據中共之天津大公報在「工商界的改造」一欄文中透露：在「經濟公債」納卒已「認購」了的巨大的「經建公債」數額，大陸各地工商業戶正在紛紛以「躲債」，以資抵債，甚至逃「自願獻廠」以抵「公債」。因此中共的所謂「公債」，業已變成「公災」。

按中共「經濟建設公債」發行的主要對象，原在一般私營工商業者。當初在中共公開的六萬億「人民幣」（約合美金兩億六千餘萬元）的發行額中，工商業界的分擔額即達三萬二千億，佔一半以上之多，負担本已過重；而其實際發行額，還遠不止此數。照本報以前在中共正大力「推銷公債」時期的推算，祇少在二千億以上；據中共公佈「勝利，並超額完成」的一個標榜的（極可能的）小額的公債數字，亦已達九萬億元以上。因此可知大陸一般工商業戶的公債負担，是何等沉重。

本報前曾指出：中共的發行並「推銷」「公債」，係由中央推銷委員會分區分業及單位（如軍隊，機關，文教人員，工人等）分攤，其中將極大部分的「公債」，集中於一般私營工商業者，向天津，上海，北平，廣州等十餘大城市的工商界及居民，分攤到四萬億以上，而由各單位分攤到各地工商業戶，運用「宣傳」，「教育」，「動員」，大力「挑戰」「帶頭」等手段，分區分業地通過集會的形式，強迫人民——尤其是工商業戶「認購」遠非實際力所能負担的公債數額。目前各地甚多工商業戶之所以在「繳款」中無法應付而不得不出之「逃債」或「獻廠」之一途，原因即在此。

據中共指出：目前公債的繳款已臨結束階段；而全「國」工商業的繳款，尚祇達百分之六十，其餘的百分之四十，顯已在僵滯狀態中，不論中共如何派出大批幹部進行「還債」」，亦歸草裏榨油，毫無「進展」。

華新會樹民主楷模

民協標榜促進團結

象徵二百數十萬市民唯一權力的香港革新會，五年來對於增進社會福利，向港府貢獻政治上興革，以及反映民意，爭取民衆發言權利等等，成就固多，挫折自亦不免，這是客觀環境與主觀條件交錯使然，革新會確已竭其服務熱忱，盡其最大努力，但也有未能盡如人意之處，如所周知，從區行政上的改革，業績卓著；遺憾的，過去民選議員們料舉內會污疑案，至今全案眞相仍未公諸社會；又如擴大立法局民選範圍，至今仍在據理力爭；但是，最近該會主席兼市政局民選議員貝納祺，在議會提出非官守（委任）議員通過民選方式的驚人動議，却已促使市民增進了對於政治的理解認識。

香港爲自由港，市民具有傳統守法精神。因偏重商業保守觀念，對政治並非毫無興趣，祇是無暇過問。在二十世紀人類邁向民主的潮流中看來，無疑是一大謬病，蒙落後之譏。不特難與亞非其他英殖地比較，即近如新嘉坡，亦不能相提並論。因此，儘管殖民地主義在六十年代被斥爲歷史糟粕。此時此地侈談民主，尚待向前邁進一步。誰都明白，要求民主，自非等待殖民地統治者放寬尺度，更非空言可以實現，尤須廣大民衆提高政治意識，然後以合情合理合法方式去爭取，以扭轉殖民主義者對香港扭曲的觀念。香港革新會同人頻年的努力，對於昂揚民意，革新政治，並未徒勞，且已奠定了很好基礎，祇要市民能夠確認自己的責任，團結奮鬥，相信民主政治終將實現，縱不能與充分進步的殖民地並論，至少可以和新嘉坡媲美。最近有人創組「公民協會」，自是可喜的進步現象。

公民協會係由教育會人士與社會名流發起，正在籌備，就該會宗旨看來，僅次於香港革新會規模的另一政治團體，雖然它的宗旨範圍僅及革新會之半，原則上大致相似，突出顯著的區別，協會將是一個研究性的組織；革新會宗旨第九至第十二項則爲鼓勵公共事務之人才；永遠擁護合理之言論自由；給予欲主張作建設性改革之人以發言之機會；採取必須步驟，務使香港有負責之輿論，能充份表揚於英國，並安排經由該會議員與英國維持直接聯繫。人們同希望於「公民協會」成爲官民間的橋樑，充分發揮民意，與革新會合作；香港革新會宗旨第十六項，依照規定，會考慮與協會取得聯繫。預料香港民主前途殆將放一異彩。

讀「中國日記」（上）

印度B.SHASTRI著　定價一盧布

·牛布衣·

印度社會黨領袖夏斯特利，去年四月得中共工聯會的邀請，前往大陸遊覽。回國後，在新德里『思潮周刊』發表他的日記。對於大陸情形，記載翔實，觀察入微，極得歐美人士好評。英國曼徹斯特評論報特在篇首撰文頌揚夏氏的公正立場，美國銷路最廣的『自由工會月刊』並全部予以轉載。本刊亦曾數次予以節譯發表。

現得『思潮周刊』寄來夏氏『中國日記』的英文本，全書共五十五頁。誦讀至再，深覺夏氏在書裏說出了每一個自由人士心裏所要說的話。夏氏到大陸兩個月，能夠這樣觀察入微，語語中肯？眞是一本了解大陸情況的好書。

艾德禮故作盲目

上月英國工黨領袖艾德禮領導工黨議員一行八人到大陸觀光。回到香港，在英文南華早報發表一篇長文，連續登載一個禮拜。除對中共虐待工人，有所實難外，其餘一概表示——『不勝欽佩』態度。尤其使艾德禮佩服的，是北京和廣州沒有蒼蠅。上海沒有乞丐。艾德禮說，各處街道十分清潔，共產中國對于衛生方面，確有極大成就云云。看了艾德禮的文章，筆者總忍不住大笑，看了他七篇文章大笑了七場。

艾德禮大約沒有看見夏斯特利的日記，不然便不會鬧出這個笑話。夏斯特利在他日記裏指出，中共把街道分段交由住戶負責清掃。在中共高壓之下，人民戰戰兢兢，奉命唯謹，這是中共的衛生清潔辦法。至于乞丐問題，夏斯特利在日記裏說，中共已經將中國大陸改成一所大監獄。舉凡一切不合中共脾胃的人民，連乞丐在內，都以反革命，和台灣特務的名義，逼死郊野，或處決淨盡了。

說到蒼蠅，可比較複雜些。前幾天，美國兩位記者和一位船主，得中共釋放回港，在招待會席上，有些記者想起了艾德禮的話，問他廣州有沒有蒼蠅。他們答道，蒼蠅是我們唯一的肉食。湯裏總有它們蹤跡。艾德禮爲甚麼看不見呢？是眞的看不見嗎？還是故意借蒼蠅來解嘲呢？

大陸工人的遭遇

夏氏的日記，特別注重工人的情形和待遇。不錯，共產國家常誇耀自己是工人天堂。天堂裏的工人，過的是什麼生活呢？

提起工人，又想起艾德禮。艾德禮在他的遊記裏說，中共的政權，不是工人的政權。政府裏的要人不是智識階級便是中等階級，可沒有工人在裏頭。中共政府對于工人的目的是在增加生產。中共並沒有設法增加工人的生活水準，啓發工人的智識，和增進工人的思想。艾德禮提起英國工黨。他說，英國工黨便不然。工黨裏的要人，好些都是工人出身的。他的意思說，英國工黨能夠代表工人，中國共產黨適得其反。

夏氏對中國被奴役的工人，可有更清楚的認識，並表現更親切的同情。

（一）關於工會：夏氏指出，中共的中國工聯會，事實上等於政府的工人部。政府完全控制工人運動。凡要求減少工作時間，或增加工資的，中共概認爲是叛國。

（二）工作時間：大陸工人每日工作十二小時，並無休息。如因大小便或其他事務離開工作，得請鄰近同事代理。工人每年只有四日假期。

（三）工人種類：工人共分三類，（1）普通工人；（2）模範工人；（3）工人英雄。模範工人係指生産迅速，工作優越的工人。工人英雄呢，係共產黨黨員，派在廠裏，用來監督工作和生產的。模範工人和工人英雄對于工資和工作時間都有特殊的權利。

（四）工資：大陸工人的工資，係以購買單位計算。根據工聯會的報告，工人每月的工資能夠養活兩個人。可是依照最近的計算，工人每月最低限度的伙食達到人民幣十萬至十二萬五千元，工人每月工資的五十個單位剛好這個數目。故工人每月所得，僅堪個人糊口！

（五）工作情形：夏氏參觀過中共的工廠，在日記上這樣說：『人和禽獸是沒有分別的。雖然爲國家建設，亦不能視人如工具。大陸工人的工資每月五十個購買單位，約等于印幣二十五至二十八個盧布。工人都是由別處來的，沒有轉業和其他自由，所以一般人都說大陸工廠是勞工集中營，大陸工人是奴工。』作者參觀中共的長江計劃，他看見工人在大風雨下工作。回到賓館後，總覺到十分悲哀。雖然酒肉滿前，總難下箸。大陸工人的慘狀，夏氏眞是洞察入微的。

（未完）

評：中共的憲法

王世昭

保証毛澤東獨裁

第二章國家機構，「全國人民代表大會」行使治權，中華人民共和國主席，以至國務院總理副總理及主要部會首長，人民法院和人民檢察院院長，都是全國人民代表大會選舉出來的。

表面上看，似乎比五院制還來得直接了當；可是在事實上，「中華人民共和國」的主席，他的權力是無限的。主席既是對內對外的國家元首，又是「國防委員會主席」與「國務會議主席」，軍事和政治完全控制在主席手裏，主席遂變作萬能領袖，至高無上的獨裁者。所以，這個憲法是保證毛澤東獨裁的憲法，不民憲法，是人的更不是「中華人民共和國的憲法」。所謂「民主集中制」，即權力集於毛澤東一身，毛澤東是五萬七千萬人之上的主宰，其餘都是附屬品，老百姓是墊脚石。

暴民專政的符號

這個墊脚石有什麼權利？在形式上見於第三章。雖然寫上許多好聽的名詞，全是不兌現的支票，誰能向毛澤東以及中國共產黨手中去支領？有沒有這回事？天曉得！老百姓吃了虧去控訴，山高皇帝遠，一切推在「偏差」與「誤會」身上，於是一了百了，這便是在僞「中華人民共和國」之下的「公民的基本權利」。說到「義務」就多如牛毛，寫也寫不完，只好帶住。

最後是五心不定，血流遍野的「國旗」。又加上五心離散鬼哭神號的「天安門」，圍以「穀穗」，環以「齒輪」的工農代表象徵，因名之曰「國徽」。又以「北京」爲「國都」，眞是爲「三「國」」全歸了。此一百零六條以「民主集中」爲號召，以「人民民主專政」爲實現手段，以毛澤東爲至高無上的統治者，末了以蘇維埃聯邦爲依歸的「中華人民共和國憲法」，遂以頒行於天下。叫老百姓先做毛澤東與中國共產黨的奴才，以後乖乖地去當蘇聯的奴隸，變成如假包換的中華人民殖民地。這便是一九五四年九月二十日僞第一屆全國人民代表大會第一次會議所通過的「中華人民共和國憲法」了。這憲法的價值如何？文字不通，滿紙胡說，是暴民專政的符號！

新的國恥

馬五先生

英國那位自命爲「民主社會主義家」的工黨首領艾德里，率領着一羣嘍囉到中國大陸上幾個大都市游覽了一下，名曰「和平共存」，說是對中共「起了作用」！

起了甚末作用呢？那就是：艾德里這羣訪客一到大陸，中共即絕叫「解放台灣」，繼之以砲轟金門；然後艾德里即在倫敦發表談話，說台灣自由中國政府及其軍隊之存在，實爲亞洲的「最大障礙」，主張趕快予以「消除」。東西呼應，沆瀣一氣。

可是，艾德里由中國大陸訪問出來後，在香港，星加坡，以及舊金山這些華僑最多的地方，却忸忸怩怩，專談些蒼蠅問題，而不敢說一句反對台灣的話。照艾德里所標榜的「民主社會主義」邏輯來說，中共政權乃是大多數中國人民所擁護的！那末，艾氏更應該對着海外千千萬萬的華人表示其「消除」台灣的主張，才可以博得中國人民的好感，何以又不敢開腔呢？可見他心裏原是知道這類話要犯華人的衆怒，祇好溜回倫敦去大放厥詞，用意是要挽救工黨信譽在國內將告破產的危機。因爲英國搶先承認中共政權是他所幹出來的「政績」，現在眼見遠東局勢日非，美國大軍雲集台灣海峽，態度强硬，自由中國大有光復河山之可能。萬一中共潰敗了，工黨即休想在最近若干年內再有取得政權的希望。這就是艾德里最大的心病所在。

看吧，台灣國軍對大陸的反攻行動日趨劇化，艾德里們反對台灣的叫囂之聲亦必然更爲急切。他們何嘗眞是有愛於中共呢？爲的是害怕看到搶先親共媚共的惡果啊！

不過，艾德里之流對台灣這種惡意攻訐，確是我們的一種奇恥大辱。大家如其尚不知恥自愛，還是昧昧然，昏昏然，搞私人派系，爭小我權利，自毁前程，罔計國家的存亡死活，那就莫怪別人要犧牲我們啦！

論創作中國近代史詩

·王世昭·

（一）

近代中國多少詩人、批評家、作家、經過了五十年的醞釀，沒有產生一部偉大而動人的史詩。我時常也在想，自民元革命至北伐，抗戰，到如今也整整地四十三個年頭了。中間曾發生不少可歌可泣的故事，與悲壯偉大的戰爭場面，以及政府的播遷，老百姓的流離、轉徙、顛沛、死亡、疾病，總之，一切社會的不安與動盪；論人生，凋敝極了；論戰爭，慘酷極了；論社會，混亂極了；至於國家與民族，也就危險極了。這變動不居的時代，飽含着無數驚心動魄感人心魂的史實，何以還沒有驚天動地的大手筆，把它刻劃出來，創造出來，歌詠出來。

盲詩人荷馬以畢生心血寫出了偉大的詩篇——依利阿特與奧德賽。愛國詩人屈原以他從事政治鬥爭之餘，寫出前無古人後無來者的二十三篇創作。莎士比亞寫哈姆雷特，但丁寫神曲，迦里陀莎寫莎恭妲羅。描寫對象即管不同，而其成就與貢獻在人類心靈中，在世界創作之林中，是空前的，是無與倫比的，是難以形容的偉大，深沉，普遍與永久。

（二）

他們的創作何以如此偉大，深沉，普遍與永久？就是他們的內容是普遍的，形式是自己的，創作的藝術與技巧是不拘一格的，正如易君左先生爲我的詩作序（題名「讀眉月集」）說：

「文藝離不開時代性、個性、民族性。第一、是這個時代的人應該說這個時代的話，而且要站在時代的前面說話。中華民國時代的詩人就該做中華民國時代的詩，何況還要一人一派的上追唐宋，遠溯漢魏』，那眞是越說越遠了。第二，是這個民族的人應該說這個民族的話，而且要創造新中國詩。學洋派，把散文寫成行就算是詩，歐化得不成樣子。第三，是張三就寫張三的詩，李四就寫李四的詩，自己寫自己的詩，莫學這個那個，以這個那個作參考也可以，但必須建立自我。我都沒有了，還說什麼詩？」

易先生給我們的原則是很正確的。譬如我上面所說的荷馬是希臘人，他寫的是希臘古代史詩。中國的屈原，他是周代人，他寫下自己所熟知的故事。莎士比亞寫的是北歐王子的戀愛史實，但丁寫的是情史與宗教，迦里陀莎寫的是印度古代美人與某國王的戀愛葛藤。他們表現的手法沒有一個相同，可是，其創作流傳於千古則完全一樣。何以故？理由很簡單，他們寫的是自己的東西，他們代表一個民族，或許代表自己的時代與歷史。

（三）

中國的歷史上下五千年，文學巨著亦層出不鮮，可是够得上稱爲史詩的創作則不可或睹。這是什麼緣故？就爲了詩式限制了它的發展，鍛鍊的工作雖然很够，而放開脚步的膽子實在不够大，所以近代史詩一直不出來。五四運動後雖然提倡做白話詩，仍屬於抒情範圍，胡適如此，徐志摩如此，朱湘，聞一多，謝冰心，饒孟侃，陳夢家，康白情，汪靜之等亦無不如此。一方面也爲了詩的寫作很苦，詩的代價不高，詩人如眞不失其爲赤子之心的話，必然要餓死；這撈什子苦差事沒有人肯幹，幹的也多半是客串。眞靠寫詩爲生的，社會既不鼓勵，聰明人連同情也沒有，出版界爲了怕蝕本，瞧都懶得瞧一下，所以，史詩的園地就更加荒蕪了。再加上小脚詩評家，婷婷妞妞，自以爲古代辮花格，顧影自憐，快要進墳墓還照着鏡子，又有什麼辦法？可是，偉大的創作是屬於自己的；詩窮而後工，這個窮字是廣義的，不是貧乏的窮。內容豐富，題材廣大，形式可以自己去創作；這個時代多有趣？這個民族多可憐？這個人豈眞成爲竹頭木屑？我在這裏期待着！

愛國詞人王沂孫

——兼論學詞師法問題——

羅自芳

（八）

最後說到聲律方面：因爲詞是拿來歌唱的，它不止是屬於作爲欣賞的東西，故必須一一按照譜律，填上適合於聲調的字眼，因謂之填詞。聲律一有差池，即無法付諸歌唱，是則文章雖美，無所當於所謂詞也。抑且所謂聲律，非如做詩之但叶平仄而已，有許多地方，平上去入四聲固要分別，不可亂用，甚至嚴格到陰陽清濁都有講究。據張玉田「詞源」所言，瑞鶴仙調過片第六句第四字，有作「粉蝶兒『撲』定花心不去」，按之歌譜，「撲」字不協，逎改爲「守」字乃協。又惜花春起早調中三字句作「瑣窗深」，「深」字不協，改爲「幽」仍不協，再改爲「明」字，歌之始協。就是這個道理。又如齊天樂調中，許多處要用「去上」聲者；聲聲慢之結句末四字，必須「平仄仄平」；賀新郎之結句用「仄平仄」；諸如此類俱是定格，不煩偏舉。宋代諸大家，大抵多暢曉音律，自能按奏，故所作都能協譜。碧山於此道，尤爲精到。甚至在韻脚方面，即以撰著「詞源」的張玉田，亦往往用吳越口音，將閉口音（如侵、覃等韻）與眞、文、先等韻通協，碧山則甚少此弊，足見其精審的程度也。

（九）

就上論列，碧山對詞的技巧，工夫確屬到家，値得初學作詞者取法。然而或疑如此嚴格講求，對初學者未免過於苛刻，且恐限制太多，難免桎梏天才個性之自由發展。其實這是似是而非之論，但凡爲學之道，入手必須經過嚴格的訓練，以打好基礎，等到基礎穩固，自能熟則生巧，任意展其所長。舉凡學書，學畫，學音樂，習工藝，技擊……莫不皆然，文學寫作，自亦不能例外。故學詞的，其先決條件，固應多熟讀名家作品，以期對於詞的格調氣息，獲得一個概念。至於開筆塡詞，務須就字面，聲律，句法，章法結構諸事，逐一推敲鍛鍊，半點不容苟且，出語不必驚人，規矩準繩，則必不可或失。關於這一點，也許有很多人要提異議的，他們往往拿出「取法乎上」這句話來做幌子。誠然，取法乎上是對的，但這對於基礎已立者言之耳，對一個初學者就是不適當的。一個未會行的小孩，你却教他走，未有不跌倒的。一個初學小提琴的，指法，弓法還未懂，你却教他和奏貝多芬的交響樂，豈不比「拉牛上樹」更艱難？所以，我覺得那些動輒叫人作詞要學李後主，溫飛卿，二晏，蘇，秦的，只是好高鶩遠，並不是基本的辦法。要學，應當先從南宋入手。而尤以碧山爲宜。及其規矩法度漸立，再進而向北宋，五代求之，則李後主，溫飛卿亦不是必不可到之境，要在人之善學而已。（續完）

無法追問

·巨叔譯·

威靈頓公爵晚年性極乖僻，一次談及在法國諾曼第進餐時，他的僕人打開一瓶葡萄酒，在瓶裏居然發現一隻老鼠。

他的副官禁不住要問其究竟，於是就插進來說：「啊，那酒瓶想必是很大的！」

威靈頓用眼睛瞪着他的副官說：「該死，那竟是一個很小的酒瓶。」

副官很不安的說：「哦，那麼無疑的那老鼠一定是很小的。」

威靈頓說：「該死，那竟是一隻很大的老鼠。」

副官無法再問，這個問題就沒有解決。

其實，那只老鼠也許本來是很小的，鑽進那只小酒瓶，喝飽老酒漲大了。

金珠

中篇小說

·勞影·

她忽然問道：

「你到底要帶我到什麼地方去呀？」

「難道你竟快樂得忘記這是一次蜜月旅行？」

「但你沒有告訴我——」

「一個終年祗有春天的地方！」

「有沒有花朵的春天？」

「滿山滿谷！」

「凋謝嗎？」

「永不凋謝！」

「花朵以外呢？」

「應有盡有！那裏每一樣物體都是以血淚澆漑或灌溉而成的！」

「人呢？」

「愛別人勝過『自己』。」

「生活呢？」

「不像世界上其他地方，每個人都在想盡方法掙扎着活下去。」

「美好得令人難以置信！」

「在罪惡環境中長大的人常會懷疑善良的存在。」

「我們什麼時候返回呢？」

「當我們厭倦那種地方的時候！」

「你想我們會厭倦嗎？」

「當我們的愛心再不能保障我們的愛情。」

「噢，那是不可能的！」

「我們就將永遠永遠地生活在歡樂的天堂裏！」

海風輕輕地吹，陽光暖和地照着：……

「幾時才能到？」她又問。

「等我們克服了每一個能夠顛覆我們的浪頭。」

「要是克服不了呢？」

「將被無聲無色地埋葬。」

「多怕啊！讓我們回頭吧?!」

「輕聲，第一個浪頭已經開始了！」

「沒有呀?!」

「無形的災難才最可怕。」

（三二）

詩人楊雲史的風趣

（五）

·小丞·

其時女子正盛行剪髮，作時新裝束，陳美美當亦未能例外，雲史聽到美美剪髮以後，乃嗚嗚而哭，客人有過訪者，詢問何故？雲史說：「陳美美剪髮哪！美美的美就在髮啊：……今天她已剪去，安得而不哭。」又美美重之北平，感時撫舊，題詩五首：

漢皋解佩事悠悠，江草江花幾度秋，此時涼風動天末，何人吹笛上黃樓。

鸚鵡十萬唱刀環，幾處笙歌戰爭間，二月魚肥江水美，新鶯啼遍武昌山。

如此學習討論

·文抄公·

中共的「學習討論會」，是怎樣一會事呢？請看下面中共報刊所載的六幅漫畫。

學習討論會上　丁聰

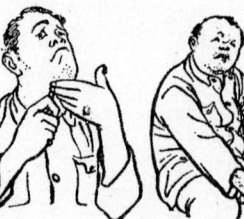

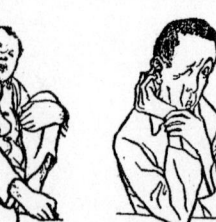

自由人
THE FREEMAN
（第三七三期）
中華民國僑務委員會登記證僑報字第一二號
中華民國內政部登記證第一類新聞紙類
（中華郵政登記第三類出版）
每份港幣壹毫
台北市售價台幣七角
督印人：嚴嵩猷
社址：香港高士威道二十號四樓
3 rd. fl. 20 CAUSEWAY RD HONG KONG
香港發行及事務接洽處
高士打道66號 電話：七四〇五三
承印者：東南印務出版社
地址：高士打道六十四號
海外總經銷
友聯書報發行公司
香港德輔道中二十六號A二樓
台灣特派員辦事處
台北市館前街五十號
台灣總經銷處
台北中華路五九四號之一
台灣郵政劃撥儲金戶九二五二

使人失望的立法院

·孟施舍·

立法委員紛紛退出國防小組，使擁護立法院的人感覺失望，使大家對於民主自由的信心冷了一大半。

國防小組只剩六個人

立法院在九月中又開會了，也有一個國防小組委員會在上次會期中，參加這個小組的，有五十多位委員。可是到本會期才開始，過去一向參加這個小組的委員們，一窠蜂似的紛紛要求退出，到目前為止，據說剩下的祇有六（S.X.）個人了。

大家都知道，政府有一個「國防組織法修正草案」，在本年六月三十日，由行政院咨請立法院審議。不過因當時院裏要討論的案子太多，雖然這個案子的性質非常緊要，終究沒有能夠在上一次會期中間完成立法程序。大家也知道，雖然這個草案還沒有通過立法程序，但是我們的政府，已竟在本年七月一日和九月五日，先後明命任命了在該草案中所擬議的「正副秘書長」和「動員局」及「安全局」的兩個局長。並且聽說他們不久就要開始正式辦公了。

國防會組織法的難題

大家更知道，這個草案所擬議的國防會議，從我們的憲法的立場來研究，至少是很成問題的。「自由中國」十一卷二期的一篇社論，「民主憲政的又一試金石」，在討論這個問題時，它的結論是，這個國防會議將是一個不合邏輯的產物，如果成立，將把我國憲法精神徹底破壞（頁36）。「準備日報」，在九月十一日刊出徐復觀先生「政治的軌範」一篇文章，更就這一個組織的法律性質和其實際可產生的效果，詳細剖析。其結論說這一個措施，將動搖了憲法的根基，因之也動搖了現有政權的根基。同日「自由人」南容先生論政言與直言，在強揚自由中國半月刊，也特別提到了國防會議。就上面所說的三點而論，國防組織法草案確是立法院所面對的一個難解的課題，更是立法院國防小組無法逃避的一個尷尬局面。因之原先參加這個小組的委員先生們之紛紛要求退出，並不足怪。

自由問題與責任問題

然而這畢竟是一個怪事。一個立法委員當然有不參加國防小組的自由，和任何人都有不參加空軍的自由，正是一樣。可是一個人參加空軍之後，吃了多少年的官餉，衣裝畢挺，神氣活現，可是一旦局勢緊張，有了緊急警報之後，他忽然脫下服裝，退出空軍，我們對於他的印象是怎麼樣？

一個立法委員之參加各小組，全是本諸各人自己的志願的。參加某小組之後，因為志趣改變，而移轉到另一小組，也有各人的自由，本無足道。可是原先參加國防小組的，現在因為面臨艱難的課題，因而一個個的退出，這就不是自由的問題，而是責任的問題了。

請公開退出小組名單

中國傳統的政治判斷，一向是注重責任的。所謂官守，所謂言責是也。立法委員是人民選出來執行政權的。對人民有責任，對政府也有責任的。政府提出來的案子，如果合理，他們應當設法促成其通過，如果不合理，他們也當努力促成其否決。而小組的參加人，本乎分工合作的原則，更是對立法院全體委員負責的。而現在居然不惜以一逃了事，則不但是對政府不起，對人民不起，對全體同事也對不起了。

我不知道退出國防組的這一群立法委員先生們，他們的字彙中，有沒有「官守」兩個字，有沒有「言責」兩個字？他們一向對於這兩個字的解釋為何？對於這兩個字的體會為何？

立法委員是我們老百姓選出來的。我們有權利要求立法院把這一會期中退出國防小組的委員，開一個名單出來，讓我們看一看有沒有由我們所選出來的委員在內，以便我們在下一次選舉立法委員時，作我們的投票參考。

我們再重複一句，這一次國防小組委員之紛紛退出，使我們一向十分擁護立法院的人們，十分感覺失望，使我們對於民主自由的信心，冷了一大半。

△利ㄊ共存圖

論美國的領導地位

旭軍

目前美國政府似處於困惑和進退失據的地位。法國因猜忌德國之復強，欲從東西德的假統一，使其無法真正復興，故欲側身擠過盟友，去和蘇聯握手講買賣。這位國際賭博家法蘭斯的「敏捷」手段，真正可怕。歐洲的命運可能給此賭輸。至於英國正向蘇聯和中共密謀生意。西德夾在中間，彷徨憂慮，看看跳向那一方面，可能顧忌法國之不利於己而亦向蘇聯掛鉤。美國站在一旁，處在看風色的地位。她的領袖地位真正成了問題。無形中有許多事情間接的受「盟國」操縱。

艾克政府聲望低落

艾森豪威爾總統在初競選的時候，曾發表若干極勇敢而正確的政策，例如「解放鐵幕人民」，以及「解除對台灣禁止進攻大陸的禁令」，對亞洲問題之重視，非民主執政時代所能比擬。因為蘇聯的陰謀是在亞洲進攻而在歐洲取守勢。若艾克果真能執行此兩大政策，瓦解中共大陸鐵幕，則世界大局立即轉變。歐洲問題可迎刃而解。可惜艾克政府仍持重歐輕亞的偏見，因不欲失去西歐「盟國」，而在東亞事事遷就，反而弄到處處被動的下風。首則錯在不以軍力澈底解放韓國問題，[illegible]勝不勝，將垂死的敵人救生，訂下板門店條約，縱敵南侵。隨後更不適同意開日內瓦會議，結果斷送北圻，增加共產集團的氣燄，鼓勵苟安妥協份子之自私自利的措施。斷送了歐洲軍組成之希望。千萬自由國家的人民大感失望。美國的威望亦從此大墜。這對於美國人——特別是執政的共和黨政府——不啻是一場惡夢，無他，由於輕視亞洲而遷就歐洲「盟友」所致。

美政策未能澈底執行

我們並非主張輕歐重亞。在原則而言，正如一九五二年艾克大選時提出的外交總路線「歐亞並重」是正確的。但蘇聯的目前避免原子大戰的政策下，是由中共去作侵略的開路先鋒，就必須針對蘇聯的政策去反擊敵人，粉碎蘇聯的計劃。美國對歐洲方面的事，要拉住盟友，吾無間言。但在遠東方面，美國實可以，而且應該，放心自由的反擊敵人，而不必多所顧慮。杜爾斯的「重大報復」是有了這個決心。但可惜說了不做，做亦做不澈底。例如美國飛機在海南島擊落共軍兩架飛機一事，立即恢復了美國在遠東的聲譽，實勝過外交宣傳上千千萬萬句話得多了。

對艾總統一點獻議

我勸艾克總統要多向在遠東負責作戰過的軍人領教。這是不錯的。以麥克阿瑟將軍來說，試拿麥氏對杜魯門總統提供的獻策來看，事實上已一件一件的證明其正確無訛。炸鴨綠江北的共黨兵工廠一事最為明顯。據「世界報告」什誌最近說：麥克阿瑟將軍的友人，對於艾森豪威爾總統政府雖已看到了麥克阿瑟將軍的政策與戰略被證明正確，但仍不向麥氏領教，感到煩悶。

美國聯合參謀部主席雷德福將軍，最近表示：他估計將來博得「盟友」幫助阻止共黨擴張的力量，並不如以前所估計之高。

前在韓任第八軍軍長范弗烈將軍的支持亞洲反共國家對付中共的主張，亦係由其在遠東親身體驗而獲得的寶貴經驗。甚至最近在遠東作明快決斷的史登普將軍，聲言對敵人要準備迅速撥動槍機。他們在與敵人接觸中，知到共黨的陰謀最詳，對敵估計亦較正確。他們很清楚美國澈底幹的必要，與澈底幹的辦法。

我看艾森豪威爾總統最好不再發表牧師式的演講。例如他最近在丹佛號召鐵幕後人民共同舉行祈禱求取和平。不但無用，反而使到鐵幕後的人民感到失望的。

蘇聯故意冷落美國

蘇聯集團目前故意和其他國家表示友好，故意冷落美國。務使美國的聲譽日隳，失去其領袖地位，增加自由國家的互相嫉視猜忌。蘇聯特別與英國及歐洲若干國家訂約派遣訪問團體。而美國之十五個飛行員被中共拘囚不放，違反休戰協定，以表示美國莫奈伊何。駐華府之蘇聯大使柴魯賓婉拒國務卿杜爾斯的約晤，假稱身體違和。但出現在印尼大使館，與印尼訪問團周旋，大批蘇聯外交官員作酬酢。這是不是故意冷遇美國？

（下轉第三版）

半週展望

·李秋生·

鎮靜與警覺

金廈砲戰時斷時作，中共喉舌叫囂不休，台灣海峽雖有實力強大的第七艦隊駐泊巡防，據說福建各機場也有了共方戰鬥機了轟炸機駛來。戰局依然還是風雨滿樓的態勢。

目前紐約世界電訊報所報道的中共戰略，認爲可能以小艇和傘兵的人海攻擊，迅雷不及掩耳的攻入台灣，顯然是過份高估和共方海上運輸作戰的實力，而低估了國軍和美方海空軍的團戰效能。實則蘇俄和中共的軍事傳統都不是閃電奇襲的能手。

現在的問題是：照這樣的緊張態勢可能拖延到很久。自由中國的反擊和防衛實力自不慮因曠日持久而耗竭，但民間的動員工作卻嫌差得太遠。例如台北市的疏散問題，只是消極防衛的一端，卻擾攘許久，至今連拓寬羅斯福路以利疏散這點小事都不會做到。台灣幾年來的安定無形中滋長了惰性，一方面可以說是鎮靜，另一方面則是太不夠警覺，太缺乏戰時氣氛，因而也就難以配合軍事上的緊急需求。事之可慮實在此而不在彼。

美國與西歐的僵局

幾年來美國的世界政策深受西歐局勢的牽累，這在杜魯門時代已爲有識之士所詬病，在共和黨政權下更有變本加厲之勢。爲了一個西歐防衛協定，美政府不惜違反本身意志，在遠東政策上多方讓步牽就，甚至斷送了越南。其結果不只西歐防衛協定出爾反爾的被法方扼殺（這協定原出自法國建議），西德獨立與建軍問題至今仍：聚訟盈庭，軍勞杜勒斯國務卿僕僕風塵，在倫敦召開九國會議共謀補付。東隅既失，桑榆也並無所獲。這不是美國的失敗，而是整個自由世界的失敗。

就西歐情勢來比較，克里姆林宮在西方是運用冷戰，分化盟國，在遠東是不擇手段，銳意進逼，緩急輕重之分是很顯然的。美國在遠東的東南亞聯盟，[illegible]出，對於如箭在弦的金廈戰局竟未表示嚴正的[illegible]精力[illegible]大西洋公約[illegible]一類[illegible]做法若再沒有澈底的更張，今後還會遭受更大的失敗。

我們並不希望美國變爲東重西輕，只要把遠東局勢與西歐問題放在相等分量上去衡量，共黨也就很少有伺隙蹈瑕的機會了。

中共政權的新變動

這次中共包辦下舉行的所謂「全國人民代表大會」，雖屬沐猴而冠，和也爲張揚鼓噪擴大宣傳。這十餘天來，共方報紙連篇累牘在列載「代表」們的發言，細看之下，不是[illegible]，便是共產八股，而那部以聯蘇憲法爲藍本的中共欽定「憲法」，也就這樣不經討論而「全體一致」通過了。

這日正在選舉，大會已近尾聲。從二十七日選舉的結果卻可看出中共政權一項新的傾向。在過去的「人民政府委員會」中，[illegible]等人的點綴門面，雖只是陪末席性質，到底還維持「統一戰線」的形式。到這次選舉，[illegible]一杯羹。[illegible]死狗烹之日也將不遠了。至於副主席竟落到比毛澤東更老邁的朱德身上，一般所揣測最有毛氏繼承人資格的劉少奇，卻只當選爲人民代表大會常委會委員長，相當於蘇俄伏羅希洛夫的地位，這裏面也一定大有文章。

印度國大黨員的
赤色六陸印象記（上）

·守義譯·

作者胡德新（RAJA HUTHEESING）是印度通訊社的新聞記者，原是印度國大會議黨的黨員，又曾担任印度國家計劃委員會的秘書，在一九五一年十月後，兩次到赤色中國大陸訪問歸國後，寫了一本「中國管窺」（WINDOW ON CHINA），本文是該書的第一章。他的觀察和論斷，都是很客觀而深入的。承守義先生譯出，特為發表如下。　編者

對赤色中國的憧憬

一九五一年九月初，來了代表中印友好協會訪問中國大陸的請柬。許多年來我參加印度國民議會黨，努力印度自由運動，以後脫離政治，從事新聞事業。我與印度人民同樣，希望從憲政，壓迫與貧困中，得到解放。但是結果則只有失望與沮喪。我們感到領導力的不足，多數人民仍然處於飢餓與無知的狀態。中國的變化出現了新局面，使亞洲人想從此得到改善其運命的方法。我很想親自看看中國大陸的成就。

許多年來，我一直等待有這個機會。從一九三七年起，我就與中國有了關係，當時曾以印度國民議會黨援華委員會秘書的身份，組織一個醫療隊，前往重慶，作為我們同情中國對日抗戰的表示。自此以後，關於中國的一切，我就竭力注意，如斯諾、愛丕斯坦及艷色斯坦的著作，稱讚毛澤東及其在延安的成就者，我無不閱讀。他們說中共並不固執教條，實際上是「自由主義的土地改革家」，旨在統一中國而實施進步的政治。

因為數百年來，中國人民受盡帝國主義與貪污政治的禍害，他們的情況正與印度及亞洲各未開發國家人民所身受者一樣。饑餓，無知以及貧者，使中國人民的生活常陷於粗俗鄙賤，但是他們仍保有樂觀而愛好和平的精神。二千年來，中印兩國和平相處，彼此協力互相理解，以從事共同的事業。從藝術、宗教、哲學、文學中，我們彼此相知。數百年前，他們越過喜馬拉雅山與中央亞細亞的沙漠，竭力以求彼此能互相認識，如在敦煌、龍門、大同，就留了許多遺跡。現在，在毛澤東及中共之下，中國已有重大的變化了。據印度共黨的說法，中國人民的生活水準正日趨提高，因了千萬人民的堅決支持，與踴躍參加，巨大河流的水利計劃，都能提前完成，中國的教育，醫藥及居住情況，已迅速改善，而印度則依然停留於衣食不足的狀態中。

共黨堅決的說，在新民主政治下，沒有集中營，人民竟無沒有恐怖的威脅，個人自由也並未受到壓迫。他們和一般人民都能享受民主政治。獨裁只是對那些貪官污吏，帝國主義者反動派而施。對於相信民族與個人的自由，衣食住等應有同等權利的人民，中國都有了很好的安排。我不想在這裏要求他們的反省。好壞與否，可由中國人民自作決定，就印度人來說，對於這古老的鄰人，能夠為其人民創造快樂生活的條件，自然只有歡欣。我想們能往遊中國大陸，對於我們印度，應當可以學到不少經驗。

像機械人般接受引導

所以我立即接受訪問中國大陸的機會，代表中印友好協會，為中國許多團體的賓客之一，在一九五一年的十至十一月間，以六週的時間，前往中國。在動身前，我特與印度通信社約好，發送報告，以刊登印度報紙。我們的日程，定好以二週的時間，留居北京，參加一九五一年十月一日的第二次建國紀念。然後再經訪問瀋陽、天津、南京、上海及廣州，親自考察新中國在農工業方面的成就。行程並包括考察土改後的農村狀況，並擬往風景地杭州一行。六星期後，我回到印度。

我們這樣從一城到另一城，從一個機關、工廠，到其他組織，都受到官式的招待。我們聽了許多演說，指出從解放以來，在共產黨領導之下，所有種種的成就。地方人員，工廠經理，以及政府官吏，都異口同聲的宣揚其所已，實際表示，只是一種宣傳。同時，如報章雜誌及書籍，也是同一語調，並無一點不同或矛盾的地方。總而言之，一切言詞都是竭力表示其所公佈的成就的正確。作為一個參觀者的我，便像一個機械人一樣，接受引導，承認這是在全體國家下所成就的功績。我明白共產主義已是今日中國大陸的天帝，中國人民的神龍，正如詩人白居易所說：

黑潭水深色如墨，
傳有神龍人不識，
潭上架屋官立祠，
龍不能神人神之。

回到了印度，要把心中所充滿的六星期來許多印象，和那些神奇的事實清理出來，自然不是一件容易的事情。倘若客人對於主義沒有什麼信仰，我很想早些把一切來個明白的整理。但我知道印度通信社，頗想在北京設立一永久代表，供給印度報紙以中國的消息。印度政府也希望在中國有獨立的通信機構，傳使兩國人民能夠增加理解。所以我當時很少說到中國，深恐一旦發表了所見，將使中共對我關起了大門。

一九五二年三月印度政府宣布要在五月勞動節，派一個正式的文化代表團前往中國。印度通信社要我担任通信記者，再往大陸。我接受這個機會。我初的行程計劃，並擴大到視察淮河的工程，遊覽大同及曲阜孔廟。

人物述評

憶水利導師李儀祉

小丞

（一）

今年中國大陸水災為有紀錄九十年來所未有，災區之廣，災情之重，可想而知。中共竊據大陸，侈言水利建設，妄事奴役人民，本年空前水災的發生，過去法螺，已不攻而自破了。於此，使我們憶起，懷才早逝的水利導師李儀祉先生，曷勝其人才凋落之感！

李儀祉先生，原名協，字宜之，後改儀祉，陝西蒲城人，誕生於一八九四年，到今年已滿六十歲，但他逝世已經十六年了。

李氏於光緒三十年考入京師大學堂，專攻德文，作出國準備，宣統元年，應西潼鐵路局之考選，赴德國柏林大學肄業。以格於環境，鐵路工程為必修之科，水利則輔之。其後始專攻水利，研精覃思，與世界各名水利教授恩格爾斯等質難析疑，學業猛進。

民國四年，南通張謇，主持全國水政，鑒於我國水利事業之重要，為儲材准備，有「河海工程專門學校」之倡設，延聘李氏主講河工渠工等重要課程。李氏循循善誘，在校八年，今日河海同學，水利專家，多屬李氏桃李。李氏著述甚多，對我國歷代治水專家如王景、賈讓、潘季馴、靳輔諸氏所論列的，均加以悉心研究，並與近代科學原理，互相印證，溝通中外技術，發揚我國歷代治水精神，可說前無古人。故當日李氏所寫的水利著作，極為中外學者所重視。

（二）

民國十一年，他本學以致用的精神，任陝西水利局長，悉心經營，實事求是，規劃關中水利，計已有成就，而為國人所稱道者，有灌溉之渠，亦即世人所習稱的「八惠」。計為：

（一）涇惠渠；（二）渭惠渠；
（三）梅惠渠；（四）織女渠；
（五）洛惠渠；（六）漢惠渠；
（七）澧惠渠；（八）黑惠渠。

共計灌溉面積，達三萬頃之多，大部份皆為李氏生前一手完成者。其未完成部份，則按照其核定計劃，由其學生孫紹宗，劉鍾瑞，續繼完成。過去秦中苦旱，易子而食，至此，已無此慘象，過去遍種雅片之區，今已換種棉花。八渠農民，感恩之餘，家家戶戶，以「杜神」供祀李氏，以示飲水不忘之意。

民國十七年，北伐完成，中央選用專家，任李氏為華北水利委員會主委。十八年七月，導淮委員會成立，李氏任委員兼工務處長。二十年黃河水利委員會成立，李氏又被選任為委員長。二十一年，黃河決口馮翊，李氏奔走京滬，呼號籌款，以一技術專家，從事行政工作，奔走雕違，精神肉體均感極度疲勞。嗣後國府成立黃災救濟委員會，調李氏為總工程師，負責堵口，責任至為重大。其時李氏已健康欠佳，積勞致疾，後來還是他的學生宋希尚代理其事，在艱度驚險，困難萬狀的情勢下，幸告成功。

二十七年，抗戰軍興，他在陝西動員委員會任職，多所擘劃，卒以操勞過度，舊疾復發，移送醫院療治。各惠渠民衆聞訊，奔走駭告，若親其父母之疾，每日探望祝病的人，院為之滿，爭相輸血，惟恐不及。老弱婦女多跪拜院外庭中，口唸佛號，為氏祈禱。當三月八日病革時，哭聲震院，如喪考妣。設引之日，男女老幼，自動案巾為之執紼，送殯者，列隊凡十餘里，達四五萬人之多，足見感人之深矣。

（三）

他的學生宋希尚後來在涇陽墓前，曾有詩哭之云：「涇水淙淙不住流，遺業閒費推求；長眠即是成功者，萬戶千家感不休！」詩固紀實，但其中亦含有不少辛酸之淚。

李氏學識淵博，品德高尚，好學不倦，誨人不厭，數十年如一日。每出游，必攜帶德國新出版之水利專書，以備瀏覽。待人接物，和藹可親，一種平易近人的態度，隨時流露，令人於欽仰之餘，更有一種親切之感。

他的為人，並非道貌岸然，與之所至，詼諧百出。河海同學每集會，餘興中必強他說笑話。他喜穿布衣，不喜西裝革履。某次赴淮河視察，舟中攜骨牌消遣，返至浦口，檢查人員以為他是忠厚的鄉下佬，責以攜帶賭具，予以扣留，意存索賄。他泰然處之，後某政要至，為之解圍。問何不以身份見告，他坦然自承攜帶賭具。相與一笑。其風趣有如此者。

國外通訊

葡屬帝汶輪廓畫（四）

瑚康

辦理僑教的艱難

不過，推行僑教，決不是一件很簡單的工作，辦理僑校之難，比在國內辦學，恐怕不可同日語，尤其不是現時在香港辦學的人所能想像：第一，合格師資的缺乏，請教員之不易；第二，經費的不裕，一切不易施展，尤其是教師待遇太低，趕不上店員，木匠或汽車夫的時候，教師來源和留師久任都發生很大的困難，第三，重商主義或拜金主義的影響使士不悅學，讀書風氣無法提高，第四，僑胞人數少的地方，學生來源成問題，至少也覺得學生少而可貴，於是來一個收一個，來兩個收一雙，學生未經選擇，亦不能淘汰，甚至有些地方，開除學生成為不可能，於是校風內嚴格整頓，也為不可能的事體了，第五，四圍環境之落後和一般知識水準之低落，影響到僑校學生往往程度較低於國內大城市，尤其是著名學校之水準，第六，殖民地政府或新興民族國家對華僑的歧視及教育法令上的限制或苛例；第七，左傾份子共產特務的活動，和破壞僑校攪亂學校的行為，第八，言語的紛歧，方言的勢力，往往超出國語之上，第九，許多做家長的人，有些不明是非和正義，全以情感為轉移，不知如何維護僑教，反而道聽塗說，相驚伯有，影響學校信譽，同時即影響學生對學校的向心力，第十，得書不易，學生亦多不肯買書，因此博覽參稽，不易辦到，第十一，風氣閉塞，尤其是沒有中西文報紙出版的地方，往往要等候好幾天乃至一兩個月，才看到大城市出版的報章和雜誌，新聞都變成舊聞，致職員學生對這些報紙刊物，多不感興趣……。

以上順手拈來，不覺也就寫出了十餘點之多，這些都不是筆者故作聳聽的危詞，南洋也許有不少地方是這樣的，帝汶也沒有算得是例外吧！

華僑善處環境

帝汶島葡屬部份，大約三十餘小埠，往往一去三十哩，有商店或有商業的地方，都有華僑的足跡，煙村十餘家的地方，就有兩三家僑商在那裏開店。他們和土人處得那麼好，甚至於與土人通婚，攀及親戚來，真是孔老夫子說的：「言忠信，行篤敬，雖蠻貊之邦行矣！」我們的僑胞，不單是與土人能夠和平相處，就是對於統治階級的葡人，也經常聯絡得很好，幾乎好像和朋友一般慣熟，做山埠地方官的葡人，也常到僑商店裏坐談喝酒，並以能參加中國僑民的喜慶讌會為樂，有時僑胞結婚之夕，舉行舞會，一連兩天，葡籍地方官員，也參加跳舞，往往通宵達旦呢！

天下小事

蘇俄海軍大登廣告

據密切注視蘇俄海軍動向的英國海軍情報機構說，最近十五艘俄艦在北大西洋中演習，其意義並非單純在演習而已。更大的陰謀是在藉此表示共黨的海權已伸入通常為英美所控制的海面。據英海軍人士認為，這無異是蘇俄在大登其廣告，向世界宣佈它已成為世界上第二個海軍國家。

義共靠勒索敲榨維持

據南斯拉夫共黨機關報「鬥爭報」透露的消息說，義大利共產黨的經濟來源全靠勒索與敲榨支持。鬥爭報說，義共專門向義國工業家下手，強迫他們捐獻義共的經費。這些工業家大多與美國的工商業有來往，許多且與美國的商人訂有合同，由於義國工會大多受共產黨控制，利用工人反美的壓力，所以共黨向這些工業家勒索時，後者為避免釀成罷工工潮，鮮有不照數付給的。

美聯參部看重高寮

雖然一般人認為由於分劃越南的結果，越南終將繼北越之後，淪入共黨手裘，但美國聯合參謀部却仍在秘密地草擬計劃，積極準備軍援高棉與寮國，在本年度（本年七月一日起）的美國軍援計劃中，預定用於東南亞區的共達七億美元，聯合參謀部打算在內中提出一部份基金，盡可能將寮國與高棉建設為一個強有力的反共國家，必要時，還打算予南越以軍事上的援助。

乃比里北平吞雲吐霧

自泰國前總理乃比里在北平「人民日報」上發表一篇「解放」泰國的論文後，這位失蹤多年的泰國失意政客又成了世人注目的對象，可是據極可靠的情報說，乃比里這篇論文決不是他自己的意思，完全是由中共派人操刀的。乃比里現在嗜鴉成癖，已有弱不禁風之勢，他正在一家北平醫院中戒鴉，但因為年齡的關係，數月來鮮少成効，對他本人來說，與其領兵在泰國境內從事艱苦的游擊戰，倒不如舒舒服服地躺在床上，吞雲吐霧來得好一些。（孟衡）

編者讀者

△去年印度社會黨領袖夏斯特利，到赤色大陸訪問，回國後，曾發表好幾篇文章，批評中共的措施，本刊已經擇譯數篇刊出。夏氏另有一本旅行日記，也由牛布衣先生介紹其大意，在上期及本期發表。茲再得守義先生譯印度國大黨胡德新所作的「中國管窺」一書之一部份，均對於中共政權作公平的報導。現在中共極力拉攏印度，我們不知道印度人民讀了這些文章後，對中共的印象是怎樣？中共的拉攏，又會得到甚麼結果。但這些文章都是以公正客觀的態度寫成的，很可以供讀者了解目前大陸實況的參考，謹此介紹，請讀者注意。

△羅自芳、敵枅、荷裳、俞梨、戴學文、桐蔭、蔡智堪、鄭青燕、諸先生：惠稿均已收到，至感謝。

△勞彰先生：兩函均悉，已另函詳復。

談台大拒聘事件

·尚鷹·

台灣通訊

（一）

【台北通訊】去年暑假期間，台大因爲解聘兩位名教授，以至鬧得滿城風雨。今年又因拒聘兩位教授，以至報章紛紛加以批評。就筆者所知：此間報刊已發表意見的，首先是新生報記者厚安先生，「兩名教授被否決」一文。接着自由中國半月刊發載朱啓葆先生的「有感於台大教聘拒聘事件」。其後中央日報又披露梅汝璈先生的「請求大學開門」。和該報記者茹茵先生，在該報副刊發表「一點感慨」。除此四篇外，有無其他刊物討論此事，尚不得而知。僅就以上四篇文字看，大致都對此次台大聘任資格審查委員會（以下簡稱聘委會），貶多於褒。筆者讀了以上四文，深有所感，用就見聞所及，再向「自由人」讀者作一報導。

（二）

第一，台大聘委會認爲，從政人士，多年未教書的，須將五年內著作送審」。這就是說，做了幾年官的人，不管過去是否專家或學者，曾否做過教授，倘在近五年內沒有著作，便休想入台大之門。照理說，這樣鄭重其術，似乎無可厚非。不過，我們要問該會，當時送會審查資格的，共有四人。除程天放、蒲薛鳳兩先生外，尚有林彬和徐道鄰兩先生。林徐也曾做過官，同時林氏剛剛卸去司法行政部長的職務。林徐兩先生已經通過，程蒲兩先生以同樣資格而被否決，是否公平？是否另有理由？頗覺令人費解。

第二，最近台大聘委會又通過另一位教授兼主任某先生。據說這位先生過去並無學位，也無著作，更未曾在大學教過書。因此引起一般人揣測，他之所以獲聘，是否與聘委會上面所宣佈的理由相符？據熟悉內幕者言：這位先生乃台大某院長的內親，而某院長也便是聘委會重要委員之一，因爲有人支持，遂被順利通過。所傳是否確實，雖不得知，到底不免啓人疑竇。

（三）

厚安先生在「兩名教授被否決」一文裏說：「……而聘任若干濫竽充數者，墨守高閣講章，年復一年，欺騙學生，損害社會，亦非計之得者」。於此筆者願爲厚安先生的文章作一註解。筆者有兩個親戚在台大念書，據他們說：他們讀的那一系裏，有幾位教授，常常挾着大皮包上堂，神氣十足，可是講的書無人瞭解，發的講義也等於無字天書。甚至考試題目也莫名其妙。因此調皮的學生，就索性不聽他的課。但奇怪的，是這些同學考試，也照樣及格，即使終年不上課的也照樣混到畢業。像這種情形，是學校貽誤青年？還是青年不圖上進？這要留請讀者解答了。自然這和聘委會此次拒聘事件無關，不過社會上總不免會聯想及到的。

（四）

又據道路傳聞：程天放先生與台大錢校長新結秦晉之好，蒲薛鳳先生又係錢校長的清華老學長。錢氏不願意他們倆人投閒置散，有意邀來台大講學。不意聘委會認爲這是「牽職位拉關係，做人情」的作風，於是加以否決。又據說，聘委會諸公本對程蒲兩先生無成見，祇因其中有一二委員提出「正當理由」，大家也就不得不唯唯否否了。這些傳聞，流傳旣廣，似非全屬無稽。如果無誤，則聘委會的拒聘理由，似乎很有商酌的餘地。

九月廿四日台北

讀者論壇

自由批評的眞義

·龍一驍·

（一）

美國前駐蘇大使蒲立德指出：在爲生存的戰鬥中，必須對於政府的自由批評和背叛之間，用清楚的界線明白劃分。我們的國家，現正處於世界民主集團與反共產極權戰鬥的最前線，負担實現民主和光復大陸的雙重任務；當實施民主憲政的初期，國家即遭遇空前的艱難。對如何建立制度，充實反攻力量，速復國建國的大業提前完成；在在需要明智而忠愛國家的人士，向政府作積極性的建議；但背叛國家的無恥政客，或共黨間諜及其宣傳家的同路人，對政府所攻擊的誣蠛破壞言論，都是國人所深惡痛絕的。吳國楨即是合背叛者與匪諜同路人於一身的無恥政客；當其在政府任高級官吏時，從未見有何積極性的建設性的意見；但一旦不能滿足他政治上的私慾，就跑到外國對其曾經宣誓效忠的政府，盡量誣蠛誹謗。名學者胡適博士針對吳國楨本年六月份在美國展望雜誌所發表的謬論，於八月十六日美國新領袖週刊發表了一篇「台灣有什麼程度的自由」，對吳氏的謊言構說痛予駁斥；該文已由香港工商日報翻譯，分載於九月六七兩日該報。

（二）

我讀完該文後，感到胡先生的駁斥，固然是對背叛誣蠛者以有力答復，但有力的答復，是自由中國各種民主自由的具體事證。除胡先生所詳細說明的言論自由及憲法和司法權力的劃分外，更基本的，應該是下列幾點：

第一，是民主的憲法，中華民國憲法是我國五千年來政治上最榮譽的建國典範，這是無需多說的。

第二，是民治的政府，——自由中國的政府是依據憲法組織的民治政府，國家元首和各級民意機構，以及縣市首長，都是經過合法的公開選舉而產生的。正如蒲立德所說：「台灣是在民主憲法之下治理着，有着自由和光榮的選舉制度。」

第三，是在勸員戡亂期中，維護憲政的努力。自由中國處於動員戡亂的緊急時期。可是政府爲了維護憲政的正常發展，寧願給人民以更多的自由，更多的民主；而於限制人民的自由權利，甚少制訂法律以限制之。

這些可寶貴的明顯措施，都是値得稱許的事實。足以粉碎背叛和誣蠛者任何謊言而有餘。但我們不應以此自滿。

（三）

我們還得進一步完成復國建國的偉大任務，在政治上需要努力的是建立健全而完整的民治制度。這有賴於我朝野的共同努力。

在這裏，我想國人應該弄清楚的，是對政治的自由批評與對政府的惡意誹謗，是應有顯明區別的。對政治的自由批評，應該有政治素養和政治道德；其出發點應該是公忠謀國，至誠善意的流露；而對制度，政策，法令可能未盡妥適的地方，作積極性的建設性的改革性，建議；而不是破壞性，挑撥性的消極性的譏評。是以國民一份子對國家提供個人的意見，這種意見的本身或有錯誤，但這種批評的態度是誠懇的，純潔的，負責的，不是爲個人意氣的，是爲國家人民的權利的；這是自由批評應有的條件。如果毫無政治素養和政治道德，像吳國楨之流，完全爲了個人政治慾望的不滿足，而揑造是非，無的放矢，對政府惡意誹謗，意圖挑撥，離間破壞國人團結，這只是共黨宣傳家的同路人，造謠生事害人自害而已；詎能謂之自由批評。

論美國的領導地位

·旭軍·

挽回領袖地位之道

（上接第一版）

美國自杜魯門艾奇遜的『丟掉中國』大錯鑄成後，引起了一連串的失敗，直至歐洲軍失敗的今天，引起國內的不良反應。美國固然不必以領導世界的難題是務，但美國爲人爲己，都不能放棄領導自由世界作反奴役反極權鬥爭的責任，因此我們希望他在亞洲方面澈底執行艾森豪威爾總統初登台所宣佈的『解放鐵幕人民』的諾言。尤其是在今天中共處在民窮財盡，天怒人怨的窮蹙處況中，實行援助中國人民爭取自由，推翻蘇聯傀儡政權，把亞洲局勢挽回過來，則蘇聯亦趨於衰竭。蘇聯之是否敢作大戰是在其原子武器的衡量上決定的。中國人民爲自由而起革命，反攻大陸，是不應亦無法阻止的。中國古聖賢有典訓說：「德不孤必有鄰」。美國如欲重振聲望，則必須着意於「德」。非在縱橫捭闔。美國如要維持其自由世界領袖地位，必須在亞洲發揮其正義力量。必然成功，決無失敗之理。是可斷言的！

讀「中國日記」（下）

印度B.SHASTRI著　定價一盧布

·牛布衣·

中國的文化教育

夏氏對於中共的奴化教育，有極清楚的認識。他在日記裏說：『中國的學校教育共十六年，小學六年，中學六年，大學四年。學生在學期開始的時候，即須付全學期學費。小學注重自然教育，中學注重共產主義和黨徒的培養，大學注重技術的研究。可是不經政府的批准，學生是沒有機會升大學的。大陸大學教育的水準，遠較印度爲低。最妙的是中共採取報紙作爲必修科目。在教室裏，先生念報紙給學生聽，然後對學生發問。大陸報紙全部由政府刊行，內容都是一樣的。報紙的主要題材爲工廠的生產數字，某某鄉村農產品收成的成績，政府要人的演說，此外便是抗美運動。』

又在另外一段，夏氏這樣記載：『我們到了北京的時候，北大副校長對我們的歡迎詞有下列幾句話。他說，在「解放前，任何一個人由學校或者書籍方面得到的知識都是假的，都是[illegible]義的。只有解放後，毛澤東給我們的光明才是眞正可貴的」。』所以中共的教育，是百分之百的奴化教育。

大陸變了大監獄

中國共產黨說，中國是人民共和國，人民有思想、言論、交際、通信、和信仰的自由。這話靠得住嗎？夏氏在日記裏說：『大陸人民若對當局有所批評，便有生命危險。甚至私人閒談，也能夠毀滅個人的前程。法律雖然規定了種種自由，可是中共却沒有保障這種自由的司法。因此監獄裏的人數，日有增加。監獄裏百分之七十五的人犯，都屬於政治性質。事實上，中共已將整個中國大陸改成了一所大監獄。法律上規定的自由，不是人們享受得到的。』

夏氏曾遊覽中山陵，在他日記裏，這樣寫：『中山陵途中的印象，使我們不能喘息。因此我們決定不參加是晚的宴會，作爲一種抗議。』

毛澤東爲何變了神

中國大陸現在大捧毛澤東，把老毛捧成了神。中共爲甚麼要把老毛捧成了神呢？夏氏在日記裏有下面一段記載：『大陸的領袖，有意在國內做成戰爭氣氛，他們的武器是猜疑和憎恩。在獨裁國家裏，這一種氣氛，是需要的。爲準備作戰起見，他們要把他們的領袖，提升到神的地位，然後才能夠壓迫人民，服從一個政黨的命令。希特拉，墨索里尼，和史大林，莫不如此。毛澤東當然不在例外。現在大陸的教育政策，便是把毛澤東捧成了神。任何一個地方，大戲院、電影院、跳舞場、佛教寺廟、回教園林，都得向毛澤東的像致敬，和唱讚美毛的詩歌。』在另外一篇日記中，夏氏又有這樣一段記載，『大陸教育主管人員這樣說，「經過改造的人，才能知道眞理，才能接納毛澤東的光輝。他們能運用自我批評，來改正本身的錯誤，分辨出友人和敵人」。』

夏斯特利參觀一所小學，他指着毛澤東的像片問一個小學生。這個小學生很神氣答道，『你不認識他嗎？他是毛主席。毛主席賜給我們食物，衣服，和教育。毛主席是我們的保護者。』毛澤東變成了神，大陸人民無死所矣。

結論

上面不過提出夏斯特利日記裏的幾個論點，掛一漏萬，在所難免。原文是用日記體寫成的，讀起來特別有一種親切感。

筆者敢向讀者鄭重介紹，夏氏這本『中國日記，』是愛好自由的人士不可不讀的。夏氏在日記裏，曾經兩次特別提起，『中共把整個中國大陸改變成一所大監獄。』這句話，是原書最重要的觀念。不錯，中共黨帶給中國的是饑餓，奴役，和死亡！自由世界人士，讀了這本日記，對於大陸被奴役的同胞，不免要引起最大的關懷！（續完）

聰明商人決不上當

香港不做大陸生意

港督葛量洪爵士是一位誠實能幹的政治家，他和英駐東南亞高級專員麥唐納同樣受人擁戴。香港在竹幕邊緣，還他的才智，五年來沈着應付，在經濟困窘與複雜社會形態之中，終能克服重重困難，尤其對數逾三十萬括有來自大陸，木屋區的火災難民，給予妥善救濟、徙置，所有的貢獻，乃爲無可否認的業績。在二百數十萬市民心目中，幾不以爲葛氏係殖民地的統治者，而視爲公衆的患難朋友。他的任期延展，與此不無關聯。誠然，香港的民主政制尚落後，就客觀形勢與社會安定情況看來，則任何較香港政制進步的殖民地難以比擬的。當人們批評英國殖民地政策之時，基於這些事實，稍覺寬慰。顯然的，倘非葛氏具有高度服務精神，曷克臻此。

港督赴英度假之前，曾說於返港途中訪問美國，當時有人揣測葛氏此行，負有特殊使命，以打破禁運來解除香港經濟上的困窘，企圖向美遊說，而引起了不良反響。事實上葛氏過去所作發展經濟的努力，對大陸貿易，根本沒有任何幻想。如今葛氏在美的言論恰與上述傳說正相反。他首次抨擊工黨代表訪問北平；在倫敦「每日鏡報」反擊之後，繼又發表電視廣播，把香港的情形告訴美國人，同時也向自由世界作了一次概括的報告。事實上以艾德禮爲首的「訪問團」，不僅葛量洪認爲遺憾；即身爲團員的貝萬之流也頗感失望。

綜觀葛氏在紐約的廣播，演辭內容絕無說謊不實之處，他推出了香港的具體輪廓，除了指出它的地位是自由世界的財產之外，而且是搜集中共情報最好處去。他說香港沒有生產中共所需要的產品，這不僅要扭轉美國朝野認爲香港以戰略物資濟共的觀念，間接告訴香港打算與中共做生意的商人，不要再存這種幻想。至於他說運往中共區所有物品，必須來自海外，此等物品如由香港轉口，「必須證明其爲非戰略物資，否則無一獲准運往共匪區者。」令人不無懷疑過去經港轉口運往大陸的物資既「全非戰略物資」，中共自可提購香港產品，何必遠赖海外。因此不無使人想到香港轉口的物資，其中不乏軍需原料，而以「非戰略物資」的證明蒙蔽港府。當然，誰也不希望會有這樣的情事。世人當會確信港府執行聯合國禁運命令具有信心。葛氏對於中共目前所進行的「貿易攻勢」，認爲自由世界「聰明的商人決不會上當。」那末，香港一般對中共寄於幻想的商人，毋寧是愚昧、醜惡、終將上當的市儈了。

「半下流社會」將攝製電影

〔影劇界消息〕：亞洲出版社出版之「半下流社會」一書，業已由著名劇作家易文改編劇本，將由亞洲影業公司攝製電影，搬上銀幕。據悉：該片攝製工作，現已進入準備階段，一俟各主要演員全部安排妥當，即可開拍。目前唯一虛懸未決者，乃爲該劇之男主角——王亮一角，尚未選定適當人選。（署）

華洋的糊塗蟲

馬五先生

（自由談）

美國人籌資主辦的救濟中國流亡智識份子機構——香港分會，有個綜理日常事務的秘書曾某，最近舉家從本港溜往大陸的新界地區失蹤了。這是一項嚴重的政治性消息，未可忽視。即此可知華洋之間有許多糊塗蟲，都是吃着反共飯而間接爲共作假的！

曾某之得任斯職，據說是受知於該分會主幹人美國洋紳士「納匪」流然的，同時又爲現在台灣拿美鈔過活的某一過氣糊塗老倌所支持，此一過氣老倌，即係民國卅八年在廣州拒絕文教界簽名擁護雙十節之糊塗蛋也。那位洋糊塗蟲在本港主持會務時，堅決反對有反共非共的措施，連文字宣傳亦懼懾，託詞於「英國人不願反共」。曾某與他沆瀣一氣，裏應外合，使當時在該會担任編譯工作的幾位中國智識份子，大爲憤懣。然曾某仗着幾個華洋糊塗蟲的奧援，我行我素，且隨時到台灣一住就是幾個月，經他一手審核資助入台的智識份子就有八百多人！

他現在神祕地全家失蹤了，若不是走回大陸去「述職」，何以本港治安機關搜尋了一星期亦毫無下落呢？他對台灣的情形當然比我多知多識，又資助了亦末多的朋友到台灣去，如果他也是一個問題人物的話，我眞替自由中國，慄慄危懼呢！

美國參議員麥卡錫這幾年來大力揭發潛伏在各方面的共諜和其同路人，而尤以對國內外情報宣傳機構的人物爲最甚，確屬未可厚非。像「納匪」之流，縱使不是共諜，也是標準幼稚的糊塗蛋，美國過去在中國所演出的悲劇，就是這般傢伙編導的。中國的若干糊塗蟲雖已大量被赤燄吞滅了，但猶有死灰存焉。

有些眞正反共非共的忠貞之士，只要在海外跟「第三勢力」朋友在路上點了一下頭，或者說些民主自由的言論，即有人打小報告，認爲「問題人物」，而對曾某這種事證昭彰的重大嫌疑份子，却熟視無覩，讓他自由出入台灣，這不是幼稚糊塗之至嗎？

·不打自招文鈔·

不說一句有用的話

文抄公

共產黨統治下，沒有「不說話的自由」，這是大家熟知的事。既沒有「不說話的自由」，聰明人便發明了「不說一句有用的話」的秘訣，請看中共報刊所載的下面一篇文章：

開會的本領

北京　吉喆

四月十五日人民日報載蘇聯瓦西金．奧雜奇金「在一個會議上……」的文章，敘述在一個區的黨的積極分子大會上，報告人和發言人的情況。文中有這樣的插話：「我十分鐘的話，能夠一句有用的都不說，這也需要本領！」

十分鐘！——蘇聯一般會議上發言人的法定時間，如要超過十分鐘，就得徵求會場全體人的同意。因此，那沒有本領的人，只能夠在十分鐘內表現他能夠一句有用的話都不說。而我們的會議呢，一般連十分鐘限制都沒有，就是限制發言時間，發言的人也不一定遵守。他們不僅講十分鐘不說一句有用的話，就是講二十分，三十分，四十分，一點鐘，甚至超過一點鐘，也能夠不說一句有用的話。這種人比之奧雜奇金文章裏描寫的「舌頭上已磨出繭來的人」，本領還要大。

這樣的事情，這樣的人物，在我們日常生活中，並不是罕見，而是常有。在他開頭的五分鐘以至十分鐘，講的是「套語」：「我沒有研究」，「講得不好，請大家原諒，給以批評」等。好容易入題了，開會的人，靜聽着，以爲他一定有了不起的「高見」，可是，你怎樣聽也聽不出新東西。半點鐘過去了，才知道他連會議要討論什麼，要達到什麼目的，都沒有弄清楚，記錄的人放下筆不記了，聽的人以爲再快講完了，但他可以忽然一轉，扯到離題萬里遠，指東點西，說南道北，那套話，在這個會議上可以講，在那個會議上也可以講。

有的人比較好一些，也知道會議將討論甚麼，但他並沒有認眞考慮要討論的問題，因此沒有甚麼話要說。但爲了在「發言統計表」中佔一個名額，不得不站起來發言。他講得「津津有味」，講的甚麼呢？除了重述人家已經說過的話和他自己摻入一些不着邊際的話以外，很難找出有用的東西。

另外有一種人，不是一句有用的話都沒有說，但他却忘記了開會是爲了嚴肅地，認眞地解決問題或佈置工作，而把講話當作演「相聲」，音調，眼神，手勢，諧合地去演着。爲了「引申」，使聽者有甚有的從背景的「刻劃」到人物的「描寫」，爲了使人聽得，避免聽衆打盹，陪襯着幾十句的話，陪襯上百句無用的話。結果時間是浪費，那句有用的話，也被淹沒在廢話堆中，不起作用。

這些人，自以爲有「本領」，有的似乎還在練習這種「本領」。

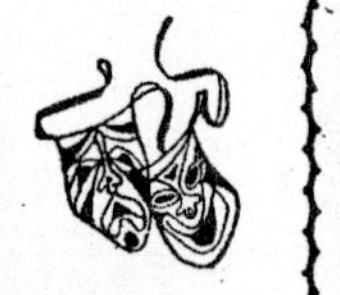

曝篋兩首

·彭楚珩·

衣物

些物故家來，幽思凝不開，萬情憑此寄，寸布亦奇瑰！

家書

血淚漬書翰，欲看不敢看，淒然納舊篋，獨自倚闌干！

後序曰：甲午中秋之次日，適爲星期，烈日當空，曝篋之暇，兼曝書物。自惟從卅九年初，偕大兒彭彭，隻身潛抵香島，亂離之餘，襤褸竄來，無可珍者。惟兩人衣被，尚有故家物在，以及家書若干帙，珍同拱璧，歲當曝曬，以免虫傷。而每曬一次，則傷心一次，忐忑不甯，且數日之久，是爲物者累耶？而爲己者輕耶？愚耶？智耶？詩以道之。

二聽金素琴

·周景彝·

（一）

這次隨香港影人劇團回國勞軍的劇人中，平劇坤角，有兩位前輩伶人人物，一位是北派坤角皇后章遏雲，一位是江南名伶金素琴。他倆在舞台上活躍都將近二十年的時間。假如說女人祇有五年一世的話，金素琴與章遏雲在劇壇上，將是四三公世的人物了。

章遏雲早已得到美滿的歸宿，很少活躍舞台生活，她洗却鉛華已將近十載。金素琴，雖然也有了歸宿，但她婚後，仍一直活躍於舞台生活。金素琴一生最不平凡，目前，還是金素琴在台灣藝壇活躍的時候。

（二）

金素琴原非姓金。等於你把顧正秋當作顧小姐，一樣是錯誤的。顧正秋之所以姓顧，是她用來紀念她已死的義母的。金素琴的姓金，却另有原因。金素琴是杭州人，她是正黃旗的滿軍旗人，假如要說她是姓金，那和川島芳子一定要姓金，叫金碧輝一樣。金素琴本姓郎，她爲了與戲的原因，郎字在音韻上無法安排藝名，所以才在宗族互姓中選用「金」姓。金字的意義，是一種富貴豪華的象徵，金素琴在富貴豪華的生活中，浮沉也將近三十年了。

從金素琴在香港時期的表現看，她對於祖國的確是很熱愛的。去年蔣總統誕辰，香港調景嶺上的一羣義士舉行了一個慶祝晚會。當時金素琴不顧傾盆大雨，欣然參加盛會。可見金素琴雖身羈海外，却心懷祖國。她是一個出色的愛國藝人，此次回到自由祖國，一定會以一生藝術經驗，從事激勵士氣民心的工作。自由中國八百萬同胞正翹首以待她的演出呵！

（三）

本年八月初軍人之友社講習班學員結業典禮，曾假北投幹校演出全部「武家坡大登殿」，金素琴去王寶釧一人到底。九一記者節，她應邀演出全部「忠孝節義」，飾劇中三娘。綜觀二齣全劇，由始至終，相當精彩。惟素琴似因精神過份緊張，致在武家坡一場，「我問他好來——還」一句竟然脫了板。實在是美中不足。好在聽衆未曾注意，否則不免哄然一團，或許對她有不利的批評了。記者節的三娘子，郭曹會嚳君的老薛保，依以素琴外子郭曉農的薛倚，眞所謂珠聯璧合，相得益彰。臉正字圓，表情逼真，動作自然，合於規律。尤其許多小動作交代，非常乾淨，不顯斧琢。眞有超凡脫俗之感。四十開外的金素琴，嗓音仍能不減當年，實在難能可貴，值得讚美與敬佩。

猶太笑話

·牛布衣·

猶太的民族性是十分精明，現實，而且計較的，下面幾段笑話，似乎足以表現出這種性質。

（一）

一個十分炎熱的下午，卜度邦太太跟一位小販買了一把一毛錢的扇子。一個鐘頭後，她跑了回來，把破了的扇子指向小販的鼻子上。「你怎樣用它？」小販問她。「我用來扇我的臉。」婦人回答。「五分錢一把的扇子可以這樣用。一毛錢扇子的用法完全不同。你得將你的臉對着扇子搖，不一會，你就清涼了。」小販說。（上）

金珠

中篇小說

·勞影·

「它來自哪一個方向？」

「來自你的心底！」

「怎麼辦呢？」

「相信眞心愛你的人，同時求助於自己！」

「唔……」

「怎麼樣？」

「我已明白，並且安心了。」

「浪頭已過……。」

「這不太容易了點？」

「心魔的克制都是在一念之間的。」

「……」

「你想什麼？」

「我說，我比以前聰明多了。」

「智慧多半是從痛苦中提煉出來的；它豐富了我們的生活，但有時也會激我們對現實不滿。」

「……」

「你又想什麼？」

「我覺得，在我認識你之前，我反而沒有現在這樣痛苦……。」

「噢，那是自然而然的，長期生活在痛苦中的人，痛苦有時就會被誤認爲是我們做人必須忍受的一些東西了。」

海風輕輕地吹，陽光暖和地照着：

……。

「快到達了沒有？」她有點不耐煩起來。

「祇要想到達，隨時可能！」

「眞的嗎？扶我起來看看吧！」

我們併肩站立在甲板上。

「我看不到一點邊際，」她失望地叫道：「路程還遙遠哩！」

「這就是我們爲什麼還不能到達的原因，」我說：「安心點，小珠，世界上沒有一條走不到盡頭的路！」

「路與路有無分別？」

「難走的路比較長些。」

「萬一在半路摔倒呢？」

「藉自信的拐杖掙扎起來。」

「沾染的塵埃呢？」

「用淚水洗。」

「假如爬不起來呢？」

「假如爬不起來……」

「假如爬不起來呢？」

「假如……爬不起來……」我沉吟了。

「假如爬不起來呢？」

她用力搖撼着我的肩頭：「飛，答覆我呀！假如爬不起來呢，假如爬不起來呢？」

「噢，」我含糊地說：「等一等……」

「等什麼？」護士焦急地叫道：「她又昏過去啦！」

我從椅子上跳起來。

金珠像死一般地躺着，呼吸業已停止。（三三）

詩人楊雲史的風趣（六）

小丞

霸業荒荒[illegible]十年，司馬鬢蒼然，當時橫槊臨江處，只有桃花流水邊。

閨中有婦似朝雲，繡榻參禪伴使君，相對琴操如佛印，袈裟未必異紅裙。

桑田綠後見雲鬟，寂寞蘭橋鬢已斑，我未成名君未嫁，停杯且共看淞山。

一往情深，豪氣未滅，而情意纏綿，頗似定盦。後來吳佩孚到北平，他亦北上，與舊都詩友文酒流連，得暇即畫梅自遣。他在北平時，敵僞屢次搜檢他的寓所，又徵詢他對蘆溝橋事變感想，他坦然答道：「我的感想沒有別的，就是我是中國人，應知愛中國。」敵人也奈何他不得。後來他化名「葉思雲」離平南下，被敵識破，託詞脫離虎口，抵滬稍留，便即來港長住。但因港地天時溫暖，氣候潮濕，和他的體質不相合，年餘後便患瘋痺症，曾作有一首「旅港久病風痺，醫藥奇昂，力弗能求，忍苦而已」的詩，詩云：

「江南斗米價萬錢，海南藥餌黃金千，老夫數米弗求艾，蹙額諱病倏二年。自非富貴何能病，儘有流亡相爲鄰。明年此日家何處，萬水千山蜂一肩。（肩臂拘攣尤劇）」他那時住的山林道，與章孤桐比鄰，章氏後來去滬，雲史贈詩五律三首云：

其一「四海無家別，逢君意氣親，大名身外事，儒術眼前人，世界多亡國，家山又早春，經年共茲士，鬱鬱習池鄰。」

其二（略）

其三「尊書叢滅裏，興至亦聽驚，寄谷深松氣，春山夜雨聲。人間皆一炬，我輩但浮名，把酒霄雲上，今朝第一程。」

筆力深透，造語奇闢，適不獨人，今天流亡的我們，讀起他的詩來，眞是先獲我心，如哀梨並剪，令人不勝其感慨萬千。

後來國民政府知道了他的苦狀，才畀以軍事委員會參議銜，由杜月笙就近月致薪俸數百元，賴以存活，然日臥病榻中，絕少酬應。他是自始至終，不忘情於梅花的，比如在江西時的「見梅思婦」，以及在北平時常常畫「梅」，又當其病篤的時候，常常囑人取壁上所懸攝影，對人家說：「這是我的故居，庭前梅花盛開，頗耐人想，今後恐不復得見了！」每一談及，淚盈於睫，嗚咽不勝，自知病已無望。但病中仍吟詠不輟，感時之作特多。三十年七七紀念，他曾撰「擬袁頌——」，默念當今存亡，雖文浩傳誦一時。未久病逝，遺著有「江山萬里樓詩鈔」二十二卷。他的詩，從溫李入手，並得少陵、摩詰、東野、太白、龍標的神髓，五古七古，力振唐音，不落宋人喧囂的窠臼，多長歌體，如「檀青引」、「金谷園曲」、「長平公主曲」、「天山曲」都是馳名不朽之作。康南海稱譽他的詩爲「橫絕四海」，却也並不是阿其所好。至於他生平的不得志，爲了要達到「耳無俗聲，目無世態」的境遇，所以他的逸聞趣事也還多呢！（完）

自由人
THE FREEMAN
（第三七四期）
每份港幣壹毫
3 rd. fl. 20 CAUSEWAY RD HONG KONG

蘇聯人口政策的今昔

李加雪

根據最近塔斯社的報告，蘇聯本年有四萬一千個『母親英雄』。『母親英雄』這個名稱，在我們看來是相當生疏的，可是在蘇聯卻是一個十分獨特的名稱。一個母親生育超過十個兒女，便是『母親英雄』。此外還有四百萬個母親得到了『榮耀母親獎章』，凡生育超過五個兒女的母親便可以得到這個獎章。

極左走到極右的政策

上面的一段新聞『母親英雄』和其他獎勵的辦法來增加生育，剛好和自由世界的宣傳相反，其立意何在呢？爲人口問題成爲人類的憂慮，甚至文化的本身。聯合國最近也派員到印度協助辦理人民的節育工作。日本和其他人口過剩的國家都在推進節育的制度，而蘇聯卻採取『[illegible]』策的轉變。蘇聯變成共產國家現在不過三十多年，可是該國法律對於婚姻和家庭的制度已經由極左而轉到了極右，這是一件值得研究的事情。我們可能由這一件事看出蘇聯國策的轉變。

毀滅家庭的時代

蘇聯自一九一七年十月革命後，十二月即頒布兩種婚姻法令。第一種是完全爲方便離婚而設的；第二種，規定宗教儀式的婚姻無效，使婚姻和宗教脫節。目的是毀滅傳統的家庭制度，由家庭制度的毀滅以達到資本主義的崩潰。利用這種法律，蘇聯把俄國數千年傳統下來的家族制度完全消毀了。此時俄國的家庭只剩下一個[illegible]，失却了經濟，倫理，和其他的價值。結婚和離婚的限制也消除了，蘇聯認爲已經達到了消滅私人財產的第一步。此時蘇聯的家庭已經沒有遺產能夠傳到下一代，遺是一種十分激底的革命。

一九一八年蘇聯頒行了上面的兩個法案。把家長主持的婚姻制度，宗教儀式，和其他以前遺留下的辦法完全消滅。婚姻的年齡規定男性十八歲，女性十六歲。婚前及婚後所生的兒女一律平等。男女兩性完全站在平等的地位上，雙方均得要求對方負擔經濟的援助，從前的父權，現已成爲母權。發生糾紛的時候，由父母雙方同意經由當地法院以解決糾紛。此外婚姻的結合，並不代表產業的結合。已婚夫婦可以依照法律的規定處理其財產。離婚的規定比較任何一國自由。（帝俄人民信奉大主教，依照教條的規定，離婚是不可能的。）若果雙方同意，通知婚姻登記處，馬上可以離婚，要是只是單方面要求，那便須請法院依法辦理。

准行墮胎獎勵離婚

一九二〇年蘇聯頒過一種法律，准許婦女在醫院或者產科所墮胎。婦女的束縛完全解放了，女性得到了和男性同等的自由。

一九二六年蘇聯又通過一種法律，承認事實上的結合，那便是男女未經合法手續而同居的，和經過結婚手續的同樣有效。並規定離婚的手續更加簡化了。單方請求離婚可以不必經過法院，只需在婚姻登記所登記便可以生效。

這個時期蘇聯對於女性的解放的確徹底。[illegible]都認爲蘇聯的改革，辦法雖然十分殘暴，不合人道，可是它對於女性的解放在歷史上不少人表示同情。

一百八十度的轉變

到了一九三〇年，蘇聯對於婚姻和家庭的觀念逐漸改變，增加生育，製造砲灰的辦法比較法西斯國家還進步而且徹底。改變態度，完全恢復帝俄時代的家族制度。

一九三五年，私人產業的繼承恢復了。一九三六年六月，墮胎又遭禁止。此時蘇聯全國[illegible]和日用物品十分缺乏的時候，墮胎是不應該廢止的。可是，離婚之風斷絕了。

[illegible]於是成功了。一九四四年七月，蘇聯命令凡未經登記的婚姻一律無效，同時規定離婚的手續，須繳納高額的訟費。人民不勝其擔負，離婚之風斷絕了。

放了一個異彩。可是這種異彩只是曇花一現！

這個時候俄國婦女[illegible]他們不斷的增加人口，把女性當作生產機器，增加人口，作爲砲灰。假若名正言順，振振有詞，自由世界豈有不[illegible]。

蘇聯又規定未經合法結婚而產生的兒女，不得請求贍養。

製造砲灰的人口政策

一九四四年大戰結束了，可是蘇聯爲推行其砲灰主義，反而大加獎勵生育。婦女生產第三胎時可以得到一筆相當大的補助。到了第四胎以後，即按月增加其津貼。該年蘇聯又頒行一個法律，除獎勵生育外，並且規定未婚男女，無兒女夫婦，及有兒女而爲數在兩個以下者均須繳納稅款，甚至懲罰。蘇聯獎勵生育的眞面目表露無遺了。

在房屋和糧食缺乏的狀態下，蘇聯打一個轉身便極力鼓勵生育。因爲人民的生命是共產帝國主義的唯一武器。人海戰術便得了多次的成功。第三次世界大戰，果眞發生，所有『母親英雄』和『榮耀母親獎章』的兒女都是成熟了的砲灰，共產黨征服世界的企圖可以實現了。

尼赫魯造像：一手伸出乞美金；一手提親共大平；一手握和平象徵橄欖枝，一手執利劍。（轉載英「笨拙」幽默雜誌。）

談秧朝「大選」結果（一）

秉文

戲劇化的中共獨自導演的所謂「大選」工作，業於本月二十七日宣告完成；選出了毛澤東的「中華人民共和國主席」，朱德的「副主席」，劉少奇的「人代會常委會委員長」，周恩來的「國務院總理」，董必武的「最高人民法院院長」，和張鼎丞的「最高人民檢察院檢察長」。

從這一張「大選」名單看，可說大多是意料中的事。有「副主席」之在朱德與劉少奇之間，略有出入。惟在人選與僞憲法的關連上，和此種人事佈置的新作用上，仍有不少值得談談的。

統戰工作已成殉葬品

從政體方面說：毛澤東標榜的「聯合政府」，業已在此次僞選中宣告死刑。曾經擁護中共「統戰」陰謀的最高理論「新民主主義」一詞，也已不再見於代替「人民政協綱領」的僞憲法條文。宋慶齡、李濟深、張瀾之流的「中央人民政府副主席」，已由此次僞選予以撤除。清一色的赤色極權政府，正式「依法」產生，從此極權政治合法化，「國」內的「統戰」工作也棄之如敝屣了。

加强毛澤東的獨裁

從毛澤東的權力上說：黨政軍三種最高權力於一身，專制獨裁的運用，更可自如了。在黨言，他是黨的「領袖」，控制着劉少奇爲他經理黨務。在政言，他是「政府」的主席，既可假民主的名義，通過劉少奇的「人代會常委會委員長」，還「憲法」以控制一切政權。又可還一個「最高國務會議」以決定一切。在軍言，他担任「國防委員會主席」，統率全國武裝力量，並將「軍委會」縮成「國防部」，削去了朱德的軍事實權，自己掌握直接指揮。這些，都是在僞憲法上替他安排好了的。

朱德為甚麼做了副手

根據僞憲法，「副主席」是毛澤東的繼任人，當初一般迹象顯示，劉少奇似乎已是「一人之下，萬人之上」了，他將會「當選」爲「副主席」的。但現在結果是朱德而不是他。據一般新迹象的顯示和若干觀察家的可靠分析，認爲劉在毛「病假」期間，鋒芒過露：已不爲毛所「殊寵」；而且他在前此整肅工作中樹敵過多，亦使毛有所顧忌。反之：朱德在共黨黨內有「好好先生」之稱，爲一比較中和和較無野心的人物，毛的選朱而不選劉，可能就在利用他來緩衝內部統治集團的嚴重矛盾。此種矛盾，主要在周恩來和一班封疆大吏與劉少奇之間的明爭暗鬥。

另一方面：周恩來雖仍爲「國務院總理」，但劉少奇的地位權力也極重要。劉一方面爲黨的書記，一方面代表黨控制「人代會」的「常委會」，控制政策與政權。蓋「人代會」的「常委會」等於是「最高蘇維埃」，而劉即爲「最高蘇維埃」的主席。這在以黨統政的權力上已大得無以復加了。中共通過他的手以發揮共黨領袖毛澤東的權力。這便是中共的陰謀手段。中共玩弄政治陰謀，玩弄假民主，玩弄憲法的手段，於此可以充分暴露了。

靠攏份子從此完了

通過這些僞選，尾巴黨派和靠攏份子的地位，已公開而巧妙地被貶得一落千丈。本來自以爲「高高在上」（其實祗暫時被利用爲傀儡而已）的「中央人民政府副主席」宋慶齡、李濟深、張瀾之流，和「人民政協副主席」陳叔通、郭沫若之流，現在都變成了劉少奇控制下毫無作用的「人代會常委會副委員長」，郭沫若且連「國務院副總理」都落了空。此外如沈鈞儒的「最高人民法院院長」也已爲董必武所奪去。

總之：此次僞選原祗是一種「民主」形式的假幌子，對內對外都不會發生什麼實作用。如果有之，那便是爲毛澤東的極權和共產黨的「專政」裝飾一番門面，調和一些內部矛盾，排斥一些靠攏份子而已。（另王世昭先生著『談秧朝「大選」結果（二）』文，見第二版）

半週展望

旭軍

赫魯曉夫為何到北平？

正當美國遠東軍事首領[illegible]往台灣磋商策劃之際，北平電台廣播蘇聯第二號頭目赫魯曉夫率領蘇俄代表團抵達北平。表面上，他們此行係前往慶祝所謂『中華人民共和國第五屆國慶日』，明眼人當知其並非如此簡單，事實上大概是克姆林宮中人鑒於目前大局緊張，必須派二號頭目乘此機會，與中共商討下列各點：

（一）遠東重要的當前局勢[illegible]。俄國親自垂詢中共軍事佈置之後，[illegible]應如何應付？今後數月間，是否能用傘兵戰術奪取金門大陳，及其他島嶼？蘇聯必須派大員來觀察，以便決定如何援助中共。試看代表團中赫然有蘇聯國防部長的布爾加寧元帥。彼等此行含有軍事陰謀的重大意義，可想而知。

（二）閩海之戰，實係自由國家對共集團的前哨戰。如共黨冒險，必受報復，甚至中國大陸一切的主力會受原子彈的摧毀。因此，他們仍估計美國用外交陰謀，[illegible]太平洋防綫之戰略要地。

在遠東方面自由國家，[illegible]「和平共存」夢的矛盾。例如目前印尼與印度總理所擬的[illegible]。

（三）歐洲方面的一個德國整軍問題，這是蘇聯在西方面臨最大失敗。[illegible]老毛，[illegible]他的外交戰，是最適宜利用的。赫魯曉夫必將[illegible]。

（四）因美法撤退，中共對付遠東，亦將付托赫魯曉夫東來之一能專心對付西方陣綫。

（五）關於作戰經濟，如何吸收中國大陸資源，當亦爲重大論題之一。因此蘇俄國外貿易部長米高揚與國內貿易部長謝爾尼克也來北平了。

由此觀之，赫魯曉夫率領數巨頭到北平，殊堪注意。

九國會議的樂觀空氣

赫魯曉夫之東來適在倫敦九國會議之時，此中當亦有極重大關係，即如上述之俄共要加倍專心對付西方。這是自由世界值得欣慶的發展趨向。雖然由此看出英國如何的重歐輕亞，但如歐洲問題獲得解決，至少美國對遠東的措施也可以減去各種的纏繞困惑。在遠東是有利的。此次會議如真能成功，主要關鍵在艾登的爽快，發出驚人行動，概然建議今後四十四年英國以四師陸軍和一支戰術空軍長駐防歐洲大陸，以消除法國對德國主義復活的恐懼（此乃法國否決歐軍條約之至大原因）。但全部過程中，最值得重視的，是西德總理阿丹諾的賢明識大體及其和衷忍讓，不卑不亢的態度，實爲會議成功之主要因素。因此我希望大韓民國李承晚總統及日本的執政者能與阿丹諾媲美，使太平洋集體反共聯防中，日、韓均能和衷共濟發揮其偉大力量。

俄酋鞭策中共東侵

西德建軍談判最後成果，將爲（一）美英法三國發表結束佔領德國之宣言，德國恢復獨立主權。（二）德國參加布魯塞爾協定與北大西洋公約。（三）七國管制武器。（四）管制援德是經北大西洋公約組織之手。是則西方防衛可望迅速建立。這是可喜的現象。但西德軍編入北大西洋組織，大約需時二年，西德飛行員與西方國家飛行員並肩作戰大約需時三年。而原子武器的競爭非常劇烈，在此期間，蘇聯還是着重鞭策中共向東南亞侵略急進。美國在歐洲問題解決後，應針對蘇俄此種陰謀，迅速助台灣反攻大陸。中國大陸一旦重獲解放，鐵幕必會隨而崩潰，世界可由此免於原子武器的慘酷戰爭。若任由中共政權存在發展，共黨必繼續擴張侵略，釀成大戰，此是毋待卜諸蓍龜的。

救救高市長玉樹

·于飛·

台灣通訊

（一）

【台北通訊】高玉樹當選台北市長，不能不說是「僥倖」的事。因爲他沒有黨派關係，也沒有政治背景，更沒有社會上與及經濟上的任何一種地位，甚至沒有起碼的擁護羣衆。並且在競選進行中，曾遭遇到惡劣的宣傳攻勢，但是台北市民却給予他以溫暖的同情，於是，高玉樹當選了。

（二）

自本年六月二日，高玉樹就任新市長到今，短短的三個月時間，光是人事佈置問題，就鬧得迄無寧日，並且串演了許多故事，製造了許多社會新聞，諸如公共汽車管理處長盧志中的「被迫辭職」糾紛，竟在報章上互相詰責。繼又有新任公共汽車處長陳炳煜的拒絕就任，並揭出高市長對其所開附條件的內幕。緊接着又有代處長突然的攻擊，鬧了一齣鍍，狗，官的戲劇。

本來「反對一朝天子一朝臣」和「特別保障事務官制度」，是高市長所標榜的信條。可是事實上，他的妹壻張奕生業已擠掉原來福利社秘書兼主任楊子文的位置，取而代之。他的姑母亦安插到事務股裏去做事。按照原來市府編制，祕書只有七名，現在却突破編制，增到了十一名，秘書室的辦公廳，已經有擠不下去的形勢。行政方面，所有競選時的一切諾言，如：要爲市民謀福利啦，要實行克難節約啦，要以新精神新作風和新內容來從事市政工作等等，似乎尚未能有一點兌現。相反地，市民所看到的，都是一連串的失望，諸如標購柴油車的風波，空白身份證的失竊，更有準備利用公款以支持與市長「志同道合」的人，參加競選下屆市議員的傳說。此外還有其他若干不滿人意的事情。

（三）

高市長在短短的三個月內，自然還不能做出若何的成績來。不過已經發生了這麼多的怪事，不能不令台北市民搖首太息。甚至認爲投給高市長的一票，是浪費感情，悔之不及了。這種情形，固然要歸咎高市長欠經驗的不足，但環繞在高市長周圍的人，也要負担多的責任。因此，我們呼籲這些環繞在高市長左右的人，要誠心竭力的救人，要救高市長，不要把人事問題來着慌困擾他，不要以無謂的應酬去困擾他。讓他安靜下來在市政上做一點利人利己的切實工作。使他能以「新作風」給予市民一種新的觀感，這不僅對市民有益，也是一個有抱負的人延續他的政治生命唯一的出路。我們姑以此卑之無甚高論，期望於高市長與及其左右的一羣，再觀以後的事實如何。（完）

印度國大黨員的 赤色大陸印象記（中）

·守義譯·

向尼赫魯提出的報告

我以一個新聞記者的身份，再到中國，我知道行旅往來的困難，但欲想有私人觀察的方便，爲了旅行及安全，並兌換貨幣的便利，我得有一個身份證。我於是要求外交部向北京印度大使館設法。因爲中國方面對我表示歡迎，據說這是容易辦到的。但在離開印度的時候，我心中感到不安，因爲中共所眞正歡迎的，只是共黨的新聞記者。

我所擔心的，是我關於大陸情況，曾經對尼赫魯總理提出一個私人的報告，因其秘書的疏忽，却把這個報告流入印度代表的手中。報告裏曾說，只管中共說有剩餘糧食可以輸出，其實中國經濟，並無何等進步。我想這一報告倘若落入中共，那我的地位就很爲難了。我要求政府設法收回，但是已來不及了。

因攝影引起了麻煩

到廣州後又發生了一件事，於是更增加了困難。有一個代表，想攝取一個貧苦小孩，背上負着另一個孩子的像片，要我幫他調整這小孩的姿勢。當他拍好以後，我也想來攝取一個。但是，忽然那位譯員，遮住我的鏡頭，阻止拍照，第二天，我得到代表團秘書的通知，中共方面指責我想在「禁區」地方攝影。我心中感到奇怪，願意交出照片。但是他們只說，凡是外國新聞記者，如欲攝影，必須事先得到許可。我想這事關於中共方面的，應該可以告一結束了。

到了北京，印度使館職員要我提出信任文件。最初他們要我簽字於一些文件，半小時後，並要我交出身份證。我並不知道這樣一來，竟一直等候了七天，因爲印度大使潘尼迦已決定我是一個不受歡迎的人物了。

反覆善變的潘尼迦

潘尼迦是一個短身結實的人物，留着一撮鬍子，眨着眼睛，表示自己有把握的樣子。他是一個機警的保守分子，正像一個刺蝟，知道立即把刺毛挺立起來。許多年來，他在印度藩王下任事，變成了只知討好權力的習慣，現在則似乎一切以他爲尊了。尼赫魯曾有一次會說，「把潘尼迦帶到什麼地方，在北京可以成爲共產黨。到華盛頓，就是一個主張自由的人物。」所以他曾是國民黨的信徒，一九四八年在南京的時候，要求印度政府與中國訂立防衛協定。過了數年，在一九五一年十月，我在北京與他相見，聽他說中共新民主主義的成就，又竟完全是中共的一套宣傳了。

第二次我來到北京的時候，大家知道我在選舉中是反對議會黨的新聞記者；並且我所提出關於中國的意見，又是與潘尼迦相反對的。所以他便決定阻止我實行記者的職務。整個星期，我留在使館的一間小室中，與一個朋友同處，沒有金錢，沒有允許，不能到北京各地去活動。直到我電告通信社，要求外交部提出交涉，這才獲得了信任狀。

在這軟禁期間，我自然一切都不知道。潘尼迦曾說中共已得到我的報告，也許提出反對。後來我知道是他對印度代表團指責我的見解。並且他對政府也呈報了我在廣州攝影的事件。因爲政府要求解釋，他這才說明是在要求中共承認我個人的身分——並不是關於新聞記者的。

最後我得到了信任狀，但有了一種新的限制。據說印度使館曾對中共保證我不發布有害的報道，我所有的通信，在發出以前，將由印度使館加以檢查。並且我的通信只能限於代表團的活動，在短期間，我不得參加各種機構的訪問。不過這些條件，並非全由中共提出，所以等到離開了北京，我便不受限制了。

經過譯員 一切必須

照例我應該請求通信社召回，但是却很想再觀察一次。誠然我不想再聽那些單調的官式宣傳，如果，我能親眼看到從前次訪問以來的變化，獲得一些新的印象，應當是件好事。

由前次旅行的經驗，一切行程都受指定，任何集會及接觸，都須經由譯員。有許多中國人雖能說英語，却多故意不用。我遇見了許多大學教授，他們都是畢業英美大學，對英語有完全理解，但照例多拒用英語，直到譯員把我的問題翻了出來，始裝作明白的樣子。所以常有不少回答，顯然是出於誤譯，甚至對方也知道他的答覆是被譯錯了。這因爲譯員的英文程度有限的緣故。

宋慶齡不會說英語

孫中山夫人曾受教育於美國，也是不會說英語的，她說已經忘記了。印度代表團的團長是潘迪夫人，也得經由譯員與她談話。我們第一次與她相見在一九五一年十月。她容顏如昔，似乎肥了一點。據從前曾是一個有名的美女，現在仍有動人的地方，她並不穿那共黨的藍色制服，在一九五一年十月，及一九五二年五月在上海，我每次見她都穿的漂亮的黑袍。她的頭髮仍未變白，保持黑色，梳成髻子，緊於頭後。她走路的姿勢現出一種嬌弱的樣子，每次正式相見，眼光中都有憂鬱的感覺。也許她與中共同志的熱情，現在已經消失了。因爲中共對於孫中山雖表面表示尊敬，但實則並不重視。不幸我們的談話，只限於請她訪問印度。每遇談到他事，她輒藉口傷風，不能多說話，以爲推託。我的談話先由譯員居間開始，但是後來她却漸漸用完全的英語來說了。

龔澎女士是外交部情報司長，也能說流利的英語。在關於細菌戰爭的記者會議中，她曾與我談了十分鐘，其意顯欲我對此表示意見。但當印度代表團第二人，到外交部去訪問她，想得到一些關於中共的消息時，她却拒絕用英語談話了。

人物述評 蛻變中的謝冰心

·紹華·

（一）

「作繭自縛」的謝冰心，本着「嫁鷄隨鷄」的中國古訓，於一九五二年跟着她的丈夫吳文藻由日本東京投到鐵幕裏去，魚沉雁渺，久矣乎沒有消息。後來因抵不住中共的鞭策，到今年仲夏，她便寫了一部以兒童爲中心約莫五萬字的「陶奇的暑期日記」，這大概是滿足對於所謂「少先隊員」的期待吧。

冰心是五四以後很早便成名女作家之一，她於十九歲發表了詩集繁星，二十二歲發表了寄小讀者，這些作品曾先後登載於北平晨報副刊，該報的主編陳淸泉先生給予她不少的鼓勵和幫助，才[illegible]相當地和廬隱、蘇雪林、凌叔華等在文壇上佔一席地。捧她的人說她的「鋒端蘊藏着豐富的情感，流露過光明的希望，溫暖的愛撫，深厚的同情。」雖然有溢美之處。但她的作品裏浸透了一些子善良和摯愛的句子，表現了部份的優美的風格，頗留給人以親切的印象。

（二）

燕大出身的冰心，她對於中國文學的修養，和寫作的技巧，特別是關於詞句的洗鍊，自然敵不過女高師出身的廬隱和蘇雪林，不過她的作品大概以兒童之愛爲中心，純潔無邪，別出心裁，尙能夠受一部份讀者所歡迎。

所有中國的偉大文學家，他們的作品裏都充滿了人間熱烈的愛，特別關於父子，兄弟，夫婦，朋友方面，不違於溫柔敦厚的主旨，當然不像左翼作家鼓吹仇恨，煽動鬥爭，以殘酷的手段去對付善良的人民。所謂「發情止義」的，便是中國文學最高的範疇。[illegible]教育和她的寫作中心，是不背於中國傳統文化的，但在中共的社會主義重壓之下，她還能夠保持她的作風嗎？今天她奉命寫作的「陶奇的暑期日記」，儘管她對於現在有所憧憬，並傾注了飽滿的熱情，但是終仍不免失望，這是可以斷言的。蠶兒喫飽了桑葉，吐絲作繭，把自己纏在繭裏，經過了陣陣的黯淡，最後破繭而出，變成了五彩繽紛的飛蛾，而這飛蛾的生命是有限度的了。

（三）

據一位中共記者筆端下描寫冰心最近的起居，「在她那潔淨恬靜的房間裏，陳設着沙發和擺滿了中外文書籍的大書櫥，寫字檯擺在明亮的窗子下面，」「院子裏的花畦裏，盛開着五彩繽紛的『繡球花』，含笑迎人」。活現出現在冰心仍脫不了的有布爾喬亞的生活，並關在個人的小天地裏。假如她能夠離開北平，自由旅行，參觀集中營裏幾千幾萬的奴隸勞工，和飢者寒者的凋零的支離破碎的農村，不曉得會發生什麼感觸。

本來中共的文藝政策，是極端提倡通俗化的，大衆化的。但她對於來訪的人們，還高談着要接受中國文藝的遺產，並提倡學習形象化的描寫，注意古人遣詞造句的描寫，有如：「落花無言，人淡如菊。」「亂石穿空，驚濤拍岸，捲起千堆雪。」此外又列舉了長恨歌裏描寫[illegible]的詩句，形容[illegible]，「宛若游龍」這兩句話，形容美妙的舞蹈。套一句現成的話，她還沒有脫出「象牙之塔」呀！

（四）

最近冰心繼唐生智、陳明仁、鍾昌照、孫越崎，這些投降份子之後，給共產黨迫勒她向台灣文藝界作「招降」式的文章，這些文章可以說出她不願意說的話，內心當有說不出的苦楚。[illegible]他瞞着良心，[illegible]後，對友人說「北京城裏，簡直一團烏煙瘴氣，要見不願見的人，要說不願說的話，所以要自動離開。」[illegible]但已經給人穿上鼻子，只好跟着走，還有什麼話可說呢！何況她目前說的不由衷之言，並不是夜鶯之歌，而是鴉鳥的鬧聲呵！

談秧朝「大選」結果（二）

王世昭

（上接第一版）

中共的「大選」結果，主席毛澤東，副主席朱德。全國人民代表大會委員長劉少奇，副委員長宋慶齡，林伯渠，李濟深，張瀾，羅榮桓，沈鈞儒，郭沫若，黃炎培，彭眞，李維漢，陳叔通，達賴喇嘛，丹增嘉錯，賽福鼎等十三人，委員六十五人，秘書長彭眞。最高人民法院院長董必武，最高人民檢察院檢察長張鼎丞，國務院總理周恩來。

首腦部全部都是中共中央政治局的負責人，如毛澤東，朱德，劉少奇，周恩來，董必武，彭眞等。若照中共人民政治協商會議的系統，中央人民政府的組織，主席是毛澤東，副主席是李濟深，宋慶齡，朱德，劉少奇，張瀾，高崗等。而最高人民法院院長則是沈鈞儒，人民檢察院檢察長初爲羅榮桓，後改張鼎丞，今屬選實。

從這次「大選」結果來看，毛澤東不動，且加強權力，即兼國防委員會主席，及必要時並担任最高國務會議主席，是也。而劉少奇呢？升一級爲人代常會委員長，（等於中華民國立法院院長）抖了。朱德則照常，不升不降。那麼李濟深，張瀾，宋慶齡，沈鈞儒呢，一律等於立法院副院長，郭沫若也由政務院副總理調爲等於立法院副院長，雖不降級，也算是降級了。高崗爲了內訌，聽說已被整肅。

最高人民法院既爲董必武，最高人民檢察院院長又屬張鼎丞，集黨，政，軍，民，法諸大權於中國共產黨一身，生、殺、予、奪，還有什麼人敢說半個字！這個「人民代表大會」選舉的結果，「一黨專政的局面更加顯著，「人民民主」四字騙得到鬼，騙不了人。奉告黨擴民主人士們，「狡兔死，走狗烹，敵國破，謀臣亡，」古有明訓。從共產黨內看，陳獨秀，張國燾，陳紹禹，高崗等可爲殷鑑。而顯赫一時的假花瓶，如宋慶齡，李濟深，張瀾，沈鈞儒等亦可作爲榜樣。嗚乎！

編者讀者

英國工黨的起源

△程滄波先生來函

編者先生：自由人第三六七期「英工黨的過去和將來」第一段「英工黨的起源及其主張」。說英工黨溯源於費邊社。查費邊社雖與英工黨有深密的關係，然謂費邊社即是工黨前身，似有未妥。早在一八八一年，莫利斯 William Morr's 及亨特門 H. M. Hyndman 曾組織「社會民主聯盟」Social Democratic Federation，哈第 Keir Hardie 實於一八九三年創組獨立工黨 Independent Labour Party，當時哈第的副手，一爲麥克唐納，另一爲史諾登 Philip Snowdon。一九〇〇年勞工代表委員會開始組織 Labour Representation Committee 迨一九〇六年，工黨正式成立。故談英工黨之起源，在人的方面，不能不推哈第。論組織不能不推獨立工黨及勞工代表委員會，而不能謂費邊社即是工黨前身也。至於費邊社發起及中堅份子，韋白夫婦，威爾斯及蕭伯納諸氏以外，未聞有麥唐納其人，以麥唐納之出身及教育。他沒有資格參加這一個團體的發起人，似甚明顯，故英國獨立工黨初期即有麥唐納，而費邊社之發起人並無麥氏，事關史實，特函請注意更正爲荷。

程滄波上九月九日

中共的兩套看家寶

——「共軍的最大弱點」補遺

劉儒裕

本月十一日在本刊發表的拙作「共軍的最大弱點」一文，因執筆時我適有戰鬥任務在身（我已站上了自由中國與共軍短兵相接的第一綫戰鬥崗位，履行我們一萬四千多反共弟兄在戰俘營時宣佈的「一條命，滅共匪」的誓言。）匆匆寄出；今天（九月十二日）接到三六八期本刊，始有再校一遍原文的機會，發覺該文尚有意猶未盡的地方，茲再補述於下。

欺騙手法已經失効

我常向一般中外人士指出，中共有兩套看家法寶，即欺騙（活生生地捏造假事實，廉價的空頭支票，巧妙的運用「統戰」、「聯盟」之類）與暴力（嚴密的組織控制機器，殘酷的高壓屠殺手段），有識之士都同意我的看法，且有先進之士更早的揭露過。在民國四十年以前，中共一直得意地祭起它的兩套看家法寶，從陝北窰洞鑽出，以至沐猴而冠踞北平的克里姆林的東宮太子金座上，都是得心應手地玩弄，驅使着中國人民（若爲分別清濁計，此處人民應稱老百姓爲適當。因中共嘴裏滿口「人民」「人民」，但根據我歷久的深思廣察的實地體驗，發覺中共口中的「人民」，完全與其「毛主席」「共產黨」或「老大哥」等價同義。如以代數式列出，應該是：設X＝「人民」，Y＝毛主席，Z＝共產黨，W＝老大哥，則X＝Y＝Z＝W。所以中共口中的「人民」與我們所知的人民，有本質上的區別。正如它習慣於使用「和平」代戰爭是同樣的障眼法，沒有什麼奇怪。）做其農奴、工奴和砲灰，這之間，其欺騙所得的成効比軍約與暴力相等。而其運用欺騙之妙，簡直就如舞台上的第一流導演，演員，妖魔多變，曲折有緻，千變萬化。我們不能否認，中共就是依靠其精湛的舞台技藝而曾贏得過大陸同胞的衆多喝采和眼淚。但是，粉墨的臉孔究竟與眞貌有別，聰明的大陸觀衆在覺悟到自已的實際生活已因迷戀戲子的姿色，而陷入曠古以來的悲慘遭遇的時候，那台上的美人早已搶先化僞蛇蠍纏上自已的手腳了！我似乎記得，就在「志願軍」在北韓戰場前後方「問題」叢生的那個時候，統治者就趕快來了一通串的通變處置：頒布「鎮壓反革命條例」，請求聯方開停火談判（四十年元月間共軍尚在國內和韓國參戰軍中展開對周恩來拒絕聯方所提停火談判的「學習」；可是不到半年，「五次戰役」一仗下來，「六十軍」除了打死和逃脫的少數殘餘，幾乎全部「背叛了革命」。它們立即掉過頭來，由毛澤東的老大叔馬立克出而求和了。）繼之以「三反」「五反」展開黨內黨外的全面大鎮壓，這就是統治者已伶俐地發覺它那套欺騙手法已失去原有成効比軍的最好證明。

暴力也就要破產了

儘管中共的欺騙手法高明：如「紅色中國的叛徒」所述的使用於「南下工作團」的「志願」手法，比使用於「志願軍」的是不同的，後者要多曲折、妖嬈，複雜得多（它們把諸葛亮和梁山泊那羣草寇們的「欲擒故縱」與「替天行道」全部出籠靈活運用，我將在另一本長篇報導書中詳細撰述），無如其奈「滿口仁義道德，一肚男盜女娼」的中國人的正統僞善觀念何？許多良善中國人民曾經爲了國家民族前途而迷信共產黨「爲人民服務」，以致於甯願忍受「到共產社會過渡時期」予共一己一家所加的損害之痛；但當他們一旦從熱中冷靜下來，發覺那不過是個異類化身騙子所許的花言巧語時，喪家亡國之恨豈是「刻骨」兩字所能表達的嗎？

如果我的看法還不致有出入，那麼，中共的騙術已於民國四十年初開始在大陸同胞及其俘虜奴隸軍中，全面破產，失去其原有的効果比軍淨盡了。

前文我所論列的共軍「致命傷」，就是指的這一段時間以後的共軍心理狀態。

今年元月由中立區邁向自由祖國時，由一萬四千多反共弟兄授意我執筆的告海內外同胞書中，曾指出欺騙與暴力就是支撐秧歌王朝的兩條腿，而今覺悟了的絕對來，多數臣僕已掙扎起砍斷其欺騙一腿了，今天的中共僞政權不過是一個醜惡殘缺的獨脚強盜而已。它的這個獨腿的機能，就是其「組織」控制的機能，它如能在大陸以外敢於抓出其奴隸侵略軍甘冒「組織」失靈的危險，固屬我人歡迎；或者，由我們在戰場上以雷霆萬鈞的勇猛攻勢衝進去，打爛它，亦足以破滅其「組織」機能，瓦解其肢體。

等着瞧吧，大陸同胞的黑暗日子不會長的。

九月二十日

讀「橫渡崑崙二萬里」

沈著

作者：張達錫　出版者：亞洲出版社

（一）

這是一本記述新疆陷匪及一班堅毅不屈的忠貞之士長途跋涉繞道回國情形的報告文學，也可以當作一部「探險記」來讀，甚且它的內容比「探險記」尤富有傳奇的意味。

作者張達錫是在台的現役軍官，原係駐新邊防部隊的高級參謀人員。當蘇俄協助中共在新疆製造陰謀，中共節節侵新，及張治中、陶峙岳、趙錫光（爲國軍軍長，時率部駐喀什）等作有計劃率部叛變附匪的時候，因不甘脅從，並圖挽回危局，乃毅然與軍長葉成，師長馬呈祥，旅長羅恕人，新疆民政廳長王會善，中央黨部委員會副委員長周崑田，迪化警察局長劉漢東，新疆警備司令部處長謙鐵珊，騎五軍政治部主任馬次伯男女老少一百六十餘人由迪化南下焉耆，會同師長鍾祖蔭，準備以該師爲基本部隊，以南疆爲根據地，聯合各處忠貞之士及反共部隊向北挺進，一鼓克復迪化，以誅滅陶峙岳及其反叛勢力，保全新疆，徐圖大舉。但鍾祖蔭認事可爲，返國（其時軍壓未失，返國，乃指返重壓軍振軍旅而言）心切，乃不得不贊由鍾祖蔭一同繼續南下。旋抵阿克蘇，擬會同師長李祖唐，利用該師兵力再圖義舉，其奈李祖唐雖反共有心，而部隊不穩，兼之副師長高戎光已受叛將趙錫光命竭力阻撓，事又功敗垂成，一番壯志，總成幻影。乃不得不黯然自阿克蘇繼續南下，歷冰天，行雪地，生食野獸，飲雪水，橫越崑崙山脈，道經蠻荒異域，九死一生，艱苦掙扎，終於達成入台報國的願望。這裏面所寫的，就是作者親身所經歷的情形，因而讀來相當親切，令人有如身歷其境之感。

（二）

考究作者一行的路綫實饒有興趣。

彼等先自迪化沿喀迪公路（自迪化至喀什）至焉耆，再由焉耆經輪台、庫車、拜城，通過塔里木大盆地而至阿克蘇，再由阿克蘇行車在縣縣曲曲高山削壁之上的小道至喀什。稍不留神，人車皆可粉身碎骨。至於自喀什換乘駱駝沿英吉沙、蒲犂，而至明鐵克山口。所經皆係高原絕域，其間須翻越公格爾山，和穆斯塔格山，皆高達七千公尺以上，且一片冰天雪地，道路模糊，稍一失足，即連人帶馬墮入萬丈深坑。作者曾謂一路所見人畜屍骨纍纍，可想知其艱險之一斑。

查該一高原地區，自古人跡罕至，世認爲「死地」者。姑不論其他，即沿途所受狼羣的侵襲而論，已屬難關重重（作者曾謂「且戰且走」，信然也）。惟唐文壯西行取經曾經此道，漢唐時班超、張騫、高仙芝等曾經略此地，作者身歷其境，以科學時代的眼光看古人，都不禁有「今人不如古人」之慨！但生存、自由、反共復國的意志使彼等產生無比的勇氣與力量，竟能征服大險，越過崑崙山，脫離魔窟，由明鐵克山口進入坎區提王國（按該國原係我國屬邦，又名竺乾王國，版圖原在新疆省內，轄區甚小，位於巴基斯坦與明鐵山口之間，全境皆在崑崙山高原之上，現已傾向巴基斯坦），再通過該國之叢山峻嶺而至克什米爾之幾爾幾特，然後進入坦途，由幾爾幾特乘機飛至巴基斯坦之白沙瓦，由白沙瓦乘火車至喀剌蚩，由喀剌蚩乘機飛經印度、緬、泰、越、菲等國而至台灣，全程長達三萬里。

（三）

本書行文流暢，態度謹嚴，所述雖以個人歷險經過爲重心，自伊甯事變寫起，至乘機抵台灣爲止，在短短八萬餘言中，曾帶給我們下列多方面寶貴的收穫。

一、作者曾以事實證明蘇俄一手製造伊寧事件，並一手指導和協助中共佈置進侵新疆的陰謀。不僅於此，且當作者等一行將抵達邊境時，蘇俄曾派兵截擊，其用心的險惡，較中共爲尤甚。這可以使我們更進一步認識蘇俄。並勾劃出此一時代的陰影。

二、作者等所經歷的地區，爲一般人終其一身所不易經歷者，他帶給我們不少地理上的知識。而其中所述崑崙山高原和坎巨提、克什米爾等地的風俗習慣，可以使我們從「西遊記」的「神境」的幻象上，部份地配合到「人境」的認識來，這更是一種富有神奇趣味的活知識。

三、作者除告訴了我們彼等一行的經歷外，並告訴我們在新疆、甘肅一帶還有其他許多忠貞之士亦曾沿此路綫或與此相近的路綫紛紛脫離魔掌，歷盡艱險，向西域的鄰國尋求自由，乃至在西域的鄰國從事規復工作（如新疆地方領袖艾沙等）。因此，他不僅充實我們對正義自由終必勝利的信心，且爲我們爲正義自由而戰鬥的人們，激起一股勇氣。

再者，作者本身乃一優秀的參謀人才，故對所經各地，曾隨時紀錄其地方情形，搜集照片。並繪具圖片多幅，隨書附刊，幫助讀者便利不少。

葡屬帝汶輪廓畫（五）

謝康

「結婚」是帝汶華僑第一件大事，除卻雙十國慶之外，結婚恐怕是最熱鬧的了。客語稱結婚請客爲「做好事」，「綠意紅情好事近，喜堂春暖賀新郎」，結婚的前一天，照例由女家做好事，親友畢至，將嫁粧送到男家，新娘出來對酒敬客，是晚舉行舞會，客語稱爲「調情」，到了第二天，正日子，由男家做好事，更是鋪張華麗，張燈結綵，遠近賓客，少長咸集，有時裝艷服金珠首飾的小姐太太，這是出風頭的一個好機會了。婚禮大抵採用文明結婚儀式，禮成送後新人入洞房，親友多來參觀，尤某要看喫交杯酒和紅蛋，頗爲有趣，晚餐後接着就是「調情」，照例由新夫婦先行領導開始舞蹈，大家作長夜之歡，新夫婦也往往因此不能就寢。

僑胞青年的婚姻問題

帝汶山因對外交通不甚便利，行旅來往不多，新客更少，華僑青年女子只有就地擇配，很少能到外面求學或旅行，因而有在外面成婚的機會，所以年齡一到二十，就有女大當嫁的必要，「阿婆不嫁女，那得孫兒抱」？一經稍爲耽擱了青春，壯歲以後再找如意郎君，就恐怕戛乎其難了。一結了婚，生男育女，有了家庭責任，忙於家事的工作，帝汶山女僑胞的擔子，是很繁重的。從前有一首民謠說：「一來忙，開出窗門亮汪汪；二來忙，梳頭洗面落廚房；三來忙，年老公婆要茶湯；四來忙，打扮孩兒進學堂；五來忙，丈夫出門要衣裳；六來忙，女兒出嫁要嫁妝；七來忙，討個媳婦成雙；八來忙，外孫剃頭要衣裝；九來忙：……」眞可爲帝汶女僑胞寫照！白居易詩云：「須知婦人苦，從此莫相輕！」這也是筆者的一點感想。

至於青年男子的擇配結婚，在帝汶山似乎有較多的機會和自由，因爲男子出門比較來得方便，同時縱使等候到「男子三十而娶」，也還是合乎古禮，要找一個比較他年輕十歲八歲的僑生姑娘，該不是什麼困難的事體吧。

華僑團體熱心愛國

帝汶華僑團體，雖不多算來也有十餘個；（一）歷史最悠久的，是國民黨駐帝汶直屬支部，從同盟會時代，就成立到現在，比中華民國還大兩歲，從前所有二十歲以上的男性僑胞，都清一色地是三民主義的信徒，直到現在，重要僑領，仍然差不多和支部保持相當的關係。去年支部常務監察揚維新同志六一大壽，今年支部監委老同盟會員謝碧梧同志八一壽辰，蒙中樞總鍾錫題詞，支部並發起開酒會祝壽，各同志及僑胞們，深深感覺榮幸！（二）組織健全內容也較充實的，要算帝汶中華商會，全體僑商都加入爲會員，組織理事會，每兩年改選一次，現任正副理事長鍾潘強楊益新兩先生，常務黎翰樂先生，秘書楊維新先生，和上屆巫理事長讚文，俱屬正義僑領。熱心公益，爲僑家所仰戴的人。（三）各僑校的董事會，出錢出力，對僑校的創立和維持，費了不少心機力財，僑校的正副董事長楊益新李燕松兩先生，就是兩個很好的代表。（四）弘德自治會，是楊氏宗親的一種互助團體，對於睦親任卹，也有不少的幫助。（五）以體育爲主要活動的團體，有中華體育會，澳友體育社，谷風社，南青社等，會員多健壯活潑，時常與葡人比賽球藝，此外（六）富於青年作風的僑校教師組織公會（七）係僑校教師上架行的和木匠師先研究社，係木匠行崇敬魯班先師的組織。這些團體都熱心愛國，每逢雙十國慶大典，都致慶祝，參加遊藝，年節活動，都還有專演東劇的雄風戲劇社，也是業餘的組織。除卻這些僑團之外，有不少的僑胞還參加葡人領導的民衆團體組織，例如（一）葡帝汶省工商聯合會（二）Ben-fica Club（三）Sporting Club之類，它們的會員，有許多是中國人，還對於國民外交不能說沒有一點幫助吧！

黑市教師不患無才

訓練師資名額太少

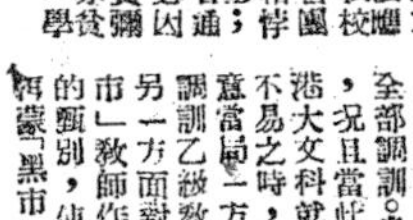

港九學校數量並不太少，但比照人口密度，似乎尚感不敷。教學人才固多，却有不少人不易成爲及格的師資，於是，總有「黑市」教師與「走鬼」學生。當局對此不特嚴加取締，還認爲是教育界極端嚴重的問題。然而，儘管當局三令五申，這一嚴重問題，仍難澈底根絕；除了官立學校外，若干私校似乎仍難避免這種情形。這並非部分私校故意忽視當局令文，而是由於若干私校校長或教師多少有些親友，而這些親友們的子弟或限於經濟，或因原肄業的學校未曾「留位」被棄，人情難却，當非全係出於增加學費收入的用意。在目前這種學生多，學校少的現狀下，任何公私立案學校，不論是否公開招生，無不滿額，既已滿額，按例就不能再收，偶有私校收容超額的學生，在當局派員視察之時，就一如無牌小販警見「差人」那樣，一聲「走鬼」，豕突狼奔。

「走鬼」學生，無論學校或家長，都覺得是不應有的「詬病」。但是除非學校有充裕的經濟能力足以擴充校舍，或是當局參照實際情形放寬學額，這種「詬病」，便不易消除。而且就是這二種辦法亦不過是治標措施，根本辦法應該是遍設學校，尤其是官立學校。私校大多數究是商業性質的，最近且有善團所辦的義校也要收費，不特與原旨相悖，且辜負了一般慷慨出錢的善人期望；事實上義校職工的薪津倘能與一般普通學校拉平，不亦可以撙節支出，何必因提高職工待遇，支出增加，以收堂費彌補，不但玷辱義校之名，招致許多貧子弟失學，其嚴重性更甚於「走鬼」學生。

至於「黑市」教師，今度更多，這一個問題本來很當局曾因計劃改善教師們「甲級」，特設師資講習班，使乙級甲級，過去兩屆，成績很好年計劃下將所有乙級教師全。但就今年第三屆看來，却想，本屆申請參加受訓教師名，經教育司審定僅一百七十九人，女一百十一人）。人感到驚異，教育司既決定全部調訓。自應盡量收容，何，況且當此羅富國、葛量洪港大文科就讀學生並不熱烈不易之時，誰也願意當局一方面盡量調訓乙級教師，而另一方面對於「黑市」教師作一嚴格的甄別，使他們不再蒙「黑市」之恥。

為立委進一解

馬五先生

上期本報刊載了一篇贊同立法委員的文章，說立法院「國防小組委員會」的多數委員，紛紛請求退出，爲的是不願負責審查政府送到院的國防機構組織法。因爲那機構的組織法尚待完成立法程序，而政府業已經任命了若干主持該機構的大員，立委們除照案通過如儀外，自不便有所修改，否則立法與行政部門，勢必發生爭執，引起意外糾紛。所以，審查小組委員外愧清議，內疚神明，大家不禁意味索然，自尋煩惱，隨時都想退出這「是非之地」。作者認爲立委們這種逃避現實的態度是不負責任，有悉人民付託之重。

我却同情立委們這種苦衷，至少他們表示着尊重理性與法治的精神，只是態度稍嫌消極而已。不過，消極態度是解決不了問題的，小組會縱有不滿，大會還是要完成立法程序，結果全體立委依然不能脫卸責任。依我之見，參加小組會議者也不必退出，照樣[illegible]法案審查，不可不認真，也不必太認真，得過且過，以期適應非常時期的需要。

[illegible]決非鄉愿觀念，也不敢希望人民代表採取敷衍作風，祇是想到一點：即我們如果不能光復故國河山，而永遠株守在這海外孤島的話，那就無論搞出任何一種法律，都屬無補宏旨。假使將來能夠回到大陸，重建新邦，那末甚末條文都無所謂，大可不必認真研討。又何況其他的行政法規呢？那時候，立法機關又是一種氣象了，現任的立委諸公，亦不致遭受非議了。總之：祇要能打回大陸，今日行政機構的權力再膨大些，亦未始不可；否則，大也罷，小也罷，終歸是無聊，沒出息，隨便搞搞而已。民主法治的眞精神，我們留到大陸上去發展吧！

肉路條

——大陳島上的故事——

荷裳

（一）

我同瀟哉坐在大學女生宿舍二樓的陽台上。我仰頭望着碧海盡頭雲霞湧出的一輪紅日。

「啊呀，不好了，大陳島吃緊了！」瀟哉失驚的叫着。

「這有什麼值得大驚小怪的，昨天報上就有這消息呢。」我不經意的說。

「你不知道，大陳島對我的印象多深，我前幾個月還去過大陳島的。在那島上我聽了一個故事，那簡單的情節却把我深深感動，到現在還是宛如就在眼前。」

「我講給你聽，你一定也很感動的。」她沒等我回答又繼續的說。

「好吧，你就講給我聽聽。」我也引起了興趣。

「當大陸將淪入赤色魔掌的時候，我爸娘因爲家庭關係不能出來，就送我到北婆羅洲外婆的家裏。外公外婆待我很好，送我入當地的高中讀書。去年我畢了業，爸娘帶信不叫我回去，我就在外公的公司裏暫時做些事。正巧華僑會組織了一個回自由祖國的觀光團，我就請求加入了。那一團人共有廿多個，只有我同嫣然是女的。她天眞明快的態度，愛說愛笑的性格，路上頗不寂寞。我們參觀了台灣寶島，又踏遍了沿海島嶼，終於到達了浙海附近保衛台灣的前哨，反攻大陸的跳板，那個小小的大陳島。大陳島對我有特別親切之感，我的家鄉是浙江海門，大陳島就在海門東南，距離不過三十多哩。我到了大陳，就彷彿到了故鄉。

那是一個春天的薄暮，大陳島上的衛國勇士招待我們在近海的沙灘上晚會，我們拿出帶來的罐頭食物慰勞他們。大家團團坐在沙灘上，有吃，有喝，又說，又笑，大家不拘形跡，高興極了。

（二）

我正向西望着一片落日，漸漸隱沒在那遠山後面。我想那淡淡的一抹遠山，也許就是我的故鄉，此時此刻不知我的爸娘和弟弟做些什麼，也許正在想念着我。我正想得出神，嫣然用力搖着我的肩頭說：「你看，這個小孩多好看。」她打斷了我的思潮，回頭看時一個女子抱着個八九個月大的小孩，一雙烏黑發光的小眼睛，向我們發笑。那女子穿着一身淡藍色粗布衫褲，紅白潤澤的面孔，剪得短短的，烏黑油亮的頭髮，也是一雙大而明亮的眼睛，顯得很是純淨靈俐，也正含着微笑向我們看着。

「您們的家是住在這裏的嗎？」我逗着小孩玩，隨口問她。

「不，我們纔來了三天。」

「從那裏來的呢？」

「對岸海門。」

「呀！我們是同鄉。海門一切還都照舊嗎？那裏的老百姓都好嗎？被共匪謀害的人多嗎？」我聽說她們是海門人，不禁立即發生了親切之感，也不知問她些什麼是好。

「你們纔來了三天？從大陸來的？那你們怎樣來的呢？不是共黨把守的很緊嗎？」嫣然天眞的發了一連串的問話，也不等人家回答我的話。

「他要我來的。」那女子含着笑指着她身旁一個穿軍服的青年男子。

「好，讓我來告訴您兩位，我們怎樣來的吧！」那青年與奮的說。

那青年身體很壯健，一雙英俊有決斷力的眼睛。他先捲起衣袖，露出臂上刺的八個字『消滅赤匪，光復國土』。他說：『我們就憑這臂上的肉路條來的呀！』

我同嫣然驚異的互望了一眼，嫣然正想搶着問他什麼，我阻止了她，讓那青年說下去。

（三）

『我姓丁叫英傑，是海門丁家莊的人。』指着那個抱小孩的青年女子說：『這是我的妻子蕙姐和我們的兒子。我家雖然不富，可是有幾十畝田，自耕自種，也快快樂樂的過着太平寧靜的日子。家中人口不多，除了我們三口，就只有我的老父母，所以我讀完初中，就回家種田了。誰知「解放」後，跟着就是捐獻、坦白、分田、鬥爭、一大串的不愉快的事情加到我父親的身上。他最後一次從鬥爭台走下，回家就病倒，不久就死了。從此家中也被窮到一無所有了。但共幹還是不饒我們，又找到我頭上來了。這時我媽怕我被他們迫死，極力勸我離開。我同媽和蕙商量之後，借友人的力量，偷偷的來到這大陳島。蕙先去加入共黨做婦女會委員，這是她們早就要求的。』

『你說清楚點呀！我做共黨婦女會委員，爲的是掩護你逃走，和維持婆婆的生活呀！要不誰願意去呢！』蕙姐截住英傑的話，忽然睜着那清澈的大眼睛，似瞋似笑的說：

『你別打斷，聽我說下去。假的，要不是瞞了蕙，我也走不脫的。』

『我來大陳投入軍隊，已是半年多了，生活很好，身體也強壯了，學問也增加了，認識也更清楚了。』

『前些時，蕙忽然托游擊隊的兄弟們帶信給我說，媽媽死了，幹部又向她找麻煩，她也很想來大陳。我聽了，就想偷偷的回去一趟，哭祭哭祭媽媽，順便接他們來這裏。』

『那天晚上，我就回去了。哭了媽媽一場。我撿了行李，蕙背着孩子，我們想乘黑夜上船，把守口子的是一個表親，求他大約可以放我們過去。

（四）

『誰知走到口上，一聲站住，兩個城裏新派來的共幹，手裏拿着長槍，對着我們，喝問上那裏去。[illegible]他們一定說要路條。我看着又急又氣，又沒帶槍，[illegible]氣糊塗了，走上一步，捲起袖子，露出「消滅赤匪，光復國土」的八個大字，說：「這就是路條。」兩個共幹看得口呆目瞪，楞了一楞。那把守口子的也是一楞，送上來，「抓起來，」一個說：「[illegible]」一個說：「我們纔商量[illegible]麼話？且等我們[illegible]是做什麼的，上那裏去？」我不管蕙[illegible]，便一五一十的把一切都告訴了他們。後我說：我若不逃[illegible]

[illegible]的。』（完）

踏莎行

中秋節後送長林兄赴台

羅自芳

蟾魄初虧，驪歌乍喚；征帆目送滄波遠。天涯知己已無多，何緣更惹離愁滿？

禹甸猶昏，華年暗換；蹉跎未遂澄清願。美君早我着先鞭，橫流他日期同挽！

打父親出名的村長

——竹幕側影之五

·秋文·

阿馮是我隔壁的工人，兩星期前，他請假回到家鄉廣東鶴山，省親父親。

前天，阿馮由內地出來了，人變得又黑又瘦。我問他內地情形怎麼樣。

「鬼世界！」阿馮十分憎恨的回答。

「家人都平安吧？」我問。

「我的弟弟當起村長來了，我的父親却並不平安。」

「爲甚麼？」

「因爲我的弟弟素來以打父親出名的。」

「你弟弟今年幾歲？」

「我離家來港時，他十二歲，今年十七歲。」

「他當村長後，還打父親嗎？」

「怎麼不打？共幹正因爲他打父親出名，才要他當村長。他當村長後，我父親更受苦了。」

「你不勸勸他？」

「勸他？他連字都不認識幾個，頭腦簡單愚蠢，他自己以爲了不起，連父親都隨意打駡，我做哥哥的還在他眼裏嗎？」

「治安很好吧？」

「治安倒不錯，人人都一貧如洗，家無長物，有甚麼東西可偷可竊的。縱然偷得來，既不能自用，拿去典當也要有證明屬係己物，才能典當成功。因此，大家都說內地治安好。」

「很豐收吧？」

「豐收不豐收對老百姓有甚麼關係？」

「爲甚麼？」

「穀子一晒乾，就由僞政府收購去了，售價由僞政府規定，定得很低，而且不給現款，祇發給一本所謂銀行存摺。存款是不能隨便提取的。若要用款，須到銀行申請，銀行要嚴密盤問你爲甚麼用款，作甚麼用，若是買農具，可酌領多少。如說要買一把鋤頭，銀行祇發給你够買一把鋤頭的款；若說要買一對篩子，銀行祇發給你够買一對篩子的款。銀行如認爲你沒有正當用途，則你在銀行縱有千萬存款，分文都不能提取。他們對農民說，目前國家財政困難，大家不可浪費，農民眞是毫無自由，苦不堪言。」（上）

金珠

中篇小說

·勞影·

「去找醫生，噢不，」我叫道：「先找一支強心劑來！」

經過急救，金珠蘇醒了，醫師們也從睡夢中集攏來。

護士告訴我：

「剛才，她要喝點什麼，我就去煮牛奶，煮好了，她要叫你，我說你睡了，她就微弱地點點頭，意思說：也好，就讓他睡吧，他也累了呢！之後，我把牛奶端給她喝，才湊近嘴唇，她突然就昏了過去。」

「這怎麼回事？」我焦急問醫師。

「她表面上看去很好，」醫師說：「實際上，她內部的氣血敗得很利害，這種連續的暈厥現象，在一般產婦還是很少看到呢！」

「沒有其他危險嗎？」我低聲問。

「我願竭盡一個醫師的最大力量和義務。」

我含淚點點頭，我懂得醫師這句話的婉轉含義。

「假如在天亮以前，」醫師繼續說：「病情無其他變化的話，或者我們可以研究出一個較爲具體的辦法。」

「謝謝您，醫師！」我感激地說：「假如這次不是天命，願您們能救她這條命。」

醫師感情用事地拍拍我的肩頭，「你是明白人，」他在退出房間以前小聲交代我：「我想，你會懂得如何來穩定這個局面的。」

我點點頭。

金珠又在呻吟了。

我走過去。

「金珠，」我柔聲說：「我一直在你的身邊，你知道嗎？現在，你把眼睛閉起來，聽我說，不要你開口，聽到沒有？——剛才醫師說，你的情形很正常，和所有的產婦們遭遇到的一樣，雖然目前痛苦點，但是我在你身邊，了解你的痛苦，我已爲你分担了一半，懂嗎？我們二人現在所忍受的痛苦一樣多；讓我們來比賽，看誰先捱過這一陣子趕到目的地；懂嗎？剛才醫師說，再過三天，什麼就都過去了，三天過去，再休養一個月，我們即將永遠地生活在一起。金珠，想起了沒有？就是說，一切都很好，很正常，祇要再過三天，三天以後，我們那時快樂吧！

三天多容易過去啊！小珠，還記得我們相識的第一天嗎？你看，在我們的記憶裏，它不就和昨天一樣？[illegible]我們認識多久了？祇要再忍過三個一天。……金珠……」

「我……都……聽到……」她喃喃地說：「我很好……字幾……我要報答你……」

「好了，別再講話了，」我輕撫着她的頭髮：「聽到你的聲音我已夠高興啦！」

她靜靜眼睛，我輕輕笑了一下。

「你笑了，小珠！」我熱淚盈眶地說：「你心裏很高興嗎？纔是生命中最快樂的事情吧！你是個孩子，我比你大不出多少，更好的話要講給你聽，小珠，自己安慰自己吧。」

（三四）

猶太笑話

（中）

·牛布衣·

兩個在巴黎生長的猶太人，一個叫洪郎哥，因爲女人的事情，最後決定到公園比鎗。第二天早上七點鐘，洪郎哥依時到了公園，[illegible]來。不一會，[illegible]一封信：「親愛的洪郎哥，因事不能依時趕到，請你不要等候我了，先開槍吧。」

自由人

THE FREEMAN

（第三七五期）

中華民國僑務委員會
登記證台僑新字第一零二號
中華民國郵政登記第一類新聞紙類
（週刊每星期三六出版）
每份港幣壹毫
台北市價每份台幣七角
督印人：雷嘯岑
社址：香港高士威道二十號四樓
3 rd. fl. 20 CAUSEWAY RD HONG KONG
電話：七四〇五三
承印者：東南印務出版社
地址：高士打道六十四號
海外總經銷
友聯書報發行公司
香港彌敦道中二十六號A二樓
台灣特派員辦事處
台北市館前街五十號
台灣總經銷處
台北 中華路五九四號之一
台灣郵政劃撥儲金戶九二五二

冷戰中對俄政策問題

李秋生

紐約時報前駐莫斯科記者隱利斯貝里，最近在該報連載的「蘇俄再檢討」，可算是自史達林死後對蘇俄內情最深刻翔實的報道，有許多資料，在鐵幕外的人士，差不多是第一次聽到的。他在第一篇論蘇俄新政權一篇，指出蘇俄終極目標較之列寧史達林時代並未改變，但卻改正了史達林的剛愎莽撞，改採一種富有彈性和機變性的現實政策，這政策在蘇俄年餘對內對外運用上已獲有重大成功，他深深致慨於：至今美國當局好像尙未能體會這一變化，不能相機應付，因而遭受嚴重失敗。這種看法，我們也有同感。

西方對蘇缺正確估計

其實也豈只美國爲然，整個的自由世界，對於年餘以來蘇俄這種貌似溫和內實猙獰的政策，似乎都缺少正確估量和應付。美國還只是綑得應付，拙劣而已，在基本立場上到並未動搖；在其他國家則引起許多幻想，以邱吉爾爲政治智慧，且不免認爲西方可與鐵幕共存，態度漸移轉就教，前赴莫斯科重建第二次大戰期間的合作，以「緩和世界緊張局勢」，則孟德佛朗士內閣之出賣越南，法國會之扼殺歐洲軍協定，與日本朝野之聞莫洛托夫建議復交而欣然響應，更復無足深責了。

據隱利斯貝里的看法，一年半以來，蘇俄的政治體系已進入一個新階段，其不同於史達林政策，正有如列寧的新經濟政策之不同於在那以前的「軍事共產主義」。史達林那種在隱秘，反覆，恐怖和陰詐交織下運用着的共產主義，並未延持到他身後，甚至他那種仿自希臘正教，把自己做成偶像受人崇拜的情形，也不復可見。秘密警察和奴工營都並未消滅。那仍舊像恐怖的烙印似的存在於俄羅斯地土上。蘇俄的新統治者，手上也並不是未沾染着血腥。他們無情的逐除了貝里亞。甚至連史達林本身的死也是一謎。但是一般說來，蘇俄現政權已把史達林的許多方式加以變更。在方法上，在行動上，在個別政策上。都採取了一種迥乎不同的「新面目」，其要點是把史達林內外政策最壞的過失之處加以矯正。據隱利斯貝里的看法，這正和列寧對新經濟政策的解釋相同，是要鞏固實力，以謀未來的進取。他說那終極的目標並無變更。現在蘇俄的領袖們和彼時的史達林並無二致，

據隱氏所指出，蘇俄現政權的特點大體如下：

蘇現政權的特點

第一，那不再是一人獨裁，而代之以集體統治，並得到軍方合作。在這一首領層中，馬倫科夫作首席，但只是同位中的首席而已。所謂集體統治者並非徒託空言

第二，在內政方面採取改良主義，也就是說要使意識問題附錄到常識之下，多少給人民一點自由，增加消費品等等。

第三，仍舊維持政治警察制度和奴工營，但削減特務的權力和參與政策的制定，矯正特務權力的濫用。

第四，繼續史達林擴充重工業政策，繼續發展攻擊性武力，例如原子彈氫彈與噴射式機的製造。

第五，矯正由集體農場等農業政策所造成的損害。但在新的農田上建立廣大國營農場，高度機械化，並以年青精壯的農民去經營。

第六，在對外政策上要減輕蘇俄對外在軍事上遭受牽累的可能性，增進對美國主要盟國的友誼，特別是英法兩國，如有可能，將締結臨時的條約。

第七，力求使全世界和俄人相信：蘇俄現在是由一批「具有理性的人」來統治，在對內對外政策上，都具有確切的行動準繩。

西方各國坐失時機

從這一年半以來有關蘇俄的各種情勢看來，隱氏的觀察確很中肯。雖其終極目標未變，內外根本政策未變，在方法和行動上，確表現出不同於史達林的作風。這一新面目，尤其最只是企圖枉尺徑尋，以比較溫和「合理」的姿態矯正由史達林的剛愎莽撞造成的困難。這方式確比史達林更爲狡猾毒惡，在日內瓦會議中就收穫了蘇俄八年來，前所未有的重大成就。

何以在史達林死後，克里姆林宮新政權要做這樣的轉變？[illegible]史氏[illegible]死以前，對內對外都走到窮途，[illegible]最後所安排的[illegible]清黨再告整肅，[illegible]將使俄共政[illegible]本動搖，因此[illegible]證。因此也[illegible]共政策路線[illegible]說在史達林[illegible]全部清算[illegible]貝里亞遭受[illegible]期，蘇俄[illegible]的內部危[illegible]國家當時[illegible]而來的變化[illegible]能適時採取[illegible]

解決了西德獨立和建軍問題，可算是年餘以來一項差強人意的成就。但是，美國肯破例的保證繼續駐軍西歐，卻對於台灣海峽一連串海島的協防至今不表示確定態度，駐韓大軍且正源源在撤退；對歐軍援可以接納由布魯塞爾會議加以支配的條件，對韓國的軍經援助卻爲了一些附帶問題如運用採購，甚至匯率而陷入僵局；[illegible]西德在內的西歐防衛，東北亞洲至今還只是一個重大漏洞，不只韓日間隔閡未見消除，連美韓間都發生許多不應有的糾紛。比起蘇俄對外運用的目光四射，進退裕如，西方顯然是相形見絀。

堅強的領導，靈活而機智的應付，是今日冷戰中美國應有的基本態度。畏葸與姑息，這年餘以來已使自由世界遭受許多打擊和損失，但願今後不要再蹈覆轍。

海峽戰局的透視與前瞻

張六師

打擊俄共的世界意義

無論北平政權怎樣焦急浮燥自稱是「中國」，還要「一定解放台灣」。或是如劉少奇在九月十七歐斯里底呼叫：「×××及其黨人，不斷聲言反回大陸，我們正面對反攻的眞正危險……」總之，沒有蘇俄對中共的幕後指揮和慫恿，試問毛，劉，朱，……等傀儡奴才，休說要想渡海，就是本身的海防，空防與陸軍裝備——保老命的本錢，也要成問題的。

今天中國大陸在蘇俄的海空武力和大量特務控制下，中國人要想光復神州，掃除腥羶，不把俄帝的武力粉碎，或予以澈底消耗，試問自由世界還有什麼更高明的辦法呢？所以今天中國人的打中共，就是打俄共；消耗俄共，自然也更削弱中共；收復中國一省，便等於從俄帝鐵蹄下救出東歐一國，收復十省，便等於收復半個歐洲，到了收復中國整個大陸，便等於支解大半個蘇俄。難道俄共衰弱，世界還不太平嗎？難道俄共全部血液，經過中共的這根腐敗血管流乾，三次大戰還再會發生嗎？所以今天海峽戰局的意義是世界性的。

俄共自韓戰碰壁，才暫時和緩對日本的進攻；又改弦易轍而指向東南亞。但爲恐懼美英因此而破壞團結，才對越戰適可而止。自周恩來經莫斯科赴日內瓦在莫洛托夫指揮下獲得法國的屈服後，便不停的喊出本已銷沉四載的侵台叫囂。凡有常識的人都會明白，無論共黨對韓對越對台的一切陰謀，皆不過是克里姆林宮世界戰略行動的一環。事實上北平傀儡們本來對內「鎭壓」，「整肅」，屠殺，「救災」，搜刮……爲消除矛盾，早已手忙脚亂，狼狽不堪，自救之不遑，那裏配再來打渡海之戰？不過是俄帝自己心裏明白，不把中共對內的目標移轉對外，矛盾便難消除。而且讓中共安定下來，而把力量長成尾大不掉，這對俄寇是利還是害？他們早已胸有成竹。何況台灣在軍事上是直指大陸心臟的一把利刃，在政治上是大陸人民軀殼被奴役後，精神唯一的寄託，而台灣海峽又是俄寇爭霸西太平洋海權的唯一盲腸，當然是必得而後甘心的目標，這又是今天海峽戰局的另一重要意義。（我敢斷定事未停止一天，無論俄共中共決界任何地區同時再發動如韓，越形式的戰爭。）

還在準備與試探階段

中共過去雖在東南沿海幸有[illegible]護，阻止中國軍隊反攻，才敢放[illegible]精銳，參加韓戰。此時對沿海的[illegible]，是採取「後退即備」的絕對守[illegible]沿海各省，必要時也擬放棄。（以堅[illegible]野和焦土抵抗，重建「老解放區」的戰略行動。）但這次在獲得韓越停戰後所打算[illegible]冒險行動，便不[illegible]的只是叫囂而已，其作用是含有[illegible]：一是威嚇馬尼剌的東南亞會議[illegible]效）。二是試探美國對台灣的態[illegible]止中美協定，（雖獲得反應，但還不太相信[illegible]（似已成功）。四是[illegible]對共黨憤怒的民心，重建對台灣[illegible]

[illegible]心理與士氣，（還正在努力中）。九月三日，俄援大陸開始對金門轟擊，結果美國第七艦隊的反應是中國海空武力的懲創，和美國第七艦隊準備隨時報復。此後直到今天，時而大陸，時而金門，時而馬祖，……此起彼伏的擾亂，皆不離乎試探與偸襲的性質，眞正孤注一擲的冒險，還在俄[illegible]準備中。

以上的調動和佈置，[illegible]北平僞組織才開始公[illegible]第三野抯負攻台的第一[illegible]軍加強團結，提高戰志[illegible]僞部隊內共黨黨員，團[illegible]門，加强海防，空防和[illegible]倍提高警覺，團結沿海[illegible]二十四日舒榮臻對[illegible]才說他們「……不僅有[illegible]兵種，還建立了相當基[illegible]：這個「相當基礎」[illegible]等的勉强？以後他又自[illegible]不少缺點……許多根本[illegible]……引起組織制度一系[illegible]其次是軍[illegible]役制度……[illegible]業軍人待遇問題：[illegible]軍隊……」。這就是在[illegible]金門招來懲創後，必須等待主子的培植，然後才敢再冒險的遮羞話。

真正海峽大戰在來年

但已經表面化的事實，便是沿中國海岸南駛的蘇俄原駐海參威和青島海軍的行動，（旅順的海軍還無行動，可能是爲警戒渤海海口）。其次便是舟山海域一帶，中共海空軍已日有顯著的增加；武昌、漢陽、寧波、……各地機場已有至少五十，多至一百五十架的噴射飛機出現，所謂，捷克、波蘭、東德、外蒙（？）……等國際「志願」空軍人員參與中共海空軍爲主體的消息，也現諸報端。

而九月二十九日飛抵北平的俄共頭子赫魯曉夫，布爾加寧，米高揚，等黨，軍，經濟和思想文化統制的負責人——甚是中共的頂頭上司。他們當然是替中共來以懸奪手腕解決「堡壘內部」的爆炸矛盾，另求由「軍事」，「經濟」與「團結」來應付自由中國的反攻，進而計劃今後對台灣作戰的決策人。他們在十月一日的呼叫中，一方在喊要支持中共進犯中華民國在聯合國會議中所收復的台灣，而一方又在說要與「美國和平共存」。而事實上自九月中旬起，張愛萍才率領三野司令部由南京遷至杭州。（十月二日中聯社訊）。空軍指揮部是九月二十三日才由徐州移上海。（見二日工商日報）。蘇俄的小型艦隊，在九月終才出現上海口與舟山羣島附近。（一日中央日報）

（下轉第二版）

半週展望

雷嘯岑

聯合國高談廢話

聯大各國代表正在辯論蘇俄代表維辛斯基所提出的裁軍建議案，昇槍舌劍，儼然有介事，實則廢話一場而已。

當聯大集會之初，因爲英國工黨首領艾德里說過一句希望蘇俄也裁減軍備的話，莫斯科的官方宣傳喉舌——眞理報，即著文大罵艾氏，說「蘇聯的武力非再加強不可，蘇聯武力之強大是維護世界和平的唯一保障」！有了這項聲明，維辛斯基的建議案還值得辯論嗎？

英國代表勞德指說俄共用意是：「蘇聯政府眼中的和平共存，祇是共存於避免一個原子彈的世界戰爭——除此以外，他們繼續支持着破壞與顚覆的進軍，以遂行共黨的世界革命」。既已看得很透澈，說得很中肯，又何必跟俄共們談甚末裁軍問題的廢話呢？

英國人的利己主義

勞德把俄共集團的陰謀一語道破，艾登大力促成歐洲軍計劃之實現，艾德里堅決主張西德建軍。這些朝野的政治家們，爲着西歐的安全保障，再也不怕刺激俄共集團，引起世界大戰了！然而，對東亞卻另是一副面孔和一套主張：要與共黨「和平共存」，要讓中共進入聯合國，要避免世界大戰，要發展貿易政策。依照英國的腹案，祗要「西線無戰事」，而又能在共區經商漁利，那末，全亞洲被共黨控制了，也無所謂！利己主義發揮得這樣淋漓盡致，歎觀止矣！

日本人也想向英國看齊

日本財政大臣小笠原三郎近日在美國大倡其與中共貿易的論調，要求美國放寬對中共禁運的限制，說日本決不會爲着貿易利益而親共的！

英國人從來就表示不贊成共產主義，其識見與意志，比日本人高明而堅定。可是，爲着貿易利益，卻要在亞洲採取中間偏左的親共媚共政策，這與日本爲要跟共區通商而始終擺出「中立」姿態的作風，可謂東西媲美！

中共區域是執行絕對的統制經濟政策，大小貿易都是「國營」。日本既要放寬禁運限制，對中共大量通商，有甚末理由和方法，「無意與中共發生密切關係」呢？中共固希望日本對世界兩極化鬥爭採取中立立場，大概日本人認爲「中立」就是不發生密切關係的證明吧！

英國人遠在西半球，爲要在東半球的共區牟致商業利益，對中共表示親媚之態，不妨以鄰爲壑，大禍尙不致即時臨門。日本逼處俄共集團肘腋之下，妄談中立，死亡即在頃刻！

小笠原又埋怨着駐日境美軍的美元支出減少了，要求美國的經濟援助。意思就是說：「若不放寬日本對中共區域的禁運限制，准予大量通商，那就請美國給以大量的經援」。

日本早不願意美軍駐在境內，隨時表示反美的言行，還一個漁民久保山在海上誤觸氫彈輻射線而死亡，亦掀起反美風潮，又何必稀罕美軍的美元支出呢？

許多號稱站在自由世界的國家，都以「中立」親共的姿態來要挾美國，勒索財物，而美國也就祇是接受這套作風，自難怪日本要積極學步了！

日本的當前急務

美國對南韓的經援七億美元，規定大部分要向日本購買貨物，這是一筆很可觀而爲數甚鉅的商業利益。日本縱然以中立立場而向中共作上幾年的貿易，也未見得能夠做到這樣大的數字。舍近而求遠，棄實而騖虛，何苦乃爾！

日韓正常的邦交始終未能建立，這當然不是一方面的責任。但是，日本假如能夠以克己睦鄰的誠意來對南韓周旋，再加上美國從旁贊襄琉導，兩國的交誼一定可以建立的。這不僅是涉及日本的經濟出路，對於國家的安危禍福前途，關係尤大。求人莫如求己，日本何不急起圖之呢？

危地馬拉風光

·柳鳳桐·

國外通訊

〔危地馬拉市特約通訊〕危地馬拉係一彈丸小國，遠處中美洲北部，世人對之頗感陌生，但自本年六月十七日危國發生反共戰事以後，在連續數週期間，各國報章均大字刊載危國消息，全世界的廣播電台亦均報導危國局勢，一時舉世注目，萬衆均知，危地馬拉的名字，變爲熟稔了。

把華僑叫做老鄉

就地理上說中美洲共有六個國度，但就政治上而論，則中美洲只有危地馬拉，洪都拉斯，薩伐落，尼加拉瓜及克斯大里卡等五個國家，巴拿馬不算在內，因爲這五個國家是在一八二一年九月十五日同時脫離西班牙獨立，一百三十三年以來，曾經屢分屢合，現在雖各自獨立，然它們仍有一個區域性的政治組織，加之各國人種大致相同，均採用西班牙語文爲國語，且風俗習慣亦大同小異，一般人相信，終有一天這五國會合併爲一邦的。

危地馬拉是五國中最大的一國，人口有兩百八十餘萬，百分之六十係印地安種，百分之二十爲純西班牙人後裔，其餘則爲印西混血種，印地安人爲古瑪牙（MAYA）人的後代，在兩千年以前即居於危國及墨西哥南部一帶，有着高度的文化，後來爲西班牙人所征服，原有的文化逐漸消失或被毀滅，他們經西班牙人統治約三百年，現在已經成爲一種最善良柔順和富有緘默性的民族，他們分居於全瓜各山嶺地帶，穿着五顏六色的衣服，每一區域有其不同的服裝，一望便知是某一村鎮的居民，他們的語言仍是隨地而異的印地安語，對於西班牙文則不甚了了。他們身材矮小，有的簡直是侏儒，一般，彼等面貌酷肖我們東方人，所以考古家或人類學者每以爲印地安人是源自中國，危地馬拉人都把華僑叫「老鄉」就是這個緣故。

上帝，國家，和自由

拉丁美洲的人大都信奉天主教，危國人民也不能例外，危國京城及危國各村鎮城市，都有建築較大和數目相當多的教堂，就危京來說，幾乎每一個街口附近都有一所教堂，不但是晨鐘暮鼓，響徹全城，而且有的每十小時打一次鐘，所以一般人不帶錶也知道時刻，入到教堂祈禱的人以婦女爲多，她們都帶帽或頭上披紗，否則不能入內，危人對宗教信仰都異常虔誠，各種喜慶婚喪機會他們都要到教堂去做「彌撒」，並請親友參加儀式，莊嚴隆重，男人們在街上走路，遇到教堂都脫帽致敬，女子們路過教堂則在胸前劃十字，所以宗教的氣味甚爲濃厚，現在反共的危國政府，對宗教更爲推崇，新政府之口號爲「上帝，國家，和自由」，所以今後危國民衆的宗教感，自將更甚於前。

危國的西班牙人後裔和混血種人的女子們，都長得很美麗，大都住於城市，惜乎帶有西班牙人所遺留的奢侈之風，並衆有熱帶人的懶惰之習，每遇喜慶吉日或者參加什麼酒水會或招待會，她們都穿戴極爲奢華，就是連三四歲的小女孩也都燙髮，這眞是一種要不得的壞風氣，西班牙語的美麗詞藻最多，使人聽起來很舒服，但是她們或他們絕無誠意，此點既不像英美人，也不似我們東方人。

許多可口的食物

危地馬拉人日常食品，以玉蜀黍及黑豆爲主，因爲危國山多地少，只有這兩種農作物易於收穫，他們把玉蜀黍煮熟後搗成漿糊，用以烙餅，這是他們最普通的經常食品，不可或缺，每當喜慶吉日他們把玉蜀黍包成饅子，用香蕉葉子做外皮，裹面除玉蜀黍粉外，還放進各種肉類和香料，如肉桂糖等，食之亦頗有味道，此外玉蜀黍尙可製飲料，有如我國平津一帶的杏仁茶，爲兒童們所嗜，玉蜀黍有這樣多的用途，危人認爲是得天獨厚，所以把它叫做「聖玉蜀黍」，至於黑豆子的吃法，則是煮熟搗成醬，用葱油鹽等炒之，然後撥在玉蜀黍餅上，味道亦頗不錯，另外有一種大香蕉，可切片炸着吃，整個拌香料煮着吃，或放在烤爐內烘焙着吃，均香甜可口。

危國人都對杯中物有特別的愛好，不但男人如此，就是女子和小孩子們亦莫不如是，危國自製一種性極強烈的黃酒，因價賤製不純，飲之有傷身體，同時危人多好酒而無量，所以每當星期天或各種節日，大街上的醉漢觸目皆是，倘遇各種宴會或雞尾酒會，連那些危國著名的政要或學士們，亦多酩酊大醉，當衆出醜。

八月嬰兒便飲咖啡

危國出口以咖啡爲大宗，每年出口價值在美金七千餘萬元以上，我們都知道中東的耶門，東非洲的阿比西尼亞，和南美洲的巴西都產名聞世界好咖啡，但是都趕不上危地馬拉的咖啡好，因爲危國的咖啡大多生長在兩三千呎高的山坡上，所以其味道香醇，爲世人所愛好，當地人平日的飲料，自然也是以咖啡爲主，飲時不加牛奶，只調合白糖，不但成年人一杯一杯的飲，就是小孩們亦均嗜之，甚至八個月的嬰兒，就開始飲咖啡，可以想見此種習慣的普遍了。

危國第二項出口物品是香蕉，完全運銷美國，此外則是野生的樹膠，運往美國做口香糖的原料，一般人認爲危國北部一帶蘊藏着石油，[illegible]過去的危國共黨政府一直拒絕美國人勘測，現在不同了，危國新政府決定與美國合作[illegible]抵禦共產國際的侵略[illegible]財富，同時還想[illegible]油礦苗，[illegible]石油，倘能發現石油，立時致富，而與南美洲的委內瑞拉媲美了。

談到危國的風景，可以說是中美洲之冠，重巒疊嶂，宛[illegible]，危國有名湖兩個，一名阿提提蘭，一名阿麻提提蘭，湖水碧綠，四[illegible]所環繞，青[illegible]映湖中，加[illegible]片片，水鷗點點，[illegible]頗美，至於[illegible]洋或大西洋[illegible]純爲熱帶氣[illegible]，炎日當空[illegible]火，令人難[illegible]分晴雨兩季[illegible]都是陣雨，[illegible]，空氣甚爲乾燥。（九月廿七日）

海峽戰局的透視與前瞻

·張六師·

（上接第一版）這些消息無論來源如何，中共以集結三十萬以上大軍在閩、浙、粵沿海，歷時四載，自九月三日，礮砲第一聲向金門射擊以來，迄今已逾一月，[illegible]治陰謀，作攻勢的防禦，因此才逼他們看[illegible]——以「人海」「船海」的[illegible]，也都不敢[illegible]。那麼蔡榮臻在彭德懷的領導下，與布爾加甯的支持下，所謂要「建設優良現代化軍隊」與「組織制度改革」的喊叫，或者不全是宣傳，這樣，在時間上他們眞能於十月十五日以前對金門，大陳，馬祖各島實行攻勢防禦的冒險，驅使十萬或八萬人來表演塡海，都還待事實的證明了。所以眞正的海峽大戰，無論是誰方進攻，似應期諸來年。

海峽制空二十四小時

撇開國際政治因素而單論軍事，即令新舊帝國主義者勾搭一起，以中立托管來阻止住中國的勦匪反攻，但世界上只要存在有俄共一天，它終必要指使中共以暴力陰謀來達到奪取的目的，只是時間是與世界性戰爭同時呢？還是先於世界性戰爭以前而已。

在海空武器進步到今天的程度，海峽戰局的勝負決定，可能只是在二十四小時左右，（自然雙方還不到使用原子武器的程度。）而最要不僅在海權的掌握，而是空權的獲得。至於陸軍的搏鬥，還是第三階段的事。

在九十餘哩到一百二十哩的海峽上空，中國國軍的登陸閩、浙沿海，或奇襲山東、江蘇、廣東，是必須在空中的傘兵和海底的防衛下，才會減少損害而出敵不意的登上大陸的。至於以來的尋敵主力決戰，以避實擊虛的發展新主力量，那又是另一問題。但在進軍時，至少空中二十四小時以上的絕對優勢，和以後長期的海空控制，以保持補給綫和防制敵人的向本島襲擊，那都是必需的。

相反，如俄共準備好對自由中國的進攻，在第一階段的行動，也必是先以所謂「國際志願軍」阻止住中國空軍對共黨船艦的炸擊，然後才能集中船舶，分批，分股落海輪送。預計由黃昏至拂曉的夜暗時間（春季或秋季），約九小時至十小時）。除去中途的損失外，所餘能迴攻灘頭陣地的部隊，再配合空降擾亂的殘餘部隊，假使能獲得灘頭堡，至少也要需十六至二十小時。另外就是短兵相接的主力拚鬥，還有四至八小時的時間，（此時攻者利於持久待援，防者利於猛打速決，各個擊破）。以後除非是攻者繼續獲得海上大陸的優勢支援，或是島上潛伏的間諜內應，否則不是被很迅速的消滅，便是未抵海岸，已遭殲滅了。（決戰部隊的數量，決不會少於十個師。）

以國軍舟山撤退作先例，事前不被敵人發覺集中船舶，臨事不被敵人了解是進攻或退守，事後敵人又無法追擊或截堵。這都是由於掌握主動，與獲得制空海權，才造出這種隱密的奇跡。過去撤退能如此，今後進攻更應該能如此；即可使敵人在漫長的海岸綫上，處處備多力分了。

中共空軍何以不敢出

金、廈、大陳、馬祖各島砲戰和空中出擊已逾一月以上，而各方注目敵人在韓戰中長成的空軍——比國軍較優勢，已自東北、華北陸續南調，但何以至今仍不見放出呢？此中所另藏的陰謀是什麼？我們的看法是這樣的：

一、攻擊近距離的海島，如金門、馬祖等，只要有足夠的「人海」，再加上足量的砲火與「船海」的輸送，即可以不需出動空軍。（避免難以補充的飛機和駕駛作戰人員的損失。）

二、當第七艦隊巡邏海峽之際，在未獲得俄共頭目的准許前，共機還不敢自由行動。

三、目前俄共還未準備好正式攻台，運對沿海的攻勢防禦都還未臻堅強，自然更說不到爭取海峽上空制空權的時候。所以不必過早使用出最後的王牌。

四、在當俄共頭子赫魯曉夫、布爾加甯、米高揚……等未回莫斯科以前，還不能決定是否不惜與美國海空軍作正式衝突，以引起本身生死問題的降臨，所以目前還不會出動空軍孤注一擲。

基此四因，海峽戰局的醞釀，準備，佯攻，試攻，（以攻爲守，）還須有相當時間的拖延，我們且拭目以觀其後。

十月四日

人物述評

正鬧重婚的——印尼總統蘇加諾

·劉霽如·

（一）

據合衆社耶加達九月十六日電訊：印尼總統蘇加諾有兩位太太的消息，正傳遍整個耶加達，事緣本日有一本市報紙將這項消息發表，成爲全城市民談話的第一號主題！假如那些婦女領袖所提出的抗議獲致足夠的支持時，這項事件可能招致政治上的反響。

憤怒的印尼婦女領袖今天擬定計劃，去說服那個英俊的總統蘇加諾，要他放棄那位被娶爲第二夫人的美麗婦人。

但他們的行動可能來得太遲了，總統府人士談及，根據回教法例規定：蘇加諾是被允准娶四位太太的。但這些婦女領袖表示：蘇加諾對於向其夫人——印尼第一位夫人——請准與第二個女人結婚的行爲，並不符合回教所定的法規。

蘇加諾夫人（第一位夫人），她並不知道她的丈夫舉行第二次結婚的消息，直到總統府方面傳來那些謠言後，她才獲悉這件事，這位第一夫人，被認爲是印尼婦女的領袖。

又據合衆社耶加達二十日電訊：印尼婦女領袖本日晉謁蘇加諾總統，抗議總統另娶第二夫人。有三十四個婦女團體代表在總統府內謁談一小時，但各代表對於會談之情形，均不肯發表。

（二）

提起這位印尼總統，他今年已五十三歲了，他出身於萬隆的高等工業學校，他受民主聯盟思想的影響頗深，和他的岳父[illegible]的回教聯盟也發生過關係，一九二六年革命失敗後，使他感到印尼民族運動，應該轉變一個方向，這方向，他認定甘地路線是最適合的。一方面，對荷印政府採取不合作運動；另一方面，反對革命暴力主義，進行和平合法鬥爭。他提出來的口號：提高印尼人民文化程度，擴大宣傳教育，培養民族意識，加強印尼民族統一；擴大民族商業，恢復手工業生產，建立合作社，改善印尼人民生活；依照回教習俗，戒酒，戒賭，戒刺激品，潔身自好，以求民族健康。他在一九二七年繼大革命失敗之後建立國民黨，這是他從事政治運動，後來登上總統寶座的樞紐。

一九二九年，蘇加諾被捕了，放逐到佛羅[illegible]島去，國民黨內部分裂，各樹異幟。一九[illegible]年前後，蘇加諾放逐回來，痛心黨派分裂，[illegible]並著論攻擊帝國主義，一九[illegible]放逐到蘇島彭姑運州。但民[illegible]進行，一九三九年，歐戰爆發，[illegible]會成立，這是各黨派的聯合組織，[illegible]將提出改革理想，支持荷蘭反[illegible]武裝印尼人民，但遭荷民政府的拒絕。

一九四一年底，太平洋戰爭爆發，荷蘭不戰而退，次年三月，印尼全爲日本所佔領。日軍將蘇加諾從彭姑運回來，想利用他來抵抗英美的勢力。蘇加諾恢復自由以後，就創蘇[illegible]開民衆大會，宣佈了印尼的獨立，立刻自己隱蔽起來。日軍知事不妙，到處搜捕，把他放逐到爪哇去。

經過了二十餘年的奮鬥，受盡了若干險阻的磨難，一直到一九四五年八月廿一日（日本投降後第七天），印尼各地代表共二十一人，組成了印尼獨立準備委員會，開始討論成立政府，他才被選爲正總統，哈達爲副總統。

（上）

編者　讀者

「自由人」讀者遍天下

主筆先生有道：

貴報前於三六四期刊載拙著「怎樣取得田中密奏」一文，老友伍芳順老人讀後，遠從仰光郵箋相慰。此外又有舊友林硯先生，乃昔日弟謀向美國討回小呂宋巴拉蒙島一案之最熱心贊助人物，亦因見貴報刊載拙作，喜弟尚健在，特從伊朗來書道候。足見貴報讀者實遍於天下也。

現時菲國對我邦交雖屬不錯，似尙多誤解。弟昔日謀聯巴拉蒙島一事，此時如再發表，亦可助菲國人士對我增加了解，異日容當另寫寄呈。茲撰就伍芳順老人從事懷柔海盜往事，並及有關之中日外交秘密軼聞，爲外間之所未知者，寄呈貴刊，想亦足爲談中日外交掌故者之參考也。

弟蔡智堪　九月廿五日

（編者按：蔡先生大作，下期刊出。）

五人朝聖團來函

敬啓者，朝聖團返國，過港匆匆，抵台之後，閱悉八月廿八日貴報，載有湄羅通訊，「令人失望的五人朝聖團」一文，不勝詫異，查同人等此次使命，旨在朝聖，便中訪問回教國家，闡揚共匪暴行，及我自由中國之進步情形，一行五人，雖無高深學識，與超人才幹，但所到之處，頗能博得各國朝野人士之尊重，而對我自由中國堅強反共之奮鬥精神，尤深熱烈同情，更對我偉大領袖，表示崇高敬佩，在國民外交上，亦爲一重大收穫，可謂不辱使命，毀譽均非所計。同人等五旬共同生活，在堯樂博士主席領導之下，精誠一致，合作無間，更談不到所謂派系，該文對於私人之虛構誹謗，本不值一辯，惟深恐各界不明眞象，特此鄭重聲明，並請更正，無任企幸，此致

自由人報

堯樂博士、馬呈祥、蕭永泰、馬賦良、堯道明同啓

啟事

本期稿擠，「赤色大陸印象記」一文，下期續載。

編輯部

台山僑鄉血淚

·俞嬰·

友人陳××先生的太太張××，最近深入鐵幕一次，已重返天堂。筆者從陳太太口中，得悉台山僑鄉的「新」面貌，令人感喟不置。陳先生因關懷兩個留在鐵幕內的兒子，特遣他的太太，回大陸去，設法攜帶來港。經過半年申請，才得到來回證。但結果他的願望已經失敗，他的太太祇得怏怏然獨自回來。以下所記，就是陳太太親口向筆者所談的，絕無半點誇張或矯飾。特表而出之，以告海外關心僑鄉的同胞：

中共盡量搜集銅鐵

由香港過深圳到廣州，由廣州乘渡輪返三埠，沿途搭客稀疏，與淪陷前的熙攘情形，眞有天壤之別。到達台山城，使我（陳太太自稱，以下均此）覺得這個小廣州，冷落得不敢令人相信。從前最繁盛的合西路，革新路，通濟路，現在不但行人稀少，而且店戶十九處掩其門（因中共不准停業，即使無生意，也要死撐門面），市容慘淡，可說面目全非。

台山城也鬧着物資荒，物價貴得使人吃驚。最觸目而價昂的，就是銅鐵鋼之類。我從前購下的彈弓床，現在把它沽出，價值竟值一百萬元共幣；電熨斗一只，竟得八十萬共幣；電風扇一把，却值二百萬共幣，單從這幾項，已使你充份了解共區有關銅鐵的物資，是如何的缺乏了。我從前買下來的舊料，現在却賺回一筆，眞是意想不到。因此，每個鄉下的碉樓窗戶的鐵閘、鐵枝，都給拆卸下來出賣了。代替洋貨充斥市面的是蘇俄貨，共幹爲着大力推銷蘇俄貨品，不論貨色如何，照例都把它輪迴宣傳一番，還派有共幹到四鄉輪村展覽，說得天花亂墜，但人民的眼睛雪亮，這種又粗又劣的俄貨，簡直無人過問，遑論大力搶購？

物資奇缺生活悽苦

居民的日常生活必需品，都操在合作社的掌握中，美其名曰定量分配。計米每人每月三十市斤，油半斤，柴五十市斤，如果到期不配，逾期即不補發。所配的油，絕不是豬油或花生油，其色褐黑，含雜質甚多，苦澀而無味。共幹宣傳說是「衛生油」，實際上是老糠油及欖樹油等混合。花生油已絕跡，目前四鄉因食了「衛生油」患腹瀉，又無豬油供應，祇得把「谷皮」（俗稱老糠）來搾油，每斤約可搾得四兩，此中艱苦的情形，可見一斑。

農曆八月十五日原是團圓節，以往家家戶戶都購備黃白糖以製糕餅。現在由合作社統制，每月每人只限配二兩，因此中秋日，也平淡過去了。台山變色前，通濟橋原是市民晚上納涼的好去處，橋上兩傍，擺滿了「豆腐花」小攤，市民閒步于此，小坐片時，吃兩碗爽滑的豆腐花，確屬一樂事也。但現在糖濶市，豆腐花攤販已絕跡了。同時，橋畔是冤魂出現之處，因中共在此橋畔，不知槍決了多少「地主」，「惡霸」，「特務」，這些人從前都是地方上的公正人士，含冤九泉，陰魂不息，每當風雨之夕，輒有凄厲呼聲，故此遊人也不敢到通濟橋乘涼了。

說起來眞是可笑，大陸人民都身「患」數「症」，因爲除了「居民證」，「戶糧證」之外，又有「米證」，「油證」，「猪肉證」，「牛肉證」，「糖證」，「鹽證」，「柴證」，最近又領到「布證」。因爲棉布棉紗統制，限定每人每年購二十六市尺，分兩期配給，上期自九月至下年二月底配冬季布十六市尺，第二期自明年三月一日至八月底配夏季布十市尺，不論顏色，有花無花皆在內。如果不是共幹或工人階級，依照配額計算，實在不足縫製兩套衣服之料。所以，計不盡的「證」，就使你動彈不得，癱瘓而死了。

父女相見抱頭痛哭

我在台城會見了我的父親，父女相逢，恍如隔世，抱頭痛哭，因爲他會被清算鬥爭過十多次，瘦削到不像人形，他驚歎還見到我，並且勸我早些回港，甯願在港流浪行乞而死，不可再闖入這個鬼門關。我不敢多逗留，乃回鄉下一行，老家姑嫂面如菜色，兩個孩子見了我，把我帶回去的三個金山橙及菓子糖一包，爭相搶食，認爲不世奇珍，願生生世世啖之。我們在港視爲平平無奇的橙，却給孩子們如此的興奮，我不禁潸然下淚。

農民大罵毛賊澤東

農村裏已經「劃定階級」，「分定田地」了。可是最令人覺得奇怪的，在「土改」時最激烈的貧僱農，現在却有九十度的轉變，他們每個人都認爲上了當。當初他們盲目地去鬥爭，打擊地主，尤其取得的「果實」，大吃大喝，現在「果實」早已吃完，分得的幾斗田，無耕牛，無肥料，「政府」已不借貸，他們告借無門，收穫的穀粒，還要入集中倉，眼看生活無法解決，自己做了「主人」，又有什麼用處？所以他們大多將分得的田放棄，跑到廣州去；或惰工，情緒的低落，眞是令人難以相信。對於中共的「土地政策」，不但不擁護，而且埋怨乃至憤慨了。這種農人消極抵抗的現象，在台山農村裏，是極爲普遍的。中共發行的「節約火柴」，劃十多枝都不能生火，名爲節約，實際是浪費，我就親耳聽到農民大罵「毛澤東害人賊」了。

近半年來台山乃至四邑，無論男女老幼，申請來港者一律不准，探其原因，凡來港者必不回鄉。因爲台山人十九都靠外匯維持生活，如果大批僑眷到海外去，那麼，中共就缺少一大批僑滙的收入，所以凡有申請，例不批准。我在鐵幕內逗留半個月，已深深的體認出中共的腐化，虛僞以及貪污的作風；同時也認清楚人民的痛苦，悲慘，無自由的處境，所謂「新」中國，「新」僑鄉，不過如此如此而已，殊堪浩歎！

葡屬帝汶輪廓畫（五）

·謝康·

流光如駛，我來帝汶，已滿三年，一事無成，良獨內愧，只時時抱着鞠躬盡瘁的精神，大公無私的態度，爲人役而不役人，能爲僑家稍效一點微勞，即爲僑家保存一分元氣，區區此心，如是而已，公暇之餘，偶有閒性，瑣碎蟲吟，稍洩胸臆，摘錄十首，不計工拙，聊誌三年來對帝汶觀感的一斑罷了：

沉淪世運奈若何，帝汶山頭感慨多，早賦同舟期共濟，莫教歲月易蹉跎。（其一）

九州風雨我南來，欲與斯文共育才，但願著心天不負，陰霾終散白雲開。（其二）

帝利僑賢濟濟才，春風桃李及時栽，鄉情親切和爲貴，綠蟻溫醇軟客懷。（其三）

客裏三逢雙十節，普天申慶話同僑，却喜青年齊振奮，他時救國顯英豪。（其四）

鄉邦風景想依然，夢裏山河半壁天，萇楚無家歸未得，誰傳語若吟箋？！（其五）

三載家園盡刼灰，斜陽無復舊樓台，遺民淚向南荒落，澤畔孤吟最可哀！（其六）

竹幕幽深恨匪徒，野鴻聲斷雁無書，河山預祝重光日，浮海狂歌碎唾壺。（其七）

家家炮竹換桃符，粵嶠民風播海隅，今日秋歌漫大陸，更無春酒釀屠蘇。（其八）

中宵明鏡憶嫦娥，小院聊天笑語和，如此良宵應記取，僑鄉血淚潮潮多！（其九）

茫茫世變劇中看，冷戰和談事正艱，永夜燈前悲故國，王師東望路漫漫。（其十）

兩點期望

類似上述的感慨語，是寫不完的，但僅僅這十首偶成的絕句，也大略可看出孤臣孽子處心危，而慮患深了！

最後，我願借此機會，表示我一點點期望：

一、祝福帝汶的僑胞發揚過去忠義愛國的精神，團結在青天白日旗幟之下，犧牲成見，共濟時艱，必人人有與自由祖國共存亡的決心，破斧沉舟，不猶疑觀望的勇氣，然後國家民族最後可以得救，僑胞自身的利益，然後可以確保，捨此別無其他自保身家財產的途徑。自然，我區區這一點願望，也想擴大希望於全球各地的僑胞，共同努力。

二、熱望主持僑政關懷僑家的僑務機關和外交機關，以及全球性或全國性的僑團，對於僻處一隅的帝汶僑胞僑團，不遺在遠，時時加以指導或特別的幫忙，加强聯繫，使僑胞們知道中央機關的關懷，由是感激，隨時表示擁護國策的更大力量！這是必然而無疑的了。

民國四十三年八月，於帝汶帝利

一日之間五次火警　闢火巷應力戒擾民

香港三日

十月一日那天，竟然在二十一小時之間接連發生五處火警：零點二十分，新界大埔舊墟南坑村焚燬一所茅屋；二時廿五分，銅鑼灣芽菜坑村木屋焚燬百餘間，數逾千人災民流離失所；九點鐘，石硤尾村沙梨園上街十一號石屋失慎，受傷男女各一人；二十時零四十五分，深水埗李鄭屋村火劫木屋五百多，災民近萬人，受傷數十人；廿一時中環一間貨倉亦告失慎，損失較爲輕微。假如說，這一次先後五宗火警是巧合，那未巧得太出奇了。去年聖誕之夜的大火，事後有一張報紙指證是「有計劃的縱火」，並且還附有幾張圖片說明那幾所經人發覺被拋汽油棉花有燒起來的地方。可是，至今並沒有查明火刼原因。

不問起火原因如何，像這次芽菜坑村及李鄭屋村的大火，災區既廣，查究自亦非常困難。就過去情形看來，此次起火眞相，不一定會使人充分明白。

當局對於防火根本措施，大原則有兩項：一爲計劃三十萬木屋居民徙置；另一爲開拓火巷。前者係以逐步推進方式實施，災民列爲優先部分，至於後者，因拆遷限期迫促，如大后廟山的木屋居民煩言繁興，對拆屋技術問題表示不滿，這並不是說木屋居民不願意拆屋築避火巷，而係如下三項原因：（一）港九木屋區均規定拆火巷，九龍木屋居民於接獲通知後，有一星期多的限期準備，香港僅口頭上通知，限三天內拆遷；（二）九龍的拆遷居民可以登記入徙置區居住，香港則無此等待遇，且亦不允登記，祗許可在附近或山頂重搭；（三）通知限期拆屋之人全無禮貌，絕不顧及居民一拆一搭，將需籌措拆搭費用困難，自已可以動手拆搭，僅少數人而已。

除了兩大原則之外，祗有消極性的防火、救火知識的灌輸；誰也可以相信，住在木屋區的人大多數是窮苦的平民，不但對於引火炊爨十分小心，決沒有不顧人命的玩火意識存在。然而歹徒的滲入，誰亦不敢否定。假如木屋區能夠有秩序與有計劃的管理，歹徒不特不會滲入，也不敢滲入的。港九街坊組織，有很多處管理得很好，人口異動以及職業身分調查得非常清楚。這對於防止歹徒縱火方面，確有極大幫助。現在對於災後救濟固屬重要，今後拆火巷與徙置問題是應及時考慮的，尤其是便民、利民，而力戒擾民，自是民選議員主持公理應負的責任！

評「蘇俄控制中共的眞相」

辛植柏

文心嚴著　自由出版社刊行

（一）

無疑，中共乃是蘇俄附庸國方面最重要的一環，蘇俄今日的地位，方諸於羅馬帝國，及蒙古（元代）帝國盛時，並無愧色！一個附庸地區廣袤的帝國，其附庸地區的監管與控制，自是不可忽視的一事，如監管與控制得法，則這個帝國，就能維持其强大的態勢，反之，一旦離心力高漲，便要土崩瓦解，這是歷史往例，這個歷史往例自然給予了蘇俄極大的警覺，尤其自南斯拉夫叛變後，蘇俄對於附庸國的控制，益見嚴厲與加强，一九四九年七月保加利亞共黨領袖地米特洛夫，突然神秘地死於莫斯科，接着他在保加利亞的信徒，也遭受了大規模的清算，這便是蘇俄嚴厲控制附庸國的一個事實，總之自南國狄托事件以後，在蘇俄控制下的附庸國，除了死心踏地甘居臣奴，以供蘇俄驅策與擺佈外，絕不許有絲毫不忠實的心迹與意念，否則地米特洛夫就是一個榜樣。中共對蘇俄所以妾婦之道，極盡其奉事的能事，大半原因也是由於蘇俄控制的嚴密，使毛澤東以下一羣奴才，不得不奴顏婢膝，事之惟恐不恭，同時蘇俄亦以中共爲其附庸國方面重要的一環，故對中共的控制，較之控制其他附庸國，其手段與方法，的確特別强化與周密，蘇俄控制中共的强化與周密，亦即中共的一大悲哀，本書所要提出的研究旨趣，就是這個，讀者爲欲了解此一問題，本書自是唯一的一本參考書。

（二）

本書共分九章，材料相當豐富，在歷史的敍述上，及原則的分析上，均尚詳明與扼要，第二章述中共與蘇俄的歷史血緣，源源本本並詳及蘇俄的控制藝術，及蘇俄控制中共與中共服從蘇俄的歷史的必然性，均甚重要，第一章緒言則指出蘇俄控制各國共產黨的三大武器，爲「國際主義」，「共產國際」，「世界革命」，第三章即指出蘇俄控制中共分明暗兩面，明的一面是顧問制，暗的一面是特務網，這些分析與觀察，自係扼要而深刻，自第四至第八等章爲對於控制事項如政治、經濟、外交、教育、及國防軍事的說明，末一章結論——中共會步南斯拉夫的後塵嗎？這就是全書的一個輪廓。

關於蘇俄如何控制中共這一問題，可說是一個非常重要的問題，在主持反攻軍略及政略的我政府當局，固當特別關心及之，一般自由讀者實亦有瞭解必要，大體上本書內容不錯，文字亦甚流暢，惟寫作的技術上，尚覺有下列各點值得研究：

（三）

一，本書的結構，應以「控制」二字爲其總樞，惟覺第二，六，七等章對於「控制」這一個樞紐，似欠作有力的運用，第八章「國防軍事的掌握與利用」，分析尙詳，但因把軍事的控制，竟放在次要地位，不免使全書失了一個重點，無論任何帝國主義，爲控制其轄下的附屬地，最主要的還是一個力的控制，蘇俄控制中共，並沒有例外，當中共攫竊之前，據傳共黨朱德等人原不贊成，可是因環繞於僞京——北平的幾處蘇俄駐軍，已把砲口向着僞京，致使其不得不服貼遵命，這顯然是蘇俄對中共的控制，還是一個力，如失了這個力，則其他控制，恐怕都是不發生大作用，關於這點，本書似缺少明確而有力的指陳。

二，對於控制的方法及技術，亦略缺少分析，凡帝國主義控制其附屬地的方法與技術，大概可分爲直接控制與間接控制，物質控制與精神控制，及威力控制與策略控制等，關於此點分析，本書似少給讀者以明確的概念，因此在敍述的分量上，故亦未免偏重於間接的控制，自第四章至第八章均有這現象。

三，每章內容能將小目列出，原可幫助讀者對內容的了解，也可使讀者增加查考的方便，但本書所列出的小目，都彙列在一處，使小目與文字內容不發生關聯，似有失提綱作用，反使讀者有厭煩之感，這點自屬無關大體。

稿約

本報園地公開，歡迎讀者投稿，性質不拘，最好勿超過二千字，譯作請註明出處；來稿如不合刊用時，當儘速退還。來稿請用稿紙勿橫寫。——編輯部——

治學與從政

馬五先生

近來台灣大學教授資格審查委員會否決了兩位新聘任的教授，引起了社會上許多議論，是是非非，其說不一，我對本問題不願饒舌，所欲言者，殆別有所在也。

做學問與搞政治原是兩回事，前者的成就對國家民族的功績特別貴重，儒家淵源於政教合一的思想體系，強調「學以致用」之說，而其所謂「用」的目標，又只在做官上，因而乃有「學而優則仕，仕優則學」的人生觀。中國科學知識之不易發育，讀書人作官思想之普遍濃厚，是有以也。時代業已變遷，教育是以分工合作爲有益，人類的生活途徑亦多了，智識份子並非不從政即無出路。因此，凡學問上求建樹，即不必縈心於宦場，觀學校爲旅店，拿教授招牌來作政學兩棲的游泳衣。近代人不但汪精衞、陳獨秀、翁文灝之流不宜於搞政治，即胡漢民先生晚年也認爲「非政治中人」。他們如果專心學問，其成就一定是很可觀的。然而他們卻棄長用短，結果對自己無好處，對國家乃是一大損失！

政治是一種藝術性的事業，如其大家只是志在過官癮，一官半職以圖其溫飽妻孥，那自然無所謂。假使想把政治搞好，即須講究適才適任。過去那種拉大學教授到政府做官，不問其才幹是否適宜的辦法，現在不可再用。

自由談

台灣對作官感覺興趣的，最好不要向學府亂擠；有志於學問之道的，更不必隨便作官。先求學府與政府的機能截然有別，再將學術的尊嚴性培育起來，國家前途，庶乎有多！

紅樓夢散論（一）

王世昭

居諸日月又經秋，北望河山尚未收；午夜攤書揮倦眼，滄風台上讀紅樓。

——讀紅樓夢有感

紅樓夢是什麼書？是曹雪芹的自傳，是曹雪芹的家傳，是選清初年中國人民生活的寫眞。借着曹雪芹的口與手，活生生地把它記錄下來，成爲一部小說。其實這小說也是假的，曹雪芹在寫他自己的人生觀，社會觀與宇宙觀。不相信，現在讓我抽絲剝繭慢慢地分析出來，請讀者耐心點讀下去、紅樓夢第一回說的是什麼？有題爲證：

「甄士隱夢幻識通靈，
賈雨村風塵懷閨秀。」

什麼叫做「甄士隱」？作者說：「將眞事隱去」。什麼叫作「賈雨村」？作者自己又說：「又何妨用假語村言敷衍出來。」這兩件事是什麼事？甲有甲的答案，乙有乙的答案，東拉西扯，不一而足。依我看，所謂「眞事隱去」，就是曹雪芹自己的私事，自己的家事；家醜不可外揚，故「隱」，私事亦恐有礙人生，故「隱」；雖自己的家世要不得，故「隱」，把自己的私生活暴露在人前，未免貽羞宗祠，故更不得不「隱」。隱過了自己的生平與家世，借着假語村言，這小說記的雖然是事實，可是這個事實，在全宇宙，全社會，全人生中，所佔的時間不長，所佔的空間不大，眞可憐，眞渺小，不管也是一「夢」。所以我說：「夢就是人生，人生就是一個夢」。擴以至於宇宙，此無數，無量無邊的世界裏，又何嘗不是一個夢？誰能保證天不傾西北，地不陷東南，豈特浮生是個夢，即蒼蒼者天，茫茫者地，又何無一而非夢也。曹雪芹看過去，悲未來，乃成此紅樓夢一書，在有限的時間裏是怪事，在無限空間中又是奇蹟，穿插此怪事與奇蹟，乃成石頭記，乃成情僧錄，乃成風月寶鑑，乃成金陵十二釵，乃成「滿紙荒唐言，一把辛酸淚，都云作者癡，誰解其中味？」此石頭記開宗明義的絕妙好辭也。

寫「石頭」，長篇首人寫西遊記寫的也是石頭，前者的石頭是女媧氏煉石補天的石頭，因此石頭而有了寶玉，石頭變成了寶石，石的結晶也就是玉。你說是玉嗎？當然可以；你說是石又何嘗不可以？石和玉又有什麼分別？卞和得玉有人以爲石，於是遂以石刖之，後來雕琢有法眼的人斷之爲玉，可惜，人有才不才，命有幸不幸，運有好不好，機有遇不遇，曹雪芹前半生於錦衣玉食之中，後半世則入義著錄唐之類，他善畫，能詩，長於詞曲，做文章尤其擅長，詩學李賀，有句云：

「白傅詩靈應喜甚，定教蠻素鬼排場。」

此題跋曹寅行傳奇者也。四松堂集敦敏「輓曹雪芹」云：

「四十年華付杳冥，哀旌一片阿誰銘？孤兒渺漠魂應逐，新婦飄零目豈瞑？牛鬼遺文悲李賀，鹿車荷鍤葬劉伶。故人惟有青衫淚，絮酒生芻上舊坰！」

他作畫，喜畫石，懋齋詩鈔云：

「傲骨如君世已奇，嶙峋更見此支離，醉餘奮掃如椽筆，寫出胸中塊磊詩。」

這便是石頭記全書之所本。所以他以石喻人，又以人喻石蓋石即人，人即石，曹雪芹即以石自放者也。至於他的小說紅樓夢，前人稱之「古今第一」，也有人稱之爲「才子書」的，讓我現在來研究這位才子的醉後狂言，第一回有詩云：

「無才可去補蒼天，枉入紅塵若許年。此係身前身後事，倩誰記去作奇傳？」

我爲之作眉批云：「此詩爲雪芹一生潦倒的標幟」。

太史公爲了遭於腐刑遂作史記；王仲任爲了閉戶讀書所以著論衡八十一篇；太史公寫的是正史，王仲任論的是正事。而曹雪芹呢？則不談正史，不論正事，撇開了「朝代年紀」，撇去了「無大忠大賢理朝廷治風俗的善政」，從反面與側面寫「幾個異樣女子，或情或癡，或小才微善」，雖然其中穿插着不少人情世故與社會黑暗面，最後是「因空見色，由色生情，傳情入色，自色悟空」，所以我說曹雪芹不特是一個大文豪，而且是大思想家，大哲學家。一種偉大的創作如果有哲理思維做背境，只是如實地把散漫隨材般到文字上，雖能聳動一時，不能傳之久遠。但丁如是，涉士比亞如是，推而至於哥德等，亦無不如是也。

甄士隱是官吏的善良面，然而其官不大，故其影響不深。但其結果女失屋焚，天之不報善人者如此，亦可哀矣。賈雨村以發秀才終至飛黃騰達，雖有做官的手段，究屬不得其正。前半改寫他是好人，到後來卻變成了一個大奸滑。語云「近朱者赤，近墨者黑，」官海浮沉，不如此無法擺升。用現代的術語說，即政治中到處是垃圾，垃圾堆裏那有好的東西呢！

壽蕭同茲六十

劉百閔

風流俊逸是蕭三，在木松杉與梓柟。叔度汪汪千頃闊，季倫落落一杯耽。先難後獲多元德，舉重知輕有遠覃。白髮丹心經歲晚，不曾蕭瑟賦江南。

蕭同茲六十壽

張維翰

論壇崇宿望。訊網著膚功。消息通天下。知聞遍國中。性恬身早退。志壯氣猶雄。甲子初周日。一觴壽海東。

金珠

中篇小說

勞影

我看到她嘴唇張合了一下。

「你要喝點什麼嗎？」

她搖搖頭。

「你要和我說什麼嗎？」

她閉上眼。

我把頭靠過去。

「講點出院以後的事給我聽聽！」她微聲說。

「你不怕煩嗎？」

她搖搖頭。

「出院以後，」我用最愉快的聲音說：「我們馬上結婚，我們租一間小小的房子。我爲你找一份輕閒的工作，省下我們薪水的一半給你的家裏，我另外找點副業，你大弟弟不是在今年初中畢業嗎？」

她閉了一下眼睛，露出一個欣慰的笑容。

「結婚那天，我將請光我的朋友，讓他們來讚美你，讓他們看我倆依偎在一起，讓他們來喝光我們的美酒……」

我看她有睡意，便停止再講下去。她睡了，睡得很甜，很安靜，臉上浮滿紅暈，嘴角漾着笑意。我靜靜地守候着，天快亮了，我的心情安定下來。我又坐到屋角抽了三枝煙，天亮以前是人們最易昏沉的時刻，我卻睡意全無。我把煙霧一口一口地緩吐着，心內計算着出院以後的一切。護士小姐又睡着了；我一會兒看看金珠，一會兒望望窗外，窗外，天更黑了，我知道這是黎明前的黑暗，等會兒天會一亮就亮起來的。

我再一次去看視金珠時，我發現她眼瞼裏有二滴眼淚，由於她嘴角直未消失的笑容，我知道她正做着一個快樂的夢；人們高興到某一個限度常會樂出眼淚來的。但眼淚多少容易誤會成爲不幸的象徵，我不願它今後再會掛上金珠的睫毛，便取出一條乾淨的手帕，爲她輕輕擦去，想不到卻把她弄醒了。

「你做什麼？」她睜眼清爽地笑着問。

「你笑出眼淚來了。」

「我不相信。」

「嘿，」我把手帕上揩濕的部份指給她看：「你做了有趣的夢？小珠，告訴我，你夢見了什麼？」

「一株聖誕紅。」

「唔。」我怔了一下。

「聖誕紅的花瓣不是一朵四片嗎？」

我點點頭。

「我看見的那株有五朵花，彷彿開在一個很泥濘的山谷裏，忽然間一陣急雨，花瓣落一地！」

我急出了一身冷汗。

她的面孔紅得很利害，微微喘息，但神情非常愉快。

（三五）

打父親出名的村長

——竹幕側影之五

•秋文•

「鄉間吃甚麼米？」

「鄉間沒有米吃，祇吃雜糧，大城市像廣州還有米吃，但也要配給，排隊購買。」

「聽說生油和糖很不容易買，是不是？」

「花生油早已絕市，所吃的都是混雜油，也不是純菜油，那種味道，我們眞吃不慣，其實，一般農民又何嘗吃得慣，不過，在高壓政策之下，不得不服從罷了。」

「你弟弟既當村長，你回去不須受甚麼訊問吧？」

「有些共幹走來，向我問長問短，在他們勢力範圍之下，我說話當然不能隨便的。有許多親戚朋友，我本想去探訪他們，因避免嫌疑，祇好作罷，免他們疑我回去有甚麼活動。」

「你父親很健康吧？」

「他今年六十二歲了，孱弱多病。我回家那天，他額上還有兩塊創傷，我問他怎會受傷，他低聲告訴我，是老二用木棍打的。他說完，老淚橫流。我正想教訓弟弟一番，他拉着我說，『你不要理他，現在他當村長，有民兵，有衞隊，唉！』我父親長嘆一聲，連我也不覺淚下。」

「接老人來香港不好嗎？」

「我目前環境又怎能辦到！」

阿馮走後，我內心很難過，因爲我沒有甚麼適當的話安慰他。（下）

猶太笑話

牛布衣

（下）

（三）

火車上，一個年輕人向一位老人問時刻。

『你何不問買票員。』他回答。

『彼此都是猶太人，你的態度太不客氣了。』

『不客氣嗎？要是跟你客氣，我們便會談了起來。我會告訴你我家裏在什麼地方，你一定回答說，沒有到過那裏。因爲是猶太同鄉，我可能請你到我家裏吃晚飯，你會到了我家裏，你會遇見我的女兒，你會愛她，向她求婚。你是一個窮光蛋，連錶都沒有，我能夠把女兒給你嗎？』

（四）

一位波士頓的世家花宴會席上對賓客誇耀，說道，『我的祖先在美國獨立宣言上簽過字。』賓加氏是英國猶太人，答道，『眞有意思，可是我的先祖也是十誡簽名人之一。』

（五）

好幾年前，猶太一個家庭找了一位媒人，替他們的兒子完婚，聲明新婦必須是富家之女。過了沒有幾天，媒婆把一位富家新婦帶了回來，她是一個腰大十圍的婦人。

新郎跑到媒婆前面，低聲說道，『她的年紀比我大了一倍，耳大如豬，牙凸如象。難道你瘋了嗎？』

『不必低聲說話。她是聾的。』媒婆答。

（六）

摩理士在一家裁縫店裏當了二十五年裁剪師傅，沒有遲到過一天。一天早上十點鐘他才跑回店裏。臉上都是傷痕，右手又掛在帶上。

主人問他爲什麼遲到了一個鐘頭。他答道，『早膳後，我伸到窗戶外面，一時不愼，在三層樓上跌到地下。』

老板聳起肩頭，說道『由三層樓上跌到地下要一個鐘頭嗎？』

記四川棒客

•雪夫•

棒客，是四川人叫土匪的別號——稱謂很雅——顯名思義，大約與鋌而走險，揭竿而起之流相類似的，以竿、棒、梃，皆不屬於有槍階級也。棒客行動的屢閒到了「打家劫舍」驚宮動府的程度，大人先生們，就名之曰暴動，而目之爲暴民了。還過翻開古今中外的史乘，很不幸！到處都有暴民的痕跡，英國有農民暴動，俄國有農奴叛變，漢之黃巾、赤眉，唐之黃巢，清之洪楊，皆暴民之著者也。故「不旋踵而身敗名裂爲天下笑！」然而亦有例外者在，那大約是受命於天的「神授者」，卻能乘時崛起，白手興家。由暴民一躍而稱「陛下」，其中當過和尚者有之，做過市井無賴者有之，幹屠戶編草蓆出賣者亦有之，一旦成則爲王了，史家便告訴我們說：那就叫「弔民伐罪」了。暴民打倒了皇帝，理論家謂之曰「民生」，皇帝鎮壓着暴民，理論家又名曰「獨裁」。四川的棒客雖絕無九五之尊的洪福，然而一旦「招安」了，而成爲「司令」倒很有把握，但是棒客始終是可惡的東西，尤其可惡的是時時有屢閒之虞，後來川陝的棒客，到處搶殺，弄得「肉食」者睡不好覺。于是派軍隊去「一律格殺勿論」！本來，正值海晏河淸的，何來敗類？——苗中之莠民——敢于小醜跳梁，自干天譴，「聚而殲之」宜也。但自頒布剿匪法以來，殺，殺，殺一直殺到現在，而匪之多也如故，而所謂匪的勢力，如果大到捲天下之後，名稱又一變再變，不變那就好像不成敬意似的。

自由人

THE FREEMAN

（第三七六期）

每份港幣壹毫

3 rd. fl. 20 GAUSEWAY RD HONG KONG

本報啓事

本年國慶，本報增印國慶紀念增刊一張，提前於本日隨報附送，港九地區並另加送國旗一面，仍售港幣一毫，敬請讀者留意。

「鬥智」與「鬥力」

——爲四十三年的國慶而作

左舜生

中華民國是不能毀的！

袁世凱、張勳康有爲等，曾有兩度正式的摧毀過她；日本軍閥曾不斷對她予以打擊，而且曾把她蹂躪得遍體鱗傷；中國軍閥曾有一個長時期，把她弄得四分五裂；這些叛徒或敵人，在當時未嘗不是愷赫一世，好像其勢是不可侮的，可是都被中華民國的人民，將他們的人謀鬼謀，一一予以粉碎！

蘇俄陰謀的可驚

蘇聯開始盜竊中華民國，着手於民國九、十年之交，她的方法卻是比較的來得複雜，可以說一切運用陰謀：利用中國內部的矛盾，利用中國少數對政治抱有野心而不擇手段的人物，利用國際任何一個於她有利的機會，尤其要緊的是拖保提攜，培植一個由毛澤東、周恩來、劉少奇等所代表的中國共產黨，作爲傀儡，供他們充分利用。陰陽兩面，變化不常，一會兒笑臉迎人，一會兒猙獰可怖，把他們那種若干地帶民族陰森殘酷的性格，發揮得淋漓盡致，其結果則使德國人日本人上當於前，英國人美國人上當於後，一直到今天，如貝萬，尼赫魯，乃至蘇卡洛之流，也還是甘心受騙而始終不悟，至於在知識上自來落伍的人們，如毛、周、劉以及胡志明，金日成之類，其被他們玩之於掌股之上，自然更不待論。

蘇聯運用這種手法，已繼續不斷有了三十年以上，這種手法有一個最顯著的特色，便是以「鬥智」爲主，「鬥力」爲輔，不到萬不得已時，決不輕於動用武力；即用武力，也必以他們次等武力運用於前，而蘇聯自身的主力不到緊急萬分的時候，仍決不會輕於一擲。

蘇聯爲擾亂世界的禍首罪魁，世人已漸漸有了這種認識；蘇聯不倒，這一股所謂世界革命的狂潮，便無法遏止，世人也漸次明白；所不幸的，世人還只知道如何厚集武力準備與蘇聯作最後的一拚，但在這個「鬥智」的過程中，即在這個蘇聯不肯輕於動用他們自身的主力，而以和平共存作爲掩護他們這大陰謀的幌子的過程中，卻不免倘見勢絀，而終於無法令蘇聯感到致命的打擊，而速之不能不稍戢其野心。

武力與武力以外

我們承認：最後要把蘇聯鬥垮，終不能不有賴於武力。但在他們以「鬥智」爲主，而以「鬥力」爲輔的階段中，則即有武力，也往往無所用之。在蘇聯「鬥智」的過程中，第一步是審度敵人無力而不敢輕於和他們去鬥；（這一階段中他們的收穫已經着實可觀。）第二步在使敵人雖有力而找不着主要的對手，以致無從發揮，甚至還竄存僥倖，以爲大戰終可倖免；（現在便正在這一階段中，而可能把時間拉得很長）。第三步則在他們自身從容佈置，積極準備，一旦到了窮匕見的時候，即以武力硬拚，他們也可能立於不敗之地。（這自然是他們一種不能不有的理想。）

我們現在正立於反共的第二個階段中，即是說正立於蘇聯自身還不肯動用主力，而只是運用三等武力從事擾亂，而他們則期待運用國際搖撼國際，以外交方式求取得更多收穫的階段中。即在這一階段中，我們不能不積極準備武力，自是題中應有之義；可是如果看得太單純，以爲除準備武力以外即無所事事，則算盤不是這樣打法。未來大規模的反共戰爭中，決不是任何一個國家單獨反共，而必然是一切反共國家的集體反共。單獨一國，即美國亦有所不能，何況我們？以我們去參加集體反共，因當前我們受着先天和後天的限制，就武器準備這一點來說，我們實無法不處於以美國爲首的這一體系之下，而切實求得其協助與配合，這是事實，不是理論。我們自身對武力準備的可能，不僅無法與擁有原子武器或氫武器的美英並論，乃至要與建軍後而具有現代工業基礎的西德和日本去度長絜短，也終於是瞠乎莫及！痛快言之，在以武力集體反共的這一階段中，我們可能佔着的地位不會太高，反之，假如我們在準備武力的這一重點以外而能知所用力，換言之，即除「鬥力」以外而能知所「鬥智」，鬥政治、鬥經濟、鬥宣傳、鬥思想……則我們感到我們可以用力的範圍或事項，卻是相當的廣泛，而且就對付中共這一點來說，我們更是責無旁貸。

對中共行動的看法

以最近的事實來說：中共開始宣傳所謂「解放台灣」，始於七月二十三日「人民日報」的一篇社論；爲時已在七十天以上；即從上月三號開始砲擊金門以來，也已一月有餘；我們因爲看見他們進展得這樣遲緩，便判斷他們準備不足，或畏懼美國，甚至如金門守將劉玉章軍長的看法，以爲中共即要突擊金門，也得於泗水過渡，這似乎是過於輕忽，殊乖「知己知彼」之義。我們記得在中共還未加入韓戰以前的一星期，即以當時的麥克阿瑟元帥，也還不知道中共會要斷然加入，一旦他們以二十萬的大軍來一個人海的突擊，當時已經到達鴨綠江邊的美軍，也還是不能不有一次迅速的撤退，這豈不可以看出料敵之難！

據我們一部分朋友最近研究中共動態的結果，關於所謂「解放台灣」這一行動的開始，中共內部卻也包含得有不少的矛盾的：自赫魯曉夫和布爾加寧等東來，以及他們在北平所發表的言論，攻台至少是得着蘇聯的支持的，或者不管是事前的唆使或事後的默許，總之攻台斷然於蘇聯有益；攻台成功，蘇聯所得益處還小；攻台失敗，蘇聯所得益處更大；而使美國的神經一時也不得休息，這自是蘇聯一貫的需要。說到中共的自身，其情況卻不如此簡單：只要是出於蘇聯的願意或唆使，劉少奇等所代表的一派，（即普通所謂國際派）當然除奉命惟謹以外，是沒有第二句話可說的；毛澤東周恩來等所代表的一派，則多少以維持現狀，不輕用武力或至少不澈底的使用武力爲比較的有利，因爲他們多少顧慮大陸的現實，或者說他們還多少愛惜自己的本錢；中共若干的軍事頭頭，即縱然覺得所謂「解放台灣」，只是之於他們有害，換言之，「解放」之日，便正是他們免死狗烹之時，斯大林在一天內可以屠殺八個大將，他們想到這些事實，能不心驚膽顫？至於一般的所謂「民主人士」，更是以台灣的存在爲依擁的，現在已經快要不存在，着他們「解放」以後？更何論於台灣？共內部的心理矛盾是如此複雜，或許這便是「攻台」遲遲無法進行的原因之一，渡海工具的不齊，蘇聯援助限度的難於確定，美國態度的不可捉摸，天時地利種種條件的顧慮……也許反在其次。劉少奇看見周恩來從日內瓦「勝利」歸來，而兩隻眼睛冒出火，周恩來以第四位站在最近一次的主席台上鼓着嘴表示滿肚皮的不高興，以一個久已打入冷宮的朱德，忽然爆出冷門，……凡此種種跡象，我們都不能不從中共內部矛盾日趨深刻的這一原因來求之。像赫魯曉夫一類蘇聯的重要人物，不能不在這樣一個時候東來，對中共正面的作用固在對美示威，加強對中共的控制，其側面的作用，也許還在把中共內部可能爆發的動亂，暫予鎮壓彌縫於一時哩！

我自然不敢說上面這一段朋友們的研究一一合於事實，但至少可供參考，進一步言之，不但在我們自己主觀上我們不應該只知道一個武力的重點，即估量敵人，也不應該僅僅以敵人的武力如何爲惟一研究的對象啊！

中華民國的名與實

今天是我們四十三年度的國慶，我們有一最深的信念：中華民國是不能毀的，不但我們不能毀，還要使中共不能毀！但我要強調的是：中華民國之名，只是中華民國之實，什麼是中華民國之實？什麼是中華民國的精神？便是中華民國憲法所表現的精神，這不是一句數衍的話！這是一句存在我們心坎中許久而不能不說出的話，我希望台灣黨政軍的最高負責者，若干於成敗榮辱之際，審度而加以相當的注意！

談台灣公營事業的開放、整頓、與加價

陳式銳

開放的分際

台灣經濟問題的中心在公營事業，它的改變是一個開放民營，這一爭論歷經數載之久，經持此一辯法者在輿論方面的關頭，惡督的指責，總說的折服，他們的奮鬥是艱辛，他們的心情是沉重。迨至本年二月四日行政院陳前院長對國民大會報告說：「在此我要特別指出的，即今後除以大企業自由，凡屬可以讓民營的企業，應儘量開放民營，俾私人資本打開一條康樂平坦的出路」，到這裏，理論上朝野算是一致了。

九月廿四日行政院俞院長在立法院宣稱：「本院最近對公營事業在政策上已重予檢討，其要旨爲首先確定公營事業的範圍，凡涉及國防秘密的事業，有獨占性的大規模公用事業，以及足以影響國家經濟命脈的事業等，均將繼續國營，其他各種生產事業，均可改爲民營。現有國營事業：將按下列標準予以整理：（一）事業中必須由國家經營者，由政府增加投資或收買民股，藉以統一管理事權，（二）事業中適宜於民營者，盡量轉移爲民營，並予以充分自由的競爭機會，以利發展，（三）事業之性質與經濟建設無直接關係者，將予以裁併。」（台北九月廿五日徵信新聞）。

「大刀闊斧的整頓」

見乎此，是現內閣對公營轉移民營既理論仍予維持，而且進而指出界限與辦法。新內閣的經濟部長尹仲容，六月三日在台灣省工業會曾說：「若干政府不必經營之公營事業，仍應及早移轉民營；其因此而發生之員工就業及其他問題，自應由政府負責解決。至於未能轉移或不宜轉移之公營事業，除力求改善外，並當將其內容及遭遇之困難公諸社會」（台北六月四日各報）。他六月八日且對記者招待會表示，對於公營事業，不但政府將大刀闊斧地加以整頓，即台公營事業本身，也正在大刀闊斧地加以整頓。

（下轉第二版）

半週展望

陳克文

再不是內戰問題了

中共叫囂「解放」台灣的初時，曾經高呼這是中國的內戰，許外國加以阻撓。蘇俄代表團赫魯曉夫等十月一日到北平後，公開聲言支持中共「解放」台灣行動，中共再也不敢說是內戰了。我們覺得收復大陸解放鐵幕，自由中國固然要負重大責任，但這不是中國一國的事，而是自由世界共同的事。蘇俄公開聲言支持中共，則中共的進攻台灣，其性質乃共產國際整個侵略計劃的一部份更加明顯。艾德禮和尼赫魯之流以爲把台灣送給中共，即可安撫中共，以求國際局勢之苟安，其爲錯誤的幻想，亦可多得證明。

因此，今日台灣的安危，決不是台灣本身的禍福。西方國家如果還是袖手旁觀，讓中共輕易摧毀此一反共的司令台，則西方國家必然要自食惡果，後悔莫及的。

新鴨綠江庇護所

近日國軍海空軍不再向大陸沿海施行攻擊，因而盛傳美國已限制國軍行動，造成新的鴨綠江庇護所，輿論更有因此而對美加以指摘者。軍事行動往往不易爲外間了解，此一現象是否即爲新庇護所之建立，此時判斷似爲過早。以常理論，美國在韓戰所得教訓不爲不大，尤其是美國軍事領袖認識更爲深刻，此時決無再建庇護所，以坐令中共增加侵略力量，相機吞噬台灣之理。越局失利後，美國已深感盟國牽制，此後大有單獨行動在所不惜之勢，則再蹈韓戰覆轍，實不足信。

因此，我們希望這是一種戰略的必需，決不是有限度作戰政策的重演，否則軍民士氣因將大受打擊，遠東大局的前途，亦將不堪聞問了！

印尼局勢日趨惡化！

印尼政府最近拘捕著名的反共華僑領袖章勳義氏，並有將章氏解往中國大陸之說。同時受印尼政府傳詢或監視的其他反共華僑領袖尚有四人。印尼政府此一舉動無疑已引起旅居印尼兩百萬華僑的疑懼和憤怒，也引起了自由中國的極大憤慨。

章氏和被傳詢或被監視的僑領，對印尼的獨立運動都是極表同情而且有貢獻的，在日人南侵爪哇的時代，曾經過着牢獄生活。幾年來他們的反共工作也是印尼所明知默許，甚或間接加以鼓勵的。我們更知道印尼政府自蘇加諾總統以下及其他許多負責的重要人物都是反共的。印尼雖採取了錯誤的承認中共政策，事實上幾年來對於中共在印尼的活動，也曾多方加以取締和防備。現在，忽然發生這一項與其過去所採態度大相逕庭的措施，恐怕不是印尼領袖自動的改變政策，而是共黨藏在那裏滑滋暗長的勢力已經相當茁壯，同時共黨國際的侵略時間表已經到了這一階段的結果。

因此，我們對反共僑領的命運，固必須努力從事挽救，印尼政局的危機，已經更深一層惡化，更應當是自由世界急應注意的一件大事！

悼尾崎行雄

九十五歲的日本民主鬥士尾崎行雄，前三日與世長辭。巨人溘逝，不僅是日本民主政治的一大損失，也是自由世界的大損失。尾崎氏爲日本民治奮鬥六十年，他對於中國近幾十年的民治運動亦多貢獻，於此，我們謹致其極大的敬意與哀悼，尤其希望中日兩國的民主政治家，能繼續尾崎老鬥士的精神，繼續其未完的志業！

自由人四度國慶

·旭 軍·

我認爲「自由人」半月刊的誕生，不是由於普通培育智識提高文化的動機，而是負有特殊的時代使命。一言以蔽之，就是爲了中國大陸沉淪，人類的自由受了極大的威脅而起來作警鐘的。

共黨世界與自由世界是根本不相容的。即兩個世界對個人所採態度絕對不同。共黨世界置個人於團體之下，其實所謂團體不是衆人，而是握有政權發揮自私統治慾的集團。

共產毀滅個人自由

自由世界是尊重個人意志的，雖或事有不從願之處，但已逐步向尊重個人之路邁進。這兩個懸殊的鬥爭已有長久的歷史。但目前共產世界對自由的摧毀與威脅之兇猛是空前的，因爲蘇聯共產主義是絕對澈底毀滅個人自由的。

因此本報第一句口號應該是：『我們絕對不能與蘇聯共黨集團共存！』

本報是在民國四十年三月間創刊的，迄今經歷四個中華民國的國慶日了。每逢雙十節，我們都痛定思痛的回憶過去的教訓，和思念及將來。僅就本報所經歷的四度國慶之世界大局，論列自由世界實不能與蘇聯共存。

西方受共存說所惑

民國四十年國慶日的世界大局是爲了會園苟安的國家謀與蘇聯共存，迫到美國執政者把一個能澈底擊敗蘇聯鷹犬中共而解決韓國統一的麥克阿瑟元帥撤職，弄到韓戰變成僵局。聯軍遵守一個空前最愚蠢的戰略所謂「有限度的戰爭」，郝萊李奇威和麥立特二人的手。麥立特祇能使其軍隊與共軍消耗於韓國中部，共時雙方戰殺得驚天動地，屍積血流於傷心嶺。美國聯合參謀部主席勃雷德將軍亦以韓戰是一個錯誤的戰爭，以爲李奇威的四百艘軍艦，一千三百架飛機，不敵馬林諾夫斯基的七十萬大軍，五千架飛機一百艘潛艇。他沒有計算到史太林擬倒的全球戰略，在原子武器劣勢之前，是不敢發動第三次大戰的。史太林當時在英國大選前，發佈和平聲明。主張東德撤兵，全德統一中立。他主張柏林召集英美法蘇四強會議商討統一德國，結束韓戰，促使中韓共在現戰線上同意停火，藉以阻止西德之建軍。在那時的局勢已顯出共黨以「共存」爲手段。當時英國的「新時報」已揭露的「共存」的久暫是沒有一定的，但要嚴限範圍，且要知道看風駛帆，必要時雖妥協亦不惜。」這時明明是共黨處於劣勢而有求，其共存的甘言所惑而和之心，自由世界受一已。

板門店後的局勢

民國四十一年的國慶日世界的大局，是共黨以板門店休戰談判使自由世界困惑，以談判僵局拖住美國，離開自由國家，積極備戰擴軍。擬定以和平攻勢掩護中共中共五年計劃。

當時克姆林宮的俄共第十九屆全國代表大會，莫洛托夫及馬倫可夫的「和平」鬥爭講演，集中火力於攻擊美國。同時高呼願與西方國家合作。蘇聯已確定『孤立美國，中立英國，綏和西歐，進取東亞』的策略了。

當時斯太林在布爾什維克什誌發表長達五十萬言的論文，預測民主國家將發生分裂，尤其是側重於美英法三國關係。他預料英國首先與美國脫離，其次爲法國。

此時美國在遠東取圍堵政策，以韓戰爲有限度之戰爭，對台灣繼續凍結，對越局勢共僵持，至於太平洋防禦公約以美紐澳爲限，對日本建軍無明確領導和大力支持。此皆由於誤認蘇聯可與共存，而不思積極實行『解放政策』之恐誤。

民國四十二年國慶時的世界大局，那時韓國停火協定簽署了。中共轉移目標到越南。克拉克將軍預料韓國射擊戰不會再發生，但遠東更陷動盪。法國調遣其主力的軍隊到越南了。法國感到在越南方面受到重大壓力，巴黎急欲擺脫印支之戰。希望同意舉行四強會讓後再舉行五強會議。因此而成了日內瓦會議分割越南的契機。企圖與蘇聯共存的錯誤又得了一個證明。

何時才是和平共存

九月三十日艾森豪威爾總統在記者招待會說蘇聯[illegible]

[illegible]乃全世界最重要之事。美國有原子武器優勢而不知利用，坐候蘇聯趕上，也是被「共存」現論所迷惑。[illegible]到了今年的國慶日，世界局勢，更證明自由世界無法與蘇聯共黨集團共存。[illegible]世界方能和平共存。

談台灣公營事業的開放、整頓、與加價

（上接第一版）

他說：「公營事業，必須於辦得確實好後，才能考慮移轉」（接受輿論）是一回[illegible]

[illegible]

可否由中信局下手

[illegible]的「內容及遭逢之困難」，也迄未見「公諾社會」。

[illegible]委員會先後與該局商議出口貿易貨處合營出口貿易四次（進口奶粉，出口鳳梨，茶葉等），計盈餘新台幣二一，三四七·五元「該會屢次利用該局以購易處業營機會，以公家對外貿易之方式，從事進出口貿易，將公家所得利益，由私人朋分之」（監察院公報第三十五期）。（二）糾正中央信託局辦理貸放業務不善，致公帑遭受重大損失案：「查中央信託局關於各業請貸件押條款必具品之範圍與處理程序，以及各種放款之期限等，該局業務規章均有明確規定，自應格依規章審慎將事，乃該局年來辦理放款業務，雖免循情通融濫予貸放，致幣審激，遭受重大損失。觀於該局上年度催收款項內各公司行廠貸款墊款經過情形，常因人情關係，不惜一再展期，抑且減息停息，以債養債」，列舉（一）揚子木材公司（由胡光麃經營）借款及墊款，（二）台灣雲母礦業公司（由劉航琛經營）借款，（三）利濟實業公司（董事長劉航琛）借款，（四）東亞熱水瓶廠（董事長張爲綸）借款，（五）台興礦業公司（董事長戴安國）借款，（六）復興機器製品公司（創辦人徐肇基）借款，（七）永有茶行（經理張祥傳）借款，（八）中華印刷廠（經理陶泰來）借款，（九）長記輪船公司借款，總數有七百萬元之譜（監察院公報第五十期）。

其次，去年七月一日，行政院陳前院長於宣佈設立「經濟安定委員會」時會說：「中央信託局應以經辦指定之廠品外銷及代理政府機關與公[illegible]營事業機關購料爲主要業務，與此項主要業務有關之倉儲運輸保險業務，仍繼續辦理；其他業務，應分別予以結束」（今北去年七月一日各報）。我在台北「貿易周報」（一〇五期）看到一篇文章，舉出公民營貿易的比較，我且由此算出其比率，公營：出口占八五%，進口占六五%，民營：進出口占⅔；出口占一五%，進口占三五%，進出口僅占⅓。由這一數字，我們了解公營所占進出口貿易比率之高，實無法可以理解；由是「常營濫溢」，公私均受其害，監察院之糾正，行政院之飭其縮小業務，均爲針對公營事業的病症，尹氏以經濟部長兼局長身份，正是「大刀闊斧」一由下手之時！—我願聞整頓的成績，或「遭逢之困難。」

人物述評

正鬧重婚的——印尼總統蘇加諾

·劉靄如·

（三）

就在日本佔領的初期，他跟他最初的一位夫人離婚，也就是現任的克的女兒，而與現任的印尼第一位夫人結合，當時婦女組織並沒有表示反對，因爲蘇加諾夫人「適合一切婚姻的標準」。他倆的結合已經十四年了，已經生有四個子女，而且這位夫人極爲賢淑，會經與他共同患難，她大部份時間，是在耶加達內的總統府中。

至於這位新夫人，她的芳名夏麗爱蒂·蘇曼杜，已經三十二歲了，她的原來丈夫，是在耶加達一個火油公司服務，已經生有五個子女。他們倆的結合，是在七個月以前，在茂物市的一個生日舞會當中，一見之下，彼此傾心，心心相印，過從極密。

據爪哇中部西馬蘭的地方報紙記載，該報的記者，會經跟這位蘇加諾的第二位夫人，作過首次的訪問。該報說：這位新的總統夫人是一位舉止溫柔的婦女，身材纖細秀美，而臉也顯源亮的，一九四一年唸完高中課程後，會學了兩年剪裁。

耶加達某中文報，會爲蘇加諾辯護，就蘇加諾爲什麼要娶第二位夫人一事發表意見說，「很明瞭的造物主已經命定蘇加諾要跟那個女人結婚。」該報向讀者報導稱：蘇加諾與其第二位太太自從生了第四個孩子後，由於蘇加諾夫人身體上衰退，因此他們倆的生活形成不協調的現象。爲了這個緣故，蘇加諾便不得不設法物色第二個婦人。這絕非一項不平凡的事件，任何人都可能發生的。

這種理由，有點像共黨的「一杯水主義」了。該報讚稱：蘇加諾總統每月借抽一個星期去看他的第二位夫人。但另據新聞報稱，總統蘇加諾大部份時間消磨在茂物市的總統行營裏面，爲的是他會戀着那裏涼快的氣候。

（四）

據合衆社廿三日耶加達電稱：蘇加諾的新第二位夫人，料已懷孕，總統府既未否認，亦未證實。但另據該社廿五日電訊，新夫人對記者否認懷孕，只是她說因爲貧血。

又稱：蘇加諾已於廿四日赴茂物行宮，與其前三月秘密結婚之第二夫人歡聚。總統之第一夫人，仍與子女在總統府居住。總統新夫人與其前夫所生之子女五人，由爪哇中部乘飛機於昨日下午到達。在此前一小時，總統即驅車至茂物相候。茂物距耶加達乘汽車一小時可達，聞總統將在茂物小住三日。

觀察者認爲蘇加諾既到茂物，似已逃出印尼婦女領袖所掀起的風波，因此等婦女們以此種婚姻，有玷國家及婦女體面，耶加達之報紙依然不滿。又有人認爲總統已答應永不把她作爲第一夫人露面。須表示蘇加諾欲使她居第二位。

可是根據印尼最重要的婦女組織——培蒂里——，婦女會執行委員會主席「加杜佩奴夫人」的談話，她說新的蘇加諾夫人是一個「壞女人」，這次結婚簡直把總統聲譽降低了。又謂：蘇加諾夫人正預備跟她的丈夫離婚，爲的是她不接納這種新的關係。

這件總統的桃色新聞，將來演變如何？看來還有待印尼婦女會的努力，和輿論方面的趨向。（下）

編者　讀者

一件可惜的事

編者先生：

關於已故日本內閣總理田中義一奏報日皇征服中國及世界之秘密計劃，簡稱「田中奏摺」，舉世皆知其確有其事實，但日本敗降以後，盟國在東京組織軍事法庭，審判日本各級戰犯時，盟國尤其是我國，會經多次以「田中奏摺」案，訊問東條英機以下各戰犯，彼等均矢口否認，結果盟國認爲沒有確切證據，遂不了了之。我當時見報，非常憤懣！但亦止於憤懣而已。

近讀貴報關於取得「田中奏摺」的幾篇文章，對台籍老革命黨人蔡智堪及最近去世之教育家李逸林二氏，聞致崇高敬意。惜東京審訊日本戰犯時，戰犯矢口否認此事，當時蔡、李二氏既噤不發言，我外交當局及當時之外長現仍健居香港之王正廷博士等，亦未曾挺身而出，前往東京作證。或將其經過和盤托出，以打擊侵略者，實屬令人不解，以蔡先生當年潛入日宮偷抄「田中奏摺」的勇氣，發揚英雄本色，東京審訊戰犯時，不出面作證，現在才寫「我怎樣取得田中奏摺」（自由人三六四期）的文章，未免減色了。敬希將此函刊出，以就正於王博士及蔡先生，暨自由人的讀者們。即頌

撰祺！

楊力行拜啓　九月三日

△李植柏、劉靄如、小丞、葆茵、孫用之、彭楚珩、于飛、李海，諸先生：惠稿一一收到，至感謝！

△俞嬰先生：示敬悉，請續惠稿！

△雙十國慶文章，因篇幅關係，未能盡量刊出，惠稿諸先生，祈爲諒恕爲荷！

電力加價案

再言電力加價，六月間當局就放出空氣，與輿論一致反對，台灣電力公司當即表示：「對此事並無所聞」，經濟部負責人稱：「未着手研究」，省主席也說尚早」。經濟部認爲：「若某項事業需要調整，也必定分別研究妥善辦法，以免影響整個物價」。查今電於四十一年十二月奉令由經濟部負責於三個月內予以整頓，用息對上次電力加價之不平，究整頓的實情或成果如何，我當時以公開以前，希望在未台北公營汽車加價案爲例，希望此事至此爲止（見本刊六月三十日「就新聞談經濟」）。近看到尹仲容氏的「爲電力加價答客問」，洋洋萬言，我就意識到本案已到成熟階段，九月廿三日行政院三六三次例會，果然通過：「各項電價普加百分之三十六，並預訂於十一月一日開始」，本案即將送立法院審議。本案通過後，行政院新聞局即於當日下午五時舉行記者招待會，由經濟部尹部長提出報告；尹氏除強調「調整電價絕對與整頓台電內部同時進行」，其詳細內容與「答客問」大致相同。

虛盈實虧

尹仲容氏在維護公營制度時說公營事業對政府有「盈餘」底貢獻，此處爲要電力加價，卻指出公營事業是「虛盈實虧」。在台電這一方面，再加上說：「在通貨膨脹之下，公司固定資產價格應按幣值之變動升值，然後其提存之折舊準備方足以補充設備或償還借款」（答客問，下同）。由此，尹氏以台電原有賬面資產價值估列新台幣七億零二百三十四萬元，提到折舊之賬面價值爲五億九千零二十九萬元，應予重估爲「四十一億二千四百九十八萬元，如果減除應提存之實際折舊，現在淨值應爲三十一億二千一百八十八萬元。」：爲現在賬面價值之五·二九倍」。現在台電提存之折舊準備每年爲三千萬元，若照倍數升高，應爲「億五千萬元，尹氏以過去爲「從高計算」，照「合理」底折舊率應爲二·五%，算來爲一億元，「減去原來已提存的三千萬元，不過增加七千萬元」。照尹氏的說法，台電過去因爲資產價值低估，折舊因亦低扣，所以一方面有「虛盈」爲政府取去，造成虧損；一方面電價過低，形同「貼補用戶」，今後爲「電力開發五年計劃」，不能不「取消補貼」。現在，政府取去者已經用掉，今後惟有取償於「用戶」；這一行政公式，試擬如下：

盈餘：虛盈：：

虧損：用戶

折舊大抑浪費大

至於最重要底一點，台電內部管理予以整頓，是否可以解除財務困難而無須加價？尹氏的答案：「所增加之折舊數額甚當鉅大，不能與所謂革除浪費之數目相比；且整頓需時，並不能因此而不調整電價，影響工程之進行」。尹氏的說詞不可謂不巧妙，他先提出一個「應折舊」底大數字，再說非「浪費」所可比。

（下轉第八版）

香港中學會考制度的存廢問題

實行會考制度的結果，並未達到原來目的，反而發生流弊，這一制度實在沒有必要。港政府應盡力發展初等教育與職業教育，並嚴格管理中等教育。

·燕廬·

（一）

一種制度的存廢或好壞，決定於其是否適合情勢，情指社會的本質，勢指社會的進程，一制度不適於其社會的本質時，有如在圍棋棋盤上不能使用象棋的規則去下棋。不適於其社會的進程時，即使發榮如蘇卡諾總統，雖依其回教教規多娶一個女人，但亦不免招致許多攻擊。

社會產生一新制度，有時是情勢自然發展的結果，但有時亦往往由逆勢的人爲力量所造成，由情勢自然發展而來的制度，因其依存於社會的利益，故較能發揮其作用而爲社會大多數人所歡迎，由人爲力量所生的制度，其所代表的或爲少數人的利益，或出於少數人對社會的一種偏見，故有時是利害互見，有時竟是有害無利的。

（二）

一九四九年中國大陸爲共產黨盤據後，許多不甘受極權政治奴役的人，率領了他們的子女，逃到香港避難，香港的人口，突由六十多萬驟然增到二百四十多萬。爲了使這些由大陸逃來的兒童，青年，不致失學，私立學校也激增了。香港教育當局，除對政府設立的學校監督指導較嚴之外，對私立學校的管理，大致如工商署管理其所該管的工廠商店一樣。因此私立學校的經營方式也各別不同，有全日的，上午的，下午的，夜間的，設備固不同，教師的待遇也懸殊得驚人，課程標準，實際授課進度，學生的升級，留級，轉學，以至交費多寡……可以說都是不大一致的。而且這種情形發生，是突如其來的，負責教育的政府機構，也無從事先考慮一個完整周密的辦法，因此在這幾年裏，我們不必諱言，單就中等教育而論，其情形是相當分歧的。

（三）

一九五二年起，香港教育司公佈了一套中英文中學高中畢業會考辦法，並已通行了兩年，我們可以體會到，這一制度的目的在於：（一）劃一中等學校畢業生的程度，使其有一確實的客觀標準；（二）促使若干辦理欠佳的學校加緊改善，使能比較接近教育當局所懸的理想。我們很欣賞教育司執行這一辦法時，態度的慎重和顧慮的週到，把出題，監考，計分，這幾項最容易出毛病的工作，一直做得很精細，很公平。至於會考有沒有收到預期的效果呢？似乎很難說，我們試就辦法的本身和它所欲達到的目的，作一比較，使我們不能不考慮下面已經發生的種種結果：

（一）標準定得太低，有些平日辦理較佳學校的學生，在學校不能畢業，而會考卻反畢業了。（二）部份學校爲了爭取聲譽，雖然偏重講授必須會考的學科，而把不考的學科擱置起來，無形中破壞了完整的中學課程。（三）自由選科考試，一面影響學生對於不考的學科的學習情緒，一面不會公開承認會考畢業學生對功課的學習是不完全的。（四）會考畢業的資格，事實上並未被認爲（例如免考升入大學）之類，考生對此實際……（五）辦理欠佳的學校，並未受到清楚的約束。他們固然可以不令程度較差的學生參加會考，但會考後是否合格，在事實上他們是毫無損失的。這種結果，似乎很少例外，對於施行會考辦法所希望達到的目的說，可以說是絕大的障礙。

（四）

於此，我們試根據前面所說的原則去考查一下：香港人口爲什麼會激增呢？誰都知道這是一個人爲的因素；人多了，隨着需要更多的學校，卻是自然的情勢，但這種情勢並非香港社會自身滋蘊育的結果，近些年來，辦學在商業上的投機，自然便不免冒濫，香港教育司當然知道，教育事業的進展有賴人才與經費的充實，但這種事，短期內是辦不到的，因而想出了用會考的辦法去造成一個中學畢業生劃一程度的客觀標準，一面藉此促使一般私立學校加緊改善他們辦理的情形，這自然是香港教育當局的一種苦衷。

（五）

不過，在香港某些學校辦理完善，某些學校辦理欠佳，教育司的視學紀錄，應該是很清楚，而且可以相信相當可靠的。那末，多來一次會考，不過是對已知的事實，重新加以一次測驗而已。於此，我們以爲這一制度實在沒有必要。

我們主張，香港政府應該撥出更多的經費去發展初等教育和職業教育，中學教育卻只能用法令把它嚴格地約束起來，對某些冒濫的學校，應該令其停辦。我們的主張是：有較多會受良好小學校教育的學生，並可有機會進入職業學校去就讀，應該較多一些浮濫的中學生；這樣在香港社會說，是一種較爲健康較爲合理的現象。

屈·原·創·作·集

譯述者王世昭　香港大華書店出版

·王君實·

（一）

王世昭先生是一位海外的文藝工作者，同時是提倡自由詩體的詩人。他從事翻譯屈原作品的動機，據說「大陸淪陷後，亡命香港，又理舊業。既敬屈原人格之偉大，更傷其身世，復讀其所著，常不能已於懷。曩於書店，偶見郭沫若「屈原賦今譯」，購歸一讀，深覺其用心頗深，而理解不夠，故譯筆謬誤百出，此書倘流行社會，將貽誤青年不少，因決心從事譯述」。由此說來，王氏從事譯述，實係針對郭氏而作，並一心一意去宣揚屈原愛國家愛民族的精神。他說：「屈原的殉道精神，與蘇格拉底不相上下；蘇格拉底仰藥是爲了眞理，屈原投江，也是爲了眞理；前者遵守國家法律，後者完成民族人格，所以值得後人去崇拜。」

屈原創作集，是最近本港大華書局印行的世界文學名著之一，經過王世昭先生考證，語譯，註釋三步功夫，使到愛好中國文藝的青年，更親切地能夠接受這一筆豐富的文學遺產。他這一番苦心，是沒有白費的。這一本集子最重要的部份，就是語譯那一部份，計分爲離騷新譯，天問新譯，招魂新譯，九歌十一篇新譯，九章新譯，共二十三篇，如果正名起來，理應叫做「屈原創作新譯」。

王氏翻譯這偉大的著作——從古典文學譯爲現代自由詩，他的態度異常的矜慎。至少他經過五個步驟：第一辨明其眞僞，第二理解其時代，第三追求其人格，第四熟讀其著作及其他，第五發覺其創作形式與技巧，完全經過細密的功夫，不是一蹴而成的。

（二）

我仔細地把這本集子讀過了一遍，深深覺得王氏譯筆有三種長處：

第一是正確：什麼是正確，即是譯述者既不歪曲原文意思，又不遺漏原文意思，字斟句酌的清清楚楚還他本來的眞面目。離騷是古代最長的一篇敍事詩，共有二千四百九十字，但內容非常豐富。據司馬遷說「上稱帝嚳，下道齊桓，中述湯武，以刺世事，明道德之廣崇，治亂之條貫」。此外還有極豔麗之神話，如羲和（日神），望舒（月神），飛廉（風師），豐隆（雷師），宓妃（女神）有娀佚女（仙姬）這是以感情，想像，血淚綜錯交織的偉大作品。王氏譯文，逐句逐句的翻譯出來，絲毫沒有錯誤，是之謂正確。

第二是暢達：什麼是暢達呢？就是譯筆既不含糊，亦不晦澀，唸起來如哀梨並剪，異常爽利。以天問一篇爲例，天問是更富有神話意味的長詩，它的內容，起首問天文，自混沌以至星辰；其次問地理，自治洪以至物類；最終問人事，自皇古以至戰國，全篇有一百八十餘問。這篇長詩艱深晦澀，朱熹兩家注釋，亦苦難卒讀。王氏譯成自由詩體，打開來朗讀，琅琅上口。

第三是典雅：揚雄說「詩人之賦，麗以則；詞人之賦，麗而淫」（見揚子法言）這裏所說的典雅，便是合於「麗而則」這一個標準，自來文藝批評家評論楚辭，如班固，劉勰，都拈出「修麗」，「朗麗」，「綺靡」，這幾個字來概括它（詳見漢文志詩賦略及文心雕龍辨騷），如果以現代的口語來譯述，只求口語化，大衆化，而失卻了原來的風格，這實在是點金成鐵，罪過！罪過！茲以招魂爲例，這一篇完全以修辭與鍊句之佳麗見長，如篇中敍述東西南北四方的妖怪及毒蛇，猛獸時，令人驚心動魄；而敍及宮室的廣大華麗時，即後代司馬相如，揚雄的作品，亦莫能及其堂皇富麗；末後敍至宮廷的女色與歌舞時，則令人神情顛倒，色授魂與。王氏的譯筆，由頭至尾，能夠保持原作的優美，以修辭鍊句見長，實在是一件不容易的事。

（三）

通觀王氏全部譯述，運用自由詩體，技巧異常嫻熟，且句脚大多數押韻，唸起來音節亦自然和諧，這是一部成功的作品。據一般讀者的意見，全書最好能把屈原的原作，對照排列起來，對於初學的人獲益較大。又涉江篇的譯文「接輿常做過奴隸」，「伍子胥也常賜劍而死」，「比干又何常不碎骨糜身」，「常疑爲嘗」之誤，這是一般小疵，再版時應把它更正。

反共親共一大考驗

萬衆歡騰欣迎國慶

香港到大陸，祇要走過一條橋，不過五分鐘；香港乘飛機去台灣，至少需要二三小時，坐船的時間更長。一位去自由中國基地的台灣觀光者，曾經告訴祖國的同胞：「大陸是祖國的土地；台灣是祖國反攻基地，我爲什麼會近路而不由，偏選擇了遙遠的途程？」他又說：「大陸上國土被俄帝蹂躪，同胞在極權統治下，慘遭屠殺和奴役。我不能去大陸，而來到台灣，祖國的基地畢竟是自由領域」。港督葛量洪爵士最近在美，會發表多次演講，他把香港比作歐陸的西柏林。在西柏林可以判別兩個（自由與極權）不同的世界，在香港可以透視竹幕後面的暴政；更可聽到自由祖國的政情。

呈現於眼前的事實是：在頭腦敏感，目光犀利的二百多萬僑胞，對敵我的辨別，認識得非常清楚。十月是一個有力的考驗。要看出這一點，自由民主對極權奴役，如果需要以投票方式來測驗，香港無疑便是一個最適當的場台，儘試「十一」的僞國慶看來，顯然不能與雙十節中華民國開國紀念同日而語，相提並論的。十月一日那天，儘管俄帝叫囂他們大聲嘶叫，充分準備，到了那一天，五星妖旗不但寥寥可數，即平時自詡「領導」的「中總」，也好像受到正義感召，連一面起碼的小紙旗也沒有掛出作點綴。這是很明白的說明了大多數商人們對於中共的厭惡，絕不容少數人可以出賣，或假借公衆意見，扼殺大家的主張，遑一己之私取悅主子的。

差不多還距雙十國慶紀念前五天，青天白日滿地紅國旗已在港九每一書報攤販出售。無可否認，他們雖然是小生意人，在生意上打算，那一分愛國的熱情，比任何人都強烈。凡看到這事實的人，更不難意識到：他們早已拒絕經銷妖星旗，不僅基於反共愛國的熱情，且確切明瞭這些血腥的旗幟是決不會受到市民歡迎的；於是便一律拒絕經銷，這使「十一」那天的情形，格外慘淡。今天的情況卻迥然不同了，大大小小的青天白日滿地紅國旗，到處可見，鮮明觸目，國旗一年比一年多，這是鐵的事實。國旗十足反映出祖國的國際地位日高，政治日益進步，軍力日益强盛。許多國際姑息主義者，如艾德禮、貝萬、尼赫魯之流，他們依然還在替中共張目助勢；倘若有機會看到香港的十月，他們的政見，多少會有些改變吧。

赤色大陸印象記

（三）

·守義譯·

千篇一律的無聊宣傳

我的一個記者朋友，認爲她不願用英語說話，是爲的保持國策與國家尊嚴。但我以爲用客人所通曉的語言談話，乃是一種禮貌。印度訪問團之來到北京，是一種友好的往來，不是爲的外交談判，須要語言上的正確無誤。原來是共產黨的放策，任何共產國家都是如此，凡有談話必須由其同儕加以檢核。因此之故，一切談話報告，大抵都單調重複，訪問結果便是毫無可得。例如所謂事實及統計材料，都是事先擬好，千篇一律。所謂故事者，也一再申說，像其對中國人民一樣，求其信以爲眞。許多忠厚老實的人們，從中國大陸歸來，便把這些當作事實來加報道，實在並不足怪。

或者要說倘若他們所說的不足信賴，然則我們觀察所得的是怎樣呢？許多曾經訪問中國大陸的人，曾被人要求陳述其經歷的情形。實則我們除了他們能允許觀察的以外，能看到什麼呢？對於訪問者，照例只能受領導去參觀其事先所安排的東西。參加與否，訪問者雖有自由，但除了安排妥當的東西，他卻不可能有所選擇。因爲所有行程，都須經由他們的引導，否則便不可能，這並不只是爲了言語上的困難。

大學原來是禁區

有一個印度代表團員，一天，他想離去代表團，單獨拿了友人的介紹信，去訪問北京大學的一個教授。照例代表團往來必有譯員相伴同行。他沒有譯員，單獨帶了介紹信到北京大學，想找人去見那位教授。但是誰都不願給他做引導。到了後來，有個說英語的人告訴他，要參觀大學或會見教授，必須事先接洽安當。那個代表只好廢然回到旅館。後來有人肯他不應不帶譯員，單獨前往大學，因爲那裏是禁區。

誠然，客人們曾被詢問有什麼希望，倘若提出要求，如未經安排，他們的答覆，總是說沒有這樣的一個地方或機關。當我第一次到南京的時候，我曾參觀過南京大學的展覽會，在展覽品中，有允許美國教會設立大學的文件。證明美帝國主義是有計劃的破壞中國文化。還有關於政治經濟的英文教本，也公開陳列出來，用紅筆劃着記號，表示帝國主義怎樣破壞中國學生的國民道德。我知道美國曾爲這個大學化了數百萬元。當我第二次訪問南京時，向代表團建議，要求中共帶我們去參觀這個大學。因爲代表團中，有數人是印度的教育家。那知當局竟說南京沒有這個大學！這難道是想不起來的事情嗎？最後纔接洽安當，只許一位代表前往與一二位教授會見，並參觀學生作業。

這樣的例子，不勝舉。我之所言，也許他人不以爲然，他們認爲這是對主人的不禮貌，不應爲未能如我們的願望而提出指責。但我們以爲到我們有對本國人指陳眞相的責任，其爲了禮貌上的沈默，給人用以證明中共的進步，藉以推翻我們印度的自由與民主，我實不能置之不論。

宣傳仍掩不了事實

但是訪問者活動雖然受到制限，仍得有鮮明生動的印象，可以使我們得到認識。倘若以之與我們過去對中國政治經濟情況的知識，聯結起來，我們不難明瞭近年來的變動是怎樣。但要從大量的宣傳中，得到眞相，究竟要有客觀的態度，決定材料的取捨。因爲中共今日尚未能完全運用共產主義的方法，所以要求得眞情，比較容易。一般民衆，大抵都只知忙於生計。（未完）

迎雙十節

馬五先生

一年一度的國慶紀念日又來臨了。過去我們在大陸上逢此佳節，祇是各機關團體循例休假升旗，民衆熙熙攘攘，各尋樂處，熱鬧一場而已。

現在大陸已經變色，中華民國的國號和國旗，亦被一羣奉異族為主子的賣國賊予以毀棄了！我們棲遲海外，懷念中原，面對良辰，實不勝其慚憤交迸之感。

國父孫先生創建民國，希望後人把這座錦繡河山，發揚光大，屹立於世界列強之林，傳之萬禩。然而，不到四十年的光陰，中華民國的生命，竟由我們這般「中山信徒」的手中，幾乎全部給斷送了！今日當着國父遺像之前，紀念中華民國國慶，我們能不深自懺悔痛責，而以贖罪的心情，為光復故國山河奮勉自愛嗎？「無羞惡之心，非人也」，每一個「中山信徒」，在今天應該特別感到慚愧的！

大陸上的賣國賊摧毀了中華民國，變造了中國歷史，唾棄了中山主義。但又靦顏無恥，抬着國父孫先生的遺像，向民衆招搖撞騙，自欺欺人，藉以掩飾其賣國殃民的罪惡。這樣糞着佛頭，厚誣民族導師的盜賊行為，能不令人切齒痛憤乎？「無是非之心，非人也」，試問今日歡祝國慶的同胞們，於意云何呢？

大家應着這種慚憤的觀點來迎接國慶，永矢勿忘，則貞下起元，國魂返矣！

四十年前 中日外交軼事秘聞

蔡智堪

四十年前，閩省籍蔡處長伍崇順老人，乃當年從事懷柔海洋大盜，欲藉以促進中日邦交之得力人物，其行誼殊多令人敬佩。伍老人與筆者為故交，現僑居仰光，近頃以題「自由人」第三六四期拙著「怎樣取得田中密奏」一文，喜故人健在，遂從仰光郵箋相慰，並以筆者為國事犧牲，晚年潦倒，頗示慨惋。故人惆悵，彌可感懷！亦足見「自由人」之讀者遍天下也。茲略述伍老人當年懷柔海盜之往事，並及有關之中日外交秘密軼事，為外間之所未知者。或足為談中日外交掌故者之談助歟。

大隈威逼袁世凱內幕

民國四年，筆者聯命遊說日本民主黨要人尾崎文相，請反對日政府援助袁世凱實行帝制。當時日本以廿一條款向袁要挾，首相大隈公然命令廣島艦隊升火待命，行將出兵中國，以威脅袁氏。惟袁氏駐日代表楊度以四十萬元巨款，從日本遞信省買得消息，知廣島艦隊升火待發，乃大隈首相的恐嚇計。袁得報，亦揚言於衆曰：「我已買定棺木，準備日人出兵，日人果以兵迫我承認廿一條款，我決一死以拒。」此當然是袁氏討價還價的陰謀手段。袁氏雖表示強硬，同時復密令楊度向日本元老山縣氏建議，日本如助成帝制，廿一條款決可承認。

後經日人再三研究，遂表示日本願以精神助袁，速成帝制。並由山縣向楊度保證，日本可秘密助袁，惟袁氏必須承認廿一條款。及日閣開會，大隈提議助袁，尾崎文相毅然反對，並提出「一蓮托生」抵制，作為利器。尾崎堅決表示閣議如通過助袁，彼將公開提出辭表，以謝天下。蓋日本所謂「一蓮托生」者，凡內閣政策之決定，必須全體閣員同意，如閣員一人反對辭職，則全體閣員必須共同辭職讓賢。因此，大隈首相不敢遽行獨斷，以聽從山縣助袁之議。

蔡松坡脫險赴滇插曲

袁氏既已稱帝，蔡松坡將軍秘密離京。事前，曾托尾崎文相密電台灣總督，是否反對蔡氏經基隆轉道赴滬，台灣總督覆電，願意盡力相助。筆者即保護蔡將軍乘日船信濃丸前往基隆。既抵基隆，台灣總督復以楊度來電，囑扣留蔡氏，轉解北京，以博袁氏歡。蓋袁自稱知人，深悉松坡先生之為人，不可以利祿相誘，縱走離京，不啻開金鎖而走蛟龍，故必須得之而甘心。

筆者得訊，即向台灣總督抗議，以彼既發電尾崎在先，何可食言於後？一面懇托台友曾來尊賢局長（後任民政總長），及相賀照鄉警務局長等，從中斡旋，得以無事。嗣復以私人巨款賄賂台灣日警，背台松坡先生潛出信濃丸之煤灰排泄艙口逃出，此中曲折秘密甚多，於此不能詳敘。惟台灣當局盡力維護民國及優待筆者之情誼，則始終不忘也。

陳兆瑞密謀刺殺未成

民國六年，筆者同鄉（苗栗縣）友人陳兆瑞先生亦中國國民黨之忠實黨人，曾奉某方密令，從事刺殺段祺瑞，事成將以山東督軍為酬，恐事洩被捕，幸陳機警，先將手槍埋藏於北京寓所中，得以獲免。嗣不幸為北京軍閥偵悉，拘留北京軍部獄中。筆者急託林熊徵等營救，並往謁台灣總督府，要求將陳氏引渡，經與日本駐華公使交涉，陳氏始免於難，歸國後，陳氏與筆者交誼甚厚，待筆者有如再生之恩。

陳兆瑞與後來曾任滿洲國外交大臣之謝介石，同為苗栗人。

華南海盜橫行

救援陳兆瑞之事既成，適華南一帶海盜猖獗，閩粵兩省外之台灣海峽，日本及英美商船常被劫掠，英美兩國均向日本政府交涉，要求台灣總督出兵痛剿。台灣總督府向日本國會要求撥款若干萬日元，作為剿匪經費，旋為國會所拒。如出動日海軍則非一千萬日元不可，日海軍當局且表示，海軍實不能用於國防對外作戰以外之事，如代台灣總督取締海盜，不應收取任何報酬。至此，相對談判，協和先生交好，因托筆者與台灣總督府商議。

（一）以高第為……

（二）林洗鼻保證嗣後台灣海峽海盜不再侵犯……

（三）台灣海峽一切實結果，甚至受……

（四）林洗鼻……

（六老人遺）

中秋無月即賦

桐綺

樓頭入夜雨疏疏。獨起開窗佇望餘。河漢波生星隱盡。海門潮上月昏初。風雲擾擾天胡醉。旅舍淒淒客豈舒。未見光明那處去。中秋辜負只深居。

中秋後一夕見月再賦

冰輪今夕起江間。如昨清輝去復還。圓向海隅斗五度。望穿鄉路過千山。又看雁影天邊逝。况老桂枝水曲灣。不上南樓會庾亮。河山復見自開顏。

救災義播

娑婆生

（一）

吾國數千年來，凡是國家遇有災荒，政府必多方救濟，慈惠災民。獨是大陸陷入鐵幕，遭逢空前的大水災，而禍遍十二省之廣，共匪熟視無睹，聽其死亡，誠是浩劫。振動同情溫暖之忱，發起救濟大陸同胞，舉行義唱，由中國廣播公司主辦。是夕，由港名伶名票計七十四人，文武場名票四十三人，所唱劇目共有四十折。募集義唱捐款約計四萬元，可購賑米得二萬五十斤之數，雖然杯水車薪，但是一腔熱忱，確是可敬。余得收聽此不平凡的廣播，直至午夜二時方竣，茲將所唱，略誌趣事，以作紀念。

（二）

此夜除歌唱樂捐外，其次是場電唱份款，均有捐輸。毛向新夫人捐兩百元，侯察山樓主因病不能唱，特捐二百。侯洛生陽文蔚小姐，均因病不唱，各捐兩百。劉玉琴捐五錢多的赤金戒指一隻，顧朱瀛仙顧易江梁壽唱戲而各捐五百元。李寶瑩捐一百，梁劍鑫捐五十。焦鴻英因氣管炎不能唱，捐五百贈朱冠英唱大餅，劉錢山捐十五元，以血汗所得，來作捐助，誠如播音小姐所云，我們以每個聲音，來安慰一般飽嘗呼號哭泣的同胞，希望你們在家中聽到，何等偉大。

（三）

所播名劇，有相國寺，為洗元雙蹤……正芬小姐亦播天女散花玉堂春鎖麟囊紅娘。次則李心佛之鐵籠州，胡國忠之八大錘，李金棠播淮河營，楊寶森播……此次張允荒來，除爲唱打魚殺家的昨夜的一段，並與金素琴小姐合唱武家坡。……千元首定。論捐款最多者，此外台航公司與顧賀波夫人亦捐一千元，其餘均爲五百元。比較特別者，是朱冠英……平先生，亦各捐一千元。……其播唱最佳者，當數高……先生，……，計捐泰國參柳迎春碧玉鐲鑽戒。……尤可稱者，毛向新夫人唱……潤，既繩捐款，復唱生死恨，……精神可敬。

中篇小說 金珠

勞影

「你別累了」我勉強着說：「以後再慢慢說給我聽好了。」

然問。

「有趣得很呢！」她堅持道：「當我正在婉惜的時候，你猜怎樣了？嚜，才有趣哩，祇剎眼功夫，每片花瓣便都變成一個仙子。」

「就是說，」我愉快說：「我們即將獲有一種近乎天堂似的生活。」

「你曉得我幾歲？」

「過了年廿歲是不是？」

她笑笑。

我鬆了一口氣。

「那正對，」我說，「每一個花瓣代表一歲。」

「那些可愛的仙子就像去年你買給我弟弟的那二張卡片上的仙子一樣，他們唱着跳着……很久很久之後，她們一齊輕輕拍動那些粉紅色的羽翅飛向天空，真是可愛極了；這時候，我忽然下也長出一對，和仙子們一樣，我才待飛起時，你卻將我吵醒！」

「我也這麼想……」她閉眼想了一下：「亭飛，枕頭底下有樣東西給你，好好爲我保存起來。」

她說完，喘息不已，臉更紅了。

「休息休息吧！」

「可惜我沒有……沒有跟上……仙們……」

她喘得更急了。

我示意她合上眼皮，然後伸手向枕下摸出一塊綢布似的東西，抖開一看，手帕，還是那條手帕，第一次我在植物園裏檢到的那一條！上面仍然存着那幾粒記號：一朵小野花，兩片草汁，幾塊口紅印，幾點淺黃色的淚斑，兩個牙齒磨成的小洞孔……所略爲不同的是那朵小花的綫縫顏色已經淡褪了一些。——

「你忍心一個人飛去嗎？」

她笑了，兩頰如像一朵盛開的月季花，片刻間，她恢復了含有中華民族與大和民族混合血液的柔順美。

「你曉得這個夢的意義嗎？」她忽然又睜眼道：

「亭飛，亭飛……」

「小珠，我在這裏。」

「吻我！」她喘息着囁嚅地說。

我輕輕吻了一下她的前額，她的額角灼熱如火炭，我暗吃一驚，怪不得她的臉色如此紅潤。

「我叫醫生來看看！」

「不要了，」她苦笑着說：「亭飛，你是個男人，男人……比較……比較受得打擊是嗎？……我活不了啦！……我一直瞞……着你，……金珠廿歲了：……她祇，……祇變過一個……人……」

我強作鎮靜地說。

她掙扎着：「可惜……遲了……照顧我的家……金珠命苦……金珠……是個……可……憐的孩子！……」

雖道本省的風俗和我們家鄉一樣，用手帕作爲定情的信物？我小心摺好放入口袋，我的心神恍惚起來。金珠的眼睛又閉上了，我以爲她想睡，便欲走開，忽

（三六）

自由人慶祝中華民國四十三年國慶特刊

由雙十國慶說到中心思想

伍憲子

自辛亥革命至今，雙十國慶已經是四十三週年，每到此日，照例舉行國慶紀念。但事過境遷，又淡然遺忘。以至四十三年來歲月，國家進步甚少，除紀念日熱鬧一天外，終年飄泊無依。因此雙十節與國家文化政治不發生重大影響，年年今日，只是苦節難年。最近更離開大陸，海外飄搖，回望武昌城，不禁泫然隕涕，「大江流日夜，客心悲未央」，每誦此詩，感慨繫之。

廿

先知先覺未盡責任

雙十節既定爲國慶，當然有其重大意義。然何以四十三年來，不能發揮雙十節意義與精神，其原因何在，肯用心去研究者尚少，能尋出正確答案者更少。於是雙十節只成爲一個無意義的娛樂日，或供爲一個誇功炫勞之金漆招牌，雙十節只被人利用，供人賞玩，到現在則給人以無限感慨。今後如再不覺悟，則徒留紀念，空講幾句高興話，何補？多講幾句激昂慷慨話，亦無裨。我願大家息心靜氣，尋求四十三年來，所以不能使雙十節顯光榮，反留悲痛之圓滿答案。

第一、先從政治方面說。雙十節之意義，當然是民主政治之意義，姑無論人民懂得民主與否，然在全體人民之中，既有懂得民主者以爲之倡，自應先從懂得者之自身，培養成自己之民主人格，以鼓勵人民，感化人民，使人民有所觀摩，有所率循，此方是先知先覺者所應做之事。但不幸，所謂先知先覺者，從來就不是如此做，他們都是說人民程度不足，不先責己，而專責人。當然，人民程度不足，此話我不反對，人民程度確不能說已足。然我們須要明白，政治不能離開文化，且當受文化支配，世界上無論何國，均不能離開文化，空談政治。中國人民對於民主政治之歷練，因數千年來未給予機會，其程度不足，自不待言。亦正惟其程度不足，急當給予練習，政治是人民自身之事，長爲不使其自己經營之。

民主文化熟習已久

中國人民對於民主政治，毫無經驗，但對於民主文化，則熟習已詳。中國民主政治，比西方落後，但民主文化，則中國比西方搶先，此問題關係重大，可惜現在許多人尚未了解。必要明白此問題，而後西方民主政治，與中國民主文化，方可融合無間，將西方民主政治，移植到中國，方可以生根。否則西方民主，與中國文化，向來不接頭，到現在時，每生矛盾，人民程度不足的話，有時確暴露於事實，益令厚誣人民者有所藉口。此非人民程度不足之過，所謂先知先覺領導人民者程度不足，領導乖方之過。我們不甚空談，我們試返觀四十三年來經過事實，袁世凱因何要解散國會，議員諸公在會場搗亂，誠有之，議員諸公在會場打桌面，擲墨盒，或有之，然此何礙大事，此是練習，經過一場搗亂之後，是非自有公評，羞度不足者一時勸勵，既過，總自覺此種行動，是自己政治修養不足，等於對大衆暴露醜態，久而久之，他自己就會修正。故民主政治最要講風度，既是先知先覺者，尤其是執政者，皆自視爲政治家，長爲不識得涵養，此種風度，當從會場萬目睽睽之中，互相觀感得來。

誤認政權爲民主

假令自民元以後，國會能年年開會至今，我敢斷此種不愉快之事，早已絕跡，民主政治必漸上軌道。可惜所謂先知先覺者，尤其是執政者，皆不自省，不自引咎，自己對於民主政治家之風度不夠，即是自己程度不足，乃反責人民。此無他，就是錯認民主政治爲政權，以爲我拿到政權，我就是民主程度夠，其他想爭政權者，都是程度不夠，既然程度不夠，應該禁止其活動，此就無異以政權爲民主。如此，則雙十節之意義，只是革命奪政權之意義，而不是革命行民主之意義，四十三年來所以大家搶命爭政權，大家忘記了民主，大家忘記了人民，此是雙十節不能顯出光榮，不能促成民主政治進步之第一個原因。

二千年的政治精神

第二、就文化方面說。雙十節在中國政治史是開創，是一個新紀元。在中國文化史則是一個繼續，是實現民主政治之一個絕大轉機。我們應當好好運用之，乘君主失去權力之機會，發揚人性民主文化，以鞏固民權。因爲中國文化，數千年來，都是主張民主者之「天生民而立之君」，是君主爲人民而存在，不是人民爲君主而存在。故「天視自我民視，天聽自我民聽」，「得乎丘民爲天子」，不仁而在高位，謂之殘賊之人，「殘賊之人，謂之一夫」。等於「亂臣賊子，人人得而誅之」，尚書所以說「獨夫紂」，孟子所以說「聞誅一夫，未聞弒君」，此是中國文化所主張人治民主之天經地義。二千年來之政治，雖然是君主政體，但其精神是根據此民主文化。六經無君權之說，孔子說「君君臣臣」，說「君使臣以禮，臣事君以忠」，孟子說「君之視臣如手足，則臣視君如腹心，君之視臣如犬馬，則臣視君如國人，君之視臣如草芥，則臣視君如寇仇」，都是平等之義。晏子申說得更痛透，謂「君爲社稷死，則死之，爲社稷亡，則亡之，若爲己死，而爲己亡，非其私暱，誰敢任之」，可證在君臣平等大義之下，絕無「君要臣死，臣不死，是爲不忠」之讕言。漢儒白虎通義，有「三綱」之說，此乃後漢妄測，有失孔子君臣平等精意，我們應審慎說之。中國歷史制度，只有相權，亦無君權，宰相之權，大於君主，實開責任內閣之先河。其後宰相失權，爲君主所奪，則因爲宰相不能久於其位，君主以世襲之故，有長久時間運用之，宰相來自田間，甚少十年在位者，於是相權漸失，君權漸興，浸假而君心亦無所忌憚。故中國民主政治之不能推行，實由君主制度梗之，非民主文化阻之也。

中國無華盛頓傑克遜

中國歷數千年君主政局，而君主甚少敢殘殺人民者，（殺功臣則有之）歐洲中世紀之黑暗歷史，不至出現於中國，則民主文化之功也。假令近代文化人能明白此義，則辛亥革命後，爲民主政治梗之君主，既根本倒去，爲民主文化開闢一條康莊大道，則實現民主政治之機會正多，民主人士正好發揚民主文化，迎接西方民權。當此時期，中國倘有華盛頓傑克遜其人者，中國民主政治之成就，當比美國事半功倍，可惜無其人。不只將機會失去，而且將西方民主政治，與中國民主文化，置之於互相矛盾，彼此不能相容之地位。致使雙十節之民主意義，不能與中國歷史文化銜接，以開創世界民主政治之新局。反將共和以後之中國，與歷史文化隔離之，等於砍成兩橛，於是雙十節不能統屬之於全體人民，只寄命於握政權者，與爭政權者，雙十節遂變爲革命家之功牌，各利用之以製造革命，與民主政治日離日遠，與民主文化更日離日遠，四十三年來之不幸事件，所以不斷發生，毀滅民主前途，危害民主生命，此是雙十節不能顯出光榮，不能促進民主進步之第二個原因。

應建立一中心思想

然則今後應如何，今後應當以雙十節造成一個中心思想。雙十節應歸還主權人民，不能隨便搶奪之，歸於任何一方面。我們應回頭一看事實，四十三年前武昌起義之後，數月之間，不須大流血，而共和造成。固然是袁世凱利用革命聲勢，摑一己富貴之功，實在是全體人民無形中之心理與潛力，希望有一個新局面之所激成。固然是革命英雄，經許多時間宣傳與實行之努力，實在亦是數千年來人性文化之浸漬，使失去人心之政府不能不倒。明白此義，則雙十節不是偶然造成，其植基實在於久遠之歷史文化。故在民國初元時候，許多外國人不明白中國歷史文化者，以爲數千年之君主專制國家，能於短短時間，不費大力，不致長期流血，竟創造了一個民主共和國，不禁驚訝，視爲奇蹟。其實不是奇蹟，此就是數千年來人性民主文化之蓄勢，遇水到渠成時候，就自然而然，不期然而然矣。

必須重視歷史文化

今後謀國者必須明白此義，將雙十節歸還全體人民，以中國歷史文化爲今後中國建立民主政制新局面之中心思想，不再以「打倒孔家店」爲號召，不再以「全盤西化」之說搖動青年，而後可以取得民志之安定，有此中心思想，而後可以培養民主人格。團結人民愛國之心，努力求民主政治之實現。否則在此世界不安定之局面中，謀國者胸無主宰，所謂民主人士，全副精神馳騖於外，朝秦暮楚，不知何所適從，自顧祖國，認爲一無所有，文化零於破產，精神食糧毀，生恐慌，無怪變成一人一義，十人十義，百人百主，萬人萬主，全國紛紛亂絲，致黨益成磨擦，其具，好好一個有重大價值之雙十節，就在此全國紛亂中成冰炭了，不能再發生作用了，或彼此爭奪，觀爲可以利用之物，「盜竊寶玉大弓」，結果失其價值矣。前途如夢，我們亦不願再提，傷心之事，真愛國者，盍興乎來。

雙十節放歌

・王世昭・

我從中華流至此，如今又是秋風矣。
五年轉眼去匆匆，空惜時光奔如矢。
香江水碧人西江，海嶼蒼茫見故里。
神州西望不得歸，東顧故邦猶未起。
手無斧柯奈龜山，魯連不帝因秦恥。
呼天不應地無門，神黃子孫其衰已。
卅三年前烈士魂，武昌革命如在耳。
翻天覆地作新民，不倒大清心不死。
前撲後繼年復年，殺身成仁止乎止。
東西白骨如丘山，猶踏血跡舞刀環。
萬夫辟易吞胡豬，中華民國豈等閒。
倒袁北伐與抗戰，死者相留生不還。
千千萬萬英雄血，締造艱難傷心肝。

子孫不肖不自保，萬里河山間蒼昊。
蘇聯赤化用朱毛，洪水猛獸來浩浩。
廟堂無計戢兇鋒，三十五省同時倒。
壯士支離叩國魂，貪夫逃命恐不早。
殘山剩水可久居，破國亡家孰舍予。
臥薪嘗膽二十載，學古有獲或可紓。
東方有水隔蓬萊，此是自由司令台。
倘能上下同心德，萬方誰不效駑駘。
廣開言路去不肖，招賢應築黃金台。
不要關門自陶醉，取消小圈延大才。
五年不成期十年，靜如處子動飆雷。
如此江山或可復，否極泰來天爲開。
雙十我爲國慶歌，我歌未已淚滂沱。
八千里路暗雲月，四十三載舊山河。
年年國慶應大喜，年年國慶秋風裏。
今年應是小陽春，南枝先見梅花蕊。

中共有「民族色彩」嗎？

・魯男・

中年人在火車將快到山頂的時候，總會感到呼吸和耳膜有些異樣，這時纔覺得空氣稀薄的影響，想到那看不見和觸不着的事物之可貴。你曾經遭遇「牢獄之災」嗎？當自由離開你的時候，你就會感到它是如何寶貴的東西了。與這些同樣性質而力量更爲強烈的是：在你離開民族國家的時候，自必會深切感着國家對個人的偉大影響——這是我們在此時此地逢着國慶節日的最主要的悲憤。

民族國家之所以能成爲人類進步之歷史動力，就在於它是種自然的，雖不知不覺而莫能反逆的力量。猶如空氣之於人的身體，和自由之於人的精神。

上帝的道理，魔鬼也並非是不明白的。立意消滅民族國家，強各個民族犧牲本身以從屬於國際利益——即莫斯科之利益——內布爾什維克黨徒，近年來亦各奉命提倡了「祖國」利益的叫囂。明眼人是有能力辨認這些叫囂之背景的，那不過是想對人類之自然力量予以邪惡的愚弄、利用而已。惟某些不細心的觀察家就不同了，魔鬼可利用此人的愚昧而製造迷惑。

工黨觀察爲甚麼錯了

英國工黨總書記在訪問中國大陸後有一次廣播演講，他說：「中共並不止在關心它們是共產主義者，其革命（？）目標中實有一部份濃烈的民族主義色彩。」跟着他說：「共產中國有個亞洲主義，亦即亞洲人的亞洲主義；可能比共產主義和民族主義對它們爲更有吸引力。」（均見九月廿六日路透社倫敦電）這是一個絕對錯誤且嚴重有害的說法，其貽誤國際局勢的程度，僅有一九四五年前後英國輿論把中共說成爲土地改革者一事，堪與比擬。

當然，費立普斯先生這話亦不過是中共近期宣傳說教的複述而已；共中並沒有什麼新義。惟透視之所以接受這等宣傳，便可發現其中含有自由世界在一關問題的，因了構成國際事務萬劫不復之大錯的危機；他說：「中共認識其自己是一個偉大的國家」，「蘇聯對中共的漸漸趨向於獨立（？）已然有結論了。」這是工黨訪問中共前，便已自行戳上了毛澤東可能爲狄托第二那成見眼鏡的當然結論。因其本身的企圖，已阻塞了觀察的視線。做爲一個實際政治問題來處理，費立普斯先生建議：西方「應以增加對中共的貿易來做爲推動中共抵抗蘇聯控制的一個方法」，還有第二個方法是艾德禮先生說的：讓中共進入聯合國；自然也另有同類型的第三、第四個方法；都由一個錯誤的前提發展而來，就是說，中共還含有民族主義彩色的。

因爲我是個中國人，故有權矯正西方對中國事務的謬見。我以爲：與其說中共在共產主義後面含有民族主義的目標，不如說，它視民族主義爲共產主義之銷售貨，爲求得符合實際。——揣想中共或將不會背離中華民族的利益而專爲莫斯科的利益服務者，其根據何在？慣常的答復是，中華民族幾度興衰的歷史過程。可是它們忘記了：蘇維埃帝國主義的控制方法，除去大砲艦政策外還有思想麻醉與國際組織的束縛。費立普斯先生的結論由何而來？由於中共要員和們交際應酬中的表示。這是足可爲憑的嗎？

中共只利用民族主義

紅色謀略亞洲版的內容必然包含兩個成份，對內施行「統一戰線」政策，對外標榜「民族獨立」口號。在過去的中國，今天的印度支那，和明天的日本，都是同一標印的貨品。何以它們要這樣做？絕不是它們放棄了布爾什維克主義，也非是蘇維埃帝國主義屬非侵略的；而是在亞洲社會客觀實況下，它們不得不偽裝以迎合現實。史太林在一九二六年說：「中國革命固然是資產階級民主革命，同時更是民族解放革命，它必得把自己的槍頭針對外國帝國主義在中國的統治、」「帝國主義在中國的統治不僅表現在軍事的強大上，而且首先是表現在：中國工業的基本線索、鐵路、工廠、礦山、銀行以及其他等等都處在外國帝國主義者的支配或監督之下。由此可見，對外國帝國主義的鬥爭問題，在中國革命中不能不起重大的作用。」（「論中國革命的前途」）這是說：如若共黨在亞洲的擴張中，不去利用人民的民族願望時，還要就發動不起現實的革命運動，也就是說，共產主義運動在這裏只是空想。毛澤東於一九二八年說：「我們完全同意共產國際於中國問題的決議。中國現時確是處在資產階級民族革命的階段。」

（下轉第七版）

民國四十三年雙十頌

黃同仇

遺民搜死胡塵裏 南望王師又一年

（一）

中國共產黨在俄共支持和指揮之下，佔據了中國的全部大陸，撕毀了中華民國的國旗，取消了中華民國的國號。共產黨的陰謀目的達到了，可是，中華民國並沒有滅亡，中華民國的國旗依然飄揚於海外，雙十國慶依然是自由中國的國民和海外僑胞的佳節。

共產黨失敗了。他們的失敗是因為毛澤東的出賣民族，甘作蘇俄的傀儡，奉行蘇俄的殘暴主義，執行蘇俄的殘暴政策，屠殺良善的人民，搜刮人民的脂膏，供奉蘇俄主子的享用，千百倍於石敬塘張邦昌之所為。大陸的民心早已背向，共產黨的失敗僅僅是時間的問題罷了。

（二）

五年以來，海外僑胞對中共政權的厭惡已是與日俱增，我們從雙十國慶的熱烈慶祝便可得到證明。而大陸同胞對於國民政府的思念和期望，也不言可喻。但是「遺民搜死胡塵裏，南望王師又一年」，究竟我們的政府年復一年，延不反攻，這是為了什麼？

當然，事實很明白，中共畢竟不是一羣單純的土匪，如漢末的黃巾，或明末的流寇。他們是一羣有組織，有計劃的國際強盜。中共是這一羣國際強盜的分支，我們要消滅這個分支，不能不估計到它的後臺，尤其是這一個以莫斯科為中心的龐大支持力。過去民主國家的決策人為了孤立蘇俄，對中共不惜採取一種拉攏政策，希望毛澤東變成狄托，但是結果不但希望落空，而且把可能推翻共黨政權的有利機會，完全錯過了，反而把還有利的時間送給共黨作下一步侵略的準備。自由中國政府本有許多反攻的機會，也都完全被一部份民主國家的決策者錯誤的認識，和錯誤的政策所貽誤了。

（三）

最近兩月來，因為俄共對西歐分化政策的成功，冲昏了自己的頭腦，突然又發動了遠東的攻勢，想把美國的軍隊驅出遠東的範圍，以「解放台灣」的姿態，開始對太平洋的侵略。這樣一來，可把美國氣倒了，旬日之內，美國把大西洋的艦隊，大半調入了太平洋，世界大戰頗有一觸即發的象徵，台灣海峽的風雲，變化起於旦夕，也非外人所能逆測。於此，或者我們可說，反攻大陸之期已在不遠了。

準備吧！大陸的同胞們！留心台灣的號角，留心海外的喚聲，四五年來的期待快要如願以償的來臨，報仇雪恥，救國救家，救人自救的良機千萬不要放過。這是中華民國存亡的關頭，也是每一個中國兒女盡心報國的最後機會。我們高呼中華民國的萬歲，踏着革命先烈的血跡，重建自由，民主，獨立的中國，重建安樂，和平，富裕的家鄉。

△中共要闖進聯合國，碰腫了頭，維辛斯基安慰道：「不要急，下次再碰」。

雙十節談革命

傅正

宣統三年八月十九日，也就是一九一一年十月十日，同盟會會員在武昌，用軍隊發動第十一次的起義，終於推翻了滿清專制，建立民國。這就是辛亥革命。

革命是不得已的事

革命是指一種武力的流血的用作推翻舊秩序舊制度的行為。這是根據下面的幾種解釋而來的：易經革卦最初對革命的解釋是：「湯武革命，順乎天而應乎人。」孔穎達在「正義」上說：「舜禹禪讓，猶或因循，湯武干戈，極其損益。」陸賈對漢高祖有所謂：「且湯武逆取而以順守之，文武並用，長久之術也。昔者吳王夫差，智伯，極武而亡。」[illegible]重在行動。黃花崗七十二烈士之所以感人，是由於像林覺民那樣慷慨赴義的表現。國父在贊譽武昌起義時也說：「誠愚兩[illegible]」[illegible]人，利用步槍，刺刀，以及其他有威力的工具，迫使另一部份人[illegible]。」一個國家的問題，弄到動干戈，用刺刀，實在是不幸的事，所以革命也是件不得已的事。假使一個國家的大事，沒有機會到和平的改革[illegible]，而且唯有流血才能達到一定的正當目的，是千萬不可以人命為兒戲的，總以越少發生越好。

革命重在行動

革命本是一件偉大的事業，而非一個普通的職業，在一個非常時期，迫不得已而必須採取革命手段時，每個革命者，都要有驚天地而泣鬼神的精神，才能完成這偉大的事業。所以革命者有時固需喊口號寫標語，但決不重在喊口號寫標語，[illegible]變成了職業，革命成了「家」，專吃革命飯的居然大有人在。但打這塊金字招牌的越來越多，而真正貨真價實的卻越來越少。於是乎你在喊革命，我也在寫革命，誰都標榜自己是最革命，但究竟誰是革命誰是不革命，或者誰是真革命誰是假革命，恐怕真只有天知道了。

革命是利他行為

革命本是一種利他的行為，而非利己的行為，革命者是要犧牲小我完成大我的，是要為絕大多數被壓迫被奴役的民眾爭取幸福，而非為一己一家或一個集團爭取特殊利益的。但我們卻可以隨處發現，那些專吃革命飯的大人先生們，常常在酒醉飯飽之餘，以足夠的精神，向一些面有菜色的羣眾大談革命之道，我們實在不懂他們的真意何在？是叫誰革命？為誰革命？為何革命？梁啟超在「中國歷史上革命之研究」中，認為中國的革命是：「有野心的革命，而無自衞的革命。……若楚漢間之革命，固云父老苦秦苛法，然陳涉不過曰：『苟富貴，毋相忘。』項羽不過曰：『彼可取而代也。』漢高不過曰：『仲之所就，孰與我多？』……故中國數十次之革命，自其客觀的言之，似皆不得已，自其主觀的言之，非有所謂不得已者存也，何也？無論若何名目，皆不過野心家之一手段也。」難道中國的革命，都不能逃出梁氏的結論而有若干例外嗎？

革命目的在建設

革命原是一種破壞的行為，[illegible]

[illegible]和破壞同樣的多。」所以現代的民主主義者，都認為革命所採取的殘暴破壞行為，並不能產生進步，相反的，進步是由許多具體的改革，一點一滴逐漸累積起來的。在萬不得已而必要採用革命手段時，至少要知道，革命的大破壞之後，理當繼之以大建設，因為革命的目的並非僅求破壞，破壞只是不得已的途徑，最後的目的還是在建設。但目前中國的革命者，似乎都只知破壞而不知建設，結果是只有破壞而無建設，至少也可以說是破壞多建設少，此種革命對若干大眾的意義，又在何處呢？從辛亥革命到今天，中國雖然談革命已有四十三年了，我們不但沒有在革命中得救，卻從革命中遭受了慘重的犧牲，弄到一年一度的大好國慶，也變成無可慶了。但願每一位真正愛護自己國家的中國人，在這個革命節日，能對革命一詞加以再認識和再研究，以免為革命所誤，便是不幸中之大幸了。

中共有「民族色彩」嗎？

魯男

（上接第六版）中國的民族主義，包括對外推翻帝國主義，對內肅清封建主義，[illegible]

革命，方能建成過渡到社會主義（？）的真正基礎。」（『井崗山的鬥爭』）

反民族利益的天性

因為在基本上，他們所根據是那「勞動者無祖國」的教條，[illegible]

只有社會主義的國家領袖，思想家，政治家才能真正援助；我們的事業，沒有這些援助是不能取得最後勝利的。」（一九三九年，「史太林是中國人民的朋友」）由此可見中共之反民族利益的性格，是確定的和先天的事。令人奇怪的是，許多觀察家卻想用幾畝貸或幾部機器，購買毛澤東放棄其歷年的誓言。世間會有這等的事嗎？除非瘋子，誰會以為那是可能嗎？（十月四日）

雙·十·國·慶·聯·話

·小丞·

製聯雖雕虫小技，不足語於大雅之林；但言心聲，亦不失為採風之助，茲逢佳節，謹就個人資料，輯之以為慶祝，亦用以覘民心之向背云爾。

去歲某報載，「有夢廬記所記」，曾記武昌慶祝雙十之聯，時為民國二年，尚用五色旗，慶祝情況至為熱烈，茲錄其最佳者三聯。

其一

擁容樽俎，望晴川閣聳，黃鶴樓高，慷慨重談天下事，

混一車書，看五色旌旗，萬方冠冕，聯翩高會武昌城。

其二

江漢以濯濯，秋陽以曝曝，革新中國河山，憶自去年今日始。

爵祿可辭也，白刃可蹈也，崇拜英雄義烈，知從九死一生來。

其三

百折不回，十七次鐵血精神，始有去年今日。

一筆勾盡，四千載帝王歷史，自此立憲共和。

以上三聯，均極典麗，而且語重心長，感慨遙深，作者實製聯老手。時至今日，毛朝竊據大陸，共和成為極權專政，臣僕蘇俄，先烈有知，得毋飲泣地下！

抗戰勝利後，成都慶祝雙十，演劇助興，極示鋪張，人心狂歡，盛況空前。當時戲台上一聯云：

「當慶，當當慶，

齊狂，齊狂，齊齊狂。」

此聯諧擬鑼鼓音樂之聲，用來作成聯語，意義雙關，生動異常，雅俗共賞，令人耳目一新。

四十年，香港慶祝雙十，較之三十八年，冷淡情形，迥不相同，所懸聯語亦特多，極其慷慨淋漓，於此可見人心向背，茲擇其較有意義各聯，選錄於次：

廣樂社聯云：

廣集英豪，驅韃虜，殺胡虜，殲彼醜類，一旦武昌義旗高舉，廣傳四海五州，歌舞歡呼，齊共慶雙十節。

樂育英才，興中華，建民國，還我山河，今朝僑胞正氣長存，樂見青天白日，紀念慶祝，普天同慶萬千年。

此聯將「廣樂」二字嵌於聯首，中間再嵌「廣樂」二字，頗具匠心。語氣雄壯，運用得體，愛國思想躍然紙上，自是佳構。

大華鐵工廠聯云：

故國好河山，忍令豺狼當道。

僑胞多俊傑，豈容狐鼠跳樑。

九龍巴士職工會牌樓聯：

雙倍禍國，雙倍殃民，鐵幕低垂，大陸痛淪沉，萬里赤氛昏白日。

十年生聚，十年教訓，義旗高舉，中原欣奠定，四壕華冑見青天。

又門口聯云：

愛民主，愛自由，愛國家，當年烈士一呼，震驚大地，撼動河山，華夏聲威播寰宇。

反極權，反迫害，反奴役，明日王師北指，同刮豬毛，共烹鵝肉，海隅巴總乾杯。

香港陸軍華員職工會聯云：

雙重仇恨，國破家亡，志士走天涯，嘗膽臥薪圖大舉。

十年生訓，兵精馬壯，王師出台峽，壺漿簞食盡歸來。

香港陸軍部技術自由職工會聯云：

雙飛比翼本是倫常，祇限妖氛赤燄，那堪鳳泊鸞飄，走天涯，懷故國，回顧神州，城郭人民丁令鶴。

十信誠心原為妙諦，惟期暮鼓晨鐘，都作龍吟虎嘯，入地獄，救衆生，反攻大陸，風雲際會漢家營。

籐行牛樂工會聯云：

平韃虜，逐滿奴，當年羅馬漢江，國魂甦醒；

樂自由，排赤寇，明日揮戈珠海，民族新生。

深水埗大酒店潮僑工會聯云：

海曲望神州，緬當年締造艱難，武昌起義，帝制推翻，幾許忠貞志士，喋血捐軀，換取自由新世界。

天涯懷禹域，痛此日恣睢暴戾，燕市橫行，妖氛浮動，相期義俠僑胞，好蕩寇鋤奸。

香港仔冲尾區牌樓聯云：

黃花締造艱辛，念屍橫河口，血濺國旗，喜將滿虜驅除，建共和，旗懸白日。

反攻大陸，盡掃妖氛，同仇思敵愾，痛鐵幕低垂，魔王竊踞，寶鼎還待拯，試看貞忠並起。

其他佳聯尚多，茲為篇幅所限，不及備錄，以上各聯，雖瑕瑜互見，未能稱為全璧；但已經代表大部份僑胞的心聲，反共復國的愛忱，躍然紙上，未可湮沒。

自由人慶祝中華民國四十三年國慶特刊

漫談「人民共和國」

·李加雪·

一位中立國外交家，曾往還北平香港多次，對大陸情形十分熟悉，每一次抵達香港，總有不少中外人士詢問大陸情形。他感覺到不勝其擾，拿一張紙，寫下幾行放在桌上：

「從前的中國政府缺乏效能。現在的中國政府有效能了。從前的中國城市不甚清潔。現在的中國城市清潔了。從前的中國人民不快樂。現在的中國人民快樂了。」

上面這簡單的六句話，總算是極公平極扼要的描述。且讓我們再看看其他方面的資料。

一所大監獄

印度工黨領袖夏斯特利去年得中共邀請，到中國大陸遊覽了兩個月。他最近印行一本「中國日記」，有下列的記載：

「大陸人民若對當局有所批評，便有生命的危險。甚至私人閑談，也能够毀滅個人的前程。法律雖然規定了種種自由，中共可沒有保障這種自由的司法。因此監獄裏的人數日有增加。監獄裏百分七十五的人犯，都係屬於政治性質的。事實上，中共已把整個中國大陸改成了一所大監獄。又何必再要無數的小監獄呢？在中國，一個農民想到第二個村莊探望親戚，得先向當地共黨機構請准。乘坐火車也得於一個禮拜前將理由及其他事項稟陳當地公安局，沒有得到批准是購不到車票的。一個家庭，在晚間十時後，如果還有親戚朋友在家裏，便得到警局陳明。」

這是一幅多麼可怕的監獄模型呀！中共驅策無數青年監視大陸人民；區有區的組織，街有街的組織，巷有巷的組織，平均數目是一個特務監視一所房子。其組織的嚴密真是空前未見。中共把全國人民放在大牢獄裏，所以能够為所欲為。送了幾百萬人到高麗當炮灰，接着又送好幾十萬到安南。至於今派到各地當奴工的為數在五百萬以上。

中共的牢獄政治，五年來殺戮了無數同胞，人民心裏雖然憤恨，却是敢怒而不敢言。左舜生先生在本刊「以行動求團結」一文裏說得好：「今天整個中國大陸充滿了不安情緒，真正的老百姓是反共的，大部份為自救向中共叢擁的份子是隨時在搖動中的。因為蘇聯的領導錯誤，中共的高級幹部也已經有無數的不平分子，周恩來就是一個！」

現在整個中國大陸在動盪中，周恩雖然坐了第二把交椅，心裏也有說不出的痛苦。毛澤東是主席，可是國家大權却操諸一個資歷最淺，年紀最輕的劉少奇之手。劉少奇是蘇聯派來監視他們的特務，國家大權，甚至各部會人員的委派都由他一手包辦。

中國大陸已到了民窮財盡的境地，整個國家都乾枯了。豬肉、生油、糖，和其他日用必需物品都無從購得。人民的忍耐已達到了頂點，人民已經公開批評中共政府了。廣州人民的口號是：「最多不過是流花橋！」（流花橋是廣州行刑的地方）大陸老百姓已經到了不怕死的階段，快要拿出冒亡的精神來打破中共監獄政治，中共的末日不遠了！

餓死人的經濟

據九月二十六日倫敦路透社電，「周恩來說：「中國現在遭遇最嚴重的失業。此種艱苦情形恐將延長到相當時期。中國現有工人，連同政府機關，公私營機構計算在內，只有一千三百七十四萬五千人。因為中國人口太多了，失業的困難須經過比較長的時期才能够解決。」他又說：「領取同等工資的辦法是資本主義的遺毒。為求增加生產起見，共產黨的口號是，各取所值。」」

中共本年曾宣佈，大陸人口已到六億，依照比例，大陸人民四十三個當中只有一個得到工作。共產黨宣傳，共產國家沒有失業，中共也說，中國人民已經打了一個大翻身，人人都富足而且快樂，為什麼大陸裏頭，四十三個人竟有四十二個失業呢？再讓我們研究四十個當中的一個幸運兒，他過的又是什麼生活？

夏斯特利生先的日記，對大陸工人有極詳盡的描寫。現在將有關工人工資一項，介紹如下：「大陸工人的工資，係以購買單位計算的，根據工聯會的報答，工人每月的工資能够養活兩個人。可是依照最近的計算，工人每月最低限度的伙食達到人民幣十萬至十二萬五千元。工人每月工資的五十個單位，剛好這個數目。故工人每月所得，僅堪個人糊口。」

農民呢？貧農都分到田地了，應該十分滿足了。但美國NEA駐遠東的名記者司巴氏（RED SPARKS）對於中國的報導有下列一段：

『中國人民十個中間有八個是種田的。起初貧農看見富農都押到城裏槍決了，心裏有說不出的痛快。可是五年以來，受盡了限制，重稅，和兒子被征用的痛苦，現在中國農民這樣說，「你把富農槍斃了，可是沒有能够把他嚇下去。」「你把富農槍斃了，沒有能够把他嚇下去。」這是一句多麼傷心的話呵！這是一句廣東土話，意思是，你把一個人殺了，却沒有得到一點好處。』

商民過的又是什麼生活呢？下面是一個實在的例證。

廣州一個商人，在沙基附近開設一家商店。去年多天稅務局到他店裏，說兩年以來把他偷漏了巨額稅款，把他兩間四層樓的店子沒收了，還判了他六年監禁。在他被收入牢獄的幾天，好幾個同志到店裏宣傳，說這個老板是一個壞且資本家，資財都是由剝削伙計得來的。國家接收了他的商業，一定會大大地改善工作人員的生活。

過了沒有幾天，稅務局派人來接收店子。店裏的一個會計本來每月支一百五十萬的，現在改支三十萬。所有的人員都留用了，薪水一律打了一個兩折。一百萬的只剩下二十萬。因此店裏的伙計說，資本家的確是壞蛋，可是共產黨比較資本家還要厲害五倍！

內地的人都說共產黨的經濟是餓死人的經濟，現在國內許多失業的人們每日在等候着死神的光臨。

△杜爾斯、艾登、史巴克用盡方法支持西德總理愛登諾，法關斯却說：「我們也得想想，他倒了下去後，我們有什麼保障？」

談台灣公營事業的「開放、整頓、與加價」

·陳式銳·

（上接第二版）以此而斷推「加價」非「整頓」所可比，用以說服社會。我要指出，焉知整頓之後，「浪費」的數字不比「應折舊」為大，那末又何須加價？也亦會適而解釋台電去年已對開支加以節省，並舉出兩項數字：（一）事務費項目，四十二年與四十一年開支比較，增三八八，三七九元，減二，一六八，三一六元，對抵減少一，七七九，三七九元。（二）獎金項目，四十二年與四十一年比較，節省一六〇萬元。至台電的整頓開支，則以「關係方面認為此事體大，須予以縝密研討，故迄未予公佈」。台電屬一公用事業，並無秘密可言，現不能作公開研究，自有不可告人之處，區區之三百餘萬元之節省，殊不足以言整頓。

況立法委員韓中石近向行政院提出質詢：「電力加價問題，本席不能同意尹部長之為臨事實需要答客問的看法：（一）年來電力公司增設機構並未緊縮……二年中增設者達十二單位，較原有組織擴大三分之一……，（二）增加員工超額數千，將超用人經費轉移於工程方面……；（三）電度損失為數甚鉅，每年損失將近一億元……，（四）材料購買與當理之不法，主管部是否澈查追究」，俞院長至此答稱：「電力加價案內容繁雜，將來專案報告，從長研究（台北九月廿五日徵信新聞）。且上次調整電價，立法院曾規定所得收入五千餘萬元應「專供建設之用」，台電挪以該款「作為還本付息之用」，尹氏解釋為「並無背於立法院之決議案」，如深加研究，果真無背乎？

我對本案的主張，始終與「台北市公共汽車加價案」相同，即加價案暫予擱置，先加整頓，待弊端清除而納入正軌後，再根據合理成本，作為調整（增或減）電價的標準（台灣經濟一七六頁）。蓋公營事業的浪費不加消滅，有如無底之深淵，任何填補是無濟於事，前次加價距今不到兩年，當局又提出加價案，而對於台電的整頓，反而輕描淡寫，豈是公平之道？公營事業的虧損或其產品的售價，直接間接影響人民的負擔，所以台電的加價案，應直接訴諸輿論的評判，尤備守住人民「錢袋」底立法委員之職決，先「大刀闊斧」整頓」乎？抑先行「加價」乎？究前者或後者有保障？（完）

兵無門志的共軍

韓戰停火的時候，南韓總統李承晚決定揮師北上，把中共軍逐出韓境。那時中共大軍一百餘萬人駐防北韓，而李總統只有作戰部隊二十師，每師以步兵一萬一千人計算，不過二十二萬人。美國記者們問他有什麼把握把中共軍隊逐出去。李承晚笑而不答。

遣俘的時候到了。中共俘虜二萬人當中只有五千人願回大陸去，一萬四千多人都請求前往台灣，係國復仇。世界人士才恍然大悟李總統的遠見。中共的軍隊數目雖然大，可是兵無門志，有類乎一隻極大的紙老虎。

美國著名作家梅支拿氏（James A Michner）在韓戰的時候，曾往當地實地觀察多時，在他的『韓戰的實在狀況』一書內有下列的記載：

『共軍最大的弱點，便是兵無門志。失望的共產黨徒每日親來投降者為數達好幾百人。這些人總結成小隊前來。無論那一個隊伍，每晚總有幾次自動來投的俘虜。共軍的組織雖然十分嚴密，每一小隊總有政治指導員在裏頭監察，將每一個可疑份子槍殺，可是厭倦共產主義的共軍仍能設法逃到聯合國軍的陣綫。他們這樣說：「我們是聽了你們的播音前來投降的。」最使人驚異的是這些投降的共軍都請求派回前綫，攻打中共！』

世界反共軍事專家前聯合國韓戰第八軍軍長弗特力將軍本年二月在『讀者文摘』發表一篇『二十五師等於美軍一師』長文，他在文裏說，美軍一師的軍費可以供給亞洲軍二十五師的費用。美軍四師的軍費可練成亞洲軍一百師。此一百師的兵，足以安定遠東的局勢，應付中共的侵略。他對於台灣又特加批評說：

『美國在台灣只用了三億美元，便練成了二十一師反共精兵，兩大隊空軍，還剩下不少錢撥入經濟援助項內。當高麗戰事發生的時候，國民政府把他的軍隊貢獻給我們。若果我們接納了，可不費一兵一卒，韓戰老早已勝利結束了。』

『國民政府的軍隊加入韓戰於我們是有極大利益的。他們和共軍同屬一個血統，對於招降方面有極大的影響。當我在高麗指揮作戰的時候，成千的共軍俘虜寫血書給我。他們的要求總是一樣的，給我們武器，他們願意和你們並肩作戰，不為仇話，把我們送到台灣，讓我們現在將大元帥指揮之下，恢復大陸。』

『現在台灣國民政府的軍隊予北京政府以大極的威脅。若果利用一個機會使十五至二十一師自由中國軍隊在繁盛的南方登陸，共黨的沿海駐防軍隊可能集體前來投降。共黨每增加一師援軍，自由中國即可以得到一師兵源。』

中共的軍隊現在變質了！不錯，任何一個人在中國大陸住上一個時期，發現了可怖的監獄環境，都要感到惡心、憎惡和痛恨的。不少有志青年，共軍裏頭他們能够忍耐下去嗎？有機會的時候，他們能够不投降嗎？不倒戈嗎？不去復仇嗎？

啟事

本期慶祝國慶特刊，各方惠稿踴躍，以致部份廣告未能刊出，改於下期續登，敬請賜登廣告諸君諒察。

△馬倫科夫駕駛坦克，載着「毛澤東傳」往西藏演習直撞。

自由人

THE FREEMAN

（第三七七期）

中華民國僑務委員會登記證僑台報字第一二號
中華民國郵政登記第一類新聞紙類
（半週刊每星期三六出版）
每份港幣壹毫
台北市售價台幣七毫
督印人：雷嘯岑
地址：香港高士威道二十號四樓
3 rd. fl. 20 CAUSEWAY RD HONG KONG
香港發行及業務接洽：高士打道66號　電話：七四〇五三
承印者：東南印務出版社
地址：高士打道六十四號
海外總經銷：友聯書報發行公司
香港：德輔道中二十六號A二樓
台灣特派員辦事處：台北市館前街五十號
台灣總經銷處：台北市西寧南路一〇二號二樓
台灣郵政劃撥儲金戶九二五二

本報特別啟事

本刊國慶紀念增刊，承各社團公司商行惠登廣告，一部份因文稿擁擠，未克及時刊出，改於本期第四版補登，尚祈惠登廣告諸君及讀者亮察為荷。

敬向自由人士進一言
——並論自由文化協會的意義

丁文淵

此間的自由人士，在這幾年當中，確實做了不少的反共工作，這是人所共知的事實。然而，總因為向來各方面缺乏聯繫，差不多是各行其是的，所以反共力量始終不能團結起來，盡情發揮，這是一件很可惜的事。

艾德禮甘為中共利用

當然，此間的自由人士各人有各人的立場，在政治上的主張，也多不能一致。然而，這並不就是一件憾事！照我的看法，在民主的，自由的作風下，就希望各人有各人的見解，不輕易苟同，不輕易放棄自己的主張。誰能夠不倚靠勢力，而能說服大衆，誰就能夠實行他的主張。我們之所以反對共產黨，就是因為共產黨用一種殘酷的壓力，來統一人民的思想，使得人人僅能做他們的奴隸，做他們的工具，所以在反共的立場上，我們很贊成各人有各人的主張的。無論反共人士在政治的主張上如何不同，而他們的反共意志，却都是一致的。

我認為，我們應當面對現實，先就當前最重要而又最急需的工作上，加倍努力，以促成反共力量的發揚光大。現在反共工作最急切要做的，莫如大家一致疾呼，控訴中共罪行，代表所有被奴役的人們，喚醒自由世界，使得自由世界對於共產黨無人性的獨裁，能夠有一個徹底的認識。只有如此，才能免使如艾德禮之流，輕易投入中共的宣傳圈套。最近，艾德禮們應中共邀請，到大陸共區去走了一趟。照中共當局招待他們的情形來說，毛澤東對他們大擺秧歌王朝的臭架子，對這位前任大英帝國首相艾德禮先生竟採取一種上司指示下屬的態度，說你們如何如何。

當時我們感覺到，毛澤東這樣如此對待工黨領袖們，未嘗不是好事，最少可使英國紳士可以親身經歷，憬然覺悟了。誰知艾德禮到了美國，發表言論，居然還是毫不遲疑，甘願做中共的義務宣傳。我們不能不說他是一時糊塗，可是他只知有將現實認識清楚，因此才有如此矛盾的主張。

自由人士要痛切反省

這種情形的發生，不得不使我們自由人士來一個痛切的自省！這是不是我們對中共的控訴工作，做得太少了，所以不能引起自由世界對中共認識的興趣？我認為，所有的自由人士，應當急起直追，在這一方面，多多努力！

譬如，最近周恩來在他們所謂「十．一紀念會」上說：「吾人之工作為建設國家，故需要和平之國際環境。吾人建設之目的，在提高人民生活水準及增強國家安全，此外更無其他政治目的，吾國在國際上之活動，亦本此政策。」這是不是冠冕堂皇的謊詞？本來，中共一向以說謊騙取世人。所以周恩來的說詞，不足以欺騙我們。我們只將中共五年來的所作所為，仔細的考慮一番，我們就可以曉得：中共在大陸上，根本只有破壞，沒有建設。如果一定要說他有所建設的話，那就是中共罪惡的表現而已。他們絲毫不顧慮人民的生存利益，只知發動大量的民衆，去參加他們所謂建設，使人民對於這一類的建設，只有犧牲，沒有進益。何況中共大吹大擂所宣傳的水利工程，經過這一次大水的考驗，其成績的好壞，已早經分曉。至於他們的鐵路建設，又幾乎無一不是走向西北，以便蘇聯的陸運，可以伸入太平洋每個海岸。這當然完全是為蘇聯的利益作想，與本國的民生，是沒有什麼補益的。所以我說中共的建設，就是他們罪惡的表現。

大陸人民的生活如何

講到人民生活水準，非但在任何方面沒有提高，相反的，已經被中共壓低到無可再低了。譬如：天津廿八來信說：近年來每人每月僅得配給白麵四斤和少許雜糧，其他各地的食油，平均每人每月不超過四兩。工人的工作時間加長，工資則減低，美其名曰自動請減，農民更苦，表面上分到了幾畝田，而稅捐支出浩大，使得每家都無餘糧。廣州來人說：農民僅能吃粥，其苦可知。今年這場大水，又不知要葬送幾千萬條性命!?最慘的，中共只知搶運糧食，以供給他們的軍政黨幹。對於被災難民，却置之不理。萬國紅十字會自動提出的救助，却被中共蠻無理由的拒絕了。如此民生，周恩來還要大言不慚，說要提高人民生活水準，真不知從何說起。

至於說「增強國家安全」的話，請問中共所說的「國家安全」，他們受到那一面的威脅呢？

中共為蘇俄而打仗

北韓經蘇聯嗾使侵略南韓，聯合國正式出兵討伐，本來和中共毫不相關，但一旦「老大哥」的命令到達，就不得不趕快派遣大軍加入戰團。這是中共執行共產國際侵略政策的開端，也是破壞國際和平的事了。韓戰結束不久，中共又在越南出現。現在越南戰爭停火，中共又大唱其「解放」台灣。我們只看見中共威脅世界和平，因此他們之所謂「安全」也便是侵略的別名。

凡是一個獨裁政府，只要國內發生一種對他有危險性的情緒，他就必定冒險向外發展，以圖藉此好用大力鎮壓人民。

此外中共必須執行「老大哥」的命令！蘇聯自第二次大戰結束以來就積極準備對自由世界作戰。在他陸海空三軍之中，以海軍為最差，經過中共的賣國行為，使蘇聯擁有了旅順軍港，現在就成為他太平洋海軍的基地，這軍港比他所有的都要優越。可是外圍的南韓、日本、台灣、菲律賓已經成了美國在遠東的一條有力的國防線。因此蘇聯在急需擴大太平洋的時候，他就命令中共攻打台灣，以便攻破這一條防線，使得他太平洋海軍將來能夠為所欲為。

中共不顧人民死活，甘願替蘇聯火中取栗；這樣奴性的賣國行動，凡是具有人性的中國人，沒有不要竭其所能，來推翻這種惡魔式的政權，以拯救我五億無辜的同胞。必需將他們從奴役恐懼中解放出來，擺脫出蘇聯的桎梏，挽救我中華民國傳統的文化。像這樣嚴重的責任，我們當然無法完全擱在政府身上。凡是中華民國的人民，都應當當仁不讓的共同肩起這個責任來！我們一方面要督促政府早日反攻，同時也應當盡力支持他的反攻，另一方面要將所有的反共力量聯合起來，加強反攻的聲勢，好使我悲苦的同胞早日脫離魔掌。

自由人士應有的責任

上述的情形，當然早在自由人士的心目中，本來不需要我來饒舌。可是自由世界，未必完全瞭解。可能還有艾德禮之流的大人物，以假亂真，所以我要懷着誠懇的希望所有的自由人士，能將我們陷困於水深火熱中同胞的痛苦，時時擺在眼前，時時竭其所能，向自由世界提出控訴。我們要不斷的控訴中共的暴行，控訴他們的違反人性，控訴他們的破壞倫理，控訴他們的殘酷屠殺，控訴他們的賣國行，控訴他們的奴役人民，控訴他們的欺詐等等。務使自由世界容易瞭解中共真正的目的和手段，不再去上他們的圈套！否則，像艾德禮先生這樣的人物，何能竟丟開他一向主張的民主自由立場，想要來出賣自由中國？要曉得自由中國既不是國民黨一黨所有，更不是蔣介石先生個人的私產！自由中國是所有愛好自由平等的中華民國國民所有。自由中國的反共倒蘇，純粹是為爭取人類的自由，爭取真正的民主！

我們自由人士應當面對現實，應當明瞭我們已經正在生死存亡的鬥爭中，稍一不慎，即將玉石俱焚！所以我們儘管各人保持各人的政治主張，各人去自由發展，而在反共的工作上，則應當取得密切聯繫，同心合作。免使各方面因為政治主張的歧異，在反共的工作上，竟有互相抵消的可能。

我們應該組織起來

我認為第一步的聯繫，最好取法乎美、英、法、德、意、日、印度等國已有的「自由文化協會」的辦法。

不久以前，印度自由文化協會的秘書長先生和英國ENCOUNTER（自由文化協會所出版）刊物的編輯先生同來香港，在某處招待會席上，他們兩位曾說明自由文化協會的緣起。據說在一九五〇年德人在西柏林曾召集一個由各國自由人士參加的反共集會，討論如何有效反共，就成立了這樣的自由文化協會。總會在巴黎成立，英、德、法、意、美、日、印度等國的分會，也就先後成立。這個自由文化協會的特點，就是能夠吸引各黨各派的反共知識分子，聚會一堂，討論如何有效反共。除反共以外，他們不談其他任何政治。總會與分會之間，沒有統屬關係，只有互相聯繫的義務。印度的自由文化協會極端反對尼赫魯的媚共政策，然而參加協會的人物，並非完全出於尼赫魯的反對派，許多都是尼赫魯的親信。他們堅守着對於參加人士本身的政治主張，不加過問。他們所合作的，僅限於反共工作。所以凡是酷愛自由的人士，都願參加。各分會所發行的刊物，多能受大量讀者的歡迎。

這樣的自由文化協會，是適合我們反共人士的需要的。希望所有自由人士，對這問題加以詳細的考慮。從速捐棄各人的私見，以大公大勇的精神，來發起這個反共的文化協會！使我們此後的反共工作，不致再如此散漫，而能更積極的做出有條理，有效力的事情來！

自由人士盍興乎來！

△美最高法院宣佈全國學校種族隔離為違憲後，最近達拉瓦、佛洛烈達、及華盛頓州數千白童舉行罷課，反對與黑童同學，警察出動勸止，致發生衝突▽

半週展望

李秋生

又一次民意測驗

今年慶祝雙十國慶，港九僑胞的熱烈激昂情形，遠過往年，以致文化界和勞工界的慶祝大會，今年都不得不放棄有歷史意義的六國飯店和英京酒家；而改到地位較為寬敞的樂聲普慶兩戲院去舉行，這是中國民意內心至情的迸發，足以粉碎大陸中共任何無恥宣傳與艾德禮之流的盲目讕言。

然而在這熱烈慶祝的另一面，正反映出大陸同胞的水深火熱，倒懸待解。每一聲高呼中華民國萬歲的口號，都隱隱雜着反攻大陸的熾烈要求。從民心的表現來看，毫無疑問，反攻復土的心理準備已到了完成的階段了。

任何人如果談論或考慮到有關中國的問題，斷不容忽視這強有力的民意表現。

再論「新鴨綠江庇護所」

在中國民衆反攻情緒如此激昂之際，國際間乃竟有國軍行動受美方限制，非獲得同意不得攻擊大陸沿海的傳說。為了軍事上的必要配合，一項大的反攻行動固應商諸友邦，但這是中華民族生死攸關的問題，其決定權一定要操之在我，不是任何友邦所能阻撓。我們不相信事事尊重民意的美國政府，對於中國民衆的共同要求會輕易加以漠視，過去第七艦隊對國軍反攻大陸的阻遏，業經艾森豪總統於就任後不久以明令取消。難道那一不合時宜且在過去曾間接使聯軍在韓國吃了大虧的政策，竟會在今天無形宣告恢復嗎？

美國對競選的顧慮

我們相信，西歐那種主張勿刺激中共以期造成第二狄托的可笑想法，美當局未必會竟為所惑，而可能是為了國會改選在即，政府黨形勢不十分有利，因而竭力想避免在競選期間發生足以刺激國民情緒、重大事件，例如台灣海峽大戰之類。前些天不是在傳說中共打算趁美國緊張競選自顧不暇之際發動對台灣或沿海島嶼的進侵嗎？

政治家與政客的差別，在於前者只求展布一己理想抱負，不計個人一時的榮辱利害，後者則是權位第一，不惜為權位而犧牲一切。一九四〇年夏天，英倫最危急時候，也是美國總統大選前夜，羅斯福總統曾不顧左右的堅決反對，毅然以大量軍火援助英國，當時他確是冒着競選失敗的重大危險，然而却更重視道義上的責任。結果他仍舊三度當選連任，同時也從覆滅的邊沿挽救了英國。難道艾森豪總統就沒有羅斯福的氣魄和英斷嗎？

河內淪入鐵幕

也正是我們歡度國慶那天，法軍從河內撤退，共軍開進了河內。法人終結其七十二年的對北圻統治，本來無可惋惜，只是其結果不是把治權交付給獨立自由的越人，而且把一塊本來總算相當自由的土地關進了鐵幕。東歐和北韓人尚可諉為是俄軍在大戰中的戰利品，共黨兵不血刃而平白佔有最富饒的地土，則還是全世界的第一次。數月來越南北部中越人民倉皇撤退的情形，已經充分說明了民心的向背，同時也更顯得日內瓦協定的卑污無恥，更下於慕尼黑協定。

越南的政爭

在這種情形下，越南政府應如何臥薪嘗膽，激勵奮發，以期收拾民心，防禦中越共黨的進一步侵略。乃事有大謬不然者，一月以來，越南政府政潮澎湃，不只內部不能團結，總理吳廷琰與阮文興及小數派之間的衝突且有愈演愈烈之勢。不管其間是非曲直如何，照這樣演變下去，非把越南全部斷送不可。非團結無以圖存，是任何在危難下國家民族的不易鐵則，中南圻這片乾淨土是否還能保持，也只看這項原則能否貫徹。

大陸商人的生死鬥爭（上）

沈秉文

去冬中共喊出了「國家過渡時期總路綫」及「實行國家資本主義」等口號以後，大陸商人即已陷入了中共有計劃的全面性的迫害之中。由於中共監視、控制、壟斷日嚴，「公私合營」制度及其他變併政策的加緊推行，大陸商人的處境自然日加險惡，也因此而掀起了各種各式的生死鬥爭。筆者特就近半年來得自大陸各報章雜誌的此種資料，加以整理、分析，作一個要而有系統的敘述如下：

商人因何反對「改造」

現在大陸商人是澈醒而堅決地反對中共無條件的動物性底「改造」的。若問「爲什麼？」則由於在此種「改造」過程中旣動輒得咎而無法生存，即在「改造」完成，進入所謂「社會主義」社會以後，亦沒有他們生存的餘地所致。蓋毛澤東曾公然警告商人：「只要誰肯眞正爲人民效力，在人民還有困難的時期內確實幫了忙，做了事，並且是一貫地做下去，並不半途而廢，那末，人民和人民的政府是沒有理由不要他的，是沒有理由不給他以生活的機會和生存的機會的。」言外之意，即是說：「要是誰不竭其所有獻給中共，並誠惶誠恐地效忠中共，那末誰就沒有生活和生存的機會。」然而今日大陸的商人在中共那種吹毛求疵，動輒挑剔的「惡姑」式的虐待之下，可說十九都不會在「人民還有困難的時期內幫了忙，做了好事」，有之，亦必「半途而廢」；反之，却十九都「犯」過「五毒」等等的所謂「罪行」。這就無異說：所謂「改造」，旣屬抽筋敲髓之事，所謂「進入社會主義」，更是粉身碎骨之事，商人豈有不竭力反對之理？

若再剖析言之，則商人反對「改造」，理由極爲充足，情形殊爲具體而哀若。

以所謂「總路綫學習」而言，中共那一套「社會主義前途」的宣傳教育與現實問題間的矛盾根本無法統一。據天津大公報說：「有些資本家們認爲：『首長的報告，全是一套大道理，不能解決具體問題』。又說學習的結果：「資本家的心還是『三心二意』，所謂三心二意，是：心領神會，心存顧慮，和心懷二意。」又據解釋，說一部份資本家（統稱商人而言）知道「大勢所趨，不得不跟着走；一部份虛與學習，一觸到實際問題便顧慮頗多，畏縮猶豫；一部份是：「不管三七二十一，你要……改造，我就抗拒！」換言之：他們是商人對「總路綫」的「學習」已經是無法抵受。

以所謂「重犯五毒」而言，可說無時無之，無地無之。別的不說，只要是欠下一點稅，漏了一點稅，跟幹部有一點私人的關係，乃至對待職工的態度優待一點或親近一點，都是「罪」屬「五毒」。照中共零星的統計看，大陸商人之「重犯五毒」者，幾在百分之九十以上。即以最近天津一次「重點檢查」而言，所查的十八家工廠，幾無一無「五毒」行爲。因此，凡屬商人，幾無不有「罪」。

商人爲什麼竟會在中共的嚴刑峻法之下一再「重犯五毒」呢？天津大公報在批判商人時引用商人的話說得對。叫做：「愛國容易守法難」。中共的那種抽筋剝皮、粉身碎骨似的「法」確實是難守的；但中共決不管此種客觀事實，原始底目的既在消滅商人，也就抓着這項「重犯五毒」的帽子予商人以「嚴厲制裁」；而由各地的「人民法院」紛紛召開了「宣判大會」，一一沒收財產、驅入牢獄。於是，商人們沉痛地發出了呼號，說什麼：「身爲資產階級，根本就生活在錯誤之中！」言外之意：大有「生不逢辰」之慨！這說明：除非你不爲商人，否則，非聽受宰割，就得拚死命抗拒。

再以所謂「加工訂貨」或「包購包銷」等關係而言，中共在估工、估料、估營利等方面的所謂一再「精打細算」，私營廠商方面不僅無利可圖，甚且還要貼本賠累。而另一方面，廠商的繼續經營與否既無自決的自由，緊縮與否亦無自主的權利，因此商人們痛苦地自嘲着說：這是「社會主義的牌價，資本主義的開支」。但廠商方面因無力抗拒，唯出之取巧的兩途，以虛與委蛇，一爲偸工減料；一爲聯絡幹部，提高加工等成本的估計以求平衡。然而兩者又都是犯「法」的行爲，都是被逼非走不可的「自滅之路」！因此比較堅强的商人們便對這種變相封奪的買賣關係不得不實行頑抗。

至於中共所提出的「爭取利用、服從限制，接受改造」的「原則」，據天津大公報透露：商人們旣怎麼都解釋不通「旣要利用，又要限制？」的道理，就是對於「改造」一節，也豎根兒看清楚這是「油盡燈枯」式的命運。尤其是關於「改造」底方式中的「公私合營」一節，天津大公報更明白地指出（當然是批判性的）商人們會含有「十怕」，所謂「十怕」是：降級、減薪、調動、不適合新工作、清帳、幸挨資吃虧，政府代表半內行，制度太苛，學習與開會，不講技術講政治，有職無權等。

商人反「改造」的表現

前述種種，無論爲「學習」、「限制」、「合營」、「利用」、抑爲「改造」，中共皆統稱之爲「改造」。商人旣一如前述的反對「改造」，自有許多反「改造」的心裏行爲表現。此等表現，在五月十五日起的天津大公報「工商界的改造」一欄裏，透露了它的形形式式。大商人說：「大不如小」，小商人說：「小不如大」。大商人的意思：「樹大招風」，被迫「合營」是首當其衝；言下之意，是抗拒「合營」；小商人的意思，「又無法繼續生存」，旣不夠條件「合營」，乃將「總路綫」稱之爲「死路一條」！（未完）

歡度國慶萬衆一心　民主極權涇渭分明

中華民國四十三年度國慶，港九工商文化教學各界二百餘萬僑胞，均在極興奮、熱烈，與輕鬆愉快的情緒中度過。今年的盛況，比去年不同，比前年更不同；五年來，每逢國慶，人們總有一種相同感覺：就是一年比一年好。[illegible]確並沒有辜負僑胞的期望，已由五年來的努力，逐漸趨向安定，從安定中力求進步，進步中奠定了復興的基礎。因此，今年的國慶紀念，不但是掛旗結綵，並且集體的各別的開會慶祝，每一個愛自由的僑胞，都能了解國慶的眞實意義，同時，更明白自己本身對國家、民族應負的責任，除了開會之外，僑胞住所，也都普遍掛上青天白日滿地紅國旗，用來表示其忠貞愛國的熱忱。

國慶紀念佳節，若干社團作三天聯歡慶祝：九、十、十一日，同樣地非常熱烈。而十日那天，剛巧是星期例假，十一日又係公衆假期，多數規模較大的商行，在星期六午後，就貼上「國慶紀念休假三天」通告，使市區倍形熱鬧。港九點綴得儼迎接新年一般。可惜電車公司一部分工人選擇了這一天「停擺」，以致香港的交通發生了重大障礙，不管他們的「停擺」有無「理由」，對於中下階層人士來說，下時是交通上的一大威脅，在精神上也是很大的打擊，面對勞動階級的打擊尤其因爲他們不易獲得一連兩天的假期，正希望可以舒暢一下身心；但出門無車，這不啻當頭被電車打了一棍。巴士雖然部份停工十五分鐘，但每站都大排長龍，上得巴士，已折了一半遊興。

從電車「停擺」事件中反映出來的民意，已表明勞動階級及一般市民，對於民主與極權的分野已看得更爲透徹。市民大多認爲，公司與若干工人間的糾紛，與日常乘車的小市民是根本不相干的，爲甚麼要把問題轉嫁到市民大衆頭上。向電車公司「抗議」，因而引起市民大衆的反感，這不僅不會使人同情他們的立場，反而留下了更惡劣的印象。假如說，那些「停擺」的電車工人是出於被動，那就太不值了，因爲他們遭受煽動，做了犧牲品，且受到羣衆的埋怨。須知維持公共交通，一向把他們視爲親愛的朋友，而這種朋友竟如此睨視了羣衆，豈不令人齒冷嗎？

香港三日

赤色大陸印象記（四）

守義譯

並且全國各地也沒有組織成爲整體。中國幾已統一，北京的政令，可以支配全國。[illegible]從西安到上海，但其統治的未來，仍得考察他們在人民生活上面的成就，然而其所面對的問題，還是一個巨大無比的老問題。我對許多人提出問題，他們的回答種種不同，常使負責引導我們的官員，感到我有失禮貌，例如說到「俄國搬走了東北的所有機器，但是歸還的很少」等。

隔了一個短時間，得有機會作第二次遊歷，對我實大有裨益，因爲我可以把這一段時間內，他們的所謂進步來作一番比較。在一九三九至一九四二年間，我曾担任印度國家計劃委員會的秘書，因了這種政治經驗與經濟訓練，使我對於未開發國家的經濟情況有充分的理解。我知道在這些國家，那向受壓迫而衣食不足的人民，無論個人或民族，其主要欲望是獲得自由，並能享有相當衣食的生活權利。

不正當手段決難成功

對於中國人民，我一向抱非常尊敬的態度。我知道中國人民是力求自由與和平，由我們共同的目的，兩國的友誼與理解，必可助其改進。但是全體主義的統治，必是奴役人民，危害和平與進步。倘若中國人民對於共產主義的統治，感到滿意，我們仍可繼續友好，彼此合作，那對我們自己毫無關係。（未完）

編者讀者

中華民國憲法共幾條

編輯先生：

查中華民國憲法，迄至目前止，仍爲一百七十五條，如加上兩條附款，應爲一百七十七條。貴報第三七二期王世昭先生「評：中共的憲法」一文所謂「中華人民共和國憲法」前冠序言，全文分四章，計一百零六條，在數字上比中華民國憲法多一條，如果我們加上附帶條款二條，則又較中共多過一條了」一節，是否筆誤，抑或其他原因，請查明賜示，俾資明瞭。專此　敬頌

撰安！

自由中國台灣讀者王召富謹上　十月七日

我們已問過作者王世昭先生，據王先生說，一百零六條，係一百七十七條之誤，承王君指正，至感謝。編者。

△王恢、彭遜民、羅自芳、淸心、王瑞笙、高淸心、鄭士珪、孟玉、易敏予、易興、玉瑛、楊柳靑、楊懋春，諸先生：惠稿均已收到，謝謝！

人物評述

赴美深造的盛沛霖

（一）

中央社台北電，研究「彈性力學」深具造詣之青年科學家盛沛霖，定於九月廿九日啟程赴美深造。（按盛氏已於十月六日啟程——編者）。又據他自己說：是赴美國印地安納大學應用數學研究所研究，已獲得該校一年的全部獎學金，一年期間，他似乎覺得太短，不過他相信如果研究成績好，是可以延長的。

他此次出國，費了很大氣力，才湊足一筆勉强够用的旅費，因平日毫無積蓄，而且告貸無門。這筆旅費還是靠台大教授們熱心幫助。他們以每一個人名義聯合向校方借了新台幣一萬二千元，再轉借給他。同時教育部也補助他新台幣三千元，因此才得勉强成行。

我們聽到這些消息，一方面覺得盛氏治學精勤，如今有志竟成，能够赴美深造，前程似錦，將來爲我國工程界放一異彩，實不勝[illegible]慶幸。另一方面又感覺他的旅費羞澀，而且爲時僅借一年，和獎勵興學的人士，學術的團體，國內外提倡乃至於國際救助智識份子的機關，不知能否寄予同情，俾予充分的資助，使得竟其全功。

（二）

談到這一位埋頭研究，對「理論物理學」和「彈性力學」具有相當創見的青年工程師，他之被人重視，還是最近的事。他在今年工程師節日才爲外界所知道，使他脫去了會被一般人指爲「神經病」的渾號，成爲中國工程界的一顆彗星。

盛君是四川綿陽人，今年三十四歲，出身於一個極苦的小務人員家庭裏，民國卅四年從武漢大學機械系畢業後，便被派到資源委員會電業管理所工作，三十六年高考及格，被派到台灣工礦公司鋼鐵機械分公司工作，分公司合併後，就在總公司工作，階級是副工程師。

大才好學的人，往往都是有些怪僻的，盛君也不能例外，公司同事和他合得來的很少，他總是落落寡合，終於在上年四月的時候，因和人爭吵而至鬥毆，被告到法院，吃了一場官司，受到了敗訴的判決。工礦公司裏的一份職業便被開除，尚且欠下一筆五千元的賠償費，景况甚爲狼狽。多數舊日同學根本不知道他在台灣，少數知道他的，替他想辦法，當中有位姓朱的同學，替他到台灣大學去謀工作，目的是機械系助教。

（三）

不料這位盛先生的論著，和與世界名科學家往返的信件，使台大機械系丁觀海教授馬上發現了他在學術上的成就，和國際科學界對他的評價，於是即時介紹他和台大錢思亮校長及機械系陳克誠主任見面。談過以後，一致認爲助教的職務對盛君太過委曲，五月下旬，舉行了一次會議，通過聘盛君爲副教授。他這幾年來一個人埋頭研究，並沒有白白浪費他的光陰，他在「理論物理學」和「彈性力學」已有不少創見。雖然在他週圍的人，不喜歡和他往來，可是，這位渾號「神經病」的青年，他却節衣縮食，把薪水的大部份都買了郵票，去同愛因斯坦，奥本海瑪，拉瓦第、羅斯德爾等著名國際科學家，時常通信，作學術上高深的討論，這些科學家都對他有讚譽之詞。例如他研究哲學基本問題的心得，愛因斯坦曾表示與盛氏的意見一致，而譽讚他已經糾正了諾貝爾獎金得獎者希露哲在哲學基本問題上的不適之處。愛氏及原子能之父奥本海瑪均來信表示，願意他到普林斯敦大學進修。不過盛君却希望進印第安納大學研究，因爲那裏有拉瓦第和羅斯德爾等名教授，可以得到更多的進益。

盛君的論著，沒有適當出版的地方，美國定期雜誌不易容納，出版商又以性質太偏僻沒有銷路，不感興趣，而且，盛君連寄原稿的郵費都沒有。

（四）

關於盛君在學術上的成就，因爲他的論著太專門，一般人當然不易評價，據一位曾經看過盛君論著的我國學術界權威人士對某報記者說：「以目前情形而論，若說盛君已有若干成就，恐爲時過早，盛君是位有希望的青年學者，如能到美國去得到名家指導，多參考些專門書籍，其成就是不可預計的。」

最近出版的第七卷第五期「台灣工程界」刊物的「工程文摘」欄，[illegible]盛君的「扭轉剛性」[illegible]，原文發表於美國[illegible]第九卷[illegible]。[illegible]丁教授[illegible]盛君主要研究[illegible]彈性學[illegible]，已積稿「二百餘頁」，其中創見[illegible]。[illegible]關心文化學術者，[illegible]對於協助自由中國[illegible]學術界地位，當有所裨益。教育部部長張其昀對於盛君非常重視，已決定協助他出版著作，並帶他晉見總統，以示政府的關切和殊榮。

·小丞·

警覺過當
——並致立委陶希聖先生——
于飛

（一）

台北有一個雜誌，叫稅務旬刊，這是一個擁有讀者的刊物。

在八月下旬出版的第一〇五期裏面，刊載一篇鮑亦榮著的「當前自由中國財政問題之研究」的專論。洋洋萬餘言，把自由中國的財政實況作有系統的評述。鮑氏舉出十二點原因透視自由中國財政艱難的癥結，又闡述四端爲政府財源乾枯的因素，說明財政籌措的消滴之難。再分別介紹十二個財政措施的實際情形要求讀者予以了解。最後是作者的建議，他希望政府團如何着手開發經濟，如何的適應匯率，如何的輔導工業，與及如何的誘導消費變而爲生產。從政策方面，從社會方面，從預算方面和從制度方面，亦致虔誠之忱感。次第縷陳，以懷疑的態度指出財政措施的不當，偏於自由中國財經人員多年來的竭智盡忠。無疑的，這是一篇具有重大價值的文字，爲數年來我們很少見到的文獻，這一篇文字之立即引到美國經濟顧問團的深切重視也在乎此。

（二）

在最近的一次立法院院會中，立法委員陶希聖會向行政院長俞鴻鈞設問，陶委員在懷疑這篇文字有不忠的嫌疑，他認爲這篇文字是有意在證實吳國楨攻擊台灣是一個警察政府之說的事實。我們作小民的聆聽之下，很驚訝亦很遺憾的感於理解力的淺薄，我們對這篇文字之與吳國楨的言論連在一起，除了有些牽强曲解的感覺而外，實亦失望和哀傷！並爲此一諤諤之士懸懸於懷！

立委諸公係人民的最高代議士，反應人民的意志，質詢政事即反映人民的心聲。陶委員這一項質詢，是否反應人民的意志呢？立委言論對外雖不負法律責任，但他得考慮是否代表人民的付託，中國人是重視道德責任，那他亦得考慮是否要受良心的譴責。陶希聖不但是現任的立法委員，而且是當代的名政論家，他的言論，不是毫無影響的。

（三）

鮑氏的文字有其全面性的，在指出財政艱難的輪廓的十二點原因中，其第八點指出保安支出與日俱增，係以數目表示保安支出之龐大，而這一保安支出僅是一個台北市的警政經費和民防經費。據該文敘述，台北市警察局經費達一千萬，相當於司法，考試，監察三院全年經費的總和（建設費尚不在內），四三年度的民防經費達二千二百五十八萬三千餘元，此數則相當於中央的全部行政支出。假若以此而指爲是與吳國楨的言論同氣連枝的話，那麼於此類「僞瑩」者俯拾即是。

今鮑氏的文字，已爲外人所重視，却爲我人所輕視，不惟見輕而且視之爲「危險」讀物，加以指摘，且出於代表人民的立委者的名政論家之口，實使我們迷糊悵惘，惶惶然不知民主自由爲何物而竟例於言也！我個人覺得對於鮑氏這篇文字之被視爲有問題，倒有警覺過當自相驚擾之嫌！（完）

鷓鴣天　悼亡妻喻啓榮
彭遂民

我哭卿兮正暮春，黃泉路上却迎新，芳容已杳遺容在，好夢無蹤惡夢頻。時難日，怯良辰；茫茫世事太悲辛，鴛鴦一別難重會，何處仙山可覓人？

人自迎春我怕春，亂紅傾艷引愁新，情傷碧落腸千斷，夢裏招魂骨瘦頻，無限恨，對芳辰，曉窗啼鳥更酸辛，聲聲喚去渾如刺，和淚填詞寫玉人。

鰈鰈情深枉計春，生前事後兩還新，淵邊綠樹斜陽裏，並轡如龍笑靨頻，年少日，盡良辰，孤魂海上忘酸辛，煙沉佩冷緣眞薄！芳塚千秋掩玉人。

答諍友
馬五先生

近日接得一位讀者朱義先生來函，指出我前期所談「爲立委進一解」那一項關於國防組織法案的意思，乃是「認爲不合之法，在目前不妨隱忍一些」，其情可憫，其意至拙」，「先生『國意識積苟且因循，則天天高呼萬歲可耳」。這項諍言，令人感悚之至！不能不將我寫那段文字的用心所在，略予攄陳，藉答雅意。

第一：我始終以政府偏安海隅爲可羞愧的事，假如大家不能一致努力，光復故國河山，即令搞出一個「台灣王國」來，教我去作皇帝，擅專威福，亦是無聊已極的玩藝，「隨便搞都無所謂」。這是諷示當局者不要只圖擴大權力，而忽略了本身對國家和人民所負的職責，也就是痛惜他們不遵守法律程序的作爲，未免太不明智了！

第二：就事實說，立法院並未創立一個有力的反對黨，遇到不能同意的問題，大家雖一時議論激昂，有所不爲，但結果還得隱忍遷就一些。因爲立委們百分之七十都是隸屬執政黨黨籍的，在黨紀的約束下，個人自由觀念，自難免有忍痛犧牲之處，試看過去對電力加價案的情形，即思過半矣。所以，我認爲要求退出國防組織法審查委員會的抗議態度，是值得同情的，但不能解決問題，不如依法從事審查，了却一樁公案。所謂「不可不認眞」者，是指法案內容而言，而又說「不必太認眞」者，是對政府不待完成立法程序，即先行派官任職的那項錯誤手續着眼。如果法案內容沒有多大問題，則對於政府這項有悖法治的錯誤動作，除警告他「下不爲例」外，不妨相忍爲國也。

我承認這是含有調和現實的「非革命」觀念。至於「高呼萬歲」一節，卅年以來，除隨衆高呼過「中華民國萬歲」之外，別無所呼，非不爲也，而是不習慣的慇性所使然，這是可以自我坦白的！

紅樓夢散論（二）
王世昭

紅樓夢第一回脈絡井然，先寫石頭，即賈寶玉的來歷。次寫絳珠草，是林黛玉的來歷。偶然間薛寶釵也出來了，那是甄士隱請賈雨村過中秋，雨村會吟一聯云：「玉在匱中求善價，釵於匳內待時飛。」所以，紅樓夢全書中實以二玉爲主，薛寶釵仍算是次要。高鶚續八十一回後硬將黛玉與寶玉分開，讓釵玉團圓，眞是狗矢之至，此亦爲作者所不及料。

曹雪芹自己在第一回中有沒有交代呢，有！如下：

「士隱笑道：『今夜中秋，……想尊兄旅居僧房，不無寂寥之感；故特具小酌，邀兄到敝齋一飲，不知可納芹意否』？」

我以爲這個「芹」字就是作者表明自己的身份，萬萬大意不得。

初期的賈雨村的確自負不凡，甄士隱一心一意培栽他，待之以禮，媵之以婢，助之以資，使求上進。但他自己却倒霉起來了，先之以失火，後之以失女，最後要依靠丈人過活。讀書人只懂讀書，不善治理生計，終至貧病交加，跛道人「好了歌」一出，他遂大澈大悟，「竟不回家」，同着瘋人飄飄而去」。這一回是起，起得好，不管全書綱領，賈寶玉末了要出家，自然是命定的了。所以，這一篇文章，是全書的大樞紐。（未完）

俄共修整藝術陳列館

據從莫斯科回到奧京維也納的奧國商人說，他們曾目睹特里雅柯維斯卡雅藝術陳列館中在重新潤飾一大批共黨高級領袖的油畫，不過在這次粉漆中，已遭槍決的前秘密警察領袖貝利亞的像片却被擦掉了，換上去的是現爲莫斯科第二號人物赫魯歇夫的像片。

鎮壓德人俄有秘密計劃

西柏林情報機構頃已獲得一份共黨應付去年東柏林民衆大暴動的秘密計劃，這雖是明日黃花，但在今天看來，仍有相當的價值。據秘密計劃中所說，俄共當局當時曾派出大批特務，冒充爲「體育局」的代表，潛入東柏林的每一家國營工廠中活動，計每組十人，其中五人配有步槍，另五人配有機關槍。此外並在各主要工廠及公共建築物中儲備大批武器及緊急口糧，以防暴動的進一步擴大。

史蒂文生慷慨解囊

美國民主黨全國委員會爲了充實資力，參加今秋的國會競選起見，曾發動向全國會員勸募基金。據說，在最近三月中，個人捐獻數目最大的是該黨領袖，上屆總統候選人，史蒂文生，他捐了兩千五百元美金。（孟衡）

天下事

埃及嗅春節
敏譯

埃及最重要的假期是嗅春節（SNIFF THE BREEZES DAY），而且是唯一不帶宗教意味的節日。這個節日是爲了迎接春天的來臨以及希望春來各事如意。每到這一天，埃及每個家庭裏起身最早的人就到其他仍在睡着的家人前，將洋葱放在他們鼻子底下，將他們弄醒。度此佳節時係在戶外，呼吸着春天的空氣，尋找着細嫩的的洋葱來嗅來吃，這種洋葱是埃及人的主要食品。各種職業的人以及各式宗教的人都參加慶祝。商店、銀行、學校、政府機關、一律休假。

中篇小說　金珠
勞影

我搖醒護士。

「小珠，小珠，想想我……想想亭飛，爲亭飛活下去啊！」

「珍重你……的……身體！」她嘆了一口氣，斷續地說：「我死後，在葬我的……地方……做，做，一個記號……亭飛，……你不是……說過……愛是沒有……時間……和空間的……限制，啊，亭飛……你忘啦?!……」

我失聲哭泣起來。

「笑一笑……亭飛，亭飛……笑呀……慶賀我……永離痛苦……笑呀……我將，永……永……活在……你的……心底……別忘記可憐的小珠……我的靈魂……常在……你的身邊……我在笑呢……笑笑笑……」

醫師來了，遲了，白色的制服在我眼前迷糊起來，我昏昏跌入另一個渾黑的世界。

第七章　手帕是斷情的象徵

一個人一生所遭遇到的，常是不可思議地自然而又偶然；在某些磨難特重的日子，夢與現實的分界綫實在是太模糊了。每個人都以爲自己在開始涉身世故時就懂得了神女的生活，他們祇用「下賤」兩個字便把那一個階層整個講完。誰也不能進一步瞭解，在廿世紀六十年代的今天，那個階層爲什麼仍然存在實在並不是那一羣可憐的女人底責任！正如細菌種類的發現，遠遠超過西藥的神速腳步一樣。這是物質文明的畸形標幟，這是人類社會的含血諷刺！也許有人以爲這是夢囈，我願以全人類都能聽清的聲音來解釋：我們千萬不要懷疑某些人所遭遇的非凡不幸！我們之所以不肯承認那些不幸的存在，實在是我們本身對那些不幸太陌生！就說這次我和金珠的事吧，在認識這個女孩子之前，我和一般人一樣，自以爲已經懂得了她們，而實際上一無所知；根據傳統的習慣，我本不應把愛的種子播種在那片人人視爲畏途的泥沼裏，等我接近過金珠之後，我才深深地體驗到：任何一種劣質的土壤，雖然它能毀傷一株生物的成長甚至影響到彩色的鮮麗，但它却無能改變一顆種子的先天氣質。——金珠所生活的天地是一片污穢黑暗，但我們得認清，造成那片天地的實在不是生活在那片天地裏的一羣；我們不應該以金錢，地位，相貌和知識程度來把人類分成若干流等，假如金珠換處在一個富裕的環境裏，金珠會是今天的金珠嗎？——所以，我愛金珠是問心無愧的。這不是施捨，我更不願用憐憫的說法來掩飾我的眞情，我愛她，單純的愛，沒有條件也沒有顧慮。她死了，我沒有表示多少悲哀，在當時的衝動之下，我有十倍的殉情勇氣，但我抑制住了，我若這樣做，並非金珠之所期望；我說過我愛金珠是一片至情。（三七）

美國文學概論
慕容羽軍

凌風譯　天風出版社出版

（一）

在今天來看「美國文學概論」，似乎有「過時」之感，因爲本書作者卡爾·梵·道倫（一八八五——一九五〇）寫成這本書的時間是一九一七年，距今已四十多年了，美國文學由濃厚的自然主義跨過了新自然主義而跳出了固有的園籬，發現道德的價值和美學的可貴。不過，這本書却能刻劃出美國的立國精神與文學的導源，對於今日遠東學人祗有西歐文學的目光是有刷新的必要底功用。

這本書附有孫晉三的序文達五十多頁，把美國的文學精神和清教精神分析得十分詳明，對於美國開國以來的作家，亦作有系統的演述，雖則這篇序文佔了全書的一半，亦不覺得它的累贅，反之，覺得少了它對於全書失却了提示作用。

（二）

我們中國人往往有這麼一個觀念：第一個疑問是美國有文學嗎？第二個疑問是美國文學到底是什麼？這些疑問的導因，就是由於中國的數千年歷史和歐洲文明古國的耙銖底影響，許多人不約而同的相信開國未幾的新大陸，文學的本質，一定是淺薄不堪的了。其實，美國的文學，也承接着歐洲文學而來的，他們的形態，則是一種宗教上逃避嚴謹束縛，嚮往於自由的，快樂的新天地，而一些清教徒，則又堅信在地上能够建立天國，初期的文學，宗教的意味是比較任何一個民族或國家來得濃重的。

（三）

這本書共分一、殖民時代，那一個時代的文學是由傳說或歌謠，由航海者傳回歐洲，在歐洲誕生了初期的文學。二、建國時期，從歐洲大陸移來的人反抗倫敦政府，便醞釀着基本的人權思想，因而摹擬着希臘羅馬偉大的史詩。三、拓疆時期，這一個時期所產生的是國土的歌唱，於是產生了特有的天才的愛默森，霍桑和梭羅。四、成熟時期，正這一階段是十九世紀的階段，美國文學從混亂中找尋安定，充滿情感的作品在大動亂之後產生。五、批評時期，書上說：「二十世紀的美國文學充滿了美國對世界態度轉變的影子。」「在文學上拋起了火花，於是批評便成了全國性的。」這五個階段，便銜接了今天的性靈與愛美的趨勢。這本書，對於東方人瞭解美國文學是有很實際的益處的。

× × × × ×

亞洲出版社有限公司　慶祝十十國慶　本社門市部　特價七天

最近出版新書

森林裏的故事——童話——
韋琴著　定價：一元

我們爲了增進小朋友們閱讀的興趣和課外知識；我們正在加陸續出版兒童讀物的計劃。「森林裏的故事」可說是這個計劃的開始，全書包括故事二十二篇；都是極有價值的作品。將來我們還有許多童話出版，請讀者們注意購閱。

「新民主主義」的隕滅
魯男著　定價：二元

這本書對中共五年來的經濟措施，及中共對私營工商業者的欺騙宣傳；都作了澈底的分析及揭發。作者並以客觀的態度，喚醒一般對中共抱持着或多少的幻想的工商企業者；希望他們懸崖勒馬，不要再墜入中共的陷阱。

離離原上草
黃炎著　定價：二元

本書以中共的「五反運動」爲背景，故事發生地點雖限於四川的成都和重慶兩地，然而却無異是整個大陸的縮影。它指出極權統治的猙獰面目，也勾劃出一般不甘奴役，爭取自由的英勇壯烈事蹟。把愛、恨，仇，戀一爐共冶，緊緊地扣住讀者心弦；是一本非常優秀出色的作品。

熬煉
陳一塵著　定價：二元

是一本成功的文藝創作；它串貫了偽滿，抗戰與大陸再度淪陷三個天翻地覆的時期；它的背景，幾乎包括了東北，西北，西南，及華中華南各省；它的故事以一個三角戀愛關係爲核心；將大時代悲壯苦難的畫面影顯出來。

掃蕩東海上空
蔡漢生繼「突擊南日島」的巨作

當此反共抗俄與反攻大陸沸騰之時，每個人的心都爲這事而關懷．蔡漢生先生繼「突擊南日島」繪擬了這本根據台灣空軍的輝煌戰績的[illegible]；它不但給予前後方的人們一舖安獻，也同時使每個人起了絕大的興奮和信心！願讀者千萬不要忽略了這小冊子。

定價港幣八角

諷世刺心　醜惡象徵

烏龍王認父記
雷雨田繪著　定價：八角

刻劃出人性弱點的現實

象徵着集權份子的醜惡

烏龍王畫集——內容：
嘻笑怒罵　針針見血
是時代的一面照妖鏡

亞洲畫報

行銷遍歐美・譽滿東南亞
內容最美觀　銷數最大的

第十八期業已出版

電話：七五八七五號　銅鑼灣怡和街八十八號

台北市銀行商業同業公會

台灣省農會
台北市中正路　電話：二八八一六號

台北市保險商業同業公會
台北市館前路四九號

台灣鐵路局鐵路工會

台北市萬里紅公共食堂
電話：四三七九一

台中專兼營信用合作社聯誼會

台灣省豐榮水利委員會

台中市銀行商業同業公會

台中市農會暨所屬各區農會

益億車行
台南市民生路一二五號

金瑞發銀樓
台南市中正路五十七號

台南市大涼汽水廠

西裝專家永順西裝店
台南市民權路一五一號　電話：二五九號

台南縣農會
台南市中正路

興南汽車客運股份有限公司
台南市北區光復里成功路九二號
總公司電話：一〇三三號
台南總站電話：一〇三七號

台南碾米廠
台南市博愛路六十號　電話：一一四三號

瑞金銀樓
台南市中正路九七號

自由人

THE FREEMAN

（第三七八期）

3 rd. fl. 20 GAUSEWAY RD HONG KONG

立法院的問題

·文仲·

自由人第三七三期（九月廿九日），孟施舍先生所發表的文章——「使人失望的立法院」。讀罷文章，從題目到內容，把題目與內容兩相比較，我想借用孟先生題目原句，是「使人失望的。」立法院是民意機關，立法委員都是由人民選舉出來。立法院的舉措，當然要受人民的監督。民意與輿論對立法院的批評或注意，這是民主政治一種好的現象。可是，立法院今天的處境，還是需要愛好民主自由的人，去體察，同情而扶助。立法院自身不能發生力量，立法院的力量靠民意。民意今天對立法院督責，這是民意重視憲政。

但是憲政的實施，問題不僅在立法院。今天民意爲督民主憲政，當然對立法院與督責。但立法院以外的各種，同樣需要加以督責。如果在今天的環境中，輿論只對立法院批評督責，而不知對立法院以外的種種，有所批評。甚至不敢有所批評。這種懦怯的輿論，這種不公道的輿論，對世事的影響是不會十分健全的。

消極的負責還有希望

孟先生文中首段說「立法院在九月中又開會了，它有一個國防小組委員會，在上次會期中，參加這個小組的，有五十多位委員。可是到了本會期開始，過去一向參加這個小組的委員們，一窩蜂似的紛紛要求退出。到目前爲止，據說剩下的祗有六個人了。大家都知道，政府有一個「國防組織法修正草案」在本年六月三十日由行政院送請立法院審議……。」讀了孟先生的文章，我們再去訪問立法院的實況，首先發現它與事實不合。第一，立法院根據組織法，有國防委員會，並沒有什麼「國防小組委員會」。第二，立法院每一會期開始，委員報到時，在登記表上自由填註要加入的委員會。委員加入委員會，完全根據自由意志。譬如某委員上期參加甲委員會，下期儘可轉入另一委員會。這裏無所謂退出，更用不着什麼要求。孟君文中所說「一窩蜂似的要求退出」。不知是根據的什麼？第三，立法院國防委員會現在參加的人數，爲十八人。本會期參加國防委員會人數之少，是否如孟先生文中所說，爲了「國防組織法」，我們沒有去訪問每一個委員，所以不能「遽說」就遽然下一個判斷。第四，孟先生文中說：「政府提出來的案子，如果合理，他們應當設法促成其通過。如果不合理，他們應當努力促成其否決。而小組參加人，本乎分工合作的原則。更是對全體立法委員負責的。而現在居然不惜以一逃了事。則不但是對政府不起，對全體同事也對不起了。」孟先生的責備，看上去是言之成理。然而知人論世，僅就表面轉圈圈，這種議論既不足以服人，也根本於事無補。此次立法院國防委員會人數之少，是否如孟先生所推論，既是一個問題。即如孟先生所論而有據，這也決不是「一逃了事」的一種武斷批評所能服人。孟先生爲何如人，吾不得而知之。孟先生如果足跡未履國門，如果他是一位愛國的僑胞，他的議論也許還可原諒。如其不然，那就是隔靴搔癢的議論。我們想告訴孟先生：如果孟先生論據之前提完全無誤，我們認爲此次不參加立院國防委員會的立委，還是有羞惡之心，還有是非之心。還能消極的負責任。如果說自由中國的民主憲政尚有一綫希望，這種羞惡與是非之心，就是一綫的希望！

國民黨如何領導立院

在本問題以外，我們想進一步談談立法院的問題。今天立法院的問題，觸目皆是。觸目的問題，便是立法院整個空氣的消沉。從立法院大會會場上看，消沉的空氣是瀰漫着全院。從立法院各委員會看，幾年來立法院的精神，眞是像直綫那樣下降。在立法院大會中，有能力，有研究，有抱負的委員噤若寒蟬。在各委員會中，從召集委員起，便是有能力有研究有抱負者退縮，無能力無研究無抱負者亂擋。一個合議式的民意機構，造成無中心，無領導的現象。這是何等嚴重的病症。這裏面第一步追問的，便是政黨與議會的問題。

立法院內今天國民黨委員佔百分之九十以上。我們看立法院首先應當注意的，便是國民黨是怎樣在那裏領導。此地，在立法院中，有國民黨立法院黨部。此在一般議會中這個黨部是何等重要。但我們仔細調查或研究立法院國民黨黨部的領導人物，如所謂黨部委員者，究竟是何等人物？這些委員，在立法院國民黨黨員心目中是何等的印象？換句話說，立法院國民黨黨部的委員，能否領導立法院內的國民黨立委？有好幾位立委告訴我，幾個場合公開講，實在沒有能力，沒有抱負，沒有研究的人總會去當委員。或者在上級黨部方面，正要拔那種沒有能力，沒有研究，及沒有抱負的人去當委員。然後他們可以率命唯謹，樂於奔走驅策。所以黨部委員的人選不得當，而黨員大會失其作用。黨部的領導亦失其作用。從各委員會召集委員的人選不得當，而委員會的精神從無法振起。據深知立法院情形者所說，今天立法院中當黨部委員當各委員會召集人的人，至少是大家不重視而且是輕視的人。立法院所以陷入無中心，無領導，也是極自然的。

消沈極度的表現

立法院的院長，依議會的習慣，應當是超然的，也不願負什麼領導責任的。可是我們的立法院，而且是正在建立制度的立法院。立法院院長對內對外地位崇高，立法院院長在超然以外，應有幫助樹立制度的責任。即以政黨關係論，現在立法院院長，同時是國民黨中央委員會的常務委員。國民黨對立法院的領導，如此成績，立法院院長那能沒有責任？今天實施憲政，如開國紀念日，如國慶日等重大慶典，立法委員監察委員均不得參加，而立監兩院院長昂然坐於典禮台上，年來併此體制與禮節亦不爭，而立監兩院院長，逢年逢節，高坐堂皇，我行我素，並這一點體制也不替立監委員一爭。這不是立監委員的自慚形穢，而是大家消沉的極度表現！立監兩院院長並這點責任不自知檢討，還談什麼領導。院長做官，召集人稱號自娛。多數委員便坐觀消沉到死亡。所以即如孟先生文中所說，立院國防委員「一逃了事」。其天良未昧，不猶愈於這一輩人乎？

議會政治不能脫離政黨。我們今天國家的歷史環境要想立刻把英美議會那一套，搬到中國來實行，當然不免書生之見。因爲在英美國家，政黨不能領導議會黨部。議會黨部實在是政黨在政策上的領導機構。英美國家政黨的全國委員會，它們僅僅辦理選舉或組織一類的事。這種制度要立刻搬到中國來實行，我們不敢貿然贊成。我們今天看了立法院，便是在現行制度下面，至少應當實事求是去做。譬如黨要領導議會，黨便要切實負起責任來，至少在人的方面，須要使負領導責任的人，不使多數黨員輕視。在事的方面，至少要採取討論的方式，由討論而後得出決定來，然後可以拿出紀律，讓黨員服從。成爲議會的慣例，各委員會的主席都是政黨指定的。若無此，我們的黨，那便不能辦得甚麼。立法院各種問題關係甚多，談起領導問題，黨與議會問題是最重要的一個。今天要謀立法院的改革，先應求這一個問題的圓滿解決。

國際和國內的矛盾

這篇文章是楊懋春先生最近遠從美國哈德福大學航空寄來的。楊先生以前曾任山東齊魯大學教職，大陸淪陷後，逃難來港，居留兩年，四十年秋，應邀赴美國講學，先到斯丹福大學講中國社會學，現在哈德福大學任客座教授。——編者。

非共國家——反美運動的原因

·楊懋春·

今日全世界都注意美國人。今日的美國人是天之驕子，許多人都歆羨他們。但同時他們也是衆矢之的，實難唾罵之聲天天向他們發出。不但共產黨人，對他們詛罵，咒詛；恨他們要死。許多自由國家人士，號稱是他們的盟友或同宗兄弟，也對他們不滿。說他們粗野，紈袴，驕縱，紙迷金醉，心胸狹隘，爲甚麼不能與共黨國家和平共處？又有許多人，（包括共產黨人）把美國看成天堂，用盡心計要到美國去，好享受豐衣足食，安全自由的幸福。但同時，幾乎世界每個角落都有反美運動。這些運動有個共同的口號，就是說：美國是個黑暗貪婪，痛苦的國家。自從第二次世界大戰以來，美國拿出無數金錢和不計其量的糧食物資，去幫助救濟那些受戰爭及天災破壞的難民，去補助戰後各國的復興。但他們由此所得到的報答，不是感激，稱贊，和友誼；却是怨懟和咒罵。

這眞是個矛盾費解的現象。這現象使美國人先是驚訝，隨後困惑，終至於憤怒。他們不驚訝共產黨人對他們的誣陷，咒駡，和仇恨。因爲他們已經認淸，凡愛好民主自由的人，和共產黨是不能並立，要永遠互爲死敵的。但他們對於那些既接受了援助，又自稱是盟邦或同宗兄弟，却又有心的或愚笨的附和共產黨咒駡美國的人，感覺十分困惑難過。因此，有好多美國人已經主張不要再作對外援助了。不過他們的國務院或行政當局還不肯改變政策，還想以經濟援助拉住各個非共黨國家，使不至投入共產黨的懷抱，或成爲共產黨的同路人。因此，美國雖天天受這些國家的揶揄曲解，甚至誣衊毀謗，但仍繼續送給他們，或借給他們以大量的金錢。對於這些國家討好共產黨，或和共黨國家通商等行動，也裝做看不見，或加以容忍。這又是美國自己內部一個矛盾。美國這種自私自利，不講道義的非共黨國家就看准了這個矛盾，利用牠去敲詐美國的經濟援助。但有正義感的人，對這種國際間的欺詐，無不表示氣憤。

美國人的調查研究

在近兩三年內，一些注意國際關係的美國人，已經用冷靜客觀的態度去研究非共黨國家反對美國的原因。他們的研究方法，是請留駐海外的第一流新聞記者在各國留心觀察，將觀察所得寫成報告。或派有地位的人士到外國去訪問報聘，藉以測知各國的輿論。也請各國自己的社會名流，公正學者發表意見，寫文章，論述他們各自人民的反美原因。結果，美國和英國最有勢力的報紙雜誌如「生活」，「時代」，「紐約時報雜誌」，「讀者文摘」，「星期六晚郵」，「曼徹斯特保護人報」，「經濟學人」等，常有討論這個題目的文章刊出。「生活」與「時代」出版社對這件事更有研究興趣。在英國，女作家巴卜拉華德（BARBARA WARD）在這個問題上寫的文章最多，都在「紐約時報雜誌」上發表。我把上列各報紙雜誌的這類文章，多數親自讀過。據我的分析，今日非共黨國家人民反美的原因，有左列數項：

各種反美原因

第一、許多人受了共產黨反美宣傳的迷惑，也就跟着反美。共產黨的反美宣傳非常巧妙。他們對於美國的事物和行動極爲曲解虛構。他們又特別熟練於操縱一般人的心理。這樣，就可使很多頭腦簡單，易受影響的人把他們的謊話信以爲眞，也變成了反美的人。

（下轉第二版）

半週展望

·左舜生·

中蘇共最近行動可能得到的反應

最近俄共頭子赫魯曉夫，率領着由布爾加甯，米高揚等多人所組成的代表團，假借慶祝中共「國慶」的名義，在僞都北平，又導演了一幕喜劇。

這一幕喜劇的內容，分別寫成七種文件，已於本月十二日予以公佈：一、中蘇聯合宣言，說明中蘇共對當前國際形勢的看法，完全一致。二、中蘇對日本關係的聯合宣言，表示硬拖日本。三、表示蘇聯退出旅順的聯合公報。四、表示中蘇合營的四個股份公司將蘇股移交中共的聯合公報。五、簽訂中蘇科學技術合作協定的聯合公報。六、修建蘭州——烏魯木齊——阿拉木圖鐵道並組織聯運的聯合公報。七、中蘇蒙修建從集甯到烏蘭巴托的鐵道並組織聯運的聯合公報。

公佈的是這些東西，沒有公佈的是什麼，當然我們無從知道。中共和俄共不僅是一家，而且是一體，老子把東西交給兒子，左手把東西交給右手，這與別人什麼相干，公佈不公佈更有什麼關係？

「將欲廢之，必固興之；將欲取之，必固與之。」

「君子惡夫捨曰欲之，又從而爲之辭！」

中國兩千年前的聖人，早已看穿了這一類的把戲；再加上自從加拉罕在三十年前兩度發表對華宣言以來，中國人對於蘇聯陰謀的了解，已積有最豐富的經驗，現在赫魯曉夫又來耍這麼一套，假所謂班門弄斧，當然惟有一笑置之，決不會動搖中國人反共抗俄信念的毫末。

日本人是不是會上當呢？日本所吃蘇聯的苦頭已不算少，尤其以斯達林和松岡洋右所表演的一幕，對日本人所留下的印象最深；加以這九年以來美國對幫助日本復興工作的努力，更爲一不容否認的事實；蘇聯想以這樣一紙空文，誘惑日本丟掉這樣一個可靠的朋友，而去和流氓打交道，也未免太簡單了。可是日本當前的情形相當複雜：一、建軍尚未完成；二、內部的思想鬥爭與政治鬥爭均十分微妙；三、經濟斷然要找出路，如果得不到美英的切實援助，她可能表現一個另打主意的姿態。因此，日本儘管對蘇聯的不懷好意洞若觀火，却難免不有一部分人主張「將計就計」，與中蘇虛與委蛇，得到一些輕微的好處，同時還可把緊張的局勢緩和，時間拉長，促成美國的對日援助的運用，而把大戰爆發的時間再拖延下去，也確於日本有利。

英國呢？她固然把防共的重點擺在歐洲，但她對遠東也決不會冷淡，即以港督葛量洪最近在美國的種種說法，英國人無意於放棄遠東的心理，已昭然若揭。只要等到歐洲的佈置更趨穩定，我相信英國在遠東的行動必將更加積極，而且英美對遠東問題的歧見，還可希望減少而漸趨一致。這次吉田的訪英，他必可得到邱相的鼓勵，等到日本建軍完成，英日重溫舊盟，也並不是一件不可能的事。總之，英國保守黨對蘇聯的處心積慮知道得十分明白，斷然不會被騙，至於艾德禮貝萬之流，不過借遊說中蘇作爲他們再起執政的一份資本，其內心對共產黨原也並無好感。

美國對蘇聯早已不存幻想，希望中蘇共分家的這一想法，也早已不復存在。對赫魯曉夫最近所導演的這一幕，在美國看來，只足證明蘇聯侵略中國的加強，更證明她加強援日，及東南亞聯防的斷不可少。她目前的工作重點是蓄勢待時，如何求得國內輿論的一致，一切民主國家的步調一致，大致戰爭的無可避免，她已逐漸明白，如何縮短戰爭的時間，減少戰爭的犧牲，却依然是她一個最低限度的要求。因爲如此，她只能實現在一套整個的計劃中由她主動，而不願牽入一個局部的問題使她陷於被動。把美國的這一態度誤解爲沒有決心，或解釋爲她對蘇共中共有如何的畏懼，都是不合事實的。

總而言之，赫魯曉夫這一幕把戲，對幾個主要國家決不會發生其他的作用，惟有加強他們反共抗俄的決心而已。

意大利的最近政潮

介紹執政黨新領袖范樊尼

·右史·

九月廿五日羅馬電訊：「意大利總理薛爾巴今日擊退了共黨向他發動的龐大攻擊；共黨係以蒙德斯桃色命案爲攻擊薛爾巴之工具。」「意大利參議院已以信任薛氏之多數票，在一次信任投票中，支持薛氏之中間黨派政府。」所謂蒙德斯桃色命案，那還是去年四月間發生的事。據時代週刊本年二月中的記載：該案係意大利共特蒙太格那一手造成，其間經過異常複雜離奇，牽涉甚廣。因此本案拖延了好久，最後由代總理范樊尼（AMINTORE FANFANI）下令查究，並由特務機關對蒙太格那進行調查。

共特蒙太格的身世

蒙太格那原是窮人之子，從小不務正業，行使假支票，偽造身份證，爲非作歹多端，卻沒有坐過一天牢。到了一九四〇年，他已以千萬富翁的生活方式，安居羅馬。莫沙里尼執政時期，他有一所房子，「經常邀些名譽不大靠得住的女人，顯然藉以滿足許多達官貴宦的淫慾。」在德國佔領期間，他成爲納粹顯要的佳賓。等到解放時，他又靦顏轉事英美。據『CARABINIERI』的報告，他操縱過黑市，當做納粹的特務，且是意大利SOVRA（法西斯特務機構）的聲名狼藉的爪牙。如此關緯的一位人物，他所申報納稅的收入不過一千元一年，比每一個月付給情婦的纏頭費略多一點而已。根據調查報告，基督教民主黨（意大利執政黨）副主席斯巴他羅之子，也是蒙太格那做生意的夥伴。該報告並證實比瓊尼之子是蒙太格那的密友，還有梵蒂岡的醫生，以及別的教廷和政府要員。

共產黨的陰謀

於是蒙德斯命案轉變而成薛爾巴總理的問題了。在他獲得議會通過信任案的第二天，薛爾巴連夜召見巴封警察總監，嚴厲地告訴巴封，說是意大利政府，並非共產黨，預備把蒙德斯案件的眞相全部公開出來，不管所牽涉的有些什麼人。談話之後，巴封就辭了職。外長比瓊尼，也向總理提出了辭呈；但他的辭職，是最近在議會爲了本案而開始辯論之前，才獲批准的。

看了以上所述，對於九月廿五日羅馬電訊所傳政潮消息，何以一個女子蒙德斯之死會扯到現政府身上，當可略明其間經過了。

上面曾提到范樊尼的大名。此公在薛爾巴上台之前，曾受命組閣，但祇在任十三天，而以二六〇對三〇三票之比，未獲議會多數通過。意大利執政的基督教民主黨，其年高的秘書長格斯卑里業已作古，現任總理薛爾巴似尚無領袖羣倫的資望，黨內的新星應推四十六歲的范樊尼，其全名爲AMINTORE FANFANI。范氏曾任經濟學教授，歷充勞動、農業、內政部長，對於政府內情，瞭若指掌。他在黨內領導中間偏左的一派，稱爲「民主前驅」。雖然總理職位沒有坐得牢，但在黨中央及地方組織中實力卻大有增加，尤其是在北部工業區。

新領袖范樊尼的主張

范樊尼的政綱是「基督教義的戰鬥化」—從事改革的鬥爭，特別是土地改革，藉此以打消共黨。他這政綱，對於青年黨員大有感召力量。青年黨員他們要求有事實的表現，具體的數字成績，而不是空洞的說教。他說：「我們必須把我們的黨轉變過來，使其工作合於時代。」意大利的一千一百五十萬戶人家中，據格斯卑里說，有一百三十七萬五千戶可以稱爲「赤貧」，一百三十四萬五千戶過的困苦生活，祇有一百二十七萬四千戶的生活夠標準。此老的結論是：「我們所謂社會正義，是要提高比較窮苦的階級的生活標準，使各階級的生活程度差別減少，而且，尤其主要的，是消滅赤貧階級。」

從票數，可以看出范樊尼實力的增長。黨的全國委員會裏面十八位新當選的地區代表中有十七票，四十二位一般代表中有二十四票，是范樊尼「民主前驅」派的支持者。新興勢力的崛起，可能使元老派大吃一驚，如果范樊尼野心勃勃，甚至可引起黨內的分歧。但他並不如此。他在薛爾巴內閣中且未要求分佔一席，對薛爾巴政府並無不滿表示，談的祇是黨的和諧與黨的利益。雖是如此說，范樊尼無疑地已成爲基督教民主黨中最重要人物，浸將成爲黨的唯一領袖。（取材美國時代週刊）

赤色大陸印象記

（五）

·守義譯·

然而事實不然，因爲國際共產主義目的在斷絕亞洲國家的自由，利用在中國的虛偽宣傳，煽動一般飢寒的人民，使之起而爲亂。

如當印度總選舉時，我就看到中共的宣傳，對於印度選民的影響。許多與我一同前往考察中國的人們，他們都是共產黨的同路人，會竭力稱讚其所見。因了中印兩國傳統的友誼，所以這種宣傳，頗發生一種影響。多數印度文化代表團的人們，爲了禮貌都表示沉默。結果使那些中國怎樣進步的宣傳，普及於亞洲的人心，他們這樣遂被和平，自由，進步的名義所利用，而於不知不覺之中，接受全體主義的獨裁，與其所求的目的，正相反背。

我在中國的所見聞，自然只是一種皮毛。我的觀察也許並不正確。但我所見雖少，卻可有助於人民生活的改善，不然，將有害於我們的自由與民主。隨着甘地，我學到了正義的重要，但卻並不爲其哲理所迷惑。我知道要受飢的人民，等待正當的方法，緣去取得需要，那是愚蠢的事情。但由我在中國所見，不正當的手段縱能得到成功，到底只是一時的，因爲在這手段當中，含有破壞的種子，可以使其所求的目的，終於毀滅。

人民已成無感情動物

我到中國，便是去看在毛澤東的新民主專政下，中國人民究竟是否有了民主與自由。我看到這個政府，正在從事階級鬥爭，以謀消滅其在共同綱領中的所謂「朋友」。我想知道在共產主義下，進步究竟有多少可能。我知道共產主義是一種信仰，只知其自己主張與眞理，而把其他一切，統統爲異端，信仰的根據是神祕，同樣共產主義也以經濟，文化及科學進步的神秘爲根源。然而人類的進步，只有在其心中的思想，可以自由發問，大膽的對一切發生懷疑時始能達到。

我在中國看到因爲缺乏技術人材，工業爲之停頓。中國的技術人材本來不多，卻去受洗腦教育及土改討劃，使農民感到清算，農業生產已恢復平時狀態。但是給共黨利用爲加強其獨裁統治之用。

古代的先哲莊子曾有一段對話，指出今日的狀態：「惠子謂莊子曰，人故無情乎？莊子曰，然。惠子曰，人而無情，何以謂之人？莊子曰，道與之貌，天與之形，惡得不謂之人？惠子曰，既謂之人，惡得無情？莊子曰，是非吾所謂情也。吾所謂無情者，言人之不以好惡內傷其身，常因自然而不益生也。惠子曰，不益生，何以有其身」？

我看到許多人都懷抱一種新希望，但只是頃刻間事。他們又給羅網纏住了，民族的一切美德，如人道、謙和、寬容、愛智識等，均遭受了破壞，五億的中國人已成爲無感情的存在，低頭於獨裁統治之下。他們不得已出賣其人格。（完）

非共國家：反美運動的原因

楊懋春

（上接第一版）第二、許多非共黨國家的人對於美國的強盛富庶發生嫉妬。據華德女士及數位別的英國人說，這是英國人反美的最大原因。英國人爲世界之首強近百年，海上的霸權向來操在他們手中。在他們的國土上沒有日落。今日卻眼見自己的帝國日趨衰微。而年輕的美國起來奪了海權，空權，和經濟王位。美國人的物質享受又那麼豐盛闊氣。而自己的生活則只能一週吃一個雞蛋，到了嚴多，房內還沒有煖氣。（這是戰爭期間和戰後數年的情形。近來英國的生活已大見改良了）。相比之下，嫉妬之心由此而發生。嫉妬到了極處，就變成恨惡。

反共政策不一致

第三個原因是美國堅決反共，並要求一切非共黨國家，尤其是和他們稱盟邦，稱同宗的國家，要他們一同反共。但有些非共黨國家很不喜歡美國這個政策。這些國家只求共產黨不奪取他們自己的政權，不侵略他們自己的國土和屬地就夠了。對於別國受共黨的威脅和侵略就主張不干涉，主張姑息妥協。對已經被共黨侵略去的國家或土地，主張容忍承認。對於共產黨的要求，只要不涉及自己的眼前利益，就主張默許或助其達到志願。他們的目的是討好共黨，夢想自己的安全。美國要求他們作積極的，世界性的反共時，他們就很不贊成，怕危及他們的安全。若向他們提及以此爲接受美國援助的條件，他們立刻會惱羞成怒，以爲侵犯了他們的獨立尊嚴。他們很怕美國的積極反共政策會促成大戰，使他們受到原子彈和氫氣彈的毀滅。他們主張目前委曲求全，將來即使淪爲共產黨的奴隸，也比受原子彈的毀滅好。因此，他們常要牽引着美國和他們一同去姑息共黨的侵略行爲。他們的如意算盤是美國給他們經濟及軍事援助，好使他們的戰後經濟得以恢復，使他們自己的國土和屬地不受侵略；同時也不要反對他們和共黨通商來往。美國若不附和他們這個政策，他們就不愉快，就要說美國反對，就要說美國是好戰的，是有野心的。

英國人爲甚麼反美

華德女士最近在紐約時報雜誌上發表了一篇文章，題目是「英國人眞不喜歡美國人嗎？」她特別提到美國國會議員麥加錫是促成英國人反美的一個大原因。美國主張對共產黨強硬，不惜以大戰制止共黨的侵略，也是使英國人不喜歡的。她的結論是，美國如能放棄其鮮明的，積極的反共政策，不努力於反共的戰爭準備，接受與共黨和平共處的原則，並取締麥加錫一派人的言論主張，英國人就會停止其反美運動。華德女士的觀察就是目前邱吉爾，艾登們的意見。也是法國孟德法郎士黨及印度尼赫魯黨的意見。但這個觀察眞能滿足英國人的意願嗎？很成問題。因爲照艾德禮，貝萬和他們所代表的工黨的意見，美國須由歐洲，遠東，及世界各處完全撤退；停止其對各國的反共援助；取消西歐和東南亞的共同防共組織；不准西德獨立和武裝；把台灣送給中共，並請中共進入聯合國；越南與韓國均應讓出共黨完成統一；不許日本建軍，卻要促其與中共通商。此外，更要避免任何可以煽動共產黨發脾氣的言論與行動。美國若在任何一點上不同意，或加以阻撓，他們就要繼續其反美運動。

華德女士的言論在一部分美國社會中很有影響。所以她常用「同宗」，「同文」，「英美永遠不會爲敵」等詞句寫些富有手足情的文章給美國人讀。但骨子裏總是爲英國人辯護，說英國人暗示美國人太年輕氣盛，容易闖亂子。應當多跟老叔叔學習的英國老成深算。不過她這次的勸告既與美國的基本政策不合，也不能滿足她工黨同胞們的投降主義。

軍人行動和政策動搖

第四個反美的原因是，美國的軍人在海外生活豪奢，喜遊樂。各地的女人爲美金及美國物品所吸引，就不顧本國的風俗與禮教，顯意跟他們玩。於是老輩人憎惡美國人破壞了他們的社會道德；青年人就嫉妬美國人奪去他們的婦女。在英國因此而起的主客衝突最甚。第五是，美國的商人及修養不深的人，到外國遊歷時，常一方面揮金如土，誇示豪富。又對本地人的貧困和老習慣表示可憐，厭惡，或輕蔑。這種情形最易使自以爲文化老而高的本地人氣惱。

末後還有一個原因是，美國的外交政策常舉棋不定。一時極有正義感，對於共黨國家的侵略行爲和「中立」國家的姑息政策表示決不容忍，定要抗拒阻止。雖因此而進入戰爭，亦所不惜。這種聲明或行動使受共黨威脅的人和誓死反共的人很覺興奮而有希望。並決心準備犧牲，與美國並肩作戰。但不數月，美國的行政當局又會因某些盟邦的牽掣，或某派勢力的阻礙，逐漸軟化下來，改變政策，對於共黨的侵略果實，噤口氣默認下來。這樣就使那些正在興奮而抱希望的反共人士感覺如澆涼水，非常懊喪。一次或兩次，還能原諒。次數多了，就要有氣憤憎惡之感。

我們的公平看法

平心而論，美國人受非共黨國家人民之反對和攻擊。他們自己也要負一部分責任。他們的有識之士已經忠實的承認了。已經有好多人寫文章或演講，勸告他自己人到外國旅行或公幹時，要謹愼言行，對本地人要持謙和諒解態度。不可在別人面前豪奢誇富。對於他們的外交政策，也一再要求行政當局及國會代表改變以往錯誤，要嚴正一致。美國人不是完人，當然有其缺點。不過以上所提那些對他們攻擊的理由，多數是站不住的。有些只具一部分事實。我們可以說，大多數的批評和攻擊都是誣陷，羅織，曲解，和誤會。而最主要的還是因爲美國要作積極的，世界性的反共，而其他非共黨國家（自由中國及南韓在外）就要容共，對共黨妥協姑息。共產黨的反美宣傳可說是百分之百的造謠誣陷。非共黨國家的人若根據共產黨的宣傳而攻擊美國，當然是很不公允的。

至於因妬忌美國的富強而揑造理由以反對他們，也是小人的行爲。只顯示自己的心胸狹隘。美國人絕非「爲富不仁」者。他們對世界各國的救濟與援助，凡有良心的人不能不承認其旣慷慨，又純潔。所謂純潔，即沒有經濟的或政治的陰謀在其中。

麥加錫的錯誤何在

那些因美國反共而對之不滿的人，更是愚笨的可憐。他們自己面臨深淵而不覺悟，別人好意提醒，並伸援助之手，反受他們的怨怒。他們豈不知，若非美國出兵，出錢，並表示堅決的意志，要在歐洲反抗打擊任何共黨進一步的侵略行動，今日西歐的各非共黨國家，恐早已喪失其獨立，成爲蘇聯的附庸了。（下轉第三版）

天下小事

越南保大王位將不保

對於現任的越南元首保大，法國和美國一直認爲是一個沉重的負担，這位有「玩童」之稱的元首，成年廝守在法國南部的避暑盛地麗維拉，遙遙指揮越南的軍政大事，不僅一般老百姓對他深爲不滿，許多軍政大員也多有莫知適從之感，最近越南的政治風波（吳廷琰與阮文興之爭），保大即不能辭卸責任。因此，法國很久就有更換保大的主意，與美國商量後，後者也有同感，而認爲保大不去，僅餘的南越也將不保，經過幾度密商後，據說兩國已獲致初步協議，決定廢黜保大。至於由誰出任元首？法國已提出保大的堂兄弟布河（BUU HOI）親王爲繼任人，美國尚未遽表同意，因爲華盛頓需要對布河的思想與爲人，作進一步的詳細考慮。

南越前途可虞

熟悉越南大局的觀察家認爲，甚至在一九五六年夏季，依照越南和約舉行全國選舉以前，南越即可能喪失於共黨手中。雖然當局一再公開表示對扼守南越深具信心，但駐在西貢的美國官員，於私人談話中仍承認此點，現在越共不斷大量滲入南越活動，而越南政府却完全無力應付。（孟衡）

編者　讀者

古晉雙十國慶

編輯先生：「自由人」已陸續收到，海外捧讀，如與故人覿面，欣慰何如？此間友人轉相傳閱，咸加贊美，認爲比較在港閱讀，更加親切有味。……弟到此所得資料不少，其中不乏新奇有趣者，例如土人之生活狀況，及其婚姻習尚，最可異者，招待嘉賓，必選最美之少女陪宿侍寢……

此間華僑以閩幫、潮幫、客幫、廣幫爲最大，……

今日國慶，上午弟曾去參加慶祝大會，今年熱鬧情形，十倍往年，炮仗燒了十萬響，青年們興奮異常，吾人寄身海外，自不免有許多感慨，港九今年慶祝情形，想又是另一番氣象矣！

讀者淵明雙十節日

△劉靄如、王耕、幼誠、范子、宏楠、述文、階先生：惠稿均已收到。謝謝！

韓國戰場的人海戰悲痛回憶

王建國

我是參加過韓戰的一個戰鬥員；也就是中共所謂的「中國人民志願軍」。一九五一年三月二十三日的下午，我隨着中共十二軍三十五師的「壯大」行列，高唱着：「雄赳赳，氣昂昂，跨過鴨綠江……」，經過了五次戰役的第一第二階段，至五月二十三日全軍崩潰爲止，這支「抗美援朝、保家衛國」的人民隊伍，三分之二以上已做了無言的凱旋！中共却誇耀說：雖然付出了一定的代價，可是，這次基本上完成了革命的勝利任務。韓戰場上人民的血跡未乾，現在中共却叫囂着以韓戰的勝利來解放台灣了。我是僥倖從人海戰術裏漏網之魚，且讓我追述我身歷目覩的「韓戰的勝利」。

把美帝趕下海去

渡江前夕：團政委照例來一次「政治動員」，以「輕美」「蔑美」「仇美」的教條；以僞顯「美帝」一通，藉以解除大家恐美和親美的心理，用誇耀自己力量的強大，來蒙蔽欺騙；以「致勵」勝利的信心。結尾是：要大家拿出「實際行動」來響應「上級」的號召，最後政委狂叫着：「毛主席號召我們，壯大的革命力量，今天要伸出兩個拳頭，一是解放越南、一是把美帝趕下海去」。

聽過這次動員以後：部隊中的積極份子和黨團員同志，照例的「帶頭響應號召」，「挑戰」「應戰」，寫「決心書」寫「立功計劃」，個人對個人，團體對團體，這一番鼓動熱潮掀過之後，表面上部隊頓時顯得十分活躍。不過，由於幹部同志的大量逃亡，和過江後的紛紛掉隊，並掩飾了「恐美」心理的嚴重和士氣的消沉，祗有那些被迫參軍的新同志，糊裏糊塗的拿上俄式武器，在「壯大」的行列和嘹亮的歌聲中，一步一步的走近了死亡，兩個月的苦戰，不但沒有完成趕美帝下海的任務，反而把新增加的生力兵團——三兵團和十九兵團，以及補充過三次新兵以上的十三兵團和九兵團，打的落花流水，不是又增加了兩個新的生力兵團，恐怕還結束不了這場殘局。克姆林宮企圖解放南韓和北窺日本的迷夢，亦就此幻滅。

飢兵刼掠要保

中共所發動的第五次攻勢，中綫主力是三兵團，另外有九兵團和十三兵團的二個軍，從「一九五一年四月十九日晚上進入戰鬥，至三十日止，算第一階段，在這一勝利的戰鬥減員（作戰傷亡）中，後方部隊比較少，第一綫部隊是三分之一，聯軍以高度機動的有計劃的退却，使晝伏夜出的徒步志願軍疲於奔命，補給綫的延長和交通工具的缺乏，再加聯軍飛機日夜不停的轟炸，前方不但缺乏彈藥，戰士們連生了霧的炒麵也吃不上，也許是上帝的按排，聯軍遺棄的麵飽渣滓和半筒半筒發了酵的罐頭，不知解救了多少戰士的饑餓，爲了撿聯軍扔掉的煙頭，很多人碰上地雷，在極度疲憊與饑餓下，人們常常忘記了危險。

不動一針一綫的志願軍，現在已經把韓國要保（老鄉的意思）埋在地下的糧食挖光吃淨，一位東北籍的管理員告訴我說：「找糧的妙訣，必須向舖着一層厚灰的鐵堆下去挖」，說起挖糧來；更是悲劇中的悲劇，飽經戰禍的韓國人民，僅剩下一點糊口的糧食，也免不了志願軍的洗刼，每當挖糧的志願軍背着糧食勝利而歸時，跟着在後面的老弱婦孺悽慘的大哭大叫，他們嘴裏咕嚕的什麼話聽不懂，意思是請求給他們留下一點，中共辦事一向是手毒心黑的，那裏還管得了那些，等到搶糧的走遠了，那些哭天不靈的韓國「要保」，還在指手劃腳的叫着「別機嗒嫂」，意思是說飛機來呀！炸死這瘟傷天害理的強盜。

加里山上屍積如坵

經過十天的喘息，五月十日開始了第二階段的攻勢，這次上級部署是：「以一個團吃掉聯軍一個營，一個營吃掉聯軍一連……」照理講以這樣優勢的兵力，應該是攻無不克的。當十二軍渡過北漢江和昭陽江後，企圖突破加里山直下橫川，可是五月十九日的一夜激戰，任尖刀部隊的把人命當泥土一樣的塗上了加里山，僅此一宵，這支部隊已全部垮台，加里山上下十六里，死人成堆，蘇俄的新槍新砲丟的滿地都是，僅中共的三十五師，就陣亡了一個副師長和五個團級幹部，生命不值錢的戰士同志，死亡就更難以數計。

二十一日在聯軍有計劃的反攻下，參加五次戰役的六十萬志願軍，已全部崩潰，如果聯軍敢于大膽的追擊，平壤以南的志願軍勢將全部被殲，最慘的一幕，要算北漢江上的搶渡，大家爭着渡江逃命，顧不了聯軍的炮火封鎖，新裝備的俄式高射砲，十五榴，汽車、馬車，……堆滿了漢江南岸的渡口，解放了的騾馬跑的遍山都是，三一五一聯的潰兵，狼狽北竄，渡江時有的被水沖的順流而下，有的擠撑被飛機炸死，在傷患撤不走的情況下，上級稱命「補一槍」代替了搬運，飛機的馬達聲，喊話聲，砲彈的爆炸聲、哭聲、叫喊聲、求救聲、呻吟聲，你不會辨清這是人間是鬼的世界。

失敗爲什麼也叫勝利

毛澤東說：「沒有立場，就辨不清眞理」，中共所叫囂韓戰勝利的理由：十分顯明，甘心認賊作父的毛澤東，站在克里姆林宮的立場上，看數百萬黃帝子孫的死亡，却有雙重勝利的意義；一是利用中國人口消耗美帝物資，一是利用美帝物資消滅中國的廣大人口，今天中共叫囂着以韓戰的勝利解放台灣，其實克姆林宮明知道台灣不容他染指，但消耗個百十萬中國人，這自然又是一個基本上的勝利。

非共國家：反美運動的原因

楊繼春

（上接第二版）對於美國的這種使反共行爲，共產黨不勝是不能接受的人也顯受其共黨侵略的人加反對，就十分贊成這些所謂非共國家的「飛蛾投火」行爲是出於自願，非于別人的事，那麼，他們應擾心。

當事者自己，不伸手向別人求援，或別人送援助來時，却而不受。但事實上，他們不斷的要求美國的金錢，物資，及軍事援助；或美國給他們援助時，就安然受之，還要說些反共的話，以爲敷衍。但轉眼間又拿美國的援助作本錢，去和共黨國家通商賺取血腥的利益。於不如意時，就用共產黨的言語去咒罵美國和美國人。並採取親共的手段以作威脅。麥加錫在英法兩國最受反對的原因是，他毫不留情的揭發這些國家的不義行爲——不顧美國人在韓戰中的流血死亡，繼續和共黨國家通商。他竭力主張美國停止對這些國家的援助。至於說麥加錫的調查美國共黨工作有害於民主自由，那是共產黨和他們同路人的口頭禪。美國國會最近檢舉麥加錫祗斷定他有兩種錯誤：一爲對國會同僚及一個委員會的傲慢無禮；一爲對一位被請作證的高級軍官無理由的加以蠻橫侮辱。但在檢舉文中並未提到麥加錫威脅美國人民的民主自由。（十月四日，一九五四。時代雜誌）事實上麥加錫的調查工作，只使那些隱藏在各級學校，文化機關，教會團體，及政府機關中的共黨分子，同路人，及同情共產主義的人感覺恐慌，有失業坐牢的危險。沒有這些嫌疑的人，又何所懼呢？

國際往來無信義

何以會有像上述那種國際間背理棄義的事？全是因爲那些自覺聰明透頂的「大政治家」，相信並公開聲明，「宗教倫理標準，（亦即道德標準）不能使用於國際政治上。」（尼赫魯語）反轉來說，他們以爲國際間的來往，只好以權詐利便行之。美國人送金錢物資來，當然要接受。不送來時，也要設法威脅要求。但反美親共是目前最時髦的舉動，若能藉此以抬高自己的身價，換取共產黨的嘉許臨幸，就毫不遲疑的大呼共產黨的反美口號。也有人以此爲國內政權鬥爭的本錢！

美國軍人在外國，誠有使當地風化墮落的罪嫌。但那一國的軍人於戰爭期間駐於外國的能避免此種罪嫌？事實上，美國軍人並無強姦，搶掠，隨意殺人等罪惡。（除極少例外）。日本軍人和蘇俄軍人在中國之罪行，共產黨軍人在南韓之殘暴，希特拉的德軍在戰敗的法國之罪行，以及第一次大戰後法國軍隊在亞爾撒斯羅林兩地戰敗的德國人中之罪行，才是不可原諒的罪惡。但中國於戰後對日本還是很寬大，並未拿這件事爲理由而宣傳反日。美國軍人手頭闊綽高興揮霍其金錢以圖歡樂。當地的婦女因敵不過金錢物質的引誘，而喪失其婦德，或與美國軍人結婚，這是事實。即是這是一些可指責的罪嫌，但也不應因這些個人的行動，而把美國對盟邦所作各種大規模的，有關國家民族復興生存的援助一律勾消，再罵他們是帝國主義者，是好戰者，是黑暗的資本主義者。

政策何以動搖不定

美國的反共政策有時硬軟不一致，確使其他熱心反共的人沮喪憤怒。但我們必須認清並確信，美國的積極反共政策是不動搖的。這是因爲他們的立國精神，歷史背景，宗教信仰，及人民的生活方式都和共產主義及共產黨不能並立。共產黨看透了美國及美國所代表的一切都是他們的死敵，非把美國毀滅，不能使全世界都成赤化，他們也不能安枕而眠。美國人也看清楚，他們的致命威脅是共產黨。共產黨存在一天，他們不能不準備國防，準備決定性的戰爭。但美國現在的行政當局及一部分民衆還不願意立時有主動的戰爭。如共產黨有心作戰，他們是不會退縮閃避的。如共產黨作再一步的侵略，大約美國也不會再容忍了。不過這種等待和被動的政策，就給了那些容共和親共國家一個可乘的機會。每遇國際局勢緊張時，「慕尼黑派」的政治家就快去華盛頓，抓住美國的遲疑，若求不要動火，大戰必須避免，再容忍共產黨一次吧。最近越南情形的演變即是一個例子。所以我們雖然可以對美國的遲疑政策不滿意，但使美國陷於遲疑的，仍是那些主張容共和親共的國家。

美國處境的困惱

美國現在的處境也很苦惱。從一方面看，她的已有的及潛在的實力，加上她的忠實反共朋友的力量，如自由中國及南韓，很可能把世界共產黨擊敗或消滅。但在心理上她需要英法及西歐各國的合作。可是這些國家現在總不和她採同一的行動。但又牽住她，不肯放手，是假她的盟邦。事實上，這些所謂盟邦者，有時變成她的累贅。她對這些不能擺脫，也不願意擺脫的盟國的反對，美國又不便對自由中國及南韓等誓死反共的國家作積極的及充分的援助，只能以點滴及半公開的方式行之。這些情形，使美國進退都不能順利無阻。反之，國際共產黨却是一致的。他們無論是蠶食或鯨吞，都是一齊動作，沒有參差。美國很憂慮世界共產黨的勢力在突飛猛進，而非共黨國家的實力可能因不團結而被削弱。如果眞有那一天，不但現在容共親共的國家要被捲入鐵幕之內，美國自己的安全也要受到嚴重威脅。

美國人能永遠作「寃大頭」嗎？決不會的。雖然他們的國務院還是主張對盟邦忍耐，繼續給他們援助，但民間團體和若干國會領袖已經不能再忍了。他們已經發出率直的聲明，凡想接受美國援助的，必須以美國爲友，和美國站在同一陣綫上。其不願站在同一陣綫上，且時作反美宣傳者，即不能得到援助。可怪的是，那些所謂盟邦者聽到這種聲明之後，不特不自檢點，反說美國在威脅他們，或干涉他們的內政。

美國能否因盟邦之無理背義而返回他們以往的孤立政策？百分之九十九是不會的，雖然有人主張以全力確保美洲的安全就夠了。大多數的美國人已經覺悟，在今日的世界上，沒有一個國家能夠孤立而無危險。照趨勢看，美國的政策是逐漸積極的援助那些決心抗共的國家，使他們逐漸完成自衛和進攻的實力。對於那些不冷也不熱的盟邦，則仍維持其已有的關係，聽其自然。在這些國家內，除非內部的共產黨或極左分子有機會主政，當不會太顯著的走向共產黨那方面去。他們爲保持自己的那張皮，到了時候也是要反共的。要反共，就不能不走向美國這方面來。所以共產黨的夢想孤立美國，也不會實現。

未來美國的援助，要說是非共黨國家，只有兩個目的：一是補助那些國家恢復其受戰爭或天災破壞的經濟，使其人民快走上安定繁榮的路途，或至少不再呻吟於飢寒困阨之中。再一個是培養各國的反共力量；第一步，使能自衛；第二步，使能連合起來作積極的反共。在美國人的心目中，所謂反共就是反極權、反侵略、反奴役、反殘暴。從積極方面說，就是要繼續栽培民主、自由、民族獨立，國際和平相處。如果不反共，這一切遲早都會被共黨毀滅。所以只有能自愛而又決心反共的國家才應該接受美國的援助。若有人想拿美國的錢作自私自利的事，對於共黨取諂媚妥協的態度，或在自己國家內建立一種反民主的極權政治，都是不合道義的政治騙局。騙局遲早會被拆穿。那時就要自食其果了。（民國四十三年九月寄於海外寄廬）

巴士電車應求安全　優待學生無損利益

近年來電車、巴士行車的「安全」措施，公司方面儘管一再改善，意外事件不但並未減少，且有增加，甚至發生了若干過去所未見的事情。這是技術問題，公司方面對技術問題似乎甚少注意徹底改善。輿論界雖一再指責，却始終未予有司改善。如巴士行車打鈴開車，就不免九龍巴士，搭客上車還比較上可以充分照顧，但香港巴士就不大設照顧員，須由售票員兼理，因此售票員有時忙於售票，對搭客上車與下車之時，不免忽視，例如：（一）搭客下車之時，站上尚無人上車，下車者剛未着地，售票員已經打鈴開車了，遇到這種事件，很多搭客均因此感到不便，或感受損害，不願向公司交涉。而且那令配得時間，等到他定神要看巴士號碼時，車子早已開走；（二）在乘客擁擠的時候，售票員有時竟然以蠻力把上車的人推下，雖然按照港律，巴士載客不能超額，但用蠻力推客下車，仍不合。巴士是維持交通的營業性車輛，搭客是等於買賣交易的顧客，售票員或司員的態度應該有相當禮貌，不能對待顧客有粗魯動作。而且這種情事，在電車上也時有發生。當乘客被推下車之時，有時推倒一人，連帶候車的婦女小孩也遭波及，當時巴士或電車已經「推而去」，却不知路旁其他車輛也「不顧」而來，一旦引起意外，難道是咎由自取？這是一個嚴重問題，公司當局不能熟視無覩，而交通當局似也應該加考慮，研究適當對策。

再說，電車的新穎閘門，其優點祗給予司閘員減少麻煩，但有些乘客因此反而給司閘員帶來了災難。電車閘門對上車乘客引起「鍘腰」之患已發生幾起，這多是因爲司閘員在乘客未曾全部上車先行打鈴開車之故。有時乘客未曾全部下車，司閘員即打鈴，也使下車的乘客腳未着地，另一只腳還在車上便有鍘去可能。倘使老弱婦孺，遇到這種事情，其後果誠不堪設想。

一般市民現在都希望公司當局設法改善，第一、不論是稽查、司機、售票員，凡態度粗暴的都應迅即改變其基本觀念，使他們對待每一乘客能有相當禮貌；第二、應該等乘客上落完後，纔可以打鈴開車，待車子開動，再閉閘門。

至於學生半費乘車證與月季票，其通用時間，似也應考慮放寬，這樣對於就讀夜校學生，既可予便利，而對於公司的利益，也絕無妨害，又何樂而不爲呢？

香港三日

大陸商人的生死門爭

沈秉文

有些商人說：「利用、限制、改造這六個字不光彩，看看惡心，聽聽刺耳！」有的說：「你要利用我，我還要利用你哩。」有的說：「今後對國營公司要用金蟬脫殼，且戰且走的辦法。」又有的說：「只叫政府限制，却不能讓他們改造，利用。」

由於中共要批發商及沒落的（沒落的原因，係已爲「國營公司」所取代）行業轉入「公私合營」性工廠，而轉入的目的即爲吞噬，於是屬於這一類的商人說：「與其轉移，不如拖光！」有的即口裏喊「轉業」，實際在「打埋伏」。有的則轉一半留一半，中共稱他們爲「脚踏兩頭船」，「進可以攻，退可以守」。有的則說「一動不如一靜，反正是完，它到社會主義再說。」（中）

懺悔何益？

馬五先生

在中國以傳教辦學爲業的美國前任駐華大使司徒雷登，最近出版了他所寫那「旅華五十年」（FIFTY YEARS IN CHINA）的回憶錄，對於在大使任內身歷目擊的國共鬥爭情事，敍述頗詳。他特別指摘艾奇遜的對華外交白皮書，將中共竊據大陸的責任完全歸之於中國政府爲不公道；他自己亦頗懺悔當年沒有聽信陳立夫氏關於中共問題的警告意見，以致釀成時代悲劇。全書內容我們尚未閱及，但根據近來中外報章雜誌的零星紀載與評述，足以窺其梗概了。

這位愷悌誠篤的宗教家，本來就沒有鈎心鬥角的政治技術的素養，而偏偏在多事之秋的中國，大胆地嘗試那需要有幾副面孔來譸張爲幻的外交官生活，並且遇着一個妖魔鬼怪式的共產黨，那有不失敗之理？事後又那能不引起痛恨懺悔之情呢！馬歇爾推薦這樣一個慈祥忠厚的宗教家來作外交官，其幼稚顢頇的心情，殆可想見。所以，我對於這位虔誠而善良的老人，祇有同情他，可憐他。最難忘的是美國政治當局那種自以爲是，而强人以必從的天眞思想與作風。到今天，並沒有人像司徒雷登這樣，能對自己在中國所作所爲的失策，表示過一點悔意，而且很可能永遠天眞到底，錯誤到底，非把中華民國澈底摧垮不可哩！

近日爲着自由中國國軍反攻大陸問題，美國的要人如羅柏遜等，又倉皇來到台灣，有所策劃游說了。我希望羅柏遜先生不是當年的馬歇爾，而藍欽大使也非司徒雷登。如果大錯鑄成，將來縱寫一百本回憶錄，椎胸頓足對上帝叩頭懺悔，也是無用的！

哀·金·陵（上）

——一個專門學者的逃亡自述

·仇嶷·

金陵是我的第二故鄉，那裏有我的家和我所經營的××營造廠。自從中共渡江，首都南京，自動放棄，未經戰鬭，便淪陷了。我爲環境所逼，情願拋棄一切，和事業，舉家流亡來香港。曾日月之幾何，又是第五個雙十節了。重話滄桑，大有不堪回首的感慨，將牠錄出，或可供讀者一粲，作爲茶餘飯後的閒話資料耳。

（一）

民國三十七年十二月某日下午首都衛戍司令部召集南京營造廠商談話，陳大慶司令和聯勤總部工程署柳署長要各同業担任首都防禦工事的工程。各同業以義不容辭，將首都郊外工事工程承包下來。我所承包的是紫金山頂和孝陵衛一帶的機槍陣地掩體工事工程。因爲工程重要和限期促迫，不得不親身到工地指揮工人施工。由山麓到山頂的材料運輸和給水工作很困難，若是處置不當，很可能影響到工程的進度和限期。總算克服了一切的困難，在限期前將工程完竣。可是經手工程的副官和我們爲難，他的目的當然是爲了回扣。我們同業對於此事曾公開討論過，雖然都不願意，但是爲了領款的便利和限期的關係，就得不依從他。要知道一個小小副官，敢公開這樣做，一定有他的背景，何況他也向我們公開說：「這不過是例行公事，奉命行事而已」。貪污兩字，我實在不願意將牠加在政府頭上，這回只能說是官僚作風罷。

那時蚌埠明光一帶的戰事雖然很緊張，還未影響到江南來。大家認爲長江天險之外，更有強大的陸空軍守衛江防，中共軍是不能飛渡的。記得民國三十七年春天，鎭江金山寺忽然大火，全寺焚燬殆盡。當時有一個年老的訪客對我說：「金山寺每逢一代興亡交替的時候，必然要招一次回祿，此次又見，恐怕對於中央政府有所不利罷」。因爲我略知易理，就央我占一占國運如何。我很恭敬靜肅的占得一革卦，並且口占一首五言絕句向他求教：「歷代一回祿，興亡亦數中，還愁國運改，刼後八方空。」兩人相對太息而別。

（二）

民國三十八年四月二十二日我因事到市政府，就聽到說，政府施行緊急疏散。那天下午城內和下關車站的一切情形仍和平日一樣，但是天色將近黃昏，下關一帶，尤其車站前，就人山人海的擁擠異常。城北一帶空氣更是緊張。憲隊開拔出城，警察多半離開崗位，治安方面無人負責。於是窮人搶米搶物拆屋放火的暴行，接二連三的傳來，令人更爲驚心。晚飯後又聽見說，中共軍在晨三時入據鎭江，京杭國道交通已斷。這些突如其來的消息和演變，在一天短短的當中；幾乎教人難以置信。整夜聽見光華門外飛機場倉庫爆炸聲，人心惶惶，莫知所措，全都閉門家中坐，等待大禍來臨。半個月前桂永淸將軍曾對我說，若在離京時有所不便，他可以用軍艦帶我到台灣。我因廠事未了，未能隨行。到了最後的一晚，妹丈伯選派人通知我，明晨八時可以搭便車疏散。我爲顧慮廠內員工的生活，不願離京，只有聽命於天。

民國三十八年四月二十四日中共軍入城，亂民搶劫纔停止。總算太平無事。據由城外返入說，二十二晚沒有搭夜車到上海去的人，沒有一個走了。因爲午夜前江陰兵變，切斷交通，將火車政府官員一併擄去。首都市長滕傑在二十二晚那天還沒離開南京，次日晨纔乘小汽車，司機要換要錢發生爭執，槍傷滕傑臂，卻驚動了中共便衣隊，將滕傑擄去，以後就再無他的消息。四月二十五日消息，無錫安慶彭澤繼續放棄。南京臨時治安由南京維持會維持，是馬青苑和吳貽芳。吳貽芳是金陵女子大學的校長。馬青苑，陝西人，以前做過師長和平漢路局長。他們出面維持南京的臨時治安，是市長所請的。中山北路的司法行政部大廈大火，全部建築物焚燬，僅餘刼後聳立的危牆，以前紅的圓屋頂已不再見。

四月二十七日，中央飛機來炸光華門外飛機場和下關車站，黑焰沖天，令人啼笑皆非。

（三）

記得七七事變後，在民國二十六年十二月十一日我最後離開南京下關三叉河的夜裏，雖然在日寇臨城的前夜，還是不慌不忙的退卻。那時我正在指揮工程隊日夜不停的搶修城內的防守工事。首都衛戍司令唐生智下令限我們將工程在十二月底前完成，否則軍法從事。我那時已不希望退卻，預備守城與城共存亡，直到十二月五日纔令內人離京赴漢，並相約，若不得到我的消息，就回到長沙母親那裏，我還寫一封決別慈母的信，請她不必傷心，爲國而死是值得的。因爲我所指揮的工人，皆按每日三班的工人日夜不停工作，所以將工程期限縮短三分之二，在十二月九日就將工程完成。並電漢口軍委會報告。因江防工程需人，回電訓令，即率部離京趨湖口當田家鎭一帶工作。

誰知道這一次却大不相同了。「解放」、「解放」。除將廠中員工遣散，各給大頭十元外，我的材料和房產也隨着牠一同「解放」，連同我在原籍的田園土地也隨着一同「解放」。我只帶着赤金三兩和隨身行李離開南京，搬到蘇州暫住。那時上海還未淪陷，曾經設法偷渡南翔，可惜徒勞無功。只有再回蘇州，坐困愁城，直到上海也淪陷了。

爲了籌借生活費須時常到上海去，因爲我過去和政府的關係，許多朋友家裏都不願留我過一夜，只好住在旅館。但是夜間檢查的情形又使我担心，他們指我爲國特，將手槍口對住我。在夜間，幸而我有十多年的經商經驗，我的態度鎭靜，方免却許多煩麻。在朋友家認識了一位先生，年約四十歲，很文雅的人物，據說是曾任代理大總統李宗仁先生的機要秘書，和甘乃光先生同時北歸爲顏先生的。但是在共方面講，他是第一功，他是第一功臣。[illegible]（未完）

中秋感懷次容第韻

張維翰

客中又見桂輪秋，環顧滄溟滿眼愁。
歲月侵尋嗟漸老，河山收拾待從頭。
陸沉已啓滔天禍，階厲都緣竊國侯。
一戰破秦知何日，盟邦自擾不曾休。

中秋風雨不寐

懷冰

圓缺晴陰繫客心，黑雲垂幕海天沉。
飄燈風定愁孤影，子夜歌聆憶醉吟。
破睡最宜親茗椀，薄寒忍訖負香衾。
遙知雨向空階滴，夢斷靑峯何處尋。

雲在酒座次韻作

北海琴樽池邊開，愁腸酒入抵千迴。
舉杯遨月遙相對，說劍論兵倘莫哀。
瞻望高邱空有賦，橫流禹甸嘆無才。
眼中多少離人淚，付與山僧話刼灰。

紅樓夢散論（三）

·王世昭·

（二）

上一回寫賈寶玉與林黛的來歷，這一回——第二回寫的是林黛玉與賈寶玉的淵源所自。賈家寫得淸（祖宗三代以及旁支繁庶寫得有條不紊。）林家寫得簡，（其實，正面雖寫林如海，而最重要的還是點出賈敏，所以不得不簡。）以簡馭繁，文章都恰到好處，賈府的譜牒，已歷歷如繪。現在我們來看本回中點出的賈氏世系。（見左下角附表）

畫龍點睛，賈寶玉的高曾祖考已瞭如指掌，繁枝覆葉，也就有條不紊；綱舉網張，作者的匠心，於此可以概見。

因賈雨村的不得意寫出林如海，林如海出，賈敏亦出，於是林黛玉不得不誕生。上扳三代數到賈母，林賈原來却是至親，寶玉與黛玉遂成了「不是寃家不聚頭」的大糾結。

有了黛玉，寶玉的生存才有意義，所以第二回裏先見林黛玉而後才說到賈寶玉。賈寶玉的趣事是由冷子興口中說出的，冷子興與賈雨村一問一答，甄（眞）的與賈（假）的遙亦相映成趣，甄家的學生便是寶玉的第二化身，一邊寫實，一邊却故意寫虛，虛與實看似兩面，實在只是一件事。爲了避免重複的緣故，實寫成了虛寫，而虛寫却是實寫的伏筆。但實的不見其重，複的不見其複，這才見到曹雪芹的偌大本領了。

至於王鳳姐，曹雪芹的寫法又自不同。這一位榮國府中的大寶貝，名堂多，居心險。未睹其人，先聞其聲，眞如母老虎出山，初初是威震林巒，草木皆動；以後是百獸服地，萬籟俱寂。曹雪芹寫她道：

「模樣極標致，言談又極爽利，心機又極深細，……」

這人是誰？這位奶奶是「上下無人不稱頌的」璉大夫人啦。（未完）

賈氏世系表

- 賈公
  - 寧國 演 — 代化（京營節度使）
    - 敷（早亡）
    - 敬（好道）— 珍（尤氏）— 蓉（秦氏）；惜
  - 榮國 源 — 代善（賈母）（史）× —（湘）
    - 赦（京營節度使）（邢）— 璉（鳳姐）；（迎）；琮
    - 政（工部員外）（王）（趙）— 珠（紈）— 蘭；（元）；（叙）；寶玉；（探）；環
    - 敏（林）—（黛玉）

金珠

中篇小說

勞影·

她死後，我安排了她們一家，也許我今後將永遠寂寞下去，但在眞情難覓的今天，我已奢侈過了一個女人的全部愛心。她死了，我把她的骨灰在碧潭附近買了一角土地安葬，我在她的墓石上刻下幾句我已經說過了的話：『這個世界上很少有眞正的罪人，假如我們易身處地想一想，也許他或她們並沒有做錯什麼。』

之後，又隔了好幾個月，我偶聽到本省同胞談起關於男女間贈送手帕的事，我才發覺金珠竟是個相當謹慎於自己的情感的孩子，她送一條手帕給我，是她知道自己已經活不下去了；照本省的風俗，手帕常是斷情的象徵，男女間互贈手帕即爲情感分劑的一種行爲表示，怪不得第一次我留難着預備將它留下時，她的臉變了色。

我選擇了她的一個半週年祭日，把手帕拿到墓前含淚焚化了，天長地久，此情何從了斷！如今，每當風雨之夜，我就鎖緊門，當窗一杯淸茶，點一支烟，披衣夜坐，幽閣，她那張放大照片仍是老樣子：頭髮逐成一個美麗的球型，兩頰豐腴，雙眉細長，兩眼渾圓烏黑，眼梢呈現一抹麗的黑色痕影，挺直的鼻子微微向外俏皮地翹着，嘴唇拱成一個驕傲而動人的弧形，一串串辛酸的乳色珠圈靜靜地掛在胸頸間……。我總希望死亡眞能賜予一個慘遭蹂躪折的魂靈以永恆的安息。

（全文完）

四三年自由日脫稿桃園

論·禁·戲

婆婆生

（一）

余前者在永樂，看了劉玉琴的蝴紡，以及打櫻桃，就戲評判，稱其演技，頗有可取。事後中華日報編者趙之誠兄，附來牧羊先生一文，認爲余之不應提倡演[illegible]誨淫之戲，詞正義嚴，確有見解。本擬復答其意，但是華副不能登此文字，而余亦決不提倡此類戲劇，其應禁止演出之權，在於戲曲審查機關，不知何以猶許其演出，但是匪夷所知。

（二）

因爲禁戲，而聯想到現在禁演者，有四郎探母，霸王別姬等，但是華報有一老戲迷，提出蕩西涼國之兵，回到中華稱王，其事情與鐵幕匪幫，亦復類似，所謂武家坡大登殿，却演之不已，名伶也唱，名票也唱，到處皆唱。此戲究竟好到如何尺度，而値得如此提倡，就拍言之，不過寫一個貞節而已，其他好戲甚多，何必非唱此劇，不知審查戲曲諸公，何種別的見地，亦莫測高深。現在自由中國，對於人間配偶與婚姻，皆與歐美相似，完全自由結合，也不必過份重視貞節。尤其大登殿，雖以王寶釧爲貞節，却充滿帝王思想，戲公主，更是荒乎其唐。近聞探母有改正，可以扮演，此忠孝節義戲，或能再見。不過武家坡大登殿，也有改正之必要。認爲登殿詞句，與代戰公主，皆應有修改之處，因爲戲而憶及此，是匪夷者戲。非如共匪之一律翻改，把全劇精華刪去，而成爲荒唐不類者。

自由人

THE FREEMAN
（第三七九期）
中華民國僑務委員會
頒發登記證台教新字第一零二號
中華民國郵政登記第一類新聞紙類
（半週刊每星期三六出版）
每份港幣壹毫
台北市售價台幣七毫
督印人：雷嘉歡
地址：香港高士威道二十號四樓
3 rd. fl. 20 CAUSEWAY RD HONG KONG
香港發行及事務接洽
高士打道66號 電話：七四〇五三
承印者：東南印務出版社
地址：高士打道六十四號
海外總經銷
友聯書報發行公司
香港：德輔道中二十六號A二樓
台灣特派員辦事處
台北市館前街五十號
台灣總經銷處
台北市西寧南路一〇一號二樓
台郵劃撥儲金戶九二五二

論憲法上的統帥權
——兼論國防組織法一案的討論經過

·北宮勳·

國防會議的設立，與立法院討論國防組織法一案的經過，時論批評甚多。本報也曾發表過這類文章。現北宮勳先生寄來此文，說明立法院對該兩事的態度及其認識，並舉美國歷史作為例證，不僅針對時論作理論的探討，且有為立法院作辯護之意。我們覺得，雙方的意見必須盡量發表，然後真理可見。故亦為刊載如左，並此致謝北宮勳先生。——編者。

久懸的國防組織法

立法院在台灣繼續行使職權至今，除省縣自治通則因環境突變，久成懸案以外，國防組織法在兩程上亦已懸達兩年半，可見立法院處理各法案的慎重。

依憲法第一三七條規定，「國防之組織以法律定之」，行政院於四十一年二月五日函送國防組織法草案請立法院審議，以還，曾由五個有關委員會聯席會議五次，聽取行政院意見，反覆提出質詢，幾經研討，未獲結論。其後法經國防部參酌各方意見，針對現實環境，重行修訂，再經行政院會討論，作成修正本，始於今年六月三十日送達立法院，亦可見行政當局並未固執己見，只須各方見解正確，無不採納。

今夏立法院延會五十餘天，審議通過急待公佈施行的五個重要法案，已無時間討論國防組織法，但行政當局鑒於反共軍事日趨緊急，國防計劃、國家總動員計劃等急待進一步研討與策進，不可無適當的戰時機構主其事，於是把國防組織法中的國防會議先行成立，並經總統任命國防會議中各單位主管官，以赴事機，並資試行。這一措施，自不免引起社會人士對行政院的責難。其實並無法律根據的機構及官員而事實上早在執行其職務的已不少，經濟安定委員會便是一個較新的例證。至於國防部的組織法，至今尚未送經立法院通過，數百位大小官員不是早在辦公，而且監軍練兵的成績，不是早被中外贊許麼？今又何必獨對國防會議各官員的任命表示異議呢？

近來尚有不明立法院內情者，諉責立法院國防委員會的委員躲避辯題，巧卸責任，而以本會期國防委員會只有六人參加為其論證。其責備的動機自極純正，用心亦很苦，但與立法院五百餘委員對本案一向的認識及一貫的態度，似乎尚少瞭解。事實上本會期參加國防委員會的委員至今已逾二十人，較前會期只少一人，較再前一會期只少二人。即使參加此委員會的委員減少到五六人，亦影響不了該案的審議，因該案內容關涉到許多方面，也許需要財政經濟內政外交國防法制交通等委員會聯席審查，並必須將審查報告提請全體委員所開的院會討論通過，決不是一個國防委員會可以獨當艱鉅，自作決定，這是關心該案與關心立法院工作的社會人士首先應該明瞭的。

立院的認識與態度

自該案送到立法院兩年半來，就作者所見，各委員無論在聯席會議中，或在私人言談時，大都存着一種深遠的認識，抱着一種忠純的態度。此種認識與態度，固為決定一切法案的共同準則，尤為決定國防組織法草案時所必遵守。這準則如用數語揭明，那便是：大綱不致懸殊，小節可以曲從，守經固極可貴，從權亦有必要。其間何去何從，全看該案對各方面的重大影響如何而定。孔子所深望的「可與適道，可與立，可與權」，孟子所說的「惟義所在」，正是立法院各委員討論決議各案時權衡本末先後輕重緩急的指針。

兩年半來立法委員對國防組織法草案的一般觀點，大致不外下列二端：

第一、如此法通過公佈施行後，確能因此更便利於反攻大陸的準備，增加撲滅共禍的力量，或竟符合憲法國防章的要求，竟能由此達到「保衛國家安全，維護世界和平」的目的，那麼即使在憲法的體制上稍有出入，未嘗不可照案通過。力主護法的國父孫中山先生，為求實現救國的志事，尚不惜廢舊國會的選舉，出任非常大總統，這個非常大總統的名位權責，又何嘗能在他所謂的法制中找到法律根據。何況今日國難的嚴重，百倍於民國十年。誰都了解今日大事，莫大於光復國土，拯救全體立法委員所代表的四億五千萬人民於水深火熱之中，又誰都同意只有蔣總統能負此重任。只要國可復，民得救，各方面都不妨不顧一切的放手幹去，其他便都不是要着。假使國不能復，民不獲救，共匪的暴行日烈，國族的憑藉永喪，那就不僅是徒法不能以自行，而孝經退不了黃巾，實在是皮已不存，毛將安附，儘管抱持着世界上最完美的憲法，又向何處行去？又代表誰來？要是估計此法實行後，所表現的功效，並不見佳，那麼在立法院方面就需要極深研幾，從長討論了。好在國防會議業經組成，已任用的一些官員，不妨姑作美國總統所行的「假期任命」（RECESS APPOINTMENT）看待。

憲法上統帥權力甚大

第二、依憲法規定，總統一方面是國家的元首，對外代表國家，他方面是全國陸海空軍的統帥，對內統率國軍。從憲法第三十七條至四十三條看，每條均明定「總統依法」始得如何，限制甚嚴，職權有限。但從三十六條看，僅規定「總統統率全國陸海空軍」，其間獨無「依法」始得如何字樣，足證憲法賦予總統的統帥權力甚大，儘可自由行使。行政院長的權責在憲法上雖大於總統，然事實上行政院長對於總統的嘉謨嘉猷，無不忠誠接納。我國總統既可垂拱而治，又享有運用其統帥大權以佈置軍國大事的充分自由，且饒有進退自如的餘地，此實為我國現行憲治之下最有利於總統的法制與政情，亦為可遇而不可求的絕妙機緣。假使在不必依法如何的憲法條文之外，而竟造法自牢，另用法律條文規定國防組織法中的國防會議，由總統主席，國防會議的決議須經總統核准後依法施行。

（下轉第二版）

論英國的工潮

·風行·

此次英國工潮日趨擴大，形勢惡化，食物[illegible]，而陷危機，交通癱瘓，原料缺乏，影響其他工業發生失業之威脅。經濟的惡化足以使政治局面改觀，外交動向亦必轉移，對自由國家自然是有極密切的關係，不可等閒視之。

共黨力謀擴大工潮

工潮擴大必非偶然，必然是共黨所煽動，這是毫無疑問的。這是這個問題的核心。[illegible]出指令說：『[illegible]工人應該使用所有力量，勞工階級必須團結一致支持罷工者。』便以足證明在罷工者是由共黨煽動。[illegible]

考工潮之初起，情形並不嚴重，問題很簡單。原因是在九月二十八日左右，停泊在倫敦碼頭的一艘名「哈巴林基」號輪船，把由紐西蘭運來的肉類迅速起卸。但這二百餘名工人要求將此等肉類分類，反對整批起卸。他們說：這是逐件計的工作，按件發薪。若整批起卸，將使他們工作緩慢，和影響他們的收入。要求不遂便停罷工。後來修理船隻的工人一五〇〇名也以罷工支持此二百名裝卸工人。本來這是很小的碼頭臨時貨手續問題所引起的，並非壓迫已久工資問題，如無人煽動，不會擴大起來的。但一方面有人返工，一方面有人去鼓動其他行業去罷工。例如：那些抗議鐵工人處理鐵行船公司的「舟山」和「烏根達」號上行李而罷工的三千名碼頭工人，在九日已復工了。但該天的復工已僅其他船塢工人的罷工所抵消，而且擴大到倫敦港罷工。一直到了十月十日已有逾一萬九千名碼頭工人在倫敦港罷工。一百十二艘船隻上無人工作。到了現在，碼頭工人罷工者達二萬四千餘人。弄到這個世界最大港口頓成死港。巴士罷工亦擴大。駕駛巴士亦達四千餘輛。最重要的是糧食補給發生恐慌。英國是個仰賴糧食進口的國家，此時糧食三分之一經由倫敦輸入，可見局勢如何的嚴重。

共黨對西方工人策略

在西方共產黨採取向工人煽動入手。因此倫敦「經濟學人報」說『英國共產黨力量的強弱，可以在罷工的次數和強弱衡量出來。』共產黨在任何的西方國家是要爭取工人支持其政策。其活動最大目標，不在智識份子，而在船塢、碼頭、交通、及工廠的工人。前「每日工人」報編輯凱德氏及一加拿大海員工會前任秘書，都說明共產黨努力去求控制工會。雖在全民就業工資豐厚的時期，共產黨員也乘着大衆對工會的冷淡，便滲透下去，宣傳資本家剝削的無理，以挑撥工人。往往共產黨對工會的政策，在外表公開的宣傳是一套，而暗中對滲透入工會的黨員另有一套策略指示。

英國共黨機關報「每日工人」報的宣傳，係遵從蘇聯大使館每日派來的莫斯科廣播指示，以及依照在布加理斯特共產國際情報局所刊發的雙週刊『為了和平為了人民民主』的訓示。於是藉着有利共產黨的地方事件，隨時加以煽動，製造糾紛騷亂。

英工會的傳統觀念

可是英國工會原本有一種傳統的觀念，認為不宜捲入政治漩渦，祇是求工資及工人生活的改善。不願以罷工來作他人政治鬥爭的武器。英國的共產黨人有黨證的也不過四萬人左右。英國運輸工人會聯合會總書記狄金在四年前已經說過：工人不輕易盲從共產黨去罷工。他們每次以同樣努力返擊共黨。在他們的運輸工人聯合會的一百二十五萬會員中很少去參加罷工的。狄金有相當長的歷史和聲譽。共產黨人設法去破壞他和該聯合會的聲譽。因此在本月十六日狄金說：『很久以來共黨顯然預定一些完全不能實現的工業政策，旨在破壞個別工會職員，工會委員，及工聯專任職員的名譽，破壞一般會員對工聯的信任。』由此我們可以看見自由工會遭共黨之忌恨。世界上不論那一個地方都是如此。因此當地政府應該全力支持當地的自由工會發展，支持自由工會去打擊共產黨在工人中的惡勢力。這比政府本身去對付較為有效。

然而一般工人到底是頭腦簡單一點，他們的生活水準與工資是最現實不過的，所以英國共產黨藉着工人的生活困難作宣傳資料，去煽動工人罷工，和上了他們的「和平」餌鉤，反對重整軍備，以免加重他們的負担。共產黨在這一方面的宣傳很成功。使許多非共黨工人跟着他們走。這是極惡毒的。艾德禮訪華時，也受了共黨煽動工潮之害，應該明白共產黨人是世界上另一種怪物，不論在生活上、國家上、任何方面，實在不能與我們平常人能够和平共存！（完）

本週展望

·旭軍·

尼赫魯為何到北平？

印度總理尼赫魯居然到北平去了。固然，其動機[illegible]上的回答周恩來之訪印。[illegible]

即決定：『亞洲與世界的和平，大部份視乎中印兩國怎樣互相對待。』這句話十足表示一種希望和一種恐懼控制着尼赫魯政府的外交政策。雖然尼赫魯在致國會外交委員會主席的信內強調一點，即『印度不作最壞的打算』。因為在好戰的世界中，今日是朋友，明日可成為仇敵』。總之尼赫魯此次到北平是打算「獻媚求存」罷了。

邱翁無意退休麼？

在久傳邱翁退休之說，本來在保守黨內實有許多年青的閣員，感到他們的才幹，多被人忽視。在他們眼中看，邱翁任首相，他們無利益可沾，反而吃虧。[illegible]因此改組的消息一出，[illegible]

我認為這正是邱翁打算退休的安排，增加保守黨和諧的氣氛，[illegible]下使新人一試施展其才，打下政治基礎。[illegible]工黨危機[illegible]左右派之分。貝文死後，全國職工會勢力落在貝萬手中，一直與艾德禮為敵，因此邱翁有鑑於此，便設法調整內閣以增進保守黨的團結。

薩爾問題之重要

至於西歐方面，美國國務卿杜勒斯在十八日啓程赴法參加歐洲防衛組織的重要會議，他將與英法西德三國領袖於星期三在巴黎簽訂西方三強結束西德九年佔領狀態之協定。星期四布魯塞爾協定國家會議討論西德和義大利加盟。但這些還不算重要的會議，反而是法德總理先商權的薩爾問題，便成了西歐團結的障礙石。

薩爾在第一次世界大戰後，在國聯管理下十五年，一九三五年舉行公民投票，併歸德國。二次大戰後，由法國暫代保護。法國一向不無併吞之名，而有佔取薩煤之實益。但[illegible]

中共對島嶼動態

國軍在大陳，中共感覺如芒刺在背，枕席不安，冒險進犯大陳，完全為防國軍之反攻，但亦足以增強「解放台灣」的宣傳，[illegible]

[illegible]空軍力量實不足與言「解放台灣」。[illegible]

[illegible]而已。

人物述評

尼赫魯將下台乎？

世界政治舞台人物，好像戲台上老倌輪流出演。卻有一種老倌因衰老或厭倦而下台的，邱吉爾首相已成遲暮英雄，早晚可宣佈下台。只是爲着去後他的政策怎樣能繼續實行下去，後繼人選的安排，費煞思量而已。南非總理馬蘭已屆八十餘歲的高齡，眼見他的白色與有色人種分離政策可以交給副理哈凡格繼續執行下去，便自動宣佈退休。

但亞洲舞台突然有一角色出乎普通人意料之外，也宣佈厭倦於政治生活了，這就是印度總理尼赫魯。

九月三十日有一段不甚爲人所注意的電訊說：「印度總理尼赫魯今天在國大黨會議上說：他正感到『疲倦與迷惘』，希望別人來分担他的重荷。他在國大會黨之國會議員會議閉幕時發表這項演說。指出他對職務的重荷已告厭倦。國大會黨可靠方面人士說：他的詞語使他的黨人感到驚訝，他們趕上去圍住他，保證他們繼續與他合作。」

在本月九日出版的新德里「思潮週刊」（THOUGHT）說：尼赫魯眞正的意思不是找一個人來協助他，而是需要一個足以承繼他做印度的領袖。該雜誌說：印度新聞界與政界人士因傳聞失實與作不利的[illegible]之批評，殊屬令印人失望。究竟尼赫魯是找助手抑或是找承繼人呢？現在還不能確定。假如是前者，則對國外無關宏旨。若是後者便對世界局勢發生相當重大的影響了。

印度獨立的勝利是經過三位傑出人物艱苦奮鬥爭取得來的。甘地和巴德爾都已經凋謝了，尚存人間的就是尼赫魯。本來在獨立運動的時代，尼赫魯是很賣力。但近年來在東西冷戰中，便發揮他的短處。即是好大喜功，急功近利。這不是筆者給他的批語，而是出乎讀者意料之外，正是他的自我批判。

有一家報紙一篇文章對尼赫魯作如下的分析：

「他的急功近利，排除異己，和愛好標奇立異的强烈觀念，對於漸進的民主政治簡直是急不及待，焦躁萬分。他的自負不凡就是這樣的不可輕侮。但這種過激的性格，終究是應該加以矯正的，因爲我們所需要的並不是一凱撒大帝。」

寫這篇文章的，卻正是尼赫魯總理本人。他對自己雖加以不願做凱撒大帝的表白。但已流露出他的剛愎，及偶帶殘酷的本性。

在今天緊張動盪的世局，縱然是一個安定而進步的國家之總理也感到絞腦汁之苦。尼赫魯是一個遼闊而落後的國家之總理，居然也兼任國防部長，外交部長，和國家設計委員會主席，還在黨方面任國大黨的總裁，以及黨的對外聯絡主腦。可異的是尼赫魯在政策宣言中或談話中表示其過於辛苦者，但他還想担任他的繁重職務，其好像世界上任何一個負責的政治家一樣成功。印度的言論界也說：他的國人與同僚們竟然不思設法減輕其負担，這才可異。他們眞是缺少勇氣與理想。阿諛有時亦竟成殘酷。

在我看來，尼赫魯今年才六十四歲，比諸邱吉爾首相和馬蘭總理，不算太老。而且其地位穩固。其發出倦勤之語，也許是因爲自己暗明白他的中立政策勢將印度[illegible]，而且已將慘遭失敗，深深意味到[illegible]和一個好戰殘酷的中共接壤凡二千餘哩，加在此一種威脅之下生存，已不勝其徬徨，[illegible]爲了警惕國人，可能提出倦勤的表示。在去年許多觀察家認爲有繼承尼氏衣鉢可能的，只有財政部長達斯穆克，和孟買總督巴培兩人。但本質上只適宜於做行政官員。至於印度人所希望能在國際舞台上担任領導作用的政治家，卻非他們所能勝任。因此在國大黨圈內與政府中範圍內都感到材難。

據「思潮週刊」說，以國家前途爲重，不宜謀一黨的權勢維繫下去，則應冷靜的選擇，據他們看以社會黨的那拉仁（SIR JAYA PRAKASH NARYAN）較適合，因那拉仁爲印度最具完美德品，正直，愛國，而勇敢。在政治地位他僅次於尼赫魯，而孚衆望。不論到何處毋須介紹，人人皆認識他。由克什米爾至哥摩林海角，他的名字都成爲家傳戶曉的。但他卻屹斷在不屬國大黨，而且隸屬於正和國大黨反對的政黨。尼赫魯雖曾向社會黨領袖邀請參加其內閣，但兩黨一時仍難融洽合作。

苟社會黨執政則印度的外交仍不感樂觀。

社會黨是國大黨以外有全國性的唯一大政黨，牠也主張自由的亞洲民族組成第三勢力。他們辯稱：這種勢力會給中立政策以必要的力量。可見他們還是跳不出中立主義的圈子。

除此以外有人以接迎尼赫魯爲判斷尼赫魯承繼人的標準，則有兩人。其一爲梅農（KRISHNA MENON）另一人爲吉威（AHMED KIDWAI）。尼赫魯曾爲他兩人造成空氣。雖然尼赫魯是個憎愛偏極的人。但相信他不會冒着違反人民意向的危險。梅農是個滑頭政客，替尼赫魯作支店掮客是夠本領的，曾在紐約與日內瓦大發身手。但不是個作主動的大人物，有不聰明沒有大氣魄。至於吉威是個行政幹材，衆皆傾服。但也不是個運籌決策的人物。

崇拜英雄的國家，一定發生英雄無後繼的問題。這也是主持國政的人所當知的。

・曾育羣・

共黨對華僑的陰謀（下）

・聆式譯・

東南亞主要煩擾地區的一千多萬華僑，現在實擁有左右抗共鬥爭的力量。

共黨在越南的軍事勝利，及在日內瓦的外交勝利，已抬高了中共的身價。因此有些華僑認爲中共在亞洲的擴張已難以抑阻，他們應該爭取時間而向共產黨靠攏。如果中共能獲得華僑的擁護及大支持，則可以建成共世界的强大第五縱隊，而對其統治全亞洲的野心發生偉大助力。

足以影響每一個國家

[illegible]眼前的效果，平均每年可得二億美元。請地圖一看，華僑如傾向中共勢將影響東南亞每個國家，英國可預料中共領導的馬來亞游擊戰爭將激烈起來，泰國是中共侵略的下一目標，其國內三百萬華僑也對政府引起更大的威力，緬甸和印尼亦面對着相似的問題，甚至菲律賓，其少數華僑也可以惹起新的麻煩。

使東南亞華僑爲特殊問題的，就是他們的鄉土觀念極深，他們以中國的血統和文化自詡，他們雖遠離鄉土很遠，可是他們住中國式的房子，說中國話，保持中國習俗，創造他們自己的社會，不少早年漂泊在外的人，特別那些到達泰國和菲律賓的，已與本地人通婚，但其他把妻子留在大陸的，則在外納妾。並把積蓄匯回去接濟他們的家屬。

三個特點

那些華僑包括若干稱富世界的橡膠業和錫業鉅子，最大多數人則在鑛山或田裏做工，他們亦有參加共黨爲領導的馬來亞和菲律賓游擊隊的。那些人，無論窮或富，似乎有三個特點：勤勉、節儉，他們彼此團結[illegible]

[illegible]

被取締，但在這三個國家中，仍有一些親共的華僑，組成了紀律嚴密的團體。馬來亞叢林中的恐怖分子，百分之九十亦是華人，並且都經過共黨訓練，委身於共黨。在新加坡，表面堂皇的組織，如「反罪惡文化運動」和「援助貧苦學生基金會」，都是共黨的外圍組織。泰國和菲律賓的讀書會及閱書館等組織，也都傾向共黨。華僑學校擁護共黨的教員，可以從中共那裏獲得一筆補助費，約合他們經費的百分之廿五。閱書館擺滿了左傾書籍，影響所及的結果，許多青年便被麻醉而到大陸受教育，或爲中共工作。

論憲法上的統帥權

・北宮鵡・

（上接第一版）

[illegible]

美總統之運用統帥權

[illegible]林肯當南北戰爭時，爲要防止人民逃避兵役，未經國會許可，宣佈停止人身保護狀[illegible]在日本襲擊珍珠港以後，羅斯福總統爲要加強太平洋軍事佈置，未經國會通過，曾利用其統帥權，改革夏威夷的民治政府爲軍事性的組織。及戰爭結束，最高法院雖判林肯及羅斯福的措施爲非法，但人民均認爲他們確已由此挽救了國家危亡，都繼續選舉他們爲次屆的總統。這可證一切行動，如果眞能適應國家民族迫切重大的要求，雖不盡合於正軌，仍可以獲得人民支持的。

每當戰爭時期，美國總統慣以軍事統帥地位，避過國會的制衡，擴大其權力至統帥權以外，固爲數見不鮮之事。若再按諸歷史，更可見他們不但無限制的擴大其統帥權，並自撰總統應有廣大職權的理論根據，例如林肯認爲「總統有權應付事變，不必等待國會採取行動」；羅斯福認「總統是人民的家宰（STEWARD OF THE PEOPLE）。應自動的積極的爲人民工作」；且公開反對一般法律家所堅持的「行動雖迫於國家需要，但總統仍須有憲法條款作爲行動根據」之論。此種自任以天下之重的風度，不但林肯羅斯福是如此，就是美國憲政之父的華盛頓亦如此，他早在一七八九年未徵求參議院同意而罷免內閣的部長，一七九三年未經國會決議而宣佈美國中立。就是醉心民治主義的威爾遜教授亦復如此，他在當選總統後，時常根據他自己的能力去擴大總統的權力，不恤凌駕國會，排斥衆意，造成了他的個人統治。

林肯與羅斯福之言行

美國總統爲什麼敢這樣做？因爲他們都有其自信與抱負，不外同於最高法院院長馬歇爾所說：「站在政治立場，總統只有對國家與良心負責」，又同於林肯所說：「我不能再被稱爲一黨的總統，我現在是全國人民的總統，應該爲全國人民服務」，也同於吉佛遜總統退職後在他寫給朋友的一封信中所說：「爲適應事實需要和國家生存，總統應當放手做去，而不必拘泥於法律的條文」。羅斯福對總統的權力觀，更爲大胆，因此他在二次世界大戰中更行其是的作風，是前無古人。他所持的見解，與英國詞徒瓦特（STUART）的觀點相同，「總統是國家元首，元首的特權是根據他自己的決定，爲大衆謀福利，不必需要法律的規定，甚至有時還違反這種規定」。

平心而論，國會的職權與法律的規定，自當一體尊重。但事關國防機密，戰爭急務，議論龐雜，就非人數衆多的國會所能迅赴事機，確保秘密的。其間如誠有非經立法程序不可，並可以經由立法程序決定者，自可依法辦理。否則「苟利社稷，擅之可也」。林肯曾視國會爲「一件不可少的討厭東西」（NECESSARY NUISANCE），確能道出其中的作用與分際。夫以美國總統在憲法上所得的權力之大，及羅斯福那樣的雄才大略，然在處理戰時外交問題時，尚須撇開總統地位，另闢蹊徑，單刀直入，利用統帥身份，纔能避免參議院三分之二以上的牽掣，把一千件以上的外交條約，改訂爲行政協定（EXECUTIVE AGREEMENT），亦纔能不經國會通過，改變夏威夷的政府組織。若再進一步窺察羅斯福總統賴以實現其如此作風的捷徑，他也無什麼特別法寶，只是在法定的行政部門之外，隨時成立了各式各樣新機構，這些不受國會過問，不受法制慣例牽掣的新機構，作他驅策羣英的舞臺。他在這種舞台之上，把總統權統帥權滲合運用的極圓滑巧妙，現出龍驤虎步，高下在心的雄風傑作。

基本準則須重輿情

我們如不數典忘祖，那麼不僅美國總統的作風，堪作我國攻錯的它山之石，即我國唐肅宗即位靈武一事，其間似亦有參考餘地。以前中國中央政府的組織與職權，雖無憲法條文規定，但傳統的綱常名教，早具有規範君臣人民行動的潛力，成爲上下相維彼此相與的根本法則。依綱常論，君父之地位與命令至高無上，同於憲章，肅宗絕不應不俟其君其父之命而自正帝位，號令天下，驅策將士。然就當時事勢，非如此實無從平安史之亂，倘深求瑕疵，議肅宗的舉動爲非法，爲違反綱常，終不脫書生頭巾氣之論，殊不足邀中原父老對於王師之望。

總之，總統如兼有其他資格其他權力可憑藉之以復國保民，最好不要像許子的不憚煩，像神駿的甘受羈勒，向立法途徑討生活。不過其間有一個必須遵守的基本準則，那便是輿情。林肯說得好「有輿情的支持，凡事都是可能的。沒有輿情的支持，無論何事都是不可能的」。我想我國總統要是毅然決定運用統帥職權，不去另找國防會議的法律根據，隨時召集有關各部會首長於總統府或官邸中會議國防策與戰爭有關的軍政大事，不但不會有人非議，並必永受全國擁護。

將由立法院審議的國防組織法草案，自是一個大案，立法院人士獻可替否，當然歡迎社會人士[illegible]要院內外批評此案的態度，首先要能略跡原心，觀過知仁，並避免過於刺激的措詞，總以溫柔敦厚爲上，慷慨激烈次之，博辯廣引又次之。若至於攖鱗折檻，便已窮了。一切評議，貴於見識，不貴相違，貴於使國家民族[illegible]，不貴使天下後世高其名。古今賢臣愚忠的激怒，其效往往不如優人巧笑而入。左師觸龍在趙，穎考叔在鄭，其智未必過人，其誠亦未必深積於平日，然一則能返太后於所深愛，一則能返大隱於永矢，其中妙理，可供深省，要是不察及此[illegible]

[illegible]

編者　讀者

關於台北市長

編輯先生：

貴報第三七五期台北通訊：「救救高玉樹市長」一文。披閱之餘，我還[illegible]第一、該文說：高玉樹是無黨派人士，[illegible]高玉樹在競選時，說他是沒有任何黨派關係的。可是，如今誰也知道，高玉樹是民社黨員。競選時何必以無黨派身份出現呢？第二、高玉樹的競選諾言，到現在，似沒有一樣兌現過。並且經常鬧人事問題，機關，到處有安置私人的現象存在。其次貪污[illegible]，例如某工程建築公司，承包市府工程[illegible]，據市議會陳[illegible]議員公開指責，高玉樹及[illegible]十餘萬，據市議會陳[illegible]有受賄之嫌。又如台北市公共汽車管理處，高市長到任後，已四易處長，女車掌竟有扭打乘客[illegible]見報載。公共汽車辦理不善，還有許多不滿人意之事，據說的。像這樣，請問大家，應該救救高玉樹市長，不要使台北市民和政府對他大失望了。

敬請將此函刊出，俾求自由人讀者的公判。

敬上十月十四日

△掃紅客，俞嬰，韋政通，黎中天，趙尺子，諸先生：惠稿已一一收到，至感謝。

如·何·提·高——香港學生的中文程度問題

·燕盧·

香港是英國的殖民地，在理論上，以其宗主國的政教爲政教，故在語言亦不例外。在香港而希望提高學生的中文程度，這問題便有些「驢頭不對馬嘴」，不大對勁的。但香港居民，中國人自始佔着絕大多數，這些中國人，在根本上自有其語言文字。雖說有些中國人已經歸化英國，並使用英國的語言文字，並忘却其原有的中文，但這種人畢竟是很少很少的。香港學校學生中文程度的問題，原是老早已經存在的，不過還沒有人將之提出討論而已。

學生中文程度太低

現在問題終於提出來了，許多中英文學校的校長或教師都有同樣的感覺，認爲香港中國學生的中文程度太低了，不論對於國族文化的認識，感情義理的發揮，以及日常的技術應用都很差。依我看：這個問題的被提出，可能因爲：

（一）香港教育司執行了會考的辦法，規定中文爲必考的科目。

（二）大陸來港的國文師資多了，在教學經驗的比較上，看出了相差太遠的事實。

（三）香港中學畢業的學生多了，在港無法升學，要到台灣或大陸去時，他們的中文考試成績不好。

看了這三種原因，則我們提出這一問題，可見並非無的放矢，但一個問題不是僅僅被提出便可以獲得解決的，究竟要怎樣才能提高香港學校的中文程度呢？在這裏，我們必須先看看香港學校中文教育的現狀，以及香港對於中文的社會風氣。有不少人以爲：香港學校的中文課程並不少，而且有些學校還教學生研讀四書五經，香港有人尊爲教授，專靠替別人做壽序輓詩爲生，香港有許多詩社，作詩鐘，射燈虎，香港人也極其尊敬「太史」或「孝廉」。可見香港人也相當尊重中國的舊文學。這些事實我們承認，但在這種風氣下，充其量祗能養出阿Q正傳上的假洋鬼子的外表，和儒林外史上牛玉圃的才情，王義安的品行。

三類的教學方法

據我們的觀察，香港學校的中文教學，可以分爲下面的三類：

（一）以國文爲國學的學校，這一類包括所有較古老的學校，它們一面採用與中國傳統生活毫不相干的印度或馬來亞的英文教科書，一面又教授學生讀四書五經，讀駢體古文。四書五經並非壞書，駢體古文也不見得便有害，問題在於把國學誤解爲「文學」，而教國學又因爲在一個脫離祖國生活方式的社會裏，沒有一種尊敬祖國文化的社會風氣做基礎，終於無所成。我們知道：一件出自阿房宮的瓷器，可能也是一件古董，儘可放在客廳架上自己欣賞，你若把來裝上酒去敬客，不知道的飲客當然要驚奇其「古雅」，而知道的却不免於作嘔嘔！

（二）以國文爲中文的學校，這一類大半是掛着中文學校的招牌，而實際上以中文爲附屬的學校。[illegible]

[illegible]方面，它們僅僅有一本古文評註和一本唐詩三百首，最近在一位教育的朋友家裏聽到兩件很可笑的事：（1）一家女校的中文教師，因爲在史記上找不到岳飛的生平事蹟，而要她另一位同事講給有關岳飛的作品。（2）[illegible]

（三）以國文爲附庸的學校，[illegible]爲國文而不得不有的點綴，而且是新近才有的。

就是一些從大陸被迫逃出來的學生，他們有保存大陸傳統的意向，却沒有在香港這地方發展的條件，[illegible]一經遷移到這個社會就枯萎凋謝的。他們的教學宗旨，[illegible]招不到學生，自然沒有足夠的經費以支持其學校，聰明一點的校長，爲了求生存的方式去遷就現實，剩下那些抱有自己理想的人，終將要一個一個的餓死。

三種學校的批判

這三種學校，第一種學校是一種似乎是有意的誤解，它所保存的那一點叫做國學的東西，正如英國人所保存的[illegible]自由膜拜[illegible]第二種是盲目的輕視，根本缺乏中國文化的淵源。[illegible]原是工商社會的產物[illegible]不得已而有的點綴，因爲他們建基在工商社會上，所以極需於投機與圖利，[illegible]

同情無補於事實，我們需要的是辦法。

一個中國人副教育司

一國族的語文，[illegible]途徑，生存願望的總和，沒有一種外來的代用品可以令其獲得同樣滿足的。此點英國人亦知之，故從未將其英國的學術文化及研究風氣移殖到香港來，香港大學所有的不祇係一點應用的科學技術，可見英國人無意於使中國人變爲英國人。但英國人以馬來亞或其他殖民地的教科書令香港的學校採用，却似有意使中國的香港兒童與其祖國文化脫節，英國人未能在香港大學設置中文的學院，及不准中國人在香港創辦中國式的大學，却又容許一些學校教授中國的經傳，又似無形中使中國文化的教養系統加以肢解，我們相信，有完整中國教養的香港人，香港不見得將會有若何損失，反之，有許多不三不四，既非英國的，又非馬來亞的，更不是中國的教養的香港人，轉足以使香港走向歧路。

教育事業是生活方式，思想途徑，生存願望的傳授，此傳授工作若假手於外國人，便如「喂飯假人，失其本味」。香港居民中，中國人佔百份之九十以上，中國教師在香港學校裏自然亦佔着絕對的多數，但香港的教育司却是英國人，通設置一個中國人的副教育司這件事，似乎亦遲遲未能實行。於此我的談提高香港學生的中文程度，我以爲充其量只能在枝枝節節上想辦法，我以爲英國人既無意於使中國的香港人變爲英國人，即應有一副教育司讓符合輿情的中國人出來擔任，然後香港政府再訂定一套健全的出版法，讓目前這個混亂的出版市場澄清起來，使著作出版的利益有一個合法的保障，使香港有一些像樣的值得推薦的書刊給學生閱讀，藉以慢慢培養出一種學術風氣，再由一位中國人的副教育司，去解決中國人所設立的學校中的中文課程。至於那些誤解或輕視中國語文教育的學校，問題却不全在於課程，而在於一種不健全的心理，這種心理的背景是投機謀利，如何使投機者無法以辦學的方式去賺錢，則一切學校都可以入於正軌，我們也無須再在枝節上去爲學生中文程度低落而慨嘆困惱了。

「毛澤東統治下的中國」

這是柳先生從美國 Mound, Minn. 寄來的一篇文章——編者。

近兩年來，美國書坊流行着三本描寫中共治下的書籍，第一本是美國記者亨特所寫的「中共的洗腦」；第二本是劉紹唐「紅色的叛徒」的英譯本；第三本是一九五三年出版的印度名記者摩雷斯（Frank Moraes）所著「毛澤東統治下的中國」（Mao's China）。

上書前二本，屬於個人經歷的報導，內容偏於事實，缺乏分析，且翻譯者常識欠豐，致造成譯文中許多的幼稚錯誤。至「毛澤東統治下的中國」一書，則內容豐富，分析透闢，觀察深刻，有獨到見解，洵不愧名記者手筆。

（一）

摩雷斯氏乃孟買大學畢業生，牛津大學碩士，英皇家律師公會會員，印度時報主筆。十餘年來，因爲職務關係，足跡遍全球。抗戰期間，摩氏爲印度唯一駐華記者，對於我國國情，相當熟悉。

一九五二年春，印度政府組織了一個文化考察團，由潘迪夫人率領，前往中共統治地區觀光，團員俱屬印度一時之選。內有教授，律師，科學家，工程師，藝術家，舞蹈專家及新聞記者，摩氏亦團員之一份子。他旅華三個月，曾在中共招待下，遊歷了許多南北名勝，[illegible]

摩氏第二次到達中國大陸，景象已完全改觀：[illegible]書中很感慨的寫着：「想不到這富有智慧，飽經憂患的古老民族，竟踏上極權的毀滅途徑。」[illegible]國民政府是「反動政府」[illegible]

[illegible]「學習俄語」，風行一時。英文的身價，已一落千丈。人民不但不願讀英文，且以說英語爲恥。在很多被公認的優秀學校裏，負責人明明是英美留學生，却故意裝着不懂英文，讓譯員翻來翻去，藉以表明自己的立場，避免反動的嫌疑。

有一次，摩氏發現他的女譯員是一位[illegible]大學的畢業生，他有意問道：「你愛好你在美國期間的生活嗎」？她大膽回答說：「我恨透了」！但是從她[illegible]的美裝拉鍊外衣，與五一型派克筆看來，誰又能斷定她所說的是真話還是假話呢？

[illegible]是不是證明民主已告失敗呢？……決不是！這因爲以往的國民政府，不能代表民主，孫中山先生的三民主義仍是很好的，可是當時推行三民主義的人們，早把孫先生的遺教，置諸腦後了。[illegible]中共的成就，歸功於他們的組織與宣傳。又認爲最有效的宣傳，是從兒童身上着手，中共對於中小學教材之編訂，特加注意。作者在上海參觀一間幼稚園，適女教師向兒童們講解「五愛」；即五愛是：愛祖國，愛人民，愛勞動，愛科學，愛公物。他以爲「新中國」的兒童是屬於「黨國」的，當然不應再愛他們的父母了。

作者說，中共統治下的人民，好像變成了「機器人」一樣，感情喪失，[illegible]

（二）

作者以爲中共建設的基礎是樹立在兩個（C）字上，即通貨（Currency）與交通（Communication）。中共席捲大陸後的兩年內，人民幣確實貶值不少，但與過去的「法幣」或「金元券」相較，却是小巫見大巫了。中共鑑定幣值的成功，得力於折實單位的實行，據說折實單位的內容，是國民政府時代，一個經濟學者向政府提出的建議，可惜當時國民政府不能採納，却讓中共拿去應用，而收到了效果。

中共竊據大陸不久，淮南鐵路被修復了，二百八十英里路程的成渝鐵路，於一九五一年底，已告通車。同時，隴海路也由天水修抵蘭州；西南一帶的黔桂，湘黔，川滇鐵路也在動工。這些鐵路的築修，軍事上的價值尤重於經濟的價值。

作者說，據中共統計，一九五一年之內，全國有一億三千萬人，受到土改的影響；加上老解放區的一億九千萬人，共計有三億二千萬人之數；那就是說：全國性的土改，已完成百分之八十。（上）

•柳英華•

香港是難民庇護所 對工業有極大貢獻

港督葛量洪爵士在美作旅行演說，已引起全世界人士的注意。他們都想傾聽這位受香港二百五十萬市民多數所擁戴的行政首長，發自內心的公正意見。最近葛氏在芝加哥外交理事會中，陳述有關香港地位對於自由世界的價值時，他說，一般竹幕後面的人民可以透視自由世界，其次爲自由世界獲致大陸眞相的瞭望站，又是來自大陸「數十萬難民的庇護所。」香港照顧難民的數字，確較世界任何地區爲多；假如一九五零年邊界封鎖不加執行，人口數字增加，殆至使人難於想像。但是由大陸而來被阻入境之人，對當局這種嚴格措施，多少存有不滿心理。然而也有例外，那就是對於中共不滿，要求當局給予庇護的中共軍政人員，並不比照「偷渡入境」罪嫌而依法懲罰，這是爲世人稱道的。

港督強調大部分「中國人民，並不歡迎中共政權。」這是很明顯的，中共的幹部尚且要求政治庇護，人民的待遇如何，毋待贅言。更有一個具體的例證，適足證明中國人民的反共意識，並非大陸淪陷之後而遠在一九四七至四八年間早已存在。據社會局長乾璘鄉指證：「中國內戰再度爆發（內戰僅由於對日抗戰而暫時停止），不少工廠從上海及華北遷至香港。」在消極方面說，這些商人無非避亂保產，但從積極方面看來，他們對中共掠殺私人資本，早已認識清楚。誠如乾氏所說，他們在此安居樂業，且受法律保護權益。

但另一事實足以說明避難香港的中國人民，絕非完全依賴香港，所謂「納稅人出錢，難民坐享利益」之說，不特厚侮難民，純係毫無根據的胡說。雖然「難民」兩字含義頗廣，但多數來自大陸，入境難民中，許多有錢佬「走埋」香港，且爲盡人皆知。更有可資佐證的，乾璘鄉力言：「今日，吾人當感謝自中國南遷的商人，因爲他們會帶來精力及現代方法，會刺激當地工業使之作更大之努力，並曾協助吾人之工業成爲僅次於商業之經濟命脈」。乾氏說，「這些工業家，以及他們帶來的熟練工人，都屬難民；他們第一批係戰後來港的，目前已被吸進當地社會，一如於中日戰爭爆發時來港的難民；他們和當地居民已無分別。」這不但證明了來自大陸的難民無求於香港，對香港工業且有重大貢獻的。即就調景嶺難民而言，他們自己已獲生產技能，大部分的金錢，係出祖國政府依助，精神物質得自港府與熱心社會公衆福利的人士支持，絕不能說是受益於「納稅人」者。

香港三日

本報特別啓事

（一）本報稿酬，現已清發至三六三期，惠稿諸君如有未經收到，請即函示，爲荷！

（二）台灣稿酬，以往係滙由本報台北經銷處代爲轉送。近日惠稿諸君多托人在港領取，以至輾轉撥賬，手續濡滯。茲擬嗣後一律在港清發，俾資便利。惠稿諸君收到通知單後，請轉告在港親友，過單領款。其有不便領取者，請示知，當照址滙寄，諸祈亮察，爲幸！

本期稿擠，「大陸商人的生死鬥爭」下期續刊，希讀者作者鑒諒！

自由談

匪夷所思也夫！

馬五先生

閱上期本報所刊「論禁戲」一文，說台灣現在禁演許多舊有的皮簧戲劇，如「紡棉花」「大劈棺」這類被「衛道」「克難」的仁人志士（？）所惱惡的戲，固然一體查禁，如逢戲戀不舍，即「四郎探母」「霸王別姬」等大衆化的戲齣，也在禁演之列。又據在台肄業的學生告訴我：他們在學校演出話劇時，亦須與現實情況相配合，如扮演紅樓夢人物，像賈寶玉，林黛玉等，必須表示參加「克難運動」。還有朋友對我說：台灣方面有人主張特別宣揚「水滸傳」精神，希望海外文化界也一致努力云。

共產黨人爲要強使世界人類的正常進化生活，適應它們那種落後的野蠻主義，硬要以思惟變更存在。所以，它們對人類進化的歷史事實，必須予以變造，因而對社會大衆所共喻的戲劇，也得大力竄改僞製。如演「三堂會審」時，最後必添入「農民暴動」一場，把「霸佔民妻」的地主王金龍活活打死；演「探母回令」，必將私自「通敵」之不忠貞的楊四郎處以極刑。這類令人笑掉牙齒，又氣破肚皮的狂妄幼稚行爲，已成爲自由世界人士所深惡痛絕，口誅筆伐的材料了。以反共抗俄爲號召的自由中國人士，幹嗎亦跟着共產黨的屁股後頭，覷顏學步呢？中共又把義和團和張獻忠李自成等人，捧爲農民革命英雄，編輯專書，大事宣揚在案。台灣也要照樣地效顰一下嗎？

戲劇原是象徵着某一時代的現實社會生活背景，越存眞，越就使後人在學說研究上可以得到實證的論據。共產黨害怕有歷史眞迹存在，所以要拚命地變造牠，我們爲的甚末？高舉反共抗俄的大旗，而其文化精神乃表現得如此貧困低能，祇知道模仿共產黨人的拙劣作風，何其不思之甚耶？共產黨人更擅長搞「統戰」工作，會使我們的江山瓦解於一旦，然大家却不屑效法了。這叫作襲取敵人糟粕，揚棄自己精華，是誠匪夷所思也夫！

·偵探故事·

水銀謀殺案

·柯西譯·

一個沒有直系親屬的獨身漢——富翁查理士寶華，有着七百萬流動財產，在德克薩斯州也擁有五百萬元的油田。他且因爲他在德克薩斯州博得慈善家的名譽，設立了一個查理士寶華學院，每年捐出五十萬元作經費。可是他雖然做過這些慈善事業，却仍被一般人視作守財奴，很少人對他表示好感。他平日不肯給別人一點小恩惠，就是到漂亮飯店吃完五塊錢的豐富晚餐後，也祗給侍者五分錢的小賬。

這是距今六十多年的事了：他在德克薩斯州的一家飯店，賞識了一個名叫雲狄的侍者，就馬上僱用了他，作爲隨身侍從，週薪九元，這比他在飯店的薪金高出得多了，所以他非常忠誠侍候他的主人，主人也非常信任他。

寶華已是個八十多歲的老翁，心臟衰弱，又患消化不良，因此，雲狄的衣袋裏，總是塞滿了藥瓶，丸盒等藥物的。每隔一定時間，他就取出來給主人吞服，不管他們在什麼地方都是這樣。但是，如果雲狄把藥物遲給了他半分鐘，這個老頭子就會大發脾氣，罵他不中用。

一年後，寶華帶着雲狄離開德克薩斯州，住到紐約的一家最華麗的公寓裏。紐約社交界，很快就知道來了這個富翁，他也就成了紐約一個最受人注意的人物。

他們住的這所公寓，是個舊的建築物，閣中樹木遮陰，花草清芬，房子佈置，傢具與古玩價值也值二十萬元以上，富翁住在這裏，過得很安逸，來訪的客人，多數是從德克薩斯州來的知友，他如果不出外散步或整理利息賬單，總歡喜想出些事叫雲狄去做。

寶華是個很頑固的人，不但不容易信任別人，且固執成見。一年以前他忽然想出吃山芋可以幫助消化，以後他就時常吃山芋，就是吃了致病，他還是說對於他的胃很有益。當他病了去看醫生時，醫生威來一看他的病況，很奇怪這個老翁還沒有死去，居然能好好活着。

寶華的法律顧問喬爾培賽克律師，是個四十歲左右的中年人，膚色帶黑，髮頂已禿，眼光從厚厚的玳瑁眼鏡向外四射，他看樣子有點陰險。他首先安排計劃與雲狄做了朋友，又串通了威爾斯醫生。就此演出了下面這個故事：

這是一個星期一的上午，十時半的時候，賽克律師事務所裏一個書記，拿着一張兩天前簽出的二十萬元支票，在史門生父子銀行出現，這張支票爲寶華付給他的，有寶華的簽名。那家銀行爲了審愼起見，便打個電話到寶華的住所裏去查問一下。

「我們爲了鄭重起見，想請查理士先生證明一下。」

接電話的是雲狄，他說：「如果是給喬爾培賽克的那張支票，那是完全沒有錯誤的，因爲上星期六下午寶華先生開支票時，我正在這裏。」

「可是我要跟寶華先生談話。」

「可惜他昨天晚上死了。」

銀行方面覺得事出蹺蹊，到紐約警局謀殺科報告這件事。科長麥克魯斯便直接去到寶華的公寓。

「你是誰？」他見了雲狄就問。雲狄說明了自己的身份。魯斯又看見一個背着他們坐在沙發上的人，便問雲狄：「那個人是誰？」

「他是寶華先生的法律顧問賽克律師。」雲狄露出不自然的神色說。

這位偵探走到賽克面前，命令似的說：「賽克先生，不要走開，我等一會要跟你談話。」

寶華的屍體，還赤裸着躺在桃木的大床上，床邊站着一個臉孔現出不耐煩的人。魯斯走進臥室看見這個人就問道：

「你是誰？在這裏幹什麼？」

「我是收屍的，剛用香料塗過屍身。」

「這是誰的主意？」

「賽克律師叫我來的？」（上）

雜詩三首

姚味辛

依依白門柳，皎皎秦淮月，平生魏闕心，西望但憂鬱。誰堪倒懸懸，莫爲偷活活，玉碎與瓦全，抉擇須奮疾。金門鼙鼓聲，生還倘有日，哀此垂暮年，何時四海一！

南國感云暮，庭樹仍葳蕤，而予添白髮，天道寧無私？婉變人皆慕，老醜世所嗤。落日斷巖上，誰賞松柏姿？且作蘇門嘯，還采南山薇。主軍疑何鼓，播揚歎南箕。

少年好擊劍，燕趙多朋儔，孫吳謬自許，金張非所求。馳驅四十載，白骨徒成坵，麋鹿高臺晚，銅駝荊棘秋。側身滄海外，萬事同浮漚，迺知赤松子，終身可從游。

紅樓夢散論（四）

·王世昭·

曹雪芹對於宇宙的看法是一個空字，而對於人的看法則是善惡二元的。他認爲性有善有不善，善者是仁人，惡者是壞人，我們看他在本回中由雨村口裏說出的。雨村道：

「天地生人，除大仁大惡，餘者皆無大異。若大仁者，則應運而生；大惡者，則應刼而生。運生世治，刼生世危。堯，舜，禹，湯，文，武，周，召，孔，孟，董，韓，周，程，朱，張，皆應運而生者；蚩尤，共工，桀，紂，始皇，王莽，曹操，桓溫，安祿山，秦檜等，皆應刼而生者。大仁者修治天下，大惡者擾亂天下。」

曹雪芹除主張人性中有善惡二元外，而在宿命論中又主張有正邪二氣。據他的解釋，正氣爲「清明靈秀」，惡氣爲「殘忍乖邪」；前者爲光火，爲化日，爲和風，爲甘雨；後者爲狂風，爲驟雨，爲霹雷，爲閃電。二氣於地中相遇，既不能消，又不能讓，必致搏擊掀發，遂賦於人。若生於公侯富貴之家，則爲情癡情種；若生於詩書清貧之族，則爲高人逸士；若生於薄祚寒門，則爲奇優名倡；於是此舉出代表人物，如許由，陶潛，阮籍，嵇康，劉伶，王謝二族，顧虎頭，陳後主，唐明皇，宋徽宗，劉庭芝，溫飛卿，米南宮，石曼卿，柳耆卿，秦少游，倪雲林，唐伯虎，祝枝山，李龜年，黃旛綽，敬新磨，卓文君，紅拂，薛濤，崔鶯，朝雲等皆是。這裏有大詩人，大學者，大文豪，大藝家，大音樂家，大書法家，大古文家，以及社會所不齒目爲倡優之流的名女人。

像這樣的見解，在有清中葉以前，也可算是發前人之所未發了。

因此，他的思想，以儒家爲骨，以雜家爲肉，以佛家爲精神代表，以文藝爲達成創造的手段，與共產黨，唯物論人生觀完全是南轅而北轍的。他們震於曹雪芹之偉大成就，硬拉他做同志，可謂死不要臉！（未完）

母行小會

·娑婆生·

行局同人，自經赤禍變亂，闖入鐵幕，不及撤離者頗多。以致曩昔歡管常奏，業餘遣興之風，因多星散，來台無法再聚，每有相値，輒引爲憾。自今歲蔣陳兩公當選就任，國際情勢，已漸明朗，知反攻之在望，欣覩復之有期，於是母行同人，糾集十餘，始再研究平劇，未及半年，在八月初，於中山堂晚會公演，斯會雖小，但是表示精神團結，意義深長，余因此參加其盛。首演空城計，由元度飾武侯，氣度雍容，神情自然，城樓慢板，頗能動聽。雲昇扮司馬懿，能得渾厚之妙。次演錫影計，義和忽然倒嗓，改由大德還扮，則聲音較低，未能高亢，但猶可可。東籬小姐，身材苗條，扮相頗好，一段二簧，能有圓轉清脆之味，甚佳。再演追信，帶禮飾蕭何，雖未十足似麒派，已有三味，動作合符，推帶玩世之情，令人啟噱，一個吊毛，規規矩矩，向池解斗，閱堂叫好。大德俊乘醜襯很自然。大軸宇宙鋒，玉文飾趙女，名手的是不凡，反二黃一段，雖略斷續，但吐字行腔，悠揚動聽，最後金殿裝瘋，嗔笑與身段動作，則均極佳。盧智的二世，爲斷輪高才，偷窺與冰嚇，頗如其情。太璋的趙高，則過於嚴肅，再演宜稍活動。母行同人，自蓉來台，迄已五載，首次小會，盖後近反攻矣，書以告旅港之同人一粲。

哀·金·陵（下）

——一個專門學者的逃亡自述

·仇凝·

公安局時常注意我在上海的行動，有人通知我，我知道非走不可了。向鄰家借得金飾一兩六錢，纔舉家離開蘇州，經上海杭州衡陽到達廣九鐵路的深圳站。被一座羅湖鐵橋阻住，我們望着九龍嘆息。我們住在一間小棧房內，一天一天的過去，路費已罄。事先曾函香港的一位親如手足的老同學，請他設法，但是人情淡薄的今天，我的失望是命定的。當我們一家五口進退維谷的時候，小客棧主人認爲我是梅縣人和他的家鄉大埔是小同鄉，允爲設法將我的妻孥帶過羅湖鐵橋，我先走幾天，也是他派人送我渡過深圳河的。

（四）

我到香港這回是第三次。第一次是民國十一年去歐洲留學，坐船經過九龍，順便在香港遊玩一天。第二次是民國十八年八月由意大利搭船回國時經過香港。惟獨這第三次狼狽極了，在香港作無告的流亡者。在國內大學和在國外所學的土木工程，竟無法在香港謀得一個微能養活一家五口的小職位。因爲我是留學德國的，就是柔當博士文憑在手，沒有人事的援助，也是毫無辦法。最後全恃家傳下薄技，纔勉強維持一家五口的非人生活。在這五年的期內嘗盡了號呼轉徙飢渴顛踣的磨難。當中七十二歲高齡的慈母，在故鄉受環境的默迫，不得善終而捐館舍，一視含殮，海天遙隔，不能一慟，母子關懷，這是我一生最痛心的事，和在九龍出世的小女，因爲缺乏營養而夭亡。其餘的三個孩子，長子年齡隨着歲月增長，他們都是三餐不飽，衣不蔽體，而貧饑交迫，更無力量送他們入學，只有抽暇教他們些功課，不讓他們失學。以前我也曾在幾個國立大學教過書，沒有想到今天的我，一個專門技術人材在香港可以到走頭無路，脚站在死亡的邊緣上。附錄有感詩一首：

「窮客九龍頭，江湖淚倒懸，未償流亡志，莫悲心有淺，胥志更若家無歸，宿糧故國沉淪待，克復，田園盡喪猶思鄉，半生多在亂離際，垂老却留天一方」。

從詩中也就可以將我的境遇表出來。因爲詩又想起了前人金陵懷古的詞來。

「六代豪華，春去也，更無消息，空悵望，山川形勝，已非疇昔，王謝堂前雙燕子，烏衣巷口曾相識，聽夜深寂寞打孤城，春潮急。思往事，愁如織，懷故國，空陳跡，但荒烟衰草，亂鴉斜日，玉樹歌殘秋露冷，胭脂井壞寒蛩泣，到而今只有蔣山青，秦淮碧」。

詞尾的蔣山青和秦淮碧，也就是我的第二故鄉和我的一生事業的寄託地，至死不能忘懷，我寫完了這一段時，禁不住悲從中來，熱淚橫流。因爲我一家五口的生活，依然是日食不繼，不知道有同情於我的人嗎。

一九五四年雙十節寫於香港筲箕灣淺水碼頭村四十號，如有賜示請函上址歐陽君轉，因我又要遷居了。（完）

出軌的原因

·林·

一條吐着藍色舌頭的四脚蛇，爬上一個鐵路工人的褲子，致使火車失事，這是最近在澳洲布加市附近發生的事。

一個鐵路工人正在扳閘，想把道上的火車導上正道。可是一條十八英寸長的無毒爬蟲，突然爬上了那工人的大腿。工人萬分恐懼，胡亂把道閘往回一扳，那知這時候一部拖着三節貨車的列車已開到面前，他往旁邊一閃，未被碰到，這火車却出了軌。

這事費了一個鐘點才搞妥，火車雖終於撥上正軌，行車時間却誤點了八個多鐘頭。

在出事那一陣紊亂中，那四脚蛇竟悄悄溜跑了，並沒有被殺。

最熱的天氣

地球上最熱的天氣常在非洲北部利比亞的亞齊齊亞（AZIZIA），那裏的溫度是一百卅六度。在美國最熱的天氣是一九一三年加里福里亞州的死谷（DEATH VALLEY），溫度僅較亞齊齊亞少兩度，是一百卅四度。

最冷的天氣

地球上最冷的天氣常在西北利亞的維科揚斯克（VERKHOYANSK），一八九二年一月五日到七日那裏的溫度降到幾乎不能再降的零下九十度。據美國氣象局報告，南極（拔海八千英呎）的中間溫度並不太冷，平均爲零下卅二度，那幾乎是多令聖地了。（敏）

更正

三五七期本版，劉百閔「詩齋回首六十」，「畢竟若輕有遠覃」句，「若」誤爲「知」，合更正。三七六期本版蔡智堪「中日外交秘聞」，「筆者與閻督李烈鈞」句，「閻督」二字本爲原稿所無，應刪去。

自由人
THE FREEMAN
（第三八〇期）
中華民國內政部登記證
中華郵政登記認爲第一類新聞紙類
（每星期三六出版）
每份港幣壹毫
台灣每份台幣七角
社址：香港高士威道廿二號四樓
3rd fl. 20 CAUSEWAY RD HONG KONG
香港發行及事務接洽
高士威道66號 電話：三五〇四七
承印者：自由出版社
海外總經銷
友聯書報發行公司
台灣總代理 台北市

告共產黨人書

——十月十五日對大陸廣播

·胡秋原·

中國共產黨的幹部和黨員們！今天離雙十節不過五天，我要用中國人的名義，和諸位說幾句話。這些話自然是與各位有關，和各位前途有關，和各位身家性命事業有關，當然更是和我們共同的祖國前途有關的。但是，中國共產黨有二種人。一種是認俄國第一，中國人天生應爲俄國人犧牲的。這多半是吃「保俄飯」以上的人。第二種是仍有民族天良，仍自認爲黃帝子孫的。這大概是吃「小灶」以下的各位。第一種人，大概很不願聽我說話，請你們將收音機關住好了。我想談談的，也只是第二種共產黨人。

蘇俄侵華政策成功

我胡秋原，如諸位所知，是一個普通的中國讀書人。我素來與諸位一樣窮，不過現在你們好多比我有錢多了。我研究過馬克斯主義，我曾被你們的共產國際請到莫斯科，住過一年多。我曾在國民黨勢力最大，你們的黨最危急的時候，反對過國民黨做過你們黨的朋友。我在莫斯科，曾受到俄國人和你們黨極客氣的招待。然而我漸漸發現俄國共產主義根本不是什麼馬克斯主義。我知道沙俄是一最野蠻帝國主義者。我以爲蘇俄不同。而我又不幸漸漸發現蘇俄帝國主義作風和打算，較沙俄只有過之無不及。但是我保持沈默，更沒有反對你們。因爲，我很了解中國一般青年相信共產主義，加入共產黨，一個最基本原因，就是不滿現狀，於是輕信俄國人的路，是世界最好的路，等到加入共產黨後，無法自拔。諸位當初，都是有理想，有志氣的。只是在黨的鐵幕中，見聞有限，只好迷信黨的小册子和油印品，而也不忍不去迷信。諸位的領袖就利用你們的天眞，而俄國人就利用你們領袖的野心，讓中國人相殺。於是你們的「革命」成功，實際上是俄國人侵略中國傳統政策成功。這是中國民族的刼運。我寫過一本書，稱此爲「中國之悲劇」。等到你們佔領武漢的時候，我並沒有走。只要你們稍爲像個樣子，我即準備接受你們的統治。但看你們的統治看了一個月，我立刻出走，毫無所留戀。我旣出走，就是用來反共的。一個素無黨派成見的我，就從此決心反共而且要反共到底了。

吞聲飲恨　與汝偕亡

我爲什麼要反共呢？我看出你們的黨，也就是你們的領袖，太卑賤，太昏聵了，太不像樣，也太不聰明了。你們太不像中國人，太效忠俄帝了。你們一切辦法，比俄國人還要俄國。這是我想不到的。這是中國人受不了的，也是決定你們必然失敗的。你們是什麼中共，你們只是漢奸！我出走不到一星期，「一面倒」出口。古往今來，豈有這種話？這簡直是清算，鬥爭，坦白之類，死了多少人？韓戰，死了多少人？謝謝老大哥的「先進技術」，造成有古未有之水災，又死了多少人？錦繡山河，被你們弄得狼煙慘慘，血流成河。你們犯的什麼罪啊！

我所謂反共，不是反對你們的個人。你們並非一出世即是共產黨的。反共是反對俄帝統治中國的辦法。[illegible]我反對你們算得什麼。但到了我們這種無所謂的讀書人反對你們的時候，可以說沒有一個人不反對你們了。無論窮人富人，都被你們整得求生不得，求死不能。你們有民衆嗎？除了張治中之流外，誰是你們的民衆？要知道你們前後左右都是敵人，老百姓誠然怕你們，稱你們爲「同志」、「委員」、「主席」。但誰個心中不是吞聲飲恨，欲與汝偕亡？你們犯的什麼罪，只是將中國人變成俄國鬼而已。這是犯的什麼罪，何等可恥的大罪，滔天大罪啊！這不是你們的罪，這是毛澤東周恩來之罪，這是史達林馬林可夫之罪！你們騎在人民頭上，你們的領袖騎在你們的頭上，俄國大使顧問騎在你們領袖的頭上，馬林可夫又騎在一切俄國人頭上。這便是共產主義，這便是「過渡時期總路綫」！

現在，到了，到了你們必須覺悟，到了你們也應該反共，也就是「自反」的時候了。

我知道這對你們有相當困難。也許你們以爲馬克斯主義總是好的。馬克斯主義對不對，我無須和你們辯論。但我必須告訴你們列寧主義不是馬克斯主義。無論如何，馬克斯主義中沒有叫人賣國，沒有叫人殺人，總是很明白的。

（下轉第二版）

你們應該自反了

擁使全中國人反對共產黨，你們自己反了？你們清夜自思，你們的黨將中國民族糟蹋到什麼程度？你們手上有多少血？「不得不」少寃魂在向你們索命不得？爲什麼要用地富人之類，污辱中國？什麼想出「婚姻法」，糟蹋中國婦女和姊妹？中國的米素不够吃，送米到俄國印度，你們爲什麼讓米爛，老百姓活活餓死？你們自己貪污荒淫，卻怪老百姓，用三反五反來謀財害命？又是何道理？還要問你們，你們憑什麼自己有的很若，而讓老大哥享受一切；又憑什麼在老大哥之前奴顏婢膝，而在老百姓前作福作威呢？你們糟蹋國格，糟蹋人[illegible]

尼赫魯爲什麼去北平

希望保全喜馬拉雅山地區權益　將和印度代表團一樣空手而回

·俞耍·

以「國際第三勢力」自居的印度總理尼赫魯前赴赤色中國大陸訪問，本月十八日已抵達北平。尼赫魯此次深入匪窟，引起國際人士極大注意，揣測紛紜，我們從實際觀察，尼赫魯本是一個會裝傢伙，與其說爲中共助威，毋寧說爲其自私的利益，而冒險入虎穴，較爲得當。因尼赫魯所旦夕不能忘者，爲中共軍隊與特務已滲透了中印的緩衝地區，有直接威脅印度的危機。所以不能不藉口回拜，前往竹幕，希望保全這些旣得利益，免爲中共饞奪。

中印緩衝地區情勢

茲先就喜馬拉雅山中印緩衝地區的現勢，分析如下：

世界上最大的界限之一是中印兩國的邊界。居住在這邊界上的人民，外表並不一樣。中國大陸的一邊，居民顴骨高而鼻準低。印度那一邊，模樣似歐洲人，祇是膚色稍黑而已。這邊界的東段在孟加拉灣一帶，西段是喜馬拉雅山斜坡，長達一千五百英里。斜坡的北端沿西藏高原，拔海一萬尺，氣候寒冷；南端在印度平原，地勢低而氣候熱，這條斜坡寬約一百英里到二百英里，山嶺峻險。因此東西之間交通不便，政治上不容易團結，斜坡上的居民有幾百萬，外表似蒙古種，自成一派。

在過去一百年間，英國在印度東北製造緩衝地帶，利用保護，同盟，併呑的手段，蠶食了喜馬拉雅山斜坡地區。到了世界第一次大戰時，中國的滿淸政府和國民政府雖然很氣憤，但鞭長莫及，莫可奈何。迨一九五〇年，中共侵入西藏，完全把這地區控制，西藏人民處在武力壓迫之下，以前藏王所存的自治思想，現在不敢提起。印度也放棄以前趁火打刼所獲的特權，如直接對拉薩交涉和駐軍印藏公路之類。中共統治西藏後，積極向喜馬拉雅山斜坡擴張，其方法甚多，主要的是灌輸共產主義的思想。斜坡上的居民，由於貧困和社會制度落後，很容易被中共所利用。甚至利用亞洲種族觀念，與當地領袖勾結，以資對外宣傳。喜馬拉雅山的國家，上層階級，根深蒂固，不惜以武力反抗，以保全其本身的利益。中共在運輸困難的情形下，也不容易施展武力，只得改採懷柔的軟化手段。

幾個小國的現狀

喜馬拉雅山一帶，包括有下面的幾個國家：

一、不丹——介於中印之間，以出產食米爲大宗。從前是中國的藩屬，于一九一〇年由英人與爾錫士居間，對英國簽字，把外交事務付託與英國。現在印度與不丹也締訂有一份類似的條約。最近不丹國內曾發生排外的事件，據傳是由中共特務居間所煽動的。

二、錫金——在不丹的西面，面積縱七十英里，橫四十英里。這個錫金原是西藏的一部份，被英國占領後，建立爲保護國，現在印度仍是沿用英國所訂的條件，以取得該國的權益。由於國勢積弱，事事操在外人之手。

三、尼泊爾——乃是喜馬拉雅山一帶最大的國家，英國軍隊裏面的郭爾喀部隊即由尼泊爾所招募。尼泊爾對于中國的朝貢，一直到一九〇八年然後停止。國家政權原由拉那氏家族所主持。一九五〇年發生革命，把拉那氏推翻，現在卻缺乏有效的領袖，正由印度協助建立軍隊，訓練公務人員，以及其他福利措施，無異印度的保護國。

四、拉達克——地理上是喀什米爾的一部份，因此牽連到印度與巴基斯坦爲喀什米爾的爭執。可是人種和宗教，與西藏相同，原是印度對西藏和新疆的通商孔道，現在商業停頓，以致經濟衰落。目前則由印度駐軍于此，以資鎮守。

中共和印度的交涉

印度除在拉達克外，在錫金也駐有軍隊。印度軍隊的配備相當精良，開入喜馬拉雅山也比較中共軍隊迅速。可是印度軍隊[illegible]持國內的治安。去年冬天加爾各答發生暴動，印度政府把該區的軍隊調去，才把事態鎮壓下去。

中共和印度的國民大會黨，都是新取得政權的，所以都有一種高傲自大的感覺，對于旣得的利益，絕不願白白退讓。惟是中共所靠的是共產主義的國際集團，運用外交的手段較印度老練。最近中共印度爲西藏問題在北平舉行談判，印度代表空手而回，便是一個實例。喜馬拉雅山問題，由外表觀之，似乎是中共和印度兩國間的問題。實際上，直至現在，印度所採的應付方法，殊欠高明。

尼赫魯仍將空手同來

印度對喜馬拉雅山地區國家，値視同禁臠，不許別人過問，即使美國，也僅是有一經濟代表團在尼泊爾而已，美國人在尼泊爾的行動，還受到種種的限制，絕不自由，其他幾個小國，美國政策更難希望深入的。印度的政策，希望對中共獻殷勤，示好感，大力在國際上替中共吹噓，俾保全這些地區的利益和權力，希冀中共勿予染指。但從事實上看，中共的特務，已滲透入這些地區了，假如中共有不利印度的意思，只須佔領喜馬拉雅山，便能够由新德里一直控制到加爾各答了。

現實的發展，喜馬拉雅山地區對印度的危機確已潛伏滋生了，毋怪乎尼赫魯要悽悽惶惶到北平去請毛澤東緩頰。尼赫魯雖御駕親征，相信所得的結果，也將與印度的代表一樣，空手而回吧！（取材大西洋雜誌）

半週展望

·雷嘯岑·

尼赫魯噩夢方酣

尼赫魯到中國北平訪問秩欲王朝，共匪們待以「郊迎」之禮，集衆歡宴者五百人。場面之熱烈，使艾德里貝凡等人聞之不免要自慚形穢哩！

三年以前，尼赫魯被中共指爲「國際政治商人」，大事抨擊。近幾年來，這位「政治商人」在國際上所搞的交易，處處爲共黨利益着想，他希冀挾共以自重，形成「世界和平」的創業英雄，嶄然嶄露頭角，其言其行其志趣，跟二次大戰前夕的日本外務大臣松岡洋右差不多。松岡以在莫斯科車站受到史大林的擁抱送別爲無上榮譽，尼氏對於毛澤東格外的禮遇優待，更不勝其感激欣幸之情，因爲此人的品性是與松岡同一類型的。

尼氏此行目的，據說是在取得中共實施其「和平共存」五原則的確切保證，毛澤東當然會予以極其滿意的答復，不成問題。當年松岡洋右對史大林說，如果日俄兩國不能和平相處到底，就要切腹自殺。史魔信誓旦旦，保證永好無猜，且破例親到車站話別，以示誠意。然而，到了一九四五年初秋，史大林給日本的「和平」信物，卻是由莫洛托夫當面遞交日本駐俄大使佐藤尚武的一紙宣戰書！尼赫魯將來所得到的「和平共存」保證品，一定也是這種玩藝，乃可斷言。

尼氏口口聲聲反對東南亞公約，認爲足以誘致戰爭，但他卻想聯同中共簽立亞非互不侵犯的「和平公約」，自打嘴巴。這表示他的觀念是認定俄共集團爲「和平主義者」，自甘爲共黨同路人，然又自命爲並非親共者。這種幼稚的民族主義思想與作風，目前充滿於東南亞地區各個落後的新興民族國家之中，而以尼赫魯表演得最起勁，非等到大砲飛機之臨予以震撼，他這場噩夢是不會醒的！

英國人於意云何？

蔣總統日前在台北對倫敦每日電訊報記者的談話，我們認爲是最近五年來最精警透闢，而又能代表自由中國人民意志的一席話。英國政府當局這兩天正在國會報告中共強制刼掠英商在華財產四億鎊問題，深表憤懣，然又不斷地在國際間進行安撫中共，犧牲自由中國的政策，難道這就可以博得中共歡心，發還其刼去的贓款不成麼？

英國現行的「守歐棄亞」政策，或許可告苟安於一時，但到了一九五六年中俄共在新疆滿蒙一帶的兩大鐵路完成，以軍事行動席捲亞洲後，西歐的安寗秩序自然難保，多佛海峽亦必爲火藥氣氛所呑噬。

中共對資本主義國家之不會有眞正好感，這是英國人亦必然心裏明白的。英國的最大希望是想拆散中俄共關係，致中共跟西方國家親善，所以認爲不妨將台灣的自由中國犧牲掉。這一理想若要實現，尙有一最大的前提，即毛澤東集團爲鞏固政權而放棄其共產主義，改變其共產黨！否則，英國的亞洲狄托理想縱然實現了，還是無法恢復其在中國的貿易利益，事極顯然。

中共在其本質上決不能與英國親善永好，讓英商重建其在華貿易的黃金時代，而英國又要把自由中國犧牲掉，使中國的自由人民沒齒難忘，結果是兩面不討好，自貽伊戚。

假使毛澤東集團眞能如英國所希望，脫離俄共羈勒，再進而放棄共產主義，改造共產黨，蛻變爲一個英美式的政黨，與西方國家和平共處。那時候，中國當然沒有反共問題存在了。可是，我們敢預言：那時候的所有中國人，對英國也未必有比現在更好的感想！因爲若干舊的新的歷史教訓和政治嫌隙，橫亙於每一個中國人的胸中，是不容易健忘的。

蔣總統這篇談話，悃愊無華，有物有則，是對自由世界的一項忠告，更是對英國的友誼諍言，英國人於意云何呢？

疏散聲中的台北景況

社會情形極為安定　俞嚴出巡有好印象

楊柳青

台灣通訊

【台北通訊】金門砲戰後，敵機曾一度飛到台北天空，平靜的寶島遂逐漸形成戰時景況。

近來一片疏散之聲，政府各機關，已成立疏散小組會。惟社會情形仍極安定，各安生業，公務人員照常辦公，並無恐慌之象。近日台北市差不多每晚都有探照燈滿天照耀，空中佈滿了一道一道的交叉白光。但夜市景況，依然車水馬龍。電影院常常滿座，好影片還黑市票都不易買，三軍球場的球迷，也場場擠滿了人，吶喊助威，聲震遠近。西門町一帶，人來人往，擁擠異常。大家對於敵機可能來襲，似乎毫不在意。

在這時局緊張的時候，以文人首任國防部長的俞大維氏，飛返台灣了。抵台次日，尚未就職，即率領三軍首長，飛往金門前綫視察，對前後方民心士氣的鼓舞，都是很有作用的。俞氏因病滯留美國，姍姍來遲，不免使人發生疑慮，一旦翩然歸來，於砲火聲中，表示積極負責態度，以往的疑慮，遂亦一掃而空。[illegible]

就職未久的省主席嚴家淦氏，也於此時[illegible]求民隱，觀察各縣市情形。亦予人以良好印象。[illegible]出巡，不知亦能加以改革否？

機關的例行工作，即使不受時局影響，也有些效率太差，令人不知所以的。例如戶口大校正，換發身份證，準備時間不爲不長。並且調訓經辦人員，講習多時，但結果，仍然很糟，張冠李戴。錯誤百出。經辦人錯了不肯認錯，引起許多糾紛。譬如筆者個人名字也一再「筆誤」，起初是音同字不同，後來則音字兩不同。甚至配偶欄內，也換了一個陌生的太太。筆者曾經親眼看到一位去校正戶口的先生，母親的姓氏，一度因戶籍人員寫錯誤，他將余姓寫成徐姓，更正後，換發新證時，又恢復原來錯誤，再要求改正，不許，爭執之餘，那位戶籍人員，指着要求再更正的人哼了一聲說：「你母親的姓氏一改再改，一定是姨太太」。於是發生一場拳鬥。陶希聖氏也曾爲此而寫過兩篇大文。據筆者所知，此次換發身份證，笑話特多，有些弄得改名換姓，籍貫不明的。有些弄到「父母雙亡」，「妻離子散」的。

諸如此類不知凡幾，這些例行工作本與時局無關。但時局緊張後，恐怕更要弄得不知所以了。如果公務員眞的不怕飛機來襲，安心工作，這類例行公事，應該有條不紊，効率如常才是。

（十月五日）

懷孟保羅醫生

· 易健夫 ·

人物述評

筆者於每個月美國讀者文摘到來時，首先要讀的是那「我所最難忘的人物」，[illegible]

[illegible]

（上）

告共產黨人書

胡秋原

（上接第一版）

俄國是中國民族世仇

也許你們之中，不少的人迷信俄國。我要告訴你們幾句眞話。

俄國人稱英美爲帝國主義者，你們一定要知道俄羅斯才是中國民族的世仇和死敵。一八五〇年，他佔領中國土地，等於一個歐洲。你們應知道東北到韃靼海參威，西北到巴爾喀什湖，都是中國土地。比起俄帝來，英國人佔有香港，眞是滄海之一粟。至于美國，實不曾佔過中國地方。

最可笑的，是俄國人自稱「先進」。你們須知，中國人發明印刷時候，俄國人才有部落與土司。俄國本不過蒙古同胞一個殖民地，其立國至今不到五百年。他本來是歐洲落後的國家。除了幾部小說外，他有什麼文化可談呢？

也許你們相信俄國現在強大。你們記得二次大戰初期，他被德國打得快要投降，美國好心積極援助，才沒有亡國。二次戰後他利用各國愛好和平的心理乘渾水摸魚才強大的。而在韓戰之中，俄帝不過是利用中國人民之血肉才表現其強大的。

你們尤其要知道，現在如果還有帝國主義者，只是蘇俄。然全世界都團結起來，要清算俄帝了。俄帝正在實行列甯「退一步進二步」的策略。但老把戲已經人人皆知了。

列甯曾說帝國主義有三大矛盾，因此，帝國主義必亡。這些話是俄帝的自己命運之預言。現在俄帝在全世界孤立，整個東歐殖民地動搖，國內人民反對共黨統治者。共黨自己，也在互相鬥爭。馬林可夫貝里亞謀害了史達林，馬林可夫莫洛托夫同謀殺掉貝里亞。天知道，明天誰殺誰。東德、日本、澳洲各地俄國特務，幾乎每天都有反正的人。列甯又說，蘇俄什麼時候孤立，就什麼時候不能存在。現在就到這個時候了。因此，他要加緊宰制中國大陸這塊大殖民地，要中國人爲他拚命。而不幸毛澤東這空前絕後大賣國賊也決心爲俄國人拚命到底。

中國不要做俄帝砲灰

現在你們通過了一個「憲法」。請你們査一査唐努烏梁海和外蒙古憲法條文，就知道「毛澤東憲法」的來源。你們如果知道唐努烏梁海到什麼地方去了，也就知道毛澤東要領導你們到什麼地方。

現在俄帝與毛澤東發表「共同聲明」，但不說交還旅順，旅順是史達林答應在今年交還的。不過現在推到明年。這總是俄國人想打扮一下毛澤東，表示一點「獨立」姿態。但你們的憲法有許多「自由」，「自由」。人民在你們憲法下「自由」的程度，即是中國大陸在俄帝軍事同盟鐵鎖下「獨立」的程度。

但問題不在此。現在俄帝想作困獸之鬥，所謂「憲法」，是發動三次大戰了。俄帝動員中國人爲他參加三次大戰之「根本法」，而「共同聲明」中最要緊的，是蒙古新疆的鐵路之建築與連運，這便將使全中國成爲三次大戰之戰場。中國人和你們的浩劫，還在前面。

俄帝急於想在三次大戰以前，進犯台灣。這是俄帝與毛澤東冒險計劃的一重要部份。這將犧牲陳毅，也將犧牲無數無辜的人。最近前方有初步接觸。不知你們是否都知道你們損失的情形，知道自由中國現在的威力？現在要鄭重告訴各位，你們即不來進攻，自由中國軍民也是要回來的。但戰爭也許很可怕，我們祈禱必盡可能少流一點血。可憐我們中國人的血已被俄帝抽乾了。朋友們，我們回來不是打你們的，我們只是驅逐俄帝，恢復我們領土主權之完整，並使中國人民不致做俄帝發動三次大戰的炮灰，大家過天下太平，安居樂業的日子。另一歷史時代開始了。因此，我要誠懇告訴諸位，歷史正要求你們痛下再革命，再解放的決心了。你們的罪，原是很重的，但是各位的罪大多是不自覺的，脅從的。

中國人民素來寬大。除了毛澤東周恩來外，沒有一人是不可赦的。所要求于你們的，即不要再參加賣國殘民的工作，不要陪毛澤東殉葬，這是貽臭萬年，墮落失敗之路，要與一切離漢奸集團。準備與善良的同胞合作。這是至今不遲，黃金的換，光榮勝利的生路。全中國都是你們的敵人了，全世界都是俄帝的敵人了。人力，物力，道德，科學智慧，都在自由世界。這是無可抵抗的。一個新時代要到來了。今天不是國民黨共產黨問題，是中國民族與俄帝問題，是聯合國和共產國際問題，是現代科學與自由與奴役問題，是人道與鬼道問題。沒有人要諸位投降，但我們有權請各位自重自愛，自救救國。選擇自由，回到人性。一萬四千反共義士，是各位光榮模範。最後戰爭要開始了。這戰爭在中國人不會有勝利者失敗者。自古以來，中國是光榮而偉大的。但在近百年間，中國人都是不幸的，尤其是近數十年來，近五年來，中國人在俄帝挑撥操縱宰制之下，都是可悲的。迄今爲止，勝利者不是共產黨，只是俄帝。但中國要向俄國算賬了。今後失敗者只是俄帝，不是共產黨，一個黨人。朋友們！每記着，中國人總是中國人，中國人不打中國人，中國人應殺俄國人！朋友們，準備着，準備在兄弟鬩牆之後，共同抗俄；在抱頭痛哭之後，並手建國！但是，不可以再爲虎作倀了，再助桀爲虐了。只要各位是善良的，中國人對各位也必然是善良的。這是我第一次對諸位說話。以後還有再談機會。祝福各位的健康，各位的父母，妻子，丈夫和兒女。再見。大中華民國萬歲，中華民國老百姓萬歲！

共黨對華僑的陰謀（下）

· 矜式譯 ·

認清中共真面目

東南亞有些華僑，相當明瞭大陸生活的實況，因爲他們曾訪問大陸，並在他們的家鄉流連一些時候，但他們會受共黨警告，如果回去以後，對中共批評，他們的親屬便將遭受惡果。所以他們許多人都祇好守口如瓶。

不過對華僑的壓力，並不完全來自中共的。東南亞每個國家對於華僑的情緒，也成了壓迫他們的一個因素。菲律賓及泰國以強制的經濟手段和政治的歧視，對付華僑，會迫得他們以爲中共能保護他們的利益，因此，他們每以支持共黨作爲交換條件。中共把握了這種情勢，以廣播或印刷品全力宣傳，提出種種保護華僑利益的美好空言，並警告其他政府對華僑不得歧視。

五年以前，中共政權出現時，有些華僑還對它具有幻想，以致忽視了共黨強暴和專制，但他們不久便夢醒了。共黨從華僑身上勒索了數以百萬的巨款，他們如不付款，便祇有眼看他們親屬被共黨處死。而土地改革及清算地主，更震撼了東南亞各地華僑。中共在華僑間的聲望已告破產，曼谷一位華僑領袖曾這樣表明了他自己和許多華僑的態度，「中共在這裏已不受人擁護了，我們商人已沒有對中共再存什麼幻想，我們已睜開了眼睛。」

遭當地政府種種歧視

東南亞華僑常被視爲第二等公民，二次大戰以前，許多國家限制華僑移民，並對他們制定歧視的經濟法律，戰後，新限制又告增加。祇有在馬來亞，英國當局曾謀將馬來亞人和華僑混合起來，排華法律也告緩和，可是馬華衝突仍然激烈；例如有一位著名的馬來亞領袖就說：「中國人自私自利，他們買我們的樹膠，賣給我們糧食，一切價錢由他們定，可是中國人絕不僱用馬來亞人在他們店裏做工。」

印尼農民向以爲商人是壓迫他們的人，而多數商人又是華僑。菲律賓把華僑看成外國人，認爲他們在競爭中佔了優勢，危及菲人的生活，但華僑所以能佔得優勢，是因爲甘心做苦工，工作時間也較菲人爲長。

目前，三個主要地區的華僑情形大概如此：

泰國：成百的華僑因爲親共活動，已被逮捕。政府並下令華僑從邊境地區撤出。去年，曼谷華僑紛紛掛起中國的青天白日滿地紅國旗，數量愈來愈多。

印尼：估計二百萬華僑之中，祇有百分廿支持中共，其餘多支持自由中國，但有一部份則模稜兩可。

馬來亞：不顧英國軍事壓力，和叢林生活的艱困，馬來亞恐怖份子還是脅迫華僑，補充他們的戰鬥損失。

遍佈東南亞的華僑，實際上都已明瞭他們已成爲冷戰的最大目標；他們的領袖也不再以爲他們能遠離鬥爭而安居。僑居國家的經濟壓力，和中共的政治壓力，使他們不得不醒覺過來。但如果一千多萬華僑被中共所誘騙而成其第五縱隊的話，那是非常危險的事。（節譯「美國新聞與世界報導」）

巴西故總統絕筆書　有人操刀

天下小事

巴西故總統瓦加斯自殺時，曾寫就一封長篇的自殺信，對他自殺的動機詳加解釋，辭藻華麗，傳誦一時，許多人認爲直可列爲世界文獻之一。但現在消息傳來，這封信却不是瓦加斯自己執筆的，並有充分的證據足以支持此種理論，據說，瓦加斯死前知道有這麼一封信存在，並且明白其中的內容，他本人寫信，一向是單刀直入，簡單明白，從不在修辭上多用功夫。而這封名聞全球的自殺信，乃是巴西勞工黨兩位黨員的傑作。（孟衡）

編者　讀者

△下一期我們將發表王雲五先生向大陸廣播的「爲匪俄會談公報告大陸同胞」一文，還有張文仲先生「論高等教育趨勢」是一篇對自由中國目前的高等教育作極率直批評的文章，也將繼續發表。謹此預向讀者報告。

△本期牛布衣先生的「紅潮百態錄」，是一篇根據大陸來人傳出，而且是現時在鐵幕內最流行的許多故事寫成的文藝隨筆，筆調輕鬆，故事眞實，是一篇値得介紹的新作品，讀者幸留意焉。

紅朝百態錄（一）

牛布衣

下面這些故事都是赤色大陸裏的同志們傳來的，他們說這些故事在竹幕裏流行甚廣，幾乎是家傳戶誦的。特爲記錄出來，寄給遠東最有價值的刊物，「自由人」發表。

理論英雄

俗語說，『行行出狀元。』共產黨的英雄，便是從前的狀元。共產黨狀元有甚麼味，改用了英雄二字，實質上是一樣的。

×　×　×

「北京」人民大學有一個學院，叫做『最高研究院』，是共黨高級幹部研究共產主義的地方。學生人數不多，而且都是經過精選的忠實同志。以本年爲例，畢業的學生一共只有十名。他們便是天之驕子。

每年畢業的時候，共黨中央總是派一位重要人物前去主持口試事宜。本年主持口試的大員是劉少奇。

本年四月間，劉少奇帶了四個衛士和四幅圖畫來到人民大學的試場。十位畢業生早已恭候在那裏。掛好了圖畫，第一幅是[illegible]，體重二百八十磅，第二幅是毛澤東，重二百六十磅，第三幅重二百四十磅，都是大胖子。第四幅是胡志明，只有一百十磅，是一個瘦子。

劉少奇指着四幅圖畫開始口試。劉少奇問他們對於當代共黨要人的意見。前九名的答復都是很黨八股，陳陳相因，俗不可耐。劉少奇聲出不耐煩的態度。

第十名姓徐的，在學院裏有『小劉少奇』的渾號。劉少奇指着[illegible]問他。徐同志先行立正，又行了一個鞠躬禮，說道，『他是一個大胖子。』劉少奇指着毛澤東，問他同樣的問題。徐同志又說，『毛同志也是一個胖子。』最後劉少奇指着金日成問他。徐同志說，[illegible]。劉少奇指着胡志明，問他。徐同志說，『胡總理是一個瘦子。』[illegible]近乎滑稽。對於當今的領袖，你表現出輕蔑[illegible]。」徐同志忙答道，『共產黨人[illegible]最重物質，我的話是根據黨的立場說的。』

劉少奇說道，『可給你說通了，你可算是一個頭有思想的人。』忽然又扳起臉孔，目露兇光，問道，『徐同志，我有一個很嚴重的問題問你。你說，他們三個都是大胖子，他們爲什麼會長得這麼胖呢？』四個衛士横持着槍，準備動作。好一個徐同志，他向劉少奇又作了一個立正，表示了敬意，才說道，『因爲全國人民的擁護，他們長胖了。』劉少奇忍不住叫了一聲『好！』[illegible]這種理論似乎很新奇，可是不合共產黨的[illegible]物質，所以他們[illegible]。』

徐同志再向劉少奇行了一個立正，然後說道，『精神[illegible]。』劉少奇高叫了一聲『妙！』劉少奇才繼續說，『徐同志，你是[illegible]，你今天的口試一百分。』試場裏三十多個連同人民大學的教職員在內，都禁不住熱烈地拍掌。劉少奇舉起了右手，全場肅靜了，他問徐同志，說道，『還有胡同志的瘦[illegible]解決。胡總理爲什麼瘦呢？』

『他染了癆病。』徐同志答。

『胡總理爲什麼染上癆病呢？』劉少奇問。

『因爲法國帝國主義者在安南散放了大量的肺癆病菌。安南的人民多數染上了肺癆病，胡總理只是其中一個。』

劉少奇表現出十分滿意的態度，說道，『徐同志，在我手上得到一百分的，只有你一個，你可以說是精通本黨的辯證法。』

下個月共黨中央黨部開會的時候，劉少奇提出了徐同志，請黨部加以獎勵。朱德建議給徐同志一億元的獎金，以示優異，可是劉少奇反對。他認爲金錢是文人的大敵。文人有了錢，思想和生活都腐化了。他提議黨部把『理論英雄』的榮銜賜給他，同時派他到老大哥那裏再行學習兩年。

黨部通過了劉少奇的建議。『理論英雄』徐同志經於本年八月間到莫斯科去了。

大陸商人的生死鬥爭

沈秉文

又有些商人說：「階級反正要被消滅，跟潑血的鬥爭沒有兩樣，活到幾時算幾時。」這些話深深地道出了他們的恐怖與悲哀！

又有些商人說：「李維漢主任說到社會主義還有很長一段時間，那知現在很快就要合營了！但沒有辦法，合營就合營吧，只要能留給我們一隻飯碗算了，將來的事，誰知道呢？」這種心裏，滿是怨尤與悲苦，但照中共的指斥，說他們是「另有打算」，準備「美帝捲土重來」。

又有些商人，中共指他們的行爲已經「反常」、「畸形」，並稱此種「反常」、「畸形」的行爲已形成爲一股「暗流」。

中共說有些商人正在泛濫着「消極頹喪」的情緒，從事揮霍享受。說有的三三五五地終日飲酒作樂，沉緬在昏迷狀態中，準備吃光了事。說有的孩子已經很大還有「補行結婚典禮」，將生產資本耗費。說有的舉行假離婚，說有的故意製造債務糾紛，說有的對職工大慷其慨，設宴跳舞，大事「淫樂」，而其目的，卻是在浪費生產資本，準備「無產」與「共產」。

中共又說有些商人正在「自挖牆腳」。說商人原有的心理總是希望「大發鴻圖」、「財源茂盛」、「四海三江」，然而現在的商人卻「惟恐不倒」，因此說這是「奇形怪狀」。照理，私營廠商的倒閉，正與中共的消滅政策相符，中共所以反對之，原因是中共認爲「[illegible]國家的」，[illegible]脫了財產，「[illegible]」到「合營」、「公營」，[illegible]難達到他[illegible]底目的。[illegible]年來畢竟[illegible]了，由是[illegible]「畸形」的現象。

商人怎樣作生死鬥爭？

然而前述商人種種的心理行爲及其「畸形」現象，還只是屬於消極抗拒的一面，商人的爲生存而掙扎，乃至反抗，還有其積極鬥爭的一面——這一面可稱爲「生死的鬥爭」。

商人向中共所作的生死的鬥爭，又可分爲智慧的鬥爭與力的鬥爭兩部份。

在智慧的鬥爭方面，有如下多種方式：

一、抽走資金。

這是最普遍的一種方式。抽資的辦法甚多，主要的爲提前分紅、補發股息、長支、歸還墊款、造假債、還假債；其次爲利用結婚、離婚、兄弟分家、股東散夥等形式和機會，以虛報開支（按：商人無抽資自由，即日常家用也須用向中共「報賬」）、隱沒資金、或分散資金。抽資的消極作用，爲維持一定時期的生活；其積極作用，即爲抵抗中共的「變併」封鎖。

二、轉移陣地。

此種情形，以東北及關內各大都市爲然。緣中共的「改造」私營工商業，曾有計劃地劃分階段，指定若干「重點區」。所謂轉移陣地，即商人以「原料供應方便」、「減低產品成本」等迎合中共心理的理由，申請遷廠，離開重點區，以逃避中共的「改造」。據中共公開指出：各重點區的商人在轉移陣地時，曾互相秘密團結、合作，在瀋陽、北平、上海等地設有「指揮部」。」

三、聯合作戰。

所謂聯合作戰，即是資方聯合勞方，共同抵抗中共。中共則稱工人階級爲「腐蝕」或「慷國家之慨」。此一方式的內容甚爲複雜，予中共的打擊亦甚大。它主要有下列三方面：

一、資方盡量提高工人工資，而工資則係在與中共的「加工訂貨」關係中出自中共，無異爲慷中共之慨。

二、上一方式根本上改變了勞資關係，使工人與商人的利害歸於一致，從而提高了工人的生產積極性，增加了生產額，並在「加工訂貨」中發揮了偷工減料的技術。它不僅在政治上分化了工人與中共的關係，且在經濟上影響了中共的利益，也刺激了「國營」工廠工人的反共情緒與生產情緒。

三、商人盡量改善職工（包括中共的工會份子）待遇，除盡其可能提高職工薪金外，並公開紅利，動用公積金，乃至不惜動用血本，以吃喝玩樂及贈日用品等方式提高工人福利，準備分光、吃光、用光（中共稱它爲「三光陰謀」），決不拱手等待中共以「合營」。

四、藉口鑽空子。

所謂鑽空子，照中共的坦白解釋，即利用中共的共工商管理部門，稅務部門，以及「國營」公司」系統等幹部的貪污腐化，在「監督」中通關節，在查稅中分偷稅漏稅的款子，在「加工訂貨」的成本估計中分享高估的部份或以實利與幹部以放鬆估計的苛刻性，在偷工減料之後的交貨驗貨中買通[illegible]部的「方便」。此[illegible]情形非常普遍，商[illegible]之所以還能苟喘到[illegible]在，可說多半有賴[illegible]些「空子」。中共[illegible]指斥商人的「卑劣[illegible]時，也不否認經濟[illegible]門幹部的「嚴重的[illegible]蝕」。

五、脫胎換骨。

所謂脫胎換骨，即[illegible]些比較「氣長」的[illegible]人準備跟中共「長[illegible]抵抗」下去，利[illegible]若干方法或機會[illegible]「資產階級」的身[illegible]要的方法很多：有的一面[illegible]持廠商，一面到「國營」工廠去作工，先行找好「退路」，並一變而爲「工人階級」。有的乘機[illegible]店舖，去作拉板車[illegible]作短工，一變而[illegible]勞動人民」。有的縮小廠商範圍，到變成「夫妻商店」或「夫妻作坊」，備由「資本家」而小資產階級」，而無產階級」。此種[illegible]法當然是無可奈何[illegible]苦肉之計，但確實[illegible]失爲一種「長期抵[illegible]」的「戰術」。

六、拉車主義。

所謂拉車主義，是[illegible]定「拖一天算一天」的宗旨。照中共的[illegible]釋，用這種方式抗[illegible]「改造」的人，多是小商人。他們不[illegible]願將財產資金以「[illegible]業」爲名併入「公[illegible]合營」工廠，奉送中共，於是寧願眼看[illegible]「油盡燈枯」，與[illegible]工們一道「拖垮」[illegible]止。

在力的鬥爭方[illegible]，有如下幾種方式

一、流血的鬥[illegible]

此種鬥爭主要爲[illegible]殺共幹和縱火焚廠[illegible]可說完全係迫於不[illegible]壓迫、洩忿、而予[illegible]共以人員和財產的[illegible]失（按：私營工廠中因加工關係，大多存有原料或成品。此種事件，在上海、天津、廣州、瀋陽等地均有發生，於事成後自殺者亦有之，或被殺戮者[illegible]）。

二、爆破的鬥爭

此種鬥爭，係商人自行將機器炸毀[illegible]

[illegible]

（下．全文完）

「毛澤東統治下的中國」

不過，很多農業專家批評中共的土改，是不合理的。經過土改後，農民僅分得極少數的土地——東北每人約三畝，華北每人約二畝，華南每人僅一畝半；這種不經濟的分田辦法，不但不能增加農村的生產量，反而會使農民生產力降低。但是，我們又必須明白，中共的土改和共黨其他政策一樣，僅是達到他們政治目的之一種手段而已。假若中共不將土地分給窮人，他們如何能騙到農民的擁護，從而訓練出幾百萬大軍來呢！

作者又說，土改後的農村，很多勤勞的窮苦農民，生活的確改善了許多。但是，他們又和以往的富農一樣，逐漸形成了一個新興的階級。他們的土地佔有慾，非常強烈。他們非常愛護他們胼手胝足，辛辛苦苦，累積起來的財產。此種現象對於共產主義的實行，是非常不利的。無怪乎中共頭子高崗氏，大聲疾呼的說：「不要讓資本主義的思想竊案，侵蝕了我們的農村，我們要迅速的推行農場集體化呵」！集團農場制之強施，是否將引起像蘇俄一九二六年後的大屠殺，或者以農民起家的中共，將因農民的反抗而覆滅呢？這只好待諸日後的事實演變來證明了。

（三）

作者引印度成語說：「德里很遙遠」，中國也有同樣的一句話：「天高皇帝遠」。他以爲中印兩國，從前雖有過專制政體，實際上，人民還能享受高度自由。現在中共大陸的情形，已經面目全非。毛澤東好像是一條鱆魚，他的觸鬚伸張到每一個農村角落裏，每一個人的行動，都被監視着。離家旅行必須懷有路條，留宿住宿亦須向公安局備案。報紙雜誌內，盡是千篇一律的宣傳資料，人民沒有絲毫的言論自由。在「三反」「五反」期間，商人們被迫向人民低頭認罪」；教授們亦須軍新學習與改造。「坦白」「公審」已成普遍的「家常便飯」。正所謂「人民連不講話的自由也沒有了。」

廖氏說，「人民政府」共同綱領中的宗教自由，僅是徒具空文。基督教的組織雖仍存在，但內部卻爲親共份子所把持。佛教寺院的情形更是悽慘萬分。山西大同的一個大廟宇內，作者只看見三個負責看守老的和尚；誦經之聲，已不復聞，連敬神的香燭，亦無處可買了。

作者再三指出，二千年來的中國人民的生活，一直受孔子思想的影響。儒家哲學的基礎係建立於人倫關係之上，注重人格的修養，與道德的發揚。近百年來，中國文化在西方物質文明衝擊之下，已經支離破碎，體無完膚。他認爲國民黨政府當年實具有整理及重建中華文明的絕好良機，可惜連年用兵，缺乏理想。當年的政治領袖雖不乏明智之士，也有不少高明之見。但最高決策人士一套東西，並不十分瞭解。結果，「新生活運動」徒令人嘲笑爲「無[illegible]」，「禁煙委員會」變爲「販[illegible]」。道德淪落，貪污遍地。驕[illegible]個社會形成一個精神真空，共黨邪說乃[illegible]隙，以至竊據大陸，演成焚詩書，毀歷史，蔑倫常，誅無辜的人類大悲劇。

（四）

廖氏在「甘地，尼赫魯，毛澤東」一章中，更盡情描繪出尼赫魯的矛盾性格。認爲他既不能承先師甘地的大仁大勇，和自由民主的遺訓。又不能贊同共黨殘暴無道，滅絕人性之作風。在莫斯科看來，尼氏係一帝國主義的走狗，而在自由國家的眼中，他簡直是赤色惡魔的[illegible]。[illegible]明白這個具有雙重人格的東方政治人物，我們可從廖氏的翔實描寫中，得到一個很明確的答案。

廖氏在本書結論中指出：「凡今日亞洲赤禍瀰漫的區域，都是一些沒有獲得獨立自立的國家，像韓國，越南，馬來亞等。假若西方政治家當年沒有忽略亞洲人民民族自決的要求，則今日東方之赤禍，決不致演到如此嚴重的地步。」

廖氏又說：「今日亞洲有兩大股勢力，一個是代表民主的印度，另一個是代表極權的中共。這兩個集團的成長與消退，將決定十餘億亞洲人民未來的命運」。這一段話，似足以代表印度人自負的心理。無怪乎印度總理尼赫魯近幾年來，儼然以亞洲民主領袖自居，要在國際舞台上，搔首弄姿，厚顏無恥的大放厥詞了。

以上便是本書的重要內容。兩年來，筆者在美國所看到報導中共的書籍中，廖氏的著作確是一本不可多得的佳作。廖氏不僅對東西文化的研究頗有根底，且對共黨邪說暴行的認識，亦相當透澈，故本書信手寫來，頗能頭頭是道，立論亦尚公允。我們雖不能完全同意他的看法，然此書品質之高，乃屬勿庸置疑的。（下）

●柳英華●

自由談

台灣的兩大要務

馬五先生

台灣近月來的緊急措施，首推疏散都市人口問題。想起當年對日抗戰初期，中樞所在地的重慶市府，爲開闢幾條火巷，以期減少空襲損害而遭到市民激烈反對，無法執行的情形，現在台北市希望社會大衆防患未然，自動疏散，自係一椿很困難的事。這不僅是「安土重遷」的惰性觀念所使然，人們的生計問題，實佔其重要因素。所以，要疏散，還是從公務機關入手爲上，而重要的物資與工廠，尤應盡量移出。至於一般市民，能夠遷移郊區或別處的，必已有所打算，無待強聒了。

我認爲台灣今後應該特別警惕，嚴密注意的，尤莫過於金融問題——人爲的擾亂金融現象。自上月金門砲戰發生，共匪絕叫「解放台灣」之聲以來，一個月中，台灣[illegible]漲率即大起波動，物價亦隨之飄漲不安。金門戰事是國軍的勝利，共匪所謂「解放台灣」僅止於叫囂而已。並無引起金融波動物價上昇的理由和事實。這其間，顯係有人乘機搶購金鈔，套取外滙，囤積物資，企圖逃避資金。當台灣海峽風平浪靜，附近島嶼亦安謐如常之秋，稍有謠言，金融界即表現不安定之象，這不是人爲的惡果嗎？若不及早防範，將來萬一眞正發生戰爭，那還了得！

祗要能夠嚴密防止套滙走私，台灣金融決無不穩之理，而套滙走私的對象，亦決非普通一般的商民。就在我們能否以過去在大陸時代的慘痛教訓爲戒，毫無假借地實事求是，鐵面無私？如其再有打蒼蠅縱豺虎的毛病，那就完了！

在四面環海的島國，管制金融，不讓資金隨便向外逃避，嚴禁囤積居奇，而使貨暢其流，懲治任何一個擾亂市場的人物，也可以依法行事，勝任愉快的——只要沒有特殊阻力從中作祟的話。

偵探故事

水銀謀殺案

柯茜譯

「賈華的醫生是誰？」魯斯走出來問賽克律師。

「就是威廉醫生」。

魯斯立刻打電話給威廉，問他賈華的死因。醫生回答說，賈華是因消化不良和心臟衰弱而死的。

魯斯還是認爲這不一定是充份的致死理由。最使他懷疑的，就是替死者的屍體塗上香料。

於是警局決定把這件案子徹底查個明白。化學分析的結果，證明賈華這老翁的雙肺充血，有吸入的氣狀刺激物，屍體內器官也發現水銀的痕跡。這已足夠證明他的死因並非心臟衰弱和消化不良。水銀是最大疑點。

他們堅信這是一宗謀殺案，兇手把他殺死後，想佔有他的偌大財產。魯斯認爲最可疑的人，就是男僕雪狄和律師賽克，於是他又把賽克找來，詰問：「爲什麼賈華將死的時候還會簽了一張二十萬元的支票給你？」

「大概他知道自己快要死了，所以給我這些錢。平時我和他是很要好的。」

賽克提出了這個理由，魯斯還是半信半疑。他爲了便利進行調查，先叫賽克和雪狄兩人離開公寓，一方面派人去監視他們的行動。他且派警搜查賈華的遺物，在他的一隻小小的保險箱裏，發現了一張隨便寫成的紙，類似遺囑，裏面說明他死後將全部遺產捐給學院。

跟蹤賽克和雪狄的人這時回來對魯斯報告，說雪狄跟着賽克到他的寫字樓去了。

他又趕去賽克的律師樓，果然看見他們兩個低聲談着話，他們似乎是好朋友，完全不像主僕。

魯斯對賽克說：「賈華先生有遺囑留在你這裏嗎？請拿出來給我看看。」

這一問，賽克覺得正中下懷，他想，這眞是對他最有利沒有了。他不慌不忙的在儲存重要文件的箱子裏，取出賈華的一張遺囑，一邊遞給魯斯看，一邊說：

「請看吧！我和他是多年老友，這是四年前便寫下的了，一直存在我這裏。」

誰料魯斯一看之下，更加堅信他們兩人必是兇手了。原來這張遺囑與在公寓搜出的完全不同，遺囑寫着，除了把財產捐給學院之外，大部分財產給賽克和雪狄兩人。而且說明，死後一定要將他火葬。

但是魯斯仍不動聲色，因爲他們是兇犯，還需要找出有力的證據。他先把這張遺囑拿去研究，發現上面有雪狄的指紋。如果四年前這張遺囑已存在賽克那裏，又那裏來雪狄的指紋呢？於是他肯定這宗案子是他們兩人僞做了遺囑，謀奪財產。而且在賽克事務所裏，他偶然踢翻了一個字紙簍，裏面發現了一些破碎的字條，上面寫着最好火葬之類的話，那是賽克的字跡。

警方便把兩人逮捕。面對種種證據，他們兩個殺人兇犯，已無可否認，祇好照直招供。

可是爲什麼賽克要謀殺賈華呢？原來他們不但不友善，而且屢有衝突。在幾年前，賽克剛出來做律師時，曾經向賈華求助，想興辦一種事業，賈華反對他這要求，還聯合了其他律師向他攻擊。他這事業終於辦不成，祇好一直做着籍籍無名的律師。從那時起，他就對這頑固乖僻的老翁十分憎恨。

至於那個威廉醫生，他亦不大清楚賽克和賈華過去的交誼，祇別答應，如賈華一旦死了，他可以憑醫生的名義，證明他的死因，其他一概不管。自然賽克是給了他一點報酬的。

可是賈華一向不輕信他人，賽克想謀殺他，也不易着手，所以他見了雪狄之後，才利用了雪狄，叫他在賈華的藥物和食品中混入些水銀，吃得多了，最後終被毒死。[illegible]火葬，[illegible]把一切證據完全毀滅。但法網恢恢，[illegible]結果以他們兩人的生命，補償賈華的一條命，[illegible]醫生也判了十年徒刑。（完）

紅樓夢散論（五）

王世昭

第三回寫寶黛會面，也寫賈雨村復官。復官倒容易，一封八行書便解決了問題。一方面寫人事，一方面也寫勢力，而人事是互爲因果的。換句話說，十載寒窗磨穿鐵硯的勢力與人事，不如閥閱之家的半句話，一封信；滿清王朝就建立在這個勢力上面，安得不亡？又安得不失敗？

你看他寫寧榮二府，一個小小的女孩子就要幾個人服侍？光說林黛玉初進府的時候，有自己的奶娘，又有小頭丫雪雁，賈母還認爲不夠，又添上自己的「一等丫頭鸚歌」，這已是三個了。此外，「另有四個教引嬤嬤，兩個管沐浴的丫頭，還要加上四五個灑掃房屋來往的使役」。這個排場，又安得不衰？又安得不沒落？這個衰是自作自受，這個沒落是滿清王朝應有的報應。曹雪芹本身是漢軍旗人，父祖以上四代是滿清王朝的奴隸，他的曾祖母是康熙的乳娘，「一人得道雞犬俱升」，全家數百口就靠着滿清皇帝過活。照着共產黨的邏輯，曹雪芹以公子哥兒出身，大官僚，大地主，大豪門，而又是巨族之子，就算是曹家五代書香，究竟洗不了滔天的罪惡。然而共產黨竟把曹雪芹認做同志，那豈非滑稽之至，笑話之至！

可是曹雪芹不但未被清算鬥爭，而且反認之爲同路人，這個同路人眞有不知從何說起之概。

然而，人類都是好虛榮的，共產黨當亦不能例外。因爲曹雪芹是大思想家，大文學家，這位先民創造精神得來的頭銜不容易，於是中國共產黨攫之以爲己有。其動機是可鄙的，其安排是幼稚的，其處置則違反了唯物辯證法的傳統。語云：「有奶便是娘」，曹雪芹因爲有奶——小說紅樓夢，所以共產黨便認之爲娘了。拆穿了西洋鏡，共產黨對於一切問題的處理，不是客觀而是主觀，主觀到不能再主觀，「愛之則加諸膝，惡之則墜於淵」這是他們的拿手好戲。

現在我們再來看看清初的吏治，酸秀才做官一些也不懂，還要靠門子來擺布他。

賈雨村得賈政之助，一轉眼授了應天府。到任就遇到命案，原來是兩家爭買一婢，各不相讓，以致毆傷人命。人命原來是關天的，看書獃子如何處理？風行雷厲，發籤抓人，這時賈雨村又何嘗不想做一個好官？那曉得案前門子使一個眼色，賈雨村的籤便不發了。於是退了堂，領教了門子之後，才打死道知人的那位大少爺來頭夠大。從門子口中才知道豪門巨族是惹不得的。其實，這個訣竅，孔夫子論語中已說過：「爲政不難，不得罪於巨室！」賈雨村好容易得來一個官，倒昏了頭腦，連聖人的教訓都忘掉了。門子道：

「賈不假，白玉爲堂金作馬。阿房宮，三百里，住不下金陵一個史。東海缺少白玉床，龍王來請金陵王。豐年好大雪，珍珠如土金如鐵。」（未完）

次和絜生先生川端橋茗坐原韵

郭敏行

長日昏昏醉不醒，鄉思飄縷入蒼冥。魂飛五老千峯翠，夢繞三湘七澤青。江畔行吟詩味永，山房靜坐茗烟馨。何時得遂東籬願，盃酒餘生註六經。

贈別王仲文先生

聞說詞人有遠行，愧無杯酒壯雲程。念年浪跡搜山藥，五載幽居聽海聲。少日豪情隨歲斂，老來詩句逼泉清！知公此去愴懷甚，何日收京逐九嬰!?

不打自招文鈔

文抄公

文抄公按：共幹已經成了現在大陸上的新興特殊階級，請看下面一篇中共刊物所載的文章，便是一個極好的事實證明。

私事公辦

鄭州鐵路局　張孔修

一輛本來可以裝載十五噸貨物的貨車，現在只裝着萬海泉幾百公斤的傢具雜物，掛在這次列車中間由江岸開往鄭州。坐在車廂裏的萬海泉優閒地欣賞着沿途的景色；他對自己的「作法」內心的得意慰安。

萬海泉原是江岸車輛段的勞動工資主任，奉令調差到鄭州鐵路局車輛處工作。調差，自然得搬家，雖然鐵路規定有調差可以免費托運搬家物品的優待辦法；但是，把東西一件件捆紮好，寫標籤、塡托運單，還要把東西送到車站，過磅等等，在萬主任看來是多麼麻煩和瑣碎啊！而且，托運了還不能馬上裝車，東西不能跟人一塊走。因此，萬主任不止一次地向車站貨運員提出這樣的要求：

「同志，請幫幫忙，撥給我一輛搬家的車輛吧。」

「你也不是不知道，目前運輸任務是這樣緊忙，現有的車輛，已經運轉不過來，那有多餘的車來裝你搬家的東西呢？況且，一輛貨車，只裝幾百公斤的東西，也是一種浪費呀！」貨運員耐心的解釋着：「同志，請顧全整體利益，還是托運吧！」

幾次交涉無效，看樣子已經沒有希望了。於是，萬主任急中生「智」，眉頭一皺，計上心來：「走着瞧吧，看誰有辦法。」

萬主任，眞的帶着辦法來了；列車檢修所的辦公室裏，只有領工員業同志一個人在辦公。

「……車站不肯撥車，請你想法幫幫忙吧。」萬主任的聲音很低，屋子裏顯得格外嚴肅。

「這是車站的事情，我有什麼辦法呢！」

「我倒有一個辦法。」萬主任笑然變得非常親熱地拍着業同志的肩膀。

「什麼辦法？」

目光炯炯的萬主任，鋭敏地向四週掃了一眼，屋內沒有第三個人，便端出了他的「辦法」來。

原來他要求領工員業同志在檢查站上的車輛時，扣下一輛空車，用「有毛病，必須送段檢修」的理由，掛上扣車，把這空車掛到江岸去，裝上搬家的東西，以「既成事實」來使車站撥給他這輛車。

「這個……」業同志有點遲疑了。

「老業，交情，我會有用呢！」萬主任把聲音放得那麼低，幾乎使人聽不見了。

「這個……」老業仍然遲疑着。

萬主任又經過幾番奔走和「動員」，終於在今天，把自己幾百公斤的傢具什物裝進可以載重十五噸貨物的貨車裏，掛在列車中間，由江岸開往鄭州。

儘管車站貨場裏堆滿了待運的物資，儘管工地上需要材料，工廠需要原料，農村需要種子肥料……可是這些都不能比自己的事更加重要。

讀者論壇

「雨過天青」（一）

黎中天

[illegible]

是找個肯吃虧的人，[illegible]子，當做旱魃。大家[illegible]木棍打三十棍屁股；據說越打得重，喊痛的聲音越大，雨越下得快。我有個學生的表哥，做了一次旱魃，結結實實挨頓打，伏在床上直哼，過幾天，做旱魃的聽見瓦「的的篤篤」響掙扎[illegible]

[illegible]硬要靠天吃飯，對天老爺就不得不低三下四了。

儘管台灣今年晴天多，我總恍惚覺得天天都下雨，老是晴，老不晴。

（二）

「雨過天青」甚麼時候[illegible]呢？」是我的中篇小說「雨過天青」沒有登完，「自由中國」[illegible]

[illegible]

當初把原稿拿回來，新生報南北版和聯合報南版，都有文章要我向讀者做個交代，[illegible]過了一年，[illegible]有影子，只好向讀者說明白了。

去年十月，「雨過天青」在「自由中國」刊登三分之一，[illegible]目是「生活教育」（原題[illegible]

[illegible]

（上）

自由人
THE FREEMAN
（第三八一期）
中華郵政登記認為第一類新聞紙類
每逢星期三及六出版
每份港幣壹毫　台幣七角
督印人：
地址：香港高士威道二十號四樓
3 rd. fl. 20 GAUSEWAY RD
HONG KONG
香港發行及事務接洽
承印者：南華印務出版社
海外總經銷
台灣特派員辦事處　台北市館前街五十號
台灣總經銷處　台北市西寧南路一〇二號二樓
台郵掛號信箱九戶二五二

為匪俄會談公報告大陸同胞

●王雲五●

中共匪幫與蘇俄共黨頭子最近在北平會談後，於十二日發布聯合公報等文件八項，其中四至八項皆與大陸同胞有重大的利害關係。這些文件，假使有值得稱讚之處，當是它在構意行文上的巧妙。姑先就此點一為評述。

加強蘇俄對中國控制

查文件之排列，第四項為關於俄軍自旅順口撤退之公報，第五項為關於四公司俄股移交中共匪幫之公報，第六項為關於簽訂科學技術合作協定之公報，第七項為關於修建從集寧至烏蘭巴托鐵路並組織聯運之公報，第八項為關於修建由蘭州經烏魯木齊至阿拉木圖鐵路並組織聯運之公報。這五項公報的主要目標顯然是在七八兩項，藉兩條鐵路的建築和聯運而加強蘇俄之控制中國。並藉其貫通歐亞的便利，而大舉侵略全世界。即以常人觀之，這兩條路在中國實無何需要，而建築工程則非常浩大與困難，特別是自蘭州至阿拉木圖一路。其專為蘇俄在軍事上和經濟上的便利，毫無疑義。因此之故，這兩條鐵路的建築，在大陸上稍明事理的人無不反對。蘇俄為要擬取此項特權，以達成其侵略目的，卻又考慮到中國人民對蘇俄過去侵略與高壓行為積憤已深，再加上此項新的侵略，不免有如火上添油；於是有如哄騙小孩子吃苦藥一般，先給他一點糖食；可是蘇俄甚至對這一點小糖食還捨不得，必須收回較糖食更高的代價。這便是在這五項公報之中，先之以表面上似乎有利於中國的旅順撤兵及四公司退股兩項，繼之以利害不易分明的科學技術合作；而最易被人發覺有害於中國的兩路建築協定卻排列在最後。中共匪幫與蘇俄勾結之下，為緩和大陸上中國人民的反對，在構意上杜撰了第四第五兩項表面上似乎有利於中國的協定，在行文上採取了「層退法」的修辭格，逐漸退至顯然有害於中國的兩項協定，尤其是兩路中為害更大的蘭州至阿拉木圖路線排在最後。我所以稱贊匪俄在這些文件構意行文上的巧妙者以此。但是他們的巧妙，並不是不能點破，一經點破，則稍有常識的人無不洞悉其狡猾，而不至長久受其欺騙。

以上是略述匪俄

關於鐵路的陰謀，因其為害於中國至為顯明，也正因其顯明，匪俄才採取巧妙的掩護方法，以欺騙大陸上的中國人民。然一經揭穿，便用不着評論。現在只就表面似乎有利於中國的旅順撤兵與四公司退股兩項及利害不甚分明的科學技術合作一項加以論列，藉此揭發蘇俄即對此三項也都含有陰謀。

旅順撤兵的七項陰謀

關於旅順撤兵一項，其中實寓有七項作用。一則爭取日本的好感。查一九五〇年二月十四日的偽中蘇同盟條約，目的在『制止日本或其他直接或間接在侵略行為上與日本相勾結的任何國家之重新侵略與破壞和平』，故規定在對日和約訂立後，至遲在一九五二年底，將旅順大連兩港，連同中長鐵路，交還中國。及一九五一年對日和約在舊金山簽訂之時，蘇俄拒絕參加，其對日本之敵意顯然存在，故一九五二年底並未將各該港口與鐵路交還中國。今次發表公報八項之第三項為匪俄對日關係聯合宣言，對於日本人極盡拉攏誘惑的能事，又恐口惠尚不足以見信，更進而作一石兩鳥，甚至三鳥四鳥之表演，即藉詞對旅順撤兵，於圖達其他目的之外，更向日本表示其不再敵視日本的好意。想不到這種欺偽的好意終瞞不過日本有識之士，故在匪俄公報發表後，日本官方和輿論界紛紛聲明這祇是『共產黨意圖離間日本與美國之一項陰謀』，而拒絕受其誘惑。二則緩和大陸上中國人民的情緒，其理由已在上面說過，茲不贅。三則企圖打擊美國，即於宣布撤出或表面上已撤出旅順後，藉以抨擊美國在南韓的駐兵，甚至還抨擊美國以第七艦隊協防台灣海峽。四則欺騙全世界，藉此偽裝的演出，向全世界表示蘇俄如何守信，與如何尊重條約。五則既已控制全中國，放棄區區一地，對蘇俄是絲毫無損的。試看南至海南島，蘇俄已據為海軍基地，那是根據什麼公開的條約呢？蘇俄既可無需公開的協定而隨意駐軍於中國大陸，它又何惜放棄區區旅順一港呢？況且依偽中蘇盟約的規定，其應行交還中國者，旅順大連兩港並提，今僅言旅順，而未嘗一提大連名字，其未嘗依約放棄兩港亦至顯然。六則蘇俄駐兵旅順的名義縱然取消，但名去仍未嘗不可實存。查聯合公報中曾說：『蘇聯軍隊撤退並將旅順口海軍根據地地區的設備移交中華人民共和國的措施的進行，一九五〇年二月十四日締結的協定而組成的旅順口中蘇聯合委員會負責實施』。是則表面上聲明撤兵，而聯合委員會所決定執行者儘可大大變更其實際。這些都是蘇俄所優為之事。七則藉旅順一港的撤兵為宣傳，使大陸上的中國人民誤認蘇俄終能守信，因而對於兩條鐵路的建築與聯運也天真地認為確能按照紙面的公報辦理，不復強烈反抗，俾蘇俄得收更大的利益。

為什麼四公司退股

關於四公司退股一事，也含有四項作用。其一是藉此緩和大陸上中國人民的情緒。由於蘇俄歷年對中國人民在經濟上的搶掠，今復要求新築兩道鐵路，自不能不就經濟上對於中國人民表示一點有名無實的小惠。其二，這四家公司並不賺錢，尤其是開採稀有金屬和採煉石油的兩公司以供應軍需為主。蘇俄既以中共匪幫為其附庸，充當炮灰，至少對於戰略物資的供應，不便過分計較經濟上的利益，這樣便不易大賺錢。此外還有一個經營民用航空路線的公司，不用說也不容易賺錢；充其量不至賠本的，至多減有一個建造和修理輪船的公司。不賺錢的經營，在蘇俄是一種負擔，交給中共匪幫單獨經營，即是解除此一負擔。其三，蘇俄之退出四公司股權，不僅獲得補償，而且獲利更多。據此一號公報中說：『蘇聯股分的價值，將由中華人民共和國以供應蘇聯通常出口貨物的辦法，在數年內償還。』查中共匪幫對蘇俄的出口貨物，其計算價值，係按六盧布對一美金之匯率，其實盧布的實值已貶得很厲害，藉故意高抬的幣值而收購中國物資，蘇俄獲利當然要比繼續經營這四個公司為優厚了。其四，此舉亦可利用以欺騙世界。蘇俄在公布以四公司股分退回中國匪幫前不久，對於保加利亞亦有類似的措施。蓋因蘇俄正想發展對西方國家的貿易，欲藉此以表示其對衛星國家經濟控制之漸趨緩和，以博取同情也。

所謂科學技術合作

此外關於科學技術合作一事，不用說，明眼人都知道這是蘇俄進一步謀控制中國大陸上科學與技術研究的張本。蘇俄對於中國大陸的軍事、政治、經濟，事事加以控制之外，更不願還留着什麼漏洞。眼見大陸上還有不少的科學家，藉合作之美名而加以控制，自然也是一種巧妙的方法。不過蘇俄對於本國的科學家還放心不過，對於思想稍有疑問，或主張稍離定型者，壓制迫害，無所不至；其對於留滯在中國大陸上的科學家更怎能真誠合作呢？無非藉此以干涉其工作而已。中國科學家的口縱然受其箝制；但他們的心定然是明白的。

什麼是立法院的問題

文叔

自由人第三七三期（九月二十九日）刊出了孟滄舍先生的「使人失望的立法院」；第三七八期（十月十六日）刊出了文仲先生的「立法院的問題」。孟先生的論點是指出立法院各委員對國防小組委員會審查「國防組織法」的討論，多逃避不敢參加，所以實際參加的只有六個人，認為這種逃避責任，使人失望。文仲先生的論點是指出立法院「只有國防委員會，並沒有什麼國防小組委員會」；「現在參加的人數有十八人」，不是孟先生所說的六人。至於「本會期參加國防委員會的人數之少，是否如孟先生文中所說到了國防組織法，我們（文仲君）沒有去訪問每一個委員，所以不能『據說』就斷定一個判斷」；因此認為孟先生的話，是「僅就表面轉圈子」，是一種「武斷批評」。

國防委員會的問題

文仲先生認為立法院的問題只有兩個：一是他「仔細調查或研究立法院或民黨黨部的領導人物，如所謂黨部委員者，究竟是何等人物」。二是每當「國家重大慶典，如開國紀念日，如國慶日，立法委員均不得參加，而立監兩院院長，昂然坐於典禮堂上；立監委員數年來併此禮制與禮節亦不爭」。換言之，只要把像文仲先生這樣的人推作立法院的黨部委員，並一遇國家重大慶典，請立監委員昂然高坐於典禮台上，立法院的問題便一齊解決了。

一個人的論據如有錯誤，有人加以指正，孟先生把國防委員會多說出了「小組」二字，經文仲先生訂正，孟先生對此，應加以感謝。但是，孟先生所說的「六個人」，和文仲先生所說的十八人，在時間上是否相同，似乎值得文仲先生首先加以考慮。其實，據幾位立法委員的談天，當道因參加國防委員會的人數太少，乃運用黨團力量，把軍校出身的立法委員一齊動員到國防委員會去；本動員了十四人，一共湊成了二十人，黨團負責人事後並請大家餐敘了一次；但隨後又有二人退出，因為在事先並沒有徵求各人同意，所以結果只有十八人。由此可見孟先生只有六人的說法，在沒有動員黨團力量以前，並不算錯誤。孟先生文章的主旨，是在指出立法委員對國防組織法案，或是或非，不應逃避責任。要斷定孟先生的論點是否武斷，文仲先生應首先抓住這一點，堂堂正正的表示自己意見；兩方辯論，必須指向對方論點的主旨，這是一種常識。我奇怪的是，文仲先生對於立法院的黨部委員，都「仔細調查或研究」過，而可以斷定「實在沒有能力」；對於國家重大慶典，只有立監兩院院長參加，而不見立監各位委員，卻也有了數年的統計，並考究這是有關「禮制與禮節」。但對於和人辯論時對方所提出的中心問題，也是舉世矚目，盡人皆知的問題，卻說「我們沒有去訪問每一個委員」，裝聾作啞的表面是不表示態度，實際則是以假裝糊塗的方式把問題蒙混過去；這種「見輿薪」的情形，而不明察秋毫之末，到底是視神經有毛病，還是神經中樞有毛病，我雖不得而知；但若就風格來說，則文仲先生這種手法，較之外避清議，內疚神明的避不參加國防委員會的先生們，似乎還要低下一等。

不是問題的問題

文仲先生所提出的立法院的兩個問題中，關於立法院黨部委員的賢否，以及黨部委員假定能按照文仲先生的理想，是否即可對立法大有裨補，我是門外漢，無法加以斷定。不過就常情來說，文仲先生既承認立法委員是人民選出的，則每一位立法委員應該對人民負責而不是對黨部負責。假定立委諸公都記住這一點，則黨部委員既不是人民的人民，其關鍵似乎並不太大。至於第二個問題，即是立監委員未一起參加國家大典的儀式，是否有關禮制與禮節的問題，文仲先生並沒有舉出任何法典來作根據；凡是法典無根據的，縱然是問題，也只能是人情，只屬立法以內的東西，不能爭法以外的東西。國防組織法案之性質如何！這裏不加討論；但孟先生之提出此一問題，是要求立法委員諸公在憲法上對此作一抉擇，這是立法院自身的生死問題。（下轉第二版）

一週展望

●陳克文●

歐洲國際的新形勢

最近巴黎十五國協定，准許西德恢復主權，並建立國防軍。使有利於民主國家的國際新形勢，終告實現；歐洲的防共陣綫，經過歐洲軍組織的失敗，亦終能實現；這不能不說是西方國家外交上的一大勝利。我們祗要看看兩天西方各國輿論的反應，和艾森豪總統親赴機場迎接折衝壇坫的杜爾斯國務卿，便可知道這一勝利意義的重大。

巴黎協定，經過各國的正式批准，雖不免還要耽擱兩三個月，蘇俄集團此時正竭其全力企圖加以破壞——例如蘇俄突然提議恢復四強會議——但看大勢，是不會再有甚麼變化，共產黨的破壞也絕不會成功的了。

歐洲形勢如此。遠東的形勢便值得更加留心了。共產集團既未得逞於西方，必將更肆其兇談於複雜渙散的遠東。如果遠東不能結成堅固的防共聯盟，不能充實目前站在反共最前綫各國，如自由中國，日本，大韓民國，自由越南，泰國等的本身力量。則共產勢力必將迅速向東南亞及東北太平洋發展。這樣，西方國家在歐洲的勝利也將因此而抵銷。

法國恢復了自信心

巴黎協定完成後，法德的薩爾區交涉同時順利得到解決。法總理法郎士對其國民廣播說：『我們不必怕和德國發生關係，在其他方面，我們亦不乏王牌。我們所患的此種自卑感，實在不必要。』法郎士這番話，真是一針見血之論。兩三年來，歐洲局面之所以動搖不安，猜忌叢生，團結不成，授共產黨以可乘之隙，可以說大部份是由法國人的自卑感——失卻了自信力量所造成的。

法郎士於今年上半年登台後，經過日內瓦會議和歐洲軍的破壞，大家都不免懷嫌他有意和蘇俄妥協，出賣盟友。他對於法國民族的不自振作，存着輕視心理。這一次巴黎協定，自不祇法郎士個人的威望因此增高，法國民族的地位也增高了。這一轉變，可以說，完全由於祛除自卑感，恢復自信力而來的。

法國民族本來是優秀有為的民族，經過了兩次大戰失敗，便產生了自卑感，喪失了自信力，不僅沒有勇氣和德國相處，連自己的內政也弄到手足無措，治絲而愈棼。現在法國人可以恢復他們的信心了，這種精神力量，要比若干師的武力和若干億的美援，更加偉大。於此我們要為法蘭西民族致其祝禱和敬仰之至意。

尼赫魯看到了甚麼？

尼赫魯到北平，中共予以極隆大的歡迎。他和中共頭目毛澤東周恩來等都見過面，談過話了，現在又到東北參觀，據說回來還要和中共頭目討論問題。他們談的甚麼？有何結論，雖不得而知。據印度記者的零星報導，和尼赫魯本人在北平的演講，我們可以看出，尼赫魯自己大概已經再不會相信中共是可以和平共存的了，周恩來所說的五大原則，中共更是不會真正遵守的。

印度星期五夜報的記者報導說：尼赫魯曾向中共領袖表示，東南亞各國對中共和平團體含有恐懼心理，對中共是否遵守五項和平共存原則含有懷疑。該記者又說，中共已向尼赫魯提出保證。

中共的保證是否可靠呢？且看尼赫魯自己的話，美聯社新德里電：「有人問尼赫魯，此行是否意在使中共容易為世所接受？尼氏答云「我們要掉過來，要使世界為中共所易接受。」」這便可看出尼赫魯的心情，無怪尼氏在北平演講一再提出終止戰爭的警告，同時又說，「避免戰爭還不夠」，必須消滅戰爭的原因。尼赫魯大概已經看出對強盜講和平共存，謂避免戰爭是對牛彈琴罷？

十五年來的西班牙（上）

·李加雪·

葉公超外長已定於本月底或下月初，前往歐洲，訪問西班牙。大戰前後西班牙這國家的實際情形如何？她在國際上所處的地位如何，是值得我們注意的。

西班牙是歐洲的一個大國，西班牙民族遍布歐洲，南北美洲和非洲，大戰後，聯合國却拒絕了西班牙的參加。這是什麼道理呢？道理簡單得很。西班牙是世界最反共的國家之一，蘇聯不高興西班牙加入聯合國，英美順從蘇聯的意思，所以把西班牙擯諸門外。

史達林的提議

一九四八年十二月十日，邱吉爾在英國下議院說道：「波茨坦會議的時候，我們討論組織聯合國的問題。史達林提議拒絕西班牙參加。我表示同意，目的是想得到蘇聯的合作。事實上法郎哥的西班牙比較蘇聯裏頭的國家自由得多了。這幾年，我們把西班牙屏諸國外，法郎哥政府沒有因此而覆滅，反而增強了他的地位。」英美因爲要和蘇聯妥協，而犧牲了西班牙，這是意料中的事情。可是，歐洲的北大西洋同盟，目的爲抵抗蘇聯，而西班牙是歐洲反共最劇烈的國家，爲什麼北大西洋同盟又把西班牙擯諸門外呢？好些人說，西班牙是獨裁國家，所以北大西洋公約不要她加入。葡萄牙不也是獨裁國家嗎？葡萄牙有三十年獨裁的歷史，比較法郎哥十五年的專政，還要多了一倍。爲什麼葡萄牙又被歡迎加入公約呢？

法郎哥的崛興

在世界第二次大戰前夕，法國和西班牙都是左派組織的政府。法國政府是由左派大同盟組成的，共黨是其中之一。西班牙的政府呢，共產黨人却佔了半數。西班牙人民是篤信天主教的，反對政府的左傾。那時法郎哥是西班牙的一位大將。爲順從民意起見，他提兵發動了西班牙的內戰。

西班牙的內戰發生在一九三六年。雖然是內戰，却類乎小型的世界大戰。蘇聯和法國的左傾政府襄助西班牙。蘇聯除以大隊飛機援助外，又組織了人民志願軍參加作戰，法國則組織「世界人民志願軍」協助西班牙政府。可是西班牙人民是擁護法郎哥的，加以德國和意大利的軍事援助，法郎哥把西班牙政府和法蘇志願軍打到落花流水。一九三九年法郎哥統一了全國。那時英美和歐洲各國，對法郎哥還維持着正常的關係，美國並且無條件承認了法郎哥政府。

聯合國建議和西絕交

聯合國成立了，又爲順從蘇聯的意見，通過一個議案，建議各會員國和西班牙斷絕邦交，以是美國等國家紛紛聽命召回駐西班牙的外交人員。此事證明了蘇聯在聯合國掌握着極大的力量。蘇聯利用聯合國來摧殘法郎哥政府，削弱世界反共的力量。

最反對西班牙參加北大西洋公約的是法國。理由是法郎哥政權是獨裁政權。法國特別提出法郎哥，因爲法國的左派和共產黨反對他。一九三九年參加西班牙的法國國際志願軍差不多片甲不回，法國到現在還是懷恨在心。

世界不可思議的事情眞是不少。歐洲最反共的國家能夠參加反共同盟，亞洲也有同一現象。所以好些人懷疑北大西洋公約和太平洋公約，懷疑他們的反共，懷疑他們的力量。

西班牙的戰略形勢

歐洲防共形勢可分爲東西兩方。東方的路線係由土耳其，希臘而至地中海。近年來美國對於土耳其和希臘的援助已經達到了頂點。西方呢，西班牙是達到地中海的唯一屏障。西班牙若果聽命蘇聯，地中海即入其掌握，整個非洲亦將成爲蘇聯囊中之物。

西班牙地理上的形勢握着蘇聯西侵的咽喉。庇里牛斯山是西班牙半島的屏障，是一個天然的要塞。東西發生戰事的時候，勝負之數，將決諸西班牙山中。

此外西班牙有常備軍四十萬人，曾經訓練能隨時召征入伍的老兵又不下二百萬人。對蘇作戰的時候，此二百五十萬勁旅，可能於最後五分鐘制敵人的死命。西班牙雖無強大空軍，飛機場的設備遍佈全國，據美國調查結果，足夠完全適合美國空軍的需用。再西班牙的唯一特點，而爲歐洲任何國家所不及的，是西班牙全國沒有共產黨的第五縱隊，於軍事方面增加了極大的保障。假使西班牙同情蘇聯，則北大西洋公約國家處於前後夾攻的形勢，勝敗之類，無待龜著矣。

什麼是立法院的問題

文叔

（上接第一版）文仲先生避開此一問題不說，而且咬文嚼字的駕孟先生的提出此一問題是「于禮無據」；却把「于法無據」隔靴搔癢，並且對立法院的本身實無關痛癢的所謂「禮制與禮節」來當作問題以混淆眞正的問題，這眞是輕重不分，本末倒置。我對文仲先生雖不能詳其姓字，但一般老百姓誰也不知道立法院的黨部委員是些什麼人？誰也不關心到國家大典對立監委員會否全體參加？誰也不會認爲僅有立監兩院院長參加而沒有全體立監委員參加便有關什麼禮制與禮節？文仲先生之把這些人民所絕不關心的事，不惜與以最大的關心，並且認爲是立法院的大問題，則文仲先生之不是一個普通的人民，而是站在人民上面的一位立法委員，這是我可以打賭的，其實，文仲先生所提出的問題，會極容易解決的。一個人有兩位太太，讓大太太露面應酬，則二太太必爭；讓二太太露面應酬，則大太太必鬧，這倒是做丈夫難以解決的事，因爲其中包含有所謂「正妻」的名分問題。但立法院長與立法委員之間，似乎並沒有這類名分問題的存在，則請客時多添幾雙筷子，這是交際科可以辦到的，還會成什麼問題呢？假定立法院還有問題的話，我以爲其問題乃在若干人立志不論大禮，不負責任，而只想佔小便宜的可憐心理之上。

立法院仍是有希望的

不過，我認爲立法院依然是有希望的。不顧參加國防委員會的先生們，固然是「是非之心」尚在；即文仲先生對辯論主題之混淆遮蓋，依然是「羞惡之心」尚存。尤其是令人興奮的，前天有位立法院的朋友告訴我，在最近立法院的黨員大會中，谷正鼎先生作四十分鐘的誠懇陳詞，指出憲法重於黨紀；指出立法委員之站在憲法上說話，是維護政府所憑藉以存在的基礎；指出國民黨以消滅派系來號召黨的改造，結果是以派系消滅派系，以一種派系性的中央來控制其他派系以及全般黨員，他認爲這是不合理，而且也是不可能的。這一番獅子吼，贏得雷一般的掌聲，致令張厲生秘書長想答復幾句的機會也被淹沒了。谷正鼎先生是立法委員，拍紅手掌以贊成的也是立法委員，誰說立法院沒有希望呢？（完）

人物述評

懷孟保羅醫生

·易健夫·

孟醫生在三江圩還辦了一個專事教育傜人兒童的小學，說來慚愧，那是因爲我們自己辦的國民小學，既沒有「優待」傜人兒童的條例，學校不能容許傜人兒童的「免費」食宿，並且還有一種傳說，說是學校老師嫌惡傜人兒童髒，不願意教傜人兒童。同時當地學生的家長，也覺得他們的子女，和傜人在一起，未免不大「衞生」。孟醫生的學校收容有十來個傜人兒童，當然他那間學校是沒有當地兒童的。他管學生們的吃，還管學生們的穿，並且還管學生們的前途，即如人稱傜山之花的唐秀英秀青姊妹，就先在這間小學畢業，再送她倆到廣州去升學的。最堪惋惜的是傜人狃於習俗，唐秀英去了一趟廣州，仍然甘願呆在傜排裏，幹上山打柴的活計，未免辜負了孟醫生「有教無類」的一番盛意。本來，我們的政府，廣東省政府教育廳，也並沒有漠視傜山上孩子們的教育，在連陽山屬的傜山上，辦有六間國民學校，但祇是紙面報告的官樣文章，眞正能夠受點教育實惠的，還是孟醫生那間小學十幾個孩子。

（三）

孟醫生來中國，是在民國初年，最先是在上海。現在駐日本的董顯光大使，就曾受過孟醫生的教育，抗戰期間，董大使和孟醫生師生之間，還有書札往還。我見過董大使寫給孟醫生的一封信，似乎並不是泛泛的尋常師生關係。孟醫生在廣州時間較久，所以他能說廣州話，他在三江圩的家，絕沒有絲毫「洋」氣，他有三個兒女，祇有面貌，有些外國人象徵。孟醫生用筷子吃飯，雖說還有點不大自然，可是他已能和我們一樣，用象牙筷夾海參進口了。還有，幾乎忘却的一件事，就是他那三個孩子，居然和傜人孩子在一塊兒讀書，在一塊兒遊戲。他說「同是上帝的兒女，上帝愛護他們的兒女，是一律看待的」。

孟醫生令我最難忘懷的，是他那種親切的態度。傜人不知衞生，尤其他們男男女女，頭頂上的椎髻，經常不梳不洗，婦女們還用蠟膠滑，幾乎滋生，放散一種怪難聞的氣息，眞個不由得不人人掩鼻而過之。孟醫生可不然，他親切的和那些來找他的傜人，促膝握手，款款細談，絲毫不顯露半點「難過」的神色。

大概是民國二十九年的農歷元旦吧，那一天傜排上有盛大的節祭舞蹈，孟醫生陪着我上油嶺排，傜長接我們上他家去。傜長等於一排的「頭人」，也就是世俗稱之謂「傜王」的。傜后親製粉果（糯米粉做的）款客。這可了不得，看見她那骯髒的手背，我眞沒有胃口來領略這糯粉果。我勉勉強強緊閉雙眼「吞」了一枚。孟醫生却若無其事的吃了一枚又一枚。他一面和傜王傜后閒聊，他能聽懂傜人的言語，也能講一點半點——，他一面望我笑笑。當我們走上歸程的中途，他告訴我：「傜人的款待，確實是難以應付的一件難事，你如果忽視了他們的款待盛情，那你就不免招致他們的反感。我是抱着爲他們服務的志願而來的，本着這個志願，也就不覺得什麼骯髒不骯髒了」。說來，原是極其平凡的幾句話，可是要實踐起來，便實在大不容易的了。

（四）

三十八年我到廣州，聽到由連縣那邊來的人說，孟醫生仍留在傜山裏跑來跑去，他眞是一位「替天行道」的聖者。像他那樣的年齡，何況又是來自物質文明達於極點的美國，爲甚麼甘願到中國傜山服務？現在中國大陸已經給中共的血腥統治，遙念這位悲天憫人的友邦朋友，唯有默默祝福他身心健康。像孟保羅醫生這樣的人，縱然是「到頭終須一死」，不過人類的眞理正義公道存在一日，他也就會存在一日，眞個，上帝永在，孟保羅永在。（完）

美陸軍參謀長將易人

美陸軍參謀長李治威將軍最近有倦勤的表示，預料明年夏間他任期屆滿的時候，將不會連任下去，而新任陸軍參謀長極可能是現任歐洲盟軍統帥格蘭瑟將軍。格蘭瑟出任艾森豪的幕僚長多年，不僅是他的親信顧問，而且還是他的橋牌牌友，這一調動如成爲事實，還將是歐洲盟軍統帥出任美陸軍參謀長的第二人。

在未來美國軍要職位的更動上，還有一宗令人注意的新聞，美國國家安全委員會實際上的幕僚長——設計局局長布特勒，事實上是艾克「超級內閣」（國家安全委員會）中一名重要的人物，據說，他近來也有倦勤的表示，在下月美國國會選舉完成後，布特勒即將提出辭呈。

至於美出席聯合國首席代表洛奇將入白宮，代替史塔森出任總統助理，而由現任對外工作總署署長史塔森出代洛奇的消息，現在似已成爲過去，一般認爲非至年前本屆聯大閉幕後，美出席聯大代表不會有若何變動。

聯大會中美有新武器

美國可能於短期內在聯大運用一項新武器，以對付蘇俄日益增強的和平攻勢，據說，美代表擬譴責蘇俄外長之後，在聯大鄭重宣佈，要求全世界注意蘇俄和平攻勢後面的滲入陰謀，譴責俄國在二次大戰後非法強奪他國的土地。美國並可能提出一項議案，要求蘇俄從愛沙尼亞、拉特維亞、立陶宛、捷克東部、波蘭、南庫頁島，以及千島羣島等地撤退。

美對共黨「以牙還牙」

美國在對蘇俄與中共的冷戰上，傳將採取「以牙還牙」的新政策。根據國際法，美國可能捕獲一艘俄國船，並將之扣留，直至蘇俄付出對擊落一架美機的賠償時爲止。若干國防部高級官員老早就主張採取這種報復性的行動，但處事審慎的國務院則堅持維持外交談判的途徑，兩者之間爲此爭辯過許久。現在蘇俄對美國提出的賠償要求依然置之不理，感於共黨的冥頑不靈，據說國務院已有依從國防部的動向，採取強硬手段的打算。

法蘭斯老父憂慮成疾

法國總理法蘭斯的老父（八十一歲）最近貴躬違和，肺部生病，已遷入巴黎一家美國醫院調養。這樣的老人家，風燭殘年，生病自然是平常而又平常之事，一般人決不會感到驚異的。可是，事實不然，法蘭斯老父生病的原因頗爲離奇，他的病並非生活失調，而是由幾封恐嚇信與幾個恐嚇電話所引起的。這些電話和信件都異口同聲要幹掉法蘭斯的性命，其中一封信說：「暗殺你的兒子，日期已不遠了」。（孟衡）

天下小事

赤色劊子手

·向明·

東德最受人憎恨的共黨，是一個五十二歲的婦人，綽號「赤色斷頭台」，眞實姓名希爾達·班吉明，反而不爲人所熟知。

在三十年前，她還是海得堡的一個法律系大學生，便參加共黨，嫁了一個共黨狂熱份子。後來她的丈夫被納粹所殺，她的習慣也起變化，[illegible]，對於家庭宗教全力加以摧毀。在共黨政權下，她擔任最高法庭副庭長，政治性的案子，大多由她主審。僅在一九五二年三個月中，她便判了二個死刑，八個人無期徒刑，其他被判苦役者，共達一百另九年。在法庭中，被告律師作辯護時，她總是尖聲高喊：「快些快些，我們沒有時間來聽你這種無聊的藉口。」

希爾達的「傑作」，是「解放」婦女，要婦女們走出廚房，去替共黨工作。她所制定的所謂「家庭法」，[illegible]以訓練；且下令祇要「婚姻失去社會的價值」便應離婚。但這條法律的實際是怎樣呢？如果共黨需要礦工，便把大批青年趕入如同集中營的訓練營，[illegible]

編者 讀者

阿根廷的精神領袖

編輯先生：（上略）近年北下老友，景況日非，公等中流砥柱，在港堅守，行有餘力，創辦「自由人」，爲海內外自由人士存一綫希望，景仰之分，特此祝賀。弟蟄居阿城，春秋異趣，南北倒置，如另處一世界。[illegible]亦爲吾人應盡義務。今後如有適當題材，自當撰稿求教。

阿國地大人少，物產豐富，謀生容易，社會秩序極佳，人民對於賽馬足球最有興趣，今貝隆政府行國家社會主義，使國內外物價懸殊極大，此亦避免外國資本家侵略之良策。吾人在此距離莫斯科華盛頓同樣遙遠，故對世界局勢之看法，自然不同，孔子登東山而小魯，惜東山仍在魯境，弟今日則係泛東海而小東山也。

阿國近年社會福利，工人地位，極爲提高，已故總統夫人伊娃領導最力，至今全國尊爲精神領袖，伊娃生前曾著「我的使命」一書，闡述貝隆政治之原理，並敍述伊扶危濟困之事實，文章委婉纏綿，忠心耿耿，讀之如坐春風，又彷彿與基督同生。該書於一九五一年十月以西班牙文原版問世，一年內銷售一百餘萬冊，法德義英各國均已有譯本，風行歐陸，惟英俄兩國文字，因政治立場關係，尚未有譯本出版。（下略）羅立坤一九五四，雙十節，阿根廷首都。

紅朝百態錄（二）

洗腦機

牛布衣

劉少奇曾經這樣說過：『共產黨是一副大機器，共產國家裏頭的人民是這副機器的零件。不適用的零件惟有犧牲一途。』

中共佔據了大陸五年，人民被殺戮的數目達到了六千萬。中共這副機器是由俄國製造的，不適合中國的傳統和習慣，可是中共堅持這副機器是好的。爲配合機器起見，他們決定了改造中國人民的性質。被屠殺的六千萬，都是中共認爲是不堪造就的，所以把他們根本解決了。剩下的呢，中共採取洗腦的辦法來改造他們。

什麼叫做洗腦呢？中共向人民宣傳的共產主義，是一種公開的宣傳。此外又加上小組討論，和秘密監視。中共認爲這種洗腦工作是十分周到了。可是人類的腦是宇宙間最複雜，最不可思議的東西。腦能夠洗嗎？經過了四年的試驗，中共認爲他們已遭遇到最大的失敗。

（一）

去年八月裏，共黨中央執行會開會的時候，劉少奇提出了洗腦的失敗。他說洗腦這件事情是徒勞無功的。被洗腦者表面上似乎十分馴服，心裏卻加強了對於共產的反感。若果能夠有一副洗腦的電機，把剩下的三千至六千萬嫌疑份子的腦洗淨了，共產主義在中國才可以算是成功。

朱德第一個舉手贊成。他提議寫信去問老大哥借一兩副洗腦機來做樣子，在本國大規模製造。朱德的提議通過了。

信發了，不過，老大哥的答覆到了。信裏說，『蘇聯只有一副大洗腦機——西伯利亞。蘇聯歡迎老弟們到那裏參觀，可是因爲東西太大了，不能夠借出。』

爲了這一封信，中共的執委會又舉行了一次會議。劉少奇提議，洗腦電機關係國家存亡。老大哥那裏若果沒有，我們應該設法自己製造。

劉少奇的提案總是通過的。這次當然沒有例外。決議裏還增加了一條，『本議案交由劉同志負責辦理，』等語。

劉少奇召集了全國大學的物理和機械學教授，和其他技術人員舉行了好幾次會議，把他的意見詳細指示他們。並限期於半年內發明第一具洗腦機。

（二）

剛好過了半年，某一家大學的物理學教授報告說，他發明了全世界第一具洗腦機。

他這副洗腦機是一副電機，應用的是短波電流。他報告劉少奇說，『人類的腦袋是一副最複雜的電機。腦裏司記憶的是小腦。洗腦的辦法是消除個人以往的記憶；以往的記憶消除了，腦便洗刷乾淨了。』

發明家又說，『洗腦的辦法簡單得很。洗腦的電機能夠發出極強烈的短波電流，此種電流射入小腦裏，主持記憶部份，把該部的電波擾亂了。電波亂了，一個人便消失了記憶。經過了洗腦的人，因爲記憶力不健全的關係，只堪做勞動工作。』

劉少奇高興極了。他說，『共產機器的重要部分是生產。經過洗腦的零件若果能夠勞動，能夠生產，那麼共產建國計劃必定能夠提前完成。』他指定了十個判了死刑緩期執行的智識階級，和一所房子給教授做試驗，並且指定第一期的試驗期限三個月完成。

（三）

物理學教授把那所房子佈置好了，裝上了錄音機，然後把十個緩刑的人犯領了回去。

那天晚上教授對他們說道：『你們腦袋裏頭的東西都要不得。我現在用這一副電機把你們腦裏污穢的東西洗去。洗過了，你們腦裏剩下了一頁白紙，你們變成了一個新人物，你們獲得了新的生命。』

經過了大約三分鐘短波電流的注射，十個人都失去了知覺。早上醒了，他們的容貌比較晚上似乎有一點不同；眼睛比較大了，臉也似乎比較長些，表情的嚴肅更加顯而易見。

早上教授跑進他們房裏，指着毛澤東的照相，問他們道，『你們曉得他是什麼人嗎？』

他們只是搖頭。教授說道，『他是人民政府的父親。以後你們早上起來，和晚上回來，都應該對着他叫「父親。」』

那十個犯人果然齊齊對着照片，叫『父親。』

教授把他們領到外邊工作，到了晚上才領他們回來。

他們的工作相當不錯，成績比較其他人犯都好。胃口也增進了，一個人每一頓能夠吃半斤米。兩個月來，除了早晚對着毛澤東的照片叫『父親』，他們可沒有說第二句話。教授吩咐他們什麼，他們只點頭或者搖頭。

難道這一副洗腦電機真有意想不到的效果嗎？教授心裏有說不出的喜悅。他決定了做進一步的試驗。

（四）

一天晚上，教授在他們的晚飯桌上加了一碗肉和四瓶高粱酒。

他們把酒和肉都吃完了，表現出醉態。

回到房裏，他們指着毛澤東的照片叫『兒子』，聲音十分洪亮。叫了好一會，他們哭了，哭了半點鐘，才上牀睡覺。

教授心裏不無懷疑，可是第二天他們恢復了常態。

經過了半個月，教授再給他們同樣的酒肉。回到房裏，他們又指着毛澤東叫『兒子』，和哭。

三個月的試驗期間完了。他們的工作能力十分不錯，飯量也比較一般人好。三個月來他們只說過兩句話，『父親』和『兒子』。

教授把試驗的結果連同錄音機交給劉少奇。劉少奇把他提出中央常務會。

毛澤東認爲結果十分滿意，決定馬上大規模製造洗腦機。

劉少奇似乎有些懷疑，他主張再來一試驗。

常務會的決議是，『嘉獎物理學教授，再撥囚犯十人作第二次試驗。』

調景嶺難胞的呼籲

頃接中華民國流亡香港第三批奉准集體入台難胞一千四百三十七人爲入台事的公開書，原文如下：

蔣總統陳副總統各長官暨社會各界人士各社團各報館賜鑒：敬啓者，溯自赤禍漫天，中原陷賊，難胞等稟於忠奸不兩立，善惡不併存，間關別離故國，流亡海外，數年於茲，處國破家亡之境地，猶堅持反共抗俄之決心，矢志復國報仇，殲彼醜類，從未以處艱難之歲月，或因生活念痛苦，而動搖其意念也，屢欲請纓殺敵，苦於報國無由，適去年十二月，自由祖國號召海外青年難胞歸國運動，於是聞風響應，登記參與，八月得蒙批准，奉中國大陸災胞救濟總會（四二）一字第一〇九五一號箋函，着速辦理遣運手續，乃於八月十日在香港調景嶺編隊，方定購運輸船隻之際，不圖九十月八日突又奉中國大陸災胞救濟總會電知，略謂準備未及，囑暫緩離港來台，於是數年佇候回到祖國懷抱之日的，及其熱望快將到手之殺賊報國機會，忽被擱置！晴天霹靂，彷如冷水澆背，但念屬政府命令，固應服從，又以事既準備未及者，即候待亦爲時不遠，如所云暫緩離港，自然赴台行期亦不太悠久也，是以遵命守候，不意守候將及半年，而歸國仍屬遙遙無期，殊使人憶惑，志忑不安！爰於本年初，進行向政府各機關作書面請願，其中立法院監察院均有覆文，稱本件經函轉行政院及中國大陸災胞救濟總會辦理。但揆之事實，行政院及中國大陸災胞救濟總會對本件之措施，則有若無聞，不勝焦灼，迫得再三至四迭，狀作報告向該兩機關請詢，不意仍是石沉海底，消息茫然，誠令人百思不得其解也?!

（下轉四版）

重振道德不容忽視

禁娼應闢生產途徑

香港道德敗壞，令人難以置信。許多不良風氣，也幾至使人不堪設想。特別使人驚異的，是若干違例犯法事件，並非單純由於文化水準低落，而具有社會崇高地位，曾受高等教育的人士，竟然也有觸犯法網，褻瀆傷天害理，喪失天性的不道德事情。許多社會問題專家，對此也似乎無法獲得答案。這種不良風氣如任其滋長，影響所及，將來殆將更形嚴重。然而，社會熱心人士，儘管對此表示扼腕，却又無人勇於奉先倡導重振道德運動。一般認爲，這是因爲許多有聲望的人士，本身事務已感十分忙迫；無暇兼顧，且也不願去搞這種出力不討好的工作了，有見地而有改革社會作心的人，則又因自慚不孚人望，放棄了此種責任。

與道德敗壞有關的另一嚴重社會問題，就是娼妓的存廢問題。這一問題已由港府社會福利顧問委員會提出來研究。負責徵集各方意見的小組主席李學良夫人，現在正將各方提供有關娼妓存廢的意見，分爲兩大專題，因爲有人主張允許娼妓繼續存在，也有人主張應該絕對禁絕。兩者似乎均有其充分理由，也提供了許多資料。李夫人在處理上諒感棘手，今後兩案究竟如何處理，目前依然難以遽下斷語。就目前的情形說來，香港雖然在法律上並不容許娼妓存在，但是甘冒「阻街」法例危險的娼妓，依然十分多，確計，至少數逾二萬，其中也不乏染有惡習者。淘汰娼妓，自然是轉移社會風氣的良策，但在這方面，如何使妓女改變其生活方式，又是一件十分困難的事。設非採取強迫手段，使其從事勞動生產，顯然無法杜絕。可是這一步工作，必須先由社會人士投下一筆資金，以開辦手工業，容納她們，讓她們從事於身心的改造。最近西區扶輪社負責人曾發動過一項決議案，計劃籌款二萬五千元，籌辦一個職業傳習所，不過他們的目標是側重於推廣家庭手工業方面的。倘使當局決心禁絕娼妓，則類此計劃，不妨考慮採取，舉凡編織、刺繡、編結等等，初步並不需要大規模投資。第一步似可先行籌辦一個小工廠，以容納籌辦手段，一方面公佈妓女們自已申請要求轉業，另一方面，強迫被捕者交工廠接受轉業改造，嚴格執行結果，未必不會有實效，比多空談理論要好得多。

評「離離原上草」

作者：黃炎　出版者：亞洲出版社

沈著

（一）

「離離原上草」是一部別具風格的文藝創作。

在故事的組織方面，它分上下兩部；上半部由男主人公用回憶的方式表達，下半部是在一個偶然的機會中由女主人公的先生用告訴的方式續完了它。

故事的大意是：在抗戰勝利後，中共的新華日報喊出了「新疆自治，東北獨立」的口號，成都C大的共諜學生就在林再育領導下冒用校內各團體名義展開了此種宣傳，而此種偷雞摸狗的行動終於在某夜給該校的高才生田學思捉住，於是便在他的領導下掀起了反共怒潮，除一面依法拘捕林再育外，一面即在校內展開了肅清運動。

從此，田學思成了校內外大衆景慕的對象，尤其是他的體儀、口才、學識、品德、勇氣，以及一切反共的正義行爲，引起了一個女同學的衷心愛慕。

女同學名叫白瑋，是當地名醫又兼殷商白守勤的第二位女公子。她生得非常漂亮，曾被譽爲「皇后」，追求者多得不可勝計，生得獐頭鼠目的林再育就是個一心想吃天鵝肉的人。但她的性格非常堅強，愛、憎，皆分明而強烈，因而對任何不爲她所喜的人都凜若冰霜，但她愛上田學思，却顯出非常的熱情和勇氣。田學思出身清寒，自顧不免胆怯，終因她的堅決和誠懇，在經過了一段傳奇式的戀愛之後，訂成白首之盟。

不久，反共戰爭日劇，他居然在「先愛祖國」的大前提下從了軍，而在一次成功的戰役中負了傷。傷後，在「衝喜」的名義下有名無實地結了婚。傷癒後，本可一享艷福，奈時代註定了悲劇，四川保衛戰一開始，他又歸隊作戰，而在不利的形勢下，終於離開大陸，失去了他的愛妻。

四川陷匪後，林再育以新貴出現，白瑋不甘受屈，便飄然潛赴重慶隱匿。林再育仗勢欺人，在展開「五反」時以交出白瑋爲條件，脅迫她的父親白守勤。白父因不肯屈服，被殺，並沒收財產，林又利用一無知學徒掌管白的財產，並慫恿其欺侮白瑋的妹妹白珙，白瑋憤然返回成都，將計就計之下，設計誘殺了學徒，救出白珙，接着縱身躍樓，壯烈犧牲。

（二）

此一故事的情節相當細膩動人，抑揚有致；正如亞洲出版社編者在卷首所說：「極盡波瀾起伏，峯迴路轉之妙。」它的表演手法，是以一對青年男女的戀愛爲脈胳，而以中共的陰謀、統治、和罪惡爲刻劃的橫斷面。作者把愛與恨，仇和恩，交錯地烘托，強烈地表現，緊扣讀者的心弦，引發讀者的共鳴。尤其在愛的程度分野上，一再強調祖國至上，先公後私的正確意識。作者一再借用男女主角的口吻說：「我愛祖國、親人、你、和音樂。」且用實際行動從頭至尾表現了它。——這種意識，正是此一時代所特別需要的。作者通過文藝創作所能發揮的效用，這意識將是不朽的。

此一故事的主題，依筆者的看法，一面在控訴中共的罪惡，一面在描繪一般善良人們在此一不幸底時代中種種悲壯不屈的畫面，從而指出正義縱然暫屈於暴力，但終必會如「離離原上草」，「野火燒不盡，春風吹又生。」的。

此一故事的後半部係以「五反」爲背景，而且寫得相當眞切。故事雖以成都、重慶兩地爲限，却無異是整個赤色大陸的縮影。「五反」而貫穿在反共文藝中，目前似尙不多見。

（三）

作者的文字相當細膩、生動、有力，故事的結構也很完整，描寫的技巧也相當熟練、緊湊。其中在描寫男女主角間略帶傳奇式的戀愛情形時，頗見其豐富的想像力。

其中特別成功的，是在對女主角的刻劃，無論她的造像、氣質，以及一言一動，莫不絲絲入扣，細膩而明朗，時殊而不落怪誕。

總括地說：這是亞洲出版社最近出版的一部優秀作品，多方面都適合閱讀。

名人的常識問題

馬五先生

儘管西方科學家具有特殊智慧，能發明原子能，製造氫氣彈，可是，有許多社會名人政治家，他們的政治知識，亦未見得比我們這些產業落後地區的人，高明了多少。不信，試舉例以明之：

英國一位退了役的前任遠東總司令潘納，最近發表政治性的言論，主張把我國的金門島托管於聯合國，以阻遏國共兩方的戰爭行爲云云。這類思想和語言，竟出之於上將階級人物的頭腦中，寧非駭人聽聞的事嗎？年來希臘要求收回塞浦路斯島，西班牙要求收回直布羅陀海峽，而最近印度與葡萄牙亦爲爭取印度洋岸一塊土地，大起糾紛。若照潘將軍的高見，則應該把這些糾紛地區交給聯合國托管了。甚至於愛爾蘭若與英國發生爭議，也得請聯合國來托管愛爾蘭哩！這不是甚麼國際法或者政治學理的問題，乃是常識問題，高小學生亦能理解的。然堂堂海軍上將的智識却是如此，這從那兒說起呢？

美國已故的共和黨首領塔虎脫先生，著有「和平的條件」一書，他極力主張美國政府應將在鐵幕下之各共產國家的反共人士，贊助他們回國去奮鬥！他有一次接見流亡在美國的前任波蘭外交部長時，熱情地鼓勵那位部長趕快回去組織反對黨，從事反共鬥爭。那位部長說：我回去如何能夠組織反對黨呢？（這故事是最近由美國回港來的朋友所述）塔虎脫的話是[illegible]，可以自由組黨活動。[illegible]依照民投票來取政權[illegible]

這些英美政治上赫赫有名的人物，他們的政治智慧亦不過爾爾，你說奇怪不奇怪？我們不必妄自菲薄，以爲歐美的政治家個個都是了不起的天才人物，外國的月亮並不比中國所見的份外光圓啊！

科學新知・細胞培養專家

・風行・

將尙是活着的人，割下一小片肉，或任何部份的一小塊細胞組織，放入實驗室玻璃試驗管，或其他的盛器，浸在化學液品養活着。——讓它能吸收營養品，和有新陳代謝的細胞生長，好像還在人的身體上一般。——這樣，好像養一條金魚在玻璃缸裏一般。也可算奇妙有趣。但不是當消遣，而是有很大的目的和意義的。

他們用來觀察細胞活動狀態，尤其是那種非正常的「病」細胞，可以顯示給他們知道怎樣去處置，而尋出醫治那種病的方法。這種科學家名爲細胞組織培養專家（TISSUE-CULTURE SPECIALIST）。

（一）

美國霍金斯大學佐治蓋博士，還「養」着一塊二十三年前，從一個患癌症婦人割下來的一塊細胞組織。她本人已死了，但那塊肉還是活着。

人身上無數的細胞，有秩序的實行分裂，生殖新陳代謝的延長下去，但有些細胞作沒有規則的生長，便成癌症。

我在霍金斯大學佐治蓋博士的實驗室，看見他放映的細胞活動眞象，怪有趣。我看見銀幕上放大十萬倍的人身細胞，一大堆圓形東西，它們成波動的細胞壁（或曰細胞皮）伸出，會將周圍的食物顆粒抱着，食物於是被吸進細胞裏。我看見細胞中核心的染色體——成桿狀的東西，這也是操縱遺傳性的因素，——我看見正常的細胞分裂爲二。

於是又看見一羣有害的細胞出現，它們不似那些健康的細胞圓滑着，而是在那培養液中自由的亂撞亂衝，它們狼吞虎嚥的樣子，大量吸收食物。它們不像健康細胞祗有一核心，而是有幾個核心。它們大約分裂成五個大小不同的新細胞。

佐治蓋博士站在我身旁，指點道：我們已看見正常的變成有害的細胞，如果我們查出因何有此現象的原因，我們便有辦法去醫治癌症了。

（二）

在一九五一年，一位海命L夫人因患子宮頸癌症而死。霍金斯大學科學家將她患癌那一部份細胞組織「培養」着。佐治蓋博士注意到這些細胞在試驗管中，一如在她的身體上繁殖很速。

更重要的，是幾位醫生發見海命夫人的患癌細胞，很易受小兒麻痺症病毒菌所侵滅。病毒菌（VIRUS）不能自存，必須侵入活的細胞而寄生在裏面。當小兒麻痺症的病菌和海命夫人細胞接觸，便迅速侵進去，把其患癌細胞吃光。

佐治蓋博士將海命L夫人的癌細胞培養定名爲「海拉質」（以她的第一個名和最後的名簡化而成。）分成許多部份，作試驗標本，分送全球各著名實驗館。海命夫人在生時夢想不到在她死了後，她的一塊肉還替世人增進科學智識，造福人羣。並且還正在替她造成一個不朽之名。

（三）

上面所說的小兒麻痺症毒菌，易破壞海命夫人癌細胞一事，據美國癌症學會說：這種發現較大的價值，在對付小兒麻痺症，而不在醫癌。因爲小兒麻痺症毒菌不宜入人身，而海命癌細胞可以用來測驗小兒麻痺症。

許多年以來，科學家相信腦的細胞組織是成爲網狀的，各細胞當中有一種膠質名爲格里亞（GLIA），把細胞聯絡起來。但相信它除了作聯緊之用外，沒有其他官能。但最近德克薩斯大學的勞麥拉博士發現格里亞不是靜的，而是經常搏動的，將血液中的物質推送入腦細胞作營養。因此勞麥拉博士斷定格里亞和人的腦筋功能有很大的關係。人們老了，格里亞便變成僵硬。不易推送營養物進腦細胞，也不易排除廢物，結果那人的記憶力和推考力也退步了。

（四）

有了培養細胞的方法，可以用動物的腦細胞組織來試驗，試看用什麼的化學品注射入去，可使格里亞恢復活潑的能力，於是便可以製造一種醫腦或健腦的藥了。

另一種奇趣用途，是斷定陰陽人的眞正性別。有些小孩或大人，在生理上與心理上看，不易斷定他（或她）眞正的性別，是男或是女。於是將他的一小部份細胞組織培養着，用來觀察。人類每一細胞中有四十八個染色體。如果是女的，便有完整的二十四雙染色體，如果是男的，便是二十三雙完整的，但有一雙染色體是一大一小。將那人的細胞培養着，用一種藥去擴大其細胞核，用高度的顯微鏡去看它的染色體便知。

培養細胞組織還可以從細胞的繁殖而附帶的多賀爾蒙，用來作醫藥。例如醫治糖尿病的因素林賀爾蒙，可用培養細胞組織法大量去生產。

送林生之台灣

伍潤三

避地香江亂處揮。入台況得叩天閽。
少多聲譽稱州里。仍舊布衣返國門。
自古人才終有用。如君時事可同論。
此行須展平生志。莫負天涯贈別言。

送雷君澤洪重赴美國

定遠壯懷老未休。欲從萬里顯宏謀。
香江又是中秋近。瀛海重遊一葉浮。
避地已經同患難。去邦須記復仇讎。
送君那有壯行色。一首新詩話別愁。

玉芳堪稱

・娑婆生・

（一）

當張正芬小慧歇擅，永樂在未請劉玉琴以前，其間過渡人物，會約周蕙如，顧若，金牡丹，施清，楊玉芳等幫忙。余對於劇，素有嗜好，素有喜歡提攜新進之人才，除周蕙以外，獨金施楊三位登台，因未與面而往觀數次，金係花衫，施爲閨門旦，楊是青衣。評判之下，覺得玉芳，堪稱能材。因就所聽，起解會審，[illegible]生死恨，春秋配，[illegible]有功夫，而音之亮，並不遜於正芬玉琴，唱似近乎正秋，與素雲芬彷彿，甚爲異之。

（二）

玉芳自幼師事馮子和，其腔調似乎近於黜輝之一路，但有多爲老派唱法，並非梅派也。前於十五年，在皖豫一帶，頗負盛名，當串演之時，凡是軍中將領，頗多捧之，頗爭爲鑑室，玉芳知其愛未必專，虛與委蛇，未敢允嫁，馬君治兒獨鍾之，但未能遽得，適會玉芳以演出勞而大病，幾近三月，馬情變獨設湯藥相侍，前後所耗近萬金，因此病癒，謝絕歡樹，卒歸馬氏。卅八年避禍來台，就居大坪林鄉間，荊布裙釵，粗茶淡飯，居之如飴，安然自怡，直可與梁孟媲美，如此藝人，確爲難得。

（三）

玉芳爲人甚爽，有如北地佳麗，如友朋有困難而欲償債者，每請串演，必然慨允，毫不計較，即分文不與，亦無怨色。其演劇則一切裝扮，皆可自任，不必求助於人，故用費極微，不似一般票友之陋習甚深，動輒耗費也。其貌端莊不佻，但一經點染粉墨，出台現相，卻甚姣美，頗得化工導人之妙。每有同台並串之旦角，她亦自顯爲其一扮，則是毫無架子之處，此種情格，在現今社會所無。

猶憶今歲，總統副總統就職之時，曾擬邀集同好，舉行一次晚會，藉表慶祝微忱。當時有多人擬邀李東園兒唱探皇靈大保國二進宮，爲切家之意。議定，偏徵配演之李艷妃，伶票皆無可勝任者，及詢玉芳，竟云勉可陪試，東園驚其腹笥淵底不止。偶詢君治，玉芳之能劇多少，據稱不下三十餘齣，而別宮祭江，則外間所更無之。近聞玉芳頗有興趣於國劇研究，願經常爲其效力，則將來國劇之改良，當可有成就，深佩其勇氣，容拭目以俟，偶憶其事，因爲錄之。

紅樓夢散論（五）

・王世昭・

金陵四大家族即賈史王薛，這四家互爲姻眷，都不是好惹的。賈雨村官從何處來？從賈家來。賈史是對門親，賈母史氏就是賈代善的太太；而賈政之妻又是王氏，王氏與薛家則爲姨表之親；親上加親，說來說去來頭都很大，於是賈雨村屈服於豪門巨族勢力之下，錢可通神，馮淵遂成了背死鬼。什麼甄家的舊恩？什麼英蓮的死活？賈雨村都顧不得許多了。官是糊塗官，然而又安得不糊塗？糊塗是難得的。賈雨村忘恩負義，不必等到將來才見分曉，曹雪芹的心理分析，是入木到三分的了。

賈雨村初初發達是靠甄家提攜，以後又靠林家相助，既得賈家的保舉，於是遂爲應天府。書生的門坎並不精，還靠門子的提示，上面有四大家族。下面是刁滑吏，做官的遂成依違二者之間的糊塗官。四大家族如此，賈雨村如此，門子亦如此。上下其手，高低在心，以小可以喻大，推而至於全國亦無不如此。大清王朝因此而傾覆，北洋軍閥因此而瓦解，國民黨在大陸因此而垮台，中共呢？歷史是循環的，有因必有果，倒果可以爲因，等着瞧吧！

× × ×

一支筆難說兩頭話，現在讓我談談林黛玉和王鳳姐。這兩個寶貝都是精靈鬼，伶俐人，七心八孔的漂亮女子，誰也讓不了人，請看鳳姐眼中的黛玉：

「這熙鳳攜着黛玉的手，上下細細打量一回，便仍送至賈母身邊坐下，因笑道：「天下眞有這樣標致的人兒！我今日才算看見了！況且這通身的氣派竟不像老祖宗外孫女兒，竟是個嫡親的孫女似的。（眞會捧！）……只可憐我的妹妹（叫得甜！）這麼命苦，怎麼姑媽偏偏就去世了呢！（哪有這一着。）」說着，便用手帕拭淚（假猩猩）。賈母笑：……王熙鳳轉悲爲喜。」這一段的王熙鳳，眞是捧得好，做得妙，轉得快，哭得够勁，笑得也有些突兀。（未完）

「雨過天青」（下）

黎中天

（三）

今年三月，胡適先生要我再給「自由中國」登，我送去了，編輯先生又要改，事情又擠了。情形彷彿是：誰要靠天吃飯，就得服服貼貼披麻帶孝，或者乖乖的挨桃木棍去，不過，像我這個有飯吃就不吃的人，總該免了。

談到出書，有兩家出版社跟我接過頭，我總對方滿口生意經，有戒心；生怕他買了我的女孩子賣送；如今寶女，得看倘好人家了。我也跟像大戶人家的書店接洽過，老闆只對出教科書有興趣；也難怪，這年頭，只有教科書篤定暢銷，那怕編得最蹩！

寫到這裏，我想起有個印第安人，拿手工做的籃子賣，白種人不買，他就跑，同時叫嚷：「甚麼？你不買？天喇！你要餓死我嗎？」假是我的稿子賣不掉，也學他邊跑邊嚷：「甚麼？你不要我的稿子！天喇！你要餓死我嗎？」我想，書店的老闆會把一口黑的金牙齒笑掉。總得提醒自己：千萬爲了自己的作品，害生意人的口袋。又不肯對「天」低三下四；又不願向生意人說好話。「雨過天青」甚麼時候雨過天青？我弄不清楚了。

（四）

蒙地卡羅有家飯館，門口貼張字條：「請進來吃飽吧，不然，你和我都會餓死。」[illegible]如果我也做個廣告：「請看我的書，[illegible]」這世界有靈性的人就不多了[illegible]

我翻譯「雨過天青」的原稿，[illegible]看着窗外一片迷濛，「什麼時候雨過天青呢？」[illegible]「聽天由命」，[illegible]「肯定了的絕望」[illegible]

調景嶺難胞的呼籲

（上接第三版）

夫「國以民爲本」，又「民無信不立」，我政府反攻大陸在邇，號召國內外[illegible]第三批難胞入台[illegible]府又何以[illegible]借故延遲[illegible]長久[illegible]民渡江[illegible]失人類忠貞義胞[illegible]原是請歸國者[illegible]二千餘人，[illegible]三十七人，內陸軍官學校畢業生十一期至二十期者約七百人，餘爲警校大學生，及年輕公務員，年齡一律由十八歲至三十餘歲，經考核選擇[illegible]

自由人
THE FREEMAN
（第三八二期）
中華民國僑務委員會核發登記證僑報新字第一零二號
中華民國郵政登記認為第一類新聞紙類
（半週刊每逢星期六出版）
每份港幣壹毫　台北市價台幣七毛
地址：香港高士威道二十號四樓
3 rd. fl. 20 CAUSEWAY RD HONG KONG
香港：德輔道中二十六號A二樓
台灣特派員辦事處
台北市館前街五十號
台灣總經銷處
台北市西寧南路一○一之二號二樓
台郵劃撥儲金戶九二五二

高等教育的趨勢

・張文仲・

自由中國近年來的高等教育，可以說完全在凍結和停滯的狀態中。過去在台灣，只有一座台灣大學，台灣大學是國立的，然而教育部似乎是管不着。台灣大學究竟受什麼人管，台灣的人，台灣的教育界是弄不清楚的。台灣大學幾年來是關着大門，對全國的教授關着門，對全國的學生也關着門。去年台灣大學對盛鄭兩教授的解聘，今年否決程滄兩人担任教授，是台灣大學關門政策的傑作表演。台灣大學既關着門，但同時不許別的大學開門，無論是公立或私立的大學。這是自由中國近幾年來高等教育的形態。

政大研究部的問題

今年夏天行政院改組，教育部長易人。先有學術評議委員會的成立，接着修正公布私立學校規程，最後決定恢復國立政治大學研究部。根據教育部部長張其昀本月十六日在立法院教育委員會的報告：「國立政治大學研究部研究生已放試完畢，即將開卷，短期內可發榜。並定十一月一日在台北縣木柵鄉開學。」（十月十七日中央日報）教育行政當局數月來對高等教育的推進，這是輿論界一致感到興奮與鼓勵。至少這三個月來，自由中國的教育，已解除了凍結。已在那裏有所動作。而且確在向着光明方面動作。這不僅在教育界，就在自由中國整個政治上看，也是值得讚美的。四個月的新內閣，說老實話，只有教育部是拿得出成績來的。也只有教育部是在那裏認眞做事。

因為現在的教育當局想認眞做事。而且認眞先整頓高等教育，所以我們樂於和他們商討。現在先想把政治大學研究部的問題提出作一個商討。根據「教育通訊」第五卷第二十一期（十月五日出版）「教育消息」欄內所發表：「教育部為應目前之需要，籌恢復國立政治大學，已經行政院核定，由部指設國立政治大學復校籌備委員會。聘請張其昀，張道藩，黃少谷，陶希聖，陳雪屏，余井塘，蔣經國，倪文亞，徐柏園，嚴家淦等為委員，由張部長其昀為召集人，籌劃進行。」這是關於籌備國立政治大學復校的籌備情形。本年十月一日台北中央日報登載，國立政治大學研究部招收研究生廣告。「招考所別及其目標」欄內，我們知道這次政治大學研究部所擬設立的，共為四個研究所。（一）公民教育研究所；（二）行政研究所；（三）國際關係研究所；（四）新聞研究所。再據「教育通訊」第二十一期所載，設立研究所之目的：「該部為培養中等學校及專科以上學校講授三民主義及公民教育之師資；行政人才；海外工作及僑務人才；暨新聞人才起見，決定先恢復研究部，分設公民教育研究所，行政研究所，國際關係研究所及新聞研究所……。」

大學研究部目的何在

看了上面幾段的紀載與事實，使我們發生許多感想及推論：第一個問題，大學研究部的目的，究竟是為研究高深學術，還是為一時的應用？按照上面幾段記載來分析，實在使我們看了十分糊塗。再從招生廣告看，好像這次教育部恢復政治大學研究部的目的，偏重於應用。譬如四個研究所，其宗旨都是為了應付目前的需要。公民教育研究所，一看便會推想是要培植「黨義」教師。行政研究所，招生廣告上明明白白說「培養行政人才」。國際關係研究所要「培養海外工作及僑務人才」，新聞研究所要「培養新聞人才」。如果教育部此次恢復大學研究部之目的，偏重在目前應用之才，而不是高深學術的研究，那乾脆就辦訓練班，或技術人才養成所，用不着掮着大學研究部的大招牌。且就方法及目的關係而論，由這種方法是不能達到其之目的。或甚至於相反的。進一步講，各研究所的內容含義不明，用語刺謬者，不一而足。譬如公民教育研究所，舉出培養三民主義師資為目的之一。三民主義應該是政治理論，如果大學研究部要研究三民主義，應該當作政治理論來研究，而不應當它公民教育一研究。其次行政研究所，招生廣告說明「從事一般行政理論及實務之研究。」我們研究公法的人，研究政治學的人，實在不明白何謂「一般行政理論」。「行政理論」一個名詞，便十分欠通。

考試科目許多怪事

至於行政實務的研究，不知是否指「行政三聯制」一類的「實務」，這許多「實務」，實在不是大學研究院的職務，而是行政機關訓練班所當主持。其次講「國際關係研究所」，招生廣告說為「培養海外工作及僑務人才。」又說：「從事於外交，僑務，及國際政治，經濟文化諸關係之研究。」「國際關係之研究」與外交的研究已經有分別。研究外交與研究國際關係是兩件事。研究國際關係便係培養海外工作及僑務人才。在學術的分界上不知相隔萬里。這不是今天短文所能盡。現姑提出一點大要。最後，新聞研究所，這個名詞便是不通。再看看招生廣告所登考試科目，投考公民教育研究所者，教育學，心理學。公民教育而不考政治學，這是怪事！投考行政研究所者，政治原理及行政學。不知道什麼叫「政治原理」？又不知什麼是「行政學」？行政研究所專門考試科目而不考「法學通論」，這又是一怪事！投考新聞研究所專門考試科目，新聞學與世界現勢。什麼是新聞學？今天什麼地方能找出標準的「新聞學」？又什麼叫做「世界現勢」？所以，僅僅把這次政治大學研究部的招生廣告稍一研究，便發現其百孔千瘡，毛病百出。將來該校開學後所開的課目，如果還不得而知，今天照招生廣告而類推其課目內容是可想見的，其整個研究部的內容，也是可以想見的。這種草率粗濫的作風，怎樣能望其辦好一個大學研究部！

做官萬能的觀念

不錯，國立政治大學前身是中央政治學校，是一個黨校。但是今天既已改為國立政治大學，那就明明白白是國家的大學，不是一黨的學校。從國立政治大學復校籌備委員會的名單去看，彷彿還是一個黨校，還是一個大學，而且是一個黨官所辦理的大學。因為照籌備委員的名單看，完全是國民黨黨員所做大官者，這不僅不能使國民黨黨外的人心服，也併不能使國民黨黨內的人心服。難道今天國民黨內懂辦學的，只是做院長部長的人？難道替國家籌備恢復一個大學，國民黨黨外便無一個國民可以充任？據外間所傳聞，政治大學研究部此次從籌備招生，出題，考試與口試，教育部……主持的人，全是大官。做大官的人，既覺這種攬擾，不勝其苦，所以每次開會，臨場溜走者，實屬多數，招生廣告以及考試的種種漏洞，都由於此。我們覺得今天自由中國思想及教育上一個大問題，是崇拜做官，是做官萬能觀念。一人做了大官，立德、立言、立功，三不朽兼於一身。「作之君，作之師」。「什麼事情都要請做大官者去做。」做大官的人，亦自覺天下之大，萬物皆備於我，無事不懂，亦無事不可做。今天教育如果主持全國風氣，還是這種潮流，那麼我們的文化教育還有什麼希望可言！國立政治大學研究部已經開學，招生已期，外面至今不知道什麼人是主任，什麼人是校長，只知道一切都是大官在主持。我們希望過去的這股新作風，只是局部的，希望今天教育當局明白，望他們能夠力挽狂瀾，另有一番表現與樹立。

憲法必須切實遵守

近代民主政治，所以離不開法治，當由於法究竟比到人較可信賴，韓非說：「釋法術而任心治，堯不能正一國。去規矩而妄意度，奚仲不能成一輪。……使中主守法術，拙匠守規矩尺寸，則萬不失矣。」有了客觀標準，仁者在位固然很好，不幸不仁者在位，也無大害，政治可以不至因一人的存亡，而發生重大影響。

民主國家之所以有憲法，正所以規範政府和人民的行為。中華民國這部憲法，雖然不是盡善盡美，甚至有若干處不如理想，但自由中國之所以與共黨爭短長者，正賴有這部憲法。不管怎樣，我們有一部憲法，總比沒有憲法好。慎到說：「法雖不善，猶愈於無法。」所以只要我們沒有把憲法修改以前，便該切實遵守。決不宜輕易加以背棄的。北宮黯先生那篇「論憲法上的統帥權」，所謂「小節可以曲從」，「從權亦有必要」云云，似乎不十分妥當，因何者為「小節」，何者為「從權」，各人看法不同，標準未必一樣，結果便會任人而不任法，這與法治的道路更相去甚遠了！

所謂「憲法上的統帥權」

並與北宮黯先生討論

傅正

現憲係採內閣制精神

假使要以世界各民主國家的憲法與中華民國現行憲法比較，我們這部憲法，既不完全同於英國，也不完全同於美國。但若以憲法的主要精神來說，似乎是近於英國而非近於美國的；也就是說：近於內閣制而不近於總統制。民國三十五年召開制憲國民大會，曾經發生「五五憲草」與「中華民國憲法草案」之爭。前一個草案，是民國二十五年五月五日宣布，後經二十六年四月二十二日修正過的；後一個草案，是三十五年十一月，由國民政府提出，經國民黨，民社黨，青年黨，和社會賢達的共同商定的。前者的精神是總統制，後者的精神是內閣制。最後制定現行憲法，……。為了解決當時的爭執，蔣主席在三十五年十一月二十九日，代表國民政府提出後一個憲法草案時，曾經表示：「因為五五憲草的中央制度，可以說是一種總統制，行使政權的人民，如果沒有權力控制政府，……這種集權政治，不合於現在時代，而且有害於中國，不合於中華民族的。」我們再看現行憲法第三十七條：「總統依法公布法律，發布命令，須經行政院院長之副署，或行政院院長及有關部會首長之副署。」第五十三條：「行政院為國家最高行政機關。」第五十七條：「行政院依左列規定，對立法院負責。」……

內閣制的幾項原則

所謂「內閣制」，按照一般情形有幾個原則：一、元首不負實際責任，由內閣代負責任。二、內閣對國會負責，並非對元首負責。三、內閣的政策，元首必須容納。四、元首的命令和行為，須得內閣的副署。五、內閣是國家內最高行政機關單位。六、內閣總理是最高行政機關的首長，並非元首的幕僚。根據這些原則，我國的總統，並不宜於和美國的總統相比，而以與英國的國王相比，較為恰當。

英國國王是不負實際政治責任，因此有所謂：「國王不能做錯事。」戴雪（DICEY）在其所著「英憲精義」解釋說：「這句話所詮譯，當解成兩個意義。第一意義是：國法沒有規定任何訴訟程序，使任何人依據將英國君主起訴。……第二意義是：無人能以元首的命令或長官的命令為託詞，希圖脫卸由自身所做出的過錯，而應負的法律責任。……這都是法律，但並不是成文法律規則……」譬如：『在元首的權力下，無一權力可免除守法的責任。』……至於成文法律之規則，……『凡元首所做出的行為，必須有人代負法律責任。』

（下轉第二版）

本週展望

・李秋生・

基隆美艦上的高級軍事會議

在訪問自由中國的美國將領中，第七艦隊司令蒲瑞德中將是來台最頻繁的一位，他自去年十月十三日就任現職以來，到最近這次，已經是第五次了。

此次不同於往次者，是他好像並非前來訪問中國當局，而只是為了召集一次高級軍事會議。他留台三日間，大部時間都在海倫那旗艦上開會，雖曾兩度前赴台北，只是參加酒會而已。

這次的軍事會議，雖關防極嚴，內容無由獲悉，但可斷定性質一定十分重要。第一，本月十七日，美太平洋艦隊總司令部曾在珍珠港召開高級軍略會議，蒲瑞德恰在會後來台開會，顯然是向西太平洋有關將領傳達此項會議的結果。第二，海倫那號上的會議雖以美高級將領為限，卻都是與台灣海峽協防或軍援有關的人物，而駐台美軍事代表團又正是直接在美太平洋統帥部指揮之下。

美當局最近一再提出警告，要世人注意遠東在共方海空軍實力大為增強的事實。中共是否發動對台灣海峽的冒險，顯然與共方整個軍事部署息息相關。而對此一嚴重事實，美軍方當已有全盤部署和對策，海峽問題只是其中的一部分。對於共方，則仍不妨仍舊「讓他們自己去猜測」。

共方對德日的誘惑

美國抗禦俄共軍事侵略的重點，在歐洲是西德，在亞洲是日本。克里姆林宮則針對美方策略，竭力誘惑德日，分化其對美關係。歐洲軍的死亡，是共方一大勝利，但西方却立加挽救，在倫敦巴黎兩協定相繼簽訂之後，共方陰謀已經落空。即使全德統一口號仍有相當誘惑力，却不夠把西德吸引向東方。

在日本，則情形完全不同。其共黨及左翼份子勢力固遠非西德可比，而發展大陸貿易，又為一般日人所樂聞，連自由黨政府都感到難於抗禦。從本月十二日蘇俄中共七項聯合宣言中特別列有對日本關係宣言一項，可以看出共方遠東冷戰戰略的重心所在。

李德全訪日的陰謀

與尼赫魯前赴大陸同時，他的妹妹潘迪特夫人則赴日本訪問。她在日本，在政治上是希望日人走中立路綫，實際上則替中共做媒婆。於是隨後就來了中共的李德全。儘管中共竭力設法冲淡李氏政治色彩，說她是以紅十字會會長身份訪日，但誰能否認她是中共國務院要人，現任的「衛生部長」呢！

日本自由黨政府向以反共相標榜，並自命為自由世界的一員。現在竟然容許這一中共政權要人到日本大肆活動，這不只是對整個自由世界的諷刺，而且必然助長在地下擁有龐大潛力的日共聲勢，造成日本社會的重大不安，以至引起新的政治危機。

中共這次首派李德全出馬，是有其精密打算的。第一，李氏究竟是女人，她的行徑比較易於隱蔽，日政府即使加以監視，也必難十分週密。第二，她藉「紅十字會」名義赴日，在政治上等於披上一層保護色，也更便於藉在華日俘問題去進行政治交易。如果一切順利的話，今後中共的赴日使節勢將源源而來，從文化藝術商業科學一直到紅朝的正式代表，都相繼到三島去「建立密切的聯繫」。

「扶得東來西又倒」，日本未來命運難道就永遠找不出一條正確而健全的途徑嗎？

俄共正竭力破壞美日關係，而在美韓，韓日之間，也都是問題重重，隨時可能發生變化。東南亞洲的危機，在馬尼剌協定簽訂之後，並未少減，在東北亞的情形，却比東南亞更使人耽心。

十五年來的西班牙（中）

李加雪

戰時西班牙中立

法朗哥的興起，希特拉和墨蘇里尼盡了不少力量。可是當歐戰發生的時候，法朗哥卻嚴守中立。法朗哥此舉予同盟國家以莫大的利益。

邱吉爾於一九四四年對國會這樣說：「若果西班牙聽命希特拉，加入軸心國，我們的負担將更重大。特別是當英美軍隊在北非登陸的時候，要是那時法朗哥在北非對我們攻擊，結果眞不堪設想。」

那時羅斯福總統對於西班牙也十分關心。他寫了一封親筆信給法朗哥，信上這樣說：「西班牙和美國有最親睦的友誼：我相信西班牙政府和人民都想維持中立，不想加入戰團。西班牙的中立對于同盟國家的軍事有極大的利益。」

第二次大戰結束後，邱吉爾在議院裏說道：「西班牙拒絕德國的請求，不肯由直布羅陀進攻非洲，法朗哥對德國，可以說是世界上最不知感德的人。」

法朗哥不唯不取非洲，反准許四千多名美國被擊落的空軍人員取道西班牙遣歸。法朗哥雖然是中立，對於同盟國作戰，卻暗中予以極大的襄助。

西班牙得不到美援

同盟國勝利了，美國計劃復興歐洲，擬好了馬歇爾計劃和蘇聯商量。蘇聯的提議是，若果美國把西班牙摒諸門外，蘇聯是可以參加的。美國答應了。可是結果呢，不唯蘇聯沒有參加，連歐洲的衛星國家也謝絕了援助。

蘇聯爲什麼這樣恨西班牙呢？希特拉請求法朗哥攻法國，攻非洲，法朗哥都謝絕了。到德國進攻蘇聯的時候，法朗哥卻自動以最精銳的藍衫師援助，並且聲明此師兵力只限用以攻打蘇聯一國。又西班牙國內不唯不准共產黨活動，並且組織了龐大警察專事偵查共黨，和逮捕共產。因此蘇聯對於西班牙恨之刺骨。

所謂「憲法上的統帥權」

——並與北宮勳先生討論

（上接第一版）此義即通常所謂閣員負責。」所以一切行政權雖都以國王的名義行使，稱政府爲國王的政府，稱法律爲國王的法律，稱司法爲國王的司法，稱海軍爲國王的海軍，稱空軍爲國王的空軍……事實上，實際權力並不操在國王手裏，國王只是虛有其名而已。英國的憲法是不成文法，但國王並未因此而發生過任何爭執，只是照例根據內閣的意見，完成法定的手續。這種政治慣例之所以被遵守，羅威爾（LOWELL）認爲因爲這種政治慣例，是一種「榮譽法典」。英國的統治階級很重視，如果違背是有損於政治道德的。奧格（OGG）稱之謂「憲法道德」。意義正是一樣。

國防會議應屬行政院

至憲法第三十六條：「總統統率全國陸海空軍。」其間獨無「依法」兩字，遂認定「足證憲法賦予總統的統帥權力甚大，僅可自由行使。」進而解釋：「可遇而不可求的絕妙機緣。」（北宮先生語）更據以和美國總統的統帥權相比，恐怕也不大妥當。憲法的全部精神，不至於用這種解釋而破壞。按此種解釋，統帥權之所以賦予總統，是因爲總統是國家的元首，對內對外都象徵着統一，用總統的名義統帥陸海空三軍，正表示三軍是國家的武力，是集中在一個旗幟之下而不是分散的，但總統之擁有此項名義，並不是可由自己直接指揮或統帥，這正和英國的軍隊，稱之爲英王的軍隊，表示英國軍隊統一，實際上並不由英王直接指揮或統帥一樣。假使一定要認國防會議是總統統帥權範圍中事，是屬於總統而不屬於行政院，難道說這單位可以高於行政院？是取行政院的地位而代之？難道說這單位與行政院並行？最高行政權由一元而變成了二元？這顯與憲法第三十七條，第五十三條，及第五十七條的規定不符。按理說，只要這部憲法還繼續有效，行政院便該是國家的最高行政機關，任何單位都不能超出其上，所以國防會議理該在行政院之下，既非在其上，也非與其並行。換言之，也該是實際上屬於行政院的權力範圍，而非最高行政機關權力範圍以外的事。也自不宜引用統帥權解釋，這正是我們應該學習的「憲法道德」。

何必採取法外手段

其實，行政院既經按法將國防組織草案，送請立法院審議，自當等到立法院通過後，再按條文規定設立機構，任命人選。否則，又何必送到立法院？且如認爲由於時間迫切，也有其他合法途徑。按立法院現有委員五百多位，民主社會黨和青年黨的立委，合起來不滿四十位，其餘都是國民黨籍的立委。政府黨的立委既佔了百分之九十以上的絕對大多數，爲何不透過政黨的運用而促使這法案早日通過？而要採取這一途徑？眞令人費解。難道今天的立法院，眞如本刊三七八期，文仲先生在「立法院的問題」一文所說：「要實在沒有能力，沒有研究，沒有抱負，或實在沒有領導作用的人，才會去當立院黨部委員。」因此「黨部的領導失其作用……立法院所以陷入無中心，無領導，也是極其自然的。」即不幸而如此，政府便採取這種「法外」的手段，還是不大妥當的。

蔣總統今年三月二十五日，國民大會閉幕典禮上，曾懇切的說：「沒有這部民主憲法，就無人民生命的保障，亦就無人民生活的自由。我們要生活得到自由，生命得到保障，就要以生命來保衛我們的憲法，以生命來保衛我們的民主。」所以他更進一步堅決表示：「我必率領政府同人，供獻我們個人的生命，來護衛我們的民主政治，犧牲我們個人的自由，來保障全國人民的自由。」這是値得每一個愛好自由民主的自由人士所當深省的。政府各級單位和官吏，也必須切實奉行，使我們這部憲法，不至變成具文。這才是我們苦難國家的幸福。

讀者論壇

自由人士應該反省

並請教於丁文淵先生

○韋政通

讀本刊（十月十三）丁文淵先生「敬向自由人士進一言」後，對自由人士要痛切反省一點，頗有同感。但也有些和丁先生不[illegible]艾德禮替中共說話的看法，便是一端。我以爲艾德禮的[illegible]英國是反共[illegible]我們還是不能否[illegible]但她拉攏共產國[illegible]大家都以爲是爭[illegible]業上的利益，但[illegible]要的，甚至英國[illegible]是不肯承認的，[illegible]爲是不甘願跟隨[illegible]走，美英帝國[illegible]幻影作祟，是不[illegible]略的。

英國的現狀，[illegible]許多事實，證明[illegible]的大方向，和共[illegible]國背道而馳，也[illegible]明英國恢復世界[illegible]權意識的復活。[illegible]是英國經濟政策[illegible]同向自由經濟的[illegible]、諸種管制已逐[illegible]消。這樣走英國[illegible]走向新的繁榮。[illegible]她要妥協，要反[illegible]爭。愈拖得久，[illegible]

編者　讀者

關於統帥權的文章

△林樾先生來函

編者先生：

自由人第三七九期所載「論憲法上的統帥權」一文。在自由中國論壇上，曾引起極大的注意。因爲這篇文章登載在「自由人」上。在這篇文章前面，「編者」還有一段介紹，「現北宮勳先生寄來此文，說明立法院對該兩事的態度及其認識，並舉美國歷史作爲例證，……且有爲立法院作辯護之意，……故亟爲刊載如左，並此致謝北宮勳先生。」我和許多朋友拜讀這篇文章幾遍，始終不知道這一文所想說的是什麼？更找尋不到「爲立法院作辯護之意」。在該文中小標題「立院的認識與態度」下面：「這準則如用數語說明，那便是：大綱不致懸殊，小節可以曲從，守經固極可貴，從權亦有必要。」這算是說明立法院多數委員的態度嗎？這幾句話模稜含糊，說了等於不說。究竟是說的什麼？至於文中所舉的美國例子，更是可笑極了。單就「假期任命」一點而論，他把這個「任命」的限制完全不說，他知道「假期任命」已經有法[illegible]未成立，也可「假期任命」[illegible]況。謬引事實。要想透露其[illegible]幾句話：「將叛者其辭慚，[illegible]根據我們平素愛護自由人的熱誠，[illegible]把自由人的光榮歷史毀[illegible]要知道做劉師培是不易的，[illegible]自由人如果還能保持其過去[illegible]君子之過，如日月之食焉，[illegible]

自由人忠誠讀者林樾敬上。十月，二十二日。

編者按：

本刊三七九期北宮勳先生「論憲法上的統帥權」一文發表後，陸續收到傳正先生和鍾義先生兩篇文章，林樾先生一封來信。傳、鍾兩先生[illegible]反對意見，並從制度上和[illegible]對北宮勳先生的主張大加駁[illegible]介紹北宮勳先生的文章時[illegible]然後眞理可見，故亟爲[illegible]而不提）可見編者並無成[illegible]然可見。茲謹將原函披露[illegible]期登載，讀者諸君，幸垂[illegible]

△徐道鄰先生來函：

自由人十月二十日署名北宮勳一文，不是我寫的，特此聲明。徐道鄰敬啓。十月二十六日。

人物述評

南洋研究權威

劉士木逝世三週年

（一）

素有「南洋權威」稱號的劉士木先生，他於四十年十月一日，逝世於檳城的黑水村寓所，今年十月，恰恰是他逝世的三週年紀念。他是南洋研究的首倡者，他致力南洋文化事業，研究凡四十餘年，鼓吹通人努力從事，披進後學，繼往開來，不避艱難，一往直前，安貧樂道，至死靡它。這種精神，値得吾人景仰崇拜，今天回憶之下，眞是「心喪何止三年」！

劉士木，名字權，別號黑水村人，嘉應州興甯人，是農家子弟，後來長住上海，生於公元一八八九年。他十四歲的時候，就隻身離鄉入黃浦軍校，但不久又離校遠遊，先後在爪哇，及蘇門答臘任教，曾任蘇門答臘民禮中華學校首任校長，後來又在棉蘭任報社編輯，從此便致力於南洋研究。

他後來爲了更求進益，赴日本求學，爲了便利搜集資料和參考圖書，就進了設有南洋研究的日本大學。該校附設南洋羣島研究科，專家既多，資料豐富，爲他的南洋研究，奠定了很深厚的基礎。

（二）

日本東京空前大地震的那一年，他逃回上海。以後，爲了要收回寄存在朋友家中的書籍，又重赴日本，將書籍帶回上海。一九二六年國民政府定都南京，設海外部，因他熟於南洋情形，被聘爲秘書，就職不到三月，因志趣不合，又回到上海，仍做他的搜集資料工作，北四川路的一間日本書店，就經常替他採購一些重要參考資料。

他的抱負，一直到一九二七年，國立暨南大洋校長鄭洪年聘請他爲南洋文化事業部主任，才開始獲得施展的機會。南洋文化事業部成立後，他便主編「南洋研究」期刊，又爲該部羅致了不少對南洋有研究的人才，編譯專書，蔚爲巨觀。使國人對於南洋獲得明確的認識。關於他個人的著作，除零碎出各大報及著名雜誌發表外，單行出版的，計有：（一）日本之南洋生命綫，（二）日本南進，（三）南洋的霸者，（四）南洋荷屬東印度之實業教育，移民政策。（五）南洋概要，（六）南洋各屬殖民地立法制度，（與宋英仇合編）（七）暹羅民商法，（與宋英仇合編）（八）移民政策。另外與徐之圭及顧因明合編的，還有「華僑概觀」，博物奇觀等。當時凡國內出版關於南洋的書籍，在未出版前，多數由劉氏審訂。

（三）

八一三戰事發生的第二年，他攜着他的夫人和子女，又回到南洋去，但他的藏書已所餘無幾。一九三八至一九四〇，仍繼續他的文化事業，任檳城鍾靈中學圖書館主任，他又重新搜集資料，購置圖書，但是後來由於日軍的佔領，大部份又告散失。光復後，他組織南洋學會，該會出版的「南洋學報」，中西文合璧，頗爲國際重視。一九五〇年至一九五二年，均被選爲該會主席，成爲唯一領導人物。

他以畢生精神力量，獻身文化事業，不計個人幸福和家庭利益。秉性儉樸，在上海和檳城，生活一樣簡樸，寓所堆滿書籍報紙，所用一切傢私，幾無完物，衣服亦極爲簡單。

他一生愛書如命，珍視文物不遺餘力，在抱病九個月期間，對書報閱覽，資料關心，未嘗少輟。臨終的早晨，還催促他的夫人，急電星檳報社職員某君，速到他的寓所，和他討論出版事情。經他夫人探詢，才知道，馬來亞週刊將刊行有關南洋問題的文字，劉先生已答應他們供給資料。

他病中，似不甚感痛苦，對來訪或函候友人，往往用病勢不重，日漸好轉的話來回答。不過他暗地裏，卻像很知道生命不長，要趕緊完成未完工作。有時氣喘力乏，還不斷吩咐兒女動手代他檢出各種書報，分類處置。當他病到最危急的時候，才淚滿兩眶，表示內心的無限悲傷。他環顧四周書報，表示他留戀於他的未竟工作。他臨終還說：「我爲書而死，爲文化而犧牲」。

（四）

在他死後第二年一月九日，星洲文化界爲之集會追悼。他夫人在追悼會中，曾對記者說：「劉先生的著作，除了已出版者外，未出版的還有南洋遊記，日本南進文獻彙編，中國南洋文獻，檳城漫記，南洋問題研究，五百石洞天揮麈，臥遊樓筆記，檳城見聞錄，南洋遊記，爪哇故事集等。因爲經費無法籌措，這些還不能在他逝世前出版。」

這說明在南洋現社會中，文人心有餘而力不足的悲哀，這些對南洋文化有貢獻的遺著，無法出版：實在是南洋文化界的損失。

在劉先生逝世三週年的今日，我們更不勝其大雅云亡之痛。劉先生之死，不僅是南洋文化的損失，也是整個文化界的損失。

小丞

論電力加價及其有關問題（上）

姜漢生

行政院院會於九月二十二日通過了經濟部所提電力加價案，並已送立法院審議，如獲通過，則電價將自十一月一日起增加百分之三十六。早在本年六月間，就有電力加價的消息，輿論多表不滿，於是台電及經濟部便來了個「並無所聞，言之尚早」的否認闢謠，豈知短短三月之中，情況變遷竟如此之速，電價竟至非加不可之途。回顧三月來物價，幾乎無甚變動，何至電價一漲就是百分之三十六，台電及經濟部何以自圓其說呢？

加價理由欠充分

查此次電力加價，不出三個理由。其一，為合電過去因低估資產價值，折舊亦因少扣，再加通貨膨脹之故，發生了虛盈實虧的情形，為免除公司斷蝕老本起見，故不得不加價；其次為擴充電力，經濟部為配合四年經濟建設計劃，必須完成電力開發，由增價所得作為擴充電力三千萬瓩的工程設備費用；另一點理由則為台電總經理所強調的，為取得合法利潤，據謂這是經過美國專家審核研究所得的結論。於此我們丟開第三點不論，因為這是最不充份的理由，外國專家們的結論，或許無誤，但他們是基於企業的觀點而發的，企業的最大目的在於求取利潤，合法的利潤愈大愈好。雖然我們的電力公司是遵照公司法成立的，可是值得注意的，是它雖是一個公司型的企業組織，但它始終是為老百姓福利的公營事業之一。公營事業的目的是不在營利的，公司組織是它的外表，公營事業却是它的本質，據「合法利潤」為理由而加價是合理的麼！基於其他兩種理由而加價，在原則上筆者是贊同的，問題却是在另一方面；管理是否已合理化？開支是否已節省？某些設備是否必需？台電於四十一年加價百分之三十二點二，經濟部為平息各界對加價的不滿，曾云負責於三個月內整頓該公司內部，然至今未有結果公佈。是即電力公司經營得法與否，我們老百姓無從得知。某立法委員曾詢問俞院長：「台電公司增加超額員工數千，電度損失每年將近一億元，材料購買及管理均不得法」等，亦未獲答覆，觀乎此，台電在免除浪費方面，尚未盡其最大努力。

收費極不合理

審計部對此的報告，很值得我們注意。審計部說：「該公司包燈非營業用者平均每度〇．四七二元，營業用者另加百分之六十，平均每度〇．七七七元，路燈用電平均每度〇．一二八元，而成本則每度〇．五〇六元，由上開情形，可知非營業用包燈已在成本之下，至路燈及軍方用電均以五折收費，尤遠不及成本，虧損至巨。該項折扣，顯屬過多，實收電費低於成本，因特殊用戶所致之虧損，轉嫁於電燈用戶，實欠公平。又自來水用電七折計收，平均台北廠每度〇．〇八二元，高雄〇．〇八九元，其他〇．〇九九元，共計〇．一〇九元，虧損〇．五二，〇八一元。農田灌溉四十二年度用戶五三〇戶，容量為一，七八〇瓩，七折計收，平均售價每度〇．一〇四九元，虧損一，〇八三一，四三九元。又肥料公司、鋁業公司、台銅公司、紙業公司為八折，工礦公司為七五折，煉鹼廠等電費為七五折，損六五八，五六〇．九〇八元。有台灣紡織廠等十五家予以百分之五之三之二折扣。損失，估計每年共達三千萬元左右。由於以上特別折扣，虧損部份轉嫁於電燈用戶增加其負擔，顯欠公平合理，亟應調整以增收益。」觀乎審計部所指出的情形，電力公司顯有將老百姓的錢，拿來做好人之嫌，再談因資產低估所造成少扣而加價，亦能使人心服麼？

應公開資產負債情形

我們再進一步追究，關於台電公司資產負債及營業經過情形，從未見有資料公佈於世，所謂少扣，何以能使一般用戶相信呢？如甚於擴充電力而加價，台電公司應及早公佈其資產負債以損益的報表，使一般用戶有一公開審查的機會，即使一般用戶也甚甘心情願的增加電力加價為擴充設備之用，則負擔加價，倘若用戶的出錢是投資者，焉有不使資本主明瞭事業內部情形之理。歐美一般先進國家的投資者，均根據各企業組織公布之資產負債表所表示的營業經過情形，以定其加購股票或脫手與否。回顧我們見過台電公司的資產負債表？據云台電公司去年的四瓩發電兩萬餘元，似此奢侈之舉，難云：「一個用戶因不增加，而支付的錢，也不過一包雙喜而已」（見自由中國十一卷七期）大概是尹部長抽慣了雙喜，而不試問在台灣的老百姓能抽雙喜的有多少呢，而且所出的錢是否花在正當的用途上呢？

總之，加價在原則上是無可厚非的，但我們要求電力公司公佈各項有關報表，並詳加解釋，我們並希望各公營事業，既然是公營事業，自無任何保密的必要，最好都能按一定時日，公布其資產負債情形。

舊書新談

魯濱孫漂流記

客樊

（一）

日前和幾位朋友吃飯，座中一位饒君連續吸煙不停，我笑對他說：『抽煙太多，當心肺癌。』他答道：『我五十歲了，再過十五年，便是六十歲。人生七十古來稀，六十已經是上壽了。』饒君的話，表現他是個失敗主義者，只五十歲，便以為一生盡於此矣！

魯濱孫漂流記的作者，丹尼爾．狄福，是英國倫敦的一個新聞記者，寫作很勤，妻子和七個兒女的生活全靠他一枝筆維持。到了六十歲，報館關門，他便是一個窮困作家，不求名也不給他稿子，一個刊物也不給他登載了。他是一個不屈不撓的人，依然從事小說創作。

當時英國一個水手叫做亞力山大．塞爾喀克，和船主發生爭執，請求把他送到離開智利三百英里的一個荒島上。他在島上渡過了五年，才回到英國。那時提菲還在報館工作，他跑去看他，和他談了一個下午，便寫了他第一部小說，魯濱孫漂流記，出版的第一年便翻了八次版，洛陽紙貴，據最近的統計，除了聖經，魯濱孫漂流記是銷流最廣的書籍。

（二）

魯濱孫漂流記只描寫一個人物。魯濱孫是一個平凡的水手，沒有英雄氣度，也沒有偉大心懷，更沒有若何偉大的情節，是沒有甚麼差異的。使人敬佩的，是他的勇氣，創作，打開一條新的生路。把荒島變成了人間的天堂。魯濱孫漂流記是寫給小孩子看的，可是對於一般平凡的人也有同樣的趣味，幾年前我把魯濱孫漂流記從頭再看一次，興趣並不減當年。

（三）

魯濱孫漂流記有一種極大的魔力，我們看見魯濱孫漂流到荒島，我們的情感不是悲憫，而是欣喜。每一種困難，每一種障礙，在魯濱孫看來，都是成功的機會。魯濱孫把整個荒島變成了一個小型的英國。

他表現出英國人的特殊性格。他只是一個十分平凡的英國人，可是他不屈不撓，他有堅強的毅力，從容不迫，自由自在，在極端困難的環境之下，不怨天不尤人，也不流涕哭泣。

魯濱孫是提菲自身的影子。到了六十歲，遭到了山窮水盡的境地，他和魯濱孫漂流到荒島，與虎狼為鄰，環境可說是一模一樣。因為魯濱孫是一個平凡的人，越是平凡，越是顯出他的偉大，假使我們處在同一環境下，我們能夠成就他的事業嗎？我們能夠和這平凡的水手比擬嗎？我們能夠有他的堅忍意志，無畏精神，從容不迫的態度，和精巧而純熟的技術嗎？這個平凡的人一步一步地，決不使我們驚訝，因此魯濱孫由一個極平凡的水手，改變成為一個現實的英雄。

過了幾年，魯濱孫把荒島布置好了，可是荒島上沒有配得上他的女子。這裏提依照提菲的意思，說得上是英雄應該成家了，來陪伴他。若果魯濱孫代表英國，「禮拜五」是印度，英國克服了他的困難，建設好他的國土，又獲得了印度來供給他的需要，待候他的起居，本書可以結束了，魯濱孫帶了「禮拜五」回到英國。

（四）

魯濱孫漂流記這本書刊行於一七一九年，到現在兩百多年了，銷流之廣僅次於聖經。魯濱孫雖然是一個平凡的水手，可是他靠他的忍耐，和技巧，把一個荒島，改變成人間的天堂。魯濱孫因此由一個平凡的人物，躍升為國家心中的偉大英雄。（完）

港大設教育指導所

促進學生心理健康

香港三日

近年來學齡兒童成績低劣和在學青年犯罪事件增加，已成十分顯著和無可否認事實。前者是由於官校太少，而私立學校目標側重收費，入學試僅具例行形式，大多數初中固如此，小學則更糟。初小二年級學生，有的竟連最低習字條件「描紅」都描不好。許多學校通常除了授課之外，課本外的東西甚麼都不教，學生在放學回家之後「做夜課」，而「描紅」習字，做算術，偏偏又要寫得多，做得多。實際上，學生們描一張紅字已經十分吃力，接連寫幾張，也描不像，也應做應糊塗，而且算術也因老師不教而不懂，白白浪費了時光。還有許多簿本是必須向學校買的，價值比市上高出一倍多。這使學校做了一筆生意。有時小學校，還附帶販賣零食，可以任令學童賒欠，養成了惡劣習慣。這種情形，學生家長雖甚表不滿，祗因選擇學校困難，也無可奈何。

小學教育是整個教育的基本，基本不良，對初中高中以至大學學業，均有決定性影響。因此，學生成績普遍低劣，原因何在，雖未經人發現，却已到了十分嚴重的程度。香港大學有鑒於當前教學問題以及學童心理上的影響，亟謀解決若干必要問題，現已擬訂一個具體計劃，設置一個「教育指導」所，教育司已予批准。據說計劃內容分四大目標：（一）在學校主任教師，父母或醫生請求下，對於適用心理調查及醫治的學童提供建議，進行初步檢查，調查及諮商。這種指導與檢查，包括行為不佳，愚鈍，精神不集中，過度憂鬱或懼怕考試等。（二）在學校請求下，提供課程計劃。（三）在父母請求下，替其子弟（成年）在國外尋求攻讀學校。（四）在成人有關天資上的問題，在其本人請求之下，亦可調查、檢查及指導。這一具有矯正心理、教育的計劃，雖說是創史性的改善學術對策，但大體說來，私立小學所存在着的許多弊病，若不也予糾正，勇於改過，也是徒然的。教育當局有監督學校行政責任，各私立小學設施自應特別注意，尤其對於教學方法，不應任令學童「自修」（俗稱「夜課」），授課數術，以及放縱學童購買零食，養成劣習，更不應硬性規定由校供售簿册。假如小學教育能夠納入正軌，相信學生升學初高中以至大學學業，能直綫上升，成績不會太差，對於「教育指導所」，也有極大裨助。

紅朝百態錄（三）

無衣一身輕

牛布衣

共產黨在大陸招集了大量青年，經過了洗腦，使他們做幹部，普通的稱為忠實信徒了。他們做的是什麼工作呢？他們過的是那一種生活呢？一個月前收到大陸寄來一封漏網信。是K同志寫的，他參加了共黨的工作整整五年了，信裏把他個人的經歷，和一般同志的心情，十分忠實地告訴我們。

『好久不通信了，一來是忙，二來呢，因為沒有寫信的心情。我在區政府工作了五個足年，過的是刻板而莫明其妙的生活。

『我們對於將來懷着絕大的希望。可是一個月前，我們遭遇到相當大的打擊，事實是這樣，上個月的今天本辦公處的橫門忽然貼上一副小對聯，長不及一尺，闊只合兩寸。原文如下：

有槍萬事足，

無衣一身輕。

『區區的十個字，把全市一萬多個幹部，描寫淋漓盡致。區政府裏不過二十多個人，看了那幅對聯，你望着我，我望着你，彼此點頭會意。十點鐘軍事代表回到辦公處，把那副對聯撕了。

『你們在海外不會明白我們的心情的。自從那副對聯貼了出來，不過一個禮拜，全市一萬多個同志口裏不停地念着那幾個字。這十個字說盡了我們心裏要說的話，描寫出了一個典型而可憐的共產黨同志。』

自由人士應該反省

章政通

（上接第二版）

柯亭教授又說：「自由主義之能向前進，正如科學一樣，因為它蘊藏着自動更正的原則，所以遇到錯誤，或偏窄的見解，隨時可能予以糾正。」他所說的自動更正，應該是靠我們自身的自覺與反省。

最可悲嘆的，是目前的自由人士，不少在個人言論行動上，含有獨裁氣質，行動專橫，抹煞別人意見，這便是自由人士團結的障碍，這不能不希望自由人士痛切反省的。

自由人士是否要有一個組織，我認為還是次要問題，最根本的，是公心的建立。（丁先生已提到此點）和尊理精神的發揚。我們如果能取消私人意氣，尊重客觀真理，那麼，丁先生雖在香港，我雖在台灣，有沒有一個機構來聯繫我們，似乎並不重要。

時代這樣艱難，領導的人，多屬碌碌之流，我希望凡有自由信念的人，應該盡量貢獻自己的一份力量，來維護自由主義於不墜。

（完）

自由談

無聊的國際鬧劇

馬五先生

俄共代表維辛斯基在聯合國會議席上，對那位做過大學教授的黎巴嫩代表馬里克開頑笑，引用德國詩人海涅的詞句，譏刺馬教授：「七十七個教授，啊，祖國，你完了！」

第二天，馬教授也用同一詩人的名句，回敬那個律師出身的維辛斯基：「七十七個律師，啊，祖國，你被出賣了！」當時引起了全場白領紳士們的哄堂大笑。這跟戲小丑在戲台上插科打諢而發噱的情形，有何分別呢？

負有神聖莊嚴使命的聯合國，一由於俄共集團之藐其為宣講所，二由於西方三數大國之不尊重聯合國憲章，漠視正義公道，對世界人類的合理生活，毫無建樹，因而變成了蠻居終日言不及義的鬧子館。維辛斯基在會中大開頑笑，並不足奇，他們本來就是把聯合國當作開頑笑的地方哩！

最近美國有些著名軍人，如克拉克，萬佛力特等，或向國會作證，或在報刊上發表文字，皆對聯合國表示十分失望，認為它是不能解決任何重要問題的，言下頗有給它關門大吉之意，我倒相當贊成這種主張。從第一次大戰後的「國際聯盟」到二次戰後的「聯合國」，因為都是被一二大國利用為自私自利的工具之故，它給世界人類創造出來的績業，實在是災害大過幸福，強標扼煞正義。沒有它，世界人類的災害或許要少些！

有人說：聯合國渙汗大號，出兵討伐中韓共侵略者十六國，這難道不是偉大的功績？呸！假使當年不是明天之幸，恰逢俄共集團退出聯大會議的機會，行嗎？而韓戰之搞成虎頭蛇尾，亦正是受脅十六國出兵的禍害啊！

把這座國際鬧劇場封閉掉，凡是崇尚民主自由，堅決反對共產極權侵略的國家，一致同心協力，從事區域性的聯盟合作，無論如何比現在薰蕕同器，專門說廢話，開頑笑，勞民傷財，一事無成的情況好得多啦！

鶴山詩書家易大岸

楊力行

（一）

易老人名孺字大岸，廣東鶴山人，道德文章，為世所仰。於書無所不窺，工書善畫，詩詞既佳，尤精篆刻。作畫簡勁有奇氣，寥寥數筆，逸氣天生。書則兼隸篆草各體。得之者，無不視同拱璧。其治印所用刀，終其一生，未嘗磨礪，有詰之者，則掀髯笑曰：「刀愈鈍愈佳，只要手藝好，擂杵（浣衣棒）可以剃腦（理髮也）」。對於碑帖，立論極高，嘗勸人：漢以後切勿入目，故其書法能出入漢魏，追跡周秦，別具風格，自成一家。有某氏求書，久久不報，一日來訪，見易方為人書聯，紛陳地上。乃乘機攫取其一以去，易知之，絕不介懷。某氏回家展視，方知僅有上款，自悔孟浪，即刻送回，並請罪。易慰之曰：「雅事也」。立為揮毫授之，某氏再拜而去。易氏聲譽既隆，人爭師事。有某後輩，央人介紹，願執弟子禮。易慨然示可。覲見之日，易以其年少翩翩，且御西服，准免跪拜，鞠躬而已，袖出所備贄儀，納之衣袋中，僅兩番佛耳。

（二）

易氏生性願介，從不苟取。前廣州市長歐陽惜白與為姻親，曾在滬濱為購屋，頗清雅，易拒而不取，寧居陋室，悠然自得。

敵偽時期，汪政府欲羅易氏為立法委員，不就。或勸之曰：「可不到差，僅掛名拿乾薪而已」。易掩耳不顧。有友龍某，已任偽立委，易與之絕。龍急遣女孫通，請收回絕交書。書雖不下，二人從此不相往來矣。汪精衛歷欲得易氏作品，始終不如願，及易已作古，始以三百金，使親信購易氏書畫各一幀。事聞於歐陽惜白。其姪女見易書之「……」，曰：「奈何以……」可謂未知易氏之謔矣。

易氏齋名甚多，有「荀花」，有「守愚」，有「江豆紅館」，有「雙林池館」，有「依柳齋」，有「外齋」，有「淡經環室」，有「漸浮岡亭宦」，有「念龕」，有「絕景」，有「人一廬」，晚號「民主老頭」，又稱「鶴山老人」，「鶴山詞人」，或「鶴壘公」，皆有所本。而「人一廬」命名之由來，尤稱怪誕。某日，易如廁，見底銘「一人」兩字，大喜，以「人一」為大，與己名適相脗合。急呼人拿紙及蜜蠟來。家人以為忘帶草紙耳，顧何得又必蠟也。及細問，始知跟字。字跟出，頗似漢魏體。原來廁新修，水泥未乾，有雞集其上。所謂「人一」兩字，蓋雞爪留痕也。易大呼上當不已，其風趣有如此者。

易患痔疾，惟嗜好極多，烟酒非上品不入口；又好食，嘗自稱為「老饕客」，恒自入廚烹調。喜食雞，烹醉雞是其絕技，嗜食芒果，有中懇友購之，友以病謝不宜相告，易云：「嘗死必食，是以妨也」。有送烤鴨請改詩者，易持鴨大嚼，且食且吟詩頁曰：「某字宜易，某句不妥」。鴨盡詩亦改畢矣。後卒以吃烤鴨過多而殺其生。

（三）

原配未婚而卒，續娶其小姨，伉儷甚篤。易好客，「座上客常滿，杯中酒不空」，可為易氏寫照。但其夫人常慢客，易亦無如之何，往往事後致書謝罪。嘗有「蕭齋依人，有失迎迓，為耿耿耳」之句。實則「依人」應改為「慣內」，較為典實。易雖慣內，不肯自承。嘗言生平所懼者三，妻不與焉。或詢之？乃曰：「一為觀音大士，神通廣大，可懼也」。「二為虎，能噬人」。「三為母夜叉，使人驚怖」。又曰，予妻，初則妙年玉貌，美如觀音。及三四十歲，如狼似虎，非予所敵。今則老醜似母夜叉矣。故予不懼內，所懼者祇觀音，虎與母夜叉三者而已。其幽默如此者。其夫人恐易忙於酬應，致損精神，與易約准通話者僅十人。於是許多朋友，不得不假此十人之名而通話。可見易氏實係陳季常之流也。

有學生某知易貧而耿介，不敢公然送錢，因用鈔票摺作蝴蝶，託論書譜。易還書云：「雅興聯翩，愛憐百疊，青蚨二十千，逐篆雙飛；綠蟻三澀味，新醅共酌。歲寒熱股勁，感荷愧悚耳。微躬初健，惟有拜嘉，勝友誘誰，定當如旨。孺復啓上」。又寄南村詩云：「白日頹顏感逝波，幾曾倦眼看兵戈？卅年縱酒今成病，一字仇詩故善魔。近晝似儂甘淡薄，從來得米易消磨；唯當祝汝長康健，及早相逢一放歌」。

（四）

易一生多病，每病愈，輒作一詞，以代告存。惟文鑣告存，而詞中有「倦雁難飛」四字，似成詩讖。未幾遂捐館舍，亦可謂詞之絕筆矣。茲錄之如下：

聲聲慢——病年時未愈牀褥，今夏最劇，入秋稍瘥，漪絳秋示近詞，甚有雅音，敬用其韻：

涼淹病澀，愁損詩微，閒花笑任春歸。最恨今年，溯迴前事全非。薪蕪不入辭賦，儘驚倦雁難飛，渾未忘，聽寒流一笛，搖動紅籬。莫恨寄紅溫思，只陶醉居醉，顛倒瓊巵。謾與倉皇，人間詞客斜暉。觀空念當常覺，在家衣前汝光細。（寄合城舊雨寫書）無一懷拚今生入在夢肥。

易氏雖貧，而藏畫甚富，大陸淪陷後，易氏藏書恐已被，即易氏著作，恐亦難逃浩劫也。悲夫！

四十三年七月二十九日深夜寫於台北。

紅樓夢散論（六）

王世昭

而黛玉見到王熙鳳的時候怎樣呢？曹雪芹寫道：

「……一語未完，只聽得後院中有笑語聲說：『我來遲了，沒得迎接遠客！』黛玉思忖道：『……這來者是誰？這樣放誕無禮！』心下想時，只見一羣媳婦丫鬟擁了一個麗人從後房進來。（僅是氣象萬千，一個管家婆如此！）這人打扮與姑娘們不同（姑娘們，管家婆富啦！）彩繡輝煌，恍若神妃仙子。（落力寫。）頭上戴着金絲八寶攢珠髻，綰着朝陽五鳳掛珠釵；項上戴着赤金盤螭瓔珞圈；身上穿着縷金百蝶穿花大紅雲緞窄褙襖；外罩五彩刻絲石青銀鼠褂；下着翡翠撒花洋縐裙。（何等闊綽。）一雙丹鳳三角眼，（丹鳳有德，三角却有些陰毒了。）兩彎柳葉掉梢眉，（柳葉可恨，而掉梢則鬼氣矣。）身量苗條，（美人瘦得凹腰。）體格風騷，（寶叔叔也禁不住矣。）粉面含春威不露，（淫在骨裏也。）丹唇未啓笑先聞。（這種女人，就叫做胭脂虎，黛玉是小天鵝，那裏敵得過他。而且賈母點醒題目道：「妳不認得她。她是我們這裏有名的一個『潑辣貨』，南京所謂『辣子』，妳只叫她鳳辣子就是了。」這正是：「冤家遇着了對頭！」

（四）

今天一口氣從第五回談到第十八回，在這十四回當中，從「賈寶玉神遊太虛境」起，至「皇恩重元妃省父母」止，重要的事件，自五至十三回幾乎全寫秦可卿。秦可卿與賈珍的關係，從焦大的口中道出，如：「那裏有個叔叔住姪媳婦房裏睡覺的禮？」寶玉夢見警幻仙子是個側筆，濃嫌口裏的話却是正筆。而秦可卿死封龍禁尉一段又寫出賈珍對媳婦的關心，無怪焦大說出「扒灰偷叔子」了。

說到元妃歸省，曹力寫榮府鋪排，費了九牛二虎之力，建造了一座大觀園，元來元妃回來只是一日夜半。據說同時歸省的有周貴妃、吳貴妃，賈府如此鋪張，其他則又可知了。皇帝出巡「銀子花的像淌海水似的」，有清初年貴族與豪門之驕奢淫逸，於此可見。所以，歷史寫的是帝王家譜，小說寫的却是帝王沒落的別傳，可以同作歷史讀。

寫了上有好者下必甚的緣故，於是逐步寫到社會，刺激當人心。王鳳姐安得不弄權？賈雨村安得不鑽門路？上下交征，內外作鬼，焉得國亡無日矣。這是歷史的鐵律，又何異於惟物辯證法稱乎？噫！（未完）

金縷曲

迎四十三年雙十節　羅自芳

樂事逢佳節：喜臨風，青天白日，國旂高揭；海角千家紛結綵，兒女笑容堆頰；聽到處歌聲響徹。雙十紅徽光曄曄，想當年志士迸鮮血；爭赴義，最轟烈！

悠悠四十三年闊，歎邦基未立，禍連兵結。最是赤妖堪痛恨！不顧人民死活，做賣國通番勾搭。此日新亭休慟痛，好青年，須竟澄清業！來預祝：出師捷！

初聽劍秋

·姿婆生·

香港名票葉劍秋，前者參加港九劇影藝人來台，祝賀元首就職大典，並甘冒暑熱，環島勞軍，其愛國忠忱，誠足多稱。葉小姐為愛戀祖國風光，暫時小憩圓山河濱，以避暑氛，但以無有機緣，未得公演，一般愛好平劇者，咸為失望。嗣徇毛向新夫人之請，於七月杪，在警務處禮堂，串演其生平得意之鳳還巢，以慰聽眾。葉為名票楊畹農之高足，師事甚久，楊固梅派健者，因此盡得真傳，能戲不少，聞在港曾演醉酒會審，蜚聲海隅，頗得好評。此次演出，余因黃蟠普媛民生兩兄之介，事先略盡宣傳，並囑力請老友朱琴心兄為排，邀約名評劇家鄭子褒包緝庭為指正，因此成績極為美滿，是夕所到名票，不下三四十人。其所印送之劇目，用銅版紙兩色精印，其美雅格式，台北一向所無。特請李寶瑩飾穆居易，其派頭與嘯雲館主相似。另有高德松于金騂與劍虹周亮節相襯，皆一時俊選，通劇精采如一。劍秋嗓音頗甜亮，吐詞亦清婉，所唱各段，皆能達宛轉之妙，尤以南梆子及四段流水，竟如水銀瀉地，其滑潤無比，已與乃師楊氏，相差無幾。扮相姣麗，表情細膩，恰增聲色。茲者劍秋聞已遄返港島，秋風蕭蕭，猶記揮汗聽歌，頗憶故人，因為追記，以誌其盛。

自找毀滅

·短篇小說·

·洛琦·

在那些貴族化學校裏唸書，本來不是容易的事，能夠負担子弟進入這種學校的，一定不會是一個窮大，或是受薪階級的人。這間學校，就是最貴族化之一，來唸書的盡是貴族化子弟，而潔琪這個女孩子呢，更是慣養嬌生。

她從小就在她一個沒有兒女的姑母家長大，姑母有的是錢，汽車洋房應有盡有，生活上的享受，極盡奢華。潔琪在這種環境中，自然養成了驕慢的習性，從不知世事艱難，也不知道還有苦悶。

她的面貌也稱得上不錯，甜蜜的梨渦，一雙活潑而圓大的眼睛，閃着青春的光芒，像會說話的逗人喜歡，兩瓣的紅唇，像磁鐵一樣能吸引了每個人的心。她個子也不高不矮，纖腰的身材，終日蹦蹦跳跳；可在每個人的腦海裏留下輕鬆之感。

校中的同學，無形中給她加上「皇后」的頭銜，惹得男同學們紛紛向她追求，而女同學卻對她起了妒意。於是她也更加驕傲，更加目中無人了。

也許潔琪是為了學業，不願意談戀愛。她說得很中聽，她說年紀輕輕不應該談情說愛，應該先着重學業，日後的時間還多着呢！何必要受一個男人來束縛着自己呢。

潔琪發揮了許多堂皇的論調，許多女丈夫都認為她說得很對，跟着她認為對一個少女，戀愛是一件很愚蠢的事。

（一）

杜爾斯的辯才

·幼誠·

美國國務卿杜爾斯，一生致力外交。一九四五年，羅斯福總統即委他為出席舊金山聯合國成立大會的代表。因為他眼光遠大，具有外交長才，目前他已成為國際上的風雲人物。

他的外交雄辯，確是使人驚服的。一九五〇年他被派為處理對日和約的工作，在草擬和約的預備會談中，他徵詢蘇俄代表意見，當時蘇俄代表提出開羅會議已決定把台灣和澎湖列島交還「中國」。杜氏立即告訴他：開羅會議的決定，也提到滿洲（東北三省），而且特別指出，是交還中華民國，並不是交還一個蘇俄支持的「中華人民共和國」的，頓使蘇俄代表瞠目結舌。

又當蘇俄提到日本未來的軍事威脅性時，杜氏簡截答覆道，美國對於這一點，比俄國更關心。因為美國担負日本侵略戰爭的重担，幾達四年之久。而蘇俄對日交戰，僅僅六天而已。這充份表示杜爾斯的外交機智。

最近，杜卿訪台，在他所發表的聲明中，明白地指出：「新的侵略正在世界上到處橫行，所有願享受自由的人，都受到威脅」。他最後鄭重的說：「中華民國並非是孤立無援的」。杜氏這些簡單有力的聲明，可以看出他反共意志的堅強。是值得我們擊節欣賞的。

·讀·史·述·評·

西漢六經總論（一）

——續讀通鑑論——

毛以亨

經不可廢

現在人們不主張讀經，自有種種理由，但若謂六經可廢我不知道想做個中國人者，應當看些什麼書了。自然在中國大陸的人，都去學習馬克思，列寧，史達林主義，以及毛澤東選集。但是康熙的聖諭廣論，在淸末我們學校中都要背的，聖論廣訓一課不及格，就不能升級與畢業。究竟大家都沒有興趣去學而時習之，無法取孔子之六經而代之的。國民黨在學校中曾有三民主義一課，但已往學校當局，並不勉强人硬去生吞活剝的背誦，這也許是國民黨人最高明的地方。

經不可廢的道理，爲中國文化的精神所寄，一切學術政制，俱以此爲出發點，而基礎則奠定於漢武帝時代。在此以前，有道墨名法諸家，有黃帝與神農之言，有三代之質文遞變，然載籍雖博，皆徵信於六藝。在此以後，有道家釋氏神仙方技之術，有中土與外來文化之別，然皆以解經爲中心而綜合起來。對新觀念，藉經解以吸收與消化之後，變爲新精神，不特給六經以新的內容，而且影響於文史藝術，以及整個思想界。

把經廢掉，則等於棄掉中國文化的原有綱習，亦即等於西洋人的廢掉上帝與柏拉圖哲學。雖有人打算把馬克思的共產主義，結成新文化的思想之綱，但是既不合於二十世紀造原子的科學原則，又不合於我們中國人先驗觀之「仁」字。我們舊有文化之建立在六經上者，爲西洋文化所衝破，迄今尙在混亂時期，猶六朝至五代之佛學輸入時期。以前經過五百年，纔有北宋理學的新文化出現，而爲六經的重光。我想中國文化如仍有其價値者，六經重光的新時代，也會再降臨的。

我的企圖，不僅經不可廢，而爲經的重光。讀者如疑我爲不合時代開倒車，請看幾部以四限量度的方程式解釋柏拉圖思想的科學書，與上帝在天堂，亦有進化，而宇宙決非七天造成的神學書，就可恍然。這自然要靠努力，但切不可勉强求速效，以類於黨八股，因爲如此不特毫無所獲，而且是有害的。至於思想上開倒車，不特無害，而且是必要，思想方法爲激上激下，激上豈不是倒車麼？

經不可讀與可讀

淸末中小學是有讀經一科的，到了民國元年蔡元培先生做教育總長時，就把他廢止了。好像其時馬一浮先生做秘書長，起草此第一件的新學制。這兩位漢宋大師，外國學問太內行了，他們鑑於英德中學，把讀拉丁文希臘文功課減少，使學生們可多讀點近代語文及科學，乃師其意而把經學這門功課取消。大學的經科則亦取消，而將中國文學系，哲學系與歷史系充實起來，把經學容納進去，作分析的研究。

以前的讀經，是整本的背誦，往往連解說都不會。即略懂講解，亦是三家村學究籠統欣賞而其不分析的辦法。到了割裂經文變成八股的砌搭題，眞是極選學妖孽桐城謬種之大成，其糟塌六經，亦可以說到了極點。如此讀經，不知讀了何益？再看歐洲日本治中國學者之進步，其方法之精密，眞令人慚愧欲死。恐怕禮失求諸野，一二老成凋謝以後，要請西洋人來教我們經學了。

以前讀經方法不對

以讀經之讀法與其研究方法的顯然不當，而非另用方法來讀不可。蔡先生爲商務書館編一部小學國文教科書——亦即第一部教科書——多插入有趣味而易解的經子文字。其辦北京大學，注重預科國文，皆以章太炎先生之弟子來任教，將章先生整理好的國故，作爲示範而講給我們聽。所謂打倒孔家店之新文化鉅子，都從章氏學爲出發點，來把中國學問通俗化，又把他證於西洋學術的基礎上，擴大其研究的範圍。所謂新文化運動者，絕對離不開章氏學的範圍，其研究所得，等於新皇淸經解。不過偏於漢學，蔡先生自己欲以康德學擴大宋學之範圍，尙未做到。所以不能說這班人不讀經，祇是讀的方法較前人精細多了。但研究得太精細，亦不能完全是對、過與不及，其失維均。因爲中國人的讀經，期於自己心身的受用，而現在整理國故者，似乎忽略此點。用西方之支那學的方法太多，篇篇文章都有資格登到通報與哈佛的遠東學報去，近於埃及學博物院的氣味，未免過重，使我覺得有點悲哀。新文化鉅子傅斯年一做台大校長，即規定大一國文，應用孟子爲課本，然他個人是反對孟子而主張荀子的。胡適之用功水經注，大家都感到詫異，我曾經對大家說，他本來是讀這類書的人呀！胡傅二先生，他們一向對經學是肯下工夫的，也許其所費的工夫，比在西洋書上還多。胡先生的反對何鍵，陳濟棠讀經，祇是反對其讀經不得其法而已。

六經當作中國聖經詩

我個人對於讀經，倒有點視爲畏途，一則我認經爲古代百科大辭典，世界上豈有讀辭典，而令發生興趣之人？果其有之，亦是因勉强而生成一種癖性，然殊不願下一代再有此類的癖性。再則我自承對於經學，即透過小學難關之後，仍然不懂之處甚多。而且不懂還不要緊，在拘强不懂而自以爲懂，則終身便無通理。此豈末學如我者爲然，即國學大師如王靜安者，亦自承不懂之處甚多，而且肯定前賢亦多不懂。其觀堂集林與友人書曰，「詩書爲人人誦習之書，然於六藝中最難讀。以弟之愚闇，於書所不能解者殆十之五，於詩亦十之一二。此非獨弟所不能解也，漢魏以來，諸大師未嘗不爲之說，而其說終不可通，以是知先儒亦不能解也。」

讀辭典與讀不懂之書，是讀不下去的，然此僅就做學問之推理與分析言。六經爲中國文化之精神所寄，欣賞而得其氣息，亦有必要。就是不懂，讀了會引起精神之共鳴，在不求甚解之情緒下，亦會油然發生興趣的，前人讀經，甚至祇求背誦而不講解，實盡此意。外國小孩讀聖經，自然懂得甚少，以常理推之，不會發生興趣，然在實際上其興趣不下於眞正懂的者，而其熱情之所繼則過之，使我們感覺到神秘主義的偉大。六經可當作中國聖經讀，與懂不懂無關，世間實有此類讀書方法，亦不能偏廢的。（未完）

紅朝百態錄（四）

●牛布衣。

『外間人是不容易明瞭這十個字的意義的。當你懂得了我們的情形，你才知道這幾個字實在有相當深奧的意思。我們的待遇是供給制，我們的需要都由政府供給。在供給制下，我們領到的第一件東西是手槍。此外政府每天頒給我們兩乾飯；菜色呢，都是素菜。每年我們還能夠吃到四次肉，那是國慶，蘇聯老大哥生日，過年，和中秋，每人有兩兩肉。對於這個待遇我們不敢說他菲薄。現在鄉間老百姓大部分吃粥，能夠吃飯的實在沒有幾個人。

『此外每月還有零用費一萬八千元人民券。謹愼的同志拿來作下列的用途，剪髮一次，毛巾一條，牙刷一枝，洗衫肥皂一塊，草紙一束。有一半以上的同志拿到了錢，便合股到酒館裏，一頓吃光了。他們是眞實的共產黨徒，錢吃完了，共別人的產。』

『這也難怪他們。四五年前，當他們參加工作的時候，每月家裏總給他們幾十塊錢港幣的零用。這一萬多塊人民券只合港幣三元。三塊錢不算什麼，所以他們拿來一頓吃光了。現在各人家裏都窮了，窮到朝不繼夕，可是他們還維持着把整個月的零用錢一頓吃光的傳統。』

『服裝呢，政府每年發給我們兩套單的藍布人民裝，另外一件棉衫，兩對膠底鞋，兩雙襪子。我們剛加入工作的時候，認爲那是十分夠了。我們根本不需要政府發底衫褲，我們有的是。而且家裏每月又給我們幾十塊零用，可以自己買。』

『可是家裏給我們的錢一個月比一個月少。到了三年前，實在家裏衣食不繼，沒有錢給我們了。』

『我們沒有因爲這樣失望。每一年政府總告訴我們，明年便可以實行薪給制了。』

『實行了薪給制，一個人每月所入能夠養活兩個人。可是一年又一年，總沒能夠實現。前兩年是給美帝害了，美國領兵來打高麗，我們不能不幫手。高麗戰事結束了，又說要收復台灣。軍事代表前幾天對我們說，「台灣收復了，薪給制可以實行了。你們應該加倍努力，幫助政府實行重要國策。」』

『一年又一年，我們的底衫褲完全破了，不能再穿了。什麼辦法呢？小組會議時候提出來討論。軍事代表是北方人，他說，「底衫褲不是必需物品。北方人睡覺多數是裸體的。我們穿的人民裝，並不露出身體任何部分，事實上不需要穿底衫褲，少了底衫褲，可以省一點事，可以少洗幾件衣服，對於國家和個人都有極大利益。」我們只好這樣做。後來曉得這個對於國家和私人都有極大利益的辦法已經通行全市，甚至全國。』

『世上的事情總有例外的。本區管理合作社的幾位同志，不唯有底衫褲，還有五一自來水筆和瑞士手錶，軍事代表當然有。這都是例外。』

『在台灣沒有收復以前，我們得吃苦些。可是一個月前橫門上那一副對子，使到我們心裏不能安靜。「有槍萬事足，無衣一身輕」。這桿槍要來幹什麼呢？是用來監視和威嚇老百姓的嗎？「無衣一身輕」是一種什麼現象呢？是因爲經過了五年共產，人民打了一個大翻身，把身上的衣裳都翻去了。』

『前幾天又因爲「無衣一身輕，」發生了一件十分不幸的事情。同事中的一位女同志和一位男同志好了，懷了身孕。不知因爲什麼事他們鬧翻了。她跑去投江，留下了短短的一封信。她的信這樣寫：到了「無衣一身輕」的境地，這個世界眞無可留戀了。帶了肚裏一塊肉，我現在去海龍王的水晶宮，找尋永恒的光明。「無衣一身輕」這幾個字眞不是好東西，我心裏懷着恐懼，恐怕將來會有更大的不幸』。（本篇完，全文未完）

評：「大陸見聞」

作者：鹽子　出版者：創墾出版社

沈秉文

（一）

本書是作者繼「大陸三年」之後又一報導大陸近況的作品。不過他所報導的範圍，偏重在文化教育與醫藥衛生方面；其好處也就在避去政治、軍事等方面的枯燥的大道理不談，而從一些親切而怪誕的故事中去反映出中共政權的特質，使讀者從平易和興味中去體會這個與我們隔離着的鐵幕世界。

是書係由「孩子們的故事」、「丘九羣中幾個逃兵」、「學府滄桑」、「塡鴨式的救恩」、「奮災」、「不過黨癮的黨書」、「從梅蘭芳到『戲改』」、「一筆總賬」、「蟋迷與鼠迷」、「婦女的『福音』」、「『睡眠療法』及其他」、「帝王夢」等十二篇組成。其中部份曾以「大陸散記」或「大陸紀實」爲題，先後刊載於「新聞天地」或「星島週報」等刊物。全書共一百九十餘頁，八萬餘言；章節分明，印刷精良。

（二）

本書有幾個特點：

一、文體淸新，它不同於一般嚴肅的報導文體，也不同於刻意描繪的小說文體，而是介乎兩者之間，兼有報導文字的簡潔明瞭和小說筆法的細膩生動的長處。且講究語文；一字一句，推敲甚力；組織與邏輯謹嚴，筆觸俠諧輕鬆。

二、態度客觀，對中共現狀的描述或分析沒有個人的成見，也不含個人好惡的情感，而是讓讀者自己去體認中共種種作風的是非得失。

三、常識豐富，分析精細，將使讀者對於那個畸形的——赤色——社會，獲得不少知識。

四、書中所報導的情形都相當準確實在；不論它是屬於親身經歷、傳聞所得，乃至中共的報刊所得，據筆者幾年來蒐集中共資料並研究中共問題的心得加以參證衡量，均可以相信它立言有據，符合事實。

（三）

不過此書也還有可以商榷處：

一、其中極少部份的情狀已隨着時間的進展而有所演變，却在彙成此書時未加修正。舉例而言：「學府滄桑」一篇中所謂師資過剩一節，據筆者所知，此種現象，係大陸淪陷初期的現象，至進行所謂「院系調整」時以迄目前，相反的已發生了師資荒現象。發生師資荒的原因，一爲部份教育人員已被殘殺，一爲部份教育人員已被排擠，一爲部份教育人員不合中共的「政治思想」水平而縮小了他們的教授範圍（尤其是大專學校方面），一爲中共培養新的師資跟不上學校或訓練班的量的增加（尤以工科爲甚）。

二、也許是作者的態度過份客觀，以致在不摻雜個人情感的原則下，對於中共種種作爲的動機和用意（亦即目的）極少加以提示。此點對廣大讀者而言，是顯屬必要。而且因爲缺乏恰當的分析，也可能引起讀者的誤會。

三、書中所報導的每一篇每一節固都極饒興味，且富有意義；惟偏重了文教醫藥等的精神生活的一面而忽略了一般社會、家庭、乃至個人的經濟生活的一面，不免使人覺得此等報導不夠深切。蓋一般人關心大陸情形的一個比較通同的心理，除了注意他們軍事、政治等的大勢以外，最關心的：還是在「那裏面的人究竟怎樣生活」？

論電力加價及其有關問題

要澈底改變經濟制度（中）

姜漢生

我們從另一方面來觀察，則此次電力加價事並不是那麼簡單，它牽涉到一個基本觀念的問題，這就是我們現行的經濟制度，如不澈底改變一下，而只是頭痛醫頭，腳痛醫腳的話，終究是無補於現狀的。首先是我們的公營事業，它幾乎籠括了本省生產企業的百分之八十，其他百分之二十的所謂民營事業，也因爲生產成本高，銷路不暢，吃老本以至於非靠政府補貼扶助不可，即所謂半公營事業，這樣的民營事業，本無甚價値。然則公營事業的成績如何？浪費底現象，無疑的到現在還很嚴重的存在着。根據經濟學的觀點，公營事業底缺點在於主管事業者與所經營事業無直接利害關係，往往失去企業心，不求改進，亂事浪費，濫用冗員，工作效率減低，結果是產品成本提高。凡此所論，正是現在本省公營事業的弊端所在。它影響到國內的是一般人民生活水準的降低，老百姓無法不以較高的代價購進這些公營事業的出產。（因爲這些公營事業都是獨佔性的。）如果生活在自由競爭的經濟制度下，人民則可自由選擇價廉物美的貨品。假如我們的電力公司也是由幾家民營來分別經營的話，加價就不能如是之易，一來受到政府的干涉，二來他要爲消費者想一想，於此我不過舉一例。

讀史閒話

馬五先生

唐太宗（李世民）以武功起家，同室操戈而攘奪帝位，這比魏文帝（曹丕）的行爲更惡劣多了。但，曹魏的帝業殊無可稱，享祚亦甚短，而李世民之能造就貞觀之治，爲西漢以來所未有，創業垂統，李唐政權延續了二百九十年。（西元六一八——九〇七年）王船山論之曰：「美於太宗能夠「待訪於亡國之臣」，因而「得天下之心以安反側」，自然有道理。李唐開國時的文武新貴人才所稱羨，然曹操更善於任使降人，拔擢僭僞，網羅功名之士，何以曹魏政權又遠不及唐代呢？我認爲司馬光對唐太宗的批判很正確，他說是：「性本強悍，勇不顧親，然能操義而好賢，屈己以從諫，刻厲矯揉，力於爲善，一個賦性強悍，譬馬上爭得政權的統治者，居然能夠克制其剛愎的個性，屈己好賢，守義爲善，一心以求才納諫爲平治天下的準則，當然要產生優良的政績，擇後世的。

可是，太宗這種作風，說來似乎很平常，實行却太不容易，非有大智大勇，而又真正具備「天下爲公」的精神者，絕對做不到。所以，自唐代以來到現在，就找不出幾個李世民式的統治人物，家如私產，任性而行，遠賢親佞，始終是亂多而治少也。

時代雖有古今，政治亦殊新舊，但政理決無二致，有若賢衡之長短。誰能說明「天下爲私」而不致大亂，不講求人才而能創造治績的新政治原理來，我將三鞠躬九作揖地向他恭執弟子之禮！

不打自招文鈔

·文抄公·

下文是中共出版物所載的一篇文章原文，讀者看過之後很可以看出共幹們平常生活的情形如何——文抄公

急密件

瀋陽　趙德成

星期六傍晚，天正落着大雨。

秘書李力，頂着雨跑到收發室。他從口袋裏拿出一封信，交給通訊員，信封上寫着：「即送玻璃廠衛生所王麗華同志收」，左角上蓋着非常耀眼的三個朱紅色大字「急密件」。

通訊員小崔一見是急件，又是密件，又是親收，不用問，便知道這是一件非常緊急的事情。他一聲沒吭，連忙穿起雨衣，把信放在貼身衣服的口袋裏，去推自行車。

李秘書對小崔這種迅速俐落的動作，感到滿意。但忽而又覺得小崔似乎有點毛草，未能令人完全放心，於是一再叮嚀：「小崔，一定要在六點半以前送到，一定要當面交給王同志，一定不要交給別人。」

小崔一面推車，一面答道：「李秘書，哪回我也沒有誤過事！你放心吧，別看雨大，保險誤不了。」

李秘書在門裏望着小崔跨上車子，投在雨中，直到望不見了，他才用雙手捂着腦袋擋雨，跨過地面的積水，一蹦一蹦地回到辦公室。

小崔頂着飄潑大雨，用力蹬着車子。雨有時簡直打得他張不開眼；雖然穿着雨衣，但兩條褲腿都被雨淋的濕透，濺滿了泥水。當他跑到玻璃廠時，他抬頭一看，壁上的鐘剛過六點，沒有耽誤時間，他愉快地吸了一大口氣。他一邊擦抹汗水，一邊叫收發室的同志去找王麗華。

「我們收一下不行嗎？」

「不行！這是急密件，李秘書一再囑咐要當面交給本人。」收發室的同志只好去找王麗華。

王麗華正給病人換藥，聽說送來「急密件」，就急忙忙跑到收發室。當她看見通訊員身上的水珠像斷了綫的珠似的一個接一個往下溜時，她也猜不出發生了什麼大事。她從來沒有接到過這類「急密件」，把信拿到手時顯得有些慌張；因爲急，也就忘了是「密件」，便當衆把這封「密」件拆開了。

打開一看，小崔，收發同志，連王麗華自己都怔住了。他們不約而同地「啊」了一聲，原來這封「急密件」裏面什麼都沒有，只是一張鮮紅色的週末跳舞晚會入場券。

共黨的下場

·百利譯·

德黑蘭伊朗共黨甲部隊第二師營來管，十個衣衫襤褸的囚犯吃着一頓肉餅與米飯的晚餐。在今年九月內策動共黨革命而被捕的六百十二名杜德黨（共黨）暴徒中，他們是定罪的第一批。這十個人都被判了死刑，但是他們却還很樂觀，因爲在伊朗，一朝得勢的人，通常都不會處死失勢者，他們唯恐將來有一天自己也會失勢，而今日的失勢者又可能得勢。就在這天晚上，這十名囚犯，都已提出上訴，請求國王特別寬赦。

十個人吃完晚餐後，軍方的審判官阿茲莫德准將駕車進入這座囚犯營來。在二個月以前，這十人中有九人都還穿着他們的制服，且都是這個准將的部屬。可是這時候，他們的制服早已剝除，換上了囚犯服裝，頭髮完全剃短。走到阿茲莫德面前，個個人都嚇得面無人色。阿氏對第一個人凝目而視，嚴肅地說：「我把你們找來，是讓你們寫下遺囑。你們都聽懂了麼？」這人答道：「是的，我知道。」這時，十個人都知道他們的上訴已經失敗了。

囚犯之一西亞馬克拿起一支筆，雙手顫抖，寫下了他的最後遺言。旁邊一位回教阿洪拿了一本可蘭經放在他面前，西亞馬克却一手把經揮開說：「我不信神，從不相信這種東西。」阿洪祇得把經拿回來，但他還是逐個送到其餘各人面前，對各人懇求道：「請讀吧！死後靈魂可入天堂。」其中有一個囚犯却反駁道：「天堂嗎，我們就是要把這個國家變成天堂，除此之外，我們不知道別處還有什麼天堂。」不過十人中畢竟還有三人接受了阿洪的可蘭經。後來，十個人便提出一個最後要求：他們希望能安靜地單獨留下來，不受衞兵監視，要相聚幾分鐘就夠了。阿茲莫德將軍點點頭，他們便被帶進一個房間，讓他們幾個人獨自在一起。房間裏立刻傳出歌唱和歡呼聲。他們唱着共產黨的歌，又高喊共黨口號，以相互鼓勵勇氣。

天色微明，這批人便被押上二輛軍用救護車，直駛國部的練靶場。到了那裏，十個人望着這片廣大的空坪，都嚇得雙腳抖個不停。他們的雙手都給綁住了。他們可以看見廣場上遠烈的照明燈照得雪亮，靠着一棵高高的泥牆，剛樹起了十支木柱。衞兵們把他們一個個綁上了這些木柱。阿泰羅將少校對衞兵說：「不要弄痛我，我現在我曾安靜了。」西亞馬克却在一邊看着說：「兄弟，你這是什麼意思，我們是要完蛋了。」他又轉過頭去，對綁他的衞兵說：「要是我們勝利了，我們對你們不會這麼狠的。」他這句話，至少已承認，他和他的同伴都不是普通的政治犯，而是背叛了本身衞國責任的軍人；也不像政治犯那樣應該可以獲得寬赦。

十個人都拒絕用手巾紮住眼睛，但衞兵們還是替他們都紮上了。衞兵們走開後，一排行刑的士兵行到他們前面，一起有二十個人，都握着自動步槍，每二個兵對着一個囚犯，其中一個站着，一個跪着。

這時一個綁住了眼睛的共黨突然喊道：「國家勝利了！」這是共產黨的口號，過去曾一度在德黑蘭街頭煽動群衆，引起大混亂，迫得國王匆促出奔，那幾乎使共黨攫取了整個伊朗。不過這時候，這口號碰到這些人後面的泥壁，頓告沉寂了。這些囚犯又先後大喊：「打倒帝國主義，伊朗無產階級萬歲！」

行刑官的手向上一舉，槍聲齊發，震撼了這塊廣場，有幾顆槍彈射斷了綁索，有的囚犯的屍體倒到地下。一個伍長抽出手槍，向前奔走，檢查這批囚犯是不是都死了，如碰到還沒有死的，便再給他一槍，免得他延長痛苦。年輕的夏威上尉呻吟着喊着道：「把我殺了吧，我還沒有死呢。」這位伍長接受了他的要求，開了一槍，呻吟聲便止了。

還有十二個暴徒也已被判死刑，還在上訴中，六百十二名被告中其餘的人，有的在等待開審，有的則在等待判決。可是他們現在都不敢再樂觀了。

自嘲却寄

王世昭

晨起攬鏡，假日翳中，見寒星一點，乍驚吾老，爲歌，不知海上蘇卿，亦同此耿耿否耳！

一點寒星上玉鈎，問君今日幾春秋？

等閒莫把鬚鬢數，道是狂奴已老頭！

秋遊碧潭

彭楚珩

序曰：時深三秋，有寒還暖，偕友數人，薄暮遊於碧潭之上，金風徐徐，綠水漾漾，誠大好風景也。惟西望故國，正夕陽之下，神魂馳惓，感慨橫生矣！遂詩以永之。

碧水青潭浸綠峯，家山惓望夕陽中；

蟬鳴遠樹愁秋冷，人倚懸橋礪晚風。

幾曲漁歌傳壁下，一輪明月起江東。

儘多故國好邱壑，惆悵浮雲隔萬重！

紅樓夢散論（七）

·王世昭·

（五）

八十回紅樓夢讀完之後，使人意有未盡，總覺得那短命鬼的曹雪芹，爲什麼不再寫下去？

我的結論，此短命鬼之所以爲短命鬼也。

雖然，這短命鬼也已經夠偉大的了。

莫說別的，只那詩、詞、歌、賦、曲、謎、聯、札，就已經夠使人嚮往的了；還有：醫、卜、星、相、琴、棋、書、畫，那淵博的見解，也不是淺嘗的人所能理解。說到內容，大大小小男男女女不下五六百人，西遊寫魔怪，水滸寫強盜，三國寫人物，封神寫仙佛，儒林外史寫社會相，聊齋寫鬼狐，紅樓夢一口氣寫閨中兒女，老的，幼的，村的，俏的，無不活靈活現各有個性，可謂集南朝金粉之大成，豈能不令人歎觀止止！

在思想上，他是超現實的，悲觀的，帶着宿命論傾向。

在歷史上，他是寫愛新覺羅氏的成敗關鍵。

在文學上，他是口語文學的結晶體。

在藝術上，他是沒有缺陷的創作。

在知識上，他是才子的書。

在社會上，他是同情失敗者，儘揭暴露現實，圈子即管不大，但管中窺豹，已可見其一斑。

依上列六點來觀察，賈雪芹是時代歌手，是寫實主義文學家。他懂得病源，但沒有醫治方法，故空懷滿腹文章，窮愁潦倒以終其生，從他本身說，也可算是時代的犧牲者了。

（續完）

自我毀滅

·短篇小說·

·洛琦·

戀愛就是將豐富的情感來困鎖在一個男子的懷裏，將易逝的青春掩埋在一個家庭內，再沒有自由的機會，再沒有自由的可能，正如一隻翱翔於天空的小鳥，投進了一個小籠子一樣，把先前以爲從此可以得到厚待和快慰，誰知實際正好相反。到那時，便喪失了個人的主權，一切完全被人操縱。這真是天下一大蠢事！

聽到這樣的話，潔琪更是自鳴得意，以爲自己似是而非的論調已受許多人擁護了。可是他却沒有想到還有些女孩子，早已不知不覺地，在愛河情海裏，忘記她的理論。

因爲固執，她心理漸漸起了劇烈的轉變。她不願單獨的去戀愛上任何一個男子，却希望所有的男子都來追逐。她以爲這樣便是女孩子無上的光榮。

這樣做自然是玩弄愛情，但是潔琪一點也不覺醒，她對每一個男人都施以種種手段，希望吸引着他們的心。她看到他們不惜犧牲大量金錢，以博取她的歡笑，犧牲寶貴的光陰陪她遊樂，犧牲了學業，求取她的愛。她更使他們互相妒忌，毀滅了互相的友誼，這時她感到無上滿足和興奮，更覺得自己是個女皇一般崇高和矜貴。

潔琪沒有對任一個男子特別親熱，追求她的人，都一視同仁。這時她又有了另外一種論調，她說這是她的博愛，普天下的人同樣的愛着，這是多麼偉大而光榮！她又說，將一份感情祇施與一個人身上，該是多麼狹隘的事，簡直是人類的自私，不能算是愛。

她這種說法又激動了一些青年男女，每一個人都認爲她是一個了不起的女人。男子們也更加對她崇拜。

但不管男人們怎樣追求她，她仍然不爲他們的熱情與真誠所感動，沒有對任何人給與一份真摯的情感。後來，她周圍的男子們却漸漸覺悟了，他們開始發覺，追求她祇是浪費光陰金錢，還有一個更大損失，就是破壞了他們自己之間的友誼。

他們都認爲潔琪是個玩弄愛情的女人，絕沒有真情感，漸漸地他們也不對她追逐，而去接受別的女子的純真的愛了。從此，潔琪感到寂寞，她傷心時，祇有對着鏡子顧影自憐。她常自言自語的說：「我的美麗並不弱於任何一個女子，爲什麼他們對我一下子會冷淡起來呢？難道我不如以前的漂亮了嗎？這樣他們就不歡喜我了？」

她祇知從面貌的美麗比較，却想不到自己的行爲上有更大的缺點。她憎恨所有的人，可是憎恨於事無補。擺在她的眼前的事實，已足夠使她傷心了。（二）

·科學新知·　原子同位素治腦病

·百英·

人的腦子有了病，祇有不太嚴重，今日已能開刀療治，但在開刀以前，必須首先確定疾病的部位和性質，這一點甚至比開刀更爲困難。過去，醫生通常是採取兩種方法，一是將微量的空氣注入頭部，另一是運用特殊染料，與空氣同樣的注入腦部。

這兩種方法都有危險。直到最近，美國科學家才發明了一種危險性極低的新方法，這是使用放射性的同位素。同位素是原子性的副產品之一，它不需要直接注入頭部，而祇要像普通打針那樣，注射進血管就行了。進入血管後，同位素自會流入腦中。這時候，醫生再用最新的精巧儀器，便能發現這些同位素在腦中所處的部位，也因而測出病源。

美國波士頓的著名腦科醫生史維德博士，已運用此法診治了三百名病人，準確性達百分之七十五。他認爲此法如再加改進，將來必能將任何腦病都可測出。這也是原子能和平功能之一。

稿約

本報園地公開，歡迎讀者投稿，性質不拘，最好勿超過二千字，譯作請註明出處；來稿如不合刊用時，當儘速退還。來稿請用稿紙勿橫寫！

——編輯室——

自由人
THE FREEMAN
（第三八三期）
中華民國僑務委員會登記證僑台字第一零二號
中華民國郵政登記第一類新聞紙類
（半週刊每星期三六出版）
每份港幣壹毫
台北市售價台幣七角
督印人·雷嘉猷
地址：香港高士威道二十號四樓
3 rd. fl. 20 CAUSEWAY RD HONG KONG
香港發行及事務接洽
高士打道66號 電話：七四〇五三
承印者：東南印務出版社
地址：高士打道六十四號
海外總經銷
友聯書報發行公司
香港：德輔道中二十六號A二樓
台灣特派辦事處
台北市館前街五十號
台灣總經銷處
台北市西寧南路一一〇號二樓
台郵撥儲金戶九二五二

中共蘇俄協定 對世界和平的威脅性

·曾旭軍·

如果你問我，中共在十月十二日公佈的中蘇聯合宣言公報最重要的是那一個部份？我便說是第六和第七的兩個公報。即修建西北與外蒙兩鐵路。因為其他部份都是以宣傳戰及外交戰意義為主，唯有這兩公報確有其實際戰略價值與意義。而且露骨的表示蘇聯確有征服全球的企圖！

心臟地帶的重要性

遠東反共巨人蔣介石總統素來不輕易發表戰略意見，但十月十六日卻在接見合眾社記者時，提出對全世界人的警告。說：俄帝一俟在一九五六年完成兩大鐵路，連接歐亞陸，貫通中國南北與東西，而能作戰略性的控制時，即將掀起太平洋大戰。蔣總統且藉地圖向記者解釋此兩鐵路完成後蘇俄如何便於征服歐亞。這是正確的遠見。此兩鐵路均有其政治、經濟，與軍事的重要價值，但依筆者意見，關新鐵路比集寧鐵路的價值與意義更大。在蔣總統的談話中他曾說：『俄帝只能掌握著歐亞大陸邊緣的心臟地區，就可避免海上與空中長距離之威脅，且在任何一方面的戰事都可以進攻退守綽有餘裕。』這幾句話更是他全篇談話的核心。我們要注意「心臟地帶」（HEARTLAND）這個名詞。英國地理學家麥欽德（H.J.MACKINDER），因鑒於蘇俄位於世界陸地中心，而稱之為樞機國家。世界有兩塊大陸，一是亞歐非大陸，一是南北美大陸，各握東西兩半球。但東半球東起黃河，西至黑海，麥氏稱之為心臟地帶。幾千年來，迭次決定人類命運的戰爭，多肇端於此。第一次大戰德國想完成三B鐵道，（即從柏林經過布爾格萊德而至波斯灣的巴格達）。這條鐵道經過黑海邊緣而深入心臟地帶之內。一九一七年在第一次大戰期間，國父所著『中國存亡問題』一書，曾指出德國遠大企圖，在開闢中東利達東的捷徑，通至中歐。德國控制心臟地帶，即可進而謀征服全世界。第二次大戰，納粹德國戰略重點依然在於先獲東歐，進而控制亞歐大陸的心臟地帶。

戰畧上的重大價值

蔣總統所說俄帝掌握著歐亞大陸邊緣的心臟地區，就是東起黃河西至黑海的一片大陸中心區。由於一九四五年大戰終結時英美背棄中國與蘇俄簽訂雅爾達密約，和同年八月十四日所簽訂的中蘇「友好同盟條約」，再加上美國將保衛自由世界的責任一筆勾消，以致後來大陸淪亡。這個一望無垠的歐亞心臟地區完全入鐵幕中了。蔣總統所說「掌握」二字，意指能自由運用。現在蘇俄修建此兩鐵道的目的，便在利於運用中國大陸人力物力於戰爭，進而運用整個亞洲大陸的豐富人力物力於戰爭。但所謂運用人力物力於戰爭，不單指在大戰爆發後運用於戰場。最重要的還在開發心臟地帶之資源，增強戰鬥力量。同時也利於抵抗原子和氫彈的轟炸。雖然在原子時代，鐵路交通在大轟炸之下不免減少其作用。但是蘇聯在大陸[illegible]，正如蔣總統所說的：『俄帝只能掌握著歐亞大陸邊緣的心臟地區，就可避免海上與空中長距離之威脅，且在任何一方面的戰事，都可進攻退守綽有餘裕。』這幾句話就是這個意[illegible]

俄在一九四一——二年被德國進侵時，能夠支持作戰力，直到西方的援助——尤其是美國的援助——運來得及把蘇俄救生起來。

蘇俄經營中亞的用心

·史太林陰騺，目光相當遠大，早已注意到掌握心臟地帶。最近出版的一部「蘇維埃帝國」（SOVIET EMPIRE）英國奧拉夫·卡路（OLAF CAROE）所著，我一翻開來看，便首先是說到中亞細亞。原來書名的副題是「中亞細亞的突厥人與史太林主義」（THE TURKS OF CENTRAL ASIA AND STALINISM）。我更深信心臟地帶之重要。[illegible]鐵路的意義與價值更大。就是因為[illegible]鐵路與[illegible]相近的直通入中亞細亞。

昔日史太林定下的兩個五年計劃的主要目的，便是建立一個重工業中心在烏拉山附近地帶。他的計劃：不論西方來的，或東方來的進犯，都不易深入。開始時雖大量犧牲人的性命，和做成極慘與混亂的景象，常常落在計劃標準之後。但克姆林宮的觀察，直到一九三五年進入重大階段。這是機械工業巨大之成就，是史太林遠大眼光，在心臟地帶建立其根基地，使蘇

蘇俄的工業大本營

烏拉爾的工業區，就在中亞細亞的卡沙基斯坦（哈薩克）之外。重工業區在中西伯利亞的烏拉爾及庫斯納茨盆地。都是剛剛在中亞細亞之外。史太林全力開發西伯利亞秘密圈。西伯利亞不但是戰爭工業大本營，而且是原子工業的基地。這一層已有許多論文說過了，不再贅言。只說現在開發與經營的重心已轉移到中亞細亞。據奧拉夫·卡路所著的「蘇維埃帝國」內中已指出：史太林的承繼人必盡力把這個蘇聯領土內禁養最豐富的一塊肉消化，並且由此而席捲回教世界，併吞印度。可憐尼赫魯之流還睡在「和平共存」的美夢中。

中亞細亞位於歐亞大陸的中心，共分（一）哈薩克，（二）吉爾吉斯，（三）烏茲伯克，（四）達吉克，（五）土庫曼五個「共和國」。全面積三百九十多萬方公里。居民約一千五百萬。多屬蒙古突厥族（TURKS）而俄羅斯人祇佔十分之二。地勢以東南部山地為最高。因此就把這個世界距離大海洋最遠的兩個大陸天然隔分隔。在東面的是中國突厥斯坦（CHINESE TURKISTAN）就是新疆省，在西面的是俄屬突厥斯坦（RUSSIAN TURKISTAN）。兩個盤地的周圍大部是高山連綿，其中有世界上最高的山脈。山嶺盡處便是平原或大陸包圍的內海。兩盤地都是突厥族的祖家地。仍然具有潛大力量。兩方面的政治與文化有平行的發展。曾有幾個朝代是統治雙方的突厥斯坦的。雙方交通的要道是伊犁河。此河發源於天山東端新疆境內，向西流，經過國界而流入中亞細亞突厥斯坦的巴爾喀什湖。國界門戶便是伊犁，即現在關新鐵路線經過的綏定。

經以上分析研究，可知中共蘇聯此次協定所具的陰謀意義，與其對於世界和平的危險性。筆者將於下一期，另撰一文繼續闡明中亞細亞的經濟價值，蘇俄經營中亞此一地區的經過，與此一地區回教民族的偉大潛力。

從蘇聯經濟看 蘇聯的百萬富翁

·念嬰·

蘇聯過去頗注意於國內「德政」的宣傳，藉以鼓惑世人觀聽，認定她已放棄侵略，專心致志於國內和平建設。譬如：蘇聯政府宣佈減低消費品的售價，以表示使人民購買力增加。又譬如：蘇聯副總理兼對外貿易部長米高揚，在莫斯科[illegible]代表大會上故作燦爛的聲明，說蘇聯又已產生了新百萬富翁七百人以上，以表示蘇聯人民購買力的提高。這些帶有誘惑性的宣傳，對自由世界的人民觀之，卻不免掩口而笑了。

戰後經濟難達理想

蘇聯戰後的經濟政策，仍然實施史太林一九四六年所宣佈的政策，那就是不管人民死活，拚命的發展重工業。她想趕到一九六〇年，可以和美國的生產水準看齊。但事實的發展，並不如他們理想的樂觀。從農業數字統計，可以看到蘇聯工業發展的進步，是如何的妨害了農業。一九一三年蘇聯谷物產量八千零十萬噸，可是革命把它革掉，到一九二八年才回復七千三百三十萬噸。當時史太林正欲設立集體農場，但為農民所反對，一九三一年減少到六千[illegible]萬噸，比一九一三年還少二千萬噸。[illegible]更少了一半。二次大戰後首次五年計劃結束時，蘇聯官方宣佈，整個工業出產比一九四〇年多了百分之七十三，[illegible]

改變蘇聯欲達到的目的，尚注意到日用品的生產，在農業上又宣佈削減農稅，並且把許多種消費品在國營的店場上削減售價。但，基本上蘇聯計劃經濟的本質還沒有變，不過在現階段犧牲一些原則及若干重工業，以和緩農民的需要，俾能生產糧食，以供應城市的需求而已。所以，蘇聯猛然宣傳消費品跌價，人民購買力提高等等，說穿了還是一個大騙局。

人民消費力量極低

再根據確實的數字，來看看蘇聯人民的消費程度如何？據聯合國的調查統計，「蘇聯每人消費紡織原料與其他國家的比較」，有如下表所示：（以一九四八年為例）

國別	棉	毛	總計（包括人造絲）
蘇聯	二、二	〇、三	二、七
美國	一三、三	二、二	一八、九
英國	六、七	二、七	一〇、九
瑞典	六、二	三、〇	一一、五
比利時	七、七	二、五	一一、三
法國	五、二	二、三	九、〇

（單位公斤）根據上表，蘇聯每人每年平均消費棉花二、二公斤，僅等於美國的六分之一，英國的三分之一。棉、毛、人造絲總計，消費二、七公斤，僅等於美國七分之一，英國的四分之一。蘇聯雖云誇耀人民消費能力提高，但與英美等國相比較，仍是瞠乎其後的。

工人購買力屈居廿位

譬如以蘇聯待遇最優厚的工人階級的購買力來說，如果和世界各國相較，實有極大的距離。根據美國勞工部最近對各國勞工購買力調查所得，購買力最強者首推澳洲，其次為美國，而蘇聯則名列第二十。其順序是這樣的：澳洲，美國，挪威，加拿大，丹麥，以色列，瑞典，英國，捷克，愛爾蘭，瑞士，芬蘭，荷蘭，西德，智利，法國，奧國，西班牙，義大利，蘇聯。

（下轉第二版）

半週展望

·左舜生·

看吉田茂怎樣掉法

日本首相吉田茂，在他完成了加拿大、法國、西德、義大利、梵蒂岡和英國這一串的訪問以後，已乘坐『瑪麗皇后』號，於今天（二日）到達紐約。

為了加強亞洲乃至全世界的反共陣線，我們一向是對日本抱有甚大的期待的。吉田這次在離英赴美以前，曾對『朝日新聞』的記者說：『即使中國大陸有四億人，如果每個人的價值都是零，四億人也等於零。』這在措辭上未免太不謹慎了！假如吉田說『即使中國大陸有一千萬人的共產黨，如果每一個共產黨員的價值都是零，一千萬人也等於零。』這豈不是非常正確？不過，在無可原諒之中，我依然對吉田保持相當的容忍。我知道：吉田本來是一個粗線條的人，自明治以來，曾任過日本首相的人物，就學問修養的一點說，他大概是最不行的一個。日本人也[illegible]文學者』現任參議員的某君說：『吉田不僅漢文不通，連日本文也不通！』[illegible]日本人看吉田，只算是一種『家常便飯』，[illegible]國人看得有侮辱性的談話，也就置之不議不論之列可也。

我曾在本刊不斷的指出：『蘇聯凡事都可忍耐，惟有等到日本和西德同時建軍，足以從東西兩面去威脅她的時候，她將不得已而要採取行動。』我並且曾進一步的斷定說：『一旦蘇聯兩國對爭取日本到達逐漸白熱化的時候，蘇聯所採取的第一步驟，一定是提出和平姿態，表示對日本讓步，甚至以簽立和約爲籃本，蘇聯自身，乃至聯同中共，與日本訂立和平條約，以恢復邦交，同時談到千島及島中若干島嶼的退還，也都不是不可能的事。』我這種推測也許是過分，而且爲時尚早，可是以目前所展開的事實來說，却是不幸言中。

一個地位特殊的國家，能做到爲兩大敵對的強國所爭取，而這所謂兩強者，對這一地位特殊國家的估價又都很高，這在一個淺見者視之，自然是躊躇滿志，而認爲是千載一時的機會。可是一加冷靜的思索，却不難發現絕大的危機，便正潛伏在這個所謂『千載一時的機會』裏面。

最近吉田首相在他周遊列國的行程中，正在搔首弄姿的東說西說，一面責備英國對中共的政策不對，一面又責備美國把日本搞得這樣窮無力量，而其結論却是『到美國去要錢！』假如我是美國人，我便要非常乾脆的對這位楚楚可人的首相說：『要錢嗎？有的是！而且在過去的八年間，我已經對您報效得不少，您心裏總也明白；可是既然要錢，就得相當的聽話，而且必須把你可能的貢獻，赤裸裸的拿出來給我看一看；如果僅僅向我要錢，而後門卻依然向別人開，那末，老實說，花錢的大爺們，便不見得個個都是傻子。』

平心而論，日本這個『長命首相』的吉田內閣，其所以延續到今天還儼然存在，十之八九何嘗不是由於美國的支持之賜？假如我們不憚煩的否認這八年以來吉田對於日本國家在復興過程中所表現的一切勞績，我們便似乎不應該否認美國在——這一個戰勝者，對日本這一戰敗者所提出的寬大——實在是史無前例的偉大！自然，美國對於東方問題的措施，乃至於對於日本問題的措施，誠然不是完全沒有錯誤，可是不要責備美國，然而那班不知道天高厚的青年們去說話了，誰料到這種話居然出於吉田之口！

『春日遊，杏花吹滿頭。陌上誰家年少足風流？妾擬將身嫁與一生休，縱被無情棄，不能羞。』我們試回想到八年前，當鳩山被整肅以後，吉田由於古島一雄的推薦，[illegible]一入奔走聯軍總部之門的時候，且進而組織第一次的吉田內閣，其心情難道不是這樣嗎？現在[illegible]吉田總不能說是『薄情』吧？然則還[illegible]『忘恩』吧？[illegible]

吉田真會和美國鬧翻嗎？不會的：吉田也算得是一個飽歷風塵的人物，他把對方的心理揣摸得很熟，他懂得在某種場合，先裝一套打情罵俏的模樣，不僅於『要錢』沒有妨礙，也許還能夠多拿幾個也不一定，不信，等著瞧吧！

讀北宮黝——「論憲法上的統帥權」後

·鍾義·

十月二十日，自由人北宮黝先生論憲法上的統帥權一文，其論事甚細，用心甚深。但所舉事實及所持論點，頗有使人大惑不解者。

不宜玩法毀法

北宮先生既明知「行政當局鑒於反共軍事日趨緊急，國防計劃，國家總動員計劃等急待進一步研討與策進，不可無適當的戰時機構主其事；」，則國防組織法之急待審議通過公佈施行，其重要性，當超過其他任何法案。何以今夏立法院延會五十餘天，獨無時間討論此項方案？須知憲政國家之立法機關與行政機關貴在互相配合，不宜互相牽掣；貴在相輔相成，不可相消相抵。豈行政當局認為急待研討與策進者，立法院認為並非急務乎？抑此中別有關鍵，為我等不明立法院內情者所不及知乎？至北宮先生所說「無法律根據的機構及官員，事實上早在執行其職務的已不少……今又何必對國防會議各官員的任命表示異議呢？」言外之意，似認無法律根據的機構及官員為合理為當然，已有的既可不問，新設的自應任其自然，再來的更無妨來個已有前例。其意果眞如此，豈任何人能苟同？我國行憲不久，各項措施，難免罅隙，求全責備，自非所宜；但絕不可無辨正之心，改過之意。設若以無法律根據之措施必不可少，又從而維護之，則是玩法，是毀法。北宮先生果欲出此乎？此使人大惑不解者一也。

輿情是尊重憲法的

北宮先生又言「如此法（指國防組織法）通過公佈施行後，確能因此更便利於反攻大陸的準備，增加撲滅共禍的力量，或竟符合憲法國防章的要求，竟能由此達到『保衛國家安全，維護世界和平』的目的，那麼即使在憲法的體制上稍有出入，未嘗不可照案通過而」似乎亦是有所藏而云然。鄙意以為任何優良完美的法案，必能與憲法的體制毫無出入；反之，如與憲法的體制有了出入，則必非優良完美的法案。如欲以一種與憲法體制有出入的法案而便利於反攻大陸的準備，增加撲滅共匪的力量，達到保衛國家安全，維護世界和平的目的，是緣木而求魚也。良以憲法乃國家的根本大法，且有明文規定「法律與憲法牴觸者無效」，縱有人認為與憲法稍有出入，未嘗不可照案通過，其奈輿情不以為然何？北宮先生既以輿情為必須遵守的準則，不知亦曾思及輿情之遵重憲法否？此使人大惑不解者二也。

自由行使的眞正意義

北宮先生以「憲法三十六條僅規定『總統統率全國陸海空軍』其間獨無『依法』始得如何字樣，足證憲法賦予總統的統帥權力甚大，儘可自由行使。」「憲法之解釋，由司法院為之」之明文，載在憲法，北宮先生個人見解，是否即可作為定論，自有商討餘地。現姑假定其論據為正確，鄙意仍以為所謂「統帥權可自由行使」之意義，乃是有法可依時，必須依法；無法律條文可依時，必須注意憲法之精神而力求其脗合；至如「萬一遇到軍事外交正趨微妙緊急階段」，必須為緊急措施時，自亦不妨以大衆福利為前提而採權宜之處置。所謂自由行使，絕對不是隨意於法律之外想怎樣做就怎樣做的意思。尤有進者，上述之意義，僅限於憲法三十六條之統帥權，三十七條以下各權，則仍必須依法也。本乎此意，則立法院審議國防組織法，固然不應將總統的統帥權加以不必要的法律限制，也不必認為一有法律的規定就是侵犯或限制了總統的統帥權。乃北宮先生於論及此點之時，一則曰「作繭自縛」，再則曰「請君入甕」，大有認為國防組織法與總統的統帥權兩相抵觸不能並存之疑。此使人大惑不解者三也。

林肯羅斯福的偉大處

北宮先生復引述林肯之宣佈停止人身保護狀及羅斯福之改革夏威夷的民治政府為軍事性的組織二事，雖經最高法院判為非法，但倆已由此挽救了國家危亡來證明統帥權之可以自由使用以及其大利。鄙意則以為林肯羅斯福之挽救國家危亡固屬可敬，而其經最高法院判為非法，能不以為忤，殊可表示其守法之精神，更為可貴。設使林肯羅斯福自以其緊急措施為合法，以最高法院之判決為多事，則不成其所為林肯羅斯福也。又美國最高法院於林肯羅斯福為緊急措施時並不予以牽制，而事後毅然判決其非法，則又是深知相輔相成之重要而更能盡職責之表現，設使最高法院明知其非法，而竟置之不問或甚從而曲辭維護之，則亦不成其為最高法院矣。北宮先生一則曰「最好不要像許多人不憚煩、嚕蘇、評駁，『甘受羈勒』，向立法途徑討生活。」再則曰「指摘便論當局為違憲，則於情適足以滑怒，於事又何補於艱鉅？」是認為林肯羅斯福的偉大英明祇有美國才配有呢？還是認為美國最高法院的「非法」判決為徒滋紛擾乎？此使人大惑不解者四也。

此時急需直陳敢言

在此反攻復國的大時代中，蔣總統以及其他政府當局，凡所舉措，無不廣採衆議，反復研求，以期無流弊，而收宏效，事實具在，無待煩擧。所以此時最怕的是並無眞知灼見而縱言龐雜，最急需的是直陳敢言，據理力爭；最怕的是閒話無謂，拖延敷衍，最急需的是勇猛前進，急求事功。而北宮先生所謂「攖鱗折檻」，所謂「不識順逆」，所謂「愚忠激怒」，所謂「適足增怒」，不知所喻者何人？所指者何事？處今日而如此突梯滑稽，圓滑畏縮，甚至提倡優人巧笑，不知將置民族精神於何地？至如現無趙后鄭莊，更何需乎觸讋潁叔？古有殷紂嚴酷，又豈可無比干之心？北宮先生所謂「此中妙理，可供深省」，乃使人大惑不解者五也。

假定誠如自由人編者所言，北宮先生有為立法院作辯護之意，我倒要奉勸北宮先生大可不必，因為事實勝於雄辯，祇要能認清時代，負起責任，拿出良心來去做事做人，盡忠報國莫有不成功的。反之，如遇事顧忌畏縮，拿不出個見解與辦法來，那麼

十五年來的西班牙（下）

李加雪

西班牙的經濟狀況

美國對于西班牙的政策，到了一九五一年才曉得是上了史達林的大當。那一年，美國經濟復興署派了夏芬教授帶同二十五位專家到西班牙實地調查該國經濟狀況。經過了好幾個月的詳細調查，夏芬教授草擬了一本很詳細的報告。將要回國的時候，記者問他西班牙的經濟實況。他答道：

「西班牙的經濟和我這一副行裝相差不多，我這一副行裝是由世界各地搜集得來的。一半新，一半舊，一部份用的是耶魯鎖，一部份沒有鎖，只用繩子束好，可是仍然可以使用，仍然可供旅行需用。現在好些人都以為西班牙是在破產和飢餓的邊緣。事實上西班牙比較任何一個歐洲國家都能夠自給自足。要是西班牙肯將他的生活程度降低一點，西班牙能夠擯棄外國援助和國際貿易，而人民的生活並不遭受到任何影響。」

這是兩年前的事了。自從美國予西班牙以經濟援助之後，西班牙的經濟和建設已日趨繁榮，農產品和紡織品的產量比較從前增加了極大的成數，給予雜當的歐洲以大量的援濟。西班牙已達到了國泰民安的境地了。

國泰民安的西班牙

西班牙國內的狀況比較歐洲任何一國安定。美國的名作家魯伯ROBERT RUARK在他那「再會了，紐約」一文中，對于西班牙有下列的描寫：

「我把全家，太太，狗，鋼琴，好書，搬到西班牙，在鄉間找了一個地方住下。西班牙眞可愛呀，風景優美，沒有電話，汽車，電視，和灰塵的煩擾。在我們居住的漁村裏頭每一個人都望着我們微笑。他們表現出滿足和安樂。

「在西班牙的漁村裏，我做我所喜歡的工作，每天從事於著作和讀書，成績比較以前都好。工作完畢我坐在陽光下面思想。

「在這裏我感覺到快樂而且富足，我恢復了個人的自由，我擺脫了一切人為的束縛！」

在佛朗哥執政十五年之後，西班牙達到了國泰民安的境地。法朗哥並不是一個三頭六臂的人，他的唯一治國的方法只是反共，和清除共禍。故惟有反共清共，才能够走到一個國家達到國泰民安的境地。（續完）

編者　讀者

糾正家長政治

張守正先生來函

編輯先生：

（上略）你們說維持「自由人」，對言論界有益，對你們個人經濟是會有損的。你們決意把家長政治糾正，拖着滿好。最好能標明「家長政治」四個大字出來，引起言論界的注意，與當局的自覺。對國家有好處，對自己也許有害處，……不恭敬！官僚們所謂恭敬，是唯唯，是YES SIR，是千順萬順。今後風氣還是不夠的，例如我們要求政治改革，但使領館還想放了若干飯碗！華僑往往因此疑問，我們何以無人材至此！（下略）張守正十月廿六日寫於盤谷

△蔡俊光，秋文，劉鐵如，有殷活力，黎中天，梁晉生，謝蘊瑤，斗黑，孫土健，集淮翰，劉質宣，黃少游，陳茹玄諸先生：大稿一一收到，不勝感謝！

△蘇鑑明，一夫兩先生：來函已收到。

從蘇聯經濟看蘇聯的百萬富翁

俞燮

（上接第一版）

再將美蘇兩國勞工對於日常用品的購買力作一比對，更證明蘇聯宣傳的荒謬。衣着方面：蘇聯工人要買一套普通的衣服，差不多要化三十八天的工資；在美國的工人，不到三天的工資，就可買到一套普通的西裝了。皮鞋方面：蘇聯工人要做六十六個半小時的工作才可以換到一對皮鞋；而美國工人祇需三小時的工作時間便可換取一對上乘的皮鞋了。食物方面：蘇聯工人要工作兩小時才可賺得一塊麵包；而美國祇要十三分鐘就夠了。日用品方面：在蘇聯一塊肥皂的代價，需要工作三刻鐘；而美國僅要三分鐘而已。娛樂方面：美國工人家庭中普通都有收音機，一天半的工作代價就可以買到；在蘇聯則要十八天的工作代價，才可以換得一具。

從上列的事實比對表示，究竟蘇聯的工人購買力強，還是自由國家勞工的購買力強？已不辯自明了。

至於蘇聯最近也產生新百萬富翁，便認為國民生活水準提高，那是另一方面的意義了。雖然「蘇聯憲法」也准許人民擁有勞動收入與存款生息的所有權。事實上如果你不是布爾塞維克黨的最高幹部，或是[illegible]吃飯之徒，即使莫說百萬富翁，就是小康之家也很難希望的。過去史太林就是蘇聯第一流百萬富翁，其子華西里繼承父產，當然永享富貴，高高騎在人民頭上的新貴族們，以及各階層的工業管理人，何嘗不是富翁？算起來，享盡奢華達七百？不過他們老爺的享受，和一般普羅人民比較，其生活水準，當然有雲泥之隔。所以，若說蘇聯有百萬富翁出現，來高揚已不打自招；若說蘇聯一般人民生活水準提高，否則，除非打破鐵幕，與自由世界人民生活水平相較的！（完）

非洲叢林的偉人施威沙

人物·述評

（一）

（二）

（三）

（四）

·家燮·

·讀·史·述·評·

西漢六經總論（二）

——續讀通鑑論——

毛以亨

漢代六經應運而生

六經爲先王之典籍，漢興在制度上，雖不得不沿秦之舊章，在精神上則非一反秦之所爲，以違法先王不可。漢所以得天下，與秦所以失天下之由，高祖亦自知之，不待叔孫通之言而自明。秦皇之兵，爲六國之最強者，然陳涉揭竿而天下叛秦，顧終爲所敗。秦勢既衰，六國之大強者楚國後人項氏，遂得擁秦主力。然秦與項氏，均藉有訓練之兵，惟恃暴力以自維其政權。高祖則效陳涉，妖言惑衆的方法，再加以攏絡人心的計劃，以勝項氏，故自稱智者不鬥力，所謂智者，即使用文治較多於武力之謂。

項羽之敗，一由于經濟之消耗戰，二由於藉人心以動搖其軍心，而在疆場上之戰鬥，項羽始終佔上風，然終以敗亡。漢所以得天下，乃爲其文治政策之成功，自當寶而勿失，其根源爲效法先王，而抬出仁義的大道理，使其政權基礎，建築在羣衆上。

六經固爲先王之道，在漢初或僅爲散見民間的傳說，誇妄的齊魯之儒，從中補充而改造之，可以說西漢末年始有定本。若周禮左氏，則是時始出，毛詩于是時始見通行，即懷疑其爲僞漢人造出來，亦不因其爲假古董的關係，而貶損其價值。柏拉圖，亞理斯多德的著作，以及聖經，有人疑爲亞歷山大城學者造出來的。然因爲其對後世的影響太大，而迄今仍奉行不衰之故，所以不問其是否假古董，而一樣加以尊崇。六經對後世的影響，爲改變秦代以前用強權由皇帝直接統治老方法，改爲漢以後由皇帝經過讀書人，以間接統治的新方法。中間招出眞正統治者的智識階級，爲君民間的仲裁人，使君主暴力與民間叛變俱以減少，所以中國之暴君與革命俱不易見。

宰相制度之始

是即宋明人所誇稱的宰相制度，而其事則始于漢武帝之以公孫宏經生爲宰相。宰相一詞，其語源出于殷代之冢宰傳說，與阿衡伊尹，然此二人俱主烹飪，以庖司倖臣而參秘密，與齊桓公之易牙無異。（古文家皆如此說，章太炎屢伸其意。）而宰相則爲眞正能代表平民者，其道爲根據六經來干涉君主的行動，使六經等于憲法，而宰相亦似有首相之權。今人輒謂智識階級是幫凶，六經是助君主張目者，毋乃抹殺了政治制度由秦而遞變至漢之故，且使智識階級負冤千古了。因法先王而爲六經，演成禪讓之虛僞局面，自王莽，而曹操，而司馬氏，使禪讓之害，勝于征伐。至五胡亂華，而國幾不保，遂捨讓禪之空談，而重返征伐之實際，亦可謂不齒用六經了。

六經的次序

西漢人之於六經，爲秦漢模的通經致用主義者。其六經的次序爲詩、書、禮、樂、易、春秋。詩經先發達，高祖之弟楚元王交，與申公同事浮邱伯，申公爲魯詩說，而元王亦有元王傳說。然這些人好以政治說詩，不如毛詩之純，故惟毛詩得傳。這些詩人，並沒有了不起的詩教修養，浮邱伯曾事呂后，申公在景武二帝時俱入朝，所言亦殊淺俚。詩教所以漢初即盛者，亦以有實用故，項羽之四面楚歌，非藉詩教以敗之歟？呂后與戚夫人互相攻擊，非藉詩教以諷高祖歟？章學誠以詩教爲縱橫家流，即無韻亦可爲詩，而有韻非悉皆爲詩。行人之歌，勞而忘倦，古時軍役，殆如工役之前者倡邪而後者倡許。項羽有拔山之歌，固爲軍歌，高祖大風之作，亦爲軍歌。大風首句，乃指一段軍事經過，即高祖以五十六萬人，入彭城，爲項羽所敗，全軍盡沒，幸遇大風，對面不見人，始以身免，特讀者未細察耳。以軍歌而演變爲承平時之交際歌，乃以古歌之詩經爲教材，自爲演變應有之順序。

論電力加價及其有關問題（下）

姜漢生

證明公營事業的獨佔性與對國民經濟的影響而已。（作者註：美國除國營的「TVA」電氣公司外，並有許多民營電廠存在。）似這樣握有本省大部份生產企業的公營事業，如確能有益於政府的財政收入與國民經濟生活，則自光復後這多年來，早就該使本省經濟繁榮進步了，何至今日尚在鬧着開放國營事業呢！

雖然最近政府已開放四大公司交由民營，然而這依舊是不夠的，我們希望政府速下最大決心，開放更多的公營事業，使整個台灣經濟情況得以起死回生。至於影響到出口方面則是產品滯銷，而不得不求政府的補貼。國際市場價格最近普遍下降，而本省的物價特昂，更加產品粗劣，豈能在國際市場一爭短長。國內市場有限，焉有不滯銷之理，於是公營事業多增產一份，則政府多賠累一份，這是有目共睹的事實，無容贅言。

片面加價於事無補

復次，台電這次是爲了資產低估，折舊少扣，爲求合法利的情形，又何止台電一家，所有的公營事業豈不均有類似情形存在？台電公司開了例，別的公營事業有不急起直追的？台電加價自不免有影響市場的問題發生，一班公營事業，加價，產品更難外銷，不加價，依台電公的解釋，豈不要立關門？而且台電加價是普遍的，則以台電爲動力的生產業豈不要更提高成本，而更難外銷麼？因此筆者認爲單是片面加價不能解決問題，加價固對台電有益，但它對整個生產事業却無補。澈底的解決問題方法是在於我們的財經當局，迅速調整外滙管理政策。關於進口，撤消統購與申請外滙的審核制度。現在的情形是，幾乎所有原料的進口，全由中信局及物資局（兩者均爲公營）包辦，這些機關則在材料的原價上加上幾達一倍的手續費及其他費用；即使如此，這些高價的統購也還是有限的（公營例外），民營事業對於其申請統購不具有把握，於是只得趨向於黑市，利用走私的方式，購進所需要的材料，而這是多麼危險又犯法的事，試問這樣他們怎能談得上控制生產，更何從談得上大量生產與爭取市場呢？

外滙管理政策應調整

從對外滙率一點講，它也是影響本省出口的主要因素之一。自改革幣制以來，物價已普升六倍有餘，而我們的對外滙價却一直穩定在十五元的界限，這樣的低估外滙除對那些擁有實績的進口商製造一些特殊利益而外，還能達到任何其他目的麼？它扼殺了出口事業，它窒息了本省的工業生產。於此可舉出一歷史事例以爲證明：一九二五年四月英政府以戰爭前平價，訂定英鎊與美元之滙價，即英金一鎊合美金四點八六又三分之二元，此實對英鎊之估價過高，就其時英國物價而論，英鎊實較此爲低，此項錯誤之決定，遂使英國出口商蒙其不利。出口貨物之生產成本決於國內物價水準，而其售價則決定於國際市場價格，因英鎊估價過高，遂使其產品在國外處於不利之競爭地位，嗣經英國當局速予糾正，調整對美元之滙率達其自然水準，局勢始逐漸好轉。現在我們的對外滙價偏高程度更甚於英國，其嚴重情形較之英國自是不言可喻。難道我們的財經當局，就不能面對現實，當機立斷，迅速調整現行的對外滙率麼！（完）

台灣灘頭堡

·書影·

費吳生夫人著　湯象譯　亞洲出版社出版

最近中共叫囂解放台灣，跟着消息傳來金門大陳已發生戰事，這些消息，表示中共大有進攻台灣之勢，因此，台灣的安危令人關懷，台灣在自由國家中的地位，亦更顯得重要。

在這風雲密佈，國際情勢變化多端之際，有一本書是很值得我們一讀的，它就是最近出版的「台灣灘頭堡」。它可以告訴我們台灣是一個怎樣的地方？是否會被中共「解放」，或者是永遠做成亞洲自由陣綫的中流砥柱。

（一）

「台灣灘頭堡」的作者費吳生夫人，她是一個外國人，但她却在中國住了半生，所以她對中國十分熟識，她熱愛中國，她相信自由中國是美國的眞正朋友。她寫這本書是在一九五〇年跟隨一班記者到台灣觀察後寫成的。它告訴我們若干關於自由中國的政治，軍事，經濟，以及風土人情。我們讀後，可以知道這個永遠被人們稱爲「美麗島」的台灣是如何美麗，在軍事上有甚麼價值，爲甚麼過去和現在值得各國作爲爭奪的對象。

本書一開始，便把台灣的大概素描出來。作者從飛機上看到這個美麗島橫臥海中，島上山巒起伏，地勢險要，和一片廣泛的原野，確是一個軍事重地，和可以安居樂業，幸福生活的地方，難怪日本人常常想侵略它，對之垂涎欲滴，但它究竟是中國的，不許別人佔有，因爲最先發現台灣的也是中國人。

作者跟着介紹島上的人民生活情況，經濟政治的形勢，和耕者有其田的制度下，台灣農民的生活是怎樣，他們是如何自由地去耕着自己的田，和過着幸福愉快的生活。

（二）

本書除了介紹台灣的社會情況之外，它還指出幾點國際間的秘密，和國民黨退守台灣的前因後果。

大家都知道，國民黨自從一九四九年因中共竊據大陸而退守台灣後，大家都懷疑中共爲甚麼會有這麼大的力量。這一點，作者在書裏指出，中共之所以能夠佔據大陸，是因前美國民主黨太輕視和他們在第二次世界大戰中並肩作戰的中國，同時將中國的政治估計錯誤，以致弄成五億人口淪陷在水火中。雖然，我們不能說是美國出賣了中國，但至少也要擔負一部份的責任。

所以，若果美國要填補這個責任的話，必須要協助台灣打回大陸，並不能僅以第七艦隊保護台灣，便算了事，但是，四年過去了，而美國始終未能作到這一點，反之，自由中國爲了要重返大陸，大家一心一意埋頭苦幹，在這四年內，不但把經濟穩定，而軍事上也有很好的表現，他們已練得一批精壯的部隊，並且把準備的工作也完成了。現在，他們要向大陸進攻了，但缺乏新式兵器和戰艦，正等待美國的援助，但美國却遲疑不決，怕將美國的青年鮮血流在異土，他們好像聽不到台灣的呼喚，台灣並不需要美國的兵士，[illegible]戰，他們已有[illegible]對付中共，他們只要飛機，大炮，軍艦，便可把中共驅出大陸。

（三）

這幾年來，台灣的地位已改變了，它已成爲在國際間強大起來的一員，它是自由國家中不可缺少的一員，它的軍隊強大，而他可以封鎖大陸，扼殺中共的經濟命脈，同時，它是亞洲反共國家的重要據點，菲律賓，關島，日本的前衛，在反共戰鬥中，台灣是亞洲手中的；不然，亞洲就會淪亡，而美國亦不能高枕無憂，我們中國人，必須要了解自由中國的台灣，且在這個混亂不安的世界局勢中，我們更要清楚它。所以「台灣灘頭堡」是我們中國人不可不讀的一本書。

香港工業飛躍發展

爭得國際光榮地位

香港工業界在商業談風中獨樹一幟，它的地位已逐漸爲國際間所重視。首年來香港幾乎一直處於被動地位，現時却已在國際貿易市場取得了主動，由轉口的吐納港，成爲亞洲出口商埠之一。假如不是中國大陸陷共，大量游資和工業設備以及技術人才的洶湧南來，香港工業發展斷不會如此迅速，亦不會有今日的成就。這很明顯的反映出，避難來港的廠商，對香港工業界已產生了決定性作用，而且對於共黨的虛僞宣傳，作了有效的打擊。國際間儘管有人幻想與中共建立貿易關係，香港工商界有識人士自始均表反對，這種堅決態度，已爲自由世界一致讚許，這是不容歪曲，也無可否認的事實。

五年來香港工業界的產品，無論膠膠、搪瓷、紡織品，不僅足夠自給，且可以運銷世界各地。雖然，大陸的市場已予放棄（事實上中共亦不允許進口），却已獲得國際市場來替代，因此，不與大陸交易，對於香港整個經濟而言，非但並無影響，反而由於提高工業界競爭心理，賺回十百倍與大陸的外滙。不過港府頻年替工業界開拓途徑，鼓勵和介紹，其重大的成就，也是無可否認的事實。舉凡日用必需的工業產品，港貨不特替代了一部份過去日本所佔有的東南亞市場，而且已在歐、美、非三洲的廣大市場上，建立了良好的基礎，這對於產品的改良也是與其他地區的製品具有重大作用的，尤其五金、膠膠、搪瓷製品的改良，甚多可以與舶來品抗衡的，香港人似乎誰也樂予採用本地貨不需外貨了。

工業產品種類的增加，也是與外貨競爭的另一有利條件，那麼著的事實，可在每年僑資工業展覽會中見到，展覽會參展製品數字直線上升，以十二屆參展的單位爲例，已由過去的四十五個單位逐年遞增至六百個單位以上；再就往顧的觀衆而言，去屆竟達八十五萬之多，幾佔人口總數三分之一強。今年的工展正在加速籌備，攤位因地制宜，比上屆多，比歷屆更多。工業界人士於極度興奮之餘，今年首屆「工業節」（十一月十一日），先期於一日八屆「商人節」之日預祝，其熱烈情緒，充分反映出香港工業前途的光明面。誰也盼望香港的工業界人士努力的結果，將成爲國際貿易市場主要一員，揭開世界工業史上新的一頁。

紅朝百態錄（五）

·牛布衣·

母親英雄

中國共產黨做做老大哥蘇聯，大事鼓勵人民生育。凡生有八個以上兒女的母親，可以得到「母親英雄」的榮譽，同時可以領到獎金一千萬人民券。在共產國度裏，榮譽一類的東西已經消失了吸力了。可是獎金却是人人渴望的。一千萬人民券約等於二千元港幣，數目雖然不大，可是在每日只能夠吃兩頓稀粥的大陸同胞看來，的確是大大的吸引力。

特別是在共黨幹部埋頭，自從「母親英雄」的獎勵法頒行之後，男同志時常半假半眞地取笑女同志說道，「恭喜你做「母親英雄」。」女同志亦點頭會意，笑而不言。到了「無衣一身輕」的境地，一千萬人民券的價值可能等於整個紐約華爾街，那個不垂涎，這一筆天外飛來的巨款呢？

×　×　×

華中某市的一個區政府有三十多個同志。男的佔三份二，女的三分一。這是同志裏頭一種普遍現象，男性過剩，女性却求過於供。

許多青年喜歡做同志，便是因爲裏頭男女雜處，接觸的機會多。男女同志因戀愛而成眷屬的彼彼皆是。

區政府辦公處是從前富豪的一所房子，沒收了，改作辦公處。這個房子一共兩層，每一層有十多個大房間，樓下是辦公室和男同志宿舍，樓上是軍事代表的辦公室和女同志宿舍。房子外邊還有一個大花園。

男同志分班辦公，日班由晨八時至下午四時，晚班由四時至十二時。女同志都是晨班。

（未完）

文化整風以後

·馬五先生·

台灣的文化界最近經過一次「清潔運動」的整風工作，把十種「有害」刊物明令停刊後，竟然文風淳樸，氣象整齊嚴肅，無懈可擊了！

然而，文化病既用大黃芒硝之類的烈性藥劑攻瀉以後，必須及時疏導培補，保持元氣，否則將陷於衰憊，生機窒縮，形同一池死水。

我不相信那些誤爲刊行所謂黃色黑色赤色毒素文字的人物，個個都是沒有國家民族觀念，而自甘墮落沉淪的時代落伍者。他們之所以如此違紀，是否也跟一些報館編輯和主筆先生的心情一樣，專門刊官方消息，爲國際論文，以期避免招來思想上的煩惱與疑懼呢？這項重要的心理分析，在大力整風之餘，值得大家慎思明辨，加以反省呀！

文化思想只能誘導疏解，使其向上發展，倘是劍拔弩張地從事撻伐，結果必形成萎靡沉寂，毫無生命力的文化體質，而漸漸地歸於「闃寂」而後已。我們都知道先秦之際，是中國文化思想發展最有光芒的啓蒙時期，中國文化能在此發育健全，造成今日，即因諸子百家的學說爭鳴，互相辯難攻錯，追求眞理，百無禁忌也。

誘導文化思想向上發展的方法很簡單而平凡，就是讓自由！除卻共產邪說之外，在動嘴不動手的制約之下，任何思想言論，皆無所假借，讓他們在自由自發的氣氛中發揮，那些消極的思想形態，雖不敢說絕對沒有，但保險它是不會容易滑進窮途的！

×××

記紅豆詞人·吳倚

·東郭牙·

詞話：「湖州吳詞有『把酒祝（不作囑）東風，種出雙紅豆』。梁溪顧氏女子，見而悅之，日夕諷詠，四壁皆書二語，人因目湖州爲『紅豆詞人』」，故吳氏晚年，亦以自號。至其原詞爲「醉花間」云：「這時候，憶時候，時與春相湊，把酒屬東風，種出雙紅豆。鴉啼門外柳，逐漸教人瘦，花影暗窗紗，最怕黃昏又。」[illegible]

[illegible]官辭，得東陵田七十，好作孝穆千山語，補出雙紅豆」[illegible]，世之優孟韓，歐，訂班，范者，不屑也。」所作塡詞小令，兒女子，皆能諷之，有融陵閨秀，[illegible]詞兵：「把酒囑東[illegible]

[illegible]飄零，怨姿身焉，投「減字木蘭花」，有：「若背憐才，網取梅花嶺外栽，」卒不果，抱恨而逝，牧其詞鈔中，歷見憶洗之作。

吳氏父寶（公）博雅好友，於國變，頗能仗義鄙人。母徐氏，相夫訓子，均極賢淑，生方五歲，即已能詩，其淹貫所甚，殆有自矣。所著「林蕙堂集」二十六卷，歸芝麓爲之校，號紀（永之）重訂，所爲駢文，譜初，宗（維崧）與並稱，相交有素，契合實，惟吳稍弱，陳則源于山，泛濫於初唐四傑，吳乃追步商險，秀逸特長。詞出小令見工，而長調多沉稼軒。間有學北宋者，終爲才力所限，」著有「嶺南風物記」，典雅比於「桂海虞衡」，所輯「宋、金、元、詩永」亦爲藝林韻事云。

余讀心，與吳氏交游篤厚，集中長調，多用余韻，間有稼軒神韻，如四十九日壽——念奴嬌——

「次公狂甚，詠朝僞坐，愛山台上，魚鳥江湖聊自得，怡學市兒宦樣，衙散栽花，公餘放鶴，忘卻稱州將，閑樓一嘯，此身如在閬障。遺想張趙當年，埋輪破柱，意氣眞何壯！欸效前人猶未可，容憶牛衣相向，塞馬功名，海鷗時世，寧必分欣悵，月明高興，笑予何遽非亮？」湖守再滋，乃作此詞，其襟抱瀟灑如此。

「林蕙堂文集」卷六有「紅鵝生小傳」，摛腴典麗，引以自喻：

「高士橋西，是孝尼之故第，讓王嗣（闕）側，爲彥博之名闕，槐柳交陰，蟬聲一巷，松篁邃密，鳥語四時，盍其間有紅鵝生焉。生夙負英姿，早懷壯略，緣奉鯉趨之訓，遂忘鯤化之圖。陶元亮之佳兒，罕求聞達，王猛仲之門士，不幸際用，柔合貞，固其所也。于是寄懷六籍，極力四聲，[illegible]

[illegible]器，復因奇而富，鋒於古成斗，瓣乎周禮之文，之記。王將軍之庫內，若其五材，李公子之儀中，厥非三代。苟其堂中陷者，不妨貨買徐熙，若逕袖裏懷珍，必直狂呼米帶突。而且傑同北海，催醉詞人，坐擬西園，偏辭熟客。杜司勳解官之後，始訂忘形，稽中散偃臥之餘，還爲納契。[illegible]

[illegible]

自我毀滅

·短篇小說·

·洛琦·

不久，潔琪離開了學校，她看到許多以前追求她讚美她的男子摘着比她年紀老，甚至比她更醜的女子跟着結婚進行曲的節拍進入教堂。女同學們的結婚帖，也一張張飛入她眼簾，她憤怒極了，沒有仔細看淸楚是那個同學的喜事，就放它在抽屜裏燒毀。自然她是不高興參加任何同學的婚禮，對於那些男人，她還是不明白，爲甚麼竟捨棄了她，而和沒有一樣比得上她的女子結婚？

[illegible]，她無法爲自己解答，她開始覺得無可挽回，如此迅速，她想到自己已經步入生命中灰色的階段了。她覺得她的這種不合理的性情，應該改變過來。一天，她又接到一個同學的結婚的請柬，便懷着萬分喜的心情去參加，雖然人們對她有點冷淡，但是這時候的她，已知道這是應有的報復，也就沒有去怪責別人。

她的美麗和華美的裝飾，和以前一樣，仍容易吸引別人，所以人家對她雖然沒有從前那麼熱烈，她還是男人們的舞伴對象。在這些人的圍繞下，她大爲高興，驕傲又在她心裏作祟。但她很快樂就把它壓抑下去。她決心以最純眞的愛，去換取男人的眞摯情愛了。

舞會中，接連幾闋音樂，她都被男人們邀出共舞，她踏着音樂的節拍，好像今夜才感到第一次的溫馨。她習慣於孤寂的心情，今夜才感到眞正的快慰。她想着到底快樂不沒有拒絕她。幸福本是要自己去尋求的。

因爲家離得很遠，她很早就離開這晚會，她的姑母雖然對她十分寵愛，却從不容許她回家太晚的。這時候還早，舞會裏的人都正玩得興高彩烈，她離開時，誰都沒去送她，這使她未免惆悵。一踏出這所房子的大門，她就跳上她的汽車，疾馳而去。

「假如要想從今夜的舞會中找尋對象，那也不是容易的事！因爲人家還是不了解我的。」路上，她一直想着這句話。她覺得今夜玩得太急促，好像對別人一點印象都沒有。但是這畢竟是一個難忘的日子，因爲她覺得自己能夠改變，還是值得慶幸的。

一路經過淺水灣道，她隱約聽到起伏的波濤，帶着海洋氣息的風，吹走了她的僅有的煩惱。於是她愉快地哼起一個短的曲。路上很少車子往來，遠處的燈光，和那倒映着霓虹光管的海水，形成一幅美麗的圖畫。她突然感到，這似乎成了她獨有的天地了。

忽然前面有一輛汽車迎來，使她不得不注意於駕駛，連腦袋也不敢撥動，眼角祗見路旁一排排的樹木，靜靜地向後倒去。風拂亂了她的一頭的秀髮，她還是不敢抬起手來整理一下，任憑它亂飄。（三）

遙祭黃陵

·賴愷元·

大漢揚天聲。雖爲謁墓情。橋山慈烝蒿捧土。涿鹿想鏖兵。對越慚不烈。薦至誠。幾時石馬汗。精爽助收京。

次韻劉太希奉懷之作

曠代風騷歇。雕龍尙有人。平生最蕭瑟。繾綣見天眞。耿耿孤忠動。堂堂琢句新。中原懸一髮。涕淚盡胡塵。

蘇州憶語（上）

·仇簸·

（一）

蘇州舊治爲府，民國以來，纔改爲縣治，名吳縣。牠是一個古老的城市，從周末戰國時代的吳國說起，五霸之一的吳王夫差，就建都於姑蘇。因爲古蹟名勝和文物萃會所在，所以國人多稱爲人間天堂。事實上的確可以名符其實，一是魚米之鄉，不愁食，二是出產絲綢，不愁衣，三是享受，有蘇州特產的糖菓糕點和食品。至於吳儂軟語，人物麗秀，和當地的風土人情，都能使人聞之而神往，就之而留連。尤其是詩客騷人和姑蘇結下了不解之緣，從唐人張繼的楓橋夜泊詩：

「月落烏啼霜滿天，江楓漁火對愁眠，姑蘇城外寒山寺，夜半鐘聲到客船。」

看來，就能引人入勝了。不過張繼當時僅僅路過姑蘇，船停在離城十多里的楓橋地方，既未進姑蘇城遊玩一番，連著名的虎邱山也未去過，不然的話，一定會留下更多關於姑蘇的詩，也許不止這一首呢。

清朝乾隆下江南，也賞識和讚美蘇州。他在蘇州留下很多御筆墨蹟。以及唐伯虎的風流佳話，皆爲街巷婦孺所樂道。

可是我對蘇州也有我的一種看法，我是科學家，自然是用科學眼光來觀察牠。

（二）

我到過蘇州的次數，可說數不盡。民國初年，我是高小學生，就隨同學春假旅行，時常到蘇州遊覽。我的五嬸，病歿蘇州，我曾到蘇州幫忙喪事。我的確愛蘇州，最後我的終身伴侶，當然——當然也是蘇州人了。

蘇州城是一座古老的城，周圍城河環繞，城牆的建造遠在春秋戰國時候。城距太湖十餘里，西郊多湖沼。東北方有陽城湖，東南方有澄湖，最大，爲出產著名陽澄蟹的地方。城內小河縱橫，與街道齊，可通舟楫。水陸交通並行，單就橋的數量說，就有百五十多座。牠的特殊，也就在此。只有歐洲的維乃底適城和牠相像。若就市土木工程的看法，這些小河，縱橫交錯，是很有計畫的下水道，是極合衛生和城市建設的。護城河水道有四，由盤門[illegible]出城，流入城外大河。

[illegible]

（三）

[illegible]天能夠集合資本來開發牠，這也許是我的夢想罷。

民國三十八年春天，我最後一次到蘇州，小住數月，就離開牠。[illegible]

桃花江是美人窩

·力典·

「桃花江是美人窩」，許多朋友由于[illegible]

[illegible]

自由人
THE FREEMAN
（第三八四期）
中華郵政登記認爲第一類新聞紙類
香港政府登記爲新聞紙
每逢星期三星期六出版
每份港幣壹毫
台北市館前街七號
督印人：雷嘯岑
地址：香港高士威道二十號四樓
3 rd. fl. 20 GAUSEWAY RD HONG KONG
香港發行及接洽廣告

論憲法的覆議權

陳茹玄

依照我國現行憲法第五十七條之規定，移請覆議權得在兩種場合行使：一、在立法院有要求行政院變更「重要政策」之決議時；二、在行政院對立法院決議之「法律案、預算案、條約案，認爲窒礙難行時」。遇到這兩種場合，行政院均須「經總統之核可，始能移請覆議。」而覆議時如經出席立法委員三分之二維持原案，行政院院長應即接受該決議或辭職」。

覆議案的重要原則

這種規定的最大用意就是要使行政院「對立法院負責」。故本條之所謂「覆議」是被動的，被打回頭的覆議，而非立法院自動的再來一次的覆議。是全案應否「維持」的覆議，而非案中某條某項應否「修改」的覆議。因其是被動覆議，所以憲法明定特別程序爲之處理，而不適用立法院的普通覆議程序。因其是全案覆議，所以憲法僅規定「維持原案」之條件，（即出席委員三分之二）毋須說到不能獲致維持原案條件以後的辦法。蓋不「維持」，便是打消，別無任何修改任何折衷的問題可以討論。即有之，亦只能另提一新的法案以圖補救而已。可見本條所指的覆議案與修正案性質完全不同。修正案可由行政院向立法院隨時提出，（憲法五十八條規定行政院有提案權）立法院亦可隨時依普通程序處理。覆議案則必依憲法特定程序處理。且五十七條所說的「維持原案」及「維持原決議」並沒有加上「或原案之部份」及「決議之部份」等樣文字，可見所指之案或決議均爲整個的，而非部份的。因爲部份的不同意，儘可作修改案提出，無須經過移請覆議的嚴重手續。從這幾點看來，我們可歸納到兩個原則：第一、覆議案必具有重要政策性，爲立法行政兩方爭持的焦點，倘不獲致解決，可以促成行政院院長辭職，及內閣改組的嚴重結果。第二、覆議案必爲全案，立法行政兩方所爭的是在該案的基本精神，而非該案枝節的部份的問題。倘是枝節的部份的問題，行政院就可向立法院建議修改，毋庸用覆議程序請總統核可。更毋庸以去就來爭了。（因憲法規定覆議時如立院仍維持原案，行政院院長如再不接受，便要辭職。）

行政否決權

原來五十七條所稱之覆議權，就是行政否決權（EXECUTIVE VETO POWER）是國家元首對民意機關所通過法律一種有條件的否決。也就是說如能滿足某種「條件」時，這個否決仍可作爲無效，（如得三分之二維持原案時等等）。這種否決權，無論在民主或君主國家都是屬於元首的特權。但在實行內閣政治的國家，因元首不負政治責任，負責者爲內閣。而內閣又必爲國會大多數所支持，同時閣員又多兼爲議員，行政、立法兩方息息相通，一切問題均可由極簡單的「信任投票」解決。故元首的行政否決權，事實上沒有機會行使。例如英王對巴里門的否決權，法律上是存在，且不可抵抗的。但由於英國內閣制度之發展，英王的否決權，事實上永不使用的。又如法國總統依照第三次共和及第四次共和憲法，都有一種「和緩性的否決」（SUSPENSIVE VETO），對國會法案如有不滿，可將原案送回並具書面理由，要求再度考慮。如國會覆議時再獲過半數之通過，總統必須將該案公佈。但因爲法國採用內閣制，總統這種否決權亦自始即未嘗使用，久已成爲死法。

美總統的否決權

至於美國是行總統制度的國家。總統是國家元首，同時又是行政最高負責人。行政是獨立不倚毋須對立法部門負責的。憲法對於立法、行政、司法三部門各有其本身以外的特權，以爲制衡其他部門之用。總統的否決權便是行政對立法的制衡工具。國會通過的正式法案，均須送經總統簽署。如果總統反對任何一案，拒絕簽署時，就須於該案送來後十日內退回國會，說明反對理由，請其覆議。如果覆議時參衆兩院出席議員三分之二仍維持原案，該案即成法律，無須總統簽署。否則就此打消，亦無須再事討論。而且總統否決法案，必須作全案否決，不能分項否決。即對撥用經費的案，亦不能分項否決。這是經過大理院的解釋百七十餘年來憲法慣例，並非偶然的。（美國各州雖有特許行政官對撥用經費案可作分項否決者，然亦僅以撥用經費案爲限，其他各種均須全案）美國總統否決權的主旨，固然是在於起制衡作用，同時也在於解決立法行政兩方的爭執。總統雖常常行使否決權，但也不一定生效。如一九四三年羅斯福否決「反罷工法」認爲該法侵犯人權，而且遭全國工會的反對，但是國會就認爲是戰時之需要，該案遂獲致三分之二的支持而成法律。相反的，在一九四七年杜魯門否決共和黨所提的新稅法，該案在國會覆議時未能得到三分之二的通過而打消。近來很多議員和學者覺得三分之二的規定限制過高，總統權力過大，流弊滋多，建議修正憲法改爲過半數者，但至今尚未能成爲事實。

我國制度近於美憲

我國憲法所採的政治制度，是要行政院對立法院負責。但是在行政與立法兩方重要政策不能一致時，憲法卻沒有採用「不信任投票」或「解散議會」兩種方法來把問題解決。而僅利用行政否決權移請立法院覆議以作最後之決定。這是我們的制度與內閣制及總統制均有不同的地方。我們的憲法是要利用行政否決權打回覆議，使兩院爭執有個迴旋餘地，以期達成行政對立法負責之最高目的。否決的作用雖然不同，否決的性質和程序還是和美國一樣，而且是以美憲爲藍本的。

否決權不宜濫用

說到否決權的性質，它是國家元首相當重要的特權，不可隨便濫用的。在美國行政否決的行使，必當總統確認某法律案有違憲之處，或妨害國家利益，背反人民公意，或事實上無法執行之時。（雖間有用於黨派利害關係的，但這是黑幕內的事，不能公開的），遇到這種場合，總統可以拒絕簽署，將原案退回國會要求重新考慮。德國威瑪憲法則規定總統對國會通過的法案如不贊成，可交選民複決，由全國人民來決定該案的命運。從此可見否決權重要之一斑。所以我們的憲法，對於這種特權行使的程序，就不辭繁瑣詳爲規定，而且特別指出覆議對象必爲重大政策之決議，或有關國家大計的法律案。這便是充分說明行政院不是對於任何不相干的案，或案中一小部份的問題，都可以假借元首特權來移請立法院覆議的。否則一字一句的不滿，就要請總統核可，送立法院覆議；而立法院也就要用出席委員三分之二的大多數始能維持原案，則立法院出席過半數通過的一切法律條文，均可因覆議時少數人的反對枝枝節節的取消。揆之憲法精神，及立法原意，決非如此。所以我們的結論是：

一、憲法第五十七條所規定的「移請覆議」即是「行政否決」權的行使。

二、行政否決權是國家元首的特權（憲法要總統核可就是此意）必遇重大問題始一行使。

三、任何否決的案，必指全案而言，不作分項否決。立法院覆議時亦不作部份覆議。且僅在「是否維持原案」問題作表決，不作如何修正或如何補救的討論。

四、行政院對於立法院的法律案，如須有部份的更改，可於公布後隨時向立法院提請修正。無須使用元首的否決權，亦且不可使用元首的否決權。

兵役施行法不宜覆議

基於上述理由，作者對於近日行政院將兵役施行法第十四條用覆議方式移請立法院修正一事就認爲與憲法原意不符。蓋姑無論提請「修正」與移請「覆議」是兩種不同性質的東西，彼此不能代替，亦不能混合使用，而且兵役法施行法是法律的施行細則，其無關於「重要政策」者甚明。何況其移請覆議的內容又僅爲該施行法中的第十四條，（關於出洋學生之軍訓問題），已不稱覆議的分量，又不合覆議的條件。所以到了立院，便因處理的困難，引起冗長的激辯。癥結所在，就因爲行政院拿修正案當作覆議案送來。所以無論依憲法程序，或立法院議事規則，或兩者合併來處理，都感覺到難臻妥善境地。我們行憲不過八年，經驗尚屬幼稚，得了此次教訓，各方都增長一番見識。尤盼行政當局今後對移請覆議權之行使特別愼重將事。循法治之正軌，以維憲法之尊嚴。則幸甚矣。

回教民族與中亞命運

曾旭軍

筆者於本刊上一期發表一文，指出中共蘇俄最近所簽訂的協定，在便利蘇俄陰謀掌握亞歐大陸的心臟地帶，以實現其征服世界的企圖，此一協定對世界和平實具莫大的危險性。茲進一步研究此心臟地帶的經濟價值，與蘇俄經營之野心，最後指出此一地區回教民族的偉大潛力，實爲避免共黨侵略所不可忽視的力量。

中亞細亞的經濟價值

中亞細亞，地勢以東南部山地爲最高，北部是平原丘陵和高原的錯綜地區。西南大部份是低地。雖然中亞細亞純屬大陸性，雨量稀少，但河流區域雨水亦豐，離河流遠處亦可開鑿坎井利用地下水灌溉，成爲許多沃洲，泥土肥沃，特別宜於植棉。現在棉花已經代替了以往的小麥和稻米，居於大宗產物地位。它的產量佔全蘇俄的棉產量十分之六。哈薩克共和國成爲本區的重工業地帶。南部蘊藏煤和石油。據最近報告稱該區發現石油蘊藏三十億噸。可與巴庫石油相匹敵，而稱爲「第二巴庫」。工業部門據克姆林宮新計劃，在該區發展輕工業，以紡織食物爲主。塔什干便是棉紡織工業的巨擘。最近蘇聯有一個很大的成就，便是把紗廠都搬到突厥斯坦。最大的製棉紗廠是史太林紡織組合聯營。設在塔什干，還有世界上最大的蠶絲工業，便是在瑪格蘭的絲業組合聯營。產出的絲綢供給作製造降落傘之用。

至於農業，有蘇聯第二號巨頭，蘇維埃共產黨第一書記赫魯曉夫策劃進行的哈薩克集體農場。他在本年初推動其新計劃時，自認以往蘇聯的農業失敗。目前要「糾正歷年來國家經濟計劃所犯的錯誤」。他徵集了四十餘萬人到哈薩克的集體農場。據新德里「思潮週刊」所說，倫敦泰晤士報特約通訊員作批評道：赫魯曉夫的集體農場計劃失敗。許多人民怠於耕種。俄國農民不依照蘇聯政府的計劃行事。三十年來已有多次。從前史太林曾用流血手段去對付。他以奴隸制度去鞭策勞動，沒有人知道有若干政治犯替蘇聯經營西伯利亞，支付了多少性命。無疑地至少犧牲了四百萬人，多則可能至一千萬人。在一九三〇年後的十年，烏克蘭的自由農幾乎完全被運輸到西伯利亞去實現史太林的集體農場政策。

勞奴領袖赫魯曉夫

當日主持運輸烏克蘭農民到「農業城」的人，便是今回率領蘇俄代表團到北平談判，而與毛澤東共同發表聯合公佈的赫魯曉夫。三十年來他是主持勞動奴隸的領袖和專家。他原是烏克蘭人。但烏克蘭人被他弄到家破人亡，骨肉離散的，不知幾千萬人。共產人是不惜賣祖宗賣祖國去求榮的。赫魯曉夫在一九一八年加入共產黨，一九二四年以後數年，他便執行清算地主工作，將成百萬的農夫流徙。一九四七年主持集體運輸烏克蘭農民到「農業城」成績彪著，膺「勞動英雄」的銜頭。

（下轉第二版）

華週展望

旭軍

驕象之爭

美國會改選結果揭曉了，共和黨遭重大挫敗，民主黨在參衆兩院席位數目來看，已居於完全控制國會之勢。各方面輿論都認爲外交政策基本方針不致有何變更。但這是籠統的說法，沒有作確實的根據，和深入的觀察。美國政治的內幕從大體上說來，是四個派別的悲歡離合，即共和黨右翼，共和黨左翼，民主黨右翼，和民主黨左翼。固然這裏所謂左右不過是一種說號，並無前進落後與善惡的分別。不過左翼份子比較追蹤未來，注意美國勢向外擴展，對世界有一種雄心。右翼方面比較留戀既往，比較堅持十八十九兩世紀政治哲學，着重個人主義，經濟事業的放任主義，與州政府憲法賦予的權力之不可侵犯。而至於外交政策仍是從各州的經濟利益出發，由它們延伸出來，仍然是代表各集團的經濟利益。其內容複雜，非一言可盡。但我今祇就與遠東前途有關的來觀察。近十餘年來外交政策以上次當政的民主黨左翼份子所主張的根基勢力最深。這一派以北方各州民主黨爲主幹，加上南方之的數派形成所謂「歐洲第一」派。在外交政策方面，言以歐洲是親英的。美國民主黨就是隨親英政策以俱來。其歐洲政策的尾巴。他們以國際合作好自標，爲「國際派」，稱反對者爲「孤立派」。骨子裏就是英美合作。共和黨的右翼，便常受「孤立」之譏。其實所謂「孤立」，是反英份子的結合。美國初期的歷史是一部和英國鬥爭的歷史。美中西部反英情緒不能一時消滅。他們標榜光榮的孤立。就是不替英國由火中取栗。所謂孤立也者是指對英外交而言。胡佛、麥克阿瑟、與已故的塔虎脫三位共和黨右翼巨頭，都抱此見解。在外交政策方面，共和黨左右翼意見甚不和協。共和黨的左翼常同情於民主黨左翼的外交見解，而反對共和黨的右翼。現任國務卿杜爾斯便是共和黨左翼鉅子。他們的外交一面是親英，主張盎格魯撒遜民族攜手，拯救英國困難。一面又和英國的殖民地利益經濟利益有內在的矛盾。他們深信歐洲第一政策，但遠東方面共黨猖獗，又逐漸高叫「歐亞並重」。骨子裏還是歐洲第一。回憶當年民主黨也曾欲推選他做民主黨的總統候選人。現在他名目上雖然是屬共和黨，但他的政見當然是屬共和黨左翼的了。

因此我們看美國會改選，民主黨佔控制兩院優勢，可以斷定歐洲第一的外交政策不變，或有加強可能。其理由是共和黨右翼的勢力更弱。因此艾森豪威爾總統政府的外交政策沒有受到影響。從以上的看法，便可舉一隅而反三了。美國的友邦和其他各國不能寄以過切之期望。他們自己總要求其在我。我們民主國家人民便可知道：美國人民的潛力很大，非政黨所能左右，反而亦足以促使美國政黨的態度改變。因此右政黨此次國會改選，遠東局勢發展變化，自由國家的人倒沒有悲觀或樂觀的理由。

艾克侈談和平

可是據華府方面電訊稱：艾森豪威爾總統因此次選舉失敗政府失去對國會的控制，故而特別致力於世界和平之保障，可能包括同蘇聯領袖的會唔。還藉此掩飾共和黨兩年來的失敗。此無聊而有害的。此次民主黨的勝利，是共和黨政策的失敗。美國人民原寄希望於艾森豪威爾，認爲他能扭轉國際的劣勢，但他仍然守着民主黨的主義，而且由於艾森豪威爾忽視遠東的錯誤政策，一子錯全盤亂。艾克得任總統之後，政府失敗，便壞在中庸圓滑，變成閃縮躊躇，錯過時機。

「戰爭是政治的延續，和平是戰爭的延續」。這是現代政治家所當知的常識，也是蘇聯積極運用的基本原則。現在侈談求和平，正中共黨的好計。軍事學大家克羅維茲說：「一個征服者時常都是一個愛好和平者。因爲他喜歡侵入一個沒有抵抗的國家」。列寧看到此語便拍案稱賞。當今之癡想與共黨和平共存者對此有何感想？

緬甸傾向西方

·羚式譯·

緬甸政府雖受了鄰國印度的牽制，表面上似乎守着中立主義路綫，其實在政治和經濟兩方面，緬甸之傾向西方國家，遠較傾向莫斯科北平軸心爲甚。

宇努讚揚美國

雖然，緬甸隨着印度走，對參加協商成立東南亞公約組織的計劃，拒絕了西方國家的邀請，但它顯示自己比印度都不願接受那些有共黨而值得黨和平諾言。

總理宇努在六月十九日抵英雄殉難紀念日發表的演說中，即先發表了這國的態度。他認爲美國是個偉大的國家，其男男女女的人民力足構造一個更好的世界。他又說：「我們發現，他們是犧牲了巨大的人力物力，從納粹和法西斯的罪惡中，拯救了世界的英雄。他們又肩負前所未有的慈悲的任務，雖然許多國家總是取而不與，但美國仍以價值千百萬的物資向西，普施於貧苦的世界。」

總之宇努也在這基本上承認，共黨的滲入，對東南亞安定是主要的威脅。他的對待方法，是要把緬甸建成一個健全而獨立的國家，不言而喻，分四個步驟來進行：（一）東南亞所有國家都須獲得自由。（二）那些國家的領袖，應該是人民信任，而不是以大砲力量爲後盾。（三）使那些領袖草擬福利計劃，大部分要適合他們本身國家的需要。（四）在執行這些計劃時必須必要的技術人員及物資，而這些技術人員及物資的提供，應對給與和接受的雙方，都屬有益的。他說：「如果實行以上四個步驟，到時，便將在東南亞將不復發生。」

傾向西方的理由

宇努的言論在直接或間接的兩方面，已表明了緬甸外交政策上的幾個重要特色：第一，雖然緬甸政府自己表示採取中立態度，可是總理宇努的言論，已反映了緬甸政府親西方的態度。這個傾向的理由，一部份是歷史性的，一部分是地理的，另一部分理由是越南戰爭結束，一般都對共黨採取另一種看法的結果。這種改變，不是出於使人迷惘的美國做法，有助於部分人民對國內外共黨威脅的原因有四：（一）傳統的英國法制，甚於保護個人自由。（二）緬甸在英聯邦，最大銀行和企業，仍然是英國的，者與英國人有利。（三）佛教與馬克思主義，有基本的矛盾，互不相容。（四）事實上，共黨曾於一九四八年對政府發動武裝叛變。共黨這種做法，

的假面目，增加了認識。

對美國政策仍有恐懼

第二，宇努也提示了緬甸對美國東南亞政策中某些步驟感到恐懼。他並不是說美國有侵略，而主張中共立場，才認爲東南亞局勢之所以緊張，中共和美國都有責任。宇努自然對美國的越南政策感到不滿，甚至憂慮。可是雖然如此，宇努仍對美國政策有了另更明確的一面。觀察家認爲他關於要在東南亞內建立健全國家的願望，很明顯的是說給美國人聽的。

因此，緬甸的看法，是認爲共產主義不過是一種國內的勢力，這勢力獲得國外共黨的支援，但它的軍事威脅並不嚴重。宇努也認爲世界和平共存有可能，其先決條件是世界各國必須首先獲得經濟及政治上的穩定。

根據東歐經驗的緬甸，他以爲美國仍然感到威脅，也和東歐過去的情形相同，由國內少數共黨份子，由軍的莫斯科訓練的特務領導，而從內部奪取政權。

回教民族與中亞命運

·曾旭軍·

（上接第一版）現在主持中亞細亞是集權暴場和開發中亞細亞。不用多說了，蘇聯在建築蘭新鐵路後，中國大陸的人民，必然又有千千萬萬人依照赫魯雪夫計劃，運到新疆去集中亞細亞墾荒，成爲蘇俄的心臟地帶，去開發資源，做奴隸勞工的了。

蘭新鐵路的作用

蘇聯中共簽訂修建蘭新鐵路，係從甘肅蘭州，經過玉門，加入新疆的哈密，迪化，至阿拉木圖，接通中亞細亞鐵路。

觀中國的俄帝侵略和共黨的尾巴，對此便以機會。現在中共大吹大擂，如果不是昧着良心，便是妄，便是出賣祖宗國家的無恥爲獸族爲榮的無恥爲獸。在海洋交通未發達的朝代，和中國武功顯赫的時代，這是中國往西方的大道。中共在完成天蘭路（天水到蘭州）之後，於一九五三年開工，他們通稱爲「蘭新鐵路」。目前已測量到玉門工程，鋪軌到武威。據說已由蘇俄修築的懷安堡。西部工程，完成了阿拉木圖到霍城，霍城經烏蘇油礦到迪化的一段。現正計劃由迪化到哈密一段工程。所以這二千七百多公里的鐵路，極可能在一九五六年完成。因此蔣總統便斷定一九五六年第三次世界大戰可能爆發。假如蘇俄屆時還未敢發動大戰，中國老百姓也先遭殃了。赫魯曉夫一定命令中共政權驅迫千千萬萬的人，包括所謂政治犯，要勞動改造的人，去中亞細亞爲蘇俄做役隸牛馬，替他們開發資源了。

英俄勢力衝突的歷史

艾德禮和貝萬口口聲說中共是如何如何的有獨立性，如何的有效政府。其實中共處處爲蘇俄作奴婢，獻媚承歡。作蘇俄侵略工具。考英國便在十九世紀中葉，英國在中亞細亞發生衝突。那時英國的勢力擴展到旁遮普。而俄帝亦擴展勢力到中亞細亞。英國的政策不得不忍痛，就鞏固其邊疆於所謂「西北邊疆」及中東，保護波斯及阿富汗，以對抗俄帝。

而俄國也停止在中亞細亞的突厥曼山嶺地帶。

今天蘇聯維持着沙皇時代的侵略政策，緊握着這心臟地帶。但英國卻退出了印度。而大英聯邦與南亞及東南亞的聯繫也鬆弛了。

在中亞細亞蘇俄仍控制着實厥—伊朗種族，千千萬萬的回教徒。

考公元七〇〇年至一二〇〇年中亞細亞是蒙古未入主前時代。那時是被阿拉伯人所征服。一二〇〇年至一三五〇年被蒙古成吉思汗和她的後裔所統治。一三五〇年至一五〇〇年是蒙古帖木兒和其族人所統治時代。由一五〇〇至一七五〇年局勢紛亂，被阿茲伯克人所征服。

自回教國王陰邁益特（UMAYYID）統治中亞細亞以來，至今已有一千二百五十年，都是回教佔有勢力。而俄帝加壓力到中亞細亞北部平原，到現今只有二百餘年。蘇維埃強力控制這整個小亞細亞的山岳平原及河流池帶，到現今也不過三十年左右。因此這個一向在回教世界的軌道上運行的民族，蘇俄想以共產主義把他們吸收過來消化。這是很難的。目前的民族英雄韋列杜夫（VELIDOV），已六十歲了，在三十年前他曾率領族人反抗俄國的統治，但現在已被放逐了。中亞細亞的人民現在被夾在蘇聯與西南亞的世界與南亞與西中國的新疆回族都是反共的一股潛在勢力。這是值得自由世界人民所注意去爭取的。蘇聯雖然努力控制這心臟地帶，想用以作征服世界的進攻退守基地。但卻有這個危機，是反共反俄的回教民族殊難加以吞吃消化的。可是西方對於這個心臟地帶的認識太少了。而且回教國家內部不甚融洽。常有各種衝突，加以對印度亦無法化除仇見。這是回教民最大弱點，正好給蘇聯利用。美國之積極援助巴基斯坦，在戰略上是有極大之價值的，因爲在巴國設立空軍基地，便有隨時被搗毀蘇聯的心臟之地帶。但在政治上與文化上，經濟上應努力求其結合回教世界，及增強其反共力量，這是自由世界防止共產黨的侵略，所當特別注意的。（完）

美國務院拾到熱番薯

在印尼雅斯德手執已經解決協中，美國務院官員最近卻有一項難以解決的問題，知道這件事的人稱之爲燙手的馬鈴薯，使國務院進退不得。據說：國務院已接到狄托元帥很非正式的通知，狄托已決定訪美，要在今年也訪英那樣。可是官方訪問——就像去年他訪英國作一次訪問，知道南斯拉夫的請求，是狄托出來，入境頗有問題，依照美國的法律，共產黨員不准入境，狄托本人是南斯拉夫共產黨的頭子。且他這個國家，以及他所領導的國家是行共產制度的國家，狄托本人更是海外共產黨的魁首，他如訪美，國會議員必將入境問題，請示國會核准。然而國會兩院對狄托的印象一直不好，國務院官員相信，要得到國會核准，狄托入境必將遭到否決，到頭來國務院與狄托雙方都有面子，反而弄成國際間一大笑話。不過，國務院對狄托訪美之事，始終認爲對促進美南關係有利，所以雖有顧忌，也未完全放棄，時至今日，美國據說仍在暗中進行，希望有一天能成爲事實。

美原子能飛機將問世

據原子滑擬之後，美國第一架原子飛機不久也將問世。據報可靠的消息說，第一座原子飛機引擎的各種零件刻在田納西州的某試驗中。明年更將開始製造一架實驗用的模型，這種模型機隨後將運至猶他州的埃達荷瀑布附近，飛行試驗。雖然第一架原子飛機將於何時正式服役，尚無確期，然而不出一九五六年，卽已是最保守的看法。

俄潛艇行動鬼祟

據英國情報機構報告：蘇俄最新式，續航力極長的潛艇二十艘，最近已溜出了波羅的海，目的地雖然不明，但依照其航綫推測，很可能是首途前來太平洋，訪問中共及蘇俄在太平洋的港口。

巴西將有原子發電廠

巴西偏僻的開礦區與工業區，電力向來缺乏。最近巴政府在美國協助之下，已進行設置原子能電力廠的長期計劃。美國務院已向巴西保證，將供給技術與財政上的援助，有幾家美國銀行或亦將參與其事。（孟衡）

天下小事

編者 讀者

△陳方曙先生：大示敬悉，尊見甚佩，熱誠更可感！惟關於該一問題，本刊不擬再加討論，尚此布復，並祈亮察，爲幸！

再，本刊登載介紹戲劇藝人的文章，其態度與介紹文學作家或其他藝術家無異，自與黃色刊物「捧戲子」大不相同。承教至感雅意。

△鄭思炯，盧戢揚，冷横，婆婆生，文生，明，圜，劉貢圭，諸先生：承惠大作，均已收到，謝謝！

△蘇鏡明先生：函悉，組織華僑志願軍一事，政府發言人業經否認，謹復。

人物述評

新獲諾貝爾獎的小說家漢明威

·劉靄如·

（一）

據斯德哥爾摩十月廿九日電：現年五十四歲的美國小說家漢明威，榮獲一九五四年諾貝爾文學獎。瑞典國王阿多爾夫第六，將於十二月十日在此間舉行典禮中，以諾貝爾金質獎章一枚，另約合三萬三千美元支票的獎金，頒授給海明威。瑞典文學院長於宣佈獎勵漢明威的文學作品時稱：這位小說家所以獲選，乃因他精通現代小說的描寫藝術，風格獨特而動人，「老人與海」一書，提供了最近的一例。

猶憶今年一月二十三日，他在非洲乘坐飛機旅行時，突然因機件障碍，由空中墮落，當時竟傳遍了整個世界。可是他雖在萬分危急中，卻奇跡的獲得救助生還。這一位從事寫作卅年的小說家，他底一生與戰爭、醇酒婦人，結下了不解緣。他遇險的次數相當多，但都死裏逃生，使他成爲本世紀文壇上一個傳奇的人物。

一九五二年他的不朽名著「老人與海」，當時即已獲得第卅六屆普立茲小說獎金，這是美國頒給小說作家的最高榮譽獎。「老人與海」刊載在一九五二年九月份美國生活雜誌上，並有畫家席考斯的精美圖畫十多幅。它描寫一個古巴的老漁夫如何到遠海去捕魚，如何與鯊魚搏鬥，又如何脫險歸來。這部小說極得國際的稱譽，和美國人士的愛好，聯軍統帥赫爾將軍就是喜讀「老人與海」的一個。

（二）

他於一八九八年七月廿一日生於芝加哥。父親是一個醫生。據漢明威在「我們的時代」中所敍述的，當幼年時他父親時常帶他到鄉村去診病，因此養成他喜歡野外生活的習慣。他父親喜歡於公餘之暇以運動爲消遣，當漢明威六歲時，他從父親那裏得到一枝釣魚竿；十歲時就得到一枝獵槍。

漢明威十歲畢業於芝加哥公立小學，以後便到法國求學，他的父親希望他學醫，而她的母親是一個管樂家，希望他成爲一個聞名的提琴家。但漢明威對這兩行都不感興趣。一九一七年中學畢業後，他當了堪薩斯城星報的記者，幾個月後，他到意大利去，那時他的身份是隨軍救傷車司機。當第一次世界大戰，他投入意國步兵隊，戰事結束後，他帶了若干勛章回來，腿上也添了不少的彈痕。

一九二二年他當多倫城星報的記者，跟隨土耳其軍隊橫過馬其頓中原，負責戰地通訊報導。一九二三年他遷居科羅列達州的西礁，到了一九三六年西班牙內戰爆發，他又當隨軍記者，採訪不少資料，寫成一部冒險小說，「戰地春夢」。接着，以後的蘇芬之戰，中日之戰，鄧肯克之役，以及聯軍登陸歐洲，在軍隊裏都有他的蹤跡。就因他在第二次世界大戰擔任戰地記者有特殊的勳勞，戰後曾獲得「銅星」勳章。

（三）

他似乎生來就有風流的特質，很容易與女人家談情說愛，離婚本來是人生一大苦事，但他一而再，再而三，嘗過三次離婚的苦味。他第一個太太赫德莉·李察遜，是由青梅竹馬而發生愛情的，於一九二一年在密芝根結婚。婚後一起到歐洲去，終於一九二六年離婚。

第二個太太名寶蓮莉華，是時裝雜誌專欄作家，她跟漢明威到過很多地方打獵，於一九四〇年離異。

第三個太太是一個女作家瑪莎姬漢，他倆認識於西班牙，就在一九四〇年結婚，婚後曾到中國渡蜜月，當時他曾以軍事專家身份訪問香港，但一九四六年他倆又離婚了。

第三次離婚後，才與第四位太太瑪莉威露殊結婚，這位小姐是時代雜誌的編者，這一次婚姻相當美滿，至今還沒有什麼變化。他倆現住古巴哈灣拿一間華麗的別墅裏，他的太太認爲漢明威是一個技師，一個體育家，一個藝術師，一個喜歡諧趣和愛好悠閒的朋友，一個精緻的工人，一個愉快和溫柔的愛人，他更是她的好丈夫。

他除了結過四次婚以外，還跟若干女人有過事業上的關係。他的幾部作品後改編爲電影，因而造就了許多成名的女演員。例如「戰爭卅年」，嘉蓮希絲因該片而一舉成名；「戰地鐘聲」，造成了英格烈褒曼在影壇上的地位；鍾寶爾演「麥伯伦夫人」而聲名大噪；蘇珊希活因演「雪山盟」一片而成爲一九五二年度最受觀衆愛戴的女演員。

（四）

漢明威能夠說許多國家的語言，像西班牙語、法語、意大利語、德語，都說得很流利。他很喜歡跟人談話，包括種種話題，他能夠應付每一個人的趣味。但他絕少跟人談他的作品，他很喜歡談英雄，散佈在世界各地的英雄。

·讀·史·述·許·

西漢六經總論（三）

——續讀通鑑論——

毛以亨

提倡六經之始

晁錯受尚書于伏生，賈誼，張蒼。董仲舒之傳春秋，皆于文景時代，旨在鞏固文帝一系的政權，乃以強調禪讓與傳賢，明文帝繼承惠帝亦爲傳賢。其削藩與斷獄，俱須以尚書與春秋爲根據。即所謂致用。故視經爲律例，而傳則爲律例之解釋，公羊較穀梁左氏尤似律例之解釋。故公羊先風行。易爲根據古代社會之發展，而說明其原則，三禮爲完成其政制與禮俗，二者需要較後。

讀書切勿誤會文景爲黃老時代，其時道家與儒家尚未分家，而首先提倡六經者爲文帝之置一經博士。其時諸侯王國，若梁孝王，淮南王長父子，俱置博士，文風甚于京都。文帝輕徭薄賦，與民休息之政治，合于六經上所稱的王道。景帝繼之，且以庇護轅固生之故，至幾與竇太后衝突。至其苛刻的政治，與其謂爲法家，毋甯謂爲受尚書之影響，較有實據。景帝諸子，不僅武帝爲能表彰六經，河間獻王，魯共王，均于六經極有關係。足見武帝之置五經博士，非其個人之創造，而爲父兄相傳之風氣。

漢末經始有定本

說者謂東漢時經學次序，始變爲易詩書禮樂春秋，此爲今文學義而古文家與所致。然易教亦最近于讖緯，而今文家最近于讖緯，今文家亦斷無抑低易教地位之理。查太史公自序，即以易居首，詩書禮樂春秋次之。我認爲以詩居首者，依漢代六經發展之次序言，以易居首者，依中國歷史之演展次序言，易則上古史之發展的想像與原理，太史公爲通史家東漢人始承其說而已。章實齋六經皆史之說，有人疑易爲例外，太炎說易，視爲上古史，則亦隱贊其旨。經本指長二尺四寸之竹簡所書者而言，故墨經、算經、爲經俱稱經。其變爲欽定官書之意義，則始于武帝，而成于漢末之六經有了定本的時期。六經爲經的骨幹，以後增稱七經，九經，十三經則其枝葉。這些外加之經，多爲解釋六經，與推衍其意者。

六經爲儒者專業之始

儒與六經本不相干，漢志六藝略之後，爲諸子始及儒家，儒固非傳經之人。胡適傅斯年以儒爲陰陽生之職業家，其說蓋本于章太炎。太炎之官曰：「達名爲儒，儒者術士也。……司馬相如言列僊之儒居山澤間……。道墨刑法陰陽神仙之倫之一謂之儒。……儒之名蓋出乎儒，需者雲上于天，而儒亦知天文，識旱潦，類名爲儒，儒者知禮樂射御書數。—私名爲儒，—蓋出于司徒之官，…皆祖明德行政教之趣而已。…是三科者皆不見五經家，往者商瞿，伏勝，穀梁赤，公羊高，浮邱伯，高堂生諸老，七略格之，名不登于儒籍。……晚有古文家出，…斯蓋史官支流，與儒家益絕矣。」

王靜安以爲博士爲專業之傳經者以後，傳經者始稱爲儒，衡之儒林傳諸人，皆博士而傳經者，故其說可通。秦博士七十人，不專傳經，亦非盡爲儒家。始皇本紀云，使博士爲仙眞人詩，又有占夢博士。博士亦置弟子，且得議政，與漢之博士同。漢初叔孫通，公孫臣，亦非專經博士。叔孫通之禮，決非古禮，傳禮者亦不自言本于叔孫通。使博士專一經，自文帝始，而限于五經置博士，則自武帝始，故以博士獨負傳經之責，則自武帝始。惟文景時已有詩書春秋博士，武帝僅新置易與禮二經博士而已。博士既有專業，而以儒者之名歸之，則爲武帝以後之事。

儒者與六經合一

以後不特博士稱爲儒者，即對博士弟子亦稱爲儒者。博士弟子，本無專職與定額，至武帝始置弟子五十人，永爲定制。明帝增至百人，宣帝倍其數爲二百人，元帝時至千人，成帝時三千人，至東漢之黨錮時代，則太學生增至三萬人。博士與弟子，不僅爲專職，且後補爲官吏，不僅有教學之實，且有選拔之事。歲課弟子甲科四十人爲郎中，乙科四十人爲太子舍人，丙科四十人補文學掌故。博士食五六百石，平時可以議政，出巡，升遷則立至二千石。智識分子之入宦途，以此爲正，而孝廉，對策，徵辟，保舉則特科也。

以後教授道廢，而考試代興，東漢已然，太學中絕于六朝，唐宋之書院，則爲理學專門研究，與六經無涉。所謂博士與弟子者，亦悉式微，然六經頼考試以傳，其而範圍亦格外擴大。儒者與六經，一合而不可復離，凡有志于科舉者，俱以讀經爲正學，且自稱爲儒者了。

今古文流傳至今

凡立于學官之五經，皆爲今文，西漢經生，皆今文家也。所謂古文者，得于孔壁，有尚書，禮記，論語，孝經數十篇，皆蝌蚪文字。易，左傳，毛詩皆無古文，但左傳與公羊對立，毛詩與齊魯韓對立，故左氏毛詩學者與古文家同列。易則立于學官者爲施孟梁邱，而費氏易爲古文之私學，民間大行，王弼發明之，以與古文家相呼應。其爭議之焦點，集中于尚書，惟就經學之本身言，殊無可爭者。因爲孔安國之古文尚書不傳，張霸之僞古文尚書亦不傳，現在所流行者，爲枚頤之僞古文尚書。其書之僞，孔穎達作疏時，已隱隱指出，閻若璩不過繼孔疏以揭出之耳。然王靜安謂欲觀今古之大略，祇好從僞古文尚書中去求，則其意爲雖僞而亦有不廢之價值，其說蓋本於今文家惠棟，莊存與，閻定難。莊氏之言曰，「大禹謨廢，人心道心之旨，殺不辜，甯失不經之誡亡矣。太甲廢，儉德永圖之訓墜矣。仲虺之誥廢，謂人莫已若之誡亡矣。說命廢，股肱良臣啓沃之誼喪矣。旅獒廢，不寶異物賤用物之誡亡矣，冏命廢，左右前後皆正人之美失矣。」是今文家亦珍視古文，書本上之爭議，固易於平熄也。（未完）

讀程著時論集

程滄波著　中央文物供應社出版

陳克文

（一）

程滄波先生今夏彙集他最近兩年所撰時事論文（包括一部份舊作），刊行「歷史文化與人物」一書，本刊曾於七月三十一日八月十四日先後刊載徐復觀樓桐孫兩先生關於該書的評論。現在程先生復彙集他民二十一至二十七，六年間，在中央日報發表過的文章共四十二篇，爲「時論集」第一輯，亦已刊行問世。

他在本集自序說：『報章時論在學術上之價值雖少，然於歷史文獻自有其一席地。』又說，『本集所載，其時則自一二八至抗戰後期，其地則由南京武漢長沙而歐洲以至重慶。……二十年來時空之變易，或事過境遷，觀感已殊。或時移勢異，是非頓改。而率仍其舊，依次發刊者，既存其眞，亦所以考世變也。』他對本集刊行旨趣，已經說得十分明白。

本集四十多篇文章，內容包括甚廣，有內政，有外交，有國際問題，有人物評論。國際問題討論最多，亦最精審，篇幅佔半數以上，其中尤以論中英日關係爲最重要。

（二）

九一八事變後，日本軍閥勢力，日見澎漲，民治主義漸趨沒落，作者於『犬養毅被刺』，『徘徊踟躕中之西園寺』兩文，對日本前途備致隱憂，又對我國上下一再提出警告：必須舉國團結，發奮圖強，始足以應付未來巨變。此兩文均作於民二十一以前，已預示日本之必行侵略，與後來我國抗戰自存之道矣。

但本集最富歷史文獻價值，可以供研究世變之參考的，當推有關討論中英關係，批評英國遠東政策的許多篇文章。作者留英多年，對英國政治人物與其外交政策了解最深，故有所評論，能獨具慧眼，迥非凡響。「英國之猶豫」，「爲英國人打算」，「今日之藍浦生勛爵」諸篇，皆爲作者批評英國遠東政策最精到的文章。當時太平洋戰爭尚未爆發，作者已預料英國外交政策過重現實，忽略正義，只顧目前，缺乏遠見，將不免終歸失敗。其言曰：『英國在國際政治舞台上成功多於失敗，其原因蓋在打算利害之周切。……以其打算之根據，利害觀念多，而正義之念少，利害遠近之辨，有時且未能估量十分清楚也』。於是他勸告英人說：『計較利害最精者，能不騖近利而顧久遠。』又舉張伯倫的一句名言，說英人所應注意的，『是百年後的中英關係，而不是一時的利害。』當年英國人正因爲打算利害，缺乏正義，騖近利，而不知久遠，對日本侵略採取「緘默」「猶豫」態度，以至釀成後來太平洋大戰爆發，英人亦自食惡果。作者預料，可謂不幸而言中。

我們讀了本集後，深覺近四五年，英人對中共的事實承認，與企圖和中共貿易，與當年之對日翻存事實，猶豫緘默如出一轍。今英人已失去中國大陸之投資數億鎊，但依然未改其二十年前之舊政策，則未來之必遭更大失敗，恐亦無待蓍龜矣。

作者於國際聯盟之成立，初時以其未能對滿洲問題作公平處理，於「國聯大會之結果如此」一文極示失望，嗣以一九三五年薩爾區公民投票，結果該區得重歸於德，又頗致其期望，以爲和平正義終藉國聯得以伸張。我們及今回顧，國聯之權威竟僅此而止，薩爾問題亦仍爲法德兩國間衝突未已的礁石。自不免感覺世事演變，難於預測，有如此者。然作者對於世界組織之觀念與思想，固已於此集之中發揮無遺矣。

（三）

集中對於國內時代人物，如章炳麟，胡漢民，段祺瑞，曹琨等均有專文評論，一以民族觀念與個人立身大節爲準繩。胡氏功在黨國，備致贊揚，固不待言。段曹二氏雖爲北洋政府人物，以其晚節不背民族大節，故作者仍加推許。惟章炳麟雖生平譽滿天下，作者終以章氏「改制以後，信道不篤，譁衆取寵……酬世諛墓……使士人慕通達，誘後進賤守節。曠代大師，惟默寂寞，千秋遺恨，變爲辟儒。」作蓋棺論定。於此可見作者對於人物臧否的態度一斑，此與「歷史文化與人物」一書，取捨褒貶，標準前後一貫者也。

筆者個人，對本集讀後之觀感，大要如此。作者預言，勝利以後及於行憲，所撰時論，當別爲一集，另付刊行。讀本集後，筆者希望續集不久亦能與讀者相見。

紅朝百態錄（六）

·牛布衣·

處裏有一位女同志，叫做何小姐，是初中畢業生，在處裏工作了四年，年紀大約二十二歲。他性格很沉靜，四點鐘下了班，好些女同志還在辦公室幫手，她卻單獨一個跑回宿舍做自己的工作。她的樣子長得不錯，五官還算端正；因爲態度太冷淡了，男同志叫她做『雪裏梅』。好些人簡稱她做『雪梅』。

何小姐本來是一個富家女兒，鄉間有田地，城裏有店子。她參加工作爲的是想保存家產。可是三年前，她的母親給鄉間的鬥爭會鬥死了，房地蕩然。城裏的店子呢，又給「政府」沒收了去，父親跟着死了。剩下了她和一個哥哥、因爲環境不順，哥哥跑到外埠去了，只剩下她一個人在都市裏。環境一天比一天壞，她的性情也一天比一天孤僻。

難道何小姐便這樣寂寞下去嗎？一個人到了絕境，心理時常發生變態。何小姐便因爲變態心理，幹出了一件驚動全市的非常事情。

男同志當中有一位姓陳的和一位姓張的，都非常傾慕何小姐，想盡方法去逗何小姐開心。三年以來，努力不懈，可是總不能有所進展。

一天人民日報登載了一段獎勵「母親英雄」的文章。何小姐看了，一晚沒有好睡。第二天她完全改變了。

她由「雪裏梅」改變成爲「白玫瑰」。口裏時常露着笑容，春風滿面，變成了一個熱女郎。

陳同志和張同志發現了這個變動，分頭加倍努力。何小姐對待他們也不分等級，陳同志當夜班，她跟張同志出外。張同志當夜班，她跟陳同志出外。彼此之間，一無衝突。

過了四五個月，何小姐的腹部發生了變化。懷胎這件事情在幹部裏頭是不足爲奇的。已婚的女子可以懷胎，未婚的小姐也照樣懷胎。只要有人肯負責，便可以大事化成無事。可是何小姐的事情發生了意外麻煩，那是因爲負責人太多了。陳同志說他是何小姐的未婚夫，張同志又說他是何小姐肚裏一塊肉的未來父親。鬧到沒有辦法解決，兩個商定了到後開比槍。時間在禮拜日的清晨。

事情鬧大了，同志們報告了軍事代表。

共黨的規矩是：要是裏頭發生了嚴重事情，總召集一個鬥爭會，由軍事代表仲裁。他們兩個不能夠商討解決，所以在禮拜六晚上，特別召開一個鬥爭會。同志們到那天晚上，都特別踴躍。好些別區的同志，也跑來參加，還沒到七時，禮堂裏已經擠滿了人。

鬥爭會本來是嚴肅的事，可是那天晚上的會，卻充滿了快樂的氣氛。軍事代表宣布了開會理由。陳同志申述他的立場，說道，他和何小姐在四個月前有了超友誼的關係，何小姐答應了他的婚事，決定在最近的將來同他結婚。張同志申述他和何小姐的關係，何小姐肚裏的一塊肉是他的，所以何小姐不能和他分開。

……（全文未完）（本篇只好完）

工業節史話

·劉清華·

民國三十五年十一月，前全國工業協會在南京中國銀行大樓舉行第二屆年會時，決議以每年「雙十一」（十一月十一日）爲中國工業節，旋經政府核准備案。三十六年十一月十一日起，全國各地熱烈慶祝第一屆工業節。

中國全國工業協會，係抗戰期間創設於陪都重慶，由遷川工廠聯合會負責人所發起。凡過去加入商會之工業廠號，至是均改入各地區工業協會。抗戰勝利還都後，國民政府於三十六年十月二十七日明令公佈工業會法，於是，具有社團性質之中國全國工業協會，遂於三十七年十一月，依法改組爲法團性質之中華民國全國工業總會，於工業節日舉行成立大會。並慶祝第二屆工業節，情況至爲熱烈。

三十八年第三屆工業節，正值共匪倡亂，全國性之慶祝，未能舉行。旋因中共竊據大陸，三十九年及四十年之第四屆、五兩屆工業節，亦祗在台灣和港九舉行慶祝。四十一年，全國工業總會遷台復會，曾擴大慶祝第六屆工業節。並在中山堂側之綜合大樓，舉行工業展覽，情況熱烈。四十二年第七屆工業節在台北市「裝甲之家」舉行，到會員三千餘人。同時，位於台北市南陽街之四層工業大樓亦於是日舉行落成典禮。從此，全國工業總會有了自己的會址。又是日由工業總會主持的全國工業展覽會，同時在博物館開幕，三天的展覽期間，獲得中外一致好評。

今年的雙十一，已是第八屆工業節了。僅有八年歷史的工業節，適逢時艱，公私交困，但工業界百折不撓，淬厲奮鬥之精神，已爲中外所重視。中國工程師學會自遷台以來，每年均於工程節日在台灣南北各大城市，聯合各專門工程學會，舉行聯合年會，此對工業節日，更添不少光輝。四十三年十一月五日寄自台北水泥公司。

噫！

馬五先生

上期我談及文告整風運動之後，忽談疏導培育，使文化生機不致萎縮窒息，形同死水。第二天即看到內政部頒佈了所謂「戰時出版物禁止或限制登載事項」九大禁条，大有使文化界弄成「八表同昏，半路伊阻」現象，以趣「戰時」需要的氣概。猗歟盛哉，嘆觀止矣！

過去沒有這類苛密禁令，既可以停止十滅刊物的發行，事後何必多此一舉呢？若說這是救文化界人士今後知所還循，免干未便，則其內容頗多窒碍難行之處，而且有些乃是徒滋紛擾的廢話！

譬如九項禁令中，二至六項，列舉不得誇大描述「盜匪流氓非法行爲」，「自殺行爲」，「少年犯罪行爲」，「賭博或吸食烟毒行爲」，「猥褻行爲」等等。請問所謂「誇大描述」的定義與界說究竟是怎樣的？如有盜匪流氓越貨刼財，發生與事主糾纏格鬥，或對緝警强頑拒捕等情況，新聞記者將經過事狀詳予揭述，這是否犯了「誇大描述」之罪呢？不誇大的描述又是何筆法？楊虎城在陝西主政時，秘書處用漢魏以上的古文辭句在報上登出啓事：「主席，一三五見，特隨」，意思就是聲明主席每星期一三五爲普通見客時間，特約來賓隨時接見。內政部所規定的不誇大描述之新聞內容，大概就是這類寫作方式吧！至於自殺賭博行爲，更無甚末誇大與否之可言，這簡直是廢話，等於文字遊戲，然因此即容易構成「羅織入罪」的弊害，可憐也！此外，第八項尙有「刊載不實之消息，意圖毀謗或侮辱元首或政府機關名譽」云云，尤屬漫無標準。且於「元首」之外，還要加上「政府機關」，當然連一個派出所或稽征所亦在其內，而「意圖」二字的心理解釋，又可與共產黨之許人們有緘默之自由那套辯證法則媲美呀！

總之：照這九大禁條實行起來，所有報紙雜誌如不自動關門以免惹禍，即須與「政府公報」看齊，或變成傳單標語，庶幾可告無罪。藉「戰時」名義而隨便抹煞國家的大經大法，摧殘文化，蔑視人權，夫是之謂民主憲政，呢！

張岱與「陶庵夢憶」

抱石

（一）

張岱字宗子，號陶庵；又更名石公，又號蝶庵，山陰人。六歲時即隨假父至杭州，明社既屋，避亂剡溪山中。所著有「陶夢庵憶」，「西湖夢尋」，「快園道古」，「奚囊十集」等十餘種，別成「石匱書」，紀明代三百年時事。從「夢憶」中推求，宗子生於萬曆二十五年，卒時當爲康熙二十八年，得年九十三。

古今不少遺民文學，或悠然物外，寄樂天思想，或懷念故國，天隨憤激情緒。惟宗子的「陶庵夢憶」，則追記昔日盛會勝跡，含有無限感喟，恰似「白髮龜年，暢談天寶」。而自序表示：「持向佛前，一一懺悔」，故「懺悔」實爲作者的主旨。宗子經過四十餘年繁華而浪漫的生活，結果，國亡家破，滿目淒涼，弄到披髮入山，幾乎自殺，因感悟到過去的享受是罪惡，種了惡因，應得惡果，於是在佛前懺悔，懺悔其生平種種的罪惡。尤其是當異族侵略，流寇蔓延，然繁殖者晏安酖毒之際，江浙各地，依因素，傳染着驕奢淫佚的風氣，弘光帝偏安江南，醉心歌舞，不問國事，以至清兵南下，立刻覆亡。雖然江山易主，景象全非，一般人還是抱鬼混主義，醉生夢死，苟且偷安。從「天下興亡，匹夫有責」的觀點看，「陶庵夢憶」「不僅替個人懺悔，也代表大衆懺悔。」

（二）

宗子在自序裏又說：「不次年月，異年譜也」，便是不按年次，雜記經歷，所載方言巷詠嬉笑瑣屑之事，却有關自我介紹的敍述，歸納如下：就家世言，宗子是個官宦子弟，也是個書香子弟，受遺傳影響，與環境薰陶很大。才氣橫逸，性情瀟洒，尤具有文學天才，十六歲即工駢文。他的興趣是多方面的，自聲色之娛，收藏書籍珍玩，乃至彈琴鬥雞蹴踘賭博，靡不入迷。更有一種特殊嗜好，那便是飲茶，如「禊泉」，「蘭雪茶」，「閔老子茶」，「陽和茶」，「露兄」諸篇，津津有味，令人神往。他的交遊極廣，就中寄寓秦淮桃葉渡的時候，因獲姚簡叔介紹，得與都門貴公鉅卿雅士名妓，一一相交，觀其「牛首山打獵」一則，同伴顧眉，董白，一時明媚，即王月李十，亦被稱麗品。龔定庵詞云：「安得黃金三百萬？交盡美人名士」，像宗子的確領了略風情，體會了艷福。或許過慣浪漫生活，所以喜歡遊歷，「夢憶」包括一百二十三篇，而記遊歷的文字，即佔三分之一。遊蹤計達杭州、寧波、海甯、嘉興、普陀、南京、蘇州、鎮江、揚州、曲阜、泰安、宣城等十餘處名勝區。除去故鄉紹興，寄跡杭州、南京、揚州最久，描寫下來的景物風俗亦較多。

（三）

在「夢憶」中，處處顯示着作者的至性，流露作者的眞情。良以作者生當明季，雖未列名復社，究受注重忠孝，提倡氣節的感動。讀到「岣嶁山房」一則，不禁讚美宗子在少年時代的天風和勇敢。試將此則的後半摘錄下：「一日，緣溪走看佛，口口罵楊髡，見一波斯坐龍象，蠻女四五獻花果，皆裸形，勒石誌之，乃眞伽佛也。余椎落其首，並碎諸蠻女，置溺溲處以報之。寺僧以余爲椎佛也，咄咄作怪事，及知爲楊髡，皆歡喜讚歎。」楊髡何許人？就是發掘南宋諸帝陵墓，爲千載後受人唾駡的惡僧楊璉眞伽。因此，宗子把楊髡塑像汚辱，以示報復。請與明嘉靖間沈鍊因反對嚴嵩逆闔，就縛了幾個草人，寫上嚴嵩等姓名，用作箭垛，以爲衆矢之的，前後如出一轍。

（四）

話又說回，不是性情瀟洒，具有文學天才者，決不能寫出色的記遊文字，教人低徊尋味。明季唯袁中郎作短雋有味的記遊文；能和袁中郎媲美的，也只有「陶庵夢憶」所列的若干篇；遊歷是宗子浪漫生活的中心；記遊文是宗子文學修養的結晶。描寫景物和動作，更是宗子的特長；「夢憶」中描寫景物，莫妙於「西湖香市」，「西湖七月半」，「品山堂魚宕」諸篇，讀之覺當時的情景宛然在目。描寫動作，最具特殊技巧而有意味的，要算「柳敬亭說書」一則，茲摘其一段於后：「余聽其景陽岡武松打虎白文，與本傳大異，其描寫刻畫，微入毫髮，然又找截乾淨，並不嘮叨，㘞夬聲如巨鐘，說至筋節處，叱咤叫喊，洶洶崩屋。武松到店沽酒，店內無人，驀地一吼，店中空缸空甓皆甕甕有聲；……」……。

甲午重九淡水滬尾山登高

張維翰

不因烽燧廢登臨。攬勝何曾損壯心。秋晚霜籬容菊傲。山間石徑入松深。憑高倍切懷鄉感。致遠寧嫌抱郄吟。一水橫前看淡潔。鯨鯢濁浪敢相侵。

自我毀滅

短篇小說　洛琦

行到這裏，潔琪正想向下面的斜坡拐一個彎，但忽從小鏡子中看見後面有一輛車子要趕上來的樣子，於是她便要把指揮燈翻起來，可是發覺這鈕鍵却失靈了。她一時慌張，突然把車子刹住，這使她後面的車子，幾乎與她的車子碰到正着。

後面那車子是個青年駕駛着，他正想責怪潔琪開車魯莽，但已聽到一個聲音比他更快發出了，焦急而清脆悅耳。

「對不起！」潔琪探出頭來說，「我的指揮燈壞了啊！」

這青年一聽是個少女的聲音，不好意思生女孩子的氣，一改剛才忿怒的態度，和顏悅色地說：

「那是容易的事，讓我替你修理吧！」

潔琪一心想早點回家，心裏想着：「一會兒到了市區，指揮燈是不能壞的啊！」她祗想快點把它修好，便順口答應了。

他們都走出自己的車子，在迷矇的夜色下，相互看不淸楚對方面目。雖然天際掛着一輪明月，但是月光被幾層林葉隔住。

潔琪沒有留意這個青年，但是他對她似乎很熟悉，他們互通了姓名之後，潔琪才知道他叫義杰，也是從那個晚會出來的。義杰一下子便把指揮燈修好了。潔琪自然對他客氣地謝了一番，他却乘此機會要送潔琪回家去：

「小姐！我送你一程好嗎？」

她想，他們都是自駕着車子的，誰送誰都是一樣，就是不送也不是一樣嗎？於是客氣地回絕了「不必啦！何必浪費你的時間。」

義杰以爲過於執拗，是會傷了少女的矜持的，便不再說下去，他們大家留下住址，各自開着車子駛去。

拐了幾個彎，不久便到了市區，他們住的地方，雖不能說天南地北，但各有一方，於是兩輛車子便背道而馳了。

一個充滿浪漫熱情的舞會並不能對潔琪留有一點好印象，但這偶然的邂逅，却使她沒有忘懷。

這夜來她被一種莫名的悵惘激動得難以瞌眼，這是一種她以前所沒有嘗過的煩惱，然而這種煩惱的滋味倒帶來了難言的愉快。

月色皎潔，透過紗窗，照到她的琴台，窗前槐樹的影子，隨着輕風，在她的光亮的琴台上挪動。這樣誘人的景色，使潔琪倒到床上去後重又站起。她在琴鍵上輕輕地一劃。她像是要從這輕微的音韻中尋回方才半夜來所經歷的情景。她道：離開舞會，我與主人話別的時候，不是有個人在遠遠的角隅站起來也要離開的樣子嗎？不錯！這就是他了。他跟在我的後面，就是想要送我的緣故嗎？

潔琪想到這裏，心裏泛起無比的甜蜜。她就陶醉在這種幻想的溫馨裏，再倒到床上。（四）

蘇州憶語（下）

仇嶷

大概是我的身體差了，年齡大了，但仍然高興登臨北寺塔，可是一到第四層，向四下一望，就感覺到淸空風爽，高處不勝寒，再無興緻上登第五層，更無直上九霄的勇氣。爲了一心要離開蘇州，以後何年何月再來，不可得知，曾作一詩和照三和尙留別。詩云：

「姑蘇北寺塔巍然，此日登臨感慨牽，三國孫吳留古蹟，九層峯筆起文壇，山湖盡列闌干外，景色隨添塔綴顚，烽火未停歸不得，離人遠眺隔雲烟。」

（四）

其次，公共遊樂園要推獅子林爲最，那裏有樓合亭榭，假山迴接，邱壑起伏，玲瓏曲折，極盡鬼斧神工之妙。園中有湖，湖中有石船，上建樓房，沿湖叠石，盡作魚鳥之形，皆生動畢肖，無怪乾隆皇帝也爲之傾倒，題了三個大字「眞有趣」的橫匾。我有詩爲記：

「邱壑玲瓏盡叠成，高低曲折巧經營，石船聳立翠湖履，亭榭環傍細柳迎，浮水鳥魚當畢肖，迴廊風月足怡情，乾隆過此曾嘆賞，有趣迄今一匾橫。」

其次是滄浪亭、留園，却是冷冷清清，已非翼濶，幸而我童年所見的鬍頭黿猶在，大如車輪，浮沉池中，相隔又是卅餘年，環顧山河依舊，景物全非，大有不勝今昔之感。

（五）

城內最熱鬧的地方是觀前和玄妙觀，觀前街的店面，盡是銀行和大商店。玄妙觀殿內陳列的都是字畫，和西安的碑林相似。殿外攤販排列成行，茶樓酒館小吃館林立，雖然在中共統治下，百業凋敝的時候，依然遊人擁擠。

還有一處市場是關帝廟，特別多的陳設是舊衣攤。我還參加過，去賣我的舊衣物呢。那一個時期，一切紛亂，失業賦閒的人特別多，收入毫無，租一間大房間，每月要租米一石，人們愁的，就是吃光了等死而已。

城南情形和城北大不相同，一片荒蕪，可供遊人休息和散步的地方，只有中山公園。從前的花園和五進六進的高牆大廈，現在住的新主人，都是中共方面的機關人員和部隊。

（六）

我時常參加街坊會議，聽的都是中共人員的宣傳，要老百姓安心就業，可是去聽的多懷鬼胎，啼笑不得。

出城西有西園和寒山寺，倒是虎邱山還值得一去。由觀前坐馬車可以直達，也是我們夫婦情願安步當車，爲的是馬車所費滿巨，不得不打算一下。整個城內人家，都是愁眉不展，誰還有心去遊虎邱，所以遊客稀少異常。什麼千人石，劍池等等古蹟，都是走馬看花，心情本來不快，更映着一片寂寞的景物，也就有興而來，敗興而返。路上口占一首詩：

「虎邱寂寞山孤寺，景物蕭條不似前，七里山塘遊客少，於今不是太平年。」

就算吐了一口怨氣。

我離開蘇州又是五個年頭了。想起蘇州的名產糖鯉魚和酥糖。唉，天堂的蘇州，正和天堂的香港一樣，只苦了一些貧窮無告的人。

桃花江是美人窩（下）

易與

桃花江是湖南省四條大水「沅湘資澧」的資江的支流，桃花江是一個溯水的小鎮，正當資江滙流入桃花江交滙處所的水陸小碼頭，離益陽縣城大約四五十里、那裏有一個關卡，稽征過往的船隻和負販等，益陽在湘西，原以美女著稱，它和龍陽（今之漢壽）桃源，在湘西人笑談中，有「益陽女子龍陽腳，桃源妹子三隻角」，益壽女子云者是無須解說，是說益陽女子漂亮，龍陽腳云者是龍陽女子小腳裹得好，桃源的三隻角云者，那是說桃源女子是好，不過她們的土話不大順耳。又有一說是龍陽女子益陽腳云云，其實水鄉女兒，天生一付熱情活潑的身材，加上一付不施脂粉充分的血肉美，在外省人看來，當然是要說出「這般可憎才罕曾見」了。

錦暉先生說他在帶領明月歌舞團在南洋羣島演奏時，有一天伴同徐來和明暉等遊玩，陡地在一個地方，勾起童年時在桃花江的憧憬，他覺得那個地方的景物風光，好像和桃花江一般無二，不知不覺的便給他一種「靈感」，就哼出了桃花江這隻歌，因爲那時所演奏的一些歌曲，如「葡萄仙子」等，已是不大「吃香」，實在需要新歌「應市」，桃花江就是如此如彼的出以廻世，而且居然風行天下膾炙人口了。讀者諸君子，如果想作桃花江遊，那要待大陸重光之後。長沙到益陽，有公路通汽車，水路也有小汽船，益陽去桃花江，有小汽船，也有够風趣的小船，兩岸風物，至足媚人，因三個多鐘頭的水程，一舟容與足够流連，陸行坐小轎，也得費三小時，沿路的小火舖，多半是女人當壚的呀！

稿約

本報闢地公開，歡迎讀者投稿，性質不拘，字數最好勿超過二千字，譯作請註明出處；來稿如不合刊用時，當儘速退還。來稿請用稿紙，勿橫寫。

——編輯室——

自由人
THE FREEMAN
（第三八五期）
中華民國僑務委員會登記證台字第一零二號
中華民國郵政登記第一類新聞紙類
（半週刊每星期三六出版）
每份港幣壹毫
台北市價台幣七毛
督印人：雷嘯岑
地址：香港高士威道二十號四樓
3 rd. fl. 20 CAUSEWAY RD HONG KONG
[illegible]

共存的代價

·李加雪·

共產黨的和平攻勢，近月愈來愈盛，艾德禮尼赫魯之流，也有意無意的跟着做應聲虫，英國人甚至這樣說，『若果自由世界老早准許中共加入聯合國，高麗戰事便不會發生了。』尼赫魯並且答應負責把中共拉出蘇聯集團，加入民主藩籬。馬倫可夫和周恩來等乘此機會，自然更加得意，大放厥詞。其實遠在一九一九年，列寧便這樣說過：『共產主義和資本世界的共存是不可思議的。』後來史大林又好幾次引用了列寧的話。我們知道，共產主義第一個目的便是消滅自由世界。為什麼共產主義不能和自由世界共存呢？和共產黨共存要甚麼代價呢？下文慢慢道來。

赤色大陸失業情形

麥克阿瑟將軍說過：『在共產主義制度下，人們消失了主動。』沒有了主動，一個人等於木偶。共產主義的獨裁政府，把國家改變成監獄。把監獄裏的人，是提不起精神來做工作的。所以共產主義國家裏沒有一件事情，沒有一種企業，能夠辦得好。因此人民的生活水準，一天比一天低落，失業的人數一天比一天多。根據周恩來的報告，中國大陸現有工人，連同政府機關和公私營機構計算在內，只有一千三百多萬人；和中共所說的全國六億人口比較，每四十三個當中只有一個獲得工作。現在中國大陸已淪到饑饉的邊緣。因此大陸和香港雖然下了一道竹幕，仍然有不少老幼男女逃跑來到香港，他們的目的想在香港找事做，或者向親友借一點錢，甚至討幾件舊衣服。

共產國家的人民提不起精神做事，致生產低落，民不聊生，共產黨却把他們自己闖出來的亂子，歸罪到資本主義，所以共產黨說，「只有征服了全世界，只有消滅了自由經濟，共產主義才能夠推行於世界。」共產黨如果消滅了自由經濟，把全世界都放在共產的牢獄裏，全世界都貧乏了，人民的生活水準低到不能再低了，共產主義才能夠順利的是全球實行。

共產主義與社會主義

現在不是說共產主義的經濟不能實行，就是社會主義的國營政策也已經一敗塗地。以英國為例，工黨執政，把鐵道收歸國營，斷了大本錢。後來發現汽車業仍在自由經濟手中，鐵道[illegible]經濟經營的汽車，運費還要比較火車低廉，鐵道營業便一落千丈，[illegible]工黨把汽車業也收歸國營，提高汽車運費，[illegible]是停止了，可是人民的負擔也加重了。工黨又把醫藥國營，[illegible]

越南共存的代價

自由世界與共黨高唱共存論調之際，越南已首先付出了代價。[illegible]只有法國。法國對共產黨說，「你們要生存，也得准許我們生存。」法國便把越南北部——越南的一半——拱手奉給共黨。法國雖然是一個民主國家，[illegible]做了共產國家的人民，便不能越雷池一步了。[illegible]思想還不受束縛。共產國家的人民，除了[illegible]共產主義，不能再有其他思想。所以好些人說，做共產國家的人民比較做牢裏的犯人還要壞。中國大陸的人民每天只吃兩頓粥，還得受強制的痛苦，遇到內地來人，問他們內地生活如何，「一言難盡！」[illegible]共產國家的人民，已到了有口難言的時代了。

和魔鬼妥協必食惡果

法國把安南北部[illegible]送給共產黨，做保持南部的交換條件。[illegible]和魔鬼妥協的人，必然自食惡果。[illegible]由此可以明白，不要和共產黨共存，不是沒有代價的。這代價，便是犧牲自由經濟制度，把國家變成一所大監獄，此外再無共存之道。

民國以來我國工程師的努力與成就（上）

為慶祝中國工程師學會暨各專門工程學會在台北舉行聯合年會而作

·揚力行·

中國工程師學會，由詹天佑氏倡導，創立於民國元年，至今已四十三年矣。茲又逢該會聯合各專門工程學會：台灣機械工程學會，中國水利工程學會，中國土木工程學會，及中國礦冶工程學會等，定於本月十一至十二日在台北市中山堂舉行聯合年會。謹將四十三年來，中國工程師對於國家社會的貢獻，作一概略報告，藉示祝賀。

戰前工程師的成就

四十三年來，該會集全國工程界之精英，建立我國工程事業與工程建設的原動力。一部中國工程師學會會史，即不啻一部中國工程運動史。

四十三年來，雖民十五以前，國家建設事業，沒有若何成就，但工程師的努力，仍多足稱道。例如詹天佑的領導建築平綏，平漢等鐵路，鄺景陽主持南北各鐵路建築工程，功績不可磨滅。民十七全國統一以後，政府建設事業，已有輝煌成就；沈如琪、俞人鳳、劉瑞符、柴俊疇、容祺勳、張鴻誥、徐文炯、張孝基、耿瑞芝、薛以昭、周良欽、邱鼎汾、孫繼丁、薛福均、韋以黻、揚承訓、凌鴻勛、侯家源、譚伯英等之於鐵路；茅以昇等之于橋樑；趙祖康、康時振、鄭肇經、薛次莘、王世圻、莫衡、蕭慶雲、周鳳九等之于公路；盧毓駿等之于建築；譚炳訓、過守正、宋希尚等之于北平和青島市政工程；余籍傳之于南京市政工程與湖南建設工程；曾養甫之於浙贛與錢江鐵路橋樑及戰時軍事工程；俞大綵之于兵工；袁夢鶴、李文邦等之于港埠工程；顧毓琇等之電機，莊前鼎、劉仙洲等之于機械；王世銓等之于造船；錢昌祚、李景璐等之于航空；陳之邁、王之卓等之于測量；張滋沅、余嘯秋等之于電信，吳保豐等之于廣播；過祖源、倪世槐、郭紹興等之于衛生工程；陳立夫之[illegible]育等；均其佼佼者。民二十六，抗戰發生前所完成的大西南和大西北的鐵路與公路[illegible]有目共睹之事。

[illegible]此期間，工程師所參加的各項工程建設，艱難困苦，可以想像得之。但此一時期工程上的進步，比以往任何時期為迅速，[illegible]

抗戰期間工程的成就

[illegible]

[illegible]煤焦工業，為有機工業之母，我國西南，有如東北，亦富[illegible]其法分高溫蒸餾，低溫蒸餾，煤之液化，煤之氣化等，均由我們國營工業主管機關，分工合作，一方面[illegible]解決液體燃料問題，[illegible]

[illegible]（未完）

半週展望

·雷嘯岑·

吉田茂訪美以後

日本首相吉田茂在乘船赴新大陸的途中，先利用新聞記者傳播一篇不滿意美國的言論，振振有詞。到了紐約，即裝作健忘的樣子，把責任推到記者身上，然後陸續發表其「感謝」和「要求」美國的意見。這是一套預定的外交策略，搖曳多姿，目的只在博致美國對他的大力支持。

吉田向美國人士強調日本經濟出路要以東南亞為主，希望美國用四十億金元來援助東南亞的經濟發展。誰都理解他這項言論是不合時宜不切實際的，但他却另有用意。他已聲明日本政府不能禁止民間與中共區域貿易往來，如果美國在經濟上不以大力援助他的政府，則將來日本政府也祇有向中國大陸求取經濟出路了。

吉田訪美的唯一目的，就是要錢。有了大量的經援，自不愁政權不穩固。而美國現在除支持吉田以外，又別無他途。所以，吉田乃先來一陣外交攻勢，一面表示堅決反共，同時又批評美國對日政策之缺陷，藉以加強白宮對他的倚畀心情。

[illegible]億元的剩餘農產物傳予日本，又答應將來東南亞地區的「特需品」——即軍用品——皆由日本方面供應，美國自身在遠東所需要的「特需品」亦向日本繼續定貨，而對南韓要以三分之一向日本購買物資。這樣一來，吉田在華府如能取得一億農產品以上的經濟援助，此行即不虛了。

至於日本內部的政爭，保守派同床異夢，殊不足以構成吉田的致命傷。[illegible]左傾集團亦無法合流，[illegible]而資金更貧乏，[illegible]次招待一下英國工黨的訪問團，也得籌資來支應哩！

吉田挾美國的經濟與政治雙管齊援之力，先可以制勝國內的反對力量。將來他歸國以後，其[illegible]一次大選了。

中美安全互助協定

喧騰已久的中美安全互助協定，最近白宮發言人亦正式聲明早在談判中，不過尚未達成完全協議而已。

向來協議的最大癥結，當不外如美韓協定那種附帶條件，即我們在未取得協約國[illegible]以前，不能自由對大陸反攻。[illegible]致表示抗議，因為所謂「安全互助」云者，不過要我們死守住台灣，專為協約國一方面利益着想罷了，不啻為一種「安全他助」協定！

果係如此，那就似乎不必多此一舉。既有第七艦隊協防台灣，還要這類自縛的條約幹嗎？從政治意義說，有了這協約，至少美國在道義上不會贊同一般姑息主義者出賣我們的，君不見日內瓦的越南停戰協定那樣麼？這也是自助者人助，俯仰由人是沒有出路的！

中共所謂「遣回日俘」

李德全廖承志等共黨訪日，日本朝野皆希望藉此使留在中國大陸的日人被遣回國來，共黨亦以此為示威市惠的工具，聲言明年二月可以放回若干日本俘虜。

實則中共[illegible]來與日軍作過大戰，中共亦不是交戰國，[illegible]區受降，根本就沒有「俘虜」之可言，現在被扣留在共黨手中的日本人，不是由俄共交給它的，就是普通人民，就日本政府的立場說，祇能認為是非法扣留的僑民，而不應承認為共軍的「俘虜」！

日本人對外[illegible]存着優越感，唯獨對中共這項非法扣留日僑[illegible]，却充分表現其自卑感。這證明日本人還是[illegible]極權主義者，遇強力便低頭，見弱者則欺侮。目前許多亞洲國家對日本猶存戒心，不是沒有由來，日本民族性如此，焉能消除別人的疑懼呢？

來台教授的新結合

困苦的學人生活

康德

台灣通訊

【台北通訊】最近，自由中國又有一個全國性的學術團體出現。這個團體的名稱，雖以「大陸來台教授聯誼會」為標榜，事實上，學術和政治的氣味，都很濃厚。上（十）月廿三日下午三時，大陸旅台教授聯誼會在台北市中山堂舉行盛大的茶會，到會人士達兩百餘人，確定該會為永久團體，推定專人負責今後的聯絡事宜。

基本發起人

該會的基本發起人有：吳康、黃昌穀、羅鴻詔、杜光塤、吳相湘、[illegible]、郭榮英、涂序瑄、藍文徵、黃大受、張儀尊、[illegible]、邦珍、鄭嬰、盧月化、王祈、杜學知、賈宗復、歐陽與、洪[illegible]、劉友琛、邱有珍、倪[illegible]、[illegible]、張起鈞、李[illegible]、[illegible]等；陳達三、李濟雲、黃[illegible]、張國鈞、李國鏞、[illegible]純仁、何日章、熊[illegible]自新、等一百餘人，現正繼續擴大徵求會員中。會員名單因太多，不錄。

[illegible]是致力甚勤的。尤其前者，其專門工作即為從事研究，為求相互切磋，乃有該會的組織，從學術立場來說，這當然是一個好現象。

編纂編審的待遇

不過話雖如此，有關當局，並不一定喜歡這一團體的成立，原因是深恐其中的教育部特約編纂編審們，結合起來之後，或者會向當局爭取待遇。如果所傳屬真，這真是因噎廢食了。扶助學術團體的發展，這是政府當局的職責，教育部編纂編審的待遇，那是另一問題，與此絲毫無涉，何必過慮呢！

談到教育部編纂編審的待遇，說來真也夠苦。他們名義上有薪俸，但因他們的工作是研究和編纂，不必上班，沒有職務加給。同是國立編譯館的編纂編審可領研究費或職務加給，中等教育輔導委員會的委員也可領研究費，省立師範學院的[illegible]，他們沒有。他們每月除了領三四百元薪俸以外，再無其他津貼，負担一個人的生活費用，如或可勉強支持，如有妻子家庭負担，則勢難生活。教育部又限定他們不能兼職，不能在大學兼課，不能超過四小時，否則解聘。他們處境困難可想而知。這種不公平的待遇，原應由主管機關比照國立編譯館，主動的為他們調整，不必出自他們要求的。

教育部特約編纂編審的設立，係三十八年由立法院通過特設的，名額定為一百名，原為救濟大陸來台教授，每年經費六十萬元（那給在外），平均每月五萬元。據說現在實有名額六十餘名，每月可節餘經費二萬餘元，自本年六月（教部改組）至十月份，已節餘十萬元之譜，這筆款項又聽說有主管，並非募審人員，而支募編審的「黑市」名額，則未知確否。總之主管當局若顧念募審人員的生活困難，並不是沒有辦法的。

△美國會二日改選，民主黨參眾兩院勝利，以二席及二十九席多數分別控制參眾兩院，圖為國會聯合會議情形。

廣州工人生活苦況

·沈着·

原料奇缺生產低落　按件計酬生活無着

物資配給一減再減

【本報訊】廣州某紡織工廠一不願透露姓名的女工最近到港談稱：近三個月來，廣州各工廠，無論公營私營，或公私合營，因原料奇缺，多已縮小生產範圍，或停工待料，其中尤以五金、化學、紡織三類的生產原料供應最感不濟，被迫停工待料者，比比皆是。缺料較嚴重者，往往全部停工一星期以上，較輕者，亦祇能使用一半或三分之二的生產力。因此生產秩序敗壞，生產率空前低落。

該女工又說，中共對此種情形，除在工人頭上找尋其「竅門」外，別無對策。所謂「竅門」，即將工人原來按月計酬的工資制度擱起，改用按日計酬，或按件計酬。即做一工算一工，做一件算一件，以逃避經常應有的負担。一般工人對中共此種「竅門」，自然極為反感，即黨團員亦不例外；但中共以「愛國節約」為名，除向工人進行宣傳和所謂「教育，說服」以外，並迫令共黨團員「積極帶頭」，響應此一措施。

該女工又說，中共對工人待遇，極為刻薄。以伊自己為例：伊本一熟練紡織工人，每月僅得人民幣三十萬元，除去名目繁多之「捐獻」，每月實得祗不過二十七、八萬元。原已不敷生活；改為按日或按件計酬以後，平均每月所得已祇十五萬至二十萬元左右。故伊不得不用盡方法，騙取中共一個月的離職證來港，另求生活。

該女工續稱，中共喊出「解放台灣」的口號以後，中共在各工廠中的政治人員即奉命向工人大事「宣傳」。小組會、大會、黑板報等不一而足。與「抗美援朝」的時期無異。

目前因水災影響，對工人各種生活資料之配給，已一天減少一天。工廠之配米量，原較一般市民為多，每人每月十兩，現已減為八兩。鹽每人每月原為四兩，現已減為三兩。布每人每年原配二丈，現已減為一丈。關於食油，因花生大量出口套取外滙，花生油早已絕跡；菜油則因近年產量大減，除部隊機關以外，一般人已無權享受。工人平時在廠中所食者，早已改用青油及其他中共自詡為「新發明」之各種動植物雜油。此種雜油，不僅難於下嚥，且易引致腸胃諸疾。目前，此等雜油亦不敷供應，故由每人每月四兩而減配為三兩。至於食糖，已成珍品，除年節每人可排隊憑證輪購五百元，約得二兩多，平時已無法購得。工人生活之艱苦，已可見一斑。

讀者　編者

出國留學問題

△一夫先生來函

編輯先生：卅四年春天，那時我讀高中還不滿一年，其時因戰時需要，政府下令全國號召十萬男女知識青年，志願從軍。一時風起雲湧，學生報名的甚多。但我的學校教職員有子女就讀的，竟有人偷偷告訴子女到壁子裏，在沒有人的時候，嚴厲的對他們說：「你們不要去報名，那是一樁送死的事情」。我想別的學校也有這樣情形。教育界如此，別的行業也可想而知。過去的已經過去了，可以不必再提。現在國家民族，正是危急存亡之秋，仍有些大人先生，口中高叫：「青年需要接受文武合一的革命教育」，但自己卻設法千方百計，讓子女出國讀書。果真學問有了根基，到外國作高深研究，尚情有可原。一個普通中學生，在國內還不夠他學的嗎？何必耗費難得的外滙呢？最近有人說：「新修改的兵役法，是專為特殊階級立的法」。這不是對立委先生們一種嚴正的指責嗎？仔細查查看，非特殊階級的子女，有幾個能出國深造的呢？不錯盛沛霖先生是很窮的，也可出國，但這真是鳳毛麟角，而且還是幾個熱心教授的湊助，才能動身的。我要奉勸在朝在野的大人先生，社會優良風氣，應當大家努力培養，切勿以私害公，讓過去大陸的老毛病，重見於今日的自由中國。讀者一夫，于嘉義十、十九

願受軍事訓練

△蘇鏡明先生來函

編輯先生：我亡命海外，五年於今，心中至為苦悶。每想回到自由祖國，受軍事訓練，多方探詢，均無結果。究竟政府有無在海外招集青年回國受軍事訓練的事。貴報消息靈通，如有此事，請先生推薦。我日後如有所成就，則受賜多矣。今年七月，台灣五學院在港聯合招生，我曾參加投考陸軍大學。經審核，不合水準，極為失望。我曾在大陸縣立師範學校畢業，自不適於升入陸大。況且失學五年，學業荒廢，又沒有英文數學教學經驗，要做教員亦不易。國府如在海外招集青年回國受軍訓或受其他幹部訓練，我均願前往。蘇鏡明拜啓　四十三年十一月八日。

編者按：請政府有關機關予以答覆，為荷。

人物·述評

元戎小隊數追陪，零落山邱惜此才，豈代威名期頗牧，當前儒雅失鄒枚；英靈河嶽終長往，間氣山川儻再來，私哭還為天下痛，心喪三載有餘哀。

——先生寫詩——
——作者宜山鍔

蔣百里的身教與言教

賴愷元

（一）

近年來，自由中國頗為重視祭祀孔聖，對於教師節外，並褒獎服務教育十年以上之教師，[illegible]如蔣百里先生，[illegible]者乎！倘先生付與[illegible]之典[illegible]。

百里先生本德國留學歸國，前清末葉[illegible]，民國成立後，由其[illegible]。時保定軍官學校[illegible]，理時[illegible]，祺瑞推薦百里先生於袁世凱，以留德英才長保定軍官學校。百里先生就職時，對一千三百餘學生訓話，特別強調「將來如不稱職，人當自殺以謝天下」。分贈自撰[illegible]（梁任公所編）「中國之武士道」一冊，人各一冊，莫不欣幸得師。於是全體同學，風潮亦頓歸平息。百里先生任職半年，[illegible]。

魔高一尺，道高一丈，事[illegible]其時往往受軍部內一些官僚的嫉忌，[illegible]先生因是無法展布，[illegible]，先生訓話，氣吞將帥之餘，突出一槍，自戕不仆地，莫不痛哭失聲。當時同學環視，當陸軍部數紙[illegible]，竟無一字一句，所持摘[illegible]。驚聞作梗之軍學司長魏宗瀚及教育科長丁錦二氏者。於以見先生之人格，實為何如也！

內外輿論，當時更是[illegible]，不惟校內野名其中公梁任公，在上海[illegible]，各省封疆大吏，來電，均以百里先生為一時奇才，慰問，[illegible]。百里先生以身殉職，[illegible]精神所致。[illegible]日本武士道[illegible]，[illegible]高天留碩果，[illegible]以作國家之[illegible]。

（二）

百里先生一生數奇，既未嘗擁兵，亦未嘗綰符。然而于抗戰期間之偉業，[illegible]，賴一人而振，[illegible]，其大要如左：

[illegible]「抗戰必勝」，以為中國有地大，與日本抗戰，不感我國戰[illegible]，不能不戰。戰則已，戰即[illegible]。

運用拖之一字，拖至東西戰爭一合，其後果如其預言。「拖倒而後已」。

[illegible]先生之基本戰略，以為堅強的意志，即為一國最大之武器，「抗戰必勝」之信念，人民族之[illegible]，乃古今中外所不可能也。

初又在武漢撰「抗戰之前因後果」一文，以日本人所愛之花與日當其[illegible]，[illegible]好也。

[illegible]文，[illegible]，[illegible]。

是不[illegible]此文結論[illegible]。

先生[illegible]，[illegible]。

[illegible]亦如梁任公，見解先生天資聰明，才思橫溢，過從友好，亦皆是國內外第一流學者，切磋琢磨，轉益多師，已至「舊學商量加邃密，新知培養轉深沉」之境界，然故[illegible]。

[illegible]，[illegible]。

[illegible]者，先生自[illegible]。

[illegible]（按：先生之三，本刊二六八期，曾刊丁文江先生「兵學大師蔣百里」一文，可供讀者參考。編者）

·讀·史·述·評·
西漢六經總論（四）
—續讀通鑑論—

毛以亨

今古文爭辯原因

然爭議之所以激烈，乃爲根據經以演出政治思想與主張之衝突，因爲有關實際問題，所以一字在所必爭了。西漢博士職在據經以議政：寬厚之德，始於高而成于文，詩教也；峻刻之象，始于景而終於宣，書教也。三百篇之詩，皆可作諫書讀，禹貢爲治河之書，尚書春秋，皆用以斷獄。自尚書春秋之學興，鼂錯，與酷吏張湯等皆以尚書進而用事。於是高祖約法三章寬大之政廢，且較援用秦法之蕭何爲密，至叔孫通張蒼，則以經書定律例。漢武帝時，大辟律四零九條，律例一萬三千四百四十二項大抵援用經學。酷吏愈出而愈多，大臣，皇后，太子均不免於死，此非通經致用博士變的成績麼？西漢經學，實可作「大清會典」讀，殊非審言。

古文出於民間，王靜安謂歷史上以地下之發現，而增進地上之學問者，一爲孔氏壁中書，二爲汲冢書，三爲殷虛甲骨文字。官學日久弊生，況法令所根據之經學呢？古文所恃以抗今文者爲以左氏抗公羊，以正君臣之義，嚴夷夏之防，以反對公羊三世一統，與譏諷之說。尚書之古文，其增加的部分，率爲正人心求良佐而講言法治，則古文爲因今文而生嚴刑峻法之反動可知。平帝時，復立古文尚書，毛詩，逸禮，樂經，左氏春秋，至博士三十人，則王莽之僞爲曲徇民意也。古文並不能爲王莽張目，雖其根據周禮而自稱周公，然易詩書皆受其濫用。劉歆祇典莽之文學，而不掌機要，卒以漢宗室與宗古文之故，而被誅殺。王莽利用六經，本來至今文家言亦够了，然卒擴大而及古文與緯讖。若謂王莽利古文而亡漢，則劉秀何以藉古文尚書而興漢，其實皆以證明古文爲民間所擁護之學而已。惟其古文爲民間之學，故馬鄭可以退黃巾，而鄭康成與昭烈帝且有一段淵源。曠世大儒，能動天下之靜而爲萬人所景仰與追隨者，捨經術豈有他哉？

研究經學非開倒車

至清末則言古文者講民族革命，以章太炎爲代表，言今文者講保皇，以康有爲爲代表。乾嘉古文大師，承顧亭林之後，大有藉古文以談修攘之概，至少太炎先生諸人作如是之假定。至孫中山汪精衞既講革命，又談大同主義，則已離經義而說政了。假使今日仍以經爲中心來談政治的話，則毛澤東可以講公羊，而我們祇好重左氏。現在西方人以哲學暗射政治之辦法，亦復與中國人之說經相彷彿。黑格爾以理念世界之終極，爲普魯士王國，馬克思世界革命之觀念，乃根據一八四八年，一七八九年民主革命之事實。可惜東漢以後，經生即不議政而只議典禮，嗣後縮小而爲只談經義。現在即連經義亦引不起人們注意，內亦不識，遂若於對中國文化與政治，無所資以爲說明了。

現在借重西洋人之所謂主義者來說明的辦法，若於一般人對之太生疏，即讀西洋書者亦不能生親切之感，在中國何能希其於人生日用發生關係？經學其能如柏拉圖之書的復興，使我們借回到柏拉圖的說口，以回到六經中去，而與近代科學相發明麼？其事固非不可爲，西漢經學家，劉歆鄭玄，固以科學之高一等，而爲世所重，非僅以其說之能取悅於人也。三統曆，考工記，九章，固爲科學，洪範五行，以及纖緯，亦科學之探討，固無一而不與現代科學精神相符合也。只有妄人謂研究經學是開倒車，亦只有妄人始謂今古文之爭已成陳跡，蓋對此不肯努力，乃不明中國文化動力之根源所在耳。

讀經在喚起民族精神

現在讀經不是研究古字與多識名物，亦不是造作古董，去登哈佛亞細亞學報，而是喚醒民族精神，爲中國文化開一條新路。易經爲辨是非而非問吉凶（劉百閔創見），尚書爲安內，左氏爲攘外所必修之書，詩爲民間之詞，而皆約之以禮。禮爲政制。亦即法也，三禮之學，爲中國學術的基本，中國亦只有說禮文章，治國家，安人民，能有外此者乎？我最近建議於劉百閔，以爲如組織一個讀經學會，不特愈於祭孔，且愈於任何座談會。我個人讀到左傳，則愛國之心油然而生，讀到聖經，則昏昏欲睡。乃近人輒以入教讀聖經爲時髦，反以讀六經爲頑固者，嗚呼伊川之野，不待百年，其悉爲戎乎？

民國以來我們工程師的努力與成就（中）

·楊力行·

戰時各項工程的成績

與機械及化學燃料工業發生聯繫者，莫如鋼鐵。戰前雖有北方及中部的鋼鐵工業，但除湖北及上海的一部份外，新興於南部的鋼鐵工業，尚在萌芽中。抗戰初期，後方鋼鐵遷建，已經成功，土鐵改良又多進步，新式煉鋼，更加擴展。大規模廠除肥料工業，亦多遷廠後方，雖尚不及戰前之盛，然而新的建設，採用更新的方法，已獲成功。其他小型化學工業，如各種工業用化學藥品的製造，鹽之副產物，各種金屬鹽類及由天然植物，提取精華，以供染料，醫藥及製應等工業，有如春筍怒生。而銅、鉛、鋅、錫、鋁、銀、金、鎢、鎳、汞、鋅、錳、硝、硫、礬等採煉工業，均比戰前產量增加若干倍，冶金工程師與化學工程師的貢獻，可見一斑。

機械工業的發展，除由國家力量，設立大規模工廠外，民間小型機廠之新設者，到處皆是，分佈亦廣。公路運輸的集中管理，更使修車廠有系統的展開。因水道運輸的重要性與灌田水利需要，及水力發電建設；華北、黃河、長江、漢水、淮水等水利機關，都曾動員全體水利工程師，爲西南西北所有水道與溝渠加以整理，以增進運輸與灌溉力量。民船的改良，淺水輪的構造，使內地水道交通工具得以解決。同時，驛運和獸力的利用，得力於機械工程師與土木工程師的力量甚多。

戰時公路與鐵路，屢受敵人破壞，工程師的搶修，忠勇與敏捷情形，每非局外人所能想像。西南西北公路的完成，與鐵路網的建設，並國際路綫的修築與增加，在在顯出土木工程師與機械工程師不斷的努力。抗戰勝利復員，全國鐵路已達一萬零一百公里，公路已達一百萬公里，進展之速，由此可見。

動力工業的發展，除國家力量所建設的水力發電外，其由中央和地方合作經營的電氣工業，曾經建設好幾個內地工業的中心區，而西南西北電氣網的完成，戰時即已奠定基礎，電氣工程師與土木工程師的功績最多。

國際及西南西北與東南無綫電網的維持與經營，以及國際及國內廣播事業的繼續不懈，又係電氣工程師的成績表現。郵政通訊，與有綫及無綫電通訊，多數係中級工程師，獨立支持。電工器材，供應最爲需要。國營民營工業，均有重要發展，此乃電機及機械工程師的努力結果。

西南煤礦的機械化，多賴中部內遷的礦業機械及電力設備；而西南西北新礦的開發，就主管機關礦業界的貢獻，已比戰前全國範圍爲大。而採礦事業，全體勘查地質的工程師，一齊勵員，實爲內地礦業發展的原動力。

屬於工業獎勵範圍者，凡冶礦、機械、化學、紡織，及日用品與軍用品的發明與創造，不特數量大有增進，即質地亦大爲進步。潛心造作者，多實用的初級工程師。其從事高深研究的高級工程師亦多轉趨此道。同時，青年發明創造家，因受提獎與補助的鼓勵，其中頗多出乎意料的成功。

工程教育與著述

工程上的著述，頗多在國際學術上佔有地位。試驗研究的工程師，亦多貢獻。各種製造工業，分門別類歸心傳授者，如北平和天津及浙江之工業學院等，成績甚優。抗戰以後，所有造紙、製革、醬油、酒精、陶瓷、色染、煉油、油漆、油墨、肥皂、臘燭、織造、捲煙等實用製造的人才，頗形不足；隨後教育主管機關，添設技藝專科學校，於短期間內造就大批實用人才。後方日用品工業，得以自給自足。各大學及各大工廠，又訓練初級工程師，並以工業合作的方式，使多數有切實技藝的工程幹員，能發展其組織生產機構的能力，初級幹部工程師又與實用專門工程師，及高級工程師，相與聯繫，以完成大時代工程建設的使命。

戰前西南西北，除陝西一省外，均無棉紡工業；戰後四川、雲南、貴州、廣西、甘肅，除小型紡織外，四川已成爲大規模棉紡工業的重心，比戰前的武漢、天津、青島，又有過之。染料的代用品，能趨於自給之途，此又紡織工程師與化學工程師之力也。同時，毛織麻織及蠶絲工業的發展，及棉麻絲毛四大衣服工業的發展，均有足述者。與國際貿易有關的產品，如桐油的精煉，豬鬃的整理，茶葉的製煉，均因工程師的力量，使國際貿易得以發展，此亦工程界與有力焉。

評：「鬼把戲」（上）

·沈秉文·

作者：余非　出版者：亞洲出版社

（一）

最近亞洲出版社一連出了三本劇本——「復仇」、「前綫無戰事」和「鬼把戲」，都很不錯。而「鬼把戲」一劇，不僅爲其中之最優者，且其成就之高，實爲歷年所罕見。

這是一部四幕五景八場的舞台劇。目的在通過戲劇的形式，將這整個時代的罪惡，完整而活生生地剖現在觀衆的眼前。它的氣魄之雄渾，組織之嚴密，思想之豐富，諷喻之貼切，表現之深刻，劇情之緊湊，效果之宏大，以及與味之幽默、輕鬆、動人，及其教育價值之高貴等等，無不超出衆流。

筆者經再三研讀以後，完全同意亞洲編者在劵首所作的介紹和提示。它在藝術上所表現的象徵主義和諷喻的貼切深刻，無異爲「一九八四年」一書的中國版，且比「一九八四年」更富有眞實感。它在思想上所包括的人道主義和自由理念，及在社會性上所表現的英勇反抗精神，則又無異爲一部新但丁的「地獄篇」或一部哥德的「浮士德」。

（二）

據悉本劇作者余非「筆名」先生，向爲一成功的戲劇作家，抗戰時會編過不少愛國舞台劇，勝利後曾編過很多電影劇本。中共竊據大陸以後，曾被迫參加導演工廠劇，親身經歷過許多非人的生活，總因無法「搞通」，乃悄然逃亡來港，近年在港曾以「蕭獨」筆名編過不少電影劇本。現以恐於整個世界的曖昧苟且，和被赤色集團任意作踐的可怕可悲，乃毅然寫成此劇。——他非常妥切、巧妙、深刻而又通俗地將這個時代的大悲劇，稱之爲「鬼把戲」。

綜觀作者寫此劇的藝術衝動，簡直含有宗教性的無上的勇氣和道義。再加上作者造詣的深湛，技術的熟練，和頭腦的精細，乃使此一作品的成就，幾乎凌駕一切鐵幕報導的作品。筆者之所以給它如此高貴的評價，是因爲他一方面指出這是一個「人和鬼相互滲透的世界」的這一比喻實在太恰當了；而另一方面，他將這個世界的形象活生生搬上舞台，實在要比書本上的苦口婆心有效得多了。

據筆者從劇本中所有人與人，人與鬼，以及鬼與鬼之間的對話和動作看，作者對那些鬼怪們的「把戲」，眞已洞察得點滴無遺，而予以諷喻得維妙維肖，刻畫得入木三分了。其中尤以對許多赤色術語和習慣語的運用底恰當，實在令人忍俊不禁，倘在演出時再通過演員的技藝襯托，則簡直可模糊觀衆「看戲」的意識，而彷彿已置身在那個人鬼混雜的世界中。而正因爲那個世界確實是那樣一個世界，於是，這個劇本對那些鬼怪們的打擊來說，乃無異已成爲一顆血淋淋的精神上的炸彈：

讀者論壇

新聞界與議員

·文生·

筆者有一次在宜蘭綫火車上，聽到兩位台灣同胞談天，其中一個說：「現在政府官員對議員很頭痛，但議員對新聞記者卻也懼怕三分。」這句話很是耐人尋味。

議員是「民意代表」，所以在議壇上對政府官員，提出質詢，甚至提出譴責案，政府官員對議員感到頭痛，自是人情之常。

至於議員爲甚麼對記者懼怕三分呢？自然議員本身有了缺點，才怕記者批評。

台灣各縣市議會成立已三載有餘，過去兩屆（包括現在）選出的縣市議員中，飽學碩儒，操守清廉，爲民造福者，固不在少數，但其中也不免有少數不良份子。這些不良分子，在競選時甜言蜜言，蠱惑選民，及其當選，即我行我素，忘其所以。甚至有假民意藉飽私囊的。例如最近某縣議員四人，用調查欠稅名義，到酒家吃了一頓，用去新台幣千餘元。千餘元在台灣可以買到千餘斤糧食。他們竟然一次吃光。到了開會時，有人起出質問，他們竟大聲咆吼，絲毫無認錯態度。又一次台北市議會開會，有一位議員，建議政府解禁日本歌，事後獲悉，原來這位議員開了一間日本「料理店」，爲了號召生意，有此主張。還有若干縣市議員組織環島旅行，美其名曰「考察」，旅程甫半，就鬧意見，要分攤旅費。更有些議員像蝗虫一樣，到那裏吃那裏，你來我往，彼此作東，地方政府也只有硬着頭皮，如數照發，吃虧的還是老百姓。

在這樣情況下，如果說，少數不良議員有所顧忌的話，那便是怕新聞記者的筆尖，會戳破他們的內幕，以至受社會輿論的抨擊，和人民大衆的埋怨。其實這些少數議員雖然「不肖」，畢竟還是良知未泯的，名譽還是愛惜的。所以，人們只說：「議員懼怕記者三分」。

再說記者，台灣大小日晚報，共有二十多家，除了報社所在地的記者外，其他外埠記者，都屬於特約性質。在記者羣中，也有少數人的作風，不敢使人恭維的。說來，有些報社，也要負些責任，因爲有些報社聘用記者，有時候一半要他們推進業務，拉廣告，銷報紙；另一半才是眞正做報導的記者工作。有些人頂着記者的牌子，去做推行業務，無疑會得到許多便利，但少數不良之徒，不免因有隙可乘，便上下其手，亦屬自然之事。這便是少數記者的作風，令人不滿意的原因。

職是之故，擺在新聞界面前的，有一樁很重大的事情，就是要先健全本身，然後可以藉正義的輿論力量，促使少數「不肖」議員銷聲匿跡。使地方自治走上正軌，前途發放異彩。

最後，我得強調一下，矯正少數不肖議員的行爲，唯有新聞界最具力量。但新聞界也要健全本身，然後才能發生力量。

受騙進入竹幕
僑生被迫參軍

在上個月有一批從越南回大陸的僑生，其中有一百四十名，經被調往海南及北韓兩地去參加軍役，其中女生一百十名，則被調到閩北參加衛生隊。其餘約有二百五十人，正受着軍事訓練。這批僑生原是被中共誘返大陸「升學」的。

不感興趣之詞

馬五先生

美總統艾森豪答記者問，說美國政府並無「命令」台灣國軍不得大舉反攻中共那回事，美國只是以「夥伴方式」對待友邦，遇事徵詢彼此意見而已。這話絕對可信，白宮對任何一個盟友亦不會以命令從事的。

不過，所謂命令與否，乃是形式主義，彼此既屬利害與共的盟友，應該略形式而重實質。羅柏遜副國務長官曾經飛訪台灣一下，而國軍對大陸沿海地區的反擊行動即告休止了，雖無公文「命令」，卻有口頭傳言，這就是實質。

我們並不認爲這種實質就是絕對的不能容忍之事，對於友好的合理諍言，當然可以接納。問題不在這些形式邏輯上，而在白宮的整個對華政策。

美國人民既堅決不承認中共僞政權，視自由中國爲友好國家，予以軍經援助，然又縱容毛澤東變成狄托，而以「台灣問題」作香餌，隨時掛在嘴上，喋喋不休。俄共集團可以談台灣問題，因爲台灣的反共力量對他們是一種嚴重的大問題，非談不可。台灣對自由世界——尤其對美國，有甚麼問題之可言呢？然美國竟跟着那些與中華民國沒有邦交的人一鼻孔出氣，這算甚麼「良好的伙伴」？

美國認爲台灣的地理形勢，對其國防上關係甚大，因而援助自由中國整軍經武，大力反共，以防台灣「落入非友好者的手中」，然又不願意國軍大舉反攻，說是要避免美軍牽入漩渦。用意就是祇教國軍永遠守住台灣，專爲美國利益服務，不必作反攻復國的打算。這樣的政策，還談甚麼「安全互助」呢？

大前提不明朗化，其餘都是枝節問題，無關宏旨。艾森豪先生儘管婆婆媽媽式的發表一些官式友好之詞，至少我個人絲毫不感興趣！

不打自招文鈔

·文抄公·

文抄公按：讀者要想知道中共工廠裏的技術革新，和生產効率到底是怎樣一回事，請看下文一篇中共報刊所載的一篇文章：

「樹立旗幟」

重慶　施鏈

早晨，鄭廠長一連打了好幾個呵欠，雙腳不由自地往沙發旁走去，自言自語地說：「暫時躺一會吧，熬過這幾個夜就好了，等這一面旗幟樹立起來，那時，全廠的工作就……」他剛要進入夢境時，門「呼」的一聲，把他從昏迷中驚醒，他隨即喊了一聲：「進來！」

進來的是專門派去幫助技術革新者——小王的廠醫師傅。

「鄭廠長呀，今早晨起床時，我見着了小王臉青面黃，氣色恐怕有些不對頭啊，去叫一味加強勞動強度，發出禍事來，咋搞？」

鄭廠長的眼前，頓時變得一團漆黑，過了半響，才「唉」了一聲，振作精神來，「那老陳呀，去叫醫院院長趕快來我這裏一下。」老陳走後，廠長的瞌睡也像沒有了。他看一看桌上一大堆文件，立即從沙發爬起來說：「我必須馬上辦公，要用忘我的勞動，補償剛才打瞌睡的時間。」他想了想，事情太多，要先辦主要的，急需辦的工作。他在辦公桌上的文件中翻了半天，最後坐下來，才又想到還是老陳剛才所提的問題最重要，應該先辦。他伸手撥電話催醫院院長快來，院長已經立在他面前了。他不等院長開口，一連問了院長好幾個問題，比如：規定[illegible]注射天給小王的補[illegible]針注射了沒有？補藥給吃過沒有？院長對他的問題都挨着答覆了，但他顯然不滿意，質問院長：「你說樣樣都搞好了，爲什麼小王的氣色還很難看呢？」院長剛想作答，他又搶着說：「醫院也是爲生產服務啊，樹立技術革新的先進旗幟，醫院也有責任多想辦法呵。」他一邊說一邊打開抽屜想找本文件來幫助說服院長，抽屜裏滾動着兩個鷄蛋，那是他愛人給準備的早點。他看見鷄蛋，好像來了靈感，高興地對院長說：「對對對，每天多給他加兩個鷄蛋，今天就拿我這兩個去。」院長剛了一聲「可以」，爲了不負廠長的熱情，果然把鷄蛋拿去了。

院長走後，廠長坐下來集中研究小王一個季度完成一年生產任務的問題。他一邊目不轉睛地看着有關小王個人生產方面的資料，一邊自言自語地說：「具體措施」的確實在不少了：首先，我以廠長的名義調整了小王的工作，不讓他去趕廠裏與外面簽訂的合同上的任務，小王可以完全安心，不太複雜的活，給他，派了最好的機床，生活上也儘量照顧。他看完了材料，扳起手指數了一數：「都辦好了！」他很滿意。

但是，當他看最後的一部份材料時，剛才所有的滿意卻全部驅走了。他有些不相信材料上的計算，把算盤取來，親自計算：「小王全年工時共二千二百七十二小時，這季度頭個月做了四百零九點六一工時，第二個月做了五百四十九點九一工時，先把頭兩個月的加起來，然後在全年工時中減去，剩下，乖乖，一千多個工時呀！這個月該作一千多個工時呀！不然，一季度完成全年生產任務的先進計劃就落空了嗎！」他用手指搔了一下頭髮，有氣無力地自語說：「差，差……」

他在辦公室裏，一個人走過來又走過去。喃喃地咕嚕着：「小王，你是模範員呀，我是廠長呀……」在提到「模範員」二字時，忽然想起團委會不是要小王去參加過市青年先進生產者代表會麼？還和小學生聯歡過嗎？他的腦子裏好像覺得開了天窗一樣，開會聯歡就擱了好幾天，總該算工時了。」他精神又抖擻起來，撥着算盤珠子：「一天八小時，開會一天，三八二十四，和小學生聯歡三天，四八三十二，一定要將這三十二小時補在小王的工時裏，這樣才算「經濟主義」。多出幾天來，再加把油幹，不到下月初算總可以趕出來，不就行了嗎？即使還差了三十二小時，也只差一小時半，你看，傷不傷腦筋呀！」他拿起電話找勞動工資科：「你是徐科長嗎？你看小王出去參加會議，和小學生聯歡，就擱的時間怎麼算法？最好算成小時。」他細聽着電話，像等着頭胎兒子下地似的，突然，變得笑容滿面了，大聲地說：「甚麼？卅四小時；那是小王在路上來回坐車子多了兩小時；那是他就擱的，我竟忘了。當然應該算上去！」他連再見都沒有顧得說，眼睛簡直變成了一根綫。

正在高興的時候，偏偏生產科長和工會主席跑了來。生產科長說：「鄭廠長，五金機械公司來了幾次電話問交貨的情況，農村裏也派人來等了，『水泵』，人家等着用呀，可是咱們這個月的全廠計劃是萬難完成了，你看咋辦？」工會主席一點商量的口吻也沒有：「我說，廠長，你要負全責啊，小王一個人要用三部新機器，一個組裏其餘十四個人只能在五部舊機器上趕任務。」

鄭廠長卻好像沒有聽見別人的話一樣，仍說：「支持先進要支持到底，滿立好典範，以後全廠大小事情都好辦。」

金縷曲

·臧啟芳·

讀自由人所載羅白芳先生「迎四十三年雙十節」此調，不禁有感，倚聲奉和。

雙十開新節。看今朝，芙蓉錦樹，萬花齊揭。傾巷遊人誰不是，笑靨紅透雙頰。聽爆竹如雷聲徹。愛國男兒紛繼起，料不教往日空流血。秋氣爽，念先烈。　長空仰望雲天闊。把君詞，迴環拜誦，兩心如結。不掃妖氛難爲國，怎忍今生偷活。枉坐視仇讎連接。光復神州應有日，待反攻重建千秋業。今預約，慶新捷。

絃邊偶憶

美麟馳譽

·婆婆生·

（一）

在劉玉琴院演永樂，蘭瓊又呈空虛，人相爭問，後繼接伎人美麟自津詣來，在永樂演出，未幾，物，不久來臨，尚有八成，又是美麟自津詣來[illegible]

或以喜劇奇角色，或劉斌昆之流也。美麟兵將，二月間曾來永樂，云將近二牧場，乃得來台，交誼，始有織錦之約。赴基隆，秋風蕭瑟[illegible]劇新樂，如「鐵弓緣」，紅鬃烈馬，[illegible]春秋配，其中特點，爲皆衣衫，戲各佔一半，而戲情繁雜，得來在台北未曾演之，所惜余以路遠，仍錯失機會。

余之欣賞美麟，在其演醉酒以後，乜劇爲裴豔玲所不演，而美麟演來，却極有幾分，近似小長華。再觀救災大規模義演，有八五花洞，假金蓮由正芬王琴正珠等扮他，而眞金蓮爲美麟王琴棒秋荊鴻飾演，倘美麟在其中指引，則將成一面倒未能得見，僅觀三劇而已。

論美麟劇藝，因有相當根底，故功夫不差，尤其神扮角色，濃用懸眼，表情到，但做作甚細，不稍敷衍，當其初來，人或疑其以海派姿態號召，後來物，由老生演員轉變，終是能耐，成爲現時且行之三眼甲琴並駕齊驅，足可與正芬王琴並駕齊驅。

（二）

美麟結婚後，在新生南路，與名伶朱琴心爲鄰，余初識美麟，在士林郊外晚會和，其後劉老友朱琴心，始得再晤，閒談甚歡，其夫郭君，亦頗與其相研習，如何可傳朱氏衣鉢，余與其互勉其爲今日，當更甚於今日，其精益求精，庶可躋名伶之列，是在大戲台，在台灣的劇壇，不會稍懈，如果反攻大陸，余亦期勉美麟，讓自平津，以其藝術數倍於台，伶界之多，尚須佇待美麟現今之藝名，僅能成爲台灣作爲點綴，貿易遷延演，在其路上，値的方面，成了相形見絀，而有示弱之意。均此評價，非余過譽。

自我毀滅

·短篇小說·

·洛琦·

幾天來，她總是惶惑着，希望蘇杰終有一日到她的家裏來，然而幾天過了，還是看不到他的影子。

有一天她接到一封信，打開一看，竟是蘇杰的，寫着：

潔琪小姐：

遇見你的那個夜晚，使我難以忘卻，這些日來都想着見你，但總沒有機會，現在事情已告一段落，打算請你去玩一玩，請你明天下午二時在府上候我吧！

蘇杰

這是一股清流，把她整個的心，立即平靜下去了。她快樂得幾乎要叫起來，她把這封信再三讀着，她的眼睛好像被一片安慰籠罩，使她迷糊了，她把它放在枕旁，就如一個天使一樣翺翔空間，可以傲視其他的人了。但她並沒有好好的睡去，甜覺心神飄逸，這封信實在使她興奮了！

她大早就起來，上床睡不好，但是她第二天就以最愉快的心情去迎接一件新的事情——蘇杰的拜訪，無疑是可喜的事，可是她又不理解。早餐時，她的思想如野馬般奔馳，想着那件事，而面前的東西，都不能下咽。甚至到午餐時也沒有胃口。午刻過了，她更是坐立不安，一種無可排遣的焦灼，把她整個佔據了。她自己也不知道怎樣才可以形容這時的一片刺目的光芒，窗外的陽光，今天好像特別明亮，在這自然的織錦裏，使她謎住眼睛，花園中的花朵，正逢盛開的季節，五色繽紛，此刻似乎更加豔麗。還有幾只小小的蝴蝶，也和花朵一樣的多彩，它們的飛舞帶來無限愉快，枝頭的鳥兒，吱吱喳喳，一陣陣的歡噪打破了她的寂寞。這是一幅惹人羨慕的畫面，她倚着琴台，看着窗外景色，不禁想起她愛的爵士歌曲，坐了下來，彈着一曲最流行的爵士歌，當她的手指按在琴鍵上，卻有一種說不出的寂寞，因爲她心神不寧，彈不出她想的曲子了。

忽然門鈴響了，她從琴凳上跳起來，這時的情緒，猶如突然得了獎的囚徒，既快樂，卻又緊張。但她又想到自己應該保持一點少女的矜持，於是再坐下去，裝得安詳地繼續彈她的曲子，一面輕輕地跟着曲調唱着。她聽到背後傳來一陣輕輕的腳步聲，再一會，一個影子映在她的琴台上。

「小姐！我來遲了嗎？……」多麼熟的手法。一個磁音從後面響起。（五）

紅朝百態錄（六）

·牛布衣·

母親英雄

傍晚的時候，柳太太正把車衣工作移交下一班（她的女兒），米舖老板跑了進來，把手上的報紙放在衣車上，說道：「恭喜，恭喜，你做了人民政府的母親英雄了，還有一千萬人民券可以領。」

「英雄」這類東西，可是一千萬人民券，卻是想像不到的意外之財。自從解放後，靠這部衣車過活，柳太太一家八口，她的大女兒，和第五第六兩個女兒，日分成四班，每班六小時輪流車軍衣，二十四小時不停的工作。「解放」「人民政府」和許多同志都穿軍服，對於軍衣的需要十分大，柳太太一家二十四小時不停工作，所得僅堪兩餐粥。在此種極端貧乏的環境下，一千萬人民券的價值，是不能夠以言語形容的。

一個人到了興奮的時候是不能夠入睡的，那天晚上柳太太在床上，思前想後，一直沒有閉眼。

她本來是一個孤兒，基督教教會把她養大了。中學畢了業，又因爲成績不壞，把她送到美國，她進的是女子大學，念的是文學和音樂。

在美國她認識了一位同鄉柳先生，柳先生是專學教育的。因爲同鄉關係，見面的機會特別多，發生了愛情，畢業那一年，他們結了婚。

他們回到了中國，在一家教會大學教書。那是三十年前的事了，兩個人每月收入有四百元。那時的錢很有價值，每月只用兩百塊，生活已經十分舒適了。頭十年他們省下了差不多兩萬塊錢。二十年內他們積蓄了五萬元。

他們買了一塊相當大的地皮，蓋上了一所小洋房，園裏面還有一個花園和菜園。他們又買了些房地產。生活過得十分舒適，他們的家庭是天堂。

她生了五個女兒，結婚十年，平均兩年一個。一個家庭有五個兒女是足夠了，可是柳先生想兒子，要她再試一個。第六個生下來又是女的，她連接着第七第八個都是女性。她做了一位八個女兒的母親，她們叫這八個女兒做八寶。（未完）

自由人

THE FREEMAN

（第三八六期）

中華民國僑務委員會登記證僑字第一零二號
中華郵政登記認為第一類新聞紙類
（半週刊每星期三六出版）

每份港幣壹毫
台北市售價台幣七毫

督印人：高　　　

地址：香港高士威道二十號四樓
3 rd. fl. 20 CAUSEWAY RD HONG KONG

承印者：香港發行及業務部

論．傘．兵．作．戰
——中共能對台灣使用傘兵嗎？

．浩力．

作者浩力先生是專門學習傘兵的革命軍人，曾在傘兵部隊中充過部隊長，也做過其中的幕僚長和單位主管官。抗戰期間曾親率部隊降落湖南衡陽，廣東開平等地，作過實際戰鬥。他這篇文章，有理論也有事實經驗，是傘兵作戰問題很有參考價值的文章。——編者

中共叫囂「解放」台灣，台灣海峽風雲日緊。許多人對中共能否使用傘兵作戰這問題提出討論。我相信，海島防禦，應予考慮的事項中，必然已把敵人的空降突擊包括在內。中共的傘兵發展，戰鬥能力，我們不必多事臆測。但我們可以確定的，是中共的傘兵，必為蘇俄所卵翼，而其一切作戰運用，亦必為蘇俄所指導殆無疑問。

空降作戰，乃高度的技術戰鬥，亦為高度精密的計劃作戰，絕非一般地面戰鬥，嘮咄立辦者，所能比擬。茲就傘兵作戰的運用，與技術上的基本問題，予以研討，藉以透視中共能否冒越空突破的危險。

蘇俄傘兵作戰的經驗

研究立體攻擊，垂直包圍的學理，和從事空降部隊的發展，蘇俄也可說是得風氣之先的。遠在一九三六年秋，蘇俄紅軍於基輔大演習中即空降傘兵一個營，輕炮十八門，在八分鐘內佔領了攻擊目標，（某城市）。鋒芒畢露，聲勢咄咄逼人，當時各國軍事訪問團，莫不報以驚奇的眼光。可是到後來德蘇戰爭期間，蘇俄擁有傘兵十七個旅，共約五萬人之衆，（第二次大戰期中蘇俄傘兵最高單位爲旅，戰後已改爲師），自始至終，根本就沒有什麼作爲，並不曾有過什麼精彩表演。一九三九年，蘇俄曾經使用三個旅去攻擊芬蘭的曼納希姆地區，結果非常之壞，部隊不是潰不成軍，就是被敵人包圍殲滅。一九四三年九月間，在烏克蘭地區的基輔卡內夫和齊爾卡斯等地，曾經使用兩個旅的傘兵來進行一次大規模的空降作戰，結果空中運動初期，就為德軍所擊滅，而且失敗很慘重。自是以後，蘇俄傘兵便在保衛斯摩稜斯克，列寧格勒，斯大林格勒，烏克蘭等地區的戰役中，作了步兵使用，如是把一支經過十多年辛苦培育起來的傘兵部隊，糟踏淨盡，依然徒負傘兵虛名。一九四四年一般戰略態勢最有利於蘇俄，為什麼他們竟不使用傘兵？又為什麼一九四五年越多瑙河而羅馬尼亞，而匈牙利，而奧德河，而直趨柏林，蘇俄傘兵還是不能一試身手？蘇俄統帥們為什麼把當初瘋狂而熱烈建立傘兵的計劃，到應該使用時，竟不顧一切的加以改變？很顯然，在一次連接一次的戰役放驗下，殘酷的現實和血淋淋的教訓已否定了他們空降作戰的思想。德國傘兵專家斯徒登（Gen. Student）——克里特島戰役的指揮官，對蘇俄的傘兵這樣批評過：「由於在領航和降落的技術方面，缺乏練習，所以他們的訓練是不夠的」。雅爾夫斯基中將（Ligen Yarchevsky）也是蘇俄傘兵的專才，他自己承認：「要把強大的技術裝備，作降落行動，則實力超出了我們的能力限度以外的情形，我們只好用小型的兵力，降落在不太深入的地區，以便與地面部隊迅速的會合在一起，戰略性的降落是很難成功的，因為空降單位的數量和裝備，總是不如敵人的。」從戰史例證，可以知道蘇俄軍事傳統及指揮官們的戰術思想，對于空降突擊，並不是高明的能手。蘇俄如此，中共的傘兵技術訓練，裝備，及戰鬥能力，不難想像得知。

空降需大量支援武力

不管是大規模，或僅是小規模空降作戰，都須有高度技術訓練的特殊兵種聯合作戰，傘兵單獨施行空降，須有空軍的密切支援。[illegible]假定中共在一次戰役中使用一個傘兵師參加戰鬥（大約八千人至一萬人，蘇俄傘兵師八，〇〇〇人，美軍空降師一七，[illegible]人）[illegible]八千傘兵，也不能當做全部兵力來看，以須許定其作戰效能的。但估計傘兵的作戰成本，必須與運輸機能量相配合為基本條件。假如運輸機能量不夠，仍然有十萬傘兵，也不能當做全部兵力來看，以須許定其作戰效能的。（[illegible]）傘兵裝備以個人輕兵器為主，輔之以迫擊砲，輕型火砲為火力支援能力。

蘇俄仿造美國C—47的PS—84（現名LI—2）每架能載運傘兵二十名，四引擎的TB—3也是一樣。因此，航空器完全仰賴「蘇俄老大哥」的中共，一個傘兵師的空降作戰，就得需要運輸機一千零二十一架，（含支援武器及車輛，）才能夠運送一個傘兵師的人員裝備，技術勤務支援隊還不包括在內。而且依空軍常識而論，飛機並不是有一架就可以用一架，無論在任何狀況下，總應有二十分之一架的支援屯備量，方足以應付意外機宜的。

傘兵在飛空中運動途中，完全喪失了戰鬥力，直是一堆「有生命的大行李」。航行之際，降落之前，集結整頓瞬間，均為予人以擊滅的良好機會，是必須有賴於優勢空軍掩護，以保證其安全，依比例：一師傘兵作戰，甚即掩護需要戰鬥機一大隊護衛，空中運動的分波航行，需戰鬥機三個大隊來掩護，戰場直接支援需要戰鬥機二個大隊，遠程支援需要轟炸機大隊三個，才能進行孤立戰場，掃清大路，阻絕鄰空四週的工作。

根據情報判斷，目前中共的空軍，要支付一個傘兵師的空降支援力量，幾佔去他們全部空軍兵力，（運輸機一〇二一架，戰鬥機與轟炸機九〇〇架。）他們能有這麼多的技術人員來操縱這麼多的飛機嗎？中共「從來不打沒有把握的仗」，果然肯這樣盲目的投資下大注，把「肉包子」送將過來，這倒不失為一樁好的買賣。

（下轉第二版）

誰是真正侵略者？
——給聯合國大會的一封公開信——

本月四日聯合國第九屆大會通過，將蘇俄所提出的「美國侵略中國」一案，由本屆大會予以辯論。這固然又給與蘇俄一次宣傳的機會，但也使自由世界有機會對蘇俄共產集團的野心，加以斥責。

中國人的正確答覆

究竟在中國和亞洲，誰是真正的侵略者？是美國還是蘇俄？我們身受其害的中國人，有資格提出正確的答覆。[illegible]

事實勝於雄辯

[illegible]南下，侵略了整個中國大陸。[illegible]由俄共扶植的中共偽政府，並沒有得到中國人民的支持，[illegible]

[illegible]一萬四千零三十九人選擇回去自由中國。在香港有一百多萬中國大陸逃來的人士，這些人寧願忍受極艱困的生活，而不願回到共產黨所統治的地方，[illegible]

共產侵略須立加制止

[illegible]

亞洲國家在現代軍備上大多是落後的，正如一個無防備的家庭；而共產黨就是盜賊，美國和其他主持正義的國家就好比是警察，警察退出，盜賊方可得手。共產集團侵略亞洲國家的方式有二：第一是利用民族主義的口號，指西方國家為帝國主義，使西方國家，尤其是美國，退出亞洲。第二是在共產侵略得手的地方，便不許他國再過問，如果你要改變它的侵略結果，它便指你為破壞和平，反誣你是侵略者。

共產集團把各國共產黨徒的意見混淆為各該國人民的意見。共產黨徒下一個侵略目的很可能是台灣，因為共產黨害怕台灣。自由中國的存在和壯大，使中國共產黨徒不安，他們清楚的知道每個中國人的心裏都在暗中盼望中華民國的政府重返大陸。自由中國使海外的千萬華僑都希望祖國恢復，推翻共產暴政。所以共產黨徒在處心積慮，要想把他們所憂懼的自由中國的精神的和軍事的力量消除，當然第一是破壞美國對自由中國的友誼和幫助。

為了亞洲和世界的安全，為了五億人民的自由，為了保持人類的文明，由俄共所指揮的共產黨徒的侵略行為，必須立刻加以制止。

美機被俄擊落事件

本月七日，美駐日偵察機RB——二九式一架，在北海道東端根室附近上空被蘇俄米格式戰鬥機擊落。上距九月五日美海軍巡邏機在日本上空被擊事件，不過短短兩個月距離。從一九五一年十一月六日美海軍海皇式機一架被俄擊落以來，兩年中已有五架美機在那一地區無端喪在俄方攻擊之下，這次竟在兩個月中接連發生了兩次，顯然是很不平常的事。

我們知道：從赫魯歇夫訪問中共發布共同公報以來，蘇俄與中共都以全力進行對日本的外交攻勢，對日本拉攏的另一面就是離間美日關係，打擊美國。要使美國在日人面前喪失威權和面子，更有什麼比在日本門前擊落美機更有效呢？不要忘記九月五日那次事件，也恰好正是在莫洛托夫對日人表示願恢復對日正常外交關係之後。

蘇俄這種手段不只常演於東方，同時也幾度發生在東歐的鐵幕邊緣。可怪的是美方總是等待着挨打——直到最近纔決定如俄機挑釁即予還擊，自己始終處在被動地位，難道說對於這種殘暴行，就永遠找不出一項有效對策嗎？

一週展望

．李秋生．

艾克的奇特態度

對於此次暴行，從美遠東統帥部到美國民間，都氣憤激昂，主張採取激烈措施以保護自己的權益。然而艾森豪總統態度卻極從容，他在記者招待會中說這事件本身性質模糊，因為發生事件在一個蘇俄與美日間尚在爭執的地點上空。美機被擊落時離齒舞羣島至少有十四哩，美國軍方報告，遇日本政府都理直氣壯的指斥俄機侵犯日本領空，美國元首卻肯定承認這事件性質模糊：齒舞羣島是個爭執的地點，而不是日本的合法領土。

艾克又說：蘇俄此次態度與過去不同，在照會中，頗有和解傾向。偵察機被擊落，美國威權也遭受了打擊，難道單只是照會措辭緩和就可以償贖這種罪行嗎？

所謂「和平共存」問題

我不願指控這是姑息政策，但艾克之傾向「和平共存」，卻是無可諱飾的事實。這一口號是今年六月間邱吉爾艾登在日內瓦會議僵持中訪美時提出來的，其具體方案就是不侵犯條約。當時所提出的東西締結洛迦諾式互不侵犯條約。當時邱吉爾艾登建議的抨擊，遭到英國會中之間的論猛烈抨擊，其後艾邱會議上了棺罩。以後雙方發布的聯合聲明，果然隻字未提「共存」或洛迦諾公約，但其中儘強調「謀求世界和平」，並願與盟協力謀求和平國家「伸出友誼之手」，卻很少提到防衛與安全，更絕未觸及如何建立國際正義公道的基本問題，顯然白宮當局是受了英國的影響。

近頃美倫方面和平共存呼聲高唱入雲，馬倫科夫也於十月革命紀念日以私人名義致電美國人民，呼籲「和平共存」，希望恢復戰時的美俄友誼。艾克在選舉前後曾不斷侈談和平，本月八日在波斯頓的演說，更表示和平前途光明，將休戰變成光榮和平是外交政策最重要目標。假使連白宮也被和平的咒語迷住，則艾克對於擊落美機事件看得那樣輕鬆也就不足怪了。

然而這樣的立場和態度，與美國人民公意及自由世界的利益並不相符。所謂和平共存，就是使這世界繼續一半自由一半奴役，其結果一定是有利於共黨的侵略計劃。

所謂台灣中立化的怪說

同時倫敦方面又傳出美英正商洽使台灣有效中立化的怪說。這意見最初本出自艾德禮，後來他又贊同中共侵佔台灣，台灣正是「和平共存」說合邏輯的結論之一，我們不知道這是英方的片面想法，還是白宮認真考慮過的，艾克十日在記者會中說，「美國政府觀，中國為與國，可以做此項協議而不是破壞准此原則，則更不圖有擾自干涉自由中國前途的做法。白宮對此問題應該嚴正表明其立場。

埃及發生謀刺案後 納撤勢力增強

·白奇·

埃及局勢自對英協定簽訂，已告穩定。英軍之一再讓步，終於同意在二十月內撤退蘇彝士運河區駐軍，僅由民營公司主持聘用技術人員，保養該區巨大設備，無疑是埃及少壯派軍人兩巨頭之一納撤總理的勝利，其勢力及聲譽之因此大振，早在西方觀察家意料之中。但正在這時候，亞歷山大港却發生了震動世界的槍擊案，開槍的，是個鐵匠，而他的目標却就是納撤。幸而當時納撤未被擊中，安然回到開羅。事後，這件案子似乎已漸平息下來，但日前却又引起了戲劇性的轉變。

戲劇性轉變

這轉變是：兇犯拉蒂夫在軍事法庭受審時，他供稱他所用的手槍，是親共回教兄弟會領袖杜維爾所供給，後者且曾把他訓練了幾月，教他如何行刺。等到杜維爾被捕而召到法庭時，杜維爾竟供道，回教兄弟會行刺納撤的計劃，曾獲總統納吉倍支持。據說納吉倍曾與兄弟會訂有默契，一待行刺計劃成功，納撤垮台後，他將出面發表廣播，呼籲人民保持鎮靜。

納吉倍自推翻法魯克王朝後，向和納撤不睦，在執政軍事委員會內鬨期間，據說他頗想和兄弟會聯絡，最後終被納撤擊倒，丟掉了總理一職，而祗保留沒有實權的總統名銜，成為名義上的國家元首。等到最近謀刺案發生後，埃及國家指導部長薩拉姆（也是革命委員會主腦之一，絕對支持納撤）又發表公開聲明說，因謀刺案而被捕的兄弟會領袖曾向審問者供稱，該會原來的計劃，除納撤以外，還要把革命委員會全部委員一一殺盡，祗留有一個納吉倍。言外之意，顯然指兄弟會的整個行刺計劃是受納吉倍默許的。這篇聲明，再與最近杜維爾的供詞相對照，無疑是先後呼應的。

內鬨再度暴露

到目前為止，納吉倍本人還沒有表示態度，對杜維爾的指控，並未加以否認。但不論納吉倍是否眞正牽涉於這推翻納撤派的陰謀，或甚至提供幕後支持，埃及軍事政權的內爭已再度公開暴露。從薩拉姆的官方聲明及兄弟會方面的指證看來，納撤與納吉倍的衝突，並沒有因納吉倍權勢削弱而告平息，而祗有更加激烈。至於這暗殺事件的幕後，是不是還有納撤派借刀殺人的企圖存在，當然不是局外人所能知道，但僅從這事表面看，也有理由可以預料，納吉倍的總統頭銜，恐也未必再有多少時候可以保留了。

不過，埃及革命委員會雖然內爭不已，但這個爭執，對於埃及的整個前途，却不見得再會引起若何重大影響。納撤自打擊納吉倍後，對內極力實行革新計劃，力求改善經濟情況，推動大規模工業建設，提高人民生活水準；對外則謀求對英爭執的解決，並全力拉攏阿拉伯國家，頗有成為埃及凱末耳，及整個中東區領導者的雄心。而且據說北非民族份子之反法運動，甚至最近阿爾及利亞的「上帝軍」大動亂，都受埃及政府暗中支持。

納撤內外勝利

現在，納撤的這些對內對外的計劃，已有重大進展，對外是已將英軍自蘇彝士運河區逐出，對內則各項革新措施，也已獲得良好開端。最近，納撤且準備建立一個巨大肥田粉廠，造價達數千萬美元之鉅，目前正由西方數國投標。這造廠計劃驟看起來，似乎不十分重要，但以埃及的實際情況來說，却有極大意義。一方面，它可預示佔埃及人口大部份的農民，將由此獲得肥田粉的廉價供應，而促進其田地產量，因而提高生活水準；另一方面，這個工廠也足以表明納撤是如何注重與人民生活有密切關係的工業建設。

有內外勝利為後盾，納撤政權的穩固，自可預卜。這次的謀刺案縱使暴露了納吉倍對他仍然餘恨未消，但也却因此消滅了埃及最頑強的反對勢力——回教兄弟會。回教兄弟會是個結構緊密，深入社會內層的極端性組織，其會員多是狂熱份子，為達到目的而不擇手段。中東多年來許多政治軍事領袖都死於這些人之手。其勢力且伸入中東多數阿拉伯國家。這次謀刺案之發生，對納撤正是一個良好機會，他立刻根據兇手的供詞，對全國兄弟會的各機構發出致命性打擊，其重要領袖，除少數已聞風匿藏外，全已遭逮捕。政府也已宣佈解散該會，並禁止兄弟會組織任何公開或秘密的組織。

納撤這行動，是受人民充份擁護的，這從民衆憤然焚燬兄弟會總部一事即可證明。這一點，對納撤來說，是比消滅反對派還要重要的。

教育部解釋 政治大學研究部有關問題

本刊頃接教育部高等教育司復張文伯先生函，原文如下：

拜讀大作「高等教育的趨勢」，對自由中國近數月來高等教育之措施，多所策勵，至深感佩。茲謹就有關政治大學研究部各點，答覆如次：

一、先生提出的第一個問題，是大學研究部的目的，究竟是培養研究高深學術，還是要應用。這原是一個老的問題，也不限於我國。憶民國二十五年美國哈佛大學舉行三百週年紀念會時候，前哈佛大學校長柯南特曾說：「純粹研究與應用研究，既難嚴格劃分，又復循環無端，欲事論爭，徒成浪費。學術研究之意義無他，是謂從已知，啓發未知，以開拓新生命，創造新時代，實現新理想而已。」我們對這一段話很有同感。

二、先生又云：「公民研究所一看便想到是培養『黨義』教師，三民主義不應在大學研究……」按中華民國憲法第一章總綱第一條「中華民國基於三民主義，為民有民治民享之民主共和國。」三民主義是中華民國立國的精神，對三民主義作高深學術研究，應該是大學教育上根本要圖。

三、先生說：「新聞研究所這個名詞便是不通。」按「新聞研究所」，即「新聞學研究所」之省稱，猶如「教育研究所」「物理研究所」一樣的道理。過去政治大學曾設有「新聞學院」，造就出不少國際宣傳的人才。

四、先生說：「又不知甚麼是行政學？」按「行政學」係政治學系選修科目，規定六學分，於第三、四學年選修。請先生檢閱民國廿九年十二月初版正中書局印行的部定大學科目表。

五、先生又說：「什麼叫做世界現勢？」按四十一年部令指定「國際組織及國際現勢」為各院系共同必修科目，此次新聞研究所之應考科目「世界現勢」，即是「國際現勢」。

六、公民教育研究所不考「政治學」與「行政研究所不考「法學通論」，實係考試日期規定兩天，而專門科目甚多，只能擇要舉行而已。

以上各點，敬祈亮鑒，此後仍請先生一本愛護高等教育之至意，不吝指教，時賜教言，曷勝感幸。

教育部高等教育司　四十三年，十月八日。

論傘兵作戰

浩力

——中共能對台灣使用傘兵嗎？

我們的看法

（上接第一版）依照上面的分析，只能說是許多合理判斷中的一種，我們並不等於說中共一定放棄使用傘兵作戰的嘗試。布爾塞維克是個賭徒，何況「上帝要毀滅一個人，必先使他瘋狂」呢！說不定他們會把一個（冷戰）變成一個（熱戰），不斷的作戰能力，使其政治戰與軍事戰的配合到最後的頂點，而來一個「一次突破」。在兩種情況下使用傘兵：（一）奇襲戰的活用：利用空間或時間的間隙，使用少數傘兵秘密降落，以進行騷擾與心理上的目的。（二）以正面兵力，作海空聯合戰鬥，作大規模的空降攻擊。

前者的可能性是很大的，為害也不輕，而本島及大陸，金門馬祖一帶的防衛力的密度，深度和堅強，無懈可擊，中共是決無便宜可佔的。何況其空中交通的奇襲，今日無援的奇襲作戰，有效的支援，否則，縱有敢死的勇氣，也難逃被殲滅的命運。

有備無患

話雖如此，「毋恃其不來，恃吾有以待之。」故吾人應着眼於：

（一）確保制空權，我大空軍團屏障天路，對大陸上北起青島、徐州；東南沿海京、滬、杭、甬、溫州；南面的福州、廈門、廣州、汕頭；湘桂的長沙、衡陽、柳州、以迄於海南島的海口，三亞各機場予以制壓，使敵人不能抬頭，不能集結。

（二）嚴密對空監視網的組織，高度發揮雷達網（測高的，平面的）與人力智慧（防情體系的）的運用，民衆組織的使科學與藝術結合，阻絕敵人不能越雷池一步，接近我空域週邊。尤須構想及超低空或超高空的突然出現。

（三）加強民衆組織與民防武力的訓練，使其能與我反空降作戰體系相結合，嚴密監守可能空降內陸，戮力同心，主動打擊敵人，堅壁清野，徹底減滅可能資敵物資，以限制敵人活動半徑。這是一個政治性的，總體性的工作，需要動員配合得好。

（四）反空降作戰在本質上是攻擊戰，應確實把握其主動性與機動力，機動的打擊部隊，必須以戰車為主體，因為一輛游動的戰車，是傘兵夢中的魔王！

總之，空降突擊，通常依照一定的程序進行，尤其是大空降作戰，首先空中偵察，其次空中攝照，轟炸，繼之以分波降落，最後整頓集中開始地面戰鬥，前兩階段並非一定表示傘兵攻擊，但須提高警覺，部隊指揮官必須認清敵人攻擊的可能性而預作戰備，消滅受地理因素限制之敵，敵人從那裏降落，我們就叫他在那裏滅亡，乃屬必然的道理。（完）

編者讀者

△關於統帥權的討論，正反兩方面的文章，我們都已發表過了，現在還陸續收到幾篇有關此一問題的文稿，我們認為已無再行繼續討論的必要，此項文稿不擬再刊載，謹此向惠稿諸先生致歉！

△本刊十月六日起，陸續發表王世昭先生的「紅樓夢散論」後，現又收到辛植柏先生的「談紅樓夢考證」，和金達凱先生的「論紅樓夢研究鬥爭事件」兩文，金先生的文章，是詳述赤色大陸文化圈內，中共向古典文學領域進行思想鬥爭和實質清算知識份子慘劇的情形及其意義的。這三篇文章合而讀之，很可看出自由中國和赤色中國文人環境的幸與不幸，辛金兩先生的文章，隨後即將陸續刊出，謹此預告。

△彭發珩、周景彝、逆娑生、于飛、小丞、辛植柏、申甫、周縻、盧載揚、王世昭、秋文、踞先生：承惠稿，已一一收到，深深感謝。

人·物·述·評

陳布雷殉國六週年

劉靄如

（一）

一代完人，清風亮節，始終保持書生本色的陳布雷先生，他是民國卅七年十一月十三日清晨自殺逝世的。世變滄桑，迄今追憶，已整整六週年了。

布雷先生，因為素患神經衰弱，以致常苦失眠，每夜必服安眠藥三片，始能入睡，有時夜半醒來，再服數片，始可入睡，晨起總在上午七時左右。

六年前十一月十三日上午十時，尚未見起床，秘書蔣君章推門進入臥室，見他面色有異，急請醫生救治，斷係服安眠藥過量，心臟已於兩小時前停止跳動。蔣秘書於其臥榻枕旁發現遺書一封。囑不必召醫救治，並囑愼重發表消息，不可因此舉而使反動派捏造謠言。

陳氏家屬及秘書隨從檢查遺物，又於公文簿中發現上總裁書二紙，及分致張道藩、洪蘭友、潘公展、程滄波，陳方，李惟果，陶希聖諸友人，及留交陳夫人及公子之書信，又發現其手書雜記。總裁對布雷先生二十年來鞠躬盡瘁，最後竟以死報國，異常震悼，悲傷逾恆。

（二）

國民黨中央黨部於十一月十七日召開常務會議，陳先生治喪委員會提出報告。中常會於聽取報告時，對布雷先生雜記中「油盡燈枯」等語，咸不勝其哀悼。布雷先生期望本黨同志團結一致，加緊奮鬥之遺言，更使國民黨同志為之感奮。

布雷先生對總裁之愛戴，尊崇，對夫人懷念之深，對弟兄友愛之篤，對公子教育之切，以及對身後公私事務處理之周密，皆可於各項書信中見之。

布雷先生之死，為陳天華烈士蹈海以後，革命史上非常之事件，對於促成本黨同志之團結與國民革命之復興，意義至為重大，蔣總裁及中常會認為陳氏遺書，為革命一寶貴之文獻，決定送交黨史史料編纂委員會編存，與「天語集」先後輝映，永垂不朽。

當時一般輿論，就有人認為陳布雷先生寫下了一首好詩，一首悲愴憂憤而又完整的詩，其情懷有點近於澤畔行吟的屈大夫，不過一個是懷才不遇，一個是感激輕生，他們匹夫有責的精神却是同樣堅深的。

當時葉元龍的輓詩云：「死去天下惜，九原應自豪：艱危早心瘁，臥病尚形勞，今日風流盡，平生格調高，悲來一長望，浙水怒秋濤」。

（三）

今天我們回憶布雷先生的自殺，大約有以下各種因素：

第一，他個人的身體素弱，確已到了「油盡燈枯」的地步，誠如上總裁書所云：「値此黨國最艱危之時期，而自驗近來身心，已無絲毫可以效命之能力……書生無用，負國負公，眞不知何詞以自解也。」

第二，由於眼見着黨內意志分歧，而一般的高級將領靦顏偷生，深受黨國的培植，竟不能以身殉國。如上總裁第二書所云：「中朝大官老於事，詎知感激徒媕婀（用韓愈詩）布雷自問良知，實感此時不應無感激輕生之士……」這可見他異常痛心，不惜輕生以明志。

第三，他認為最痛心的事，也就是內心隱痛而無法表達的，則是受了子女的刺激，女兒投了共不說，兒子，辛辛苦苦地送到美國去讀書，等到學成歸國，跟老子見面竟大罵現政府腐敗，並且指斥老子的「愚忠」，是不能原諒的。所以他致陳夫人的遺書，亦談到：「後事如何，不忍預囑」。

有以上三種原因，經過了若干時的考慮，油盡燈枯，宛轉寸腸，因此數年來所縈繞於心之「決絕」觀念，又復展萌而不能自制，人生至此，命也尚何言哉！（以上引用致陳夫人書原語）。

（四）

布雷先生畢竟是受儒家洗禮甚深的人，他覺得偷生人世，已無意義，他之不惜一死，亦正儒家所謂大仁大勇的表現，如其因他一死，而眞使全國有所感動，有所憬悟，如遺書所云：「天佑中國，必能轉危為安」。則布雷先生，亦將死重於泰山。

無如當時派系紛歧，各執其是，行憲國大選舉前後，更為複雜，一般朝秦暮楚，翻雲覆雨，口是心非，無恥卑劣的林林總總，政客官僚，比比皆是，大勢已去，無法挽回，布雷先生死而有知，其能瞑目耶？

然而，布雷先生畢竟風骨磷然，他一生的言行是貫徹始終，是完整無缺的。他信仰蔣總統是救國救民的領袖，他忘我地忠於他。誠如遺書所云：「我心純潔質直，除忠於我公之外，無一毫其他私念。」竭弱盡瘁，不論成敗，這種始終一貫的態度、氣節、人格，眞足以勵末世而勸來茲。

他忠貞，他負責，他更清廉自矢，毫無名利慾念，永遠保持書生本色。蔣總統輓他的，「寧靜致遠」，實屬不刊之論。今天我們對於他的逝世六週年紀念，又安能不致其哀悼之私！

自由人

THE FREEMAN

（第三八七期）

3 rd. fl. 20 CAUSEWAY RD HONG KONG

異哉！內政部之 限制出版自由

·傅正·

十一月五日，內政部正式公佈施行一項「戰時出版品禁止或限制登記事項」，內容共計九條：「一、涉及政治、軍事、外交之機密而有損國家利益者。二、誇大描述盜匪流氓等非法行為而有誨盜作用者。三、描述自殺行為而有助長自殺風氣之虞者。四、描述少年犯罪行為而有助長少年犯罪之虞者。五、描述賭博或吸食烟毒之情景足以誘人墮落者。六、描述猥褻行為而有誨淫作用足以影響社會治安者。七、傳佈荒謬怪誕邪說淆亂社會視聽者。八、記載不實之消息意圖毀謗或侮辱元首或政府機關名譽，足以淆亂社會視聽者。九、對於法院刑事訴訟進行事案件之批評，足以淆亂社會視聽者。」內政部長王德溥，並同時發表談話，認為：「最重要的目的，是在適應當前反共抗俄戰爭的需要，使我國戰時文化走入正當發展的途徑，因為出版自由應以確保國家社會的安全為前題，所以為維護國家社會的安全，必要時依法予以適度限制，正所以保障出版的自由。」這一段話說得很堂皇冠冕。

違法措施 風波再起

這項命令公佈後，自由中國的新聞界立即掀起空前風波，同時也影響到立法院。台北市的民營報紙，像聯合報、民族晚報、自立晚報，都一再加以評斥，台北英文中國日報，並以兩頁半的篇幅，轉載各報意見，另作長篇評論，指為不當。「自由中國」社發行人雷震，認為「如果付諸實施，自由中國將沒有新聞可言」。台北市的報業公會和外勤記者聯誼會，以及台灣省雜誌事業協會，先後因此集會，同表憤慨。台北市報業公會公開發表共同意見，指為「對於新聞自由之重大束縛」，認為「違法措施，是新聞自由的桎梏。」同時立委程滄波、成舍我、陳訓畬、胡健中、杜光塤、谷正鼎等三十三人，聯名提出質詢案，認為此項命令「範圍過寬，內容含混，違反憲法精神，執行時其流弊必有不堪設想者，該部此時何故發佈此項命令，殊令人費解。」進而要求「俞院長及王內政部長到院答覆」。此一質詢案，經已決定列入院會報告事項，請俞王兩氏列席備詢。另根據中央社消息，此項命令，是內政部自行頒佈而呈報行政院備查的，行政院十一月九日會復認：「內容尚欠明確具體，為免發生誤會起見，已面飭再行研議，並詳加說明，以便執行，原頒九項，應暫緩實施。」行政院既未核准，內政部即先公佈施行，實可謂敢作敢為矣。

何以有此狂妄舉動

是人民的自由，假使台灣也要剝奪人民的言論自由，請問台灣和赤色大陸還有甚麼不同？政府當局不知道多少次公開表示，要切實保障人民言論自由，內政部何以竟有此剝奪人民言論自由的舉動？請問王部長，從那裏來的這種特權？政府的權力是從憲法來的。誰有特權不遵守憲法？誰又能行使超出憲法的權力？這一項限制人民言論自由的命令，是憲法所許可的嗎？

於此，我們更要追問，這一項違憲的「命令」，是王部長個人一時的顧慮狂妄措施，還是有所秉承的阿諛奉承舉動呢？如果是前者，行政院既已明令暫緩施行，復經言論界的劇烈反對和立法院的嚴重質詢，或者可能就此胎死，自不至發生若何嚴重後果。如其為後者，則此一措施，顯然不會就此取銷，足為其政治前途之莫大障礙，實屬毫無疑問。

其實一個民主國家的政治，不但不該禁止言論自由，而且應當加以鼓勵。一個賢明的政府或官吏，更應不怕批評和檢討的。子產對於要毀鄉校的人說：「何為？夫人朝夕退而遊焉，以議執政之善否。其所善者，吾則行之；其所惡者，吾則改之，若之何毀之？我聞忠善以損怨，不聞作威以防怨。」內政部這一次的「命令」，豈非作威防怨的措施嗎？王部長的聲明，雖然把國家安全的帽子拿出來，而且口口聲聲說是「依法予以適度的限制」，並不是剝奪言論自由，而是「保障自由」。然而，以若所為求若所欲，真是猶緣木而求魚也。這一點在立委程滄波先生等的質詢案中已有說明，其他反對此一措施者亦多評論，可以無待費詞。

最後，我們要看政府對於此一違法的措施與悍然公佈此一命令的主管長官，到底採取若何態度以為處理，我們藉此可以覘政府對於言論和出版自由之誠意如何了。

西歐聯盟與歐洲現局的分析

·斧流·

國外通訊

薩爾問題怎樣解決的

【馬德里十月二十九日航訊】薩爾問題怎樣解決；西歐聯盟簽字後，歐洲局勢加強？還有甚麼應該解決的問題？這是本文討論的中心。

儘管有人認為此次巴黎會議，其重要性不及倫敦九國會議來得大。但不能否認，這次巴黎的成功，其主要關鍵繫於「薩爾問題」之能否合理解決。所以「薩爾問題」得到合理解決，是二次大戰後，十年間外交界的最大收穫。今後的「薩爾」在歐洲有其獨立的法律地位，變成一個由「西歐聯盟」管轄下的地區。不再受德、法兩國的直接管轄。德法兩國在此地區之各種權利和地位完全平等，以往法國與薩爾的經濟合作計劃，必需重新修改。在行政組織方面：將由「西歐聯盟」指揮部提名任命。其人選，將不是德國人，不是法國人，亦不是薩爾本地的人。在此地區內：各種政治的政黨，日報，以及所有的公共集會都有完全的自由，絕對禁止其他各國人對此地區有政治影響的活動。特別是對某一政黨或政治團體與新聞界之支持或援助。

「薩爾」的歐化，解決了德法兩國間的世仇。西歐聯盟的簽字，救回了支離破碎的歐洲局面，把西歐防禦最不能缺少的德國，加入了西歐防禦的體系。這一着，好像整個的西歐、各集團間亦因此而貫通；英國的插足歐陸，給法國人加強對重新武裝西德的信任。美國繼續成為領導自由世界的主力，挽回他在最近一年來在歐洲所失去的尊嚴。這一連串的重要事項，都是這次西歐聯盟的簽字所得的結果。

西歐聯盟的重大作用

西歐聯盟的簽字，聯合和貫通了自由歐洲的各個集團的關係，這句話，一點都不會過分。一九四八年在比京所簽訂的布魯塞爾公約：包括了法國、英國、比利時、荷蘭、盧森堡等五國；一九四九年所簽的北大西洋公約：包括了比利時、加拿大、丹麥、法國、英國、希臘、荷蘭、冰島、意大利、盧森堡、挪威、葡萄牙、美國和土耳其。此外還有法意關稅聯盟，法意盧聯盟……等等名目繁多，縱橫錯綜，令人眼花撩亂。但因為單位太多，彼此間沒有一致行動，力量反因此而互相抵消。若果，這許多的條約，聯盟，能好好的組織起來，成一個有效，共同一致行動，其力量之大，[illegible]。「西歐聯盟」，因為它包括了的條約和聯盟，所以成了一個可以一致行動的集團。

但是這不過是一個比較完整的集團，因它尚並未包括所有的西歐自由國家。西歐反共最堅強的西班牙，尚在這個新的集團之外，其次如瑞士與司干的納維亞半島上的瑞典，瑞典、瑞士特別是西班牙早屬集團的。現在暫且勿論，沒有[illegible]家。單就自由歐洲，九個主要集團，稍為分析一下：

九個集團的力量

英美超大陸集團　在陸軍：美國有廿三個師團，她在歐洲的有六個師團，英國有十一個師團，在歐洲大陸上有四個半師團，不過，這一個集團的力量是站在主要的地位，誰都知道，戰略物資之生產與供給，其力量是[illegible]，尤其在海軍與空軍方面，更不言而喻。故為「西歐聯盟」支持的主力。

其次就是歐陸本身的各個集團，從北歐開始：司干的納維亞半島包括丹麥、挪威等國，可說是西歐防禦力量最弱的一環，但其位置重要，在北直接控制了波羅的海通到大西洋的出口——北海。挪威的北部直至北極海，這個在戰略上佔非常重要的一角，其軍力發起來僅有十三個師團，這麼一點力量是擋不住侵略者的軍力的；中歐集團：這是整個防禦計劃的中心，歐洲大陸上能抵擋蘇聯大軍的亦只有中歐這地方，這一集團包括：比、荷、盧、法、意以及這次加入西歐聯防體系的德國；這六個國家，前三個，根本上是不能在軍力方面有所比較的地方，祇有法國，意大利，以及西德；這個足智多謀有歷史傳統的勇敢善戰的德意志民族，她今日再度為西方國家之友，其兵力資源，是最值得注意的。目前，比利時有三個師團的兵力——陸軍——荷蘭有一個師，意大利有九個師，不過，這全屬北大西洋公約國軍力。法國則不然，她一共有十八個師團，不過不全在歐洲，有一部份在遠東安南及北非，因此，屬於北大西洋公約國的祇有五個師團。中歐防禦最大的軍力不會超過十八個師團。以這麼一個廣大的地區與這樣的軍力，是不夠的，最少現階段為然。至於西德的建軍問題，在倫敦九國會議中，定決了德國可以裝備十二個師團，五十萬人，若果這一支軍能建立起來，即對抗蘇聯西進，尚有可觀之力量。在歐洲西部的伊比利亞半島上，還有一個集團，我們稱之為伊比利亞集團，這個集團包括西班牙與葡萄牙，這塊佔西歐自由土地六分之一的半島，到現在還未真正被利用，這裏佔歐洲八分之一的人口的地區，他自身亦形成了一個戰略地位。

西班牙地位重要

這個介乎地中海與大西洋間的半島，它在戰略上的地位，早為美國所賞識，在防禦一角上，若以整個防禦計劃言，他之能進入「西歐聯盟」，是有矛盾的。若說反共：這半島上兩個國家同是西歐反共最徹底的國家，若云關係，葡萄牙是北大西洋公約國的一員，美國亦然。美西間有軍事同盟協定，西葡間有攻守同盟。西方國家可以接受葡萄牙為盟友，而不能容納西班牙，這是說不通的。何況，將若有戰事發生，西班牙的基地何以不為利用？最少美國軍力運向歐洲直往西班牙為其第一步是不成問題的。以這一點，西方政治家們是必需更加思索的。在現階段：自從西班牙接受美援後，廿三至廿五個師團的常備軍已不成問題。至於葡萄牙裝備精良的四個師團八萬人，這卅個師團左右的軍力，無論誰都不可忽視其在共同防禦的重要性。（下轉二版）

本刊上一期「誰是眞正侵略者」一文，誤植作者王聿修先生姓名，謹此聲明，並向王先生致歉！

中共偷襲太平艦

中共於九月三日開始砲擊金門後，嗣又空襲大陳，最近復於本月十四日深夜，以魚雷艇四艘偷襲太平艦，以至該艦受重傷沉沒，喪生的二十八人。中共這一連串的挑釁行動，不啻對台灣的威脅加增，亦已對自由世界悍然表示其不顧一切的侵略行動又開始矣。

太平艦的被襲，引起自由中國各方面的重視與憤慨，自由中國軍事當局必須跟着有所行動，以對中共暴行加以膺懲，此實為各方之所期望。於此吾人有不可不加注意者，即中共對所謂「解放」台灣的行動，其所採策略於此已稍露端倪，即彼等必將先利用偷襲手段，以銷耗自由中國的海空力量，最後才出之以登陸行動。我們預料繼偷襲太平艦之後，中共還不免再來若干次的海空偷襲，甚至偷襲台灣的空軍基地，也非不可能的。無恃敵之不來，要恃吾之有備，這一點大家已談得不少。故今後，自由中國千萬不可疏於防備，尤不可因有第七艦隊之保護，而忽略敵人之偷襲可能。

太平艦的沉沒，與艦上官兵的死亡殉職，固屬極可悲悼，但如能因此而增加警覺，採取主動，無予敵人以可乘之機，則太平艦之犧牲與官兵之殉難，自不至成為無代價的事情。日本軍閥偷襲珍珠港，得一時之成功，大為驕喜，豈知此一偷襲即為其後來失敗之開始。太平艦之被襲是否即為中共失敗之開始，要在自由中國之努力如何矣。

一週展望

·陳克文·

蘇能否破壞巴黎協定

巴黎協定簽字後，西歐聯防基礎已大為鞏固。蘇俄於該協定未經有關各國批准前，極力企圖破壞，已提出召開全歐會議的主張，這一主張竟絕無隱諱的針對巴黎協定之批准，情急心慌，於此可見。西方各國雖尚未堅決予以拒絕，但於有關各國批准該協約之前，當不至於接受蘇俄本月廿九日舉行所謂全歐會議之議，幾已成為互相一致的態度。同時英美兩國政府日來正從事請求議會批准該約，大體上亦均已不成問題。蘇俄破壞企圖決難成功，自可斷言。

據新聞電訊所傳，即使西方拒絕蘇俄提議，蘇俄亦將集合其衞星國單獨舉行。此則不失為蘇俄挽救面子，與團結內部之一種方法。

巴黎協定簽訂後西歐各民主國家，可以利用西歐聯盟這機構，以結團一致，增加實力，堅阻共產黨侵略勢力的發展。此一新形勢之形成，本來和馬倫可夫所再三強調的和平共存，並無防碍，何以蘇俄竟不惜出其全力，公開聲言，要破壞此一協定呢？是可見蘇俄之所謂和平共存者，不過希望西方各國無組織，無力量，一任共產黨之滲透破壞，逐一吞噬之之謂也。蘇俄的企圖明顯若此，西方各國如尚有為蘇俄催感，甘入殼中者，是自取滅亡之道也。

勗法郎士

法總理法郎士今日即可到美，以與美國領袖交換處理世界問題的意見。我們於巴黎協定簽字後，法人已恢復其自信心，而放棄其若干年來之自卑感，曾頗致殷切的期望。法郎士此行如仍能本此精神，以與美國朝野周旋，我們相信不僅於法國前途大有裨益，亦於世界局勢之安定大有關係。

今日法郎士要與美國談的莫過於如何應付蘇俄召集全歐會議之提議，如何從速實行西歐聯防計劃，如何穩定越南政治局勢，以增進東南亞聯防計劃，凡此種種必須法國先行自己恢復其獨立自信的精神，取得盟邦的友誼與信用，有此精神力量，一切才有成功之望，否則一切都是空談，法郎士勉乎哉！

談談台北的「牛患」

于飛

台灣通訊

【台北通訊】台北的牛肉價格，每斤早就高至台幣九元五角了，差不多要跟豬肉身價相等了，照政府屠宰牛隻的分配量，台北市全年只能殺牛一二四〇頭，除去回教徒專用的二八五頭以外，所餘的僅得九五五頭。即是說，台北市六十餘萬人口，每天只有不够兩隻牛的供應。好在軍用有額外分配，否則問題就嚴重啦！

供不應求的牛肉市場

政府為啥要限制宰牛呢？這是保護耕牛政策，自民國四十一年起實行。不過四十一、二年台北市屠牛總是二三四〇頭，那時候台北人口只有四十餘萬，現在當然供求不能相應了。

在這種情形下，便發生了牛肉越區販賣現象。所謂越區，就是由台北市區以外運到台北市來販賣，這是不合規定的。一經緝獲，必須處以行政的違章罰鍰，經過違章罰鍰以後，販賣就無問題了。政府因此增加收入，肉商方面，成本略加。掏荷包吃貴肉，還是老百姓。其次私宰，現在私宰牛隻案件，無日無之，因而猖獗，一隻，罰金五倍，約台幣一千二百餘元。除一部份歸公外，查緝人員也有好處。但消費者也就因此增加負担，於是，台北市民便有「牛患」之感了。

黃牛種類繁多

上述現象由「患寡」而生。現在還有一種是「患多」而生的牛患。通稱「黃牛」。「黃牛」是大都市裏一種畸形產物，實際上也是一種供應不調的症候。或者是人浮於事的象徵，失業的人於是幹營三百六十行以外，這一門「黃牛」生意了。台灣之發現「黃牛」，乃政府遷台以後的事。最初是「金鈔黃牛」，繼之有「麵粉黃牛」「水泥黃牛」「烟酒黃牛」和各種配給物的「黃牛」，最後又繁殖了一類「戲票黃牛」。「金鈔黃牛」對於政府管制金融政策，自有妨害，但對廣大的人民日常生活，並不容易看得出來。麵粉，水泥，烟酒等等黃牛，產生於某一段時間，和某一種現象之下，忽興忽亡，給人的討厭是短暫的。惟有戲票「黃牛」正在蕃育不衰，方興未艾。不僅市民側目，政府也為之傷神。照目前的情形看，它好像變成一項相當「正當」的職業了。從事這項「職業」的雖沒有甚麼組織，但已經有點家庭化了。許多人以父子，夫婦，母女，兄弟，和親屬的陣容，來幹這一行營生。年齡小自十二三歲大至五十以上。據粗略估計，依賴這種收入以保障家庭口腹的不下一千餘人。「戲票黃牛」之所以令人憎惡，倒不是他們的行為「不法」，而是他們過於操縱和把持，甚至有人獲取暴利和出售廢票的事情。因此有些觀眾自己排隊買票，因為人多氣餒，只好忍痛以高價和「黃牛」成交，結果座位總無選擇，不是最前排，便是最偏排，「黃牛」之所以為群情不滿者在此。

「黃牛」已經職業化

台北警局為「黃牛」問題，曾幾經籌謀對策，結果收效甚微，甚得公開承認「失敗」。惟一可行的辦法，只有抓一小撮，對於這點，某教授曾發表如下的意見。他說：「關於黃牛，就其與票房勾結壟斷戲票，或故意改善售票方法等點，應分別查禁取締。但就其所費時間勞力，並提高票價的危險，這樣的代價……處。總之，這已經成了一個小小的社會問題，不是頭痛醫頭，腳痛醫腳，從單方面所能解決得了的問題」。

這雖是仁者之言，不過，總不能說「黃牛」也應列入保護耕牛政策之列的。大家都希望「黃牛」之患能早日銷除的。

歐洲現局的分析

西歐聯盟與——

奔流

（上接第一版）最後，還有一個小集團，普通很容易為人所忘却，但亦很重要，這就是巴爾幹集團，包括南斯拉夫，土耳其和希臘，這三個國家平時共有常備軍四十五至五十師團，他們在位置上有戰略價值，要及他們能配合整個防衛計劃的實施是可發生很大的力量的。

新防禦體系的內容

上面對歐洲軍事形勢的分析，為的是幫助大家明白當前的實際情形，至於這個新的聯盟是怎麼一回事，我亦認為可給大家有一更深刻的印象，和看出德國雖然是戰敗國，但他在歐洲的地位，還是很重要的。這個新的防禦體系，共涉及以下十個主要問題：（一）同意交還德國——西德——之領土與主權並有權建立一支五十萬人力的陸軍，一千三百廿六架飛機的空軍和各種輕武器；和處理一切對內對外事項；（二）結束對德國佔領將近十年的時間，各盟國軍隊駐留德國領土上，乃經德國之同意和邀請；（三）西德承認美、英、法將來與蘇聯協商關於西德與東德之統一問題，以及最後對德之和約；（四）西德和意大利參加「西歐聯盟」，成為一九四八年由法、英、比、荷、盧共訂之「防禦反蘇」之當然會員國；（五）「西歐聯盟」組織一理事會和大會，組織機構發展歐聯事宜；（六）英國長期保持四師團兵力在大陸上，以及佔有在大陸上第二位戰略空軍力量；（七）七會員國願彼此制于歐陸政治地位平等，並超出北大西洋公約國範圍，任何外來攻擊，彼此互衛；（八）一個管理七國軍備的機構，在規定內，任何會員國不得多產武器，特別是那些禁用的武器。德國亦應允不在他的土地上製造原子，細菌及化學等各種殺人利器；（九）德國是被邀為北大西洋公約國的會員國，他的號數為十五號，北大西洋公約國之最高統帥管理德國新武器，一如管理其他聯盟的軍隊；（十）它的權力包括嚴厲管制各國軍隊的調動情形，以及各項的供應。所有這些法律，在各國批准後即發生效力。

總觀，這個新的組織內容，各盟國好像還深深的記得德國掀起二次世界大戰的往事，故對於德國，無論在任何方面，都有相當的控制。但這不過是一種形式，眞正未來的德國民族是怎樣，誰亦不能逆料，唯一可以想像得到的，是在廣大的歐洲大陸上，要求歐洲的防禦工作鞏固，德國決不能擯之門外，所以，西方各國，對於要如何繼續促使德國走上正路，希望他不要再倒戈反擊，這是以後的事情了。

蘇俄的破壞不會成功

自由西歐局勢的變動，無疑是給蘇聯一個很大的打擊，克里姆林宮對於這次轉變，是不會輕易置之不理的。他們明知目前各種叫囂，都將落空。可是仍免不了要再來一套老手法；在十月廿三日巴黎各種條約簽字時，他們馬上再來一個向西方三強的要求，以在「自由與民主」為基礎下要求四強一齊撤退在德國領土內之佔領軍，並在十一月召開「四強」會議，在此會議中，要請東方及西歐的國家一齊參加，討論並簽定德國統一與歐洲安全條約的問題，蘇聯的政治家們這套老手法，已早為人看透其胡蘆裏的法寶，西方政治家們稍有腦筋，是不會同意的。蘇聯的意圖，不外想藉開會造成西方國家的磨擦，因此而分化之。無論怎樣，西方國家已逐漸往團結之路上走了，還此「歷史事實」的順利開始，必需繼續努力，唯有更加緊的合作，自由的火炬才能給鐵幕內人民帶給光明，自由世界的政治家們！唯有把鐵幕燬除，讓人類重來一次歡聚，世界才有眞正的和平，唯有對蘇聯採取主動的外交攻勢，才能粉碎他們征服世界的野心。

一九五四年十月廿九日寫德里燈下

人物述評

菲總統——馬格塞塞成功的原因（上）

·明輝·

（一）

幾年前胡克黨控制了菲律賓肥沃的產米區，首領塔魯克是莫斯科訓練出來的。此外他還有二萬武裝部隊，五萬後備軍。當時馬格塞塞，是國防部長，他的使命，是整頓國家的軍隊，挽救國家的命運，本年五月，塔魯克終於向馬格塞塞無條件投降了。

馬格塞塞用什麼方法達到此一目的呢？他說，『他們是游擊隊，而我也曾做過抗日的游擊隊。我知道不能用傳統的戰術來擊敗游擊隊。因此我就發動一次異乎尋常的攻勢。他們使用恐怖手段，我却用仁慈來答復。我給他們以他們想獲得的東西——土地，房屋和大米』。

他又說：『我競選總統時，許下諾言，決定盡我一切力量，以糾正由來已久的腐敗和不公平，以免再製造新的胡克黨人』。

馬格塞塞的政敵，也得承認他已把國家從共黨手中救了出來。馬格塞塞用一種單純坦白，而有力的方式競選，終於獲得空前未有的勝利。為了接近人民，他坐火車，飛機，汽車，牛車，到各地演講。他說：『我當選總統之後，如果大家對任何官吏或任何機關有不滿意處，儘可直接打電報給我，我一定立刻採取行動。』

（二）

馬格塞塞堅守諾言，當選後，在馬拉卡南宮中設立一個接受人民控告的機構。每天受理函電總在一千件左右。任何人都可直接打電報給他，五十字內的電報，一律免費。每一件控訴函電，都由總統以私人名義，復電慰問，並且登記起來，分別轉送有關機關辦理。上面往往附著總統率直的批語：『朋友，不要打瞌睡吧！』

馬格塞塞痛惡舖張。無論何時，只要可能，他總是避免坐那輛掛着一號車牌的總統座車，更不許他家中的人乘坐。他常隨便跳上一輛公家車子，不帶侍從，便駛了出去。他的衛隊只好在後面追趕。有一次他對他的司機說：『把你的帽子取下來——你看起來太像要人了』。

菲律賓人把「徇私舞弊」叫做「人情制度」。是很平常而又很普遍的。馬格塞塞對他的家族說，如果他當選了總統，他們就不得不有所犧牲。起初，他們並不明瞭這是什麼意思。他的哥哥——一位律師——被禁止不得受理任何與政府有關或希望與政府發生關係的人的委託。他的叔叔在政府招標採購大批水泥時，獲得了最低標，但他並不能做這筆生意。因為總統經把它剔除了。現在，他的親戚們才知道所謂「犧牲」的意義了。

馬格塞塞召集一批青年人，做他的助手。青年不知道天下有不能做的事，勇往直前，往往把事辦好了。有些工商業領袖被他邀請担任政府職務，每每弄到無法拒絕他的好意。

有一位地方巨頭，曾一再拒絕担任政府中某一需要改革的部會首長。最後，馬格塞塞把他請來，問他道：「你投的是誰的票？」

「總統先生，我投的是你的票啊！」

「你的家庭，你的親戚，你的朋友呢？」

「也都是投你的票啊！」

「那麼，難道你不願意我成功嗎？」

這樣，問題便解決了。

× × ×

民國以來我們——工程師的努力與成就（下）

·楊力行·

更有進者，工程師對於物資利用，亦已盡其所能。使價值低的變為高，廿年前由外國購來的設備，往往已同廢鐵，閒置不用，工程師以克難精神，使之變為新的設備。以前認為陳腐的方法，工程師推陳出新，仍大有助於生產，盡量適應環境需要，精神實有足多者。

總之，抗戰期中，中國工程師大致已全體動員。埋頭苦幹，實在對國家貢獻不少。

中共竊據大陸，工程師在大陸未及撤退者極多，言念及此，至為悲痛！

。現國防部鑒於原來擬定施工的各項工程，已大部竣工，該會已無繼續設置之必要，已經呈准行政院核准予以撤銷。所有經辦未完之業務，交由總政治部第五組成立軍事工程委員會及軍事工程總處繼續辦理。

台灣工業進步甚速

台灣光復九年，工業進步甚速。尤其是近四年，經濟建設，成就輝煌，中外一致讚揚，工程界亦與有榮，值得特別提出的，是國營和省營的企業，發展迅速，規模都相當宏大。民營規模較小，數量却不少。四十一年度還只有六千餘家，至本年六月則已劇增至一萬家之多。總計現時台灣大小工廠已有一萬一千二百零八家。另有海外廠商四十三家即將遷台。三軍官兵以克難精神，發明不下二百餘起；兵工築路更是普遍展開，均屬難能可貴。自國防部兵工建設督導委員會於卅九年十一月廿八日正式成立以來，對兵工建設工作，推行督導，不遺餘力。兵工建設成果甚佳，僅以去（四十二）年度一年中所完成的工程而言，即有三百廿項以上，其中包括水利、公路、鐵路、墾荒、工礦等工程，使全國軍民，均直接間接蒙受利益。對自由中國經濟的穩定，尤即重大的貢獻。

因而全島交通四通八達，有如蛛網，大小鐵路有四三八八公里，內台灣省鐵路局經營者為一一三三公里，均係幹線；台糖公司敷設者為小鐵路，計二二五五公里，並有八五〇公里分佈中南部。公路有一七〇〇〇公里。陳清文、侯家源、莫衡、譚嶽泉、袁夢鴻等與許多軍工官兵之功不可沒也。尤其是雄踞遠東的西螺大橋完成通車，侯家源和洪紳（其父洪觀濤亦為名工程師）馳譽中外。最近赴美深造，研究「彈性力學」深具造詣的青年工程師盧沛霖等等，均為不可磨滅的優秀工程師，其成就已有「台灣工業化的里程碑」及有「台灣經濟建設概況」等書發表，至堪欽佩。民國以來，工程師大小發明，時有所聞，茲不再贅。在台工程師不下三千餘人，各守崗位，為國效力，人才日見增多，民初國內各工科學校，承前清之舊；民十以後，始有新擴展。十六年以後，推進更力，廿一年至抗戰期間工科為最發達。抗戰以來，政府往往以僅有的工程師，領導教育和經濟行政，許多主持生產事業的工程師，自非一般人所能估計。清時代，先後只有高級中級和低級工程人材，首批留美歸國從事工程建設的詹天佑，與顧德麟等，民元創設中國工程學會，于民國廿三年當時會員不及二百人，迨民國卅四年，抗戰勝利，學術團體連同其他各科工程學會，也只有五千餘人，計其中高級工程師，皆係散處於各級及工業與工程事業，程方面，則倍於此。成績卓著者，約計自由中國及海外人才，研究工程者，不過五千人，再加現在台灣就讀各工科學生，一萬餘人，總計也只有一萬五六千人。反攻在即，復國建設，以期祖國的工業化，為先進國所希冀的工程師，相較五強，僅及百分之一而已。

四十三年十一月五日寫於台北近郊妙齋。

編者讀者

關於留學問題

編輯先生：

貴報第三八五期（十一月十日出版），有讀者一夫先生投書關於留學問題，所言與事實大有出入，謹借貴報一角，討論一下此問題。

（一）一夫先生言，出國者皆為「特殊」階級之子弟，我不懂一夫先生所言「特殊」作何解，敝人有友人三人（者任職於教育機關）其子女亦於去年出國，路費係由宗教機關捐助，難道說他們也是特殊階級之子女嗎？

（二）一夫先生又言，一個普通中學生出國是浪費外滙，這一點一夫先生必須明瞭，留學法規注明，凡中學生欲出國留學者，在國外必須得有一年以上之全部獎學金（包括學費、膳費、宿費及零用錢），才准參加留學考試，及格後且須受四個月之軍訓，然後才能出國，難道說別人以金錢幫助我們教育人才，也叫浪費外滙嗎？到底是浪費了誰的外滙。

（三）一夫先生言，新修改的兵役法，是專為特殊階級立的法，這一點先生更應明瞭，新兵役法到現在為止還沒有通過呢！在未弄清事實以前，似不要以一時意氣，隨便歪曲事實為好。

投書諸君，

自由中國一讀者於台北十一月十三日

黃帝的戰場

絕轡之野就是鮮卑利亞

·趙尺子·

（一）

「西伯利亞」是鮮卑利亞的誤譯。近一百年來，經何秋濤、丁謙、洪鈞、梁啓超、王蘇、劉珍、水建彤、郭廷以、方豪、廣祿、孫麗坤、蔣君章、王雍臨、桑懷澄……諸位學者的考證，並經國民大會通過「西伯利亞應正名為鮮卑利亞建議政府實施實行案」（見本刊三二四期），已成定論了。自由中國已有四種地圖包括蔣君章先生的最新世界地圖和楊德鈞先生的中華民國地理教科圖（國慶日出版），多數報刊，採用了鮮卑利亞或鮮卑地方一名，擯棄了荒唐胡塗謬譯二三百年來青年學子的「西伯利亞」，「西比利亞」等不合史實地實的怪名。

我曾考定，鮮卑就是禹貢「織皮因桓是來」「織皮即敍」的織皮。又曾考定，鮮卑就是山海經上的善比。數千年來，鮮卑一詞的寫法和譯音，多至四十二個，可見它和中華民族的地緣關係的久且深了。

現在發現了第四十三個寫法：軒轅黃帝打蚩尤以後命名為「絕轡之野」的地方，似乎也就是鮮卑地方的西部。

「絕轡之野」始見於周書。周書是汲冢出土的戰國時代的古書。我相信周書大部分不偽，一如我相信甲骨文。周書嘗麥云：「王若曰：『宗掩大正：昔天之初×作二后，乃設建典，命赤帝分正二卿，命蚩尤于宇，少昊以臨四方，司××上天末成之慶。蚩尤乃逐帝，爭于涿鹿之河，九隅無遺。赤帝大懾，乃說于黃帝，執蚩尤，殺之于中冀。以甲兵釋怒，用大正順天思。序紀于大帝，用名之曰絕轡之野』……」還是周公口述的一段古史。司馬遷沒有看見周書；但史記五帝本紀也載有黃帝打蚩尤這段戰史。

上文記得明白，「絕轡之野」就是「中冀」；「中冀」經黃帝打敗蚩尤領有該地後才命名為「絕轡之野」。

（二）

「絕轡」當即鮮卑。茲分審音、考地、證史三方面加以說明。

甲、審音——鮮古音析，見史記集解，古音通西、失、試；卑古音比，通伯，必。鮮卑二字用蒙古音讀之，即失必（兒）；也見明譯元秘史；說白，見那琦先生「錫伯之分布」，係其兄那琰先生由蒙古文獻裏查出的。

絕字魏晉以後讀「情雪」切，又「租悅」切；但入屑韻，和說白之說字同韻——絕、說疊韻，足徵絕古音說或通說。絕又叶吉，見說文解字詁林引大戴記武王踐祚；而吉通西（李敬齋先生說）。絕字在魏晉以前必通西，也必音說或通說。

轡「彼肄」切，音必，通比、伯、白、卑。

從「絕轡」和鮮卑兩詞的對音上研究，兩音相同或相通。「絕轡」音西伯、說白、西比、失必、鮮卑。

另據說文，絕古文寫作[illegible]，「從系，從刀，從卩」，是說由「系」「卩」「刀」三形構成。小學家都認為許氏解字，原多謬解，如鐵明是斷字的古文，和絕字並非一字，許氏乃誤以為古文。我的「解」法：絕字似應從「系」，由「色」得聲，義為有色的絲，即絕妙好絲。精研小學十七年著書二百萬字的李敬齋先生，頗同意拙說。倘絕字由「色」得聲，即古音必讀「色」。色，音殺，通「切」，音𦏁；𦏁通析、西、失、試。若然，「絕轡」更無疑地是鮮卑了。

（三）

乙、考地——「絕轡之野」的「野」——「地」字。此字乃古「地」字。

試看上引周書，「絕轡之野」即「中冀」。冀字金文作[illegible]，乃北、人二形組成。北人即貉人（鋼節「中國古代宗族移殖史」前同拙說）。貉人上古居於長城以北，其地名冀。「中冀」當在燕北：故地望應在鮮卑利亞一帶。「中冀」既在鮮卑地方，則由「中冀」改名的「絕轡之野」便是鮮卑地方了。

（四）

丙、證史——「絕轡之野」原名「中冀」，係黃帝打蚩尤的戰場。司馬遷以後的史家，都說這一戰場在涿鹿，而認涿鹿即今察哈爾省涿鹿縣。作為古代思想中心的山海經——支配了周穆王、孔子、顏子、莊子、屈子、呂不韋，淮安子，漢武帝的思想，大部分是眞正上古史地書，價值不在甲骨鐘鼎以下。據山海經，涿鹿當在鮮卑利亞西部靠近中亞之處。察哈爾省的涿鹿，係後起的地名，一如「長沙」原在今新疆省，其後湖南省也有「長沙」了；「昆侖」原在中央亞細亞；其後外蒙、熱河、遼北也有「昆侖」（庫倫）了；大鮮卑山（山海經上的「北鮮之山」）即今薩彥嶺，原在唐努烏梁海和鮮卑利亞交界處，其後熱河也有鮮卑山。古代，地名隨族轉進，為一般史家所忽略，常用當代地名比附古代地名，山海經乃被二千年來看作「荒誕不經」之書。今天地名仍在隨族轉進，英國約克人到了美洲，美洲便有紐約克；東北有黑龍江，台北便有龍江街，乃至南京路、上海路。

黃帝打蚩尤的涿鹿戰場即「中冀」，必在中亞和鮮卑利亞接近之處，證據在山海經上。大荒北經云：

「蚩尤作兵伐黃帝。黃帝乃令應龍攻之冀州之野。應龍畜水。蚩尤請風伯雨師，從大風雨。黃帝乃下天女曰魃。雨止，遂殺蚩尤。魃不得復上，所居不雨。叔均言之；帝後置之赤水之北。」

又云：

「夸父不量力，欲追日景，逮之於禺谷。將飲河而不足也；將走大澤；未至，死於此。（按：海外北經亦載此事。）應龍已殺蚩尤，又殺夸父，乃去南方處之：故南方多雨。」

我們不要認為這是純神話。山海經係薩滿巫根據山海圖所寫，說神話係他們的本份；但背景必有眞史地。這和荷馬的伊里亞特，奧德賽把希臘、特類之戰神話化了，乃一樣的文法。希臘、特類之戰，從特類古城出土後，已被證明神話的背景是眞史地了。所以黃帝、蚩尤之戰，也是眞史實。司馬遷不取神話，[illegible]是懂得此說的。

讀段戰史的地名，如出典處的「大荒」、「海外」和「正大澤」、「冀州」、「赤水」、「河」、「禺谷」、「大澤」，經我認出都在鮮卑利亞西部接近中亞一帶；「大荒」便是鮮卑利亞，「海外」之「海」，指裏海、黑海；「冀州」當然便是「中冀」；「赤水」源出「昆侖」，在西次三經（「昆侖」在今新疆省[illegible]）；「大澤」就是今貝加爾湖。詳見拙著「山海經注譯」。

上引地名，既然都在中亞（含新疆）、鮮卑利亞，則涿鹿「中冀」之在鮮卑利亞，總是沒有問題的。

一些友人都認為黃帝不會跑得那樣遠去打蚩尤。我相信黃帝是先在「中冀」打敗蚩尤，然後才到甘、陝來的。說來話長，容俟另文。

（五）

上面從音、地、史三方面說明「絕轡」就是鮮卑的另一寫法，「絕轡之野」就是鮮卑利亞。

李濟之博士由青銅器研究上得到結論說：「西伯利亞（按：應寫鮮卑利亞）是中華民族更老的老家。」（記小屯出土之青銅器）

我這小文的結論是：「西部鮮卑利亞是黃帝打蚩尤的戰場。」「黃帝打敗蚩尤，領有鮮卑利亞，名之曰『絕轡之野』；後寫為織皮、薔比、鮮卑等字樣。」四千七百年前，鮮卑利亞即「絕轡之野」已是中華民族始祖軒轅黃帝的領土，經他親自命名的。那時斯拉夫人還在喀爾巴仟山上作猴子呢。鮮卑利亞何嘗是俄國的「領土」？

憶故胡石青教授有句云：「絕轡炎黃皆我祖，香花十萬祀蚩尤！」

對了，「絕轡」就是鮮卑呀！只是胡先生把這兩個字解成人名，和炎帝（赤帝）黃帝並列；其實乃是氏族名。蚩尤既為炎帝的「二卿」（左右賢王）之一，當然也是華族。華即夏。夏為中華民族的原名，春秋時訛為黃，黃帝即夏帝；秦以後訛為漢；漢以後訛為匈，即匈奴，又訛為胡；在朝鮮訛為韓，三韓即三夏；在日本訛為和，大和即大夏。

（六）

抵台以還，稍溫鮮卑史，但始終不懂這一氏族（夏族中之一氏）何以名為鮮卑、薔比、織皮、錫伯？一千四百餘年前李延壽說：「國有大鮮卑山，因以為號」，謂鮮卑氏族因山命名。我嘗疑問：「這座山何以名為大鮮卑山呢」？

根據上文的考釋，我得到了似可成立的答案：大概黃帝將「中冀」改名「絕轡」以後，這座山便名為「絕轡山」；漢朝以後，失於考證，北史乃另寫為同音字的「鮮卑山」，因為當時已知今熱河省有「鮮卑山」（仍是「絕轡山」），遂冠以「大」字，以資分別。鮮卑即北人（冀），其名「絕轡山」而起。

「絕轡」、薔比、織皮、鮮卑、說白、伯錫……原本一詞。（完）

評·「鬼把戲」（下）

·沈秉文·

作者：余非　出版者：亞洲出版社

（三）

筆者對劇作是外行，不過戲是懂得看的。懂得看劇情好不好？場面好不好？氣氛緊張不緊張？舞台裝置和佈景妥不妥切？演員的位置，動作，表情，及其配合的密切不密切，調和不調和？也懂得看戲劇的吸引力——興趣——高不高，普遍不普遍，合不合適？也懂得看戲劇的教育性深刻不深刻？緊湊不緊湊？以及它的效果大不大？而這些，在這個劇本中，不但已經俱備，且已發揮到了登峰造極的地步。

以劇情論：它是寫實的。裏面有恐怖，有懷慘，也有血淋淋的香艷肉感，有奇形怪狀的有鬼頭鬼腦，有荒謬怪誕，也有慷慨悲壯而令人痛快之處；總之，它自始至終都扣着觀衆的心弦。以場面和氣氛論：它的序幕一拉開，便是一個陰森森，血淋淋的地獄，[illegible]瀰漫，心驚肉跳；而在結束時的一場偵探式的反復控制的詭話場面，和在鬼宮中的一把火大與一場撲殺的鬧劇，簡直可使觀衆的情緒入於瘋狂狀態。論舞台裝置和佈景，以及演員的位置，動作，份量和配合等等，可說無不妥當。協調，密切，毫無牽強，破綻，冷場，或生硬之處，且在每一場出接場處，或每一個演員的台詞，動作，表情等等，都無不照顧得週到，[illegible]既為此中能手，自然從頭至尾都安排了所謂「噱頭」；而且這些「噱頭」是多種多樣的，有些可令人會心微笑，有些則可令人捧腹狂笑。尤其是其中的對話，幾乎句句或嘲諷，句句精彩，句句談到教育，啓示[illegible]回味無窮；也不僅深入淺出，雅俗共賞，而且妙語如珠，刻劃更鮮明，無論從中國人外國人，也無論從在鬼控制的人[illegible]，都能發生具體的功用。

總之：從任何角度看，這都是一本成就很高的作品，若比之於曾為一部份人迷戀的有名的統戰戲劇如雷雨，日出之流，都算是別開生面，可以揚眉吐氣！且此劇的主題含有充分的普遍性，無論在農村，工廠，學校，或劇院，只要燈光條件夠得上，到處（鬼域當然除外）都可上演，也極易上演。（完）

懲教童犯悉力以赴

搶救失學竟被漠視

香港社會問題的嚴重，不僅是道德敗壞，犯案情節層見迭出，蔚然成風。熱心社會人士，除了偏重福利方面設想，對於杜患防漸並無根本打算，像失學兒童逐年增加，從未有人對失學兒童特別注意；失學兒童雖不一定具有犯罪故意，他們終日遊蕩街頭，養成惰性習慣，終將於不知不覺間觸及法網，以致造成獄中衆多童犯。當局對兒童犯罪紀錄增加，祇有防止再犯的計劃，卻沒有遏住初犯濫觴的辦法，這種措施原屬無可厚非的，因為防止兒童犯罪這一個責任，該讓社會熱心公衆福利人士去擔負。否則，僅從改造童犯去着想，至多是有效地擋住了他們再犯之路，難以阻遏初蹈法網的兒童作奸犯科。

關於改造犯罪兒童的設施，港府及社會各界人士，年來均有充分業績，如青年男童教養院（即過去之赤柱兒童感化院），香港兒童安置所，上海街兒童習藝所等等，不但管教兼施，而且還能從事生產；女童也有改造機構，係由黎湧的「培德」院負責。前項係防止犯罪兒童再犯而設的懲教機構，規定祇收容八至十六歲的未成年犯罪兒童。至於十六歲以上的青年罪犯，當局歸為與成年犯人為伍，非僅不易改變他們的身心和意志，反而會染上慣犯的惡劣習慣。因此主管獄政方面人士，現已草擬一項計劃，預計在明年五月間，興建一所可容一百五十名「青年習藝社」。

這一個「青年習藝社」所收容改造的男女青年，規定自十六歲至廿一歲的罪犯。當局現已勘定地址，日內在紅磡建築一層屋宇，作為未曾定罪的「童犯羈留所」，可容羈留六十名童犯，使他們在規定二十八天期間不與一般罪犯混合，得有反省悔過機會。羈留所四周環境幽靜，面臨天光道，農圃道之間，中央設有十間宿舍，每室可住三人，其他設備俱全。此種有利社會與防止青年兒童罪犯再犯的設施，在世界文明社會獄政紀錄中，可謂創懲教兒童的楷模，豈僅自由世界民主先進國家值得效法。然而香港人口繁密，當局雖然竭力輔導與學，青年兒童失學問題，其嚴重性仍難減輕。處此當局改造青年兒童罪犯，悉力改良獄政之時，熱心社會教育人士，自應正視現實，對於救助失學青年兒童，迅採有效措施。否則，不滿虛糜公帑，根本辦法仍難消除。

社址在黃大仙，已由扶輪社捐出。

息影做少奶奶

顧蘭君遭批評

影星顧蘭君自「老大嫁作商人婦」之後，即息影在家。「少奶奶生活」使她無需向外作露頭之利的鑽營，因而受到中共當局的批評。他們說她「神氣傲乾脆爽辣的『尤三姐』」；「生活是顯著比較貧乏的」；「談起此點，顧蘭君總是表示很不樂意的樣子的」（十一月五日香港大公報）。在這五年中她的思想顯然無多大改變，一個「老大」的影星想過一點平靜的晚年生活，在自由世界原是很尋常的，然而在暴政下，卻要受到批評。以後的命運也就可想而知了，他的丈夫「廖先生」又被中共稱做是個「資本家」！

鐵幕拾零

·掃紅客·

共產黨到中國後，便有了兒子鬥父親的怪現象。一九二七年，馮玉祥「歡送共產黨出境」，被俄共斥為反革命，他的兒子就在莫斯科眞理報上發表公開信，第一句話就是：「反革命的爸爸馮玉祥」，這是第一件兒子鬥父親的公開文件。後來胡適的兒子胡思杜，是第二個公開發表函件攻擊爸爸的人，而外如梁×鬥他的爸爸梁啓超均是中了共產毒素思想的青年，一種反常現象。殆中共竊據大陸後，兒子鬥父親，已經不算新聞，已經進而清算父母，親手殺害父母的禽獸境地了。

前年冬天，東北遼陽縣，便有兩個「革命」兒子，在公審台前做殺戮比賽。一個自動提議用耕犂把「反革命爸爸」的頭犂下來。另一個在零下二十多度的寒風裏，脫了上衣，親自動手，用鍘刀把他的「反革命爸爸」「大解八塊」。這眞是毛朝驚天動地的大事，是五千年來中國歷史所沒有的。

大胆地假設

馬五先生

自由談

胡適之博士曾提示治學要訣爲「大胆地假設，仔細地求證」。我認爲不但是做學問應該如此，即幹其他的事業，也需要有這種精神，才足以言發展。

譬如搞政治，談革命事業，貴在集結智勇雙全之士，一致努力奮鬥。主其事者對於人才問題如果沒有「大胆地假設」這種氣魄，覺得甲也未必可靠，乙也不夠忠實，丙又關係太淺，丁則素昧平生，結果只有在「所謂親之皆信我」的小範圍以內，尋求幫手，那事業還有甚麼發展希望呢？

用人的「大胆假設」，並非不分青紅皂白地隨便拉夫，而是認定任何人皆有向上求好的先天本質，祗要領導者推誠相與，又繼之以「仔細地求證」，那就天下無不可用之人才，更沒有不能成功之事業。國父孫公當年領導革命運動時，有人對他說：某人是詐欺之徒，所言皆不可靠。他認爲百人中祗要有一人不是詐欺的，革命大業就可以成功。這就是「大胆地假設」的最高表現。但，國父却有極仔細的求證精神，試看他一生對於人事的安排，多能適才適事，舍短用長。民國元年他的哥哥孫眉要作廣東都督，他就自擬電文告誡乃兄，教他「不要「徒誤粵局」」。（見胡漢民先生所撰革命史料一）事前以天下爲公的心懷去大胆假設，臨事以綜核名實的原則仔細求證，天下英才未有不入吾彀中者！

假使反其道而行之，事前仔細求證，講關係，論派別，戴着有色眼鏡，再從機械觀點來分析一個人才全身無關宏旨的政治脈搏，藉爲信任的尺度；既用之後，又大胆的假設，以爲自己用的人都是忠良之士，不明是非，不嚴賞罰。那末，眞正的人才決不可得，而其事業前途亦就可以想見了。

兪平伯吃力不討好（上）

論「紅樓夢研究」鬥爭事件

谷嵐

在多事的大陸文化圈內，最近又因兪平伯的一本「紅樓夢研究」，掀起歷史現實主義與超歷史自然主義之爭。這是中共向中國古典文學領域進行思想鬥爭的開端，也是他們清算知識份子惡劇的重演。

（一）

紅樓夢爲清代有名的長篇小說，別名「石頭記」，亦名「風月寶鑑」，是描寫大觀園中花團錦簇的一羣多情兒女，悱惻纏綿的故事，其文學價值還在西廂記，琵琶記，牡丹亭，燕子箋等戲曲之上。過去中共曾批評它爲「頹廢色情」的作品，否定其價值，但近年來，因鑒于現實創作貧乏，乃提出「整理古典文學」的口號來，因之中國舊文學作品如「水滸」，「三國演義」等均經修改大量出版；「西廂記」，「白蛇傳」，「梁山伯與祝英台」亦盡搬上舞台。而過去被斥爲「頹廢色情」的「紅樓夢」，也從被打倒的殿壞上抬起頭來，恢復了古典文學瓌寶地位，被譽爲「公子哥兒」的曹雪芹也一變爲「反映歷史現實的優秀作者」，重新接受共黨的贊頌。在此情況下，作爲早期「紅學」研究者之兪平伯就在中共文化機構的授意與監督下，一方面檢討其三十年前出版的與胡適之的「紅樓夢考證」齊名的「紅樓夢辨」」是一本「資產階級實驗主義的作品」，「傳播了胡適之思想的餘毒」。一方面以所謂「新觀點」改寫一本「紅樓夢研究」，以適應共黨的要求。當該書出版時，中共極力捧場，偽作家協會主辦的「文藝報」一九五三年第九號並以專文爲之宣傳介紹，其推介的文字說：「這本書的前身是三十年前曾出版過的「紅樓夢辨」，著者根據三十年來新發現的材料重新出版，重新訂正，過去所有紅學家都戴了有色眼鏡，做了許多牽强附會，全是捕風捉影，本書做了細密的考證，校勘，掃除了過去「紅學」的一切夢囈，這是很大的功績，其他有價值的考證和研究也還有不少……」。由此可見中共當時對「紅樓夢研究」是頗爲滿意的。

（二）

一九五四年三月，兪平伯繼續寫了一篇「紅樓夢簡論」，刊載于「新建設」月刊。此後中共爲利用兪平伯在「紅學」方面的招牌，竟要一個名叫毛佩璋的「紅學」研究者借用兪平伯的名義代寫四篇有關紅樓夢的論文，一是「紅樓夢的思想性與藝術性」，二是「紅樓夢簡說」，三是「我們怎樣繼續紅樓夢」，四是「紅樓夢評介」，分別發表于「東北文學」，天津「大公報」，上海「文滙報」及英文「人民中國」等報刊上，藉以蒙蔽讀者，達成其預定的宣傳目的。（由此證明一般投靠份子署名發表的文字，都是共黨代筆的）此時香港的大公報也選載「紅樓夢研究」，這可說是兪平伯陷共後最得意的時期。

次「自嘲却寄」原韻

· 彭楚珩 ·

前以白髮新見，調寄訴衷情一闋，寄自由人報，久未披露，茲讀王世昭先生『自嘲却寄』詩，竊有感焉；爰次原韻，步和一首，聊以爲意。自嘲且以勗諸王先生寄。更補附前闋，藉證心曲云耳。

夜涼如水月如鈎，祗爲憐秋偏怨秋；
愛使傷人人更老，何妨收拾待從頭。

白髮新見

調寄訴衷情

華年如駛去難尋，差幸首猶黔；縱然早有離恨，但未許，髮花簪！菱鏡裏，驚霜侵，念前今，一時風雨，幾許閒情，皓首光陰！

自我毀滅

· 短篇小說 ·

· 洛琦 ·

「請坐！你果然來了。」潔琪不再掩飾自己的喜欣，笑得像窗前的紫薇花一般動人。

「你還要一個人在家，不覺得寂寞嗎？時常彈琴消遣？」義杰實在覺得她一個人應該是十分寂寞的，但他問的話，未免太親切了點。

「是的，琴是我的良伴。」潔琪的笑容收斂了，一陣幽怨的神色閃到臉上。

「那麼，我倒願意做你的琴，祗不知你要不要？」義杰打趣地說，大胆對她進攻。

潔琪一雙會說話的眼睛，已經回答了他。她正歡喜他作她的伴侶。他們四顆眸子相觸，在一種無言情感交流裏，萌了愛的萌芽了。義杰輕輕的握着潔琪的手，情深款款地問：

「今天你歡喜到那兒玩？你說吧！我一定依你。」

潔琪雖然是個都市小姐，一切摩登玩意都精通，但是很少涉足公共場所，這時，她想到了擠到人羣裏去尋找一下她所沒有接觸過的的快樂。於他這麼一說，心裏暗暗高興。

「由我來安排節目吧！」她說。接着又問：

「你歡喜游泳嗎？」

義杰的一雙熱情的眼睛，好像透視着她的心底！

「天氣這麼熱，游泳最好沒有了。然後呢？」

「跳一回舞好嗎？」

「跳茶舞好了，我不慣太晚回家的。」

「跳完舞，我們還可以看一場電影，你以爲怎樣？」

潔琪高興極了，但回過去一想，爲什麼他要把今天遊樂的節目安排得這樣迫促？

她正想找句恰當的話去問義杰，這時從午睡中醒來的姑母却慢慢地走進房來了。潔琪忙着站起來迎上去，義杰也跟着立直了身子，微躬了一個躬。潔琪給他們介紹過。義杰的風度，亦很受這位姑母歡喜。姑母知道潔琪朋友不多，義杰這樣一個人，從外表看來，很合她替潔琪選擇夫婿的條件。她心裏一直是不忘替她找個好丈夫的，看到她的男朋友，立刻會想到這事。

她非常湊巧的對義杰的身世查問了一番。但聽到他是個航空公司的副駕駛員，心裏冷了一截。她眼中的義杰，立時變成了一個好冒險的青年。終年累月在空中飛來飛去，這多麼危險。她一想到飛機時常失事，便不禁心寒，眞想馬上警告潔琪，不要結交這樣的朋友。可是她畢竟是個上了年紀的人，凡事有涵養，便耐着性子，準備慢慢的才對潔琪說，但剛才那種愉快情緒，却一掃而空了。

至於潔琪呢，她祗管想着怎樣迎接將來的快樂，已忽略了姑母這時不快的臉色。（六）

小題大做

。黎中天。

（一）

兩年前，我住在城邊，房子右邊有塊空地，有些過路人順便，就當着小便，太陽一曬，氣味沖鼻子。我在牆上寫了字：「君子自重，小便遠行」。過些日子，發現字下面更黃更斑，不敢再寫了。後來警察分局立了告示牌：「嚴禁在此小便，如違帶局懲處」。不久，告示牌浸在尿裏面。

周圍住的人，都緊鎖眉毛，捏鼻子過日子，想不出好主意對付；湊巧當時議會開會，有件「請禁設特種酒家，以利反共抗俄」的議案，觸動我的靈機，也想向議會上書請願：「請嚴禁隨地小便，以促進世界大同」。可惜鄰舍都認爲「小題大做」，「未免過分強調」；熱心贊助的人少，吹了。

事情過去兩年多，如今特種酒家到處有，究竟妨害了反共抗俄沒有？我不清楚；只清楚有些熟人，頭天晚上偷偷摸摸進特種酒家，第二天畏畏縮縮出來，一回到崗位上，反共抗俄更激烈。

（二）

至於隨便小便，到處都禁了，不過，世界不但沒有大同，還更糟，我總疑心是嚴禁隨地小便禁出來的毛病；要不，就頂應該怪我「小題大做」，「未免過份強調」了。

好在「小題大做」，不單是我和議員的「德性」，朝野都有。比方愛國獎券，原是藉賭賭彩，找財政補貼；人民要買，無非想發橫財，乾脆叫發財獎券多好；不是爲愛國買獎券，偏要用「愛國」兩個字做名字，也「未免過分強調」了。

如今，「過份強調」的風氣漸漸普遍了：不久以前，我參觀一個中學的壁報，上面有幅畢業畫，畫一個漁翁，在江邊釣魚，畫上還題了三句：「獨坐江邊一釣竿：一面消遣；一面生產。」

生產要做工，做工辛苦，現在中學生強調釣魚是消遣，又是生產；目前大家拼命喊「生產報國」，我看都不必做別的事，全去江邊邊消遣，邊「報國」好了；一舉兩得。

我原以爲「小題大做」，是「東方文化」，偶然想起物朗寧一首詩：「我睡覺，是爲了清醒；躺下，是爲了起來；休息，是爲了走遠路」。不無「過份強調」的嫌疑；既然「西方文化」也有，儼然看到洋人也「隨地小便」，心鬆活些了。

（三）

「小題大做」什麼時候開始有的？我懶得考據，只是想想「文學有誇大性」，大概人類一有文學，就有這種文化病：把芝麻事說得天大；拿冠冕堂皇的理由，來掩蓋無聊，甚至粉飾罪惡。

想起孔子在世教書的時候，聽過宰予，說他不應該白天睡覺，宰予沒有强辯。如果宰予振起頸子爭：「夫子，我睡覺，是爲了清醒！爲了起來！爲了走遠路！」當着其他兩千九百九十九個學生，老夫子怎麼下台？再說三千弟子都野了心，一窩蜂湧到江邊，說是去「報國」，老夫子又怎麼下台？到底宰予和他的同學，沒有拆這種爛汚，可見古人比較樸實。大概從孔子時代到如今，文化歷史多了千多年，文化病才深了。

自從禁了隨地小便，世界並沒有大同以後，我對「小題大做」失了興趣，隨便聽了什麼「過份強調」的話，馬上會聯想到那塊空地，就要捏鼻子。

我相信：如果老子是現代人，準會說：文人不滅，高調不絕！

紅朝百態錄（七）

· 牛布衣 ·

母親英雄

雖然沒有兒子，她們的家庭是十分美滿的。柳先生是一個學者，課暇總在家裏研究學問。她呢，閒暇的時候，從事寫作，二十年來印行了四本書。

對日戰事發生了，舉家遷到重慶。勝利，回到故鄉，田園無恙，她心裏無限欣慰，以爲未來的幸福無疆。那裏得共產黨蹂躪了全國！

共產黨接收了大學，要柳先生寫自傳。柳先生是一個正直人，照實寫了。共產黨說他不坦白，沒有將剝削人民和勾結帝的事實列上。柳先生無論如何不肯承認自己沒有做過的事情。一個教授有什麼方法剝削人民呢？柳先生和共產黨爭辯了半天。

晚上一架警車開到門口，五個特務跑了進來，說柳先生是美國特務，要逮捕他。四個女人跪在地下說，她們的爸爸是當今的一個偉大人物。她們敢拿性命担保他不是特務。特務們推開了她們，把柳先生帶走了。

過了一個禮拜，特務們帶了封條來，把她們趕了出去，封了房子。

她和四個女兒，只帶了幾件底衫跑到大女兒那裏。大女兒的丈夫死了，在市區租了一間房子，買了一架衣車，車軍服渡日。

第二，第三，和第四三個女兒都結了婚，房產給共產黨鬥去了。共產黨來了，誰都破了產，誰都窮了。

到了大女兒那裏，她想寫稿維持生活，她著述過幾本書，又在雜誌上發表過不少文章。可是那時全國的刊物都停了，只有一家宣傳黨八股的人民日報刊行。寫稿謀生，路不通行，她只好和第五，第六兩個女兒參加車衣，小的兒幫做家裏的事情。每天算是維持了兩頓粥。在十分艱苦的情形之下他們度過了兩年。

否極泰來，八個女兒變成了八個寶貝，眞是「山窮水盡疑無路，柳暗花明又一村。」一千萬人民券拿來怎樣處置呢？想了好一會，她決定了：錢到了手，第一件事，得先找出柳先生的下落，她要親自去見他一面。第二件呢，吃了兩年稀飯，得吃些乾飯了。

想到這裏，她認爲共產政府似乎還不十分壞，還有一點公道。

第二天準備好了手續，她跑到區辦公處，據實填寫了好些表格。同志們叫她稍等候一兩個月，再來領取獎金。

回到家裏，柳太太心裏懷着無限希望，環境和氣氛都似乎比較從前清朗而適宜了。

過了三個月，兩個同志跑了來，要她去領母親英雄的獎狀。

柳太太心裏有說不出的興奮，帶了四個女兒一直跑到區公處。

軍事代表把一張獎狀交給她，說道：『黨部的決定是，你們夫婦都有美帝特務的嫌疑。共產黨對於嫌疑人犯是不發獎金的，這是你的獎狀。』

聽到這裏，柳太太渾身抖動，倒在地上。四個女兒知道不妙，慌忙跪下。沒有兩分鐘柳太太便在區辦公處斷了氣。（本篇完全文未完）

自由人
THE FREEMAN
（第三八八期）
中華郵政登記認爲第一類新聞紙類
每份港幣壹毫
社址：香港高士打道六十六號三樓
3 rd. fl. 29 CAUSEWAY RD HONG KONG
友聯書報發行公司　香港：彌敦道中六十二號二樓
台灣特派員辦事處　台北市館前街五十號
台灣總經銷處　台北市西寧南路一〇一號二樓
台北郵政信箱九二五二

馬倫可夫笑裡藏刀

曾旭筆

美駐蘇聯大使波倫將於二十二日返美述職，據說他將向政府報告俄「和平攻勢」情形。他最近在克姆林宮宴會上與蘇聯總理馬林可夫同坐，談笑風生，令觀察者認爲值得玩味。他們是神經過敏麼？不是的。這確含有深長的意味。

冷與熱的冷戰手段

我們當能回憶當年史太林怎樣對待美國大使肯南。肯南當日曾答記者說：不僅他個人，整個西方外交家都是過着與冷漠隔離的生活於莫斯科「冰冷氣壓」中。在一九五二年十月，克姆林宮居然無禮的要求美國召回肯南。這件事的發生，恰在美國大選前夕。史太林有此舉動是欲激艾森豪，打擊民主黨政府的威信。史太林不是有所愛於共和黨，而是冷戰之一種手段，使美國忙於國內，減少力量。

現在馬林可夫向波倫倍獻偽作態，雖然是一反史太林冷落美大使的手段，而變爲親熱態度。但其爲冷戰手段則並無兩樣。此事適在民主黨於國會改選勝利後不久，固有其用意的。

固然，我們不能因此說波倫的忠貞有問題。但波倫出身外交界廿四年，其中廿年是在羅斯福與杜魯門主政時期。因此波倫可以說是民主黨政權的寵兒。曾參加雅爾達及波茨坦會議，曾爲這些不名譽的密約辯護。在波倫任命案提出時，參院的共和黨領袖，包括當日最有勢力的塔虎脫，以及共和黨參議員麥卡錫與勃里奇，都不贊成任命波倫爲駐蘇大使的。我們雖未能說波倫是親蘇，但蘇聯在其外交戰中，確有意利用波倫。

政治家的心理弱點

在政治心理學上，一個政治家確有一種「厭戰感」。而且個人興趣亦未必與國家利益平行不悖。在政敵之刺激下，在意圖鞏固其政見之際，每每心中當與將國家利益人[illegible]，[illegible]不正位。共產黨就會利用這種政治心理。在民主黨國會選舉勝利後，羅斯福主義與民主黨左翼勢力復蘇之情勢中，馬林可夫這一決發……很會利用時機。在左翼民主黨看來，美國應以羅斯福的外交政策作領導思想，「美蘇共存」，「和平共存」之欺人言語，及存……自由世界人們的警覺。

克姆林宮中人已透了艾森豪威爾的心理。艾克和邱吉爾同樣的心理，即「在蘇聯擴張政權之際，保持世界有和平狀態的延續和緩和」，也就滿足。自由世界與共產世界鬥爭相持的地方，就是一個最大的理想——不論是蘇聯與共產黨人的不斷的要求共存。本來這是好事，但在客觀上講，自由世界上目前的勢力，不容異己存在，不是你消滅他，就是他消滅你。如不消滅此種勢力，永遠沒有真正的和平希望。艾森豪威爾的和平政策……

征服者是愛好和平者

是保持武力以求和平，是則無異於在軍備競賽下過其惴惴然不知大戰何日臨到的生活。再看盼俄國意原合營，無異與虎謀皮。我看艾克最近的演說，無異坦白告訴蘇聯：「我艾克還有兩年的總統任期，在此兩年內，世界入休戰狀態，便是功德圓滿。」這種官僚最令人失望。

蘇聯完全接受大軍事學家克羅維茨的基本思想，即「戰爭是政治的延續，不過是用另一種方法而已」。蘇聯軍事學權威沙普序尼柯夫（SHAPOSHNIKOV）亦引伸出一句名言：「如果戰爭是政治的延續，則和平便是戰爭的一種變方法」。在蘇俄眼中看來，和平與戰爭是沒有分界線的，和平即戰爭的一種策律的戰術。克羅維茨寫下一句至理名言：「征服者常是一個愛好和平者，因爲他甚願侵入一個沒有抵抗的國家」。列寧當日看到這句話，連忙用鉛筆一條底線，寫下按語道：「此語精警萬分！」史太林在一九三四年會見名著作家H·G·威爾斯氏時，認爲「共產黨不以暴力爲理想的方法，假如統治階級對工人階級讓步，他們樂意放棄使用暴力的。」蘇聯最稱於自我宣傳愛好和平。一九三〇年蘇聯說出一個極巧妙而厚顏的例證，證明蘇聯是愛好和平的，他說：「蘇聯每方公里祇有二十七個士兵，而波蘭每方公里有八〇六個士兵，羅馬尼亞每方公里有三五三個士兵。」這是多麼挖通心竅的話，是唯有共產黨人說得出，也唯有共產黨人臉皮夠厚才說得出。今日在厲聲疾呼武裝鬥爭以後，又在一和平攻勢，蘇聯乃以馬林可夫與波倫高談和平，以至尼赫魯……

宣傳中共匪攻一關以及放還希臘人質一萬千名，李總全在東京大叫和平等，但爲什麼在北海道米格機擊落美國飛機呢？這是蘇聯何以表演的把戲，意想是說：「我們求和不是因爲我們弱於人，你看我們如此威風。」蘇聯固是無論何時都運用冷戰手段，不分前線後方，他們對一防禦線，而是一個「雙重的核心」。自由世界的防線，該是十足落後的思想。……艾森豪……張不採行。這是太落伍了。……一句話：自由國家對共產黨的認識太不夠了！……一新頁。……更加值得注意了……

論此次美國會選舉

楊懋春

全文大意：民主共和兩黨在競選上各有長短，結果勝負相差並不甚大：兩年來共和黨在內政外交上，本有相當政績，可操勝算，失敗原因，第一，……；第二，艾森豪初時採超然態度；第三，財政方面和外交傳遞於緩慢；……簡言之，……

今年十一月是美國國會大部份議員改選之期。自九月開始，共和民主兩黨就……競選……

選舉的結果今日（四）已經揭曉，除了一兩個州尚未確定誰勝誰負，大體說來，參議院共有九十六個席次，共和民主兩黨各佔四十八席。但在共和黨中是有一參議員，素屬共和而心在民主。他……明在投票時要附在民主黨一方面。……就是參議院開會時的主席。在兩方面的票數相等，不能得到結果時，他的一票可以決定成敗，因爲他們比共和黨多了二十七席。（編者按：……）……主黨四十八席，無黨無派一席（支持民主黨），眾議院民主席多數爲二十七席。）

兩黨的競選資本

共和黨是執政黨，在競選上有他們的便利，也有他們的不利之處。民主黨是在野的敵對黨，他們過去曾有許多缺點，但最近有些情形，也可以使他們振振有辭。共和黨有些什麼便利呢？或幫助他們的競選資本是什麼呢？艾森豪政府在這兩年內曾完成了幾件重要的政。如國民經濟的穩定繁榮，政府費用的減少，戰時政府管制的解除，物價平抑，通貨膨脹停止，人民在國際上的負擔也有不小的減輕。在這種種經濟措施下，美國的國防力量卻日與增強。其強大的程度不但爲過去任何時代所不及，且能與蘇聯分庭而生長，不敢被動大戰。在外交方面，雖曾受過不少挫折，但總起來，還有一統可觀的結餘。如韓戰之停止，東南亞防共公約的成立，南美共產黨勢力的消滅，英埃糾紛的和平解決，伊朗政潮停止，傾向民主陣營，其與英國的石油糾紛也得美國之助而有合理解決。巴基斯坦投向美國懷抱，使自由國家在近東和遠東之間的一段陣線得以完成。自由中國及南韓在美援之下，政治、經濟、及軍事各方面均有顯著進步。而在這一切之上，又有最近西歐情勢之由黑暗轉入光明。即歐洲的自由國家完成團結，使西德恢復主權，也得重整軍備，加入西歐聯盟，共同防禦共產黨的侵略。這樣，蘇聯在歐洲再行向外擴展的機會就日見減少了。這一切內政外交各方面的成就都應當是共和黨競選的資本。此外，他們的第八十三屆國會，也就是共和黨所領導的國會，創立了很好的紀錄。兩年之內，在塔虎脫、諾蘭及馬丁三人領導之下，完成了很多重要法案。有人評論，這是美國有史以來最有成績的一屆國會。這也可算爲共和黨的一種便利。

共和黨的不利處

何爲共和黨的不利之處？一個普遍的人世間現象，也是自然界的物理，就是盛極必衰，盛而後否。兩年之前，美國人對於民主黨的二十年執政很感厭倦了。艾森豪是他們空前的英雄偉人，得到他們熱烈的愛戴。他既經明白加入共和黨競選總統，大家也就很快的對共和黨發生了好感。並且說共和黨既有二十年的長時間未得執政，應該給他們機會一展其鴻圖。結果，一九五二年的總統選舉，艾森豪與共和黨獲得壓倒的勝利。但熱情這種東西是升降不定的，政治方面的熱情也是如此。假使國家有非常事故，執政者又能善用機會，熱情就可維持人民的熱情到相當長的時間。在平常情形下，熱情就很快的下降，或恢復到正常的度數。過去兩年內，國際間雖有不少重大事故，但對於美國的大多數民眾及其一般的生活，並無特別刺激。因此，他們一九五二年十一月的那股熱情就逐漸冷淡下來。在今年春天，失業情形又見嚴重，雖自夏季以來，情形已經穩定，或有好轉，但若干重要工業地區，仍有不少工人無工可做。也有若干在職工人，因「額外工作時間」取消了或減少了，收入隨之減少。（所謂「額外工作時間」，即每日在八小時之外的工作時間。額外工作時間的工資較正常工作時間的工資多兩倍或倍半。壯工人都喜歡有額外工作時間）。享受慣了戰時或非常時期的額外收入，且有此現象，就感覺在花錢上不寬裕。

（下轉第二版）

每週展望

左舜生

杜爾斯錯了！

假如美國沒有忘記自己是自由世界的一個領導國家；假如美國的最高當局也能意識到自己的一言一行，都與今後的自由世界是否能團結無間具有密切的關係；那末，杜爾斯最近在記者招待會所說的一段關於台灣法律地位的談話，我們便不能不根本加以否認，而且認爲是毫無根據，毫無價值。

不錯，台灣曾經過日本一度佔領，但由於中華民國八年對日抗戰的結果，中國勝了，日本敗了，根據開羅宣言，台灣必須歸還中華民國；根據金山和約，根據中日雙邊和約，日本已根本放棄了台灣；在日本表示投降以後，中華民國已正式在台灣受降；今天的中華民國的政府便建立在台灣這一領土之上，而且得到美國及其他多數自由國家的繼續承認；以這樣鐵一般的事實，而杜爾斯先生居然說出：台灣的「主權歸誰和利益等，從未以任何正式意識歸還與任何其他國家！」這真是荒天之大唐！老實說：美國有永遠避免與蘇聯或中共作戰的自由，美國也有對全世界任何問題表示一切不管的自由，但獨沒有否定台灣是中華民國一塊領土的自由！

王德溥違法事件

內政部長王德溥，最近「無中生有」，「節外生枝」，於中華民國現行法律以外，不經行政院政務會議的同意，忽然頒布所謂「戰時出版品禁止或限制登記事項」九條，不僅內容荒謬離奇，顯然違憲，其影響所及，不僅足以損害政府的威信，而且可能破壞全國的團結，破壞反共的國策，……政部，暫緩施行，但我們認爲不能僅僅……事件出現，爲維護憲法的尊嚴，爲促進一般官吏的責任感，爲遏止類似事件的發生，我們認爲政府應該引咎辭職，以儆一切官吏。此外還有一點基本認識：即政府機關，任何政府機關，乃爲人民而設，所以人民必須具有一種權利，凡任何政府機關首長有違法失職的情事，其權一有機會加以指摘的，乃是中華民國的人民。

美韓協議成立

過去美韓之間，曾發生不少的歧見，我們對此事十分關心，曾不斷注意其發展。本月十七日美韓協議，已在漢城簽訂，其內容大致如下：美國答應在未來的財政年度內，給予南韓以兩億元的經濟援助，和四億二千萬元的軍援。南韓則同意：（一）以便鼓勵私人經營工業，擬定新的手續；（二）以便美軍及主持美援運用的官員兌換美金；（三）設法平衡預算，繼續抑制通貨膨脹；（四）在可以用廉價買到所須物資的非共國家內，採購美援所規定的物資。

從韓國所同意的這四點，我們可看出南韓已拋棄了若干成見，而表現了一種讓步精神；而美國也毅然決然表示互讓，繼續給予南韓以大量援助；這實在是一種可喜的現象。

最近國際間有一種不可忽視的情況：即凡關係兩國或兩國以上的重大事件，往往由各該國主腦人物親自出馬，例如年來的杜勒斯，倫敦巴黎日內瓦等處，固隨時發現他的行蹤，即遠東的日本，韓國，台灣，他也曾親自前往訪問；不久以前，邱吉爾艾登曾到過華盛頓；日本首相吉田茂，也到過若干主要的國家；最近李承晚總統又已赴美；即美韓間歧見的消釋，又何嘗與李承晚總統的去美不有若干的關係呢？甚至遠如中共，也懂得派遣一個周恩來到四面八方去招搖撞騙！惟有今天的台灣，則似乎是保持一種特殊的作風：五六年來，我們的總統，副總統，行政院長，固然不會離開台灣一步，而派出去的，也大抵「只求無過，不求有功」！乃往往是二三流人物，甚至經常駐在各國的使節，也很難得到我們主腦人物的信任。難道我們真正沒有任何重要問題，須由我們的主要當局當面磋商嗎？我確實不懂得這種作風，何以有永遠保持的必要？

論此次美國會選舉

·楊懋春·

（上接第一版）由此而對現在的執政黨不滿。回想民主黨時代的錢是如何容易。這是共和黨在這次競選中一個大不利處，有人作過研究（紐約時報雜誌），認為大多數選民的擁護或反對是以其錢袋的盈虛為轉移。誰能使他們的錢袋充實，就選誰。

經濟武器失効用

共和黨的不利就是民主黨的利。在這次競選中，民主黨盡量利用了這一點。他們在春夏期間，盡力號叫美國又要陷於經濟不景氣，如二十年前共和黨執政時代的大不景氣。但下半年內，經濟情形趨於穩定。民主黨就不敢再多喊了。說公道話的經濟學家認為現在是美國在和平期間經濟最繁榮的時代。雖然有三百萬左右的失業者，但情形並不嚴重。美國目前的全體勞工人口是六千五百萬。失業者不及百分之五。羅斯福（亦即民主黨）實施新政的最盛時期，美國的勞工人口是五千五百萬人。其中有近一千二百萬人失業。一九四四年時失業勞工最少，僅四十四萬餘人。但那是因為有一千二百萬人加入了軍隊。一九五〇年杜魯門時代（也是民主黨），美國是在和平狀態中。那時的失業人口有四百七十萬。比現在多一百七十萬。如果杜魯門時代的情形不算壞，何能說現在的情形是經濟不景氣，自從有了這個前後比較，民主黨的競選將領就不敢再多使用這項「經濟」武器了。

各有一把鈍刀

在一九五二年總統競選時，共和黨曾盡力抨擊羅斯福和杜魯門兩人對於共產黨分子及親共人士的疏於防範，任其滲入國防外交等重要部門內，使美國陷於極多嚴重錯誤中。這種抨擊使共和黨得利不少，對於民主黨是個大的挫折。自此以後，共和黨每次和民主黨有爭吵時，就使用這項武器，以為攻擊。使用的次數多了，難免有不高明之處。或至少不像開始時那樣鋒利了。有些民衆對此甚至感覺厭煩了。在這次競選中，有些共和黨領袖主張少使用這個武器。但副總統尼克森不聽此勸，仍然拿這個題目為其競選演說中的主要攻擊之一。結果並不很好。

在民主黨方面，也有個類似的情形。共和黨參議員麥加錫曾以調查共產黨分子及共黨活動大大出過政治風頭。調查工作的本身確是件愛國行動，也是件必需的防奸工作，為多數人所擁護。在初期，麥加錫也因此而受人重視。但他的政治野心太大，要想以此為其政治發展的資本。而且他的態度不謙和，言語頂撞而多刺激。地位愈高，愈不知對受調查者，或對作證人加以禮遇。申斥呼喊之聲時作。換言之，他把參議員的地位和議會付給他的職權濫用了。結果，惹起很多人的不滿。不用說，共產黨分子，共黨同路人，以及那些似天真而實愚笨的知識分子，散佈流言，歪曲事實，大肆攻擊麥加錫製造恐怖，侵害民主自由。於是形成一個忌語，即所謂「麥加錫主義」（MCCARTHYISM）民主黨的領袖們每逢有人提及他們縱容共產黨分子時，就以這個忌語報之。民衆之厭惡麥加錫作風者也用這個忌語以吐氣。今年五六月時，國會不惜浪費大量時間和金錢，使麥加錫和陸軍部長吵嘴舌辯。結果也分不出誰是誰非。反而對於國會及政府的尊嚴和威信均有極大損失。於是大多數民衆都極厭聽麥加錫其人與其事。更不願聽任何黨團用「麥加錫主義」為武器，作政治競賽。這使民主黨很掃興，因為他們原想這是一筆不大不小的資本呢。

勝負相差很有限

照這次的選舉結果，可說在這次競選中，兩方面真是勢均力敵。雖最後有勝負之分，但其相差也太有限了。這樣結果，有些出乎兩方面領袖人物的意料之外。艾森豪總統昨晚（三日）在白宮的新聞記者會上就說過，他頗為驚奇有這樣的結果。但他沒有說明是好得使他驚奇，還是壞得使他驚奇。據一般記者的推測，他是覺着好得使他驚奇。因為在九月和十月上旬共和黨方面的風勢很有些不對，大家都估計民主黨要有相當大的勝利。共和黨的競選司令部睹此情勢頗為着急。最後不得不請求「老將」艾森豪改變其立於超然地位的主張，他跨馬出陣。一參加，大家受他人望的感召，對共和黨又增加了不少好感。於是把頹勢有限度的挽回，爭到以上的結果。共和黨人所未料到者是會有第一期的挽敗。他們以為憑艾森豪的人望，憑兩年內的政績，他們的競選一定無問題。沒想到會有不小數的人民對他們表示冷淡，以後請出艾森豪來參加競選演說，又未料到會發生那麼大的效力，挽救了可恥的失敗。他們雖未能獲勝，但敵對黨也僅是未失政而已。

農業政策有利共和黨

在民主黨方面，也有他們的出乎意料之事。他們起初以為艾森豪政府的新農業政策一定會使共和黨失掉大批農民。因為從去年到今年的春季，農業部長本生的新農業補助法很不受農民歡迎。有些農民團體在某些政客煽動之下，竟組織代表團到華盛頓去請願。目的想使本生憤而辭職。但在這次選舉中，愛歐華州及歐海歐州的農民都投了共和黨人的票，不理民主黨的候選人。這是民主黨人士所不能了解的。其實他們早應當看出來，本生的新農業政策，往遠處看，要比民主黨時代的更有利於農民，並真正適合美國農民的獨立精神，農民在開始時雖然反對，但後來看清楚了，就由反對變為擁護。

共和黨失敗原因

依照艾森豪政府兩年內在內政及外交各方面的成就，這次競選共和黨應當得到勝利才是。但結果，他們在參議院僅僅到「平分春色」。在衆議院更且輸給民主黨，雖然輸的不算多。據十一月一日「時代」雜誌的分析，共和黨這次是吃了沒有第一流競選演講家的虧。若是艾森豪能像過去的羅斯福那樣，不但巧於把自己的政績說得輝煌動聽，又善會打動民衆的心弦，共和黨或能有很大的勝利。艾森豪自己的演講能力還不太差。加上他的人望，很有影響能力。可惜他在前兩個月竟想立於超然地位，不作競選演講。他的重要僚屬們竟沒有一個以口才見稱。白宮也沒有個智囊團，專會寫競選演講的稿子。副總統尼克森在這次競選中最賣力氣。他旅行了兩萬五千多英里，到了三十一個州，作過二百餘次的演講。但他的演講並未抓住要點，就是未曾把共和黨的政績打成美麗的包裹，以愉快的笑臉投到聽衆的懷裏。他只知拿那「共產黨問題」去攻擊民主黨。「好話說三遍，狗也不喜聽」，尼克森的力氣沒有發生很大作用。

財軍外交宣傳失着

財政部長亨弗里本來應當有篇很動聽的演講，因為兩年內他把聯邦政府的財政納入正軌，使預算快到平衡，使通貨膨漲停止，也挽回了好多經濟上的危機。但他只預備了一些乾燥無味的事實，用一種平穩呆板的聲調，對一批銀行公會的人講了一遍。聽衆的評語是「乾燥乏味」。幾家大報僅在金融欄內簡略的一登了事。

國防部長威爾遜更有好多國防方面的建樹，可以作個輝煌的報告。但這位部長是個工程師和工業經理出身的人，對於演講一門更談不到。可是他這次卻忽然學乖，想模仿一般職業演講家的老套，開頭時說個笑話，弄點幽默。誰知竟成了「東施效顰」。起了反作用，這就是他那惹動勞工界反對的「狗笑話」。威爾遜的意思是要反擊民主黨宣傳失業情形嚴重。他說，世界上有兩種狗。一種是獵狗，自己出去找東西吃。一種是在屋子裏待人喂養的狗。他暗指有些失業的人，並非真是沒有工作，而是他們不出去找，不願費力氣。想坐在家中等待政府或社會的救濟。威爾遜說他喜歡自己出去找東西吃的狗，不喜歡在房子內待人喂養的狗。美國人雖不像東方人那樣賤視狗，但這個笑話，或比喻，難免近於侮辱，雖然說者確無侮辱之意。這個笑話結束了威爾遜的競選演說，也給民主黨一個好把柄。

在外交方面，美國因領導地位在西歐促成九國團結，條約使法國不再作梗，使西德有立即恢復主權，建立軍備的機會，並與自由國家共同防禦共產黨的侵略。這是民主國家集團很大的成功。不但抵銷了過去的失敗，且有重大的收穫。杜爾斯國務卿固當趕回美國，連同其他外交成績，作個最重要的廣播演講。但他只由巴黎打到白宮一通簡略的電報，向總統報告而已，總統也只把這個電報向左右有關人員讀了一遍。未作任何利用，以顯示共和黨的成功。

競選宣傳是必要的

寫到這裏我想起梁漱溟先生曾在「東西文化及其哲學」中批評西洋人在競選時，登台專誇自己好，揭別人短；又用種種法術去影響別人，好使別人選舉自己，未免太小孩子氣，或江湖氣，欠修養。還是中國的一方面隱居南陽，不求聞達，另一方面「三顧茅蘆」，東聘禮聘，有泱泱大國之風。我想這些只有中國老文化背景的人，很可能贊同梁先生的說法。但在今日的世界，你有天大本事，不說出來，大家不會曉得。而且今日要選擇的國家領袖，不只是個繼統的好人或賢士而已。要緊的是，除了人格修養以外，還須有具體的治國計劃和解決問題的辦法。今日既沒有大權獨攬的君主，抱經國濟世之才者不能只靠一人或少數人知道他就夠了。要使多數人都知道他，才能得到民衆的擁護。孔子那個時候，如果他把周遊列國的工夫用在向本國的民衆演講上，再假定那時民衆有選舉政府首領的權力，恐怕孔子要作一輩子的宰相，豈只三月而已？又豈需要去和那些只知財色權利而不認識聖賢的愚笨君王們白費時間和精神。所以在民主國家中，西洋的競選演說是有其必要的。早先不是人民為主，故無須使人民都知道你。只求君王或有實權的重臣知道就夠了。君王請你時，你可故作謙讓以試其誠。待被聘用了，你的施政，人民只有服從。今日是民主世界，必須使民衆知道你，了解你，並接納你的見識和計劃，才能得到他們的信任，你才有機會去執政，去展布你的鴻圖。

（下轉第三版）

人物述評

菲總統——馬格塞塞成功的原因（下）

·明輝·

（三）

馬格塞塞很年青（四十七歲）長得黑而富於活力。以一個菲律賓人而言，他可算得是一個「大個子」（身高六尺），說起話來，兩臂交加，像拳擊家一樣。慣於作爆發性的姿態，和閃電式的決定；再加上他個人的吸引力，和天生機警，無可比擬的誠實，以及洞察秋毫的眼力。這便是他為大衆愛戴的原因。

他出身是一個農村的孩子和汽車機匠。他的事業，是出艱難困苦中，直接行動磨練出來的。

菲律賓獲得解放後，馬格塞塞很自然地被任為他故鄉三寶顏省的軍事總督，並一再被選為國會議員。在國會中，他學會了議員們各種政治活動方法，這種智識，對於他今日做總統，是很有幫助的。

目前，馬格塞塞要解決的是甚麼問題呢？他成功的機會究有多少？

他說過：『人口過剩並不是我們最困難的問題，日本每一平方哩有人口五百七十九人，瓜哇一千零十九人。我們只有一百七十三人。我們整個人口，共有二千萬左右——面積卻有英倫三島那麼大，我們有肥沃的土地，豐富的資源和良好的氣候。專家告訴我：只要我們能把許多新闢問題都予以解決，我們的土地足可以維持八千萬人口』。

他還說：『失業是我們最大的問題之一。因為灌溉不足，稻米每年普通只能收成一次。佔據我們人口百分之七十五的農民，每年工作還不到半年。如果地方工業發達，我們也可以找到工作。可是在傳統上地方資本總是不願意投資在新式的工商業上。大家在若干世紀來都能在比較安全和極低的土地稅之下，混得很好，又何必再去做那種不熟悉的冒險生意呢！這一現象，使我們發生許多無法解決的問題——沒有地的人，和沒有人的地。』

（四）

說到菲律賓的農民，他說：『百分之九十是佃農。他們自己沒有土地，但約又大都只是一種隨時都可以取消的口頭約定。這種封建制度，是西班牙人統治菲律賓三百年所留下來的遺毒。不錯，在律書上也有保障佃農不受剝削的條文，可是很容易被人規避：因為佃農根本沒有力量去打那種費時的官司。不公平的攤分收成，高利貸，和許多其他積弊，使農民生產情緒降低了。因此今天菲律賓人雖以大米為基本食糧，但米的產量卻是世界上最低的』。

馬格塞塞改良農村積弊的法案，卻遭遇了很多障礙。因為最有力量的立法者，每每是代表最大的地主；要他們來投這反自己利益的票，那真是與虎謀皮。

馬格塞塞說：『我們有很多荒地，都是公有而無人耕種的肥沃土地。我正在利用一部份這種土地，來安插自新的胡克黨人和他們的家屬』。

（五）

但他知道，這種施捨的計劃，決不能解決永久的問題。他曾請教晏陽初博士。晏博士給他建議：

『根據中國三十年的經驗，只是想給人民做些好事，還不夠。必須要教他們自助。否則只有救急，不過是臨時措施。應該注意救未來。只要人民的潛力，能得到刺激和訓練，就會自動被掀起來。任何發展運動的動力，都必須是人民自己』。

不久，以前，馬格塞塞曾在宴會中跳舞，有一位內閣閣員對他說：『我明天在內閣會議中，提出我的計劃，您會支持我嗎？』馬格塞塞說「當然」，一邊說，一邊就轉向別處去了。

第二天，內閣會議中，馬格塞塞卻給那項計劃給否決了。那位閣員抗議道：『你昨天晚上，不是說支持我的嗎』？馬格塞塞說：『昨天晚上是跳舞，今天是內閣會議。我現在對你說，「不」！』

他這種態度，使得菲律賓的人民非常愛護他，也就是他的潛力所在。所以敏銳的觀察家：『政客和總統最後攤牌時，馬格塞塞一定會勝利。他能夠超越政客們，而直接訴諸老百姓。這對於菲律賓是一件很好的事，同時也是亞洲人民真正民主領導的方式』。

（取材於美國讀者文摘）

編者 讀者

大陸旅台教授聯誼會來函

自由人編輯先生：

頃讀貴刊三八五期（十一月十日）「來台教授的新結合」一文，其中有必須辨正者如下：

本會純係聯誼性質，同時兼事學術研究，與政治絕無關係，看會章第二條「本會以敦睦情誼研討學術為宗旨」便可明了。該報導原文謂「這個團體雖以大陸教授旅台聯誼會為標榜，事實上學術和政治的意味，都很濃厚」云云，全非事實。此外本會是一獨立團體，會員中雖有一部份現任教育部特約編纂編審，但其對外行動，與本會全體無關。特此申明，至希貴刊賜登此函，以釋誤會。

大陸旅台教授聯誼會敬啓

四十三年十一月十五日

△黃葉風，廖英鳴，仇嶷，慕容羽軍，小丞，蔡智堪，杜衣，郭敏行，謝宗安，龐賁仁，諸先生：承惠稿，均已一一收到，至感謝！

△勞影先生：函悉，稿酬隨後奉致。

△樂清先生：函悉，貴會情形如此，殊覺可惜，有志者事竟成，固不必灰心也。謹復！

△陳式銳先生：大函收到，前函想誤洪喬，謹復。

怎樣研究中共

——介紹雷男先生的研究工作

本報編者

爲了邊緣價值與資源富藏的關係，中共對自由世界的威脅，已可預見，其日益重要，或將有過於蘇聯。惟目前自由世界對中共之認識則遠不如其瞭解蘇聯之深入。一爲蘇聯已有卅年的歷史，又從開頭就表明它是眞面目的布爾什克主義者，西方與蘇聯的交往更比較的多；二爲中共一直保持其對國內及國際的僞裝，和它奪取大陸政權後即拉緊了鐵幕。

西方對中共的研究工作，迄今爲止，尙未能超過認識其枝節程度。所據以研究的資料，不外是些零零星星透出鐵幕的片段事象。由此出發的方法固不失爲一個可靠的途徑；惟如僅到此爲止，則結果必難避免於只看見樹木而看不見森林的錯誤。

中共問題的全貌

更該知道：中共對自由世界之所以成爲問題者，實在已包括三方面：（一）它在大陸的一切措施，及其措施所給予未來西方世界的影響。（二）它與蘇聯配合下的國際政策，（尤其是遠東政策），及其政策所給予自由世界的當前打擊。（三）它之輸出其昔日賴以得手的策略於東南亞，及由於它之教導與支持所發動的東南亞動亂。這是現階段自由世界中之中共問題的全貌；也是從其枝枝節節的材料以爲研究，將無法求得一個健全的對策之所在。換言之，即自由世界對中共之研究，確[illegible]了必須大大的提高其質量。否則將難爲有效的去對付它。爲此，編者謹介紹一個研究者的工作，以喚起人們的注意。

毛澤東的路綫內容

編者要介紹的是雷男先生，他研究的總題目是：『毛澤東路綫』的內容·與批判。他以將近一年的時間，不顧私人生活的艱苦，埋頭進行這項工作。其中除關於中共經濟政策的措施，其措施所代表之謀略，已以「新民主主義的幻滅」爲書名，專冊由亞洲出版社在九月間刊行外，下面是他全部研究的暫定書名，及內容簡略提要。「新民主主義的幻滅」一書之刊行，是爲了針對着目前的實際需要。英國工黨訪問大陸代表團團長之一，杜罕郡礦工聯合會秘書詹生在回國後，發表於「觀察者」週報的文字還說：「中國大陸的經濟有四部份」，其第三部份「私人商業，使人特別感覺意外，據說大陸經濟現有百分之卅五到四十仍屬於這一部份」，「毛澤東雖然認爲英國工黨政府不會消滅其資本家爲不當，他也不會消滅中國的資本家。大陸經濟現仍是混合型的，與今日蘇聯之清一色經濟成爲對照。」可見中共虛假標榜，迄今猶能迷惑世人。

缺乏瞭解的流弊

西方被它迷惑的結果是什麼？因此會以爲中共與蘇聯有根本上的不同，亦會由此而容想它們間的分裂。其影響就不能不說是嚴重了。不要以爲被迷惑的僅有觀察者，雷男先生研究印度支那戰爭的一個結論有說：在共黨集團的本質上，只有輸出「毛澤東路綫」於越共，越共亦即可以由此而在印支發生和發展出與中共軍同類型的印支武裝部隊，故中共軍直接介入印支戰爭這事，根本上是不存在的。惟西方軍事首領則自一九五一年起，始終還在戰戰兢兢的全神注意着這早已可知其不存在的問題。到一九五四年六月，在華盛頓召開的五國參謀首長會議，方纔發表公報說：自一九五一年到五四年，即歷經三次集會所準備的印支戰爭計劃，如今已宣告放棄。因爲該項計劃始終是以中共部隊正式參加戰爭爲假定的，如今看來，已惟有承認將不會有那種情事。因欠缺中共之高級瞭解，以致西方國家的人力，物力的浪費虛擲，不難就此想像得之了。

雷先生的研究方法

雷男先生的研究工作，就是針對着自由世界在這等方面的危險空白。他以爲『今後兩個世界的前途，決定於亞洲的動向。能獲得亞洲的合作者即已贏得一半的勝利。』迄今爲止，亞洲爲自由世界脆弱的一環。著者認爲這形成於兩個原因：（一）亞洲國家的軍力薄弱，經濟蕭條，政治紛亂，和社會不安：助長了『毛澤東路綫』的發展；（二）西方未曾充分瞭解；做爲東方對亞洲之戰略方針的『毛澤東路綫』，其攻勢範圍主要的在射擊戰場以外。因此，西方當前的最要課題是去認識『毛澤東路綫』的內容、性格、背景，及其強點與弱點。如缺乏瞭解，即無防禦。我希望我的努力可以滿足自由世界此項緊急需要。』所採研究方法：是就中共文件中提煉出幾項主要原則，再以出現於中國大陸及東南亞國家的共黨發展過程中之具體實例，詮釋和證明『毛澤東路綫』的成功與失敗所在，並說明其政略、戰略、戰術，和『非戰爭手段的戰爭』之全貌。

雷先生的研究，分爲各個獨立的書冊，其名稱如下：（一）胡志明勝利的道路，（二）法國永離河內，（三）中共戰略的對抗，（四）毛澤東路綫總批判，（五）人民戰路

——自由東南亞的長城。

全書在六十萬字左右，有些已經完稿，有些尙在撰述中。不久即可與世人相見。

介紹程滄波著 時·論·集

·徐道鄰·

中央文物供應社印行　定價：新臺幣八元

（一）

這一本小冊子所刊載的，是程滄波先生在中央日報所發表的四十二篇社論。最早一篇的發表日期，是二十一年七月，最晚一篇是二十八年九月。二十一、二十二兩年的文章最多，凡二十二篇，二十五、二十七兩年次之，一爲六篇，一爲九篇。

就上面所指的年月觀之，就可以看出來正是我們二十年前勵精圖治和抗戰初期英勇奮鬥的兩個階段，中俄復交，西安事變，長沙大火，犬養毅被刺，這些簡簡單單的幾個標題，在我們中年人的腦海中所引起的回憶，是何等的緊張，何等的興奮。在這兩個充滿了艱苦險患的歷史階段中，我們人民所表現的，是對於國家民族的高度的信心（和現代所稱之『忠貞』，略有不同），是嚴於義利之辨的大智大慧，是在驚濤駭浪中勇毅不移的傳統的堅忍性。在我們四五十歲的人物，把這一本小冊子，一篇一篇的披讀，好像一個中年婦人，翻着當初桃李年華時代的照相本，一方面固然不免逝水流年之感，但是在這個感歎之中，也正意味着一種說不出來的興奮和驕傲。

（二）

青年人研究近代史，最困難的，是二十年前左右的史實。再早一點的，書面的材料比較還富，再近一點的，是各人自己都經驗過的時期。惟有在各人兒童時代發生的史實，是青年研究者的一個青黃不接的時代。滄波這一個小冊子，正好補充了他們這個需要。尤其重要的，這不是新聞報導，而是社論，不是各種事實的敍述，而是這些事實所引起的反應。在這一個小冊子裏，我們似乎在撫摩着一個重要時代的脈搏，似乎在聆聽着一個偉大時期的喘息。滄波的文章，是以犀利明快見稱的，這幾十篇文字，更篇篇是明白而有力。現代的社會，是一個受語言控制的社會，語言的訓練，比過去任何時期爲重要。而人類之運用語言，第一要明白（使人能懂），第二要有力（使人聽從）。

（三）

舍我稱讚滄波這本小冊子，說可以作青年學生模範文讀。我認爲青年人如能在這些文章的布局和詞句上，細心尋求，則對於他們的說話和作文，一定能有很不少的幫助。

尤其值得我們稱道的，是這許多社論，雖然站在黨和政府的立場，然而對於當時的黨和政府，常常有極嚴厲的批評。有些字句，如同：『黨員及政府人員今日心理之動搖與信仰之動搖，滔滔者皆是也』（二五頁），如同，『記者執筆時，又豈不[illegible]此文既出，將不啻於名公，尤懼[illegible]，然而吾儕[illegible]』（五頁）在近日內政部才頒布『戰時出版品禁止或限制發行事項』的氣氛之下，讀起來，使得我們不免疑問，二十年來，在追求自由和平等的道路上，我們究竟前進了多少！這些起草禁令的先生們，如果看到這一本『時論集』，他們一定會捂着不下。可是我們讀過了『時論集』的人，再讀一讀內政部才頒的禁令，可真是要腸斷魂銷了。

編者按：本刊三八五期曾刊陳克文先生「讀程滄波時論集」一文，亦係介紹這一本書的，可供讀者參考。

失業飢寒情況嚴重

社會局正妥籌良策

香港二百五十萬人口中，失業者之多，誰也無法估計。雖然年來新設了許多工廠，失業者數字，卻並沒有顯著減少。而且工商業也未全面好轉，有等工廠還陷於半停工狀態。手工業的工人失業的失業，甚至祇有增加。這嚴重的失業問題，除非有大規模計劃給予適當安排，殊難獲得根本解決。一年前中西熱心社會人士，曾經組織一個救助失業青年協進會，登記失業青年逾三千人，獲得救助的尙不足二十分之一，這不能歸咎於該會工作不力，而祇因未獲工商界人士有力支持，以致此一機構，未能對這嚴重的社會問題發揮它的充分力量。

今年求職人數比往年多，高中畢業生向當局登記求職的，至今依然還在等待港府聘用通知，此等求職之人如加入失業者中，數目更見龐大。日來氣候轉寒，多數失業者已面臨飢寒交迫窘境。因此，他們迫於生計，而不得不向社會局請求救濟。這種附具眞實姓名住址及詳細履歷，家庭狀況的求職信中，申述的理由，各有不同，處境迥異，不僅求職，也有要求向社會局長借貸解決一家生活的。他們多數自稱久居香港，而失業已久，生活無法維持，請求視其能力，介紹適當職業；有的因欠租被業主趕走，請求社會局長給他一間木屋；青山道一個木屋災民則請求給予吃飯便利，介紹工作及貸借二百元港幣，以使全家飢寒迅速解決。

社會局對於這個亟待解決的迫切問題，已予特別重視，所有這些信件，均交由救濟官分別調查。不過認爲適合該局救濟對象的，仍爲數不多，例如久居本港，年老無依、或殘廢無力謀生的，一經查明確實後，便通知他們到就近的社會服務處登記，領取上下午兩餐；如爲殘廢痼疾不良行，也將由社會服務處按時派發乾糧。至於介紹職業，或從置安置等等，社會局長認爲他們既對社會局有此信心，自應妥籌善策，務將不使彼等失望。該局現已獲得各區街坊會協助，進行普遍性的調查，以求得失業者確數，然後，分其類別、先後緩急以解決他們最低限度的生活。據社會局副局長李于農表示，社會局將與社會各方取得聯繫，隨時了解各業有無空額。又說，失業確數登記完成之後，將有計劃地展開一個救濟失業運動。

讀者論壇

應加改善的——書報進口限制

·徐渠成·

現在有一件許多人都忽略，而實際頗爲重要的事，想借「自由人」篇幅提出來，喚起各界人士的注意。

台灣的書報進口，例須經過僑委會的許可登記，省新聞處和內政部的核准內銷，報紙因涉外匯等問題，須經過由台灣銀行代表等參加會議之審查小組通過，書刊則比較簡單，經僑委會登記和省新聞處許可，便可內銷。

兩月前本人曾代友人辦理申請「中共問題」第二輯的內銷證，很快便通過了，省新聞處且發給了內銷證，存在台北代表人謝迥先生處。香港方面接得通知後，當將書籍附輪運台，不意該項書籍迄十一月十七日爲止，仍被扣留在海關倉庫內。扣留的理由是內銷證明不足，尙須補辦財政廳的免稅證，才可提貨。在公文旅行期內，有了內銷證的書刊，也祇好委屈躺在海關倉庫內休息了。

此事，我覺得有幾點不可解的地方：一、有了內銷證的書刊，海關是否還有權扣留呢？二、假如書籍要繳稅，政府是不是要另行規定呢？三、公文旅行，應不應有一定時間，不應超過一星期呢？四、如書籍是規定免稅的，海關是否祇須開箱檢驗，查與內銷證相符，便可放行呢？

現在此項現象的發生，是否自由中國還有官僚主義的作風在爲其作怪？我實在十分懷疑。我並不想拿這件小事以概其餘，但卻認爲縱使是小事，也頗會影響到政府的聲譽，和僑胞的觀感的。

最近香港中聯社編印了一本「今日大陸透視」，趕工於十一月十二日印竣，十三日搭盛京輪運台，十五日抵基隆。據台北代表人謝迥先生函告，因須向財政廳申請提貨證，可能要在下月初始能發行。此事使我非常着急，中聯社編印此項叢書，未受任何方面半文津貼，發行收入爲繼續編印之生命線，如被擱置在海關倉庫裏過久，無異說政府對海外僑胞的反共文化事業，非但不予以培養，反而加以阻礙了。我希望自由人士，和熱心文化事業的前輩，能夠出來主持正義，革除這些不合理的弊政。反共復國，「民主」不是施與物，是要人民爭取的。我們更希望有關當局能夠從善如流，虛心改正缺失，則國家幸甚！人民幸甚。

（十一月十八日）

論此次美國會選舉

楊懋春

（上接第二版）

不過話要說回來，如果競選人過於誇張，把自己的一分本事說成十分，把一些玄妙不可行的計劃去誘騙聽衆，結果也不會好。第一次或者可以成功，以後就要遭受人民的拒絕。故競選的演講務要根據事實，不可虛構。要講求陳述和投合事實的技術，如何使聽者容易了解並感覺愉快。要把自己的長處和工作成績盡量說出來。但說時要有謙和禮讓的態度。對於政敵，非至絕對必要，並非有事實爲據，不可指名攻擊。對於政敵的眞實缺點要用端莊文雅的言語陳述。務須避免譏諷的言語和幸災樂禍的神情。昨天（十一月四日）有個熟識的美國女人來看望我們。大家的談話自然要涉及這次選舉。本州（即康奈梯克州）的州長這次競選連任。但未成功。這位女士說，她對州長先生，敬重是很敬重，但總覺對他沒有愛戴之情。原因是，她覺着州長先生在競選演說中自誇太過。誇他自己誇這個州，都誇得太過火。而且在講話中缺少謙和的口氣。這位女士說，不只她一個人有此感覺，她的一些相識也都有此同感。由此可知，在西洋國家競選演講，也不可不注意謙和。結語是，政治是一種莊重而又富有人情的藝術。其中複雜微妙之處甚多。要想搞政治的人，必須了解並能欣賞這個藝術性，並能在政治活動中表現出牠來。庶不至到頭來弄得焦頭爛額。

四十三年十一月四日於海外寄廬

仔細地求證

馬五先生

上次談政治上用人先要有大膽地假設精神，假設每個人都有向上求好的先天秉賦，即每個人皆可成爲自己的忠實幹部，關鍵只在領導和任使人才上是否得法合理？這就需要繼之以「仔細求證」的工夫了。

曾國藩對於求才用才問題，注重八字訣，即「廣收、愼用、勤教、嚴繩」是也。「廣收」就是大膽地假設，認爲天下無不可用之人，其餘的六字，即屬於仔細求證的範疇了。求證的方法很多，最要緊是隨時留心體察其人的品性與氣度，而從日常生活自然流露的情況中，很可以看出其如何爲人也。此中精微奧妙之道，非以公正無私的心情，再輔以學識經驗，是不易透闢理解的。

但，有些普遍的情況，只要閱世較久，更事較多的人，還常識亦能鑑別出來，問題是在能否揚棄感情作用，尅制其天下爲私的下意識而已。近代政治人物每以「科學化」的進步思想自詡，聽人談及某一公務員日常生活如何卑鄙齷齪之言，著對私人作出某些不法不德的行爲，輒指稱「那是個人的私生活」，表示其不須計校的「科學思想」。我就決不相信平日私人言行，詐僞卑污，無所不爲者，他在公生活上，會有忠誠樂幹，有所不爲的奇蹟出現？這類人若要我舉例，在最近卅年間的黨國要人與名人中，就可以舉出幾十個來哩！

仔細求證之後，若要使人才樂於効力，之死靡他，還得講求信賞必罰，曾國藩當年領兵討賊的初期，因廬江之敗而決然奏劾懲處其道義之交兼患難部屬的李次靑，雖李鴻章以去就抗爭亦所不顧，就是這種道理。假使對李次靑枉法徇私，國藩的事業尚有成功之可能嗎？

希望在政治上要想創造大事業的人，對於那些在市街上愛寫擁護服從的標語，當着面即裝出烈士或奴婢式的過份姿態者，少所重視，而仔細留心大家平日處事接物待人的品性氣度與能力，眞正的人才，自然會發現了。

俞平伯吃力不討好（下）

論「紅樓夢研究」鬥爭事件

○谷　嵐。

然而共黨是多變的，它對于文學作品所要求的「思想性」，並沒有一定的內容。今天這樣，明天會變成那樣。如毛澤東說：「文學批評，沒有抽象的絕對不變的政治標準，也沒有抽象的絕對不變的藝術標準」。因之今天被認爲是一篇好的東西，明天可能錯誤百出，被斥爲最壞的作品。這種思想性的變化，不是一般人所能把握的，一九五一年孫瑜導演的影片「武訓傳」，就是一個顯明的例子，而俞平伯的「紅樓夢研究」也隨着這種規律從雲端裏倒栽下來了。

在進行批判「紅樓夢研究」的過程中，中共最先鼓勵其黨徒李希凡，藍翎在山東「文史哲」雜誌上寫一篇關于「紅樓夢簡論」的批評文字，九月三十日出版的「文藝報」即加以轉載。十月十日李希凡，藍翎又在「光明日報」刊出「評紅樓夢研究」，十月二十三日及二十四日「人民日報」發表鍾洛的「應該重視對紅樓夢研究中錯誤觀點的批判」和李希凡，藍翎的「再評俞平伯的關于紅樓研究的錯誤觀點」。十月三十日「人民日報」又發表周汝昌的「我對俞平伯研究紅樓夢錯誤觀點的看法」。至此，「紅樓夢研究」的鬥爭事件，已逐漸擴大到激烈緊張階段，作家協會「古典文學部」負責人鄭振鐸，周揚，矛盾，馮雪峯，王亞平等六十餘人及華東作家協會負責人夏衍，賈霽等六十餘人，在十月二十四日及二十日分別召開關于「紅樓夢研究」的討論會，均強調這是「以馬列主義立場，觀點，方法去批判資產階級唯心主義的立場，觀點，方法的一場嚴重鬥爭」。從而引起了一個全面性的「文藝整風」運動。

（三）

比次中共批判俞平伯的「紅樓夢研究」除去政治目的以外，其實質上論點主要分爲四點：第一，俞平伯認爲「紅樓夢」只是寫曹雪芹自己的家庭由興盛到衰敗的過程，是曹雪芹的「自傳」，不外三個原因：一是感嘆自己的身世，二是情場懺悔，三是爲他周圍的十二個女孩子作本傳。他以紅樓夢爲自然主義的作品，爲一部紀錄事實的作品。而中共則強調「紅樓夢」的基本精神是反映十八世紀封建統治階級的腐朽，反映封建階級內部的剝削，荒淫與精神生活與糜爛。因而曹雪芹是現實主義的創作方法，是通過「紅樓夢」說明封建貴族大家庭崩潰和的必然性。斥責俞平伯不應僅去重視寶玉和黛玉的戀愛悲劇與各種人物的生活現象，而忽視這部作品的社會內容。

第二，俞平伯認爲賈家的衰敗基於三項原因，即抄家、自殘、枯乾了與胡適之的「紅樓夢考證」所說賈家由富變窮的情形相同。而共黨則強調賈氏的衰敗，是通過地主階級在逐漸衰變的歷史條件下必然走向崩潰的徵兆，其衰敗的最基本原因乃是社會經濟的原因，斥責俞平伯拋開了滿淸中葉整個社會經濟狀況和社會背景去看賈家的衰敗。

第三，俞平伯推斷寶玉貧窮而後出家的結局，是家庭沒落後一種消極的逃避現實。而共黨則強調寶玉是當時社會的叛逆，其性格與當時社會有不可調和的矛盾，只有以出走表示對當時社會的反抗。

第四，俞平伯對「紅樓夢研究」的處理，着重在考據方面問題，認爲是繼承「金瓶梅」的「色空觀念」，源本「西廂」的的情節。而共黨則強調古典文學作品，不能一陷入煩瑣的考據中」，「考據只能作爲研究工作的一種手段，絕不能爲考據而考據」。並特別提出俞平伯在若干問題的考證是超出了考證的範圍，如「秦可卿之死」一文中對賈寶玉與秦可卿關係的考證；「壽怡紅羣芳開夜宴」中關於寶釵黛玉位置問題的考證；從「因麒麟伏白首雙星」的回目中關於張道士與賈母隱秘的考證；「好了歌註」與「飛鳥各投林」二詞的考證等，都是「瑣細的考證方法，把作品中綜合的統一的生活形象分裂爲一個個孤立的生活形象」，因而這些，都是「主觀主義的假設」。

（四）

總之中共認爲俞平伯改寫的紅樓夢研究著作，是把馬列主義當作一件時髦的外衣，骨子裏仍然販賣着資產階級貨色，通過隱蔽的方式，抹煞古典文學的階級意義與社會作用。綜上所述，我們可以瞭解俞平伯是以研究學術的立場去研究紅樓夢，共黨則以現實政治立場去看紅樓夢。俞平伯是以文學意識去分析一個家庭的興敗和幾個青年男女的離合悲歡；而共黨則以社會運動的觀點去分析一個階級與其所代表的社會制度的沒落。前者從藝術價值上去發掘，後者是以政治作用去衡量。這是中共批判俞平伯的「紅樓夢研究」的第一個基本原因。

第二，依照共黨的慣例，在每一個大的政治運動中或重要階段中，它一定要找出或製造出一個思想上的典型事件，作爲批判鬥爭的對象，藉以打擊滋生的不利於它的思想意識，教育其幹部與被統治的人民羣衆。當前正是中共結束新民主主義進入社會主義實行「過渡時期總路綫」的轉變期，自然有其製造典型鬥爭事件以教育幹部與羣衆的必要。

復次，俞平伯在北方學府執教有年，是中國知識份子的代表者。對他展開鬥爭，正是掘挖中國學術領域自由思想的靈根，這是批判「紅樓夢研究」的第三因。雖然此一事件尚在發展中，但其結果與作用，當不外上面的幾種看法。

平劇的改革

・婆婆生・

（一）

平劇在台灣，雖已呈繁榮而漸普遍，但是與電影相比擬，則不可以道里計。大概全省同胞喜聽平劇者，不過千分之五，總計不足五萬人。究其原因，實爲劇詞的雅馴，腔調的曲折，做作的深奧，其中抽象的表現，不知者莫明其所然，遂見其兩手攏動，未曉其爲何。看平劇，而不曉詞句，更不曉其義，甚至聽而不懂。此所以大陸未陷時代，每一都市，輒有三四戲院，家家滿座。因此以余推測，在二十年後，或將完全變質，甚至與崑曲同樣命運，大家學歐美語言文字，更有誰看平劇？平劇之瘋疾，也到相當嚴重的尺度，不容諱言。試看在香港，已知平劇難以立脚，遑論其發展。

（二）

平劇的危機，既有上述的因素，可是最大徵結，還是劇團的惡習太深，架子太大。凡是偶欲舉行晚會，首先衣箱要多少，班底配角要多少，扮戲要多少，如指定某人則更甚，此爲後台的開銷，而演者尚非完全義務。再講前台武場要多少，文場則竟論每齣戲，或若干，打鼓亦如之，多拉則加倍，倘或有四五齣戲，非二三人拉或打鼓，此項費用，或竟超出一萬元。猶憶前次章遏雲來台，有琴師操琴，每齣二千，有鼓手因未談攏價而不肯打。此種辦法，謂之曰行中戚規。可是現在已成名，固然還難於今日，但將後來之學琴、鼓者，一齊斷絕，了無人請教，因是任何晚會而欲演平劇，必須化四五千，或至五六千，如演電影，可演八九次，手續簡單，而受費亦少。談到此地，聽平劇可上戲園，如果請名角，辦晚會，來聽戲，無非給他們一種驕傲。實在他們之所以如此，可說是沿習遜淸遺傳下的陋規，不肯改革，却阻礙平劇之推展。到了現代，想保存國粹，實感覺乎其難矣。

（三）

最近有人組織國劇研究社，其樣退有云，平劇爲社會教育所必需，有推進文化工作之效用，毋以不慣內行陋習之紛擾，更怯客觀環境之束縛，故雖有對於平劇工於研究，但以上述原因，少有顯露，以致形成人材缺乏，大有消沉沒落之概，茲以應時所需，擬所有參演，均以藝術立點，力選上策，而費用開支，純取低限等語。該社已曾舉辦二三次晚會，余詢其開銷，大概五齣戲，前後台一切費用，不過二千餘元，其他毫無雜支，此要求辦一次，輒而易舉，所費不多。此因在場多半盡義務，道地的票友，不是爲唱戲而拿錢者，就此觀感，覺得欲求平劇之不墜，必須在演劇有改革，改革之道，是在乎平民化，一切陋規惡例，皆須廢除，要先從此點做起。其次劇詞之佈編，做作之通俗，亦宜予以删改，庶幾引起聽者之大衆化，才可有濟。

天石生日有詩和韻張之

・劉百閔・

黃公筆下有雄師，鼓舞羣倫重一時。既倒寧知瀾可挽，將傾不信木難支。依稀去日長看劍，惆悵歸雲獨拄頤。自向殘叢成大隱，扶餘建國見旌旗。

自我毀滅

・短篇小說・

・洛琦・

不過，今天她要和義杰去玩，姑母當然不會反對的，她不自知表現了的那種高興，姑母早已覺察，實在不忍拂她的興。得到姑母的答應，潔琪便回到房裏去換衣服。往時，每次她要外出，都是姑母替她選擇衣服，替她打扮，姑母一直把她還當作小孩子的。潔琪對於姑母選擇的衣服，也從沒有不歡喜。在她天眞的想像中，非常信賴姑母替她打扮的，一定絕對漂亮。但這時候姑母不在身邊，她打開衣櫥，一時竟不知拿那一件衣服才好。瞬息間，她忽然又想到自己是個成熟的少女了，對於一切的事物，應該自己有選擇的能力。

她隨手把衣櫥門掩上，對着鏡裏的影子微微一笑，想着，今天天氣這樣明朗，天高無雲，我就穿這件天藍色的衣裙吧！她很快把這件耀眼的衣服穿上，在梳妝臺前坐下。而對着化裝品，她又想到，今天實在不需再加修飾了，今天的自己似乎比前刻意裝扮還美得多。於是，她推開脂粉，站了起來，拿了一條天藍色的綵帶，把頭髮束成一把，在鏡子前晃晃腦袋，對自己今天這樣的打扮，不禁大爲滿意。

從房子裏帶着笑臉走出來時，她說：

「姑母！你看我今天是不是打扮得挺漂亮？」

姑母正利用她去換衣服的這一小段時間，在和義杰談話，側面探聽他的家境是否富有，出身是否高貴。不防潔琪漂漾突然一閃，心裏不免有點兒怪她在客人面前太不拘謹。但是，她仍然笑着回答：

「潔琪永遠是個挺漂亮的孩子！我明白了，你是要表現一下自己打扮的成績吧！你要人家說你是個懂得選擇的小姐吧？」

姑母拉着她的纖手，越覺得她長得漂亮可愛，卻又越不捨得她離開寸步了。

她過去一向喜歡在別人面前表示對潔琪如何親切慈祥的，這時她還這樣對義杰說：

「以往都是我替潔琪化裝的，今天她自己來還是第一次，穿得果然不錯呢！」

義杰順勢恭維一下：

「在姑母管教下，一個女孩子就是笨，也會變得聰明的。」

潔琪站到姑母身旁，嬌嗔地說：

「我不依你們，總是說我……。」

姑母不等潔琪講下去，就說：

「你們早點兒出來呀！不要玩得太晚。」姑母本想這麼的：「你們早點兒去吧！」但臨時改了口，她以爲這樣會比較圓滑些。

他們巴不得快點跑到外邊去。聽到她這麼一說，自然直向門口走去。姑母還是拉着潔琪的手，一直送他們走出門口，最後還向他們再三叮嚀，不要玩得太晚。義杰應了一聲，禮貌地鞠了一個躬，轉身跟着潔琪去了。（七）

美吸烟者減少

最近關於吸香烟可以致癌的問題，各國醫學界都在討論，英美日三國專家都表示已獲得相當證據，香烟紙燃燒所產生的物質，是癌病的原因之一，雖然尚不能確實證明，但吸香烟的人患肺癌的比率遠超不吸烟或甚至抽板烟者，已是不移的事實。

這種論據已在英美引起戒烟運動，據美國農業部的統計，在本年上半年內，美國一億一千四百萬吸烟的人，已改變了吸烟習慣，在這六個月中，每人僅消耗一百七十五包（二十支裝）香烟，此數字雖仍驚人，但已比去年同一時期減少了九包之多。

在這種趨勢下，美國烟草商已開始大量製造有過濾嘴的香烟應市，據說這種香烟可減少尼古丁的數量，對吸烟者較好，但烟業的「包運」能不能就此扭轉，則誰也無法預料。（驪明）

自由人

THE FREEMAN

（第三八九期）

中華民國僑務委員會
登記證台新字第一零二號
中華民國郵政登記第一類新聞紙類
（半週刊每星期三六出版）
每份港幣壹毫
台北市售價台幣七毫
督印人：劉　獻
地址：香港高士威道二十號四樓
3 rd. fl. 20 CAUSEWAY RD
HONG KONG
香港發行及事務接洽
高士打道66號　電話：七一四〇五三
承印者：東南印務出版社
地址：高士打道六十四號
海外總經銷
友聯書報發行公司
香港：德輔道中二十六號A二樓
台灣特派辦事處
台北市館前街五十號
台灣總經銷處
台北市西寧南路一〇一號二樓
郵政劃撥儲金戶九二五二

中共政權的新動向

·鄭竹章·

「人代會」結束後的中共政權，對內是撤銷地方機構，擴大中央機關，完成高度的中央集權，同時調整共軍人事，實行徵兵制度，積極部署大戰；對外是運用國際統戰策略，對英、日、印、緬展開和平攻勢，以孤立美國，實行逐個擊破戰術，企圖在自由世界的矛盾下，進攻金門大陳。

確立集權體制

「憲草」通過後的「政府」改組，正式實現毛澤東所預定的高度集權體制，在黨、政、軍各方面，均進行一連串的「劃一」行動。

首先，在黨方面，最重要的步驟有二：其一是撤銷各地方局，其華北局建制，已於九月一日起撤銷，將黨在地方的領導權集中「中央」；其二，是清算具有獨立色彩的領導幹部，如高崗，饒漱石等，均在改組中被剔除。高崗的「中央政治局」委員職位，據最近中共機關報的報導，已為鄧小平所取替。今後的中共「中央政治局」，將成為擁毛派清一色的天下。

其次，在政方面：各大行政區行政委員會從九月份起亦先後撤銷，重要領導幹部大部調入「中央」。其改組後的「國務院」，除置副總理十名外，另設八個「辦公室」，以統率各部會，其下設三十個部，五個委員會、二十個直屬機關。各部、會除部長及主任外，另置副部長，副主任五人至八人，部長級人物竟達百餘人。不但為中國有史以來所未有，即在舉世各國亦罕有其儔。這一龐大的「中央」機構，顯然在容納各大行政區委員會的領導幹部，並完成「中央」對地方的直接控制。

復次，在軍方面：四大野戰軍司令員已全部調入「中央」。「一野」彭德懷出任國防部長，「二野」劉伯承出任訓練總監部部長，「三野」陳毅出任國務院副總理，「四野」林彪出任國務院副總理，葉劍英則出任武裝力量監察部部長。此外各兵種司令員，各兵團司令員，一律集中於「國防委員會」內，以消滅過去擁兵自雄的局面。

上述這三方面行動，使毛澤東的聲勢空前提高，在「大一統」思想的刺激下，「台灣問題」在中共領導集團的心目中，已抵臨非解決不可的地步。

積極部署侵台

為了準備進攻台灣，中共在最近分別採取三項行動：第一，是擢用過去二年間負責策劃東南沿海防禦的要角粟裕為共軍總參謀長。粟裕在共軍中的歷史及資望，如所週知，遠在賀龍、陳毅、葉劍英、譚震林諸人之下，毛澤東的破格重用粟裕，顯然在配合其「解放台灣」的叫囂。

第二，是調鄧華指揮沿海軍事。鄧華在一九四九年渡長江，一九五零年攻海南期間，均親與其事。韓戰期間，鄧華始終負指揮重責，本年初始代彭德懷出任「援韓志願軍司令員」，不及二月即被調返大陸。中共對其新職始終諱莫如深，依形勢觀察，由於陳毅粟裕均已調入「中央」，鄧華的指揮東南沿海兵權，殆為事所必至。

第三，是實行徵兵制度，過去的志願兵制，據羅榮臻的報告，無法應付大量的後備兵，不適應其擴大戰爭的需要，因此九月十四日中共「政務院」乃通過在明年三月前徵兵四十五萬人的決議，由志願兵制改為徵兵制，這一新兵役制度的實施，更充分暴露中共窮兵黷武的決心。

由上述各項措施判斷，中共侵台的計劃，已由宣傳階段轉入行動的階段，在今後一年中，可能成為中共主要「任務」之一。

推行國際統戰

侵台的行動，可能牽及對美國作戰問題，而有演變為三次大戰的危險。中共深知大戰的爆發，可能加速其政權的潰亡，因此在積極準備侵台過程中，乃同時展開一全面性的國際統戰行動，以便爭取英國，中立日本，藉此以孤立美國，增加美國對參戰的顧慮。

中共國際統戰策略的運用，在遠東方面是提出所謂「五項原則」，瓦解印度緬甸印尼等國減輕疑慮，以加強他們中立的立場。同時運用擴大貿易以引誘日本朝野。這一套詭計的實施，由六月底周恩來印緬之行為開端，到十月初尼赫魯的訪問大陸，及李德全的訪問日本而抵達一高峯。目前這一套「和平共存」與「擴大貿易」的迷藥，正向尼泊爾、印尼等國推銷，並開始向北非中東及南美等地滲透。

在歐洲方面，「擴大貿易」已成為蠱惑資本主義國家的獨步靈丹。英國工黨首領訪問大陸後，英商訪問團亦接踵前往。宦鄉抵達倫敦後，中共與英國間，若斷若續的外交關係，顯然已有所改變。在「和平攻勢」與「貿易攻勢」雙管齊下的誘惑下，自由世界已面臨了嚴重的考驗。

進行更大冒險

這一連串的跡象，充分說明當前中共政權的基本動向：是對內利用其高度極權的體制，來強化對大陸人民的管制及搾取，對外利用其和平攻勢，來分化西方團結，以遂其進攻金門大陳乃至台灣的企圖。因此，尼赫魯之流所揚言中共將全力爭取和平進行建設的謬論；以及西方若干觀察家所謂中共無意攻台的說法，便是忽視國際形勢的用心，均必須予以嚴正駁斥。

台灣經濟可不速變乎

·陳式銳·

十月份裏，我在台北市的報上看到三件事，引起了感想；因為在一貫地看一本書，我沒有即刻寫下來。十月七日，台灣「全省九百餘戶小額貿易商為請求改善外滙分配辦法啟事」，十月廿八、九日，徵信新聞記者劉正龍先生的「迪化街的滄桑」（上下），十月廿九日，「工礦、農林、紙業、水泥四公司全體員工及眷屬十萬餘人向經濟部長尹仲容提出嚴重警告啟事」；一屬於外滙的分配問題，一為十一家大商行的倒閉，一是四大公司轉移的員工安置問題。

三件事表現台灣經濟

這三件事，細細地看起來，很充分地表現台灣的經濟問題。貿易在台灣經濟上占了影響底地位，而以外滙政策的不合實際因以打下死結，輿論學者不斷指責，已為公衆共知底事實，特以所舉實例，沒有如小額實績貿易商啟事中底具體深刻。台灣的經濟，由政府官員口中所聽到者是進步而繁榮，但全合「商業的心臟」－－迪化街－－因為倒閉十一家大行號而遭遇到「有史以來的悲哀」，使「近百年的老牌」榮譽完全掃地」。四大公司以實施「耕者有其田」案而轉移民營，一方面在實現民生主義，另一方面則合有改善經濟制度－－公營開放民營－－是一種重大事件；今員工以不滿處置辦法而向經濟部長提出警告，我不為「警告」而駁異，乃關心政府政策的傾向。總而言之，倘台灣經濟真底進步而繁榮，人民就有充分就業機會，四大公司員工自己有出路，何需為生活而著急，而工商業發達，市場活潑，商行何至於倒閉；一方面，如出口順利，外滙勢必隨之增加，外滙死結何至任打不開？所以，我要呼籲當局，拿出勇氣，來承認事實；循適當底政策，以解決問題。

小額實績貿易商指出「實績」制度的弊端：立足不實，四十一、二年申請進口外滙，有串通舞弊，而獲百分之百批准者（監察院糾舉有案），有不肯冒險，或不得批准，或獲批准百分之七、八、十與百分之二、三者。就商者言，某號現有進出口實績三萬美元，以頂讓行情三成半頂出，每期（兩月）不勞而收入新台幣十七萬元，第一年六期合計可淨得新台幣一百萬元；此後每年以七成二遞減，第二年有實績二萬二千美元，照行情頂出，全年不勞而獲新台幣七十萬元，第三年實績一萬六千美元，可得新台幣五十二萬元，第四年實績一萬一千四百美元，可得新台幣三十七萬元，第五年實績八千二百美元，可得新台幣二十七萬元。該號五年內自己不做進口，僅以既得實績出頂，就可以不勞而獲新台幣二百八十六萬元。

仍是外滙問題

這一戀例，堪作為現行制度的有力寫照；而在缺少外滙底狀態下，頂讓已成公開交易，隨時可在報上看到「徵求外滙」廣告，本年第六期進口實績比率降低為百分之八，頂讓行情已漲百分之五十左右，既得實績者之暴利尤足驚人了！小額實績貿易商在滙陳事實與理由之後，要求澈底取銷以進口實績為分配外滙基準；今後（一）以更新登記後之貿易商為分配單位，每單位（每戶）最低分配三千美元，其餘外滙，以資本額比例增加，（二）民間出口實績應轉入分配進口外滙，貿易商兩月內出口所得外滙，提出百分之七五（補貼者百分之五〇）為出口商實績，兩月後即可以所得實績，全部申請進口。（三）過去出口所得而未利用之實績，應予保留百分之七五而予分配。

不贊成調整外滙率

這一局勢的形成，根本原因由於高估新台幣的對外價值；由此出口虧損，而進口獨利，從而促成生產之逆化，已是衆所周知之事。棄置此一根本問題於不顧，竟聽任既得進口實績者坐享暴利，是當局的立場，足以啟人懷疑。我看了小額實績貿易商的啟事，他們的要求公平而合理，當局應予以充分地考慮。當局在多方指責之下，最近為鼓勵出口，曾擬定五項辦法：（一）取銷出口貨類營業登記的限制；（二）對出口實績廢除監卡制度；（三）縮短出口實績的外滙分配時間；（四）停止出口津貼，改用打包貨款；（五）出口商可優先進口優利物資。此一方案對出口不無改進之處，惟仍不足以解決整個問題。在目前談改變外滙政策，我不贊成調整外滙率，但我仍一貫主張採行出口外滙保有制；此制當局已行之於紡織品出口，我以為應當全面施行，政府政策不應厚此薄彼。此外，為防止外滙價格的變動或出軌，我主張輔以自備外滙進口，以調和供需；再進一步，就建立外滙市場，讓其決定外滙率。

迪化街的倒風

迪化街，正如中國地圖裏的位置，坐落台北市的西北；由清代歷日治而入光復，它在百年中蒸蒸日上。這裏行業有貿易商、南北貨商、棉布商、什貨商、糧食商、糖商、油商、罐頭食品商、藥材商、五金商、傢俱行……應有盡有，而且居於批發地位，成為全省重要貨品的集散地區，每日自晨至晚，卡車、板車、自行車等滿載商貨，絡繹不絕，如遇「拜拜」之期，車水馬龍，更是擁擠不堪了。今年六月，大華藥房以資金週轉不靈而倒閉以來，繼之萬豐食品行、永豐行、幾豐行、萬福行、新興行、新惠迪行、台美行、金聯發行、華利行、聯興行等計十一行號，釀成台北市一個可怕底「倒風」。台北市商店倒閉，固不僅迪化街；如博愛路的華昌等，但不如迪化街所表現底深刻；如今破綻隱伏，一觸即倒者又不知凡幾，因此市場信用緊縮，交易要求現款，票據難以接受，而且以短期為主，所以蕭條了。（下轉第二版）

半週展望

·軍　旭·

日本的政潮

日本首相吉田茂已有退出政壇以解救目前政潮的表示了。吉田四次組閣，大有政治舞台不倒翁之勢態。但並非是吉田的政治成功，吉田政府實在是於多苦多難的時期捱過，可以說是藉着多方面矛盾而維持着。足見吉田茂的圓滑有派用場。但在此緊張的國際形勢下，圓滑的才幹已不足勝任。自由黨不能不有明朗的政策。今後吉田個人之出處事小，日本國運以及影響及東亞前途事大。則自由黨應該有鮮明的態度。最重要的是日本再武裝問題。吉田屢次以國力不充實財政不寬裕為理由藉口延宕建軍。其實他是想利用國際矛盾而有利日本的形勢作討價還價而已。因為再武裝並非是由初年度起編製龐大的預算，而是隨着基本產業之充實編配年度計劃。在美國支持下，斷無不成功之理。

反對日本再武裝是蘇俄共黨集團的鬥爭目標和口號。其嚴重程度不下於西德重整武裝。不再武裝怎樣可以保衛日本的安全呢？若好像左派社會黨的主張為免戰爭發生須要推行和平外交政策，則正符合共黨的弛懈自由世界國際的政策。

鳩山一郎的政綱是（一）修正憲法，（二）組織防止戰爭與自衛的軍隊。他是主張積極防蘇建軍的。至於以重光葵為首領的改進黨，更積極主張重整軍備。尤其是蘆田均的「再軍備論」，最為強硬。因此若因吉田茂之知大體急流勇退，像其同黨人及友黨共同為日本獨立前途及在自由世界陣營中抵抗共產國際侵略而努力，則此次政潮反為日本之福。

南韓會議

據稱聯軍統帥赫爾將軍於二十三時飛至漢城，與韓國軍事領袖開始舉行軍援談判。赫爾助手包括遠東海軍司令加拉罕將軍，空軍司令派楚淇，以及駐在漢城的陸軍司令泰勒將軍亦參加。可見其會議性質甚為重要。聞討論之內容以一九五五年度的美軍事援助計劃，加強南韓軍實力辦法為主。但軍事技術上的加強實力問題，是隨着軍事的戰略而決定，戰略也跟着政略而決定。倘若美國仍保持着圍堵政策，把南韓限於偏安，打擊其復國統一的士氣，則加強南韓軍之實力亦為徒然，且坐誤時機。在此「和平共存」的惡流澎湃之下，那被瓜分為二的韓國、越南、中國、與德國，如不能實行解放戰爭，而求偏安一時，則長久下去，必至飲鴆止渴，遺禍無窮。簡直是受莫斯科所倡導出來的「和平共存」運動新戲法所愚弄，戴上枷鎖，坐而待斃而已。試看北韓已發出主張明年二月在開城或板門店開「朝鮮和平統一會議」了。將來必然向聯軍統帥赫爾將軍大施以和平攻勢。則此次漢城會議，當先討論如何反擊北韓和平攻勢為第一要義。

「和平共存」？

蘇聯近日正向西方掀動一種和平攻勢，以和平大擧相號召。其一般不明蘇聯共產主義之本質的人，以為真正可以和平共存。其實共產黨員一律信奉下面的四項信條的。（一）蘇聯是世界革命的基地和兵工廠。（二）世界革命從蘇聯傳播到殖民地和其他落後地區，最後便到西方各國。（三）世界革命的發展為一國一國的脫離「資本主義」世界。（四）為共黨霸業起見，在戰爭或和平中使用任何方法，任何力量，任何策略，都不厭險詐。

馬遜可夫曾對愛沙尼亞咆哮道：「一切資本家必須除掉。在無產階級的社會裏，統統是共產黨。我們一定要消除愛沙尼亞民族的特性，像消除別處的民族特性一樣才停止。」從共黨的經典理論和事實看，已證明「和平共存」是共黨欺騙人的口號，和弛緩敵人努力，消滅敵人警覺，與拆散敵人陣線的一個險惡無比的策略而已！

覆議權應適當運用

——並與陳茹玄先生商榷

金奇方

四十三年十一月六日自由人刊載陳茹玄先生大作「論憲法的覆議權」一文，引證各國覆議制度，對我國憲法第五十七條有關覆議之規定，作成四項結論：「一、憲法第五十七條所規定的移請覆議，即是行政否決權的行使。二、行政否決權是國家元首的特權（憲法規定要總統核可就是此意）必須重大問題始得行使。三、任何否決的案，必指全案而言，不得分項否決，立法院覆議時亦不作部份覆議，且僅在是否維持原案問題作表決，不作如何修正或如何補充的討論。四、行政院對於法律案如須有部份的修改，可於公布後隨時向立法院提請修正，無須使用元首的否決權」。陳先生基於上述理由，對於行政院近日將兵役法施行法第十四條條文用覆議方式移請立法院修正一事，認為與憲法原意不符。本涉憲法條文的適用問題，關係中央政治制度，洵值我們共相研討。

覆議的概念

覆議（RECONSIDER）即是再議，也就是再考慮的意思。行政機關對代議機關議決的法案，依據憲法請求覆議，自含有行政否決的用意在內，但此種中止性的否決（SUSPENSIVE VETO），其最後決定權仍多操諸代議機關之手，與君主國家元首之絕對性的否決（ABSOLUTE VETO），代議機關無辯別是非餘地者，性質迥不相侔。英王對巴力門議決的法案，雖仍保有絕對否決權，但自女王ANNE於一七〇七年不批准SCOTEH MILITIA BILL以後，迄今從未使用過。其主要原因，固由於英國內閣制發展的結果使然，但因此種絕對否決權之不宜使用，亦不無關係。美國總統運用覆議權的機會最多，亦最為有效，因美係總統制的國家，行政立法分離獨立，運用覆議權可收制衡之效。美制退請覆議的法案雖均為全案，但也不一定因噎廢食，總統祇須將不同意之點附具異議書，如國會覆議結果打銷原案，必要時自可另訂新法案。這與部份覆議的效用，實質上並無二致。巴拿馬共和國憲法規定，行政元首對於議會通過的法律案，如不予批准，應備具異議書送還覆議，議會應以三讀會覆議之。如僅有部份被異議者，應以考慮異議為唯一目的，交二讀會重行討論。可見部份異議亦並非事無前例，巴拿馬憲法並特別規定，行政元首認為有違憲而持異議的法案，而國會以法定之大多數議員贊同維持原案時，應移請最高法院就是否違憲問題予以決定之。由於上述不同情形，我們可以得到一個概念，即各國覆議權的運用方式並非完全相同，須視各國政治制度而異其歸趨。

適當運用有益無損

孫中山先生考察各國政治制度的利弊得失，創權能區分學說，手著五權憲法，其最高理想要造成為全民服務的萬能政府，五院獨立，相互配合，而非相互牽掣。依照現行憲法，立法院為一治權兼為政權的機關，憲法第五十七條規定，行政院對立法院移請變更重要政策之決議，及對立法院議決之「法律案，預算案，條約案」，認為有窒礙難行時，得呈總統核可移請覆議。覆議時，如經出席立法委員三分之二維持原案，行政院長應即接受該決議案或辭職。此種覆議，實含有「配合」與「制衡」之雙重意義。適當運用有益無損。如何運用方為適當？筆者認為必須遵循萬能政府的基本原則，及憲法上有關規定，再參照一般法理法例，以求其切實可行。茲本此了解，進一步探討下面幾個問題。

部份覆議應無不可

我國憲法規定，行政院，考試院，及立法委員，均有提案權，而事實上行憲以還，十之八九的法案均為行政院所提出，故無論就法理言或事實言，行政院對立法院決議的法案，均不應全案移請覆議，除非這個法案係其他有權提案者所提出，否則不宜出爾反爾，自己否決自己。美國立法權完全屬諸國會，總統及國務員均無提案權，全案否決自無問題，這是與我國制度不同的地方。[illegible]

如何覆議

[illegible]

至因覆議結果引起的其他細節問題，自可依普通議事程序處理。行政院對於立法院議決的法律案等，呈經總統核可後移請覆議，係行政向立法負責的表示。具有「配合」與「制衡」的作用，與普通法律案，經執行發生困難，或因事後情勢變遷，原法律難以適應，得隨時提出修正者，性質截然不同，不宜互代，亦不宜假借。如果行政院長為顧慮其個人去留問題，將認為窒礙難行的法律案不即時移請覆議，而待總統公布後再提出修正，實難辭逃避責任之咎，決非為政之道。即捨政治責任而不言，一個法律案剛覆議而不移請覆議，待公布即進行修正，朝令夕改，將使人民無所適從。其影響政府威信，猶為餘事。

兵役施行法應覆議

由上而觀，我認為兵役法施行法第十四條條文有移請覆議之必要，因該條文規定，高中以上校畢業生，在受預備軍（士）官教育時，仍應准其參加升學深造，各項考試錄取者，並應准其出國留學者，並應准其準時離營就學，回國後補受預備軍（士）官教育。衡諸國民服兵役權利義務平等之基本原則實未盡符合，有失公平之旨，其將影響役政之推行，顯而易見。如此重大的政策問題，行政院如有異議，自應移請立法院覆議，這與憲法規定覆議之原意並不相悖，不能以為兵役法施行法係屬兵役法的細則，就無重要性，如無重要性，又何必以法律定之，更不可以為僅係一條條文即無關宏旨，一個健全的法案如留下了一個漏洞，亦足以影響全部精神。

最後我同意陳先生的看法，否決權是不宜濫用的，不過我國的覆議權事實上是不可能濫用，因為如無重大的理由，總統決不核可覆議，行政院長亦決不致以去留爭。我國行憲已七載有餘，行政院運用覆議權尚屬首次，其慎重將事可想而知。我國憲法格於制憲時的政治環境，內容頗多模稜含糊之處，至希立法，行政兩方妥善運用，必要時應由司法院作明確的嚴正的解釋，以補充憲法規定之不足。

台灣經濟可不速變乎

·陳式銳·

（上接第一版）

[illegible]

員工警告經濟部長

[illegible]

一閒的人民寄生其間，以減損反共抗俄的力量」；（三）「我們均為政府依法任用之公務員，實應依法予以切實之保障；（四）大公司雖經開放民營，我們仍為國家公務員，政府應負責調派至其他政府機關繼續服務」；（四）指出經濟部長尹仲容會表示「（一）員工工作決由政府設法安置，（二）資遣費之標準亦贊成比照台糖公司辦理，（三）房屋可由現住人承購或承租」，現在四大公司轉移民營的「輔導辦法」與有出入，對安員定工之規定，「面目全非」，「致使我四大公司員工及其老幼婦孺之眷屬十萬餘人陷生活於絕望之境」，進而對尹氏加以責。

第一點，是政府的作風，凡事未就整個着眼，也不加研究計劃，何能望其兼顧？第二，屬社會政策，是整個國家的政策，政府如果——或有辦法——貫徹，員工自然包括在內。第三，公營事業衙門化，員工作為公務員，這便牽涉到公務人員的保障問題。第四點，與第三點連帶，不過台糖仍屬公營，四大公司照負公務員遣散的全部義務，倘因此而致資產或生問題；政府將何以取信於人民？尹部長說：「員工工作決由政府設法安置」，理論上並沒有錯誤。問題在如何實施。「耕者有其田」一案算是施行了，留下來底屬另一問題；而這一問題又剛剛是台灣經濟問題的中心事項——公營事業開放民營。如果四大公司圓滿地轉移，包括超過或不適員工的處置，那末可導致全面地實施；否則，以此為例，人民勢必望之而却步。這一問題完全係多方所形成，責備尹部長，有欠公平；只是他現在負其責任，只有要求他把政策釐訂下來，有效地執行。

（下轉第三版）

編者　讀者

△本期我們發表鄭竹章先生「中共政權的新動向」一文，說明中共目前正加緊走上集權專制的道路，準備作更大的軍事冒險。下一期我們將再發表張純明先生的「中共竊據大陸五年」一文，對中共竊據大陸後，關於政治經濟文化的各項措施作一總清算。這兩篇文章都是很經心之作，有理論，有事實，為了解中共實情者所不可不讀。謹贅數語，藉為介紹。

記吳康教授

人·物·述·評

·廖英明·

（一）

老哲學家吳康博士，主持國立中山大學文學院凡十二年，主持中華文法學院凡六年，曾二度出國講學，並受聘為法國巴黎大學教授及捷克國家學會榮譽會員；卅八年匪陷粵省後，曾欲利用先生在教育界的聲望地位，但先生終始不為所動，毅然出走香港。四十年奉聘來台，任教育部特約編纂，現任台灣大學哲學系教授。先生精通法文、英文、德文、拉丁文，著作等身，馳譽中外。他的法文著作「春秋政治哲學」，由法國最著名之雷路書局出版，法國著名漢學家伯希和教授譽為「名山不朽巨著」；其他著作十餘種，均為哲學界人士所推許。近來台後近作，有「周易大綱」，「尚書大綱」，「康德哲學簡編」，「近代西洋哲學要論」等書，尤能淺近取譬，啓迪理知。先生之治學精神與做人風度，間有為外人所未知者，今年適值先生六旬壽，爰本所知，略述如後，藉示景仰之意。

（二）

吳先生除了哲學是專長外，文章和詩詞，也有很大的成就。民國十六年，住巴黎近郊，房子裏面有法國七星詩派領袖詩人龍藤（RONSARD）畫像，他把莎士比亞畫像。也一併掛在牆上，並題一聯曰：「三島詞宗莎士比，七星詩派法蘭西」。謝壽康先生當時也在法國，就補上一條橫額曰：「海國文壇」，並要吳先生作詩一首，句中須嵌「法蘭西」三字；吳先生稍加思索，即席賦詩曰「浮生蹤跡感雲泥，到眼風光剪不齊；我本天南舊詞客，隨風吹到法蘭西」。

（三）

去年八月廿九日為先生與夫人李淑六女士（女士畢業女師大後，與吳先生同留學法國，回國後任中山大學教授，現任教育部特約編審）結婚廿週年紀念。師友中有誤傳那天為吳先生生日，紛紛馳函道賀。吳先生復函致謝，莊諧並陳，並附結婚紀念照片一幀，該函說：「昨樂華翰，敬承德音，惜中秋之夕，浮雲高掩，嫦娥不出，已無擊鉢之興，遂乏當歌之情，小樓之風雨欺人，佳節無篇章可采，遠承睿念，感愧良深；至于犬馬之齒徒增，歲寒之心未已，乃自然之趨勢，何祝賀之足言？惟是滄海橫流，看歲月之堂堂逝去，斯文未喪，恨斧柯之渺渺難遂；予心日悲，寤言永歎而已。弦辰未至，惟有一事可彌缺奉告者，上月廿九日為愚與淑六在漢皋結婚廿週年之辰，特攝小影留念，雖人天蹤跡，一例漫漫，而有此雪泥鴻爪可睹，特檢一幀寄覽，並附題詞於后：辛苦共嘗二十年，幗中鬚眉兩依然，綠草欠奏通明殿，青史誰傳列女篇；閉戶著書同此日，清樽話舊憶從前；依依黃鶴樓頭夢，飛上蓬萊幾樹烟」。

（四）

吳先生第二次出國講學的時候，曾和外國朋友談起文化問題，那位外國人對他說：「你們貴國有五千年的歷史文化，為什麼連一部百科辭書都沒有呢」？吳先生給他這樣一問之後，心裏受了很大的刺激，乃發宏願，立即建議政府，約集同志，計劃編纂百科辭書，先在歐洲組織中華文化學會，作為推進這種工作的機構，他手撰的組織緣起裏面這樣說：「百科辭書為人世間各科知識之淵海，凡其國科學發達，文化水準極高者，此類辭書必種類繁富，盡態極妍，漢土前代類書，此日猶存之名作，如太平御覽，玉海，古今圖書集成，佩文韻府，淵鑑類函等，但供文史采摭，而不適於現代科學研究之用；故編纂辭書，為普及文化知識之先務」。可惜先生這種偉大計劃，一經日本侵略戰爭，再經中共週年叛亂，至今仍未能有所成就。他現在每一談起，還引為極大的憾事。

（五）

吳先生對於改造今後中華文化方面，曾提供極其中肯的三點意見，即：（一）探討舊文化；（二）輸入新學藝；（三）創造新文化。對於我們今後從事學術研究的態度，他也有十分重要的主張，即：（一）研究學術的態度應極為「虛心」；（二）研究學術的方法在求「真理」；（三）研究學術的目的在究「無窮」。因此他主張在研究的進行中，要戒矜誇，戒驕傲，戒成見，戒武斷。這樣才能胸襟闊大，見解貫切。他說：「有長烟一空，皓月千里的曠達胸懷，有籠山絡野，星羅雲布的恢宏博識，有上闚景宿，下料物土的是非明辨，加之以不斷的努力，至滿的熱誠，自强不息，並力前征，趨嚮無窮，自能實現我們學術研究的最高理想，而完成其改造文化的偉大使命。」這可想見先生的治學精神矣。

我爲什麼不到國際法庭作證

——答楊力行先生——

蔡智堪

親朋識我，「忠貞者雖無人救」，竊爲天下之大寃枉，余雖以「黨員爭分爭，同鄉錦衣，智堪藉言嫁，謀生甘苦」，不諱暗態度處之。無如一家大小，兒號婦而要啼飢，雖不敢希望恢復，即其他談政治外交者過從當家生活，開門七事，柴米醬油亦覺大要經營矣。淦窮無策，豈能坐以待斃，盲人瞎馬，誠好絕處求生。爰於前月，發六日艱苦奮鬥，深入番界，從事畫造林業，製造樟腦及木材，藉此以苟存殘生，倘所謂「鬻心憂惜」，程三萬，區區這點力飛，諸矣。國慶之後六日，歸來故居，三七十六期「自由人」第楊力行先生之「一件可惜事」一文，旣覺，爲之感慨萬端。

（二）

楊先生以智堪潛入日宮偸出田中密奏，謂爲英雄本色，實過獎矣。「崔非民族英雄榜」，誤列姜王第一排」者乎？又實智堪不於東京審訊戰犯國際法庭上挺身作證，現在才寫「我怎樣取得田中密奏」，當不免減色，言外之意，含蓄甚深，所謂字字珠璣，誠外交辭令之傑作，昆勝佩服！楊先生之於黨國，有比實備，雖不謂宜，

讀者論壇

（一）

余爲國事，由富而貧，今年老力衰，謀生乏術，惟始終抱「久窮者」，不事他貞到無窮，謂「不時變行派」，輒向子採擷「一」之旨，未肯隨意變言也。雖歷史古來半識者，聖賢盜跖總因渠？已乎？楊先生此一疑問，益使余慚愧無地矣。

是不能不略述事實之經過，以就正於楊先生及讀者：

（三）

東京審訊戰犯法庭開庭時，東京及大阪共產黨派人來促智堪出庭作證，欲藉田中密奏來彈劾裕仁，以期打倒天皇制度。但同時又有日本貴族金杉博士、牧野及大木伯爵等，勸阻智堪，以爲如此，可保存日本萬世一系的帝皇制度，不至被日本共產黨所利用，且我等會多方勸阻。並言智堪偸出密奏，已引起日人怨恨，若又作證，日人結怨更深，於公於私兩無益處。又日本大阪富商吉川吉郎竟勸智堪，乘此時機，或可取回余被沒收之二百萬家財，亦未可知。余竟說，彼日皇裕知余欲藉田中密奏作證，恐被其害，必以千萬巨賄，求余勿證。彼又言，日皇裕仁曾以其存在擁護國家銀行之三百萬鎊，秘密匯英國當局，援助日本保存萬世一系之帝制，設法避免裕仁被列入戰犯之列，凡此種種，或以財賄誘，以恫嚇相加，智堪均以一笑置之。

（四）

惟此事關係我國甚大，智堪不得不慎重考慮，當時曾將各方情形，密函於王家楨先生。王先生即專函余轉報蔣總裁，對日政策，有意保存天皇地位，屬堪不宜造次，以免引起日人之惡感，宜聽從蔣總裁，特派外交部主任委員李實中先生轉請求見。

面請示可否列席國際法庭，爲田中密奏作證。不意某先生來告，蔣總裁定翌日上午十一時召見。不意當時適因急要而蔣總裁，智堪往南京。適日，蔣總裁已乘機飛返南京，遂不及見。

（五）

堪當時正擬整裝赴京，忽英國友人張巴先生到台，張巴先生乃昔日李頓調查團秘書，曾負國聯調查，謂余在各省人民對國民政府之信仰程度，余得張巴先生之介紹會獲李頓爵士之函，翻譯余隨時以先生通訊。張巴此次到台，與余亦力阻余到東京，謂蔣總裁所見大致爲國際法庭作證，並策，保存日皇，與英國政策不謀而合，余若作證以害裕仁，於中國未必有利。張巴力陳利害，反覆以國家民族的遠大利益爲言，余深覺其言合乎情理。蓋彼以第三者地位，作此判斷，自非彼日本貴族及商人之意見可比。余遂因此取銷赴京之意，卽往東京出席國際法庭作證之舉亦從此作罷。

上述經過，已成陳迹，以楊先生一文，謹據陳大概，以就正於國人。

書評

紅色列車

著者：馬挺．費艾拉，譯者：李素 出版：高原出版社

．慕容羽軍．

硬性書的譯本，我是不大看的，因爲跡近宣傳的文字在我看起來是多餘的。因爲我的信仰，別人的宣傳無接受的必要，與我信仰相符的，又何必要宣傳呢？因此，「紅色列車」這本書，最初我是不太想看的，後來尋味一下這本書的題名，似乎帶有「偵探」意味，因此便隨意看下去。

（一）

奇怪得很，看過之後，改變了我的觀念，因爲過去多譯本書者總是囫圇吞棗把似是而非的話語搬過來，說這個譯得明白而又通俗近人的，這本譯品應是我所讀譯本以來的第一本了。

這是一本描述一九五一年九月十一日，一列火車由捷克開出，第一八五號列車一百十多個捷克人冒險逃亡的故事，在這一故事中，表現了共產黨統治下的人民，都要逃亡的心理。這個故事是一個良善的人民都樂意安份的守紀，爲什麼要逃亡？這其中有他們自己的原因，因而，這個真實的故事便展佈在我們的面前了。

本書作者馬挺．費艾拉，對人物的把握，故事的結構，有他獨特的風格。

（二）

本書中間充滿的描寫，有告別者難以形容的痛苦與嚮往的心情，其中一節「來吧！親愛的，」他以溫柔的聲管說：「我們是跟我們的老家告別了，雖知道這一別是多久？可是……照人家所知道的，我們是坐汽車去兜一個下午風呢，所以——笑一笑哪，孩子們！笑一笑啊，親愛的太太……」

別，逃亡，描寫出這悲劇時代所蘊生的痛苦，簡直是歐洲中世紀黑暗王朝被壓迫的歷史重演。

我們不能忽略作者把這一羣逃亡者他驟把了故事最有價值的地方發揮，每一個環節，都緊扣着他們嚮往自由的需要。他描寫着本書主角的一位醫生的思想衝激時，寫得十分淋漓痛快——「……醫生都是能把死刑執行得那麼優雅，可以不致驚恐公衆，或顧到有四個人是必須置諸死地的。人民委員已經到有他們忠實的情緒的。他們的死刑，可以由醫生安排在機器運轉顧潤滑，給他們一瓶東西，貼上一張藥簽寫着：『每日服三次，飯後服』。」

這樣，獨裁者的手法，便完成了共黨排除異己的手段，把捷克的許多件新近發生的事件，中外都是如此，印證于捷克的許多件新近發生的事件，都是一條可以跟查的「其來有自」的線索。

不得不逃亡底原因在一一交代之餘，還刻劃地描述秘密警察的影子。當十二人密謀逃亡與及時機成熟的中間，分配了警衛的工作，仍然現出了秘密警察的影子。俟法醫森司巴火車乎是開始地在躍動，警衛與逃亡者的脈搏都變史衛思和太的鎮靜臉龐所包含着的緊張，列車行進時的增加速率，在邊境的最後一個車站之前，速度表指着每小時八十公里，八十二公里，八十五公里，每小時九十公里……

火伕不知就里的要求停車，卡里爾以武器壓制了他，每小時已經一百公里了……

通過了阿斯車站（最後一個站）搭客的驚惶，站上士兵的驚惶，都交織着一片緊張和焦急，而每小時的速度由一百公里，一百零五，一百一十，一百一十五，忍受不住的人作嘔了。

最後的一個站過去，邊境的老守閘員的麻木，闖門闖着，造成了他們衝過國境的好機會，當老守閘員查看列車時間表，沒有這一列車過境的記載時，火車已經到達了德國的第一站而下車了：

（三）

這是一部很難得的故事，也是一本很難得的譯本，譯者因爲對于發生故事的地點很熟悉與有很好的素養，所以譯出來處處都顯得生動，緊湊。不過，在名字中間，我有一點不大讚同，就是捷克這個國名譯做「捷克斯洛伐克」，世界地圖與及一向讀書的課本上，從字上，都沒有採用「捷克斯拉夫」這個譯名，從習慣上，這個「捷克斯洛伐克」的名字，是共黨黨徒所用的。雖然關係不大，但我們對共黨把李奇威譯做李奇危之類的譯名，我們實在有留心的必要。

龍繩武赴台

【本報訊】前雲南主席龍雲的大兒子龍繩武，大家多叫他龍大公子。龍雲到北平降共之後，龍大公子始終留在香港。三個星期前，淺水灣龍雲的別墅拍賣傢俬什物，有人說，龍大公子欠債，要拍賣家具清還。最近據他的親友說，龍大已於本星期四（十一月十八）乘飛機到了台灣。他臨走的時候，有人問及他的父親龍雲。他說：「我和他不同，他也管不到我了」。這一位人士還說，龍大到台灣去的計劃早在兩年前便下決心，最近才把一切手續弄好，因此把這裏的家也作一結束。這一件事使我們想起孔夫子一句話，「犁牛之子騂且角」，他和他的糊塗父親到底不同。

失學兒童人數激增

社會局長不忍坐視

教育能否普遍發展，對文化及社會進步息息相關。香港教育不可謂不發達，問題是在不够普遍。官立學校收費雖低，收容學生，多數並非家庭環境貧寒，而是具備入學條件的，如香港出生，居住香港久遠等等，考試成績如何尙在其次。私校收費過高，貧寒子弟旣無力繳納學費，即平時雜費亦難担負。本學期港九學生總數逾廿四萬，較上年度超過三萬，雖然學齡兒童入學數字增加，却並未減少失學的現象，甚多私立小學，本學期招生都未滿額，儘管延長招生日期，仍難補足，這種情形，顯然表示香港兒童失學原因，不是純因學校患寡，而係學生患貧；倘官校增加，祇要成績合格便一律歡迎，私校勢必競爭，也不致高額收費了。

失業衆多與文化水準低落，使社會病態更加惡化，例如欺詐、打鬥、竊盜等等，幾乎無一不是文教不够普遍所引起。年來港府對於輔導教育所作的努力，如補助撥地建校，津貼私校，以及官立學校增設，均有相當成就。培養師資與提高乙級教師待遇，也有整個計劃，然一般教師認爲該項計劃，雖然無可非議，總還覺得所訂條件嚴苛，無法使每一不合格的教師接受訓練，成爲及格的師資。或者教育當局格於此等曾受訓練的教師畢業後的出路問題，難望使他們在原校增加待遇，與各個接受津貼學校不能大部分容納。因此，對於申請受訓的教師人數，就不能不事先考慮，而嚴格限制了。

教師的問題，不僅是乙級教師不易獲得升充甲級教師的一定把握，而黑市教師升充乙級師資可能途徑，更難獲致。這自然是官校數量不足，以及接受津貼的私校太少。由於這些原因，無法迅速打破，純私立的學校，教學不能符合衆望，且學生成績不特太差，而又收費高昂，初讀學生却步，已讀的中途退學，以致失學兒童逐漸增多。根據最近社會局的估計，港九失學兒童數字，至少有五萬人，其中多數是清貧無力求學，也有一部分是因學校太少無法容納之故。乾爭雅局長曾經對於這個迄未被人重視，特別呼籲社會各界注意，切勿繼續對這些失學的兒童，採取袖手旁觀態度；因爲這原是罪惡的原料。當然，即令這一嚴重問題能獲大衆注意，未必能有效果，必須當局從長計劃，妥擬具體辦法，纔能替這些失學者安置。

台灣經濟可不速變乎

（上接第二版）

在這裏，我又可指出一個事實。我過去在研究台灣的農業時，發現農村有成百萬底「游力」；學者原以此爲農業經濟的普遍現象，因爲農村的勞力常常超過耕種的需要，所以有「隱藏底失業」DISGUISED UNEMPLOYMENT。台灣的公營事業，一做到轉移民營，就公認有「戮員」問題；可見公營事業中存在着不少超額或不適底員工，不是台灣的工業平時也存在着「隱藏底失業」嗎？這一特質，不但可以說明公營事業的不合理，它也顯示着阻礙台灣經濟的發展。蓋農業的「藏隱底失業」，它的出路是工業，現在工業自己也有「隱藏底失業」，兩者相加，對整個經濟的發展，就發生了嚴重底阻力。

也在這裏，我再可指明，兩種「隱藏底失業」，都是構成農工生產高成本的一種因素；也因爲它的存在，台灣資本的集積，根本上自屬不可能。而缺乏資本，就不能提高生產力；低生產力，就是低所得，又無法儲蓄（無資本）——構成一個「貧困的惡性循環」VICIOUS CIRCLE OF POVERTY。加上現行外滙政策的窒息生產，斷喪經濟命脈；再加上消費水準的提高，又直接加重貧困，間接降低一般購買力——迪化街蕭條，就是整個經濟的反映，明乎此，不改絃更張，其可乎？

在中共鉗制下青年失思想力

中共在思想上扼殺青年的結果，即中共當局本身亦不得不承認。共區一般青年由於中共的恐怖與思想統制，已失却思想上的活動，然而「人民日報」上的社論說，這些青年「缺少獨立思考」，這是因爲受到了「指責」和「批判」——「以致使他們感到一無是處」，弄得青年們老是怕犯錯誤，只好任何事情都經過指示，只說別人說過的話，只作別人吩咐的事」，「他們一般顯得沒有朝氣蓬勃，生龍活虎的精神」。

載譽歸來的

女高音鄭秀玲女士

【本報訊】一位剛從羅馬學成，載譽歸來的女高音鄭秀玲女士，最近路經香港，很快便要到自由中國台灣去。因應此間友好敦促，定今晚九時假座香港大學禮堂舉行一次獨唱會。這一位女聲樂家原籍廣東中山，一九四七年，以優異第一名畢業於上海國立音專。大陸淪陷後，赴台，任教省立師範學院。一九五一年由台赴意大利，入羅馬聖西西里亞音樂院深造。三年來勤奮努力，學業大進。曾在意、西、葡各大城鎮舉行演唱會，均獲最高評價。彼邦音樂名家如露菲尼夫人，便極稱讚，認爲她是「一位最成功的聲樂家，不只聲音美麗，方法正確，吐字正確，而且藏着一個深情的靈魂在歌聲背後」。她的聲音很美，而成熟，又很難唱的歌劇，而且還到歌劇院去唱。鄭女士的成就於此可見一斑。鄭女士的家現在台灣，三幾天後，便要回到台灣去和家人團聚。

國格不可失！

馬五先生

自由談

美國務長官杜勒斯最近發表所謂台灣地位問題的言論，無論那一方面設想，都是「言語道斷」之談。在美國，是自毀立場，沒有領導自由世界的國格，在我們呢，實比過去日本帝國主義者所謂「工業日本，農業中國」的侵略口吻，更易得受辱可恥到百倍！

依我的書生之見，中華民國政府對於杜勒斯的胡言妄語，至少應由外交當局公開對輿論界有所申述指正，以正視聽；同時即須以外交照會致函於白宮，請其聲明杜勒斯長官的言論意旨何在？是否代表美國政府說話的？如果沒有道歉表示，那我們還像是一個獨立自主的國家嗎？過份的自我謙抑自卑，絕不是立國之道。我們現在是處在國家艱屯的時候，固然談不上過份的自尊感，然若別人竟要出賣我們，否定我們的合法生存權，亦復默爾而息，那就不但是太過自卑，簡直是自暴自棄，沒有獨立的人格和國格。

誠然，美國現在是大力援助我們生存鬥爭的友邦，我們應該感謝。可是，國與國之間的援助，乃基於彼此共同的利害關係而然，絕非片面的義務，即不是施惠市恩的慈善。美國今日為了其自身的國家利益，可以勸我們在軍事行動上慎重將事，也可以放棄臺灣與其西太平洋的防務，更不妨與共匪黨徒並存，那就是果親合義務必守之地，而又視中華民國為可有可無的友邦，那我們也有不受別人侮蔑輕視的自尊心。我們應該告訴杜勒斯先生：你們如果再發這一句，我們不贊成妄自尊大，尤反對妄自菲薄，國格一定是保持的！

生活教育與雨過天青

· 杜衣 ·

藝術勿需乎殷勤和禮貌，要的只是信仰，永遠是信仰，還有自由。

——禮讚拜——

（一）

世界上似乎沒有是非的標準。由自我出發，美是「我」承認的美，醜是「我」承認的醜。色盲的人，永遠認這世界上只有三種顏色，但他依然是滿足的。

酒徒，將他一生的三分之一的時間消磨在酒館中，你責備他的生活沒有意義，但如果要他不飲酒，他一天也活不下去。你說你是感嘆呢？還是欣賞？

感嘆或者欣賞，費，老母侮嚼，酒徒都不會因同對你，他一定會毫不諒解的發酒瘋。但是你如果責備他，禁止他飲酒，他還會將酒瓶子擲碎在你頭上的。設他除去自我陶醉之外，還對家庭負有責任，孩子上學要教育費，他也會賜你翹翹的眼睛，削他的鼻子的。

（二）

這或不值得大驚特怪；這種事，今天多得很。

這是一個提倡自由的時代，誰都有權利說話。然而說話者必須有自己的尾巴，寫在紙上，懂得是誰也。編者改作者的文章，從作者的說的人作藥方，割了耳朵又要斫手剁腳。但是編者刪改作者的文章，也儘可說是割盲腸，割贅瘤，恰這病人不克長久於世。又誰讓作者大人不事先聲明：「勿要開刀，務請高抬貴手，本人身上並無贅瘤，盲腸亦早已割去；即使發現，（本人是不承認的！）不必勞動貴醫師刀剪。」

自己不事先聲明，將文章送進了「文章病院」，醫師發現病況，能不診斷嗎？醫好了，盲腸、贅瘤都割去了，病人不但不感激，反而認稱挖去了他的眼睛。「生活教育」，改成「雨過天青」，這兩個題目哪一個好，有眼睛的人都會看得清楚的，不是嗎？

（三）

「我的朋友胡適之！」這句話，誰都喜歡說。當然，如果胡適之要某雜誌刊登某作者的某篇文章，某作者自也感到已登龍門，身價百倍了。但如果過於簡鍊，倒文章自以簡鍊為佳，也會使讀者陷入五里霧中了。只說胡適之「要我送給『自由中國』重登」，而不提胡適之大醫師也發現了「雨過天青」確生有毒瘤，確須開刀的話，這是不是「我」聰明過度了呢？

（四）

甚麼「誰要給天吃飯，就得服服貼貼披麻帶孝，或者乖乖的挨桃木棍去……」的諢話，其實還是不說的好。因為王麻子總是誇他的剪刀好，而他對你先誇好，你還不賞臉，他一定也會對天咒咀一番的。既然是從事文藝工作，藝術工作，王麻子的那張嘴最好還是找一塊抹布縛起來。禮拜早說過：「藝術勿需乎殷勤和禮貌，要的只是信仰，永遠是信仰，還有自由！」

想要找知音者，想要給自己的作品找適當的評價，先要拿出自己真正的好作品來。君不見，那位請遍了台北的名人，學者為他簽名推薦的「世界永久沒戰爭」的作者嗎？他那本「世界永久沒戰爭」，現在唯一的市場是賣給廢紙商，當他找名人，學者簽名推薦時，他會承認他的作品印出來是準備賣給廢紙商的？當然那時你指責他，他不承認。那時他的作品，他會不一拳打在你的眼上，此一時，彼一時，現在又怎樣呢？

推開窗子，看看外面遼闊的天空吧！躲藏在小黑屋子中亂叫，一天倒頭會挨桃木棍的！

洪張飛歌 並序

· 謝宗安 ·

君名張順，安徽桐城縣人，身材魁梧，勇敢好義，不識字，人因稱為『洪張飛』，君亦頷之，久之本名遂廢。君年十餘歲時，以闖販來江南，後家貴池，為鄉民防諜長，善擊，左右手可同時裝射。聞從余遊，彬彬有禮。三十八年共匪渡江，拉伕徵米，民不堪命，君乃憤而舉義，遂假閱兄弟之名，不期來歸者三千人，槍二千餘支，號為『皖南人民反共救國軍』，昇青天白日旗，為地方人民所歸，由是軍威大震，不數月順復江南八縣，匪遽驚駭，急調偽野戰軍陳師分途圍剿，[illegible]下，君仍奮戰苦鬥三星期，傷亡殆盡，最後一石頭，從者僅其長子與數人耳，然猶始終不屈。匪乃以擴音器勸降，君乃大笑曰：『我洪張飛豈是一個不識字的粗人，但我是中華民國一份子，豈肯投降「老毛子」的走狗！——你們這一班龜兒子！』於是發一槍中賊首，倒之；再擊殺其身旁長子，然後自戕，嗚呼，何其烈也?!當大陸淪陷之際，縉紳之士投降變節者多矣，求如君之壯烈成仁者有幾？諸君一草莽無名英雄耳，其所為，無人為之記載，則其愛國家之精神，可歌可泣之事蹟，可不悲哉？因不揣謭陋，略序其事，繫作歌以詠嘆之，以供後之有心史者。

× ×

洪張飛，出身微，目不事詩書，胸未嘗官職，唯憑獨具忠義感，遂令人人崇敬之；至其反共兵敗成仁事，尤足擬日月同光輝。憶昔共匪渡江時，[illegible]大帥降者降，（如陳[illegible]）[illegible]者飛，（如李宗仁等）[illegible]坐看赤騎橫突跑。[illegible]覆蠶變長歎歎：『[illegible]誰知竟是病狐狸！』[illegible]三千志士業已而，反共救國標幟旗，叱咤起處勁較矮！』一戰[illegible]再識丁香[illegible]貴池，江南八縣次第提，既衆抱頭鼠風靡，父老迎師感噫嘻：『不圖復見漢官儀！』簞食壺漿塞路歧。匪徒聞報大驚奇，急調十萬齊合圍，輜重火器蔽懸隔，衆寡之勢亦參差；洪張飛對此無迴旋，左衝右突指揮，艱難苦鬥三星期，傷心滿目盡創夷，天昏地暗鬼神悲！最後據守在荒巖，迴顧從者僅數騎，賊兵蠶蠶不肯離，勸降之聲甘如飴，張飛大笑舉以嗤：『我乃中華一男子，豈肯賣國附醜兒！』檢視槍彈留三發：一射賊首斷餘威；再擊虎子壯門楣；終乃自戕與世辭！八皖遺民皆掩涕，江南風雨益淒其，一代英雄得仁歸。嗚呼人生誰不死？生死之際辨是非，吾道精神亦在斯。桓侯去今千百年，中間擾擾幾興衰，何人繼起號張飛？豈能猛勇善戰鬥，所貴忠義有以持，況是胸藏沒字碑，益使縉紳生愧慚！方今反攻樹大旗，中原光復已可知，國家應建雙忠祠，春秋奉祀馨粢，請看趙前仰英姿，赫然今古兩張飛。

附註：上事乃余親身聽見，毫無渲染，貴池趙叔庸先生知之亦詳，且有崟一系君曾躬與此役，現亦間關來台云。

將進酒

張伯衍家中醉後放歌呈楊公用李白韻

· 饒宗頤 ·

如濡之酒天上來。吐茵車上不能回。頭顱自撫尚玄髮。座間多少鬢堆雪。此醉中眞味更誰知，欲泛扁舟問明月。此才散置將安用，何時整頓乾坤來。玉壺自酌有天地，況移東海入金杯。楊夫子，太瘦生。苦勸酒，杯莫停。傾盡胸中氣，蛟龍亦出聽。休論卜晝還卜夜，玉山頹處忘醉醒。酣然一睡萬事足，悠悠何有實和名。燈花何喜語主人，幾時重與中華諸謔。人間惜此是眞樂，言笑聲動春酌。欵段馬，驌驦裘。咫尺新豐多美酒，一洗蟠胸萬斛愁。

自我毀滅

· 短篇小說 ·

· 洛琦 ·

他們沒過要游泳，心裏就不約而同的趨向淺水灣。這個能夠代表香港之美的海灣，正是這季節一般人尋樂的目標。當他們經過一個轉角時，義杰把車子駛得慢起來，他們都覺得這地方很熟悉，不期相視一笑，義杰輕輕地扶了扶潔琪的肩膀：

「記得嗎？這地方可使我想起許多事情。」

這就是他們初遇的地方，潔琪當然記得，但故意不答，祇嬌羞地瞧他一眼。在這熱烘烘的陽光下，他們卻想起了那個月夜的景色。就在這美麗的回憶裏，他們一直駛到淺水灣畔，才夢醒似的，又踏進第二個真的境域。

潔琪斜躺在細滑的沙灘，仰視着藍天，烏溜溜的眼珠，透露浪漫的情感，嘴角的笑紋包含着無盡的甜意，像是看見了藍天裏有什麼快樂的精靈正向她心裏鑽入。這個成熟的少女完美的身材，對一個義杰當然是一種誘惑。他坐在她身旁，靜靜地注視着她，一星愛的火花漸漸燃遍他整個身心，於是他情不自禁俯下頭去，抓緊她的手，在手心吻了一下。

波濤，不斷去來，爲他倆發出幽靜的聲響，炎烈的陽光已漸柔和，放出了醉人的異彩。時間在悄悄裏馳過，不遺些微痕跡，對自以爲生活在天堂中的愛侶，時光已喪失了慣常的意義。

愛情雖未必可以果腹，可是潔琪這天並沒有好好吃過東西，嘗到愛情，她竟忘記肚子餓了。當義杰問她歡喜到什麼地方吃飯時，她才發覺肚子已在咕咕作響。

他們就找了一間可以跳茶舞的餐室進餐，邊吃邊低談，經過大半天的共遊，他們已不再是陌生的朋友了。在旁人眼中，他們活像一對熱戀中的情侶，事實上，他們確也沉迷於愛情的漩流了。樂隊正奏着一個纏綿的曲子，這是如輕波起伏的探戈。

「潔琪！你歡喜這個嗎？」義杰低低地問。

「嗯！探戈我總是跳不好的。」

「不要膽小！[illegible]」

[illegible]走進舞池。她果然[illegible]臉上了眼皮。[illegible]擁抱，音樂像是[illegible]色的燈光變幻着[illegible]化萬千的影子，[illegible]偎着她，盡力嗅着[illegible]

人是很奇怪的，在愛人的[illegible]乎隨便什麼事，都[illegible]步神速；幾闋音樂之後，她已很嫻熟了。爵士樂在他們周圍[illegible]描述的溫馨；就是[illegible]彿也有說不出的甘[illegible]又過了幾闋[illegible]沒有離開潔琪的[illegible]樣的快感，但他心裏[illegible]，這使他更要緊緊[illegible]

（八）

論王國維若華詞

· 王世昭 ·

一

海甯王國維先生治中國古代甲骨金文甚有成就，治哲學者不能爲哲學家而羞於爲哲學史家，於是退而研究中國文學，著人間詞話，若華詞，宋元戲曲史。至治紅樓夢則在治哲學通美學，倫理學及徹底理解叔本華學問而後，因著「紅樓夢評論」。此書之在當時，亦可謂發前人之所未發，今日觀之則爲王氏對於紅樓夢之認識亦有至所未至者，以不與於本篇，故不復縷述。現在讓我來談他的若華詞。

二

要理解王氏的詞，則先來研究一下他的得意之作人間詞話。人間詞話世評之爲中國近代詞學的權威，我也很感，但他所創作的若華詞一百十五首我也頗有意見，提出這些，以告同嗜。

三

王氏的學問的工夫在近代是成功的；說到詞話則已如前之所述，至於他的詞，在現代我則不敢苟同，何以故？王氏的詞自南宋以後，除一二人外，尚未有能及者。」由此而觀，王氏治詞的工力所在在南宋以前唐人以前。無疑的，他直以南唐李後主自放；試問，南唐李後主是怎樣的人物？誰都知道他是亡國之君。王國維於民國，國雖未亡，而學亡國之音，國雖未亡，人已先亡，可見學步邯鄲爲古人，殺狗是要不得的，此其一。

王氏研究哲學始於康德，而歸宗於叔本華，其對於人生觀[illegible]「紅樓夢之倫理學上之價值」第一段，及其後[illegible]，故其所作的詞，尤多悲觀，淒涼入骨，學古人不能過古人，而其精神[illegible]王國維的什麼詞，只有無可以學，只有不可以學的。（上）

稿約

本報副刊園地公開，歡迎讀者投稿，性質不拘，最好勿超過二千字，譯作請註明出處。來稿如不合用，概不退還。來稿請用稿紙，勿橫寫。

——編輯室——

自由人
THE FREEMAN
（第三九〇期）
中華民國僑務委員會登記　中華民國內政部登記證……
督印人：……　出版者：自由人社
社址：香港高士威道二十號四樓 20 CAUSEWAY RD HONG KONG
香港發行及事務接洽……電話：……
台北……發行所……

泛論當前大勢

畧舉疑之點以供參考

·左舜生·

四年以來，我們曾不斷的在本刊請國人提高警覺：今天整個的世界問題決不簡單，也決不是急切所能得到解決；中國問題只是這個世界問題的一部，而且是重要的一部，因而內容也非常複雜，同時也決不是短時期內有可能獲得解決的希望。

反過來看，正因為中國問題早已變成了世界問題的一部，只要整個世界問題終於有得到合理解決的一天，我們便也深信中國問題終於會因世界問題的解決而得到解決。

今天的遠東問題，決不只是中國大陸與自由中國對立的一個問題，不過遠東情勢其所以演成今日的嚴重，卻以這一問題的尖銳化而表現得非常清楚。

尼赫魯及其同路人，以為只要把中共塞進聯合國，使台灣中立化，或以台灣交聯合國共管，遠東的情勢便可改觀；還有一種更簡單的看法，如英國的外相艾登，他覺得只要就中國沿海的若干島嶼求得一個適當的措施，遠東的緊張形勢便可趨於和緩。這類可笑的皮相之論，不僅不能求得問題的解決，實際只是就問題解決的途徑上加以堵塞，或添上障礙。

可是，若干年來抱有這種綏靖，苟安心理的人，並不以尼赫魯艾登為代表：一紙雅爾達的協定，斷送了中國的東北；一冊白皮書，斷送了整個中國大陸；如果尼赫魯艾登這類的說法，仍然可以在今天美國領導階層的人物中發生影響，我們便不能不為自由中國前途，感到慄慄危懼。

中國問題的世界性

誠然，中國問題之成為一個世界問題，至少半世紀以來已經是如此；在此半世紀中，每逢着中國一個重大問題的發生，決不是由中國一向情願可以得到解決，而總是有若干強國的意見參雜其間；不過半世紀當是操之在人，至少也還有半數是操之在我。舉例言之，如第一次大戰後的「山東問題」，誠然是因為一九二一年開始的華盛頓會議而得到解決，但基本原因還是由於中國在事前經過舉國一致的力爭。如一九三七到一九四五年的對日抗戰，誠然是由於日本軍閥激怒了英美而得獲共同的勝利，但假如不是中國經過八年全國一致的奮鬥，中國便無法獲得戰後那樣一個地位。即以後來的東北問題而論，即令雅爾達會議沒有那種規定，我們是否有方法有力量可以制止蘇聯的東侵？即令美國不發表那樣一冊證實中國的白皮書，我們又是否有方法有力量可以制止在蘇聯掩護下的這一方面之擴張？因為如此，追究淪陷中國大陸的責任，我們不願把這一筆帳完全寫在美國人身上，至少有一半要由中國自身負。

小題大做與大題小做

現在的情勢，比已往是更加不同了。換言之，即中國問題的世界性比已往更來得顯然，其參互錯綜的關係和利害比已往更來得複雜，應付稍一失當，即很容易陷於一種無法補救的過失，而[illegible]莫大的危險！今天在海外，沒有人懷疑自由中國反共抗俄的決心，也沒有人不在那裏[illegible]，有不少的人在那裏為反共抗俄而努力，所值得檢討的：只是政治的問題，軍事的問題，人事安排的問題，國際關係的問題，一般風氣改造的問題，等等。此外有一個基本態度必[illegible]，可以大做，決沒有大題可以小做！

[illegible]有這樣嚴重的外患，[illegible]史以來所未有[illegible]。

美國目的與中國目的

[illegible]截至現在為止，不改變，即整個亞洲的反共工作將毫無希望[illegible]。截至現在為止，美國所給予我們的軍援，[illegible]不足以[illegible]。[illegible]即站在我們的立場[illegible]整個太平洋一局部的戰略，也是我們所義不容辭；而我們的最終目的卻在光復大陸，而且我們的認識是中國大陸的現狀[illegible]表現不夠，無法提高[illegible]。

若干問題的舉例

[illegible]須建立的，便是要確認反共抗俄是一個目標，[illegible]光復一目標，則絕對無可讓步，不能一切仰成於人，而必須求其在我的這一態度，是不可少的。

二、要就反共抗俄這一個大題目而言，[illegible]，我們在今天自由中國[illegible]人才不夠，以目前的台灣是否仍有若干人才之依然是投閒置散，或者是否還用一個機關以[illegible]那些有事可做的人[illegible]比較這些投[illegible]的人確實來得[illegible]，而又確已表現好的成績？

三、以目前的情況說，自由中國的地位，自然還是沒有[illegible]的進攻；但以敵人[illegible]年來在[illegible]報紙雜誌一切是[illegible]中國當局[illegible]以及[illegible]精神威脅，[illegible]間接所遭受的[illegible]。

四、以我自己五年來在海外居留的經驗，我深深感到凡是僑胞集中之地，我們決不缺少我們可做的工作；假定就台灣今天投閒置散的人才，有計劃的分配於海外各主要地點，使他們在同一目標之下去從事文化宣傳，從事華僑青年子弟的教育，從事在思想上的反共抗俄，使他們去發揮各個的能力，[illegible]繫海外千萬以上的華僑對祖國的希望，這是不是比較永遠結在台灣或取得一官半職以優遊自得要來得更為[illegible]？

上面這幾點，只是就年來所感到的舉例來說一說，此外可憂疑的問題還不在少數，但大致可以由此類推，也就不必細說了。

中共竊據大陸五年

張純明

一九四九年中共竊據大陸，到現在已經五個足年了。五年來，大陸五億同胞的遭遇怎樣呢？勞苦農民的生活改善了嗎？中共對於國家的基本問題能夠解決嗎？大陸人民不滿中共暴政，能有力量發動革命嗎？

偽裝的溫和政策

中共佔領大陸的初期，缺乏行政和專門人才，儘量利用原有行政人員。毛澤東聲稱，新民主主義係由四種階級——工人，農人，小資產階級，和國民資產階級——聯合組織成立的。那時中共對於國民黨的黨攬份子相當客氣，投機份子在中共政權內，佔着有名無實的高位置。開會的時候，他們站在毛澤東兩傍做裝飾品。中共的政府表面上是一個黨派合作的政府，實則大權操諸毛澤東一人手上。

中共初時對城市採取溫和態度。城裏的共產黨徒同時表現出一種耐勞吃苦的精神，偽裝謙虛神態。因此，好些人都誤認中共的政治和蘇聯不同，是一種溫和而合乎人道的政體。中共也利用當時的人民心理，大事宣傳其新民主主義的溫和政策，好些逃避國外的企業家和銀行界人士，因此紛紛回到大陸。

農村情形可比城市不同了。中共佔領之始，即不斷的發動殘暴的事情。土地改革的時候，農村無一[illegible]。地主和富農都因田地被分給了貧農，為貧農的鬥爭而犧牲。許多[illegible]。

殺七百萬奴工八百萬

韓戰爭中中共以加緊政治管制的機會，一九五〇年中共發動所謂鎮壓「反革命運動」，到了一九五一年上半年，所謂「反革命運動」達到了最高潮。根據[illegible]二十五年的天主教神父[illegible]的估計，中國人民被殺害的不下二千萬。此外，[illegible]農，「反革命」份子，和「匪徒」，被送去奴工營。根據可靠報告，在中國大陸計有大奴工營[illegible]，奴工總數達到八百萬人以上。其分配如下：東北一百[illegible]萬人，華北一百十萬人，華東一百八十萬人，中南六十萬人，新疆一地[illegible]超過二百萬人。

智識份子空前恥辱

智識階級遭遇到空前的恥辱。大學教授，科學家，作家，和公務人員都得寫自傳，叫做思想坦白，[illegible]表明自己屬於剝削階級，[illegible]能夠坦白的人可以免死。若果共黨認為不夠坦白的，得再坦白一次，以至多次，每一次總得再加一兩件[illegible]有做過的罪狀。共產黨用這種方法打倒智識階級在社會上的信譽。

農工商的生活苦況

共黨對於工商業的偽裝面目，也在韓戰中揭穿了。[illegible]一九五二年二月中共又發動「五反運動」，[illegible]官吏和工廠或商店職員組成的委員會[illegible]。這五反運動[illegible]，甚至有被處決的刑罰，那時自殺的人真是不可以數計。中共政府推行五反共榨得人民資財折合美金達二十五億元。民營工商業經此摧折，所存已無幾了。

工人階級係「人民政府」的領導階級，工人階級的命運又怎樣呢？工人被迫增加工作時間由八小時增加到十二小時。[illegible]工廠延長到十四甚至十六小時。共黨用[illegible]蘇聯模範工人的方法，[illegible]自一九四九年起，大陸工人並不增加工資，但[illegible]。中共竊據大陸三年，消滅了地主和富農，也消滅了人民經濟力量；並將勞工階級變成為奴工。然後又進行對農民的[illegible]建立他們所謂「社會主義」的建設。

土改的真相如此

中共自稱於一九五二年完成了土改，[illegible]完成了，農人都變成了[illegible]，所得的土地約等於半畝。中共的土改，對於中國的人口和資源等問題，一點都未能加以解決。

（下轉第二版）

一週展望

·雷嘯岑·

關於中美安全互助問題

這幾天的新聞報導事項，最使我們關心的，莫過於中美安全互助問題了。[illegible]談判已接近完成階段，年內即可正式締約；忽又說談判已頗破裂之虞，因為美國不願意擔負台澎以外各島嶼的協防責任云。

[illegible]

美國的人命

美國最珍視的，是人命，所以美國[illegible]作戰的，[illegible]。

[illegible]

日本的政潮

日本的政潮正在發展中。佔有議會多數席次的保守黨派，沒有一個像樣的政治家，吉田茂固然不行，鳩山一郎更糟！

[illegible]

禁止卜筮星相

[illegible]

和平掮客現形記

風行譯

國際「和平掮客」尼赫魯，雖然本錢短少，但俄共集團很想利用他。他的伙計克里希納·梅農，更在國際上活躍，我們必須注意這種人物。十一月六日美聯社新德里電訊說：『印度「思潮週刊」的一篇社論猛烈抨擊梅農，要求尼赫魯革除其出席聯合國大會首席代表之職。若尼赫魯對他繼續縱容，將損國家利益。談到梅農氏的最近工作，說：「他在聯合國內外作爲印度外交發言人。由於他個人浪費自私的缺點，花錢很多，而他那種不可救藥的惡劣態度，實不適於担任大使的工作。」』由此可見攪和平掮客生意的是那一類的「寶貝」！今將「思潮週刊」該篇社論的原文節譯如下：

梅農洩漏國防秘密

印度國會度支委員會在九月二十七日發表其第九次之報告書，要求授權作兩項調查，即國防器材購買之非法行爲，與印度駐倫敦高級專員在一九四八年——五一年的洩漏國防消息。

此種非法行爲，包括在英國及歐洲大陸上購買國防器材軍火委派冗員浪費，致令中間人私飽。祇是購買吉普車一單生意，印度財政部因此已損失一百九十萬盧比。此外在其他之交易的損失，尚未計算。對於一連串重要的合約，爲數甚巨，普通基本的預防亦疏忽。印度高級專員對於選擇居間商人，未能從有關國家政府獲得可靠消息，對於此等商行之信用聲譽，能力，貿易情形，均不實行可靠的調查。在委託英國中間商人向歐洲國家購買貨品之前，亦未與駐歐洲有關各國之印度大使磋商。該度支委員會說：『結果，因此而支付較高之價錢，因中間人賺取甚多。』

至於國防消息之洩漏情勢尤爲嚴重而驚人。據悉：在一九五〇年十二月，因購買國防器材而訂立之合同中，發覺參與訂立合同之中間商人，從此間國防部與駐倫敦高級專員往來磋商之八天內，獲得有關印度需要軍用品之秘密消息。此種居間商行僅在數月之前以私人名義成立。與此種買賣有關的那位高級專員便是梅農氏。

尼赫魯左袒梅農

雖然早在度支委員第二次報告，已揭發此有關購買吉普車之醜聞。但印度政府却未嘗下令調查。如度支委員會再揭發駐倫敦高級專員之非法，則尼赫魯是否給予嚴重之注意，仍未可知。至於建議由高級法院法官組成高級委員會，調查財政上不法行爲，及公正的調查國防消息之洩漏，不論尼赫魯總理如何的不願鬧其此事及不懷疑他素來看重的心腹友人，但他對於度支委員會的條陳建議，當迅速給予適當的措施。尼赫魯總理個人之看重梅農，不能代替司法調查。國家的納稅人必要獲得保證：公款不虛耗，不容國家官吏輕率的洩漏國防消息。從國會度支委員會的調查看，身任駐倫敦高級委員會之職已令國家如此之浪費。但其後梅農氏又任聯合國首席代表與印度外交政策對外發言人之職，其令國家之損失更大。雖然此種損失不能以金錢度量。

對於他財政上的行爲欲作公正之批評，必須持保留態度，直至命令實行調查及發表調查的結果。但證據確鑿而使人無疑的，是他的非常自私的短處，與無可救藥的壞態度，足以證明他不配任大使之職。在政治方面他有偏見，傾向於國際共產主義，而常違背民主世界的利益，就此一端看來，他最不該代表尼赫魯的中立外交政策。

梅農的政治偏見

祇在上月內梅農已顯露出他的政治偏見。爲明瞭梅農之鬼胎及國外對印度政策的反響，這是值得研究的。第一先看他在聯合國大會中發表兩小時的演說，建議東西德開直接談判。那時正在倫敦九國訂立一項恢復西德主權與重整西德軍備協定之後不久。梅農這樣的建議，正是想排斥自由歐洲政治經濟與軍事之團結。梅農止想推翻此種之團結組合。蘇聯在東歐方面攪這樣的組合更爲堅密。同日蘇聯外長莫洛托夫建議撕毀倫敦協定，並提出代替的計劃，即恢復四強會議討論德國統一問題。東西德直接談判是共產黨實行搗鬼的秘密。雖然西德的領土與人口遠較多於東德，但共產黨口口聲聲說這是甚於平等基礎。梅農用下面的話語替共產黨提出建議。他說道：『假如有兩個獨立的社會組織，好像它們自己所聲明的，又假如這兩個社會組織的政府獲得自己的人民支持，——這我也不置疑的——那麼，我們看來，德國人可以和德國人會商尋求方法——或至少可尋求方法之開端——去建立他們自己的統一國家。』可惜印度的報紙沒有登載全篇原文。縱然直接談判定當要舉行，但由於東德政府的殘酷，以致每月成萬的人民逃走出鐵幕，這個政府得不到人民的支持，大家會忘記嗎？梅農竟然忘記一九五三年六月事件，而推薦東德，也是令人驚異的。

大受美國輿論攻擊

對於梅農之所爲，反應極爲迅速。在美國最受尊崇與言論最穩重的兩家報館，都將梅農的演詞加上「支持共產黨路綫」一類的措詞作標題。「巴提摩爾太陽報」將梅農演詞登在第一版，加上一條佔八欄闊的大標題『印度挺身出來替共產黨呼籲實行德國談判計劃。』聖路易斯「快訊郵報」說：『印度駐聯合國代表作莫洛托路綫的應聲虫。至於『紐約時報』，令人驚異的，是以它素來政見如此的老成穩重，也在社論上批評梅農道『梅農在政治上同情共產主義世界。他對美國人只知乞取美元。現在應該審察是否立即把印度剔出受援國家的名單』。在上述的各報紙反應看來，我們不必以梅農說話的企圖來判斷是會說得中肯。而重要之點在梅農建議之內容及提出建議的時機是最惡毒。

支持共黨路綫

還有在討論裁軍的時候，梅農表面雖自稱提出創見，但事實上是支持共產黨路綫。只在陸軍上而言，共產黨國家有千餘萬人，軍事上遙於自由世界者，祇係在原子武器方面，爲了維持非原子武力的優勢，及折斷自由世界之一翼，蘇聯要求各國一律裁去武裝軍隊三分之一。並無條件禁用原子武器。以此爲其理想的裁軍。在最近聯合國討論裁軍時，蘇聯唯一的讓步是放棄在先堅持的所謂先禁用核子武器然後國際共管原子生產，而維辛斯基同意聯合國裁軍小組委員會應再開秘密會議考慮裁軍計劃。對於第一點——一律裁減非原子武器——梅農保持一個殊堪玩味的緘默，顯然的，一個能保持共產黨軍力優勢的計劃，在梅農認爲是很對的。對於第二點有關國際視察及管理裁軍，梅農公然支持共產黨。俄國堅持在將來之國際共管裁軍機關中須有像安全理事會永久會員的否決權。在梅農看來，以自由世界反對任何國家藉否決權拒絕國際視察及管理爲不合理。他認爲「多多討論此無關宏旨的否認權」殊堪惋惜，在他看來，否決權是一種病徵，並非病的本身。而他的藥方是互相信任。信任這個世界上最詭秘的國家蘇聯，更可高枕無憂。他還恫嚇作態，對自由世界說教，道：「我必須不妄臆斷他人不負責任」。

維辛斯基的代表

然而否決權只是最後的辦法，蘇聯一方面堅持國際裁軍管理機構有否決權的制度，同時又盡量使其無效力。梅農主張國家權力，而反對國際視察監督裁軍。他說：批准裁軍條約的政府必須經過立法手續，使條約規條，成爲國家的法律。他問道：『你會執行國際律例麼？假如你沒有陸軍駐在每一國家，你怎樣執行呢？』他一樣的不喜歡美國擬定的裁軍管理計劃。

從前潘尼迦任印度駐中共大使。潘行徑與其謂彼係印度駐中共大使，毋寧說他是中共駐印大使。現在梅農也是同樣的，從他的言論看，與其謂他是印度代表團領袖，毋寧說他是維辛斯基的代表。如此則梅農替尼赫魯吹外交政策，使自由世界增加不支持印度者。他是政治上的一個拖累，尼赫魯如繼續容忍，將損害國家的利益。

人物述評

青年雕刻家任志林

·紹華·

（一）

任志林，這一位青年雕刻家，他的名字看起來有點陌生。但在台灣，已經有許多人欣賞他。今年將總統六八華誕，香港僑團總會主事人馮漢劉海齡托他用象牙版雕刻總統肖像華誕。雖時泥濘，神態畢肖。他的刀法異常精到，更能夠刻極纖細的字，把全篇講詞刻在牙版上，要用顯微鏡才可以看得出來。台北某國畫大師鑒賞他此件藝術精品，大加讚賞。於是又托他再刻一面總統伉儷的肖像，現出神氣端凝，威儀萬千，確是神品。他藝術的成功，是由於著錄得來。有天才而沒有苦練，一切的成就便大打折扣了。

（二）

志林，廣東鶴山人，寄寓南海佛山；是香港名記者李袁的姪兒，二十年前，肄業本港西南中學，他對於藝術非常愛好。在學時代即從鄧工休學畫，從深公哲學習，便奠定了後來良好的藝術基礎。此外還從孔教學院院長盧湘父和燕京大學文學院長陳垣習經史。

他因弱冠之年，承吳師陳公哲介紹，東來北游，問學於齊白石、黃賓虹、楊千里、王福庵、楊雲史、黃節諸先秋若諸人之門，挾手受教。更遊至山西五台山從敬修和尚，因上人治印明之學，並精讀成唯識論，大智度論諸書。

返港後，有一天他看見本師陳公哲治的印章「何妨自我始」一語，深爲感悟，擬從事牙版眞相雕刻法，因此向齋古齋主人潘照請教，想找些古代雕刻，以事觀摩。潘照對他說，而德藝精，始於唐朝，至宋元而益精，明以降，更難考攷。不過唐宋元三朝的雕刻，現代收藏家已經沒精品了，有的只是明代雕刻。潘照說完了，便撥出一些唐朝雕刻給他觀摩，他認爲是心領神悟，專精致力於此。不過，他認爲古代的雕刻，總係藝法，雖然分明，但不懂得現代光學的道理，顯出陰陽的部份。他從這裏去研究，發明了牙版眞相雕刻法，此舉，實爲象牙雕刻歷史的新革命。他用的筆法，計分（一）陰刻，（二）陽刻，（三）鏤雕，（四）雙鈎四種，施之於刻字，刻畫，刻像，無不神似。所謂運用之妙，存乎一心者也。

（三）

志林骨相嶙峋，雙目耿耿作奇光。筆者曾問他雕刻家是不是要有神眼？他說，「神眼之說，是不科學的，但可學而致。蓋由基學射，視蝨如車輪，便是這種道理。」

他最近的作品，尚有英女皇伊利沙白二世像，美總統艾森豪威爾像，亦非象牙刻相，其好處在成功。他說：「用象牙刻相，不褪色，可以洗滌，久藏成藝術之古器，經千百年而不壞。」

除雕刻外，他還寫了一本創造理門論，是根據法相，三論×宗，討論羅輯學的專著。不久將在中英學會宣讀。他治學勤苦，虛心的精神，更值得贊美。

中共竊據大陸五年

·張純明·

（上接第一版）

土改後，農民的生活並沒有改進。表面上他們雖然無需再付出租，可是中共征收實物的租稅，比較昔日地主的田租還要大。農民交付了租稅後所得並沒有比較從前增加。此外農民還得應付種種捐款和供「政府」的奴役。土改後，農民的生活還較昔日不如。

土地的分配，祇是土改的第一步。共產黨最後的目的是集體農場。

故中共在土改的時候，同時進行國營農場。國營農場的規模較大的在東北，河北，山東，浙江，江蘇的沿海地區，和黃河流域及新疆的大平原。國營農場的工人都是奴工和城市的失業人民。面積約等於全國耕地面積的百分點三。

想把無數的小農民併合在一個集體農場裏，實在不是一件容易的事情。中共把集體農場的計劃分成幾個階段。第一個階段，叫做互助隊。互助隊的隊員要集合他們的勞力和工具，可是對於收成還是各取各的。根據一九五三年的中共報告，農民中五份之二已經參加了這個組織。

合作農場生產衰落

第二步，合作農場。根據合作農場的組織，農民合併他們的勞力，農具，和土地，在理論上，土地仍然屬於農民，事實上呢，土地歸併了，原日的地界剷除了，管理也統一了。合作農場所種的農作物，和農人應該出的勞力皆由管理人員決定；種出來的東西除完納租稅，和扣除種子肥料等費用，才由農人根據規定辦法均分。

農民對於這一種合作，都表示反對。可是這是共產黨規定的政策，無論如何是要嚴厲執行的。中共已經決定，一九五七年把百分之三十五的土地劃入集體農場範圍。

集體農場能夠增加農業生產嗎？若果拿蘇聯和東歐的衛星國做例證，集體農場制度實行之後，生產反而大量減退。集體農場制度實行時，中國人民恐將遭遇到超過一九三〇年蘇聯的集體饑荒。

工業化加重農民搾取

中共要把中國工業化。他們爲認工業化是社會主義建設的基礎。

一九五二年，中共已經把百分之八十的重工業，百分之四十的輕工業，百分之六十的輪船，百分之九十的銀行，和全部出入口貿易掌握在手上。一九五三年周恩來領導中共代表團到莫斯科參加會議的時候，紅星報於十月一日宣布說，中共在不久的將來實行一項類似蘇聯的五年計劃。中國大陸的重工業基礎還不及比國。要實行五年計劃非有大量的設備不可。蘇聯答應替中共建立一百四十一所工廠，和借借由六千萬至一億美元的低利貸款。可是這兩樣合併起來只等於全部五年計劃的百分之二點五，剩下的百分之九十七點五，還得向大陸農民搾取。大陸農民已經被中共壓迫到不能夠喘息了。還能夠支持更進一步的壓搾嗎？

五年的大騙局

中共的五年統治，僅是五年的大騙局，所謂民主權利，自由，四種階級聯合，土地改革等，一切都是偽裝，中共希望用這些偽裝達到其專制獨裁的最終目的。在極權的警察國家制度之下，人民是不能夠發生大規模革命的，可是革命的火焰仍留存在中國人民的心中，機會來到了，他們一定會揭竿而起的。中共的力量因爲人民的憤恨，和經濟的脫節，已比較從前衰弱了，中共的種種計劃，需要民主國家的幫助，但民主國家會受中共之騙而資敵嗎？

編者按：張先生這篇文章，原用英文撰寫，係爲美國讀者而作，發表於美國外交雜誌今年十月號，並發行單行本。承張先生航寄本報，茲節譯其要點，以饗本報讀者。譯文如有錯誤，仍由本報譯者負責。

編者　讀者

再談留學問題

自由人編輯先生：

頃閱貴報十一月十七日一讀者來函，關於留學問題，似謂凡得國外大學一年以上獎學金者，都屬貨眞價實的獎學金，是「別人以金錢幫助我們教育人才」。其實並不能一概而論。據我所知，台北某補習學校校長專門替學生弄到美國三四流大學的獎學金證明書。他代收每一學生二千至三千元美金，匯寄美國大學。他本人另索手續費二百至三百美金，以充該校經費。數年來，該校長如法泡製，送往美國的中學生，已達五十餘人。他本人擬日內赴美考察，（按該校長曾在美讀書，未獲學位。）實則欲與美國大學加強聯繫，並向華僑募捐。此類學棍，不審我教育機關亦有所聞否？

又一讀者於台北十一月十九日

△狷士、賴愷元、成春、東郭牙、彭蘧珩諸先生：惠稿均已收到，至感謝！

△鄭士珪、趙尺子、戴學文、劉興陽四先生：各位來函均奉悉，自當分別辦理。謹復。

△明輝、伍晉、忠建、許苑、傅正、景德、于飛、長嘯、陳守鄰、劉靄如、辛樹柏、鄭沛霖、傅瑞符、范萍諸先生：承惠稿，均一一收到，至感謝！

西漢易學通論（一）

讀易的意義與方法

·毛以亨·

學者大忌，在貴耳而賤目，致陷于矛盾而不自知。自章太炎提倡漢學，胡適之認為係合科學方法，因此漢學遂時髦起來。然六經不是西漢始整理出來的定本麼，豈是真正周秦之書？且漢學多用以說經，即清儒工夫亦在經解上，經不讀而讀經解可乎？易經之整理在最後，文帝時僅貫詩書，武帝始講春秋，至宣帝乃明易，故易係羣經原理之綜合，蓋非有通則，即無以與傳統之黃老對抗。故[illegible]不讀，[illegible]讀六經如散亂之雜多，而提不起其綱領來。

易學有三厄

現在易學之厄，約有三類：一，受[illegible]讀經運動之影響，而誤認讀經者為頑固。蔡孑民[illegible]先生[illegible]反對讀經，[illegible]二，以易為卜筮之[illegible]其實卜筮[illegible]，江湖術士輩之技，淵源于易之左道旁門，而實與易無直接關係，四庫不錄之于易類。三，共產黨人好以唯物辯證論來解釋[illegible]化價值，以便放棄[illegible]好讓共產主義來繼[illegible]治。故文化反共，[illegible]

我們不是反對接受西洋文化的人，[illegible]本原則，已背于二十世紀科學，不能以其簡單易解，至忽其精讀之應。且接受任何西洋文化，必須本中國人自己之體驗，使不至盲目接受始可。如此即非先培養中國人之先驗觀不可，其道莫如讀中心思想所在之經，而綜合六經之理性者亦惟有易經。現在所應注意的，為方法問題，即不應以盲目欣賞之舊日姿態去讀，而用分析的方法與重新估價的態度去整理，俾其不違背現代精神而已。讀易昔分象數理三途，象類于幾何，數則數學，理為哲學。在古代本混在一起講，即現代之言通學與綜合者，亦合起來一併研究的。無如西漢以後，以科舉取士，等于君主之愚其常識，以抑揚士林，故不特使科學停滯起來，即哲學與宗教，亦都不能發展。所以象數流為讖緯，而逃不出帝王所利用之五德終始的範圍，終成為左道旁門。其關于實用的天文部分，為天官與欽天監的專業，則離易而獨立。故在易經中，祇剩了說理之一途。

楊樹達新闢途徑

最近言易之書，以楊樹達之周易古義，為能新闢途徑，他不言理，而使理自明。其道取漢人說易引易的文章，彙集起來，以附於易經各節之下，俾知其神奇的詞句，皆為漢人所習用，而現代已生疏之語，使人恍然易解，頗合于邏輯實證論者之旨，以哲學本為語言學之誤會，語言一經解釋明白，哲學問題，即可迎刃而解了。我昔喜聚詞傳，而不能全懂，取周易古義讀之，恍然有得，把全篇意思都聯貫得起了。其較此更為淺顯易解的，莫如外國人翻譯，不特可使意義格外明白，而且能合于現代人思想。用西洋人哲學概念來說易，可使易理進步，實為現代發揮易學的不二法門。特西人常有誤解中國思想之流弊，遇到不懂自己西方哲學之人，則誤會更多。如JUNG對威廉氏翻譯易經之序文，謂西方人講因果關係，故重機械論，祇易經重序列，實嗜合原子之運論，未免說得走了樣。蓋反對機械論，而重序列者，以休姆之因果關係說最詳細，不能謂為易經所特有，且易經上亦僅有含糊的說明。共產黨人，則謂易理之求因，祇是追求其原始之因，此亦未免故意低估了。

易經自程朱後，即無綜合會通的經解，李光地之周易折中，曲學阿世，不足為訓。然現在與其注易，不如將其翻成白話文，覺有外國文能翻，而白話文反不能翻之理？如是將章句[illegible]同之問題解決以後，使以後讀易者，祇在思想上發揮，不再困於辭句。至少使易成為可讀之書，則其在文化上之建樹，即不為小了。（未完）

評：「前綫無戰事」

作者：鄭沉重　出版者：亞洲出版社

沈秉文

亞洲出版社因鑒於目前自由文藝作品中劇本的缺乏，最近一連印行三部劇本。其中除「鬼把戲」一劇已有評介外，現在且談談「前綫無戰事」。

（一）

「前綫無戰事」是一部戲劇集，它包括三個獨幕劇——「前綫無戰事」，「希望在明天」，「妓女領聖體」，和一個多幕劇——「風傳石頭城」。

「前綫無戰事」係[illegible]韓[illegible]的紅十字會傷兵收容所，人物為醫生、護士[illegible]的若干官兵。此劇的主題[illegible]官兵的截然不同的教育，[illegible]共產黨人無孔不入，無所不[illegible]明了人性和正義的勝利，以明朗的轉變收場。

「希望在明天」係香港就地取材，共分兩場，一場在平民區，人物為一羣不屈不撓的難民，一場在半山區的花園洋房，人物為一羣衕處我詐，招搖撞騙，或為生活與財帛而受愚的人。這是一個輕鬆滑稽的諷刺劇，對香港若干面的社會相，有相當深刻的諷嘲。而從兩類人的生活態度的對照中，指證出其中正確的有希望的道路，含有警世的意味。

「妓女領聖體」係以戰亂為背景的宗教劇，在讚頌宗教中，會對教義和宗教的效果提出若干問題。

「風傳石頭城」係取材於金元券發行時的股票案子，情節頗有事實根據。人物鮮明，劇情緊湊，共分三幕。主題在刻劃財政、金融、民意、法治各方面的是非，並將政府總退却前夕共產黨的那些偷雞摸狗的面目加以揭露。此劇功用，將使人們對法治、民主加深其體認與印象。

（二）

本書作者鄭沉重先生早歲曾留學日本和美國，習社會科學及哲學。回國後執教於大夏大學、社教學院。一向對劇本頗多創作，先後曾出版「黎涉之死」，「愛國情人」，「私生子」，「忍辱」，「一條心」等劇本，對戲劇及藝術頗具造詣。亦頗多供獻。

是書各劇，有若干共通的優點：

一為在各劇中，作者大致已表現了它在思想上的深度。

一為在社會知識的廣度上，作者已有了充分的選擇和運用。

一為在劇情的組織上，作者大致上已照顧得很週到。

（三）

但是本書各劇也有它若干共通的缺點：

一為除了「前綫無戰事」一劇以外，主題大多表現得不夠明朗。「前綫無戰事」一劇的[illegible]比較明朗，却在若干台詞中的語意顯得[illegible]斷。

一為若干台詞過份[illegible]有礙舞台氣氛。換言之，過長之台詞過必[illegible]員的動作表情發生困難，並使觀衆感受[illegible]

一為若干註明了的[illegible]的表情還有些生硬處或突兀處，也還有[illegible]詞不夠流利。

不過這些缺點尚無[illegible]，其中一部份當能在上演時由導演或演員[illegible]。

基督教必須反共

·燕盧·

先前我在談及工黨訪問中國大陸的時候，會說過這樣的話：「西方的民主是商販式的，所以要登廣告，拉票；蘇聯的民主是宗教性的，所以不容人懷疑。」當時因為文字性質不同，不曾討論所謂宗教性的政治，最近有兩件事實，使我頗受感動，很有些話想說：

普世教會的態度

其一，是法國放棄越北後，越南順化，清化，發艷等區天主教徒對共產黨統治的反抗實行與撒旦作戰的運動，其二是聽過一位參加普世教會代表的演講，約略知道了基督教對于共產主義的看法。天主教徒反抗共產黨的事實，在中國大陸上雖然不像越南一樣具有武裝的力量，但由於其教會的被毀，神父的被監禁迫害，我們即不難想像到共產黨對天主教的憎恨，但基督教的教士却不然，一部紛還在叫出自養，自學，自傳；和割斷與帝國主義的關係等口號，彷彿在替共產黨作宣傳，所謂普世教會代表大會，是基督教今年五月間在美國芝加哥召開的，除却鐵幕國家之外，包括了全世界教會的代表，他們通過了一種共同宣言對馬克斯主義的新看法是：（一）馬克斯主義是一種歷史哲學，解釋人類社會進化，獨具見解的學說。（二）馬克斯主義是一種改良社會的方案，是他對現存的資產獨佔制度，和勞工待遇惡劣的一種抗議。（三）馬克斯主義是一種無神論的宗教。由這三點看，似乎是有意避開事實問題，而去作學說上的爭辯；我們覺得是很無聊的，今天的問題是因為有些國家奉行馬克斯主義，以致產生了戰爭屠殺，使世界日益陷於緊張的事實，宗教家看到焚殺，流血，民不聊生，而仍然無動於中，並且解釋說他不過在那裏「改良」，這樣的宗教情緒，和信仰的程度，不是很可懷疑麼？

倖存和求饒心理

就我們常識所知，在原始的世代，無論那一個民族，都是出神（宗教）統治的，政治擺脫了宗教的統力，同宗教分家，是人類的一種進步，耶穌也說過，「凱撒的事歸凱撒，上帝的事歸上帝管」。宗教家本來該棄絕世務，專做他們靈性上的工夫。不過，就許多不同的宗教當中，基督教事實上是比較入世的，他們有許多教會，辦理許多學校，擁有許多社團，出版許多書刊；他們所辦的事，有不少是屬於該撒的（政治）範圍裏，在西方式的民主國家裏，所謂教會，頗類似一個在野的政黨，憑藉着宗教信仰自由的原則，只要他們所辦的一部份政治的事，不直接同政府衝突，他們的存在是無問題，而事實上他們所辦的事，也曾經有過不少的成績，但共產主義却絕對不是這樣的，他的主張是：「凱撒的事歸我管，上帝的事也歸我管」，他不祇是凱撒，同時也就是上帝，普世教會的共同宣言，避開今日的共產黨不說，只說馬克斯主義如何如何，彷彿在恐怕[illegible]的宗教，也是一種縛起眼睛，希望「倖存」或「求饒」的心理，在他們，也許以為；我們大家都同屬宗教，[illegible]一個主張有神，一個主張無神，他們忽略了共產主義既是無神，不獨不會[illegible]然是一種宗教就不會[illegible]神，而是他自己就是神，他即使容許你們有神，也必須令你的神為他的神服務；照中國字義，宗字就是一個神坐在廟裏，如果基督教[illegible]廟裏是一位耶穌，那末共產黨的廟裏，[illegible]一位神，一個廟裏[illegible]出來去為另一個[illegible]的神服務，實在是[illegible]以想像的事，此神既須為彼神服務，即失其所以為神，則我們的膜拜祈禱，不過是一種自欺的行為罷了，對於許多神學家以及宗教領袖，我們不願加以惡意的攻擊，也因第三者的身份，不能責人去殉道，正如我們不能責人叛教一樣。我們的意見是：共產黨對宗教，一定要排斥，一定要加以迫害的，教會如果不能拋棄其事業，仍然想以其服務於現社會的業績，去證明上帝愛心的存在，即不應縛起眼睛，抱着「求饒」或「倖存」的心理，像政治上的尼赫魯一樣。

目前中國大陸上，基督教會辦的學校，一樣被沒收了，印行的書刊被禁燬了，牧師被迫替共產黨作宣傳了。他們正在歪曲聖經的道理去迎就共產主義，因為他們喊出了自養；自學，自傳的口號，隱隱約約之間，引致了一部份局外邊的人（香港人亦不例外）的幻想，以為在共產黨統治下依然可以有宗教，並且還可以「傳」，因此預先做出一種「迎駕」的姿態，我們願意告訴這些人，中國人的宗教情緒，本來異常薄弱，外國教士初來中國時，中國人只羨慕他們所帶來的一些西方學術，如天算地理之類，並非[illegible]一條歧路啊！

二房東恃勢欺房客　民選議員豈容坐視

業主、二房東、三房客間的租務糾紛，以及違章建築遷拆事件，年來層見迭出，於今尤多。因減租而引起二房東與三房客結怨成仇，已數見不鮮；但二房東對三房客因減租迫遷事件，最近以新填地街一個不幸的女住客為第一宗。

這個女住客在一九五三年租下三樓一間住房，原先每月租金四十三元，她在租務條例公布以後，向租務法庭請求減租得直。當法庭判定每月租金減低至十五元一月後，二房東自無理由拒絕，但對房客歧視則難免，因此便多方設法，圖逐出這一房客，來發洩一肚子怨氣，然而又不能無故迫遷，於是就尋求法律罅隙，用來對付這一個孤掌難鳴的女住客。

雖然這一件事情眞相如何，各方尚難判明，然也可從最近市政局例會，民選議員李有璇、貝納祺先後向主席李察遜質詢內容中不難看出：那個被迫遷的住客，可能係由二房東因報復而起，藉口那間住房係「非法建築物」，必須拆除間隔的板障，方合衞生條例。於是就致函市政局，假請求展延遷拆期限為名，瞞騙市政局覆函，作為迫令三房客遷出的合法手續。市政局秘書通過主席而採用此項權力，則係根據市政事務署慣例，乃企求將輕微非屬緊急違犯公共衛生法例之事件，予以糾正，而紙須引用法律程序。自亦無可非議，因為覆信動機，旨在糾正此種自認「違犯公共衛生法例」輕微的事件。

市政局秘書顯然不知道他所收到那一封信，具有迫遷房客的含義。眞實的事實反映，那女住客林笑芳，確係租賃了一個（可能認為「違犯公共衛生法例」而要糾正的）騎樓，因為減租之後，二房東與三房客間爭吵已成家常，對二房東逆來順受，搬遷自非力能所逮。二房東終於想出了個「借力逐人」之策，向衞生局投訴，說是這個房間「蓋搭違例」。衞生局派員看了以後，就派了張「紙」去，那張「紙」的內容，以林笑芳的學問是沒法看得懂的。到了本月十五日二房東就憑這張「紙」把間隔板障拆去，還說「這樣幹，好讓他們搬走。」於是，林笑芳和她三個兒子就等於宿在露天，在孤苦無告之中，她便去就求民選議員貝納祺、李有璇主持公道。現在這個問題，雖曾於市政局例會中提出討論，但無結果。衡情度理，誰應干咎，尚存疑問，民選議員既已接受投訴，自應理直，此一糾紛，否則，三房客租賃保障，從此喪失！

談官式八股文

馬五先生

溯自民國十六年革命政府在南京建立以來，制飜式的官式八股文應運而生，流芳迄今未遂，甚惡非也。

官式八股文者何？一切應制性的官樣文告是也。如逢農民節，即有不辨菽麥，養尊處優於都市洋樓大廈中的老官們，於開會通電向領袖致敬之外，必令當局記者勸西疇，拼成一篇不知所云的『告農民書』，遂交各報刊出，洋洋灑灑，儼然煞有介事，這就是唯一的工作成績，能事畢矣。共他各色各類似機關皆無例外，應有盡有，互相爭美爭光。

因此之故，卅年間，我每天打開報紙，見有告某某書之類的制式大作，即頭痛作嘔，雖從未閱看它的內容，但其大字標題和主管官人的署名，亦已厭眼欲昏了！而海外華僑又是反共抗俄的偉大力量，因而告華僑們的官式八股文書一枝獨秀，成績斐然。我拙於積習，依然對奇文少所欣賞，罪過之至！

且夫官樣文章的調調兒，我們很拿手的唱過二十多年了，唱來唱去，大好河山變色，城郭人民皆非，文章報國歟？抑文章誤國歟？靜言沉思，於意云何？近代中國的人文思想，自清末廢棄八股文以後，革新創造，而國民革命運動乃勃然興起，得以驅逐滿淸，建立民國，除舊布新。不料新式八股制，又告復活，家亡國破，與此不無關係，是亦不可以已乎？

文章非不可寫，但須有意義，有內容，於人有益，於事有濟，而且要行動多於文字，實踐超過空談。看有那套以官式八股文爲成績的玩藝，已經不合時宜，進入古董陳設了，收起來吧！

紅朝百態錄

地下英雄的結局（上）

・牛布衣・

（一）

黃同志是一個共產主義的忠實信徒。共產黨佔領大陸那一年，他是一個大學生。他的家庭相當富裕，除了田地，還有房屋。父親去了世，家裏只有母親，妻子，和一個三歲孩子。因爲是獨子，母親十分鍾愛他。

他是一個思想相當左的人。在學校裏念的是經濟學。他認爲人類最高的社會是共產社會。他在大學三年級的時候，便發起了一個小規模的共產會，參加的同學共五人。他們把各人的錢集合起來，交給一位同學管理，要錢的時候，向管理人領取，那便是各取所需。不過這個小規模的共產會成績並不好，過了兩個月，便沒有人肯各盡所能，把錢交給管理人了，管理人辭了職，共產會也解散了。但黃同志始終認爲共產的理論是對的，毛病在他們沒有能夠各盡所能。

黃同志在學校裏替共黨做了不少地下工作。共產黨快要進城的時候，他更加倍不顧身，準備歡迎「人民軍」。因此共黨進了城，賞了他一個「地下英雄」的獎狀。在大學只差半年便畢業了，可是黃同志放棄了學業，去參加工作。共黨特別賞識他，他學的是經濟，所以把他派到貿易處。不及半年，黃同志便升了副科長。

黃同志高興極了！時常對一班同志說：「只要三年，新中國便建設好了。到那時，每一個人都有適當的工作，每一個人都能夠豐衣足食。」

（二）

土改時候，跑回鄉間強迫[illegible]，把房地獻出，並且吩咐主管同志，把好的田地和房產都分給別人。土改兩個月，他母親便逝世了。

母親死了，黃同志心理也有一點難受。可是當他想起了「人民」，想起了「國家」，想起了三年後的歡樂世界，他認爲那母親若是因他而死，那是大義滅親。共產黨只向前望，絕不回顧。他的思想是十分決定的。

可怪的是事實總和理想作對。共產黨佔據了大陸，人民的生計却一天比一天壞。母親死了不過幾個月，妻子在鄉間便站不住了，理由是稅太重，妻子又不會耕種，樣樣假手別人，得不償失，所以維持不了生活。

把家搬到了城裏！因爲他是地下英雄，處處裏分了一間公家房，間給他居住。

貿易處的待遇是薪給制，黃同志每月所入免强可以維持一家三口的生活，可是社會的不景似乎一天比一天增大，失業的人也一天比一天增多。

一天早上，黃同志步行回貿易處的時候，看見當舖門前排「一條長龍」。黃同志心裏不禁一跳。

『什麼！當東西也排長龍？還是一件破紀錄的事情！』黃同志心裏這樣想。

可是這條長龍一天比一天長，長龍的人，手裏拿的東西，也一天比一天大。

黃同志是一個學經濟的人，他心裏曉得不妙。人民沒有生計，當東西來維持生活；包裹一天比一天大，人民已經當到粗重的物件了。

（三）

從前黃同志小規模共產會的四個友好，現在都來參加工作，他們的待遇是配給制。除了兩頓，只有一萬八千人民劵，和黃同志比較，眞是太相懸殊了。

他們都是好朋友，時常跑到黃同志家裏，看見什麼用得着的便不客氣拿走了。他們是小規模共產會的同志，現在來共黃同志的共產。

共產黨佔領大陸三年之後，三分之二以上的人民都吃不起飯，改爲吃粥了。黃同志呢，也只剩下身上的一套人民裝。每月所入僅夠維持一家三口一日兩餐的生活。此外僅有的是一只小洋狗。除了那六歲的小兒子，黃同志最愛的是這隻小洋狗。這隻小洋狗是有來歷的。「解放」的時候，好些財主和豪門都被清算了。這隻洋狗是某豪門的恩物，沒收歸公，共產黨把牠送給黃同志，來酬勞他地下英雄的勞績。

一天，這小洋狗生了四隻小狗。四隻都沒有開眼的小狗，吃飽了乳，便在地上打滾，十分有趣。黃同志的兒子小黃十分喜歡這幾隻小狗。一天不停的要爸爸帶他到狗房裏去看。

一天，母狗出去了，只剩下小狗在房裏打滾。小黃指着四隻小狗，又說又笑，心裏有說不出的喜悅。黃同志看見兒子這樣開心，指着小狗對他說道，『他們像你一樣，都是共產黨的忠實信徒』。

第二天，小黃回到校裏，他的先生對他們說：『過幾天，視學同志就要到學校來。你們當中，誰有話報告他嗎』。

小黃頭一個舉手。他是班裏一個聰明的小學生。

他說，『我有一個好消息報告視學同志，我家裏的母洋狗生了四隻小狗。和我一樣，都是共產黨的忠實信徒』。

先生高興極了，誇勵小黃說：『眞不枉你是地下英雄黃科長的兒子。眞聰明！視學同志來的時候，你就照這幾句話報告他好啦。』

日月潭

・姚琮・

車行多困頓，信宿息林邱。山合乾坤窄，潭深日月浮。雲霞連碎景，阡陌散零流。灌溉桑麻美，民生倘解憂。

以亨新居落成友人多有賀詩愚亦賦句張之

・邵鏡人・

幽境遠塵氛，濤聲徹夜聞。綠窗凝黛色，蒼嶺掛閒雲。舉世誰知我，窮才獨許君。元龍高臥久，豪氣尚超羣。

・短篇小說・

自我毀滅

・洛琦・

「我們再去看場電影好嗎」？義杰問。

潔琪本想在這裏再坐一回，就結束了這天的約會，因爲除非參加特別的宴會，否則她從不超過十時回家的，但是聽了義杰這樣一問，不知被一種什麼力量所驅使，她不由自主的點點頭，表示同意。

也許他們沒有充份時間去揀選，不知爲什麼他們要去看瑪莉蓮夢露的「大江東去」。

一片終場，義杰露出從未有過的鬱悶，這不是潔琪所能察覺的，因爲她在想着姑母的叮嚀。踏上汽車，她祗說要儘快回家。然而，義杰好像有意跟她開玩笑，把車子開得很慢很慢。假如駕車的換了別人，她眞會奪過來自己開車。

兩人沉悶了一會。義杰終於吶吶地說：

「明天我就要離開香港了。公司把我調到一條新的航綫，以後怕不常有機會再來香港了。今天我們的相聚，就留作我們日後的珍貴記憶吧！」

潔琪聽了不禁一怔，像是睡入甜夢中，又突然被人搖醒一般，她覺得有點暈眩，幾乎不相信自己的耳朵，差點兒哭了出來。她震顫而怨艾的說：

「你爲什麼不早點對我說」？

「我就爲珍惜今天的時光，不忍太早對你說出。祗希望公司方面再會把我調回來，暫時我們祗得以通信來代替會面了。你把每天的生活告訴我，我把航行中的見聞講給你知道，那不是也很有趣嗎？」他看她眼眶含着淚珠，祗得這樣說聊作安慰。

「義杰！你別忘記剛才你說的話，我天天寫信給你，你也要天天把有趣的事情告訴我。」

他們靜默了幾分鐘，潔琪轉動着水汪汪的眼珠又說：

「明天幾點鐘的班機」？

「九時，你可以送我」？

「當然我要送你的」。

「那麼，我先來你家接你」？

「不，你應該處理你自己的事，我和別人一樣，到機場送你」。

「那麼你早點來」。

「這會用得着你說。」

到了潔琪家門口，義杰抱着她，想吻她一下，但是她閃開了，迅速打開車門，揚手說了聲再見，就急步去按門鈴。義杰祗好呆着目送她翩然而去，雙手扶着駕駛盤，好久還不把車子開動。一直看着她走進門去，房子裏燈光亮了，以後，他才悵然離去。

潔琪一進房就把整個身子撲在床上，眞想哭個痛快。但正在這時候，她忽然聽到姑母的步聲漸漸近來。

每當她外出回來，姑母總是要向她問長問短的。今天，潔琪爲了免得姑母看出她的不快，聽到房門打開，便裝出愉快的音調，高聲說：

「姑母！早點兒睡吧！我今天太開心了，我要睡了，晚安」！（九）

秋來無桂不飄香

鄭士桂

（一）

秋高氣爽，能代表這靜穆季節的花木，除傲霜雪耐嚴寒蘧與蘊芳爲伍的菊花外，便只有那『天香雲外飄』的桂花，桂花俗稱木犀，爲常綠喬木，蓋高丈餘，原叢生岩嶺間，故又叫岩桂，是秋天的季候花，八月盛開，現在已成點綴庭園的重要樹木之一了。

桂花的可愛在于其香清郁而經久不散，傳播得遠，朱淑貞的木犀詩：『彈壓西風擅衆芳，十分秋色爲伊忙？一枝淡貯書窗下，人與花心各自香』，庭園中有了它的芳蹤，便香氣四溢。呂初泰論桂花之配景與審美云：『桂香烈，宜高風，宜朗月，宜畫閣，宜崇台，宜皓魄高照孤枝，宜微颸之幽韻』。

桂在中國文學上最早見于楚辭：『美桂樹之多榮』與梁稷肩吾之『桂花耐日』，這僅是粗疏的形容，至唐以後吟詠漸多，王九齡的感遇詩『蘭葉春葳蕤，桂華秋皎潔，欣欣此生意，自爾爲佳節』。也脫胎于屈原的筆法，以皎潔的美德，而爲個人貧賤不移的性格作比喻，作襯托。鄭燮詩『雨過西風作晚涼，連雲老翠入新黃，清風一日來天闕，世上龍涎不敢香』。這都是描寫在秋風吹拂中，佳花吐清沁人鼻孔的香味，令人欲醉的情景。

（二）

李時珍本草綱目云：『岩桂名菌桂之類而稍異，其葉不似柿葉，有鋸齒如枇杷葉而粗澀者，有無鋸齒如梔子葉而光潔者，叢生岩嶺間，俗呼爲「木犀」，其花白者名「銀桂」，黃者名「金桂」，紅者名「丹桂」，有秋花者，有春花者，四季花者，逐月花者，其皮薄而不辣，不堪入藥，惟花可收者浸酒鹽漬及作香茶髮澤之類耳』。三種之中以丹桂爲最名貴，金桂次之，銀桂又次之。

桂花與入藥的桂不同，桂古名梫，爾雅『梫木桂』，宋范大成桂海虞衡志云：『桂南方奇木，上藥也，桂林乃地名，地實不產，而出于賓宜州，凡木葉心皆一縱理，獨桂有兩紋，形如圭，製字者意或出此，葉味辛甘，與皮無殊而芳，美人管咀嚼之。』唐李嶠詩：『未植銀宮裏，寧移玉殿幽，枝生無限月，花滿自然秋，俠客條爲馬，仙人葉作丹，歐君期道術，攀折可淹留。』所詠是也。桂因有辛氣的緣故所以古有『寶桂之性老而愈辣』的諺語。莊子人間世云：『桂可食，故伐之』，除有時用作調味外，中醫以肉桂爲溫補要藥，桂枝發表解肌，都是這一種的桂氣下，而木犀則其花富馥香味，並無辛氣的。

（三）

酉陽雜俎云：『舊傳月中桂樹，故吳言月桂高五百丈，下有一人，常斫之，樹隨合，人姓吳名剛，西河人，學仙有過讁令伐樹。月過樹影入月中。或言月中蟾桂，地影也，空處水影也。』李義山詩：『莫羨仙家有上眞，仙家暫謫名千春，月中桂樹高多少，試問西河斫樹人』，典似出此。至于宋人間的『桂子月中落，天香雲外飄。』更替月中桂樹增加了神秘的色彩。

現在時序已入『桂拂清風菊帶霜』的時節，我們羈留海隅，得嘗嗅到一陣桂香，便不禁深深引起鄉國的感傷！

論王國維苕華詞

・王世昭・

四

我讀他的詞，發現他的用字，如「秋」，如「霜」，如「西風」，如「殘照」，幾乎觸目即是。他所見的世界到處都是蕭條蒼颯的景象，其內心的抑鬱則又可知。依他的家境並非清貧，依他的生活並非窮困，何來如許無聊的句子？如果說因羈天個人一至於此，那就夠可憐了，也就夠可哀了，而且近於無恥！

爲什麼我說他無恥，二十世紀五十年代初期的中國，外受强鄰的壓迫，內受民賊的摧殘。王國維以一大學教授，不能教育青年發憤爲雄，反以身作則自趨於厭世消極的途徑，而投身於昆明池，與孔子的教訓「知恥是爲勇」五字是相違的！

即管他自命爲一代詞學正宗，我看他是無病呻吟的老學究，自作聰明的精神病患者，在今天優勝劣敗的世界裏，是要受淘汰的。

爲了我看不起他的詞，所以在這裏一句不引。我希望現代青年不必去讀，因爲那個東西是有害的讀物！

雖然，王氏的詞，除了他的內容太頹喪，思想有問題之外，如果有人以爲要研究近代詞學，那王國維的作品可以算作成了家數的作品，就是說他的頹廢的風格已可直紹李重光，因此，他的成就亦只此而已。（下）

自由人

THE FREEMAN

（第三九一期）

中華民國僑務委員會登記證僑台字第一二號
台灣省政府新聞處登記證
中華郵政登記第一類新聞紙類
（半週刊每星期三六出版）
每份港幣壹毫
台北市售價台幣七毫
督印人：雷嘯岑
地址：香港高士威道二十號四樓
3 rd. fl. 20 CAUSEWAY RD HONG KONG
香港發行及業務接洽
電話：七一四〇五三
承印者：東南印務出版社
地址：高士打道六十四號
海外總經銷 友聯書報發行公司
台灣特派員辦事處
台北市館前街五十號
台灣總經銷處
台北市西寧南路一〇二號二樓

黨的興衰問題

·金炎·

一個黨的興衰，不是一句簡單的話說得了。但要約言之，亦可歸納爲兩端。一是其自身是否眞正成爲黨員的共同體。一是黨對國家社會而言，是否眞正係代表國家社會發展的方向。

指導幹部和黨員關係

黨裏面有一般黨員，有在一般黨員之上的指導幹部。于是有人便以爲黨是一個生物有機體，黨員是有機體中的細胞，而指導者是有機體中的神經中樞。黨員的作用是刺激反應，而指導者的作用便是控制指使。能這樣，黨便可以一往直前的强起來。作這種想法的人（例如陳果夫氏）忘記了一件事，即是居於指導地位的是人，是有感情有理性的人，而一般黨員也是人，也是有感情有理性的人。人的感情與理性可以交投互映，但歸結總是要由自己作決定，否則就是發育不全之人。一個黨的組織發展得很合理的，常常會推選一些優秀的人居指導者的地位。但這種優秀只是相對的，假定的，可變的。他與一般黨員的差別，決不會是像一般細胞與神經系統的差別。除非是由兩個星球的生物所合攏來組織的黨。並且眞正優秀的人，他的感情理性，上焉者有與物同體之念，次焉者亦會表現而爲忠恕之心，決不能亦且不忍覺得自己是神經系統，而其他同志是一般底細胞。共同體的形成，是根據人之所以爲人的人性之平等而自由的結合。惻隱之心人皆有之，羞惡之心人皆有之，辭讓之心人皆有之，是非之心人皆有之，在「人皆有之」的地方求得一種相對的共同承認，以形成一種共同行動。這一種共同行動的行動，在形式上常具備一種約束，並具備着上下的體制。但實質上，約束是來自各人的意志，是一種自律而非他律，體制是來自工作上客觀法則的擬制，此種擬制決不同於人格的不平等。因此，居於一個黨的組織上層的人，他的責任是在如何底去接觸黨員的眞正感情；如何底去吸收黨員的眞正理性；更如何底滙合黨員的感情理性將其凝鑄在一起，以釀成由百花採取而來的蜂蜜——黨的政策。蜂蜜不就是某一種花的分泌，而是每一被採的花的分泌之昇華。所以蜂蜜可以說是百花的共同體。黨是一種同志的結合，同志的感情理性是相等的，否則不應吸收到黨內來稱爲同志。所以這種的作爲不僅是應該，而且是可能的。

團結何以還有問題

國民黨從大陸來到台灣，創鉅痛深，由幾百萬黨員的大黨變成一二十萬黨員的小黨，其團結似乎不應再有問題。假定還有問題，則我認爲一部份固然是來自智識分子自身的弱點，而大部份則恐怕是來自黨的組織上的等差，不會代表黨員客觀能力和成績的等差，而只是代表一二人感情的等差。同時，居於上級的人，常常在幻想中把自己無限底擴大，把黨員則無限底縮小。黨的行動，不是來自黨員的共同意志，而是來自少數人的分泌物。少數人總想以自己的分泌物來把旁人孵化爲他身上的一個細胞，以便在自己的控制下作單純的刺激反應。這是屬於上帝的工作，任何人不是上帝，所以任何人也不能完成此工作。但是少數人居然好像變成了細胞一樣，其實戳穿了說，這只是暫時個人關直接利害的相持，那種細胞性根本是假的。個體與個體的直接利害的關係，是一種不安定的關係，是一種互相衝突的關係，是一種伸縮性最少的關係。這樣一來，黨便始終是在分泌物的共同體底幻覺阻擋之上，不能向眞正的共同體的方向發展。

國民黨所走的方向

自由中國的人民乃至全中國最大多數的人民，都是反共的。而國民黨正是反共的黨，在這一點上，國民黨是代表了國家社會的方向。但除了這一點外，國民黨到底是在那一種政治方向上反共呢？國民黨所站的方向，是否和國家國際的環境要求相爭呢？這裏我只舉出兩點事例：第一，三民主義半月刊，是國民黨的刊物。這一刊物前些時候出了一個政黨專號，裏面許多文章所說的政黨，幾乎都與現實的國民的形態有很大的距離。幾乎沒有一個人能堂堂正正的將國民黨現實的眞正形態加以公開的理論化。第二，國民黨對外所說的總是自由民主，但沒有一個人敢以自由民主的大原則，對國民黨的核心人物作一澈底而不牽强附會的檢討。因此，我便懷疑，國民黨執掌政策者目前所走的路綫，與國家社會所要求的方向，乃至與許多黨員經過理論反省後所認定的方向，在實質上恐怕有了不小底距離。難怪越是核心幹部便越反對在反共中的眞誠大團結。這樣一來，黨便在有形無形之中，不斷的與國家社會在發生摩擦。一個人沒有不受大社會環境的影響；所以凡是不能團結社會的黨也一定不能團結自己。

反省是眞正的生機

上述二端，只是我個人的一種觀察。我不能說我的觀察一定是正確。但國民黨當憂患餘生之後，應該容許人有這種觀察，應該鼓勵人把這類的觀察公開的發表出來，作平心靜氣的反省。反省才是眞正底生機。一種觀察所想說明的是客觀的事與理。只有在客觀的事與理上才可以衡斷某種觀察的正確或錯誤。用事與理以外的方法相爭持，那是毫無實際的。國民黨有公認的主義，有公認的領袖，有飽經滄桑的六十年的寶貴歷史，爲甚麼不能突破堵塞住理性之光的小小私利集團，而來一次眞切的反省呢？再一次光榮的再改造呢？

最後，我還想簡單的表現一點意思：我覺得一言而可以興黨，那即是「大家要講理」，一言也可以喪黨，那就是「只講刦持之勢而蠻不講理」。有人說，大陸亡，是亡於王芸生的兩篇文章，今日對於國民黨的領導幹部有所不滿的黨員，就是當日的王芸生。我只問，王芸生何以有這樣大的魔力，而其餘千千萬萬的人們何以都一錢不値底如同在咒術指揮下的殭屍？今日對國民黨的指導幹部稍有不滿的人，那一個不是在國民黨中有十幾年以上的歷史？誰個有資格可以一口氣誣辱這些人爲附匪之徒，加以附匪的重大威脅？這種說法，眞是達到了有所脅恃，蠻不講理的極點。

國民黨已經有六十歲了，已經夠成熟了。不是像嚇唬小孩子一樣的可以嚇得了的。但這種蠻不講理的人之得以積行無忌，正指出了國民黨眞正危機之所在。

蘇聯的「和平共存」戰略

·曾旭軍·

近日「和平共存」之呼聲甚囂塵上，最堪注意者，爲美國本身似正緩緩的傾向於成爲世界潮流的「和平共存」的理論。艾森豪威爾總統最近在波士頓講演說：「祗有充分理解各國有其各種不同去向的背後動機，即理解各種不同的國民傳統、感情、和希望，對於永久的和平才能有所貢獻。」如果政治感覺不太遲鈍的話，人們總可以看出這一段說話實[illegible]兩種不同的政治制度與思想主義有和平共存必要」的意思。

阻抑原理的運用

又艾克總統在十一月八日記者招待會中對蘇聯擊落美國飛機一事發表意外[illegible]的說話，道：「雖然有北海道的事件發生，戰爭的危機仍在遠去中。」這是表示在亞洲亦願息事甯人。

西方聯防立場雖然堅定，蘇聯對阻撓巴黎協定雖然無計可施，但布爾扎維克主義者有一個鬥爭原理，就是『不利的發展必須在最初顯現時及早破壞。』這個名堂叫做「阻抑原理」（PRINCIPIIS OBSTA）。蘇聯明知到巴黎協定難以破壞，但她要破壞的不是巴黎協定的本身，而是巴黎協定的功能，及由巴黎協定的精神與影響力的轉移到遠東。共產黨常力爭棋先一着的優勢。

法國固不得不簽巴黎協定也，然簽訂後便欲使美國同意開四強會議，或一歐洲會議，以求「和平共存」。英國固欲簽訂巴黎協定也，然在簽訂後必欲使西德作其障屏，然後與蘇聯開一「新洛迦諾公約會議」。我們從倫敦通訊知道：『倫敦政界人士，認爲一旦西德的戰鬥機飛翔在歐洲天空，德國師團擺在戰略地帶，那時便和蘇聯講價，便可以和平共存了』。美國固以簽訂巴黎協定爲大功告成，但務宜擺出和平姿態，急須掃除亞洲各國所抱的「挑撥戰爭不是蘇聯而是美國」這一個錯誤印象。也想造成共和黨政權維持世界「和平繁榮」的印象。目的亦在求「和平共存」。克姆林宮中人已看清了簽訂巴黎協定，並非是蘇聯的最後失敗，而是蘇聯和平攻勢漸生效的開始。我們應該提高警覺。試看西德總理愛丹諾已有與蘇聯訂立互不侵犯條約之倡議。

莫洛托夫的假動作

莫洛托夫之建議開歐洲安全會議是一着假動作而已。試想在十六天內召集二十餘國代表之會議，會期之促，並非捉襟見肘的輕率行徑，而是測驗巴黎協定簽訂後，各國的潛在意向的化學試驗酸性的石蕊色質紙（LITMUS PAPER）。果然給她測出了。法蘭斯不是說簽了巴黎協定可以開四強會議麼？邱吉爾首相不是說簽了巴黎協定要[illegible]國中間選舉民主黨微妙勝利，美國政府的首腦部門，對於共存可能性問題，頗再加以檢討的空氣已漸濃厚了。

這一個假動作有其冷戰的意義，這是和平大攻勢的前奏。可是蘇聯的和平攻勢並非可怕的。反之，愈見其內在的弱點，因爲蘇聯在不能用武力，或暴力，或其他陰謀破壞力，才不得不用「和平共存」的麻醉詭計。蘇聯國內已發生農業的危機，赫魯曉夫的挽救農業危機計劃已宣告失敗，中亞細亞已潛伏革命種籽。赫魯曉夫要求從紅軍中抽出數十萬的壯丁來「農業國」，一則增加農奴生產，一則可以鎮壓中亞細亞的危機爆發。這是紐約時報的倫敦通訊消息。

扭轉局勢不因人成事

共產主義是靠不停的擴張而生存。在西方她已無法擴張，現在她的目標在亞洲，所以現在就要看她的「和平共存」的陰謀是否能在亞洲得售。第一，要看台灣能否振作，如能擔負起代表中國大陸受奴役的人民渴望解放的意志，可以由國軍的戰力而發生內部反抗的力量。友邦發生了信任，自然給予精神及物質的鼓勵援助，必可扭轉亞洲的局勢。其次是要看韓國與日本的團結。日韓的民族性近於偏激，[illegible]一時雖以洗脫，但在赤潮洶湧威脅之下，當政者未必無冷靜的大局之辨別。故我們應加倍努力，推動東北亞聯防的工作。西方國家既獲穩定，如東亞的自由國家能奮力團結，自無採取張伯倫路綫之必要。在今之計，扭轉局勢當在亞洲自由國家本身爲先。決不能因人成事，仰求於人。

和平共存的來源

考「和平共存」之策略亦肇自蘇俄對亞洲之陰謀。自十月革命後，共產黨即開始[illegible]紐約報通訊[illegible]北平至印度[illegible]蘇俄在亞洲之計劃如何？在一九二〇年二月十八日[illegible]「我們在亞洲的計劃麼？和一切國家的人民工人農民和平共存。」

（下轉第二版）

半週展望

·李秋生·

杜勒斯的外交演說

美國務卿杜勒斯二十九日發表的外交政策演說，是美國對外態度一個綜合的說明，也是中共對美人誣陷判刑後對內對外一個總的答覆。杜氏表面上對中共做嚴厲譴責，表示將採適當對策，但另一方面，又斷然拒絕美人要求海空封鎖中共的建議。他的理由是決不被誘採取違反國際義務的行動，以致傷害自由國家的同盟。換句話說，就是共方儘管挑釁，美國則「立場不變」，始終堅持以和平手段解決國際爭端。站在美國人的立場，對此具何觀感，我們不須多作揣測；從一般的自由世界看來，這是唾面自乾，也是無意以打擊對付打擊。這是美國世界威權的低落，也是自由世界的示弱。

自由各國的聯合陣綫自然不容分化，但如果爲了維持這種同盟，連敵人的斷然挑釁都加容忍，則這樣同盟的機能也就可想而知了。

當中共擅判美人軍刑之初，英政府態度竟堅決的支持美國，指斥中共，使許多人感到相當異外。現在事實明白了，那一支持是有相當代價的；就是英方出面支持美國，美方則必須尊重英方意見，不得採取斷然的報復行動。如此美英政策不致參差，雙方陣綫也完整無恙。

至於此種態度在對俄共冷戰中的得失如何，却是另一問題。

又是「共存」說在作祟

近頃種種跡象，都顯示東西共存之說，較前更見盛行，即有中共適在此際做出不合時宜的挑釁行動，至多只引起一點微波盪漾，並不影響共存說者的根本立場。西方此次拒絕蘇俄三十四國歐洲安全會議的建議，好像壁壘森嚴，並不動搖，然而骨子裏却是準備在巴黎協定生效之後再行舉行對俄談判。即在杜勒斯演說中，也表示着「並不排除國際會議的舉行，即對於敵對者也不例外」。這明明是開敞着門戶，準備未來的國際交易。這樣就無怪諾蘭重提共和黨在兩年前競選中所提解放政策的口號，竟只有孤芳自賞，而連以海空封鎖中共的建議，都不爲當局所採納了。

問題還在我們自己

杜勒斯自己也承認共方在歐緩和，在亞挑釁，但他的對付方策却是在歐堅强（即使是表面的），在亞軟弱。他的根本政策如此，就無怪有關自由中國的種種謠諑紛傳，儼然是另一慕尼黑在準備重演。

我們不相信這些謠諑，也不認爲新的姑息眞能實現。問題還在我們自己。我們不是沒有力量左右國際的政治動向，只看我們是否能做有力有效運用而已。

又一項荒謬的傳說

有關自由中國的種種離奇說法，最近迭有風傳，我們並不相信其都有堅實的根據，但是空穴來風，也必非無因而至。例如昨天路透社華府消息，就轉載美國新聞與世界報道雜誌一項報道，說美國正迫使中國政府接受台灣形成獨立國的要求，由美國加以支持，而把聯合國安理會席位讓給中共。這其實已經不是個新的消息。我們相信美國務院發言人對此謬說的否認；四個月前曾爲法國在日內瓦會議中有關越南問題的屈辱態度深表憤慨的美當局，應該不致做出比孟德佛郎斯更荒謬的舉措。另一方面，自由中國自有其獨立的國格與人格，海內外千餘萬人的集體意志，只要立場堅强，有以自立，決不致受國際政客們任意擺弄其命運。然而世界新聞與世界報道是對俄共立場相當堅强的刊物，其刊載此項報道斷非爲姑息主義張目。這種陰謀實際上發展到何等程度，美當局是否已爲所動，是另一問題，但却是當前國際低潮中必有的醞釀。

鳩山一郎的抱負

由之譯

日本下任首相呼聲極高的鳩山一郎，最近已當選爲新民主黨總裁，他在接見美國「新聞週刊」東京分社主任柏肯漢時，曾大談其未來的抱負。

你目前的主要興趣是推翻吉田，爲什麼你認爲應該如此？

吉田是一個外交人材，他當總理的時候，言行也有如外交家一樣。任何事情都秘密地保存在他自己腦子裏。無論大小事情，他對人民從未有確切的意向宣佈。

今年自由黨派駐名古屋，仙台和大阪的競選經理，都絕對拒絕請吉田代該黨發表競選演說，因爲他們認爲這將危害自由黨勝利的機會。

你對吉田最近的海外之行作如何看法？

總理出國遠行，這是一個危險的時候，但我認爲愚弄機會乃是吉田先生的特徵。

人家常常說吉田的生活是極端簡單的，但最近他的大礮別墅已大加改建，利用日本最貴重的木料，依照西式建築而加以擺免，裏面安置着寬大的沙發與外國傢俱。在這種國家經濟情況惡劣的時候，這些舖張並不能顯示出一位總理的[illegible]。

吉田以首相身份首次訪問他的故鄉四國島的高知縣時，他也表現了同樣的態度。他獲悉四國鐵路僅有二等及三等車廂，乃命令將頭等車廂用船自大阪運到四國，以備他旅行時乘坐之用。誰不知道日本現在正處於戰後特別艱苦的時候，即使在承平寬裕的時候，日皇也不會讓臣民替自己作如此勞民傷財的安排呀。

我感到吉田並不是那種匆忙，性急及好動的人，他憎恨接見那些不必要見他的人，而他在原定計劃坍台後，竟還立意去國外跑一趟，這是他女兒堅持的結果。

你認爲他這次出國有若干確定的目標嗎？

如果他果有任何特別的目的，他也決不會透露的。

一九三七年，當吉田出任日本駐英大使的時候，我曾出國旅行一次，倫敦也在我旅程之內。不久前，我記得我曾一度勸告吉田，促他去訪問倫敦及其他地方，以表示日本對其他國家協助的謝忱。

你確實預料國會會於本年解散嗎？

政治上普遍的意識是，吉田應該退出政治，但由於他的個性，吉田可能故意硬着頭皮來幹一下。

如果情勢一直對他不利，他可能有兩條路可走：本人與內閣一同辭職，或即解散國會。在這兩條路中，他無疑地會選擇後面一條，而迫使舉行全國普選。

我敢說，如果他選了解散國會的道路，全國普選揭曉後，他一定不會再獲得總理職位的。

如果你繼承吉田，你的抱負怎樣？

由國際觀點來說，我同意十月九日邱吉爾在黑池發表的聲明：「西方必須強大。」日本在這一方面的態度是外間必須瞭解的。

我們必須和平，日本必須繼續站在西方一邊，必須與美國保持密切接觸。阻止戰爭的根本力量乃是美國的實力。我們其他國家必須團結一致，與美國組成一條合作的陣綫。日本必須重整軍備，並應該自己擁有防衛部隊。

從國內立場來看，我將與人民保持密切的聯絡，人民有權知道施政的情形，但現在他們宛如置身暗室，一點也不明白。日本弄到今日這般地步，現政府實不能辭其咎。我們必須讓人民明白，政府正在盡力來改善他們的情況，因爲這是政府的責任，這也是遏阻共產主義的重要條件。

在現在這種時候，最重要的是，人民必須愉快的工作，對未來懷滿希望，並須獲得當局的幫助與鼓勵。有許多小事情對人民的印象很深，日常用品如香烟、電力、交通及報紙的價格應予減低，我認爲勞工大臣的地位是特別重要的。

現在一切都已過去了，你對美國佔領期間所施的整肅有何感想？

我一切都忘懷了。

在台東吳復校始末

台灣第一間私立大學

盛載揚

【台北通訊】今年五月政府改組，教育部宣佈將私人興學政策放寬，私立東吳大學首先奉准在台恢復法學院。

東吳大學醞釀在台復校，遠在民國四十年秋天。當時該校同學會熱心教育人士如陳霆銳、江一平、端木愷、丘漢平、桂崇基、查良鑑、[illegible]、姚淇清、施季言、謝然之、[illegible]等，即集議復校，並先設法商文三科補習學校於台北市漢口街。第一任校長爲丘漢平氏，四十二年八月繼由施季言氏接充。[illegible]年來，因格於當局教育法規，始終未能[illegible]，成績甚著，羅致法學名流，擁有學者以博士學位任教者達四十餘人，人才鼎盛，稱盛一時。

[illegible]興學[illegible]寬後，當局同意該校董事長王寵惠[illegible]同教務長呂光於七月六日呈請教育部准請復校事宜，張部長其昀，當即表示嘉許，於七月二十七日批准東吳大學法學院在台恢復。

該校奉准在台恢復法學院後，即積極籌組董事會，並於八月二十一日舉行第一次董事會議，到董事陳霆銳、江一平、端木愷、[illegible]、施季言等十餘人。一致推定陳霆銳先生出任法學院院長，施季言爲校舍建築委員會主任委員。九月初公告招考新生，計報考法律、會計、政治、經濟四學系學生二千六百餘人。九月十八日放榜，正取新生四百人，十月七日正式開始上課。九日假台北市中山堂舉行首次開學典禮，到該校校友、教授、學生、學生家長約二千人。極一時之盛。

東吳法學院民國四年創辦於上海，十四年經教育部正式立案，廿四年夏，司法院又特許設立。迨三十八年五月，上海淪陷爲止，法律學系畢業三十二屆，會計學系畢業九屆，合計畢業學生約一千五百餘人。三十餘年來人才輩出，社會早著聲譽。今茲復校，當能本過去之良好傳統，力求發展也。

編者 讀者

「絕轡」即鮮卑新證

△趙尺子先生來函

編者先生：

年來鄙人提倡「西伯利亞」應正名爲鮮卑利亞或鮮卑地方，（中略）雖經許多史地學者表示同意，例如錢穆先生函鄙人云：「足下主張西伯利亞應正譯爲鮮卑利亞，洵爲不磨之見，抑且於各方面有甚大之貢獻」，日本方面尤表重視；但我主管地圖（內政部除外）及地理教育之機關，如國立編譯館，聞即以八票對八票，否決此一史實及地理實，並聞某某等史地學者揚言：「西伯利亞如改爲鮮卑利亞，將使×國人認爲中國係帝國主義」云云，使人對於此一代及千百代兒童青年史地教育，不免悲觀矣。

關於「絕轡」乃鮮卑另一譯音，近又獲得新證，且係確證。按：「絕」亦音「徐」，（「轡」音「必」，毫無問題），見唐陸德明「莊子釋文」：故「絕轡」確音「徐必」。而鮮卑在漢代則音「胥紕」，見史記匈奴傳。「徐」「胥」乃一聲之平仄，「必」「紕」亦係一音。於以知「絕轡」確即鮮卑。——鮮卑利亞經黃帝命名爲「絕轡之野」，此一史實之發現，勢將有助於上古史之重寫。希望中外史地學者就此賜教。

趙尺子於台北十一月十八日

柯林斯赴越的風波

美國前美軍參謀長柯林斯將軍這次奉命[illegible]赴越南處理特種工作，消息發表之初，[illegible]。

[illegible]

前柯林斯一直表示不滿，柯林斯反對擴大戰略，曾受到他們的激烈抨擊。前幾月麥列特東來考察之際，曾一度盛傳他將[illegible]，現在此職竟落在柯林斯的身上，[illegible]消息雖不一定的確，但也不能不令人相信。

威爾遜當頭棒喝

[illegible]改選，民主黨以倒壓[illegible]參院獲得多數席次後[illegible]的兩位閣員，將受到[illegible]會的最厲害的抨擊，一爲內政部長麥凱，一爲[illegible]威爾遜。麥凱所將[illegible]的保守性政策。至於[illegible]遜的，目標會集中在[illegible]的減縮上。

蘇俄大力拉攏狄托

[illegible]狄托企圖拉攏南斯拉夫[illegible]，現在已有了更多的新證據。據悉：馬倫科夫已派定一私人代表駐在貝爾格萊德，聞說服狄托，並擬在多瑙河上的某中立小島上，安排馬倫科夫與狄托舉行秘密會議。此外，羅馬尼亞，匈牙利及保加利亞的反狄托組織又已先後奉命解散，今後幾月南斯拉夫的動向如何，實值得西方國家密切注意。

天下小事

彭蒂柯夫西藏探鈾

據印度東北邊境加爾各答傳來的消息說：一九五〇年自英逃亡俄國的義籍原子科學家彭蒂柯夫刻正逗留西藏探測鈾礦儲量。他的家庭則住在克里米亞沿海的一座精緻別墅中，彭蒂柯夫爲共黨忙於鈾礦的探勘，東奔西走，一年之中家人難得有幾次聚首。（孟衡）

蘇聯的「和平共存」戰略

曾旭軍

（上接第一版）

七年以後史太林對美國工人代表團說：「余以爲兩相反對的社會主義制度和資本主義制度，並非不能妥協。余以爲此種妥協係可能，及適合[illegible]宜的。」共產主義理論家曾解釋這個理論的戰略。在一九三五年曼努爾斯基在第七次共產國際大會說道：「蘇聯並不需要對外作戰去改變世界，人民自己將起來反對他們自己的壓迫者，因爲蘇聯不需要戰爭[illegible]在兩個世界制度的競爭中得勝，社會主義制度[illegible]顯示其優於資本主義制度。」由此觀之，今後蘇聯必然在原子競賽僵局中加緊加強「和平共存」的戰略之運用。同時，這一戰術[illegible]我們東南亞必須警惕注意的。

東南亞高級專員 麥唐納的苦悶

——祝修衡

人·物 述·評

麥唐納馬康氏，最近獲得第五次蟬聯英國駐東南亞高級專員的職位，在馬來亞人看來，是頗爲歡迎的。惟保守黨政府不免大傷腦筋，因爲他們考慮到，英國對馬來亞政策，如以傳統的殖民地觀念爲出發，則目前的緊張局勢，非但不易維持，可能會助長共黨潛力的擴張。倘若完全依據麥氏的意見，殆將完全喪失這殖民地的利益。

緊急狀態何時結束

邱吉爾政府的決策官員，對馬來亞曾擬定了一個原則：對馬來亞的共黨恐怖匪徒，作有限度的進剿，不使它完全消滅，或驅逐於境外。這樣，即可使馬來亞的獨立延擱時間。因爲依照不成文的諾言，馬來亞要到「緊急狀態」結束之後纔能統一獨立建國的。

馬來亞的「緊急狀態」何時結束？英國人始終避免正面回答，連麥唐納本人的態度，現在也是如此；不過他並未忘懷，獨立諾言，畢竟是他和故聯邦欽差大臣葛尼所提供的保證。

最近麥氏在訪問美國時，曾向美全國記者俱樂部發表演說，提及有關東南亞局勢：「我們在馬來亞[illegible]如何表現誠意[illegible]，而使他們成爲現代的自主國家的；我們亦以深切的誠意，在馬來亞[illegible]同樣的目標。實則馬來亞[illegible]如僅爲一種民族，則他們今日當可能如其他國家的獲得獨立，但當地情形不同，致使完全自治之舉，成爲一較遲緩的程序。」

馬來亞的民族陣綫

事實上，馬來亞人口，華巫共佔百分之八十以上，印巴僅百分之十；印巴和其他錫蘭、白種、混血種少數人並無實際政權。[illegible]

麥氏堅持反共立場

麥氏沒有官僚氣，喜歡接近平民，他在訪問婆羅洲時，曾和土王的公主「拍拖」，[illegible]

反對和中共妥協

[illegible]

論何，如[illegible]亞洲問題」時，似乎還需要他這個人的。

第一流政治家的聲譽

他今年五十四歲，一九〇一年生於北蘇格蘭。[illegible]

西漢易學通論（二）

·毛以亨·

讀易的意義與方法

易經內容的分析

　打開易經內容一看，只是卦爻與其各種說明，但是朱熹所謂古代廟宇裏的籤詩。卦既非一時所成，說明更非一時所書，其雜揉是顯然的。其假托爲伏羲、神農、黃帝、文王、周公，孔子的作品，亦是根據古代之傳說而已。汲冢出土的易經，並無繫詞傳，則繫傳以下出於戰國之後可知。以其文章結構來研究，則爲秦漢文字，孔子似乎沒有一個字遺傳下來。始皇焚書，易以卜筮不焚者，也許因其只有卦而無文字的緣故。若如後來易經的內容，則與詩書百家言何異，豈有不焚之理？

　十翼本是後起之說，孔子也許與易根本沒有發生過關係，論孟沒有提到易，五十以學易，魯論本爲亦字。古書上提到易經者，首爲莊子之天下篇，與天運篇，此爲道家言，而非莊子自己的話。太史公首先重易，他是道家，且本職爲天官，修史反非其本職。西漢六經之次序，本爲詩書禮易春秋，太史公自序，始改而置易於首，東漢承之。也許因爲易與道家及天文五行有不可分之關係，故太史公採孔子讚易之道家傳說，而道家之書，則十九皆寓言而非事實。

　把這些雜亂而附會的傳說澄清，始可將易的內容分析明白。現在的易經，有上經三十卦，下經三十四卦，並附以十翼，即繫詞上下，彖詞上下，象詞上下，文言，說卦，雜卦。茲分別論之：

論卦

　第一爲八卦：即☰（乾）爲天；☷坤爲地；☳震爲雷；☴巽爲風；☶爲山；☱兌爲澤；☲離爲火；☵坎爲水。三畫的八卦，六畫的重卦，大概是周人改殷人之卜爲筮所必要，至春秋時代就盛行起來了。左傳對於卜筮均有解釋，等於籤必有詩與註，集其佳作，即爲彖象了。緣八卦之形由起，先必爲一畫，或斷或續：其續者爲天，且續之不已，必爲圓形；其斷者爲地，時斷者排列起來，最整齊者爲方形。故曰太極生兩儀，象乾坤混沌之狀，取太極圖以與西洋人未有理性分析之前宇宙觀來比較，亦殊相似。至兩儀所生之四象，則爲二畫了；所謂太陽二，少陽二，太陰二，少陰二者是。至八卦則爲三畫，故乾卦則較太陽爲盈，而坤八卦則較太陰爲虛。但八卦不僅發展至三畫爲止，揚子雲發明四畫之八卦，陳摶，邵康節承其學而作四畫，五畫之八卦，以至六畫爲止。但六畫以上，即不再發展下去了。象不再以畫數來象徵，而以方位來代表幾何的觀念。且畫數太多，則有數而無象，索性以奇偶之數來代表數理觀念，故朱熹說，「天下之萬數，出于一奇一偶。」

學術最初未分類

　學術在最初本混在一起，以說明宇宙之體用，到了後來，觀念發展至不能盡包，即非分別處理不可。八卦只有與印度希臘相同的地水風火，而無金的觀念，已不能全包五行。故五行最初在易經中說明，即覺勉強始終非分立不可。陰陽本像日月，以明四時與晝夜，然發展至紀年月，即非納入干支不可，則文不能再混在易經中，而非獨立爲古天文不可了。數在實用上，吾人總覺得邵康節的數字已太龐大，且有方根，亦够複雜。然在思想上，即嫌其太不發達，與過于簡單，致令在天文上，不敷應用。此爲應分而不分，使象數仍混在易經中說明之咎。易學如此只有走到錯誤與荒謬的途徑上去，亦就是象數在易經中無出路的佐證。

易經的說理部份

　易經祗夠說理一項，等於西洋哲學中之抽出科學與神學，仍可爲綜合說明之用，且在科學史上之地位，仍不可磨滅。但至說理階段，則八卦已居次要地位，而繫詞傳與諸卦之彖象，與乾坤二卦的彖文言，以及說卦序卦，因爲說理故，魏晉以至唐宋，遂居重要地位了。中國人在魏晉時，以易與老莊爲三玄，朱熹以參同契先天圖與河圖洛書言易，蘇洵父子以佛說言易，雖參象數，亦爲因象言理所必然。但儒家亦不示弱，張載之理氣說，爲思孟學派之宗，爲宋儒言易之本。蓋中庸的原理，見於乾坤之彖辭，在漢代，孟子，大學，與禮記上許多文章，因與易經及中庸相表裏，其思想與文氣是一脈相承的。（未完）

讀「台灣灘頭堡」（上）

沈秉文

費吳生夫人著　湯象譯　亞洲出版社出版

（一）

　這是亞洲出版社最新出版的一部譯著。從書名驟看，似乎祗是一部以台灣爲範圍的報導文學；但細讀之，它的內容和價值卻遠比書名所能包涵的更爲深廣而且重要。

　該作者除了舉其犖犖大者地報導了台灣一般重要的現狀外，並以幾及全書三分之二的篇幅探討了斷送大陸的原因，批判了美國對華政策的錯誤，揭發了美國共黨及其同路人操縱對華政策的陰謀，說明了中國復興的趨向，且向美國當局積極地提出了今後處理亞洲事務，特別是中國問題的正確建議。其中尤其對於揭發美共陰謀及美國對華政策的錯誤方面，不但詳盡精闢，且有甚多內容，係屬於從未公開的極有價值的政治秘密。今天看來，雖已大多時過境遷，但我們中國人民今天因此而所受的苦難，却正在水深火熱之中；當作者一旦舉例引證告訴了我們以往這些美國對華政策的「內幕」之後，便不免會令人擲書三嘆，感慨萬千：

　歷史對於罪惡和錯誤的見證，確實是「酷殘」的；而這種見證，恰足以反映了公道自在人心。這一點，不僅作者已經沉痛而又欣慰地一再加以說明，且作者本身以一個美國記者的立場在寫這本書的時候，即是一種極公道的行爲。由於這本書的內容不凡，筆者特以較多的篇幅，予以介紹。

（二）

　大陸究竟怎樣斷送的？因素固然很多，當時中共的攻訐和離間，一般人的錯覺，以及國際上的責備，則似乎都集中在政府的「貪汚無能」四個字上面，很少有人能將眼光移向美、蘇兩國起決定性作用的行動上，加以虛心而公平地看一看。這幾年來，國內外的看法雖已有了根本的改變，但仍嫌模糊。現在作者在她的探討，揭發和批判中才有系統地肯定了它的主要的因素。現在誰都已知道：中國決不是內戰，而是自由與極權兩大陣營間的一役。可是當年蘇俄在一手扶助中共東從內攻的時候，美國方面却反替蘇俄和中共張目，乃至替他們對我們作「釜底抽薪」式的破壞。先有中共是「土地改革者」而非「執行蘇聯路綫的共產黨」的看法，纔有馬歇爾的干涉和牽制，復有軍經援助的削減和扣壓乃至暗毀（暗中毀壞軍火使不能使用）的「制裁」，到後來甚至投井下石地發表「白皮書」予以「一筆勾消」。

　作者指出：蘇俄從未犯過忽視中國的錯誤，他們深知中國對於整個世界的重要性而全力攫取之；美國則否，當年美國的遠東司司長艾立遜曾親口對作者說：「別管那邊（指中國）的閒事吧」，雖然，他現在已自認錯誤而完全改變。

　作者指出，現已「名譽毀敗」的太平洋學會，當年就是替中共在美國展開反我國政府活動及將其分子滲透對華外交政策部門的大本營。他們之中，有外交顧問，決策人員，作家，乃至軍人。有名的拉鐵摩爾是此中的主腦；巡迴大使耶塞普是制定「白皮書」的總編輯；所謂「民主遠東政策委員會」原來就是美共的御用組織，當時美國務院的遠東政策竟就是這個組織所決定的「方案」的翻版；遠東司裏四個同名的約翰（約翰•范宣德、約翰•史德華•謝偉思、約翰、戴維斯、約翰•艾立遜）的政策人員竟都是認爲「中共是土地改革者」和「毛澤東是狄托第二」的一派人物；而國務院於一九四六年舉行對華政策會議時，在二十五個委員中，竟有十七個是親共的「太平洋學會」的份子，他們在拉鐵摩爾的指揮下操縱了會議，倒行逆施地議決了扶助中共和壓倒我國政府的「外交政策」。

　作者復肯定地指出：是美國對我政府的停止軍援或遲延或供給毀壞而無用的軍火使我政府在軍事上失利，是美國的對華政策使我政府在政治上陷於瓦解，是美國的經濟「制裁」使我政府經濟崩潰並失去人民的支持，是美國的「白皮書」扼殺了我們保留大陸一部以圖挽救的生機，……總之：造成我們今天這種局面的主因是美國，而惡果所及，非僅我們中國人身受其害，即美國人和整個亞洲人亦同罹浩劫。這實在是一個悲痛而可恥的大悲劇，雖然，美國現已從痛苦的教訓中承担了挽救這個悲劇的主角。

讀者論壇

重官主義與派系觀念

　「自由人」第三八二期張仲文先生的「高等教育的趨勢」，他慨嘆於「今天自由中國思想及教育上二個大問題是崇拜大官，是做官萬能觀念。」讀者不禁深有同感，同時聯想到派系觀念之爲害，亦不下於「重官主義」。

（一）

　張先生指出崇拜大官的事實，只是籌備政治大學一點，其實這種風氣在今日台灣甚爲普遍，不僅限於教育界；教育部之重視大官，亦不限於籌備政大一事。學術審議會委員之聘請，有些人也是由其是大官的關係而來的。至於其他方面「重官主義」的例子，更俯拾即是。如以前幾屆高等考試的典試委員，差不多都是大官，（最近兩年算是糾正了。）又如公營事業機關的董監事，多半是做過大官的。又如行政院的設計委員會委員，幾乎全是過去省主席，委員，廳長之流。令人有該會是一個安置下台大官機構的感覺。但是其他流亡來台的社會文化界人士，則似乎未受到政府同等的重視。

　自然，這並不是說做大官的都是不學無術之輩。今夏台灣大學因程天放浦薛鳳兩氏做過大官而拒聘其爲教授，那是矯枉過正的笑話，或者如一些人所說是教授們對於大官的「酸葡萄心理」的表現，因爲程浦兩氏本來就是老教授，豈能因其做過官就認爲不能再教書？我們要說的，是本來不是在學術上做工夫的，只因做過大官，便變成萬能，好像什麼事都能做，而事情未必做得好。此種風氣一成，無形中容易養成青年崇拜大官的心理。

　重官風氣之表現於一般社會者亦不一而足。如開什麼會要請大官訓話。各種紀念儀式以請到大官或其題字爲榮，結婚必設法請大官證婚，乃至辦刊物亦要大官寫文章，文章排版又每以官階大小至定其先後次序。

（二）

　也許有人認爲這不過是一般社會崇拜大官的虛榮心理，不足深論。讀者以爲今日台灣社會所有的若干不健全的風氣之中，還有比「重官主義」更要不得的，那就是派系觀念。大陸失敗的原因固非一端，但黨派之互相傾軋，將派系利益置於國家利益之上，實爲失敗的主要因素之一。我們承認政府退處台灣以來，確有不少進步。但由於台灣的安定，搞派系的老毛病似又有再發之勢。其著例如民青兩黨之內鬨，現已過去，最近台北某刊物有一段記載，說是有一位立委指責派系問題，大意是國民黨以泯除派系號召改造，現在舊派系打倒之後又有產生新派系的趨勢。我們黨外人，不知道內情，也不知那位立委本人是否也有派系，但國民黨是執政黨，其成敗利鈍和國家民族以至每一個自由中國老百姓的前途都有密切關係。我們希望的是國民黨能精誠團結，銳意圖治，大家才有返大陸的機會。担心的是舊疾復發，再難康復。誰都知道搞派系者無不是心胸狹隘，植黨營私。同派系者，庸材必用，非圈子內者好人亦受排擠。台灣的圈子本來很小，一方面有所動作，另一方自然反應甚速。於是摩擦頻生，倍增怨氣。這決非「和氣致祥」之道，與今日海內外所期望的中興氣象，實相去太遠。派系的根源來自黨，影響則及於行政機關，公營事業以至教育團體的每一角落。此種風氣如不能及時改革，其於國家社會各方面所引起的危害，實比「重官主義」嚴重十倍。

（三）

　教育部張部長最近在立法院答覆質詢，強調養成優良風氣之重要，可謂切中時弊。但我們同意張仲文先生的看法，以爲樹立良好風氣，教育部本身即負有領導的責任。張部長就任不過數月，一改過去教育部消極無爲的政策，除恢復政大外，諸如准許創辦私立學校，開放留學考試等，已博得好評，但願其更進一步，認真守住文化學術的立場，不稍寬假，以改革時弊，樹立新風氣，首先糾正目前的「重官主義」與派系觀念，則風行草偃，造福國家，自然不少。

·陳守鄭·

當局調查私校收支

教師待遇可望改善

　教育當局對私立學校教師生活，向來非常重視，教育司且曾一再要求各校注意，使「可恥的待遇」不再存在。然而除了官校，補助，津貼的學校教師尚能比照標準支薪以外，各私校教師始終難望改善，且當局亦並未認爲必須調整，又無適當的標準，因此，各校對當局勸告，多數置若罔聞。目前教育司有鑒於學生衆多，學校太少，各私校均患滿額，教師生活是否安定，對教學實有重大影響，特製訂一種括有校名，教師姓名，登記編號，每月薪給等數十項目的詳細調查表格，分別發給各級私立學校，限期填報，其中比較重要的，如學校經濟情況，收支情形，尤須詳加列明精確數字。

　當局認爲每一教師，必須維持最低限度生活。但此等教師，除非曾向教育司署登記，持有暫准執教的許可證，始能填入表格，因表格中特別規定有「登記證號碼」一欄，未經許可的「黑市教師」，在教育當局原亦認爲不容存在。可是今天教師中待遇最差的，似無過於這些未被認可的「黑市教師」了。這一份調查表所列學校名稱及其收支情形一欄，係備以由當局核算及考慮該校在調整教師待遇之後，經濟上能否負担，而每校且必須規定除去一應開支，淨餘百分之三十合法利潤，用以增添學校設備，或者擴充校舍，否則，將該校學費酌量提高，絕不使其收支相抵不稍留有積餘者。

　然則教師待遇提高到若何程度，目前雖未作此考慮，一般認爲至少月薪不至低於一百八十元港幣，視各校經濟狀況再作適當增加。關於甲級教師的待遇，無論何等學校聘任，必須依照教育司核定的標準薪支給。就目前情形看來，各私校聘請甲級教師者極少，即獲補助津貼的學校，亦並不甚多，祇有官校，幾佔百分之九十九均係甲級教師。雖然，乙級教師待遇同屬亟待調整，使其接受訓練而晉升爲甲級教師，自亦不容再事稽延。再說，許多「黑市教師」之中，未嘗不可能發掘優良的師資？但迄今爲止，當局從未作何考慮，倘若將「黑市教師」予以甄別，選擇其確具優良品能和教學經驗者，准予登記爲乙級教師，不但使他們的職業有了保障，待遇同告調整，生活自將安定；對於教學既能安心，其貢獻之大，固毋待贅言，當局何以不加攷慮及此！

中共的恐胡病

馬五先生

自由談

大陸上的中共暴徒，最近又掀起了一項文化整風的惡作劇，以北大的學人俞平伯所寫關於紅樓夢的研究文字爲題材，羅織成詞，大興罪獄，說是要肅清資產階級之實驗主義的「胡適思想」餘毒。胡適的思想體系是怎樣內容，何以在中國文化界有那末大的流毒潛在，値得共產暴徒坐臥不安，大張撻伐？杜威的實驗主義哲學思想，在歐洲學說界固然沒有甚麼地位，即在美國又何嘗是衆望所歸的文教大宗師呢？然而，中共暴徒却這樣地重視驚駭着，而提出「胡適思想」的口號來大力整風，這對胡博士個人來說，眞是足以自豪了！

我看中共暴徒的整風作用，實與杜威的實驗主義哲學思想不相干，祇是爲要鎭壓國內知識份子普遍對秧歌政權的反抗情緒而然的。因爲胡適與北大的關係頗深，而北大的師生又瀰佈社會各階層，許多由「美帝」教育出來，且與北大或胡適個人有關係的學人，如周炳琳周鯁生這類人物，仍隱然爲大陸上的知識青年們所崇信。乃提出「肅清胡適思想」的口號，而以俞平伯作首先開刀的替罪羔羊，殺雞嚇猴，實爲一種恐怖心理的表現。如果秧歌王朝的內外情勢再惡化下去，很可能藉「胡適思想」餘毒的口號，要對知識份子來一次流血的大屠殺哩！

敵人對胡適這樣仇視害怕，我們呢，有些自命爲反共抗俄的英雄烈士們，也聽不得胡適所說那套卑之無甚高的民主自由言論和主張，訑訑拒却，申申指讁，不知將還甚末文化思想的力量來奏反共復國之功？朱舜水有言：「滅虜之策，在事事與虜相反」。若事事以虜爲師，而欲滅虜復興，殆所謂非愚即妄也已！

記劉麻哥

・猖士・

（一）

劉成禺是湖北籍參加革命最早的一個人，他當清末在日本留學，其初和保皇維新派如梁任公等來往，後來見到孫中山，受革命思潮激盪，便加入同盟會，和馮自由、胡漢民、章太炎諸人，不斷地著論鼓吹革命，和馮自由尤爲相得。劉氏一臉大麻子，從孫先生起，人人都叫他「麻哥」。他風趣得很，自己也常以麻哥自稱，同時還有一個大麻子是李根源，人稱他爲「李康子」，因爲這三字，很像李麻子的字形故也。

（二）

章太炎在蘇州做六十歲生日，那天這兩位麻翁都到了，章氏見客人中有帶照相機的，忽然高興地拉着這兩位麻翁說，來！來！我們照一張像吧，章氏坐在中間，叫劉說：「你是麻哥，應坐上首。」又叫李說：「你是麻子，應居其次。」這張相片，曾刊於上海時報畫刊，劉氏和胡展堂唱酬最多，不匱室詩集附載劉作甚多。在民國初年，國會議員，袁世凱稱帝，他做了幾十首洪憲紀事詩，自加註釋，於袁政府內幕新聞，多所報道，可稱史詩，以前蘇州章太炎主辦的華國雜誌，曾有連載。

（三）

三十四年，劉氏七十歲生日，馮自由送壽詩五首，現在寫在下面：其一云「漢高譜裔產禺山，少讀奇書江漢間，遠放梨洲走三島，雄談排滿變厥頭。」第一句說劉氏在番禺生長，清末去日本學陸軍，曾奉孫先生的命令，在留學生大會演說排滿，被滿清剝除學籍。

其二云「秀才造反開三楚，獨立宣言新廣東，永樂樓頭湖廣會，主賓豪氣奪元龍。」所指晚清辛丑年，馮和劉氏等發起廣東獨立協會，壬寅年又發刊「湖北學生界」一次孫先生約集同志在橫濱永樂樓宴飲，都是兩湖和兩廣籍的人，孫公說那次的會可稱爲湖廣大會。

其三云「太平實錄紀天王，殿撰文章一瓣香，首揭逸仙神聖序，漢家正統在綠攘。」清末劉氏一度在舊金山著太平天國戰史，文章足與太平天國的狀元媲美，孫公爲之作序刊行。

其四云「萬里西游拓大同，壯夫偉論豁愚蒙，康梁謬說如冰釋，海外聲聲頌漢公。」甲辰劉氏主持舊金山大同日報主編氣，高談革命，保皇餘氣，一掃而空，「壯夫」和「漢公」，都是劉氏的筆名。

其五云「滄明反覆致公堂，汝我同稱兩棟梁，二度解囊恢漢業，獨憐中道失環昌。」辛亥黃花岡之役，馮劉二人在舊金山致公堂組織洪門籌餉局，以助革命，唐繼堯當大同日報社長，民國四年病死，以上五首詩，都是清末民初革命史實，可作史詩看也。

次韻答毅庵

・懷冰・

角逐中原馬不前，漫言治國若烹鮮。坐忘碧海屠鯨手，來諗賓筵伐木篇。各有豪情添一石，共催華髮入中年。平生愧答交親意，浪得浮名亦偶然。

寬章遷居招飲喜賦

・郭敏行・

五載同飄泊，天涯結比鄰。處繁嘶弗及，論變勉堪倫。狂論唯君賞，畸行孰與嶙！久交眞性見，喜子氣如春。

自我毀滅

・短篇小說・

・洛琦・

姑母本來有很多話想跟她說，看見她已熄了燈，以爲她玩得倦了，該讓她早些休息，也就沒有走進她的房間，隨手把門帶上。那曉得今夜的潔琪，卻實在不能瞌眠。

夏夜的風，雖然使人覺得特別爽快，但對潔琪，祇會帶來煩躁。她憑窗眺望，眼前一片黑暗，彷彿正象徵自己的前途。她不時把手揉着被風吹亂的頭髮，悠悠地作着回憶。

這時，義杰獨個兒開着車子，一路上也在想着這天的情景，他們有着同樣的悵惘。

機場上，一陣熱鬧，夾着凄切的離情。很多送義杰的親友們，都已到了，在這些人中，潔琪是最沒有送行經驗的，尤其送的是愛人，她心裏祇覺得慌亂。剛剛相逢又要分離，命運多麼慘酷啊！她遠遠地就看見義杰擠在一堆人中間，脚步不由自主的放慢了，似乎愈向他走近一步，便增加一重傷感。她不敢再往下想去。

「潔琪！」義杰一眼看見她，就從人堆中跑出來，攙住了她的手：「爲什麼來得這麼遲？」

「我眞想不來了。」她祇淡淡回答。

「爲什麼？」他訝異地說。

「這樣的情景使我覺得害怕。」她差不多哽咽得說不出話來。

「這不過是暫時的別離啊！我們以後可以常常通信的。」他想盡力給她安慰。

聽了這句話，她才勉強露出一絲笑容。

人叢中好幾個人都是和潔琪認識的，他們帶着奇異的目光，望着義杰挽着潔琪走近來。

在花束堆裏，義杰祇拿起了潔琪送的一束，這是她親自在園裏折下來的百合花，淡淡的幽香，使他對花與人都不易忘懷。義杰捧着這一束花，回頭又怨她爲什麼遲來，這也不能太怪他，在許多親友面前，他們確沒有機會再靜靜的多說幾句了。

飛機徐徐上昇，軋軋的聲音似乎帶走了潔琪的魂魄，她呆呆的望着，直至飛機無影無蹤，才悵然回家。

一個少女初嘗戀愛滋味，自然感到無限甘甜，但潔琪剛接觸到這種甜蜜，卻立刻又要深嘗別離的苦味了。嬌生慣養的她，甚麼苦頭也沒吃過，現在卻祇有盡力去抵受這種心靈上難言的痛苦了。她天天盼望義杰的信，在這些日子裏，每次信差的脚步聲，都可以使她驚跳起來。

一天，她終於接到了義杰的信，信上說他已到了夏威夷，這使她的心不禁跟着他的文字飛去，好像聽到了夏威夷迷人的琴音，也看到了棕櫚樹下的一雙雙情侶，而他們也就是其中的一對。她覺得驕傲，也覺得無限溫甜。一個少女，每遇到高興的事，總是喜歡在別人面前炫耀的，潔琪當然也是這樣，這天，她興高采烈特地去訪一個同學，希望她也能分享自己的喜悅。

這個女同學家裏，剛巧已來了幾個女朋友，她們看見潔琪得意揚揚地到來，大家都搶着開口，不知是誰這樣說：「今天吹甚麼風，竟把潔琪也吹了來！」

她這話並不祇是客套，她們委實覺得潔琪今天會來，確是太突然了。潔琪一改以前的態度，對這話倒並不生氣，和靄的說：

「我是特地拜訪你們來的，吹什麼風都沒有關係。」

大家哈哈笑了一陣，隨即你一句她一句談得十分愉快，幾個女孩子聚在一起，自然不免談起朋友來。等到談起義杰，潔琪暗自得意，她搶口說：

「夏威夷風光眞令人神往，義杰告訴了我很多那裏的情形。」

「是的，他也許我們都有機會去走一趟，祇要義杰永遠是我們的朋友。」

突然間，她們之中有一個拿出一封信，嚷道：「義杰也給了我一封信呢！」（十）

單腿疑犯

英國陶頓地方有個單腿的鐵工人齊倫格，他被控私入女房東房間，但是常警方聽他述說理由，他進入女房東房間目的，是在索回以前因欠房租被押的假腿時，警方便將他釋放。

紅朝百態錄

地下英雄的結局（下）

・牛布衣・

（四）

過了兩天，小黃家裏的母狗和四隻小狗都失了蹤。小黃哭着臉要他爸爸找它們回來。

黃同志心裏明白。母狗和四隻小狗是給那共產會的老友拐去的。大約洋狗還能賣幾個錢，所以他們連母帶子拐走了。

洋狗是黃同志的恩物。給朋友共了產，他心裏有說不出的懊惱，憤恨表現在他那鮮紅的臉上。

難道共別人的產，便算是共產主義嗎？中國已經到了山窮水盡，共無可共的境地了。」黃同志心裏這樣想着，他失望極了。共產主義實行了三年，擺在眼前的事實，是失業，饑餓，和死亡。

小黃一定要黃同志把那四隻小狗找回來。

黃同志表現十分失望的神氣，他告訴小黃道，「它們跑了，找不回來了」。

「爲什麼它們要跑呢？」小黃問。

「因爲這裏沒得吃的東西，所以它們跑了，」黃同志答。

「你不是說，它們都是忠實的共產黨信徒嗎？」小黃問。

「沒有開眼的時候，它們是篤信共產主義的。現在開了眼，便跑了。」

事後，黃同志曉得他的話說得過火了。因爲極度的失望，他時常在不知不覺之間，把對於共產黨的失望和憤恨洩露出來。他知道，共產黨對於黨員是十分嚴厲的，背信者的刑罰便是死亡。雖然近年來，那一個同志不會污？只要他們能夠坦白，寫一張悔過書，便算了事。可是說話攻擊黨的人，總是在神密的情狀之下失了蹤。

黃同志說錯了話，心裏懷着無限的恐懼。共產黨是一個陷阱，只能夠進去，不能夠出來的！

黃同志曉得話說錯了，可是他以爲小黃年紀小，不懂事，不會把他的話在外邊宣傳的，他只好這樣安慰自己。

過了幾天，視學同志跑到學校裏。先生問學生道，「視學同志來了，你們有什麼話報告他嗎？」

小黃頭一個舉手，說道：「我家裏的母洋狗生了四隻小狗，現在都跑了，因爲這裏沒得吃的東西，而且他們也開眼了。」

先生嚇了一跳，問他爲什麼前後不符。

小黃把他爸爸告訴他的話，一五一十報告了視學同志。

自從那一天起，黃同志便失了蹤。

裝聾裝啞

巴爾的摩爾市有位名叫布利克德的老人頸間懸掛：「請幫助聾啞老人」的紙牌行乞，他被捕以後，法官問他爲什麼懸掛那種紙牌，他毫不加思索的說：「用這個方法行乞，可以很快的積到一元錢。」警方詳查後，發現他以前因用此種方法，已被捕一百四十次。

不打自招文鈔

・文抄公・

大陸工人對中共在工會裏所搞的學習報告，態度是怎樣呢？請看下面中共報刊所發表的文章。　文抄公附誌

票的遭遇

潘陽　楚天

工會小組長小李興致勃勃地走進辦公室來，舉着一張紅色的票對大家：「今天晚上的舞會，誰去？……」

沒等小李說完，呼的一聲，圍上來四五個人，急地嚷道：

「給我，給我！」

工會小組長被逼得步步後退，頭上直冒汗。這麼多人，只有一張票，給誰好呢？

坐在一邊的高有義前來解圍了：「大家還是先別吵吵，我看抓『鬮』，誰抓着給誰如何？」

「好，抓鬮！」大家散開了。

過了幾天，工會小組長又拿着票滿面笑容地走進公辦室來了：「同志們，誰要票？」

照例又是呼的一下圍上來四五個人。

小組長見來勢洶洶，預料到又要受難，趕緊補充道：「大家不要搶，這是學習報告會入場券，只有一張。」

一片喧嚷，頓時變得鴉雀無聲。小王第一個悄悄地走回了辦公桌；其餘的，也都掃興地退回原位。

小組長奇怪地問道：「怎麼啦？」

「蘇長去吧，我今天有點事要辦。」小王有氣無力地說。

「不行，我今天不大舒服。叫李昕去吧。去聽聽多得些知識。」蘇長有點痛苦的表情上又表現出十分關懷別人的樣子。

「唔——這個——其實我是想去的，不過我愛人病了，我得早點回去。「還是小王去吧！」

「今兒有事，今兒有事！」小王顯然有點火，但是又有點窘：「嗯，要不先給我也行，我看看有時間就去……」他的手却始終沒有伸出來。

「那怎麼行？咱們小組就一張。」小組長着急了，大聲問道：「誰去？」

接着是一陣沉默。

高有義又開腔了：「咱們還是選個代表去吧。」

「我提議你去！」小王生氣地說。

「自報公議吧！，自報公議吧！」老高不安地坐回原位，吱唔着。

自由人

THE FREEMAN
（第三九二期）
[illegible]
每份港幣壹毫　台北市價台幣七毫
社址：香港高士威道二十號三樓　3rd fl. 20 GAUSEWAY RD HONG KONG
[illegible]

論反對黨的領袖

·李加雪·

大概半年前，本刊發表過不少有關反對黨如何建立的文章。最近邱吉爾慶祝八十生辰，反對黨領袖艾德禮在議會裏極力頌揚邱氏。邱氏亦曾在議會裏發表英國政治的成就舉世無匹。偶讀新出版的美國政治季刊論英國議會反對黨領袖的地位演變及其待遇問題，覺得反對黨的運用與其領袖有關，因撮其大意，參以己見，拉雜成文，藉供讀者參考。

如何選擇黨的領袖

一九三七年英國制定新條例，規定衆議院裏除了閣員外，反對黨的領袖得領取薪金。這一新法律正式承認了議會裏的一種重要機構。英國聯邦，如加拿大，南非聯邦，澳洲，和英國的地方議會，反對黨的領袖，遠在此時以前，已有了薪給或津貼的待遇。於此，先談一談英國議會多數黨選擇領袖的方法，及反對黨在理論和實行方面，所負担的任務兩事。

英國選擇政黨領袖，最普通的方法，是取決於議會裏的黨員會議。這種辦法，爲英國工黨澳洲紐西蘭的多數黨所採用。惟英國保守黨則把最後選擇的權力，交給兩院議員代表和黨所組成的一種機構。加拿大政黨領袖的選擇，則採取兩種方法，先爲黨員大會，其次由議會裏的黨員會議決定。

反對黨的任務

反對黨在議會裏的任務，許多人已經知道，有兩種最重要的任務：（一）準備負責下一屆政府，（二）批評當時的政府。在議會的劇烈辯論中，政府提出議案同時，要爲其本身政策辯護。反對黨呢，極力作可能的攻擊。此種接觸的最後解決即爲投票。在議會的爭奪戰中，反對黨是不容易擊敗政府的，他們的目的不過想影響民衆意見，使現政府不能夠取得下一屆的連選而已。

故反對黨對于反對和攻擊的事項，必須先有具體的計劃，同時他們又得担負攻擊的責任。因此，反對黨的陣營，也依照政府內閣的組織，由前任閣員或擬定的未來閣員部長組織而成，即所謂影子內閣。英國法律，到一九三七年上述新法律頒布後，才承認反對黨領袖的地位，一九三七年以前，英國法律對于首相，亦並沒有予以合法的承認。黨以前英國首相只支取財政部長的薪給，首相的權力和職守，不過依據習慣和傳統，並不依據於法律。

反對黨領袖的薪俸

一九三七年的法律，規定首相的薪俸和養老金，又規定了閣員和部長的薪俸，同時規定了反對黨領袖的薪金。反對黨領袖的薪俸，雖不及閣員部長，却較次長爲高。首相的養老金和[illegible]，那時是上屆首相，那麼他只能領取[illegible]一項，例如邱吉爾由一九四五年至一九五一年，艾德禮由一九五一年至[illegible]。至于那一個政黨人數最多和誰是反對黨的領袖，則由衆議院的發言人——或稱議長——決定之。

反對黨領袖應有薪給的議案，提出議會的時候，只經過短期辯論，便通過了。[illegible]提出的理由：（一）責任重大，[illegible]任務，而且（二）工作繁重，（三）全日[illegible]，（四）獨立[illegible]反對黨領袖的自由精神。（五）對於國會的服務，反對黨領袖協助首相負責議會事務的處理。從此國會反對黨領袖取得國家薪給，成爲英國議會的一個特色。這也說明了，反對黨領袖的地方是如何了。

議會不再爲紳士把持

事實上，雖然導源於英國，可是最先實行的是加拿大。一九〇五年，加拿大的衆議院提出了一個議案，規定除了支付議員的待遇之外，應該同時支[illegible]會的津貼。[illegible]一九二〇年加拿大[illegible]薪給，待遇也增高了。

澳洲於一九二〇隨加拿大之後給予反對黨領袖薪給。那時議會裏正在辯論增加議員俸給問題。一位議員這樣說，『現在只有澳洲一地，反對黨領袖沒有得到一種特殊待遇。』那時澳洲的反對黨領袖是工黨，他說道，『我是拿了這個待遇，是要給其他反對黨領袖斥罵的。』結果，政府給予議會反對黨領袖以一種增加的津貼。對於反對黨領袖應否拿增加津貼的問題，澳洲當時的首相這樣說，『議會政府需要反對黨。』我們現在應該把法律上應有的位置給予反對黨領袖。到了一九四七年，反對黨領袖的增加津貼，改成薪俸，數目也增高了。

獨裁政治的良藥

英國國會權力之大，是世人所共知的，好些批評家認爲這是一種內閣的極權。事實上，英國內閣的極權，是有各種方法限制的。政黨本身內部的民主，便能夠制止此種極權。澳洲和紐西蘭，內閣閣員由工黨大會選定。加拿大和澳洲，中央政府把權力的一部份給予地方政府。如果一個國家的政黨數目，超過了兩個大黨，因此而組織聯合政府，也能夠減少極權的施展。

在太不列顛的國家裏，反對黨的組織，予政府權力以種種限制。反對黨給政府以不停的批評，使政府不至肆無忌憚。機會到了，反對黨隨時可以接管現政府的職責。

反對黨領袖有了薪給之後，國會裏的職務，不至爲富有的紳士所壟斷了。故反對黨領袖對於立法方面所担負的職務是很大的。是應該予以事實上的承認的。承認反對黨領袖是對於辯論制度的容忍和信念的表現，是獨裁政治的良藥。

本文所論列的雖以反對黨領袖領取薪俸這一點爲多，但於此可以看出反對黨領袖的地位及其作用，我們討論如何建立反對黨，對此問題似乎也很值得大家注意。

兵役施行法

立法院覆議結果

——有關學生軍訓的規定——

·傅正·

十一月二十四日，台北各報登載一則中央社訊：「立法院已於二十三日表決，以壓倒多數的票數，通過行政院請求刪除兵役施行法第十四條條文的覆議案。此即表示仍維持行政院的現有規定，留學生在出國前必須先受預備士官或預備軍官教育，高中及高中以上畢業生已經受預備士官或軍官教育者，必須期滿才准離營。這[illegible]。蔣總統對於刪除第十四條條文後的兵役施行法，即將予以公布施行。」因爲這是六年來行政院第一次行使覆議權，所以引起了各方面的普遍重視，而且引起過不少的爭論。

但是解鈴還是繫鈴人，增加這一條的是立法院，現在刪除這一條的還是立法院。

便利留學生的條文

這次所刪除的條文，是這部兵役法施行法，在立法院完成立法程序中的二讀時增加的，其內容爲：「公立或已立案之私立高級中學及其同等以上學校畢業學生，依志願考選或應徵召受預備軍官教育或預備士官教育時，仍應准其出國深造。各項考試已錄取者，應准其暫時離營就學。其已修完之軍職專長及服役，比照本法第十一條第二款規定辦理。但出國就學者，應於回國時補受預備士官或預備軍官教育。」該項增列條文，顯然包括兩大要點：一是高中以上學校畢業學生，可以隨時離營升學深造；一是這種學生在出國留學前，可以免受軍事教育，改在回國時補受。按此項條文所列，本不限於留學，即在國內求升學或深造，也可以援引，但各方面所共同注意的，却都在這一條文之便利於留學生，而上引中央社訊也着重在這一點，因爲僅能借此而逃避兵役的，留學生的機會要比較多。

大專畢業生概受軍訓

據行政院會議通過，又經教育部公佈施行的「國外留學規程」規定：「留學考試及格學生，除女生即准出國外，其男生如曾依法服兵役或受預備軍官或預備軍士教育期滿，得有證書，並已納入在鄉軍人組織者，准予即行出國。其餘男生，應施以適當之軍事訓練，於訓練期滿納入在鄉軍人組織後，始准出國。」此項所謂適當之軍事訓練，按現行辦法的規定：凡高中畢業學生，參加留學考試經錄取後，應受預備軍士教育四個月，始准出國；凡大專學校畢業學生，參加留學考試經錄取後，應受預備軍官教育一年，才可以出國。前項預備軍士教育的辦法，是從四十二年度起便已實施。後項預備軍官教育，是早在四十一年度起便實施了。不出國的學生既然要受訓，出國的也加以同樣時間的訓練，這原是相當公平的措施。

按兵役法規定：「中華民國男子，依法皆有服兵役之義務。」留學生之男生，「有服役之義務」，又何消多說？立法院增列此項條文，雖未明定留學生可以根本不受軍訓，但實際上已予以免受軍訓的莫大機會，至少是一種特殊的優待。雖然兵役法也有此種類似的規定，例如第二十五條便載明：「公立或已立案之私立高級中學及其同等以上學校在校學生未畢業者」，是在緩徵之列，但其立法本旨，是在使這種學生，當在校求學期間，不因此而中斷學業，但對於已經在營受訓的學生，也要予以優待，這究竟是根據甚麼道理呢？

優待引起了物議

以目前高中以上學校的學生實情而論，貧著的子弟固然很多，但能夠出國留學的，尤其是高中畢業生也要到國外去深造的，恐怕總是一般貧著的子弟所難希望的吧？我們固然未太清楚，今年七八月間，所考取的四八三名大專畢業學生，以及一九〇名高中畢業學生，究竟是何等人家的子弟，但假使能把這些金榜題名的學生家長姓名都開出來，便可以完全知道，究竟是甚麼人家的子弟有這種幸運了！

在我們這樣一個古老落後的國家，能多送一部分學生到先進國家去深造，是誰也不會反對的。但對於一個高中畢業的年青學生，是否應該准予留學，已經大成問題，假使對這種人還要另加看待，未免太優待了吧？少數天之驕子，能在國家危急的時候，有機會深造，難道連短短四月或一年的軍訓都不能受嗎？所以在立法院通過增加這項被刪除的條文時，社會上便有一種流言，謠傳立法院的增加這一條文，是立委先生們，爲自己的子弟立法，而且在院內也受到公正的反擊。當然這只是謠傳，立法院的先生們，絕不至於有這種念頭，但這一條條文的出現，似乎也很難避免外間的物議。

這些年來，許多大人先生們常向小民百姓宣傳當兵的光榮。

（下轉第二版）

本週展望

·陳克文·

中美協定的憂喜

中美共同防禦條約，經過一年多的折衝，已經於本月三日在華盛頓正式簽訂。根據此一條約規定：台灣和澎湖已得到更爲安全的保障；並且經過雙方協議，也將包括締約國所轄的其他領土在內；惟此項協約乃屬於防守性質。這是中美雙方共同發表的聲明白宣布的。美國務卿杜勒斯並於一日鄭重宣言，美國決不以台灣澎湖換取對共黨的讓步，中共如進攻台灣，美國即進攻大陸。因此這一條約足以表示美國遠東政策的明朗性，其有利於自由世界的反共運動，已屬絕無疑義，這是值得我們欣慰與興奮的。

然而，我們不要忘記，這是防守性質的條約。中共進攻台灣的野心自將因此而歇止，但中共在大陸的野蠻統治也將因此而受到無形的保障，他們的倒行逆施，也將因此而受到無形的鼓勵。一九五一年杜魯門中立台灣的命令，使中共得集中力量以參加韓戰，現在的中美協定，自然也能夠發生同樣的影響，這是可憂慮者之一。

杜魯門中立台灣的命令，使自由中國得到喘息時間，從事安定內部力求改革，作用之大無可否認。然而幾年來對台灣本身也造成了若干僥倖苟安的心理，爲憂心國事，目光遠大者所不否認。新協定成立後，是否將因此而擴大此種苟安僥倖的心理，造成偏安一隅，得過且過的頹靡風氣？亦正難言，這是可憂慮者之二。

巴黎協定成立後，國際間，獨立台灣，和平共存的空氣漸囂塵上，新協成立消息傳到倫敦，英外交人士的反應即爲如此。中美聯防條約如竟成爲「台灣獨立國」的先聲，則不僅斷送了我反攻復國大業，亦將引自由世界走入共產國家和平共存的陷阱之內。這是可憂慮者之三。

故我們對新協定的成立，實在一則以喜，一則以懼。福者禍之倚，禍者福之伏。願吾國民毋以一時的興奮，而忽視未來的可能演變也！

莫斯科會議的結果

蘇俄爲破壞巴黎協定，阻礙西德獨立建軍，分化西方團結，於上月中旬提議舉行全歐安全會議。後來以目的不達，轉而舉行莫斯科會議，集合歐洲八個衛星國商討對策。現在該會議已經閉幕，據傳蘇俄已經和它的衛星國簽訂一項協定，如果西德一旦整軍加盟，共產國家即公開重建東德軍力，並組織東歐軍事聯盟，將各國部隊及武器聯成一體，並建立一聯合指揮部，以俄人任最高統帥。

他們這一協定，到目前爲止，似乎還是以破壞巴黎協定爲目的。破壞不了，則歐洲兩個對立的武裝營陣即不免於形成，和第一次大戰前，同盟和協約的對立無異。這可以看出，共產國家儘管高呼和平共存，實際上還是逐步走上戰爭的道路。我們看不出兩個武裝營陣成立之後，還有甚麼和平之可言？

和平已救不了美公民

美國十三個公民被中共捏造事實，判處罪刑後，美國輿論雖大激憤，惟艾總統表示，要用和平方法施行營救。現在美國的和平方法，差不多用盡了，中共還是始終無悔禍遷讓之意，這本是稍知共黨實情者所能預斷，艾總統及其政府領袖也不是不明白的。然必和平方法已窮，然後採取和平以外的行動，此乃適應美國國情的不二步驟。看日來美國領袖及國務卿杜勒斯的言論，即可見情勢已在轉變之中。共產黨所認識的祇是實力，美國要營救她的公民，要維持她的國家榮譽，到目前已非拿出實力來對中共予以無情的壓迫和制裁，是決不會得到結果的。不惟得不到結果，而且反爲共黨所譏笑，以自陷於進退失據的境地。

內政部碰了釘子

—限制出版命令頒布的前後—

．于飛．

台灣通訊

【台北通訊】十一月五日內政部頒佈了一項「戰時出版品禁止或限制登載事項」的命令，但至九日即爲行政院所批覆，「暫緩實施」。這道命令的發出與停止，爲時不過五天，可謂政令中壽命最短促和最富戲劇性的了。

內政部何以有此措施

當來自民間的文化淸潔運動狂飆似的掠過台灣的文化領域，似乎督實了緊懈成習的文化主管當局，去正視其應負的責任。此次內政部頒下禁例，似乎是受了文淸運動的影響，做一種「亡羊補牢」措施的。可是，這一措施是多餘的，本來內政部如能緊握着出版法，對出版品的規範加强執行，也就够了。禁例內容共九點，一經發表，立即招致新聞界的鼓勵和普遍而激烈的反對。雖然，也有人反對文淸運動和贊同出版禁例的，但聲音微弱得很。

追求自由的强烈

內政部這項禁例在六日的報紙發表後，當日的晚報就有嚴厲的詞色反應，繼之，所有中英文民營報業皆響起，作鳴鼓之攻。報業公會且採取行動，發表共同意見，反對此一舉措，並向行政院長請願。記者公會亦集會商討對策。新聞界前輩及專家學者甚至於政府高級官員，亦多慷慨陳詞，交相抨擊，指實此一禁例違背憲法精神。另一股最有力量的反對，是以立委程滄波領頭的立法委員三十三人聯名對此禁例提出質詢案。要求行政院俞鴻鈞院長及內政部王德溥部長定期到立法院報告，並答覆質詢。於此，我們可以知道，人們對於言論自由的重視與追求是何等强烈了。

輿論力量不可輕視

所有反對該項出版禁例的言論，雖持論各異，語調不一，但目標一致，與詞意激昂則完全相同。例如民族晚報說：「如果只爲了歌頌昇平，不容新聞之記載與客觀的批評的話，不如恢復新聞檢查制度，或只留一張政府公報好了」。又說：「如果以種種法令限制新聞報導與批判之神聖職責，有正義感責任感之記者則將不畏斧鉞而力爭之」。英文中國日報則形容該禁例如炸彈之降落。聯合報指爲此一命令係「史無前例」，將使「親者痛，仇者快」。公論報指責爲「新聞自由的桎梏」。立晚報則以「萬方有罪，罪在記者」爲題沉痛陳詞。其中還有幾家報紙，作三論四論的文章。三十三位立委則指責是項禁例「範圍廣泛，內容含混，違反憲法精神，執行時必有流弊不堪設想者」。

在這激烈的反對氣氛之下，政府的反應是冷靜的。於是人們對「憲法務實」的俞鴻鈞院長所曾保證的言論自由，此時不無發生懷疑。到了十一日，各報突以顯著地位刊載行政院已於十一月九日令復內政部暫緩實施該項禁例的消息。然後，行政院這一動作，當然得到了意料的喝彩。從這一面，可說明了一些事實，即自由中國的言論自由已伸展到什麼尺度了。自由中國的政府對於民主政治的修養又跨進到什麼階段了。輿論的力量到底還是不可輕視的。

立法院覆議結果

兵役施行法

—有關學生軍訓的規定—

傅正

（上接第一版）

但事實上，又恐自己的子弟去當兵，甚至用一切可能的飾法，便利自己的子弟逃避徵兵或召集，立法院之增訂這項條文，自然會引起外間的推測，所以歸根結底的推測說：立法院增加這項條文，是欠考慮的。

第一次行使覆議權

六年多以來，行政院始終沒有行使憲法所賦予的覆議權，即在陳院長時代，像三十八年立法院的第二會期，對行政院組織法加以重大修改，倘且沒有使用這項權力，現在對於這項增列的條文，竟然破題兒第一遭行使覆議權，可見行政院對這條條文的重視了！論者或責行政院有點小題大做，但與其苛責行政院，倒不如責備立法院，行政院對於一項認爲窒礙難行的法案，依照憲法規定，行使覆議權，至少充分表現了對自己政策負責的精神，倒是值得歌頌的政治家風度呢！

但不管怎樣，覆議權是不能輕易隨便行使的。按照憲法規定，凡經行政院移請立法院的覆議案，須經出席人數三分之二維持原案，才可以迫使行政院長接受其決議或辭職。這項三分之二的原則，反過來對行政院長說，便變成了三分之一的原則。就是說：行政院長在立法院，只要能控制出席立委的三分之一再加一位，便可以遂到否決立法院任何法案的目的。以這次第十七次會議對於兵役法施行法第十四條删改的表決而論，在場的委員只有一五六人，贊成維持原案的只有三七位。假定以一五六人爲標準，行政院長只消得到五十三位立委的贊同，立法院的三分之二的原則便無法達到，行政院長的勝利便確定了。國民黨是當今的執政黨，在立法院更佔了絕對的大多數，不管立法院的國民黨部怎樣散漫，更不管行政院長的聲望如何，要在現有的五百位立法委員之中，抓住區區五十三位委員，該不會還有問題吧？因此在目前的實際情勢下，立法院要利用多數來實行倒閣，是很難實現的。從這點看，我們的憲法，關於立法和行政的制衡作用，也是和其他國家的憲法大不相同的。

郵政總監不甘寂寞

一九五二年艾森豪競選總統時，扭任共和黨全國委員會主席的蘇默斐爾德曾名噪一時，共和黨勝利後，蘇氏由黨從政，經艾森豪任命爲郵政總監，頗有淸閒優裕之樂。

郵政總監在美國，是一個萬人羡慕的肥缺，蓋因其責任不重，事務不多，而待遇薪津極爲優厚，幾十年來，美政黨政治有一傳統，即無論那一黨獲勝，那一黨做選人當選總統，郵政總監一職大都（幾乎是必然的）落在該黨全國委員會主席，也就是競選總經理人的身上，藉以酬其主持競選的功勞。

可是兩年以來，現任郵政總監蘇默斐爾德卻對此一份優厚的差事深表不滿，近來言辭之間，更私下表示極端不快。原來蘇氏是一位不甘寂寞的人，他抱怨艾森豪在國家大事上，以及重要的政治決定上都不與他商量。同時，郵政機構是一個講究年資的機關，限於內部的人事與編制，蘇默斐爾德沒有辦法大量介紹他的朋友入郵政機關工作，與其他機關主管可任意用人相比，蘇默斐爾德自然有一肚子的委屈，這也難怪他愁眉不展了。

洛奇大使將有新職

美國出席聯合國首席代表洛奇，一度傳將調任白宮總統助理，接繼亞當姆斯的職務，美駐聯合國大使一職則由現任對外工作總署署長史塔森繼充。但現在消息傳來，洛奇離開聯合國固已成爲定局，然而其未來出處卻有所改變，據說：他已內定繼卡特勒担任全國安全委員會設計局局長，並且即將於短期內發表。這一個職務是全國安全委員會的幕僚長，地位十分重要，在美國對俄冷戰中，這是一個最重要的工作。洛奇與艾森豪關係不凡，早在兩年前即已家傳戶曉，至於對外工作總署明年結束以後，史塔森未來的工作仍以出任駐聯合國大使的呼聲最高。

天下小事

捷克俄建原子工廠

據維也納接獲的地下情報說：蘇俄已在捷克的達特拉山建立了另一個原子研究中心，這所中心距離他們最近完成的地下原子城剛好三十哩。約有九百名科學家及秘密警察已趕抵當地，將分配在七個地下工廠中工作。

俄製成兩種新武器

英國情報人員最近已發現了蘇俄空軍的兩種新武器：一種是長程而機翼斜後的噴射飛船，配有雷達偵察設備。另一種爲長十三呎專門對付飛機的飛彈，射程二十哩，時速逾七百哩以上。（孟衡）

人物述評

反共殉難的程野聲神父

．辛植柏．

（一）

中國的天主教，因當年羅馬教廷曾發表通諜，譴責共產主義，遂亦不能見容於中國共產黨。程野聲神父便是因爲實行反共，以至遭受橫禍，犧牲性命的。程神父於距今四年前的雙十節，曾發表一篇極沉痛的反共文章，題爲「回首當年話雙十」。要點如下：

「今日大陸同胞們，見到五星旗，即想及虐政時始能了結，油然引起慘痛回憶，和淸算鬥爭三反五反的事實……都有『時日曷喪，予及汝偕亡』之感！」

「……無時不在希望早日重覩天日，光明的早日重臨。」

「自由寶島上的同胞們，在熱烈慶祝國慶中，應不忘精神和肉體都在受壓窒的大陸同胞，必須淬勵奮勉，冀能早日解救忍受千災萬難的大陸同胞，重振破碎河山，重新建設一切，再令靑天白日重臨大地，洗淨殘忍無道的腥紅」。

程神父這一篇文章，充分表示他是一個澈底的反共主義者，他在港殉難之後，生平事蹟，報界間有報導，惟多略而未詳，爰本個人所知，補述如下，藉資景仰。

（二）

程神父廣東順德人，殉難時僅三十五歲。幼喪，頗得兄撫養成人，天資聰慧，自負不凡。自十四歲起，即深受宗教教育所薰陶，爲好國學及文藝，故國學的修養亦甚深湛。二十六歲升神父，旋奉命執教於羅南德修院，取得公教界的學術地位，故程氏實在不是一尋常人物。他也和已故的神父馬相伯，雷鳴遠、及現在居美的于斌主教，居台的方豪教授一樣，雖是神職界的人物，但其愛國之心，並不是限於神職界一方面的。他於民國三十五年七月起，即在香港公教眞理會出版部總編輯，學術地位日見崇高。翌年陸續出版「民衆讀物小叢書」五十冊，甚爲教中人士所稱道，同時創刊「時代學生月刊」，迄五年之久。他又於百忙中，兼任公教學校教職，及「天主教同學會」指導司鐸，負訓導靑年的責任，得靑年的愛戴，最可稱道的，莫過於他領導港澳天主教人士，組織回國觀光團，赴台觀光，這是對自由祖國的一個向心運動。赴台觀光歸來後，曾在「時代學生」特闢專欄，對自由祖國各方面實情，盡量宣揚。其熱心祖國，可見一斑。

（三）

中共在大陸得勢後，他曾大聲疾呼，要大家睜開眼睛，看看高唱民主自由和平解放的人，都是假的，他說好樹結好果，惡樹結惡果。從中共的施政方式，和管治人民的手段來看，便知道他們都是騙人的。他又警戒各校靑年學生，勿聽中共的煽動，作他們鬥爭的後備軍。（均見時代學生月刊），其所主辦之「公教報」，則專門暴露中共的罪惡，將期特闢一欄，名「中國大陸教聞」，所載皆大陸天主教被中共迫害的眞確事實，完全採自虎口逃出的傳教士身親經歷的口述與筆錄，該報現時尚保存這一作風，他因此而招中共的痛恨。他於殉難前，曾屢接匿名恐嚇信，均置之不理，與惡勢力鬥爭的精神，實令人欽佩不已。

（四）

據筆者所知，他的專著很少，短篇散文作品約三十餘篇，多是對靑年學生說的。文筆流暢，命意嚴謹，頗使人有淸新活潑之感。他眷戀祖國和愛護靑年之熱情，更躍然紙上。「文學概論表解」係他的學術著作。該表解，計一總表，七分表。分表即「文學之起源」，「文學之意義」，「文學之性質」，「文學之特質」，「文學之體裁」，「文學史」，「文學之研究法」又附「有文字前之文學」，「文學之起源」，「詩與散文之起源」，「黃帝正名與倉頡造字」，「黃帝時之韻文」，「顓頊帝嚳時之文學」，「堯舜時之文學」，「墳典及遺文」等表，分期刊載於「時代學生」，惜尚無專本行世。由此可知他不僅是一宗教家，同時也是一教育家，文學家兼新聞記者。正在年靑有爲之時，遽遭慘變，亦可哀矣。

特約編審的待遇問題

教育部高等教育司來函

頃閱貴報十一月十日第二版，「來台教授的新結合」一文中涉及特約編纂編審的待遇一節，與事實頗有出入，深恐外界不明，特予說明如次：

（一）自大陸淪陷，政府遷台以後，本部爲團結反共抗俄力量，安置大陸來台忠貞文教人士起見，特呈准於國立編譯館編制員額之外，設置特約編纂編審員額九十八名，預算科目稱爲「來歸教授及特約編纂編審經費」，受聘爲特約編纂編審者，祇須到部辦公。其待遇除不支職務加給外，關於薪津實物配給及眷屬津貼悉照一般公務員規定辦理，其歸部辦公者，並支職務加給，惟以名額有定，凡已獲得其他專任工作，則隨時解聘，俾得繼續安置後來人員。四年以來先後經本部聘爲特約編纂編審者逾三百餘人。

（二）特約編纂編審，因隨時增聘與解聘人數每月不同，大約每月七十人左右，該項每月經費預算，僅新台幣四二、六〇〇元，因上項人員祇須到部辦公，故預算，未另列事務費。除支付編纂編審等人員薪俸外，所有稿費審查費印刷費以及特約編纂編審選聘及工作審查委員會辦公用費等等均在該項經費內，依法流用，本年七至十月，（會計年度）實際僅積餘九千餘元，有帳可稽。

（三）本部對編纂編審諸同仁之淸苦生活，至爲關懷，雖經呈院請予調整待遇，比照教授發給學術研究補助費，均未奉核准。特繼述事實函請查照 惠予披露，以明眞象爲荷。教育部高等教育司啓（十一月廿三日）

編者　讀者

關於王國維先生詞

△高德泰先生來函：

編者先生：頃閱貴刊三九〇期，王世昭君評靜安先生詩詞一稿，以不明當時史實之人，妄是非長短，作驚高調。獨犬吠堯，固無損於王詞。獨惜自由人編者何以不審一至於此耶？一言以蔽之，王靜安死於羅振玉之逼債，以圖吞沒其古物書籍耳，適因時會乃作「五十之年義無再辱」之語，而自沈昆明湖。證之日後羅氏降日作僞，眞相圖明，愚以靜安心情與今日港九諸知識份子之受蠱賈人，而鬱鬱於升斗之間，試一體會，今古相同。而致詢王世昭君，如何不去打擊而手刃毛匪耶？

高德泰拜啓　十一月廿七日

△羅自芸，小丞，衛道杰，俞嬰，歐陽，建寰，康福文，郭捷朝，姿盛生，宏楠，劉正淵，韓名鋼，方階，黎中天，諸先生：承惠稿，已一一收到，謝謝。

西漢易學通論（三）

讀易的意義與方法

• 毛以亨 •

重卦的意義

易之重卦共六十四，上篇三十，多明天道，下篇三十四多明人事。易緯謂卦者掛也，即懸象之意，然以斷吉凶，必須重卦。蓋必須以本身與環境配合來看。卦以代表時，所謂時者，不純指時間言，蓋含現代時空四度限度之觀念。今人謂柏拉圖學說，亦有四度限度觀念蓋此等觀念皆遠古所俱有，而發展至四度限度之應用，則爲二十世紀之事。易所謂時，若以卦來解釋，則有趨勢（泰否剝復諸卦）之盈虛消息，事之發生（訟師二卦），理之當然（履謙二卦）與象徵之像（如井鼎二卦）各種意義，故知包含時空。

互體之說

緣重卦而起者，又有互體之說，以二至四爻，三至五爻，各成一卦，所以重卦不僅有上下二卦，且有四個卦了，次參合起來講，故可吉凶互變。王應麟，朱熹俱謂左傳筮法，如觀之否，屯之比，均藉互體以明其變化，而宋儒胡瑗，王安石則反對互體說。清儒言互體者祇全祖望，若顧亭林，毛西河，黃宗羲，胡渭，俱斥互體說。大概言象數者多講互體，而言理者多反對之。因爲有了互體，吉凶是非，格外的混亂說不清了。依八卦之發展說，上下兩卦，既可割裂爲天地人三才，又何嘗不可割裂爲互體？然易學已祇言理，猶漢易之不用于卜筮，不再在象數上求發展，則互體亦不必講了。

卦爲體爻爲用

卦之畫稱爲爻，卦爲體而爻爲用，卦爲時而爻爲動，卦之數六十四，而爻之數，三百八十四。凡此皆爲不許象數發展的協議所致，若依揚雲邵康節之易，即不止此數了。同時亦以等於科學所用之協變方式，規定爻之動須自下而上，陽爻稱九，陰爻稱六，最下之爻稱初，最上之爻稱上。爻的注意點在位，然以明其動時的關係，而非靜時的位置，爻根本是假定爲動的。初與上無位，蓋言第一畫與第六畫，俱對他爻不發生關係。以第五爻爲主，使第二爻與第五爻相應，第四爻與第五爻相比，但非陰陽相生，即爲不應不比，而遇之者不吉。取各爻以分別論之，初爻多免咎，二爻多譽，三爻在上下之交故難處，四爻近君則多懼，五爻爲君爲主動，上爻爲終極應加誡。

變與不變的意義

若以爻來說明易之變與不變的意義，則以位之不變，來限制爻之變動，否則即看不出變的情形了。重卦則可以說明交易與易簡之意，若乾下坤上不爲乾坤倒置，而爲乾氣上升，坤氣下降，乾坤能相交，即爲泰卦，反是則爲否卦。大概漢人卦氣之說，亦復如此，可見其不重位置而重動的趨勢。把六十四卦作一統計，則元亨之卦少，亨之卦多，利貞之卦少，貞吉卦之多。易無凶卦，祇乾卦爲元亨利貞，此係卦之占辭，猶言大吉大利也。即以單言理，而合易之理象數三者以觀，其方法殊簡單，初民之所認爲神奇者，在漢代即爲易個了。

此等簡單的方法，謂爲以簡馭繁固可，然始終嫌太簡單，漢宋使之複雜起來，但都走錯了路。以此簡單方法，爲勉勵進德修業之用固可，爲推理之基本原理亦無不可。若謂以斷吉凶，則漢儒已知其不然，可惜我們不能回到太古時代不能輕信，我們知道吉凶本是無法斷的。若謂周之筮法可用，則殷之卜辭亦可用，然用之者不成爲妄人，信之者不成爲愚人歟？故荀子略大篇曰，「善爲易者不占。」（未完）

中共工業已經觸礁（上）

• 沈著 •

從最近北平「人民日報」所發表一連串的社論看，中共的所謂「工業建設」，已經宣告觸礁。

備戰的工業建設

論中共的「建設」，他們是蠻幹的，韓戰停止以後，龐大人力的「動員」，「基本建設」工程的加速進行，土地的征用，「國防」工事的興建整修，一百四十一項大規模重工業工廠的建立，礦源的鑽探等等，都用一種迫不及待，孤注一擲的精神去蠻幹。但中共此種「建設」，並不是爲適應國家需要，不是爲改善人民生活，借用他們自己的話說，是爲「鞏固國防」。若以他們「貫徹世界革命」的用心和動態加以引證，便知他們實在是一切爲戰爭而建設，一切爲戰爭而生産，乃是一種「備戰工業」。

關於這一點，中共的「人民日報」凡遇到警告人民要「刻苦生活」，要「眼前利益服從長遠利益」，或要「生活的改善須服從生産的發展」，無不坦白承認他們所謂「社會主義的工業建設」，原來就是建立重工業基礎，發展軍火工業，消滅「帝國主義」以保障「人民政權」。然後才談到「逐步地改善人民生活」。換言之：就是要人民犧牲一切，爲「世界革命」的「解放戰爭」而服役。顯而易見的：它表現在輸出入上，就是以大量的農産品（主要是糧食）和一般生活必需品（主要是肉類蛋類皮革）去換取軍火、鋼鐵、機器、五金、電器材料等戰略物資及軍火生産設備。從而，其「基本建設」的礦廠、鐵路、鋪橋、治港、築堤、開闢機場等，和重工業工廠的新設、擴建或整頓，以及人力的調配，生産的計劃，産品的品類等等，無不以「備戰」爲目的。今天中共治下的地方，「增産」的叫囂愈響亮，而社會商品愈缺乏的現象，即是一個明的鐵證。

但是，中共的先後天條件既不足，民心又背離，加上過分重視目的而盲目進行的結果，便必然的遭遇了嚴重的困難和阻礙。此種困難和阻礙，擇要而言，有下列幾方面：

人力與人才缺乏

中共的工作是善於講求「重點」的；最近爲了建立一百四十一項重工業工廠，「人民日報」即曾發表社論，指示各地黨政部門要抽調最優秀的幹部（主要是黨委）去「增援工業建設」，擔任廠礦領導幹部（廠長經理等）。但此等幹部十九是不懂工業技術的，除了「政治思想」應該是「優秀」以外，文化水準也普遍低下。因此，中共一般的廠礦在此等幹部領導之下，便錯誤百出，「偏差」不絕。其中最主要的現象，是黨與行政的衝突，職權紊亂，生産領導失去重心，生産計劃陷於虛文；政治和生産對立，生産任務與生産利益矛盾；其他的如秩序混亂，責任不明，生産效率下降，次品廢品充塞，返工現象嚴重，人力和原材料的浪費等等，乃皆由此而生的。這說明領導幹部的低能或缺乏內行的領導幹部，是中共「工業建設」中遭遇困難的基本原因。

其次是技術人員和熟練工人的缺乏，使中共一般廠礦發生了生長表面龐大，實際甚空虛的現象。從而使許多重要的生産部門因人力不足而發生了嚴重的生産脫節現象。誰都知道：培養一個技術人才或熟練工人，決非一朝一夕之事，而中共這幾年來工業範圍既在拚命擴大，技術員工卻反在戰爭及過度勞役中有減無增，缺乏的情形是不言而喻的。縱然中共曾調派大批「積極工人」到蘇聯等處去學習，並在學校方面大力培養工業人才，又在各公私工廠中提倡「一個帶學徒」制度；但依舊無補於事，一如本刊以所報導過的：技術員工的恐慌，有增無已。這是給中共盲目從事重工建設的一個致命打擊。

論工業建設，設計的準確與否？管理的得法與否？以及施工的嚴密與否？都是起決定性作用的。然而中共在這幾方面，都是漏洞百出，乖謬絕倫。

就設計言：中共曾一再嚴厲批判他們的設計人員之低能顢頇。上焉者，中央的「國家計劃」部門和各主管部的設計人員自設計的重要建築和工廠，頗多不切實際；不合規格；有的位置選擇不當，有的生産力，運輸力和原料供應等都不相合；尤甚的是：有的廠房尚未完工即告傾圮；有的廠房選料過劣，使用年限不符，負重不足，險象環生（重工業部傷亡事故之多，與此有關）；有的廠房已成，而不合實用，無法裝置生産設備；有的完成之後，工廠全部裝配組合發生錯誤，竟非部份拆造重配，無法開工。下焉者：各地設計人員和「政府首長」誤解中共中央「建設」的意旨，有的以「基本建設」爲藉口，爲「政府」人員的辦公及享樂大興土木，瓦以官附的辦公大廈，宿舍，禮堂或劇院等，競相誇耀其「建設」。（未完）

有人縱火燒木屋區　警方呼籲市民緝兇

港府警務處長已發出布告，呼籲各界人士供給有關最近大埔道兩次火警的確實消息。警方相信十一月廿四及廿六兩天的火劫災患，並非意外失愼，而確認爲有人縱火。這在二百五十餘萬市民看來，乃是一樁嚴重而令人憤激的事件。大多數人正注意本港歷史上火患的起源和次數，自從一九四九年四月六日大角嘴界限街發生大火之後，直到現在，每年連續發生，次數累增，愈見猖獗。誰也明白，一九四九年中國政治局勢突變，而隨着這一政治逆流飄泊，以使本港人口激增，社會問題的嚴重與日俱增，火災更足充進此種趨勢；欣幸本港當局沉着應付此項適足釀成社會不安的事態，均有顯著的卓越成就。

已往許多令人震駭，危及社會安寧的意外事件，有關當局措施得當，終能安度。市民對警務處前處長麥景陶無不感佩，麥氏在任，貢獻殊多，要非麥氏具有卓越才智，似難克服危難，打擊陰謀不逞之徒。如今領導警政，維護治安的麥士維處長，也是一位幹練人才，善良市民無不樂與合作。事實證明：香港地位重要並不次於東南亞任何一大商埠，錯綜複雜的情勢，那比其他英殖民地更難處理，尤其對於火災善後安排，誰都不加否認是極嚴重的棘手問題。但港府在市政設施中抑已擬定具體計劃。確定三十萬木屋居民徙置原則，期使在湫溢木屋區生活的平民，轉移到安全的平民村，以策萬全。

徙置計劃旨在改善木屋居民生活，到底不是火災的「鼓勵」，更絕非單純的防火和整飭市容。但是六年來連續不斷的火患，是否全出居民疏忽與缺乏防火設備？儘管有人表示懷疑，卻從未有人去考慮究竟有無其他原因，然而東南亞如緬甸和泰國大火，早經證明係屬一項具有國際背景的陰謀。當局對於本港歷次大火，是否具有同樣性質，相信亦曾考慮，然事無佐證。謎底自難揭曉。直到現下，警方纔由若干迹象證實曾有人甘冒不韙，而與木屋居民爲敵，作出慘無人道勾當，基於此種原因，警務處長特向市民呼籲，要求合作，期使縱火歹徒早日緝獲，明正典刑，以儆效尤。爲了二百五十餘萬市民公衆福利，與木屋區安全，警方自是應有的舉措，對於市民來說，這是誰都應該重視與應盡的義務。

香港三日

讀「台灣灘頭堡」

沈秉文

費吳生夫人著　湯象譯　亞洲出版社出版

（三）

今日台灣與大陸之間的誰善誰惡誰是誰非，凡自由世界的正義之士都已有目共覩，作者在該書中尤有極客觀公允的比較。惟因美國（當然，其他各國也有）曾流行「中共是土地改革者」一語，因而作者除在政治經濟各方面作一比較以外，特強調土地的耕作者——農民的生産和生活情形以爲該種說法的當頭一棒。

作者以往留華多年，對我國農村情形素極瞭然；大陸淪陷以後，又曾三次訪台，考察台灣農業情形並蒐集大陸農村資料，均甚詳。乃指出台灣與大陸之間農民的土地所有權，生産率，賦稅負擔率，生活水準等等的比較以訴之於讀者。此種比較之的優劣間已經是非常尖銳的了；可是這種比較之還隨時間的增進而在日益尖銳之中。質言之：今日大陸的農民狀況，較之作者寫書當時的惡劣程度尤遠有過去：當年大陸佃農交租給地主在百分之四十五之間者，已感負担甚重，因而政府曾倡「二五減租」，但今日中共取地主而代之，農民的「農業稅」負担竟已達百分之七十六多。當年一般農民的可耕地足可糊口，勤懇者則有餘，但今日中共在「土改」中分給農民的土地，平均每人（限於耕者，但幹部列外）僅兩畝（見中共人民日報統計），只甚多沒收地主的良田則已估爲已有，改作「國營農場」或「地方國營農場」。不僅乎此，今日中共因倡言「社會主義改造」，且已以「合作社」及「集體農莊」採農民納入統制性操作，已採農民遍成農奴。僅此一端，已足以說今日明台灣與大陸，不啻是天堂與地獄的對比。（四）

作者不願意對國民黨的若干錯誤和缺點作任何解釋，但是，作者說：將「貪污無能」四個字一筆抹煞國民黨不但是不公允的，而且是中了共黨及其同路人的宣傳毀謗之毒。作者乃對國民黨予以重新估價。

作者指出：美國和若干國家已在韓戰及其他戰場遭受過考驗，中共所表現的軍事力量是代表一個以蘇俄爲首的集團的；美國和若干國家尚且不能克服，而指國民黨的因彈藥不繼（這是現在才公開的軍事秘密）而戰敗爲「無能」，何等冤枉？

作者指出：國民黨誠有貪污之事，但這是經濟崩潰的結果。再看經濟並未崩潰的美國何嘗沒有貪污？至於如蘇俄和中共之流的政權中，貪污更已形成一種「偏差」性（也可說是普遍性的）的風氣。當然，作者並不認爲貪污是「情有可原」，但祇說國民黨貪污而不及其他，實是不公平的。

客觀地說：估量國民黨的優劣成敗，決不能抹煞中國時代背景及美蘇兩國的支配力。平心而論，國民黨畢竟是堅强的，沒有一個國家在被蘇俄攫取以後能在國土內的一隅如國民黨這樣重整旗鼓，銳意改革，力圖規復。（五）

現在的國民黨究竟怎樣呢？作者說：「根據個人的觀察，我敢說中國官員一般的操守是很高的。我曾經見過許多，而且曾和不少人接觸，工作勤奮而且受過良好訓練，有修養，……他們有崇高的理想，而且積極實踐他們的理想：……他（指蔣總統）爲人百折不撓，意志堅定，勤勞於國，頭腦清楚，……竭力想使國家在歷經患亂中重新建設，並且眞心眞意根據現實方針建立一個實際的民主化全國政府。」

美國外交政策部門中的共黨分子，同路人，有意無意間爲共黨張目的「遠東問題專家」及其他高級決策人員（如馬歇爾、艾其遜等）千方百計或陰錯陽差地造成了今天的局勢，作者曾沈痛地將它稱之爲「錯誤的十年」或「可悲的十年」。但時至今日，民主黨既已受過選民的考驗，艾遜豪威爾政府也不能不面對現實，作亡羊補牢之計了。

作者告訴我們：時間已證明美國當年的錯誤；消極方面的：美國人民對政府的選擇中國問題爲其中主因，太平洋學會和民主黨遠東政策委員會爲共張目的原形業已畢露，而爲人民及法律所擯斥，拉鐵摩爾，耶魯普之流的「專家」已成過去，艾遜豪還在外交部門中工作，態度已完全改變。積極方面的：特別重要的是美國長期支持我政府反共復國的基本政策業已確立，在若干國際事務方面的態度，手法雖尚嫌曖昧，但畢竟已認清集體安全，特別是台灣及整個中國自由與友好的重要性。美國今天對華的政策，無疑是在及時間上都從微妙複雜的國際關係中尋求澈底的解救之道——雖然，這還有待我們自己的努力。（六）

最後，作者告訴美國政府，自由中國朝野都沒有希冀美國人以流血來幫助收復大陸的依賴心理。作者鄭重指出：憑她的觀察，基於台灣的奮鬥，廣大僑胞的支持，與大陸的民心傾向等等，必能復興中國。總之：這是一部極有價值的著作，作者講話的對象雖爲美國人，但也適於各國，特別是我們關心國內外政治及國家前途的人士閱讀。

此書最顯著的特點：是不含宣傳作用，言論平實懇切，內容豐富，且多內幕性揭露，譯筆亦相當信達流暢；尤宜一讀。（下）

談國際三老

馬五先生

目前國際政治舞台上有三個聞名當代的老年角色，他們都有為國家鞠躬盡瘁，死而後已的氣魄，但其表演的技術各是一套。

第一位是邱吉爾首相，他以八旬高齡，秉掌國事，自認已經走到人生旅途的終點，來日苦少了。但依然賈其餘勇，要為祖國做些應做的事，決不肯服老退休。他這股老勁，配合其過去所創造的業績，連反對黨也稱讚他是了不起的人物，毫無間言。

其次是李承晚總統，他的年齡也快到八十大關了，其矍鑠的幹勁並不下於邱吉爾，但其政治技術却比邱翁來得乾脆些。邱翁守着憲政常軌，運用政黨政治的力量以取得政權，施展抱負。李翁呢，每屆總統任期快滿的前夕，即要議會修改一次關於總統選舉問題的憲法條文——第一屆任滿時，他教議員們把憲法規定由議會選舉的那條法律改為人民普選；現在他連任的期間快滿了，又教議會將憲法上規定總統只許連任一次的條文改為終身可以連選連任，以免他日或有臨時再致生修改的麻煩。

第三位就是吉田茂首相，他行年亦已七十又六，然老當益壯，無論如何不願放棄政權，縱然鬧得輿論譁咋，反對黨羣起而攻，自己所領導的黨員也離心離德了，還是多方玩弄手腕，掙扎不已。黨魁和首相的寶座却非佔據不可。將來究竟鬧成甚末結局，尚不可知哩！

綜觀這三位政治「老伶工」的表演技術，很明顯地表現着東西文化精神迥然有別。西方人尊重理性與法制，東方人專講權力，他非所顧。雖說彼此都是「權力中毒」的心理所使然，而作風却文質殊途。若把政治生涯看作北里風光，邱翁就好像上海小花園的長三校書，落落大方，肆應得法；李翁有若奇蹟闊美人，生拉活扯，厲行現實主義；吉田翁則絕似八仙橋的鹹肉莊裏人，專搞黑市交易，不擇手段。

我對西方列強把亞洲各國稱為「落後地區」之說，素有反感。看看這國際三老的政治作為，良心上似乎反不起來了，唉！

論王靜安並質王世昭先生

李秋生

從本刊（三八九——三九〇期）看到王世昭君的論王國維苕華詞一文，於心竊有未安，願抒所見。

（一）

靜安先生畢生最大貢獻，在古史之學。藉甲骨以窺殷史，此風實自王先生開創。自中央研究院有系統的發掘殷墟，所獲珍貴史料至夥，殷代史實於以大明。史記商本紀的記載既獲證實，顧頡剛等疑古妄說自破。這是靜安先生在學術史上不可磨滅的業績。詞學在當時代學人都視為雕虫末技，王先生亦未能外此，雖然他對詞的造詣也相當自負。

論王先生的學問文章，一定要把他治學的演變弄清。在早年，他究心哲理，受叔本華的影響最深，後治小說戲曲，如宋元戲曲史，在俗文學研究方面，也正是一部篳路藍縷之作。但在中年以後，即專究[illegible]學，對於早年的紅樓夢概論及哲學心理諸作，可說都已悔其少作了。人間詞話是其早年作品之一，到晚年已很少談及此道。

（二）

他於詞獨標「境界」二字，遠宗五代北宋，而[illegible]白石夢窗，[illegible]骨遒上，他自分不在宋以來一般詞人之下。[illegible]李後主[illegible]幸而亡國，[illegible]在文學上的成就有什[illegible]國之痛，而可能只有「剗步香階」[illegible]「恰似一江春水向東流」[illegible]的名句，靜安先生就悲天憫人，[illegible]便不會[illegible]這種看法真太淺薄。以此論詞，任何詞人都不會心服。那麼像納蘭性德生於豪門，身居貴顯，但更不該有那樣幽怨悲壯的低徊，側帽二集了[illegible]，中國詩人之旨，從來就是這樣一種傳統，[illegible]大夫的典型人物，他王先生與這種時代士[illegible]自然也不出這種傳統的支配，說他「可憐」，「可哀」，甚至於「無恥」，我不禁要為靜安先生抗議。

（三）

靜安先生之死，是一個聚訟紛紜的問題，三十年來，論者甚多。大抵在心理方面，是內心中兩種不同思想對立激盪；在事實方面，葉德輝之死給了他絕大打擊。

王氏晚年矢忠清室，辮至死不去，深恐不能容於當時的革命狂潮。他這種想法，自然迂闊而且錯誤，葉氏被戮也彰聞，王氏守身謹嚴，他絕不會步葉氏後塵。但此外還有一項致死之因，就是他深受其親家羅振玉之累，畢生積蓄，交羅開礦而悉付流水。時逢端節，百感交集，竟投昆明湖了此殘生。王氏與梁巨川先生（濟漠封翁）俱以殉教而自沉，其心境各有不同，却都不是消極厭世四字所能概括的。

王氏晚年雖然任教於清華國學研究所，但不要忘了溥儀未出宮前他還是小朝廷的內閣學士（也許是南書房行走，記不清了）。他從未以領導青年自命，他所做的只是古史新證義，用甲骨鐘鼎文字考證古史。責他不能教青年發奮為雄，正有如責拉瓦西埃為何不從化學實驗室走出參加革命，致為革命黨人所殺一樣。

（四）

對於一種作品的欣賞，原本見仁見智，無足深論。但雖說言為心聲，一個人的寥寥幾首小詞實不足以概括他的生平。有如范希文，是否因為有塞上秋來風景異的詞句而要責他為失敗主義者，歐陽永叔則以柳外輕雷池上雨一闋而判斷他是浪子呢？

總而言之，王靜安先生是舊時代的人，對他的批評必須瞭解他的環境和心情。他的主要貢獻，在古史學，甲骨學和俗文學研究，即以論詞和填詞而論，也不愧於一代作者。並沒有人強令現代青年人去讀苕華詞，即使讀了，也並不一定如何有害，正有如歷代讀書人都讀過鄭風衛風，却並不人人都變成淫人一樣。質之世昭先生以為何如？（完）

楊雲史軼事補（上）

・徐真・

小丞先生記詩人楊雲史的風趣，對這位江東才子一生遭際及其晚年韻事，述之甚詳，彌足珍貴。

（一）

楊氏才氣橫溢，其詩筆雄奇壯闊處，實為天賦與學力的綜合，尤其史詩方面，更有特殊的成就。他在光緒廿三年（丁酉）所作之「檀青引」，即已膾炙人口，老詩人易實甫譽為「可作感遇外傳讀，……長恨歌永和宮詞，並此鼎足而三，稱之詩史，洵無愧也。……」那時的他祇是一個廿三歲的少年。

抗日軍興，吳佩孚不堪寇偽圍迫，憤懣全貞而死，氏亦毅然南行，在港賣文，生活極為清苦，二十九年以後，因病臂艱於執筆，但仍關懷國事，與客談論，每熱淚盈睫，到了三十年的夏季，那時正是寇氛披猖的時候，一般面對着現實的險惡態勢，或不免懷着憂疑危懼的心理，楊氏却以他明智的觀察，確信最後勝利之必屬於我，那年七七紀念，當時他的身體已是一天天的不支，終於遏止不住對於國族的熱情，領袖的敬意，抗戰的光明前途，集中最後精力，扶病集焦氏易林句成了一篇不朽傑作——「攘夷頌」，凡一百三十八句，頌前有儷一千餘言的長序，不特典雅壯麗，富有文學上的價值，而其選詞用字，無不透過佩擊憤茂的情感，以精純鍛鍊的技巧，推論「勝敗之數，可以前知」，是由於一切以領袖為向心力，他說：「華夏神胄也，中土大器也，未有承運無本，功德不紀，而以雞鳴狗盜奄有區宇者也。……」又說：「夫以中國之人，據中國之位，如秦皇，隋文，魏武，蕭梁，有其雄才大略，不知愛民務德，即猶鼎折餗覆，大命立傾。……爾乃蠅魂躁妄，屠殺焚炸，妄譽開疆闢土之謀，而為殘殺淫掠之事，醜德惡性，暴露全球，君子於是知其微矣。……乃欲竊九有之業，賻神明之祚，胡命不展，天奪其魄。……」這些話何止是指當時日寇，直可概然今日之「毛記漢奸王朝」了。就在獻頌後的十天——七月十五日他便下世了，這篇算是他的最後絕筆，也是詩人對於大時代的珍貴貢獻！在今天我們雖又是「外效遯幽之避，內飲卒萬之痛」，重讀楊氏遺作，可從鑒往以知來中，重新得到明確的啟示。

（二）

楊氏不僅有着美妙的才華，和超逸的智慧，並賦有高尚的人格，自民國十年佐吳佩孚為秘書長，以道義相交者垂二十載，久而彌篤，在吳氏叱咤風雲的時候，他始終淡泊自安，不曾因為權勢煊赫而伊阿取容，重大事件，也曾攘臂力爭；在吳氏失敗流亡的時候，他隨着共歷患難，更不會因播越顛沛而變志，這都是常人所難能，值得我們效法的。他有一首詩云：

「涼秋辛酉歲，仗劍洛陽宮，東井人間棨，嵩高天下中，憐才必知己，從一貴能終，二十年來事，欷歔白髮翁。」

就中紀述他和吳子玉離相終始的感念。當吳子玉在武漢與南軍作戰，那時吳幕是有一「自命不凡深以韜略自許的張子武（其鍠），曾建議決隄以灌來軍，雲史極力反對，與子武譁辯數小時，吳終納其言。民國廿三年，吳居北平，時子武已死，（張於吳兵敗時，流竄川鄂邊境，被人狙殺，鑑謀道隅，與吳亦患難相依，寧死不去，風義亦有足稱，章孤桐輓張句，有愚忠直可憫，一死太無名之語，失之尖刻了。）雲史猶隨吳在平，曾劃取舊日治軍諸事，一一記錄，子武決江之謀，自亦涉及，為某記者所見，錄付南京某報刊露，張妻以楊為有意，向吳哭訴，雲史逕謝過不遑，其實楊寫的是實錄，並非出賣死友也。

紀四琴票

婆婆生

（一）

平劇的表演，首視角色之是否齊觀，配搭之能否合宜，所謂名票，除其本身所演角色外，餘如淨丑小生貼旦皆須選擇得當，所謂牡丹雖好，仍須綠葉扶持。在配搭之後，尤須注重文場，胡琴的鼓，手，一點也不能稍差。但是鼓雖極重要，可是學者[illegible]，而學操琴者却極多，造成名手不少，內行有人才輩出。比較所[illegible]自遜清以迄民初，梅雨田孫佐臣，則近乎琴中之[illegible]，陳彥衡陳道安，亦為神逸之品。徐蘭沅李佩卿穆鐵芬，亦算傳絕。迨民國廿年，則當時琴師，要以趙喇嘛王瑞芝楊寶忠李慕良為四絕。自來合機，則所謂琴票實在不少。前者華副，曾有戲迷，評判約有十餘，就余所聽，則有周長華楊化民梁訓孟趙高邱季湯畢玉清唐鳳樓諸君，其琴藝之高下，不易分別，因有愛惡之不同，可是琴藝本無生且之分，必須兩工都能操奏，現在則無形中有一條界線，把生且分成二部，亦可知今之能手，已不及前賢矣。茲余所述，為近今聽得之四琴票，是可成名者，須視其平素之研習，與時間之短暫或悠遠，才可以決定之。（上）

・短篇小說・

自我毀滅

・洛琦・

那位女同學揶揄說：「義杰這人真夠偉大，是不是受了你的博愛論所感染，我想他每次寫信，一寫就寫上十封八封了，你看他給我們的信。」

潔琪心裏暗地裏燃起一陣妒意，她本能地搶過了那封信。不錯，義杰給她們的信與給她的沒有兩樣，他一樣的告訴她們異地的風情，海外的奇景。可是，不幸潔琪至今還沒有完全改掉她的懷氣習，祇會意氣用事。她忽略了自己的信裏和別人的信一點不同的地方，就是第一句的稱呼——我最忘不了的潔琪，為什麼她不把這句多讀幾遍呢。

她感到一陣難過，怎會料到今天的高興却變成了一場沒趣，滿胸鬱積像要爆炸似的，但她仍得極力壓抑強作笑臉掩飾內心的辛酸。

多坐一回祇有多受一點痛苦，她祇想找個地方躲藏，於是她馬上回家去了，一進門就把自己關在房間裏，嗚咽痛哭。什麼東西都成了她出氣的對象，房間裏所抓得到的東西都給她打得粉碎，撕得破的也撕破了。姑母恰巧不在家，工人們不敢惹她，大家慌作一團。傍晚，姑母從外邊回來，知道了她大發脾氣，又着急又担心，去輕輕敲她的房門，一面說：「潔琪！是我，病倒了嗎？我給你吃點藥？」

潔琪聽到是姑母，不得不開門。姑母按了按她的前額，覺得有些兒發燙，便扶着她回到床上，慈祥地叫她躺下，姑母發現她枕邊有一封撕開的信，敏感地說：

「我猜到它什麼一回事了，原來是他觸惱了你。好孩子，別難過，義杰這人不值得你愛的，我早就想到他是一個到處遊蕩的青年，[illegible]不但生命隨時可能發生危險，就是家產也不比我們富有。不要再惦着他了。我先給你吃點退燒藥片，明天帶你看醫生，讓你的身體恢復過來，未來的日子正多着，你還可以靜心地另找一個最心滿意的青年。」

姑母對潔琪的態度，永遠都是出自善意而[illegible]的。[illegible]

在這次打擊之下，她一氣就與義杰絕交了。

[illegible]

他對潔琪的愛是十分忠實的，[illegible]他破碎的心也慢慢平靜了。

[illegible]大江東去——永逝的河。這不祥的預兆，她深惧[illegible]

她想這就是自食其果嗎？這時她已失了主意，對自己也沒有信心，牌氣更壞了。難道她的姑母的話會實現，靜靜等待，便能等到一個如意郎君嗎？她祇覺得自己是走上毀滅之途了。（完）

八卦山 並序

・姚琮・

明治派其宗室北白川宮率兵攻台灣，殪於八卦山之陽，其後日本降，依約還台灣，乃移其遺骸歸國。

驅車城東山，秋草雲髻媚。臺榭一登臨，江山何破碎。父老昔驚呼，暮夜來鐵騎。爭城雖有功，埋骨竟無地。世事方憤眊，佳兵又嘗試。覆轍忽再循，所寶唯仁義。

答衣雲兼示書耕

郭敏行

古者交如水，其情久益淳。詩爲知己誦，心向解人陳。我詠喜奇險，君篇貴樸眞。亂離存二子，吾道未沉淪！

自由人

THE FREEMAN

（第三九三期）

中華民國僑務委員會
登記證台僑新字第一零二號
中華民國郵政登記第一類新聞紙類
（半週刊每星期三六出版）

每份港幣壹毫
台北市售價台幣七毫

發印人：雷嘯岑
地址：香港高士威道二十號四樓
3 rd. fl. 20 CAUSEWAY RD
HONG KONG

香港發行及事務接洽
高士打道66號　電話：七四〇五三
承印者：東南印務出版社
地址：高士打道六十四號

海外總經銷
友聯書報發行公司
香港：德輔道中二十六號A二樓
台灣特派員辦事處
台北市館前街五十號
台灣總經銷處
台北市西寧南路一一〇號二樓
台郵劃儲金戶九二五二

中美協定與美國外交政策

·李秋生·

本月三日，我國與美國簽訂了共同防禦條約，這在消極方面，是美政府從發布對華白皮書以來對華政策錯誤的最後結束。在積極方面，是我國以新的中美關係爲契機，奪獲自由世界反侵略防禦體系正式獲得聯繫。這自然不是偶然僥倖致，自由中國五年來的艱辛奮鬥，與國際間冷戰戰略的錯綜迴環，都是促成這一條約的重要因素。以自由中國今日外交上的成就，迴顧五年前孤軍奮鬥的苦況，這其間種種演變，值得興奮，也更值得警惕戒懼。

並未影響反攻大陸

如所週知，這一條約的簽訂，並不像遠東類似性質的若干條約，如美澳紐公約，美菲共同防禦協定，那樣順利。那些條約一般說來，都是[illegible]，當時有水到渠成之勢，而今日的自由中國，地位是偏安孤懸，[illegible]客與不明瞭遠東眞相的人們，且不時對中國政府地位作惡意中傷[illegible]

[illegible]我方所首先建議，歷時談判，歷時數近一年，其間且曾一再遭受挫折，尤其是我國反攻復土的基本國策與外國島嶼的協防問題，這一度形成協議的阻礙。現在幸而業經成立，條約中並沒有像若干外國通訊社的悲觀報道，限制我方軍事行動或從某些外圍小島撤退[illegible]

[illegible]一個條款。但我們卻很懷疑，如果沒有中共這幾月來叫囂侵台，連續炮轟金門大陳各島嶼，並於最近突對十三名韓戰中被俘的美國軍民捏判重刑，則這一條約是否能在如此協調氣氛中獲得完成，還是一個問題。

美對金門大陸的態度

對於熱戰已在進行著的金門大陳，從九月初到現在，美政府態度都是模稜惝恍，沒有肯定的表示。實際上九月十一日美當局在丹佛召開的那次國家安全委員會，聯合參謀部首長會議有一項建議提出，主張美軍轟炸中共內地以阻共軍在金門登陸，萬一共軍佔有優勢，金門形勢危急，美空軍即與國軍聯合轟炸共軍，這建議在聯合參謀本部首長會中，雷德福主席，海軍作戰部長卡尼，空軍參謀長端寧都支持甚力，[illegible]長李奇威則表示反對。當時由馬尼拉會議順路訪問自由中國的美國國務卿杜勒斯，在台期間[illegible]的主張。但在國家安全會議中，李奇威立場卻得到副總統尼克森、史密斯和國防部長威爾遜的支持，結果艾森豪總統也於是支持李奇威的意見，於是參謀首長會議的建議[illegible]，像鎖邊府情形一樣，竟被輕輕打銷，已經[illegible]

走向共存放棄解放

在實行以攻爲守的國軍[illegible]的遠東美海空軍，都不得不[illegible]，其實就是並不準備採取積極行動。幸而國軍防守堅強，美軍方也以不到公開作戰（SHORT OF WAR）的方式竭力支持國軍，外圍各島纔幸而未爲鎖邊府之續。在當時決定那一略策的美當局，似乎無甯承認那些島嶼是與鎖邊府同樣可以犧牲掉的。

因此就我看來，所謂「共同協議」，各規定雖未嚴閉協防各外圍島嶼的門戶，卻也不是準備積極從事協防的[illegible]，如果[illegible]示新的態度，和中共故意以判刑十三美人，來打擊美國觸怒美國，則支配那次國家安全會議最後決議的政策路綫，今後還有可能重演。

這裏便牽涉到美當局的基本對外政策問題。我們固然深信美當局不致驟蹈姑息政策覆轍，這一年來美當局態度——特別是艾森豪總統的態度，確已一步步走向共存主義，不只解放政策久已擱置，甚至也不准備對共黨採取斷然的堅決態度。採取長期期待觀望之後，並未拿出積極主動的對策，反而恢復到過去的圍堵——甚至是和平共存的圍堵。

當四年前在大選中，共和黨的政綱的原本包括有兩項矛盾過的政策：一項是攻擊過於消極的圍堵政策，另提出解放政策，以期恢復鐵幕人民的獨立自由；另一項是裁減軍費平衡預算，首先是結束韓戰，撤退海外駐軍，縮減軍備。這兩項政策本來互不相容，因而當共黨發難，艾森豪之後，立時就發現二者無法兼籌並顧。關於解放政策，艾森豪總統曾有過一些名言，有如「出兵士，背包決不比奴隸鎖鏈更重」之類，使全世界被奴役的人們，內心燃起新的希望，同時下令撤銷第七艦隊對中共東南沿岸的「保護」，然而解放政策的最高表現只如是而已。美政府的中心政策則集中於軍政費用的縮減與國民負担的減輕。在艾森豪內閣中，財政部長亨弗利是一個有力人物，這位出身中西部的企業家，好像除却平衡預算之外，再沒其他足以使他感興趣的事。面臨鐵幕龐大軍備的威脅，美國竟要大量裁減軍費，更無怪其裁撤第四點計劃，結束對外工作署了。照這樣的健全財政政策，自然要避免在國際間担負重大的義務。

維持現狀的外交政策

另一方面，在對外政策方面，支配美政府路綫的又是共和黨中東部的國際主義派一翼，此派的傳統政策是歐洲第一，無條件的支持美英同盟。對於東方，表面上雖比民主黨政權時代置重，却從來不會放在第一位上去考慮。美政府本身情形如此，自然解放政策也就徒託空言，其間雖有史達林死，貝里亞倒，和東德武裝暴動的幾次時機，美當局都木然無所事事。及至蘇俄氫彈宣告成功，世界會在大戰中遭受毀滅的恐怖瀰漫西方，於是「共存」陰影就逐步襲來。今春美當局所宣佈以報復爲主體的「新面目」國防政策，已經是承認這世界要維持現狀，無意再用任何手段加以改變。不必等邱吉爾訪問，公開提出兩個世界和平共處的要求，這原則已爲白宮所默認了。

以此之故，所以像北越的淪陷，國際和平聲浪與「四強會議」的頻傳，無甯都是自然的結果。美當局固然不致承認中共，但也不肯過份刺激中共，使國際間這種「美好」的「和平遠景」爲之擾亂。然而這樣的路綫，不只有違美當局在競選時的諾言，在實際上也並未收得許多效果，像莫斯科最近對巴黎協定的齟齬嚇詈，和中共對美人的判刑，都不是對西方共存氣氛的善意報答。這樣就無怪諾蘭參議員斷然指出共存政策與原子僵局的造成，僅足以癱瘓自由世界的作戰意志，徒利於共黨的獵食，因而要求全面檢討美政府外交政策與國防政策。

不要爲安全錯覺催眠

預料當明年美國第八十五屆國會開會之後，有關外交國防政策一定會展開一項盛大辯論，其重要性將超過參院已往有關麥帥和麥加錫兩度大辯論。對於那辯論的結果，我們不願逆料，也不存奢望。本文所要指出的只是中美協定的產生，並不是在一種十分有利的氣氛當中。這一成就固值得鼓舞，國人却不要被安全錯覺所催眠。過去我們從孤軍獨戰得到今天的成就，今後還要靠自身的奮鬥，纔能衝破國際間的「共存」逆流，貫澈反攻復國的目標。

台灣經濟的基本建設

·趙永洛·

清末左宗棠曾在蘭州，以不少資金，創設一個大規模的毛紡織廠。老誠謀國，無非想在西北，就地取材，開發富源，建立我國毛紡工業，用意非爲不善。但卻不知道在羊毛生產上同時下工夫，羊種未改良，養羊技術不進步，所產羊毛，品質粗劣，不適紡織，原料既不合用，機器亦失了效用，這個耗費了鉅額財力人力所建立的毛紡工廠，數十年來，不惟本身毫無發展，反成了國家一個負擔。西北羊毛產業仍滯留在原始狀態，也沒有因之發達起來。事實上，毛紡織工廠只要有機器，有人才，在短時間內，不難建立，但是養出好羊種，生產優良羊毛，實在沒有設立工廠那麼簡單，如果綿羊養不好，沒有適於紡織的原料生產，即有現代化的工廠，又有什麼用場？可見農工業生產，關係密切，猶如車之兩輪，缺一不可。

現在台灣經濟建設，以發展工業爲中心，因此，我們希望今後對於工業建設，除應有深遠的計劃外，尚須與農業生產，密切配合，庶期能迅速達到工業化的目的。

「水」「土」爲生命之源，萬物賴之以生，故其利用與持續，乃一切建設事業之基本，如農田灌溉，水力利用，土地經濟等，都是農工業生產的最基本設施，假如我們不能把這些基本建設工作，切實做好，一切都是空談。

目前從事台灣工業建設，一方面要配合當前政治經濟及軍事環境，以便充分發揮經濟戰的力量。另一方面還要興辦與工業發展有關的基本建設，以便在短時間內，樹立一個深厚的基礎，因此，我們認爲台灣所有經濟建設工作，除一般輕重工業，應儘量獎勵民營外，最好政府能集中力量，先行舉辦若干與農工業生產關係最密切的基本建設事業，果能如此，則不僅可使工業生產基礎穩固，亦可促進農業發展，增加國民所得，提高購買力，刺激工業產品之生產，農工互利，擴大就業機會，經濟自可日趨繁榮與安定。本此觀點，特列舉幾項有關台灣農工業生產的基本建設，以就正於國人。

亟應開發煤炭工業

煤炭除工業用外，在貧弱落後國家，亦爲一種高貴的家庭燃料，開門七件事，「柴」居其首，其重要可知，我國煤炭工業落後，大多利用柴薪，農作藁稈，雜草，落葉等，充作燃料，在柴草缺乏之地區，農家多以牛馬糞爲炊，即現在澎湖島上，亦尚有若干居民，仍是如此，可見家庭燃料的供應，也是一個急待解決的民生問題。

台灣煤礦多在北部，舊礦漸涸，新礦未開，加以設備不良，經營欠周，生產成本甚高，據民國四十一年官方統計，煤炭產量計2,236,394公噸，其中大部分用於工業，家庭用煤爲數甚少，因價格昂貴，多數農家，仍依然利用木柴及農作藁稈，充作燃料，至於富裕家庭及烤製菸草等，概用木炭，光復前，每年柴薪消耗平均年達材積八十七萬立方公尺，現在消耗更多，伐多於植，因之，大好山林，雖費盡氣力，亦無法培養起來。

農作藁稈，雜草落葉，或爲飼料，或爲堆肥，農民既以之改充燃料，即不能飼畜培田，不僅農家收入因之減少，即地力維持與增進，亦發生困難，三十年來，台灣耕牛缺乏，與廉價燃料供應不足，實有密切關係。

改進台灣煤礦業，充實設備，輔導經營，增加產量，減少成本，廉價供應，擴大銷場，固然直接有利於工業生產，間接亦有益於「農」「林」「牧」業之發展。近數年來，台煤外銷增加，足證台煤亦可立足於國際市場。據官方報告，台北石碇區煤礦，蘊藏量在數千萬噸以上，品質優良，礦區距鐵路綫甚近，何不迅速開發起來？

今年台灣發生旱災，部分農田未能插秧，同時日月潭水位降低，發電量劇減，影響於農工生產，相當嚴重。

（上）

半週展望

·左舜生·

第二步的辦法怎樣？

在中美共同防禦條約簽訂以後，中共的報紙雖然是暴跳如雷，依然高唱着『不解放台灣決不罷休』的這一濫調，但『解放台灣』已成過去，却是無可否認的事實。今後我們所應該注意的，乃是反共集團及台灣自身，如何從事實上表現其第二步的做法。

就反共集團來說，美國對日本，對南韓，對台灣雖然都已訂了這種類似性質的安全條約，但這只能說明三國個別和美國的一種關係，中日韓三國自身却依然缺乏實質的聯繫。在中美條約未簽訂以前，便想搆成一個東北亞聯盟的形勢，自然是相當困難，但現在這種可能性却已顯然加強，乃是中日韓三國聯成一氣，毅然決然的簽訂一此個軍事同盟條約的。我們於此願特別提醒的：這不能完全期待美國去加以促進，三國自身必須有一種高度的自覺。所謂高度的自覺者，即必須明白認識：共產集團的侵略，固無所謂和平共存，更無所謂適可而止，韓、日本、台灣的任何一點，都隨時可被共產集團選擇作爲進攻的目標，一點上被攻，其他各點乃袖手旁觀，這無異靜待敵人的各個擊破，而自招失敗。我們試想：假定在韓國的時候，如果台灣不被凍結在一種中立狀態之下，而能讓她向中國大陸的東南沿海作最大可能的進攻，則韓戰何至延長到三年之久？更假定在韓戰中能有一支日本的象徵志願軍或若干軍事技術人員得到參與的機會，則今天日韓間的僵局，豈不早已打開？凡此均足證明中日韓三國必須結成一體，互相策應，過去如此，今後更是如此。初步的自覺在日本首先放棄自大之感，南韓能拋棄成見對日本棄仇尋好，自由中國則於自身的光復工作以後，能同時顧到整個亞洲的共同利害。

就東南亞這一方面來說：儘管有了一個所謂東南亞聯盟，但過分的偏於消極的防禦，而且留下的漏洞甚多。在這一地區的若干國家如地點，無論越南三邦，泰國，馬來半島，乃至香港，都隨時可能遭遇共產集團的突襲，越南和泰國尤其岌岌可危。我們自來有一種看法：即眞正要確保東南亞的安全，必須東起珠江口，西達滇緬路，包括廣東廣西貴州雲南四省的地區，形成一個進一步的防禦走廊。毫無疑義，這四省地區必須歸入自由中國的統治之下，而以自由中國加入東南亞聯盟確保之，然後東南亞才可安如磐石。自然，這件事決不是一向情願便可實現的，還得多下工夫，經過相當時期的醞釀，而關鍵乃在英國能放棄對中共繼續敷衍的態度，美國能支持我們對這一局部的反攻；爲這一反攻確實成功起見，東北亞的軍事同盟條約，也非成立不可。

就台灣的本身來說，有了這一條約的簽訂，好處自然是不少的：（一）自由中國的國際地位可從此確定，不能再拿台灣作爲一種購取國際和平的擬議；不問任何方面，過去若干不願與台灣切實合作的國家，從此也可能引起一種新的考慮。（二）因台灣地位的安定，可能促成台灣經濟情況的好轉；（三）軍事的力量，自可逐步的加強；（四）一切對台灣作不利打算的人們，從此也就有一種新的看法；能穩定一切動搖分子，使之不敢對中共更存幻想，自更不待論。

不過，話雖如此，台澎穩定，僅僅只是反共復國的一個初步基礎，今後應該配合這一好轉形勢的工作，依然很多很多：一，過去台灣本身未趨穩定，一切政治上因陋就簡的辦法，今後是否應該有一番放手的改進？二，對海外一千二百萬的僑胞，過去實在不出任何加強聯繫的具體辦法，今後是否應該就這一方面動動腦筋？三，關於反共復國的思想文化工作，在過去五年中，實在沒有好好去做，同時也沒有什麼成績可言，今後在這一方面打算怎樣？我們既不以保守台澎爲滿足，則凡屬這一類的課題，今後便不能不一一求得切實的解答。否則即在美國海陸空的掩護下而長此拖延下去，我們的精神痛苦者，還是無法解除的。

葡萄牙的沒落與復興

．李加雪．

談起葡萄牙，我們便聯想到澳門。澳門是這樣接近香港，而且和台灣也有密切關係。我們再進聯想到葡屬印度果亞。最近報紙登載，印度的社會黨要列隊進入果亞，解放印度人民。果亞的天主教堂召集了全埠的天主教徒，作一個長夜的祈禱，總督當然也是祈禱會之一員。印度的社會黨員有三個人偷了進去，都被逮捕了。果亞似可稍安一時。可是葡萄牙是什麼樣的一個國家呢？能夠答復這問題的人，恐怕並不多。

葡國的光榮和衰落

葡萄牙是一個信奉天主教的國家。本國的領土雖然不大，但殖民地卻佔世界的第四位。在十五和十六世紀的時候，葡萄牙是世界的第一個海軍國，殖民地遍布各地。現在他還保留了兩塊面積相當大的地方在非洲。對於戰略物資，如橡膠，工業用的鑽石，銅鐵，和鈾都有很大的產量。可惜的是葡萄牙的光榮已消逝了。經過了長期間政治紛亂，國庫空虛，貪污，暴動，謀殺，葡萄牙變成了一個沒落的國家。一九零八年革命黨人把家羅王殺了，兩年後成立了一個共和國。可是國內的情形日趨腐敗。在十六年之內，葡萄牙推翻了四十三個內閣，遭遇到二十次的暴動，八個總統，三個自動辭了職，一個被驅逐了，另外一個人被刺死。

蘇賴沙造成財政異跡

一九二六年的軍隊倒戈，把國會黨的政府推翻了。那時葡萄牙眞是紛亂達到了極點。國家沒有預算，軍隊隨便拿國庫裏的錢使用，沒有紀律，也沒有法律。好像一個家庭，沒有家長，也沒有負責人，一群青年人在家裏亂作亂爲。後來軍人覺得這種辦法實在不對，想找一個管理財政的人，來負責國家的經濟。他們選了一位三十七歲大學裏的經濟教授蘇賴沙，那時正是暑假，蘇賴沙和他的媽住在鄉間。

軍人代表對蘇賴沙說道，『我們需要一位聰明，正直，而且有勇氣的財政部長。你可以適合這個條件。』蘇賴沙搖頭，答道：『不，我媽病得很厲害，我不能夠離開她。』可是軍隊非要他去不可。他只好去和他媽商量。他媽說道：『兒子，你去罷。他們十分需要你，才會找到這鄉裏來的。』

蘇賴沙跑到葡萄牙京城，決定用他媽管理鄉下小家庭的辦法來管理國家財政，原則是單簡的八個字，『開支不能超過收入。』他到了那裏只五天，便曉得他們不容許他這樣做，他跑回大學裏教書。他是一個沒有野心的人，他認爲教書是人生最快活的事情。

兩年後，軍人的代表又跑到蘇賴沙那裏，他們說，國家的秩序已經恢復了，只是財政沒有辦法。蘇賴沙答應了擔任財政部的責任，可是他提出了一個條件，全國的財權歸他個人掌握，沒有得到他的核准，軍事部門不得在國庫提款。軍隊接受了他的條件，一九二八年，他跑進葡萄牙京城里斯本。

蘇賴沙在葡萄牙造成了財政的異蹟。他把預算平衡了，整理好了公債，把貨幣轉入硬幣的基礎。現在葡萄牙的貨幣和美金，瑞幣，鼎足而三，倫敦泰晤士報說，『蘇賴沙是最近代最偉大的財政部長之一。』

獨裁政府的建立

一九三二年蘇賴沙做了葡萄牙的總理。他起草一種根據耶穌教義組成獨裁政治的憲法，得到公民總投票批准。經過了差不多五十多年無政府狀態的葡萄牙驟然變成了一個獨裁的政府。物極必反，葡萄牙人民飽受了政治紛亂和社會不安的痛苦，他們認爲蘇賴沙是一個忠心爲國，是一個忠實的基督徒，所以他們把政權奉送給他。政黨都解散了，全國的政權歸總統掌握，總統任期七年。可是總統把政權交付總理。蘇賴沙以爲政府的形式雖然是獨裁政府，人民仍應有權批評政府，所以成立了一個國民大會，用來決定國家開支和預算，另一個聯合商會用來討論社會和經濟的問題。葡萄牙的國政由蘇賴沙一手納入常軌，葡萄牙最近二十年的歷史也可以說是蘇賴沙個人的成功史。在蘇賴沙領導之下，葡萄牙建設了十多萬英里的公路，把都城里斯本建築成近代化而類似巴黎的城市。政府又建築了近三十萬所房屋，人民得以二十年付款辦法購買此類房屋。

葡萄牙缺乏天然資源，大部人民從事農業。出口貨的大宗是酒，沙丁魚，和軟木。近年來改進了灌溉的方法，生產大大的增加了。最近又成立了一所大水電廠，對於工業的發展有極大的貢獻。

自由世界一根砥柱

葡萄牙到現在還沒有跟蘇聯恢復外交關係，也沒有參加納粹和法西斯的反共同盟。[illegible]西洋同盟。[illegible]葡萄牙的地位在西班牙半島，[illegible]對於軍事有極大[illegible]第二次世界大戰的價值。葡萄牙參加了歐洲聯防，是自由世界極大的助力。

葡萄牙近三十年來的歷史和首領蘇賴沙是不能分離的。蘇賴沙六十三歲了，是一個獨裁者，可是[illegible]信徒，在葡萄牙奉行耶穌教義。[illegible]他沒有結婚，[illegible]他是一個葡萄牙的總理二十六年，[illegible]葡萄牙人大約是因爲他能夠保持[illegible]的原故。

談台北里民大會

這是地方自治的縮影　里民爲何不高興開會

．于飛．

台灣通訊

【台北通訊】台灣的地方行政單位，縣市以下是區，鄉鎮，區鄉鎮以下則是里鄰，所以里鄰是行政區域和地方自治的基層。里鄰制度與保甲制度，名異而實同。過去大陸各地，曾先由鄰里制度而改爲保甲制度，在台灣，它一開始便如此的。

台灣每一個里，規定每月舉行一次里民大會。里民大會，雖規定每戶必須出席的人數，但出席與否，就得看他們的興趣如何了。因此，台灣的里民大會，有些地方，表現極好，[illegible]寥無幾，場面非常冷落。台北市議會，曾有人建議，要市政府在各里民大會召開之際，佈置助興節目，或者聘請名人講演，以吸引里民出席。但是亦有人懷疑，這種表面工作有無效果。理由是：公民們對於里民大會的冷淡，並不是因爲欠缺助興節目，而是台北市政府對里民大會的決議案，沒有交代。提出此理由的，是一位姓劉的女議員，她說：「里民大會一次一次的決議案，送到市政府，有如石沉大海」。她又舉例說：「大安區近於新生南路一帶的里民大會，曾通過請求市政府將東面新生南路舖設水泥路面或柏油路面，但結果市府既不答覆，亦不執行。又安東街一帶的里民大會，向市府要求運送幾車石子，補墊幾條泥濘不堪的小巷，結果，未見做到。前後兩椿事，是一大一小，大的不能做，小的不肯做，誰還對里民大會發生興趣呢？」所以，劉議員呼籲：市政府，要拿出眞心誠意，來領導里民大會，促進地方自治，表面工作，不是根本辦法。

台北市，可作楷模的里民大會，是大安區的里民大會。因爲名政論家陶希聖是該里里民。每次里民大會開會，陶先生必報到出席，陶先生就乘便報告時事或討論政治，或專題講演。因此給予出席的以吸引力。不僅該里里民爭相出席，而他里里民也有以前往旁聽了。陶氏曾於里民大會中，抨擊一位姓涂的市議員，使那位議員既不能連得提名競選第三屆議員，甚至被開除國民黨籍。名人出席里民大會，足以增加里民的興趣。似乎里民並不是不能赴會，有理由，而不過分布在每一台北市的里，並不都是名人學者，事實上也不是人人都能像陶先生那樣熱心出席里民大會的。

編者　讀者

△陳茹玄先生來函▽

編輯先生：

拙作「論憲法的覆議權」，在貴報發表後，有金奇方先生表示不同意見，弟與金君雖未有一面之雅，但讀其文，知其爲好學深思之士，故願因此書以代達鄙意一二，作研討本問題之補充資料。

論立法院覆議權

拙作結論謂覆議即是否決，而否決案係指全案而言，不作部份否決。而修正案有另其處理程序，不能適用覆議案的程序。此點大家都能見到。但是覆議案中是否可夾帶修正案？此一問題就比較複雜。很多人和金先生一樣，以爲行政院如果不同意原案，覆議時原案不能維持，自然要考慮到行政院的「不同意見」來討論，如何將原案修正，否則同樣無法下文，如何交代呢？這是一個普遍的想法。但是鄙意認爲覆議案與修正案是兩種不同性質的東西，彼此不能互代，亦不能混合使用。換言之，即覆議案中是不能附有修正案的。茲簡單說明如左：

（一）覆議案在立法院須得出席人三分之二的多數始能維持。修正案則僅須出席人過半數的多數便可通過。

（二）不能獲得三分之二的多數來維持的覆議案，可能仍有過半數人之支持。

（三）要維持原案的過半數人，在表決覆議案時，雖因不足三分之二失敗，但在表決修正案時，則可發生決定性的作用。

（四）因此，修正案很可能恢復原案，或使原案改頭換面的復活。如此等於原案復活，復活之後再來一次覆議，其結果可能仍然一樣。循環不決，永無止境。

就是因爲怕陷入這種僵局，所以覆議案不附修正案，亦不作部份覆議。對原案只作「維持」與「否決」。覆議案到了立法院不能維持原案，原案便自行打消。打消之後，該案便不存在，自無任何修正可以討論。依美國成例，覆議案打消之後，其同一性質之新案，必延至下屆會期始可提出。俟議員們頭腦冷靜之後再行考慮。這都是非常合理，而且針對現實的制度，不能因爲是外國的辦法，便予以蔑視。我們固然可以不落常蹊，獨創一格，但卻不能不顧到法理根據，和實行方面有無窒礙。也不是把別人的整套東西支離割裂，將不合理和不適用的破片堆在一起，便可自稱創作。主張部份覆議者，便不能不主張採用覆議案與修正案同時分別處理的方式。於覆議程序之外，加上一個修正程序，以求遷就事實。這是於法無據的。因爲憲法已特定處理覆議案的程序，不能再加上修正的尾巴。蛇既無足，豈可再添？何況因兩種程序之不同，在運用上又可陷入上述不可解救的僵局。這是本人期期以爲不可的。憲法第五十七條對於覆議案只說「維持原案與否」，並不提到修正。這不是條文的疏忽，而是制度上的明智抉擇，立法原意就在於此。讀其文者，決不可粗心忽略。其餘各點，具見本人前論，不再贅述。

陳茹玄敬上十二月二日

晚年披剃的——平江不肖生

人物．述評

．易與．

寫「人物評述」，多少不免有點個「阿其所私」，因爲如果不是諳識其人，又烏得而有所評述，既屬諳識，自難免有其恩怨哀矜的了。而且人物云者，在一般世俗觀念裏，又似乎該得出人頭地，至少是所謂有「身份」的人，何況像我這樣還不夠老的人，在友儕中找人物，固然有些已成異物，可是生存的卻仍不少，況復身當季世，做人實難，有才者未必有行，大德者未必「大亨」，筆下陽秋，要能做到褒貶恰當毀譽隨分的無愧怍于人尤，委實大不易了。

（一）

讀者諸君子，你讀過「留東外史」的小說嗎？或者你看過「火燒紅蓮寺」的影片嗎？那，你定會「眼熟」這個「平江不肖生」其人，若然，此而人者，爲他寫一點兒於人物評述欄，也許不嫌其不適分吧？讀其書，識其人，論其世，平江不肖生者，他的本來姓名是向愷然，湖南平江人，他在遜清末季，就到日本留學，在日本有五六年之久，那「留東外史」，就是他所躬身經歷的實紀，可惜那不是一本「正經」的著作，所紀的全是其時留日中國學生的「醜史」，間或及於那干「革命黨人」——反對袁世凱到日本作政治流亡客輩的「私事」，一言以蔽之，全是玩女人做壞事的紀述，不過有些地方也可以當作「鑑戒」。我生也晚，對於留東外史中人物，因爲姓名隱射，不能一一道說孰爲阿誰，據說書中的「黃宗漢」其人也者，就是著者的夫子自道，如康將軍其人也者，就是做過汪精衛僞朝參軍長的康蟒，在台灣，似乎也還有當年的史中人在，不過大都已是年近七十的人，像我輩六十以下的留日學生，縱然如何「缺德」，無賴，也無緣見朵於留東外史之內的，向氏本人原是七十開外的人呀。

（二）

在對日抗戰後期，我在山城立煌，那時是安徽省的戰時省會，拜識了這位留日前輩，此公體格魁偉，其時雖已是六十多歲的高年，由他那容光煥發的面龐，炯炯有神的目光，說話聲音洪大，走路步子快速，一舉一動，不現絲毫老態，想見其人果眞如留東外史的黃宗漢的英俠氣概。同時因爲他有一位年事甚輕的太太，上下唇是剃得光光的，所以也就格外顯得雄壯。他來安徽，是應廖（磊）主席的邀請，廖死李（品仙）繼，仍舊借重着他在省政府掛了一個「參議」名義，他也就且住爲佳，在立煌住將下來，那位年輕的太太，便是就地取材的本省土著安徽人也。立煌原稱金家寨，介于湖北河南和安徽三省的邊區，山嶺盤鬱，地勢險要，共匪曾據爲巢穴，由衛立煌率軍攻破，因此設縣治時以立煌名其縣。

向先生在立煌的寓所，也和其時的一般公教人員相同，就山坡搭蓋一座竹泥爲牆茅茨蓋頂的蓬舍，倒也別有風味，他那時的境遇，似乎並不大順遂，我拜訪他的時候，他的太座正在提籃出汲，他面前還立着兩個正在膝下的孩子，他懷裏還抱着一個不到周歲的嬰兒，閒聊中談到留東外史，他說書中事蹟，他所親歷者十之四，耳聞者十之三，其他十之三則爲鄉壁虛造的了，不過多多少少還是有點兒足堪捕捉的風影，最後他高呼罪過不置。爲其有如此罪過的負疚于心，所以他用「平江不肖生」的筆名說。他亦很感慨用着開玩笑的口吻說，他奉勸一般喜愛掉筆桿兒的朋友，在搆思下筆，千萬多存「恕道」，多用「恕詞」，他說他自己就因爲一部留東外史，開罪了甚多人，致令他自日本回國後，就一直在窮窘中潦倒，他最後更感慨萬千的說出：寫作的時候，往往是興之所至，不容多所「沉思」，事後想來，有些事情，如果連累到一個好人，在自己則傷德，反之糟踏死人，也是傷德虧心，如果是一個壞人呢，那後患更是不堪設想，甚而還曾丟掉了「九斤半」，他說時摸了摸他那大腦袋，他說他的「倒霉」，就是下筆太「直」，而今之世，直道而行，是活該不利的，再看一看同輩少年，越是壞蛋，比留東外史所說的還要醜惡的東西，卻一個個冠冕起來。老人家越說越氣憤，終於在「太座」那「唸佛的人還有這樣大的火氣」的話，大家打着「哈哈」收場。

（三）

另一回閒聊，聊到他那「江湖奇俠傳」的說部和由江湖奇俠傳蛻化的「火燒紅蓮寺」的電影，他頻搖其首的說道：那些前塵往事，眞是不堪回味的，當他在上海賦閒索居的時候，窮困的百無聊賴，加上那時還有這個嗜好，他翹起拇指和小指湊上嘴唇，表示那時他還是一位「芙蓉城主」（鴉片烟），無以爲「飲」，似乎還不過開隔，唯有無以爲「吹」，未免烟癮難熬，情迫無奈，祇得順應着書店老板的意願，寫些七七八八的東西。（上）

西漢易學通論（四）

讀易的意義與方法

毛以亨

易的發展與所含哲理

史記謂孔子傳易于商瞿，由子庸，子弓，子家，子乘，至漢初田何爲六世。田何傳丁寬，丁寬傳田王孫，田王孫傳施讎，孟喜，梁丘賀。梁丘賀之易，宣帝時爲盛，而孟喜獨樹一幟，重災異，以傳焦延壽，焦傳京房，至朱雲則於廷對時而折梁丘一派之五鹿光宗。丁寬作易說三萬言，田王孫在武帝時爲博士。我想不特說卦以下爲宣帝後的作品，即繫詞傳亦多武帝後語，通彖象文言，都爲秦漢間人據舊聞錄下來的。所以易之師承表上諸人，或即爲代替孔子的作易者，雖證據不夠，却不自嫌爲武斷，讀者可意會之。

憂患時宜於玩易

大抵憂患時最宜於玩易，秦漢之際，傳易者之玩卦爻，等於五代終南山道士玩河圖洛書（案漢書說圓形，洛書說方形），明末清初顧王黃毛胡李諸大儒亦俱研易。我們人遭亂離時，對於素不研究的數學，忽然發生興趣起來，亦可以說數學等於現代，易道。現在吾人所看到的易經，爲費氏易，然其內容與三家易大同小異，劉向僅言其較完備而已。且費氏亦言卦氣與災害，鄭玄注費易與並採京房之說。至王弼注易，則爲南方劉表之傳，湯用彤曾用章太炎說而做詳細的考證。南方講易者，完全說理，已一掃象數而空之了。

易與春秋有密切關係之證據，首見左傳昭二年，「晉侯使韓宣子來聘，見易象與魯春秋，曰周禮盡在魯矣。」繫辭，「易抱龜南面，天子卷冕北面。雖有明知之心，必進斷其志焉，示不敢專，以尊天也。」史記，「易本隱之以顯，春秋推見至隱。」故朱熹亦謂易與春秋，爲天人之道，故我認爲易學承董仲舒公羊天人之學之後。然自三統易變爲民間之費氏易，公羊亦變爲左傳之後，這些陰陽怪氣的說法，都被澄清了。欲考子夏，孟喜，京房，焦贛，馬融，荀爽，鄭玄，劉表，虞翻等之說者，可於李鼎祚之周易集解求之，有所不足，即惠棟張惠言之漢易，虞氏易可作補充。吾亦祇見以興滅繼絕自命者之無補費精神耳，實際上是找不出任何新材料的。

易是歷史哲學

章實齋本六經皆史之旨，謂易至少是時憲書，換言之，是無史事的紀年。章太炎亦謂易是社會學，等於上古史，屯卦爲混沌初開，至履卦始成君王時代。我以爲與其說牠是社會學，不如說牠是社會學前身之歷史哲學，較爲恰當。不過這是指學術未分科之情形而言，一切紀載，既是文史，又是詩歌。若依倍根最簡單的分類，則在六經中，無疑詩經是詩，春秋尙書爲史，易爲說理，而六經則無異爲古代百科大辭典。

古代說理，祇是其方式不發展，但於現代的概念，則無不具備。歐洲人以四量限度解釋康德與柏拉圖，未嘗不可通，蓋所不知者其方式，而所具者則其概念。準此我亦擬以現代概念解釋易理，使現代人能懂而生出親切感來。第一易爲不易之義，在思想上須有原則，在科學上須有坐標，否則誠如休姆所謂一束感覺之勤亂不已，故非不變即不能以明變。第二易爲變易之義，則有循環與相續的二種變法。循環爲日月星辰之周而復始，乾道如星辰之自東徂西，坤道如江河之自西徂東，卦氣運行，以成圓形，是謂太極。相續而進化的變，則爲生生不已，光速似箭，從不回頭，由精氣變爲原子，由無變而爲有，所謂無極而太極也。故有人謂易是循環論，有人謂爲辯證法，我以爲即將能力而非物質之近代物理學說附會上去，亦未嘗不可通。祇共產黨人以易爲循環論，這是有意污衊中國文化，而加以揚棄的。

易乃西漢哲學

吾以爲易有最重要的一義，殊與柏拉圖之意典合，非此即不能超越常識，將易置於哲學地位上。繫詞傳，「作結繩而爲網罟……蓋取諸離。……耒耜之利，以教天下，蓋取諸益。……垂衣裳而天下治，蓋取諸乾坤。……刳木爲舟，剡木爲楫，……，蓋取諸渙。服牛乘馬，蓋取諸隨。……」這是說有此意典，而後有此實物，是觀念決定存在。易之所謂象，蓋指意象，不必實有其形，拿六畫來講，是指事而非象形，例如乾坤，即如上下之爲指事。拿現代科學來講，則點綫方圓，俱是代表概念，而非眞正的圖形。現實的圖形上亦找不到絕對的圓，與至小的點綫，形不過爲幫助我們概念上的方圓而已。朱熹說，天下之萬象，出于一方一圓，知此始可通易。他又認爲理氣雖無前後，而理總在氣前，此語前人認爲最難懂，繼續，我們現在讀西洋書者，知道這是邏輯的占先，不一定是實的在先，可爲其最恰當的注解。

所以如果認中國有哲學的話，則古代除易經以外，沒有第二部書。我以爲若不把哲學與神祕拉在一起，則易經無疑的爲西漢哲學。

個人讀易經驗

羅素說，「現代哲學，其嚴密與精細，殆非古代哲學家所可夢想。」亞里斯多德以下，若問之以近代問題，必瞠目結舌而不知所對。中國數學落後，由於科學發展未至此階段，亦僅能成功於數學而已。中國學術，往往而不走繁瑣路線，以學歸於簡易，斯是帝王官學必然的結果。柏拉圖亦懂歐幾里德氏幾何，故本其思想，亦無法瞭解近代哲學之笛卡兒，萊勃尼茨，康德，羅素與懷德海。不過中國人談學問，不能不修明自己的先驗觀，以爲衡量之尺寸，則不能不從六經爲出發點。然今日治易，與其說是發揮漢宋之易原來思想，不如以西洋哲學之體當理論來補充與擴大原有易理較爲得當。

顧我個人讀易之經驗，以爲對理性之研求幫助不大，而於發揮精神，建立意志之作用爲更多。在危難時讀易，生出居易知命之感，古來愛國捐軀之國殤，多爲讀易之大儒。精神內發，無事外求，勝於跪在上帝面前，求其助力也。朱熹說，「易以開天下之恩，以定天下之志，以成天下之事，」志立則事舉，旨哉斯言！中國人之乾坤，雖屢遇厄運，然有五千年而未嘗或熄者，其在定志乎？

讀滄波近作二種後

胡秋原

程滄波先生以近作二種見贈。一「時論集」，民國二十一年至二十八年爲「中央日報」所著社論選集也。自序云：「報章時論，在學術上之價值雖少，然于歷史文獻，自有其一席地」。余意報紙時論尙不僅足考世變已也。一國報紙，如可稱之爲報，實爲一國國勢民智之表現；而報紙之社論，亦爲一國知慧之表現。時事者，當代史也。

（一）

「史記」之「太史公曰」，其論古事者可謂史論，而論當世者，即時論；豈不賢于高台講章乎？立言于今之世，社論乃代一國立言。爲社論者，必有一定之人生觀，世界觀，始足以論大事。而人生觀世界觀者，即哲學也。故近世各國名報之社論，小之移風易俗，大之嚮導國家。若非然者，亦猶『不龜手之藥一也，或以覇，或不免於洴澼絖，則所用之異也』爾。世又以黨報社論爲疑者。實則黨者，政見之羣，選舉之組織。民主政治既爲政黨政治，則民主時代之政論，在一定時期，終必成爲政黨之政論。若俄式之政黨與黨報，僅一時魔道，而未可因噎而廢食也。成舍我先生曾暢論此意，並舉滄波此集之觀察明確，詞辯飛揚，證黨報社論之非不可讀；固足以解惑，亦所以勉世之黨報者歟。

（二）

近世常州于經學力張今文，於文章不廢駢儷，以與古文桐城並驚。滄波淵源有自，復明當代之故實，攻政法于英倫，宜其文采斐然，言之有物。四十二篇之中，雖所涉不一，要有四點爲論據：一曰民族之自信自尊；二曰維持國聯威信；三曰心力救國；四曰法治。此在當時執政之黨是否即無遺憾，爲另一問題，然立言有一定之中心，此其所以卓然不同流俗也。雖然，滄波所論，吾不以爲悉當事理之平也。試舉二例：一爲論章太炎者。章氏雖終與國民黨離異，究曾爲國民黨之功臣。其學行常失平正，究爲一代之大師。未可厚非也。二爲論陳獨秀者。陳氏一生，乃二十世紀中國知識份子悲劇人物之一典型，有爲共黨作俑之罪，然終於翻然反共反俄，究不失中國書生之本色。其在江蘇法院審判之日，固早已脫離史達林之牢籠，而奉托洛茨基之說。其說亦大謬；然托某者固于民國十六年前力主蘇維埃，而于清黨後則反對蘇維埃者也。章士釗之義務辯護，不過借陳氏之名譽，爲舞文之奇貨；或借他人之酒盃，澆自己之塊壘；雖承認蘇維埃之事，非陳氏之罪也。吾非爲陳氏與滄波辯此明日黃花之事。唯以爲陳案非一單純法律問題，而又一政治問題也。陳氏以共黨之魁，終于反共，則反共者多矣。而其時國民黨未嘗因勢利導之，終貽爲淵驅魚之感。陳氏之事，特其一端耳。此知中國近代史者不能不爲國民黨惜者也。而此不僅爲政治問題，亦一哲學問題也。諺云，有容德乃大。朱子云，爲人當容人而不求爲人所容。處今日之局，未有不務至德而可救國者。政治不可諱言黨。然處今日之局，必先國于黨而其黨始有托，此又今後有志于黨者不可不憬然大悟者。而此區區之意，亦必能見許于滄波也。滄波云：『理想與現實之調和斟酌，非親歷不能道其甘苦』。是甘是苦者，自當使人對黨報操觚之士抱會心的同情；然必使此甘苦不復存在，然後舍我之所謂黨報社論，始能普見于中國，則又吾所深信者也。滄波之時，黨報之文，其氣盛，故亦能自責。「波蘭往事」一文，痛論其自由否決制爲亡國厲階。波蘭之亡，或不僅此一端。而謂「若中樞當政，不敢敢于政治最高策源地，根本改革。波蘭衰落之往事，既疊見于吾國。波蘭百年前最後之一幕，吾人又何術以闊悖勉」。其公忠體黨國之忱，情見乎詞。而二十年前之危言，竟成讖語。世變至于今日，或安危而利菑，抑知危而預立，又可以知世變矣。今處遑危，自不可無氣。然浩然之氣也，必集義以充之，而非可以虛美成之也。此余深信今日國民黨中立言之士，其愛國愛黨之心之必不後于滄波也。

（上）

不宜擅作政治工具

中總會員有權愼擇

香港中華總商會本屆選舉消息，連日佔了各報巨大篇幅。大多數商人對於改選日期突告展延，無不深爲驚詫；與論界亦頗重視，認爲「無確期」舉行同人大會原因，殆係已屆任滿的會長競選聯任安排，還沒有達到妥善之境。大概本月十四日會董會之後，改選確期當可正式公布了。現時競選下屆會長人物，祇有兩位，一係頗負時譽的唐賓南，另一則是高卓雄。他們在工商界人士心目中均有極深印象，此時競選運動剛剛開始，優劣莫卜，但在對於「中總」今後會務說來，競選人成敗得失關係重要。競選自是一種很好現象，與籠絡統制專斷獨攬手段擅位不能相提並論。

就拿商人唯一目標爲求利來說，商團乃是維護集體權益機構。「中總」前身係華商總會，具有悠久歷史，過去光輝紀錄，也是盡人皆知的，它除了「在商言商」之旨，謀求大衆福利外，且對外也盡了商人們代言之責，毋庸諱言，而在救濟難民與遣送工作方面，也曾有過甚大貢獻。迨更名之後，「中總」頗滋物議，若干執商界牛耳的會員紛紛退出而加入九龍總商會了，這是人盡皆知的事實，「中總」如果能對會員一貫初衷，博採衆議，殆無此種現象。一般說來，「中總」除了建成互愛會所這一業績，例會常在紛爭擾攘之中，比較顯著的事實，厥爲「懸旗」問題，不難看出內部意見之不能一致。

商人是現實的，儘管不願牽涉政治，但是他們的政治頭腦似乎比諸一般常人要尖銳敏感得多。因此便對若干具有政治背景的人物，深感怔忡危懼，無時不在担心被「出賣」，故對領導人的抉擇，每嘆憤然被人利用。這是除了正常會務以外的一大顧慮。希望衆多會員出來競選，無非避免大權掉於爲了私利而祇把政治不顧商德與衆人福利者之手。因之上兩屆的選舉，會衆並不熱心，積極的會員表示退卻是唯一辦法，而消極的似乎對會不存希望，抱着觀望態度，這些畢竟不是基本辦法，爲了集體的福利和權益，該選出一位純粹爲會務前途設想的人，有色與不顧會務而具有政治背景的，自動的退出會所，不妨請他們到會外去談政治，「中總」不容作爲政治工具，藉私利入企圖出賣全體權益。倘能這樣，「中總」有厚望焉。

中共工業已經觸礁（中）

・沈著・

有的大造糧倉而變成水池；有的在只適合於幾百工人生產的條件之下建立了適合於數千人生產的工廠；有的則在無須設廠的情形下盲目設廠；更有的則因設計根本不合規格，而往往重新折造。此種情形，不僅予中共的備戰工業以極大的浪費損耗，且使中共整個備戰工業進展，發生極大阻礙。

管理無組織

就管理言：人事的紛擾，計劃的掌握不定，經營作風的偏差，整個秩序的混亂，始終是中共無法克服的長期病態。此種情形無論在建廠的工程中或工廠的生產工作中都同樣的普遍而嚴重。它一般的具體表現，僅以最近（八月七日）「人民日報」的社論批判而言（社論是代表嚴重性和普遍性的）：即說：領導幹部計較名譽地位，不好好工作，建不起領導核心；施工前沒有做好準備、預算、組織及計劃；施工後也沒有建立科學的施工管理制度，沒有正確的作業措施，如技術組織措施、材料供應、機械工具供應、勞動力調配等都處於無頭緒。由是而盲目施工，進展脫節，或工具、材料不繼而停工，或盲目儲備而影響其他資金，或盲目趕工而粗製濫造，或工作停頓而浪費人力。這說明儘管中共講求組織，而一切均在無組織的混亂狀態中。

出品低劣不堪

再就施工的實際情形說，中共自認病態表現得最原則性的：一爲前述一般建築工程中不合規格及其嚴重的返工現象；一爲廠礦生產中的次品率和廢品率的不斷上升；一爲建築工程及廠礦生產中，原料嚴重浪費。遠者不論，近者，如八月五日及七日「人民日報」的社論即指斥說：「……生產單位的設備能力不能充分發揮，材料、設備的積壓和浪費又極其嚴重，一九五三年基本建設中的積壓和浪費佔全部預算的百分之三十。」「東北地區一九五三年的統計，祇中央各部所屬企業和基本建設單位呆滯的物資，經大力調撥之後，仍有三萬多億元」（合美金一億以上）「基本建設因設計和施工錯誤，常有返工現象，工業產品質量低，廢品次品率大，運輸和對流運輸的浪費現象亦嚴重。」其中次廢品率一項，據該報另一指斥透露，一般的均在百分之三十以上，高的竟達百分之六十之多。這自是中共「工業建設」中的又一致命打擊。

上兩節說明，人爲的因素——人力的恐慌，設計的錯誤，管理和施工的低能——在主觀條件上，先已毀壞了中共的工業——備戰工業——計劃，而同時限制了中共瘋狂發展備戰工業底願望。此外，還有一個經濟上的因素。

權力與派系

馬五先生

人類對於政治權力的貪戀心理，古今中外都無二致，國家治亂興亡的關鍵，祇在「權力中毒」的政治人物如何自處而已。

所謂「自處」乃指權力者是否具有天下爲公的精神，把權力視同施展政治抱負的手段，而不資爲個人安富尊榮的目的。有了這種精神，心胸便自然寬敞，覺得天下無不可用之人，亦無不可告人之事，成敗得失無所容於心，而天下之士亦就相率景然翕從了。所以，政治上的門戶之見，派系之爭，雖然隨權力以俱來，勢所難免，但在一個天下爲公的權力者涵攝綰領之下，其弊害即可在無形中消弭大半，不致貽誤政事。

國父孫公在生時，最喜歡寫「天下爲公」四字以贈同志們，而其所領導的革命團體中，也很少有派系門爭的現象。在民國十四年以前，國民黨內部從來沒人試意去搞甚末小組織。我們每一憶及當年民黨新舊黨人間那種雍和相處，肝胆照人的風度，恍如隔世，尤其是老輩人對後進同志的親切意態，令人永矢弗諼。自孫公下世後，黨猶是也，人猶是也，而少數共產黨徒所製造的「左派」「右派」「中立派」「新右派」……這一連串的派系帽子，竟到處飛揚，政治人物也就樂於拾取頂戴，自甘墮落，而「權力中毒」的作用乃日趨於下流了。今日用一人，不問賢愚，先查其派系背景如何，是否可靠？明日舉一事，不衡利弊，先看是某派某系份子所倡導主持的，以爲賛否的標準。名曰同志，實如路人，相對談話，大家亦提心吊胆，戒備不遑，更說不上共患難齊禍福那種互信互諒的道義節操了！

因此之故，我害怕接觸現實政治權力，以免沾上派系臭味，自尋煩惱，甚至於對任何一種團體組織亦不敢參加，情願以國家廢人，時代落伍者自居。過去並不怕日本軍閥侵略，現在更不怕共產黨門爭，就只怕這種自殺的政治派系作祟，有若預防大痲瘋之傳染上身也！

瘦西湖之憶

·劉藹如·

（一）

「青山隱隱水迢迢」的揚州瘦西湖，風光綺麗，名勝特多，這個充滿着詩情畫意而又香艷的名字，還是一個出產佳麗的地方。一個人沒有到過揚州的瘦西湖，好像就沒有到過杭州西子湖一樣，那是一件遺憾的事。

本來揚州的地理形勢，它是溝通中國南北交通的孔道，也是兵家所必爭之地。據說由唐代一直到清朝，都是商業的吞吐地，尤其有鹽官鹽商，他們都是揚州第一流的闊人，因之，依靠這些人生活來作消閒幫閒的，便不知有多少。我們想見那揚州的繁盛時期，揮金如土，蒸氣成雲，車水馬龍，仕女如雲的熱鬧場面，如果要想在揚州落得個公子豪華，王孫走馬的大名，那能不「腰纏十萬貫，騎鶴上揚州」呢？只有那窮而風流的詩人杜牧，才會在他那首「遣懷」裏感傷地吟着：「落魄江湖載酒行，楚腰纖細掌中輕；十年一覺揚州夢，贏得青樓薄倖名。」杜牧的時代大概是揚州娼妓最盛的時期罷，在別傳上所紀杜牧說：「牧在揚州每爲狎邪遊，所至成歡，無不會意，如是者數年。」

今天揚州娼妓仍遍及於各地，恐怕還是由歷史上的淵源罷。至於過去北平的八大胡同，上海的會樂里，揚州妓女也是名噪一時，傾倒衆生。

（二）

至於稱頌揚州的故事，相傳清季吳穀人頗負文名，有次來揚州遊覽，作郊外春遊，在一家小茶館飲茶，忘記帶錢，乃於飲完之後，送一副春聯以代茶資，聯爲：座客何來？聽二分明月簫聲，依稀杜牧；主人莫問，借一管春風詞筆，點染揚州。

那位茶室主人也頗風雅，得聯之後，知爲名士，乃殺鷄爲黍，款待嘉賓，還一副對聯於是喧傳遐近，成爲佳話。新希望週刊主編易君左先生，也曾因寫過一篇「閒話揚州」，致引起揚州人士的閒話，後來還訴之法院。此事經過，最近天文台所發載的「迴夢三十年」一文，亦曾有詳細的記載。

如今揚州簑落了，那些歷史上香艷綺麗的揚州，只有在唐宋詩篇裏去重溫舊夢。即如揚州的許多廟宇，均受到了戰爭的破壞，像揚州天甯門外的天甯寺和重甯寺，那裏曾經是高宗南巡，自天甯門至蜀岡，那條長約七八里的御道，全是用白石鋪成，上面有雕欄曲檻，有如熙和園內昆明湖上的長廊，直通至平山堂下。當時的黃旗紫蓋，翠輦金輪，妃嬪成羣的宮庭盛況，現下只剩下一片黃沙野草而已！

（三）

「史公祠」，在天甯門外朝東的梅花嶺下，在明末的桃花扇時代，史閣部駐揚州，雖然一片耿耿孤忠，要想支持明末的殘局；然而大勢已去，不是一個人能力所能挽回。現在「史公祠」只有瓦屋數間，祠堂中一座荒墳，我們讀了「梅花嶺上衣冠冷，凄絕前朝閣部坟」之句，祇今追憶起來，令人更不勝其故國沉淪之痛！

桃花扇的作者孔尚任他雖不是揚州人，但他往來於江淮之間，經常駐留的地方是海陵（揚州），江淮之間，是四鎮鏖兵的場所，這一帶的江山勝蹟，故老遺聞，自然增長了孔尚任對於弘光朝的知識，啓發了他的創作情緒。他的「桃花扇」第三十八齣「沉江」，就是寫史閣部臨死時候所唱的。開首就提到了揚州，有句云：「望烽烟，殺氣重，揚州沸喧，生靈盡席捲。這屠戮皆因吾愚忠不轉，兵和將，力竭氣喘，只落了一堆屍骸。：：男兒英雄到此日：：看江山換主，無可留戀。」而因「史公祠」而憶及史閣部的墳墓，憶及桃花扇的歌詞，更雖然揚州是「青山有幸埋忠骨」，但迄今腥羶遍地，血染中原，揚州又豈能免於浩刼！禾黍離離，夕陽殘照，去國日遙，能勿增悲!?

（四）

瘦西湖自然是揚州最美麗的所在，有山水亦猶杭州之浮，所點綴，它亦具亭榭的點綴；它來而曲折，有西湖的浩渺，迴環繞的「長堤春柳」，早已摧毀盡，白石詩人曾有詩云：「自作新詞韻最嬌，小紅低唱我吹簫；曲終過盡松陵路，回首烟波十四橋。」今天畫舫是否依舊，但船孃們已無復當年的風致，所謂「小紅低唱」，「二十四橋」，均已求之不可得了。近據友人函告，沿湖兩岸垂柳，現正在中共的點綴昇平之下，勒令居民，各補種若干株，並負切守保護之責，遙想當年柳綠似蔭，臨風婆娑，恐須待我十年。至於「史閣部」的忠墳，雖未遭受到清算掘挖，但仍在荒烟蔓草之中，一任其牛羊踐踏。遠道傳來，誠令人不勝河山破碎之感，靜言思之，益增感憤！

用百閔壽傑克作家原韻賦奉天石先生

·邵鏡人·

叔度丰裁雅可師，君才何愧重當時。
能張筆陣千軍掃，將倒文瀾一柱支。
司馬直書游俠傳，東方妙語解人頤。
引杯看劍豪如昔，習習清風拂酒旗。

楊雲史軼事補（下）

·孫真·

（三）

中國文人，自古多不矜細節，風流韻事，不特無累其學行，更足見學人之賦質不凡，故亦爲一般所樂道，雲史以貴介才人，翩翩風度，或以比之明季南都四公子，尤酷肖侯朝宗，桃花扇底，自不免如李香君其人，慕其才名而願委身以事者。在徐霞客夫人未逝世前，即有某世家小姐，寄書雲史，殷殷傾慕，頗有「願侍巾櫛」之意，雲史辭以使君有婦，一時傳遍舊都。廿五年秋，上海某小報，突載雲史會納私奔孀婦，吳佩孚素有秀才學究之稱，其生平且不二色，竟登報爲之辯誣，文爲吳親筆所撰，錄之以廣舊聞：

「近聞上海某某小報，誣載楊雲史兄昔佐余幕，至解職時，囊橐已裕，又近納私奔孀婦，得資數十萬，又在滬經營白面，獲利甚鉅云云，去歲亦刊有某夫人與其如何如何等節，同人聞之，咸勸公怒。按雲史學優品端，淡泊明志，公忠正大，念不及私，康南海謂有古名臣風度，而惜其生不逢時，至其文學優良，猶餘事耳。昔雖久襄機要，倚畀深資，而品節自高，未嘗一爲官吏，即各省軍政首領致送餽贈，皆以幕府不宜結交諸侯爲辭，一概謝絕，以迄解職，未受報酬，幾經顛沛，欠薪纍纍，非惟一錢不名，抑且債台高築，衡之當代，實難其儔。其依漢卿（張學良）亦復如是，事涉功利，則去之若浼，非公事未嘗入於偃之室也，我人言之，方致歉仄，何謂囊橐已充耶？雲史與人交游共事，純以道義相契，非以利祿爲謀，人固未必知，亦難爲世俗言也。今該報乃以無恥孀孀之事，加諸守身如玉之人，尤其納孀婦假白面各節，稍知自愛者所不屑爲，以雲史之介而爲之乎？余今特爲之證明，其內眷與內人往來素密，瑣屑相聞，最近兩載，有如家人，除側狄美南夫人外，並無第二人，其境況則提襟見肘，竟至屢空，何來與孀婦數十萬之事？久住北方，迄未南返，何有在滬經營毒物之事？總之，雲史昔在洛漢，苟欲富貴，易如拾芥，然而其門如市，其心如水，是不爲也，非不能也，苟好貨利，亦無煩取求，早致大富，奚待此區區之數，而娶人孀婦，販賣毒品，喪檢敗行以謀之乎？如該報載稱：實屬毫無影響，毀謗端人，殊堪痛惜。余交雲史十餘年矣，知之最深，故敬之至切，誠恐杯蛇市虎，淆亂聽聞，特爲宣布生平，證明剖白，世之論雲史者，可以知其爲人矣。癸酉十月二十日吳佩孚書於北平。」

右截文字頭巾酸氣十足，非吳秀才不會如此下筆，然依此可以見吳敬楊之深且切，更從而知徐夫人故後，其續弦爲狄美南。至於上海小報云云，固屬厚誣賢者，若以納孀婦一事，例以文君司馬，何至便爲不德，吳秀才也太認眞了。雲史定情詩：「設想英雄遲暮日，溫柔不住住何鄉，」然才人韻事，垂老綺思，亦正不同於儇薄兒也。

閒話神童

·狷士·

神童這個名詞，雖然不見經傳，但流傳所聞，亦不算很少，如王安石所記王永，近代的曾重伯，易實甫，都有神童之名。王湘綺說曾重伯七歲就能做長篇的賦，其中所用的典實，以年齡來計算，決無法詣實通到那種境界。易實甫也是十多歲左右就能寫長篇詩賦，我曾見他二十歲的詩集，用原稿印行，上面有張之洞的批改，眞不能不說是神童了。清代的紀曉嵐，在幼年也是神童，他一天和一羣的小孩在街上踢球，遇見府官經過，那球忽然落到府官的轎子裏面，官一發怒，羣兒都嚇跑了，紀氏毫不在意地攔住府官，要求還球給他，官很奇怪地問他的姓名後，便說：我現在出一比對聯，你能對得出，便將球還你，官便道：「童子六七人，惟汝狡」。紀立刻對道：「太守二千石，獨公……」府官說：「你怎麼不說下去呢？」紀道：「你以球還我，就是『獨公廉』，不還，就是『獨公貪』。」府官便很高興地還給他。還有我們江西的蔣心餘，也有神童之稱，幼年在某翁家讀書，某翁很重視他，想將女許配。一天孔子誕辰，蔣想念母親要回家，某翁留他說：「天快下雨了，不必去吧，」就出一聯叫他對：「金闕九重，聖壽萬春湯湯」，蔣思對道：「玉關千里，鄉心一片雨綿綿。」說出歸心似箭的情緒，某翁不想他去，故意出一上比對，與他對道：「夏大禹，子罕回，姬旦，杜甫，劉禹錫。」這聯爲人名對，意思說：「下大雨，子敢回，[illegible]」[illegible]就無法說了。大凡一個人的功名事業的成就，大多數小就看得出，[illegible]晚年成就，所以要靠[illegible]，可以不學而能，那便自誤了，要知道成功固然一半得力於天才，但那一半還是得力於教育的。

十條足跡

·康有譯·

西頓（ERNEST THOMPSON SETON），於一八六〇年生於英國的 SOUTH SHIELDS。生物學家兼藝術家，還寫了不少本關於動物的通俗故事。擔任過美國童子軍的首領。一九四六年歿於新墨西哥州首府聖大賁。——譯者附。

從前有兩個印度人，一同出去打獵。哈丕達，強壯、矯捷，是一名神箭手。查丹瘦弱得多，背一把軟弓；但他很有耐性。

上得山來，發現一匹小鹿新走過的足跡，查丹說：「老兄，我就跟這條足跡追下去吧。」

哈丕達却回道：「你要願意，當然可以。可是像我這樣一位威武的獵人，倒要獵取更大的野獸。」於是他們就分手了。

哈丕達走了有個把鐘頭，才遇見有十四巨獐的足跡，四面八方，分途而去。他挑了足跡最大的那一條，追蹤了好大一會，可是還沒有追着，他說：「這傢伙是游來游去。」另外再追別一條。

於是他回到原來發現十條足跡的地方，另外挑了一條，搜索了一個多鐘頭，依然射不出一枝箭去，他說：「我又白追了一匹，再換一條路，我還是走回頭那眞正在覓食的傢伙。」

然而，還是一樣，追了一會兒，他又放棄了，而回到原路，再試另一條路，如此，他費了一整天功夫，每一條足跡，都追過不多久，到得天黑，空着兩手回到帳幕。查丹呢？[illegible]

[illegible]訓條：目的物總是在追蹤的盡頭。

紀四琴票

娑婆生

（二）

論胡琴的手音好壞，各人具有主觀的批評。有些主張光潔，有些主張剛勁，以各人的好尚，未能即下斷語。惟眞正的手音好，是完美的技術，不是單純的眼光耳聽所能批評。至於兩手的運用，全是順着胡琴的特性。所以落手要輕，按字要輕，拿弓要鬆，因爲手裏輕鬆，運用起來，自然靈活，可以操縱自如。按字能輕，可使弦綫增加振動的機會。弓子拿鬆，可免舉重的發音，是確切不易。

潘振鏞君服務於工礦公司，爲名票周冀成兄之東床，其夫人周一欣，雅擅崑曲皮黃。潘君操二胡，在家練習近五年。其手法已能入化，得柔之巧訣，每舉手則托腔絲絲入扣，字字黏合，有序不紊，尺寸得宜。如能竿頭再進，不難追蹤王二，而要點必須多拉。謝一民君爲師範高材生，亦從學胡琴於王芳，其操京胡，弓法近於剛，發音清爽，拉弓，手法自如，尺寸均準，花臉，專務實在，爲其一長。

（三）

近今參加合銀主辦的祝壽晚會，因聽胡琴和夫人雅奏秋聲，獲聆申克常申劍一豎民仲的琴音，克常拉京胡，[illegible]少卿相媲美。其最妙的所在，[illegible]拉弓圓滑，所發之音清而純，朗而潤，無過於激之聲，得秘傳之眞諦，得柔字之秘笈，亦已完全得之，托腔之佳，實謀逸倩。無怪觀衆彩聲迭起，四座驚讚。尤其二君服務於公營機關，絕不以琴自炫，以至鑒技，其品格高超，迫非現今之琴票，所能及之，爲寫此記。（下）

自由人
THE FREEMAN
（第三九四期）
中華民國僑務委員會登記證僑台字第一號
中華郵政登記第一類新聞紙類
（每週三、六出版）
每份港幣壹毫
台北市館前街五十號
督印人：雷嘯岑
地址：香港高士威道二十號四樓
3 rd. fl. 20 CAUSEWAY RD
HONG KONG
承印者：香港英文虎報
海外總經銷：友聯書報發行公司
香港：彌敦道二十六號A二樓
台灣特派員辦事處：台北市館前街五十號
台灣總經銷處：台北市西寧南路一一〇號二樓
台灣郵政劃撥儲金戶九二五二

略論英美全球戰略動向

——冷戰中心在亞洲——

黃煥文

今日自由世界是要和共產集團爭全勝於天下，由建立均勢，爭取優勢到確保優勢，以期達到理想的戰爭與理想的政治之目的。

西方追求的理想戰爭

今後世界大局之動向，必須從全球戰略觀念中去找尋，始能把握它的眞象。今日西方國家領袖們，本諸第一第二兩次世界戰爭的教訓與啓示，再不願打那種所謂韓戰式的錯誤戰爭，更不願打一種支支節節的局部小戰。根據美國國會圖書館本年度統計，三年韓戰，美國總共花費一千一百五十億元之鉅。這等於第一次世界大戰用費之兩倍，實爲有限戰爭最大的浪費。再以日本人的統計，韓戰中聯軍用去炸彈四十三萬八千噸，佔上次大戰時太平洋投彈六十萬四千噸的三分之二強。因此，在熱核子武器全球戰略觀念中，英美兩國領導自由世界與世界共產集團鬥爭，其所追求之眞正目標是「理想的戰爭與理想的政治」。

這裏所謂理想的戰爭，乃作者精研世界兵學之命名，淵本於近代戰略宗師克勞塞維茲（Karl Von Clausewitz）的戰爭哲學。克氏分爲「現實戰爭」與「絕對戰爭」。所謂絕對戰爭，也可說是十九世紀權力政治之別名。但今日西方世界之政治、軍事及思想家，鉅公和權威們更進一步，他們一致追求一個廿世紀的理想戰爭。換言之，這個理想戰爭就是「末次戰爭」。要戰嗎，大家用核子武器來打一次最後的戰爭罷，似乎就可實現理想的政治，即「永久和平」。你能說這不對嗎？從世界政治與世界戰史，放大眼光來看，提高眼界來論，這眞是太對了，而且太好了。可是，人類並沒有上帝那樣全知全能，因此這種理想太好，難免只是一種理想而已——能否眞正實現，全世界無人有把握。

由於理想戰爭而形成的全球戰略觀念，西方國家雖然在戰後九年來逐漸完成其體系，但這個全球大戰略的根本觀念，在上次大戰結束之時即已萌生。美故馬歇爾元帥於一九四五年九月在其參謀總長任內上陸軍部長的報告書中說：「美國昔日以半球爲防禦之舊觀念，已不合實際。現在國家之安全繫於整個世界之和平。而此和平尤須強國維持之」。今天美國全球戰略思想，實根源於馬氏的啓示。而現時美國總統艾森豪，英國首相邱吉爾等都是上次大戰中共過患難的人，對於世界戰爭，思想上可以說完全一致。不僅此也，英美二國世界政策與戰略可以說如出一轍。上次大戰前，一九三六年英國大思想家羅素寫了一本「到和平之路」的名著，十四年之後，一九五〇年美國杜勒斯先生又寫下一本「戰爭或和平」的好書。其中有關國際政治與世界戰爭觀念，根本上實在並沒有兩樣。

全球略戰對蘇的壓力

自韓戰迄今，美國新武器研究發展及空權的飛躍進步，高級決策人士，紛紛主張美國以廿世紀之空權優勢代替十九世紀英國海權力量。以此爲全球戰略基礎，拿來制服蘇聯。這以本年十一月十六日美製DC—6，第一架客機由洛杉磯飛越北極而抵丹麥哥本哈根一事，具有空權壓倒一切劃時代的意義。我們可以想像，俄共帝國主義者勢必相顯失色。因爲蘇聯世界戰略，實以納粹的地緣政治，陸權主義爲基礎，其根本觀念是：「陸地國界並不是一個合法的政治劃分，而是一個戰場。這個界是不固定的，只代表一定時間內的力關係。」今天蘇俄與中共之形勢可爲這一觀念的寫照。由於美、英兩國「海空」以原子武器之威力與包圍，炸及戰術普遍使用而構成的全球戰略逐漸完成其體系，蘇聯內心之恐懼，不言可知。近來高唱和平共存以及運用一切手段破壞西方國家全球戰略計劃，徒見莫斯科的共酋們心勞日拙；而中共在大陸上東南沿海集結重兵，蠢蠢欲動，其實只是蘇俄戰略觸角而已。以上簡要論述西方國家追求的理想戰爭及日漸完成之全球戰略系統，我們更可從戰後冷戰九年中，英美共同的政策與戰略發見其核心是：

（一）均勢之中心，重建德國、日本實力。（二）優勢之中心在歐洲。（三）冷戰之中心在亞洲。

要切實把握基本方向

我們亞洲人現在處於冷戰中心，實在是由歷史性、時代性、戰略性三者所造成。近百年來歷史造成今日亞洲之積弱，固非一朝可以解決，也非一戰可了。這也和世界其他問題一樣，有如美國民主黨領袖史蒂文生所云：「我們不要以爲一下子解決世界上一切難題，我們應慢慢以求解決，雖要經過一個世紀，也在所不計」。（見其本年三月一篇重要演講「到偉大之路」，並有單行本。）我們亞洲在原子氫彈威力及全球戰略籠罩之下，自應有一個根本而長遠之計劃。日本吉田茂首相跑到美國建議大量經援東南亞，美國立即接受他的意見，並擬施行亞洲馬歇爾計劃，還要英法共同合作來做，只此一事，可以證明「冷戰中心在亞洲」大致不錯。今日亞洲既然以冷戰爲主，自然，經濟戰第一，政治戰第二，軍事戰最後。所有自由亞洲各國對於這一個亞洲爲冷戰中心的基本方向，必須切實把握，不用灰心，更不用悲觀，還大有前途。因爲九年冷戰到今日，俄共帝國已到了戰亦亡，不戰亦亡之階段了。

年來英美兩國高層人士對今後世界和平與世界戰爭大問題之見解與做法逐漸趨於一致。這由艾森豪的原子能聯營計劃之推行可爲明證。我們人認爲，英美當局及政治軍事思想家如英國首相邱吉爾，外相艾登，歐洲聯軍副統帥蒙哥馬利，哲學家羅素，歷史家湯比（TOYNBEE），軍事思想家福勒，李德哈特（LIDDEL HART）等，和美國艾森豪總統，杜勒斯國務卿，前駐蘇大使肯楠，軍事評論權威鮑爾溫以及現任國防部長威爾遜，聯合參謀會議主席雷德福等共約二十位巨頭，由他們領導和支配自由世界，在戰後不滿十年當中，已一步一步的達到一個共同的結論。限於篇幅，不能詳論。簡言之，自由世界已由建立均勢，到「爭取優勢」，再到「確保優勢」，戰也好，和也好，不戰也好，務要自由世界主義者爭全勝於天下啊。

外滙與僑資問題的商榷

衛道然

爲鞏固台灣目前的金融基礎，發展工農各業，以完成反共復國的使命，吾人當前的課題，必然是：（甲）如何增加外匯收入；（乙）如何誘導僑資回國，其理由頗爲明顯。前者是平準匯率與穩定通貨的唯一法門；後者是發展工農各業與培養稅源的有效途徑。正因爲茲事體重大，所以在擬定方案以前，當局應徹底檢討，通盤籌劃；在辦法公佈以後，更應認眞實施，積極致力。必須如此，方能免於重蹈過去失敗故轍，亦必如此，吾人的願望，始能逐漸實現。

現在政府已經公佈了一部份辦法，用意至善，大體尚屬可行，不過，辦法業經公佈，如認爲等因奉此便可使外匯收入增加，僑資亦可自動摸上門來，還是不可思議的事。

幾項先決條件

爲達成增加外匯收入，及僑資回國之目的，決非空言所能奏效，首先應具備必有的先決條件，這條件是：（一）釐定適當的匯價，使與外價保持一綫性的平衡，必須如此，才能平準匯率，（二）堅決的維持通貨的一定限度的購買力，並且必要時，降低其利息率，以便吸游資於生產；（三）創制簡明易行的外匯管理辦法，予以合理優待，使投資風險減至最低限度，並使投資者確實感到有利可圖。

增加外匯之有效路綫，政府有關當局應徹底研究，切實改進，使外匯來源務必達到最高之效果，積累實際所得之經驗和教訓，徹底掃除一切人爲阻礙，堅決克服一切困難。當今政府當局應注意者可歸納如下：

A，物品輸出——此爲外匯的主要來源，應努力增加其出口量，並將所產原料，盡量改爲半成品或成品輸出，這樣，在套取外匯方面的利益，當然比較原料輸出爲優，有如台茶，樟腦，水菓及其他產品，如經製造，改爲成品，其利市不知若干倍。

B，服務收入——爲中國輸出勞務報酬，此即所謂僑匯，應當經過各地駐外使節、僑團，盡量宣傳，務使勿再滙回大陸受騙。

G，金銀出口——各國必要時，均採用此法，以換取工業生產機器，增加產量。相對減少貨品入口，節省了外匯。

D，遊歷事業——爲外人來台遊歷的費用，彼之支出，即我之收入，台灣有先天條件，正可作有系統的規劃，政府有關當局應注意這類旅行事業，而在歐美各國，是項收入頗大。

E，外援與贈送——爲外人在華所辦之慈善事業及教育事業和各種物資援助，目前相當重要，均應謹慎爭取，合理使用。

吸收僑資的可能性

吸收僑資之可能性：吸收僑資問題可說爲我國整個外匯問題之關鍵，大陸失陷之時，資金流於海外者，爲數大有可觀，目前均停滯於世界各國，一籌莫展，毫無出路，茲根據事實申述於後，以資明瞭回國之可能性：

（甲）僑資的處境：

一、東南亞一帶的排華運動，異常險惡，僑資難以立足。

二、大部份僑胞不願向大陸匯款，更不願投資。

三、各地經濟不景，資金皆無出路。

四、僑港澳兩地資金呆滯在十億美金左右。

（乙）過去僑資未能積極回國之原因：

一、明確的辦法，遲未頒布。

二、缺乏實際指導工作。

三、協助設廠的輔導不夠完善。

四、有效的宣傳，尚嫌不足。

五、吸收僑資；易行而具體的辦法；顯然吸收僑資勢在必行，同時又具備其可能性，而空口喧嚷，決不會有所成就，因此若於此設法使僑資回國，從事工業生產，不啻平添一支生力軍。這樣工業上的資金來源，便可迎刃而解，這確是千載難逢之機會，當局應特別注意，茲建議辦法如下：

A，應嚴格遵守，所公佈之各項有關辦法，並肯定的譯解各條文的意義，使投資者不致因疑慮而畏縮不前。

（下轉第二版）

半週展望

旭軍

絕不容惰性樂觀

巴黎協定簽署了不久，中美兩國又簽訂「互助安全條約」。自由世界好像喜事重重。但工具與意志如不配合，工具祇用反而有害。協定是工具，當政者與政治家的見解與輿論趨勢，便是意志。對「和平共存」與認識共黨本質，實爲當今要務，這便是絕對不容惰性樂觀的。

艾登在關於「和平共存」之一談記者萊斯頓說：「冷戰將繼續，但問題之紐約時報記者萊斯頓說……」一九五二年聖誕前夕，史太林答覆其問題之紐約時報記者說：「冷戰將繼續，但不會跟着諸國的主張路綫發展。」艾森豪總統又說：「也許最重要的事實，是艾森豪總統以較複雜的問題，即克服亞洲人民的困難，與主張放寬貿易與發展，艾克扭轉其注意力到一較以阻止的辦法解決冷戰」。現在華府正醞釀一種所謂「經濟競賽和平共存」政策。新的外交難題不是如何贏得諸國的支持，而是要與得財政部長的支持，以及中共領袖人民的窮與飢餓。艾森豪總統在記者招待會有此表示，而且說因爲目前戰爭的危險已減少了，「黑耗」正是錯誤而危險的見解。這眞是在鐵幕中被奴役的人民的「互助安全協定」可算得是一個很好的工具。但縱觀世局如此，我們應該提高警覺。因爲恐怕我們手上的工具不發生作用了。

蘇聯共黨集團不能擺出阻我們的神經，失去爲維護自由解放奴役而奮鬥的意志。但他們一定要麻醉我們。

能做經濟和平競賽麼？

中共判處美國戰俘徒刑，莫斯科會議之聲言加強軍備，使我們困擾，種種措施，非係恐嚇及迷惑西方，使我們不能發生作用。協定，自亂陣容，務使我們所訂的和平共存的李承晚總統之聲言，足證嚴厲懲罰主張與共黨和平共存攻勢是如何的嚴重。

共黨目前有原子武器落後與政權不穩兩種不利。故極力以「和平共存」的戰略爭取時間，可惜自由世界執政者畏縮與敵之安，維持政權，於對於子孫之命運，武器與政權優勢之扭轉，後重，世界人類枕上大浩敵之於一俟原子危言聳聽之語——人在空間，可以使像臨得到的。非

去年艾森豪總統政府任期將過去了一半。困在華府的指施得失，我們在不願去評論，但我看他的失。沒有把眼光看到人類若干患得患失的短視政策未已，把這實行有政治家的短時代輕輕縱去，實爲有識之士所痛惜！

我不知在共黨滲透破壞及武力積極威脅下之亞洲，怎樣去提這一套「經濟和平競賽」！

鳩山的赤色貿易路綫

今天美國對外工作專家舉行會議，討論西歐經濟，外工作署長史塔森說：他要參加擴大亞洲經濟援助的新方案了。原來他那個對外工作署在今年六月三十日，便告結束的了。即明年六月三十日，但他說：他今年度終了，是不是想延長他的工作計劃呢？他想在明年三月他可能向國會提出一個「史塔森援外計劃」來，與馬歇爾的計劃與艾森豪和平共存，一個是特別容文。是經濟這一半競賽把戲的。

這個工作署的壽命，聽說艾森豪威。

雜關於這一套把戲。有意許。我看英國自修改東西歐貿易協定後，已供給蘇俄二萬噸的銅綫，做了很多蘇聯急需的物資。今年西歐輸給大陸六億美元的貨物給蘇俄。

蘇聯重視貿易，「生意興隆」如此的「作政綱」，難怪日本新首相鳩山要以「努力展開中共貿易」，方家爭。鳩山內閣東京方面的看法，尤其是日本，與西方國家不同地位的人，就很不能免名利之三爭，而這一班人也跟着那個權勢的「調份」，鳩山一郎恐怕也雖打破這種政爭的困擾。日本人所謂「眼光魄力」，他的主張，貿易路綫的建軍與自由世界合作是不能，即有用出路。「支點」廣告不兌現，反對共黨貿易，日本得不到好處，但不應抬出「赤色」支點」不兌現，反而成了垮台的因素罷了。日本經濟不會

中美協約的歷史使命

·金曄·

十二月二日，中美共同安全條約正式公佈後，不僅使生活在自由世界的中國人增強了反共抗俄復仇建國的信念，其巨大的影響力量，也已直透到中國大陸上的每個角落。

由於該條約產生了歷史性的力量，其直接給予中共偽政權的打擊是無比沉重的！這可以從最近北平中共的叫囂和暴燥不安的情緒反映出來。

中共一再提出所謂「解放台灣」的決心之外，並引開羅宣言及波茨坦公告，強詞奪理，歪曲事實；企圖假藉口實把台灣和澎湖島據為「已有」。此外更責怪英國公然支持中美共同安全條約。期以一貫的恐嚇手段間接從中搗亂和破壞！這種擾亂國際視聽的謬論，我們必須嚴正地加以闡明和駁斥：

台澎是自由中國領土

在一九四三年十二月一日開羅宣言上簽字的是：美國故總統羅斯福，中國國民政府主席蔣中正和英國首相邱吉爾。該宣言明白確定：「三國之宗旨在剝奪日本自一九一四年第一次世界大戰開始以後在太平洋上所奪得或佔領之一切島嶼。在使日本所竊取於中國之領土，例如滿洲台灣澎湖島等，歸還中華民國」。

一九四五年七月廿六日的「對日本人民之波茨坦公告」第一項，即述明該公告係由「美國總統，中國國民政府主席及英國首相，代表余等億萬國民」所發佈者。該公告第八項，即在重申「開羅宣言之條件必將實施」和確定「日本之主權必將限於本州、北海道、九州、四國及吾人所決定其他小島內。」

如果中共所引述的「開羅宣言」和「波茨坦公告」，也是本文所引證的同樣文件，則誰也能看出來，台灣和澎湖羣島是中華民國的領土。該二島等的眞正主權者是屬於中華民國的。行使該項神聖主權和負有保衛該領土職責的是中國國民政府。她不僅是自由中國的政府，也是為國際上的大多數國家所承認的合法政府。她代表活在自由中國土地上的人民和海外千萬華僑；同時，她也是那些被中共奴役以至失去了「不說話自由」的億萬同胞的褓姆！

因此，台灣和澎湖島是自由中國的領土。神聖的主權是不容侵犯，也不容污衊的！

侵略中國的是俄帝

在中國近代史上，最嚴重的外患，一直是在遼闊的北方邊疆上。蘇聯帝國主義者，踏着舊俄的侵略脚印，循着「大彼得」的路線，向我東北找尋他的門戶！因此，俄帝一開始就把中國視為其實行「世界革命」的第一個目標！將中國領土作為「將革命從東方推進到西方」去的第一塊踏脚石！

因此，中山先生就曾敏銳的指出：中國的問題在北方。

中共竊據大陸，正是證明了它乃是俄帝使節的代理人。因此，可以讓俄帝在中國的山河上橫衝直撞，可以讓俄帝來盜竊國家的資源，富藏，也可以讓俄帝來騎在每個被壓迫，被奴役的同胞的頭上。

「台灣問題」不是問題

中共口口聲聲強調「台灣問題已成為維護遠東和亞洲和平的關鍵問題」。這是欺人的無恥讕言。

台灣和澎湖羣島就是中國的領土，由中國的國民政府在合法的行使主權，而中美共同安全條約又是以共同防禦共黨的侵略為目的，則台灣何能成為「問題」！中共強調其聳人聽聞的言詞，無非藉此以恫嚇刺激國際間的游離分子。事實上台灣海峽的緊張情勢，完完全全是因中共遵命於其主子所造成的。換句話說，一方面中共在台灣海峽弄到處放火，但却又要喊叫別人來救火，才能顯得所謂「台灣問題」的存在及其嚴重地「成為遠東和亞洲和平的關鍵問題。」這種別具用心的勾當，一如盜竊者正一面行竊，却又高呼捉賊，以擾亂視聽而更於施行其昭然若揭的陰謀行為！

如果說台灣海峽上自由中國三軍的警察行動，已迫使中共不得不向國際間行使詭詐，叫囂以圖鬆弛對其所發生的壓力，由此更可證實所謂「台灣問題」祗是中共作戰的煙幕，眞正值得注意的實是中共及其背後主子所策動的一連串的大大小小的擾活動，企圖藉此騷動，擴大事態，將自由中國的復仇建國運動挑撥擴大成為大戰的導火線，以此作為恫嚇國際間其他國家來干涉和束縛住自由中國對中共的進軍。

中共的叫囂是徒然的

從中共一系列的叫囂和漫罵來分析，那是極無恥而幼稚的。其本身既已淪為一個不顧國際道義，信實和專以破壞和平為能事的俄帝的「世界革命」的走卒，却反作狀地詆毀他人違背和不能担承國際義務。自由中國反共復仇的革命運動是不能為任何人所阻擋的，更不是中共所玩弄的國際陰謀所能破壞的。

中美共同安全條約的誕生，正是說明了這點。罪證昭著的共產國際的破壞世界和平的陰謀，也是早為國際間反共、非共國家所共同認識和警惕的。

中美共同安全條約，正表明國際的反共力量的滙集，正在繼續地再發展，而進一步驟也是完全符合聯合國憲章，維持國際和平和制止國際侵略行為的有效集體辦法。對此作任何式樣的反對，皆是徒然的。

[illegible]；任何軍事冒險行為，[illegible]必定為正義的力量所消滅！

[illegible]

四三年十二月七日

（上接第一版）

外滙與僑資問題的商榷

·衛道然·

B，成立專門機構，廣泛蒐集各項建設計劃與資料，供給華僑投資者之采取與研究，[illegible]以廣招徠。

C，在海外選擇重要地點設立機構，[illegible]

[illegible]

台灣經濟的基本建設

·趙永洛·

如何發展水利事業

最近聞官方正進行石門水庫設計，據新聞報導，該項水庫建築完成，除防洪外，灌溉農田面積約計六百平方公里，復可利用發電二億八千萬度，[illegible]

[illegible]

造船為工業一重點

我國海上國防及航運兩業，[illegible]

土地利用從新考慮

台灣人口增加，土地利用政策，[illegible]

上述諸端，都是老生常談，卑之而無高論，[illegible]

人物述評

晚年披剃的平江不肖生（下）

·易與·

他在那時寫出的「武俠小說」，並不祗是「江湖奇俠傳」，因為火燒紅蓮寺的電影，是摘自江湖奇俠傳的故事，所以江湖奇俠傳格外出名而已。他並當火燒紅蓮寺電影轟動一世的當兒，他正抑鬱無聊的獃在長沙，靠「湖南國術館」的秘書名義解決生活問題，那干不明底細的衛道之士，對于他所寫的小說，以及由小說演出的電影，不免有所責難，他說到這裏，幾乎是老淚縱橫的了，他太息着「人世間的悽慘事，莫過于做一個代罪的羔羊」，為着要活命，既不能上焉者結獻人主，置身廟廊之上，又不能下焉者持籌握算，博利于市井之間，更不敢作奸犯科的偷竊搶掠，祗有憑着一枝禿筆，寫些阿世所好的其實毋寧說是容易換錢的東西，但求爛我急需，也就無暇顧及什麼世道人心了，其實賺大錢的是書店老板和影片商人，他們倒反逍遙自在，落得我這個掙小錢的人來捱臭罵，縱然罪有應得，也該說是情實可原了，仍舊是在一陣哈哈笑聲中了結一場閒聊。

（四）

向先生對於拳術頗下過一番苦功夫，他在湖南國術館幾年，可說是「因才致用」。向先生的國文學，造詣境地也頗可以，不過他所寫的小說，却是質勝于文的為多。留東外史，是他的處女作，因為有事實依據，許多回目，不免有些拘泥牽強，每一章回的字數也多少不相勻稱，三兩千字是一章回，八九百字也是一章回，說到二十年前的章回小說家，寫廣陵潮的李涵秋，固然是個中巨擘，而張冥飛和張恨水，也還不失為個中能手，向先生也直承他祗是「玩票」而已，他對于二張的衛道，是冥飛乃才子之筆，恨水則文匠之筆，說到他自己所寫的小說，尤其是留東外史，他說那祗能算是小有聰明人的遊戲之筆。他後來所寫的武俠小說，回目內容，較留東外史似乎要勻整一些。

（五）

論人論世，讀其書，識其人，辨其身世，若平江不肖生之云者，又何嘗眞是一個「不肖」的人，就他的學歷經歷，鄉誼世誼，他是不應該來落寞令譽生的，他如果肯鑽營，頭角崢嶸，肯逢迎于豪室權門，那他的行藏有這樣的光明磊落嗎？反過來說，他一定會顯親揚名的大大的「孤雲」勝過一下，於是乎就可做一個克家令子了。其實，古語說得有：「一為文人，便無可取」，尤其是達則不過置身「館閣」，聞充「御用品」，為人捉刀，撰寫一些類乎微操式的文章，不敢顯露些于「個性」的才華，「奴性」習慣，久而久之，除了「諂韶」「對策」而外，就禳提見無文筆之可運用了。倒不如像向愷然先生的窮困市井山林間，固然還是不能「得心應心」的寫自己想寫的東西，可是多多少少能借杯酒澆塊壘的寫一點兒，不管是「勸世」也好，「諷世」也好，總比「阿世」的好一點，另外有些朋友對向先生的如此一生大致惋惜，在我却覺得他比楊哲子（度）和章行嚴（士釗）還算是有出息，在他的小說裏，他能賺得讀者的眼淚和歡笑，他不必脅肩諂笑的去求取別人的歡喜。據來自湖南的鄉訊，向先生在四十一年時，仍復健在人世，不過他已不在紅塵滾滾的俗世裏，而是在南嶽的一個和尚廟裏，有說他已披剃受戒。向先生于佛典，原有研究，但願他佛修有成，得其羅漢正果，眞要為他高誦佛號「南無阿彌陀佛」了。

總而言之，我之敬愛向愷然，是敬愛他那率眞的「人性」，因為一個人能自承其不肖，直即其人並不是眞不肖，薄世末俗，伊誰不以聖賢自況？像向先生公然自名曰平江不肖生，實在不祗難能而且可貴？至於說到江湖奇俠和火燒紅蓮寺類之影響於世界人心，在其實的人類社會裏，禍害的因素，實繁有徒，又豈止一書一戲而已，是以故我於向先生，敬愛之餘，不得不代作同情的怨訴，讀其書，論其世，哀其遇，是非毀譽，存乎其人，于向愷然「吾無間然」了。

編者讀者

為生活而呼籲

△張忠霖先生來函

自由人編者：

晚原籍東江，卒業上海國立同濟大學，軍校正期步科，陸大參謀班畢業。曾任營團長及軍中新聞科等職。為了中共竊據大陸，避難來港，初時自謀家庭教師及廣告公司職員，因去年失業，轉向北間日報投稿，並代報家及定期刊物徵求定戶，現在報社倒閉停業，[illegible]久，生活日趨惡化。乃敢冒昧直陳，請貴刊援手！……晚張忠霖上 十一月廿六

張先生希望於本社各節，另函奉復。——編者

△蘇友、金濤、夢山樓、劉鐵如、蔡智塔、應英鳴、左公柳、孫秉權、盛蔚揚、黎中天、王世昭、俞星、于幼斌、冷少泉，諸先生，惠稿均已奉到，至為感謝。

△周景韓先生：大函敬悉，另行詳復。

發酬通告

本刊三六四至三七一期稿酬通知單，已分別付郵。惠稿諸先生接到通知單後，請每日下午到銅鑼灣高士威道本報領取稿酬為荷。

大專院校應增設夜班

·盛載揚·

台灣通訊

【台北通訊】據教育部四十二年度的統計：高中畢業學生升入專科以上學校者爲百分之五十三。照此比例看來，幾乎有一半的學生離開高中後，便無法繼續升學。這一半學生有些是無力升學的，有些是沒有學校可入的。

因此在目前自由中國所有的大專院校，應該儘量擴充班次，以容納更多的高中畢業生。於是增設夜班，實爲針對現實的明智之舉。

今夏政府改組，任命張其昀氏接長教育部後，對當前的高等教育政策，已大刀闊斧地改造一番。惟高等教育雖已一反過去那種「因噎廢食」的凍結狀態。但現成的大專院校之設備，師資，尚未能善加利用？不肯實行添設夜班，頗令人費解。

夜班之設已有成例

按我國大學之有夜班，始於民國四年上海的東吳法科。其後滬江商學院、上海法學院等校亦繼迅效法，一時風起雲湧，黃埔灘頭，夜校林立，成績亦甚不錯。大校夜班之開設，其有益於教育，是無待多說的。

教育部對於夜校的處理，曾於三十五年秋訂定三項原則：（一）夜校係屬補習學校性質，不得給予學分及學位。（二）夜校應單獨設立，不得附設於大學之內。（三）大學授課時間，可延至夜間，但不得稱爲夜校，更不得隨意延長畢業年限，致違學制。此種規定，在國家承平時代，自可行得通，現在的台灣，似不宜墨守此一成規了。事實上，現在台北市的省立建國中學、省立第一女中等校，都已添設夜間部，並已辦有成效。中等學校既可增設夜間部，難道大專學校就不可援例增設夜班嗎？大學授課時間，既可延至夜間，又何必不乾脆名正言順多添設幾班夜班呢？

一錢應作二錢用

最近教育部（十一月十七）書面答復立委黃龍先質詢，有關台大教育一段曾說：「關於大學教育之推廣教育一節，本部曾於上年令飭該校研擬增設夜間班，旋據就研擬結果將其困難及可行之辦法呈復。復於本年三月指復該校再就設立夜間補習班擬具具體辦法。六月間本部召開高等教育談話會時，出席人員亦有此項建議。當再飭該校於經費及員額許可之範圍內，增辦夜間補習班，以供成人之有志選修少數課程者入班補習」。教育部似已注意到大學增設夜班的計劃。惟立委們對教育部此一答復，並不滿意。立法院教育委員會十一月廿七日舉行全體委員會議時，委員黃一凡、黃龍先、王大任三人再向張曉峯部長提出口頭質詢說：「過去的大學教育，其目的在於「教學」和「研究」，但新的大學教育，除教學研究之外，尤須注重「推廣」的工作，所以夜班的設立，應儘早促其實現」。可見此一計劃，已爲目前談教育者同感有迫切需要。補習教育既可夜間設立，難道正規教育，便不可於晚上興辦嗎？目前一切都講求克難。一錢應當二錢之用，一物應作二物之用。將現有的大專院校增闢夜間部，俾能作育更多的青年。不審教育當軸，以爲如何。

論文化清潔運動

·龐貫仁·

龐先生這篇文章，原文甚長。他對台灣文化界發起文化清潔運動，提出極坦率的批評。他對該運動爲甚麼要在[illegible]的時候發動？該運動爲甚麼便消沉了？又爲甚麼要採簽名的作法？都發生疑問。他對於主持運動的人評判刊物的標準認爲有欠公平，對於某文藝協會對台灣文藝界的態度，認爲作風狹隘，對台灣文化界的派系對立，更多感慨憤懣之詞。推全文的中心主張，係在『與其侈談文化清潔，不如建立文化批評』這一句話之上，全文精華實在於此。茲以篇幅關係，徵得作者同意，將有關全文中心主張的末段發表如後。編者附記。

台灣的文壇，因爲沒有批評（即有也是推荐），便培植了一些作家的驕傲心理，不僅沒有接受批評的雅量，而且反要求批評者加以惡意的打擊。例如筆者有一位朋友，曾寫了一篇批評「間諜小說」的文章，寄給某大報副刊，結果退了回來；據該副刊編者覆信，該稿所以不用的理由是：因爲該刊曾刊載過一篇批評經過某院長推荐過的某篇文章，結果竟受到訓斥，因此，再不敢刊載批評的文字。並表示建立批評的風氣，實非該報所能負責云云。試想以一家領導輿論的大報，竟自承不敢建立文藝批評的責任，更遑論其他？台灣的文藝既沒有批評，又如何能有進步？試問台灣現在出版的許多小說，有那幾部是夠得上水準的？因爲許多新文藝的水準太低，所以出版商便不免發行些「性行爲」或是黃色小說之類來迎合讀者，也無怪內幕新聞雜誌之暢銷了。

總之，台灣文藝界之所以有三害，恐怕和文壇上領導人物未能建立批評風氣有關。所以歸根結底，要使台灣的文藝走上正確的途徑，恐非僅僅由「文清會」來「清潔」一番所能收效。我認爲，與其消極的發動二百萬人來打倒幾家內幕雜誌，何如積極的建立文藝批評呢？

讀滄波近作一種後

胡秋原

（三）

然足見滄波者，不在「時論集」，而在「歷史文化與人物」一書。雖皆短篇，可見其學有本原。「論東西」，「獨立與獨行」，「君士坦丁陷落」諸文，皆洞見中西歷史之要。東西之分裂與成見，乃今日世界之禍根。東西之分，早在亞述時代。至羅馬戴克里先（滄波所謂帝國後期）分帝國爲東西，畛域漸分。而東西成見之形成，乃在八世紀東西教會分裂以後。然直至十八世紀，並無西優東劣之見。反之，所謂「光自東方來」，乃羅馬以來之古諺，在文藝復興期猶爲西人所稱引者也。西方優越感僅十九世紀以來之事耳。滄波闢之，並舉孟子之言，以見華夏恢弘之氣，是也。六祖云：「佛性無南北」。象山云：「東聖西聖，心同理同」。皆無上大義也。「獨立獨行」一文，大有功于人心世道。唯其間論及調和，似以「調和」與「獨立」有異。鄙意眞正之調和，即眞正之中行。我國文化，素重和而不同，又重和而不流。此皆服從多數而又尊重少數，實民主之至精義也。又論英國數文，皆多精采。而使我最感興趣者，則滄波論傳記之學。自來傳記，爲東西散文之最高峯。近世英人擅長此道，風流各國。蓋以小說手法爲史傳者也。我國單篇傳狀，雖未能與近世西洋傳記抗衡，然有一種年譜之學。爲王懋竑之「朱子年譜」，可稱典型。特歷史之意義多，文章之意義少耳。「文之特史，其流一焉」。然自來能兼考據義理詞章之才能于一身者，代不數覯。滄波于文史皆有功力，復有興趣于傳記，如能繼梁任公「李鴻章」後，擇一二前後人物，關乎一代之興衰者，踵事增華，爲之傳記，豈僅足爲文壇生色而已。此則滄波書後願致拳拳之意者也。

（四）

嘗念自古馬上得天下後，未有不偃武修文而可致治平者。國民黨集一時人才，並多績學之士。此非共黨所能比者。唯民國以來，陸賈見黜，絳灌氣高。國民黨之得天下也，不可謂不易，亦無暇于學問，殆所謂積習移人者焉。十六七年後，一時出將入相，皆少年英俊，亦可謂彬彬多士矣。而共黨餘黨，方伏處上海亭子間中，從事著作。此所謂「左派」者，固多係道聽塗說之流，然終能聚蚊成雷，鼓動青年，爲之奔走。曾幾何時，星移物換。今日北平自貴之輩，固乘抗戰之大亂，賴俄帝之扶育而興，而爲之離離原上草者，實十六七年後上海亭子間中之徒。長期而論，毛穎之力，實強于毛瑟。甚矣惡學猶勝于不學也。是義也，孫叔敖知之，拿破倫知之。今國民黨之敗退，造成國家之浩劫。國民黨之復興，要務固多，根本之圖，實在學術人才；則吾人必須刻骨銘心於大經大義。余于抗戰艱危之日，從國民黨之後；復在神州陸沈之日，隨國民黨避難，然于黨素鮮淵源，誠不敢自居黨人之列。唯必與國民黨共患難，且決不與國民黨共安樂。而希望于國民黨者甚重且厚，亦朋輩所知。余知國民黨不僅有才學之士如滄波，而才學若滄波者，猶大有人在。凡此忠良，在此顛危之日，如自信能見之行事，舉撥亂反正之功，固所望也；否則肆力學問，必有補于將來，並非徒托空言也。國民黨子弟多才俊，捲土重來事可知。爲左券者，其在青燈黃卷間乎？（下）

中共工業已經觸礁

中共幾年來，以各種手段竭澤而漁的所得，除支付韓戰軍費及「支援」北韓、越南、日共等耗費之外，大部份都已投入了所謂「基本建設」（包括「國防工業」、鐵路、建廠、開礦等）。中共對投入此一建設的資本額及消耗額雖一向視爲「機密」，不輕透露；但各種跡象顯示，中共工業經濟情形，乃屬捉襟見肘無疑。

竭澤而漁　捉襟見肘

中共歷來批判各地「基本建設」，曾一再透示：各地許多建築工程及建廠設備，因資金不善營提，或資金不足，而宣告停工。因而長期在半途而廢的狀態中者，幾無地無之。

去年十一月間「人民日報」社論，在指示各地「政府」或企業加緊完成稅收任務，及上繳利益時。曾坦然認承，去年度農業荒歉和商業衰退，大大減少了「農業稅」、「工商業稅」和「國營企業利潤」的三大收入。因而影響了「國家經濟建設」的進展。此後的重搞「五反」，喊出「總路線」口號，鯨吞私營廠商，宣佈實行計劃購銷操作及控制產品爲目的底新農業政策（中共又稱「農業的社會主義改造」）以及發行「經濟建設公債」，發動「人民儲蓄運動」等等。無一不是想從搶奪、誘騙、控制等方式集中資金，以孤注一擲來「支持」所謂「建設」的進展。但這一連串的「補救」措施，並未收到預期效果。重搞「五反」及鯨吞私營廠商的結果，雖略有收穫，但其所得，恰與工商業稅的縮減數額相抵消。農業的「改造」，帶來的是人心浮動，生產更形消極、逃荒、混亂、及生產銳減等惡果。「經濟建設公債」，到目前還只收到六成。至於「人民儲蓄」，除了由各地「人民銀行」或「合作社」在利用各種收付關係上強扣機關員工、廠礦職工、農民、及儲蓄等的款項以資象徵外，實際上，確因人民普遍貧困，而成爲紙上談兵，一無所得。

總之：今日中共無論用任何手段，所能搜刮的資金，總不能適應它的龐大消耗。舉例而言，中共的一般搜刮，充其量不過在人民幣數萬億之間。工農等稅的收入爲數雖極驚人，但其行政、保安、軍費、援外等支出的龐大，亦極驚人。縱然備戰工業，爲他的「重心」，但祇一項「建設」動輒需人民幣一萬億元以上，其支絀的情形，當可想知。

再者：搜刮總有個限度，目前實已到了剝無可剝的地步，而且歷年的自然災害，又給中共備戰工業以經濟方面的極大打擊。尤其是今年空前未有的大水災，所予中共的打擊最大。

工人消極和破壞行動

此外，工人反共行動日形劇烈，亦予中共備戰工業以無法克服的阻礙。

工人的反共行動，因受中共的嚴厲鎮壓之故，雖還不能成爲有組織的發展，卻已形成了一股防不勝防的暗潮，已到了不是什麼「勞動紀律」或「勞動保護庭」之類的鎮壓措施，所能見效的地步了。

從八月十八日及廿一日的「人民日報」社論看，各地廠礦的工人（包括技術人員），不僅依然有個別的爆破，怠工、偷竊（大多係偷竊原料器械零件等沉入河底以爲洩忿），縱火、嘈鬥、兇殺、製造生產事故等行爲，已形成一種蔓延性的破壞行動。此種行動，主要爲技術人員的『故意在設計計劃時造成錯漏，提供虛假資料，偷改圖紙，甚至制定根本不正確不實際的計劃；在勘探、化驗、技術指導中實行錯誤的指揮，提出錯誤的設施，使生產建設計劃無法實行，或大量報廢返工，浪費人力物力，引起國民經濟各部門的脫節：……』（社論語）其次爲工人們故意在「積極增產」的口號掩護下擴大和加深錯誤，表面上使生產暫增長，實際上卻損害質量，使產品質地產生大批廢品和次品，損耗大量原材料。又次爲秘密集體怠工，降低「工作速度」，消極抵抗「工作定額」，使產量銳減，並相約停止「合理化建議」（按：此種建議，係指工人憑技術與經驗，創造的高速率工作法，或打破現有生產定額，使其不斷提高而言，中共曾設有獎金，以誘騙工人。）同時，並與廠礦以外的人民相連絡，裏應外合，運走中共的物資，以造成其損失。此等例子，可在中共報紙中隨時見到。即以該兩篇社論而論，便曾舉出兩個明顯的例子：一爲開灤煤礦的技術員鍾茵幾次破壞了「康拜因」採煤機；一爲武漢的居民曾用大車和木船運走漢陽一廠和武漢第三工程公司的大批鋼筋等物資。

（續完）

·沈著·

× × × × × × ×

衛生幫辦濫用權力　亂拆房屋影響嚴重

市政局事務與市民的日常生活關係最密，當一個市民的生老病死，直接間接與市政管理有關。因此，市政局事務繁瑣，通常由五十多個專設小組負責處理。但市政局屬下尚有若干行政機構，根據法規授權處理有關違例事務；但它究竟擁有多大權力，頗滋疑問。尤其對於市政事務署方面，該署使用權力應否通過有關事務小組委員會然後執行？最近市局例會中，民選議員會經提出質詢。其主要原因，係由於遷拆樓宇中的「違例建築」事件引起。胡百全認爲市政事務署官員不應濫用權力，而執行非市政局的職務，以利其私務，對租務法庭判定減租的住客，以驅逐方式去解決別人的爭端。

香港市民多數守法，祗因很多人未諳法例，怕事反而多事。如若干樓宇加搭閣仔，或將騎樓陽房，目的雖或爲增收租金，但這也是人口衆多一時權宜現象；倘依據一九三五年公共衛生（潔淨）條例，即可被指違法。於是一般牟利之徒，竟有自認違法，假藉衛生局權力驅逐房客，此等事件固非罕有，甚多貧若無告之人，不知市政局尚有專設伸訴機構替他們作公平合理處置，均被迫於權勢，搬出屋宇露宿，也祇除了抱怨當局，殊不遑思及東係將二房東作祟；二房東固爲禍魁，衛生幫辦對本身執行任務自應熟諳法例，考慮現實情況，不能憑片面條款採取行動。何況該等違例又非現行事例，豈容被利用爲解決租務爭執上的報復手段。

市政局雖然擁有命令拆屋權力，但要求將一民房拆毀，如果不是特殊情形，在現下人口擁擠情況中，衡情似有不合。尤不應因其係市政局管轄權以內的命令（包括要求及恫嚇足以構成命令者）而輕易發出，以拆毀房屋。此等情事，胡百全強調除非市政局經已由適當小組委員會，將事實詳細考慮後，如結論認爲「公衆衛生及市民便利更強大於個人本身所受之痛苦，方可命令將該房屋拆毀。」他說市政事務署，如要對被拆居民作任何要求時，從未經由市政局先作考慮，即經易地由該署發員提出，而這種事且已不勝枚舉，實屬不能饒恕。因之他主張今後在事務處理上，應通過一次暫時政策，「伸訴及雜項通告小組委員會」及「非牢房間小組委員會」聯合研究，以解決足令造成市民過分的困難。如是衛生幫辦權力既受限制，小市民的痛苦，也就可望減少了。

反共大砲麥卡錫

馬五先生

自由談

美國參議員麥卡錫，最近曾被參院同人通過了一項譴責案，等於精神懲戒，說他在調查非美活動的言行上，有失體統。但他視若無事，指參院決議是串演「馬戲」的玩藝。目前他依然不改其大砲主義的作風，竟當衆宣讀一件譴責艾森豪總統縱容共黨違背共和黨在大選時對人民所作諾言的文書。理由是艾總統對中共非法判處美籍戰俘徒刑不肯採取强硬手段，予以營救。

麥氏指摘艾總統縱容共黨這一問題的是非，我們毋庸置喙。祇覺得他這種死硬的反共人物，對今日的美國，未始沒有益處。若不是他過去那樣以打獵人的心情與勇氣，到處搜尋共諜，摘奸發伏，恐怕希斯，拉鐵摩爾這些共黨同路人，迄今還潛伏在國務院內，而前兩月國會兩院民主黨議員一致贊同不許中共進入聯合國的決議，據史蒂文生聲明，乃是爲要洗刷民主黨人袒共的嫌疑，這也就是間接要避免作麥卡錫發射大砲的目標哩！

假使麥卡錫是一個中華民國的人民代表，憑他那股反共勁兒，不顧一切的經常架起大砲，專向着權貴顯要們發射，連總統亦要受到一些輻射塵的侵襲。那，縱能免於牢獄之災，至少也被人民代表的懲戒委員會宣告除名，擯出巴力門了。然在美國，他仗有眞正的民意支持，我行我素，總統先生也祇能以言論跟他周旋；一切訴之於輿論的評判。民主政治的可貴之處，就在這些地方；大家講理明法，但憑舌戰，一是皆以民意輿情爲依歸。

有些中國朋友也跟着美國人大駡麥卡錫，我却不然，而且希望自由中國的人民代表中，也能夠出現個把麥卡錫型的英雄人物，使政治上顯示一點青春活潑的氣象，不亦快哉！

達文西名畫復原

·矜式譯·

一九四三年九月某一天晚上，英國飛機轟炸義大利米蘭市，有一顆炸彈落在聖瑪利教堂的齋室。次日米蘭市民爬出了他們的防空壕，好像看見一個奇跡，原來那齋室的兩座牆已崩塌了，但南北兩面的仍然屹立，達文西的著名壁畫「最後晚餐」、在沙袋防護的北面壁上，絲毫未受損壞。

兩年以後，齋室破壞的地方，已經修復，沙袋亦移開了。但該壁跟受雨淋潮濕的沙袋接觸，日久發霉，起了一層白色表皮，手指尖碰在稀爛的表皮上，一按就會凹下去。這幅畫除了剝落之外！似乎無法把那一層霉除開。世人所看見「最後晚餐」，顯然已改變了原有面目。

那時，英國發明了一種無色和無蠟的光漆，能防潮濕。於是這種光漆便解決了一些小難題。義大利修畫的人，把英國的光漆灌入那座朽壞的牆壁裏，一年以內，那一層霉完全乾了，壁畫的油彩亦保持住了下去。

可是，那幅畫已不很像達文西畫的，米蘭又冷又潮濕的多風，嗖嗖的颳在那座牆上，已歷四百五十個寒暑，在達文西還活着時候，那座牆即已露出潮濕的斑痕，過了幾世紀，蓄意的修補那壁畫的人，就把起泡的地方，打磨平了；有破碎的，則用厚厚的粉刷補；上了新的油彩，好像生了凍瘡那麼難看。這樣的修補，至少先後做了五次。

可是現在那幅畫既已完全乾了，就第一次有可能將這些工匠所修補的東西除去，而使達文西眞跡重新現出。X光「對濕施壁畫」（壁泥猶未乾時，而以水彩作畫於其上，義大利人最工此術）沒有一點用處，故此沒有人能預知如果將修補上去的東西剷除，將得到什麼結果，但經一番爭論之後，一個著名修畫的人，名叫拔懸里，終於受聘，用外科醫生的解剖刀，把那幅畫一點一點的往下剷。他工作了三年，直到本年十月間才竣工，這幅畫經過這番功夫後，終於恢復了最初的樣子。

第一個去觀察這次修工的成績的人，是研究文藝復興時代藝術的權威，八十九歲的貝瑞生，他爬上了搭起的木架，細細的端詳那幅畫，據他報告：「我覺得我已接觸了它最深的底層，也的確見到了那幅達文西的眞跡，它雖然幾世紀來已受損壞，但是不再如以前被笨手笨腳的人所蹂躪了。在幾碼之間，人物彷彿從烟霧中浮出，一個偉大而動人，一個栩栩如生。」

米蘭博物院長魏特金斯的批評更加具體，他在「藝術新聞半刊」著論，回憶這次修整工作的特點：「當移開上面那些修補的東西時，我們發現猶大的衣服是天藍色，即着衣領，是用金描繪的；耶穌的衣服現出火紅色，這象徵他的犧牲。（按以前這些顏色都是灰白色的。）有些藍蔚的天空，在背景中呈現出來。發光的金屬器皿反射着聖徒們袍子的各種顏色的層次；赤紅色的酒，在玻璃杯中閃爍。這些特點曾使達文西同代的人，對他寫實派驚爲的奇才。甚至到了現在，經過那印象派的世紀以後，他似乎仍然是現代化的，且富於革命性。

達文西可說是歷來最精練的畫家，他畫放在桌上的麵包，神似而又簡潔，就跟普通人放在自己家裏桌上麵包一般無二，而且他能把天空的小斷片，擴大神秘，顯得遙遠。除此以外，他能通結許多不同的事情、人物、和情感，而成爲一個永恆的和諧。「最後晚餐」就是綜合那一切的力量，無論是毀是譽，可稱歷史上最富於文學氣質的畫。幾次經過拙笨的修整，那幅畫曾有幾分像構想插圖的呆板神色，但現在恢復了它原始的眞跡，它已再度成爲達文西好似不可能的成就，這是對甚麼讚譽一般最適切的圖解。

（譯自時代周刊）

有感元韵並答彭楚珩先生

·王世昭·

一

抽刀斷水看吳鈎，花月春風幾度秋；怕見亂絲催白髮，教人安得不搔頭！

二

無端曲月上簾鈎，暑往寒來又報秋；司馬年華最蕭瑟，惹人清夢是江頭！

三

最怕魚兒上釣鈎，海天徙倚不知秋；冬來老寒江雪，爲有罡風在上頭！

四

錦帳流蘇白玉鈎，勞人長憶漢宮秋；多情最是癡皇帝，淚灑玉關歎白頭！

五

笑人愁帝與詩鈎，自是君家善寫秋；老我異鄉長作客，幾回搔首望城頭！

（甲午小雪）

短篇小說、有錢的煩惱

·洛琦·

香港是個奇怪的地方，多少人對它憎恨萬分，却又捨不得離它而去，彷彿除了香港，其他可去的地方更壞，而在香港呆下去，也許終有一天會碰到好運氣。馬票就是這種碰運氣的方法之一，有些人甚至把希望全部放到它身上。

榮輝就是這樣一個人，可是他居然「命中註定發財」，居然竟給他中了大馬票。

中馬票誰也不能否認是一件大幸事。可是榮輝中了馬票却引起無限苦惱。這裏面還有一個有趣的小故事。

他在事前也料到馬票會帶給他很大的痛苦，然而，他又禁不住發財的慾望，總是要買。既然買了，却又希望不中。爲什麼會有這樣奇人奇事呢？原來他的心中早已隱藏一個矛盾的暗影。

榮輝眞的希望不中馬票嗎？祗有天曉得。大香檳開彩那天，榮輝的心情十分緊張，他自己也不知是否是因爲預感無端端發達的人就是他？還是希望開出的號碼與他所買的馬票完全不對？

性急的人都不耐煩等第二天再看早報對號碼的。報紙加出的號外，榮輝早已買了回來。他非常稔熟的看着報紙上的號碼：「我的天！」他既狂喜，又是驚惶，不由大叫了一聲。於是想起了自己過去的事：

原來榮輝是個不長進的人，自少驕縱成性，養成好吃懶做的壞習慣，還着他的父親的一點遺產，更不務正業，不求進取，漸漸坐吃山空。他的太太秀明，正如她的名字一樣，是個秀麗而聰明的女人，她對他的所作所爲，自然感到非常不滿，時常對他好言相勸，而且把她的謀生計劃說出與他磋商。豈知榮輝却充耳不聞，任憑她說得怎樣苦口婆心，他也無動於中。她對他無限灰心，幾次想要離開他，但又覺得於心不忍。因爲她知道榮輝沒有了她更其不能尋生活了，況且他們還有孩子。雖然他們現在的生活，並不是全賴秀明的能力，然而每當沒有米下鍋時，榮輝還是滿不在乎，最後又得秀明想出辦法，才飽了一家數口的肚皮，即使是向人求借，榮輝也沒有辦法借到，祗有秀明出面，才有法子可想。

這樣的生活，怎不叫人感得傷心！秀明實在痛苦極了，一次，他們的米缸空了，當然又得秀明動腦筋，正在這時候，榮輝吊兒郎當的從外邊回來，手裏拿着幾張馬票：

「秀明！假如我們中了多好，我們便可以住大洋房，買一部碌域。還要你愁柴愁米嗎？」他把幾張馬票小心地放進一個沒有鈔票的銀包裏。

「你曉得我愁柴愁米就好了。」

「難道米缸又空了嗎？」榮輝看着愁眉苦臉的秀明：「愁什麼？中了馬票我們就可以過愉快的生活了。」

秀明也懶得再和他去談怎麼解決吃飯的問題，她知道與他談也是沒有結果的，反會惹起自己發怒，又大吵一場。她祇淡然的說：

「我也希望你中馬票。」

「那就好了，哈哈！秀明！難道你不愛享受嗎？」

「我不愛的固然不是享受，却是不求上進的丈夫。我希望你中馬票，因爲你中了馬票，自然用不着我替你担心以後的生活。那麼！我也可以離開你了。」

「秀明！你說什麼？那麼我中了馬票就失掉你了？」（一）

讀史戲占

·北江園丁·

徵諸往古誠堪笑，依樣胡廬無足驚；宰相何妨充木偶，不教任職但居名。

唐太宗時，幽州節度使張守珪斬奚契丹王屈烈及可突干，上美守珪之功，欲以爲相，張九齡曰，宰相代天理物，非賞功之官也，上曰，假以其名而不使任其職可乎，對曰惟名與器，不可以假人，君之所司也。

幾見良臣能直諫，太宗盛治最稱雄；若非后氏能規諫，難保頭顱田舍翁。

唐太宗嘗罷朝怒曰，會須殺此田舍翁，后問爲誰，上曰，魏徵每廷辱我，后退，朝服立，曰妾聞主明臣直，今魏徵直，由陛下之明故也，妾敢不賀，上乃悅。

只解依阿百不能，靦顏身踞最高層，是非何必求明白，事事應效摸稜。

唐蘇味道在相位，依阿取容，嘗謂人曰，處事不宜明白，但摸稜持兩端可矣，時人謂之蘇摸稜。

文章猶許推流輩，竟爾尸餐十六年，三旨便宵天下事，未知薪火幾人傳。

宋王珪以文學見推流輩，凡十六年，無所建明，率道謹將順，當時目爲三旨相公，以其上殿進呈云取聖旨，上可否訖，云領聖旨，退諭稟事者，云已得聖旨也。

經濟原爲富國先，史中明有理財篇，若教營取民無害，誰笑唐家賣馬錢。

唐少府監裴匪舒，奏賣苑中馬糞，歲得錢二十萬緡，上以問劉仁軌，對曰，利則厚矣，恐後代稱唐家賣馬糞，非嘉名也，乃止。

不打自招文鈔

文抄公

中共以能夠照顧工人利益在宣傳，在中共統治下的工人健康情形，是怎樣的呢？請讀一讀下面這篇載在中共自己出版物上的文章。文抄公註。

先進護耳器

瀋陽　師中男

「十個鉚工九個聾」，這是東北橡膠機械修配廠鉚鐵間歷年來存在的關鍵問題。該廠領導似乎認爲耳聾是鉚工不可避免的職業病，所以也就沒有注意解決這個問題。

去年春季保安大檢查時，檢查組建議該廠向兄弟廠礦學習護耳器的製作方法，以保護鉚工們的健康。既然已有人找出了保護鉚工耳朶的辦法，廠領導何樂而不爲呢。便派鉚工間的韓主任和幾個工人到機械四廠去學習。

機械四廠製作的護耳器的確對保護耳朶有些作用，可是太重，扣合不嚴密，戴着不方便。韓主任和工人們沒有因此洩氣，下決心要改製它。經過多次的研究和改製，他們終於在去年六月間改製成功了。按它的效用來說，確實成爲東北最先進的護耳器。鉚鐵車間的工人們興奮萬分，他們都說：「以後我們耳朶好的不會聾了，已聾的不會更聾了。」

這一成功，也使該廠領導上感到極大的喜悅。他們立即採取了三種措施大力推廣這個先進經驗：一方面拿了實物分送給市勞動局，市總工會，中央橡膠局，東北保安展覽會等單位去展覽；一方面在中央輕工業部編的「安全技術通訊」上報導了這個令人振奮的消息；還在東北國營輕工業各工廠保安工作先進經驗交流會上介紹了先進經驗。在上級領導的支持和該廠的努力下，護耳器的推廣工作的確是做得既普及，又深入。

今年，中央輕工業部東北辦事處到該廠檢查保安工作，他們對這種先進的護耳器很感興趣。可是深入鉚鐵車間一看，鉚工們在「鏗鏘」刺耳的金屬衝擊聲中操作，誰都沒有配戴他們自己鑽研改製成功的護耳器。

「難道他們又發明了不露痕跡的隔音器嗎？」檢查者禁不住發生疑問。

但很快他們就拆穿了這個謎：原來該廠只製作了八個護耳器，拿了六個出去做樣品展覽，剩兩下個已被搗弄壞了。

自由人

THE FREEMAN

（第三九五期）

（半週刊每期三日出版）

每份港幣壹毫　台幣七角

社址：香港告羅士打道二十號四樓 3 rd. Fl. 20 GAUSEWAY RD HONG KONG

日本新局勢的展開——一個比較樂觀的看法

左舜生

最近日本政局的變動，繼第五次的吉田內閣之後，居然有一個鳩山內閣出現，好像是偶然，實際卻是很自然的。

吉田內閣長久的原因

一、儘管吉田所領導的自由黨，在衆院依然以第一大黨的姿態出現，但自由黨外的任何黨派，卻無一不集矢於吉田，在這樣一種的情勢之下，黨外的步調無法趨於一致，吉田還可以倖存，一旦所有倒吉田的勢力暫時歸於協調，吉田自非走路不可。

二、儘管在戰敗後的日本，吉田並不是沒有表現他可能的成就，但以吉田的個性，能力，作風，以及政治的地位，只是所以取得自由黨領袖和首相地位的最初條件，而竟能繼伊藤和桂，聯續組閣至五次之多，這卻是日本現代政治史上一件極可注目的事實。以我研究的結論，其所以能如此的原因不外四點：（一）軍人干政的作風，已隨日本的戰敗而消滅；（二）日本自與新憲的頒布而歸於明治以來，以這一時期最缺少有魄力的政治家，因而頗適於二流人物的存在；（三）『飢者易爲食，渴者易爲飲』，日本敗後需要安定，需要元氣的恢復，吉田始終不變的親美政策，最適於這兩者的要求；（四）吉田究不失爲一保守派的有力人物，他能堅持反共的態度不變，這畢竟符合日本大多數人民的希望。可是時移勢遷，經過了六七年的時間，國際風潮的鼓盪加劇，內部複雜的因素加多，過去吉田內閣所以能長期存在的這些條件也逐漸起了變化：吉田儘管親美，但無阻於國內反美空氣的增長滋漲；儘管反共，但也無害於左傾勢力的突飛猛晉；日本當前的經濟情形，自然已與戰後頭兩三年的情況完全兩樣，但一個新起的僵局，卻一天天趨於嚴重；加上鳩山重光這兩個人，儘管他們的資望能力未必一定便高於吉田，可是以多數日本人民一種窮變通久的心理，卻不能不期待整個政局能有一新的轉換，而鳩山重光則要不失爲過渡時期勉強可以符合這種心理的人物；再加上鳩山吉田間的個人恩怨問題，以吉田的傲慢不遜，實有以促成鳩山一種必倒吉田的堅忍氣概；積是種種，一個吉田不能不去的局面，因以趨於成熟。

日本當前情勢的緊迫

三、自本刊發行以迄今日的這四年間，我們有一個一貫的看法，即說明蘇聯決定準備長期冷戰，除利用她的傀儡國家四出搗亂以外，她自己一定是躲在幕後操縱而決不出面。可是所謂長期冷戰，還是有一定的限度，即等到西德和日本開始正式建軍，則蘇聯將到底不能容忍。以亞洲的形勢來說，日本的大規模建軍，更足以促成蘇聯和中共的利害絕對一致，換言之，即蘇聯更有充分運用中共的可能。未來的世界大戰，其歸結自然是歐亞兩方對共產集團的夾擊，可是在蘇聯的立場看來，其首先避難的地點，則與其選擇歐洲，毋需選擇亞洲。因爲從歐洲打起，她的那些東歐附庸，實不堪一擊，而且內容複雜，難於運用，可能在大戰發動後的最短期間，蘇聯自身即須首當其衝，而且可能首先遭受毀滅性的打擊。亞洲的中共則異常單純，而且確實地廣人衆；蘇聯在近五年間，其對中共控制的周密，也瀟實可驚；把大戰的第一戰場首先在亞洲開闢，一面可硬派中共犧牲一億的人民，蘇聯固然絲毫無所愛惜，中共也惟有敬謹接受。同時還有一個更大的好處，只要在技術上能把亞洲大戰持續到一個相當的時期，則民主國家的幻想還不會迅速消滅，團結也不會十分澈底，換言之，即蘇聯還有可能不一定首先挨打，也還有從容應付的餘裕。凡此，都不是選擇歐洲作第一戰場所能具有的便利。在過去四年間，蘇聯發動韓戰，挑起越戰，現在又嗾使中共高呼「解放台灣」，這在某一意義上，都可認爲是蘇聯準備選擇亞洲作第一戰場的一種嘗試，一個序幕，其對於分化民主國家，困擾美國，加強中共，以及在亞洲擴大共產宣傳與滲透地域，均不能不說已收絕大的效果，而蘇聯自身所耗費的卻是微乎其微。處在這種情勢之下的日本，其不能不起而自衛，自屬事理之當然；其轉瞬即將達到一億人口的這樣一個大國，斷不能永遠困處在幾個島上，亦屬不可否認的事實；再加上生產力的龐大，市場的貧乏，在在都要尋求出路；所以爲日本的未來設計，決非做做所能了事，必須從整個世界的改造中另外找到一個天地，斷不能支支節節以求苟安，這是日本今後立國的一個總方針。因此，日本的改憲建軍，刻不容緩；加強與英美合作，毫無疑義；反共抗俄，其責任亦無可推諉；環顧今日亞洲的國家，其對日本具有高度同情，深切理解，並且可與日本商討上列一切日本所必須解決的基本問題的，只有一個中華民國，然而非所論於今天的台灣，對整個亞洲大局，要求得中日兩國的通力合作，必須在中華民國逐漸進入大陸以後，中華民國對大陸的希望進展一步，即日本的希望增加一分，中華民國的全部光復，亦即日本問題全盤解決一個切實的保證。吉田本人，對日本這樣一個死活問題，根本無理解；其魄力與才氣，亦斷然不足以語此；可是日本已面臨決定這一重大國策的關頭，其政局不能不變，吉田不能不被迫而功成身退，實在是再自然也沒有的一大事實。

一種不必要的杞憂

在日本這次政局變動以後，一般的國際輿論，（包括自由中國方面的一些看法）仍對日本前途抱有無限的杞憂，但我不是這樣一種看法，試分析其理由如下：

一、形勢強於一切，今天的日本，只有一條與英美及其他民主國家合作反共的大路可走，斷無『騎牆』『討巧』的可能，模稜的態度不足以見重於美，亦不足以見信於蘇，其結果可能兩面開罪，一無所得，而招致最後失敗的惡果。正式走上這條大路，自然可能遭遇一時的危險，但敢於加危險於日本的敵人，其自身必須具有更高度的冒險精神而後可，蘇聯敢嗎？站在反共抗俄的立場，以求得世界的改造，說毫無危險可言，世界上便從來沒有這樣便宜的買賣，大家以爲日本人的智慧，連這一點也不能理解嗎？

二、日本的歷史，經濟情況，文化，政治制度，以及其大多數人民的生活態度，在本質上是保守的，近年誠然有一部分的知識份子在思想上不無左傾，日共直接，中共間接也在那裏推波助浪，因而勞工方面多少受到一些影響，但這究竟是一種浮面的現象，實不足以動搖日本的根本。假定真有一二左傾政黨僥倖得勢，日本反共的潛力可能立即發動，根本加以打擊。把日本一樣的社會看成和中國一樣的脆弱，這可能只是中國人的一種錯覺。

三、日本今天一般的經濟情形，誠然不能說沒有弱點，人民的生活也還相當的困難，但明年度美國對亞洲的經援，一定可以加多，其總數的三分之二，可能直接間接的通過日本，因爲就科學技術和工業設備來說，在今天的亞洲，也還只有日本才有運用二三十億美元這樣一個龐大援助的可能。如此，則就業的人數可能加多，人民的生活可能改善，這是防止共黨活動一種最有效的措施，經濟繁榮，應該可能促成日本政局的穩定。

四、因鑑於上次的選舉，日本兩個社會黨在議會的席數同時加多，因而推測明年三月的選舉該兩黨更要得勢。但上次選舉的結果，我們只能解釋爲一般人民對吉田政權的厭倦，並不能證明日本人民果已加強了對左傾政團的信心。在吉田個人已告退休的現狀之下，（他的放棄自由黨總裁，其意義更大於他的辭去首相職位。）我預測明年選舉的結果，兩個社會黨頂多能維持現狀，說他們就能給予保守陣線一個致命的威脅，這似乎是一種過慮。

五、所謂『保守陣線』，在日本的今天自然還是不存在的。可是國內或外的情勢，卻已在鞭策他們非走上這一條團結的道路不可。即自由民主兩黨本身，也捨此別無自救救國的其他途徑。過去吉田本人確實是形成這一保守陣線的絕大障礙，現在這個障礙既已移開，團結工作比較的容易着手，自然困難還是很多的，今後便要看緒方鳩山們是否經得起是不是一個政治家的考驗。

六、預測明年三月後的日本內閣，依然是一個保守派的內閣，可能以三種不同的形態出現：一、自由黨捲土重來，但首相已不是吉田而是緒方，由民主黨予以善意支持；二、民主黨以議席的躍進而繼續下去，而自由黨給以相當的維護；三、實現一個自由民主兩黨的聯合內閣，而仍以鳩山爲首班，閣員則按議席公平支配。

值得玩味的日本政治

總而言之，日本這次政局的變動，確實是由大環境的推動使然，決不能誤解爲吉田鳩山個人間的勢力消長，而且儘管是政局轉變的一個發端，並不是轉變的一個歸結。他們這次改組政府的行動，誠然多少帶得有一種悲壯的色彩，但究竟還是遵循着憲政和政黨政治的常軌。儘管吉田個人及其少數親信，仍想毅然解散議會，作最後的掙扎，但結果是不能不接受黨內多數的意見，出於總辭一途，這可看出即以吉田這樣一個倔強的領袖，他們黨內還是能發揮一種民主的力量。這些都是值得我們好好去加以玩味的啊！

就中美條約談革新經濟

·陳式銳·

自由中國十二月的新聞，第一大事算是「中美共同防禦條約」；自月初以來，報紙雜誌及公私言論，多不離此題。在經濟一方面，該約第三條載：「締約國承允加強其自由制度，彼此合作以發展其經濟進步與社會福利，並爲達到此等目的而增強其個別與集體之努力」，因而引起討論。官方新生報十二月七日新聞：「此間官方人士預料：我政府政治與經濟方面的政策，將不因中美條約的簽訂而有任何改變，因爲所有方案都是長期性的，不因目前情勢而有所改變。」

重視經濟與軍事關係

就第三條看來，雙方都要「承担」UNDERTAKE「加強其自由制度」STRENGTHEN THEIR FREE INSTITUTIONS 循這「自由制度」，才可能發展經濟及社會福利，爲達到這一目的，要個別或共同加緊努力。它的邏輯，自然是以「自由制度」爲前提，我們由此道路，加以努力，才可以達到繁榮與福利。一國的制度，本屬內政問題，不容外國干涉（此點屬另一問題，此處不討論），但雙方既在條約上加以約束，則一方面有權加以干預，而另一方面有義務加以接受；惟本約爲雙邊性質，中國對美國如是，美國對中國亦然，只是在實際上，不可否認底是屬於後者。自由制度爲對共產集團作戰底武器，中美既在共同抵抗共產侵略，則非同特別致力於「加強自由制度」，以建立健全之經濟基礎，即僅指自由中國，亦不無它的特殊意義。

中美共同防禦條約，本質上屬軍事性質，其所以有第三條之規定，乃重視經濟與軍事之關聯性。蓋貧困爲共產主義的溫床，此爲世人所共見，消除貧困則足以消滅病根；繁榮經濟以增進社會福利，亦即增強軍事的力量，才得與共產集團鬥爭。

（下轉第二版）

半週展望

·雷嘯岑·

聯合國營救美籍戰俘問題

聯合國秘書長韓馬紹準備前往北平營救被中共判刑的美籍戰俘，是否能夠成行，尚待北平方面的答復，但相信中共不會一口拒絕的。

很明顯的事實俱在，從一九四九年俄共大力宣傳日本在二次大戰時使用細菌戰術，要審判日皇的戰犯責任以來，繼以中共宣稱美軍在韓戰中使用細菌戰，而且造出許多蟲豸類的圖形照片，像煞有介事的叫囂一陣，向聯合國提出過控訴案，現在又於「和平共存」聲浪囂甚塵上之際，把十三個美國人指爲間諜而判處徒刑。這一切的做作，乃證明俄共集團是一套有所爲而發的預謀，聯合國既肯派大員去向中共交涉，正是它內心所希望的結果，豈能毅然拒卻嗎？

韓馬紹一到北平，必從事討價還價的黑市政治交易，不成問題。儘管聯大並未授予韓氏以處理問題的全權，最後決定必須經由聯大政委員會決議。但，聯合國的支配者就是英美二國，其餘大小國家，不過敬陪末座而已。祇要英美同意了，有的是冠冕堂皇的理由，不愁大家不附議的。

所謂間諜案的作用

明白了上述原因，就對中共這次爲甚末在高唱「和平共存」時，忽然對美國人幹出這項「驚人事件」的所以然的道理，不致有所惶惑了。俄共集團原是以不戰不和的冷戰局面爲有利的，它要使中共擠入國際政治舞台的聯合國，有如粵語所謂「一鑊攪起」，藉以擾亂自由世界，然美國堅決反對，計不得逞。如是乎，乃專對着美國的弱點進攻，而所謂美俘「間諜」案即應運而生了！

美國的弱點第一是珍貴人命，害怕流血；第二是必須波動受迫，才能激起民衆憤怒，起而從事戰爭；第三是必須英國跟它採取「聯合行動」，才敢談戰爭的話。俄共集團對美國這些弱點看得清清楚楚，又有英國從旁幫忙，所以就乘機搞出這項「間諜」案的把戲。但不將其所認爲「罪大惡極」的「間諜」頭子安諾德致之死地，如果殺掉了一個美國人，美國社會必然大爲激昂騷動，或許要發生意外的後果，這是俄共集團所要戒懼的。祇有像現在所操用「人質」辦法，才可以避免山姆大少爺的衝動心情，又能引起他那種珍貴人命的下意識，自有文章可作了。

將來可能的結果

諸國主張以強硬手段營救美俘，不但艾森豪總統不同意，民主黨人士唱反調，即共和黨議員如惠利等人，亦表示不贊成，理由是害怕引起大戰，而盟邦英國又不願「聯合行動」，將非美國陷於孤立無援之境，更不得不由於過度恐懼戰爭的心情，便把敵人的力量估計特高，更不注視敵人的弱點了。

韓馬紹一到北平，俄共集團自有一套預定的黑市政治交易清單開出來，教他帶到聯合國去。如是，俄共代表馬立克以「中立」姿態，大事活動，盡力走「和平共存」的路線。英國代表又利用「中英友誼」，對中共說好說歹，折衷還價，期得成交。美國呢，祇要扣押在中共手中的「人質」能夠釋放出來，要中共不實行太舉侵犯台灣，避免大戰，其他一切皆有商量餘地的。

中共所能開出的黑市政治交易清單，祇要不涉及巴黎協定，不堅持制止西德建軍，無論它對韓戰戰俘善後問題，提出任何條件或對所謂台灣問題，提出何種政治性的交換代價，英國一定是表示幫忙的。假使事情是這樣發展下去的話，最後結果必然趨於妥協姑息之途，由英美兩國操縱着聯合國這一工具，造出大套的法理論據與「和平談判」方案來，經過會議形式，逐步推進，而以讓中共擠入國際政治舞台爲第一步的表現。聯合國根本已變成一二強權國家的工具，沒有半點正義公道存在了。韓馬紹之前往北平叩頭作揖，謂爲替聯合國敲喪鐘，不亦宜乎！

狄托的東來訪問（上）

・俞嬰・

紐約前鋒論壇報記者，於去年三月，曾將南斯拉夫狄托問題，問過美國前駐南國大使艾倫。以南國是否已有脫離馬克斯經濟學說的明顯跡象？艾倫答：「誠然有此種跡象，不過其脫離的程度如何，與脫離的時間多久？是一個未來的問題。現在的事實告訴我們，南國已有相當多的轉變。」的確，狄托變了，南國也跟着變了，狄托今後的動向，以及現在的行動，殊堪世人注視。

現在，這一位南國的獨裁者，已由貝爾格德啓程東來，訪問印度和緬甸，以一個共產主義國家的領袖，不遠千里前往訪問非共國家，其意義實不尋常。年來狄托雖在西歐標榜「中立」，然其本質，畢竟是一個共產主義者，雖然他有國家主義的傾向。而被訪問的對象，也是一樣的高舉着「中立」的幌子，這種東西「中立」「中立者」的攜手，其影響於今後國際情勢如何？這裏不想去批評它。現在，乘狄托東來之際，將他和他的主義以及南國的情形，述評一下，可使我們得一概括的認識。

狄托是莫斯科訓練的

狄托原名是約瑟布洛茲，在一九二八——二九年間因煽動鋼鐵工會罷工被捕後，才改用「狄托」這個名字，他又曾用過華爾特，巴爾熊[illegible]曼乃克等假名。他早期就已信仰共產主義，他出生于一個工人階級的家庭，一八九二年五月廿五日誕於克羅西亞的一個村莊。幼年時曾在一個鄉村中的教堂做侍童，那時他僅十二歲，本來已是一個天主教徒，不料因爲服務不週，被牧師斥逐，他懣憤因失所業，以後永遠不再進入任何的教堂，以爲報復。

在第一次世界大戰期間，他被徵入奧匈帝國軍服役，於作戰中被俄軍俘虜，解回俄國，受共產主義思想的訓練，並且參加過紅軍隊伍作戰。戰後，他負起共黨組織的任務，由莫斯科回到南國，在扎格勒城爲金屬工會的書記長，後來因爲領導罷工的活動而被捕入獄，在囚牢中過了五年生活。監滿被釋後，他又往莫斯科「列寧學校」受思想主義上的高級訓練，更取得共黨代理人的資格，再回到歐洲巴黎去，負責各國派往西班牙內戰的共黨份子的聯絡任務。一九三七年才被調派返南國，担任領導該國共黨的秘密活動工作，在扎格勒城設立大本營爲活動的基地，當時的黨員人數不多。所以，狄托由萌芽而至茁壯，就是一個共產主義的地道種子，他自始在南國所幹的工作，都是聽命于莫斯科指揮的。

大戰後狄托崛起

狄托的共產主義，在南國生根發葉，乃趁南國淪陷的機會。那是一九四一年，在南國保羅攝政王朝時，一羣愛國志士以空軍將領西摩維熙爲首，發動政變，於三月廿七夜把攝政王保羅推翻，改擁年青的彼得王繼位。這一次政變，原是一羣反德反共的人所主持。不料那時希特勒卻向新王朝提出要求，請西摩維熙領兵幫希特勒攻打希臘，並允許以希臘的沙龍尼卡[illegible]洲。這一要求遭新王朝拒絕，而觸希特勒之怒，立即遣派[illegible]臨貝爾格德狂炸，接着派大軍進攻，新王朝不堪招架，迫得於四月十五日投降。於是，南國便淪入德意魔佔領之手。淪陷後的[illegible]情形非常混亂，[illegible]

[illegible]

就中美條約談革新經濟

・陳式銳・

（上接第一版）

台灣以公營制度配上極度底管制政策，致使生產落在人口之後至於四〇％，無疑地在日趨貧困；就所得一項言，國民所得減少而租稅負担加重，每人實際負担與昔比，爲三三比九四（摘作台灣經濟）。抵抗侵略，需要國民犧牲；以這樣不健康底經濟，如何擔負上犧牲？

管制是不是不再改變

這裏的問題，毋寧說是自由中國的經濟制度。照新生報的新聞，政府的政治經濟，「將不因中美條約的簽訂而有任何改變」。由這一點，可有兩個推論，第一是自由中國的經濟制度已經夠自由了，無須再加強，所以也不作任何改變；其次是條約屬於形式，美國不會說話，中國亦將我行我素。我憶起經濟部長尹仲容曾於九月七日對記者說，「他認爲一般人士的認識爲祇要將台灣經濟改變爲自由經濟即可使台省一般經濟問題迎刃而解一節，實爲遠於天眞而近於愚狂」（台北九月八日徵信新聞）。現任經濟部長既指出主張自由經濟爲愚且狂，那末[illegible]管制經濟者無疑是[illegible]智而[illegible]管制經濟了；[illegible]容氏可以代表政府，依理論斷，[illegible]府對管制經濟將不作任何改變了。

香港 SOUTH CHINA SUNDAY POST—HERALD 十二月五日有一段新聞，譯其大意：「[illegible]外交部長葉公超原[illegible]訂中美防禦條約[illegible]將返國，現奉政[illegible]命仍留美國協[illegible]」[illegible]

尹仲容的經濟理論

查尹仲容氏於斥自由經濟爲愚狂後，分析台灣經濟困難[illegible]，結有三點：（[illegible]）台灣經濟情形，已[illegible]來底附屬經濟一變而[illegible]

[illegible]

憲法上的自由制度

[illegible]

[illegible]發展經濟一項既訂在中美共同防禦條約之內，葉部長又在美與美國政府協商改革自由中國的財經制度，這是自由中國的一件大事，同時也是一件可喜可賀的好事。可怪者，官方人士爲什麼要聲明「不作任何改變」？政府的作風一向在擁護上用功夫，實際上人們所瞭解，其所云云，不過「此地無銀三百兩」。我曉得，當局的標榜是「安定」；而安定就是不變。縱使要變，它也要解釋是「既定」底方案；所以官方人士說：「因爲所有方案都是長期性的」。天曉得，所謂方案，不知究何所指（大概又是機密，故從來未公開）？而現任經濟部長指自由經濟爲「愚狂」，可見「睿智」底方案應該是管制經濟。由此看來，無論行動與理論，不是大大地矛盾嗎？

請公開調查團的報告

由於中美共同防禦條約的簽訂，個別國的經濟，事態上是前在弦上了。這一來史蒂芬調查團的報告書無疑地成爲重要文獻。蓋史蒂芬調查團代表美國，它的意見，從而先其量是一種建議；此時（在條約上）可能成爲這一個主張，而這一革新，關係自由中國的前途甚爲重大，中國人民有充分瞭解底權利；亦以此，我們要求政府把史氏報告書即速公開，使全國人民有充分研究底機會。

稿約

本報園地公開，歡迎讀者投稿，性質不拘，最好勿超過二千字，譯作請註明出處；來稿如不合刊用時，當儘速退還。來稿請用稿紙，勿橫寫。

——編輯室——

編者讀者

著作者應有的態度

△童德淦先生來函▽

編者先生：

前見「自由人」載王世昭先生所作評王靜安先生著幸同之文，私心頗不直其說，嗣質之，高德泰先生作書斥之，其間是非曲直，愚者置喙。抑愚有一言，欲吐之而快者。[illegible]採叢書，動輒推敲，懶下結論，則庶幾不[illegible]者，讀人生雜誌，曾見某君述天水風光，[illegible]從衛霍征西域，光榮殉國，歸葬天水，是[illegible]臨文不經意而失檢者，如王世昭先生中國[illegible]詩有「王漁洋所謂羚羊掛角不當如是耶？[illegible]有「羚羊掛角」之喻，此則譬諸言「螳臂[illegible]間世，而引外篇之文地，似覺先後失倫。[illegible]至此不嗤，想是臨文偶失檢耳。[illegible]書不多，輕言著述，必誤後學」。願諸輕[illegible]多用些功夫，則讀者幸甚矣。即祝

童德淦拜上十日

雨文，俞嬰，長林，于飛，膠柱，易敏子[illegible]收到，謝謝！

[illegible]函奉悉。

發刊通告

本刊三六四至三七一期稿酬通知單，已分別付郵。惠稿諸先生接到通知單後，請得日下午到銅鑼灣高士威道本報領取稿酬爲荷。

人物述評

黃百韜殉國六週年

・劉露如・

（一）

今年十一月廿二日，爲黃故上將百韜將軍殉國六週年。蔣總統特飭國防部代表慰問家屬，以示軫念先烈之至意。當天在台北的黃將軍生前友好，亦於是日上午九時集聚在台北市廣州街黃百韜將軍紀念堂，舉行黃上將殉國六週年祭，淒風苦雨，齊弔忠魂，紀念儀式簡單嚴肅，彌令人頓興山河破碎，大星沉落之感！

黃夫人自將軍爲國捐軀後，即率同其三位女公子及四位公子隨同政府來台，柏舟自矢，守節撫孤，由於治家有方，子女均受高等教育，現三女均已出嫁，長公子服務於韓境聯合國任翻譯，是時適亦休假來台。二公子已畢業台大，三公子就讀於國防管理學院，四公子就讀於台北工專。頭角崢嶸，蔚爲國器，達人有後，是能讚父書而善承遺志者，黃氏有知，當亦稍慰英靈於地下。

（二）

黃將軍之死是有名的徐州會戰，碾莊之役。這次會戰開始於民國三十七年冬季，中原共軍傾巢出動，兵力超過五十萬人。黃伯韜所統率的第七兵團，這是共軍的生死對頭。他雖是個大戰後殉職了，但後來一般的軍事評論，認爲徐州會戰之戰功，黃百韜應居第一，這是很公正的。

十一月七日，徐州到運河之間，國軍還沒有主力存在，不過黃百韜已經在新安鎮奉令率領第二十五軍，第六十三軍，第六十四軍，第一百軍等部過運河西進了。運河上只有一座鐵橋，這時李延年帶着從東來後撤的第四十四軍西行，黃氏很客氣地讓友軍先過，四十四軍過去了。接着，是一大批難民和學生，黃氏又等着他們過去，然後才開始渡河。就這麼一就延，共軍的追兵已經趕到。黃軍團所部除去了二十五軍，六十四軍和一百軍的一部，到達運河西岸而外，其餘的第六十三軍和一百軍一部，都還在運河那邊。

共軍趕到，戰事開始，陣勢就已混亂，丟在橋那邊的部隊，全告擊潰。黃兵團到了西岸趕快部署，以碾莊爲核心，東北兩面是一百軍，西南是六十四軍，南面是四十四軍。卻又想不到馮治安部兵，黃兵團陣地的北面滲透突破，變共軍復又於運河站以南，迂回到黃兵團的南側。

一百軍就不全，而四十四軍呢，因爲軍長王則復是王纘緒的公子，一向就

（三）

劇戰從十一月八日展開，一直進行到十七日，在這十天內，雙方犧牲都很重大，共軍損耗更多。但是因爲後方接濟的糧彈未來，而共軍的後援部隊源源湧上，雖說邱清泉的馳援，已如上述，無備於事。

最後事態發展到萬分惡劣的境地，黃百韜倚作掩護主力的陳士章軍長所部也傷亡大半，才不得已突圍，由廿五軍打前鋒，開始突圍，由廿一日從碾莊的東北角上繞道西行，其時曾有人勸黃氏易便服行動，黃氏却依然穿了呢軍服，肩上扣兩朵金花，勳章更配滿了胸前他說：

「要死就這樣死，要逃出去，也就這樣逃出去，別教後方的人以爲我是畏葸之徒，而偸偸摸摸地跑了出來。」

在突圍的時候，隨身衛士犧牲無遺，僅有負傷的副軍長楊某一人在側，黃百韜乃決定以死報國，先向楊副軍長作從容鎭定的囑咐，然後在一紙條上大書：「民國三十七年十一月二十二日第七兵團司令官黃百韜盡忠報國」等字。即取手槍對準自己太陽穴一擊殞命，求仁得仁，嗚呼壯矣！

（四）

黃氏是死了，黃氏之死，死於他頭腦的冷靜，死於他的責任心和正義感。如上文所述，他讓四十四軍先過運河，再讓難民學生過去，在他是友情，是道義，然而畢竟自己吃了虧。李延年當時會和人談起：「人家歸罪於我帶着四十四軍先過了運河，可是我過了河以後，他還有一大段時間，讓難民學生過去的。」

講最後突圍吧，和他一道兒突圍的陳士章，劉鎮湘，都已救出，也不見得沒有機會出來。他總以「對得起總統和對得起已死的官兵」（見當年的中央社電訊）的信念下，不肯爲俘，自殺成仁。

中華農學會與我國農業

冷少泉

中華農學會，創始於民國四年。台灣光復後，在台設立分會，卅九年一度改稱台灣中華農學會。四十二年恢復中華農學會名稱及台省分會，現有會員逾兩千人。本年十二月十一日，中華農學會與各農林專門學會，共同舉行年會於台南。茲略述該會的過去成就，藉示展望之意。

農學會的使命與貢獻

農學會的使命約有四項：（一）研究為本，並從事教學與服務，（二）融合農學與農業，（三）溝通政府與農民，（四）聯接老農村與大世界。

試進而略述各農學會對我國農業的貢獻：各農學會成立後，對於建立科學農業甚為重視，多所努力。舉凡各大學農學院之設立與充實，中央農業實驗所之成立，抗戰期間之增設林業畜牧兩所，勝利後設置水產、經濟兩所，以及各省先後成立各試驗場所等，各農學會或該會會員，直接間接貢獻良多。此外對於作育農業人才方面，例如戰前農林部登記農業人才，計一萬五千餘人，（大陸撤退前夕，該項登記，估計為二萬人以上）又關於農業大法：卅五年制憲，憲法草案原未列入農業專條，其後增列為憲法第一四六條，或為我國農林建設基本方針，農業界之努力與貢獻實有足多者。至於森林法；漁業法；農會法；狩獵法；水利法；土地法；三七五減租條例和實施耕者有其田條例等，亦無一不為農業界奮鬥之結果。

政策計劃與生產貿易

於此，尚有可述者如下兩項：（一）釐訂政策計劃：以政策言，有各政黨的農林政策，和擬議中的台灣林業政策。至於計劃；抗戰前有全國經濟委員會各項農業計劃，抗戰期內，有農林部廿年建設計劃中第一期五年（設計劃），農業復員計劃，和中央設計局的五年物資建設計劃的農業部份。勝利後有農業重建計劃和糧棉增產等計劃，現行的有四年經濟建設計劃之農林部份，籌議中的更有光復大陸農業建設計劃等。（二）促進生產貿易：由於實行各項農林改進措施，農產已增加，試以台米為例：日據最高年（廿七年）產一百四十多萬公噸，卅四年接收時只六十三萬多公噸，四十二年增到一百六十四萬多公噸。不但農產增加；品質改進；還不斷促進有關工業，以台灣肥料公司為例：日據時最高年（廿八年）不足三萬四千公噸，接收當年不過四百公噸，四十二年竟達十五萬六千公噸以上，不僅工業生產增加；輸出尤以農產為大宗。四十二年出口總值近一億三千萬美金中；糖米兩項就佔一億零一百多萬，其他鳳梨；茶葉；香茅油；香蕉；樟腦和羽毛等又佔一千六百多萬美金。幾年來台灣工商業日見進步，人民生活提高，農業改進實具最大促進之力。而中華農學會及各學會，與其會員直接間接貢獻其力量，功不可沒。

今後的中心任務

我國農學，由於農學會及各學會的努力，再加以友邦合作，現在確已躋於國際水準之列。此實農業界之共同光榮。今後的課題，自當遵照國策，本已有之成果基礎，進而當為復興建國完成其應盡的責任。以今後的中心任務；似為擬劃土地利用；和促進農業工業化等兩項。前者乃觀事實之所需，就地之所宜，和力之所及，為最經濟最切需要之利用，使農、林、漁、牧，咸得其宜而感適其用。後者則包括農業作業機關；農產商品化；和農產利用工業化等。倘能確立土地利用政策，自無所謂糧荒之爭；甘蔗雜糧之爭；農與林爭地和濫伐濫墾等現象；則將促進全面工業化，全民受惠。農業科學工作者的責任，其在斯乎？

台省林業痛言（上）

李海

弊端百出的台灣林業，近兩年來，由於監察院的糾舉，立法院及省臨時議會的連次指責，國民大會第二次會時建議改革以及輿論界不斷的批評，最近幾任省府主席，初就任時均曾開出支票，說對於敗壞已久的林業和林政要加以澈底整頓，但時到今天卻一直還未見有具體的辦法拿出來，眞可謂咄咄怪事。

最大的經濟資源

台灣森林面積佔全省總面積三分之二，林木蓄積不下二億立方公尺，據林業專家估計，即照森林最低年生長率百分之一計算，每年可供採伐的林木亦有二百萬立方公尺，照目前市價計算，可值新台幣十餘億元，如果經營得法，不僅軍公民用材可保無缺，對於政府財政亦將可增加七八億元之收入，說起來，要算是本省目前可資際援利用的最大經濟資源，可惜由於近年林政敗壞，林業不修，每年只見濫伐、盜伐、焚山案件的層出不窮，對於伐木跡地則從未切實的去造林，日本人在投降末期，已經在台灣濫伐下二十萬公頃的荒山，再加上光復以後我們自己亦伐多植少，聽說現在全省荒山已不下四十餘萬公頃，是以近年不但水患頻增，甚至為了加強保持山地水土，連原始的逾齡森林，亦不敢再多加砍伐，致本省木材供應不足，竟須進口，事之令人痛心，實有過於此者。

森林破壞的原因

（一）林產處分：林產管理處每年處分林產的面積（即將國有林班發與民間砍伐），不下七八千公頃，這些被砍伐過的林野，本應列為每年造林之首要，但因所有林班不是以特殊關係所價特賣，就是由商人以串標，圍標方式低價所標得，致平均每公頃所收入的伐木代金僅約一千元左右（實際利益則可五、六倍於此一數目以上），而造林經費每公頃至少需要一千五百元，結果出賣每公頃森林的收益，尚不足每公頃造林經費之所需，經費不足，所以才使這些伐木跡地未能及時造林，綜計自光復到現在八、九年中，此項有帳可稽的伐木跡地約為三萬餘公頃，再加上官商勾結，致林班處分地界不清，林班面積調查不實，因而發生的盜伐、盜運、超伐、誤伐及越界砍伐所留下的荒廢林野，亦至少有三四萬公頃，故僅由林產處分所造成的荒山，綜計即有七八萬公頃。

濫墾的結果

（二）濫墾：濫墾地種植的作物，大多為香蕉，其次為香茅草，樹薯及苧麻等，因為近年來各種出口辦法的獎勵，人民種植香蕉及香茅油的收益，比種稻谷還要好，平均每公頃可以收入五、六千元。所以一般人均拚命的到處亂墾、濫墾。由光復到現在，只國有林地被濫墾的，據統計即不下五萬餘公頃，如再加上公私有林地被濫墾的面積，恐更不止以上之數字。而農林機關對於濫墾是如何處理呢？其處理的辦法不是禁止，更不是處罰，而是承認既成事實，以租地造林辦法來解決，即濫墾者有優先承租在濫墾的土地上造林之權，實際上無異於獎勵人民去濫墾。

租地伐林

租地造林：依照森林法，有承租林地造林資格的，只有學校、病院、交通及有公共需要的公營事業機關，省政府鑒於本省荒廢林野太多了，為了獎勵人民造林，因即於三十九年六月間訂出一個「森林用地租地造林辦法」和實行細則，用意本不算壞，可惜林業機關實行後，其內容完全變了質。目前的所謂租地造林，據工商新聞（第二卷第九期）所載，由於官商勾結，申請租地造林的人，大多醉翁之意不在地，而是在承租的林地上，可以伐到很多木，是以社會上有叫「租地造林」為「租地伐木」之謂語者，因依照租地造林辦法之規定，承租的土地上所有天然生有用樹木及特種母樹，由於造林，可以優先申請砍伐，於是林地出租之後，不但未能造林，反而成為租地伐木，毀林而佃，化公為私的大弊政。據立法委員冷彭在立法院會議席上的質詢說：「林管局租出去的林地，並不是荒廢的林地，而完全是生長有很多林木的林地，普遍每公頃平均約尚有三十至一百立方公尺的材積」。於此即可見租地伐木傳說之不虛。

而且依照規定，承租後之第一年可以種植農作物，造林後還可以間作二三年，如有特殊原因不能造林的，還可以申請延長二年。所以實際上此一租地造林辦法，不啻是加速山林之破壞及促成山地之濫墾。因林地雖係山地，如於租出去伐木之後，再種植香蕉，每公頃可以收穫五千至一萬五千台斤，平均以一萬台斤計，其收益即遠在一般水田之上，所不同的是山地種植香蕉五年以後，土壤會被雨水完全沖走，巖骨暴露，不能再加利用就是了。反正承租期間可以長達八十年（必要時並還可申請延長）不妨聽任其荒廢，總之伐木及種植香蕉的利益已經到手，依照租地造林辦法第二十條規定，最多不過是解除租約，而此時承租人對於解除租約，正是求之不得哩！

社會問題日益嚴重　當局積極研究對策

一個人口衆多城市，社會問題的嚴重，似乎不可避免，香港人口超過二百五十萬，其社會問題，自然無以否認。但一般的良好秩序，幾使外來旅客引為驚異。然則此種良好表現，已足以說明社會結構的健全，而健全的社會結構，端賴嚴密的基層組織；如街坊會，宗親會以及其他民衆法團，年來大多均有良好表現，他們對於居民生活情形，大抵都甚了解。不過此等組織大多僅限於坊衆福利，如環境衛生，興辦義學等等，祇是活動狀況並不透過港府有關主管機構。大體說來，他們在維護社會秩序方面均已發揮了甚大力量，主管當局對民間眞實狀況，卻並沒有充分了解和掌握具體資料。

因此，有關當局現已擬就一個龐大計劃，決定在一九五五年度針對現實許多社會問題，採取有效措施。而此等問題乃是甚多市民本身亟待解決的，例如：失業，住屋，失學，節育，雖然當局目前已就此等問題，推行有效政策，終覺未臻具體與全面達到預期目的。主要原因殆係當局尚未完全明瞭實際情況，以致難收預期實效。前項計劃，就其實施步驟看來並非積極性的，而係緩進的逐步發動和推行。第一步工作是普遍性的調查，這一項調查工作，無可否認必將由當局邀請各街坊會和其他的民衆組織（社團）協助，以期能獲充分了解，然後由有關各部門從事研究。現在自難確定它何時方告完成。

同時，社會局的民衆事務部組織亦將擴大，並擬依照計劃延攬專門人才，以擔負未來的艱鉅工作。然當今人們所關切的問題，厥為廣大的失業羣，如何給與充分的適當安排。事實上，當局雖然對失業者十分重視，但計劃中並無「救濟辦法」列出，這也許會令人大為失望。就社會局現行計劃規定，目下對於失業者的救濟頗為彈性，如殘廢，老弱給與安置供食之外，壯健之人不加理會。據當局解釋調查工作推動主要原因，旨在明瞭失業人數，住屋狀況，教育，醫藥設施和節育等，以之尋求解決對策。然此項對策必須俟調查完竣之後，再由「民衆事務部」的專家們作進一步研究，絕非迅速可以實現的。當然，主要的自係經濟部門，但當局認為經費不患毫無着落，因為目前許多財力，甚多趨於浪費，而未加充分把握利用。但一般相信社會局對於失業者，終有適當辦法，假以時日耳。

「日菲泰遊記」

著者：張希哲　出版：台灣中山出版社

廖英鳴

寫遊記不難，難在寫情寫景之外，還要說理說得明白，交代得清楚，那種綜合性的遊記，方眞是不好寫的。張先生這本遊記，對這些都能兼籌並顧，毫不苟且；更由於作者的技巧純熟，觀察入微，所以寫來感情洋溢，說理明快動人。

以一個歷史政治家的看法，對於目前的國際情勢，尤其對於亞洲的前途，不能不寄以極大的憂慮。在遏止亞洲紅禍的作用上，除了打前鋒的中越韓三國之外，在後方的日、菲、泰三國，也有其極為重要的地位。所以關於日、菲、泰三國的內在情形，是值得我們十分注意的。

（一）

日本：日本的名勝風光，我們跟着作者的筆觸，曾遠眺過富士山的積雪，洗浴過熱海的溫泉，瀏覽過日光的山色，領略過中禪寺的湖光，也欣賞過東寶的歌劇。然而這一切天然和人工的景色，卻掩蓋不了日本社會的動盪和不安。

日本由於第二次大戰失敗的結果，人民死亡衆多，經濟陷於絕境，工商業的毫無出路，孤兒寡婦的無所歸養，日本人民觸景傷情，心理上自然而然是反戰的。然而她在國防武力上需要美國的協助，美國卻要她重整軍備，共同抗拒國際共黨的侵略，所以她在軍事的措施上又不能不是備戰的。再說日本政府因為事事要仰賴美國，而美國的一個條件是要她做到眞正的反共，這樣她為了要爭取更多的美援，所以她表面上又不能不是反共的。然而日本政府的反共意志並不堅決，她聽任共黨在國內發榮滋長，聽任共產主義在文化界腐蝕滲透。而工商界方面，又因為原料和市場的出路問題，大都打着親共的如意算盤，幻想着和大陸的中共政權打交道。這樣一來，日本在反戰而又備戰，反共而親共的情形下，無論對內對外的政策，都表現得猶豫不決，搖擺不定。關於這一點，作者曾經揭發了日本政界領袖的一個秘密，他說：「吉田的房子裏面掛着五幅照像，兩幅是美總統和英首相的，兩幅是俄共和中共頭子的，另一幅則是以中間路線自居而實質上做着共產集團尾巴的尼赫魯。」由此，我們便不難測知日本之所以動盪不安的癥結所在了。

（二）

菲律賓：菲律賓經過奎松總統的領導革命，終於在美西兩國長期統治之下，於一九三五年開始成立自治政府，再於一九四六年正式成為獨立共和國；計算她眞正享受自由的日子，到今天不過短短九年的時間。菲律賓的國防非常空虛，陸軍不過五萬人，海空軍尤其有限；以這樣微弱的軍事力量，拿來對付菲國幾千人的虎克黨尚感不足，更如何對付國際共黨的威脅？不但如此，菲國的外交政策也並不高明；她對鄰邦的我國認識並不深刻，對我國的反共力量也並不重視，對旅菲華僑於二次大戰時協助菲國抵抗日本的侵略，和華僑戰後對菲國經濟復興的貢獻，似乎都忘記得一乾二淨。所以近年來菲國時有排華事件的發生，近來更有以怨報德菲化案的擬訂，這都是菲律賓不重道義和不夠做朋友的表現。然而，正如作者指出：「我們也不必苛於責人，而應該反求諸己，他們對我們知道得太少，了解得不夠，我們為什麼不趕快去爭取主動，使他們能夠多了解一點呢」？

（三）

泰國：無論從那一方面去看，泰國人和中國人都應該是十分親熱的；因為廣東人鄭昭曾經挽救過泰國危亡的國運，而且曾經做過泰國的國王。華僑在泰國有三百多萬人口，佔泰國總人口五分之一以上；泰國人無論貴族平民，和中國人都有血親的關係；泰國的文物制度，差不多都是中國化的。然而因為我國這幾年來不幸的遭遇，使華僑在泰國也受盡了種種的虐待。泰國各城市到處「烟館」林立，聽說這都是為消化華僑而設的；泰政府規定華僑不得購置不動產，使華僑辛勤一生，到頭來卻一無所獲。僑校的校長規定不得由華僑擔任，學生也不准說中國話，教授中文每周以六小時為限，遂使華僑子弟，逐漸忘其本身為炎黃的後裔。近來更有為華僑致命打擊的事，就是無理增收隨身證例費的問題。原來隨身證例費每人每年不過四銖，後來加到二十銖，去年更毫無理由的突增到四百銖，這一百倍增加的龐大數字，是華僑絕大多數無法負担的，我政府雖曾提出嚴重抗議，但泰政府卻一意孤行，置之不理。誠如作者所說：「目前各地僑胞多處於極端艱難困苦之中，我們要如何同情他們的遭遇？如何努力維護他們的利益？這些都是祖國政府應該特別注意的問題」。

民主「小政」

●馬五先生

日本新任首相鳩山一郎，爲表示新作風起見，宣佈了幾項關於整飭公務人員日常生活的辦法，如要首相官邸僅作外賓招待所，內閣閣員不住官舍，首相出門坐汽車不設「警蹕」——即我國所謂「淸道」的喇叭也。此外，還要禁止公務員跟「外人」打高爾夫球，接受特等待遇，頗有克難救國的氣魄，未可厚非。

鳩山所指出的各項情事，其中使我感到新異的，就是官吏住宅門前設衛兵這一項。日本高官顯吏的私人住宅前，在帝國政府時代是少見衛兵的，只有形同私人的便衣「外事警」暗中警戒保護而已。實施民主憲政的今日，反而出現這種現象，不亦怪哉！

把國家干城之寄的武裝力量，作爲替私人看守門戶的警犬，這種該死的官僚作風，全世界都很少見到，而現得淋漓盡致，洋洋大觀。趙宦官宜住私宅前，昕夕鵠立着衛兵，或爲憲兵，或爲軍士，再次者爲武裝警察。刁斗森嚴，儼然有似軍事，目的只在告訴路人以這住宅的主子是一位官兒，別無作用，其情極酸腐，其心極鄙俗，不料日本人亦沾上了這類「中國文化」氣習，可嘆孰甚！

對日抗戰時期，不佞在重慶市也當過一種芝麻菜大的教育主管官，當時警察局循例撥派十名武裝警士來守衛，（不是守衛住宅）我笑道：「如果千百萬的教職員和學生們要來揍我，十名警士也保證不了的，要衛兵幹嗎？」率性把這道謝絕，並要求將辦公室中的那位工友撤回。這種「不設防」的官吏生活，並未感到有甚麼不安全的地方。因此，每見衙門口站立有衛兵的，心裏就認爲這是官僚氣，聞之免生厭惡！而其光是天花亂墜地口稱民主，而其公私生活表現却是十足的「官主」氣味，豈非廢話一堆乎？鳩山一郎所宣布的大政方針如何不高明，但他這些「小政」改革，殊堪贊許，不知我國的關貴們以爲何如？

憶趙堯生詩老

●積愷元

（一）

前讀周棄子先生憶香宋老人一文，頗有同感，引言中云：「獨香宋翁所居在川康極邊，昔者公路未闢，交通殊爲不便，並世詞流，但有想望風采而已」。予慚非詞人，却曾於民卅一年秋征輯巡榮縣時，親見此老人，其經過尙堪一記。

職時予奉命主持校閱大江南北兵站，率委員十餘人，依行程，是日由嘉定以達自流井。抵榮縣時，日已逾午，同行諸人，均不願停車久留，惟予素有「老成名世躬見爲榮」之積念，遂不顧衆意，斷然下車。函赴城市訪問老人寓所，有告前去不遠，門楣有懸窠大字「香宋」者即是。至則其男女公子及兒媳多出候見，謂老人爲避寇機轟炸，今在鄉居，予頓感失望，其男女公子復謂鄉居距城僅五里許，以予來意甚誠，乃慫恿即雇滑桿前往，到達時，即老人迎立於懸有御史兩字匾額之廳階，殷勤款接。

（二）

坐談移時，余先以前擬之徵選江西詩派十八家詩一文呈政，老人展閱一過，怡然久之。余復席即寫奉絕句四首：

名高當代扶輪手，肯爲征轁夫歸門，一覩淸裁眞自失，早彰風節轉天閣。

風騷管領記年時，適客歸來遠問詩，（謂梁任公）聞或道都楊太守，學前百首竹枝詞。（淸末老人在京就錢別楊增犖先生出守成都席上，依由京至蓉風光成竹枝詞一百首。）

貞元朝士誰還在，每向嚴阿尋舊孔，時從方外著新聲，無復前賢擅此名。

我比擬梁山伯那一位，彼此尙思續敍，時已日薄崦嵫，與辭欲別，老人乃一宿，不得，乃坐片刻，只見老人寫出一詩，贈遂顏將軍至陪都見訪。」詩云：「將軍天上下三巴，塞梅早著花。懷人因狂道，忽馬又迴車。遲彷同三千里，此去陪都人家。此去陪都簇。饋壤一樹樹。」

厚。是夕到自流井，旅居無聊，復效香宋體，寄趙老人一詩。詩云：廿年愛誦香宋詩，詩中往往及吾師。文章性命爾何物，此事微茫祇獨知。紀聲滿江千里，鶴鳴鷗聲一雨綿。出門惘惘者屈宇，頭顯浮石出紫蕅。

「翻成寬趣，再以余油印詩存一冊寄去，未幾又蒙老人寄來題詩一首，云：奉題顏將軍世光詩存追憶石浩雙。詩云：鈴閣山月小於錢。記別依依宜淚汍然。

（三）

余神詩謝別，老人送至門外，意至殷。

懷古兼酬某僧

●彭楚珩

讀明史至朱洪武劉青田遇合事，悠然有思古之情；適某僧以「重九登高寄懷」五律一首遞到，頓使興趣益然，喜而命筆，成此二闋，懷古，觀今，酬寄，數藝併焉，爰以資自由人報之尾。

異種衰亡日，中原戰馬嘶！鐘鳴皇覺寺，龍現鳳陽池；半闕翻新策，求賢遇國師，風雲天地合，王業復與時。

赤嵌樓

●姚琮●

海隅嘗無人，寇盜漫窺探。甲冑想雄姿，文字知遠謨。（樓中存鄭成功甲冑文件等）樓合夕照餘，歷歷雲外樹。君在明不亡，千秋此羅布。獨客一登臨，何處飛雲渡（在吾邑南門外）。身世將毋同，擲筆成一慨。

忍聽傳衣當半夜。寄今提劍寫三邊。紫普近奏巴渝曲。大筆名高動勸川。論道將軍不好武，兜鍪元自有貂蟬。詩外並膝一聯集唐句見贈，聯云：「將軍下筆開生面；壯士長歌入漢關」正如張子先生所謂大骨開張，非神峻駿，至堪珍貴。此聯於卅八年夏，由原籍倉皇避地，寄存於友好家，今想已付諸浩劫矣。

談睡

●鄭士珪●

晁補之詩云：「一生所未免，飲食與睡眠」。人生在世至少有一半的時間給睡眠占了去，一個人有好睡眠等于享受到榮華富貴還幸福得多，所謂：「一枕黃粱」與「手倦拋書午夢長」，其樂自然無窮。

當春風熏人欲醉，春眠最宜于睡眠的，有時一覺醒來睡眼惺忪，不覺間又呼呼入睡。孟浩然「春眠不覺曉，處處聞啼鳥，夜來風雨聲，花落知多少？」說得淺白已將此中的曲折與情趣盡情道出。而「大夢誰先覺，平生我自知，草堂春睡足，窗外日遲遲」。那位拿鵝毛扇高臥隆中的諸葛亮先生也可算得睡的能手了。

在夏天裏開窗睡覺，最爲舒服，高臥北窗之下，清風颯至，自謂羲皇上人，陶淵明的這種風度此中之道的。當火燄的太陽直照屋頂，路上的沙土已經出閃爍的光，許多狗拖了舌頭出來喘氣，我們就在渾汗如雨之中過去，這時如能移個竹榻到樹蔭下，面對着涼風習習，則「一枕黑甜餘」！什麼發財，殺人放火，萬事都不聞不問，此中樂趣，非過來人，不能知之。

伊藤博文有句云：「醉臥美人膝，醒握天下權」，長恨歌「雲鬢花顏金步搖，芙蓉帳暖度春宵，春宵苦短日高起，從此君王不早朝，承歡侍宴無閒暇，春從春遊夜專夜，漢宮佳麗三千人，三千寵愛在一身，金屋粧成嬌侍夜，玉樓宴罷醉和春」。這一種睡須有福氣的大情人才享得到。至于「月兒彎彎照九州，幾家歡樂幾家愁，幾家夫婦同羅帳，幾個飄零在外頭？」尤其當這動盪的時代，若戰時期，生活的鞭子驅使許多人不得不離鄉背井拋妻別子淪落他鄉，看着舍夫婦同羅帳，而自己的愛妻稚子遠在天邊，關山阻隔欲歸不得。而「春雨綿綿妻獨睡」，一個人睡在床上，聽着窗外下着無聊的冷雨，輾轉反側思念遠地的人歸來。這種令人鼻酸的睡，誰然抵當得住？

林語堂在生活的藝術中論睡云：「世上所有的重要發明，不論科學的或哲學的，其中十有九都是在那科學家或哲學家，在清晨二點到五點之間，蜷臥在床上的所忽然得到的」。生活大藝術家孔子說來是「寢不尸」，則不要像僵屍一般的挺睡，而不撫蜷腿側臥，我也覺得蜷臥腿睡在床上，是人生最大樂事之一。

兩臂的安置也極爲重要，須十分適宜，方能達到身體上的極度愉快，和心靈上極度活潑。我深信最適宜的姿勢不是平臥床上，而是睡在斜度約在三十度的軟大枕頭上，兩臂或一臂擱在頭的後面，在這種姿勢當中，不論那一個詩人即能寫出不朽的佳作，不論那一種哲學家即能改革人類思想，不論那一個科學家即能有劃時代的新發明。

尼泊爾王訪美糾紛

尼伯爾國王巴哈杜爾最近在瑞士治療心臟病，仍未痊癒，頗想繼續赴美治療。但是他的行程尚未決定以前，瑞士就有人對他警告說，他有二位皇后，赴美時可能受美國移民當局所阻。

這話傳到美國，國務院聽後大爲困惑，趕緊闢謠，並命令駐阻尼克爲領事立刻向國王解釋，說祇要國王願去美國，隨時都可入境，祇要他無意在美久居，並宣傳「多妻主義」。

國王聽到這消息，據說十分愉快，他的兩位皇后也暗中表示頗爲高興。這兩位皇后都是四十八歲（與國王同年），但按照尼泊爾傳統，皇后的姓名向不公開宣佈。據國王的隨從說，尼伯爾的國王，一向有二個皇后，以防沒有皇嗣接位。（白譯）

曆術卮言甲集自序

●魯實先●

余十七歲始志于學，竊以宰輔六合，含蓋古家，經義瀚林，詞章淵海，莫過於太史公書。爰以裴宋異聞，或午書傳，所記年月，不勝舛差，既有後人補綴，復饒文字舛譌，如此之流，雖經前賢論列，然多箸記短章，散見群籍，此有勒爲專集者，又俱簡於疏落，鮮能通解全書。至於裂刪故事，允皆義蘊玄閎，非夫好學深思者，未能窮其奧邃。所述天官律曆，尤爲冠冕百代，非夫專精致志者，不克究其淵閎。若斯之比，齊賓註所甚略，亦清儒所不詳，因發憤演求前人未見之本，以校訂異文；博稽先儒疑蓋之說，以研思微言。于斯廿載，雖縱轉播遷，而寥若未廢紬采；雖敝屣課藝屬，而鑽討致箸絡帙；用是於專文劄記之外，待錄淨本者，滿篋盈衍。自餘若馬氏繹史、梁氏志疑、張氏札記、瀧川會注之類，亦嘗朱墨駢比，不寡一得之愚。歲次己丑，方擬屏除衆冗，整繕以俟剞劂，不期寇燄怒張，而吾鄉未費一卒一彈，即於是秋遽淪賊手，甫匝月而川滇兩廣，悉被蹂躪，由是徵鑒繁興，刑獄踵作，屏息旣不足弭禍，重足亦無以容身，人皆相率逋逃，余亦倉皇投宿，幾經轉易，始得竄迹香港，稍定喘吁，因之生平撰錄，舉未攜於行篋，筆耕一載，乃復旅食台灣。所居僻左，既無采擷之書，鶴俸綦微，又乏鈔札之費，重以妻孥困處災禍之中，殆皆物化，墓迹秦藏奉火之下，必成劫灰，凡此縈懷，輒爲飲泣，以故未能董理舊業，稍益新知。蓋四度星迴，而眇無論著，此志學以來所未有也。

余所爲論曆文字，亦肇端於論釋史記曆書。厥後探源六曆，尋繹百家，於正史曆志，有校注逾五十萬言。於抉幽補瀾，匡謬正妄，別爲篇第者，亦可數十百事。若夫不假運思，即能坐致者，如「漢太初以來氣朔表」之屬，又不與焉。自遷羅旣島以還，涉水徐復觀教授，杭縣方杰人司鐸，以舊作四篇之列於雜誌者見貽，內併次近草兩篇，都十萬言，以爲一卷，顏曰「曆術卮言甲集」。以所援指，不成報章，就義趣言，未逮全稿二十之一，儻續有所獲，仍當次第刊之，故曰卮言甲集云爾。歲旅甲午，月建困敦，日維乙酉，余在台中。

●短篇小說● 有錢的煩惱

●洛琦●

「是的，你要我還是要中馬票」？

「當然要你。」

「以後你不再買馬票好了。」秀明這樣說，其實是譏諷他，她知道榮輝寧願來缸窯清也要拿錢去碰碰運氣的。甚至會直接從她面前拿一筆大錢。

秀明的想法證明沒有錯，榮輝不時背着她買了不少馬票，今天晚報的發刊他又買了可來。他想起不久以前他和秀明談過這些話，他不知該怎樣安排以後的日子，他怕秀明離開了。他怕得呆住了。

秀明端着飯菜從廚房走出來，看見他呆若木鷄的樣子，幾乎笑出來：

「出了什麼事？又是六國大封相嗎？剛才爲什麼大叫起來？」

榮輝被她一問，一時驚慌失措，囁嚅不知怎樣說才好。但他一急，却急出一個謊來：

「我的馬票差一個號碼便中了頭獎。」

「這才活該。又何必大驚少怪？我從沒想過中馬票，雖然希望有離開你的一日。」

的確秀明希望有離開榮輝的一日，因爲她怨恨他不求上進，她早就打下這個念頭了。她希望榮輝突然發財，使他坐吃不愁，那麼她就決意與他脫離，自己在外邊尋點工作，即使天涯飄零，亦無怨尤。

但是她又從來沒有向馬票打主意，因爲她深信自己生來命苦，哪有錯够跟他脫離的機會，所以沒有想過中馬票這回事，雖然她還是天天希望能够離開榮輝。這種心情正和榮輝一樣充滿矛盾。

現在既然中了馬票了，榮輝就有想辦法，使自己能够人財兩得，他心裏盤算着，該怎麼按步就班的實行他的計劃。

然而，已經窮得可以的榮輝，偌大的一筆款子拿到手裏却使他不知怎樣去應付？這就是當前的大難題，難道仍然保持以往的窮酸相嗎？

一個人中了馬票，一定睡不安枕，而榮輝呢，更是連飯也難以下咽了。窮人裝闊，固然萬分辛苦，富人裝窮，也一樣不易，何況榮輝是暴發，叫他怎能受得了這樣寢食不安的煎熬，好在他仍能勉強守着自己的計劃，並沒有露出破綻。

一天，他帶人搬了幾包盤纏袋齊眉白米回家來，這麼一來，倒使秀明又驚又喜，她慌慌忙忙一面搬開雜亂的東西，騰出地方放米，一面輕聲地問：

「喂！怎麼突然有這多米，是偷來的嗎？」

「別想歪了我，我雖然窮，幾會做過賊。」

「那末，有錢也不該祇是買米，別的需要的東西還多着呢？告訴我：究竟哪裏來的米？」

「總之這些米是來路光明，別急，讓我慢慢告訴你吧！」榮輝慢條斯理的正想說下去。秀明已急着喊：

「快說！快說！」（二）

自由人

THE FREEMAN

（第三九六期）

中華民國僑務委員會登記證僑誌字第二號
中華郵政登記認為第一類新聞紙類
（半週刊每逢三六出版）
每份港幣壹毫
台北市售價台幣七毫
社址：香港高士威道廿二號四樓 3 rd. fl. 20 GAUSEWAY RD HONG KONG
香港發行及代理處
承印者：東南印務出版社
海外總經銷
友聯書報發行公司
台北市館前街五十號
台灣總經銷處
台北市西寧南路一一〇號二樓
台郵劃撥儲金戶九二五二

本報特別啟事

茲為文稿收發郵遞便利起見，嗣後台省文稿改由台北市館前路五十號「自由人」特派員派專處彙收總轉，敬請台省惠稿諸君，以後文稿逕送該處收轉為荷！

論鳩山的外交政策

·李金曄·

田吉辭職和鳩山的組閣，雖非表示日本外交政策已起了基本上的變化，但鳩山之所以能復出山，則是很明顯的說明日本對外政策須要作若干「修正」的轉變。這種轉變除了在日本政局的變化上有助於鳩山和重光抬頭之外，間接的或多或少對亞洲的反共運動發生了影響。

機會主義者的態度

重光葵率直地表示：「一方面與自由國家合作，一方面「願意調整其與大陸鄰國的關係。」這樣的外交政策，可以說是徹頭徹尾的「機會主義」者的態度。

如果說，鳩山、重光正是藉此種「機會主義」的政策抬頭，可以相信其內閣壽命將不會長久。

今天，在日本存在的主要問題是純經濟性的，而非外交政策上有瘕疵。新閣刻下正企圖以能恢復與中共的正常貿易來解決經濟上嚴重的病症——這在中共是完全能了解的。事實上，中共決不會對日本給予任何貿易上的機會來解救其經濟上的壅礙。除非是，重光的獨腳戲完全是依藩中共的調子在演奏，逕直走到了郭沫若「論中日關係」上所說的：先擺脫「美國控制」，再繼之以斷絕與自由中國的邦交；在分化亞洲反共的陣營裏起重要作用。但是這一點可以肯的定說，是絕對走不通的，也決不是今天日本人民所願見的。

基本上說，日本企圖與一個蘇聯帝國的附屬中共為貿易對手，就是一個錯誤。實質上，中共的經濟是整個共產集團經濟組織中的一環。它不僅要聽命於蘇聯，而且還要對蘇聯及其各附屬國家作定期的進貢和輸出。其本身的包袱既已如此沉重，日本新閣猶期望與之發展貿易，不啻緣木求魚。

對共貿易係飲鴆止渴

中共對外高喊「和平共存」或「國際貿易」，祇是口號和分化反共陣營的手段，並非是其目的。吾人雖不敢言鳩山，重光對此有所誤信。但卻可以說，以救治經濟危機為目的以至採用與中共建立貿易關係為手段的外交政策，則是完全錯誤的！這正像向高利貸者乞償一樣，除非日本能忍受一切苛刻的條件和重重價剝削，更何況以此易取對中共的貿易不過只是經濟上的飲鴆止渴呢！

回顧日本自接受一九四五年七月廿六日美國總統、中國國民政府主席及英國首相聯合發佈的「波茨坦公告」，恢復亞洲和平狀態以來，一直是在中、美、英及其他自由國家協助下重建國土和逐步恢復其經濟系統。同時，該公告內早經協議准許給予「日本最後參加國際貿易」的機會。此在各國對日和約生效後，也已見諸實現。不意鳩山內閣不圖今後在正常的國際貿易上發展，為自由反共陣營協力，竟在自由國家對共產集團統治集團展開正義鬥爭的現階段，曖昧地企圖與中共勾搭，實在令人不解。

若謂鳩山內閣此種「機會主義」，一石二鳥的外交政策，能夠以刺激更多美援，而又不失對中共「友好」的機會，則其算盤未免過精——也正表示了新閣對共產集團的無知。更說明了日本新閣的新政內容，不過是在有限度的行使「反美政策」，討好共產集團而已！

急病亂投醫

最嚴重的，還是新閣的短見和忽視於本國內政、經濟上的危機，和日共這幾年來對脆弱日本的活動所起的影響作用。

事實上，以蘇聯帝國主義為首的共產集團，一直就在挑撥中日、美日間的友好關係。直到本年十月十二日，蘇聯和中共發佈了「對日本關係的聯合宣言」後，繼之於十一月廿二日，中共郭沫若[illegible]傳[illegible]，再重復一次「論中日關係」，則不[illegible]日共明目張[illegible]共反美、反[illegible]動，便該項活動直接引起日本人民的仇美情緒而間接損害亞洲的反共陣線；同時更是引誘日本朝野政要對共產集團活動的政治行情看好，投機者無不認為只要[illegible]儘可能做和擺脫美國關係，就可以使日本的一切問題解決。吾人雖不宜斷言鳩山重光葵的出山也是遵循着這條路線發展的結果，但無論如何可以斷言其所揭櫫的新外交政策是急病亂投醫的處方，而且是一張無效的藥方！

在此，吾人本無意對共產集團所作對外關係的謬論加以批駁，但必須指出：如果說日本新閣的外交政策是對的話，那麼中共所進行挑撥的美日仇視和離間中日友好關係的陰謀就沒有錯。反之鳩山內閣就不該訂出那種向中共飛眉作態的媚諂的外交政策來。難道說，盟國幾年來對日本的寬大、關懷和援助都是錯誤的罪惡嗎？

日本的真正出路

很明顯的擺着，今天國際間只有自由反共集團和共產集權暴政集團兩大分野，基本上就不容許日本以騎牆的姿態出現。吾人自亦不信日本今後會離開自由民主國家陣營與集權統治者為伍，吾人更不信以蘇聯帝國主義為首的集權統治者會比自由國家更寬大地、更公平地對待日本。

今天日本在經濟上所遭受到的困難，一方面固然由於大戰期間的毀壞，但在戰後經過盟國的協助，實已回復元氣不少，基本上迄今尚存在的困難，完完全全是由於整個自由世界的正常狀態為共產集團所侵蝕和破壞的影響造成。積極的辦法，是唯有和自由的反共國家團結一致，在打倒以蘇聯為首的共黨集團後，才能為自己找求正常的出路，此外，任何騎牆或機會主義的外交政策都是行不通的。鳩山新閣縱可將其自我的政治命運與共產集團賭博，但似應更關切日本的基本國策和國家的前途為重才對！

在對國際共產黨的正義鬥爭中，自由反共集團，需要一個堅定明確的反共的日本。如果日本的任何一個執政者為國際共黨的糖衣毒藥所迷惑，動搖其一貫的反共國策，則一切後果皆是可見的。豈能以國家的命運作兒戲！

四十三年十二月十四日

發起追悼陳濟棠先生啟事

陳先生濟棠不幸於本年十一月三日在台北寓所逝世享年六十五歲
先生功在國家遺愛鄉邦志潔行芳羣流矜式同人等追慕風徽彌
深愴感茲定於十二月十九日上午十時在九龍洗衣街德明中學開會
追悼凡屬　先生生前友好屆時尚祈蒞會參加藉表悼忱如蒙
惠賜誄詞請按址擲下為荷

發起人

[illegible]

利銘澤　黃茂林　鄧[illegible]　李樹芬　羅文錦　周埈年　何東　許[illegible]　周[illegible]　王正廷　張發奎　左舜生　謝[illegible]　陳[illegible]

[illegible]

不另函告

收件處：香港九龍洗衣街七十六號德明中學　香港德輔道中二五五號裕民銀業公司　香港灣仔高士打道八十七號德明中學　澳門南灣近西街二十八號德明中學

半週展望

·李秋生·

台灣第三屆縣市普選

台灣從三十九年七月開始實行縣市普選，到現在已舉辦過兩屆，第三屆的普選在台北等十一市縣將於明天投票，其餘十縣亦將在下月中舉行，在自由中國各種進步之中，地方自治的實行是最值得稱道的一種，卻一向少引起人們注意。

自由世界之所以異於共產極權制度者，最主要的是自由選舉制度。有如德韓問題，西方都是以自由選舉作為對付俄共侈談統一的有力武器。鐵幕內都自稱是人民民主政權，也有形式上的選舉，如中共今夏的「普選」就是一例。但在恐怖淫威之下，又有誰敢違背統治者的意旨，在選票上表示其自由意志呢？

台灣的民衆選舉，遠自地方自治尚未實行之前，即已有良好表現。在過去的兩屆普選中，競選的熱烈，投票率的高昂，與選舉具有充分的合法自由，都是難得的成就。所成問題的是：選民尚未能充分運用其理智的抉擇，以致當選者不盡是賢能之士；另一方面，政府對非法競選的取締又過分嚴厲，競選者稍有不慎，動輒遭取消資格。但是羅馬並非一天造成，台灣一向在危疑震撼中，竟能實現了在大陸上從未舉行過的地方自治，畢竟是中國憲政史上一項重大成就。

看鳩山重光新閣

日本是一個短見而易於衝動的民族，戰後經過長時間的佔領，這種國民性並沒有絲毫改變。

像此次的政潮，吉田誠然不理於衆口，但許多問題是內外環境使然，非盡施政者之過。因為經濟困窘，失業衆多，大家都歸咎於吉田的緊縮政策；現在鳩山繼起組閣，他竟歸咎他親信的石橋湛山的膨脹政策，而援引一萬田入閣，繼續施以緊縮政策。吉田對中共貿易的半開門主義曾遭受詬病，現在鳩山重光高呼擴大對共區貿易，迄今也並未見鐵幕中熱烈的歡迎。日人是否還會進一步期望社會黨能夠打開時局困難呢？那正七年前業經片山哲試驗過了。共產黨嗎？在若干日人心目中也許未必不做此想，只是目前內外環境還不允許而已。

不能深思遠慮的設法打開難局，只是一味就於感情用事的空想，日本未來前途還是十分可慮的。

一條走不通的路

民主黨政權背後確有一部分財界支持，一萬田之肯挺身出任藏相是明證。但民主黨本身卻是個什錦拼盤式的政客集團，結黨兩週，即拜命組閣，但人至今還不知民主黨的明確政見究竟是什麼。在內閣成立這短短旬日間，已暴露不少矛盾和無識的地方。

鳩山重光一經上台，即以改善對蘇俄中共關係為號召，以迎合民間若干左傾和對共貿易要求，但他們的說法，卻是一方調整對共產集團關係，而不妨害對自由世界的友好，這首先是一條走不通的路。日本地位不比印度，印度的親共姿態且引起美國許多人士憤怒，甚至要取消對印的援助，鳩山重光有什麼辦法做到兩國討好左右逢源？更何況共方拉攏日本的本意就正是為了分化美日關係。

鳩山與重光的矛盾

關於中日關係問題，在鳩山與重光之間先就糾纏不清。鳩山說日本承認自由中國和中共都是「主權國」，並要對中共加以承認，重光卻在國會老實表示日本絕對無意做此種承認。站在外交立場上，重光的觀點是對的，中日雙邊和約對日本政府具有約束力，除非他準備與中國政府斷交，否則無法同時承認「兩個政權」。共方會以大力拉攏日本是無疑的，但即使拋開道義，只講利害，則日本能從鐵幕彼方得到多少利益還是重大疑問。昧於現實而徒託空想固然愚蠢，為爭取一部選票而視為左傾更是卑劣而糊塗。單從這種地方看，鳩山重光還缺少吉田那點政治智慧。

法國在北非的歧路

・長林・

前月初，北非阿爾及耳民族主義的槍聲，給法國人的震恐，有甚於北越奠邊府的陷落，法國在北非的保護國，久已變亂頻仍，為什麼對阿爾及耳特別來得震驚呢？因為阿爾及耳在法理上是法蘭西的組成部份，有如西歐的諾曼地一樣，也是法人目中認為不會叛變，也不能叛變的，不像突尼西亞和摩洛哥那樣常作離心運動。如果阿爾及耳也攜武起來，則這次槍聲便是法國殖民主義整個沒落的信號，那能不驚心動魄呢？

民族主義與經濟危機

其實號稱法國之一部的阿爾及耳及突尼西亞與摩洛哥兩保護國，在二次戰後，民族主義運動，都很昂揚，對殖民地宗主國的憎惡，與日俱增；但法國只知牢守着殖民地利益，不肯順應潮流，反以壓制為能事。給阿拉伯同盟有可乘之機，利用宗教紐帶，把這三個地區都連結到阿拉伯集團去。這個回教聯盟的發展，現在不只是精神已趨一致，而且進為經濟的互助，這經濟壁壘的形成，必然是以法國的殖民地的經濟利益為排斥的對象。加以共黨從旁極推波助瀾的能事，像他們在越南一樣，民族情緒的激動，更不可遏。而況這三個地區，在法國的長期統治下，內部的經濟問題，確是危機重重，像人口飛速的增加，早已超過土地生產力所能供養的程度，但法國對此從無對策；饑荒和失業問題，也達到空前的嚴重程度，而法國對之也是口惠而實不至。這些問題之久懸不決，自然是煽動家最好的藉口。

突尼西亞的解放軍

一、突尼西亞。法國和突尼西亞經過漫長的鬥爭後，今年夏間，法朗士總理放棄了法國的傳統政策，對突國民族主義者的要求讓步了。組織嚴密而最有代表性的突尼西亞新德士杜黨，便合法地重登政壇，現在巴黎還舉行着一連串的談判；法國為實踐諾言，不能不予對方以相當的滿足，但有一個矛盾，就是由於長期殖民政策所造成的經濟獨佔權，既為法方所不願放棄，卻是突方所最深惡痛絕，到頭來還是法方要忍痛割愛，否則無法達成協議。除此之外，還有一個棘手的問題，就是突境內的武裝「解放軍」。在突境西北部山地裏，嘯聚着一萬五千人的武裝部隊，自號「解放軍」，新德士杜黨對這「解放軍」，不肯採敵對的態度，認為他們在精神上是民族主義者，彷彿是引寇自重；而現在政治休戰期間，這「解放軍」也在觀望談判的結果，停止軍事行動；如果法國還牢握着獨佔的利益不放，這「解放軍」可能是胡志明第二。

阿爾及耳的民族運動

二、阿爾及耳。法國在阿境向來是不承認有民族主義運動的存在，因為在法人的心目中，根據一八四八年的憲法，阿境人口最密的北部，已劃分為三個法國行政區域，屬於法國的一部，與其他的保護邦迥殊。儘管法國在否認，但阿爾及耳的民族主義運動確是存在，過去曾有過許多次的騷動；不過後來法國利用其內部的矛盾，以削弱其力量，且誘禁其領袖，使群龍無首，然後得相安一時。實際阿爾及耳人始終都不願做法國人，如果法國仍採一貫的鎮壓政策，則像突尼西亞一樣的武裝行動，是難免發生。在法國人方面，則認為阿境如有變亂發生，必然的是突境的「解放」軍越境騷擾，就是前月的槍戰，也認為是這些「解放軍」的所為。像這樣諱疾忌醫的態度，只有令病態更加嚴重吧了。

摩洛哥問題的僵局

三、摩洛哥。法國承認摩洛哥人有民族主義運動的存在，但法政府過去對民族主義者的要求，缺乏解決的誠意，錯過談判的機會。自從去年八月把富有民族思想的西丁蘇丹默罕默德放逐以後，更造成緊張的局勢，鼓勵仇法的人們聯合起來，實行恐怖的政策。雖然法國現政府對過去的作為，追悔莫及。但又不便把已放逐的蘇丹再捧上台去，只希望前任和現任蘇丹能夠自行妥協，然後和法國談判；不過另一方面，現政府對恐怖主義者的黑名單，到現在為止，還未肯取消，從這一點，摩洛哥人還不相信現政府，確有談判的誠意呢！

總之，回教聯盟勢力繼續增長，突尼西亞境內「解放軍」之存在，而且有蔓延到阿爾及耳去的趨勢，都可說明法國在北非的殖民主義已發生根本的動搖。法國面對這樣的局勢，已處於兩難的歧路：一是繼續執行一貫的壓制政策，直到內部爆炸為止；二是採開明的步驟，對民族主義者讓步，直至沒有可讓時為止；這兩者都是很難作取捨的，因為結果兩者都會喪失所有。

台省林業痛言（中）

李海

（四）林地放租 加速山林水土破壞

林地放租可分兩項來說，第一是為管理林地耕種農作物以維國土保安，省府當局曾於民國四十年十一月公佈「台灣省林地耕種農作物管理辦法」在該辦法第三條規定：「傾斜度在十五度至未滿二十度之林地，稱急傾斜林地，得於造林施行前作耕種農作物一年，造林施行期間作耕種農作物三年。」第四條規定：「傾斜度在五度至未滿十五度之林地，稱緩傾斜地，得施行混農林作業法，前項混農林作法，係指林地准許耕種農作物。」又「台灣省林地耕種農作物整理要點」第三條規定：「傾斜度在二十度以上林地內之已墾地，經列入租地造林區域者，應飭墾植人依照租地造林辦法之規定，辦理承租手續」，及第四條規定：「傾斜度在二十度以上之已墾而未經編入租地造林區域以及施業限制地，母樹林地，試驗用林地，經省府認為不得開墾之林地，應迅速計劃造林，在造林施行之前，得限期暫准墾植人耕作……。」

就前述管理辦法來看，十五度以下的林地，是可於施行混農作業時，耕種農作物，再就整理要點來看，適二十度的急傾斜林地及施業限制地，試驗林地，母樹林地，與保安林地，也都可以在限期內暫准予耕種農作物了。這樣一來，試問台灣的林地還有多少是在二十度以上而不能耕種農作物的？這樣美其名曰管理林地耕種農作物以保安國土，事實上無異在加速山林水土之破壞，自從施行此法以來，據估計遭破壞的森林至少已在二萬公頃以上，如不急謀糾正，將來真是更不得了？

（五）森林災害 焚林的原因

（五）森林災害：森林災害亦是破壞森林的主要原因之一。在森林災害中，最嚴重可怕的就是火災，如民國三十四年阿里山多多卡路的大火，一下子就燒去上萬公頃的原始林，以致影響了阿里山林場的經營計劃。再加民國三十七年八仙山林場的大火及巒大山林場的火災，森林損失計達數萬公頃以上。而且這種森林火災一直是不斷的。如去年瑞芳、金山、景美山林地帶的火災，及最近林田山、桃園山地的火災等。

分析起火的原因，有的是不慎失火，有的是高山同胞行獵失火，這些均還情有可原，聽說其中還有一種最令人可恨痛心的原因，就是為了消滅盜伐痕跡而故意放火使之成災，於此可見林政敗壞所給予林業上的損害之大了。

編者　讀者

海外文化宣傳

△程鵬先生來函：

編者先生：貴刊第三九〇期左舜生先生泛論當前大勢一文主張政府應就台灣今天投閒置散的人才，精選三百五百，有計劃的分配於海外各主要地點，去從事文化宣傳，及從事華僑青年子弟的教育工作，以為比較永遠凍結在台灣或取得一官半職以鑽營自得，要來得更為有益。此論深中肯綮，極佩卓見。現在各機關有不少的人，並沒有什麼工作，每月只辦了幾件公文，等于政府救濟知識分子。且其中也有才識兼優，因無人事關係，而得不到適當工作，鬱鬱無從施展其才幹者。政府如能選派這批人員到海外從事文化宣傳，豈非一舉兩得？至於選派這種人員到海外，應顧到下列兩點：

一、自動申請，能通曉當地華僑方言者。

二、不必限制資格，只要對於文化有貢獻，或有著作者。

讀者程鵬敬上十二月一日

天下小事

一九五八年氫彈滿額

據美政府當局新近完成的正式估計，美國原子及氫武器的儲積將在一九五八年間完成，那時候，美國將擁有充分的超級武器，足以從事任何種全球性的戰爭。由一九五八年起，原子能委員會將集中精神與資力，用於商業原子力的發展上。

有人預料，美國最龐大的新型分裂鈾礦工廠於肯塔基州柏杜加開工時，美國的原子武器生產將於幾星期內達到新的高峯，官方雖不會對此有所宣佈，但這幾已成為公開的秘密。同時，美國薩瓦納河與橡樹山的新原子工廠也將在短期內開工，加工釀造分裂物質。

柯林斯報告嚇人一跳

美國前陸軍參謀長柯林斯將軍，奉艾森豪總統之命赴越，協助南越當局建軍並穩定風雨飄搖的局勢。他抵越後不久，即向華府提出第一個報告，不料這一個關於越南的實地報告，卻使得艾森豪總統的顧問團大吃一驚，因為越局的惡劣遠超過他們的想像之外。柯林斯將軍堅持，要使南越不陷入共黨手中，單是一九五五年，美國就必須在南越區耗用五億美元，他認為要建立一枝強大的越南軍，裝備一小型的法國駐軍，同時並使南越解決經濟上的困難，一切都在其次，主要的是在一個「錢」字。

李治威說服了艾森豪

不久以前，美國的專欄作家艾倫曾報導說，對於中共侵犯大陳金門等自由中國前哨島嶼問題，美國聯合參謀部曾以三對一票（贊成的是聯參部主席雷德福上將，海軍作戰部長卡尼上將，空軍參謀長端寧上將，反對者為陸軍參謀長李治威上將）通過，動用美海空軍襲擊中國大陸，當時杜爾斯國務卿也同意雷德福等的意見。但後來全案提到國家安全委員會討論，因為李治威極力反對，而艾森豪總統也主張慎重，結果竟遭否決。李治威當時強調，即使中共全力撲攻金門或大陳，美國海空軍也不應對中國大陸採取報復行動，他的理論根據究竟是什麼呢？現在事過境遷，這已是一個可以公開的秘密。據極可靠的消息說，那時李治威的論據很簡單，他只說這種對大陸的海空報復行動定將促成共軍重奪越戰與韓戰，以致於美地面部隊亦將捲入戰事，而且還要對民用經濟施行管制。他這種說法居然說服了艾克。

俄使館伏爾加慢客

最近，有一個極有意義的事實引起了西方外交人員的注意，全世界各地的蘇俄駐外使節突被克里姆林宮削減預算，他們的招待與交際經費急劇減少。最近東柏林蘇俄大使館舉行酒會款待西方外交官員時，他們只有伏爾加酒待客，這與以前備有豐富的魚子醬以及香檳酒的情形完全相反。（孟衡）

人・物　述・評

教皇庇護十二世的生活

——・小丞・——

——他是掌握了地球上最實際而最聖潔的職責，他本身就象徵了古今人類對宗教的熱忱和理想，他這次病危，全世界的天主教徒都為之祈禱，祝他克享遐齡。

（一）

教皇庇護十二世，這七十八高齡的老人，自去年由於胃病的糾纏，體力大減。近來舊病復發，且極為嚴重，尤以二日晚陷於劇烈之嘔吐，官方恐其不能過當晚。直到三日始脫離危險，但仍未減其嚴重性，到十日始有好轉之望，睡眠極佳，精神亦較愉快，是否將在聖誕節發表演說，未敢肯定。

他的身材高大而瘦，道貌岸然，他掌握了地球上最實際而最聖潔的職責，他本身象徵了古今人類對宗教的熱忱和理想，他這次病危，全世界四億二千萬的天主教徒，正朝夕為之虔誠祈禱，藉聖母之靈，能予教皇以恢復體力，使其克享遐齡。

他雖然是幹着一項獨特而且極孤寂的工作，但其權勢，聲譽，極尊嚴及至高無上的實責，卻無任何生靈能與之匹比。他被尊為耶穌基督的使者，聖彼德的繼承者，全世界天主教徒精神上的最高權威，他同時也是一位志趣廣泛，才學淵博，常使最親近的同僚欽佩不已的智者。

教皇，自然是最崇高的首席教士——天主教的聖父。但他也是一位行政家，政治家，新聞記者，音樂家，語言學家，教授和演說家。他是一個將整個生命奉獻給精神世界的人，然而他在列強政治的現實世界中，又是十分地警醒和聰慧。無疑地，他是地球上最為克里姆林宮所畏懼的人物。

（二）

教皇的私生活不難想見是極度拘謹的。照例來說，依據悠遠的傳說，教皇是單獨用餐的，沒有任何人的賓客能與他並坐於大理石的御餐桌前。

然而教皇得餐由於格麗泰——一隻金翅鳥及三對金絲雀的陪伴，反而喧鬧。這三個享有特權的寵物，可說是唯一被准破壞宮廷規例的生靈，牠們時而棲止於教皇的肩上頭上，時而啄食盤中的飯粒，時而生氣勃勃地交縈鳴叫。

教皇的飲食是由瑞士籍老尼帕絲格琳娜，由二位助手在一間老式廚房中烹製的。她隨侍庇護十二世已逾卅年，她是他的「健康監督」，據這位忠心的老尼所說，這是一件艱鉅的任務。她時常試圖甚至堅決勸服教皇多進飲食，但他對早餐的標準是麵包及一杯加奶的咖啡，他於第二次大戰期間就停食牛油以迄於今。午餐包括湯——他最喜歡牛湯——魚或蛋——蔬菜及水果。

（三）

晚餐的質量也很輕——麵包，蛋，乳酪和可可。他每天飲一杯白葡萄酒，天氣極冷時還飲少量紅酒。

庇護的私人生活雖然極為簡儉，但或亦由此原因，七十多年來他一直獲得特殊的健康。他居住於一座六間房的寓所裏，其內部陳設之簡單恐為任何統治者所不及。舉臥室為例：僅有一張鐵床，一座十字架，和一桌一椅。其餘各室是書齋，餐室，客廳，圖書室及一個小教堂。然而這簡單的寓所，卻也是世界上最古老最莊偉最華貴的皇宮之一。

每日教皇都會與許多不同國籍的教士作淵深的討論，但從無通譯列席過，他是當今世界上有數的語言學家之一，研究語言是他的嗜好。

在去年，數百個來自各國的信徒，聚集在教皇夏季別墅的長廊中，一位意大利首長以意大利語向着一羣人叫道：「我們歡迎從法國來的」。教皇便用法語說話。立刻這個消息在人羣中間，終成一個歡愉的競爭。教皇便次第以德語，西班牙語，波蘭語，荷蘭語，葡萄牙語和英語。最後有小羣人喊道：「我們來自愛爾蘭！」羣眾都笑起來，然而教皇合手頷笑。（CEAD MILE FAILTE）他以高盧語說出——「萬分地歡迎！」

教皇能說最優美高尚的英語，任何意見他總是尋覓最佳的辭句來表達。舉例來說，他常以（TEMPEST）代替說暴風雨STORM或騷擾TURMOIL。

他的法語極純正，前年法國語言學會曾以一枚金牌及語言學碩士相贈。教皇對這項殊榮甚感愉悅：「至少」他眼光閃爍地說：「一旦我失業了，這項學位的授予可以保證我能以教授法語為生。」

（四）

每年，他要作廿次以上的廣播演說，和五十次以上有關科學，社會，經濟等專題的文告，純宗教的尚不在內。他這種多方面深討生活問題的才能，使他得成為今世最智慧的哲人之一。

他的每一言每一語，都是發乎心底的，所有聽教皇說話或是聽過他講演的人，都覺得從他人格中泛露出來的溫暖意味，在言語中所顯示的深切關念的情感。

無怪乎當他病危的時候，全世界的教徒，都虔誠的為之祈禱，憂形於色，即全世界愛好自由和平的人民，亦莫不深以深厚的關懷。

狄托的東來訪問（下）

·俞嬰·

呼史太林爲祖父

在這個期間，他還組織「人民聯合陣線」，「全國反法西斯運動大會」，以取得愛國者和國家主義者的支持，做成他擴大組織的基本。會那時南國的流亡政府逃亡倫敦，他乃取流亡政府而代之。他逐步運籌着光明的與卑劣的手段，使他手下的「巴底山」游擊隊的地位，高居于同時在南國抗敵的其他隊伍之上。

狄托那時雖然有了人和地緣，但武器缺乏，殊難對抗德意聯軍的。他於是遙向史太林伸出求援之手，曾多次痛哭陳情，都得不到史太林的滿意答復。據南國共黨要員辟加德在一九五零年三月廿二日廿三日南國共黨機關報所發表的文章，證明那時狄托情緒的焦急。辟加德說：「狄托稱呼史太林做「祖父」，自認「乖孫」，迭次懇求史太林予「巴底山」軍以武器，同時配給飛機和大炮，都給史太林以「技術上有困難」而見拒。」

狄托於失望之餘，乃轉念頭於西方盟軍。其時英首相邱吉爾急想在南國中扶植一位抗德英雄，在這一需求供應關係下，狄托便在德黑蘭三國巨頭會議中，被選定爲盟國的工具了。南國的「反法西斯大會」又議決給予狄托以「南斯拉夫元帥」的稱號。於是托狄的地位穩定了，勢力雄厚了，即使唯一的正統的米哈羅維熙軍也被他壓倒了。這個過程，可以說是狄托勢力的擴展，密哈羅維熙（流亡政府的作戰部長）勢力的衰落；也可以說是共產主義壓倒了民主政治了。西方盟國在上次大戰末期扶植狄托，狄托才得青雲直上；假如當時改爲扶植密哈羅維熙，則南國的政局又另眼相看了。所以狄托那個政府，由戰時以盟邦戰友身份出場，至戰後其合法政府的資格，也一直沒有被各國政府正式否認過。

南國與蘇破裂在經濟

南國的政府既爲共產主義者領導的政府，戰後自然是共產主義集團的成員，也就是蘇俄的附庸國了。所以，歐洲戰事一經結束，蘇俄便派遣了大批的軍事顧問團和各種技術人員以及人民使節團等，滲入了南國，希冀作整個的控制。

但南國的共產黨員，在十萬人之中，其中百分之一是老黨員，其餘以狄托個人爲「馬首是瞻」。戰後的狄托，已身兼南國共黨黨魁，全國解放會的最高委員會主席，與南國游擊隊總司令之最高職位。新南國成立後，又多了一個政府和一個國會供他指揮。所以，狄托已是南國一個新獨裁者了。

一九四五年四月，狄托親到莫斯科克姆林宮，拜謁「祖父」史太林，還訂了一個「廿年友好互助協定」，大約是「祖孫」合作表現的最高峯了。雖然如此，但狄托在南國所施行的政策，還要莫斯科決策者批准，這就是狄托後來跟史太林鬧翻的一個主要原因。

蘇拒絕狄托五年計劃

狄托在一九四七年訂製了一套「五年計劃」，預備發展南國的重工業，但這個計劃不爲莫斯科所歡迎，而莫斯科指揮台所要南國做的，却是大量發展農業，而農業發展所得的產品，又必須遵照指示，盡量供給蘇俄，以及蘇俄所認爲最有用的國家如捷克、波蘭、匈牙利等國。

狄托覺得煩悶了，如果遵照指示去做，南國將跟以前一樣，永遠是個貧弱的國家。如果得不到蘇俄的貸款和技術援助，則這經濟計劃也將變爲畫餅。加以那時南國鄉村中的混亂的階級鬥爭，使糧食生產額大減，不足以供給現在所有的工人的需要。而狄托爲求供給自己的計劃需要跟鄰國簽訂的商約，也得修改或重訂，以滿足蘇俄經濟上的需要了。

一九四六年五月廿七日狄托重訪莫斯科，逗留至六月十日，他的要求畢竟失敗了，使得他的發展大受打擊。他不願蘇俄干預他的經濟發展計劃，[illegible]的路線；於是他一定[illegible]發展工業。因此，一九四六年年尾，布爾什維克黨政治局就召集了共他各國共產黨的若干領袖，討論制裁南國共黨領袖過份自主的辦法。三月，南國副總統卡戴爾基率領的使節團訪蘇，鍛羽而返，蘇南決裂乃開始見諸行動。三月十六日，蘇俄致諜南國，全部調回駐南的顧問團，技術人員以及人民使節團，好像在南國投下一枚炸彈般。跟住，在一九四八年六月廿八日，共產國際情報局秉承了史太林的諭旨，開除了南斯拉夫共產黨的名籍。

蘇俄之拒絕援助南國進行其五年計劃，足以證明它隨時想利用經濟方面的事情，去達到政治方面的目的。史太林對狄托的遣諜，最後有這樣的一句話：「我們認爲托洛斯基一生的政治生涯，可資殷鑑」。這句話可表現克姆林宮對狄托的憎恨。雖然如此，狄托在一九四八年五月十七日致史太林的信還說：「我們一定要建立共產主義，且將繼續對蘇盡忠，非謹守馬克斯，恩格斯，列寧與史太林的教訓」。最後，史狄畢竟決裂了，到了如今。

狄托有甚麼成就

狄托主義也可以說是狄托的共產主義，在南國實施得怎樣呢？先說工人：那些勤于工作的工人，所得的報酬，却不能使他們的衣食住相當舒適。幾乎各樣物品都行配給制，農民以外，人人都有配給券，一千五百萬人民之中，領配給券的有五百四十餘萬人之多。同一種貨物，在自由市場用配給券購買則價貴十五倍之多。所以城市比較隋性的工人，已逐步變得衣不蔽體，食不果腹。

農民之中，大多數怨恨現狀。從繁重的租稅與政府之低價強迫收購農產物起，到市場上之缺乏的貨物與不缺乏的貨物價格的懸殊，他們無不怨恨。尤其是日夜怨恨的「集體農場」，南國叫集體農場爲「工作合作場」，藉此緩和農民怨恨的情緒。一九五〇年大旱災，農民生活更苦：一爲使得他們無法備足規定的農產品賣給政府；二爲官吏不肯放鬆搾取農產品物的努力。是以，南國在大旱災之後，希望外國援助更急。

由一九四九年八月起，一直至一九五〇年中期止，國際銀行以及美國進口銀行前後供給南國的貸款，總共已達約八千百一十萬美元之鉅。南國得了這筆款項，才解除國內的困厄，解救了各種生產的危機，所以南國的領袖們都一致的認爲西方資本主義國家對它的援助是公道的。史太林從沒曾這樣付過南國。

評：「風傳石頭城」

蘇友

鄭沉重作　亞洲出版社出版

亞洲出版社最近把一部由劇作家鄭沉重執筆的前綫無戰事劇集出版了。

在本書裏，一共集有前綫無戰事、希望在明天、妓女領聖體，風傳石頭城四篇作品；在這四篇中，我對風傳石頭城三幕劇的印象特深，這可說是本集中的代表作，上演起來也比較其他三篇更合時宜，因此，也引起了我對它估價的興味。

（一）

它的時代背景是在政府軍總退却的前夜，當幣值狂跌物價暴漲的現象下，政府決然以改幣——金本位——作爲急救藥，孰料却爲海上投機家興風作浪所破壞，這些投機家爲什麼敢於趁火打劫，而且逃過國法和輿論的制裁呢，在劇情中給了我們一個正確的解釋，那就是中了反政府派的毒計，把目標轉移了！

在改幣期中，鬧得滿城風雨的是龐名士案件。作者巧妙地運用這案件的正背面，把整個大動亂的樞紐揭發開來，同時，更運用案件中幾個人物的心理和動向，把當時社會道德敗壞到衝破法律藩籬的罪惡種子剖解出來。

這劇情景，除了時代地方的社會背景之外，還有利慾交侵的家庭背景，作者戲劇化地以一個拜金主義的女主角的羅曼史，牽引出龐名士案件正背面各種不同性格的形象，龐名士案件的正面人物：有升官迷的杜契敏爲要滿足妻子黎慕薇的發財狂，而忽視國家利益的輕重，抓緊職務上優先得利的行進封關消息，從京飛滬讓妻子大搞股票獲利，但結果只造成她底男友股信昌發財機會，自己反而成了法律的罪人，在刑事警官面前，他口口聲聲埋怨自己無能不能滿足妻子慾望，以致弄得家庭烏烟瘴氣，像這樣懦弱，對妻子自卑過甚的男人是怎樣的一副可憐相，可是，在國法之前，他明知爲了自己這一過失給予奸商和反動派們一個興風作浪的機會，把國家財政金融整個打垮，却偏又狡猾地否認與掩飾其錯誤，使眞相不能大白，風潮越搞越大，這種自私的心理，眞是令人痛恨的。

（二）

這案中正面的另一角色許伯啓，是一個法學者，無辜地被牽連在內，而且變成了更主要的重犯，像這樣的好先生，自古而來就非常容易受累而成替罪的羔羊，誰都知道他的無辜，但是誰也不能說他是無罪，所以警官對他的同情，也是千千萬萬的人對他的同情。

刑事警官是大家欽仰的人物，他指出眞正的罪人不是他面前的犯人，而是海上投機家及其背景——反民主自由勢力。同時給犯人們以人類愛與同情心的精神感召，使那精通六法和早已準備好供詞的許伯啓吐出事實眞相，願受無期徒刑以謝國人。尤其當滬上名律師阮雅恩捲入漩渦時，知道了他的無辜，極力將阮拉出漩渦，這現象足以表現民主自由法治，是重道德講眞理的。

（三）

總之，這是一本值得一看再看的劇本，在目前劇運復興期中，的確可以稱爲佳作，作者畢竟是有戲劇經驗的，才描繪得那麼活生生地。在第一幕刑事偵查總部，作者以一連串的複雜事件縮影於一個時辰和幾個人物的形象上。刑事警官運用科學儀器與智慧說服了愚而好自用的法界出身的杜契敏，激發了律師出身的許伯啓的良知，促成他的懺悔，復以民主精神處理基督徒阮雅恩，使觀衆覺得自由世界的警察，並非反民主自由勢力所詆毀的特務尾巴和走狗。同時描繪了三位法官律師型犯罪人物的性格，是那崇拜科學、富有良知、信仰眞理，亦不乏宗教精神。讓觀衆認識這幕劇並非那兩三人所能構成；而是，女人底拜金主義在作祟，投機家在操縱，以及反民主自由勢力在煽惑，眞正的罪人是誰，可想而知。

作者是舉起利刀挖出使我們流亡的使國家崩潰的創痛，似乎一粒沙子掀起了全池的波浪一般以一個家庭的不協調搖動了整個國家的基石。我相信這本劇上演起來，凡是流亡的同胞都會同聲一哭，同時在要切齒復仇前，先消除去像黎慕薇、杜契敏及譚宏理那種害人害己的觀念。

（四）

最後，我還要誠意地說一句，「風傳石頭城」這幕劇，不但是值得上演，而且也值得一讀。曾經受這時代顛軋過的人，咀嚼這幕劇的對話，越嚼越感到有趣味。正如掛彩的軍人撫摸着創疤一般，心裏眞沉沉的。

想起大陸變色初期，多少人心池波動，到處可以看到像譚宏理那般把冰山當靠岸的人，所以使拍攝「鏡鑑世界」的老板荷包臃腫，如今，冰山溶化，人們已目睹眼到着清楚實在的海岸，如果搬上銀幕，相信老板的生意眼笑或一錢天的。

北大紀念日——回憶北大生活

·肇華·

十二月十七日，這是北大人所稱的北大日。北大校友遍天下，每逢這個日子，除了慶祝，聚餐之外，多有文章紀念北大的精神，思想，和對近代中國各方面的貢獻。這雖是人所公認的事實。但社會上也有人誤會以爲北大在另一方面，功課不認眞，校風太鬆懈。我在北大讀書六年，願就這一點將身歷的事實，報告讀者。

（一）

我進北大是民國十二年，恰當整理豫科。對於入學取錄，提出實缺勿濫的口號。又把名教授都調在豫科，如胡適之先生教英文文法，林語堂先生教英文發音學。三沈二周（沈兼士，沈士遠，沈尹默，周作人，周樹人即魯迅）也都担任中國文學。理科方面，李書華，李麟玉，譚任光，丁燮林諸先生都有功課。那時舊制中學是四年，大學多了兩年豫科，就等於現在的高中程度。分爲文理兩部，我入的是理豫。數理化等課本及參考書皆是英文本，但如理化等必須在堂上記中文筆記。課本如范氏大代數，和達夫物理等一直沿用至現在的高中。

我們每天第一堂的化學，是羅惠僑先生教授。他在前十分鐘就到了課室，將四個大黑板寫滿，上課鐘響後三分鐘就將門鎖了。物理和化學的教授也都外加一兩小時，專講習題。學期試由另外的教授出題，再由另一教授看卷，分數登在北大日刊上。

北大的英文，有個一貫目的，就是學來用以做讀書工具的，所以「讀」比「說」重要，「寫」比「讀」重要，「翻譯」更比「寫作」重要。每年入學考試英文，總有一段翻譯紅樓夢，或水滸傳。

（二）

五四運動至北伐前，是北平學生運動最盛的時候，北京大學八校，北大居領導地位。在校中，國民黨，共產黨，和國家主義派等都公開活動。天安門前，天天有大會。有的學校常採取一致行動，常發生糾紛。但是北大一任個人自由，內從無強迫的行動。那時北大向有容許校內外同學自由聽講的風氣。如蔡[illegible]講美學，胡適之先生講哲學，林語堂先生講英文發音學等，門外窗外都站滿了學生，[illegible]

（三）

這都是廿多年前北大的情形，[illegible]

狄托今後的動向如何

多年來，狄托[illegible]，藉了西方國家的援助，敢于和蘇俄分庭抗禮，同時又在國際情勢上還足輕重。[illegible]方援助之力，狄托主義能在南國生根而枝葉繁茂嗎？

雖然狄托之脫離共產國際的羈絆，乃其英雄主義的獨立自尊，不容損害所驅使，憤恨共產國際的操縱，情緒，也博得西方人士的同情。但，狄托到底還是一個共產主義者，記得布哈林曾說過：「各共產國家[illegible]之必然結果，乃是一種自然而然的事實[illegible]狄托今後的動向，益爲世界人士所關心了。

大陸學生消極反共　多不上俄文政治課

[illegible]

稿約

[illegible]

商人政治的妙諦

馬五先生

相信做同宗——馬克斯——教條的左派仁兄們：都說美國的政治命脈是操在華爾街諸金融大亨之手，而英國工黨那些左得可愛的社會主義者如貝萬之流，也常說英國不願爲新大陸的資本家服務，跟着華府的外交路綫走。這些左議士唱出來的調調兒，我聽着總是不大樂意，覺得不無荒腔走板之處，未便隨聲附和。

可是，由於近年來若干事實的考證，我的觀點有些動搖了。尤其是前兩天美國國務院發言人對營救被中共非法拘囚判刑的十三名美籍戰俘問題的表示，使我大吃一驚！那位發言人懷特先生說：中共如果提出以美俘換取卅五名留美的中國學生回返共區之建議，美國極願「謹愼考慮」。據白宮統計，現在中共手中的美俘尚有五十七名，以卅五名美籍學生交換之，即可獲得二十二名的人命盈餘，利潤比率佔成本百分之卅以上，這種交易還不值得做嗎？光憑這項作風，美國商人政治的妙諦，即已發抒得淋漓盡致了！

再看美國經常高唱入雲的援外計劃，無一不是以生意眼爲前提的。像這次給予日本首相吉田茂拜訪華府的「利是封」——價值一億美元的農產品借款，其中亦硬要遞兩種使日本吃着就脹破肚皮的英國大米，各在十萬噸以上，有如屠夫賣肉然，必須搭上一些骨骼。這樣精通商業妙道，眞令人嘆服不置呀！

西方資本主義列强的反共「眞理運動」，就是商人政治的哲學原理，利用一些物力鼓勵全球人類拼命反共，形成你死我活的局面。但，一隔共產區域可使西方列强貿易通商，馬上又教大家少安毋躁，讓他們來講「和平共存」之道，眞只是講生意經，志在漁利賺錢而已。眞理就是通商營利，此外皆係廢話。

這樣的反共政策，這樣的領導方法，你能否認左派仁兄們的宣傳詞調毫無理由嗎？能教國際間的中立思想不抬頭嗎？該死的商人政治家，人類許多罪惡與痛苦，都是你們製造出來的啊！

王國維其人其學

·夢山樓·

最近本刊連載王國維詞學的批評，有人褒他，也有人貶他，甚至還有人怒氣騰騰寫信替他辯誣，我對學術沒有精深的研究，對於王氏詞學，當然也不例外，可是，因此卻引起我的興趣了。平心而論，居今日而評古人，不是一件容易事，我們要了解時代的背景和他所處的環境，決不可隨便妄加短長抹殺前人對學問的供獻與畢生治學的苦心。

（一）

我國詞盛於宋代，元承宋祚，演爲劇曲。明清以來，一般學人講八股，講陸王學，講古文辭，講訓詁，能從詞曲有深刻研究，發前賢幽光，啓後學途徑者，當推海甯王國維靜安。國維的學問得力於羅振玉最深，他年未弱冠，文名大噪，自負也很高遠，這時適值中日大戰，我師敗績，他一肚皮悶氣，跑到上海徬徨無所依歸，恰巧羅振玉在上海創辦東文學社，他就前往受學，致力於古文辭，用江子屛漢學師承記作治學的途徑，振玉嘗譏其才，並告之曰：『江氏之學偏駁，本朝學術導源於顧亭林處士……』遂以家藏書籍一部分贈之，所以他的學問從此日益增進了，終成爲一代的學人。後來振玉主持蘇州優級師範學堂，聘他充任教習，他刻行詩詞集，又享受文學界的盛名。

（二）

光緒三十一年振玉奉學部奏調，至是始荐國維於尚書榮慶，命在學部行走，這時他刻行靜安文集，並致力宋元以來通俗文學，尤輝萃宋的詞，元的曲，著有人間詞話，他論詞最精透的話：『有境界則自成高調，自有名句，五代北宋之詞所以獨絕者在此，而境非獨謂景物也，喜怒哀樂亦人心之一境界，故能寫眞景物眞感情者，謂之有境界，否則謂之無境界，「紅杏枝頭春意鬧」，著一「鬧」字，而境界全出，「雲破月來花弄影」，著一「弄」字，境界全出，境界有大小，不以是而分優劣，……古今詞人格之高，無如白石，惜不於意境上用力，故覺無言外之味，絃外之響，終不能與於第一流之作者也。南宋詞人，白石有格而無情，劍南有氣而乏韻，其堪與北宋頡頏者惟一幼安耳。幼安之佳處，在有性情，有境界，……』這是他論詞的大要，他最殫心竭力的地方，在於劇曲，著有曲錄六卷，劇曲考一卷，優語錄二卷，古曲脚色考一卷，宋元戲曲史，更是他得意傑作，他對詞曲精透的著作，雖不能說後無來者，但卻是前無古人了。

他最推重元曲，認爲有自然的音節，他說：『古今之大文學，無不以自然勝，而莫著於元曲，蓋元劇作者，其人均非有名位學問也，其作劇也，非有藏之名山傳之其人之意也，彼以意興之所至，爲之以自娛娛人，關目之拙劣，所不問也，思想之卑陋，非所諱也，人物之矛盾，所不顧也。彼但摹寫胸中之感想與時代之情狀，而眞摯之理與傑秀之氣，時流露於其間，故謂元曲爲中國最自然之文學，無不可也……』這種注重社會實況與提倡大衆文學的精神，的確値得敬佩的。

（三）

後來，振玉挂冠都門，避地日本，國維擕家相從，振玉勸他專研國學，先從小學訓詁入手，至是他才盡棄平時所學，專攻經史，日讀注疏數卷，旁及古文辭韻，造詣更深，振玉執其手曰：『以君進德之勇，異日以亭林相期矣。』可惜當時一般淺學小生，不夠了解他學問的淵博，而且認他思想頑固，眷念遜淸，連對他學術也不負重視了，迨至遜帝溥儀被放逃往天津，他還受淸華大學聘爲教授，民國十六年春季，他感時變亂，自沉於頤和園昆明湖，結束他的生命，在衣帶中留有遺言：『五十之年，只欠一死。』『千古艱難惟一死，』他居然做屈子第二人了。這正是大學人大仁大勇剛勁的氣魄，我們不能以時代來評論他的得失，但是，較諸柳亞子，翁文灝一類學人，不知人間有羞恥事，靦顏附共，那是不可同日而語的。

有錢的煩惱

短篇小說

·洛琦·

「那是前幾天的事，我一個人在也喊大減價的惠羅公司門前蹓躂，忽然遇見了多年不見面的一個老朋友，以前他潦倒時，我曾接濟過他，後來一別多年，如今見他衣飾煥然，眉宇煥然生光，料是已飛黃騰達了，我便心直口快的問他：『一別多年，老兄在那裏發跡回來？』

「『怎談得上發跡，不過時今好過往時而已。』

「大概他看見我穿的是夠不上入惠羅公司買東西的衣衫，似乎料到我的境遇不會好，又說：

「『老兄如要幫忙，我當盡微力，以報當年的恩惠，需要什麼？儘管對我說。』

「聽他這麼一說，我便有意無意地說：

「『目前需要解決的就是我家幾口子的肚皮。』

「我的話未說完，他就搶着說：

「『那太容易辦了，我先送給你幾包上好的米好了。』

「這時，我深深感到發了跡的人還樣不了解窮人，救濟肚皮不一定是要送米給人家，送錢給我不是一樣可以解決嗎？我聽了他的話覺得莫名的不快，同時有點困惑，於是我不得不追問他幾年來的經過；原來他與我別離之後，就遠赴異邦，幾年間便發了財，而今是從泰國辦米來香港的』。榮輝一口氣把這個早已編好的故事說完。

「哦！原來是這麼一回事。但是，你怎好意思接受人家這大的恩惠，我以爲請他替你找點事做才是上策。」

「這你可放心，以後他還要幫助我的，說不定憑他一綫牽引，也發達起來，那麼，我們也可以坐汽車，住洋房了。」

「老是做坐汽車，住洋房的夢，一個人不認自己的磨鍊，那有飛黃騰達之理，我看你還是快放下這個白日夢吧！」

榮輝早已胸有成竹，祗笑笑，不再和她辯了。

大半個月來，榮輝一直是在如熬煎地過着日子，因爲他打算進行第二步計劃了，而在進行的過程中，一定還要使到秀明沒有一點猜疑。

這一夜，榮輝又是半夜醒來，再也睡不着了。近日來他的異乎尋常的行動，怎能瞞得過旁人的眼睛。但是，秀明總以爲他遇了闊朋友，得到他人的資助，便一切行動都有點忘形。這種情形早就是秀明所不滿的，她深恨有個這樣苟且偷安的丈夫。這幾天來，她也睡得同樣的不安。最使她奇怪的，就是往日的榮輝，即使米缸早已用來儲水，他也一樣睡得死豬似的，現在卻居然竟睡不合眼了，於是，她推了推他說：

「榮輝！爲什麼睡不着？」

他正對第二步計劃想到了一個妙法，冷不提防秀明半夜來叫他，差點兒把方才想到的說了出來。（三）

壽張勳老七十

劉百閔

自別寶山年復年，眼中世事數推遷。
虞翻去國艱屯甚，賈誼傷時泣涕連。
美玉未應終韞櫝，明珠幾見遂沉淵。
知公無意兆熊運，滄海橫流一泫然。

見百閔和天石生日詩因次其韻以壽天石

張維翰

橐筆天南贊義師。卅年氣誼溯當時。
險途不畏穿滇越。讜論曾同闢日支。
雨話巴山重抵掌。春留海屋定豐頤。
收京縱酒期來歲。鍾阜雲開見漢旗。

次韻贈天石伉儷

著作如林書滿家。鴻光偕隱海之涯。
清風台上添香案。淺水灣頭載月槎。
逸興遄飛詩下酒。雄文奔放筆生花。
中興鼓吹渾忘睡。沸鼎灘聲夜煮茶。

談紅樓夢考證

·辛植柏·

凡研究中國文學小說，是沒有不讚賞「紅樓夢」這一名著的，紅樓夢在中國文學上的價値和地位，早爲世人所認定，確屬是一不朽之作，清光緒初，由於京朝士大夫喜讀該書，相矜稱該書爲「紅學」，故今日我國文學界又多以「紅學」之名名之，是其重視紅樓夢，亦於此可見。

（一）

紅樓夢乃有淸乾隆年間的文學遺產，據說於乾隆五十年以後，其書始傳，自是而有「續紅樓夢」，「後紅樓夢」，「紅樓後夢」，「紅樓重夢」，「紅樓再夢」，「紅樓幻夢」，「紅樓圓夢」（梁拱辰勸戒四錄卷四）在當時頗有僞贋不分之感，不過那些贋品，終歸湮沒罕傳，現在傳世的紅樓夢，即高鶚（蘭墅）序刊的百二十回本，此本經近人考據，亦謂僞假相間，前八十回爲眞，後四十回爲假，這說法乃係根據張問陶船山詩草卷十六辛癸集，「贈高蘭墅同年紅樓夢」詩一則而來，另有註謂「八十回後皆蘭墅所補」，後經胡適考證，張與高係同年中舉，高又爲張之妹夫，可見後四十回紅樓夢，爲高蘭墅所續，這是毋庸置疑的了，裕瑞的棗窗閒筆亦說：「曹雪芹有志作百二十回，書未成即逝矣，雪芹改風月寶鑑數次，始成此書」，我們細心研讀後四十回，在故事的發展上，大部份亦係根據前八十回的匠心綫索，所以不容易看得出來，惟寫作的技術，自不及前八十回，例如識訂賈寶玉與薛寶釵的議婚事當中，襲人把賈寶玉愛慕林黛玉的經過詳情，向賈母作了一番剖切的陳詞，賈母頗感爲難，自是人情之常，而王熙鳳以雙包案設計，婚事卒成，這一雙包案的玩弄，即非常不技巧，賈薛提前成親，目的係爲賈寶玉病中冲喜，要爲賈寶玉病中冲喜，祇能以林黛玉作假婚的玩弄，才符合雙包案的含義，也才能發揮冲喜作用？但書中的所謂雙包案，竟完全做成爲一騙局，這是顯然爲寫作技術上的一大拙劣處，要之紅樓夢一書，原來就是一種文學的創作，高續自亦有其文學價値，近來有的考據家一定要貶高續爲狗尾，實在也大可不必，我們即認紅樓夢百二十回爲曹高的合著本，在文學創作的地位及價値上，並不見就會從高處落至低處，現在共區內有周汝昌其人，寫了一本「紅樓夢新證」，即大譏高續狗尾，我看這本新證，根本也就是多餘的，一面拾胡適的牙慧，一面又駡胡適，至其穿鑿附會之處，更令人可笑之至，無怪乎胡適在台時，有人提及此事，乃亦以一笑置之。

（二）

新證的主要說法，爲紅樓夢係完全是曹雪芹的家譜，這與王國維胡適所謂雪芹自傳其生平之說，的確進了一大步，它以曹氏的伯曾祖曹爾正即紅樓夢書中的甯國公賈演，以曹氏的曾祖曹璽即書中的榮國公賈源，曹氏的祖父曹寅即書中的賈代善，曹氏父親即賈政，其餘伯叔兄弟姊妹及親戚中的李家等等，均有一詳細的比附，惟謂元春選入宮爲嬪妃，以淸稿史帝王世系所載的諸妃，康、雍、乾三朝並無姓曹的，則無法作比附。

（上）

和珅的末日

·猖士·

（一）

清代乾隆朝的和珅，在以小忠小信蒙得乾隆信任以後，專擅貪汚，朝野側目，乾隆八十五歲那年遜位於太子嘉慶，成爲太上皇，還說「朕仰承天眷，康强逢吉，不敢懈弛，歸政後凡遇軍國大事及用人行政諸大端，仍當躬親指教」，事實上那時的乾隆，已經體氣不支，遇事善忘，「早間所行，晚或不省。」這是起居注上記載的話，和珅得有弄權貪黷的機會，嘉慶每日臨朝，沉默持重，喜怒不形，於用人行政，和珅請旨，嘉慶故意不省云「惟皇爺處分朕何敢預焉，」所以和珅更加把這位幼主不放在心頭，嘉慶動心忍性，做出一副兒皇帝的模樣，時自稱幼主，以承歡太上皇，而太上皇也不免被和珅蒙蔽了，一點不去體驗他兒子的心理。

（二）

嘉慶四年，乾隆死了，忍受了許久和珅的氣的幼主，頓時發揮了「勿謂幼主可欺」的脾氣，據朝鮮使臣實錄上云，「三月三十日戊子，褫和珅軍機大臣九門提督等銜，仍命與福長安守値殯宮不得自由出入，旋於初八日下珅於刑部獄，數珅二十大罪昭示中外，其子之尙公主者，其婿之爲郡王者，及婢妾奴僕，並時囚繫，封門擊鑰，而使八王按其事，珅之別業在西山之麓者，亦令皇孫一人按抄之，珅之京第，珍玩山積，過於王府，皇帝初欲剮殺之，妹之爲珅子婦者，涕泣請全其肢體，屢請不止，大臣劉墉等亦言其曾任先朝大臣，請從次律，遂於十八日賜帛自盡，珅臨絕作詩曰，「五十年來夢幻眞，今朝撤手謝紅塵，他時水泛含龍日，認取香烟是後身」，遂縊而死。

自由人
THE FREEMAN
（第三九七期）
中華郵政登記認為第一類新聞紙類
（每星期三六出版）
每份港幣壹毫 台幣七角
社址：香港高士打道六十二號四樓 3rd fl. 20 GAUSEWAY RD HONG KONG
海外總經銷 友聯書報發行公司 香港：彌敦道中二十六號A二樓
台灣特派員辦事處 台北市館前街五十號
台灣總經銷處 台北市西寧南路一〇一號二樓

本報為增加報價敬告讀者啟事

本報發行，旨在服務，非以營利，故售價低廉，雖營業不免虧損，近來紙張增加，虧損亦日大，再三請求扶助，茲擬自明年元旦起，酌增報價，藉資彌補。向承讀者愛護，此舉諒蒙贊助。報費增加辦法如左，幸鑒垂察！

香港：零售每份港幣一角，直接定戶按期收計算。
台灣：零售每份台幣一元，定戶另按期數計算。
其他海外各省：……
本年十二月底前已交費各定戶，按原定期滿再行加價。

加強自由制度

中美共同防禦條約簽訂已經半月，這個條約簽訂後在台灣自由中國的反應是興奮的。在整個自由世界的反應也是良好的。美國時代週刊稱這一次條約的簽訂，是美國對共黨在外交上的反擊，也是韓戰停戰後太平洋上冷戰中一個新勝利。

中美協定第三條

我們對這一個條約的看法，也和多數人同樣的。這個條約的簽訂，是美國對共產黨在冷戰中一個猛烈的還擊，是美國對於許多國際上混沌思想的一種澄清。關於本約的許多地方大家都已講過的，我們不願再來重複申論，我們現在特別提出條約中第三條，來作一個簡要的商討，中美同防條約第三條規定：「締約國承允加強其自由制度，彼此合作，以發展其經濟進步與社會福利，並為達到此目的，而加強其個別及集體之努力。」

讀了條約全文，更細讀第三條，我們對於本條約的影響及勢力，應該作一次重新的估量，照條約文看，為了締約國要「發展其經濟進步與社會福利」，所以要「加強自由制度」，所以「加強自由制度」是手段，而發展經濟與社會福利是目的。但是社會現象的因果是無法硬性規定的，社會現象中的因，同時也能成為果。反過來，果亦可成為因，就把本條來分析：「發展經濟進步與社會福利」是因，「加強自由制度」是果，那一個是因，那一個是果呢？實在極難分開的。二者其實互為因果。總而言之，兩者的關係因爲要明白這個問題，我們還得進一步先論，什麼是自由制度？自由制度的特質及成份又是什麼？

自由制度是怎樣的

•湯亮吉•

自由制度是對專制制度而言。自由制度是一種風俗，是一種法律的制度，也是一種生活狀態。

讓我們引用二千五百年前希臘雅典的大政治家偉勒克里斯 PERICLES（490-429 B.C.）的陣亡將士追悼會演辭，這篇演辭是幾千年來講自由制度的經典。

「我將略論我們的傳統，我們的習慣、政制、及生活狀態。這許多特點，都使我們不同於鄰邦。我們的政制不是抄襲他人，而是做他們的榜樣。在我們的制度下面，我們的權力不在少數人，而在多數。此之謂民主政治。在私人爭議間，每一個人在法律前面是平等的。在公共生活中，一個公民，不論其貧富在任何方面對社會有貢獻，便應受到榮譽。無論在政治方面或在日常生活中，我們的國家是自由的國家。人之有技，若己有之，人之福利，我們絕不妒嫉，所以我們在社會生活方面，我們是自由而容忍的。但是我們尊重法律，與合法的當局。尤其那種保護窮人的法律，還有一種不成文法典，其制裁方法是羞辱，我們同樣尊重與服從。」（偉勒克里斯陣亡將士追悼辭 PERICLES, FUNERAL SPEECH A. R. BURN'S PERICLES AND ATHENS PP. 215-221）

希臘精神及雅典的民主精神，在偉勒克里斯演辭中已經發揮得很明白。這篇演辭在二千五百年前談，是平等，容忍與公開。這是談自由民主理論最古的文獻。自由制度的特質：是少數服從多數；是法治；是平等，容忍與公開。自由制度在政治方面的實現是民主。而在經濟社會方面的實現便是平等。

生活習慣與生活狀態

自由制度是法律制度。也是生活習慣與生活狀態。譬如平等，容忍與公開。那不僅是政制，實在是生活習慣與生活狀態。自由制度中尊重個人，個人在自由制度中人人平等。這與專制的極權主義下面，抹煞個人，消滅個性，各人有其特殊地位，完全不同。自由制度下面的社會是「天下為公」。人人有公心。所以社會上有公道。而政治與經濟上皆有公平。專制極權的社會是「天下為私。」人各私其私，而公道與公平皆無由產生。因為有公心，所以容易團結。也容易表現其團體的力量。這種團結組織而自然地產生與力，不勞若心組織。而恐天下之不附己而勞心焦思於結合，日夜惟為懷着私心，於組織。而所以誘導他人來歸附結合者，不過一點私利。這種結合既不鞏固，更難發生力量，自由制度與極權制度，下面的政制既異，生活習慣亦不同。在自由制度的社會中，是大家互信，而在極權社會中則是互疑，與互防。在自由社會中的人，人人自覺有其堂堂正正的地位，所以人人光明而軒昂，快樂而無所恐懼，在極權社會中人，個個鬼鬼祟祟，一天到晚是鑽門路，搭關係。個人患得患失，惴惴然若大難之將臨。

要想發展經濟進步與社會福利，必須先求自由制度的建立。因爲在反自由制度下面，根本很難期望經濟進步與社會福利。即使像若干極權國家的所謂生產與福利，這都是騙人的。這種生產與福利，都挨不到人民的頭上。俄國的納粹與三十年來的俄帝，儘管大大把國內的生產向外誇耀。而其人民的生活，乃牛馬之不如。這就是離開了自由制度而談經濟與福利。

（下轉第二版）

論台幣滙率及其他

•金湯•

十二月五日港報載，美國經濟調查問題在台研究報告中，建議改革滙率，有修訂台幣價值之說。我國當前不少人主張台幣放長者。今年美國經濟調查團人士已有此建議，故月來本省物價，已有普遍上漲之現象。不獨進口貨如此，即出口貨亦如此。考主張滙兌率放長者，其主要觀點爲本省進口物資付款，須以出口物資之收入，在現行滙率之下，顯然對出口不利。但變更滙率，其影響如何？利害如何？似有詳爲檢討之必要。

匯率放長結果如何

試問滙率放長，是否即通貨貶值？通貨貶值，是否召致物價上升？物價上升，是否增加通貨需要量？通貨需要增加，是否將促成通貨膨脹？通貨膨脹，是否即為一惡性通貨膨脹之現象？若上述之現象發生，民間對貨幣是否將發生保值行為，以求財產之安全，是否將發生搶購物資之途徑？……銀行所收之存款，有全部提清之危險，物資則將發生有行無市，及逃避之可虞，金元券末期情況，可為殷鑑。民間對台幣之價值，係以國內金鈔市價爲尺度，二年來可謂有相當程度之安定，不可謂非此項安定之結果。如何保持國民對幣值之信心，如何利用此項成果，從事建設。若因滙率放長，破壞已建立之幣信，發生提存之事，銀行將何以應付？雖然可經政府命令，限制提存，但不免因此而將千萬存款凍結之下，一舉而撲滅之。在經濟與政治上之後果又將如何？

匯率偏高偏低的原則

台灣出口物資，係農產品加工為主，人生必需之衣食住三項中：棉花及人造纖維之於衣，小麥大豆之於食油及麵粉，木材之於住，均為進口主要成份；在在與進口有關。筆者認為台灣滙兌率之合理與否，在出口物資國內售價之合理與否，而不在出口物資國內所得之多少。……使商業利益高於工業利益，成為重商輕工之事，實社會經濟趨向不正常之途徑，抵消政府對工業一般性之協助，民間資本遂趨向進口物資付款之追求，短期資金運用，化為游資……

邇來進口實績頂讓權利金高達七成之原因。國內大部物資既賴進口，今成本既增加七成，自影響出口物資之成本，而將鑑出口。於是乎遂主張放長滙兌率，以求出口物資國內所得增加成為有利情況。

實績制度的惡影響

台幣滙兌率於去年因加徵防衛捐二成，已為變像之放長。新辦法中，尚有對商人成本有利之點，兩者相抵消，故物價尚稱平穩。但因採用實績制度，造成商場中一種特權階級持有進口權利，此項權利之轉移，發生支付權利酬金之事實，其最高達七成。以美金為例：每一美金進口物資之台幣，成本為結滙牌價新台幣一五•六五。二成防衛捐三•一三，權利金七成一〇•九五五，共為台幣二九•七三五。已在美鈔市價之上。其原始成本既高如此，國內售價焉能希望其低。下表示美金一元經轉讓後之成本：

U券1——結滙台幣成本包括20%防衛捐	增加實績頂讓權利金後之U券1——成本 10%	20%	30%	40%	50%	60%	70%
NT券 18.78	20.345	21.91	23.475	26.05	26.605	28.17	29.735

觀表可知美金滙率在銀行結滙一點，並無變動，但進口商因實績轉讓之額外支付，台幣成本已有極大之差別。雖非滙率之變更，但成本之加增，則為事實。商人有高買，低來低賣之營業原則，亦即 REPLACEMET VALUE 之謂也。

出口不振之原因

台灣之工業與資源極其貧乏，原料設備，均賴求於國外。政府在貿易管制方面，因而有進口原料，重於進口成品之決定。在此情形下，滙率之放長，水漲船高，其利何在？筆者認為出口不振，在內之成因多於在外之因素。出口物價高於世界市場，係進口物資售價之不合理，影響其成本。而非滙率之高低，故滙率須變更，而放長，決非解決台灣經濟病態之良方。因台灣有賴於進口者多於出口，滙率放長後，所得與所失，勢必相消。徒引起本文首段所述之事態。筆者夙感美經濟顧問團之建議，未免失之於太重理論，而疏於實情。

低物價政策應予維持

吾人對國內經濟，係執行低物價政策，在努力減低存放款利率一點，可為佐證。行之有年，已見其利，吾人應如何向目的邁進，求更一步之成果。故凡與此原則有背之行動，有避免之必要。不然，不獨利害相消，且可發生其他不良效果。

進一步而論，假定滙率非放長而縮短，使台幣價值提高，其發展又將如何？尚希時賢一研究之。

華週展望

•陳克文•

英對協防台灣的態度

英出席聯合國首席代表納丁，上周發表演說，謂中美締結共同防守協定之後，中共如進攻台灣，英國勢將參加作戰。此項演詞立即引起英國工黨的不滿。同時中共亦再三指摘納丁，要求英政府加以解釋。現在邱吉爾政府已向上院和下院聲明，『英國政府除了履行聯合國會員國的義務外，並無其他的義務。』國務大臣里丁並向上院說，『我認為另一國務大臣（納丁）所說的，與我今日所發表的聲明並無任何實質上的差別。』此一聲明雖措詞甚為含糊，但英國決心支持美國協防台灣的政策已是很明白的了。半年來，中共極力拉攏英國企圖分化英美的團結並未收到預期的成效，也是很顯然的了。

祇要英美能夠始終團結一致，共產黨的挑撥離間才能無所施其技，西方國家也纔能立於不敗之地。英國外交素以老謀深算稱，我想中共的「和平共存」，「貿易利益」，是不容易引誘大英帝國上鈎的。

東北亞洲同盟

行政院長俞鴻鈞十八日對記者稱，一俟立法院批准中美共同防衛條約後，中華民國將致力促進東北亞洲同盟，使自由中國日本南韓團結一致，組成堅強的統一陣綫，以應付共產主義。此實一明智必需的行動。

中美協定簽訂後，自由中國已獲得了安全而陷於偏安苟活的命運，必須進一步從外交和內政積極有所作為，這是海內外中國人民一致的要求，當然也是盟邦的共同期望。以目前的日韓情勢言，尤其是鳩山內閣新立，政策徘徊未定，韓國態度模稜未消，以言組織三國聯盟，事實上確有困難。然而我們並不能因此而袖手旁觀。今後日韓能否消釋嫌怨，固有待自由中國的從旁努力，三國聯盟的形成則有待自由中國的茁壯堅強，恢復日韓對我的敬佩和信賴。

老實說，這幾年來，日韓對自由中國，以國際形勢關係，同站於反共陣綫之上，但對我到底是同情多於敬佩。……得外交上的主動？更如何可以形成三國的有力聯盟？

十四國聯合公報

北大西洋公約理事會，經十四國外長兩日會議後，於十二月十八日發表聯合公報，一致坦率表示，蘇聯政策在外表上雖有偃縮的跡象，但不能令人相信自由世界所受威脅已經消滅。美國務卿杜爾斯亦稱『我們不可被誘入錯誤的安全感』，一切象徵表示蘇聯的實力與政策對自由世界的威脅依然存在。然而西方國家對蘇聯這種威脅採取甚麼政策呢？杜爾斯說：『我們應不斷建築我們防衛的堤壩……更不讓我們被他們的表面動向而促成採取倉卒的行動。』比利時外長史柏克亦說，將領們請求作原子戰爭的準備，已獲批准。如蘇聯向西方施行原子襲擊，將繼之以迅速的原子報復。換言之，西方的政策變動，不出「防堵」與「報復」兩點。

「防堵」與「報復」足以阻止共產黨的擴張和侵略活動嗎？過去事實已經有了確切的證明。在「防堵」與「報復」的壓力之下，共產黨當然不至於發動全球射擊戰爭。但新的冷戰與局部的射擊戰是仍將繼續不斷的。

美國十一個航空人員被中共判刑，國聯秘書長韓馬紹之身入賊窟，都可以說是新冷戰的開始。至於局部射擊戰會將於何處發生？大概台灣海峽和東南亞都是共黨的理想地區。

「和平共存」的經濟觀（上）

·俞嬰·

『共產黨破壞一個國家，計劃中最主要的一點是：先有計劃地瓦解一國的經濟，使其經濟情況一天一天地變為惡劣，然後利用有計劃的宣傳，責難當政政府的經濟缺陷和貧困，藉以損傷這個政府，從而攫取它的政權。』這是南斯拉夫反共的箴治教授警句。共產國際這一套先侵蝕其經濟然後奪取其政權的策略，正向民主的非共國家全面地進行，從無停頓或緩和的跡象。目前喊出「兩個制度和平共存」這一口號，不過是它侵略宣傳的隱蔽手法而已。

以和平共存爭取時間

共黨巧於運用陰謀，隨機運用進攻時的隱秘性，柔韌性，戲劇性，多面性，間歇性和長期性。它的陰謀危害了整個世界的安全，常在其臉上掛着和平的商標。列寧說過：『進一步，退兩步……這是各個人底生活，以及各民族底歷史，各政黨發展中都可看見的現象。革命社會民主主義原則，無產階級組織和紀律，必然獲得完全的勝利——懷疑這點，就是一個罪大惡極的意志薄弱態度。』克姆林宮的統治者，從頭徹尾都是忠實履行這種教條的，西方民主陣營國家稍為忽略這一點，稍有差池或錯誤，就會陷入它的圈套，引致無窮的禍害。

基此，則「和平共存」這一騙局，就可予以戳穿了。再則，這一騙局的由來，也是基於克姆林宮在時間空間上所必需。因為第一、蘇俄本身的第五次五年計劃，要到一九五五年才得完成，即使這個新五年計劃完成，它的重工業所達成的目標，距離美國工業生產的水準還遠，希望再有一個五年計劃於一九六〇年完成，則蘇俄全部工業可以和美國並駕齊驅，所以要用「和平共存」的幌子來爭取時間的準備。第二、史太林在一九五二年十月份「布爾什維克」什誌上所發表的文章，充份顯示出的路向，他說：共產黨須採取一種最聰敏的辦法，應該迅速地把一般衛星國家建設起來，併入蘇俄，成為一個獨立的蘇俄工業帝國，並靜待西方國家為了爭取有利的貿易，造成一種自相殘殺，四分五裂的局面。尤其是對於中共大陸上的資源，加速開發和掠取，史太林已充份認識「繼續必歸於工業國家」的原則，繼承史太林的統治者馬倫可夫，對於史太林這一遺教，絕對奉行無疑。建設衛星國，也可以說是擴取附庸的資源：非有充份的時間和安靜的環境，沒有辦法做到徹底乾淨，所以非放出「和平」空氣，以鬆懈西方國家的警惕不可。

蘇俄的新魔術

果然，放出烟幕和釣餌後，西方有些國家，尤其是英國就給克姆林宮玩弄得如醉如癡，利用民主集團間的矛盾，既迫使美國放寬對共的禁運政策，不惜移樽就教於莫斯科，于酒酣耳熱之餘，大談生意經，簽訂貿易合同。一九五二年四月在莫斯科舉行的國際經濟會議，以及今年五月在日內瓦舉行的會議，就是蘇俄表演的新把戲和新魔術。從積極言，它可以拿貿易上的利誘去分裂自由民主國家的經濟陣綫，同時希望吸收一些西方的機器；從消極言，它可以對附庸國進行一面掠取一面安撫，或者是藉此而調整其掠取方式，使獲得更高的效能。雖然莫斯科會議，來自四十九國的商人所簽訂的貿易合同，總數達五億美元之譜，惟因各國政府格于禁例，多不批准商人的請求，結果所達到的目標僅為百分之五。但無可懷疑的，克姆林宮已能把握住這一批資本主義國家中的商人，掀起了他們為爭奪市場而鬥爭了。

以政治為經濟開路

抑尤有進者，蘇俄征服世界的經濟陰謀，是有計劃的一貫的不斷的幹下去，它很能充份利用經濟征服來做政治征服的尖兵或先遣隊。它除了利用資本主義國家因鐵幕而覺得市場日狹，做成民主國家間因爭奪市場而形成的自相火併外；復利用它銳敏的政治觸角為經濟開路，大量收購落後地區或國家的剩餘生產物品，無形中種下政治種子。

在這裏，可引證美國駐北大西洋公約組織大使安德森在華盛頓海外作家協會所發表的演說，來揭破蘇俄征服世界的經濟陰謀。這個陰謀係分四個階段實施，足以說明它具有的是陰險性，多面性和柔韌性。

第一階段，有如前面所說，從速實現蘇俄共產集團（從東德到中共）的工業化，使能生產或製造這一集團人民日常生活所需的一切東西。莫斯科認為這個集團的生活水準雖然較低，但從實用的目的而論，這個目標已達到。第二階段，把千萬的顧客，完全限制在這一個自給自足的龐大市場之內，與世界其他部份，完全隔離。使西方世界只能以其大宗食糧與製成品，完全推銷於西方世界之內，並因此引起困難，愈陷愈深。看看這個支解作用，看看中共的貿易情形，就可了解。近年中共貿易額佔全部百分之八十，係對蘇俄貿易，除了軍需物資才以貨易貨外，簡直無與西方貿易之可言。那些仍抱着以中共大陸作大規模市場的幻想者，實在可悲。

加强自由制度

（上接第一版）自由制度着手建立。首先當然在法制。譬如實施憲法——民主自由的憲法，自為實現自由制度之首要關鍵。與憲政同等重要的，就是上面所述的生活習慣與生活狀態。自由民主制度下面的生活習慣，必然是公平的，公開的，容忍的，而且是文治的。而反自由制度下面的生活習慣，必然是歧異的，秘密的，私隘而迫害的，而且是軍治的。

不合理的小事例

·湯亮吉·

裝點自由制度的門面容易，培養自由制度的生活習慣比較艱難。所以制定一部憲法，頒布憲法而實施，比較是容易。要整個社會，培養其自由的生活習慣，是比較困難。然其關鍵還在領導階層的以身作則，身體力行。台灣是反共抗俄的基地，應該向着自由制度去前進，是沒有問題的。但是如果考察這一個社會的生活習慣，使我們驚訝的地方太多了。我們舉一個極小的例子：譬如我們翻開台北的電話簿，凡是機關長官的住址，都是空白不寫出的，最可怪的，同一樣報館，公營報館的主持人，其地址隱諱不寫，私辦報館的主持人，則詳列地址。我們想請教交通部當局，這是一個什麼機密？住址在電話簿上寫明，是容易給匪諜知道而陰謀不軌麼？做官的人地址是要秘密的，不做官的人地址是公開的，這是何等幾蒙而可笑的行為！這是表現一個怎樣歧異而不公開的社會！便講這一點，就所謂摧殘自由制度，在日常生活中培養反自由的空氣。我們僅舉出這一個極小極小的例子，表示我們如果要加強自由制度，正需在日常生活中，尤其是領導階層的日常生活中隨時去注意，影響力甚太大。如果一個社會中是平等而公平的，一個人憑什麼可以隨便調人家？又憑什麼把他人的命運，控制於少數人愛憎觀念之中？一個不公平，不公開的社會，[illegible]國反共復國成敗的關鍵。

人物述評　希臘總理巴巴高

·乔流·

（一）

地中海東邊，於二次大戰結束後爆烈的反共戰爭發生於希臘半島上，在這個為真理，和自由而戰的領導者，就是轟動一時的巴巴高將軍。巴氏今日的武功和希臘之能從廢墟中重建起來，並不是偶然的。從共產主義對希臘的外內挾攻，重新建立新的社會秩序，以至成為東地中海邊防禦的有力一員，都是以許多的生命和血汗換下來的結晶。鑄定了希臘在軍事、政治、外交各方面一貫的反共政策。

（二）

巴氏一生過着戎馬生涯。一九四〇年十月二十八日，意國莫索里尼政府送給衛達沙政府（當時希臘政府的領導者），一個最後通牒，然後佔領了阿比西尼亞。那時，巴氏身為希臘政府國防參謀長。受命抵抗侵略。不幸，因德軍插足其間，巴氏因敵不住敵軍火力，以至被俘。二次大戰結束後，才得釋放，重享自由。可是戰前有八百萬人口的希臘，經過了這次大屠殺後，傷亡逾百萬，繁榮的城市和鄉村成為一片廢墟。失去了百分之八十的商船，整個國家的交通網，破壞殆盡。正當希臘要重新建立的時候，共產黨徒們乘虛而入，在這個垂死的希臘半島上，於一九四四年十二月高舉他們的「人民解放軍」旗號，實行公開叛變。他們不但反對政府，並且反對真正把希臘人民從鐵蹄下解放出來的「真正解放軍」。希臘再度進入戰時狀態，這一切都不是一個結束，而正是希臘人民悲慘命運的開端。

（三）

一九四七年七月九日，一支由蘇聯裝備以馬可瓦非亞德為首，在亞爾巴尼亞，南斯拉夫與保加利亞之間的中立地區，開始三方面的向希臘進攻。同年年底馬可氏宣佈了他的「臨時民主政府」。事情的複雜化，天天在加速。鐵托和保加利亞的代表特米特羅夫，於一九四七年八月一日在布勒特之會議中，就早先決定了對「既專制又法西斯的希臘政府採取一致行動。」於是那年的聖誕節，一萬至一萬二千人的國際軍隊，從阿、南、保三國指向希臘。由此可以想像得到，希臘的保衛戰，其反攻的激烈情形，真是令人不堪回首。但結果是勝利了。

戰事告一段落後，希臘在那時，可以說是世界上政黨最多的國家，政府內部的腐化，爭權奪利，澹國自肥，不管人民死活。政府聯盟落低至最低點。一九四八年十一月，共產黨死灰復燃，新的攻勢又發動了。此時，巴巴高不在職，政府對於指揮作戰的權力，操在一個準共產黨員維尼沙羅士的手裏。希政府此時真是日暮途窮了。

（四）

在萬分困難中，人們想起了巴巴高來，巴氏第二次被提名陸軍總司令。他重新踏上戎馬生活。巴氏再度受命，馬上重新編制軍備，改組政府。政府上下指揮統一，精神一新。黨爭亦因此消除。一九四九年一月，建立了「最高國防委員會」。有人譏之為「太上政府」，然卻因此，希臘的政治得走向新生。從此希臘經濟逐漸恢復常態，軍事力量集中。因此有餘力肅清殘餘共黨遺孽。並且，因國際局勢轉變更——鐵托與莫斯科之分離——巴巴高元帥建設新希臘的工作，便從此開始。

巴巴高元帥是一位軍人，他對於政治，是不大感興趣的。他兩次出任命元帥，均為救國家的危亡。所以當他二次澄清希臘內政後，突然於一九五一年六月的一天，忽然辭去三軍最高統帥的職務。回故鄉休息去了。

希臘的政治好像和巴巴高元帥不能有所分離的。當他辭去軍職後，不到三個月。九月三日的大選來臨了，在民主政治的潮流裏，巴巴高氏得人民的擁戴，又捲土重來。他組織了希臘的「統一黨」，號召人民。首次競選，他的黨只得一一四席位，尚差四位才能算為大多數。但一九五二年十一月十六日的重新選舉，他共獲得了二三九席位。這次空前壓倒的勝利。象徵着希臘民族的復興。巴巴高元帥一生，時時刻刻，均面對着強大的敵人，即今年八月八日與希臘、南斯拉夫，土耳其三國外長在布勒特——簽訂巴爾幹防衛協定的南、土兩國亦無例外。然而，在每次的國難中，他都以大無畏的精神，把困難克服。在正義與真理面前，他為了大我的存在，捨去了小我。巴氏的反共精神，真是值得我們佩仰効法的。十二月四日瑪德里燈下

親諾蘭派勝券在握

現任是參院共和黨政策委員會主席，參議員諾開森已在上月的參院改選中宣告落選。諾開森落選後，下屆國會中誰出任這一重要的職位，這是大家極端關切的問題。艾森豪上台後，與共和黨的議員們一直處得不大好，對於許多問題，尤其是外交政策問題，艾森豪總統常常與執政黨（共和黨）領袖發生爭執，因此諾開森落選之後，艾森豪極盼有一位嫡系議員出任參院共和黨政策委員會主席職巨，如此一來，他可能扯平諾蘭在共和黨中的勢力，對於未來的施政，以及政府與黨間的融洽上，自也方便多多。

依照艾森豪的如意算盤，他希能由紐澤西州參議員史密斯或是麻省參議員薩爾頓斯達爾登上政策委員會主席的寶座，因為他兩人都是共和黨中的親艾份子，艾森豪對他們，有如臂之使指之效。不過，儘管白宮已對這點作過許多幕後的努力，而艾森豪的願望卻似已注定失敗。據最可靠的消息說，新漢普夏州參議員勃里尼已擁有三十位參議員衷心支持，亦即在參院共和黨的四十七席中，有三十人支持他作政策上的領導。他曾投票反對譴責麥卡錫，在許多問題上，他與艾森豪處於對立的地位，而同情諾蘭參議員的主張。因此，諾蘭與艾森豪之間，如果確如外間所傳有所謂爭執的話，則未來參院共和黨的政策委員會主席這一重要職位的爭奪，親諾（蘭）派似已穩操勝券了。

阮文興在法被軟禁

越南新軍之父，前陸軍參謀長阮文興將軍，自奉保大之召飛法述職後，越政府即明令免除他陸軍參謀長的職位，現在他居於法國南部的避暑勝地龐雅拉，除讀書養性外，多在海濱消遣，飽覽山光水色，身旁日夜有一位法籍保鑣護衛，此外據說法政府還派有情報人員跟蹤左右，以防他突然回返西貢。因為阮文興若回到西貢，忠於他的越南陸軍勢必會起而叛變，擁護他推翻美國支持的吳廷琰現政府。

麥帥馬歇爾遭艾克冷落

艾森豪於去年正月正式宣誓就任美國總統，到現在已剛好兩年，但在上半個任期中，他很少與前國防部長及國務卿馬歇爾和麥克阿瑟元帥往來，也很少就此等問題徵詢馬麥兩帥的意見。據說，馬歇爾與麥克阿瑟元帥並不在意，而是由於他們兩位元帥本人的至親密友認為不高興罷。

天下小事

張原子燈鎮壓奴工

據傳民維他納情報：蘇俄現正在大量生產原子武器，而俄國秘密警察可能是第一批獲得原子武器裝備的部隊，即派駐中亞細亞[illegible]第一組單位的原子部隊，射性戰爭的訓練，在中亞細亞[illegible]服役，其用意大概在防止任何奴工的暴動。（天下）

稿約

本刊園地公開，歡迎讀者投稿，篇幅最好，勿超過三千字，譯作請註明出處，性質不拘，合則刊用，不合則退還，來稿請用稿紙，勿橫寫。——編輯室

編者讀者

△陳文受、小丞、申南、莫名、易與、金振華、刁抱石、王敬蘅、棠湘、蔡智堪、阿誠、廖山樓、李護田、諸先生：承惠稿已一一收到，至感幸！

△周仕夫先生：大函敬悉，承示楊彊吏綾事補一文，第一二節與大作皆同，甚感。

△周登森先生：十二月十七函敬悉，本月十六日已函復，計達。

△吳犋先生：大函奉悉，另詳復。

本報特別啓事

茲爲文稿收發郵遞便利起見，嗣後台省文稿改由台北市館前路五十號「自由人」特派員辦事處彙收總轉，敬請台省惠稿諸君，以後文稿逕送該處收轉爲荷！

人間何世？大陸農民吃草度日

請看中共自己的報導　農民吃榆葉野草草子

何雨文

大陸人民現在要吃草過日子，海外人士或者難以相信的。如今且看中共自己的招供罷。今年十一月二十二日的保定河北日報，刊登了一篇通訊，是該報記者浩然訪問大興縣三區桂林勝利農業生產合作社社員桂關山後的調實報導。該通訊上說：

『在吃飯的時候，全家人開了個會，商量節約用糧的辦法：首先商量採集菜蔬代食品。老太太在家看孩子，兩個兒媳婦和孫女去地裏採撿榆葉，挖野菜，用開水煮了，合上玉米麵炒着吃。這樣吃兩個月，一天能省一半糧食。到了大秋，一粒粮食沒收，他們全家又開始打草子，一秋天共打了三、四千斤乾草和四石多草子。到現在還剩下一石。除了採集代食品，他們還從各方面注意節省。首先是從「鍋台」「磨台」，「碾台」上節約。「鍋台」不糟蹋一粒糧食，做飯有計劃。冬天活輕吃兩頓稀飯。明年春天種地時，活重再吃乾的。「磨台」，「碾台」節約的辦法是：往年軋糧食剩下皮子就不軋，餵豬，餵牲之用。今年剩下皮子後，再多軋兩遍，玉米往年一斗只用十二斤半麵，經細軋後，每斗能用十四斤半麵。』

這是中共自己的報導，河北日報是中共河北省委會的機關報，不會是假的。上段文字中，中共公開承認了大陸人民在吃榆葉、野草、乾草，草子和皮子。更值得注意的，是這些「代食品」，是老太太在家看孩子，兩個兒媳婦和孫女去地裏採集的，這是何等悽慘的一個景象。並且吃草，還不能多吃，糧食固要節約，就是草子也要由四石多中剩下一石來。吃草，冬天也只能吃兩頓稀的。

六八老農的悽凉生活

桂關山是怎樣一個人呢？通訊中說他今年已經六十八歲，六十八歲的老頭兒在吃草度日，是多麼悽慘啊！爲什麼要吃草？中共歸罪於水災。不錯，水災造成歉收。但水災以前也有的。以前遇到水災怎樣呢？通訊中不難歸的承認：『原來在解放前，也鬧過水災。那時，桂關山家裏湊了點本錢磨豆腐，賺點錢買點糧食餬口。』如今湊點本錢磨豆腐的勾當，自然做不到了，於是只好吃草度日。

中共是如何救災的呢？通訊中又說：『黨支部書記吳俊英在會上說：國家統購統銷的目的：是爲了支援國家建設，打擊私營糧商，不讓他投機。就是爲了人民有飯吃。今年咱們遭了災，國家一定保證咱們有糧吃』。糧食是有的，但桂關山買了多少糧食呢？通訊中又說：『自從麥收後到現在，已經五個月了，按原來他們的最低計劃，得向國家買一千五百七十多斤糧食，經過多方面節約，他們只買了三十斤小米。如今還剩下一石草子，一些乾菜和一些糧食，再過一個月也不用國家供應。』

中共搜刮害了農民

我們不知道桂關山是自己不願照他們最低計劃向中共購買糧食呢？還是買不到這許多糧食？不過一點可以證實的，就是原來計劃最低要購一千五百七十多斤糧食，但後來只買了三十斤小米。其餘一千五百四十斤糧食，是用草來作代食品，這些草從本通訊中知道，包括榆葉、野菜、乾草、草子、皮子等。其中以草子爲主要代食品。這些都不是中共供應的。由此我們可以知道，中共供應糧食的能力是怎樣的了。

爲什麼會如此呢？難道桂關山全家吃草的原因只是水災嗎？不是的，該通訊明明白白告訴我們：『去年統購統銷時，他把（桂關山）五百多斤餘糧全部賣給了國家。今年麥收時遭水成災。桂關山四十多畝地才分了三百多斤麥子。除了賣預購糧，留了麥種，剩下的就不多了。大田莊稼苗也被水淹，秋收也不能分到糧食。這一來，一家子對去年賣糧的事有些後悔。』由此，我們可以知道，使得大陸人民吃草的原因，除去水災外，主要的還在中共搜購糧食太多之故。

畢業學生求職困難　登記教師無從安置

校無法容納，失業、失學、求職與師資缺乏、學生等問題，已成了今日的普遍矛盾現象。這種趨勢雖然嚴重，卻沒有多少人加以重視，有關當局對於失業問題，即使採取有效措施，那末失業與求職的學生將作何種安排，也是不容忽視的問題。譬喻港大學的畢業生，每年由政府資助四千元獎學金，但學業以後不一定就可找到一分工作，其他中學畢業的學生向輔政司署請求登記僱用人員，獲得聘用數目，亦屬寥寥無幾。使大多數學生家長對於子女升學情緒大爲減退，內心對學業的終極找不到求生門徑，白白耗費了心血，與短少了一筆數本。

學生工作計劃委員會工作困難孔多，該會秘書雷博士，對來自大陸的流難學生生活異常困難，不但關心，且繼續請社會人士援助。他說，估計來自大陸的難生，約有二千二百名，現時分別就讀於新亞、光夏、珠海、華僑等九所中學，女生佔五分之三，信仰基督教佔六分之一，約有半數享受免費學額，由於經濟上的困難與居住環境不佳，平均八人之中即有一人患上肺病。計劃委會雖會向學校建議給予「半工半讀」制，但仍希望於社會人士加以援助，安置此等學生，使能夠找得部分工作，因爲約有五百人與家屬共居，生活極爲困苦，俾於獲得膏火之資，對他們家屬生計，也可因此稍予補助。

然就目前情況看來，雷氏的呼籲容或有人同情，未必會獲得大衆支持。再就教師而言，教育司雖屢次說明香港師資缺乏；但對訓練教師又不能盡量吸收，甚多的失業者又紛紛申請註冊，要求當乙級教師，卻無學校可使他們涉足其間；因爲港九祇有一千二百所學校，得校教師名額都是滿滿的。而教師待遇又菲，甚多教師連自己子女都無力升學，家庭環境且極困窮。這種嚴重情況，長此以往何堪設想。擺在眼前的問題，祇有下列四項辦法，或能解除面臨的教育危機，例如：一、設置升學就業輔導所，幫助解決升學就業上的困難；二、提高教師待遇，改善教師生活環境；三、普設學校，增加私校津貼，確定教師子女免費就讀原則；四、增設官立、津貼學校免費半費名額，准許私校募集助學基金，倘能採取此種行動，當前的教育危機不難迅即鬆弛。

香港三日

台省林業痛言（下）

李海

（六）保留地交換：這是由日據時代遺留到現在應予廢止而尚未廢止的一項大弊政，所謂保留地交換，即爲山地同胞保留一部份山林作爲交換耕作之用的林地，這種辦法，站在維護山地同胞生活的立場上講，當然是應予同情的，但高山同胞這種焚林而墾的辦法，一、二年即需交換土地一次，且每次更換，又多是林木繁茂的山林，這其中主其事者不論有無混水摸魚之嫌，而每年幾千百公頃的交換，年復一年，其對於大好森林的破壞當然亦是極端嚴重的。這種弊政，林業負責機構，早即應加以改正或廢止，可是却直等到最近經濟部長尹仲容，在「台灣林業政策試擬」一文裏，才稍微顯示出一點應予廢止的思意。林政機關之麻木有如此者，實無怪乎一般人均叫現有林政機關爲只拿錢不作事的機構了。

以上各項弊端之中，關於濫墾、租地造林、森林災害、林地放租及保留地交換等，不是法規上有漏洞，就是人謀之不臧，其總當改革及應當如何改革，均是很明顯的。如租地造林，只要官商不發生勾結，能將眞正荒廢的山地租給眞正有能力有誠意的人去造林，自然即成爲一件很好的施政。其次如森林災害，只要以後不再發生官商勾結盜林的案件，自即不會再有內濫伐而焚林的情事發生。

祇有林產處分一項，不只是牽涉到法令問題，人事問題，而且還牽涉到林業作業的政策問題，有主張多實行林產處分（即出售林班）辦法者，亦有主張由林場直營採取一貫作業方式者。究應以何者爲妥當，當另文詳論之。

蘇俄的烟幕

·矜式譯·

（一）

西方人士訪問莫斯科，獲得馬倫科夫接見，乘車經過紅場，進入克里姆林宮，他們看不見有多少守衛的人，安全設施似乎比白宮還差，僅有一名引路的人，好似還是史太林的舊人，把客人帶到總理辦公室。

馬倫科夫在門口迎接訪問他的客人，他的舉止似乎跟照片不一樣，他不像大塊頭，亦不是矮胖子，他穿着一身沒有一點縐紋的制服，在史太林時代，他就是這樣的，上好的衣料，裁剪適體。他慢條斯理的走出來，指甲修得整整齊齊，一個最近訪問的人，說他有很大的魔力。他坐在書桌一旁，由外長莫洛托夫陪伴，他和客人一起談話，在綠色粗毛布的桌上，有拍紙簿和鉛筆，但是沒有烟灰碟，亦沒有一個人吸烟。

縱然一幅巨大的史太林肖像，雖着俯望住這些人，可是他的繼承人好似放鬆了，他的情緒也顯得輕快。他慣用的一句話是「和平共存」。對西方人士談話，多半說的是「永久和平」，「希望友好」，在這時他向莫洛托夫提一個特殊問題，莫洛托夫亦似非常愉快的樣子。

一位訪問的客人暗示，他們深信如果蘇俄停止經由國際情報局或其他共黨組織干涉其他國家的內政，則可以表示出馬倫科夫對友好態度的誠意，但他竟自謂毫無所知，並且還驚訝有那樣的干涉。他還表示不知道被國際情報局干涉是什麼意思，他說，那是不爲人讚的機構。（上）

評：克里姆林宮內鬬秘史

王平一著：亞洲出版社出版

（一）

現在蘇聯高唱「和平共存」，使西方世界幻想可以避避第三次世界戰爭。還多少有點像過去史達林的冷戰傑作「一國社會主義」政策一樣，令世人迷惑不清，假想俄共放棄世界革命的企圖。英、美研究蘇俄問題專家們，雖然對今日莫斯科的態度具有高度的警覺與懷疑，但他們了解俄共和平共存的策略之深度還不夠深。因爲世界共產主義者的和平共存，實爲一種「以迂爲直」的高級戰略，似比列寧的「退一步，進兩步」還要高明，也可稱爲「曲折」（SIGSAG）戰略。這種戰略具有東方型的濃厚色彩，即所謂鬥智不鬥力是也。如果西方國家了解俄共戰略與政策……深度不深，當然，就不免與作和平共存之想而寄望於俄共甚至於中共的下一代了。

（二）

友人王平一先生把他的「克里姆林宮內鬬秘史」一書見贈，使我們研究世界戰略問題的人，頗感興趣，尤其王先生不是以一個專家資格寫內幕，他是以一個失敗的政客寫史實。他自云：「歷史絕無人敢於杜撰，無文獻尤不能捏造」（見該書後跋）。這種寫作嚴謹態度，在今天精研俄共問題上，的確是够份量，而王氏對俄共基本政策的自覺與了解也比一般人較深。王氏在該書第六章「史托爭霸第二回合」中強調史達林生前最得意的傑作是「一國社會主義」，「以此爲基本武器，戰勝了托洛茨基並致俄國於富強地位。」這個觀點與我們研究蘇俄戰略的深度相同。今天馬林科夫的和平共存，實是依然祖傳，不啻史達林時代一國社會主義的翻版。王氏說：「發展俄國富強，其程度業已併吞了四、五個小國，並建立了十數個附庸國，作爲他實際上的殖民地。在世界冷戰中有足够的力量支持着他的主動，現在他們仍保持着主動，任意的喊出那和平的濫調。因此，我們必須對一國社會主義之回歸作一番研究，才能對史達林三十餘年來的內政外交上諸多措施有所瞭解。他那忽左忽右，忽緩忽急的政策，托洛茨基譏之爲SINGSANG LINE，意即曲曲折折……經史達林一手栽培的馬林科夫，仍以富強俄國爲中心，繼續史達林一國社會主義的路線，他將不致改變冷戰和熱戰中的戰略」（原書一〇〇頁）。這誠是一針見血之論。

（三）

我們研究蘇俄基本戰略型態，早就指出是克勞塞維茲（KARL VON GLAUSEWITY）戰爭思想之典型，大致與美國權威刊物「外交季刊」總編輯戴斯特（BYUON DEXTER）的見解相同（詳見民四〇（一九五一）年十二月廿一日台北中央日報拙作克勞塞維茲與第三次世界大戰——史達林如何受克氏思想的支配——一文）。年來留心英、美各國戰略專家之意見，已漸獲得一致的結論。還以一九五三年美國出版的「蘇俄軍事教義」一書，由美空軍當局委託一個私人研究機構執筆者賈爾多夫（RAYMOND L.GARTHOFF），開篇就說「蘇俄的世界觀是完全採取了克勞塞維茲的理論」，可爲明證。不過，西方專家們常喜以自已的思想邏輯套到蘇聯身上去，以致差之毫厘，失之千里。遠者如一九二五年一月，「托洛茨基紅軍總司令免職一事公佈後，資本主義世界方面大爲震驚，認爲史達林是在玩火，俄帝內鬨將趨於白熱階級。以後才明白俄帝是黨治，托洛茨基是服從黨的命令。」（本書八四頁）近者如去年馬林科夫火併了貝里亞，自由世界觀察家們便以爲蘇俄軍人要抬頭。這幾乎成爲一個極大的判斷錯誤，和現在駐蘇大使會楠，從前美國駐蘇大使鮑倫是否有這樣錯誤看法，不得而知。但以王平一先生的分析「若是從歷史上看，這說法（指軍人抬頭）極少根據。因爲自列甯以至史達林都怕軍人參政，如果軍人得勢，俄國革命難免有變成英國克倫威爾，法國拿破侖那樣軍人獨裁的危險。他們都不喜歡軍人，那黨代表，政治部便是用黨人來控制軍人的辦法。……現任國防部長布爾加甯，他是文人，作過政工；……馬林科夫引用布爾加甯引用三位職業軍人，都是爲了提高自已在軍人中的信仰，並非引用他們到克里姆林宮統治圈以內。沃羅希洛夫是軍人，但他是老布爾什維克，也是黨人，曾任過騎兵第一軍黨代表，他又當別論了」（原書一七二頁）平一先生這種觀察深度，確值得大家重視。甚至如美國艾森豪總統，曾讚朱可夫元帥爲當代大戰略家（見約翰根室著「艾森豪」一書，一九五二年倫敦版），上次大戰結束不久艾克還邀赴莫斯科，旋即邀請朱可夫來美國訪問答聘，並派其子當朱的副官，又將自己的坐機給他，結果並沒有成行。後來艾克方知蘇聯無意派遣一位元帥階級的人到美國去訪問（見艾氏歐洲十字軍一書）。可見精明如艾森豪總統對蘇俄的了解之深度不過如此，那麼，王先生這一本小書確具有國際性，時代性的價值。（上）

·黃炊文·

無益的外務

馬五先生

日本政府的新任首相與外交大臣等，正在大唱「兩個中國政府皆值得承認」，「日本將隨着世界情勢變遷而改變對華關係」之說，且把駐在台灣的大使亦召回去，表示不再派正式人員接任的時候，我們的行政院長却還在締結中日韓反共聯盟，這是廣東話所謂「點人頰厚」的表情，我值有些「攞身蟻」之感嘆！

外交工作雖然是波譎雲詭的變謊玩意，但也須顧住本身的體面與氣格。別人正對我們表示不感興趣的冷面孔，我們又何必急急於作此「丟架」的姿態呢？說出了這番主張，而對方毫無反應，實非自討沒趣！日本當局對我們隨時擺出那種陰陽怪氣的派頭，由來久矣。鳩山重光之言，決非虛僞的外交詞令。

國際間是專講勢利的。我們現在偏安一隅，當然不會受到別人尊重，連那些尚未脫去殖民地生活的緬甸印尼，也瞧不起我們了。這却不必大驚小怪，以爲別人太不够朋友，誰教我們不自振作，丟掉了故國河山呢？唯一的自處之道，就在埋頭自立自強，祇要有力量挺起胸膛高視闊步，就不愁沒有出路。我們不要說光復全國的話，如能收復閩粵沿海，你看日本與印緬那些當政者若不改以笑臉相迎，那才怪呢！就是現在對我們極端不友好的西方某些國家，它又敢不前倨而後恭？

談到日本這個民族，它是褊狹成性而又勢利中毒的，一面向着美國的勢利低頭稱弱，內心上又不忘戰敗的怨恨，所以隨時要表示反美情緒。我們在戰後立意跟它實行眞正親善，聲明決不報復，和讓時放棄戰爭賠償的要求，但日本人却認爲這是對它示弱，滿不在乎！我們此時不把駐日大使召回，以示禮尚往來，還要希望跟它搞甚末反共同盟，何其不識時不知趣之甚也！

一切都是廢話，自己有能耐有辦法才是眞正的本事，求人不如求己，好漢打脫門牙連血吞，少作無益的外務吧！

狂言袁中郎

——東郭牙——

（一）

明自前後七子之後，分公安竟陵各派，袁中郎即公安派領袖。所作詩文，皆任性爲之，有奇氣，亦有創見。時人以狂誕視之。醉心正途功名者，長寓目焉。其文淹沒甚久，民國廿年左右「袁中郎文集」突爲書賈所暢銷，尤爲新文藝界所爭讀。中郎鄂之公安人，名宏道，號石公，兄宗道，弟中道，並負文名，幼時於桑梓結學中黌友爲文社，自任社長，名其文集曰「狂言」。明萬曆間進士，累官稽勳郎中。守吳縣時，頗著政聲，聞于朝。宰相申時行評曰：「二百年來無此令矣。」秉性瀟洒落拓，復廉潔自守，沉酣筆硯外，不事不遑，年四十三，竟貧病交迫以終。

狂言集序云：「余落筆多戲弄，或謂恐傷風雅；余既貧且病，乃以戲弄爲樂事。孔子嘗云：『未若貧而樂。』然則樂固貧之道乎？狂夫之言，聖人采之。假今夫子再來，未必不戲弄而風雅之也。因題曰『狂言』，以俟知者。」

（二）

中郎爲文，力主「任性」，其生活亦然，序陳正甫「會心集」云：「世人所難得者唯趣。……夫趣得之自然者深，得之學問者淺。當其爲童子也，不知有趣，然無往而非趣也，面無端容，目無定睛，口喃喃而欲語，足跳躍而不定，人生之至樂，眞無踰於此者。……迨夫年漸長，官漸高，品漸大，有身如梏，有心如棘，毛孔骨節，俱爲聞見知識所縛，入理愈深，然其去趣愈遠矣。」

彼雖於貧病交迫中，未嘗自怨自艾，且多讚美之詞：秋日病中吟云：「貧劇不憂貧，病劇不憂死，兩念如環轉，枯枝日自春。窮稱算亦奇，癡腸當良藥。藥物無所須，便是有餘賞。四肢成勁戟，省我傴僂責。一囊經水洗，免他往來厄。打牛詩矢口，苦吟嗤杜叟。山簡，不戀彭澤酒。既無放鶴亭，亦乏種梅田。並此兩般無，孩山嬾製肘。高飛知鳥意，淡放解花情。雲譬輕一瞬，指示最分明，我若貧不病，幾枉此一生。高歌渦苦海，再歌倒蓬瀛。」

韓退之有云：「歡愉之辭難工，愁苦之言易好。」中郎亦云：「夫非病之爲文，而病之情足以文；亦非病之皆文，而病之文不假飾也。是故通人貴病。」對「詩窮而後工」一語，竟持相反論：「夫使窮而後工，則曹氏父子當爲傖夫，而謝客無芙蓉之什，昭明兄弟，要以執綺終也。」獨信「詩能窮人」，謝于楚歷山草引云：「……惟云『詩能窮人』大似有之。嘗城親而牙籌疎，一不合也，氣高語牽，令人自遠，二不合也，富者惡其厲縫，仇之若敵；貴者忌其厲縫，避之若梟，三不合也。有一於此，皆足以窮，而況併之。故云：一日執管，二朝廢罌，妻子之所羞，而宗黨之所怒也，是物者何益於人秋毫事，而余酷嗜之。」友人讀其病中詩，譽其造就可羽化登仙，願而樂之，引爲知己。

（上）

翠閣茶座次毅庵韻

・懷冰・

小聚德星茶座日，論交深喜共忘年。敬通未遂名寧著，伯虎猶狂世所憐。博雅文心稱細細，尊聞我意服拳拳。海南儘有詞宗在，七椀盧仝壓醉仙。

次韻李友觀梁燕芳演劇

漫題錦瑟記華年，會向觀場賞絳仙。寶鏡光流窺艷影，玉盤珠走和哀絃。陶情未惜功名薄，夢覺微憐世網牽。此意雖知歌者苦，良宵兀坐轉凄然。

談紅樓夢考證

・辛植柏・

有讀樓把家醜自揚之理，這一個大比附，即此一點，已可不攻自破。[illegible]

凡讀過紅樓夢的大都會記得[illegible]

[illegible]既失之瑣碎，[illegible]否認了紅樓夢的文學價值，[illegible]

[illegible]阿芒的機性，雖然不是事實，但是茶花女假若有這種機會，她一定會這樣做的」。這就是說明了一種偉大的文學作品，必然有虛有實，紅樓夢也就可以作如是觀。

（三）

紅樓夢有「補十六回本（現歸胡適藏），又有一種八十回本，均作有批語，作批的人署名脂硯齋，因敦誠弔曹雪芹詩有「新婦飄零目豈瞑」之句，胡適推測一個飄零的新婦，這是薛寶釵呢？還是史湘雲呢？前述「紅樓夢新證」一書，即認定脂硯齋是史湘雲，飄零的新婦亦是史湘雲，據謂內寶玉先與寶釵成夫婦，脂批叠有明文，她先嫁早卒，不會是雪芹的未亡人，湘雲若後嫁寶玉，而雪芹先之而逝，不是正好相合麼？這也是一大附會，即以高鶚續紅樓夢四十回說，高亦漢人，距曹雪芹去世僅二十餘年，時間極短，如確有其事，高鶚斷必不會毫無所聞，而紅樓夢裏的賈寶玉與史湘雲的故事，也不會是那樣淺晨和那樣寫法，脂硯齋必然是另有其人，新婦飄零句的新婦，可能是曹雪芹的未亡人，但未能據以推測即爲史湘雲，因書中的史湘雲，實亦虛構人物呢？（下）

有錢的煩惱

・短篇小說・

・洛琦・

「唔！你也睡不着嗎？天氣已秋涼了，這房子還是這麼悶熱！」他說這些話，無疑就是實行預定計劃的前奏。可是秀明當然想不到，她生氣地說：

「又是做着洋房夢嗎？窮人就該悶在白鴿籠裏，鴿籠是熱呀熱，煩燥什麼？心靜自然涼啦！睡吧。」

「爲什麼你也睡得翻來覆去？難道也做洋房夢嗎？」

「我一生沒有什麼奢求，不會做什麼美夢，祇希望你能够好好的做人，誰料大失所望，這也是我倆最大的衝突。」

「不能實現的事，在夢中享受也好的，做做美夢吧！也許會從夢中得到你所希望得不到的東西。」

又聽到榮輝這種說法，秀明氣也氣得够了，祇得不再說下去，以免自找煩惱。

第二天，榮輝就進行下一步的工作，他一個人坐在茶樓裏，首先打開報紙，看看廣告欄，有個什麼置業公司說，他們的屋，「住了便享福」。這樣的廣告，太使他陶醉了。他想，買一座洋房嗎？這是不可能的，萬一給秀明知道了，我中了馬票怎麼辦。還是先找一層樓住吧！最後，他發現一則出頂的告白，房子不大不小，連傢私、粗幼電、落地式收音機、冰箱、汽車，祇不過一萬多塊錢。他決定馬上去接洽。

這房子果然不錯，一道矮圍牆內有一小花園，屋旁有車房，出頂那一層是樓下，進出很方便。房內傢俬有七八成新，陳設簡單而藝術化，以前的住戶顯然是經過一番心計佈置的。臥室共有三間，此外，還有一間大廳和一個飯廳，每個房間都相當大，榮輝看過了，認爲非常滿意。他和這裏的主人一談便決定了下來，立刻成爲這房子的主人了。

把房子的事辦妥，榮輝覺得心裏安靜了些。他認爲做事不宜過急，慢一點搬進去也不要緊。所以以後幾天裏，他每天早午晚三次上茶樓，也坐得很爾適似的。

很容易幾天又過去了。

這天，榮輝一進門，歡天喜地的對秀明說：「我的夢果然實現了。」

秀明最討厭他說這些話，聽了就跑開去，一邊說：「這是白天啊！還要說夢話。」

「秀明！」榮輝一把拉住她，要她坐下來：「你且聽我說下去。我有個朋友的房子急需一個人替他看守一下，他要回泰國去了。這裏的傢俬是他的姨太太，他的家本來住在泰國，現在拆夥了。他要我搬到他那所房子去住，這是對於雙方都有好處。你說我們又何樂而不爲呢？家常的東西，那裏什麼都有，祇要我們的一雙腿踏進去，就可以舒舒服服的過日子了。」

「別說得這麼容易吧！假如人家……」

（四）

答王國維的辯護者

・王世昭・

（一）

寫文章已難，寫批評文章尤難，而寫批評批評文章的人則更難。何以故？寫文章必須平心靜氣，而寫批評文章尤須考慮周詳，研究有素，至於寫批評批評文章的人，須要上列三個條件之外，更須擊出主張，善爲說辭，使對方無話可說，則是難之又難了。

對於王國維先生什麼學問我都佩服，只有對他的替溥詞我感覺不合時代潮流，無提倡的必要。假使有衛道——衛王國維之詞道——先生，認爲王國維的詞必須擁護，必須恭維，必須提倡，我沒有表示反對，我只說王國維的詞學李後主，沒有提倡的必要，如果有人一定要提倡，那就不妨天天去讀：「春花秋月何時了，往事知多少，……」那麼裏颯的東西，似乎比王國維的詞還要高明萬倍的啦！

（二）

至於王國維先生的悲天憫人，我早也說到，可是他的詞，有幾多悲天憫人的成分？請批評我的文章的人，爲我解答一下，此其一。

李秋生先生爲我批評王國維「可憐」，「可哀」，以及「無恥」提出抗議，其實就詞論詞，王國維實在太可哀，就事論事，王國維實在太可憐，就他立身處世以及爲時代所犧牲，實在太不值得，我所謂他的無恥，曾恐人誤會故搬出大聖人孔子的格言加以註解，謂：「知恥近乎勇」。王國維先生的無恥，請批評者不要誤會，並非男盜女娼的無恥，而是不知時代，不識世變的無恥。有人比之於納蘭性德，納蘭性德所處的時代是滿清全盛時代，唱些哼哼調調無所謂，而王國維的時代是中國存亡絕續之交，世變日亟之會，這種不高明的見解，這種不識時務被淘汰的思想，還出現於當年，在文學上雖是怪事，而在潮流上則是可悲的現象了，此其二。

或有比王國維之被殺爲：「有如拉瓦西埃爲何不從化學實驗室走出參加革命，致爲革命黨人所殺一樣。」就這樣說，李秋生先生似乎承認共產黨人是革命黨人，王國維之死有似拉瓦西埃，豈非大放厥詞，爲中國共產黨作暗示宣傳，這一點倒頗值得大家研究一下，考慮一下！此其三。

（上）

更正

本刊上一期，劉百閔先生壽張勵老七十詩，「知公無意非能運」句，「非」誤植「兆」，合併更正。

× ×

自由人

THE FREEMAN

（第三九八期）

中華民國郵政登記認為第二類新聞紙類
中華民國內政部登記證內警台誌字第一一號

（半週刊每逢三六日出版）

每份港幣壹毫

督印人：自由人出版社　台北分社：台北市

社址：香港高士打道六十六號四樓　3 rd. fl. 20 CAUSEWAY RD HONG KONG

香港發行：友聯書報發行公司

台灣總經銷：台北市重慶南路

本報為增加報價敬告讀者啟事

本報發行，旨在服務，非以營利，故售價低廉，藉以普及。然以不登廣告，以是營業不免虧損，近來銷路增加，虧損亦日大。同人綿力有限，勢難長此支持。再四思維，謹向讀者請求扶助。茲擬自明年元旦起，酌增報價，藉資彌補。向承讀者愛護，此為讀者所鑒諒。報費增加辦法如左，幸為鑒察！

香港：零售每份港幣一角　直接定戶每月另加郵費四角（定戶按期數計算）

其他海外各埠：零售每份港幣一角　另按地區分別加收郵費（定戶按期數計算）

台灣省：零售每份新台幣一元　定戶每月新台幣八元（航空郵費在內）

本年十二月底前已交費各定戶，期滿再行加價。

從美俘事件說起

最近中共扣留美俘不放，要加以間諜罪名，給予美國一個極難忍受的打擊。美國務卿杜尼斯於上月廿九日在芝加哥發表演說，謂「蘇聯共產黨人，雖然發出比較前略為溫和之論，但中共之行為，則日益猖狂。彼等破壞停戰協定，違背國際規矩，吾人必須有適當辦法，以阻遏侵略者。」杜尼斯對於蘇聯與中共之詭計，共黨為侵略者之決心，似乎亦說得很明。同時杜尼斯又說：「中共此種行為，係企圖分裂自由國家」此話令我有點不明白。本來中共此種行為，正是逼使自由國家團結，何以反說共匪企圖分裂自由國家，杜尼斯之判斷，不是胡塗嗎，不然，明白了杜尼斯說，「美國將表示強有力的反應，惟將不採取違反各項義務，及妨礙自由國家同盟之行動。」質言之，就是不採取海空軍封鎖之激烈行動，因恐怕引起戰爭。如此，則杜尼斯是認定自由國家同盟之中，必有以封鎖中共為戰爭行動者，美國若採取封鎖行動，則與自由國家同盟不能協調。但中共侮辱美國之行動，又逼到美國不能不採取戰爭行動。杜尼斯謂中共企圖分裂自由國家，當就指此。美國為免自由國家之分裂，不致採取封鎖行動，所以忍氣吞聲，訴之聯合國，想藉聯合國之力，以折中共，不知此乃妄想，一因美國本身先已示弱，二則聯合國本身向不協調……

論聯合國（上）

伍憲子

春秋時代到今，經已二千餘年，今世界大通，聯合國之地位，當然比春秋霸國為宏偉，其局面，當然比春秋霸國為開展，但其人物，能否比得上春秋霸國，當然見仁見智，亦各有不同，作者不敢是古而非今，然亦不能祖今而毀古，願舉事實，請大家平心靜氣，比照一下。

韓馬紹移樽就教

在此向不協調之聯合國狀態下，斷不能以忍氣吞聲之弱態，予求得協調。忽忍氣吞聲，愈增加糾紛，愈喪失威信，所謂長他人志氣，滅自己威風也已。

聯合國與中共談判，促使中共放棄美俘間諜罪名，定罪之十一名美俘，聯合國大會於十二月十日，以四十七票對五票，六票棄權，通過此一提案。同時委託聯合國秘書長韓馬紹在美俘判罪案表決通過之後，即向北京交涉。韓馬紹十一日電告中共，要求親赴北京，與中共總理周恩來會商。中共於二十二日覆電，予以接見。韓馬紹在北京，其會見的時間，於本年十二月三十日到一月……此種接納，聯合國秘書長，以後卑辭之要求，為之斷然拒絕也。韓馬紹求見，不論中共能否接見，其措詞之卑微，韓馬紹似乎不……首不足惜，可憐韓馬紹是堂堂聯合國之秘書長，韓馬紹向中共低首，就等於聯合國向中共低頭，聯合國以前不是義正詞嚴，斥責中共為侵略者嗎，曾幾何時，竟向侵略者低頭，不只低頭，而且哀求，准其一見，試問聯合國之威嚴何在。此無他，目的就是希望和平，但是為希望和平之故，致聯合國之威嚴掃地以盡，和平希望得來嗎。韓馬紹移樽就教，中共肯領你一杯嗎，韓馬紹送女過門，中共肯拜堂洞房嗎，我們真是百思不得其解。

姑息畏葸不是和平

聯合國希望和平，不惜委曲求全，就以求和平。和平是人人所希望，人人不願有戰爭，無論何人，皆不願戰爭，亦不願有戰爭；皆可以毀滅世界之原子戰爭。不過和平要我們得到，無論如何和平是好的，要得到和平，是不是姑息所能得到的呢？和平不是畏葸所能得到，和平是有原則的，要解決聯合國之事，若是聯合國，如以聯合國的態度，此是聯合國之力，要明辨是非，不能模稜兩可，是則是，非則非，無調停之可言，判定之後，即須堅決執行，迅速取效，當然，萬不能畏葸退縮。當然，聯合國許多國家，其利害不同，其見解各異，求其言行一致，是一件不容易辦到之事。然正惟其不容易辦到，乃需要有此聯合國。聯合國若對此不容易辦到之事而輕輕卸卻責任，畏難而不辦，甚而姑息養奸，更甚而畏葸避禍，則聯合不是各國之福，而反為各國之禍。蓋行動受牽制，連鷄不能俱飛，本來想藉衆志以成力量者，反為意見不一，自抵消其力量也。故

希望聯合國能發生効力，必須有主持者，必須有大智大勇以行大仁者，於是不能不講到中國文化之儒家精神。

中國歷史的先例

在中國歷史中，不用求聯合國先例，不用說，當然無有。但其形式雖無有，其精神不能謂無有。我先引一句管仲之言，管仲謂齊侯曰，「合諸侯，以崇德也，會而列姦，何以示後嗣，」此語，我們不能滑口讀過。須知春秋時代之合諸侯，是不容易，聯合諸侯，就是聯合，聯合國開會，就是聯合諸侯而開會，不過現在之聯合國，其聯合之單位，至五六十個之多，春秋時代則無有現在聯合國開會之久，歷數十日之期，現在之聯合國，已成為一個永久機關，春秋時代之合諸侯，則臨時會盟，其久暫不同耳。然姑無論其形式如何，其精神則一，「合諸侯以崇德也，會而列姦，何以示後嗣」，此義至今不能易。且正惟其暫也，尚且如此，則永久之機關，更不能不如此，開會日期之短，尚且如此，但聯合多，開會久者，更不能不如此。「會而列姦，何以示後嗣」，我們願當參軍一讀。今聯合國之對中共，認識不清，一面既宣佈其為侵略者，一面不許其進入聯合國，一面所謂聯合國秘書長者，又要代表聯合國去叩共黨之密關，不辭萬里，一機四輪，軋軋大容，何雖大開聯合國之門，歡迎中共代表列席。然則「會而列姦，何以示後嗣」，管仲之言，不當對今日之聯合國進忠告，下警告矣。此說不是書生空談，是現代政治家所應當考慮，若果對此不了解，而徒高冠禮服，昂然進聯合國之門，怒時，互相指摘幾句，怯時，互相欺騙幾句，聯合國變為一個無意識之集團，試問有何意義。

國外通訊

會議的三項目的

【瑪德里通訊】蘇聯於十月廿三日向西方國家發出照會，主張召開四強會議。並沒有達到阻撓巴黎協定於十月廿三日簽字的預定目的，又於十一月十三日發出召開全歐洲卅三國會議的建議。英美法三外長於是在倫敦於十一月十五日舉行緊急會議，一致指出蘇俄的陰謀，拒絕參加十一月廿九日在莫斯科召開的全歐會議。因西歐國家之參與其否，照樣上演。

這次「衛星國會議」的召開，其目的有三：（一）決定馬上軍新武裝布爾什維克化的西德；（二）直接由東德與捷克斯拉夫，匈牙利等三國聯合防禦德國軍國主義的復興；（三）中共參加所有共產集團與自由世界衝突的軍事行動。（那位以觀察員身份在場參加會議的張聞天，不但答應了會議的第三點決定，並以我六億黃炎子孫為當箭牌）

莫斯科會議的因果

共產集團的軍事準備實情

幻想和平共存者可以醒矣

奔流

莫斯科這次會議，雖然馬林可夫的開場白說得那麼變化。細察一下，一點都不稀奇，事實告訴我們，二次大戰結束以來，蘇聯對軍備加強工作，沒有絲毫放鬆，因此形成了西方國家對他的防禦。蘇俄集團反以此為威脅他的「和平」與安全為口實。進一步言，莫斯科這次的會議，是因克里姆林宮冷戰部新近發出的和平攻勢受挫後，為保持他們在新蘇維埃帝國的尊嚴，因此召開衛星國家會議，以成立東歐之「北大西洋憲章國」的軍事聯盟為要脅。

卅多次的整軍會議

西方國家一九四九年在北京舉行會議，以後的「馬歇爾經濟計劃」和北大西洋公約的成立，主要的均是由於「華沙會議」之緣故。於是共產集團由於一九五〇年在布拉加（BLAGA）又重新召開軍事會議，實際上，這次會議，東德已被包括在內，因了當時的經濟、政治、軍事各方面之危機，故才沒有把她宣佈出來。從一

因此這次會議在其本質上根本是多餘的，因為蘇聯與其衛星國家之軍事關係於一九四八年六月的「華沙會議」後，已經建立起來。由此亦可證明，蘇聯侵略世界的計劃，合併衛星國之行動，並非自今日始。

九四三年至一九四九年間，共產集團，對整軍問題，不下召開過卅多次均是以友好互助為名的會議，當時尚包括南斯拉夫在內，為的是提防任何直接間接與德國軍事聯盟對他們的進攻。

南斯拉夫這次毅然的拒絕參加會議，是因鐵托還印象猶新的記着他以往與史太林鬧翻的事實。所以追往歷史，對於克里姆林宮之野心，鐵托可說是知道最清楚的一位，一九五〇年十二月八日，他在國會演說稱：「匈牙利有武裝部隊十六萬五千人，羅馬尼亞有卅萬人，保加利亞十九萬五千」，以後當然還繼續擴充。

據在北大西洋公約成立以前，那時蘇聯與他的衛星國之正規紅軍就有一七五個師團，其中有八五師團，分佈於NARVA-MISK-KIEF-ODESSA防綫，卅個師團在東德，二個在奧地利，餘的有廿七個師團分佈在東歐其他各衛星國，另外在各衛星國本身，還有五十個師團總數的紀備軍。從這些數字看，蘇聯共產集團，他們整天高唱和平，其真面目，可不攻自破。

（下轉第二版）

星期展望

左舜生

冷戰現狀

一、看世界一般跡象，顯然已接近民主集團的信心有加，蘇聯的恫嚇無效。

二、東西反共陣容日趨鞏固，德日武裝勢在必行，而且早有基礎。

三、中共除繼續用這一『解放台灣』的濫調而外，仍須藉打『小敲小打』的手段，從事其他的小搗亂。

四、各方的和平之論，正反映備戰愈急，甚至連這位來不歡喜走動的狄托，現在也居然要出來走走，這證明從

五、蘇聯對世界的緊張局勢，並非無所感覺。

六、韓國問題雖已漸趨沈寂，但胡志明在中共撐腰之下，確有武力統一越南的企圖，這裏面包括無數頗堪玩味的

七、英國態度一天天趨於強硬，這裏面包括無數頗堪玩味的因素。

鳩山跑不到那裏去

鳩山的對國際問題發表了許多語無倫次的談話，已受到國內外輿論的非難，質問，反對黨的迎頭痛擊，已證明這位七十老翁仍不過是日本議會的一大黨，並不會比吉田有什麼高明，自由黨依然是日本過時的人物，而且又已接近大選期間，有所緒方的話，當然是有力的證明。如果因為各方反對而使得鳩山不能不警惕，這當然最足以有好處。

好像安定；專攻的優點是在一政局的變動下容易表面一黨，壞處是床絡的被不多，於腐化，不好的官僚是犯了宜無法的錯誤，便人民好趨於厭倦到底，不容易加以糾正。尤其日本大多數的人民不會對蘇聯，發生永遠信心，仇敵，日本也決不會放縱日本，反之，美國決不會拋棄日本，日本也決不能離開美國；大陸窮得發慌，實際購買力異常薄弱，商的與大陸，過於接近，會引起海外一千萬中國僑商的反感，因而在東南亞的出路要增加困難，這對日本是得不償失的。由此看來，鳩山跑不到那裏去。

韓馬紹北平之行

聯合國秘書長韓馬紹到北平去講生意，看來是勢在必行的。韓馬紹在北平所受的招待，可能還總不上汝牛，為了聯合國的尊嚴，實在是萬分可惜。

中共看來是龐然大物也，實際不過是蘇聯手裏的一張『聽用』，這次蘇聯叫中共把美國十一名空軍人員毅然判刑，在蘇聯的目的不外：一、增加中共與美國的摩擦，使中共不能不更加倒向蘇聯；二、日內瓦會議後，蘇聯不願『冷場』，自非另造新事端使美國的神經繼續緊張不可，這件事也不過是蘇聯的新造事端之一；三、蘇聯叫中共判刑，中共就得判；一旦蘇聯叫中共放，中共也必得放，這證明中共的所謂『主權』，乃正是蘇聯的『主權』，表面是提高中共，實際仍不過是提高蘇聯；四、懂得了這十幾個人，美國決不會因此打仗，但可能叫美國低頭，這於削弱美國的威望，仍十分有效。

有人擔心美國所採的手段過於劇烈，可能召致這些被俘美人的死亡，這倒是萬分幼稚：中共根本是十分卑劣的，她只有膽量殺到中國人，決無胆量殺美國人；中國人換不了錢，美國人可以得到中國錢，一切值錢的東西中共都不肯損毀，如何會損毀值錢的美國人呢？

這件事，從某一意義上說，原來是蘇聯拿美國開玩笑的，只要美國態度能硬，蘇聯還是要發出最高命令叫中共釋放的。周恩來答應接見韓馬紹，說是為了和平，將來釋放這些美俘，還不是為了和平！

六萬億公債

中共又要發行公債，其總額是六萬億（6,000,000,000,000），平均每人分攤不過一萬而已。原來大陸的人口據說是六億（600,000,000），中共竊據大陸不過五年，大陸人民都已變成富翁，誰說中共沒有進步！

「和平共存」的經濟觀（下）

·俞嬰·

經濟尖兵無孔不入

第三階段，由蘇俄選擇一些在某一西方國家之內，由於其他西方國家無法購買，或是不願購買，而致堆積起來的剩餘物資。譬如說：錫蘭島的天然橡膠，係該地唯一的出品，人民賴以換取食米維生。美國有人造橡膠，當然用不着它，於是錫蘭橡膠川路呆滯，蘇俄看中了這一點，馬上在中共操取了食米，把它換取過來。又譬如當伊朗的石油糾紛喧擾爭嚷的時候，蘇俄却從後門悄悄地收購伊朗的鉀、鉛、食米、羊毛和棉花，而以白報紙、糖、建築用的水泥，以及低價的棉織品等物品，作爲交換，並且實際上在伊朗國內獨佔了這些物品的市場。

希臘北部所產的菸葉，以及義大利所剩餘的檸檬、橘子、杏子，西方國家都不留意它，而蘇俄的政治觸角把它銳敏地捲走，致造成義大利以後選舉的危機。

蘇俄的經濟尖兵，在第三階段中，還伸進到西半球的南美去，希望購買南美洲的工業原料——智利的銅——俄國軍火生產中最缺乏的一項原料。以後南美情勢的動盪，未始不是因爲共產黨徒的滲透、煽動所致。

第四階段，則「所有一切人民民主國，不久即將需要從事處置他們自己的剩餘生產。」到那時，蘇俄便將以其產品，用低于成本的價格，大量傾銷于西方國家，以期擊潰西方國家商人從中破壞，作爲不流血的內戰，最後摧毀資本主義的一個步驟。暴露這個階段的眞面目者，已有匈牙利所織的布疋，以每碼美金二角五分的價格（匈國內零售爲每碼二元二角），在非洲大量傾銷；又匈牙利人民必須以十一元價格才可買到的襯衫，却以每件一元二角五分的價格，推銷于奧國。在將來，蘇俄當更會大規模的利用這種手段。

單談貿易是危險的

單談貿易而撇開政治不談，就可以達致「和平共存」之道，那是未免太天眞而太危險了。「在社會主義陣營與資本主義陣營之間所存的矛盾，較資本主義國家間所存在的矛盾爲大」，這是克姆林宮獨裁者是充份瞭解的。而現在偏偏放出「兩個制度可以和平共存」者，一方面以爭取它的本身，一方面在準備，一方面乃配合它的經濟侵略的陰謀。請記住吧，共產主義最終的目的是消滅一切資本主義，以達到它「世界革命」的最後目標。[illegible]（完）

莫斯科會議的因果

·奔流·

共產集團的軍事統一

（上接第一版）許多人還在夢想蘇聯與他的衛星國之關係，尚保有個別國格的關係存在，這是極端錯誤的。蘇聯與他的衛星國之軍事關係，並非是合作與聯盟的問題，而是整個共產集團之軍隊蘇維埃化的一元化的問題。其統一隸系之步驟分：（一）各個國家在戰時建立蘇維埃地區；（二）派遣軍事顧問團，前往各衛星國內；（三）安置蘇聯軍事人員於各衛星之軍事指揮系統，或政治顧問於其各行政組織中；（四）供給武器成就地開設蘇式的兵工廠；並使作戰計劃一元化。經過了這些時期的變化後，各衛星國之軍隊，實際上已成爲蘇維埃布爾什維克的紅軍的延續。不信，我可以一九四九年至一九五〇年間各衛星國的國防部長，總司令，參謀長之易人爲例，可令大家更爲清切明瞭。例如：現任匈牙利的國防部長，ISTIVAN BATA，他在一九二七年即居住在蘇聯，任過烏克蘭一個師團的指揮官，他的前任MIHALY FARKAS亦曾是紅軍領袖。現任保加利亞的國防部長，PETER PANCHEVSKI，他並兼保國之陸軍總司令，當他在蘇聯時，只是一名上校。再如波蘭的國防部長兼三軍總司令羅科索夫斯基元帥，一九四九年被蘇聯當局派爲波蘭的國防部最高軍事負責人，其理由爲他的家庭曾是波蘭的後裔，所以資格最適合；在他手下的四位國防部助理，三軍參謀長，波蘭防軍第二、四、七三個軍的負責人，波蘭地方軍區的司令等，全是蘇聯派遣的人員。

蘇武裝東德實情

只管事實，不問原因——其實克里姆林宮的決策人內心是有數的——西德之所以要重新站起來，是無可奈何的。蘇聯集團却動員全體起來反抗。實際上，蘇聯在東德的軍力是超過西德所有的兵力，隨時均有成爲威脅西歐和平與安全的可能。不斷地默默無聞，不東德的建軍，已經成爲公開的秘密。假如民主國家不健忘的話，當時德國被擊敗後，蘇聯即喊出德國應長期解除武裝的口號。但他一面叫解除武裝，[illegible]保持原狀，並且再度武裝起來。德國的新第八軍之實力多少，目前尚無人得知其實況。但另一方面，蘇聯積極武裝東德情形，也可測知一個大概。這就是東德之武裝人民警察。一九四八年，東德蘇區最高專員柴高羅威基，已組成廿餘單位的人民警察。一個單位曾在西班牙幫助共產黨打內戰聞名的高姆斯特率，於一九四九年九月，被任命爲人民警察首領。所謂人民警察的每一單位，包括有二個陸軍營，一個戰車團，還有砲兵，工兵運及機槍隊，輸送隊。至一九五一年，共有廿五個單位之多，每單位共有軍官六百人和二千三百士兵，還有官與士兵人數之擴充，說明隨時可以擴充，根據可靠的消息，這些單位，在目前已編成七個完整的師，擁有足够的武器和飛機數百架。

這些歷史事實已明白告訴我們，蘇聯這次邀請西歐廿三國討論歐洲和平會議，被西方國家拒絕，無法得逞。在本質上，她並沒有失敗，因爲蘇聯從無和平意願。那麼，她所想召開的會議，當然不能把它[illegible]侵略，她的安全問題又何嘗之有？可是在另外一方面，這次的莫斯科會議，却給西方國家醉生夢死，幻想可以和蘇聯和平共存的人們，一個有力的警告，明白知道蘇聯征服世界的野心，可惜，許多仍存幻想的人們，或者沒有看清這一點，願他們趕快清醒過來，認清蘇聯是眞正的侵略者與眞正和平的敵人！

一九五四年十二月十二日馮德里波

人·物 述·評

張谷雛的詩與畫

·紹華·

（一）

遠在抗戰期中，省港報人李健兒撰廣東畫人傳，錄自溫幼菊，鄧芬以次凡三四十人，獨谷雛則然不與其列。這不是說張氏的畫名不及他們，而是他不喜歡標榜，翩然異衆，掩抑聲光，更足以見他人品的可愛處。民廿七年日軍侵華南，他避地香港，日軍攻陷香港，他徙居澳門，再由澳門入內地，經廣西，貴州入蜀。勝利後由夔府乘舟出三峽，還抵金陵。沿途吟詠不輟，所積詩稿甚富。迨後遊故都，搜購得若干古畫，南歸廣州，在西濠口新亞酒店闢一室以換販畫蹟古物爲生涯。自鐵幕低垂，谷雛攜帶所藏古物來港，隱於市場，全身遠害，保持高潔，比較一般靠撕畫入，自然有涇渭之別了。

谷雛，名虹，順德龍江人，生於光緒辛卯（西元一八九一年）早年習繪事，邑人蔡月樵授以嘉穗永所編畫學心印，族兄張仿菊授以花鳥賦色法，但他不以此自限，常說，學習繪事，得到它的方法，不如得到理趣爲妙，他的見解，實在比較他人高出一等。

民二與高劍父遊江西景德鎮，研究陶瓷業，凡二年。繼赴上海，與鄧秋枚遊。因鄧的介紹，結識日本畫人橋本關雪，橋本爲人甚風趣，能說中國國語，喜收購中國畫，最愛查二瞻的作品，藏有數十幀。不久橋本回日本，谷雛亦東渡。因橋本介紹，遍訪日本美術學校教授，相與研討藝事，及教授方法。橋本以爲習畫應分兩類，其一是藝術和工業相聯繫；另一是欣賞畫，須有獨特風格，作者涵泳於詩文書法。（這是中國歷代流傳的士夫畫）故此成就彼此互有異同。橋本又說：「日本藝術，在表面看來似甚進步，究不能和中國悠久歷史相比較」。他曾有詩句說：「西京餘子眞堪笑，不識東方五岳尊。」這是指一般西京畫家多未曾到過中國，不曉得中國畫蹟的高深。谷雛內悟畫道須從古本求印證，[illegible]古人說：「以造物爲師」。[illegible]居留日本兩載，[illegible]回上海，與鄧秋枚、黃賓虹往還，[illegible]又與高劍父從事仿古，並遍遊與越山水。[illegible]與湖山相對，因晴雨、霧、雲、[illegible]溯舍南北宗諸法。[illegible]南宋馬遠、夏珪，算得是南北合宗，畫法由此一變。

（三）

他所作畫，最著的有匡山雲海六屏，六逸圖，遠景四幅。寫生册有匡山紀遊册、與越楚紀遊册、桂柳紀遊册、陽朔紀遊册、大榕江紀遊册之作，三峽手卷，夔門圖、巫峽圖、西羚峽圖等，可爲眞山水的印證。

遊蹤見於詩的有民三十二至民三十七年的旅途集稿古今體詩一百三十五首，黃濱虹爲作序說：「山川險阻，雲物遷移，天將大昌君之詩與畫。屈以厄寒抑鬱之遇，而伸其英奇磊落之才。造物有心，期待特厚，瑰異尋常，有可知已。」

本來山水紀遊之詩，首推大小二謝；靈運的詩，有得於永嘉諸山水，詩境幽邃峭刻；玄暉的詩，有得於宣城諸山水，詩境明朗鮮麗。谷雛的詩，與二謝不同，自有他的風格，所寫的範圍亦比前人爲廣。

（四）

谷雛的著作，尚有元畫錄，陽羨沙壺圖考（與李鳳坡合著），[illegible]老子書譯，古玉考釋等。[illegible]自勝。[illegible]合黃謝二人推挹的說話，便可知道谷雛的生平大概了。

情報飛來 華府震動

美國防部不久前曾洩露一件令人驚異的情報，其可靠性如何，迄仍爲五角大廈中爭執的題目。據這件情報說：蘇俄最新式的噴射轟炸機可能飛越美國全境，投彈後飛返俄國，其飛行的高度極高，只有極少數的美國噴射戰鬥機可以在高中攔擊。據說：在現行美國武器中，只有一批新式F—100S型噴射戰鬥機和「勝利女神」式飛彈才能抵達這樣的高度。目前國防部正在鑑定這件情報的眞僞，如果屬實，美整個防空制度勢將全部變更。

維辛斯基暴斃 俄醫生連帶倒霉

蘇俄前出席聯合國首席代表維辛斯基在紐約暴斃，至今已逾一月，他的屍骨已朽，但却有一人至今不得開交，這人是俄國的名醫柯索夫，一向派駐在俄駐聯合國代表團總部內，爲維辛斯基榮魯平等俄國高級政要看病。維辛斯基於十一月二十三日突患中風症，瞬即不治，自病起以至猝斃，全由柯索夫一人診治。[illegible]此，猜忌成性的共幹乃懷疑柯索夫有不對的地方，即使不是故意，也受了西方的收買，也可能是處方不當，一時大意而造成了過錯。目前蘇俄駐聯合國的高級職員正在積極追查此事，他們一方面對柯索夫嚴加看管，準備短期內即將他遣送返國，由克里姆林宮嚴加偵訊；同時另一方面，他們復將維辛斯基的病況和柯索夫診治的情形，向美國第一流名醫查詢，看看柯索夫的診斷是否有不對的地方。據說，維辛斯基當日清晨二時二十分猝然中風，經柯索夫診治之後，後者並不曾禁止病人起床，同時也未曾勸告他停止工作。美國醫生對柯索夫的診治並沒有其他不同的意見，只說如果遇到這種情形，將首先用電心動計檢查一番。因此，共幹們聽了這番話，更一口咬定柯索夫確有失職與其他嫌疑之處，偵訊的意念更加堅定。現在柯索夫雖還在紐約，但他的未來生死，確有許多人替他捏一把汗哩。

美太太噓寒問暖 法駐越當局吃醋

日內瓦會議決定由北越劃與共黨後，不甘受奴役的越人紛紛自此南逃，美航艦及兵艦都曾先後參加救運難民的工作。這些難民抵達西貢時，華僑歡迎南逃僑胞的場面經常熱烈動人。但拋家離了的北越人有時難免不遭受冷落。其中原因有二：（一）法國當局對難民南移的工作不大關切，謂之置之不理，也不算過分。（二）南越政府內爭之不暇，自不會抽出時間精力來多做賑濟難民的工作。至於越人本身，同胞物與同舟共濟的精神尚大大不够。因此北越人抵達西貢之際，眼見華僑間的熱烈迎接與扶攜救助的場面，再看看本身冷落的情形，常常不禁悲從中來。最近美駐越使團有鑒及此，曾發動美外交官與軍事官員的太太們親赴碼頭迎接南逃越人，噓寒問暖，贈送救濟物品，確使不少難民感到莫大的溫暖。却不料這件事倒引起了法國當局的嫉妒，他們自己不深自反省，反而醱溜溜地指美國「干涉」內政。（孟衡）

天下小事

台省教育敗類

△李雲田先生來函

編輯先生：

我現在有一件關於教育方面的問題，當得惟有送請貴刊，才易引人注意和促進當局重視，這問題雖不算大，但影響到教界的法度和風紀。

[illegible]

可是現任台灣省立某職業學校校長某君，他是千眞萬確沒有大學專門學歷的，但他做校長至今，[illegible]

悉他在主計室支取最高薪給，亦係其本人條論，該室負責人礙於主管的地位而[illegible]

[illegible]

李雲田敬上 四十三年十二月十五日

編者讀者

稿約

本報園地公開，歡迎讀者投稿，性質不拘，最好勿超過二千字，譯作請註明出處，不合刊用時，當即退還。來稿請用稿紙，勿潦草。—編輯室—

本報特別啓事

茲爲文稿收發郵遞便利起見，嗣後台省文稿改由台北市館前路五十號「自由人」特派員辦事處彙收總轉，敬請台省惠稿諸君，以後文稿逕送該處收轉爲荷！

經濟社會思想叢殘（一）

·金伯華·

一、引論

我被指定與「自由人」讀者談談有關「合作經濟」的問題。這看似「冷門」，因爲於「經濟」之上，加上「合作」二字，驟然成詞，在自由中國合作事業已有半世紀歷史，而合作社的組織，亦確已相當普遍，成爲合作社會結構的一環，對於「合作經濟」這一個名詞甚爲熟悉。

但在一般人看了，恐怕還不免有幾分陌生。——至於共匪這幾年來在大陸所「大力推行」的「合作社」（號稱已有廿二萬五千四百餘個農業合作社）那完全是「過渡」到「共產主義社會」所謂「共產主義道路」中的一個步驟，一種「工具」。「合作」而不是「合作」，當然不是「合作」。這與共匪所用其他任何美麗口號一樣，都是掛羊頭賣狗肉的勾當，固不在我這小小的「叢殘」的論題之內。「合作經濟」四字，易受全國上下的重視，無甚高論，無人重視，其實是人類最優美、最合人性的經濟體制之一種，看似容易，做起來實在相當不易，要具有堅定的信仰和長期的鍛煉，與「民主」「法治」「平等」「自由」「諧和」觀念之需要，與普門及愛心培養並無二致。

讀者試請打開中華民國憲法第十三章「基本國策」一看，該章第三節「國民經濟」所列自第一百四十二條至第一百五十一條都凡十條，雖內容不少部門，如土地，礦，天然力，公用事業，有獨佔性之企業，私人財富及私營事業，對外貿易及金融機構，平民金融機構，農業金融機構等，但最高指導原則，要建設合理進步的「國民經濟」體制，以謀國計民生之均足。要想做到國民經濟的「均」而且「足」，或「足」而「均」，這顯然是「談何容易」！爲達此目的，途固非一途；但無論如何，合作制度爲其中一種主要的設計，那是毫無疑義的。於是憲法乃有第一百四十五條「合作事業應受國家之獎勵與扶助」的專項規定，保障國人瞭然於今後一切經濟的「應以民生主義爲基本原則」而以互助均足爲依歸。這是我國憲法經濟立法的特點之一，也是我國政治建設的根本問題。我們是要建立一個現代民主國家的。我們「當向最上處立志，但必以最低處爲基礎」。最低基礎，在政治方面看爲地方自治；在經濟方面看則爲合作組織。合作社是經濟社會的基層組織。地方自治與合作組織是分不開的。合作社最重民主，最重平等與自由。合作社實可說是主民政治的養成機構。孫中山先生畢生致力革命，就一向以全力提倡地方自治，而在地方自治團體所應辦的工作中，更強調的把各種「合作」列爲「要事」。因爲中山先生所建議的此種「地方自治團體」，不止爲一政治組織，亦並爲一經濟組織」，這種深遠敏銳的眼光和詔示，實爲今天自由中國論政之士所宜懍悟而努力推行。

我想本叢這個平實的立場，或拾人牙慧，或出自心裁，或本於事實的述評，或基於理論的推繹，或徵諸史料，或摭拾軼聞，信手拈來，各成片段，並沒有理論或文章的系統，而名之曰經濟社會思想叢殘，蓋所以表示自知「不成東西」云爾。（未完）

台北的屋荒現象

違章建築禁不勝禁　政府應多建平民屋

于飛

【台北通訊】台北市政府對違章建築的取締工作，儘管十分嚴厲，但違章建築案件仍是有增無已，這完全是人口激增的結果，與都市繁榮的必然趨勢。

這一件事，政府和人民之間，其立場是很有距離的。政府認爲人民不對，爲甚麼不遵照規章，依法途徑申請建築？而人民則認爲政府未免過於嚴厲。不體恤人民的苦況。再說政府的建築申請辦法，手續繁瑣，辦理遲滯，不必說了。人民經濟力量有限，不可能購買昂貴的私有土地，固不可能購買私地，便不能符合申請規定，於是只有廉價頂受私租公地的使用權利，或者乾脆侵佔公地，然後視財力之短長，蓋建違章住宅，故違章建築，都是清苦人家。

據發表：目前的違章建築有六萬餘戶之多。但違章建築也不盡屬老百姓爲然。中華路東西兩道的棚戶，便是官方領導違章建築的事實。這一地區的違章建築，規模之大甲於全省，是由台北市警民協會以籌措經費爲名於卅九年間搭蓋的。中華路分東西兩道，東道且爲壯闊的三線路，給官式違章建築佔了一線，北上的火車進入市區時，就通過於那骯髒污穢的走廊，其對於市容的破壞與衛生的妨害實爲最甚。據報載：信義路二段五六巷有新違章建築三間，取締大隊聞報後前往取締，但到達現場時有某部職員出面干涉，使取締工作無法執行。可見違章建築的取締，並不容易。

我們認爲市政府除了取締之外，善後辦法更爲重要。例如被拆者向政府索償，必須公平。事實上，有的既可以得到土地的調撥，還可以爭得損失的補償，有的則乾脆白費殃，這便有失公平了。

其實禁止違章建築的可靠辦法，是大量興建住宅，以應急需。關於這點，市政府會成立平民住宅興建委員會，主持此事。可惜這一組織被市倫懸斷了。所建的住宅，價格既不平民化，建築物亦偷工減料，爲了購買這種住宅，而發生紛擾，不知多少。這是政府急應設法補救的。

久聞內政部要在美援相對基金項下，撥款興建大量平民住宅，最近且有模型展出，惟售價至少一萬元，姑不論其價値是否相當，但以一萬元的數字說，就不適用於平民的了。這似乎可用租賃或分期付款辦法來作補救。房屋缺乏已成許多大都市的嚴重問題，必須政府能夠切實爲老百姓想辦法，才能逐漸解決。

評·克里姆林宮內鬨秘史（下）

王平一著：亞洲出版社出版

（四）

本月（十二）六日，美國時代週刊專欄載出「蘇俄外交政策」一書著者達陵先生（DAVID DALLIN）最近有一信致紐約時報，他認爲莫斯科現在鑒於非共世界的力量日益強大，蘇俄擴張政策似有暫停之勢。根據莫洛托夫多次警告，蘇俄似有與共產附庸國家構成一個史無前例的「超國家」之組織云。他這個觀察自有其高明之處，但如果西方國家以爲俄共組織的超國家會和我們民主國家的「北大西洋公約組織」一樣，那將會是絕大的誤解。因爲共產集團的權力與指揮中心在莫斯科，過去如此，今後一樣，與其說是超國家的組織，無寧說是共產集團最高參謀指揮部爲佳。因爲共產國際老就是超國家之組織，今後即或方式有所不同，仍將如王平一先生所云一切措施，都以富強蘇俄爲中心，或者說是以保衛共產祖國爲中心。

誠如王氏在本書跋中所云：「關於研究俄國共黨，在本書中可能看到他們的基本理論，不斷革命論與一國社會主義論。這兩個基本理論問題，研究實在不易。……我讀本書，本來不著重理論，只在暴露俄帝醜史。由這一些相互攻擊中，人物，軼事，文獻中看克里姆林宮的內情。但是，我相信讀者們，在每一次莫斯科新事件發生後，將都有使讀者再翻閱一遍的吸引力。」我以爲，著者並非自誇，對於俄共問題要求深透了解的人，本書確有不小的吸引力，雖然這一類專書寫作極難，當然有其缺點，即一個認眞而澈底去研究俄共問題的人，對於本書仍然會感到不滿足。我個人喜歡第九章，杜哈契夫斯基（TUKHACHEVSKY）元帥的革命中簡要敍述，以及第六章中越飛致托洛茨基的絕命書，都是研究俄共最重要的眞跡與文獻。限於篇幅，不能多寫，摘引一段越飛絕命書：「我一生曾想過，政治家應當知道，在適當的時候，如何走開，好似演員退出舞台。我又想，早些離開一定比晚些好。我絕對相信，不久之後，一個危機將會降臨。……經過二十七年在黨中負重要革命工作的我，被事實所迫，走到這個地步，我不能剩什麼，僅僅是一顆子彈貫穿了我的頭顱。……」這聊聊數語，生動真切，實可作爲過去現在未來俄共中共頭子們悲劇的寫照。

（五）

評述至此，應將本書作者王平一先生加以簡要介紹：王氏山東人，現年五十歲，十八歲時（民十二年）加入山東平民學會，任青州分會評議，此爲中國國民黨之組織，是年底王氏即入國民黨。當時國共合作，受山東省黨委員共黨份子王盡美之影響，王氏又加入共黨。民十四年赴莫斯科東方大學就讀，於一九二七（十六年）俄共第十五次代表大會前與俄國反史達林組織發生關係。王氏於民十八年返國，與陳獨秀等組織中國托洛茨基派，並與托氏保持通訊，其信稿時常發表於巴黎眞理報，因見忌於中共匪幫，幾爲所害。九一八後，王氏赴南京留俄歸國學生招待所報到，旋即恢復國民黨籍，參加江西剿匪，抗日戰爭，一直到勝利後戡亂時期，一度担任山東省政府社會處長及徐州剿匪總部同中將政務委員。王氏現任國大代表，住台北鄉間，仍繼續其研究寫作。爲求消滅世界共產主義，我們希望王先生有更豐富，更有系統的共黨問題大作出現。

黃煥文

充分提高政治認識　立局改組必能實現

立法局增加民選議員名額；以及市政局非官守議員應該不是委任而由民選，這兩個問題，前者在倫敦看來，似乎還未曾達到港市民普遍要求；後者經市政局會議一再激辯，已被無限期擱置。在革新會同人致力於香港市政革新過程中，不啻是一大挫折，也是一大遺憾。然而香港地位重要，與人口衆多，比英國在遠東任何一殖民地有過之而無不及的。可是香港政治落後，不特無法與比最落後的非洲，更不能與新加坡媲美，新加坡已升格爲市，尤難與馬來亞相提並論。癥結所在，殖民地主管事務首長，對香港並非漠視，而係認爲港市民對政治無大興趣；但也有人說爲英國前任殖民地部長利特爾頓存有偏見，不作慎重考慮，逕行將十萬市民簽署書予以駁回。

當時利氏所具理由，以爲十萬市民的連署，不足代表十分之一的市民，自是毫無理由中所找出來的「理由」。要言之，市政局祗有四位民選議員：貝納祺、胡百全、區德年、李有璇，卻能代表二百五十多萬全體市民；何況十萬簽名者之中不特括有四位民選議員，而且仕農工商各階層人士亦無不列名其間。就利特爾頓所舉的另一「理由」看來，他說「多數是不識字的販夫走卒之流」，那簡値是對香港全體市民的侮辱，香港雖然有衆多餐若無告之人，以及挑擔販賣營利守法公民，但絕非毫無知識目不識丁者。對香港無識，舍利特爾頓無出其右，今利氏已卸職，現任部長對此應加重視。

然而明年英國普選，對香港政治革新問題，顯亦無暇及此。革新會旨在協助造成健全之輿論，以建設性之批評協助香港政府；並運用方法，在兼顧港府現時所必須保持大多數議席原則下，而改組立法局，以求增加其活力，使立法局的反對力量加強和維持。增設兩席民選議員，嚴格說來，僅能說是一種民主政治的點綴，當非絕無理由的建議。如果倫敦有意促進香港政制的革新，誰都認爲市民再次向殖民地部提供建議之時，不致再蹈過去擱置。至於市政局委任議員改由民選一案，就過去情形看來，官守與非官守的委任議員，在會議席上並無顯著差別，自不能代表全體市民的意見。要充分發揮民意，勢非加強市政局的反對力量不可。因此，革新會既能趁領導市民重責，市民作其後盾亦義不容辭，爲爭取大衆合法權利，爲香港民主政制具體實現，香港市民，應提高政治認識，庶能發揮充分民意，以建立和鞏固民主基礎。是此上述兩大目標，相信不難實現。

蘇俄的烟幕（中）

·矜式譯·

馬倫科夫的態度，在最近幾星期以來，據西方客人所說，他對和平共存那一類話說得娓娓中聽，發而皆中節，在史太林時代是得未曾有的。

克里姆林宮邀祝十月革命節，馬倫科夫對美國波倫大使特別興奮，自從他到任十九個月以來，還還是第一次談話，一直談到午夜，足有四十分鐘。他建議現在列強利用過去外交方法，儘可能不使小事變成大事。

除此之外，馬倫科夫還說由美國衆議員維克西姆給美國人民一封信說：「我們要生活和工作，並繼續共同友好」。最近他在南斯科夫大使宴會上也當着西方新聞記者的面，舉杯邀祝「和平」。他拒絕一位新聞記者給他的一支香烟，但是而帶微笑的告訴他：「不要還繼續寫，蘇聯的遠法禁止吸烟。」

共黨總書記赫魯曉夫提議，鳴南斯拉夫的酒，爲馬倫科夫的和平而乾杯，他對正在側耳諦聽的西方記者解釋：「我們舉杯也隱祝狄托同志和南斯拉夫共產黨」。自一九四八年狄托與克里姆林宮決裂以來，這是蘇俄對狄托元帥第一次乾杯。赫魯曉夫又獨獨附斯拉夫大使維狄克的胸脯說：「我願意南斯拉夫與所有國家——美英法——的友好與蘇聯一樣」。他會見派往莫斯科的美國天主教會教士非森納特，曾說：「建立正義和宗教的自由，時常是我的理想」，他剛說完話，就看見教士和總理握手。

蘇俄計劃首長蘇布魯夫在布爾希亞戲院慶祝十月革命節的主要演說，也抑制了自己情感。他說：最使人激怒的是：批疑於蘇聯對和平的努力，以爲那是示弱的象徵，蘇聯人民知道如何防衛自己，對抗侵略。」

蘇俄以眩人耳目的外交攻勢，運用補補的烟幕，掩飾了他們所謂共存的眞正意向。策動這個攻勢主要目標是，對英法以及中東國家，利用他們弱點，分別拉攏和分化，予以個個擊破；此外是，盡一切努力，誘騙外國人民。蘇俄對他們戰時敵人，日本和德國施以小惠，藉間接手段，圖爭取日本和破壞德國建軍。他們策動和平共存運動，特別是爲阻撓關於德國建軍的巴黎協定獲得批准。莫斯科召開歐洲安全會議被北大西洋公約十七個國家拒絕後，只有蘇俄和七個附庸國家在克里姆林宮舉行了片面會議，通過十八頁的公報，這份羊皮紙的文件，其要點是：如巴黎協定批准，蘇俄與七個附庸國家即將成立一支北大西洋公約式的共黨聯軍，與西方抗衡。

莫錯過時機！

馬五先生

中美共同防禦條約締結後，據說台灣的房地產價格即爲之大漲。這種苟安心理，在社會大衆之間是難免的。他們不理解「燕處危巢」的情勢，也忘掉了故國河山之變，以爲這下子台灣有了這種「泰山石敢當」的保障，不怕共匪來「解放」了，還不應該歌舞昇平麼？

爲遏制這種惰性發展，必須從政治生活入手，而其方法却非以搞些「建醮復仇運動」或「取締卜筮星相」之類的工作爲能事。首先即須大家有戒愼恐懼的警覺心情，認爲這共同防禦條約不特不足以保證我們反攻復國的勝利，即想永遠保住台灣這偏安之局，亦未見得是絕對可靠的！否則杜爾斯何以在簽訂中美共同防禦條約的前夕，竟公然發表對台灣地位問題的言論呢？難道他是忽然害了神經病不成！

光是具有這種安不忘危的警覺性還不够，要繼之以扶危定傾的行動——乘此時機，趕快以全力改革政治作風，把海內外一切反共非共的力量集結起來，形成大氣磅礡的興國現象。最近英倫「每日先鋒報」駐台記者吉爾頓回到倫敦發表他對台灣的觀感，說我們就是靠「反攻復國」這項信念來維繫文武公務人員的奮發精神。這話很對。假使今後不在政治上別開生面，做出一兩件允孚衆望的事來，把海外的人心收拾住，而僅僅以台灣一隅的人與事爲思想對象，歲月蹉跎，將使海外反共非共的同胞，因失望沮喪而逐漸地歸於渙散。剩下住在台灣的少數人士，就能夠打回大陸去嗎？不能開拓心胸，容納英豪，就不够統領全民的政府條件啊！

自由談

共賊們正在大陸上搞「政協會議」，喊「統一戰綫」，求「加強團結」，爲的就在對付台灣。我們呢，有了共同防禦條約後，是否即認爲長治久安，不必多所麻煩了？

不打自招文鈔

・文抄公・

讀者要想知道中共統治下，所謂批評的意義和價值嗎？請看以下這一篇中共刊物上所刊載的文章。文抄公。

巧妙的批評

上海煜昭

老李對於批評和自我批評，特別是對領導同志提意見這個問題，自己有一套看法。每逢同志們在會上向領導同志提意見，他總是躲在人背後，自始至終悶聲不響。有人問他原因何在，他笑笑，輕巧地說：「我是不善於批評的呀！」

老李雖然不善於批評，但對於表揚一項倒頗擅長，尤其是對於領導同志。每次談到科長的優點時，他總是滔滔不絕。單就科長辦事態度這一點，他可以讚揚上個把鐘頭。

當同志們對老李這種作風提出意見時，他臉上強作笑容，像有許多衷曲似的說：「我們必須『與人爲善』啊！」

但是老李這種「與人爲善」的精神，並沒有換取到別人的同情。同志們批評他說：「你的這種態度，並不是什麼『與人爲善』，拆穿來說，不過是一種曲意逢迎的作風罷了！對領導對工作並無好處。」

老李見同志們紛紛指摘自己，知道勢頭不對，便眨眨眼，很快的認識到：「這種做法實在有些失當。」於是鄭重表示：「同志們對我的批評，使我的思想提高了一步。過去我的作風的確不夠正派。今後我一定改正，見到缺點，一定積極提出批評，保證做到知無不言，言無不盡。」

從此之後，科裏開會檢查工作時，老李再也不躲在人們的背後了，他甚至變成了一員善於向領導上批評的猛將。

在一次會議上，老李聲色俱厲的向王科長開了第一砲：「王科長不遵守制度。」

老李突然發出從所未有的嚴厲聲調，使得在座的同志有點吃驚，目光不由得集中到了他的身上。

老李一見自己的發言引起如此重視，心中暗喜，於是指手劃脚，慷慨激昂地繼續說道：「昨天下午下班好久了，我看見王科長辦公室裏的燈還亮着，我走近一看，原來他在批寫文件。我認爲王科長不但違反了作息時間，還浪費電力。再說，身體是革命的本錢，……」

老李就這樣把王科長批評了一大頓。不過，我們看到，跟着老李的批評，王科長的臉上泛起一陣紅暈，眉頭也慢慢地皺了起來，似乎有一種不安的神情。究竟王科長心裏是什麼滋味，我們也不大清楚。但老李變得那樣紅光滿面，神彩煥發的樣子，似乎他感到自己的批評使王科長深感滿意。

「王科長事務主義，」在另一次檢查工作會議上，老李又發言了：「前天，天下大雨，我們運進一批建築器材，王科長親自指揮搶運，雖然表現了高度的積極性和不怕吃苦的精神，……」老李說到此處，潤了一下喉嚨，順便用眼角看了一下王科長的神色，於是更加大聲門說下去：「但是，一個人的精力總歸有限，顧此就要失彼，王科長事務主義，領導同志要警惕於[illegible]則問題。」

老李非常滿意自己的深刻而生動的批評。他結束發言後，有意識地把椅子拉得一陣山響，傲然的坐下。他怡然自得的神色，顯然是深深地慶幸着自己的成功：王科長是多麼需要像我這樣的批評啊！

雲南起義三十九周年紀念日旅台鄉人以余曾躬與役作戰負傷屬爲文一述往事撫今思昔感賦二詩

・張維翰・

往烈追思卅九年。艱難百戰護民權。
當仁不讓羣才奮。首義曾爭舉國先。
撫髀自憐成碩果。遺懷聊復理殘篇。
可堪續絕興亡蹟。付與稗官野史傳。

湘水滇雲落照邊。蔡唐遺塚冷荒煙。
義聲早破新華夢。豔曲今傳小鳳仙。
正氣回天民汗血。狂氛捲地廝腥羶。
幽燕倘踞兒皇帝。慷慨驅胡快著鞭。

有錢的煩惱

・短篇小說・

・洛琦・

「我已說過他們已拆夥了。」

「說不定你的朋友爲了別的關係要回房子，那時，我們住到那裏好，住騎樓底嗎？我不希罕這些假富貴。」

「不會的，他要回泰國了，即使回來，也是暫時的，再退一步說，我們也可以住在屋後的儲物間，那比我們這裏還大得多，好得多呢！」

榮輝不理秀明怎樣反對，祗管動手收拾東西。秀明呆呆地站在一旁，氣得不發一語。

「快點收拾東西吧！搬場車子已在路旁等了！」

秀明跑出騎樓向下一望，果然看見一輛大貨車停在門前。榮輝看出秀明已被說服，再加強語氣說：

「不收拾也罷，橫豎我們的東西都已破舊不堪，全丟了也不值得可惜的。」

秀明拗他不過，便隨便收拾一些東西，心頭忐忑不安，有說不出的難過。

他們遷進新屋後，從此過着新的生活。榮輝自是喜形於色，祗是秀明却整天憂慮，唯恐這樣的日子過得不會久長。榮輝終日無所事事，天天上茶樓，看街景。整個香港吹遍淡風，一條大馬路，有幾家商店不懸出大減價的招牌？中了馬票的榮輝，當然不在乎它減價不減價，祗要他拿出支票簽上個字，就可以把店裏的東西都搬回家裏了。可是，他天天經過那些商店，總在門前久立不敢進去，他是決不能在秀明面前擺出闊綽的樣子的。這種情形，比起未中馬票之前看中一樣東西垂涎三尺，摸摸口袋沒有錢的那種痛苦，甚至還要痛苦百倍。

至於秀明呢？她不慣遊蕩，現在這樣的生活，反而使她祗感到無限空虛。於是，她想起在這些日子裏應該去習些專門技能。一天，她忽然靈機一動，想到有一個成名的女畫家是她讀書時的老師，她想習畫是最好不過的了，便決定去拜訪這位畫家。見到時，她非常誠懇的說出要學畫的意志，女畫家也樂意的答應了教她。

以後秀明就時時在她那裏上課，拋開了家處瑣務，柴米油鹽，一心一意學習繪畫。她聰穎過人，不久，就有相當成績。可就在這段日子裏，她也在一個偶然的機會中知道榮輝實在是中了馬票。後來，女畫家要出國深造，秀明也就乘此機會脫離了榮輝，跟她同去。

時間倥偬，轉瞬已是兩年，榮輝接受秀明臨行和來信的一再勸告，再娶了另外一個女人，他的行爲也從此大爲改變，漸漸變成了一個好人。

一天，榮輝接到秀明一封信，大意說，知道他已變成爲一個有爲的人，而且認眞負起做人的責任，她十分欣慰，也感到此生無憾了，因爲她覺得一個人能夠感化別人，就是最愉快而偉大的工作。她在異國也很愉快，也自有前途，勸他不必再對她繫念。

一個人能夠以行動去改造別人，確是偉大的，秀明雖然脫離了榮輝，脫離了家庭，但是，祗有這樣才能使榮輝轉變過來，而且代替她地位的是個賢良的主婦，所以她離開了也非常安心。

然而，榮輝失掉了秀明，未嘗不是終生遺憾，時時抱疚於心。有時他想起來，便不由不歸咎馬票了，他深恨馬票帶給他無限苦惱，這是他那第二位太太無法爲他消除的。（續完）

狂言「袁中郎」

東郭牙

還云：「吾兄覺病吟，許我羽化。弟自知魔境必不能。出則爲湖魔，入則爲詩魔，遇佳友則又爲談魔；惟數魔愈掃愈集，不知何以藥我？雖然，癖性顛漫凡間仙，世中佛，無律度之孔子，正不必其羽化也。何如？」

狂言集中多曠達狂放者，如贈君實：「惟天生爾兮，奇奇怪怪。惟我知爾兮，實實顛顛。一味懶散兮，中含於意，蹣腔風雅兮，不文其身。特來晤對兮，不言不語，旣而別去兮，愈遠愈親。昔我遊爾兮，偶見有我；今爾撇我兮，我見何人。……」又題友人續絃云：「惟我與君不暫離，心苗眉底總盡知。憶君昔日斷絃時，意氣都消成槁枝。君纔續絃三兩日，萬種淒顏一洗滌。彼裏溫存漆漆濃，眼中顏色嬌滴滴。何嘗不說舊人起，語言無味只如此。譬如今年看桃李，誰說去年花亦美。世間萬事說如君，豈笑君家獨不仁。不須向俗間誰氏，區區就是過來人。」其性狂，其人亦狂，其言狂，其文亦狂，狂則任性，主張人各任其性，于識張幼箴後云：「……性之所安，殆不可強，率性而行，是謂眞人。今若強放達者而爲愼密，強愼密者而爲放達，續鳧項，斷鶴頸，亦不大可嘆哉！」

（四）

「終中郎之世，雖彼迂拙者目爲狂誕，惟遺留人間詩文，在當時誠爲卓絕革新之論。其爲公安派領袖者，洵不誣也。節錄數則，以殿余文。

如敍小修詩集：「……蓋詩文至近代而卑極矣，文則必欲準於秦漢；詩則必欲準於盛唐。剿襲模做，影響步趨，見人有一語不相肖者，則共指以爲野狐外道，曾不知文準秦漢矣，秦漢人曷嘗字字學六經歟？詩準盛唐矣，盛唐人曷嘗字字學漢魏歟？秦漢而學六經，豈復有秦漢之文？盛唐而學漢魏，豈復有盛唐之詩？」

敍雪濤閣集：「……夫古有古之時，今有今之時，襲古人語言之跡，而冒以爲復古，是處嚴冬而襲夏之葛也。」

敍桃花源記：

「……總之，胸中廓然特見，不過拾他人唾餘爲自己識見。把秦漢文字定爲標式，後來文字，倘目稍不似處，便爲不佳。……不知其佳處正在不同古人，若同古人，又作此文何用？竟不成文矣！」

敍姜陸二公遺稿：「……而剽竊成風，萬口一響，詩道寖弱。至於今而市賈傭兒，爭爲謳吟，遞相臨摹，見人有一語出格，或句法事實非所曾見者，則極詆之爲野路詩。其實一字不觀，雙眼如漆，眼前幾則爛熟故實，雷同翻復，殊可厭穢。」（下）

奧惠爾名著改編電視劇

英作家喬治・奧惠爾的名作「一九八四年」，目前已由英國的電影商着手拍攝電影，最近，這部描寫極權國家終極面目的幻想性小說，又改編成電視劇，在英國廣播公司的電視節目中播出。

奧惠爾是一九四九年患肺病逝世的，他這部小說完成時，他已病重，所以英國文學界有許多人認爲，這時他的頭腦已不甚正常，所以才寫出了這樣一本讀後使人無限難過的小說，他似乎對人類失去了信心，在那極權政府控制了一切活動的國家中，連最後一個尚存些微良知的人也被消滅了。他沒有提出一個比較樂觀的結局，也許是個缺點，可是，以這本書的價值而論，可說是現代對共產主義打擊得最嚴重的一本作品。英國廣播公司就說：「這部小說是我們這時代的偉大傑作。」

答王國維的辯護者（下）

・王世昭・

（三）

說到讀王國維的苕華詞「並不一定如何有害」，可是批評者閃鑠其辭不敢斷定是無害。至比之於讀鄭風與衛風，鄭衛二風多談情愛的詩，過去吃禮教的人也沒有說不應該讀，現代男女則更認爲可以讀，以此而喻王國維的苕華詞，相去不啻十萬八千里，不能相提並論的，此其四。

高德泰先生更憤激，問我：「如何不去打擊而手刃毛澤東？」如果說我不去打擊毛澤東，那是冤枉！我所發表的文字，大多數是打擊共產黨（毛澤東當然在內）的。如果說我不能手刃毛澤東，第一、無關於王國維苕華詞。第二、我也像高先生一樣，站在中國大陸邊沿乾着急（或許高先生站得更遠。）第三、有資格手刃毛澤東的人，無過於今日執掌中華民國六十萬海陸空軍的總統蔣介石先生，你我當然也不可妄自菲薄，機會一到，手刃毛澤東也是可能的；李自成最後不是被農民一鋤頭把他敲死嗎？意大利獨裁者慕梭里尼不也死於鄉民之手嗎？所以我奉勸高先生不要着急，等着瞧吧，機會是有的！此其五。

（四）

又王國維先生自沉絕命書謂「五十之年，只欠一死，」以後才說到「義無再辱」。二十五年前東方雜誌影印的珂羅板全文也許找不到，左舜生先生爲「王國維先生三種」序書中已原原本本全錄出來，可以覆按。此書甚便宜，港幣一元而已，請高先生耐心找一找，此其六。

拉雜說來，已是三紙，即答自由人第三九二期一長一短爲王國維先生作辯護的李秋生先生以及高君。關於王國維先生苕華詞的辯論，到此爲止，以後我們不打算再刊載這類的辯論文章了。編者

自由人

THE FREEMAN

（第三九九期）

中華民國僑務委員會登記証僑報字第一〇一二號
中華民國郵政登記認為第一類新聞紙類

每份港幣壹毫　台北市價台幣七毫

地址：香港高士威道二十號四樓
3 rd. fl., 20 CAUSEWAY RD HONG KONG

海外總經銷
友聯書報發行公司
香港：德輔道中二十六號A二樓
台灣特派員辦事處
台北市館前街五十號
台灣總經銷處
台北市西寧南路一〇號二樓
台郵撥儲金戶九二五二

本報為增加報價敬告讀者啟事

本報發行，旨在服務，非以營利，故售價低廉，經常不登廣告。以是營業不免虧損，近來銷路增加，虧損亦日大。同人綿力有限，勢難長此支持。再四思維，謹向讀者請求扶助。茲擬自明年元旦起，酌增報價，藉資彌補。尚承讀者愛護，此舉諒蒙贊助。報價增加辦法如左，幸為垂察！

香　港：零售每份港幣一角　直接定戶每月另加郵費四角（定戶按期數計算）

其他海外各埠：零售每份港幣一角　另按地區分別加收郵費（定戶按期數計算）

台　灣　省：零售每份新台幣一元　定戶每月新台幣八元（航空郵費在內）

本年十二月底前已交費各定戶，期滿再行加價。

國本論（上）

·胡秋原·

唯憲法神聖不可侵犯

自共奸藉俄力及暴力竊據大陸，中華民國政府播遷台灣。有效控制的土地人口是如此不成比例（土地千分之三；人口六十分之一），然在國際上仍為自變的國家所承認，而在國內為愛自由的人民所承認者，不外兩個原因：第一、共黨政權只是俄帝之工具，並行俄帝排外及奴役屠殺政策；第二、中華民國政府乃是中國人之政府而且是基于憲法的合法政府。民國三十五年十一月廿五日國民大會通過之憲法，是中國政府存在之合法根據。憲法是經過全國人民之同意而制定，而中國現在政府是依法選舉而產生的。

憲法是民主國家的真諦，世界沒有十全十美的憲法，也沒有一成不變之憲法。成文憲法實有其價值，但自決憲法普遍的，即以我個人而言，經過十年試驗之後，便有很多意見。但是，在沒有經過合法修正前，他是無上大法，而在我們驅逐俄帝走狗，恢復國土以前，我們不僅沒有任何「理由」，實在沒有任何權利，來更動其一字，或上下其一義。

這道理極為平常，但當時許多人所忽略，甚至在我多年敬佩的人物或朋友中，亦有以「憲法」「白紙黑字」，無可無不可者。例如，我看見從前「自由人」上曾有文章，主張為了擴大政府基礎，即不必拘泥法統，而不妨另起爐灶。我聽見很賢明的國民黨人士更有只要事情做得好，不必問是否違憲之見。這一二月來，在立法院中公然有少數人曾主張，為了反共的軍事便利，不可以憲法妨礙統帥大權。為第一說者，多國民黨外人士；為二三兩說者，多國民黨人。我相信他們出于純良動機。但我相信，這些言論對于國家為危險。不幸而提倡下去，必使中國憲法受傷，結果所至，不僅要影響反共抗俄，甚至即使共亂消滅，國家還要混亂數十年之久，亦未可知。我是不大願意談內政問題的人。只因有感於此關國本，才寫此文，希望一切愛國之士能以更莊敬之心，愛護我們的憲法，無事不可商量，唯憲法是神聖不可侵犯的。

憲法為社會紀綱

一個社會要能安定，必有其維繫之精神力。此在上古時代，稱之為禮。秦漢以後，稱為綱常名教。今日綱常既破，維繫中國要一套制度法律，即成文化之根本法，即是憲法。但我們還在一過渡時代。過渡時代便是革命時代。但革命不是歸宿。由於我們革命時間太長，雖有憲法，憲法意識，憲法習慣，而沒有建立起來。然一天憲法意識不能建立起來，我們便一天不能安定。此言推國，是羨魚而不結網也。

一個社會發生政治組織後，即有政府。一個政府如要存在下去，必證明其正當。武力不能證明的。

有人以為有武力即有政權，所謂「打天下」者是也。其實沒有這回事。天下馬上可以得之，但未有馬上治之者。中國歷史上，政權取得有「揖讓」「征誅」二種方式。揖讓是承繼，征誅即革命。我們在歷史上看見過許多革命，但仔細一看，沒有一個安定政權，是可以全恃武力維持的。一個新政權除了「仁政」「善政」之外，還要在形式上對其合法性有所證明。古人講一「德」字。德不僅指道德（仁政），還指根據，證明，亦即國本。此在秦漢以前，要有神器，寶鼎；而證明武器之合法者，即是所謂曆、讖、諜。秦漢以前之國君，皆五帝之族。兩漢開布衣天子之局。劉邦仍自稱堯後。但這要證明，乃有所謂讖緯。讖緯是不夠的。於是借重孔子學說，並開考試之制。隋唐以後，科舉之制確立，孔子學說有不成文憲法之意義；而考試科舉者，即帝王與人民之代表共同治理國家也。必有讀書人（人民代表）之承認，才算正統。革命二字之命字，原指天命所歸之意，並非專門講打。有武力者多矣，然有的只是閏位、竊犯、僭偽之類，不成正果的。

憲法為政府合法證書

在西方，自羅馬帝國末期，即需要教會證明王位乃奉天承運（BY THE GRACE OF GOD）。其後亦有正統主義（LAGITIMIS M）。荷蘭英國革命後，契約觀念逐漸代替天命和正統觀念。至美國獨立，始有系統而成文憲法。

（下轉第二版）

論聯合國（下）

·伍憲子·

聯合國不是和事老

聯合國之目的，為救世界於和平，不是粉飾外平，作無聊之調會聯歡。既集各國代表於一堂，必須有正義可以致和平之觀念。大家堅守之而不渝。如此，則非保持一個和平態度所能辦到，更非裝成一個半明半暗若強若弱之彈蛋，所能應付。孟子說「五霸桓公為盛」，我們試讀春秋，桓公自魯莊公九年入齊，十年即被魯師敗之於長勺，齊兵威，當時並不震於諸侯。至十三年，齊始朱人陳人蔡人邾人為北杏之會，然而宋人背北杏之盟，十四年桓公就請師於周，單伯會齊侯，取成於宋而還，左氏傳特稱「齊始霸也」。十六年，春秋書「宋人齊人衛人伐郕」，何以先書宋，杜注謂「宋主兵，故先書宋」。蓋宋與鄭都是同盟之國，但鄭不恤同盟之義而侵宋，桓公為宋伐鄭，制止鄭之侵略，用兵為宋，不是為齊之私，實為同盟之公也。是年冬，春秋書「公會齊侯宋公陳侯衛侯鄭伯許男滑伯滕子同盟於幽」，經過兩次用兵之後，齊桓公之聯合國成立，團結始固。假令桓公只以聯合為聯合，純為和平，憚於用兵，則宋鄭背之，諸侯亦可以自由行動，所謂九合諸侯之霸業，就難沖突。此種歷史，值得今日聯合國之偉人們考慮。孟子說「五伯桓公為盛」，葵邱之會諸侯，束牲載書而不歃血，孔子說「桓公九合諸侯，不以兵車」，可見桓公之所謂盛，不是耀兵威，然而桓公亦斷不是事姑息，畏葸，陶醉於幻想之和平。因此，我們應進一步，考齊桓霸業的精神。

齊桓維持和平的精神

齊桓霸業既成之後，春秋於魯莊公二十二年特書「秋七月丙申及齊高傒盟於防」，杜注謂「高傒齊之貴卿，而與魯之微者盟，齊桓謙接諸侯」，此是齊桓霸業精神之一。閔元年春秋書「齊人救邢」，左傳載「狄人伐邢，管敬仲言於齊侯曰，戎狄豺狼，不可厭也，諸夏親暱，不可棄也，宴安酖毒，不可懷也，詩云，豈不懷歸，畏此簡書，簡書同惡相恤之謂也，請救邢以從簡書，齊人救邢」。此是齊桓赴義之單獨行動，不待同盟之會師，同盟縱有姑息畏葸，不肯同惡相恤者，不能阻之。蓋其已認定豺狼之不可厭，不顧與豺狼講和平共存，此是齊桓霸業精神之二。春秋書「齊人救邢」之後，續書「齊師宋師曹師次於聶北，救邢」，又續書「邢遷於夷儀」，又續書「齊師宋師曹師城邢」，此種書法，具有深意。一表示齊師先出，感動諸侯會師，二表示城邢雖諸侯之力，然不顧邢之主權，故書邢遷於夷儀，表示邢人自遷，發其主權也。左傳載「師逐狄人，具邢器用而遷之，師無私焉」，此不只兵力援助，兼經濟援助，用此大力，而師無私焉，此是齊桓霸業精神之三。僖二年桓公又率諸侯城楚邱而封衛，左傳稱「邢遷如歸，衛國忘亡」，此種僅見道義精神，而不是功利主義。尤有當注意者，齊桓能懷選所援助之人，左傳載「衛文公大布之衣，大帛之冠，務材訓農，通商惠工，敬教勸學，授方任能，元年革車三十乘，季年乃三百乘」，可證得其人而援助之，方不浪費。否則馬歇爾計畫，與羅斯福之第四點計畫，皆黃金擲虛北平，此是齊桓霸業精神之四。積此種種，於是僖四年有召陵之師，不戰而楚人屈服，此是齊桓霸業精神之五。葵丘之會則在僖九年，據孟子所說，五命之中，斬釘截鐵，絕無游移之詞，此是齊桓霸業精神之六。我既由聯合國回想到春秋霸國，單舉齊桓言之，其行動之足令人感動，令人取法者，已如此。於其自然而然，不期然而然，又由春秋霸國推想到聯合國。

聯合國十年成績如何

聯合國之缺點，是缺乏能主持之人。以美國之地位，本來可以負起主持責任者，但齊桓之德，美國人似未識研究之，齊桓能物色衛文公，美國人似忽略之，宋背北杏之盟，齊桓能毅然伐宋，鄭背盟侵宋，齊桓又能毅然伐鄭，救邢之舉，不待諸侯之會師，而毅然先出兵，凡此種種，美國人皆似未能領悟。因此之故，在聯合國中美國受多方面之牽掣，不只失去主持地位，有時且讓人主持了。如最近之讓韓馬紹電周恩來，請定期會晤於北京，以齊桓霸業精神許之，是絕對不許可者。然而聯合國竟有此不智舉之，就是美國已失其主持地位之故。夫為避免戰爭，誰人不欲，惟必識所以避免之道，齊桓不容許宋鄭背盟，此避免戰爭得其道也。救邢存衛，不惜一戰，以遂狄師，此避免戰爭，以戰止戰之道也。果然，召陵之會，陳師而楚服，避免大戰矣。葵丘之會，不以兵車，而五命之中，無人敢犯，又避免大戰矣。聯合國則未識此義，美國人亦未識此義，涓涓不塞，將成江河，丹丹不滅，……而前，不思後患，而似慷慨激昂，實醉生夢死，所謂……者，許多無關痛癢之詞，所有人者，許多才有論，不只同盟諸國，互相摸捉不着，並一個人之前後，亦往往變易，自打嘴巴，這使聯合國變成一個全無責任隨便說話之俱樂部，聯合國陳列着許多面孔不同心腸各異之代表，此而欲求各國和平，世界安定，是南轅北轍。然則今後如何，當回頭尋光明之路。

如何轉移危局

我再引左傳一段，結束本文。僖七年左傳載，「鄭伯使太子華聽命於會，言於齊侯曰，洩氏，孔氏，子人氏，三族實違君命，君若去之以為成，我以鄭為內臣，齊侯將許之，管仲曰，君以禮與信屬諸侯，而以姦終之，無乃不可乎，……記姦之位，君盟替矣。」此話以今事釋之，齊侯若許子華之請，就是春秋時代之葛尼克與雅爾達協定，子華得列於會，就是容許中共入聯合國。然而管仲一言，挽救了齊侯，齊侯亦當機立斷，霸業之成敗，在轉瞬一念之間。今聯合國之危險前途，比齊桓所處尤甚，而識得補切陳詞，轉移危局者，尚無管仲其人。西方民主國家之政治家，其有一隙之明，能領悟中國儒家哲學者乎，聯合國之命運繫之，今後世界人類之安存與否繫之。

（完）

一週展望

·旭東·

美國的長期計劃

從最近美國政府的措施來看，知道他們的決策從「長期」的打算。以國防部的預算來看，最為清楚。他們不再好像以前預測某一年，便是蘇聯發動大戰之年，於是預算也成為波浪式的高潮。在韓戰前軍費祇一百三十億元。但韓戰爆發後的一兩年，每年的軍費預算達五百億元。然而今年與明年會計年度的軍費保持在二百九十億至三百億元之間。

至於人力的使用，也依照「長期」的計劃，已節省的用。空軍與海軍也平衡發展。最近福勒斯托號航空母艦方下水，至一九五六年方再有同樣的巨型母艦兩艘下水。決定以母艦為活動飛機基地作原子與核子武器的實際敵人的準備。

不錯，美國自有其理想的全盤計劃，理想的時機，對蘇聯作清算。蘇聯的「和平共存」口號騙不到美國的。但美國那種只見森林，而不齊手伐木的眼高手低的作法，也是錯誤，尤其是對亞洲會有貽誤時機之弊。

不可忽視反共意志

美國已認為要打就打大熱仗。對於對付共黨的打小仗和半冷半熱的仗，大腹賈山姆叔叔似不感興趣。現在給財政部長堪富利的鐵算盤計算得更精。

總說一句，就是他們以為圍堵的防禦，化本錢小，解放政策恐怕惹起糾纏太久的戰爭，化本錢大。最令他們有驚懼回憶的是韓戰。其實韓戰是應該打的。如不打，日本早已完結，但弊在不肯澈底的打而已，弊在「有限度的戰爭」而已。

其實為圍堵戰略而花的錢，必然花得冤枉。在蘇聯不敢大打熱戰的大提前下，就應該實行解放戰略，首先協助最受奴役而渴求解放的國家，進行自由十字軍革命戰。未受奴役之國家，求苟安之國家，可將其撇開，無傷大雅。凡無反共意志的，算不得是盟友，而是包袱。數年來的經驗與教訓實在太多了。

今之向共黨國家阿諛獻媚者，非有所愛於共產主義也，畏其侵略以求苟存而已。維持友好關係則可，協助其對共黨作政治戰則不可，協助其經濟戰則可，但由從其軍事與外交戰略則不可。美國今應有「撇」的勇氣。如無反共意志，儘可將其撇開。

所謂「調整關係」

最近「謀與中共蘇聯調整關係」之聲，洋洋不絕於耳。重光葵鳩山一郎之流，以及南斯拉夫的鐵托元帥，都謀與蘇聯「調整關係」，緬甸總理宇努也居然想調整美蘇關係。

但不管你調什麼，整什麼關係，但有損及解放戰略者則不可。換而言之，被奴役的必須有爭取自由的機會與權利。如有壓抑此種機會與權利的，斷不予同意。今後在爭取原子武力均勢的時期中，苟安者必然叫囂「調整關係」。什麼可倫坡國家會議，什麼亞非會議，必然叫得震天價響，但為自由世界之領導者，必須堅持上述的鐵則。什麼兩個中國，什麼台灣獨立國，都是絕對荒謬。

為自由世界領導者亦必須以協助被奴役的國家求解放為急務。共產國家設了鐵幕，其內部之不安往往為人所忽視，從蘇聯前任安全部長之被處決看，即可推想，這樣優良的時機應該加以利用。

諾蘭與艾森豪威爾的政見相異之點，就在上述的評論。艾克着重在理想的大戰，拉住「盟友」。諾蘭便着重在實際打擊蘇俄之附庸，要專心援助渴求解放的盟友！

中共的經濟人海戰

再次强迫購債的分析

金曄

中共於本年十二月廿日經「人代常務委會」通過發行一九五五年「建設公債條例」。該條例並於同月廿一日由新華社正式露佈。公債發行額爲「人民幣」六萬億元。合美金二億五千三百五十萬元。

本年內，中共已經發行過同樣性質的公債六萬億元「人民幣」，實際上被强迫認購的數字高達九萬億二千餘萬元，超過了足額百分之五十三以上。

根據中共「國務院」的指示。對於連續向人民以公債方式榨取，已肯定的作爲今後「籌集社會主義工業化所需的資金的重要和經常的方法之一」。易言之，即中共在籌措軍火工業及其附屬性的重工業方面所短缺的資金，今後將經常以發行公債的方式强迫大陸人民來背這個沉重的火藥包！也即要廣大的大陸同胞，在「經濟戰綫」上進行人海戰！要吸盡每個人的血和汗，用來拱衞和强化蘇聯帝國及其對外侵略的實力！

就中共的經濟實情分析，它已走到了窮途末路的邊緣。龐大的軍火工業，重工業以及戰略性的交通建設，已將大陸同胞的經濟儲力吮吸殆盡！

這裏，就中共「國務院」的有關指示，進一步加以剖析，以便更易了解這次發行公債的眞相。

分攤內容及其目的

在總數六萬億元「人民幣」的公債中，預定由職工承担一萬五千億元，其中以工人、店員、機關、團體及文教工作人員分担一萬四千億元，部隊幹部一千億元；農民担承一萬八千億元；其餘二萬七千億元悉由城市私營工商業、公私合營企業的私方及其他城市居民承担。

就上述攤派數字來看，很顯然的，中共這次發行公債的首要目的還是在向私營工商業及公私合營中私人資本和一般城市居民開刀，其次才是農民；至於所謂職工中的機關文教人員及軍隊幹部分担的數字，只是點綴而已，因爲其中絕大部份，已爲人數較衆的工人和店員所承担了。換句話說。愈是騎在人民頭上地高位愈，直竊剝削人民利益愈多的中共黨、政、軍各級幹部，權力愈大，就出錢愈少！

以中共暴力政治內容分析，它是始終認定必須以「階級鬥爭」和「消滅資產階級」來鞏固政權的。因此，在「經濟戰綫」上，也就絲毫不能對人民略予放鬆。

中共不僅認定私營工商業和個體資本家爲資產階級，即使是小手工業者和農民，也一律看作是滋生資本家的根源。列寧曾極其悪毒地說：「農民是最後一個資本主義階級」；劉少奇就這條教條引伸而提出了「對農業和手工業的社會主義改造」的兼併政策。這意味着，除了對資本家之外，對待農民手工業者，也必須不斷地以窒息性的經濟控制力，加以抽縮其勞力儲蓄，使永遠依賴共產黨而不能經由儲蓄累積以獲得經濟的獨立，而對共黨產生任何反抗。這也就是中共連續發行公債的主要目的之一。因爲這樣更利於「階級鬥爭」和「消滅階級」！

暴力强迫的購債

儘管中共「國務院」的指示說，「在公債推銷中，要貫澈合理分配、自願、量力的原則。」但這無疑的是欺人之談，在同一指示中，會以威脅逼迫的語氣說，「認購公債……在政治上也是一種愛國主義表現。」這無異對大陸同胞發出了强迫購債的命令！誰敢不購或不按分配少購，就是「不愛國」——就是在政治上背叛不忠於中共政權。就要遭受到逼害。

中共以是否購債，和購債多少，來判斷人民對其政權的態度，在不購債——少購債即「不愛國」的大帽子下，還有誰敢不自願？

公債的總數和總分配額，既是由中共欽定的，在分配到個人頭上時，又加上了一頂可怕的帽子，還有誰敢不盡力（而不是量不量力的問題了）去承担呢？

催逼繳款的手段

最後繳付認購公債的款項，雖規定期限在一九五五年的十月底，但是在細則方面，却規定職工在一次認購後，由「所在單位在其工資或津貼內分期代繳」……亦可「一次繳納。」固不論是一次或分次繳納，中共絕不怕購債的職工賴債。對農民，則規定「隨認購，隨繳款」，這比對待職工較緊嚴。主要目的在防止農民以躊躇認購和延宕繳款的抵制方法來破壞，以至債款落空，打亂計劃，至於對私營工商業或個體資本家和城市居民，則規定了「一次認購，一次繳清或分期繳納的方法。」這項規定，看來似較寬待，事實上是强硬地規定了必須一次承担確定的數額，若嗣後無力繳付債款，反正中共手中掌握專治權，必要時可以併吞其企業或沒收其財產，故亦不會落空。

此外，在推行强迫購債和收繳債款方面，由各級中共機關指定專責幹部負責設立辦公室，專門從事推銷和催繳。當然，也必須藉重中共的警察統治力，爲推行購債和催收債款的主要工具。

經濟上的惡性循環

中共明年再發行公債已是一個鐵定的事實，故對於其財經實際狀況和大陸同胞的實際償債能力，也必須予以研討：

首先須認定，中共今天的財經狀況已深陷於惡性循環狀態中。由於對外負担着蘇聯的債務和對蘇聯衞星國家的輸出和援助，以及對西方國家的貿易支付，已使其不勝負担；再由於軍火工業、重工業、戰略性交通建設和粉刷暴政用的龐大土木工程，已將整個農村經濟搾乾，抑且吸盡了財富的潛力。年來不斷發行公債，乃是强迫大陸同胞在工作上增加其工作度，儘量出賣勞動力；失業的則束緊褲帶以待宰；這種殺雞取卵以人民血汗代價的罪行，在遭受到水災和嚴重缺糧的大陸同胞，那是萬難承受和容忍的。今日中共統治下的工商業，固已全部爲中共所鯨吞，而農村飢饉，已臨最嚴重的關頭，却爲中共帶來了貧血症。

根據新華社本月十四日，十六日的電訊報導：大陸全部缺糧或部份缺糧的地區，「遍及二十四個省」！即使是向稱「黃河百害，唯富一套」的河套區，也發生了糧荒！黃河、長江、淮河流域的農民及部份城市居民，目前最好的生活，也祇能吃點東北的雜糧。

中共今天急切須要的是錢，但大多數的人民却在飢饉中。外債和「建設」，搾乾了人民，而人民因飢饉又必須中共「救濟」，但除了向人民壓榨之外，中共並無第二條路可走，這就是中共自己無法擺脫得開的財政經濟上的惡性循環症！

公債解不開死結

中共以災黎遍野的社會經濟，奢言工業化和不斷進行對外侵略，區區六萬億元「人民幣」的公債，何濟於事？當然，如果說不抽緊人民的褲帶，不讓這六萬億「人民幣」回籠，無異是更加重中共政權的危機。但就實際的發展軌迹看，可以肯定的說，在刺刀尖下，儘管中共可能「勝利完成」來年的公債推銷額，可是經濟上的死結仍然是解不開的。相反的，祇有帶給它更多的惡果，爲人民帶來更多的痛苦！

大陸同胞忍受中共殘暴的統治，能力不是無止盡的，每一次的暴行或剝削，正是中共求自斃的不義罪行的表現。

再次發行公債，僅是飲鴆止渴而已，對自始即已存在的經濟死結，是無所補益的，而這個死結也是解不開的，中共的公債，只有加速共走上死亡之路，才能發揮其最大的作用！

四十三年十二月廿二日

人物述評（一）

緬懷「台灣義人」吳鳳

·小丞·

最近台灣嘉義，在吳鳳故鄉竹崎鄉，興建吳鳳成仁紀念碑，突然發現古老骨骸數節，經吳鳳第八代孫吳德明的證明，認定係吳鳳遺骸，要求政府改葬，並重建墓碑。縣府以事關重大，應挪重考證後，再行處理。

提起這位在台灣婦孺皆知的吳鳳義士，他的故事，實在太動人了。兩百年來，一直照耀在每一個台灣人的心上。

吳鳳，字元輝，先世福建漳州人。祖父吳道，明末即已渡台。父親吳珠，到了台灣嘉義，與阿里山一帶番人貿易。吳鳳即在嘉義誕生，以通番話，乃任通事。

他秉性忠厚，極端愛護番人，不僅教他們化俗從善，還使他們對於衣食住行加以改善。因此，番人對吳鳳視同父母，敬禮不衰。

當時，番人有一種殘酷的風俗，性嗜殺人頭，每當祭祀祖先，必在事前殺一顆別族的人頭，以作祭品。吳鳳任通事的前一年（康熙六十年），已殺了四十餘人，留下了四十多顆首級。

他雖苦勸番人，停止妄殺，無如積習已深，不易改變。最後，他以變方式，與番人商量，把那些已積聚的人頭，以後一年用一顆充當祭品，不再多殺。番人接受了他的勸告，有好幾十年不再殺人。可是過了四十多年，吳通事已經鬚髮皆白了，乾隆卅年的時候，番人發覺人頭已經用完。於是向吳鳳商量，又要開始獵取人頭。他再三勸阻，舌敝脣焦，才把他們說服，總算又安然渡過三年。

（二）

不料乾隆卅四年八月九日，適逢番人三年一次的大祭日，這一次，再不能沒有人頭了。番人紛紛結隊，直來相扯。吳鳳苦勸終不見效。他見事至此，無力挽回，眼見殺人慘劇就要發生。而且，他知道惡風一開，便無了日。於是他告別妻子，離家外出。另外寫了一封信給番人酋長，大意說：『你等必欲殺人，可於明日正午，有一穿紅衣騎馬過此者，可以殺之。』

酋長得書，不知何意。第二天七午，番人聚集通事衙門附近，不見吳鳳蹤跡，以爲他怕着殺人，躲避起來。沒有好久，眞的看到一紅衣人騎馬而過，番人一蜂窩過去把這人殺了。等割殺了頭，仔細一看，原來就是吳鳳。番衆大驚失色，爲之感動不置，從此再也不敢殺人了。

我們看了上面的故事，覺得吳鳳以一個小小通事，深入邊荒，肩負移風易俗的責任，他的力量眞像太陽月亮一樣，照澈了人間的心靈，帶來了人羣的幸福。再其次，他始終出以誠，不用權術，他的成就，也就超越了一切。他爲了一個理想，艱苦工作了四十七年之後，一切智慧方法用完了，便獻身作最後的努力。目標還是求成功，並不是用死求痛苦解脫，或卸除責任的。

（三）

他之受到世人崇拜，在日本的兒童小學國語（文部省編），就有吳鳳一課。日本小學國語十二册中，我國人之獨佔一課，孔子，諸葛孔明以外，就只有吳鳳了。

日人中田直久還著有「殺身成仁通事吳鳳」，後藤新平作「吳元輝碑」，三浦幸太郎亦編有「義人吳鳳」。另外，曉堤公校還編有兒童劇「義人吳鳳」，全劇分二幕，還插入馘首高山族歌。即此可見日人對於吳鳳的崇拜和敬仰。公義正理，可謂超越國家界限了。

台灣通史，早有他事傳，日人山濟憲所作台灣舊蹟誌，亦有他的事略。合人梁容若所著的「仁聖吳鳳傳」尤有很正確的見解。近來國定小學國語課本吳鳳篇，就多從梁先生的文章刪節編入。近來國內詩人，會槊台灣，關於他的歌頌，更是琳瑯滿目，美不勝收。

嘉義的吳鳳廟，又稱「阿里山忠王祠」，已經加以修飾，煥然一新，蔣總統題賜「舍生取義」匾額。「重修吳鳳廟記」，係賈德院長撰文書丹。廟的四週，園滿紅花美樹，綠草如茵，跟天光山色，十分調和。左右隙地，闢爲公園，栽了不少奇花異卉，點綴著亭台池塘，噴泉藤架，使這令人崇敬的吳鳳故鄉，變成幽美雅潔的風景區。

吳鳳殉難處，是在一個平坦的田壠裏，有一塊長圓形的天然石，上面刻着「義人吳鳳終焉之地」八字，令人肅然起敬。

編者　讀者

關於王詞的辯論

李秋生先生來函

編者先生：

讀自由人第三九七、三九八兩期王□□君「答王國維的辯護者」一文，文義較前支離更甚，其是否言之成理，文壇自有公論。「王楊盧駱當時體，輕薄爲文哂不休，爾曹身與名俱滅，不廢江河萬古流」；老杜此詩，可爲今日之事寫照。

編者不擬再載此類辯論文字，筆者深能體會此中苦心，亦不願再浪費自由人篇幅。惟有兩點不能已於言者：第一、王君文中因筆者引拉瓦西埃被殺事爲喻，王君竟指爲「……大放厥詞，爲中國共產黨作暗示宣傳，這到値得大家研究研究一下……」語涉羅織中傷，實有莫測高深之憾。論詞而竟涉及「爲共黨宣傳」，可稱千古奇談。

筆者素行無虧，絕不畏怯任何冷箭。但準之「不可與之言而與之言，失言」之旨，只有自感慚愧！第二、筆者前在台時，與若干愛護「自由人」人士談及本刊，多認爲近每有不够水準之作見於本刊，深感遺憾，此點筆者亦有同感。「自由人」一向以風格見重士林，如常有太幼稚荒謬之作雜出其間，實有損本刊聲價。希望編者今後選稿能更愼重嚴格，則對於本刊與讀者都有好處。

此函盼在本刊公布爲感。

李秋生拜啓　十二月廿六日

△傅正、刁抱石、彭楚珩、狄介先、娑婆生、周陶遷、陳雲英、陳銓鏘、周廉、唐夢、王兆裴、徐鐵英、夢山樓、金曄、小丞、劉鷺如，諸先生：惠稿已一一收到，至感幸！

國本論

胡秋原

（上接第一版）

自是以來，一國如不自甘居於不文明之列，無不在形式上採取憲政。大家一面遵守憲法，一面循憲法軌道爭取政權。只有憲法才是至高無上的根本大法，也便成爲國家的代表。憲法是民權的保障書，也是政府合法證明書。所謂守法，首先是守憲法；所謂叛國，首先是叛憲法。即使是君權國家，如日本，反對天皇並不是以反對天皇本身爲犯罪，只是憲法規定「天皇不可侵犯」，而以犯憲論罪。即使是軍國主義國家，如德國，其軍人效忠國家，首先是宣誓效忠憲法。一般民主國家尤其如此。

然憲政國家亦有治亂之別。「徒法不能自行」，端就要看國民是否誠意守憲了。平心而論，美國憲法不是很好的。然美國之所以成爲標準民主國家，即在他們對憲法死死遵守，刻板遵守。而行憲初期最高法院首席法官馬歇爾（J. MASHALL）護持不苟，厥功最大。美國一般人民讀物，無不首揭憲法。美國的教育，首先教育憲法。誰說這不是其富强之本呢？

俄帝也有憲法。其一錢不值，不僅在本身之荒謬，尤在其根本是白紙黑字，自欺欺人的。

守憲乃爲人之本

民國元年孫臨時大總統頒布的約法，是中華民國的基礎。民國三十五年蔣主席頒布的憲法，是我們新的基礎。有此，才算有了國本。先聖教人，最重本末。君子務本，本立而道生。時在今日，守憲也者，其爲人之本歟？人民固當守憲，政府，尤其是國民黨，更利在守憲。例如三民主義原不過孫中山先生之學說，國民黨一黨之理論。反對三民主義本應不成爲罪名。但自憲法規定中國爲「民治民有民享之三民主義共和國」後，反對民治民有民享的三民主義，便是嚴重問題。又如反對一黨領袖，乃尋常之事。但藐視，侮辱，危害代表國家之元首，便是嚴重問題。又如共黨也號稱革命。何以我們視之爲叛國之逆奸呢？因爲他們反對的不是政府，而是憲法。憲法是最高名器。然則我們猶可唯力是視乎？

缺乏憲法的教育

民國以來的政府，常教人民愛國法治。今日大家無人自認不愛國、不法治、不民主。是否愛國、法治、與民主，在過去只有各本天良，沒有一個具體標準。有了憲法，便有標準了。守憲法，便是愛國，便是法治，便是民主。世界各國，未有離憲法而言愛國法治民主者。可惜我們有了憲法以後，卻沒有注意憲法教導國家官吏與人民。

（未完）

本報特別啟事

茲為文稿郵遞便利起見，嗣後台省文稿改由台北市館前路五十號「自由人」特派員辦事處彙收總轉，敬請台省惠稿諸君，以後文稿逕送該處收轉為荷！

經濟社會思想叢殘（二）

二、合作與「合作」

•金伯華

記得民國十年前後，上海申報評論當時北洋某某兩系軍閥商議「合作」的主張，曾把「合」字拆了開來，說他們「人各一口」。這分明是譏笑北洋軍閥們唱高調的意思，而考他們的「作」為，其實都只是「勵精圖『亂』」，「各行其『非』」。但若從民主政治的角度來說，這「人各一口」的說法，却也未可厚非。在民主國家裏，不是人人都享有所謂「言論自由」的權利嗎？言論自由者，正是每一個公民對於國家社會公共的事情，都可本着良心，各就所知，用口頭（演講）或文字（著作）來發表「他的」主張，雖或對於政府當局有所冒犯，祇須他的話是「不妨害社會秩序，公共利益者，均受憲法之保障」。而且除非為了「防止妨礙他人自由，避免緊急危難，維持社會秩序或增進公共利益所必要」，國家並不得以法律加以限制。這無非為的是要讓各人的口可以暢所欲言，不必存絲毫的顧慮。

這一個「人各一口」的民主精神，在合作主義的經濟制度裏，比較一般政治的情形，格外旺盛，格外突出。

一人一票制

為什麼？因為，在合作社社員大會裏，無論某一社員的股額比其他若干社員大多少倍，但表決起來，每一社員都祇有一個表決權，甚至同一代理人，亦不得代理二人以上的社員，而且每一社員，根本就不得握有社股股金總額的百分之二十。這在合作經濟學上叫做「一人一票制」，是一百一十餘年以來全世界合作組織所一致遵行的基本原則之一。「人各一票」豈不是比「人各一口」更為具體，更合於民主的要求？這是合作社與普通商業股份公司主要不同的所在。然則到底什麼叫做「合作」呢？

是的，這得要有幾句話交代交代。這也就是本節標題要把第二個合作名詞加上一個括弧的原因。

合作一語，在通常意義，原指二人以上同勞共作而言。英文的COLLABORATE，法文的COLLABORER，都有TOGETHER的意思。英文TOGETHER這字是個助動詞，表示二人或二人以上對於某事大家一道來幹的姿態，即平常所謂「一道幹」（WORK TOGETHER，TRAVAILLER ENSEMBLE）是也。至於幹的什麼？是好事還是壞事？是合法還是犯法？一概在所不問。是好的事，例如在政治上，有「周召」的共同輔政，在經濟上，有管鮑的不均分財，自古傳為美談。至於壞的事例，那就可太多了！即如眼前香港的「老千」試問有那一個騙局不是有二人以上的合作？……

合作的眞義

我們此裏所談的合作，並不是上文所說的合作，而是近代經濟社會思想學術界中一個嶄新的專門名詞。我們在「合作」二字上加一個括弧，就是為要表明這「合作」不是那合作。這「合作」，日本人稱為「組合」，英法文都為CO-OPERATION。當年戴季陶先生特把「組合」（CO-OPERATION）譯為「協社」而不用合作，也無非是要使這「合作」與那合作有個分別。（稍後，樓桐孫先生所譯法國查理季特CHARLES GIDE名著LA CO-OPERATION一書，亦稱「協作」而不叫合作）。後來人們不知怎的沒有採用「協作」而沿用合作，以至於今，致使少數學子認文生義，誤以為「合作」就是通常的合作，不易了解到「合作」是近代人文科學一個專門的新名詞，陷入於一種模糊影響的概念，實在是一件不無幾分遺憾的事。

合作運動憲章

我說這「合作」是個專門的新名詞。不是嗎？這「合作」（CO-OPERATION）一語是英國羅培爾・歐文（ROBERT OWEN 1771—1858）自一八二一年創辦「經濟學人報」THE ECONOMIST刊物以後，才第一人使用這個字的。他自一八一三年發表一篇「新社會觀」（A NEW VIEW OF SOCIETY），對於當時由新興工業所引起的社會問題，經過長期的觀察思考以後，乃主張如欲改革經濟，改造社會，造成一種新的社會環境以期實現自由康樂的社會，惟有採行經濟結社的合作制度。到了一八四四年，在曼徹斯特附近的一個羅虛戴爾（ROCHDAL）小鎮上，有二十八個窮困潦倒的紡織工人，繼承歐文的衣鉢——其中有二個實際上就是歐文的學生——創立一個「公平先鋒社」，訂立規章，建制嚴謹，就成為百餘年來全世界合作運動的憲章。頗堪與英國在政治運動上的「大憲章」相媲美。所以後來全世界的人都就尊稱歐文為「合作」之父。（未完）

公務員待遇獲改善　勞工福利豈容漠視

從一九四七年到目前為止，香港市民生活負担一直有增無減。就當局發表民生活指數統計數字看來，除了衣着，電力、潔淨等項外，屋租，教育，醫藥，均有增加；尤其日常生活必需之飲食指數跳躍，最為顯著。受薪階級與一般平民感受威脅最大，[illegible]緊關着生活水準下降而來。但如何改善二百餘萬深受經濟困厄的市民生活，港府雖有專設機構進行研究，但至今所想出的解決方法，大抵都是治標的，例如鼓勵節育，促進生產開發經濟等，對市民生活改善方面，不能發生重大影響，尤對於失學失業的嚴重問題，社會局雖已特別重視，能否獲致妥善辦法，主管方面雖作令人滿意答復，社會各方面熱心人士莫不引為隱憂。

港府最近消息透露：數以千計的低級公務員待遇，將有調整之望，從表面看來，這是一大喜訊；然則他們的待遇，早應加以改善了。遠在一年以前，本報對於港府「合理」調整公務員待遇，[illegible]似乎祇顧到住寬敞宿舍與出入汽車代步的高級職員，並不彙察生活困難而月俸在二百元以下的低級員工。這種不合理的調整，不消說是未曾顧及低級公務員[illegible]。去年十月一日公務員薪金修訂辦法生效以後，二百元以上的公務員，早經比照指數調整（原薪並不增加，事實上生活指數津貼均已超過一般公務員原薪），當時倘將第四第五級公務員同時調整，顧將超出他們薪俸總金數倍，薪俸委員會或以此等「理由」，未加重視，且此等公務人員，幾無一為歐籍人士。如所周知，歐籍人士不特享有高優薪俸，而且均有巨廈宿舍，[illegible]自不得不由港府負擔，[illegible]亦情理之常。[illegible]今後各級公務員住宿問題，[illegible]可謂公平合理之至。以此為例，人們對市民生活水準提高，勞工待遇改善，也應及時考慮。[illegible]給予他們生活負擔減輕與提高工作效率，却有極大的幫助。

讀者論壇

向自由祖國伸訴

彭遂民

我決定寫這篇東西——向自由祖國伸訴。因為我覺得比之緘默無言要好些。我虔誠的希望愛護自由祖國的仁人志士，能夠重視我這個眞理的莊嚴伸訴。

（一）

中華民國這一代的青年，是五千年來歷史最不幸的一代。年少讀書的時候，即橫遭日本軍閥的瘋狂侵略，我們懍於「國家興亡，匹夫有責」的先賢遺訓，聽從國家的號召，滿懷熱血，毅然投筆請纓，接受了最嚴格的軍事教育，從事保衛祖國的八年聖戰。把我們最絢爛的少年時期，都交給了國家。我們在冰天雪地，荒山叢嶺，酷暑蒸人的時候，過着風餐露宿和槍林彈雨的生活。於屍橫血岸之中，為爭取祖國的光榮與生存，咬緊牙關，鼓勇前進。自始至終，沒有絲毫怨懟。日本軍閥投降了，我們畢竟贏得世界第二次大戰最後的勝利。不幸這個以血肉換來的勝利，又遭到朱毛的割據叛亂，以至大好河山，於極短暫的時間，黯然變色，成為屠場。於是我們喪失了人類應享有的一切權利與保障，被迫離開祖國。亡命異域。過着牛馬般的流亡日子。

（二）

自由祖國啊！您所揭示的反共抗俄國策，不是要拯救彼中共奴役的同胞嗎？不是要摧毀暴政，實行民主，給與全國人民以眞正自由嗎？為什麼從鐵幕魔掌脫險出來，要歸向您懷抱的善良同胞，却不容許他們進入自己的國土呢？我們之要求回到自由祖國，並不是追求安樂，更不是貪圖孤島的富貴利祿。乃是不肯屈服強權，尊從法統，共赴國難而來的。我們在時局非常黯淡，勢同絕望的時候，雖飢寒相煎不變，困苦顛躓不變，拘禁拷掠不變，受恥受辱不變，九死一生不變，時愈窮而志愈益不變。我們要效法岳武穆，文文山，史可法，要效法伯夷叔齊和屈原田橫。這該是大家所同情的罷？該是政府所應獎飾的罷？

（三）

屈指計算，我們流亡異域已五年多了，這日子不算短，我們無時無刻不抱着滿腔心情，希望能夠回到祖國的懷抱。但千呼萬喚，總是石沉大海，聽不到一點回聲。您對於許多善良的小同胞，縱然有所疑慮，五年來也應該有個清楚的調查。千千萬萬不該使您的善良兒女們，飄零在天涯海角中，成為無國無家無依無靠的災民！再看那些誤國殃民的王侯將相和劣紳之類，您却多方設法迎接他們歸隊，這到底為甚麼呢？他們已往利用國家權力，建築了空中樓閣一樣的虛名，但一陣風雨，就把他們倒下去了，您也跟着吃了大虧。今天您仍然不顧實際，還要抓住這些徒有虛名的人物，到底有何意義？當您多災多難的時候，他們已經遠走高飛，遨遊海外，置洋樓，作寓公，擁黃金美鈔，擁嬌妻美妾，樂不思蜀了。這些人，已往如果有一點愛護國家民族的觀念，國家會遭遇如此不幸的悲慘局面嗎！環顧宇內，我們的國家，無論物資人口，歷史文化，有那一點不如人？俄帝竟驅使赤色漢奸，在我們領土之內，生根繁殖，謀財害命。這難道不是過去這班誤國殃民的王侯將相和劣紳土霸，造成的結果嗎？為甚麼現在您還要對這些人物加以寬容，對於忠貞為國的小民反加以苛待呢？

（四）

自由祖國啊！多年來我們一直如癡如狂的追隨您，擁護您，熱愛您，保護您。為着您，我們流過不知多少汗，流過不知多少淚，也險些送了性命。做夢也沒有料到會有今日這樣的遭遇。所以我要舉出幾件事來向您伸訴！憤怒的莊嚴的伸訴：

韓戰一萬四千俘擄中，有若干歸來的義士，您對他們恩典有加，難道我們就不如他們嗎？

外交部一位職員的捷克籍太太，在神州陷賊四年之後，才從鐵幕邊緣的貴州走出來，到了台灣，便變成了「模範母親」。這個女人的行動，會不會是共黨的詭計呢？我雖不敢斷定，但不免是可疑的外籍女人。以往她沒有為國家出過半點血汗，現在却受到您大大的恩賜。而我們是與生俱來的黃帝子孫。我個人更是中央陸軍軍官學校的學生，是中央正式的陸軍軍官，是近二十年來，死心追隨政府的幹部；却受到冷酷的待遇，享受不到憲法規定所給與國民的應有人權，這眞是使人痛哭流涕長太息的了。

叛國的翁文灝，以前不是中華民國堂堂皇皇的相國嗎？國家待他不薄。他降敵了。他的「相國小姐」，竟在台灣廣播，要她的賊爸爸回來。如此覥顏無恥的叛徒，政府還是要他回來嗎？此外還有挾外人勢力，高喊「反共反×」的許多人物，自太平洋彼岸翩翩歸來，竟成了得意人物，有權有勢。

今天您似乎一面反抗奸邪和強權，但一面又表示歡迎奸邪和強權，至於不奸不邪，又無強權的小同胞，雖苦苦哀求，要回國，您竟不加理睬了！

（五）

上面這一類事實，眞是太多了。如果說我們有罪，便應使我們回來，治以應得之罪，我們並不會和毛邦初那樣，要和您鬧到洋法庭，連年糾纏不息的。如果我們無罪，您應該充分給予保護，使我們安全自由回到祖國。這是您義不容辭的責任。

自由祖國啊！您知道嗎？我們亡命異域已五年多了，雖慘遭種種不可思議的苦難，我們並沒有氣餒，更沒有墮落，無日不思奮發自強。我們正當少壯之年，春秋鼎盛，我們都是革命的青年，三民主義的忠實信徒，反共抗俄的堅強戰士。我們有充沛的熱情和毅力，也有鋼鐵一般的體格，我們有為國雪恥復仇的壯懷，也有為國為民的崇高理想。海可枯，石可爛，只要一息尚存，我們決不停止努力。自由祖國啊！您為什麼要對我們這樣的小同胞，小幹部，這樣冷酷呢？是否因為有人說看見我們和這兒『四勢力』人物往來呢？或者已偵察到我們和這兒的『七勢力』集團，打過腳板手印呢？這些『莫須有』的罪名，我們是決不任受的。自由祖國啊！我們是沒有罪的，在以往的日子裏，我們已盡了應盡的責任，只差沒有一死。現在為什麼要拒絕我們進入自己的國土？為什麼要把我們長期軟禁異域？我們實在不解，所以，我要寫出這篇眞理的莊嚴伸訴，無處可告的莊嚴伸訴！

蘇俄的烟幕（下）

◦矜式譯

迄今為止，蘇俄的和平共存宣傳，並沒有使巴黎協定及西德建軍受挫，但這運動不論成功抑失敗，蘇俄的主要意向似乎是與西方國家關係的大門不會關閉。因此一般觀察家相信，蘇俄待巴黎協定批准，一定會採取新行動，以適應未來情勢。他們將在柏林製造新糾紛，或推動東德正式建軍，或要求芬蘭參加共黨集團以為報復，不過除非專家們搞錯了，蘇俄當不致認為西德整軍能導致大戰。

然而華盛頓決策人，認為經過了兩次世界大戰，蘇俄要顧慮德國重整武裝，也是有其理由的。去冬柏林會議時，杜爾斯國務卿曾向莫洛托夫開誠相告，美國安排國際管制德國建軍，這等於保護了蘇俄的利益。這樣的論調，大致將繼續向蘇俄提出。美國所希望的是：一旦德國建軍成為事實後，蘇俄可能改變他們對自身安全的那種誇張觀念。迄今蘇俄還沒有表示他們願意改變態度，但是恐怖政治的放鬆，和消費品的應市，已給予蘇聯人民一種安全和福利的感覺，因此他們對維持和平也有了最大的興趣。

但如果蘇俄突然將目前的和平共存政策再加改變，在史太林時代也許十分容易，在今日却可能遭到人民的反對了。（節譯「新聞」周刊）

稿約

本報園地公開，歡迎讀者投稿，性質不拘，最好勿超過二千字，譯作請註明出處；來稿如不合刊用時，當儘速退還。來稿請用稿紙，勿橫寫。

——編輯室——

紙老虎與紙燈籠

馬五先生

「美帝是紙老虎」，這是中國大陸上的共產黨徒一句阿Q式的反美口號。這年來，他們向着中國民衆不斷地倡說「仇視美帝，鄙視美帝，蔑視美帝」的三視主義，儼然自大自器的氣概，不可一世。

然而，一個美國與自由中國政府簽訂了共同防禦條約，登時魂飛魄散，心神震懾，在電台上，在報紙上，在會議場合中，叫囂騷突，力竭聲嘶地發出反對言論，迄今未息，而且更見張皇失措之象。既說「美帝是紙老虎」，爲甚末突然又對着紙老虎發抖不已了呢？這就是共產黨徒眞正的本質流露，他們素來就是以扮鬼臉嚇人作起家的本領，所以，把中國人口亦說成神話式的激增數字、表示人多不怕死的阿Q精神，目的祗在嚇唬英美人士。它原是一只紙糊的燈籠，經不住風吹雨灑的！

我們中國人樣樣事都不及英美人士高明，唯有對共產黨本質的認識和共應付方略，憑着二十多年的痛苦經驗，不客氣地敢說是老大哥了！英美人士始終以「英共」「美共」的現有意識形態來衡量中共，很本就是牛頭不對馬嘴之談，抓不着絲毫癢處的。像美國現在爲着十幾個被拘囚在中國大陸上的公民，即急不暇擇地要聯合國派大員去向中共叩頭乞憐的作法，那就永遠不足以言反共勝利之道。共黨的內心上如其眞是不害怕「美帝」這隻紙老虎的話，漫說是十幾個美俘無赦，就是千百成羣，也必囚殺不救，殺害一個，不會公開宣傳的。它外宣揚，這就等於綁票匪徒撕人勒贖的玩藝，慌張些甚末呢？

我有一種感想：認爲韓共向南韓進軍侵略時，如果不是杜魯門主政白宮，美軍一定退守日本，教李承晚先生把南韓政府一同流亡到東京去再說罷！杜魯門當年就說是：史大林如要跟我談判世界和平問題，請他乘機到華盛頓來談，無任歡迎。艾森豪先生呢？却願意走到半途去跟馬倫科夫們握手。憑這點氣概來觀察，就知道自由世界的領導者，已一蟹不如一蟹，難怪共黨要特別蹊蹺美國人了！

記李麻子——根源

夢山樓

近讀本刊記劉麻哥一文，提到章太炎，李根源，與他們三人曾在蘇州鬧得很熱烘，李麻子，人稱爲李康子，因爲字形有些相似，這麼，便引起我對李老的回憶了。

（一）

談到李根源，確有記述的必要，因爲他是民國初年政治舞台上風雲人物，又是政學系的發起人，影響當時政治的力量很大，殊不料，晚景不佳，以風燭殘年的老翁，竟做中共的俘虜，這是他一幕悲劇，也是國家的損失。

雲南騰衝是他的故鄉，他別字印泉，晚號曲石老人，民元會任陝西省長，與民國元老于右任交稱莫逆。黎元洪爲大總統時，他任國務總理，很有一番作爲，可惜當時一般官僚政客滿朝野，督軍團又擁兵自雄，他雖具有文武兼資的雄才，救國救民的宏願，但也沒有辦法挽回既倒狂瀾的。

這時梁啓超在北京創設政治研究會，時人稱爲政學系，李根源，湯化龍，張君勵，楊永泰，都是會中的大將，一時大吹大擂，聲勢浩大，將成有力量的政黨，但後來梁氏倦勤了，於是研究系就偃旗息鼓，分爲兩個支流，一個以張君勵爲領袖的國社黨，（即民社黨之前身。）一個便是李根源所領導的政學系，一直到國民革命軍北伐時，他才退隱蘇州，安度在野的生活。他閒居久了，人也老了，可是，在抗戰開始時，于右任爲念舊誼，偏要邀他出來做雲貴監察使，『翰林院做知縣』，默默無聞而已。

（二）

他在蘇州時，和章太炎，劉成禺，盤天詩酒流連，講經說道，一個叫劉麻哥，一個叫李康子，和我們國學大師章瘋子三人爲朋，的確替蘇州點綴不少風采。他詩不及麻哥作的多，學不如瘋子那樣專，但他也是博覽羣籍，兼工詞翰，好講內王外霸之術，而且，氣概雄偉，頗有海納百川無所不容的胸襟。晚年喜研書法，對於漢魏碑也有相當研究，不過，粗枝大葉，未臻純熟的境界，爲人作聯，好寫『筆落驚風雨，詩成泣鬼神』兩句，他的抱負也可想而知了。

迨軍返昆明時，已經七十歲了，青山一角，是他託命的温床，但，對於地方文物掌故，依舊研究不遺餘力，編著幾本小冊子，供人參考。此時筆者正由中原逃至昆明，會記簡是他七律一首，中有一聯：『……進老山中稱宰相，歸來澤畔有詩篇……』聽說博得他老人撚髯一笑！

（三）

雲南王，盧漢叛變後，他閉戶山中，堅臥不起，這時筆者倉皇失措，『日慮騶騎之來也。』又常是他一律，收句有云：『……朱家不作郭生死，今日何人解布危？』他還講過的贈我一絕，用漢碑寫成巨幅：『壯年好控不羈馬，難得元章識我心，贈爾龍沙千里駿，一鞭風送華山陰。』不久，筆者就微服離昆明了。

後來，聽說他被中共強迫到北京參加政協會議，因爲紅朝軍事首領朱德是他雲南講武堂及門弟子，又曾做過他的屬官，不過以他的學術和政治主張與中共當然格格不入的，前年我在某報上看見一段新聞，彷彿他又賦寓蘇州，作寓公生活了，以年近八十的老翁，適當這樣遭際，他內心的悲哀，也許比別人更甚的。

徵招

羅自芳

自神州陸沈，流亡海角，故交零落，萍散星流，離羣索居，觸多感慨！甲午初冬，余君芍之兄自星洲返台過港，久別重逢，樂正無極。促膝旅舍，作竟夕之談，翌日旋復匆匆別去。惆悵余懷，其何能已？賦此寫意：

天涯長恨知音遠，欣看故人重到！認取鬢邊絲，笑歲華空老。傾盃拚一醉，話長宵短，遠難催曉。機趁晚來風，匆匆去，意共白雲俱杳。莫道別情深，況故山魂繞。艱難猶未已，且休賦，庾郎哀調。把肝胆，細論平生，試與君相照！

短篇小說　當

楊海宴

（一）

志蕙哥哥的喉嚨與嘴唇，眞像世間一件最奇妙的樂器，凡是江南農村所能見到的飛禽走獸的聲音，他幾乎都能以口的舉眞畢肖，就憑這本事，便能在孩子羣中，一文不化換得許多玩具；他父親是個老實安份的莊稼漢，母親却又非常的刁鑽強悍。在村中提起「秀二嬸」，誰都是驚震三分的，倒非眞個怕她，只是惹了她，便像燈草掉在油甕裏，她總得沾滿一身油才去，單純老實的「鄉下佬」，爲求息事甯人，遇事也便讓她幾分罷了，這樣一個逗人嫌惡的女人，却生下個精明伶俐的兒子，毋怪大家異口同聲的說：「這是秀二爺的祖上積了蔭德，像她這樣個潑婦，屁眼再挖大一點，也屙不出這麼個芽子來。」

從這段話裏，就不難知道志蕙哥哥是如何的「深得人心」了，他除了解去人們因他母親的緣故，所應加予他的成見外，同時還在衆人心裏烙定了一個好印象，一個纔八九歲的孩子，便表現得如此不凡，實非容易，「這芽子長大了必是好脚色，不知要勝過他爺幾多倍！」這幾乎成了有口皆碑的讚語。

他家很窮，穿的衣服，皆是父親短襖單衫，經過修改整補而成，七拚八湊，然一經穿在他身上，便顯得精精緻緻，素素淨淨的；他身[illegible]，圓圓的臉蛋，兩頰經常是紅噴噴的，一绺一搭子，輕柔烏亮的貼在額角上，更是嫵媚；小鼻，細嘴，說話或者笑時，紅唇邊透出一列細巧的白牙，們盈盈的，分外逗人愛；逢年過節大人們在紮彩玩燈時，便選中他「男扮女裝」，而這，向是孩子們心目中所羨慕的事，因此，他不止爲大人們所寵愛，同時也是孩子們所崇拜的英雄。（二）

有年春天，父親自縣城作生意回來，給我帶回一件新鮮的玩具，那是一架用花洋鐵皮子作成的汽車，小巧玲瓏，如擰緊發條，便可自動行駛，我捧着它，[illegible]帶在書包裏；[illegible]背完書，先生[illegible]了，每逢還當[illegible]鬼臉，一步一[illegible]走蹓，直到先生[illegible]進當屋正房來，有的撕下[illegible]，然後撐捐鼻[illegible]，有的轄着臨[illegible]便從他包裹拿[illegible]往大桌面上，[illegible]，許多「同窗」[illegible]引過來了，[illegible]我搖擺着上身[illegible]看驚奇羨慕的[illegible]呀。

「喂！志蕙哥哥，你怎格不來看呀？」

[illegible]哎喲，咕嚨咚滾得好快啊！」（一）

關於張三丰（上）

徐眞

武俠小說，在通俗讀物中實佔有一部份勢力，它很適合一般低級趣味的欣賞。所以一直到現在，所謂小說家者流，還在那裏吹噓弄鬆，擺擺功架。

講武俠，自免不了談宗派，談家數，稱道「少林」「武當」。少林是外功，亦稱外家拳，武當爲內功，又稱內家拳，其法以禦敵爲主，非困不發，純以內功見長。武當派之祖師，爲張三丰，但武當有兩個張三丰，一爲宋人，一爲明人，絕不容混扯。武俠小說中，每多淆混，即前人筆記中亦有弄不清者，蓋同姓名居址，而又皆爲修身養性之士也。爰蒐述爲次：

（一）

先說武當山，山在湖北均縣南，一名太和山，又名參嶺，爲大巴山脈。山共二十七峯，其最高者曰天柱峯，亦曰紫霄峯，又叫做金頂。據說張三丰者皈武當修道於此，明永樂中修[illegible]玄帝，因稱此山爲玄嶽，又名太嶽，歷代修道之士，如陰長生陳摶等均棲隱於此。』又載：『洞玄眞人者張三丰，宋時人，隱武當山，爲拳家內功之祖。』因爲武當是『歷代修道之士』棲息之所，而被推爲[illegible]武當派」之祖。王漁洋謂：

「拳勇之技，少林爲外家，武當張三丰爲內家，傳關中人王宗，宗傳溫州陳州同，明嘉靖時人，故今兩家之傳，盛於浙東，順治中王征南爲最著，[illegible]人也。」又云：「征南之徒，又有僧耳，僧尾，皆僧也。」

「張三丰，明遼東懿州人。名全一，又名君寶，號玄玄子，[illegible]以其不修邊幅，又號張邋遢。[illegible]」明實錄亦載：「洪武二十三年，庚午，詔求仙人張三丰，[illegible]」給不知何許人，[illegible]

洪武初，入武當山[illegible]，大耳圓目，鬚髯如戟，寒暑惟一衲，[illegible]無人，時人呼爲張邋遢。[illegible]

從王漁洋的記載來看，這個「有拳勇之技」的武當張三丰，亦就是明初之張三丰，又是怎樣的一個人呢？撰史載：

[illegible]中作一聲，手中持方尺，[illegible]易混爲一人者，除姓名居址相同外，一稱「洞玄眞人」，一號「玄玄子」，又一稱「通微顯化眞人」，在清初如王漁洋等也已不甚分別了。

蘇俄藝人的寂寞

白譯

紐約先鋒論壇報的女記者赫金絲最近遊莫斯科，曾訪問了蘇俄最著名的芭蕾舞星之一——烏拉諾伐。烏拉諾伐所以能成名，處處體從共黨的「政治指導」，還是其主要原因。赫金絲劈面第一句話就問：

「你的成功有沒有給你帶來快樂？」

「這是件很奇怪的事。每次盛大演出後，我總是聽到熱烈掌聲，我要謝幕許多次，也接到許多花束，可是有時我回到家裏，却感覺心理如一片沙漠。」

「你是怎麼成功的呢？」赫金絲又問。

「苦練是我唯一的成功秘訣。譬如說，今天是星期日，我卻已練習過三小時了。」

賞菊

·何志浩·

靜莊主人舉行菊展大會，羅列名種數百本，請于右任，賈景德，陳含光，張昭芹，張默君，李漁叔，錢遜廬，陳定山，張相主，賈邁蓮，馬紹文，鄒魯，曾今可，林尹，成惕軒，江絜生，余未觀漁諸先生，品評題名，高張菊榜，列坐其次，詩友爛詩，未遑辭命，因採菊名綴爲長句。

靜莊佳色黃花黃，香清曲欄占秋芳。
品種多過三十六，冰姿雪彩英煌煌。
東方瑞靄秋容淡，輕明淨潔開曉粧。
秋山紅樹伴月斜，海棠沉醉頹迴廊。
梅辱爭妍無絕豔，錦砂奪麗非尋常。
月朵風搖玉搔頭，金縷衣衫舞霓裳。
花盡無花籠捲瘦，采摘帝女升中堂。
雪痕掩映霜比傑，英雄獨尊白衣王。
金獅圖出東海春，銀河浮舟來帝鄉。
白傳緋衫金錯落，雪兒還求塡枕囊。
惠遠袈裟早脫却，君子大隱棲柴桑。
神女也作公孫舞，網溪佳友銜杯長。
鄺潭月色映清澈，謝家那有田舍娘。
漫言壽客五美具，領略晚花冷更香。
重陽高會發落英，名題菊榜生秋光。
三徑未荒有眞賞，白衣送酒何徜徉。
我來賞花東籬下，遙想寄傲倚南窗。
弓矢之神若征袍，風骨稜稜傲秋霜。
吳鈎帶雪三更月，馬嘶秋風馳戰場。
吟邊數開子美淚，北望王師洗靖康。

自由人

THE FREEMAN
〔第四〇〇期〕
中華民國僑務委員會
頒發登記證台教新字第一零二號
中華民國郵政登記第一類新聞紙類
〔半週刊每星期三、六出版〕
每份港幣壹毫
台北市售價台幣壹元
督印人：羅嘉欽
地址：香港高士威道二十號四樓
3 rd. fl. 20 GAUSEWAY RD HONG KONG
香港發行及業務接洽
高士打道66號 電話：七四〇五三
承印者：東南印務出版社
地址：高士打道六十四號
海外總經銷
友聯書報發行公司
香港：德輔道中二十六號A二樓
台灣特派員辦事處
台北市館前街五十號
台灣總經銷處
台北市西寧南路一一〇號二樓
台郵撥儲金戶九二五二

恭賀新禧　自由人

四四新年獻辭

——抱歉沒有太吉利的話可說

今天是中華民國四十四年的元旦，就種種情勢看來，恐怕依然不是太可樂觀的一年，正相反，乃是更應該提高警覺，好好應預付，以防或一不利情況可能發生的一年。

中美條約的得失

不錯，『中美共同防禦條約』的簽訂，這於自由中國地位的確定是相當有益的。不過這一條約最積極的意義，仍只限於確保台澎。就條文說，我們要自動反攻，誠然可以不必受到這個條約的束縛；可是除確保台澎一點以外，美國也沒有負担其他的任何義務。依據確保台澎這一意義推演下去，今後美國對我方的軍經援助，當然還可以加強，可是加強的最大限度，是否會僅限於保台澎則有餘，攻大陸則不足，這依然是我們所不能不顧慮的。

誰說不受束縛？

所謂反攻大陸並不受到這個條約的束縛云云，在我們自然可以有這樣一種解釋；可是，假如我們自身既已具備反攻的力量，而無須等待美國更多的援助，那我們不簽訂這個條約，豈不更爲痛快？如果說我們要反攻，到底非取得美國更多的援助不可，那末，便是說美國肯多助則我們便能反攻，不肯多助我們便不能反攻；我們的反攻與不反攻既決於美國的肯幫助與不肯幫助，這樣一來，豈不是不肯束縛而束縛自在其中？進一步說，今日整個的世界本來就互相牽製着：美國要對國際採取一個重大步驟，非多少受濟英國的束縛不可；英國亦然，甚至有時候這位八十高齡的邱首相，還非遠涉重洋，親自跑到華盛頓去把艾森豪以及美國政府說服，便不能採取任何一個涉及國際的重大行動。作爲民主陣綫的領袖國家如英美，其相互間的束縛尚且如此，何況我們？

『和平中毒』的國際

今天我們要反攻大陸，換言之，便是要把當前這個不合理的世界現狀，運用武力去加以局部的改造；更澈底言之，便是要把三十年來由蘇聯所一手造成的這一大傀儡，而且是被蘇聯所視爲一大寶貝的中共政權，去加以根本的消滅。像這樣性質的一個事實，在國際看來，當然不會認爲這僅僅祇是涉及中國自身的一項孤立事件，而必然要認爲這是可能牽動整個世界的一件大事。假如我們從中國東南沿海，穩紮穩打以逐步進攻，原可不一定掀起世界大戰；可是在今天這一已經『和平中毒』的國際現狀來說，有不少畏戰，厭戰，避戰，或根本不能戰的國家，他們卻非把我們的反攻與第三次大戰混爲一談不可。蘇聯對於這一點看得相當明白，因此儘管在她自身，在東歐，在中國大陸，在北韓，在越北依然是積極備戰不遺餘力，但她卻是一口咬定『和平』不肯放鬆。中共秉承蘇聯的意旨，不僅由周恩來用甜言蜜語向四面八方大弔其膀子，現在居然運用到這位『國母』『宋慶齡向美國也實行『拍拖』！

『兩個中國』的妖夢

假如美國和我們簽訂這一『中美共同防禦條約』的基本精神，只限於確保台澎，那末，這一條約便不啻爲今日的所謂『兩個中國』說直接留下一大漏洞！我們不要誤信所謂『兩個中國』僅僅只是來自英國，來自日本，來自乃至來自自居慈善家，努力這無不相干的人物，據我們所知，即在華盛頓也並不缺少抱有這種謬誤觀念的分子！因爲在他們的邏輯看來，確保台澎與承認台灣獨立政府實際上並沒有什麼矛盾，即於美國在太平洋的防衛，也不會有什麼損害，一切爲了避免戰爭，一切爲了美國利益，我覺得過了一中美條約，除了穩定台灣與確保台澎一點以外，從中華民國反共復國的前途，究竟能有多大的好處？

亞非會議的鬼影幢幢

在共方的和平攻勢，已經澈底的推廣到了美國，一個爲『和平』搖旗吶喊的所謂亞非國家的會議，已決定在本年的四月召開，並且已決定邀約日本，和中共參加，而西方強國則不在被邀之列。日本一面，如果到那時候依然是鳩山內閣，將會欣然應命，而且他們可能是由重光出馬；在中共一方，這一會議既然是對於他們絕對有利，他們當然是十分的熱心赴會，而且一定會由周恩來率領大隊人馬，到會內外來一番大大的賣弄。所謂『兩個中國』說，還不僅是自由中國反對，絕大多數反共的中國人民反對；即中共在表面上還是要反對的；可是中共揚言『解放台灣』，已經有了好幾個月，但始終沒有採取較大規模的行動，其精神還是重在防而不重在攻，在痛罵美國之餘，現在又居然掉轉頭來要和美國打交道，韓馬紹赴北平，他們也以爲大有生意可講，無論其內心的打算如何，第一步便是要把『兩個中國』說的這一步演出來，把中共擠進聯合國，步步實現，步步造成，我們到底打算怎樣？到底打算怎樣？

反攻大陸自然是軍事第一，但軍事惟其是政治的延續，一件一件的事來說，誠然不是一個政治家所能一下子完成；但在大原則上究竟有沒有改變？仍然有待[illegible]一年的時間了，我們[illegible]個大的暴發，起來『門』呢？更變『作』活動，大振作，這一選擇已到了適不及待的時候了！

本報爲增加報價敬告讀者啓事

本報發行，旨在服務，非以營利；故售價低廉，經常不登廣告。以是營業不免虧損，近來銷路增加，虧損亦日大。同人綿力有限，勢難長此支持。再四思維，謹向讀者請求扶助，茲擬自明年元旦起，酌增報價，藉資彌補。向承讀者愛護，此舉諒蒙贊助。報費增加辦法如左，幸鑒諒爲荷！

香　港：零售每份港幣一角　直接定戶每月另加郵費四角（定戶按期數計算）
其他海外各埠：零售每份港幣一角　另按地區分別加郵費（定戶按期數計算）
台灣省：零售每份新台幣一元　定戶每月新台幣八元（航空郵費在內）

本年十二月底前已交費各定戶，期滿再行加價。

圍堵解放與共存

王雲五

自從第二次世界大戰結束後，由於蘇俄之肆意侵略，一反其在戰時捱打後依賴西方國家援助，曾作僞善的表演之道；於是西方國家[illegible]不得不採取對蘇俄的圍堵政策；[illegible]以遏俄共的侵略，[illegible]而一度主張改取解放政策，[illegible]政策旋即變質，表面上雖未予擯棄，實際已重返於圍堵政策。最近由於俄共之施唱和平共存，美國朝野主張變更圍堵政策而接受共存政策者，亦不乏其人。此三種政策之採行結果，不僅關係蘇俄勢力之消長，其足以影響於全人類之禍福者殊鉅，特分別論列其經緯與得失，或亦關心世局者所願聞也。

圍堵政策的由來

圍堵政策爲杜魯門總統執政時國務卿艾其遜在對蘇俄冷戰中所採取的政策，實則此政策之真正創意者爲[illegible]，於一九四七年間[illegible]

隱名X先生發表一篇論文所提倡。依此文[illegible]維埃社會也含有相當的缺點，終使其[illegible]

[illegible]何事出現，足以破壞共黨的統一性與其作爲政治工具的效用，[illegible]在短時期內由一個最強有力的國家變爲最弱與最悽慘者。而且蘇[illegible]

[illegible]證爲不確。』然而他實言之，此政策的創[illegible]

（下轉第二版）

國本論（下）

胡秋原

而共奸之所以急于造亂而且很輕易盜國者，也是乘憲法初頒，憲法意識尚未普遍深入之故。時至今日，在許多節日，標語口號，甚多節外生枝，然很少提到憲法。即政府許多政令，也往往忘記援引憲法。此不僅爲懷戰自棄，而且是對于中華民國肇造以來混亂的原因，痛苦的歷史，以及對於中國國民黨和孫蔣二先生和其他仁人志士爲中華民國創造國本再造國本之莊嚴慘淡功績，缺乏正確認識。

約法被毀爲內亂之階

自民國成立，迄在混亂之中。這是我們的痛苦，也是我們的恥辱。追原禍始厲階，有三點可說。一是由于文化的。我曾于「中國之悲劇」中論之。二是由于國際的。我曾于「近百年來中外關係」及「俄帝侵華史綱」二書中論之。三是由于袁世凱倪嗣冲張勳段祺瑞曹錕諸人先後毀法。今天五十以上之人皆目覩護國護法戰爭，一說即知。但四十以下青年不一定都知道。余生雖晚，略知歷史，願略說其經過。

辛亥起義以後，十一月，各省代表集會南京擬定「臨時政府組織大綱」。翌年，據此大綱，選舉孫中山先生爲臨時大總統，于翌年，即中華民國元旦就職。三月十一日，此組織大綱由孫臨時大總統公布，此即「臨時約法」，亦即中國根本大法之始。旋孫先生讓位，袁氏于四月一日繼爲臨時大總統，（因是臨時約法，故能讓位）依臨時約法，召集國會；同時起草天壇憲法，應當依此憲法，成立正式政府。袁氏不等待憲法成立，二年十月，先由參衆二院選舉他爲正式總統。這是根據總統選舉法產生的，也還勉強說得過去。不過這已是不祥之開始。他其所以要急就統，便是「天壇憲法草案」不合其意。於是即命其嫡系軍人通電反對憲草，終于十一月下令解散國會。進一步于三年三月召集政治會議，修改約法，以圖代替天壇憲草。此公然毀法，乃此後數十年大亂之厲階。袁氏於該會開幕頌詞云：「臨時約法束縛政府，使對于內政外交及緊急事變，幾無發展伸縮之餘地。本大總統身受其苦，間接使四萬萬人身受其苦痛，蓋兩載於茲矣。」特設約法會議，信諸君發抒偉論，積極進行」。於是有袁氏約法。猶以爲不足，復成立參政院，代行立法院職權。於是有民四民五年間帝制運動之悲喜劇。

帝制以後的毀法行動

及帝制出現，各省宣言「護國」。梁任公討袁之文，唐蔡興師之電，立論法律根據，即孫中山先生所公布之約法。五年六月袁死，副總統黎元洪代大總統，首先下令恢復約法，命段祺瑞爲責任內閣，中國內亂，本可告一段落。

不幸因對德宣戰問題，引起府院之爭。黎罷免內閣，不解散國會，可謂知法。而軍人倪嗣冲等首倡解散國會。黎氏無識，召張勳入京。受其壓迫，終於六年六月，解散國會，則又違法。於是發生張勳復辟，爲段氏討逆軍所敗。黎氏下野，副總統馮國璋繼任，段氏爲內閣總理。而段氏不恢復國會，照研究系主張，於六年多召集臨時參議院，修改約法。七年組織新國會，選舉徐世昌爲總統。民國九年，直皖戰爭後，段系失敗。十一年，直系擁黎復職，恢復舊國會。如能依法選舉，國家亦可統一。而直系中旋有洛陽津保二派之爭。十二年曹錕逐走黎元洪，收買一部份議員非法選舉曹錕爲總統，並由不足法定人數之國會，公布憲法一百四十一條；其實兒戲而已。其後反直軍起，奉皖二系及馮玉祥乃擁段祺瑞爲臨時執政。他于十三年十一月就職通電云：「共和肇造，十有三年。干戈相尋，迄無寧歲。馴至一國元首，選以賄成。……法統已壞，無可因襲。不得已暫維秩序。顧與天下人共定國憲。」現擬組織兩種會議：一曰善後會議，二曰國民代表會議，援美國費府會議先例，解決一切根本問題，以三個月內集會」。

國民黨爲大法奮鬥

民國以來，大家痛駡袁段之罪。平心而論，他們何嘗是有心禍國之壞人。不幸是粗人，愚蠢糊塗，不知大體，不知道毀法之厲害，遂使中國陷于無政府之局。段氏說「法統已壞」，誰令致之？然他自稱「執政」，「神器」，非武力即可，而畢竟要有一個法來證明的。文字力量，就有這麼偉大！然幸虧有孫中山先生公布之約法，儘管粗人胡鬧，中華民國，終有一綫生機。世人以中國國民黨只是以革命取天下的，我看到許多近代史乃至教科書，也有此類言論。這是厚誣國民黨，雖是無意識的。中國國民黨乃一貫爲中國大法而奮鬥，中國國民政府乃承繼民元約法[illegible]解散後，民六國會[illegible]非北洋所能干。章太炎不知此理。這是我希望將來爲民國史者[illegible]必須堅持的。

茲再略說國民黨爲中國憲政奮鬥之經過。

維護法統爲國民黨之功

當民六段祺瑞行推翻約法，另召參議院之時，七月，孫中山先生即至粵號召護法。八月，國會議員開非常會議於廣州，通電云：「民國不幸，禍亂頻仍。造亂之徒，託名討賊，推翻約法，擅立政府，另設參[illegible]。同人等職務未終，依約法，自集[illegible]，用人數未滿法定，特開非常會議」。三十一日議決「軍政府組織大綱」，九月二日，舉孫中山先生爲大元帥，從事北伐。非常國會復宣言云：「民國政府基於約法而成立，其權力所及，當以信守約法爲限度。曩者袁氏毀法弄權，解散國會，卒至叛國稱帝。賴護國軍興，民國再造，約法恢復。段祺瑞倒行逆施又過之，嗾軍人干涉憲法，[illegible]師袁氏故智，召集參議院，[illegible]其後惟有召集國會之標，絕無改造國會之權。此端一開，民國國會無時不可以修正，是共和政府之精神根本破壞」。民八巴黎和會失敗後，安福系信用破產，民國九年，非常國會改組軍政府爲七總裁制。吳佩孚亦主張召開國民大會。非常國會宣言云：「自國會解散，復辟變起。段氏繼之，變本加厲，設立僞參議院，此民國未有之大政變也。兩院同人集於廣州，護法討逆。自是同人等希望恢復約法之效力，維持國會之尊嚴，建設統一之基礎，促進憲法之成立」。

其後非常會議撤岑春萱職，民國十年再舉孫中山先生爲非常大總統，於五月五日就職。陳炯明叛變後，孫中山先生至滬時，仍自稱「護法總統」。其後孫先生回粵，恢復大元帥之稱，以護法爲主要號召。不幸十四年辭世。是年，七月一日，國民政府成立。改組宣言云：

「本政府爲秉承先大元帥之遺訓與國民黨之政綱，所以有此次改組之決議」。

國民政府何以能據偏地而開府？亦頗有約法而已。至少是北洋自毀約法，才與南方開府之理由。以事實言之，成則爲王，敗皆爲寇。以法理言之，合法爲王，非法爲寇。然則我人可不堅持法理乎？

國民黨獨有的榮譽

其後國民政府統一全國，雖爲事實政府，而如不經憲法程序證明，在憲法程序意義上，仍爲一種臨時政府。民國十八年國民黨宣言二十四年結束訓政，開始憲政。二十年舉行國民會議，頒布訓政約法。抗戰軍興，民國廿八年參政會決議召集國民大會實施憲政。廿九年國民黨六中全會決議召集國民大會。然戎馬倉皇，直至勝利以後，民國三十五年，經政治協商及國大召集，通過憲法。民國三十六年依法選舉以蔣總統爲元首之政府。經此等手續，可說此憲法乃繼承民元約法之大法；而現在政府乃民國以來最合法之政府。而孫中山先生時代政府以及十四年以後國民政府之正統地位，亦因而確定。然則凡我國民，尤其是參加制定此憲之國民代表，各黨領袖及依此法而確定其地位之文武官吏，能不對此神聖大法尊之敬之，守之衞之乎？

一般人都知道國民黨反清建國，北伐統一，抗戰勝利三大功績。在我看來，國民黨最大之功，尚有在此三事之外者。自曾左而後，清廷權力已漸移漢人之手，故辛亥一呼而潰。北伐之時，北洋早在無政府狀態。而二十一條以來全國反日思想及同仇敵愾之心，實八年抗戰之最大憑藉。國民黨之功，在順天應人之領導而已。國民黨于國家之功最不朽者，在北伐以前之護法，北伐以後之制憲。而此保護國本再造國本之功，乃國民黨獨有之榮譽；無論今後國民黨得失如何，必使國民黨與中華民國同其不朽。而在這一扶持國命的事業中，今日之蔣總統較任何人盡力爲大。民國二十八年蔣先生在參政會致詞云：「民國二十年頒布訓政約法後，我沒有一時一刻忘記如何使憲政早日實行」。在戰後軍事倥偬之時，蔣先生在黨內外歧見之中，在共黨破壞之下，排除萬難忍受委曲，才使此一憲法通過，而使今日之國命有托。此中華民國之人萬世千秋必永憶蔣先生之卓識者。

（下轉第三版）

半週展望

開年以後的世界大勢

雷嘯岑

[illegible]時的巴黎協定案，終由法國國民會議通過了。這表現西方民主陣營的重歐政策是堅定的，決不爲俄帝之分化魔術所乘，良足欣慰。可是，今後所謂「和平談判」的空氣，必彌漫於西方列強之間。西方的防禦計劃既告初步完成，民主陣營已居於以逸待勞之勢，而俄帝現時的擴張目標是在亞洲啊！

目前亞洲問題最[illegible]的問題，就是俄帝急於要利用一切手段使中共減少其生存的威脅，而視自由中國爲心腹大患。這次聯合國代表到北平作「城下之盟」的釋俘談判，即爲開年以後的最大一場激烈冷戰，西方民主陣營一定是出以妥協態度，乃意[illegible]料中事。近來華盛頓忽傳「台灣獨立國」之說，大風起於蘋末，能不警惕嗎？

弱國有外交

國際間固然是講唯力主義，故有「弱國無外交」的說法。但，所謂弱國的詮釋，是指一般毫無自立能力，一切俯仰由人的情狀而言，如今日之越南三邦是也。自由中國所具有的反共精神與軍事力量，實爲自由亞洲地區首屈一指者，豈能謂爲弱國？即不能以弱國自居，而在外交上不加努力，努力的基本條件却需要人才！

然而，[illegible]我們現時[illegible]四方的[illegible]之士，試就美國，法國，以至於全亞洲各[illegible]的外交陣容[illegible]，有誰是[illegible]人才？[illegible]「弱國有外交」的效用[illegible]

[illegible]自由中國[illegible]外交人才嗎？我看未必罷。據所見，許多現時投閑置散在海內外的人物，隨便銓衡一個，都比那些老邁腐敗，或尸位作寓公，或不會說中國話的現任大使們辦之流，高強得多啦！

開年以後的國際外交戰，必然劇化驚險，影響我們外交的前途甚大。若不急起改絃易轍，整頓外交的陣容，有所作爲，則後患之來，殊難逆料，一紙中美共同防禦條約結果將有使我們害上癱瘓症的危險，可慮哉！

軍事上必須有動作

不管一九五五年的國際形勢對我們的利害如何，我們在軍事上必須有所動作。假使這項認識不錯，則在軍事行動之前，似應先來一種政治行動，喚醒已久的反共救國會議，在這種條件下就有舉行的必要。意義安在呢？請看共黨在大陸上把那宣告無用的所謂「政協會議」，又大吹大擂地搞起來，即思過半矣。

團堵解放與共存

王雲五

（上接第一版）稍後，我將請求國會合力達成一個適當的決議，以闡明我國政府不承認過去對外國政府的秘密諒解所容許此種奴役行爲之任何約束。」這一段話顯然寓有協助被侵略與奴役的國家人民恢復其自由的意義，與艾森豪於競選時闡述詳明的解放政策同一口吻，而與圍堵政策祕謀遏阻共黨不再伸張其繼續侵略的魔掌，却聽任已遭奴役的人民繼續度其奴役生活者，大異其趣。艾森豪總統此一咨文發表後，一時博得世人的贊許，而亟盼其「將請求國會合力達成一個適當的決議」，以實現對奴役國家與人民的解放政策。顧爾後久久未聞進一步的行動，却於同年九月十七日由國務卿杜勒斯在聯合國大會中演說謂：「我們的信條無需鼓勵革命思想與激起他人的暴動」；而在此以前半月，華盛頓官方證實美國政府正探討美國與其盟國有無以不侵略協定提供蘇俄考慮之可能。此兩說彼此呼應，足證美國彼時業已放棄解放政策，而復返於圍堵政策，蓋所謂互不侵略，當然對於蘇俄已侵略而控制的衞星國人民祇好聽共永久沉淪，不作任何助其解放的舉動，否則在蘇俄看起來便是破壞不侵略協定；至於「無需激起他人的暴動」一語，也就是放棄解放政策的另一表示，其後，所謂互不侵略協定雖沒有成爲事實，但是美國的解放政策也絕口不再提起，而就其年來的措施觀之，無疑已復返於民主黨的圍堵政策了。

更壞的共存政策

最近一二月間，蘇俄所唱的「和平共存」濫調，又經由訪問蘇俄及赤色中國大陸的英國工黨代表而傳布於西方，且漸有爲美國所考慮接受之可能。在此一荒誕名詞萌芽之際，我們實有嚴予駁斥之必要。本來圍堵政策已足陷被蘇俄奴役的無數人民於萬劫不變之境地，而所謂共存政策更退後許多步，請申言之。

一則要圍堵一個敵國，至少當在若干暴露的地點駐有重兵，以防敵人突襲；但與敵國共存將是消極地信任敵國的善意，而無需積極設防。

二則共存政策殆基於失敗主義的假定，明認自由世界是在共產世界稍斂其野心之下而存在，祇要共產帝國不再加緊侵略，已感滿足，固絕對不敢放言解放，即圍堵亦嫌寓有敵意，恐將觸怒蘇俄，而有礙於共存。

三則圍堵政策尚寓有動員備戰之精神；共存政策則易流於苟安與懈怠。

或謂西方國家在昔固常與不同政制的國家共存；例如對於獨裁制的帝俄，半封建式的亞洲國家與名爲民主與實際獨裁的若干南美國家，無不可以共存；如何獨不能與共產國家共存呢？

對此說的答案，殆非過分複雜。過去任何政制不同的國家，畢竟都是傳統式的國家，那就是各自有其國土，各自有其人民，彼此不相混淆的國家。蘇俄獨不是這樣，它雖有表面上的國土，但它實際上的國土遠超過其境界，即在世界上任何一國內，接受共產主義的人士皆有之，而這些共產黨徒無不效忠於蘇俄，視之爲祖國，其對於自己在名義上隸屬的國家轉多背叛。這樣的事實，甚至共產黨人也不諱言。當艾德禮訪問蘇俄時，庫魯赤夫曾對他的英國貴賓說：「你們諸位代表的是英國工人；我們却代表一切國家的工人」。又印度本是率先主張與蘇俄共存者，然印度的共產黨最近竟通過一個行動計劃，其中一段說：「這些目標是不能靠和平的議會方式而實現的。這些目標祗能藉推翻現存的印度國家而代以一個人民民主的國家才能實現。……黨必須力加強，……何時何地與如何實施武力的問題將在未來的議程中日益加緊解決。」

勿中共存之毒

假使西方國家眞與蘇俄集團達成共存的諒解，則西方固不能不認眞依照諒解而行事，但蘇俄除表面上稍改其姿態外，定仍繼續在他國國境內利用其黨徒以從事於顛覆，宣傳與醞釀內爭的種種活動，而削弱及搖亂這些國家；一俟事機成熟，必然發動政變，奪取政權，及政權一入共黨掌握，這個國家便與蘇俄合爲一體，不是共存，卻成爲「併存」了。總之，共存在共黨心目中，只是一種姿態，一種策略；而蘇俄征服全世界之目的是永久不會改變的。在這個共存招牌的掩護下，蘇俄於各國降低其緊張性的氣氛下，將更易推進其顛覆各該國的作用。因此在蘇俄不使絲毫無損，而且更易收效；然在西方國家，則於慢性的病態發展下，終必陷於不可救藥。

（四十三年十二月二十八日脫稿）

編者　讀者

△本刊報費從本期起略有增加，雖事非得已，但對於讀者，實深抱歉。今後惟有充實內容，力求改進，以期無負讀者愛護厚意。仍乞讀者不斷賜予教益，藉作南針，至爲感禱！

△本刊組織簡單，人手缺乏，處理稿件及辦理受託事項，不免時有濡滯。有關此類函件，未克一一作覆，謹此致歉！

△本刊經常不載廣告，近以事實難免，偶有刊布，承讀者來函督責，今後自當極力避免，保持原有作風。謹此聲明，請加亮察！

△新年文稿以篇幅有限，未及一一刊出，謹向惠稿諸君致歉！

台灣地方選舉的分析

傅正

台灣省第三屆縣市議員普選，分爲兩期舉行，第一期辦理的共十一縣市，計有台北、基隆、台中、台南、高雄等五市，及台北、台東、屏東、高雄、花蓮、澎湖等六縣，已於十二月十九日分別辦理完竣。第二期計有新竹等十縣，現已開始登記，將在明年一月十六日舉行投票。

投票率高達九成以上

這一次十一縣市的選舉，投票百分率較前大有進步。據十二月二十日中央日報報導，平均投票率達百分之八十強。最高是台東縣，竟達百分之九十一。即以最低的台北市而言，也達到百分之七十點零五；較上屆的百分之六十五點六八，高百分之四點三七；較第一屆百分之五十一點八，竟高達百分之十八點二五。投票率如此之高，僅是一項可喜的現象，似可表示老百姓對地方自治逐漸發生興趣了。

這次選舉，沒有聽說有甚麼重大糾紛。（只台南發生一幕香烟頭丟入票櫃的小插曲，燒毀選票很少，沒有造成大禍。）這與法規修改，戶籍整理，及辦理選舉工作人員──以至參加競選及選民，都有了兩次經驗有關。但金錢力量，似乎還是在有形無形中透過各種不同方式，發生了不可忽視的影響。即以台北市而論，買票之事，還是時有所聞。至於謠言，更不在話下。谷正綱先生十二月十六日晚上，曾在中山堂公開表示，以爲本屆省議員中，只有兩位夠可稱爲農民議員，並希望選民要選舉能代表最大多數利益的候選人。十一縣市被選人的情形如何，尚不易知。以台北市當選的六十六位議員來說，從事商業的有三十位，工人只得三位，教育界兩位，交通、退役軍人、及礦業只有各一人。這也是此次選舉結果值得注意的。

都市情形不及農村

國民黨在這次選舉中，已表現得較爲進步，一改已往某些壞作風。當選的人數也相當多。根據中央社的統計，在台北市的六十六位議員中，國民黨便佔去五十四位，達百分之八十以上。

這次選舉，另有一種可注意的事實：就是都市越大，競選的人越多，但投票率却反低；越是邊遠地區，競選的人越少，投票率却反高。大都市如台北市，應選出的人數爲六十六名，競選人爲一八一名，淘汰人數爲一一五名，淘汰率約爲百分之六十五。次如基隆市，應選出的人數爲十八名，競選人數爲四十六名，淘汰人數爲二十八名，淘汰率約爲百分之六〇。邊遠地區如屏東縣，應選出的人數爲五十八名，競選人數爲八十一名，僅淘汰二三名，淘汰率低到約爲百分之三〇。又如台東縣，應選出的人數爲三十二名，競選人數爲五十九名，僅淘汰二十七名，淘汰率約爲百分之四五。投票率恰與此相反，台東縣最高，竟達百分之九十一，台北市最低，只到百分之七十點零五。這也是一項值得研究的現象。都市競選人多，邊遠地區少，或因爲對政治抱有興趣的人才集中都市，而邊遠地區則相反之故。都市投票率低，而邊遠地區則高，或因爲邊遠地區選民，對於地方自治較能發生力量，議員與選民之間，關係也較爲密切，選民對各候選人也較有認識之故。大都市內，地方自治的力量太小，尤其像台北市，上至中央政府，下至省政府，都坐鎮在此，自治的範圍實在少得可憐，議員不能有何表現，議員與選民的關係，又較爲疏遠，選民對候選人的認識，也較爲模糊，對於各式各樣的「民主把戲」也已看得太多，早就淡然視之了。

選舉揭曉的時候，聞有因落選以至失聲痛哭的。其實勝敗是競選常事，失敗乃成功之母，用不着這樣傷心的。至於當選的人，當然值得高興，但高興之餘，似乎也應該冷靜想想：今後應如何珍重選民的付託。

國本論

胡秋原

領土主權之契據

（上接第二版）

有謂今日國難階于行憲者。此眞細人淺薄之言。憲法非萬靈藥，亦猶約法非萬靈藥。約法不能保證中國免于長期混亂，然保持了國民黨之復興。使無約法，恐中國早成地理名詞。憲法不能保證中國免于俄帝及其走狗之迫害，然保證這政府在今日彈丸之地仍有其堂堂正正的「存在之理由」，並保證中華民國非俄帝及其走狗所得而亡。我們今日在國際上誠然遇到極艱難局面。例如若干國家承認中共；甚至友好之國，與我訂約，發生「適用範圍」問題。然這一問題還能解決，而至今我們仍能踞聯合國，並使我們逃難之人，有權自稱義士而非遺民者，固賴總統之復職，亦賴有此一憲法耳。使無此一憲法，吾人猶有復國之望乎？我或鄉人迫于豪強，田宅被其乾沒，猶知識其契據，或攜其契據遠走，以待機會，伸其曲直。中國憲法者，即中國領土主權之契據也。此契據不可失，不可棄也。我們如設想，如中國憲法能在戰時公布，大選能在勝利後之二三月內舉行，則共奸之大逆言爲，或有更困難者，又我們再設想，如我們至今尚無一部憲法，讓今日共奸先有一個偽憲，我們之處境恐又更有不堪設想者。然則細人之言，其細已甚矣。

國憲與俄憲之戰

今日我們又面對一大問題，即中共不僅藉俄帝及暴力竊據大陸，而且在去年九月間召開偽人大會議，頒布偽憲法。不少的人以爲中共打倒國民黨與政府，不過如國民黨打倒北洋。此非眞正白癡之言，即係絕對無恥之論。國民黨打倒北洋，乃打倒毀法之政權。中共反對政府非罪，而以外力毀憲，則爲賣國叛國之罪。今中共頒布偽憲，此表示漢奸集團如中共者亦深知暴力竊據之不足恃，還想用「憲法」來證明其「合法」。然中共于毀憲之後，其強頒偽憲形式，是曹錕式的，是蒙奸式的。故其內容，其強頒偽憲，正與其與俄所訂條約，更明其賣國之罪，叛國之罪。當中共頒布偽憲後，我國民大會未集會聲罪致討，我以爲是一種疏忽。目前擺在中國面前的問題十分明白：由文化觀點說，是中國文化與俄化之爭；由政治觀點說，是中國民族對漢奸之爭；由法律觀點說，是中國憲法與俄憲法（中共憲法全抄俄國，尤其是蒙奸憲法）之爭。其他和平與侵略，民主與獨裁，皆屬引申之義。這三點才是根本的。正由于此，我們不能對我們存在基礎之憲法，有絲毫損傷。憲法是我們命根。我們必須「發其根而培其實，加其膏而希其光」。漢奸偽憲不值一錢。但如我們對自己的憲法打百萬分之一的折扣，便是增加敵奸偽憲之價錢。可不愼乎？

輕視憲法之言

假如了解憲法之重要，中國之亂源，國民黨締造國家之艱難，中共賣國之險毒，則我們必油然對憲法生無量愛護之心。不過我們這一代的人長期生活于一個約法被毀，憲法未頒時代，今雖有憲法，憲法意識尚未培養起來。積習移人，賢者不免。這便發生本文開端時所說的輕視憲法之言論。我想略加批評。

主張另起爐灶者，用意是要團結各方面的人，擴大反共聯合戰線。這意思是好的，但擴大政府基礎，實無須犧牲憲法。反之，若離開這憲法而言團結，實際上目前沒有更多的利益，只有失去反共之法律地位。今日憲法是得到全中國人民同意的。我們好容易才立下一個法統。今日固可另定一個法，然須知海外同胞不過二千萬人。這不足對抗中共之偽憲。如果二千萬人即可立法開府，此風一開，則將來反攻之後，大家效尤，中國法統，將永遠建立不起來了。說不定中國又將發生數十年的擾亂。我以爲此風不可長。

謂行事有益于國，然心中並無憲法者，可以有三種解釋。第一、有如大文豪一樣，雖未研究文法，自然行文有法。第二、有如霍去病說「不學兵法」一樣，只是一種自我宣傳。說得好，是故神其說；說得不好，是大言欺人。蓋衛霍用兵，皆賴深通兵法之將校也。第三、再不然即有如王符在「潛夫論」中所說的「誤中」；以俗語譬之，即瞎貓碰上死老鼠也。然這都是不可爲訓的。如人人均如此存心，說只問有益與否，不管法不法，除非個個是聖人，未有不大亂的。

軍事時期與憲法

論軍事時期不可以憲法束縛統帥權者，如欲成立其說，必先證明若干前提。第一、他必先證明憲政與軍事不相容。然此不僅與第一二次世界大戰之事實不合，亦未免長敵人之志氣矣。第二、他必須證明落後之國不宜憲政，而中國乃落後之國，美國有最剛性之憲法，而羅斯福仍能打勝大戰爭，未嘗發生統帥權問題。不過歐美學者中，確有謂文化落後，不宜憲政者。但此尚無證明。他應該加以證明，然後再證明中國憲法損壞，中國政治家不中用，中國國民不夠格而後可。然此得毋過度自謙至于妄自菲薄耶？第三、他必須證明大陸淪陷即因此憲法妨礙軍事行動，並提出具體事實。如不先證明以上三點，則其所說，皆不根之談。（即羅輯上所謂「乞丐命題」）。此外，所謂統帥權者，在公法學上本不能成立，僅爲二次戰前日本軍人杜撰之名詞，而此由過去日本之二元政府而來。蓋日本軍部有「帷幄上奏權」。據此遂區別軍令軍政，謂軍令獨立，不受政府之節制。然而其効如何，可知矣。此尚可據爲典要乎？

意見政策與制度有別

尚有據美國總統之片言隻語，謂「議會爲不可少之贅物」爲論據者。此由未曾區別意見，政策，與制度。個人之意見如要變爲政策，制度，如不經可厭之程序，就得用可怕的方法。但意見常多半止於意見的。羅斯福曾大罵新聞記者矣，然彼曾干涉言論之政策與制度乎？西洋人嘗謂「憲法爲不祥之物」，少「政府爲不可之罪惡」矣！然如有人即據此爲非憲法無政府之論據，則無異聞「結婚爲戀愛之墳墓」，即主張廢止婚姻制度，聞「方生方死，禍千爲禍，彭殤爲夭」之說，即主張早死政策；非兒戲之謔言，即書呆之笑話矣。

唯原則是安全之道

尚有以「執經行權」之說，主張遷就事實，犧牲憲法者。男女授受不親，非嫂溺於井不當援之以手也。孟子之言，常爲後世縱橫家所引用。然衡之羅輯，必須觀其是否比擬相倫。男女授受之禁，乃一時習慣之原則，與今日憲法之公約，性質不同。而嫂溺於井，不援則死，與此相比者，亦必須爲國家生死存亡之事。否則不過危言聳聽而已。事實上，自古以來，一個原則只要被證明爲陳腐或爲更新的原則所代替，他便是行動之指南；愈在危險時候，原則最是安全的道路。未有違反原則而成功，尤其是自己宣布的原則者，自己背棄必不祥。而廿世紀以來「現實主義」爲世界之亂源，更是我們身受其痛的，今日英國人就批評美國不懂「權」。幸而有一個不懂權的美國，世界才有希望。權是強者的把戲。積弱之國如我國者，豈能見權心喜？試回想四十年歷史，那一次不是執經終得最後成功，那一次不是行權終得意外之慘敗？即在一般社會上，也是正道長久；而人之行權以求富貴者，其不身敗名裂者幾希。時至今日，我們談實力就極窮，所富者就是道義法理。我們只有用自己所長。對內對外，堅持道義，才能以拙制巧，轉禍爲福。而如自矜行權之智，至於立場自毀，授人以柄，自殺之道。此論欺人甚易，而誤人最大，所以我要大聲一呼，傾險之言，僥倖之意，乃是自掘陷阱，最不可聽，最不可存的。

信守國家之大法

因此，如我們想到國本之重要，自信克守先人道義原則；如我們自居于文明國家，自信決非不配實行憲政；如我們想到國家締造之艱難；尤其是在對俄帝共奸作生死戰鬥之今日，我們必光大我們的旗幟，昭大信於天下；而且要在反攻以後，不致使國家再失紀綱，重陷紛亂之禍，我們必能堅守我們的國本──我們的法統與憲法。由於民初的人未能一致維護法統，才有數十年之禍亂，今日之人便尤須謹遵憲法，樹萬世之楷模。民初國會因少數人不守原則，雖逃後世之責備，今日立法院的人，尤當引爲鑒戒。縱使發現憲法確有不便之處，我們也只有忍受一時之困難，在憲法條文之內，通融轉折；而萬不可因一時便利，在憲法條文之外設法，貽千秋萬世之憂。況並無眞正不便之處乎？這不是書生之見，而實在是今日勝敗存亡，未來安危治亂之所繫。我深知我們的元首以及行政百官，我們的立法機關與司法機關，都是守法知法的，亦皆由此法而產生的，必能共同鞏固我們的國本，光大我們的憲政。並必能共本復仇雪恥之心，還我河山，共進勛名於將來之國史。少數不負責任之言，必止於智者。我相信，任何自貶之人，不能到說中國人不配民主；（民主一字之意，即大家把人當人之意，除此以外，決無與義）任何至愚之人，不能到自己否定自己存在之權利。要注意的，人有疏忽之時。所以希望大家不爲一時之便利，誤百年之大計。大局正在好轉，我們必須謹愼自重。敵人亡不了我們，我們不可輕率自誤。政治上任何過失腐敗無能還是可容忍的，唯有對我們的根本大法的玩笑可不能開。尊愛國家，尊愛憲法，即所以尊愛我們每一元首，尊愛我們每一大中國大國民自己；亦即所以做脫賣國叛國之敵奸。詩云：「小心翼翼，厥德不回」。「上帝臨汝，毋貳爾心」。願爲國人誦之。舊聯：「諸葛一生唯謹慎，呂端大事不糊塗」。願爲政者誦之。

附註：文竟，有客來謂之云，大哉，憲法之爲利害也，敬聞命矣。然如有一涉及行政機構組織法之法案，初未考慮其利害之所在，而已提至立法機關，應如之何？曰：（一）如機構並不涉及憲法，組織法實無須提至立法院，則撤回之，退回之，皆可也。（二）如組織法與憲法略有扞格處，則收回修正之，然後通過之，可也。（三）如未收回修正，立法院即須加以修正，使與憲法契合無間，否則，立法院即無權通過。（四）萬一通過，則立法院爲違法，糾正之者，最高法院之責也。（完）

市民緊迫問題繁多　亟待政府迅速援手

一九五零年以來，香港政府財政情況，就逐年庫存數字看去，確是一年好似一年，不特並無赤字待補，庫存累積，直綫上升。財力充盈原因，不論是否市民負担加重，畢竟已反映出納稅人無甚於應盡的義務，政府自然不應該另增新稅，增加市民負荷。然而港府前此曾提增稅要求，以配合五年建設計劃，但此項計劃，在大多數市民看來，似乎並不適合實際需要，因此曾竭力加以反對。可是市民需要港府在福利方面設想的，殷求孔切，如房屋、學校、醫療設施等等，幾無一不是亟待解決。雖然，港府對這一方面的設施年來均有建樹，一般市民仍覺得不足應付事實的要求。

取之於民，用之於民，乃是千古不移明論。港府財力在現下的充盈階段，似應顧緩急需要，幫助廣大的市民迅謀解決種種緊迫問題，先就房屋而言，徙置區建設雖然突飛猛晉，到底祇能解決一部分遷拆及火災難民，與普遍擠擁陋室的受薪階級毫不相干，何況目前距離港府預計徙置三十萬木屋居民的目標仍甚遙遠，儘管也有人經營平民屋宇出售，能符合該公司各項條件的，究竟還是極少數。倘使港府能夠撥出一筆鉅款，投資於平民屋宇，不但絕大多數平民所感受的房荒威脅可望解除，租務糾紛也不難無形消滅；待價而沽的民營建築，殆將自動貶值，不致任令空閑，擱置了可作其他商業發展的巨額資金。住屋問題倘獲解決，對不敷的醫療設施，由於環境衛生改善，其嚴重性當大爲減輕。

而前項平民屋宇的投資問題，港府倘能及時考慮，則不但庫存不致積滯不化，而且亦能以此博取利潤，居民却大大受益，一舉兩得，何樂而不爲呢？再說，港府撥地貸款建校，對熱心教育與社會福利人士確是一大鼓勵，雖有緩慢偏頗煩言，但師資缺乏與教師待遇菲薄，學校增設亦爲徒然。先決的問題，似乎無過於改善教師們的待遇，一年以前，當局曾經考慮在港九擇地興建教師宿舍，使教師們經濟上稍爲減輕，精神方面也可稍見鬆弛。雖然，民選議員也曾一再呼籲替教師們請命，現在變得烟消雲散了，甚至曾經擬定的一處教師宿舍地點，聞已建成一所小學，人們以爲民選議員既已提供保證，應向當局力爭，庶慰全體教師之望。

稿約

本報園地公開，歡迎讀者投稿，性質不拘，字數最好勿超過二千字，譯作請註明出處；來稿如不合刊用時，當儘速退還。來稿請用稿紙，勿潦寫。

──編輯室──

自由談

送歲述懷

馬五先生

一年容易，民國四十三年的歲月，到今天又宣告結束了，而本刊亦恰是整整的四十期，可謂巧合。

憶本刊開創之時，是由一羣愛好民主自由生活的朋友，以嘗試的心情，各盡所能，出錢出力幹起來的，究竟能夠維持多久？誰也沒有把握，亦無暇計及。然轉瞬已歷三年有奇了，實是值得自慰的事。

我們內心所引爲欣慰的，不僅是這張刊物本身之能夠延續存在，乃另有一種更崇高的價值，那就是：我們這羣各黨各派，無黨無派，老老少少，形形色色的自由主義者，已實驗了反共救國大聯合的「統一戰綫」工作，證明這工作是有意義，而且是有效用的。我們在反共非共的大同思想之下，各說各的言論主張，各有小異之處，却無害於大同。我們祇是天天鬧窮，沒有權利可言，不像搞實際政治那樣有權位勢利的享受而已。俗言「共患難易，共安樂難」，我們這聯合戰綫能否共安樂呢？固然尚不敢作肯定的論斷。但就過去三年來的經過情形說，至少不致於給人笑話的，因爲我們都有鑑於「秀才造反，三年不成」之恥的意念也。

憑我們這項小型聯合戰綫的經驗，覺得自由中國政治上的反共救國大聯合運動，爲甚末不能展開呢？一九五五年的亞洲形勢，一定是變幻莫測，驚險孔多，而以自由中國的憂患爲最甚，中美聯防條約決不是萬應靈丹，所謂「台灣獨立國」之說，不是已從美國方面流露出來了嗎？若不能及早把中華民國海內外反共非共的人心團結起來，力量聯合起來，前途是未可樂觀的呀！

本刊今後依然以爲大團結運動而努力不懈，當此歲尾年頭，謹申此義，以告讀者，並祝新禧！

老伶人

P. Wright著　・周魯譯・

早上在公共圖書館看看書報，是我每天的第一課，無論陰晴或風雪都沒有間斷。這時又是臨近聖誕的深冬，天色陰霾，雪花在空間飄。在這裏，我認識了一位鬍子斑白而打扮樸素齊整的老人——赫頓。我們認識的開始，是爲了搶看一份早報而起的。此後，我們每次見面必定點頭爲禮，一天，我拿出紙烟要吸時他替我燃了火。由此我們更加稔熟了。他的談吐充滿大方溫文而甜蜜，更有使人神往的表情。從談話裏，知道他是三十年前的紅伶。我們成爲朋友之後，他常到我的家裏，我的妻子愛麗絲，也很高興結識這個年老的朋友，就是他說一聲「早安！」愛麗絲也覺得他的口才令人有說不出的異樣高興。

不久，聖誕到了。我和愛麗絲第一次參加赫頓的宴會，她說不要穿太名貴的晚禮服，恐怕影響赫頓的體面。她的意思以爲赫頓是個樸素的老年人，未必講究排場的。但是，事實却出於我們意料之外，他的房子佈置十分華麗，齊整的傢俬，精緻的餐具，牆上掛着名貴的油畫。這時，我有點後悔了。當我看見他穿上一套名貴的晚禮服時，更是自慚形穢。他的房裏的每件東西，都像來自不凡。他給我們詳細地解說。高興得不厭其詳，我便做了個毎事問，當我站在一個雕刻精緻的五層櫃時，好奇而順手拉開一個抽屜。發覺一件編織十分精美的白色絨綫背心。我問他這背心是不是他的？他的臉色突然蒼白起來。手也震顫着，我連忙抱歉地說：

「對不起得很，我無故引起你的悲傷，相信裏面必有故事，能否說給我聽聽呢？」

他長長嘘了一口氣，額上的縐紋深藏着他的憂怨，兩片沒有血色的嘴唇抖着說：

「不錯，這件白背心藏着一段傷心史，我願告訴你，希望你能了解我內心久藏的哀傷。」

我們開始入席，他呷了一口酒，慢慢地述說三十年前的故事：

「三十年前的我，是一個紅遍各地的優伶，我和我的拍檔奧貝，同時愛上女角莎菲，他長着一頭柔美的長髮，嫵媚的碧藍色的眼睛，高高而端正的充份表現女性美的鼻子。配上豐滿而均稱的身材，她太美了，簡直是人間天使。我們便由三位一體而發生三角戀愛。但是奧貝與我實在太好，不願因此而破壞友情，所以大家相讓起來。一天，我對奧貝說：

『朋友！假如你眞的愛她的話，我願意退出愛情的圈子，把精神放在藝術上，請接納我的意見吧！我們這樣相持下去，實在不是辦法的。』

奧貝沉思了一會說：『不如來一個折衷辦法吧，我和你分別向她求婚，她答應誰就跟誰結婚，不是很乾脆的辦法嗎？』

「我極贊成他的建議，可是，麻煩又來了，誰先去求婚呢？大家互讓着。我們於是先下棋決先後。然而，我們連下棋也互相讓步。結果也分不出誰勝誰負來。到底從沒有辦法中想出一個辦法，我隨手摘了一朵玫瑰花，我猜花瓣是奇數，奧貝猜的是偶數，決定在最後一塊花瓣上，一，二，三，四，……數下去，」

赫頓說到這裏，放下刀叉，用餐巾抹抹嘴唇，愛麗絲也跟着放下刀叉，凝神地細聽，他繼續說：

「幸運還是屬於奧貝，我的心未免有些妒忌，但仍能裝出笑容，我拍拍他的肩膀說：

『奧貝！祝你成功。』

『剩下我一個人無神地等候他的佳音、大約半個鐘頭後，大出我的意料之外，奧貝比我還無神無氣地從莎菲的房間走出來，頹喪地對我說：『幸福還是屬於你的。』』

「那時，又喜又懼，充滿我的心，人類總是自私的這句話，我深深體驗到了。可是……」

赫頓用叉要了一塊燒牛脷，把這故事停止了。愛麗絲已沒有心緒吃東西，催促他繼續說下去，他却慢條斯理地說：

「我也同樣失望了，我們以後仍然相親相愛地演戲，再也不提婚事。一天，奧貝接到他的叔叔從倫敦拍來的電報，要他去接受他的叔父的遺產，他去了。莎菲傷心因來，然而仍然拒絕我的求愛。到這時，我才發現她愛奧貝，多於愛我，我後悔我的自作多情。不久，奧貝來信向她求愛，但一樣拒絕，因爲她不但有美麗的外貌，而具有着堅強的自尊心，她不願意人家說她是爲了財產而嫁給奧貝，我和她仍向戲劇方面發展，奧貝和另一女子結了婚。（上）

勉東吳建艦義賣諸生

郭敏行

報國羞云少，捐輸恥後人。銜哀奠東海，矢志傾嬴秦！結隊呼號烈，沿街籲賣辛。讀書何所貴？見義蹈其身！

酬許敬參兄集契文聯語見贈

落落期誰合，平生只慕韓。小詩邀謬許，大筆帶懸看！三絕詩書畫，一門松竹蘭。謝君集聯語，一讀一辛酸！

短篇小說　當

楊海宴

我這纔發現他一人坐在那角落的座位上，完全淡漠鄙夷的神氣，聽到有人叫他了，便先從嘴裏噓下一口冷氣，然後說道：「有甚麼好看，怪物！怪物看了不吉祥。」

孩子們聽了他的話，突的冷着臉露出驚愕的神色，我心裏也像澆了盆冷水，很是掃興；他的話對于我們，一向是比法官的判決要有效，慢慢的，圍在我桌邊的同窗，都陸續散去了，只剩下平日幾個比較頑強的孩子，巴巴的望着我，把汽車放進書包裏，這時，另外一個人叫住我：「不祥不祥，只管他娘，甚禮哥哥，你再玩玩吧！」難得有這句話，又重新鼓起我的勇氣，我便把剛要放進書包的汽車，又再拿出來，半是嘔氣，半是逞奇，把發條捲得更緊，讓它在桌面上跑得更威風，孩子們到底禁不住新奇的誘惑，又慢慢的團攏來了，只有志展，仍坐在那角落裏，堅持不動；大家都巴結的用眼睛，希望他也來參加，同時，我亦表示：只要他來，情願把汽車讓給他開，可是他連看都不看一眼，也不說話，我眞正氣，便故意把汽車讓給每個同窗，輪流開一次，希望藉此使他妒嫉，激惱他；大家正玩得興高采烈的當兒，突然一雙戴有玉石手釧，縐紋褶褶的手，從上面伸下來，攫走了我的汽車，大家抬頭一看，正是我們的老師，每人俱嚇得縮緊脖子，互相望着吐舌頭，無意中我看到志展，他睥睨着眼睛，小嘴角掛着一絲安靜自得的微笑。

「不好端端的讀書，」老師罵了：「一轉兒，就玩轉大了，不學學人家志展，他那裏像你們。」說着，老師便把我汽車攤在衣兜裏，然後巍巍的坐到太師椅上，大家埋下腦袋，不勝恐懼的讀起書來。

（三）

只到放中飯學，我挨了十戒尺，纔從老師那裏領回汽車，在回家的路上，大家皆紛紛道說志展的話不錯——怪物不祥，平常老師吃點心，我們偸着玩時，從未出過岔子，獨今日偏碰到老師了，豈非這怪物汽車搗鬼？我越想越覺有理，正這時，志展自我身後走來：

「是吧，基禮哥哥，我說怪物不祥，今天害你挨戒尺了吧！」

「當眞！我後悔沒有聽你的話。」

「你還把它帶在身邊？」他盯着我的書包問。（二）

關於張三丰

・孫真・

（三）

至於明代的張三丰事蹟，幾百年來民間傳說很普遍。尤其道教家更予以十二分的重視，簡直視同眞仙，在印本的「三丰全書」中，隨在可以看到他在中國各地，都留下有趣的神話。年前偶然買到一部「張僊遺蹟」，是雲南平越福泉山刻本，全三卷，附有闕版，清乾隆四十七年鐫印，上有「雷塘盦主」朱文小印，定爲揚州阮元（號芸臺）所藏本。這部書可算是福泉山誌，至於張三丰怎樣到福泉山去？在本書「凡例」裏，有適當的說明：

「明史載眞人遺事，游武當，游四川，見蜀獻王，歷湘漢，迄明成祖祈求其蹤跡始末，無不旣詳且悉，獨未及黔之平越，考古者自當以史爲宗。然此地禮斗有亭，活枯有柱，以迄浴池影壁，清標可挹，道貌依然，令人低徊留連不能舍去，細思眞人或先之平越，後纔了道，飄渺遨遊於武當，帳蜀，襄漢等處。……」

但據「三丰全書」則說三丰因沈萬三被杖遣雲南，他特地前往蹤跡的。「張僊遺蹟」一書，前有「外傳」，後附有康（熙）乾（隆）間與修碑記，聯語，詩額等。田雯作的「高眞觀記」中，是說：「張三丰，閩人，明洪武間，以軍籍戍平越衛，蓬頭草履，四時惟一破衲，行丐市上，人呼爲邋遢仙。自於高眞觀後隙地，結茅爲亭，晝則閉戶靜坐，夜則禮斗，指揮張信善，嘗與奕，後指城南月山寺右地，曰：葬此必封侯。嘗自敍云：幼年慕道，長歲求元，識天人之奧旨，悟義理之深詮。又有「了道歌」，「無根樹子詞」若干首，大類「參同契」「內景黃庭」諸說，其人果道家者流歟？抑時之隱君子有所託矣逃？如世所云浮丘，洪厓，安期生，王方平輩，固未可以。」然據三丰供狀，則自認爲遼東人。（二）

自由人

THE FREEMAN
（第四〇一期）
每份港幣壹毫　台灣每份台幣壹元
地址：香港高士威道二十號四樓 3rd Fl. 20 GAUSEWAY RD HONG KONG
海外總經銷　友聯書報發行公司　香港：德輔道中二十六號A二樓
台灣特派員辦事處　台北市館前街五十號
台灣總經銷處　台北市西寧南路一〇一號二樓
台郵撥儲金戶九二五二

日韓兩國最近政局

·湯亮吉·

最近日本及韓國的政局，都發生重大的變化。在日本，吉田內閣總辭，鳩山內閣成立。在韓國，因爲總統任期問題而在議會中舉行修改憲法。日韓兩國今天都在自由國家陣營中。日韓兩國今天都在反共的前綫。日韓兩國又都爲東亞國家。這兩個國家的國內政治變化，其影響不僅關涉兩國的本身。這兩個國家國內的政局變化，在今天反共鬥爭中，與整個世局極有關係。尤其對亞洲局勢的前途，有重大的關係。日韓兩國和我們都有邦交，均爲同文同種的國家，我們對兩國的政局，尤寄予極大的關心。

從制度與人物着眼

關於日本政局的變化，近來國內外討論的文章已甚多。本刊第三九八期左舜生先生也曾發表過一篇「日本新局勢的展開」。關於韓國國內政局，報紙登載的新聞既甚少，評論更不多。今天縱論兩國的政局。我們的論點是從另一個角度來着眼。這個角度便是從制度及人物。一月來靜觀日韓兩國國內的政局變化。我們注意之點，着重在制度與人物。因爲制度與人物是一國政治的硬裏子。也是一個國家將來盛衰的測驗器。推論政治，最重要的是要深入到政治的裏層。人物與制度是政治的裏層。其餘什麼人事的升降起落，或什麼勢力的離合聚散，這僅僅是政象。推論政治單論政象，是不夠的。

十餘年前在重慶，曾慕韓先生有一次和我談政治的條件，他欣然對我說：他對政治家認爲應有三個條件：第一是風度；第二是風節；第三是風誼。他問我對他這個看法感想如何。我爲之擊案傾服。十餘年來，我始終記着亡友這一段談話。從我所研究的中外歷史許多政治人物。我想這三個條件是政治學上新的歸納。西方人講的政治遠見，人格完整，與人格吸引力，東方人講的出處大節「飢溺之心」、「民胞物與」。都可說包括在這「三風」的條件之中。

模糊混亂的日本政局

由這樣的標準來衡量戰後日本政治人物。吉田與鳩山。這兩位人物，無論在風度，風節或風誼上，那一位也够不上標準。就這次日本內閣更迭而論。吉田與鳩山，本來同屬一個政黨。由兩人的政見與政治背景而言。兩個人不應分家。兩派人物更不應該分離。更爲日本的大局言。今天日本政治上的「保守勢力」，是日本復興的中堅砥柱。拆散這一派勢力，便無異「自壞長城」。但是民主黨與自由黨終久對立了。鳩山也終久取吉田而代之。從個人言，吉田與鳩山，沒有理由交惡至於如此。由團體言，民主黨與自由黨更無理由分道揚鑣。萬分不應該，千萬無理由的事，終於出現了。其出現的結果，便造成今天日本的政局。今天日本的政局，一言以蔽之，便是變本加厲的模糊與混亂。對內對外，都是重重的模糊與混亂。這種局勢，對日本本身無好處。對自由世界的大局沒有好處，因利乘便，混水摸魚，佔盡便宜的，是共產黨。日本近幾年的政局，正如一個人在危險的山崖上亂跑，經過這次變動，這位在山崖上亂跑人，益發左右搖擺，東西亂撞，其不失足墮入千丈深淵者，其間不能容髮。今年三月的大選，若果幸而自由黨與民主黨的票數增加，然而這三個月的紛擾與混亂，已不知替共產黨造成多少機會！這是社會黨暫時擁護鳩山的代價，鳩山明明知道這是一服毒藥。而且由中國的慘痛經驗說，這服毒藥是要制命的。這服毒藥幸而救治，其元氣的傷害，亦極難補救的。然而爲了政權的私慾，寧可吞下這服毒藥，這是今天日本政局變化中最可注意之一點。

鳩山是個投機政客

鳩山一郎過去曾經自命爲自由主義的政治家。戰後他創導的政黨命名爲自由黨。大概由於這個意識。但是我們細按他的過去歷史。他不是具有什麼主義的政治家。而是一個做官主義極濃厚的投機政客。他從一九二八年開始，便担任田中義一內閣的書記官長。從那時開始，鳩山在政治上所走的路，一直是軍閥路綫。一九三二年齋藤內閣，他是文部大臣。更與荒木大將互相勾結。當時他向軍閥獻媚的表現。是盡量利用軍部力量。去打擊自由主義者。有名的血祭京大瀧川教授的事件。就出於他的壁劃。一九三七年中日開戰後。他曾以國會議員的身份遊訪歐洲各國，爲日本侵略辯護。歸國以後，更對法西斯制度大爲讚頌。其著作「歐洲之顏」一書，內容是專捧希莫兩魔的。在第二次大戰後期，鳩山的投機，終於敵不過前田及大森諸人，而至投閒置散。在他輕井澤山莊中鬱鬱多年。在戰後，他拉攏舊政友會的關係而組織自由黨。一九四六年的大選，自由黨在國會中佔了多數的席次。鳩山滿望在此時組閣。就在此時，盟軍總部翻他的舊案而被整肅了。所以就鳩山的經歷看，他不是自由主義者。他也不是政治家。而是官僚與極濃的投機官僚。看他此次受命組閣，手舞足蹈，情不自禁的情況，即可概其平生。

軍閥統治下祇有奴才

所以吉田是小官僚，鳩山是投機政客。這兩位人物。風度、風節與風誼，一個條件都沒有。所以吉田做了六年首相，非到山窮水盡，不肯下台。鳩山縱向社會黨兩翼低頭。爲了做官也無所顧惜。吉田在位時，當常發表不倫不類的言論。鳩山一上台，便儘量向國際上去投機。日本戰後，政治人物的墮落，原因在於長期的軍閥專制統治。在軍閥專制統治下而。政治風氣不容許養成有風度風格風節的政治家。而只能養成政治奴才。也只能容許投機官僚生存下去。我們過去很難了解吉田在位之日，在自由黨內部已成分裂後，不肯讓位給鳩山，他始終戀棧不去。在吉田內閣既倒之後。鳩山甯可接受社會黨兩翼的酷刻條件，而不肯再與自由黨攜手。現在我們十分明瞭，這兩位人物所表現的，不過是爲私人爭權，爲自己過官癮而已。其餘什麼都談不上。

李承晚摧殘法治

韓國大統領李承晚在內政上的措施，可以批評者甚多，姑置不談。現在我們僅談其對憲法。在韓國短短歷史中，憲法已修改了兩次。而且兩次都爲了李承晚而修改。這次爲了取消二次任期的限制，再提出修改憲法。修改的內容要點，是總統連任以兩次爲限，不適用於韓國第一任大總統。換句話說。韓國第一任大總統李承晚，可以無限制連任下去，可以終身做總統。韓國國會議員現在的總數爲二〇三人。照韓國憲法，修改憲法案，必須經過全體議員三分之二多數。過去自由黨在國會中只佔有議席一百席。但經過李的威脅利誘，政府黨在議會中自己覺得已佔三分二之多數。所以在上月舉行表決。但上月投票的結果，主席宣布贊成修改憲法案者。共獲一百三十五票。按照二百〇三人的三分之二之多數，應爲一三五又三分之一票。當時國會議長已經宣布憲法修正案表決，未獲法定票數。但李承晚的宣傳部長，立刻發表談話：「政府認爲憲法修正案的表決，其法定票數的尾數幾分之幾，應當不算。所以此次修正案已獲通過。」國會下次集會時，副議長再聲宣布：「上星期六的宣布是錯誤的。現在再宣布修正案已獲通過。」當時有議員六十人，即席抗議，退出議場。說「總統篡竊立法大權」。當夜李承晚簽署這一個決議，予以公布。所以在一九五六年大選時，李可再獲當選。（此節材料根據十二月十三日美國時代週刊。）

李承晚的反共。是無可非議的。然其對憲政與法治的摧殘的。實在也是並世少見。可決的反共。用其專制獨裁的方法。這一想開創一個新邦的命運，也可想見。李承晚、吉田、與鳩山三位人物，年齡都在七十以上。（李承晚七十九歲、吉田七十六歲、鳩山七十一歲）而此三人者，患得患失之心，對權位也是其深且重。這又難道是東方文明的表現麼？看了日韓兩國最近的政局，使我們感歎不已的，是兩國產生不出一個政治家。兩國的當政者，都視私人權位重於國家的利益。然而吉田終久不能不下台，李承晚乃在得選舉制以前，修改憲法。日本在制度方面，還建立了一點新政。韓國在第一任當政者，便開制度方面，究竟還建立了一點新政。韓國在第一任當政者，便開亂法紀，實在不其如此之前途，國運之前途，卜可知。站在東亞反共的立場，對於此等現象，實不勝其憂慮！希望兩國自由的門士，還應不顧環境的險惡，還爲自由民主而奮鬥。

亞非會議的分析

曾旭孚

去年十二月廿九日印度、巴基斯坦、錫蘭、印尼及緬甸五個可倫坡國家總理，在印尼的茂物開會，決定舉行亞非會議，並決邀請二十五個國家參加，其目的爲：（一）促進亞非兩洲國家間的善意和合作，探求和推進相互共同利益，建立和強化友好和睦關係。（二）考慮有關民族種族和殖民地主要有關的特殊利益。（三）考慮各國的社會，經濟，和文化問題和關係。（四）檢討亞非國家以及今天世界上它們人民的地位，以及亞非國家在促進世界和平和合作上可作貢獻。

可倫坡會議的本質

亞非會議既是由可倫坡國家倡導，故必先明瞭可倫坡國家會議的本質。

「可倫坡會議」這個名詞的來源，由社會主義的觀點而誘導起來。當英國實行工黨執政時的首相艾德禮在一九五〇年十二月十日在加拿大發表演說時，他闡明在亞洲反抗共產主義的辦法，必須要使亞洲從貧乏中挽救過來。因此主張由不列顛聯合王國，澳洲、加拿大、錫蘭、印度、紐西蘭以及巴基斯坦諸國政府代表在可倫坡召開會議。在一九五一年居然實現了。但目的在東南亞的經濟改善。故草擬了一個有關共同發展東南亞諸國經濟的六年計劃。該年十月倫敦又召開一個聯席會議，越南、泰國諸政府均派代表參加。各政府核准此計劃，在十一月二十八日正式公佈該計劃，簡稱爲「可倫坡計劃。」這是由於經濟而初結成可倫坡計劃集團。後來印度的尼赫魯像了政治的動機，想藉此而爲若干懼共國家的領袖，於去年四五月間由印度、印尼、緬甸、巴基斯坦，鑒於共黨向東南亞之威脅日緊，謀以中立之道及作雙方之橋樑，以求保持他們的安定。在可倫坡舉行會議。便成了政治的「可倫坡會議集團」。他們的政治哲學基礎，建立在一面反西方資本主義，一方面反馬列的共產主義當中的亞洲社會主義。

其實有了這個國際和平掮客作領導，這個集團早已推行其鴕鳥政策。尼赫魯自與周恩來在德里相晤以及訪問北平後，自以爲已身價提高，更欲從可倫坡會議擴大爲亞非會議，夢想作亞洲和非洲的領袖人物，「形成」共朝夕夢想的世界上中立的第三勢力。其實並非眞正的中立，而是作的媚共求存的打算，而與反共者作敵對而已。想和聯合國分庭抗禮，並對抗東南亞公約。這一股印度洋的逆流，將爲共產黨所利用。

破壞可倫坡會議宗旨

尼赫魯此次舉動，自鳴得意，其實措施乖張謬誤，輕率浮燥，觀其邀請二十五國參加即可看見。至大的錯誤係邀請中共參加。此舉完全推翻了可倫坡會議的原來宗旨。可倫坡會議的政治哲學基礎，建立在一方面反西方資本主義，一方面反馬列共產主義。希望在東西兩大勢力的夾縫中打開一條出路。現在邀請中共，無異邀請蘇聯的寶兒。北平莫斯科不但在經濟與政治上而且在軍事上已併合一體。如謂不論政治色采，爲何又排拒亞洲其他反共國家——雖然明知其他反共國家不會參加，但亞非會議不應該是尼赫魯個人的亞非會議的。

（下轉第二版）

一週展望

·李秋生·

韓瑪修赴平結果預測

在開年前後，遠東方面有兩件大事，都是對自由人類不利的事。

第一件是聯合國秘書長韓瑪修，爲了要求中共釋放美俘十一人事件，前赴北平與中共談判；另一件是科崙坡集團五國在印尼茂物召開會議，議決今春四月召開二十五個亞非國家會議，以對抗自由世界的防禦聯盟。這兩件事，都是世局演進過程中的逆流。

韓瑪修以世界安全機構最高幕僚長之尊，爲了中共判美俘重刑的非法行爲，親自移樽就教，向強盜去說票，假使眞能有利於自由世界，則準之枉尺直尋的說法，即使有損聯合國尊嚴，也總算不無代價。事實上，中共早經揚言決不輕釋美俘，在韓瑪修啓程期間，更復大肆宣傳，公佈「間諜罪狀」，顯然意在抬高贖票代價，大大勒索一下。誰也知道韓瑪修此去必難輕易收穫釋人的效果，而只是替中共抬高聲價，並提供一個對自由世界文化中傷的機會。

從月餘以來遠東形勢看來，表面上好像自由陣綫實力加強，立場也較前堅定，實則慕尼黑的逆流仍在滋潛長中。韓瑪修自己就是個姑息傾向很強的人，他雖不同於他的前任賴伊，而只以幕僚身分自居，但從他過去的行事可以看出：他却是姑息主義者安放在聯合國中的一張王牌，這次前赴中共匪談判，正是發展姑息陰謀的一個機會。美當局亟謀開釋美俘的著心，是可以原諒的，但若因此而助長了遠東慕尼黑陰謀，則勢將成爲自由世界的罪人。這一點值得白宮愼重考慮。

亞非二十五國會議

尼赫魯的一個狂妄願望，就是在國際間造成一個第三集團，表面上揭櫫中立，實際是爲共黨張目，而與自由世界爲敵。科崙坡集團是他的初步成就，未來的亞非會議，則將是他的盛大傑作了。

仔細分析起來，尼赫魯的成就並不能算圓滿，在科崙坡五國中，錫蘭巴基斯坦都持反共立場，後者且以對美軍援關係和對土耳其友好協定參加了自由世界的安全體系。在其所預擬的二十五亞非國家中，雖邀有中共越共參加，也有半數堅決的反共國家，或爲東南亞公約會員，或參加了北大西洋公約，決非尼赫魯所能一手左右。像那種會議能否開成已成問題，即使勉強開成，也決不可能有何成就。那種完全等於和平會議的翻版的議程。我們的感想只是：對於這種顯然與自由世界集體安全爲敵的邪惡策動，西方列強始則縱容，繼則坐視，任聽尼赫魯以亞非集團領導者自居，以遂其助長共黨聲勢的用心。而對於亞洲民間的反共團結運動則始終漠然視之，絕少贊助和鼓勵。這是不是要任聽亞非若干小國盲目追隨尼赫魯以齎克里姆林宮的會吻呢？

軍援經援和技援都是重要的，却不要忽略了還有更基本的精神領導問題。下月在曼谷召開的東南亞公約國會議，雖不失爲對抗科崙坡集團的一種對策，却還不够。今日遠東所最需要的是一個以中菲日韓爲軍心的全面防禦體系和反共的精神武裝。

馬倫科夫的和平攻勢

蘇俄當局好像認定每年新年前後都是發動和平攻勢的良好時機，兩年前的聖誕節，有史達林對紐約時報記者列斯頓表示願與艾森豪總統（當時尚未就職）會談，去年元旦，馬倫科夫對國際社史密斯表示願促進美蘇友誼，此次元旦，馬氏又對電訊社記者稱，希望與美保持和平，談判解決遠東問題。這些也許都是動聽的辭令，但第一次還新鮮，第二次就是陳腔，第三次更變成八股了。

蘇俄正竭全力破壞西德建軍，這些和平辭令自然在西方引不起何等良好反應。但對這種一手寶劍一手橄欖的姿態，還值得加深警惕，大意不得，因爲西方內部還有一些尚待克服的弱點。法國徘徊動搖是一例，英國的姑息暗流又是一例。

國外通訊

印尼的危機（上）

祝修衡

【耶加達通訊】在印尼國會中，共黨雖然僅佔十七名議員，與二百二十四名總數議員的比例，實在微不足道。但是它的同路人和作爲共黨外圍的黨派綜合，幾已超出了半數而擁有多數票。同時在沙斯特羅亞米佐約的親共政府中，共產分子也佔有兩個部長高位，若干主要部門悉受共黨控制。這一個隨着一九五三年五月政治危機而來的形勢，係由印尼共黨書記愛迪乘機崛起而來。愛迪本來在莫斯科受長期訓練，國內政治不容他存身，因爲總統蘇加諾對國人提供：一、信仰天神；二、民族主義；三、人道主義；四、民主政治；五、社會公平等五大原則；並且一九五〇年印尼初承認中共，六月間中共派遣王任叔爲駐印尼「大使」，第二年中共又派六名額外交官員抵耶加達被拒登岸。中共隨即召回王任叔；不久，蘇加諾又發表了一篇爆炸性演說，警告中共黨徒，不准假借社會改革之名，進行共產主義宣傳，下令驅共。於是愛迪只好長期羈留俄都了。

中共在印尼的潛力

一九五三年夏天，印尼陷入無政府狀態，愛迪銜克里姆林之命返國，以期奪取政權，但在他宣布政策（「如要成立一個眞正的民族陣綫，需要結合大多數人民。」）之後，民間反應冷淡，因之不得不支持沙斯特羅亞米佐約組閣，企圖通過新政權關係，使印尼共黨繁殖發展，然而愛迪過去並無基礎，更無號召民衆的力量。他雖誇言在五千六百萬農民中已經建立了一個「核心力量」，掌握了四百萬農民。實際這些農民，乃中共所籠絡的「勞工聯會」及「農民促進會」兩大農團，總數尙不足三百萬人，也許印尼政府認爲「無足爲患」，這便是太過沒有遠見了。

掌握在中共手中的，尙有一個確數難以估計的力量，就是印尼的華僑。現在中共放棄了「雙重國籍」的要求，任由八十萬土生華僑子弟去決擇他們的國籍。但這些土生子在中共駐印尼「大使」黃鎭（十一月廿二日）抵耶加達之後，已提供了「効忠」中共的充分保證，而「願意」取得印尼國籍，企圖於今春大選中分散和掌握選票。並非中共在外交上有所讓步，或具有友好意向的。

反共內閣無由產生

中共不但在印尼政府中，悉力滲透操縱。文化和經濟機構以及社會各項活動，均在在加以控制。尤其國防部長經中共掌握之後，財政部長李啓唐與衛生部長王永利，這兩個在內閣中擁有充分權力的土生華僑，也不啻已置身於中共手掌之中。中共在印尼得勢，殆因政黨派別衆多，使政府不易有個堅定立場，與正確的外交路綫。要製訂一項政策，往往在國會辯論中確是十分困惑的。現國會二百廿四個議席，分配與國民黨佔四十一席，馬蘇美黨（回教黨）卅九席，大印尼統一黨廿一，共黨十七，社會黨十五，民主系九，進步系九，國家人民黨九，天主教黨八，回教神學會七，大印尼黨六，勞工黨五，基督教黨五，平民黨四，印回聯盟黨四，民權系四，案須（聯工總會）二，農民陣綫二，農民聯合會一，無黨派十六席，以致反共內閣無由產生，一九五三年的前任總理垮台，係造因於蘇巴佐外長與美國談判共同安全協定。現任總理於一九五三年七月奉命組閣之時。一般人認爲沙斯特羅亞米佐約曾任駐美大使，新閣將建立一個親美政府，誰知沙氏不此之圖，竟然以蘇加諾的「不親美反俄，也不親俄反美」政策，標榜「中間路綫」。但經年餘時間考驗，不僅並無「中立」意向，竟向共黨一面倒了，不管是否沙氏原旨如此，抑或對於閣僚無法控制，但印尼政府所表現的政策，無論如何難獲自由國家容忍或寬恕的。例如迫害反共僑領章勳義事件，絕非單純的中共賄賂，而係印尼基本親共政策使然。

編者·讀者

來台教授的待遇問題

陳明先生來函

編輯先生：

前閱四十三年十二月四日貴報第三九二期第二版，載有「教育部高等教育司來函」一件，捧讀之餘，頗有所感，深覺仍有與事實出入之處。或因本人要亦爲教書匠之一，故有不能「已於言」之情。特借貴報寶貴篇幅，公開提出質疑。事雖微末，實有關於今後高教行政之改進。

（一）查安置大陸淪陷各院校流亡教授工作，並非開始於「政府遷台以後」。遠當三十八年政府移至廣州期間，即已正式開始。其時除在廣州設有接待站外，復確定特約編纂編審一百名額。現任教育部長張其昀氏，即爲被安置之一員。根據政府規定之「教育部特約編纂編審選聘辦法」，於大陸撤退時爲專任教授滿五年成績優良有研究著作者，得選聘爲「特約編纂」，專任教授滿二年或副教授滿五年成績優良有研究著作者，得選聘爲「特約編審」。他如學術研究機關主管於教授資格之研究人員及各省市教育廳局長等人員，其服務著有成績者，亦得選聘爲特約編纂或編審。關於選聘及工作審查，專設委員會辦理。另訂有詳細之「服務規則」及「譯述工作」之定期要求，至於實際工作情形，誠非外人所能詳悉；惟可據情者，有教育部出版之「四年來教育施政概況」及蘿國出版社刊行之「學藝小叢書」。如能依照原定工作計劃，按期繳送工作報告，即已符合法定上所謂「辦公」之規定，自應享受公教人員所通有之各項待遇。詳諸事實，無與一般公務人員相同之「職務加給」，無與一般教授及學術人員相同之「研究費」；無宿舍分配，無交通費；亦無房租津貼；亦無子女教育補助費等四項臨時補助費用。教育部所有之四節福利，開合併計算，相當於年薪十六個月，以額外人員理由，亦不予享受。受聘之特約編纂編審每月之全部收入，包括新增發之服裝費暨藥費在內，平均僅四百元左右，實不足以維持最低程度之溫飽。反觀同級之公教人員，則通在千元以上。風雨同舟，焉得謂平。國民大會代表二次集會台灣，曾有鑒於此，立有專案，送請政府作合理改善未果。

（二）照教育部當局的看法，即如高等教育司來函所稱：「受聘爲特約編纂編審者，無須到部辦公。其待遇除不支職務加給外，悉照一般公務人員辦理，其調部辦公者，並支職務加給」。就前所舉例，教育部顯未「悉照一般公務人員」所規定之待遇辦理。況「職務加給」一項，事實上已成政府改善公教人員待遇所通有之名目。特約編纂編審既認定爲同於一般公務人員，且有「辦公」之實質存在，理應發給職務加給，解救其生活之窘況。國防部高參既有職務加給，情形相似之特約編纂編審，何以獨無而不可援例？若以「辦公」爲形式上之[illegible]，此實爲研究譯述工作所不必要者，故教育部有「無須到部辦公」之規定。倘因集體研究，必須到部集中辦公，此問題考量各人所研究問題本身之性質，亦應考慮教育部所賦與彼等之實際條件如何？比方有無集中研究之資料？集中辦公之地點？以及宿舍分配或交通費之有無等等。依「服務規則」第十一條規定：「特約編纂編審得由本部調任其他工作」。高等教育司之所謂「調部辦公」，應指此而言。此爲工作性質之改變，如爲担任行政職務者然，與特約編纂編審本身工作之職務加給，可謂全屬兩事，似不可混爲一談。退言之，若認其爲研究人員性質，則不發職務加給，亦當發給研究補助費、兩者必得其一。專科以上學校教授，國立編譯館之編纂編審，中央研究院之研究員，台灣省立師範學院附設之中等教育輔導委員會委員，概有研究費之發給，何以特約編纂編審連研究費也無？查彼等既原系大陸各院校來台教授，雖以事用非宜，一時無法安教，然而未離開其學術研究崗位。比諸其區區之研究費開支，恐還不及教育部一次社會教育宣傳所報銷之費用。

（三）安置流亡教授及爭取海外學人歸國，既定爲我政要政策之一，教育部執行此項政策，似不應以此象徵式的特約編纂編審爲滿足，而必須諸取積極態度，而收「團結反共抗俄力量」之實效。如國立政治大學既經復校，而以原在教部担任特約編審者，全無一人獲得回校機會？其所研究之學科亦非全無一人與此四研究所課程相關者。多以黨官顯達，兼任政大研究所教授，除充分表示政治氣味外，實有背於教育專業之原則。現即就九十八名爲一百名之特約編纂編審名額本身而言，根據過去事實，有無滿額之時期，頗堪玩味。事實上，有無人員之限制過少？因素此內？所謂「四年以來，先後經本部聘爲特約編纂編審者逾三百餘人」云云，有無將不合規定之私人計算在內，[illegible]高教司所謂「大約每月七十人左右」的統計，係把「黑市」名額包括在內。[illegible]

（四）此外，尙有許多涉及私人部份，總之，自由中國之進步，貴在能一一列舉。本人所事實求因，與官方聲明所聞不同者，故敢據實如上。謹此奉陳。

讀者　陳明謹啓於台北

亞非會議的分析

曾旭軍

（上接第一版）

尙有一種邀請，至成問題者，即非洲之非自治國家亦被邀請？印度總理『思潮什誌』亦承認過此事，認爲依照不干涉他國內政的原則，邀請此種國家來爲不合。「中非聯邦」雖屬英聯邦，但嚴格來說並非是獨立國。邀請黃金海岸，中非聯邦，和蘇丹參加，給英國留下惡劣之印象。其餘如因畏阿拉伯國家而擯棄以色列，亦爲態度不光明正大，本身已犯了歧視宗教的錯誤。

亞非會議有利共黨

由此而觀，可倫坡會議的三個主要國家印度、印尼、緬甸雖然標榜中立主義，但已處處表露其欺善怕惡的勢利態度。實際是感受共黨勢力的威脅而謀解除這種威脅計，假作超然態度，表示擺脫西方的羈絆，以爭取亞非各國的同情。

亞非會議標出的目的，均足爲共產黨所利用。（一）就是「促進亞非兩洲國家的善意與合作」，其實係共產黨最近主張「調整共黨與非共黨國家關係」的張本，拆散自由陣綫。（二）「考慮有關民族種族和殖民地主要有關的特殊利益」。正合共黨以民族主義驅誘落後國家入其圈套的詭計。（三）「考慮各國的社會經濟和文化問題和關係」。共黨特在亞非會議中提出與鐵幕貿易的主張。破壞對共產國家的封鎖與禁運的戰略與策略。（四）「檢討亞非國家及今天世界上它們人民的地位，以及亞非國家在促進世界和平和合作。」共黨必然在會議中挑撥民族之怨憤，鼓吹「和平共存」。尼赫魯「建立和平區域」的主張，將被中共鼓吹，俾能排除自由世界的防衛，而讓共黨滲透蠶食。總之亞非會議標出的目的，都合乎周恩來的五項原則，而爲共黨運事會議議程的翻版，濟濟爲共黨張目，爲共黨利用作把柄。

亞非會議成份如此之複什，宗旨如此複什而不着邊際，論者每謂其沒有什麼成就。但其禍害不在共有何具體的成就，而在不知不覺中造成鐵幕的基礎，減少自由世界的反對共黨侵略的力量。印度、印尼、與緬甸三國的潛伏共禍最烈，不謀正道去抵抗，反爲共黨製造機會，害已害人，其愚可哂，亦復可憐了。（完）

人物述評

六十三代的張天師

·劉露如·

（一）

江西龍虎山的張天師，現已傳到六十三代。他名叫張恩溥，號瑞齡，今年六十一歲。現住台北市郊的「覺修宮」，有時爲人建醮。他有三女兩子，女兒都已出嫁；大兒子張允賢二十一歲，次子允康十四歲。允賢就是未來的「嗣漢六十四代，江西龍虎山張天師」了。

近人傅增湘著有「漢天師家世攷」，從這篇文章裏，可以了解他的歷代家世。

張天師這一派，在道教中歸於入世的符籙派，是可以娶妻生子的。他們是張道陵的後裔，在龍虎山下的一個村莊聚族而居，子孫相當繁衍。那個山形如龍虎，因此得名，山上建有上淸宮爲天師府，建築之做宮殿式，規模亦相當宏大。歷代頒有封號，賜給有加，所以上淸宮能夠隨時修葺，歷三千年而不倒塌。

（二）

據傳張天師每年元旦子時，臨正殿受諸精朝賀。惟「當年太歲」來朝，執禮因爲，天師必閉目默念金咒，禱告上代老天師，轉爲呵護。天師外出紙牌在府中，或在旅社，必高懸「肅靜迴避，諸神免參」的虎頭牌於門口。又傳從前北京太和殿正中樑上，有鎭宅符一道，爲天師所畫，每年元旦一交子時，則自動換爲新符。唯其有此靈驗，故能博得歷代帝王封誥。

至於天師累代相傳的法寶，有玉璽一方，鐫有「護國靈寶大法師之璽」九個字。所有符咒，必須蓋上這個璽印，才生靈驗。另有寶劍一柄，爲捉妖驅魔的唯一武器。

還有一宗法寶，就是天師府後廳藏有紅布符咒密封的瓦甕甚多。聞歷代天師所降妖魔，均囚於甕中。相傳如將甕內妖魔放出，則天下必然大亂。唐時盛行佛教，唐明皇擬廢除天師封號，曾將天師府所有囚妖甕予以擊毀，以致不久，召來黃巢之禍。

（三）

天師府的經濟來源，大概由於該府擁有租田將近千畝，其次則爲全國道士的領照收入，凡屬於這一派的道士必須向天師府領取執照，才能作建醮禳獻的道場，否則必受同道干涉，或官廳取締。此外則爲請求符咒及捉妖驅魔的代價。符咒的種類，計有鎭宅符，催生符，護身符三種。至捉妖驅魔，必須設壇驅祟，收費特別昂貴。

以上這些傳說，照今天的科學常識看來，自屬不經，誠如傅增湘所說：「所恃爲讖緯奇諸，固天忘不足信，一般謬諸傳聞」，亦只好付之「姑妄言之，姑妄聽之」而已。

張天師的法寶自然有時而窮，明末以後，更是江河日下，聲譽漸趨低落。如「明季南北略」，即對張天師大肆詆譏。原來明季，京都災象疊現，怪異時作。皇帝特地把龍虎山的張天師召到京城，設壇禳解，結果毫不見效，害得天師鎩羽而歸，封號亦被削。

淸代同治年間，對天師更有微詞，有山陰人平步青的「安越堂外集」，說得更爲露骨，中有句云：「今天下皆知有盜賊禍，而不知盜賊之禍乃盜賊之致禍之也。何謂盜賊之致？則張道陵遺著天師所稱是。」其實這是由於時代推移，因社會進化，張天師遂自然而然的受時代的淘汰，這是歷史注定的。

（四）

辛亥革命後，信教自由，天師府仍然存在。但已受到相當限制。他的許多田畝，一概要升科納稅。催徵之吏經常來往於上淸宮。到了民國十五年，江西農民協會成立，當時把持農民協會的，就是今天僞佔大陸的中共。天師就擁有大宗田產，自然成了鬥爭的對象。因此張天師首先被拘押起來，玉璽寶劍也被沒收。後來中共流竄廣東，張天師才得釋放，玉璽寶劍也得發還。但不久龍虎山再被紅軍侵據。

畢竟張天師的幸運了，民國二十三年，上海鬧了很久的旱災，有人提議請張天師求雨。於是張恩溥有機會到了上海，設壇求雨。這一次張天師確撈到了一筆款子，作爲回到龍虎山生活之資。

（五）

大陸淪陷後，張天師有鑒於十五年的慘痛，所以他很早就同家人，逃到廣州，借住抗日東路一家江西商行內。偶然出門小遊，竟遇小手，竊取了他的錢包，損失數目雖不多，不過張天師遇到小鬼，有法無從使，一時啼笑皆非。

後來由廣州逃到香港，到了台灣，仍賴同鄉親友資助，得以生活。有時候亦爲人建醮，但收入不多。另據自江西逃出鄉幕的人士說，龍虎山的天師府已夷爲平地，凡屬過去在天師府任職的法官，和張天師的家屬，均受到很殘酷的清算，較之一般地主更爲慘絕。

經濟社會思想叢殘（三）

金伯華

三、「思想」即「公共心」

由於上節簡單的敘述，讀者已不難明白這「合作」問題，純然是一個經濟社會的思想問題。不提則已，一提到「思想」二字，這問題可就大了！今天擺在人類面前這樣尖銳對立，岌岌不可終日的世界局勢——即民主集團與極權集團永遠無法「共存」的局勢——歸根到底，還不是思想問題？姑不論「人決定經濟」，還是「經濟決定人」」。但無論如何，在現代思想問題中，關於經濟思想的何去何從，實佔極重要的地位。

我們談的是經濟社會思想的「叢殘」。我們沒有絲毫野心要在這裏來談經濟社會的思想史。世界名著「經濟學說史」的著者查理季特和查理黎士脫（CHARLES RIST）兩位先生說得好：「自一個半世紀以來，綜覽各種經濟思想而欲爬梳其中的路綫，好比是觀察一把全面展開的紙扇。手中握着的扇把子，串的那麼緊湊，似乎是一團石塊。這是重農學派的經濟學者們，尤其是經濟學祖師亞丹斯密司眼底的經濟學理。那是多麼美麗的一種簡樸。可是由於亞丹斯密司當時所能善加協調的實際上常常是互相抵觸的經濟學說。產生出很多日益壯大而完全相反的思潮。終於每一思潮都發展成爲各自獨立的姿態。這是由扇紐向四周伸展扇骨，朝着各自的方向前進可至於無限的紛歧。這就是說每種思潮，每個學派，多多少少都有他的立場。發現若干或然的眞理和多很有用的觀點。而同時也各都吸引相當的信徒。然而，儘管如此，他們並不是完全彼此隔絕的。因爲當他們逐漸離開的時候，人們依舊看得出，在各扇骨之間，聯有一條模糊的共同線索。這條線索在他們中間創立一個聯繫，一個新的單位，雖不比手中所握的那一個人爲的單位，那個生出堆疊扇骨的單位來得堅強，至少也差不了好多。由於時代之輪的不斷逝轉，由於科學的進步，人們發覺起初的那個單位是表面多於實在的。例如，關於價值，關於財富的分配，關於歷史方法和抽象方法，關於自由主義和社會主義等等各種不同的學說和觀念，跟隨他們各自的途徑，並遍歷各種困難，也給各有他們的成就。到了每一個經濟思潮又慢慢的在它的周圍形成一條更堅強，更擴大的線索，於是它又構成一個共同的科學領域，雖即在這領域之中，人家還是找得出各大學說的顯湖痕跡。可是自某一時期起，人們所瞥見的，已經不再是那些扇骨而是共同的線索。並在這線索上，所有向四周輻射的那些扇骨，都一齊歸於消失」（這可說就是經濟學理的全部（L'ESSENTIBLE DES VÉRITÉS ACQUISES）而構成人類各種持續制度的結果。這是季特和黎士脫兩位先生在該書最後的結論裏（第七版）所說一段話的大意。

治資本主義的特效藥

他們對於繁複的經濟社會思想，用這種很客觀的譬喻來形容，而自限於只說明其所以然，而不問其所應然。這是歷史家應有的態度。

但依我們看來，今天自由世界所有的共同線索，亦即是孫中山先生所說的「公共心」，很顯然的就有一點：反共，滅共。馬克思共產主義是早已逸出於整把扇子之外而務欲撕毀這把扇子而甘心的。我們知道，今天的資本主義已不是五十年前的資本主義，更不是一百年前的資本主義。它在若干方面已有演變，有改善。——這大半是由於社會立法及科學進步的協助。但若就本質來說，「合作」才是治療資本主義的特效藥。[illegible]中山先生於民國十一年在桂林演講會說：「[illegible]」這段話在今天[illegible]可以放大的適用。[illegible]更可以說是「人當去自私之心，同心協力，共同締造」[illegible]同心互助，以謀共濟。[illegible]（未完）

國父之大學時代

羅香林著　增訂台灣一版

王君實

（一）

國父之大學時代一書，是闡述國民黨總理孫中山先生在香港西醫書院時代的史實，和該書院創設經過，並進一步探明中西文化的交流。和孫先生學術思想的淵源爲宗旨。著者根據最原本的資料，加以分析研究，以證歸納。以闡發孫先生在大學時代的科學與醫術及國學和其他問題的研究，及孫先生當時的生活思想，言論行動，和其他有直接關係者影響的史實爲範圍。

全書共分十章，第一章引論，第二章香港西醫書院之創設，及其時代意義，第三章西醫書院之組織與課程及教師，第四章國父在西醫書院研讀之景況與日常生活，第五章國父在西醫書院之同學與書院學員分析，第六章國父在西醫書院之成績與畢業盛況，第七章國父在西醫書院時代之革命思想與言論，第八章國父致書李鴻章及李氏擬在粵獨立之前後，第九章西醫書院師友之協助國父致力革命建國，第十章餘論。該書於中華民國三十四年八月初版，由軍壘獨立出版社發行。在海外現在已不容易購到。最近著者把原書略加增訂，由台灣商務印書館複行，俾海外青年對於這一位創造中華民國的巨人，有正確的認識，作爲修身勵志之助，不特有關史實而已。

（二）

著者所根據的原本資料，實在不容易獲得。原來西醫書院自歸併於香港大學後，其註冊簿與學員成績，及畢業執照副本等，概存於香港大學。其與孫先生有關，爲中華民國革命史料的一種。民國三十年十二月八日，日軍襲擊香港，香港大學職員某先生，即以救護這項史料的責任自任，起初設法保護，使它不爲敵軍炮火所毀，到香港淪陷，更設法秘密運入桂林，由杭立武先生呈送國民黨中央黨部保存，並由杭立武先生將這項史料贈還中國的意願向英大使薛穆爵士（SIR H.J.SEYMOUR）說明，他深以爲然。著者曾在重慶服務，獲觀原本資料，奉命撰述。著者的史學史識史才三項都有大過人之處，加以博考羣書，訪問通人，引證史實，翔實淵博，無一字一句無來歷，至於推論史實的前因後果，更合於嚴謹的科學律令。文字簡潔洗煉，可作爲傳記文學讀。

（三）

中山先生曾說過「革命的基礎，在高深的學問。」並且說：「青年人宜立志做大事。」這並不是一句口頭禪，而是他本人躬行實踐，即知即行一件事，值得青年人效法的。

中山先生於光緒十三年即西曆一八八七年正月自廣州博濟醫院，轉學於香港西醫書院專心致意於學業，勤懇異常，日間則研究科學與醫術，夜間則攻讀中文，而於各學科之專家與同學，皆折節下問；故能愼思明辨，多所創獲。尤喜讀法國革命史與達爾文進化論等類專書，並究心於興國之學；合學術研究與實際生活及救國意志爲一體。

由光緒十八年即西曆一八八七年正月，至光緒十八年即一八九二年七月，宣告畢業，中山先生在西醫書院五年有半，成績的優異，無以倫比。在第一學年考試，名列第三，而化學與生理學成績，則爲全級之冠。第二年的成績，已列全級之冠。以後數年，都保持這項紀錄。至於畢業考試十二門學科當中，獲榮譽成績的計共十門，佔全部榮譽成績百分之八十三以上。這在世界各大學或專科學院學生畢業成績紀錄中，實在是獲得榮譽成績的最高紀錄。

（四）

「革命的基礎，在高深學問」。這句話相信是沒有人否認的。倘使游談無根，東書不觀，只撫拾一些淺薄的理論，歪曲的主張，違反傳統的文化，違反民主的思想，幼稚，空虛，淺薄，怎樣去担當革命建國的責任？這一點，我想愛國的青年值得深思遠慮的。

一個人德業的奠定，事業的成功，須要良師益友的軍重扶助。中山先生亦不能例外。當他在西醫書院肄業時，以學行優異，爲全院教師所器重。尤與先後任教務長的孟生博士和康德黎，及秘書兼教師何啓博士友善。故此中山先生在倫敦中國使館蒙難時，即獲孟生和康德黎援救脫險。何啓博士在當年是最有新思想的人，他撰述的新政論議，是主張維新變法的先聲，亦即後來康有爲公車上書的藍本。後來他以溫和改革的主張窒礙難行，終於贊助革命，由乙未以迄庚子，如廣州起義，勸說李鴻章獨立，他始終竭力贊助。這一點值得我們鄭重提出的。「青年創造時代，時代考驗青年。」中國的好兒女，希望你們珍重閱讀這本有價值的傳記。

漳州近況

僑眷的悽涼日子　共幹的恐慌面孔

陳銓鍵

筆者最近晤一位六十高齡的陳子康先生，他是雙十國慶前三天，才由福建漳州經香港來到台灣的。也是金門砲戰之後，逃出接近廈門地區的第一人。

人民秘密收存傳單

他對於漳州一帶（他於今年（四三）九月初旬起）的情形，說了不少。[illegible]福建[illegible]產生一項強烈信念。認爲在不久的將來，就會重新獲得失去的光明。現在每一個老百姓起碼秘密保存一張傳單。這張傳單給他們帶來了慰藉。也帶來了要繼續活下去的決心。目前共匪在福建沿海所採取的措施。是在十歲以上，六十歲以下的老百姓，都要參加組織。甚麼防諜防火隊，救護隊，搶修隊，海防瞭望組等。整天整夜不停的開會。使老百姓疲於奔命。眞是慘極了。

漳州城內每天只殺一頭豬。還要讓匪幹有優先購肉權利。

因此。漳州城裏六萬人民，久已不知肉味了。十六歲以上者，每月只配售食油二兩。十六歲以下的只有一兩。每人每年配售土棉布兩丈。任何老百姓家裏，都不許存有隔宿之糧。連第二年所需的稻種，也要交給當地共匪合作社保管。等到下種前夕，才能領回。

僑眷處境淒涼萬狀

談到僑眷處境。陳先生竟至熱淚盈眶。他說。共匪首先破壞了僑眷家庭的倫理觀念。在匪僞新婚姻法迫害之下，「祖孫可婚」。「兄妹可嫁」。稍具姿色的僑眷，莫不在匪幹槍口之下，強迫成姦，等到被迫姦成孕後，匪幹便大事宣傳，強迫僑眷正式改嫁給匪幹。在去年一年之中，漳州城內被匪幹強姦而自殺的僑眷，即達一百多人。共匪對僑眷的迫害。尙不祇此。任何一項捐獻運動，都要僑眷起帶頭作用。一個由海外返回匪區的僑生，不管進共匪那一間學校，都要繳納比別人更多的費用。共匪說這是補習費用，因爲僑生的學科知識水準較差，人人都被迫參加不同課程的「補習班」。所謂「補習」，實際上就是強迫施行思想改造。可以說，是不同方式的迫害，與不同藉口的剝削而已。

逃亡是不容易的

筆者又問，老百姓爲什麼不向海外逃亡呢？陳老先生沉痛地說：逃亡談何容易？自今年（四十三年）九月起。所有四十歲以下的婦女，六十歲以下的男子，不管什麼理由，一律不准出境。假如我不是過了六十歲，也就根本到不了台灣。最後，他說：漳州已蒙上了戰時色彩，雖然漳州老百姓聽不到金門的砲聲，但每天都可以看到空中國軍的飛機，也看到了匪幹們的恐慌面孔。人民已體會到好的日子就要快來到。他們雖然被迫參加共匪的什麼組織，但當國軍一旦反攻，打到大陸的時候，老百姓一定會回來的。

十二月廿日　台灣花蓮。

積極搶救失學子弟

當局[illegible]顧各方協助

一九五四年已成爲歷史的陳迹！一九五五年剛開始，歲首年初，就本年度當局所訂整個計劃看來，對於獎勵淸貧學生就學，似乎在施政計劃中佔有了一個重要環節，誠然是令人感奮的。本報在過去一年中，屢經闡述當前失學青年影響社會的嚴重性，也曾一再籲請社會人士正視這一事實，協助當局迅謀良策。然則港九公私各校，均能體恤淸貧子弟，自港大以至各中小學校，大多均增設免費、半費以及公費學額，港大的公費名額中，且有給予學生家庭津貼。祇因獎學金的數額有限，各校對淸貧學生資助，名額畢竟有限，蔚爲一種近似宣傳性的點綴，儘管有許多好學青年終遭摒棄校外。

就教育司署有關獎學設施報告看來，自一九五二年起所設的免費學額，實在微不足道，而且這一百名免費額均有嚴格限制，規定初小畢業成績優異的學童，凡參加小學會考，名列前茅，得助其完成中學程序。雖然本年度教育司繼續撥出這一原定名額，內規則限制過嚴，享受免費升學初中完成學業，並非完全淸貧子弟，富家子自亦包括在內，乃是一種鼓勵，而非純粹救濟性質。不過淸貧勤學的學生，正因爲免費名額有限，對於各項學科，可以提早準備，在會考時不致臨事不易應付；雖然當局認爲目下港九各校日臻完善，本屆會考限制範圍可望放寬，但免費名額究竟有限，在審查免費對象時，嚴格仍然難免。

廣泛地獎助學生旣感困難，救助失學自更談不到了。教育司對於這個問題，幾無時不在考慮中，根本辦法決不是關起門來計劃，以及單純的呼籲可以解決，必須積極地發掘獎學金來源。據教育司表示：太平洋戰事發生前，私人所捐助的獎學金爲數頗多，其目的在補助學生就讀本港學校，或獎勵研究特種學科之用。可是現時已因戰前紀錄在戰事中散迭，以致若干獎學金的原定條件均失稽考，致爲補救此種損失與發掘大量獎學金額，特籲請港九各界人士，對於戰前各項獎學金情形，充分提供有關資料，如：（一）所損助獎學金總額；（二）獎學金設立日期；（三）發給獎學金原定條件；（四）獎學金的金額等四項，隨時通知砲台街一號或電話「三九二零號」教育司署秘書。同時教育司署備有各該獎學金統計表，以備各界隨時到署查閱。然則，戰前的獎學金之外，仍需各界人士全力協助，積極捐助和設置獎學金名額，庶有助於大量失學數字減少，豈僅是淸寒子弟獲益，而造福於社會，利莫大焉。

中共在滬徵學生　驅往邊區做奴工

在中共「建設祖國」的欺騙口號下，共區的學生被驅迫到遙遠的邊區去勞役的人數，最近逐漸增多。據中共「中國青年報」所透露：「十一月廿五日下午，從上海動身到遙遠的青海省去參加政權建設工作的學生有八十九名。」又說：「上海中學畢業生到青海去參加建設工作，從九月二十六日以來，前後已有三批共百多人。」與時該報也承認這些到邊區去服役的學生，「工作自然很艱苦」。

稿約

本報園地公開，歡迎讀者投稿，性質不拘，最好勿超過二千字，譯作請註明出處；來稿如不合刊用時，當速退還。來稿請用稿紙，勿橫寫。

——編輯室——

新年佳話

馬五先生

元旦佳節，本刊作家在本社舉行團拜座談雅集，濟濟多士，議論風生。有人提出吸香烟的問題來，說是據美國醫學界的精確研究，吸香烟不僅容易招致肺癌，根本對於人身的一般生理上就是一種慢性的殘害，可以說：吸一枝香烟，生命就短促了一寸！

十幾位座上客，只有三位是不吸烟的，他們嘿然笑領之，不便表示意見。讓我們這一大羣烟客聽聽論，熱烈非常。有說自己已吸上了十年八年，肺部早已構成，現在再來戒烟，悔之晚矣。有說郎靜山先生卻肯雲霧，然八十多歲高齡還如故；愛因斯坦在思考一種數理公式時，必閉門掩窗，狂吸雪茄，待滿室烟霧生出來，而他依然長享遐齡。這又如何解釋呢？

我却認爲這問題不值得研究，人類的矛盾生活太多了，除吸烟以外，酗酒、賭博、好嫖、吸鴉片、吞嗎啡紅丸等等，不一而足，難道說這些都是延年益壽的嗜好不成！美國人爲着吸香烟問題而大驚小怪，爭論不休，然每年聖誕節內狂歡而喪命者不下千百人，何以又不驚訝了？吸香烟誠然不是甚末有益衛生之事，能够不吸，當然很好。既已染成癖，而又爲着不可靠的壽命之說，自己謀計拂經，何苦乃爾！即令戒烟，又有甚用，若把生死的道理看得透，長一百歲與十歲八歲而死的又有何分別呢？害怕命不長而斷然放棄吸烟的，自找罪受，不亦懷疑於吸香烟的得失，自找罪受，不亦可笑也乎？

在座不吸烟的賈壽老先生甚贊吾說，而毛以亨先生則大呼：「你們都是讀南華經的人，不足爲訓！」其然豈其然歟？謹舉以就教於讀者，亦新年佳話也。

自由文化寶庫

美國國會圖書館

·應經·

美國國會圖書館，創立於一千八百年，當時撥經費五千元，爲國會議員參考而設。發展至今，已成爲世界上最大的文化寶庫，服務範圍，除美國國會，及美政府各部門外，且擴充及全國全世界圖書館及一般閱者。

該館位於美國首都華盛頓，與國會宏壯建築隔街輝映。佔地十四英畝，老館落成於一八九七年。採用意大利文藝復興時代式樣，雕刻富麗，廊內圓柱及主要牆壁地板均用大理石砌成。新館落成於一九三九年，全部鋼骨水泥，牆面地板用大理石，富有純樸之美。

全館辦公面積約一百五十萬英尺，藏書鋼架長達二百五十英里。新舊兩館以隧道聯繫，爲減壓運送圖書。

該館組織，共設總務、編目、參考、立法參考四部及版權局，法律館六部門。內以參考部規模最大，分爲科股。其東方處之下，設有中文日文希伯來文，近東，及東南亞五科。立法參考部，乃專爲國會議員，諮詢及研究之用。法律館設有英美法，拉丁美洲，及外國法三組，近新增遠東組，業務正開展中。版權局成立於一八七〇年，爲登記全國版權之機構。

該館經費，一九五四年度約九百五十萬元，由國庫撥支。外加由其他機關撥助作爲特種編目用者，年約二百五十萬元。由其他基金撥助供特定研究用者，年約五十萬元——如自由歐洲協會撥有經費，供給東歐各國流亡人士在館內研究各國立法狀況之用。

全館人員，除館長由總統提名，經參議院同意派任外，其餘多按公務員任用法錄用。各級主管，大多係按年資升遷。並酌用外籍語文專家。現全館職工約二千四百人。

全館藏書及資料，現共約三千三百萬件，外國語文書刊約一千萬件。美國歷屆總統手稿及有關美國歷史文化原稿，約一千三百萬件，地圖約二百三十萬件，音樂二百萬件，錄音片二百二十萬件（包括音樂、講演、戲劇等），照片及影片二十萬件，另有「珍本書」十五萬件，膠捲記錄（珍本書）十三萬件，報紙一千三百種。

圖書來源，大半經由版權登記（每年約十四萬五千件），政府撥給，國際交換，各方贈與及政府購買（世界各地均設有圖書商負責代購）。中日文圖書逾三十萬冊，十六萬種，除各該本國外，堪稱世界第一。

該館業務，分爲採集、分類、編目、收藏、陳列、閱覽、出版、諮詢諸項，其分類方法，於杜威十進法外，獨創一格，久爲圖書館學界所宗。編目及標題方法，實爲美國圖書館協會標準。目錄標題之甚夥，各國多做用之。

全館設閱覽室二十一處，大者可容讀者二百餘人。此外復有研究室一百三十二間，研究桌二百九十個，供應來自世界各地之專門學者。一九五三年，讀者逾七十萬人，其中不少來自世界各地專家學者，其詢問，即逾五萬件。

所造目錄片，除本館圖書外，尚有全國各館及加拿大之聯合目錄，約一千五百萬張。

出版品：除目錄卡年售約二千萬片外，尚有作者目錄，標題目錄，照片，膠捲記錄，留聲片盲人用書等多種。

本文作者應經先生，在該館任研究工作有年，此文最近從華盛頓航寄。——編者——

老伶人

P. Wright著　·周魯譯·

莎菲曾一度非常傷心，我祇有極力慰解她。不幸得很，奧貝的妻死了，遺下一個女兒名露絲。奧貝也不再結婚，莎菲爲他撫育這女兒，她愛她比自己的生命還重要。十六年後，奧貝也死了。」

赫頓的淚已一串串掉下來，愛麗絲也紅着雙眼，我也嘆息着。他的聲音憂澀地往下再說：

「莎菲受了不少精神打擊，加以演戲積勞，她也病起來，那時，我們不在倫敦附近的小市鎮開演，露絲交回她的姑母管理，奧貝遺下不少財產，露絲就住在倫敦市上的一座大廈裏，染上了貴族的氣派。在距離聖誕二十天左右，莎菲接到露絲的一封信，請她爲她設計做一件合時出色的外衣，因爲要參加聖誕晚會，莎菲便和我商量，這是不容易辦的事，晚禮服露絲已有不少了，如果要出色的，實在太傷腦筋。最後，莎菲決定親自替她編成一件小巧的絨綫背心。好讓她得到意外的歡喜。於是她托我替她選購全市最佳出品的白色絨綫。莎菲編織的優美工夫是人所共聞的，她費了十多天時間，才把那件背心織好。那種細緻巧妙的手工，眞是無與倫比。但是那時她的病加劇了，可幸她還可以支持往倫敦的精神。

「我們在聖誕節的前兩天，便趕到倫敦了，於是在酒店歇息，莎菲請我立刻替她送這件白背心給露絲，因爲她這時連走也不穩了。我很不放心留下她一個人在酒店，她實在病重了，我爲着博得她的歡心，祇得忽忙地踏上街車。」

愛麗絲搶着說：「露絲一定十分高興了。當她看見這件精緻的白背心。」赫頓點着一支紙烟，吐了一個濃圓的烟圈，眉梢鎖得更深地說：

「夫人！事實適與理想相反，我何嘗不與你有同樣的感想？我想，當我把這盒禮物送給露絲時，她是說不出的高興，還感謝莎菲對她的疼愛，眞是無微不至了。可是，當她看見這不過是一件白色絨綫背心時，却哭了起來，憤怒地把它摔在地上。」（中）

念奴嬌

次王半塘韻謁明陵　懷冰

園陵登目，對松濤柏雨，寒增襟袖。滾滾長江留一綫，付與斜陽鍾阜。三界無安，六如一夢，騷客沉吟久。驅胡猶記，神京誰起雷吼。

空憶尺劍戎衣，杉叢巢鶴，慣村翁趨走。野雀不知人換，兀向南枝斷守。神武天成，山靈護，並酹中山酒。微茫沙草，白雲和岩岫。

枕上

刁抱石

繡被溫柔窗透明，詩思似夢枕邊生；鄰雞却也能高韻，攪入雲端又數聲。

采石磯瑣憶

·謝政·

江南好，風景舊曾諳，日出江花紅勝火，春來江水綠如藍，能不憶江南。——白居易

采石磯是安徽省當塗縣中的一座美麗小鎮，屬舊太平府治，緊近揚子江畔。宋代以文人領兵的虞允文曾大破金兵於此。

濱江有翠螺山，山巔立有五六尺高一塊石碑，上書：「曾國荃改太平軍於此」。山腳，是彭公祠（彭玉麟，謚剛直公，內設剛直中學。）大門前有曾國荃所題「東南砥柱」四個大字的橫匾，望之令人肅然警惕！

彭公祠右，鄰有太白樓，據當地人傳說，某年詩仙太白遊覽至此，留戀不忍去，一夜，獨自攜酒帶菜在靠近江邊一塊名叫「聯璧台」的懸崖上暢飲，半酣之後，一個不小心，掉到江內去了，奇怪得很，他的屍體不向下流，却逆流漂浮，這雖然是神話，倒也有幾分詩意！

翠螺山對面，是綠茵洲，乃泥沙久淤塞而成，洲上遍植垂柳，池塘棋佈，每當菱角成熟季節，三兩村姑，盪舟池中，隨採隨歌，此情此景，使人有世外之感！

采石豆腐干，是鎮上最有名的土產，其物色香味俱妙，想凡是來往過江南鐵路的人，是沒有人不知道的。當地人們，當於飯後，買一瓶太白酒（因太白酒有名），就着鎮上的豆腐干，過那一段神仙的日子，自酌自斟，引以爲樂！筆者七年前，曾……時不再來，而今不知「采石磯怎麼樣了!?」

短篇小說　當

楊海宴

我煩惱的點點頭。「緊帶在身邊要背時的。」

「這下我不帶了，我要把它放在家裏。」

「也不好，放在家裏也是要背時的。」

「那怎麼辦呢？」

「把我，」他熱忱的說：「我叫你空手提骶鍬，骶鍬保不從手裏滑掉。」

「好！」我欣喜的：「可你莫不是也不祥麼？」

「無妨！我會變的。」

於是，我把心愛的汽車交給他，他便叫我空手提骶鍬，他告我說：提骶鍬時，用手先放在門齒下輕輕咬三下，唸着：「天靈靈地靈靈，骶鍬碰到我，準保脫不了身，」最後，又格外拉低聲音說：「你莫告別人，這法術是古板道人，托夢傳給我的。」

我眞有點捨不得那架汽車，可是它是不祥的東西，害我挨了戒尺，而且我又學會提骶鍬的仙法，我也就心滿意足的接受了這個交易。

晚邊，孩子們玩在一起，但大半還是各就所好，分成集團，尤其是在玩「打仗」時，這陣營顯的格外分明，這天晚上，志展在貴娃那邊玩，後來貴娃那邊的人，越玩越少，他便撇開貴娃，要參加我們這邊玩，還當然還是也猜不到的事，只是我們看到貴娃那邊冷落的可憐相，心中不忍，我便說：「志展哥哥（小時，年歲相差不遠，互以哥哥稱之）！你們我們數着你來玩，可你離開貴娃，他們不更冷火秋然了。」

「你不曉得，甚懷哥哥，你們這邊比貴娃那邊熱鬧，比貴娃那邊好。」

這邊，我們玩得更起勁了，不久，叔何處的那邊，慢慢的玩得比我們更熱鬧，更起勁了。不一會，他又嚷着：「我不到你們這邊玩了，我要到貴叔那邊去！」說完便跑了，像撇開貴娃一般的撇開了我們。

（三）

法作家談寫作

·陸離·

法國的著名教育家和作家丹姆納最近在巴黎患心臟病死，享年八十八。在十一月間，他還曾爲美國的時裝雜誌撰文，答復一位女讀者，提到寫作問題，也充份說明了他對文學的態度。他說：「寫作是滿足一種內心要求，也是俯從一種召喚，正如一個人非節制飲食不能成爲運動家一樣。……作家工作的地方，並不是他的書房，他隨便到什麼地方，永遠是一個作家，這是說，他永遠在從事精神上的寫作。寫作這項職業可以改造一個人，而它的成果是促進一個人的成長……」

關於張三丰

葆真

（四）

高觀在平越西南，山名羅泉，擅峨山水之勝。……「道無可道，向那裏去尋寶？」又：「一點靈犀，祇如此便是長生！」「九島神仙話頭。」「三丰全書」所記沈萬三事，沈流雲南，在洪武年間；而三丰在黔省平越顯迹，據顧泉山所刻書，則爲萬曆時代。

明成祖於永樂中，曾遣給事中胡濙，朱祥，齎璽書，香幣，往求三丰，並且還附了御書，書云：

「皇帝敬奉書眞仙張三丰先生足下，朕久仰眞仙，渴思親承儀範，嘗遣使致香奉書，遍詣名山，虔請，眞仙道德崇高，超乎萬有，體合自然，神妙莫測。朕才質疎庸，德行菲薄，而至誠願見之心，夙夜不忘，用再遣詣龍山道士，謹致香奉書虔請，拱候雲車鳳駕，惠然降臨，以副朕拳拳仰慕之懷！敬奉書，永樂十一年三月十八日。」龍虎山上清宮道成……

後來，成祖命工部侍郎郭璡，隆平侯張信等，督丁夫三十餘人，大營武當宮觀，祀眞武，尊爲玄帝，所費以百萬計，既成，錫名泰岳太和山，設官鑄印以守。到英宗朝才加增張三丰的「眞人」封號。

（五）

三丰和張信的一段因緣，據「外傳」載：「……千戶張氏少失怙，母甚愛之，常棋奕，邦人莫敵，師往較焉，果高手。……曰：『惜哉！汝八口之家，此存君一人而已，十年之後，位至封侯……』以湖碧地，以爲汝……當會於武當山泰和然……進表南行，至隆平，遂逢御駕，表達以表進，上稱善，即封隆平侯，至十二年間，果勅祭武當山。……」（三）

自由人
THE FREEMAN
（第四〇二期）
中華民國內政部登記證內警台誌字第二〇二號
中華郵政登記認爲第一類新聞紙類
每週三六出版　每期三版
每份港幣壹毫　台幣售價[illegible]
督印人：[illegible]
香港高士威道二十二號四樓 3rd. fl. 20 GAUSEWAY HONG KONG
香港發行及事務接洽[illegible]　電話：七四〇五三
社址：[illegible]
海外經銷：[illegible]

實績制度的檢討

・金湯・

實績制度，是現在施行外滙貿易管理辦法中兩個分配原則中的一個。第一個原則，是物資分類進口預算，即是QUATA SYSTEM。第二個是本文所論到的商人實績制度，根據公佈條文，實績的構成，是以商人在某一時中出口進口兩個營業數字的總和，並分按決定成數，配給商人進口物資所需外幣付款金額。施行以來，業已年餘，一般反響，並不良好。主要原因，是沒有顧到商場中的機會平等，競爭自由原則。於是乎有有，有無，有多，有少，因此遂發生供求的情形。既有供求發生，形成了交易行爲。自然而然有了轉讓價格之存在，握有此項實績的商人，成爲追逐對象，獲得不勞而獲的利潤。而實事進口的商人，在支付銀行牌價結滙新台幣金額外，更須支付此項額外之付款。自轉嫁於售價，向消費者取償，招致物價上漲。

關於實績制的分析

於今再做進一步分析，可以發現實績既係根據出口和進口兩個營業數字，同時可聯想到此項權利金收益的來源，是由於出口和進口兩種業務，大可以分開研究：（一）進口實績的賦與，是希望商人能繼續以往的業務，不必超額申請，造成申請額與核准額互大的差別。但是一部份商人從事國際貿易，並不從事國內批發業務，以對所持之實績，自須讓與從事國內批發業務之商人。設計的精義，是希望商人在此制度下，有固定基本營業數字，再圖其他。可是事與願違，形成了目前的局勢，亦爲當時所不能料及的事件。（二）出口實績一點，最近財部徐部長曾說過，出口商人曾對國家有供給外滙的行爲，今日由國家會給外滙以爲進口支付之用，是合理的行動。可以說明出口實績設計的精義所在。

今日台灣的輸出，不論是公是商，大部是在極其艱苦情況下。從事的商人，轉讓所有實績，收取權利金，以資補貼於若干時期以後，亦爲當時設計所想不到的一件而由於實際行爲所造成的事實。所以筆者個人眼光來看，實績制度，雖然本身有許多可議之點。但却造成了一個解決如何補貼出口物資結滙不敷成本問題的答案。每一美元出口所得之台幣，在實績轉讓行爲下，如下表：

出口結滙銀行牌價	US$1—NT$15.55
加實績轉讓權利金	
%30	NT$20.245（15.65計算）
%40	21.81
%50	23.375
%60	24.94
%70	26.505
%80	28.07

民營出口的主要成因

祇是照現行辦法計算原則，係以六個月前的紀錄爲根據，故收益的實收，係在若干時期之後。在商人眼光，不免有若干風險存在，因之若干出口物資損失較大者，就難於嘗試，舉二例如下：（表列下）

上舉兩例；如全數貨款不因台銀出口底價低於市價，則其台幣收入不敷台幣成本。在甲例，因底價與市價之餘滙經美鈔市價折合，與結滙所得併計，尚有毛利若干。但乙例，則不同，雖有此餘滙折合之補償，仍不敷台幣成本。故甲例之物資仍有出口。乙例之物資則否。但在若干時間後，所得之實績，則原則上相同。由此可知台灣民營出口有三個主要成因：（一）出口底價低於國際市價；（二）上項價格之差額，係由美鈔市價折合台幣；（三）在上項差額折合，加出口底價，所得台幣之和，不敷成本，則不出口。在商成本，則出口。凡一項交易發生，須不斷本，即可做；須斷本則不做。如果再深刻點說，就一件交易發生虧損，有法彌補，而此補，又係自身可控制者，此種虧損，視爲短期墊付，則可成交。若可能彌補但不能自主者，不成交，以免風險。所以筆者認爲商人自身控制其虧損來源，在成交或交貨時，雖屬不利，因有主動之權，亦將從事輸出。

例甲　成交C&F價約 1000T@U0.63 US6300.00　運費 US600.00　結合出口底價 @U.40 FOB US4000.00　餘滙按市價折合 U1700.00
（4000×1555＝NT62200.00）＋（1700×27＝45900.00）＝NT108,100.00
台灣FOB成本約價 95,000.00
毛利 13,100.00

假定全數U5700.00結L-C結合 5700×1555＝NT88,635.00即虧NT6,365.00

例乙　成交C&F價約 1000T@U15.0 US15000.00　運費 US1,000.00　結合出口底價 @FOB U110 US11000.00　餘滙按市價折合 US3000.00
（11000×1555＝NT171,050.00）＋（3000×27＝NT81,000.00）＝NT252,050.00
台灣FOB成本約價 231,000.00
13,990.00

假定全數U14,000.00結L-C結合 14000×1555＝NT217,700.00

向進口求出口之補貼

台灣可以出口之物品，可以說成本全在市價上。政府多方加以推動，所以引用保留外滙和貼補兩個辦法。可是成效並不顯著，主要原因，不外制度未能確定，辦法不一，交易均有其特殊性，不能一概適用。使商人瞻向短期運用方面著手，致使出口縮減。

筆者意見現今市場既有自然發生實績權利金的事實，則何不遷就事實設計，將此項轉讓權利金收益，如何籌之於出口物資內成本價內，將此項（四）出口物資，國內成本價值昂貴之原因（五）向進口業須彌補出口補貼之來源，係（一）出口與進口業務雖然不同，技術方面，亦屬兩事。出口爲受人信用，進口爲授人信用，其權在我。（二）同時辦理進出口，不獨需要大量資金，更須有完備的技術與知識，極其困難於兼顧。（三）能同時兼辦進口與出口之商人，將成爲溝通有無之中間商，可促成商業之分工合作，與專業化。

實績制應去蕪存精

四十二年度民間出口總額約爲美金三千萬元。假定有20%之餘額，係經其他方法內滙，按美鈔市價折合者，則爲美金六百萬元。如按下列計算辦法，則台灣出口每一美元所得之台幣爲——

（80%×1555）＋（20%×27）＝NT$17.34

若所有出口並無餘滙，統市價折合之20%，而代以權利金，即以40%爲例，爲新台幣NT21.81，可知能設計將此項滙收金額，轉於出口物資，則台灣之出口金額必有相當之增加，是可斷言。

綜上論點，無非是造成一種對出口補貼，原則實可去蕪存精，採取其長，爲此後改進貿易外滙管理辦法之參考，因此項措施是市場自然形成之辦法也。

時賢有認爲現今辦法，是在替商人籌劃外滙頭寸，殊失管理精神。故此後對外滙貿易管理，應著重在如何合理運用，俾在繩滅利民，決不可徒在分配兩字上用工夫。

「和平共存」與「世界革命」

金曄

從理論上說，蘇聯集團喊出的「和平共存」，並無從證明其「和平共存」的誠意。從國際現局看，英國首席代表納丁爵士對此即說，「和平共存是可能的，但不能說現時的共存是和平的。」說明了，「和平共存」只是手法的變換，並無損於其最終目的——進行「世界革命」！

對蘇聯集團首先應該了解，那是個詐術的集團。目前橫跨歐亞大陸的帝國形勢，它一貫地利用民族、殖民地問題，在歐亞兩洲進行陰謀顛覆活動。

如今，當歐洲國家因美國的勸阻，放棄其在亞洲的殖民地利益後，顯然已使蘇聯的外侵勢力失去籍口，失去了它再繼續在亞洲擴大共帝國利益爲重心的活動可能性。同樣在歐洲，也由於美國的團結西歐國家抵禦赤禍蔓延，遂使蘇聯集團益發咬牙切齒的痛恨仇視美國。

國際共黨明知無力與世界自由國家爲敵，遂不得不轉而竭盡所能以從分化民主國家間的團結力量着手，以達到撒後一擊。

蘇俄集團仇美原因

」的話，豈不要放棄完成「世界革命」最終目的。因此，蘇聯的所謂爭取「和平共存」，不只是其目的非和平，根本上「共存」之是準備與自由國家最後實現「無產階級」完成「世界革命」的目的，列寧曾主張在必要時是要對「世界資產階級讓退的」，可是他又說，「……給世界資產階級的讓步，是另一種形式戰爭的繼續。」這很明白的說明[illegible]殲滅世界文明！

和平共存的目的

「和平共存」口號，就是爲適應這樣一個不利於蘇聯集團的侵略形勢所產生的，窺其目的，不外下述各點：

一、對自由民主國家宣傳「和平共存」，以麻痺人民對防禦共黨侵略的警惕，並可造成厭戰情緒，使各國防共，反共力量無法動員，陷於癱瘓。

二、加緊內部的仇美、反美宣傳，不惜製造事件，以擴大反美運動，並用「和平共存」口號襯托仇美、反美情緒的高漲，作爲對自由國家隨時戰鬥的精神動員劑。

三、在世界各地利用其衛星國家，製造緊張局勢，引發國際糾紛，但又一面高唱「和平共存」，爭取國際游離分子，軟化和削弱自由國家的實力。

四、擴大宣傳經「和平共存」建立國際貿易，俾滲入他國作陰謀政治分化活動，以破壞他國經濟進而達成政治顛覆或引起內戰，以奪取政權。

（下轉第二版）

一週展望

・陳克文・

美八十四屆國會開幕

民主黨控制下的美國第八十四屆國會已於昨五日正式開幕，民主黨的國會對共和黨的政府，是否會影響到今後的美國對外政策呢？這是世界關心的問題。我們看艾總統此次提出國會的政策咨文，可以知道美國的對外政策並不因此而有所改變。尤足令人興奮的，是民主黨衆議員雷朋氏就任衆院議長時的演說。他告誡同僚，民主黨員不是指摘別人的，「不會因另一黨執政，便以黨派立場處理立法程序」。並說，不分黨派，尊敬總統。不因艾總統爲共和黨而加反對，或因其所提者爲共和黨計劃而不贊成。這種大公無私，泱泱民主風度，確是民主政治的最高精神，值得吾人傾佩贊服。因此，我們更可相信，今後美國的兩黨外交，決不會因爲民主黨控制了國會，便至發生變化。

雷氏又說，「我等相信儘可能的強硬外交政策，……堅強的國防政策……我等將投票贊成」。於此，我們又可確說，今後兩年共和黨政府的外交政策，依然是過去兩年所已計劃的對共產集團不妥協的強硬政策。民主黨控制了國會，實在用不着他人多生憂慮。

英國的遠東政策

巴黎協定成立後，英國的遠東政策顯見已較前趨於積極，漸和美國步調一致。英國出席聯合國首席代表納丁在聯合國的演說，和國務大臣里丁在國會的報告，都說明了這一點。英國不祇贊成中美聯防協約，而且台灣一旦被侵犯，還要盡其聯合國會員的義務。邱吉爾首相給艾總統的函件，指出中共橫暴，其爲害於世界和平，要較蘇聯爲尤甚，這可謂爲英國擬訂遠東政策的思想背景。外相艾登即將前來遠東，出席東南亞聯防會議，其意義當然亦甚重大。

這無怪中共要大呼，英國贊成中美聯防協定，將影響中（中共）英的外交關係了。於此，我們可以預料，今後中共的反英運動將漸加强——實際上中共在大陸上的反英宣傳，是始終便沒有停止過的。

自由中國和英國的外交，這幾年來可謂已陷於惡劣境地，英國之承認中共固爲一大原因。然國民政府也不能不力求自省。此時國民政府應該利用有利時機，從新規劃對英外交。不應以一時的事實障礙或情感衝動，而忽略了兩國間的長久共同利害。更重要的，國際上的朋友，應該廣結善緣，不要專注意於一兩國的敦睦，而冷落了其他可以做朋友的國家。英國和中共的現關係未改變前，固談不到正式邦交，但除此以外，還是有很多工作可做的。希望我們的外交當局，能夠切實注意及此。

鳩山想追隨尼赫魯

負着守內閣責任的日本首相鳩山氏，就任以來，因企圖於今年大選獲得民主黨的勝利，口不擇言，肆談外交政策。既不審度遠東和世界局勢，亦不注意日本將來的命運，竟至以對中共作生意和對蘇復邦交，去討好關東和關西財閥，以爲利誘商人即可博得商人合作，募集選舉經費。其爲短視不智，日本有識之士已痛加斥，於此姑不再事評論。

最近鳩山揚言，自由世界與共產國家擴張貿易，將能避免美俄戰爭，認此爲達到和平之路。外相重光也說，鳩山政府願意使日本與莫斯科及北平之關係正常化，並增進與共黨國家的貿易。這些論調豈非和尼赫魯之流同一鼻孔出氣？尼赫魯可以僞裝中立，以便向西方國家大事勒索，日本今日所處的地位和環境，也能容許鳩山追隨尼赫魯嗎？鳩山如爲一黨爭奪政權，竟至於飢不擇食，則將來日本受禍無窮，還要較彼等前此導引日本走上軍閥侵略之路爲甚。日本愛國之士豈能再次盲目追隨彼等之後乎！

菲律賓的教育與排華

菲高等教育大衆化　排華案有修改可能

·覩者·

國外通訊

【馬尼拉通訊】菲律賓自一八九八年美國接管後美國政府決養成其政治上之自治能力，故自一九〇二年以後，澈底從教育上下工夫，先求民衆教育之普及。一九二〇年以後極力提倡高等教育之大衆化。至今全國人口約二千萬，而受大學級（包括高等專科學校）之教育者每年居然有二十四五萬人之多。

好學風氣至難得

按此比例香港每年受大學級教育者應有二萬五千人，台灣應有十二萬人。但香港台灣實際皆不到其二十分之一。故在教育之數量論，菲島實爲駕台港而上之。而其小學教育均由中央政府負責，尤爲難得。

在教育之質量上觀，菲島成就，亦大可觀。法律、政治、教育、醫藥、農林、獸醫、工程等學術，造就人材頗多。而在美術上之成就，尤堪稱讚。例如油畫、彫刻、觀像、建築、音樂、舞蹈、成就極可觀，多爲港台之所不及。

菲人好學風氣，港台應當提倡。大學皆有研究院，有夜校。公教人員，商店工廠員工，多數辦事時間以後，繼續在研究院中或夜校讀書，接受學士碩士學位。少數並追求博士學位。家庭主婦，繼續讀大學者，爲數頗不少。而港台公教人員，工商的員工，及家庭婦女，有此雅興者，實不太多。

旅菲華僑的經濟狀況

在菲華僑，除教育界人士多繼續攻研究院追求碩士博士學位外，商人之教育程度，大多數則淺落在菲人之後，相形見絀。但華商仍多驕傲。閩南人相謂，往往輕菲人，呼爲「番狗」。菲人漸能瞭解語意，轉呼華僑爲「支那豬」。因此感情並不和諧，造成菲人排華僑的起點。

西班牙時代，招致華工，營造鐵路，以及一般手工皆須華人服務。後令華人務農，五穀栽種多由華人供給。[illegible]于不勞而獲的種植，如椰子樹香蕉及果木之類。美治時代，爲保護土人，獎勵人有農地。於是華人乃捨農而事商。戰前城市鄉村多數供應商店，皆華僑所經營。戰後菲島獨立，注意商店業爭。菲人零售店迅而競爭，但大多數皆小本營業。而多數較大商店皆華人所營。菲人競爭不過，乃擇政治手段對付華商，始而立法限制以英文記賬。繼而公立市場，非菲籍不得入售。終則零售商業菲化。大多

僑商菲化律一出，直接受影響者有十餘萬華僑，而間接則影響全體二十餘萬華僑的生計及繁榮。

華僑爲應付事變，去夏組織全菲各地華僑商會聯合會，從事抗爭。菲商亦組織協會，以排華爲宗旨，從事宣傳運動。所以一九五四年，爲雙方熱烈宣傳戰之一年。

華僑最招菲人懷恨者，爲少數奸商放火。其辦法爲大保火險而移出存貨，然後買通附近不保險之小屋起火。往往延燒多家，有時傷人。馬獅總統就職之後，即諄諄告誡。數月之間，絕少火災。近則日久而玩生，火災又復屢起。

國會方面，議員多有華人血統。但排華運動一起皆不得不站在國籍說話。而新入菲籍之議員排華亦最熱烈；所以表示其忠菲。正如昔日新歸籍之共產黨員，反共最力。去年零售商菲化案至最後階段，大多數議員不擬贊成。

菲化案結果甚壞

後忽有人散佈謠言，謂「商總」（即華僑商會聯合會）籌有大批現款行賄國會。凡屬反對此案者皆有受賄嫌疑。此言雖荒唐無稽，但立生奇效。倡名時無敢反對者，案遂通過國會。

零售商菲化案中要點有三：（一）一九五四年五月十五日以前，未取得政府之營業許可證之僑商，不得許可其營業。（二）其以前許可者：（A）公司營業十年期滿時，不得再繼續營業。（B）個人營業，自動結束或死亡者，其繼承人不得繼續，僅得延長期限半年，以結束營業。商總抗爭，第一求最高法院判決該菲化律之違憲。最高法院慣例向至今毫無表示。中美僑商會同時另擬一修正案，承認一九五四年五月十五日以前，身死則其合法繼承人得繼續營業。此案因國會尚未復會，故尚未到國會。

菲化零售商法施行半年，結果甚壞。土產停滯，國際貿易大減，失業人人數大增，國家稅收大減。議員責財政部收稅不力，財部亦責議員立法不妥。國會已有主張修改者。目前觀察，法院判爲「違憲」之可能性不太多。而國會提案修正則頗有可能。

關係菲島經濟獨立之貝爾法案BELA，美方多從菲方之請。菲人對美，目前感情略好。但菲人之具褊狹國家主義者，仍指責美人昔日治菲時，並未曾將菲島之水利辦好。果預將高山省之水電廠辦好，則到處可行電車，何至於如今日之到處駛行汽車，至受美國汽油之剝削！雖乎其爲豪父矣！

目前菲島空軍節，台灣派機參加慶祝。空軍表演「美軍絕技」，菲人盛讚。後電台聲明表演技者爲中華民國飛機，菲人默然。中國空軍來訪，菲報不載一字，由此可見。排華空氣，周書楷公使，參次演講，頗得好評。我對菲外交似有進步。駐外使節能多用讀[illegible]（十二月廿五日）

「和平共存」與「世界革命」

·金曄·

（上接第一版）

五、在蘇聯集團內部，政治上有顯著的不穩跡象。中共再度召集「中國人民政治協商會議第二屆全會」，亦無非爲加強「統一戰綫」以控制黨部外參政人員及約束黨內動搖份子；蘇聯本身則以繼續槍殺貝利亞餘黨羽翼——一九四六年繼貝利亞任蘇聯國家安全部長的亞巴庫摩夫，負責特務工作的前任調查處長里安諾夫和兩名助理處長康馬羅夫及洛卡齊夫——以鎮壓繼起的背黨叛國活動。

六、在經濟上，蘇聯集團正遭受貧困和飢餓的威脅，缺乏糧食的供應和吮吸人民血汗從事軍火生產的結果，已引起衛星國家的離心和內部動亂。

和平共存勢必垮台

基於上述各節所得出的結論：共產集[illegible]安定內部和從事向自由國家滲透[illegible]

防衛資本主義的侵略」，不是以自己的領域爲基地，而是在別國的領土上[illegible]和侵蝕鄰國，以擴張「防衛圈」。這種勾當，可以說是[illegible]存的現狀下進行[illegible]和平滲蝕！[illegible]向「世界革命」的道路走的！在表面上看，[illegible]慢慢的，骨子裏[illegible]先軟化了自由國家，再繼之以拳擊！

作這樣的分析，並非是說蘇聯集團不再須要對自由國家以戰爭來解決勝負。反[illegible]

[illegible]「和平共存」攻勢一旦失敗了，（事實上[illegible]後，已有肯定[illegible]在歐洲儘管[illegible]的外交照會[illegible]瑞典、瑞士[illegible]所謂「[illegible]全」和「[illegible]廢除同盟」[illegible]准巴黎協[illegible]自由歐洲[illegible]流氓式的[illegible]所厭倒。）[illegible]說「和平[illegible]勢，在基[illegible]了非垮台[illegible]聯集團必[illegible]它既不能[illegible]自由世界[illegible]讓自由國[illegible]存」取勝[illegible]在一起，[illegible]星國家的[illegible]武力來

如何防止蘇聯擴張

[illegible]解決全盤問題，以戰爭來向自由世界作最後的賭注！

自由國家面臨這樣一個驚險的嚴重階段——蘇聯以「和平共存」及戰爭的威脅朝向破壞世界和平道路前進，爲防止赤禍和重申正義，維護人權和讓世界上被共黨分裂的國家重聚，只有以堅強的團結和統一來抵制，並嚴防其繼續行兇。

世界上大多數的自由國家和人民，決不能聽信「和平共存」的曲調，將自己束縛起來，應該面對「世界革命」的陰謀，[illegible]臂挽臂，身當身地結統一的力量抗拒和消滅以蘇聯爲首的獨裁者——共黨政權！

自由國家不僅不應理會「和平共存」調調，倒是應該密切注視着蘇聯集團繼「和平共存」所玩的「世界革命」的火把將向何方投擲。除了積極加強團結統一和鞏固反共戰綫外，沒有其它方法足以叫蘇聯集團止步。自由國家並不須「戰爭，自由國家也不須要廉價的「和平共存」，但自由國家決不能讓共黨永遠地奴役受其統治的人民。經「和平共存」以通向「世界革命」的道路是不通的！（完）

眞原子彈裝上美轟炸機

美國戰略空軍司令部的原子轟炸機現在每逢出動作正常訓練飛行的時候，據上述有眞正的原子彈，據美國政府某權威觀察家分析，美空軍此種措施，有如下兩點意義：第一、世局緊急，戰略空軍司令部爲未雨綢繆，以防臨時措手不及，故有「佩帶眞彈」的大膽舉動；第二、美原子彈的生產額已達到某種水準，足以供應轟炸機作正常訓練之需。

不過，這種原子彈雖件件是眞，但還不能投下爆炸，原因是尚有一件最重要的裝置（使原子彈爆炸的裝置）沒有安裝在內。現在全美國只有艾森豪總統一人能下命令將此種裝置安入全部原子彈之內，當然，這個命令一下，那就表示第三次世界大戰已經開始或就要爆毀了。

驅逐艦變了防空堡壘

美國海軍正開始將若干艘驅逐艦改裝爲發射對空定向飛彈的艦隻，這些對付高空敵機的定向飛彈，據說是外間已經知道的「特里爾」型和仍屬秘密的「鐵納斯」型兩種，它們的工作在保護遠赴海外作戰的快速航艦，將來改裝工作完成後，每艘航艦或每一特種混合艦隊將撥配此種新型防空驅逐艦一至三艘，那時候艦隊的上空頓如安設了一個最嚴密的防空火網，雷德福與英國海軍大臣的「航艦永遠有用論」將益獲得有力的支持了。

法坦克重價售以色列

據熟悉內幕的人士說：法國已秘密將重坦克一百輛用高價售予以色列，這些重坦克火力極強，機動性特大，而且裝甲堅厚，據說是最新型的一種。以色列有了這批坦克後，足以補助其在弱的陸軍來對於任何阿剌伯國家的強敵。這件內幕消息傳出後，不僅驚個中東震驚，阿剌伯國家亟於會商應付，而美國當局據傳也急謀調查內中眞象。因爲美國在援法裝備中（有些批是援助駐越法軍的），也有許多重坦克在內，這些售予以色列的法坦克之來歷如何，美政府自然大爲關切了。（孟衡）

人物述評

儉樸可風的曹浩森

·南中·

一

曹浩森四十一年十二月五日，因患肝臟癌症，不治，死於台灣。那時他是監察院委員。他死的時候六十八歲，要是今仍健在，該是七十高齡的古稀老人了。

曹氏，江西省都昌縣人，弱冠即舉秀才，鑒於清政不綱，外侮日亟，乃棄文修武，於民國前四年入日本振武學校，辛亥畢業返國，參加實際革命工作。民元，任職江西都督府，旋入保定一期肄業，民國二年，隨江西都督李烈鈞氏赴義討袁，作戰負傷，亡命日本。嗣後又赴南洋羣島，在荷屬棉蘭，任蘇門答臘報編輯，藉文字鼓吹革命。並兼任教本學校校長，誘掖僑胞青年，不遺餘力。

民四，雲南護法軍興，氏乘程返國，參與軍旅，後在學，十年，任大元帥府高級參謀。十年，獲選送日本入陸大深造，十三年返國，復隨李烈鈞任西北軍參謀，總參謀長等職。以是與甚督將軍馮玉祥有了一段因緣。

民國十八九年間，馮玉祥反抗中央時，曹氏深明同室操戈，足以喪邦之義，因透過同鄉又同學熊式輝的關示係，誠中央。氏之此一行動，實予馮氏以莫大打擊。嗣即供職中樞，在軍政部充任陸軍署長、常次、政次，達十有三年之久。雖其間曾一度出任豫鄂皖三省剿匪總司令參謀長，但爲時極短。

二

三十年，氏繼熊式輝氏出任江西省政府主席，完全熊規曹隨，連侍從副官，都是熊任的舊人，一個未有更動。這在近幾十年的中國官場看來，實在可稱少有。

氏在江西主席任內，自奉至儉，且雍容有度，極蒙全省父老兄弟的愛戴。其時，省黨部主任委員，爲現任立委，湖南人梁直輕，每當民衆大會，梁氏任主席，曹則僅作簡短之致詞而已。曹氏講稿，必自袋中取出，照文直唸，有時竟是四六駢文，聽之猶如講學。蓋其不慣於作羣衆大會之演說故也。

當時正在抗戰中期，江西省府駐泰和，爲贛江左岸之一小縣，曹蒞任後，[illegible]趙某，充泰和農行辦事處主任。趙某[illegible]曹之襟弟也。每當休假之日，曹趙兩對夫婦，例必連袂作郊遊，在距城十五華里之某池，作八圈衛生麻將，用以調劑一週來公務之煩勞。此事知者不多，筆者是從當時曹氏副官某閒談中獲知者。

曹卸任主席，是三十五年春間的事。當其離省赴京之日，南昌市民，在住宅、店鋪門前，家家戶戶，供以「清水一盌，白鏡一面。」夾道歡送，令人有攀轅附轍之思。氏之所以能獲選爲監察委員者，實贛省參議會代表意之翻所表示。

三

氏一生任官甚久，且職位崇高。即江西主席一任，亦經四年之久。就一般情形來說，他這一輩子，應該是食有肉，而住有屋的階級了。但我們知道，他在江西，沒有公館，廬山也沒有別墅，在南京的房舍，據說也只是一幢小小的平房。到了台灣，還是住在審計部的宿舍裏。其後，且因窮而病，因窮而不得治，終至魂歸大國，身後蕭條，更毋庸說了。這樣子的清官，求之今日，能有幾人？過去的江西主席，已死的有曹氏，活着的有胡家鳳，都窮得濟樸出色當行，名聞中外，說來，實在是江西人的光榮。

據說，當卅八九年間，胡家鳳還在香港，窮得全家大小都在做工的艱餓，有一次蔣總統知道曹浩森的生活雖窘，當面問到他的經濟情形，曹比即回答道：「我雖苦，還有一份監察委員的薪俸可領，胡家鳳比我更苦，他全家在香港做工呢！」曹這種態度，在現代實難多見。而胡亦因此而獲得總統的接濟與關注，不久，便赴台灣去了。

四

曹氏死後，總統題頒的輓額是：「懋績清操」。這實在是最恰合於他的輓詞。他夫人的輓聯則是：

「侍中節蹤廿年，百事縈心，萬里家閑空在月；

進湯藥凡二月，羣醫束手，三更燈火祗呼天。」

哀傷之情，透紙而出。

曹氏一生，循規蹈矩，按步就班，平而穩，是其治軍施政之要點。有人說，他只贏得一個「好好先生」之名；也有人說，「他保守有餘，創建不足。」然而，我們認爲他的遺範，畢竟是可風的，[illegible]至少他不會貪污，他不會虛僞。

經濟社會思想叢殘（四）

金伯華

談結社——「生元」

集會結社，在不很久以前，還是一件「殺頭滅族」的事。可是到了今天，什麼「會」，什麼「社」，眞是多如牛毛，發達普遍得了不得！尤其是開會的會，在自由中國台灣非常盛行。卽如芝麻大的事情，動不動就得召集八個十個機關的代表來開會，致使大小官兒們都有談「會」色變之勢。但在外國，卽各種正式集會結社，也十分發達。隨便舉幾種比較不平常的會吧。一九四九年，美國印第安那州叔立有一個「假我時光會」（BORROWED TIME CLUB），起初只有會員十二人，現已增至二百餘人，會章規定會員的年齡必須在七十歲以上。這與台灣每年一度的「敬老會」有幾分相像：——不過有「受敬」與「自敬」之分罷了。美國又有一個叫做「防止婦害家庭協會」，其目的是專爲對付岳母的！（美國丈夫對於岳母似乎都沒有興趣）。日本向有所謂「國際櫻花人形協會」，當一九五二年時曾特請人形名匠精製新娘人形（HANAYOME NINGYO）四十八座，托由外務省分送對日和約簽字的四十八個國家以作爲民間的親善使節！英國有一位生物學家彼得希頓，幾年前曾經成立有一個專門飼畜蝸牛來比賽——賽跑的協會。澳洲墨爾鉢的商人德斯特羅最近發起一個「防止虐待丈夫會」。兩個月之間，便有四百餘名丈夫報名參加，致使發起人德斯特羅說：「有河東獅吼癖的太太者之衆多，眞使人深感驚訝！」最近美、英、法、德、義各國的「獨身男女會」，在瑞普里舉行首次國際大會。結果在一百一十四個曠男怨女中，只有一男一女達成他們的任務：結爲夫婦。

請讀者原諒！我之所以在這裏插入這些「報屁股」的故事，無非爲要強調證明集會結社的重要和自由，已經成爲人類生活不可缺少的部份。因爲「結社」這件事，將近二百年以來，已經變爲是近代人類文明一宗偉大而珍貴的成果。任何民主國家都認爲這是人民的基本自由權之一，而由憲法予以鄭重的保障。（中華民國憲法第十四條：人民有集會及結社之自由。）

結社是自然定律

結社旣然是自然界一條最普遍的公律。宇宙無間大無小，無動無植，差不多全受這條公律的支配。我們所置身其中的這個太陽系宇宙，不過是一種各星系的結社。而各星系本身，又是由於滿天無數的星斗所結合而成。我們目所見，手所觸的一切東西，都是由「分子」（LES MOLECULES）結合而成，而這些分子的本身又無非只是一種「原子」（L ATOMES）的結社。水晶的形體何等奇異，光色何等精瑩，然而考其構造，也不外是由於許多分子在適宜的地點，依相當的定律結合而成。

動物中如螞蟻，蜜蜂最善團結，爲衆所週知，殊不知在此等動物的結合之中，又偏偏以極小的生物，達成極大的計劃。例如珊瑚是海裏的一種小虫。但他們却不聲不響，日積月累的結成縱橫險巇的暗礁，星羅棋佈的島嶼，甚至膏腴肥沃的陸地以容納世界上勢必日益增多，可能造成嚴重問題的人口。

再說我們自己的人體吧，還不是若干心臟，神經，脈絡，骨肉和肢部的結合？而每一肢部，又係由無數人目所不能見的細胞所結合而成，這些細胞，孫中山先生特爲創立一個新名，叫做「生元」。他們都是分工合作：有主發血，有主消血，有主消化，尤其事關重大：有主繁殖！他們各有各的職位，亦各有各的責任，互相合作，須臾無間，而後方有所謂「人生」。假使有某一部份，由於某種原因以致不克善盡它的職責，完成它的任務，我們的身體立即發生疾病，乃致死亡。

應實行組織合作社

個體如此，羣體又何獨不然？世界之所以一直杌隉不安，歸根到底一句話，還不是因爲我們人類自己沒有結合得成功？人類在短短的二三十年之間，一再經過了極度慘酷的大流血，大戰爭，好不容易結成了一個「聯合國」以作爲世界和平的監護人。但却未能按預定計劃，發揮其應有的功能，以致另一次的大戰又已迫在眉睫。同樣歸根到底一句話，還不是因爲我們自己在經濟上，在社會上都沒有能夠依照上述的公律好好的合作起來？

（未完）

讀者論壇　青年的苦悶

·張中林·

「固執」，是「頑固執拗」，「苦惱」，是「苦悶懊惱」。有了固執的性格，便會產生苦惱的痛苦。這是廣大青年羣的通病。有的因此整天渾渾噩噩，在現在環境中混日子，把憂傷頹喪消耗所有的活力，算得毫無樂趣。像這種青年，只有一天一天地流於墮落，眞是家庭、社會、和國家民族的大損失。

青年的固執和苦惱，雖有着他們各自不同的原因。但是，不是沒有方法解決的。我們如果有時覺得苦惱，那末，不要心存畏懼，要決心正視事實，澈底認識事實然後尋求擺脫的方法，這是我們青年伙伴應具的正確態度。

一個具有頑固執拗脾氣的青年，將永遠成爲無足輕重的人物。這種性格的來源，雖然有的可以歸於天性，遺傳，但大多數是因爲少和外界接觸，自己躲在狹窄的圈子裏，自然而然的養成了自尊自大，和自私自利的習氣。所以內傾型的青年和外傾型的青年，他們的性格互相較量起來，便會大相懸殊了。

大家都喜歡晴天，而厭惡陰雨，當陽光明媚的時候，每個人的心境都覺得歡暢愉快。一換了個陰雨連綿的日子時，就會立刻覺得苦惱。人與人間的關係，又何嘗不是如此呢？

我們明白了這一點，便知道在別人面前，如果顯露出固執的脾氣，別人一定不會願意接受的。不受人接受的人，就是造成苦惱的因素，所以我們要認識它，同時要把這種性格和其他性格，保持平衡，善自運用，這是十分有益的。這是一件難事，必須借助於智識的增進，和學問的修養。

我們知道了苦惱的原因，又明白了解除的方法。那末，縱使苦惱繼續的向我們襲擊，也不至於使我們頹喪憂傷，失去生存和奮進的精神了。我希望固執而生苦惱的青年，不要悲觀、哀泣、嘆息。應該多與外間接觸，尋求解決苦惱之道。

杜絕童犯應求徹底　根本辦法端賴教育

過去一年間，本港兒童犯罪案件增加，已使社會人士大爲震動。當局對童犯處置雖然訂有懲教兼施辦法，積極防止再犯，並使犯罪兒童獲得有效改造，到底不是根本杜絕兒童犯罪良策。現時兒童犯罪正在滑增滋長，不圖基本根絕打算，其嚴重性不言而喻，對社會爲害不難想見。就過去構成兒童犯罪行爲看來，如扒竊、運毒等係屬成年人教唆造成，誤陷法網尚不自知，自非具有犯罪故意，依據中國法律，沒有犯罪故意，不能構成犯法行爲；但事實上如扒竊、運毒均屬「現行犯」，法律自不能寬恕，而教唆之人更應治以相等之罪，尤須加處「教唆罪」，庶幾可收效尤，然教唆主犯甚少捕獲治罪。

就一般情形看來，不論兒童犯罪情節輕重如何，家庭與社會均應負相當責任，僅以法律制裁童犯，尤非得計，不但將會造成童犯人滿爲患，對於犯罪預防仍無裨益。因此有若干學校已嚴格地要求學童家長協助，禁止兒童看「公仔書」（連環圖畫），因爲若干家庭婦女每喜以此等貽害兒童之書籍消閒，不知不覺間使兒童心理上受到不良影響；但也有若干學校，不特未加注意，且有任令兒童將導人於邪的「公仔書」帶到學校，甚至使兒童對正常教育吸收了無興趣。在學的兒童既有此種不良劣習，許多失學兒童所感染的不良惡習，更不堪設想。於是，杜絕兒童犯罪，最根本辦法，殆無過於學校與家庭合作，使兒童受正常教育，而對於失學兒童，社會人士亦應設法遍設義校，以應急需。

社會局有關兒童問題研究機構，刻正草擬明確計畫：一、訂立收養子女條例；二、資助非官方主辦的救濟兒童機構；此種擬議計畫，同時完成向未能一般定，惟前者在原則上，僅能說是給予一般兒童法律上的保障；後者對兒童教養方面將有莫大裨助。因爲目前一般人收養子女，法律並未給予他們充分保障，螟蛉子待遇，通常祇有義務而無權利，擬議中將使該項計畫訂成法律，螟蛉子得享受親生子同樣待遇及遺產繼承權。至於養女待遇，一般均屬奢婢性質，雖爲目下法律不許，法律畢竟不是教育，過去甚多虐待養女案件，均係無知與傳統封建觀念所致，倘能完成一項立法，嚴市民當能充分明瞭。然則兒童問題的，教育應列首要。人們常寄望於社會局考慮兒童法律保障與資助教養兩項計畫之時，應對於普遍救助兒童教育作進一步設想。

香港三日

讀「錦繡河山」

·沈著·

主編兼發行人：丁星五　英譯者：梁實秋

（一）

近自黃霞遐先生處得讀「錦繡河山」圖片集，細細欣賞，覺其用意不凡，內容精彩，裨益社會文化良多，特爲文予以推薦。

「錦繡河山」集，乃一有系統的全國名勝古跡的大圖彙輯本，用八開道林紙精印，共計兩百餘頁，六百七十餘幅。其中部份爲紫色，部份則爲最新穎彩色。內劃分爲東南、西南、西北、華北、東北、蒙藏、台灣等七大部份。卷首有精製之全國地勢、人口、資源三大地圖。集內附有若干雄壯或深沈而詞意極佳之新歌。每一圖片及每一省市之地理、歷史、人口、資源、文化等均有若干中英兩種文字說明，極便瀏覽。

丁星五先生在序文中說：「使覽者對祖國之名山大川加强其認識，文物衣冠致其惓念。」又說：「乃在發揚我國固有之文化，昭示往哲遺烈於史蹟，以促使海內外同胞精誠團結，堅強奮鬥，俾我錦繡河山早日光復，華夏聲威及時再振。同時並盼全世界友邦人士，對於我中華民族歷史文化之悠久卓越，有更深切之瞭解。」編輯旨趣，於此已說明無遺。賈景德先生序，且讚是集爲「不惟與古人爲學『索象於圖，索理於書』之旨相契合，且以闡揚吾國深厚悠久之歷史文化，俾舉國軍民暨海外僑胞，披圖瀏覽，益增無忘在莒之心，而堅還我河山之志。吾知是編一出，其於戡定大業，裨益必多，有非文字所能罄述者。至於外增國際之認識，內供學人普遍之觀摩，特其餘事焉耳。」其推重可知。

（二）

錄者再三瀏覽後，深深覺得吾國文物之盛，比之世界任何優秀民族，均無遜色。一般崇拜外國，口口聲聲高叫外國爲老大哥，爲太陽，爲爸爸者，能無愧死！讀此集後不惟可以使吾人對於祖國山川民物，名勝古跡，增加許多實際智識，亦且使吾人對於民族和國家之前途，增加無限之自信與自尊之精神。至於該集印刷精美，取材嚴謹，美術上的價值，則尚在其次矣。

（三）

該集主編兼發行人丁星五先生，一向從事我國文化宣揚工作。十餘年前，他即上海創辦「中國生活畫報」，搜集並刊行我國各種圖片甚多，立意深遠，供獻不凡，素爲各方所推崇。大陸陷入鐵幕後，丁先生即赴台。年來仍不斷爲此項工作而努力，蒐羅甚富，並請名教授梁實秋，名作家伍稼青等合作，編成是集，刊行問世。其爲有價值之製作，可以無待煩言。此外尚有應加介紹者，即該集係由嚴南方先生協助設計。名畫家溥心畬、黃君璧，青年書法家卓顯來，藝術家鹿朱林，蔡正倫，名攝影家朱綬如等，均對該集有所貢獻。故印刷精良，畫面瑰麗，成爲美術價值甚高之新出版品。故吾人認爲此集之出，不惟有益於學術美術，亦有益於國家民族之復興。臚抒個人意見，藉資介紹。

編者讀者

「自由人應有新態度」

張守義先生來書

編輯先生：台北今年耶蘇誕，特別熱鬧。我家裏也布置起聖誕樹，燒火雞，飲威士忌。我不是基督徒，客人想熱鬧一下，祇好利用這一個節日，免人家批評不節約。現今祇有美國朋友島與的事情，總算是摩登，纔算是不浪費。其實，歲時伏臘，斗酒自勞，也不是一件罪行。而況，我們的歡樂團敍，都是大家合伙湊併起來的。三出火雞，李四出威士忌，黃六出……不過在中國舊節日這樣的吃喝，也就變成浪費了。我們對於中國本位的思想習慣，都存自卑感。對自己的節日，說是迷信，是落伍，外國的迷信或習俗，便變成了合科學，便是進步。想起來眞覺好笑！

「自由人」應該有一種新的態度，我以爲最好用強烈的文章，不斷的攻擊各國排華措施，這樣一定可以替華僑洩憤，得到華僑的同情。但在台灣做如此工作，遠不如在香港便利，這項工作，要不客氣，要劇烈，更要繼續不休。我覺得這年頭，總要有戰鬥的火力，纔可博得人家注意和重視。「自由人」現在這種不痛不癢的態度，是爭不到自由，得不得效果的。台灣現在是被欺負被壓迫的對象，我們不必向她吹求。不如把人家歧視我們的措施，盡情加以檢討和暴露，不客氣點說，對華僑的歧視，美國也所不免。不過遠不如非律賓、泰國、南非那樣利害罷了。

讀者張守義　台北、十二月卅一日

印尼的危機（下）

祝修衡

然則印尼爲何倒向共黨，雖然有人以「印尼過去長期遭受殖民地統治的影響，對西方國家，在心理上有着一個不易抹去的厭惡觀念」作解釋。但共產主義對印尼多方面的侵佔和掠奪，又是否友好呢？這似非印尼政府願意答覆的問題。但是，中共對印尼政治滲透，已使沙斯特羅亞米佐約政府喪失了活力，軍事叛亂與分裂運動的暴行均在瘋狂策動。最顯著的事實，去年二月十一日莫斯科第三次「地方改革會議」揭幕之時，蘇門答臘東部在中共武裝掩護下，演出了「土地革命」的大規模流血慘劇，大多數未及逃出的地主被屠殺，地方官及軍人均遭毒手，這種恐怖的暴舉，至今未見減少，隨着共產勢力擴張，已使印尼政府無法可以制止。

印尼政府雖然擁有廿四萬國防軍，但軍事首長既成爲共黨的同路人，這些國防力量，反成爲政府的累贅，何況另一來自南摩鹿加羣島的反政府軍，四年來戰爭從未終止。

試就理論上說，印尼對摩鹿加戰爭已難澈底解決，對於日形囂張的共產潛力更難遏制。印尼企圖藉「亞非會議」對中共獻媚，竭力挽救，却已招致共黨更積極奪取政權的厄運。就目前趨勢看來，蘇加諾總統既已落入納蘇圈套，國內名望受到重大打擊，這些因素，對今春大選均係不利條件。倘若共黨以武力脅持選民而選取了印尼政權，則荷蘭現時所控制於新幾內亞十六萬二千方里的政治；婆羅洲，亦再難保持；與菲律賓羣島亦將陷入赤色包圍，將東南亞整個命運不僅此決定，即自由亞洲就被關進鐵幕，亦難以倖免了。爲今之計，與其將來清算這一禍患之源。我們不但希望印尼共黨此次大選前夕的「亞非會議」未曾召開之時，蘇加諾能重振二十年前的革命精神，在三年中取締共黨活動，堅持當年建國立場，民族獨立的革命，不能殖民地下的武裝，中共鞏固昔日這樣的革命，印尼獨立不下，南亞危機也可以保持，逐漸減少。（一月一日）

杜死的俄帝太子

馬五先生

據美聯社維也納發出的消息：俄共大獨裁者史達林大帝的兒子華西尼於空軍中將，已於去年秋間死在中央亞細亞的集中營裏；女兒史維倫娜亦於貝利亞事變後，被逐出了莫斯科，過着流浪生活。這消息是一個叫莫訴科的西方外交官透露出來的，相當可靠。史達林死於去年三月上旬，過了三個月貝里亞事變發作，而其兒女們乃被捕被逐。尸骨未寒，後人即遭奇禍，眞是人類的一大悲劇啊！

近閱去年由東京投奔美國的蘇俄特工幹部拉斯托洛夫的報告文字，（刊在美國「生活」雜誌上）知道這位太子華西尼是與貝利亞接近的人物，他在「父皇」生存時，雖然猖狂跋扈，並不贈胡鬧。可是，由於不善自處，介入派系鬥爭之故，終至死於非命，殃及骨肉。他這情形，一般非民主政治的國家中，亦係危道，何況是以清算鬥爭爲能事的共產政治社會，當然無從倖免了。

假使華西尼在其「父皇」駕崩之後，一本過去意態，而守軍人崗位，超脫於政治漩渦之外，無論馬倫科夫和貝里亞的爭權奪位誰勝誰敗，對他總是要看在「先帝」面上，不致加害的。事實上，即令貝里亞得了勢，他亦未必就能夠爬進克里姆林宮，躍居專政魔的地位吧！

古往今來，政治上許多悲劇，都是由於局中人不知自愛而演出的。倘使華西尼內就是「嚣張」之徒，道發抒支配慾，不識大體，如飛蛾撲燈，決不省悟，而若干社會大衆亦隨之狂權災難，政爭罪惡之可怕若是，奈何政治場中人沉迷不醒耶？

吾談華西尼的悲慘結局，更加強民主政治的信仰，而希望具有權力中毒的獨裁者，慎思明辨，憬然於權勢之不可妄恃，知所自處焉。

文壇怪物：畢修勺

·易與·

報載上海共匪迫害文化人，[illegible]以翻譯法國文學爲事的畢修勺先生，竟只爲匪迫害死去。（一）

抗戰中期，我與畢修勺先生曾經同玩過一些時候，此公實一至有趣味的人，他是留法學生，深受吳稚暉李石曾兩先生的器識，他在重慶時，就是與稚老同住在一起，那次重慶大轟炸後（廿八年五三或五四？），他們所住的房子，似乎是一間小茶館的樓上，因爲震動過甚，[illegible]床下，故受傷頗重，[illegible]致命。我和他在一起的時候，[illegible]他的貌相，絕對不像一個「文化人」，高大魁梧，眼鏡，神像一位廚房大師父，祇有那半禿且潤的頭顱，[illegible]話的神氣，[illegible]

詔諛誇誕的集大成。說他自己是一位私生子，當我問他爲什麼不娶妻以生子，他說：「山人自有道理，」[illegible]他却王顧左右而言他。不過他有時又喜歡在「校場口」（重慶私娼雁聚處）裏些溜躂溜躂，然這也許是「過屠門而大嚼」而已。可那回我們在贛州，他居然在「特別區」（那時蔣經國任專員，集中娼妓一地以維風化）住過兩晚。同時偶爾沒有第三人在場時，聊家常，閒話聊到他爲何年過三十還不結婚時，他又在裏衣深處掏出一個裝有外國少女倩影的相盒給我看，他認那影女人，還深深的作一個「長太息」，才鄭重其事的將那相盒什襲珍藏起來。（二）

他是一個極其淵博的人，中法文學根底都很好，寫的字更極其秀麗，幾乎像一個女孩兒家的字，爲此他說他曾作弄他一個同學少年，他每天寫一封情書給那少年，果得那少年神魂顛倒，寢食不安，最後如果不是他最後的一套法寶，幾乎會鬧出一場人命大案。他說到他的法寶時，他還故意賣弄玄虛，要我們大家猜，那時我們座中人，心直口快的陳伯陶（國鈞湘西人）就搶着說：「一定是你一本直陳自承冒名頂替」。「太平凡了，太平凡了，而且根本無名可冒無替可頂，你眞是騾子」，他這樣嘲笑的回答陳伯陶後，才告訴我們，他是去找了一張極醜的年大的而又把她弄成一個半殘廢的相片，附着一封怪肉麻的反求愛信，方才了結這一重「孽緣」公案。（三）

抗戰勝利後，我和他又在上海會面，那時他正在主編一本學術性的月刊，其名稱似乎爲世界××？他住在復日的法租界，生活好像頗過得很好，房子裏一間大公寓，十分華麗，我問他「這是你的抗戰八年勝利果實？」他苦笑着搖了搖他的大腦袋，同時又指了指他那大腦袋，他告訴我這是朋友給他弄的，他正在急急的找地方搬家，不然他腦子裏的神經組織，就會要發生變化。說時他翹了翹腳上的皮鞋，破舊的皮鞋，蹬蹬地華貴的地毯，實在不大相稱！無怪乎他說：「我要不搬家，他哥兒倆也要反臉了」。後來，我和他又上過幾回咖啡館，原來的霞飛路，已改稱林森路、那是上海最長的一條街道，由外灘迴直到徐家滙止，足有五華里長（？）。我和他總是在國泰戲院對過那幾家咖啡館坐，有時興之所至，還趁着在電光威脅的月色下遊到徐家滙那邊玩玩，再搭電車回來。

（四）

三十七年年底，那時的上海「文化界」，從拿粉條兒的教書匠說到靠墨水生活的寫稿人，似乎都在等到「時變」，有些是覺得祇有變則通。他那時仍舊是落落寡合，他到大夏大學去看過我一次，他沒有往常的那付輕鬆神態，因爲有些同事也和他相識，大家酬酢了一陣，我和他並沒有說什麼話。其實呢，畢修勺該說是一個無政府主義的信徒，當然他是絕頂喜愛自由的人，「不自由，毋寧死」，若然，畢修勺與其航航髒髒在匪窩裏偷生，倒不如痛痛快快的給匪消害以死矣。嗚呼修勺，畢生已

短篇小說　當

楊海宴

從這以後，因我父親在縣城裏作生意，我便被送到縣城上學了。接着戰亂的關係，我們兄弟流離，兒時玩伴，更是各自西東，無從見面。直到這以後的十二年，那時我已經廿四歲了，在一家公司任會計主任，有一天，我突然想不到工友帶進一位瀟灑倜儻的青年要見我，這青年就是小時的志展哥哥，以前更秀緻，更漂亮，看來決不會使人想到，他是一個農村的窮家子弟，言談舉止間，老練而流露着一份精明而又高貴的風采。故鄉的青梅竹馬，闊別重逢，自是一番親切愉快的情景。當晚我招待他住在宿舍裏，從暢談中，纔知他已經在某個國立中學畢業了，現在正與一個朋友合開一間雜貨店，生意很好，我聽完，高興的接住：

「也罷，難得我們兄弟又在一起。」

「前些天，去看伯伯，」他似乎沒聽到我的話，自顧自說的：「才知道你在這裏，所以特專趕來看你。」

「以後你要常常來玩。」

「當然。可是我希望能在這裏謀一個差事，甚麼，你不會嫌棄志展吧！」

「那裏！自己兄弟，還說這話，可是你在那裏不很好麼，而且，要是你走了，丟着你那朋友，他生意可不要作不成？」

「我那裏當然是好，但你這裏更好，至於我那位朋友，我又沒賣給他，那我管不了。」

恰好我那家公司剛有一個事務股長缺，我便領着志展去見總經理，他的一表人材，總經理見了，第一個印象還不算壞，雖然事後我費去很多力氣，但總算達到了他的願望。

從此，我們兄弟便又在一起，他的確像家鄉父老的說法：「這芽子長大了，必是好脚色，不知要勝過他爺幾多倍哩！」他精明能幹，作事能力，像他外表一般漂亮，而且，他的人緣也像他兒時般討人歡喜，不上幾月工夫，不止全公司裏的人，他都混熟了，都處得極好，就是總經理那方面，也得着極重的信任，我看到這情形，着實高興。

這樣過了不到一年，他突然又想離開這裏了，有一天，他向我說：「萬權，我要走了，我要離開這裏，到另外一個地方做事。」

「怎麼？」我奇怪的：「這裏不是很好麼，爲甚麼好端端的又想離開？」

「因爲那裏更好」。（四）

金縷曲

次塞操韻　黃天石

君又狂吟矣。聽江東，銅琶鐵板。風懷差似。海若驚飛沙怒走。北鎖南倭未已。算死生男兒大事。撫劍仰天同一笑。看王師躍馬胡塵裏。劉獸跡。平洪水。

殘棋急封從頭理。問幾人枕戈虎帳。高歌燕市。應是興邦天所命。多難始生多士。好擒取深山虎子。奇絕梅花徽國運。縱冰霜歷盡根難死。龍蛇動。揭竿起。

天石甲午生日次韻奉壽

·曾克耑·

妙年平生造化師。高樓窮邂鏡危時。遷書少典徵元祖。班志廣初挺別支。論世如聞三太息。等身何只百期頤。降旛龢擬君前把。一笑南荒建鼓旗。

關於張三丰

·徐真·

三丰和張信相與，外傳載：他最初因枉死一婢，後來退俗歸閭，因辟囚連坐，偏氏夜郎，所以才到平越。而封侯的張信既深受三丰的指示，也許在他封侯以後，向成祖奏明其事，明史所以特爲記載。

張三丰的「供詞」，紀年「天順」，恐爲羽流僞造。當時臣工，如胡惟庸輩，曾竭力逢迎上意，故神其說，三丰之神妙莫測，大半出於這些無聊臣工宣傳而來的。但三丰到底是怎樣一個人呢？我們可以從他那首「聞道」詩裏，體念出來：

「落魄江湖數十秋，逢師咬破鐵饅頭；十分佳味唯餐蜜，半夜殘燈可潰油。信道形神堪入妙，方知性命要全修。自從識破些兒後，忘却人間萬斛愁。」

他這首詩，我認爲頗合於儒家性命之說，所謂「鐵饅頭」者，即是做人的第一關，却不是神仙瀛境那樣的虛無縹渺。（六）

此外，有把「邋遢」衍爲「拉塔」者，那純是民間閒話。幼年我就喜歡聽老人講故事，把張三丰說成「拉塔」仙，雖是閒文，也足證明三丰事迹演變的程序，早已成爲「大衆文學」：

「城裏有座塔，塔旁一家張姓人家，哥哥在外經商，留妻子和弟弟在家，嫂嫂天天洗曬衣服，很討厭塔影的障礙，她對弟弟說：「弟弟，假使能够把寶塔撥開，這可愛的陽光，便爲我家所獨有了！」弟弟聽了，微笑不作一聲，過兩天，她再晾衣服，便沒有了塔影，當時十分詫異，喊着她小妹子問話，他承認這是他集合本地方牛馬，將塔的方位給移動了。她的嫂子當時不相信，但塔確是移了向，而本鄉牛馬，同時患了同一病症——臥倒不能工作。她才明白弟弟有「法術」。這話傳了出去之後，人家都注意他的行動，而他也不願意住在家中，就此雲游去了。因此大家稱他爲「拉塔」仙。」

這種傳說，自然荒誕得可笑，但不妨寫附於此，貢獻給研究民俗的與寫童話的作家，作一個副本參考。（續完）

尼赫魯——曾成獨裁者嗎？

·矜式譯·

每個人都知道印度總理尼赫魯，和他的漂亮妹妹潘迪特夫人，但是很少人知道，尼赫魯的另一個妹妹，婉娜多姿的胡瑟璧夫人，她比尼赫魯小十七歲，比潘迪特夫人小七歲，在印度婦女家庭雜誌一月號裏，出現了她那鈎寵勛人的容貌，和她的顯赫兄妹的照片。她同時也寫了篇文章，以犀利的眼光，觀察她哥哥如何被權力所影響了。

那篇文章說：「我是一向崇敬尼赫魯的。但，他奮鬥了卅年的，爲了自標而犧牲，這些都已對他引起種種瑕疵，每年他的溫暖和愉快的表情都在消滅，他那褐色的眼睛，過去奕奕有神，現在却時時把握着一種強烈反抗或者厭倦失望的表情。他的面孔已像一個疲乏的人，被某種冷酷的內在力量所驅使，絕不放鬆，他帶着强自抑制的笑容，充滿自信心，不去理會任何批評。」（上）

老伶人

·周魯譯·
P. Wright著

赫頓嘆口了氣，繼續說：「露絲看了是件絨綫衣，便哭了起來，說：「『誰要這件不值錢的絨綫背心。』說着，便頭也不回地跑了上樓。我祇好拾起這件背心，帶着滿胸莫可言宣的悵惘走回酒店，我的眼花了，脚也站不住，莎菲無神地躺在床上，原來她已經死了。我跌倒在她的身旁。我清醒的時候，祇有這件白背心伴着我。」

愛麗絲放聲哭了，我也不禁飲泣起來。突然房門打開，一個胖婦人進了來，驚破了我們的感傷。她把白背心搶在手裏，狠狠地對赫頓說：

「欠了我的房錢，還拿了我的女兒晒在露台的白背心。」她說完了話便捏着那件背心衝出去，她把房門大力地關起。這時，我像是從剛才上演一齣悲劇的戲院跑出來，一時不知怎麼辦了。

赫頓的幻想與表情太逼眞了。我深深體驗到伶人潦倒內心的痛苦，雖然有最好的劇本與演劇天才，也無從發揮。這是無以彌補的創痕。

在時代的洪流裏，每個人都希望能在歷史上留下一些比較有價值的事跡，藝術家們有他的藝術的作品遺傳。工程師們手創的建築物使後人懷念。但是，一個當代紅伶，不但死後沒有絲毫遺跡，就是在年老力衰的時候，在他的腦子祇有黃金時代的浪漫生活，受人捧場的驕矜。人們的印象，也祇有這殘餘的感想。有誰了解他們內心的痛苦呢？我祇有發洩在沒有靈魂的故事裏，邋這空虛的構思，安慰自我無聊的生活，有誰能够憐惜他們的憂怨呢！這個故事就是給我們最明顯的解釋。（下）

自由人

THE FREEMAN

（第四〇二期）

中華民國僑務委員會
內政部登記證台教新字第一〇一二號
中華民國郵政局登記爲第一類新聞紙類
（半週刊每星期三六出版）

每份港幣壹毫
台北市售價台幣叁元

督印人：雷嘯岑

地址：香港高士威道二十號四樓
3 rd. fl. 20 CAUSEWAY RD HONG KONG

香港發行事務接洽：高士打道66號　電話：七〇五三三

承印者：東方印務出版社　地址：高士打道六十四號

海外總經銷：友聯報發行公司

台灣特約經銷處：台北市衡陽街五十號

台灣總經銷處：台北市西寧南路一〇二號二樓

世界第一大新聞

·陶百川·

合衆社近經世界各國記者和編輯人的共同選擇，發表了去年世界十大新聞的題目。但合衆社說，美國記者和編輯人所選定的世界第一大新聞，却不是日內瓦會議和越南停戰，而是美國參議員麥加錫和陸軍部長史蒂芬士所鬧的糾紛以及隨之而來的參議院對麥加錫的譴責案。（以下簡稱麥加錫案）。

麥加錫案何以能成爲世界第一大新聞呢？說來話長。但我以爲有說一下的價值。因爲影響所及，還不獨是有關於美國對亞洲的外交政策和一九五六年的大選，而且『以爲鑑，可知得失』，擇政治或研究政黨史的人，也可從這故事吸取若干珍貴的教訓。

陸長小不忍而亂大謀

去年一月卅日美國參議會常設調查小組主席麥加錫傳喚少綱米爾軍營一位少校軍醫官庇里士，因爲後者有共黨嫌疑。麥加錫問了三十二個問題，但庇里士一概置之不答。他引美國憲法第五次修正條文（作爲拒絕答覆的理由；規定，法院和國會不得強迫證人提供有害於他自己的證言）。二月一日，麥加錫寫信給陸軍部長史蒂芬士要求扣留庇里士交付軍法審判。同時庇里士上書請求辭職。陸軍部不但不理麥加錫的要求，就在第二天把迅速的准他辭職，於是麥加錫大怒，傳喚克爾米爾軍營的司令官褚衛格爾將軍，問他許多關於批准庇里士辭職的問題。但褚衛格爾也拒絕答覆。他的理由，除上引憲法修正條文外，還有艾森豪總統和陸軍部長限制他發言的命令。麥加錫乃以憤怒的口吻，說他「不配穿軍人的制服」。這話觸怒了陸軍部長。他認爲麥加錫不獨侮辱了褚衛格爾將軍，而且侮辱了陸軍全體。在盛怒之下，他就公開命令褚衛格爾不得再出席參議院調查小組作證，同時宣稱他將親自出馬去作證。他對部下演講時並說：「我願意支持所有忠貞的男女國人」。在時代過去了，也認爲不獨不必要，而且要不得。

各方調解經過

史蒂芬士的友人孟特參議員，當時就勸他不要那樣幹。孟特問他：「你是否要介入參議院和你職員之間的糾紛麼？還是一個很不幸的開難。你的做法將使麥加錫的最惡的敵人也不得不支持麥加錫。」史蒂芬士表示：「我的立場祇是不能讓參議院侮辱我的職員。」孟特再三勸說，經過狄克遜等人的調停，雙方在一次餐敘中，孟特參議員做得雙方同意，寫下了這樣的備忘錄：（一）共黨份子必須退職。（二）由史蒂芬士選派一位陸軍部將領出席參議院調查小組作證。（三）參議院調查小組暫不傳詢褚衛格爾作證。（四）史蒂芬士不必出席參議院調查小組作證。

艾森豪終於捲入漩渦

但是那次會談，陸軍部方面因而大爲不滿。於是艾森豪周圍的人們警告史蒂芬士，說他處理得很不好。由於史蒂芬士的軟弱，陸軍部的威望受到損害。艾森豪認爲這是一個決定。在一次會議中，根據總統的指示，決定了左列三項：（一）麥加錫須公開承認他曾侮辱了褚衛格爾將軍。（二）麥加錫須表示他曾向史蒂芬士保證改善對於作證軍人的態度。（三）麥加錫須表示庇里士案的調查已無必要。

這些條件，當然不是麥加錫所能接受的，但是艾森豪却認爲已經讓步到了極點，於是決定不再談判，並由白宮方面公開表示對陸軍部長的支持。

就本早恨透了麥加錫的所謂陸軍部發表一份報告，是由陸勢的第一砲，指摘麥加錫和他的調查小組一位顧問柯恩爲其助手史蒂芬士在被征募當兵後要求陸軍部優待，以種種壓力加於陸軍部。參議院調查小組對麥加錫和柯恩以調查，自去年四月廿二日至六月七日，開了七十二次公聽會，詢問紀錄長達七十萬字，被詢問作證的共計三十餘人，包括陸軍部長和歐洲聯軍總司令。這是美國國會一百六十七年以來三大調查案之一。（其餘兩大調查案是珍珠港事變和麥克阿瑟被免職的調查）。但這一砲却沒有打中麥加錫，因爲誠如後來參議院對麥加錫彈劾案審查委員會的審查報告中所說，柯恩即使利用職務，爲史陸說情，也是整個調查小組的責任，（調查小組共有委員六人），不能叫麥加錫一人獨任其咎。

麥加錫被彈劾案

[illegible]發表前，共和黨內的意見開始紛歧，很多參議員反對艾森豪的做法。到了院會表決的時候，共和黨四十六位參議員中，投票贊成譴責麥加錫的是二十二人，反對的也是二十二人，其餘二人是病缺席，而這二人本是反對譴責的。贊成譴責的，多半是總統的親信，但參議院多數黨領袖諾蘭却投了反對票。表決結果，所謂侮辱褚衛格爾司令案，不受譴責，而藐視參議院和侮辱參議員案，則予以譴責。

第二天，白宮新聞秘書在新聞記者前，代表總統對彈劾案審查委員會的召集人瓦特鑫公開讚揚。這更加深了麥加錫對艾森豪的憤怒，於是在他一個書面聲明中說：『近來有人說我應該向參議院道歉。我現在真的要向美國人民道歉了。因爲在艾森豪競選時，我曾對美國人民說：艾森豪如果當選，政府清除共黨的工作必可加強。可是現在政府却寬容了共黨而迫害反共的人』。（手頭沒有原文，記得大意是這樣）。相隔不久，他又在一次談話裏批評了艾森豪的亞洲政策。於是國內外盛傳共和黨內訌，且預料一九五六年大選時，黨內必有一番大鬥爭。

幹政治的人其各鑑之

在民主黨執政時，麥加錫已成爲美國的反共英雄。但在艾森豪上台後，他却遭到本黨的打擊。麥加錫對庇里士嫌疑的調查，以應該能夠得到陸軍部的合作，但是陸軍部却自始就採取了敵對的態度。後來麥加錫傳詢褚衛格爾時，又事先禁止褚衛格爾和陸軍部長答復關於庇里士辭職的詢問。這種措施，實在不夠高明，難怪引起麥加錫的反感。這是錯誤的起點。

後來糾紛有擴大的趨勢，尼克遜出來疏導，這是一個轉機。尼克遜等警告史蒂芬士不要把總統捲入漩渦，可謂很識大體，這是一個重要的關鍵。然而曾幾何時，艾森豪却忍不住氣，親自出面干涉，而且對麥加錫提出三項不合理的要求，接着宣告不再談判，以後更肅贊採取攻勢，並還民主黨聯合進攻，才激怒了半數以上的本黨參議員，甚至諾蘭也臨時改投了反對票。這不能不說是共和黨和艾森豪的大損失，而這種損失，本來是很可以避免的。

一九五四年十一月的「中途選舉」的結果，共和黨已從多數黨降而爲少數黨。共和黨要在一九五六年的大選時反敗爲勝，並非不可能，祇在不要內訌，不要在領導上再犯錯誤！願普天下幹政治的人多能以此世界第一大新聞爲前車之鑒！

留學百年紀念罪言（上）

燕廬

藝廬先生讀罷本文章，把敗壞國事的責任，都歸到留學生身上，並發爲「外國斷乎不能爲中國養人才」的議論，自不免過於偏激，惟他所指摘學生的若干缺點，和對國事的許多不良影響，也不是絕無根據。今後的留學政策，似乎要乘此時機從新加以檢討修改的。

再本文去年十二月已收到，還在現在才發表，謹此致歉。——編者

去年七月間，美國耶魯大學舉行了一次中國學生留美一百週年紀念的盛會。因爲去年爲中國第一個留美學生容閎在該校畢業滿一百年。表面看，這似乎是一個人的事，事實上，這件事給予中國的影響是很大的。

啓蒙運動的開始

時下人論中國近世史，多以爲中國的所熟知的，有聯鼎大名的工程師詹天佑，都是不滿十五歲的少年，其中較爲老人的名義，率領赴美。這些學生出國的時候，所有的學校都須設立一種外國語文課程的准備。[illegible]

容閎是中國近代啓蒙運動的開始。他所陳述的計劃，由他向曾國藩建議，由他所聯名奏請朝廷「選派民間聰穎子弟出洋習技藝」，這一大事開始。這一件事決定在同治十年，（一八七一）第一批選派的學生只有幾個人，就由容閎以江蘇同知的名義，率領赴美。

和後來代表清廷與武漢軍政府談和的唐紹儀。

留學的風氣一開，中國原自科舉取士的制度，便自然而然的走到末路，即使沒有康梁的運動，這一制度遲早要被廢除的。舊的科舉被廢，代之而興的便是學校了。所有有出息的人，所向往的是入翰林、放洋留學，拿個碩士、博士的頭銜回來，然後才可以謀顯達，出來做次長、部長，甚至內閣總理。青年入校求學，既以出洋留學爲其終極目標，則國內學校的施教，自然必須爲學生「出洋」作一種准備。今日所有的學校均須設立一種外國語文課程，就是這一事實的最好說明。在這種情形底下，學校成了變相的科舉；留學生叫洋翰林，可謂是恰如其份的稱呼。

教會學校的興起

最能支助學生出洋留學的學校，首推外國教會在中國所設立的學校。中國允許外國教會在國內設立學校，始於天津條約的允許。這些學校最初設立時，中國人不大看得起，因此有些學校竟用免費、贈書、甚至津貼伙食做招徠學生的法寶。（上海出名的中西女塾，初開辦時，祇有幾個背着孩子的婦人，和幾個童養媳去入學）。但因爲這些學校能扶助學生出洋，有教人「一舉成名」的好處，於是漸漸由門堪羅雀，以至於門庭若市。後來不只不用再免費贈書，而且所收費用，竟至中等以下的家庭負担不起。因此所有教會大學出身的知識份子，他們的家庭，多數是官僚地主，或富有的華僑或買辦商人，

（未完）

半週展望

·雷嘯岑·

韓馬紹離開了北平

到北平去商談釋俘事件的聯合國祕書長韓馬紹，已經結束談判，首途回來復命了。此行結果如何，雖然尚未到公開宣佈的時候，有些內幕或許永遠不會宣佈的。但我們從他與周恩來所談的「聯合公報」那兩句不落邊際的語意中，也可以推測其大概。

他們說：「此等會談甚爲有用，並希望將來能繼續此次會談所成立的接觸」。這就是表示中共已將要索的代價開列清單，交給韓氏帶回聯合國，靜待對方還價，原則上並未一口拒絕釋俘的要求。

近來，不是共黨人物口中喧嚷「美帝」的那樣情況。又在搞東北亞聯盟，目的是包圍中共。因而判定美國是在釀造緊張局勢，所以共黨就要「解放台灣」，要召開「遠東政治會議」，而以虐待美籍戰俘爲示威要挾的手段。這些特別高聲叫賣的貨色，看英國已列入韓馬紹帶回去的代價清單之內，看美國如何還價？所謂聯合國的意見，實際是英美的意見而已！

以說希望將來能繼續保持接觸。今後的接觸方法當然不會再採用這次「韓周會談」的老套格式了，先由英國與美國商量好，致印度扮演小丑角色，用很冠冕堂皇的理由和詞調說是爲阿三在聯合國一般問題的和平談判「和緩緊張局勢」，不妨進行亞洲一般問題的和平談判，以把那十幾個美俘宣告減刑，驅逐出境，而中共也就可以示「和平誠意」。這是一種可能的趨勢。

總之：如果釋俘案件能夠解決，其代價決不是如美國早已自動暗示的那末輕微的條件——放歸三十七名中國留學生，解凍一億美元以上的中共資財——乃可斷言的！

東北亞聯盟之說

所謂中、日、韓聯盟云云，不但是在目前日本政府那種投機作怪，不三不四的態度中，說來不合時宜，而南韓那種不顧一切的強項日，還一個不甚相干的亞洲民間反共會議且不反許日本列席的意態，更談不到這類一相情願的話。即令美國出來領導，勉強撮合，實質上也不會有多大的效用，這徒然是給共黨以宣傳攻訐的口實罷了。

不到時機而隨便亂嚷，急不暇擇，那就是半吊子的表現。俄共集團正在向日本送秋波，而日本人的心目中，對我們與南韓，乃至於全亞洲的國家，又始終抱着優越感。當年舊金山和約剛簽訂後，日本所派駐美大使新木榮作即聲稱對中國問題非尊重日本的意見不可。這就是日本人的眞面目，幹政治的人如其不注意這類情事，即係低能兒，亂嚷些甚末呢？

日韓間的宿嫌與糾紛不和緩，日本人的投機賣弄心情不消除，東北亞聯盟即無可能。要想解消這兩項障礙聯盟問題的因素，祇有美國出來大力斡旋，庶有希望，我們却千萬不宜強作解人，自尋煩惱。跟日本人談私交，可以講道義，跟它論國交，就只有勢利可言，這是有若干史事實迹可稽的鐵則，中國人若無清醒認識，對於日本問題就請免開尊口吧！所以，我們對於東北亞聯盟問題，在現階段祗可表示願意作一個「良好的伙伴」，而不要以策動者自居，因爲日本人現在是對我們不感興趣的，何必「監人賴厚」呢？

民社黨又鬧分裂

中國民主社會黨這幾天又在台北演出分裂現象，其中是是非非，我們當然無從置喙。不過，我雖然是民黨人，因渴望民主政治發展之故，總盼望現存各友黨能夠日益強大，形成有力的在野黨。如果中華民國永遠只有國民黨居於第一大黨的執政地位，就民主政治前途設想，不免索然無味哩！

「秀才造反，三年不成」，中國士大夫這種痼疾，眞是去不掉嗎？我不相信！

世外桃源阿根廷

蕭立坤

蕭先生是一位留美的青年工程師，曾在交通部服務，現任阿根廷某國營大工廠工程師，成績優異，備受器重。他到阿國已三年，精通西班牙語文，平時對阿國政治經濟，留心研究。本刊曾刊蕭君通訊兩次，茲篇為蕭君最近對阿國政情的系統介紹之作，想讀者必以先睹為快也。——編者。

國外通訊

〔阿根廷航信〕南美洲阿根廷共和國，雖然是今日世界上距共產黨威脅最遠，和生活最安定的地方，中國人對她却很少注意，這原因當然很多，但英美人不大喜歡她，所以英文報紙不大替她宣傳，也是最緊原因之一。

為什麼英美人不大喜歡她呢？這也只是近十年的事，中南美洲二十個大小共和國，一向都是有意無意的跟美國走。軍事、外交、經濟，莫不如此，獨有阿根廷，自從二次大戰開始以來，有點與眾不同，阿國的貝隆總統，自有一套理論與辦法，既不是資本主義，又不是共產主義，也不是國家主義，說英語的人們對他聽不順耳，阿根廷人簡單叫它貝隆主義。

作者對任何政治主義，都無深刻研究，但深信人民的生活，是一個政權及其主義的最好反應，因之，欲將阿國的實際生活，向本刊讀者作一個素描，或者可使讀者們發生『柳暗花明又一村』的新概念。

工資福利及生活

阿國的面積，大約是一百萬平方哩，人口一千八百萬。比香港面積大2700倍，人口多九倍，比台灣面積大七七倍，人口多二倍半。比中國大陸面積小三倍半，人口少三十倍，讀者們把這幾個數字一想，即可知阿國是一個地大人少的國家了。

這裏的人，多數是地中海北岸的拉丁民族移來的，而以西班牙語為國語，拉丁民族是浪漫的，感情的，便驟的，作事效率很差，但秩序却不差，女子最美麗，男子多肥胖。

阿政府統辦國際貿易，限制外滙，使國內外物價，完全脫節，照黑市外滙折算，日用品中，有的便宜得驚人，有的貴得驚人。

物價低廉

現在一個阿幣（PESO）約合港幣二毫二仙，照此折算，一公斤（等於2.2磅，或2市斤，或廣東秤一斤半）鮮牛肉，值港幣一元二角，（此下均已折成港幣）一公斤），一公斤鮮牛奶值二毫，一公斤麵粉，值二毫，但一輛嶄新汽車，值三萬元，一瓶派克墨水值十一元，大體上說，凡在阿國境內能生產的物品，都很便宜，凡是外國貨，都不是一般工人所能購買的。

近十年來，阿國工業在進步的方面，非常進步，一切衣服、食品、化粧品、藥品、普通五金機器、化工原料，發電機、腳踏車、建築材料，紙、橡膠、石油、皮革用具，差不多都是國產。只是質料不佳，但阿政府寧願用自己做的次等貨，而不讓上等外國貨進口。

一個普通機器工人，每小時的工資是港幣一元四毫，每年可增加一毫，即做同樣的工，第二年每小時為一元五毫，如果每月做工200小時，工資是280元，每個工人必須繳工資十分之一的養老金，百分之一的工會費，實得約為250元。

資方對工人的義務

資方對工人的義務是相當完備的，大概每付一百元的工資，必須另付七十元的其他義務，其中主要項目如下：

一，不做工日的工資，公共假期，每年約六日，雖不做工，資方也照付工資。如五月一日，十月十二日哥倫布節，七月九日國慶等。（佔工資2.32％）

二，額外工資，每個工人每日只可做工八小時，如資方須他多做一小時，應付給一倍半的工資，星期日及例假如須他做工一小時，須付給二倍的工資，工人如不願做，不得強迫。

三，生產獎金，許多工廠照生產多少，給工人獎金，少則佔工資十分之一，多則到工資的一[illegible]，但還不是法律規定的。

四，休假，除星期日及例假外，每個工人每年應休假十日，年資在五年以上的，每年休假十五日，十年以上的，每年休假二十日，資方照給工資，（佔工資[illegible]06％）

五，家事津貼，妻每月3.30元，每個兒女每月3.3元。結婚可告假七日，家人喪事可告假三日，生兒女的父親，可告假二日，資方均付工資，每次生一個兒女，資方贈33元，結婚贈44元，喪事贈44元（共佔工資之4.2％）

六，兵役津貼，十八歲至22歲的男性，均服兵役陸軍一年，或海軍二年，凡是工作的工人，服役期間，資方按月津貼13元。

七，年終獎金，每年終發雙薪一個月（佔工資8.33％）

八，養老金，工人自己付養老金10％之外，資方另付15％，兩共25％，存入政府設的養老金庫，到工人工作三十年時，按月領回。（佔工資15％）

九，人壽保險，資方須代工人保壽險每人1100元，每月代付保費，佔工資2.7％。

十，公傷，因工作受傷，治療期間，一切醫藥工資均由資方負擔，平均佔工資12％，家屬醫藥費則由工人自己組織的福利社負擔。

十一，革職津貼，資方因任何理由開革或遣散一個工人時，應照其年資，每一年付一個月工資。另給三個月時期，讓他去找工作，找工作期間，資方照支工資，（佔工資8％）

十二，童工儲蓄，十八歲以下的童工，沒有養老金，每日工作不得超過六小時，工資也較低，大約是七毛一小時，資方應另付工資的10％，作儲蓄金，至成年之日，一次付給。

還有許多小項目，及優待女工的條款，姑不詳述，總之，阿政府認為資方經營工商事業，有權利賺錢，但應先使工人們吃飽，穿暖，有休息，有娛樂，生活生命有保障，然後如有盈餘，盡歸老板賺，如無盈餘，即是老板經營不善，當然無錢賺了。（一）

人．物．述．評

植物學家鍾憲鬯

．小丞．

植物學家鍾憲鬯親手採集的植物標本，為數不少，我國植物書中的中文學名，大都是他選擇訂定，可以說是植物學的開山人物。

（一）

清末我國科學還在啓蒙時期，研究科學的寥寥可數，專治生物學的，更不多見。這裏，使我回憶到兩位科學家，便是杜亞泉與鍾憲鬯，他們化畢生心血，專事生物學研究，很有成就。杜氏卒於「一二八」戰後，鍾氏也於二十九年逝世，先後殂落，是我國科學界的損失。

談起在科學界享有盛譽的鍾憲鬯，原來早期，還是革命黨人。東京同盟會成立，楊篤生、何海樵等到上海，立意從暗殺入手，學習製造炸彈，由蔡鳳初指授方法。他由蔡元培介紹入會。由於他精研理化，向中國科學儀器館購辦藥品，較為便利。

他們那時組織異常嚴密，相互間監察活動。開會時，設黃帝位，依人數預寫誓言多紙；各人在每一紙上簽名蓋章，然後宰雞灑血紙上，大家朗讀宣誓，並且把雞血攙了老酒合飲，經過簽名的誓詞，每人收執一份，這樣插血訂盟以後，開始教授製造炸彈的方法。他和同志數人，天天研究炸藥的製造，彈力的試驗，很費了一番心。

（二）

鍾憲鬯，字觀光，他是浙江寧波人。早歲攻習國學，兼長理化。民元前十年，他正任教於江陰南菁高等學堂，留滬革命志士蔡元培、蔣智由（觀雲）、林獬（少泉）、葉瀚（浩吾）王季同（小徐）汪德淵（允宗）烏目山僧（黃宗仰）等集議發起中國教育會，表面辦理教育，暗中鼓吹革命。

他那時與南菁高材生武進蔣維喬、常熟丁芸孫、無錫黃子年，即已傾向革命思想，在南菁課餘，常與一般學生密談革命大義。這後，中國教育會創設「愛國女學」及「愛國學社」，他就回滬擔任教課。當時學社方面，教女學的有章太炎、蔣維喬、蔡元培等，教理化的有他和蔣孝夫、馬相伯等。一時人才濟濟，氣象蓬勃，含孕了無限的希望。

民國後，蔡元培出任北京大學校長，他被聘前往任教。只是北大生物學成立較遲，他在那方面功課很少，祇是埋頭做他的研究工作。奉張入關後，北平環境惡劣，各校教授紛紛散去，北大生物學主任譚熙鳳後就浙江大學農學院院長，就把他請了過去，辦理植物園。中央研究院成立，聘他當研究員。十八年秋，北平研究院成立，院長李石曾氏約他到平，專任植物研究所研究員，一直到七七蘆溝橋事變發生，該院遷滇，他因年邁體弱，不耐奔波，遄返甯波故里休養。

（三）

他的治學，崇尚實際，不事空談，生平用力勤勤的，要算中國植物學的分類研究。全世界高等植物已發現的，約有二百八十多科，其中產於中國的，便有二百二十科之多。

他用科學方法，研究植物分類，先從採集標本入手。三十多年前，他便跑往雲南採集，涉水登山，不辭艱辛，接着又去山西，河北、浙江、福建各省，為了一花一木，胼手胝足，不覺其苦，反而興趣盎然。

他親手採集的植物標本，為數不少，我國植物書中的中文學名，大都由他選擇訂定，可以說是植物學的開山人物。

他搜集世界植物學的典籍既豐富，對我國古學也很有研究，凡是「本草綱」、「爾雅」、「詩經」，以及諸子百家中的花草竹木的名詞，性質，隸屬那科那類，他都有詳細的考證。成稿數十巨冊，惜未付印。

他的勤敏治學，是現代中國植物學承先啟後，繼往開來的唯一人物。一生刻苦耐勞，不慕虛名，默默地工作了幾十年，雖然他淡於利祿，不求人知，可是由於他的工作成績表現，享譽國際的殊榮。

民國十二年，菲列賓大學植物教授——也就是現任美國哈佛大學植物系主任——E.D. MERRILL，根據他所採集的標本，定出一種新的植屬 TSOONGIA屬馬鞭草科植物，便是紀念他發現的勞績的。

一九五四年：民主國家的經濟成就

本報資料室

不景和失業是共產主義的溫床。一九五四年開始的時候，英國人士以極憂慮的口氣說：「是年也，美國將發生不景，工人失業將增加，以至影響英國出口。」結果，美國並沒有發生不景，英國出口商業却打破了歷年的最高紀錄。西德人士，以為一九五四年是西德經濟最高峯，以後將逐漸下降。結果又剛剛相反。最令人興奮的是法國的情形，法國經濟，戰後一直下瀉，去年却能夠立定脚跟，回頭前進。下面是英、德、法三國去年經濟的一般成就的事實：

英國

英國的繁榮，是一通事實。倫敦馬路上都堆滿了人，和大大小小說不出數目的汽車。這是繁榮最好的證據。下面是統計的事實：

生產　一九五四年的生產指數為一百二十七，（以一九四八年的最高峯作為一〇〇）較諸去年增加了六點。

鋼　一九五四年，鋼的生產量打破了歷年紀錄。去年生產達到一千八百五十萬噸，比較前年增加了一百萬噸。

汽車　英國汽車的登記，超過了五百萬輛，打破了歷年紀錄。去年英國汽車出口，超過美國，達到三十萬輛。

商業　去年出口總額七十五億美元，比較一九五二年的最高峯，增加二億五千萬。黃金的儲蓄超過了三十億美元，平均每年增加四億美元。

股票　去年股票市場，異常興旺，好些股票漲價百分之四十。市道最好的是汽車、飛機、化學物品、和電視。

失業　英國工人百分之九十九都有工作。失業人數雖達二十六萬七千人，可是空缺的位置倒有三十八萬多個。工人的收入頗有可觀。

建築　英國現在平均每天建築房屋一千間。

英國經濟最大的麻煩還是工人，去年碼頭工人罷工，對于出口發生了極大影響。現在英國全國鐵路工人又準備罷工。英國工黨遭遇工人的壓力，對于罷工不能有所作為。英國工人罷工的道理是這樣的，去年工資雖然增加了百分之五，公司利潤却在百分之五以上。

西德

一九五四年開始的時候，好些觀察家認為西德經濟已達最高峯，此後將日趨減縮。但一九五四年的西德經濟的進展，足以增強一般人對於自由經濟的信心。

生產　生產比較上五年平均數，增加了百分之十一。去年十一月，生產指數為二〇二，比較一九三六年戰前最高指數，增加了一倍有奇。去年西德生產了一億二千八百萬噸煤，打破了戰後最高紀錄。船隻建造達九十二萬噸，僅次于美國。

鋼　西德去年生產一千七百五十萬噸鋼，比較一九五二年最高峯，還增加了兩百萬噸。

商業　西德出口，去年達五十億美元，入口也增加到四十四億美元。西德的商業在歐洲佔第一位。

失業　東德難民，雖源源不絕流入西德，可是失業的比率，已經由五年前的百分十點四，減到百分四點七。因為工業極度發達，西德反發生缺乏熟練工人的現象。去年西德全國就業工人，達一千六百八十萬人，比較前年又增加了一百萬。

工資　工資增加了百分之九，而生活指數只增加了百分之一。

西德經濟的進展，增進了人民的購買力。汽車，收音機，電視，貴重的照像機等，去年都十分暢銷。收音機的生產比較前年增加了百分之十三，照相機百分之十六，各項奢侈物品的生產量，差不多都增加了。

法國

事實和數字表現出法國經濟的進展。一九五四年是法國戰後趨向經濟復興的第一年。

生產　一九五四年法國的生產較諸一九五三年，增加了百分之九。產品的增加更為驚人。

汽車　去年法國汽車生產五十七萬輛，打破了歷年紀錄。

貿易　去年法國出口，每月平均三億七千一百萬元，比較前年增加了百分之十一。進口減低到三億二千九百萬元。去年由入超變成出超。

股票　股票市場有極大的進展。去年由指數一七一跳到二六三。

失業　法國全國失業人數，只有九千人，是世界失業人數最少的國家之一。

建築　法國去年建築了二十一萬四千間房屋，比較前年增加了百分之五十。

工資　工資增加了百分之十一，而產價却沒有增加。法郎仍然穩定，沒有作再度貶值的準備。法國經濟能夠有這樣長足的進展，是因為法國在最近十八個月，執行一種堅定的經濟政策，同時消除缺乏效能的工業。煤和電力的價格減低了，利率也低了。結果是物價穩定了，而經濟也跟着蘇醒了。

編者讀者

△新年期間，一月一日及三日台港間沒有飛機來往。二，四，五三天內乘客過多，不接運載，本報及其他銷台港報刊，均以此延遲到台，勞讀者盼望，至以為歉。再，星期六日由港赴台班機，亦早已改為星期日，星期六日出版之本報，今後到台不免稍遲，並此奉告讀者。

△方曙、魯漢、羅健、張中林、胡鑾之、蔡大勇、莫名，諸先生：惠稿均已奉到，至謝！

△尚變光先生：惠函敬悉，稿費單即照尊址寄奉。

△黎中天先生：惠函敬悉，尊稿稍遲刊出。謹覆。

經濟社會思想叢殘（五）

·金伯華·

……等得彀！由於合作社的組織之尚未得到人們應有的重視，提倡和實行。我們便不難前知我們在經濟社會上所將摸索的路正還長着！

然則合作社又到底是怎麼回事？爲了避免下定義的困難，而且也實在非三言兩語說得透澈，我只把合作社法開宗明義第一條抄在這裏，隨後再找機會加以說明：

「本法所稱合作社，謂依平等原則，在互助組織之基礎上，以共同經營方法謀社員經濟之利益與生活之改善，而其社員人數及股金總額均可變動之團體」。

五、「平等」與「自由」

一個父親要打兒子，兒子說：「不行！」父親怪問其理。兒子說：「我是你的兒子，你是祖父的兒子。我們大家都是兒子，你如何能打我？」

這雖然是一個笑話，但也可以從中窺見一點眞理：「人類對於平等的要求，是天賦本能的一部份，與自由之由於後天的培養和爭取，本質上顯有不同」。

我不願借佛家「一切衆生，本無差別」的說法。我也不想牽扯莊子的齊物論來作爲這一論點。不論聰明才力的大小，更不論貧富貴賤的懸殊，在人性的尊嚴上和人格的價值上，實在是一律平等的，不應該有任何高低的分別。

至若基於政治地位或業務職位所生的區分，儘管有幾等幾級，分得多而且嚴——尤其在軍隊中，下級服從上級是絕對不可違抗的——但那都是人爲的建制，在立法根據全國人民公意所「約定」而來的。一個皇帝，如果被推翻，便完全與大衆任何一份子同爲一個「人」。這猶之現代國家的警察，如果不根據合法的制度，便不能進入任何人民的住宅執行職權，同一法院對於被告人的住宅或其他處所，認爲有「搜索」之必要時，沒後的「夜間」爲之，其中一部份的理由，無非因爲夜間黑暗不明，很難辨認執行搜索人的職位，容易被不肖之徒冒充搗亂，妨害人民的居住自由。

這正充分證明人與人之間本是平等的，誰也不能欺侮誰。到了人類專制的社會，特殊階級的人，過於壓迫無道，教被壓迫的人民無地自容，所以纔生革命的風潮來打不平。中山先生在遺教裏屢次說到「反抗就是革命」。反抗專制，反抗有民族的不平等；反抗有權勢的人，反抗資本帝國主義和資本家的經濟力的壓迫；——是以革命只有歸結到「打倒人爲的不平等」。

「不平等」與「不相同」

「不平等」與「不相同」是兩回事。

我們以爲從人性人格上說，平等是天賦的；人與人之間是完全絕對平等的。我們不能因爲人有聰明才力和貧富貴賤的「不同」，而認爲是「不平等」。「不平等」全是人爲的。貧富貴賤固不用說，即聰明才力，也係由於環境和教育而有所差別，而決不是一成不變的「不同」。現代文明國家之特別重視多方面的教育，補充教育和教育設施等等，無非都是要使全國人民的智力體力達到一個相當均衡發展的程度而名之曰「水準」。水準越高，平等越接近。各國社會中之所以尚有很多「不平等」的現象，根本上就是因爲這水準沒有一般高。所以用土話講，水準也好，平等也好，都是「一樣」，都是「人」，都有一樣的尊嚴和價值。

中山先生所講的「不相同」，依他在民權主義第三講裏所舉的例，如「平原」，「桃花」，「樹葉」等，顯然都是指有形的物體而言，這確然「沒有兩片葉子完全是相同的，也沒有那兩朵花完全是相同的」。其實即是「水平」，也不是眞平的。一般所謂「水平面」或「水平綫」，亦即「地平面」或「地平綫」，還不是站在一定的觀點（基準）在水（地）平面上所指的一條假設的平面或直綫而言？依於基準所得的「基面」（DATUM PLANE），還不祗是科學上作爲計算的一個標準？所以中山先生說「天地間所生的東西，總沒有相同的」，是非常正確的。即如我們本身的肢體，五指之中，長短都各不相同，其他更不必說——尤其是「人心之不同」！

不平等是人爲的

至於「不平等」，可說是完全由於人爲的。人爲的不平等又可分爲兩種：一種是合法的，一種是不合法的。合法的不平等是由於合法制所建立的各種政治經濟社會的不平等。人類一天有政府，就一天不能不衷誠接受這種法定的不平等——雖然這種不平等也很容易使居高位的人濫用職權，行爲——西洋有一句「必要之惡」，就是指做出若干違法越權的「聽言」，所謂「政治爲」這種情況而言（未完）

國際貿易會議成績
具體認識共黨陰謀

亞洲暨遠東經濟委員會是聯合國經社理事會的區域機構，其下新設的貿易小組委員會，第一屆會議特別選擇於香港召開。在此以前，聯合國遠東經濟委員會在新加坡、馬尼刺先後召開兩次貿易促進會議，從事促進世界市場繁榮，加強國際貿易活動。當去年初，亞遠經委會召開工業及貿易委員會之時，即認爲需要有個特別貿易小組委員會，作更詳細的研究，於是就產生了此次的會議，並在大會議裏提出討論。雖然會議的地點輪流在各有關國家及地區召開，第一屆首次會議在香港舉行，足以說明了香港在國際貿易上的地位提高，和商業關係的重要性。

然這一會議的唯一特色是交換意見，不作任何決定，但對世人却能增進有關國際經濟情況的認識，對於這一地區商務情況的了解。參加會議的各國和地區有二十餘單位，包括英、美、法、日本、馬來亞等國的代表。

會議全程僅歷一周時間，廣泛的交換意見，可使與會代表們充分了解亞洲經濟發展的實情。

蕭氏所遺憾的，是代表們乘專車遊覽，僅限於二十或三十英里左右；他相信日後會有一天能自由地「從香港北平，再由莫斯科經柏林至巴黎，渡海峽抵達倫敦，然後由倫敦至紐約，檀香山、東京返香港。」爲什麼現時不能作此種旅行，很明顯地反映出自由世界與極權國家間隔着一道鐵幕而無法通過，除非鐵幕撤除，否則難有自由周遊全球之日。換句話說，鐵幕的存在，對於國際市場繁榮經濟，無疑是一大障礙。儘管蘇聯極權集團以「和平共存」作經濟侵略掩護，然其暴力侵略中國大陸土地資源的事實，已不容詭辯，且亦無法卸其責任。根據已公布的會議情形看，這次與會代表除共黨以外，幾乎都獲得一個共同印象，即無法與共黨集團展開了爭取戰略的物資，免實使鐵幕國家之外，絕無和平意向，更無由與謀人類幸福了。

新書介紹

美國名觀察家西里士比利於一九四四年担任合衆社駐莫斯科分社主任，其後復負責紐約時報駐莫斯科通訊，駐莫斯科前後共達六年之久。現將其蒐集資料著成『蘇聯新貌』一書。對於蘇聯的最近發展作一明晰而有系統的報告。全文甚長，玆將原書要點分別介紹如下：

蘇·聯·新·貌（上）

美國西里士比利原著　夏巴公司出版

李加雪

表面上的改變

史大林死後，蘇聯新政權採取一種新政策，在國際和國內都收到了相當效果。外表上，蘇聯政策好像是改變了。事實上却一點沒有更改。

現在俄國是只是由個人獨裁改成了小團體的專政。這個團體得到紅軍的支持，由總理馬倫可夫領頭，其他委員和馬倫可夫是平排而且是平等的。

俄國政策最鮮明的變化是外交。現時駐在蘇聯的西方人士生活比較從前舒適了。外交關係也恢復了溫和而有禮的接觸。從前使館和家庭的俄國僕人時常失蹤，時常被政府逮捕，現在沒有這樣的事情了。

史大林時代，西方人士不容易領到蘇聯護照。現在蘇聯的護照政策比較從前寬大，蘇聯當局甚至准許少數美國學生到蘇聯留學。蘇聯學生請求赴美留學護照，則因爲是共產黨的原故，被美國拒絕了。紅星報對於此事倒沒有什麼批評，英法的報紙却忍不住說還是美國的鐵幕。

蘇聯的國策雖然沒有改變，史大林繼承人的態度可眞改變了。

史大林名字消失了

史大林死了不到十天，他的名字便在紅星報上消失了。史大林未死時，報上第一頁每日平均總提到他一百二十五次。紅星報態度的轉變，我們可以測度到新政權對於史大林態度的轉變。新政權甚至認爲克林姆宮代表史大林，代表史大林的恐怖和秘密，不願再和克林姆宮發生聯係，現在已紛紛遷出。他們並且說，蘇聯政府不日將全部離開克林姆宮，將它改成公園還諸人民。紅場在史大林時期是不許人民出入的，現在公開了，准許人民自由出入。

史大林手建的四十四層摩天大廈，現在工程也停頓了。史大林把紅場裏頭莫斯科最著名的救主禮拜堂折了，改建一所世界最偉大的摩天大廈來紀念他的政權。第二次大戰發生時，鋼架已經建築好了三層，因爲戰事停了工。現在這鋼架也折了。

工業方面，史大林的得意之作，是史大林汽車廠，廠裏製造的「西斯」大車是史大林的御用車。現在新政權把汽車廠改變成單車廠，每日出產單車一千二百架，用來供給平民需用。

史大林統治時期，工廠廠長和機關首長都得在工廠或機關等候深夜。史大林睡得晚，時常在半夜接電話到全國各處的工廠和機關。現在新政權規定了辦公時間由晨早九時至下午六時，並且禁止晚間工作。

好些人都說最憎恨史大林的是馬倫可夫和現在的新貴，這句話是有相當根據的。

史大林是否被謀殺

雖然沒有人能夠證實史大林是被謀殺的，但謀殺的動機却是十分明顯。那時，史大林狂性大發，正着手進行較一九三〇年規模還要大的清黨運動。史大林七十三歲了，雖說年來有心臟病，可是，在和他接觸過的外國人看來，他的外表是十分康健的。若果他眞是因爲腦血管破裂而死，那眞是俄國人的福氣，更加是他的親信的大福氣。

史大林準備再清黨，一九五二年十一月七日，已經有了明顯的形勢。那天政府領袖在大禮堂裏排列的位置忽然改變了，貝里亞本來在莫洛托夫和馬倫可夫之後，是第四位的，忽然改成了第六位。同時，貝里亞本省和各省的黨徒忽然遭到清算。赫魯曉夫——現在的黨部書記——和政治局委員米高揚的黨徒，被清算的，也不在少數。

到了十二月，情形更形嚴重。紅星報的社論大聲疾呼，責令黨部和經濟部門的領袖向史大林坦白。一九五三年一月十三日，史達林逮捕了九位著名醫生，說他們和英美情報有直接關係，這時被逮捕的大部份是猶太人。

清黨目標所指向的，第一個是貝里亞，因爲他的母親是猶太人，有一半猶太血統。赫魯曉夫也在清除之列，部下好些重要腳色都被清算了。馬倫可夫和莫洛托夫也岌岌自危，手下被清除和被逮捕的也不在少數。

只有軍事人員沒有波及。可是，高級軍事人員，心中也是惶然不安。若以一九三〇年的清黨爲例，最後被清算的就是高級軍事人員，清算得最澈底的，也是高級軍事人員。

此時，莫斯科人心惶惶。莫洛托夫的夫人忽然失縱了，莫斯科科學院和共產黨中央執行委員會都有不少人被逮捕。到了二月中旬，情形更爲緊張。若果史大林偏的在這個時候因腦冲血而死，而不是被親信謀殺，那眞是馬倫可夫和莫洛托夫的福星高照了。

讀者論壇

中共謊報人口之謎

·連義·

我國人口爲四億五千萬，此雖約數，然相去不遠。抗日起，又不知若干，四億五千萬之數，有減無增，固可臆斷也。

中共匪幫，僭據大陸後，厲行俄式共產革命方法，以鬥爭爲號召，以清算爲方法，以殺戮爲目的，其受公審槍決以死，遭酷刑以死，或遇自盡以死，顛沛流離以死，飢餓寒凍以死，又不知凡幾。而又拆散家庭，設立集中營，使男成曠夫，婦成怨女，不得其偶，令其生；其後參與韓戰，死亡枕藉，去夏洪水泛濫，流離無算，天災人禍紛至沓來，人口無增，又可臆斷也。

然中共匪幫，竟宣稱大陸人口爲六億零一百九十三萬八千〇三十五人，數字龐大，令人難以置信。昔勾踐退保會稽，地方百里，獎勵生育，以蕃人口，「令壯者無取老婦，令老者無取壯妻，女子十七不嫁，其父母有罪，丈夫二十不娶，其父母有罪，將娩者以告，公令醫守之，生丈夫，二壺酒，一犬；生女子，二壺酒，一豚；生三人，公與之母；生二人，公與之餼；當室者死，三年釋其政；支子死，三月釋其政；必哭泣葬埋之如其子；令孤子寡婦疾疹貧病者，納宦其子；其達士，潔其居，美其服，飽其食，而摩厲之於義。」其方法之周詳，民之誠摯，求繁殖之迫切，應有加矣，故能十年生聚，丁壯繁興。今中共於連年戰亂之後，加以鬥爭，不惜民命，殺人如麻，繼以天災，不預綢繆，死人無算；男女失偶而不加恤，疫癘時作而不相救，徵調繁頻而不思休，人口銳減，蓋無疑義，反以激增數字正告於世，寧非怪事！其爲有意謊報，固甚明也。

中共暴興，妄自尊大，禍列強如無物，獨畏美國。美國科學發達，物質昌明，惟人口稀少而珍貴，其一機一艦之毀損，固無傷於毫末，一士一兵之傷亡，即不勝其痛惜。韓戰數年，美國傷亡十數萬人，認爲莫大之損失，亟謀停戰，即以此也。中共稔知美國朝野珍惜人命之心理，故將人口數字故意誇大，藉示威脅，中共固以人海戰術，矜炫於天下，實世人妄信其人口增多，人海永不枯竭，而以先聲奪人，使人懾之之心理，昭然若揭。雖然，人多豈足恃哉！昔苻堅侈言投鞭足以斷流，謂恃人多也，竟遭慘敗，淝水之役，曹操南征，號稱八十三萬，赤壁之役，恃人多也，僅以身免，人多奚取哉。況我國人民受五千年文化傳統思想，知愛祖國，痛心於淪亡，知守仁義，疾首於強暴，其不甘亡國，不甘奴役，以久屈於共匪，可斷言也，其數雖衆，並非心悅誠服，終且起而反之，即有六億，猶六億敵人也，何足誇哉。黔驢之技，猶夜行人吹口哨，徒示其胆怯而已！

稿約

本報闢地公開，歡迎讀者投稿，性質不拘，最好勿超過二千字，譯作請註明出處；來稿如不合刊用時，當儘速退還。來稿請用稿紙，勿橫寫。

——編輯室——

說謊世界

馬五先生

艾森豪初進白宮之時，對世界聲明他的抱負是要「解放」鐵幕後的人民，重復自由生活。同時又宣佈撤消「台灣中立化」政策，教美軍第七艦隊不再替中國大陸上的共黨作庇護。義正詞嚴，鏗鏘有聲，世人大爲喝采叫好！

白宮的國務長官杜勒斯一上任，也聲明美國對侵略者要「大規模報復」，要「猛烈射擊」，態度更激昂慷慨，好像是眞的，世人又一致歡呼，高呼O．K！

然而，等到中越共在越南大事侵略的時候，美國却說是害怕要因此牽動地面部隊來參戰，而且其他盟國又不肯聯合行動，只好愛莫能助了。如是乎，把越南的人民一大半送進鐵幕去，再作道理。不久中共對台灣外圍又開始進攻，台灣的國軍迎頭反擊，要實行解放大陸的登陸戰役了，美國急忙派大員來勸阻，說是這樣就會引起美軍與共軍的直接衝突，因而促發世界大戰，使不得！

最近艾克總統先生就職國會說：世界正處於「原子僵局」之中，美國唯有以「最大的忍耐力尋求永久和平」。所以，中共雖然把美國戰俘無理凌虐，也祇好請聯合國派大員去乞憐哀懇，也做出「解放政策」，甘作「城下之盟」。過去所喊出的「解放政策」「大規模報復」「猛烈射擊」等等壯言豪語，那是說着玩兒的，豈能認眞？

如是乎，世人於怪聲叫好，鼓掌O．K．之餘，大家面面相覷，莫名其妙，如是乎，大事其原子武器也會去泡製，大事不知道原子武器是啥玩藝的，還那中共，也就是要用原子彈炸平美國的城市，你說好笑不？

一九五五年的世界新形勢，就是表演「說謊世界」的銀幕傑作，未來的把戲還多，夠你瞧的。我們莫以中美共同防禦協定是安全的長城，自己如果沒有辦法的話，將來可能被這「共同防禦」的影片所誤惑，弄得啼笑皆非。

以寧爲玉碎的決心，衝向前去，那才是我們的生路呢！

華字洋化論

・平子・

提倡用鋼筆寫中國字，是香港特點玩意，也不能說沒有一點創作意義。如果說到對於書道有什麼大革新，那是未免開玩笑的。

中國字之產生，最初是漆書於簡，以後是筆之於竹帛的。到了有筆而又發明紙的時候，可算是中國文字上的一個大革命。相沿二千餘年，未之或改，只有從筆的本身求進步。如寫大字用大筆，如寫小字用小筆。如寫寸楷用中筆。其中在筆料方面，有兔毫，有羊毫，有狼毫，有鷄毫，有鼠鬚，有茅草，有麻心。鋒之長短，筆之大小，隨人意而定。

而用筆之時，有用中鋒的，有用偏鋒的，有用側筆的，有用正筆的。上下如意，緩疾從心，輕重合宜，頓挫有勢；變化之多，非深於此道者講不完說也不盡。最近有人提倡中國鋼筆寫字，我詳細考慮一下。要說應用，沒有什麼好反對，要說對於中國書法有什麼大貢獻，那就不必大吹大擂了。

依我的經驗，鋼筆只能寫線形的小字，免強作成中國字中的篆，隸，楷，行，無論如何放大，描不

鋼。它的命運已經註定，絲絲墨水，紙淺寫成定，筆尖上只能出一方寸以上的楷體。

中國字除了應用之外，還有美術的價值；這個價值，像我們五十歲寫四十餘年中國字的人，——只懂得字形，而不字懂法，只靠模仿而不會創造的人，寫出來的東西，見着內行人是要鬧笑話的。中國字形式之多，體勢之美，變化之神，只有請王羲之，張顛，懷素，米元章，蔡襄，宋徽宗，文徵明，張瑞圖，劉石菴，鄭板橋，金冬心，包世臣，鄧石如，何子貞，李瑞清諸大家替我們作證。現代書家中，在台灣有個于右任，在美國有個張大千，在香港鄧爾疋寫得很不錯，可惜鄧先生最近死了。因爲我的聞見不廣，也許香港還有出類拔萃的人物很會寫字的。

總之，我不是說鋼筆寫中國字不該提倡，我是說鋼筆寫中國字只是一種書道上應用工具，成就是很有限的，因爲命運註定它的筆嘴通中國指書還不如。不過，有人出來開開展覽也是好的，讓鋼筆先生代替毛筆先生在中國之外大行其道，讓外國貨多多地擁入中國市場。又譬如中菜中吃，如果有一二次換作西吃也是很有趣的，歡喜嘗新的朋友，何妨小試一下！

和本際上人句

・彭楚珩・

久不接本際上人書，正日弄筆紋，浸熱輕揉，適興過飛，新時心情，自是另一境界。忽朵雲飛來，上人書至，手簡而外，附詩兩闋：一爲王世昭先生之有感而作，一即喩解林女詩人之七律也。王詩屬和已屢，顧林之詩，可無賦唱耶？風雨之夕，鷄鳴不已，爰依韻寄答。其原唱云：

林女詩人近感炊滌事苦詩以解之

・本際・

從來才數多奇，角翼難全盡細思！淨滌世塵清綺夢，篤傳祖缽向蓮池。（女士之曾祖，修淨土宗，見貯餘日課。）將詩巧把吟儔度，念佛專心好自持。薄澣衣裳炊粥飯，箇中端可會無爲！

次韻並答

・筆者・

萍蹤聚散本非奇，清濁分流枉費思！驟雨無端侵古井，輕風有意繞春池！花間色淚都成夢，海上浮烟那可持？正自弄忘我在，深山寄語復何爲？

——一九五四年歲暮前夕於台北

尼赫魯——會成獨裁者嗎？

・矜式譯・

「這個偉大的印度領袖和至上的總理，並不是怎樣印度化的。」他妹妹說：他曾有的家庭培養出來的英國紳士，全家常到英國去，一向穿歐洲服裝，（尼赫魯過到他中年時代才恢復印度服裝），他也保留了好吃朱古力糕餅和雪糕蘇打的外國習慣，並且仍然愛好英國朋友，（蒙巴頓勳爵夫婦）便是一例。有一次甘地曾開玩笑的對他說：「尼赫魯就是說夢話，也說的是英語」。

胡懋聚夫人引用一九三七年尼赫魯有一篇寫的關於他自己的文章。他說：「最有效的姿態，就是不顯得做作的姿態。尼赫魯懂得不用勾臉而扮演一個戲子，學得很像，可是他後面裝扮的是什麼呢？要做什麼呢？他有二種特殊的能力爲印度去做偉大的事業，但也能爲印度做壞事。像尼赫魯這樣的人，雖有做出大事的能力，但在民主國家中，是不安全的。他自稱是一個民主份子和社會主義者；而且毫無疑問他要決心這樣的做去，但每個心理學家都知道，頭腦常是心向的奴隸，尼赫魯的頭腦就被他的心向所控制了。」（中）

語意學漫談

徐道鄰

語意學（SEMANTICS）是近年來在學術上很迅速的便成爲一種科學的新學問，也是和人類生活最有關係的一種新學問。在我國學術界研究這一門學問的還不很多，大家也還有點陌生。徐先生這幾年對這一門學問的研究，最爲用功，成就很大。現在承徐先生答應爲本刊按期撰稿，作深入淺出的介紹，想讀者一定會以先讀爲快的。——編者——

一、七種不同的「懂」

我們和人家說話大講道理，常常會發現，他們不是沒有聽懂我們的話，但是卻實在沒有明白我們的意思。又有，我們對於平日狠熟悉的人，常常自以爲十分了解他們，但是等到發現了某一些事實之後，才感覺到當初認識他們之不夠深刻。這些現象，就表面看來，似乎都是「懂」的「程度」問題，但是詳加研究，這裏面卻正包涵着懂的「種類」問題在內。

「懂」是什麼？怎麼樣算是「懂」？一般人似乎全都「懂」。但是就語意學家們的初步分析，我們一般所稱爲「懂」者（或者：「明白」，「了解」「體會」），約略可分之爲七種。

第一種懂，是能執行命令。類如照着火車時間表搭火車，照着說明書使用機器，照着客人點的菜辦酒席，照着主人的命令倒茶打手巾是也。

第二種懂，是能作預言。甲聽了乙的話之後，能預言乙將坐晚車到南部，三天之後回來。或者預言乙將於一月以後辭職不幹等等。甲對乙的語言，了解的愈爲清楚，則對乙未來的行動，預言的愈爲正確。

第三種懂，是使用適當的語言。甲能把乙所說或所寫的話，用另外一種語詞敍述出來，而乙認爲正合他的意思。或者甲說出來乙所希望的是什麼，或者乙所害怕的什麼，而乙認爲甲所說的不錯，也屬此類。

第四種懂，是一種共同行動的合作。甲乙同去捉賊，甲站在前門把守，乙走向後門埋伏。或者甲乙同在一處開會，甲略示眼色，乙就偸偸的溜出來。這一種懂，有些時候，並不需要語言的媒介的。

第五種懂，是一種問題的解決。一個人認識一個環境或者一個問題，知道應付這個環境和解決這個問題，應當採取的都是那一些步驟，就是他對於這個環境和問題，眞正懂得。

第六種懂，是能作適當的反應。一個人對於各種物質的性能，一個社會的風俗習慣，音樂，詩歌，建築，具有一種認識，使他對於這些事物的反應，在多數人看來，認爲是適當的。而它這個適當性的程度，也正說明了他對這些事物「懂」得程度如何。

普通人所謂懂——一般人對於「了解」的了解——主要的是前三種的懂（第一第二和第三。）而語意學派的語意學家所注重的，尤其是第三種的懂。他們所追求的「講話要講明白」，「要運用簡單明瞭的語句」，就是要減少語言的專門化，複雜化，不銜接，太緊縮，太廣泛，太含混，過份的一般化，不夠人情味，而他們所推薦的方法，不外乎精鍊法，歸陳法，具體化法，重複法，變化法，戲劇化法，視覺化法等等。

但是根據精神病學派的語意學家們的實驗結果，人們和人們的隔閡，意志上的矛盾，主要的是缺乏第七種的「懂」。

第七種懂，是能作適當的估計。一個人對於另外一個人，一件東西，一種環境，一件事情，一種關係，或者對於有關以上事物的語句，能有第七種了解的話，則他的反應最適當於任何其他事物；他對於此事物的認識和衡量，絕不包涵他對任何其他事物的認識和衡量參雜在內；他對此事物的解釋，完全根據他各種事實和論理的假設，而沒有受他潛意的指使；他對於此一事物的言詞，完全與之符合，既不加以歪曲，也不加以顚倒，不過份簡單化或複雜化，也不過份一般化，既不否認事實，也不增加事實，不予以戳滅，也不予以割裂。他對於此一事物的診斷，在任何時刻，都是完全客觀的；他所說的語詞，和他所討論的事物，二者之間的形態關係，他完全是明瞭的。這樣子就是第七種的懂。

第七種懂，無疑的是最深刻的懂，最正確的懂，同時，無疑的也是最難達到的懂。而其所以難達到的原因，大約有三種因素。將於下一次再談。（一）

短篇小說　當

楊海宴

「因爲那裏更好。」這類似的話，我不知從他嘴裏聽過多少次了，只這次才更引起我的注意：我想起兒時在一起玩，他在離開貴娃要到我們這邊玩時，也是說我們這邊比貴娃那邊好，未後又跑到滿叔那邊去，也是說滿叔那邊比我們這邊好，他在來公司之前，也是說我們這公司更好，如今，又要離開公司了，仍是同一理由：「因爲那裏更好。」想到這些，我心下實有點不高興，但我忍耐的勸他：

「志展！人總得想遠一點，莫要今天那裏好，便要離開這裏，明天這裏好，又想離開那裏，人的眼睛總不能老望在目前。」

他低下頭，似有所沉思，半晌，緩緩說，眼睛望着我：「甚稱，你話是不錯，只是這變亂年歲，誰又想得這樣遠，現實才是計較利害的標準，而且，我說實話吧，甚麼都靠不住，甚麼都是假的，只有生活，怎樣活下去，怎樣活得最好，才是要緊的，任何人，誰又不指望自己的生活過得更好？」

我沒有回答他的話，不是沒有理由反駁他，而是暗自承認他的話，在他的立場來說，並不得是完全錯誤，他自小就從艱苦貧困中成長，在意識上，習慣了利益高於一切，而且他母親的刁鑽頑強，父親的忠厚老實，以及戰亂動盪的年頭，血統，家庭環境和時代背景，造成他精明、滑頭、討人歡喜、能抓住現實利益，若果他眞有錯誤，這錯誤也不能歸咎於他，想到這裏，我只有默然。

（五）

不打自招文鈔

・文抄公・

以下這篇文章是中共出版物的原文——文抄公附註

煙筒

黑龍江省北安縣　安士中・于志堅

去年秋天，黑龍江省北安縣五金器材公司的院裏，出現了一個人們沒有見過的烟筒。這是一個怎樣的烟筒啊？銀白色的，矗立現陽光裏閃着耀眼的光亮。其實這也沒有什麼奇怪，據說是白鐵做的，是他們暖氣鍋爐用的一個普通的烟筒。

爲什麼暖汽鍋爐不用磚砌烟筒，要用白鐵做呢？這也有個原因。原來他們曾向省公司購買了一部分白鐵，價錢低廉，在成本核算上看，用這樣的白鐵做烟筒比修一個磚的烟筒便宜得多。只是在修建中，工人感到這種白鐵和普通的白鐵不一樣，堅硬異常，用熔焊接不上。但是他們把這個困難克服了，先鑽眼，然後用鉚釘接起來了。

這眞是一個絕妙的烟筒，又省錢又好看。好不好看，倒無關緊要，節約却是我們進行社會主義工業化過程中一項十分重要的任務。

今年二月，檢查工程的技術人員到縣公司來，看到了這個烟筒。他們對這個烟筒發生了莫大的興趣。公司的負責人感到很奇怪，莫非他們也發現了這個節約的竅門？誰知回答却相反。他們粗粗一算，這個烟筒的材料，如果每斤作二十萬元計算，總共值七億元左右。

「怎麼？太吓唬人了，一個白鐵烟筒值這麼多錢？」

「嗨，同志，他以爲這是白鐵嗎？這是不銹鋼啊！這種不銹鋼價値不算，目前，我國還正缺少這種寶貴的材料哩！」

自由人

THE FREEMAN
（第四〇四期）
中華民國僑務委員會頒發登記證台教新字第一零二號
中華民國郵政登記第一類新聞紙類
（半週刊每星期三六出版）
每份港幣壹毫　台北市售價台幣壹元
督印人：雷嘯岑
地址：香港高士威道二十號四樓
3 rd. fl. 20 CAUSEWAY RD HONG KONG
香港發行及事務接洽　高士打道66號　電話：七四〇五三
承印者：東南印務出版社　地址：高士打道六十四號
海外總經銷　友聯書報發行公司　香港：德輔道中二十六號A二樓
台灣特派員辦事處　台北市館前街五十號
台灣總經銷處　台北市西寧南路一〇一號二樓
台郵撥儲金戶九二五二

展望東北亞聯盟

·曾育犀·

今日自由世界，為謀對抗蘇俄共產集團的侵略，組織東北亞聯盟，實為最近局勢發展的結果，是順理成章之事。

由小聯合到大聯合

本來太平洋上各國很需要一類似北大西洋安全公約的組合，但由於各國的外交政策與內政情形的複雜，欲一舉而形成一龐大整個的太平洋公約，爲事實所不許，即問題比較簡單的大西洋公約，也是先從北大西洋少數國家次第擴大而成的組合。因此，爲組成太平洋公約的區域組織，必須先從縮小局面的地區性組織，而漸漸的把許多小聯合連鎖起來，成爲大聯合。回溯以往，初則有「美菲互助條約」，繼則有「美紐澳安全條約」與「美日軍事同盟條約」，承認在太平洋上，對任何一締約國被武裝侵略，和平與安全的威脅，並宣稱：「它將根據本國憲法程序，採取對付此項共同危險的行動。」事實上已完成了大半個太平洋公約了。去年九月成立了東南亞條約組織，雖然本身有很大缺點，尤其是沒有自由中國的參加，夠缺少軍事聯盟的積極性，但無可否認的，這算把太平洋大聯合推進了一步。到了去年尾，中美互助安全協定簽訂後，太平洋大聯合又加上了重要的一環。

現在亟待連鎖上的一環，便是東北亞聯盟了。

東北亞聯盟的優點

東北亞聯盟問題，比東南亞聯盟問題較爲簡單，尤其重要的，是東南亞聯盟的缺點，可由東北亞聯盟加以彌補，而且可加以促進和改善。

東北亞聯盟，固是日韓的關係，一時有困難問題，尤其難以改善。但有兩點比東南亞聯盟優勝的：即沒有殖民地的問題，和中韓反共意志的旺盛。

遠東問題的解決，首先要認識殖民地主義已成過去。但共黨仍然利用著許多殖民地之殘餘問題，作爲製造赤色遠東的資料。尼赫魯欲藉反殖民地意識，作爲政治資本。因印度受百餘年殖民地統治的結果，造成他們自卑與報復的矛盾心理。精神既不能……持平衡，遂釀成……逆流，出……有害於反共……國爲反共先鋒。……在於日本……究屬先天就是在民社會、宗……反共的，……與蘇……。

日本在勢應參加聯盟

二十世紀開始，俄國的大陸勢力從北而南，由東北而朝鮮，變變乎氣吞東亞。當時的中國，雖感滿廷親俄外交，引狼入室之非計。而大勢所趨，無可如何。與日本初時曾以三八綫爲界，謀與俄平分朝鮮，但卒以感於俄國勢力的壓迫，乃與英成立同盟，而敢毅然訴諸一戰。日本因戰爭的勝利，使俄國不敢問罪於東亞者，達四十年。平心而論，這也是減緩了中國北方壓力的一個原因。惜日本不知和中國共存共榮的真正持久而步驟，反向中國侵略的後果，便發生第二次的中日戰爭。一誤再誤，造成了日本的削弱，與中國大陸淪亡的悲劇。中日兩國，仇恨本來很深，蘇俄復加以二次大戰時蘇聯的背約參戰，劫取其千島與南庫頁島，並且被俘戰士三十餘萬，陷於冰天雪地。目前俄共與附庸中共雖鼓吹「和平共存」，與「改善對日關係」。但從上面的事實看，必然是口惠而實不至。中國大陸中共政權一天不倒，蘇俄在大陸的控制權，亦一日不放棄。日本旦夕難安的俄帝威脅，亦將一天不除。因此在情、在理、在勢，日本是不能不參加東北亞聯盟的！南韓對日本的宿仇未去，亦爲東北亞聯防一大障礙。但南韓必不少有識大體之士。在輕重緩急的權衡後，當知抗俄與防日孰爲緩急了。考南韓之不信任日本，亦因日本對反共缺決心。因此我希望日韓早日恢復外交關係，繼而共同組織東北亞聯盟。

在今天自由中國應爲日韓的調和與鼓勵人。中美協防至現今階段究仍屬消極的。孤軍奮鬥，未嘗不可。究比不上聯合陣綫。日本雖不欲流血，但爲遠大前途計，非與自由盟友推翻中國大陸上的蘇俄勢力不可。縱不直接參戰，亦義不容辭其間接援助、中國大陸上有一強大的真正民主政府，日本的經濟才有出路，否則不但無出路，而且日本隨時有被赤潮淹沒而臨大戰災禍的可能。

東北亞聯盟的成立，係可能的而且必要。更是蘇俄集團所恐懼者。若東北亞聯盟成立，則東南亞方面的共黨，才不敢妄動。

東北亞聯盟雖云需美國的支持與有力的領導，但自由中國的促進責任，仍不可以忽視。

留學百年紀念罪言（下）

燕盧

新門第的形成

這種學校，因爲外國教會辦的，受不到中國內亂影響，保持相當長久的安定。而經濟條件較佳，設備完善，不能否認是有過相當成就的。但因爲是教會辦的，免不了要宣傳教義。又因爲是教會辦的，不免有意無意使學生輕視其固有文化，並加速其接受外國的政教禮俗與生活方式。其次因爲不是政府辦的，所以他們必須自身團結，以便與政府學校抗衡。這些學校有同學會、校友會，性質與科舉時代的同年、同門、同榜十分相似。他們又奉行耶教中「兄弟姊妹」的道理，以一家親爲口號，把學校變作家族，過去國內，北則有燕京、清華，南則有金陵、聖約翰，他們的交友、婚姻，都在這幾個圈子裏打滾。這種情形，和南北朝時代的幾個大家族，不是十分相似嗎？不同的只是由家族轉爲學校而已。

因此，這些學校事實上已變成新興的門第。北伐以前，北洋政府原是軍人的天下，因爲內戰頻仍，政府仰賴外國借款和軍械的支持，不得不延攬可以同外國人打交道的留學生入閣。唐紹儀、顧維鈞、羅文幹……等人，都先後做過內閣總理。北伐以後，孔祥熙、宋子文、孫科、翁文灝，以至吳國楨等，也到了登峯造極的地步。政府裏行政、財政、交通、金融、所有重要的部門都落在這些直接間接教會學校所教養出來的門第，新貴族手裏。但到了「倉惶辭廟」之日，這些人並沒有先天下之憂而憂的精神，竟是先天下之逃而逃的人。這恐怕不是當初決定派遣留學生的政策的人，始料所及的罷？

新門第功罪難分

現在回顧此留學生一百週年紀念，我覺得留學生個人的富貴利達，自然多半已經功成名就了，對於國家社會說，却不免是功罪難分的。我們今天也大可以不必勵氣，試就中國歷史文化的觀點來看，這些新門第的知識份子担當國家的重大責任，到底會有甚麼結果？事實所表現的是：

一、新門弟知識份子，見解多是偏狹的。他們看母校，同學，固然很重，即對其自身所留學的國家亦往往重于祖國。過去南京某教會大學，即有非本校出身的不能充系主任的成規；孫科、宋子文之洋氣十足，更不必說。以此種人執政，往往非留學生將無插足於政府機關中的機會。試問一國或一省的大事，豈是少數留學生所能包辦得了的嗎？於此即可見他們偏狹之病。

二、新門第知識份子多不了解傳統的民間精神。歷史上，一世族，其距離民間精神的程度愈深。留學生的家世，多遠離中國固有人文思想的精神，於幾個主張焚燬綫裝書，廢除方塊字的大師們大聲疾呼，於是原來婚喪祭祀的禮俗被廢除了，識時伏臘的習慣被歸棄了。刀叉，汽車，抽水馬桶之外，他們連十三號星期五亦認爲不祥，萬愚節必須玩些噱頭的無聊舉動都帶回來了。

喪失氣節埋沒人才

三、新門第的道德觀念多經不起存亡絕續的嚴重考驗。新門第的知識份子，對於西洋的道德觀念和宗教精神，認識既淺，修養更談不到。對中國傳統的認識則更爲淺薄，其所接受者乃由于移植而來，基礎動搖，發展亦極畸形。因此表見於行事的，乃愈見其脆弱，禁不起大變亂和存亡續絕的責任。翁文灝上大陸上的圓誠坦白，和吳國楨在美國的體驗，用中國傳統道義氣節的觀念去一個是認賊作父，而另一個却是認父作賊，這雖不是個個留學生如此，多數留學生是如此的。

四、門第使人才埋沒，力量分散。新門第形成的條件，與歷史上的清流不同，所謂清流，大抵起於一種共同的道德情緒，或學術興趣，具有相同的情緒或興趣，即可以平流競進，不受限制，不致於造成一種清一色的局面。今日的新門第之所以形成，係由於追求政治權力與經濟利益的結果，他們事成則把持政府，壟斷財政；事敗則捲資遠颺，置身事外。在位時令人覺得銅臭熏天，炙手可熱；失位後便連供後人憑弔的流風遺韻也沒有了。當這些人在位時，因爲其要清一色，「國產」的知識份子，幸而不受排斥，也與他們格格不入。結果不是投閒置散，便是屈居下流，憤恨較深的，索性逃到敵人的陣營中。這種情形，實在難以數計。等到大勢既去，他們自己所獲已豐，自然是棄如敝屣，那些一向被擯斥，被委屈的一羣，便只能若秦人視越人之肥瘠。這種人才被埋沒，力量被分散的結果，是誰的責任呢？

赤禍橫流文化恥辱

今天，大陸失陷六年了。這惡夢醒了麼？可以說絕對的不。最近台灣爲了爭取留學機會，爭得那末緊張，情形仍舊是「萬般皆下策，唯有出洋高」的心理。一般講中國近代史的先生們，都一致以爲清末對西方文化的態度是由排拒轉到諂媚的，其實這種看法仍不免失於粗疏，排拒的時期不論，至少諂媚的一段仍然有些界限，應該是由艷羨到傾倒，再由傾倒到陶醉、曾國藩奏請派遣聰穎子弟赴泰西學習技藝，原只不過艷羨其技藝。這時期的主觀原是清醒的。西方比我們好的是技藝，如果學成回國的人，就給他管理技藝，原是極合理的。詹天佑先生管鐵路，就管得有極好的成績，後來覺得西方的政治也較我們的好，要把他們的國會、總統、總理之類搬過來。這時候，大致已經有些飄飄然，到了傾倒的階段。但我們到底不曾有過像樣的國會，誰做總統，也不曾像華盛頓、傑佛遜那樣名符其實。再後來是把西方的哲學思想，文藝理論；不調和的生活方式和可笑的迷信習慣之類也搬回來，於此乃入了迷迷糊糊的陶醉狀態，不復知有自己的存在，終於使外國人也驚異起來，以爲具有五千年文化教養的中國人，竟能接受共產黨的統治，是一種文化上的恥辱（見港報葛量洪自美返港時談話）。他不知道我們所有的文化武器，早便由這些新門第的知識份子，當作破銅爛鐵一樣，拋棄得乾乾淨淨了。目前台灣教育部延聘專家重編十三經，這是我們文化運動工作上的一大大的諷刺。

（下轉第二版）

半週展望

·旭　軍·

極重要的神經戰

世界大局變幻多端，但中心樞紐在美國對原子武力僵局的看法與決策。因爲以蘇俄核心的馬列主義集團的世界革命擴張侵略，是不變的因素了。換而言之要看美國執政者的果斷。

本來氫彈不是去年才出現的，美國在一九五二年秋天試驗氫彈成功，而蘇聯在一九五三年夏自稱氫彈爆炸。但到了一九五四年才引起世人對氫彈的恐懼，而美國政府才以氫彈的考慮作決策的基礎。可是美國的神經力量到底不夠強。在神經戰上，實質示弱，給陰狠的蘇俄集團所乘，任意敲詐、勒索、恫嚇，而處於困惑，搖擺、彷徨的狀態。顯然的，美國此種態度愈加深程度，蘇聯愈受鼓勵。蘇聯最深切盼望的是藉此來麻痺西方的作戰「意志」。

其實美國和她的盟友擁有的原子武器及運用原子武器的空軍，遠比蘇聯爲強大。今後相當長久的時間亦能維持着這個優勢。美國空軍基地多，而遠離蘇聯的攻擊。反之蘇聯的基地易爲美國所摧毀，如果作冷靜的考慮當知蘇聯斷不會突然一擊而摧毀美國數倍甚至三倍十倍的報復力量。原是蘇聯處於劣勢，而美國處在十分安全的勝算。但因美國的決策者神經不夠堅強，以致在決策的表現上，著着居於劣勢。這真是可怪，可惜，而又可慨嘆的！

圍堵政策終於放棄

在今天我認爲自由世界扭轉困惑的劣勢掌握勝算的辦法，十分簡單，但却是「不易」。困難在意志不齊一而已！

蘇聯與其附庸實質上的弱點多而深。除了原子武器仍居劣勢之外，有一無可救藥的惡毒性，是其主義與制度違反人性。目前完全靠組織嚴密，鞏固其骨骼驅殼，但內部已彌漫着極深的危機。然而非由外力壓迫不易將其摧毀。

以上是對世局的基本看法。美國決策當局亦非看不到，其弊在顧慮太多。筆者認爲圍堵政策終必被揚棄，而最後仍須行解放政策。第一、恐延誤時機，將來付出的代價太重而已。第二、是原子僵局不能永遠不變，決不能坐而挨打。第三、蘇共集團的伎倆久必被自由世界一致認識。鐵幕的危機日深，亦爲放棄圍堵政策的契機。

埋頭準備！

本來半週展望宜執近事實作評論，但筆者有感於當今負左右世局的人之躊躇遲疑，不能不一陳一得之見。

試觀目前惹人注目的新聞，似無一不可以上述的衡量法觀察。

中共的判徒美國飛行員的綁票式勒索，如果美國神經強一點的話，斷不至墮入其陷阱。

共黨的愚弄中立者，和宣傳「和平共存」「調整關係」，亦無非是神經戰。哈馬紹之一到廣州，中共在廣州便屠殺所謂美國間諜，以及鼓動對大陳的大規模空襲，一切都是神經戰，中共在神經戰目前是蘇聯集團中的最賣力者。

其實克姆林宮中在今年初最注意的是倫敦協定及巴黎協定的批准，以及北大西洋的原子武器措施。試看蘇聯以廢除一九四四年法蘇協定來警告法國，不得批准巴黎協定，可以組織類似北大西洋公約機構的東歐附庸國聯軍以洛柯索夫斯基爲統帥一宣傳，來恫嚇西德，可見其內心的焦急。

蘇聯集團關北大西洋公約國家之討論通決定運用原子武器於歐洲戰場一問題，必然感到戰慄。因爲這暗示西歐原子武器的威脅。所以莫洛托夫也說出原子戰爭的談話。中共一聞美國聯合參謀主席說可能瀕用原子於遠東，亦「宣言無忌」的鼓噪一頓。

在此世界大局中，我們祇有埋頭準備實力，環境不易隨着人的意志變化，亦唯有堅定忍耐，我們對協議同意進攻大陸一事，亦唯有作此觀。

「六萬萬隻應聲虫」！

本報資料室

英名記者甚盧，去秋隨同英國工黨代表團，參觀中共。回國後，在文彩斯德周報發表，「六萬萬隻應聲虫」一篇文章，美國報章雜誌轉載者甚衆，是一篇不可不讀的好文章，茲節譯如下：

由北京到上海，由瀋陽到廣州，到處都聽到千篇一律的一句話，『解放後，完全不同了，那是毛主席和中國共產黨的功勞。』

特務每天降落

中共要人乘坐汽車，車窗上總是低垂簾幕，不敢讓人民瞧得誰在車裏。要人的住宅也是祕密的。街上行人總是疾步而過，不敢稍事留連。重要的建築物裏，總有毛澤東的半身石膏塑像。毛澤東已成了神，是無所不能，無所不在的神。每一政府機關，旅館，大使館，和工廠，外面總站有武裝軍人。一個人離開住所到任何一個地方，總得有「警察護照」。警察注意任何一個人，懷疑任何一個人，也恐怕任何一個人。警察怕的，是國民黨特務，和反動份子。在放聲筒，在無線電，在報章上，在壁報上，不停的大聲疾呼。他們說，每一個工廠裏都有特務分子潛伏在裏頭，每一天都有特務從空中降落。於是中共頒布了一種法律，特務一律處死。

工人如果請求增加工資，或說機器不好，或反對長時間工作，農民如果反對參加合作農莊，商人如果反對參加合作社，任何人如果反對女兒到工廠做工，都是國民黨的特務。一經審判，總是死刑。在沒有槍決以前，共產黨還要強迫他們申明判決是公平的，並且要他們高呼，『革命萬歲，人民共和國萬歲！毛主席萬歲！共產黨萬歲！』然後，才把他們槍斃。

喪失思想的記者羣

判決了死刑的犯人請求饒命，中共准許他們緩刑兩年，把他們送到勞動改造監獄去。北平近郊便有這樣一所監獄，門口點綴一些花草。但裏頭的工作情形，却使人十分恐怖。他們的勞役是織襪和印書，他們不停的跟着機器動作，和機器完全沒有兩樣。管理人曾對我們說，『現在他們曉得勞動的好處，自動工作。管理上，一點沒有困難，甚至不需要責罵他們。』我的印象，却和管理人相反。這些囚犯所以不敢片刻休息，是因爲恐怕一停車，子彈便會向他們的腦子穿過。

最使人驚異的，是我們旅途上遇到十多個中國記者。他們沒有問過我們任何一個問題。我詢問他們，中國記者是否可以自由批評政府。他們的答復是，『沒有人批評政府，因爲人民政府是完善的。』這些記者好比木偶，已喪失了主動，喪失了思想。

在中國大陸，你詢問任何一個人——遼寧的農人，安山工廠的經理，大學的教職員，官員或者部長，甚至杭州的嚮導——他們的答復都是一樣的。他們總是說，『解放前中國不好，解放後中國好了。感謝毛主席，感謝共產黨。』

最古文化已全毀滅

中共頒布任何法令，任何對於行動自由的限制，人民都不敢置一詞。中國人民大家都戴上了假面具。大家都拿面具來做護身符；一經戴上，不敢再除下來。偌大一個中國大陸，偌大一塊土地，中國人民似乎都已經絕了蹤跡，只剩下了六萬萬個傀儡，只剩下了六萬萬隻應聲虫。

爲了要改造國家的經濟組織，中共把人民的腦袋當做海綿，先把它擠乾了，再浸進共產主義的溶液裏，希望把每一個人的腦袋都改造過來。爲了建立一個工業化的國家，中共把世界最古的文化，完全毀滅了。偌大一個大陸，中國人民已經絕了跡。

世外桃源阿根廷

•蕭立坤•

國外通訊

貝隆的工業政策

值得告慰的是，在貝隆保護本國工業的大原則下，既不准廉價物美的外國貨進口，本國貨質劣價昂，但老板們都笑嘻嘻的，在賺大錢。阿政府也不歧視外國資本家，只不准外們將阿國的錢，拿到外國去，如果外國資本家到阿國來投資開廠，賺的錢仍再投資於阿國境內，那是極受歡迎的，因此，世界上許多著名廠家，都在阿國設了分廠，財政上與總公司分開，儘量利用阿國的原料，阿國的工人，出品也只在阿國銷售，如固寧玉牙膏，（一大支一元），力士香皂（二毫半）都是國貨。

工人的快活生活

用上述的工資及福利，工人可以過怎樣的生活呢？每月25元，約合每日3,33，能做些什麼呢？阿國葡萄酒最多，一等酒每斤值五毫，[illegible]酒價同，工人們都飲酒，每日一瓶，（一公斤），夫妻二人可能二瓶。其餘各項如下表：

	單身	夫妻二人
紅酒一人一公斤	0,[illegible]	1,00
麵包一公斤		0,37
牛肉一公斤		1,10
蔬菜，油鹽等		0,50
鮮牛奶一公斤		0,20
房租，每月約20元		0,70
單身人可以住公寓，每月吃住共約一百元	3,33	
衣服，其他及儲蓄	4,50	4,43
共計	3,30	8,30

以上所說的『衣服，其他及儲蓄』一項，事實上只有極少數人在儲蓄，多數工人都是月月用光，他們喜歡交女朋友，喜歡談話，喝咖啡，喜歡買無用的小東西，直到錢用光爲止。這樣的生活，比起美國工人，人人有汽車，有電視，自然差得很多，但在南美各國中，它已是最好的，與遠東的工人相比，一日工作十一小時，僅得一飽，確[illegible]，所以有人[illegible]自世界，美國[illegible]天堂，阿根廷是桃源。（一九五四年十二月廿三日）（第一段完）

補充兵臨時召集

△蔡大勇先生來函：

編者讀者

編輯先生：四十三年十一月，國防部召集若干已退役的補充兵，臨時召集，召集時，有住花蓮的人，也有徙步三日，趕去報到的。更有不顧妻子孩兒，踴躍報到參加的。此種精神，足以充分表明青年愛國的熱誠。但這些補充兵報到後，才知道是再行服役一年零八個月，以補足服役兩年的規定，于是紛紛提出問題，而且都是極嚴重的問題，茲列舉數點如下：

（一）臨時召集，事出倉卒，被召集的均以爲係臨時校閱，上級亦未曾加以說明，故各人的本身事務，及家庭問題，均未及預先處理，自難安心服役。

（二）新兵役法的臨時召集，已經實施，今後且將繼續施行，但四十二年中請緩召，並未能予原定期間，如前所述，家庭負擔不平，又不適用于臨時召集。假如一個獨負妻子四口家庭責任的壯丁，一旦入營服役，雖依政府規定，可領眷屬實物代金，但以四口計（一大口三小口），每月[illegible]一百餘元，以台灣現在物價言，一百餘元，何能養活四口？更不必論，衣服醫藥租房等費用了。受補充兵訓練時，四月時期本不算長，但已經典當借債，試問一年零八個月，又如何挨過？服役時間，又何能片刻安心？

（三）政府建立補充兵制度，原爲平時節省人力、物力，戰時不至缺乏後備兵員，[illegible]政府現既恢復常備兵制，（今春將召集[illegible]常備兵），而又召[illegible]兵，且緩召一項，原爲體諒獨負家庭生計者之困難而[illegible]召人員，經常予以一個月期的教育召集，本來已足[illegible]（亦已實施），藉平時使之熟悉軍事情形，到了戰時，[illegible]方，均可發揮戰鬥力量，固不必使其在毀家情形之[illegible]集，服役一年零八個月也。

（四）又政府[illegible]經調訓于革命實踐研究院，或其他類似訓練班者，[illegible]個月左右，而薪津及本人實物代金，全部照領，（[illegible]食），何以對補充兵受調訓，反而沒有此項辦法？又[illegible]府員工給有公假，薪津照領，緩召人員，似可適用。[illegible]得不平，而家庭問題，尤爲令人焦慮。

以上略舉數點，供[illegible]參考，希望體恤民情，予以改善。

台灣讀者蔡大勇敬上，一月八日。

留學百年紀念罪言

•燕廬•

（上接第一版）於此，我們的意見是：新門第的知識份子，對本國的歷史文化所知太少，因爲所知少，便容易忘却自己的存在。他們怎麼會所知太少呢？因爲他們歸國後，對本國的歷史和文化，沒有淵源，這是淺薄的原因；而所以歸國後在政治上把持權力，則由於新門第的人物捧得太高，養成了他們的「優越感」。我們又以爲：外國（無論那一國）是斷乎不能爲中國養人才的，胡適之先生初去美國時，學的是農科，在學校裏有一門功課，是把蘋果分類，因爲他沒有關於蘋果的基本知識，結果是用盡了力量做也追不上美國的學生。他爲甚麼沒有關於蘋果的基本知識呢？因爲蘋果在中國，並不是一種普遍或重要的農作物。幸而胡先生後來不再繼續研究農科，否則他即使把蘋果分類做得頂好，回到他的祖國，依然毫無用處。記得一笑個話：過去在河北定縣試驗「鄉治」的時候，一位廣東人的「農政學博士」也被延攬去了。他到河北，正當小麥下種的時候，天氣很冷，他躲在室內取暖，沒有看到農人下田工作，第二年春天一來，這位博士走出外邊散步，看見麥苗長出來了，青青綠綠，十分可愛，他說：「想不到冰天雪地的北方竟也有這般的野草」。有人調侃他，便把麥苗叫做「博士草」。這位博士也許別的學問很好，否則不會成爲博士。問題是他既不懂得麥苗，對中國農業的貢獻就不多了。

必須充實自己的學校

我們不從充實自己的學校着手，花大量的外滙給留學生，結果留學生又並不見得明智，難道這也算是適用的舉措麼？直到今天爲止，中國政治上的大權，仍然大部份掌握在新門第知識份子的手上，我們並不想「分一杯羹」，但國家的命運到今天，似乎無法再客氣了。我們更希望他們從今天起，多做些了解自身業務的工作。說句十分樂觀的話，我們不久就可以返回大陸去，但大陸上自孔子以來的社會，類似麻木的人心，又該怎樣去收拾呢？

辜鴻銘先生也是一位留學生，他曾說過這樣的話：「中國無大臣則無政，政之無有則無國，國之興亡，有關人類之存滅；……文正所定大計，僅及於政而不計及於文，所謂教者，更不忠步趨文正，故一切所謂有教者，行政用人，但論功利而不論節，但論材能而不論氣品，……」又說：「西人招牌，中國售洋貨，凡有仿冒其招牌者，必請官懲辦，而中國人不論貨之優劣，而但看招牌耳」。我們綜合看看，「自古已然，于今爲烈」，卻正好作今日的殷鑑呢！（完）

計劃恢復帝制的弗朗哥

人物述評

•胡春之•

西班牙的弗朗哥元帥，可說是近年世界政治舞台上最老牌的統治者。自從西班牙內戰結束以後，他便一直掌握着國家大權，迄今已將近二十年了。因此，很自然的在目前與未來的動盪世界局勢中，萬一弗朗哥不測，西班牙政府的演變如何呢？這是很可以考慮的問題。許多年來，很少有人聽過誰是弗朗哥可能的繼承人？也很少有人提出過這類問題。

（一）

最近弗朗哥計劃將西班牙恢復君主政體的消息，是由西班牙王亞爾豐索八世之孫卡洛斯親王，去年六月禮貌訪問弗朗哥引起。斯時，據來自西班牙的傳說，弗朗哥如一旦逝世，三天後，西班牙國家會議，即將提出擁護一位西班牙皇室血統的人出來統治國家。這個議案係根據一九四七年四月，弗朗哥自己擬定，且經西班牙國會通過的法案，規定將來的元首事前准許的，西班牙未來的政治制度，便是一個王國。但是，這位未來的西班牙君主，須由國會議所舉出。卡洛斯親王，年方十六歲，仍跟着他父親留居葡萄牙，（其父親王，曾被弗朗哥放逐海外）。前些時，弗朗哥會與他父親會議，希望這位王儲早日返回西班牙受教育，準備繼承西班牙的統治權。

（二）

西班牙人對於弗朗哥的印象，可以分爲三大類：一類是敢於表示態度，而不顧保皇黨獨裁政權；又一類是希望恢復君主制度的共和黨，然後加以林林總總，所有其餘的西班牙人，總得使他們滿意。然而弗朗哥却具有兩種絕對的自信，少不了他，只有他纔能將西班牙統一起來，所以他本人自信爲國家的元首。他要統治西班牙一直到死，或者自行指定繼承人爲止。

另一種信心，是弗朗哥自己覺得他具有「吉人天相」的命運。在他統治西班牙的二十年內，平均每年必有大難一次。可是都能大事化小，逢凶化吉。例如一九三六年他率領討赤軍進攻國都馬德里，久圍不下。他於是乎置諸不理，最後革命軍大敗，馬德里輕輕地落在他的手裏。

（三）

弗朗哥現年六十三歲，一八九一年十二月八日生於弗洛爾地方，是一個大西洋上重要的海軍站。他本來預備投身航海，作一名水手，後來考入托里杜的步兵學校。一九〇一年畢業，得中尉銜，旋被派到摩洛哥。據說有一次在里夫土著戰役中，弗氏正舉起一隻盛滿咖啡的鉛壺，預備喝咖啡的時候，一粒子彈突然飛來，竟擊去了鉛壺咀上的嘴頭，弗氏却絲毫不以爲意，繼續喝他的咖啡。不過喝完後便說：「我有生以來，從未喝過如此濃厚的咖啡！」

至於弗朗哥的私生活，一般人或者以爲他有一種「爲天下者不顧家」的人生觀，其實不然。他也有許多情婦。正像希特勒和墨索里尼一樣。他的桃色豔史，當西班牙內戰尚未爆發之前，弗朗哥便跟他現世的太太結了婚。但不久，他便邂逅一位美麗的安達路西亞女子，名叫卡木沙凡透的，是個商人的女兒，彼此一見鍾情。他們中間的私情關係，便一天天在發展着。可是他的事業却毫無寸進，老是一個沒有出息的窮軍官。有一次，這位情婦忍無可忍，大發牢騷說：「你這個呆子，應該去幹一番，把你的地位弄好來！」

弗朗哥經過這次刺激，便立誓要去幹一番事業。果於一年後就做了國民軍總司令。他本來想離婚的，但遭托利大主教的反對，並再三警告他不能批准他們的離婚，因爲弗朗哥是天主教徒。

（四）

一九四〇年另外一個女子做了弗氏的情婦，是德國的特務工作人員。這女子面貌雖不頂美麗，却有迷人的魅力。名叫包溫納，是德國外交部長里賓特羅甫特派她到西班牙去活動，想使弗朗哥政府接受德國的一項軍事計劃，好讓德國假道西班牙攻擊直布羅陀的。包溫納負着秘密的使命，到西班牙後，曾數度去會見西外長拉做蘇納。他答應替她介紹弗朗哥，無形中諾了他們的月下老人。她在馬德里郊外，布拉杜宮內見到弗朗哥後，當天晚上，這位色迷的獨裁者，便與包溫納一同晚膳。他們的同居關係，整整維持了兩年。在這期間，她便得不少寶貴的情報，供給她的主人。直到一九四三年十二月，她才被召回柏林，而他們這段暫時性的婚姻，於是也告中止。

接包溫納後任的是西西里卡里司甚意大利人，名義上是新丹弗尼新聞通訊社駐馬德里的代表。不久弗氏便聽從他的神父海賴拉的忠告，和這位情婦斷絕了來往。而西西里卡里司甚也得到一座華麗的別墅，並且每年還由弗朗哥付她二十萬西幣，作爲慰勞費。

最後，弗朗哥還與另一個意大利女子發生關係，那女子便是墨索里尼情人克拉賴披戴加的妹妹，意大利男爵包加拿的太太。就因爲這種原故，當意大利政府崩潰的時候，弗朗哥便答應了他夫妻倆潛逃到西班牙來避難。

中共的「外交政策」

·司馬璐·

本文所談的中共「外交政策」，着重於中共外交本質的分析。中共在外交上所僞裝的各種姿態，我們必須從它的本質上去理解，才有意義。中共的外交，缺乏獨立性與機動性，因之在若干方面，不難找出它的基本法則。

中共担任甚麼脚色

本文所談的，並不包括中共與蘇俄的關係，因爲中共「外交政策」本質上是蘇俄外交政策的一部份。更可以說，整個中共的政策，實爲克里姆林宮內政之一部分。

中共是俄共在中國的一個支部；係蘇俄在中國利益的代理人；蘇俄與中共，既屬宗主與附庸的關係；則中共所執行的任務，當然是俄共世界政策中的一部份。因此，我們欲澈底認識中共，一方面，須從俄共征服世界的全盤政策去瞭解；一方面，須從中共在共產國際中所担當的脚色特殊性中去瞭解。

中共在共產國家中所担任務，有些是屬於一般性的，即每一附屬國家所必須共同負担的。在外交活動上，所有附屬國家都從蘇俄外交的整個路綫。另一些是屬于特殊性的。中共的任務，在亞洲有重點，有其區域的特殊活動。

共黨根據其根本理論，一向反對「民族主義」；但彼等在亞洲地區，則根據亞洲的特殊情況，以假「民族主義」欺騙亞洲人民，企圖製造混亂，替蘇俄在亞洲的侵略開路，以「亞洲民族主義」的口號，企圖達到消滅「亞洲民族主義」的實際陰謀。

在亞洲區域性的意義上，中共在外交上的任務是：以所謂「五項原則」、「和平存在」、「擴大貿易」的迷藥，全力分化亞洲國家；攏絡可倫坡國家；爭取英國、日本，乃至法國的中立；以孤立美國。打擊東南亞公約與日本的復興；以「亞洲人的亞洲」爲藉口，分別赤化亞洲各國。

中共亦曾企圖產生一個以中共爲中心的「亞洲和平集團」。「人民日報」的社論，強調「應當擴大中印總理所同意的五項原則適用範圍，以包括其他國家。」該報並明白指出：「上述五項原則，應當同樣適用於我國（中共）同錫蘭、巴基斯坦以及亞洲其他國家的關係之中。」但此一企圖，是不能實現的，甚至連可倫坡國家集團，亦不會感到興趣。因彼等雖亦唱「和平」「中立」，但其動機出於恐共，其目的只求消極苟安，與中共的企圖根本不同，不過在宣傳上，有時易於爲中共的陰謀所利用而已。

嚇與騙的宣傳

中共的外交政策，建立在以下幾個現實基礎上：

一、不放鬆每一個可以暫時利用的國家或一個國家內部的一部分政治力量。

二、不管這個合作對象國家、政黨或個人的政治信念如何，唯一條件，是要對方有具體的力量。

三、利用敵人牽制敵人，例如鼓勵緬甸反對自由中國，利用印尼打擊反共藩備，利用印度破壞「美巴軍盟」與「土巴軍盟」等。又如在「東南公約」及「中美聯防協定」簽定前，儘量設法延遲其實現等。

俄共與中共，在外交運用上，原則是相同的。他們有時宣傳「和平政策」；有時宣傳「軍事威力」，其目的則一。前者主要的作用在「騙」；後者主要的作用在「嚇」，「騙」之不成繼之以「嚇」，「嚇」之不成再繼之以「騙」。這兩套宣傳，在外交上，是在互相配合運用的。

在外交上的「和平友好」姿態；又與經濟上「擴大貿易」；軍事上的壓力，（例如對邊境印度、緬甸、尼泊爾）；政治上扶植各國內部的共黨力量，收買各國內部投機份子，（例如俄共對印度梁克少將，日本大山郁夫所接受的史達林獎金等）四項武器，互相配合運用。周恩來訪印時，中共乘日內瓦的「餘威」立刻和印度產生了一個關於西藏問題的協定；尼赫魯訪中共前夕，十月十四日中央對印度施以小惠的「貿易」協定」又產生了，以上事實，皆說明中共在外交上之配合與運用。

和平共存的眞面目

中共與印度談判時，印度會要求中共以實際行爲證明中共對亞洲國家——尤其是喜馬拉雅山坡國家（即尼泊爾、不丹、錫金、及鎖達四小國）——無侵略野心。但中共的答覆，是陳兵西藏，加緊興築公路，建設機場，更加強他對印度的威脅。此外如尼泊爾之叛黨領袖歧星，自發動政變失敗，遭印軍驅逐之後，至今仍在北平受中共之包庇支持。泰國之反對黨領袖乃比里並受中共之支持，在中國大陸進行反泰活動。胡志明日內瓦協定後，公開表示即將「解放」越南南部。在雲南，中共已成立一緬甸傀儡政府「暹清人民自治政府」。此等事實又說明，中共之所謂「和平共存」之另一面目。

武裝下的「和平」，威脅性的「共存」，中共所標榜的「和平共存」的[illegible]，則我們就不[illegible]解爲甚麼。

中共的「和平攻勢」達到高潮時，他的另一隻手，又破壞了他自己的「和平」。「和平」與「侵略」並進，此乃中共「和平共存」之實際解釋。

無意尋求眞友誼

共黨的外交，有一點是毫無疑問的，即宣傳雖與政策配合，但兩者不一定是一致的。宣傳的目的，在幫助貫澈政策，兩者可能根本是兩套東西。

中共在外交上，儘管對「朋友」無情，但又有一種現實的手法，祇要對方一日有可供利用的價値，雖敵人亦可暫時握手言歡，熱烈擁抱。

中共從無意尋求國際間的眞正友誼，彼等亦不信國際間有眞正友誼存在。例如英工黨左翼領袖貝萬常有支持中共的言論，中共認爲在外交宣傳上可加利用，說貝萬是朋友，但在大陸中共之出版物中有時仍稱貝萬爲英國工賊；又如中共今日與印度、緬甸、印尼，總該不能不算是「朋友」了，但在大陸中共之出版物中，有時竟稱尼赫魯、吳努、蘇加諾等是「帝國主義的走狗」。

史達林之對希特勒和松岡均會如是。抗戰時，中共一面宣稱抗日，一面與日本互相勾結，亦復如是。需要「利用」時，敵人可以是「朋友」；無可利用時，便一旦反臉相向，「朋友」頃刻成爲敵人。此即共黨交友之道。

遇到中共這種「外交」，紳士與畜生總是要吃虧的。如能拿出實力來，勝過他，即比一切都強。

假定，中共果有與自由世界「和平共存」的可能，這也不是蘇俄所願見的，甚至也不是蘇俄所容許的。所以每當中共奉蘇俄之命以「和平」欺騙自由世界的時候，蘇俄有時也担心其一「假戲眞做」，又將如何？所以過去在「中共進聯合國」和「日內瓦協定」成立，西方國家對中共綏靖空氣最濃的時候，中共受俄國指使的挑釁行爲即繼之而起，凡此不難找到答案，主子對奴才總是不能放心的，這是蘇俄對中共的心病作怪。

中共竊据大陸以來，從它一切的外交行動中，實在找不出任何有力的跡象，可以證明中共在外交上與蘇俄有何重要歧見，或者在某一重大問題上，中共敢於在國際上獨來獨往的。某些美國人的意見，認爲中共的勝利，是亞洲民族主義的抬頭，這就不能爲我們所苟同。中共政權的本質，已決定了它對蘇俄的依存關係，又決定了中共外交政策的本質，既不是「亞洲」的，又不是「民族」的，一切都是蘇俄的。

解決青年升學困難　籌辦中大不宜再延

東南亞各地熱心教育人士，近年對於籌辦中文大學，一致認爲萬分需要。三年前本港高等教育調查研究委員會的報告書中，曾提供了十項建議，要求港大設立以中文授課的文科及理科班；並給予同等學位。去年經專家研究結果，認爲開設文理科中文班，在現階段礙難實現，其唯一理由厥爲目下港大經費奇缺，維持現有設備已感困難。除非有充分補助，短期間顯然不易實現。因此，若干教育界人士覺得香港大學既無中文部之設，且每年更不能容納衆多學生就讀大學，設置中文大學，自感十分迫切。港大既謀彌補此項缺憾，且又因海外各地及本港各界捐助，纔附設東方文化研究院，以應需求。

就人口數字比較，香港僅有一所大學，理論上是說不通的。但是開辦一所中文大學，以新加坡南洋大學爲例，撇開客觀環境；勢將經過許多周折和困難，至於主觀條件，據港大文學院皮里斯萊教授個人所持觀點，認爲困難仍多。他去年曾至加拿大及日本考察，研究各該地高等教育，俾以作爲設立中文大學應有參考。覺得研究更高深科學，仍須倚賴英、德文課本。他說日本欲求打破此項語文困難，聘請了二十多位大學教授，設立六十多個小組進行研究，並以日文翻譯課本；但一般成績，仍難符合理想要求。因此，皮氏以爲克服語文上的困難，比其他問題更爲重要。

然而皮氏所持觀點，徵諸星、港、台灣許多教育權威，均未同意，他們認爲中文大學，中文爲主，不妨以英、德文爲輔，若干名著何妨翻譯中文；問題是港府能否撥出一筆專款來辦中文大學。按以目前情形，港府財力並非不足，但港大設中文部尚且不予考慮補助，辦大學自不可能。於是，開辦中文大學，除非各界社會人士集中財力興辦，校址大致不成問題，相信只要有人發起，港府自將樂予補助。雖然籌辦中文大學困難尙未解除，可喜本港的著名中文學府如珠海、新亞、崇基、香江各書院各項設施日見充實，年來收容無力升港大以及投考台大落第學生，深獲各方一致推崇，對於中共大力誘騙學生潛赴大陸，也是一個極大的打擊。事在人爲，香港籌辦中文大學，縱非易事，倘若假以時日，終將獲致如願。

新書介紹

貝里亞取其死

史太　七十八個小時，貝里　俄國。此時貝里亞　，他是蘇聯的統治　林的繼承人。

貝里　做，當然是他最大　是自己取死。

一九　，史大林未死前後幾天的事　發表。那時我在莫斯科，對　有極詳細的紀錄。史大林　，我乘車環行克里姆林宮和莫斯　好幾次。城裏顯得很明亮。克里姆林宮，一切如常，一點沒有特殊景象。

清晨一時，有好幾輛汽車進入克里姆林宮的車房，看來好像是會畢送客歸來的樣子。到了清晨三時復有三輛大房車停在蘇維埃大樓前面。一直到清晨五時城裏還是很靜的。

六點鐘的時候，一隊一隊的卡車才向莫斯科中心駛來，車上坐滿了貝里亞直轄的特務警人馬。

此種卡車集中到每一個交叉路口上，和莫斯科的許多廣場。到了九點鐘，全莫斯科都是貝里亞的隊伍。坦克車也出現了。所有的卡車、坦克車，和隊伍都有紅藍兩色的徽號，都是貝里亞直轄的武力。

我跑到紅場，其中站了差不多兩千人。他們都擠在克里姆林宮大門，肅靜無聲，秩序極佳。紅場準許人民進入，而且數目達到兩千，倒是稀有的事情。果然不久貝里亞的隊伍到了，只一個鉗形的動作，便把羣衆驅出了紅場和其他廣場。

莫斯科的地形是由好些圓形構成的。克里姆林宮是核心的一個小圓形。離開克里姆林宮約一英里，是第二個較大的圓形，伸張出去約半英里是第三個更大的圓形，那是昔日的城牆。馬路都穿過圓形，好像車輪的幅條一樣。此時貝里亞的隊伍把莫斯科城的三個圓形改變成三個鋼環，幾千輛卡車首尾相接，築成了好幾條十分堅固的防綫，重要的路口並且加上三排堅厚的坦克隊。

莫斯科變成一個鐵桶。任何人出入都要得到貝里亞的許可。官員如此，隊伍亦然。那時莫斯科的任何一個人都是貝里亞的俘虜。只一舉手，貝里亞便可佔領整個莫斯科。

史大林剛斷了氣，貝里亞便盡量發揮他的力量。發揮得太過度了，給馬倫可夫們以一種十分不安的印象。貝里亞雖然不夠力量統治俄國，可是在當時的三巨頭當中，他的力量實在太大了，太不平衡了。隊伍調離了莫斯科，貝里亞便被逮捕，不久便處決。

蘇·聯·新·貌（中）

美國西里士比利原著

夏巴公司出版

李加雪

蘇俄的三巨頭

現在蘇俄的三巨頭，是馬倫可夫、赫魯曉夫、和莫洛托夫。他們三人時常出入同車。

艾德禮到莫斯科的時候，馬倫可夫，赫魯曉夫，和莫洛托夫一起到英國大使館晚宴。午夜一時三十分鐘，馬倫科夫站起來，莫洛托夫也跟着站起來，向主人辭別。但赫魯曉夫仍然和貝文談得十分起勁。

馬倫可夫到了門口，回頭向赫魯曉夫說道，「走罷。」

在門口辭別了主人，馬倫可夫一步一步地踏下石級，莫洛托夫緊隨在後，赫魯曉夫這才站起來，再和貝文講了好幾句話，然後放開步脚，追上他們。馬倫可夫莫洛托夫進了汽車，赫魯曉夫也趕到了。上了車，赫魯曉夫吩咐司機開車。

上面的故事，表現出三個巨頭的個性。

馬倫可夫和赫魯曉夫都十分機警，也是十分能幹的人。但他們也有一種區別。赫魯曉夫講話的時候，不容易收場。馬倫可夫不然，他不亂講話，每一句話都經過考慮，都有用意的。

此外，他們兩人還有好幾點不同的地方。馬倫可夫比赫魯曉夫年輕八歲。馬倫可夫體雖然肥大，態度可十分文雅，個性也十分富吸引力。

他們兩人都不會講英語。馬倫可夫只懂得一點法文，赫魯曉夫懂得一點德文。馬倫可夫精通俄文，講的俄國話是智識階級的語言，文雅異常。

赫魯曉夫是一顆沒有經過磨琢的鑽石，粗率而且坦白，出身礦工。他最喜歡談天和喝酒。吃酒總喜歡乾杯。酒吃得多，話講得更多。他能夠講馬倫可夫不能出口的話。

莫洛托夫比較沉默寡言。史大林死後，他蒼老得多了。莫洛托夫有權決定外交政策，和從前只做傀儡不同。他是一個老成持重的人，馬倫可夫和赫魯曉夫都十分敬重他。

宗教在蘇聯

蘇聯人民信奉天主教，蘇聯的猶太人卻信奉猶太教。

最近十五年，蘇聯經過了三次的反猶運動。這些運動都是由政府主持，規模十分宏大。再加上希特拉的軍隊在蘇聯佔領區大事消滅猶太文物和猶太民族，猶太教的傳播受到了極大影響。

莫斯科城內，猶太人的數目有好幾十萬，但全城只有極小的猶太禮拜堂一所。其他各地情形也相彷彿。一九四八至四九年，反猶太運動劇烈進行的時候，大部份猶太人被放逐到西伯利亞。

現在蘇聯政府對猶太態度，雖然比較溫和，但猶太文物已經蕩然無有了。

蘇聯雖然反對天主教，可是，第二次大戰時，史大林對教會採取比較溫和的政策，天主教會便由此恢復了相當力量。國內新開放的禮拜堂不少，信奉天主教的人也日有增加。

現在，好些共產黨徒參加禮拜堂活動。青年共產黨員在禮拜堂舉行婚禮，和要求禮拜堂替嬰兒洗禮者也比皆是。政府對於宗教的攻擊，毫無效果，參加教會的人沒有減少，青年參加禮拜者，反日見增加。

共產黨報紙對於天主教雖然不斷加以攻擊，同時也印發教會新聞，和教會要人行動。目前蘇聯人民參加宗教活動，已沒有危險了。蘇聯的天主教，歷多年被攻擊和逼害，仍然能夠存在，足見人民對於宗教的需要，是無法消滅的。

成功的領袖

馬五先生

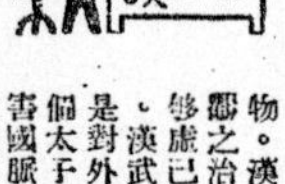

讀美國開創史，在議訂聯邦憲法之際，中央集權與地方分權兩派主張，爭論激烈，互不相下，迭次有以內訌破裂而使獨立建國大業瀕於傾覆的危局。這其間，固然賴有哈米爾頓，麥迪孫等傑出人才的折衝肆應，終告成功，但革命領袖華盛頓之虛懷若谷，毫無個人成見，以至誠至公的態度調護疏解之力，關係更大。假使他纏着當時的地位和聲望，對政治制度之創建稍持私見，費城憲法會議勢必搞不成，或許還要發生內亂哩！

無論古今中外，政治上有一項鐵定的眞理，永遠是如同貿樹之長綠，即當領袖的人必須遇事以超然意態，少作主張，多聽衆議，毋固毋我毋必，提綱挈領，折衷至當而行之，自然著手成春，立見功效。這叫作我用衆人而不爲衆人所用，老子所謂治大國如烹小鮮者是也。最忌予智自雄，視天下人的聰明才幹皆不如我，事無鉅細，先持我見，而且強衆人以必從，結果一定敝聰察明，勞而無功。

中國歷史上號稱英主賢相者不少，可是，那些所謂英主賢相羣中，眞正成功的都不是予智自雄察察爲明的人物。漢代文景之治，唐代貞觀之治，皆由於政治領袖能夠虛己以聽，毋固毋必所致。漢武帝貌似英明，實際只是對外好大喜功而已，連一個太子也弄出人倫之變，幾害國脈呢！諸葛亮那種事必躬親的作風，他如不早死，還是保不住弱漢偏安王業的。華盛頓表示自己不能幹，所以就有許多能幹之士爲他効力。如果政治領袖隨時隨事皆自以爲能，作之君又作之師，那就再用不着奇才異能的幹部了，能幹的人亦沒法立足，只好望望然而去之。這樣，事業會有成功之望嗎？

文章病院和生活教育

黎中天

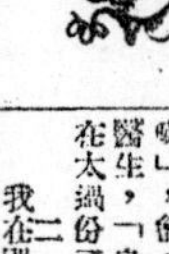

一

假如有個黑醫生，想要顯本領，順手抓一個該倒霉的人，儘管這個人素來點酒不嚐，黑醫生根據「這是一個濫倡自由的時代，誰都有權力說話，既然說話，也就不分胡說或八道」的原則，一口咬定這個人是「酒徒」，不管三七二十一，拿刀斫掉「酒徒」的腦袋，說：「酒瘋子，我親自動手術，把你的『毒瘤』割了，以後包你再不喝酒發瘋了。」這個人的冤魂，是對自己的尸首「感嘆」呢？還是對黑醫生的「手術」表示「欣賞」？

法國的自由主義者羅蘭夫人，也是在「一個提倡自由的時代」，被過份自由的人送上斷頭台宰了的，我想：當時送她上斷頭台的人，恐怕也都以什麼「病院」的「貴醫師」自居，認爲替她動了手術割了「毒瘤」吧！

羅蘭夫人上「手術台」的時候，講了幾句話，後來成爲名言。想想她的話，「欣賞」的成份少，「感嘆」的成份多；事實上，也怪不得她「感嘆」，劊子手隨便充醫生，「自由」得實在太過份了。

二

我在別些報紙雜誌發表文章，並沒有人說「過於簡鍊」，「使讀者陷入五里霧中。」唯有「自由中國」的文藝編輯，不但下這種斷言，還堅持非改不可；到底是什麼緣故？總想不透。直到讀了十一月二十四日杜衣先生在「自由人」發表的大作，才找到答案：原來是自己稱自己做「貴醫師」的人，開了一家「文章病院」，要拿我的作品做「手術」實驗。老天保佑；幸喜我早把原稿拿回來了，僥倖躲過大難。這眞是：「王官人錯投黑店，險些吃了板刀麵！」

妙！總算「生活教育」受了一次無聊古怪的生活「教育」。

三

「生活教育」和「雨過天青」，「這兩個題目哪個好？有眼睛的人會看得清楚的。」這說法，對！記得我有一位也在「自由中國」做事的好朋友說過：把「生活教育」改成「雨過天青」，是爲了生意眼，好吸引讀者。」——但願財神菩薩照蔭鐵銅錢眼鏡看藝術的人。

談到「割盲腸」，使我想起原稿開頭一個字；「敞開窗戶」的「敞」字，當初我用這個字的時候，先想到「推」字、「打」字、「開」字，單爲這一個字，我跟一位同鄉推敲了兩天，才決定用「敞」字，想不到後來被改成「推」字。爲這一個字，我和「貴醫師」們辯論過，都各說各的對；「貴醫師」們不服輸，特地請「胡適之大醫師」評判，「大醫師」想了一會，說用「敞」字恰當。由此可見「貴醫師」的手術，眞的是第一流；倒數！本來要替人「割盲腸」的，結果把人家的大腸割了。

我又想到原稿第十三章，描寫月夜的公園，有兩句：「月光照涼了空氣，也照濕了草地。」被改成「月光如水，空氣清鮮。」這幾句誰的好？「有眼睛的人會看得清楚的。」西洋有句文學名言：「第一個形容女人像花的人是天才，第二個形容女人像花的人是白癡；」「月光如水」這一句，就我所知道的，「謝冰心」早用濫了，算起來，「貴醫師」是「第二個」用這一句的人了。

說到「胡適之大醫師」也發現了「毒瘤」，「大醫師」給我的信上說：「我覺得大作很好，讀過的人（在我這裏借讀的）也都說好。我覺得此書前半更好，後半稍弱。」「大醫師」說的「很好」與「更好」，似乎不是「毒瘤」，那麼，「稍弱」就是「毒瘤」了。還你；第二個形容月光如水的人，能把後半部改寫得好麼？何況事實上，你把「更好」的「前半」改得一塌糊塗，「稍弱」的「後半」一個字沒有改；「貴醫師」黑心黑手，專門向健康開刀！阿彌陀佛！

好事也是人做的；收起「文章病院」的招牌吧！你這個把大腸當盲腸割了的「貴醫師」。

四

從去年（四十二年）一月起，「自由中國」就公開徵求中篇小說，到九月，我才送「生活教育」去應徵，「自由中國」那次徵文，就取了這一部；一定是編輯先生認爲不壞，何況在發表的那一期，「編者」的報告」中，還承誇獎：「作者對夫婦生活的體驗，描寫至爲細膩。」老實說：編輯先生只能看到對夫婦生活的描寫，不能領會別的很多含意，我已經有九分遺憾了，再加上去年還說「描寫至爲細膩」的，到了今天，杜衣先生居然斷言「生活教育」的結局：「唯一的市場是賣給廢紙商。」前後說的話矛盾，使我又加一分遺憾：「像自由中國」這樣正派的刊物，總不會爲了舊廢紙商培養生意，才來徵文的吧！

我清楚：如果我的作品壞，單靠『胡適之大醫師』的筆捧不起來；如果我的作品好，就憑杜衣「貴醫師」的筆打不下去。現在我正在接洽出書，等書出來了；是好是壞，讀者和時間會有正確的評判。

對藝術，的確「勿驚乎殷勤和禮貌，倒是對第二個形容月光如水的人，需要「殷勤和禮貌」一番，爲了表示個人的「殷勤和禮貌」，借用屠格涅夫的一句話：「脫了帽子，遠遠地一鞠躬。」把這句話翻成文言是：「敬鬼神而遠之！」（完）

關於「生活教育」或「雨過天青」這事件的辯論我們刊載黎先生這篇文章後，雙方意見都發表過了。打算不再發表這一類的文字。——編者—

語意學漫談

徐道鄰

二、人與人了解的障礙

上文所舉的第七種「懂」，可以說是最澈底的懂，最全面的「懂」——它可以包括其他所有六種不同的「懂」——但是也是我們一般最不容易作得到的懂，而我們所以不容易作得到的，因爲在我們思想系統中，有三個大障礙在作祟。

這第一個大障礙，我們可以稱之爲放射思考PROJECTIVE THINKING。放射思考之所以爲害，因爲我們一般不注意命題PROPOSITION和命題方程式PROPOSITIONAL FUNCTION的分別。

命題和命題方程式的分辨，主要的是羅素BERTRAND RUSSELL的功勞——數學家凱塞爾CASSIUS J. KAYSER認爲『命題方程式』這一個名詞，可能是一百年來最重要的一個發現——所謂命題者，就是一句有意義的語詞。所謂意義者，就是其內容所指的事實，我們能辨明其是否存在。就是說，必須我們能辨別其內容（含意）是否正確或錯誤的，才算一個命題。譬如說：

『我手裏拿的，是一個香烟盒。這裏面有五枝寶島牌香烟。』或者：『三加五等於八，』我這兩句話，是否正確或錯誤，一般人都很容易的辨別，所以這就是兩個命題。如果我說：『甲數加乙數等於九』，或者說：『草是綠色的』。[illegible]

這就不是命題，而是命題方程式。因爲這兩句話，在表面上看來，似乎有意義，而事實則並沒有意義。因爲「甲數」是什麼，我們沒有弄清楚，『乙數』是[illegible]弄清楚。因之『甲數』[illegible]是正確抑或錯誤，我[illegible]。同樣的，『草是綠[illegible]草』指的是什麼？是涼[illegible]長的『草』呢？還是[illegible]的『草』呢？所說的『[illegible]什麼？是濃若翡翠的深『綠』呢？淡若新柳的淺『綠』呢？弄不清楚。所以如果祇是『綠色的』，那就差不多等於『不拉』的』，或者說：『「不拉」的』，或者：『「不拉」』，或者；『「不拉」「不」』。因爲這全都祇是一些聲音而已。（二）

元令將軍，卜居九龍沙田山下村，時相過從，一朝別去，不覺悵然！賦詩爲贈。

·邵鏡人·

風雲叱咤慨當年，頂禮禪門南海天。且待妖氛清掃後，吟鞭北指會幽燕。

竹林抵掌數論心，話到深時發苦別與君無可語，英雄遲暮感黃金。

高雄寄李中將彼和

姚琮

長堤障狂瀾，羣峯列畫戟；魚蝦市廛喧，桑麻江村夕。晨曦動山歌，晚照歸海舶；疊高嶠天漢，溝深絕地脈。北海方稱觴，東山誰折屐；忠貞自雄武，險要莫憑藉。吟遊日月閒，戈矛乾坤窄；速君君不來，帷幄誰定策。

短篇小說　當

楊海宴

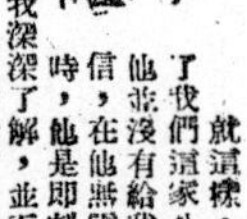

（五）

就這樣，他便離開了我們這家公司，以後他並沒有給我來過一封信，在他無需要這個人時，他是即刻就忘記了；這一點我深深了解，並不責怪他；到了台灣，從此我和他，一別無音訊。

這之後的第二年（民國三十七年），我便在前一個禮拜，報紙的一角顯著地位，登着一則結婚啓事，看到了志展哥哥的名字，更我驚喜了半天，可是接着我便笑自己糊塗了，原來志展哥哥的名字，是寫在下首女方這邊，而他卻是我的堂兄弟，我當時除了自愧糊塗可笑外，隨即也就把這事忘了。

第二天，我閒着無事，在街上蹓躂，恰好路過一家正在舉行場面很大的結婚儀式的門前，賓客雲集，車水馬龍；這偶過不禁又使我記起昨日報紙上那則廣告，忽然一個好奇的念頭，像閃電似的掠過我的腦際：進去看看，也許新郎正是我久別未見的兄弟，亦未可知；在這偉大動亂時代，各種曲折離奇的悲歡離合，都可能發生；有道是「有緣千里來相會，無緣見面不相逢。」「不要錯過這一機會，縱使新郎是我不相干的人，我以一個湊熱鬧的旁觀者，進去看看，亦無大礙，這樣想着，我便懷着滿腔好奇探測的心情，混着人羣踏進了禮堂。

婚禮正在舉行，台上站着一個瘦長的中年，在露着金牙，滿面興奮的講着台灣話，我一句也未聽懂，台下是新郎新婦，當我從人羣中第一眼看到新郎的背影時，我感到一陣親切和驚奇，我急迫緊張的鑽到人羣前面，想看清新郎的臉面，哎呀！我差點叫出聲來，我下意識的用手撥撥自己的眼皮，試試是否眞在作夢，沒有，一切清清楚楚，實實在在；是他，是小時的志展哥哥；婚禮還在進行着，現在台上已換了另外一個人在講話，是一個胖胖的帶眼鏡的先生，這時，我便靜靜的站在人羣中，暗暗觀察我這位久別乍見的堂兄弟，他是愈來愈年青，愈來愈漂亮了，似乎年月的增長，與他無關，那紅潤的蘋果臉上，春光煥發，喜氣洋洋，只有挽着他手臂站在他身旁的新娘，不知本來就是醜胖？還是因爲站在這位漂亮清瘦的新郎身邊，格外襯托得又醜又胖了？我竟不知所以的，越俎代庖的爲他失望了。

挨到婚禮成後，我迫不及待的馬上跑到休息室裏，不說話，穩穩的站在他前面，他先是驚奇得目瞪口呆，半晌，半晌，才猛的握緊我手：「是你，甚權哥哥，哎呀！老天爺呀，作夢也想不到……」接着他便用流利的台灣話，招待他身旁的人，然後擁着我坐到他的席上，因爲喜日，新郎應酬多，我們並沒有機會，詳談別後經過，我當時給他一個地址，便返回寓所了。（六）

尼赫魯——會成獨裁者嗎？

·矜式譯·

這文章又說：「祇要稍有小小偏向，尼赫魯可以變爲一個獨裁者，把緩慢的民主裝飾丟去一旁。他們種種促成其獨裁的條件：諸如擁受人民擁護，強烈的意志，能力，堅定，不能容忍別人，對弱者和低能的人常表輕蔑。在「這種革命時代，專制魔王時時在窺伺而入，而尼赫魯難道不可能把自己幻想成一個凱撒嗎？他妹妹又加上她自己的驚人批評，「雖然上述的話出於他自己坦白，而他所寫的多已證實了」。

她說，「尼赫魯仍然讚羨英國比其他國爲甚，而且亦尊敬某些美國人，但是他心目中的美國人，不過是很富有，有孩子氣，而又幼稚的民族，至少他們在外交上仍在幼年時代。」

她認爲權力還沒有毀了尼赫魯，或許已使他變得粗暴。他過去便顯得傾向獨裁，而現在則更不能忍受批評，甚至不接受勸告。他對自己在歷史上的地位有高度自覺，對印度有一種野心，至於他一個人對印度的控制，是不是已使他成爲一個仁慈的獨裁者，這當然各人看法不同。她的結論說：「以世界眼光看來，尼赫魯無疑是一個絕無僅有的人，在那種困難的時候，能引導和控制印度的命運，然而，若果對他諂媚太縱容了他，於他和印度都是危險的。在他自己文章中也說：『這種趨勢必須制止，「我們不要凱撒」』。（完）

自由人

THE FREEMAN

（第四五〇期）

中華民國僑務委員會登記證 中華郵政登記認爲第一類新聞紙類（半週刊每星期三六出版）

每份港幣壹毫 台北市售價台幣壹元

社址：香港告士打道二十號四樓 3 rd. fl. 20 CAUSEWAY RD HONG KONG

中華民國的神聖任務

張六師

今天中華民國所面臨的神聖任務，是反攻復國。非反不能自存，如坐待敵攻，更難永保台灣。非復國不能拯救大陸，也即不能重建龐大新軍，更難徹底消滅匪寇。

自由中國形勢甚強

儘管西方國家中一部份政客，他們天眞的幻想在蘇俄西守東攻政策下的亞洲地區，也能彼此「共存」，不發生戰事；但可惜克里姆林宮的頭子們，却正需要這種幻想的抬頭，才好安排作戰準備，以軍事示威來搞詐「不戰而勝」的利益。自莫斯科與北平看穿了韓戰中聯合國的矛盾與弱點後，接着在太平洋與日本上空對先後打落美機的俄機師，俄政府便予特別獎勵。中共對美俘虜便大胆的秘密屠殺與公開判罪。美英國家不僅在蘇俄國內的民間被視若仇敵，即在中國大陸，共黨也極力宣傳，使人民普遍養成仇美恨英的觀念。凡此作用，不過是預爲動員時期打好基礎。這並不是共黨黨有遠見，而是西方國家重視近利，自貶威望，而輕視後患的必然結果。祇不幸中國由於地理位置的關係，却如二次大戰前夕一樣又來首當其衝。儘管華盛頓，倫敦有許多人祇把台灣當作一個防共的基地，但克里姆林宮却很淸楚它是與中共勢不相立的存亡大敵，等於在中共堡壘中「核子」爆炸的原動力。有中華民國的站在亞洲，不僅蘇俄感覺戰慄，甚至連中共傀儡的附屬身份都是動搖的。當然中共在全中國人民心目中的合法正統地位也就不能正式存在；連驅使它在自由世界中替蘇俄主子假借外交特權，與強迫誘騙二千多萬華僑的滲透作用，也不能發生；一旦中華民國軍回大陸，蘇俄本身在國際形勢上的比重，也成問題，可能還會有被逼放棄侵歐而集中力量對華的一天。可是這種形勢的可能出現，決不會在今日艾克的「圍堵」與「報復」政策中所能估計得到的。但這是中國人自己的事，不應對朋友苛責，也不應對盟邦過存奢望，假如大陸不損失得這樣徹底，情勢自然又不同。不過以今日中華民國的形勢與條件，如與中共當年的江西和延安相比，無論在國際形勢上，經濟富力上，人力資源上，武裝實力上，人心士氣上，……我們都找不出在物質方面的復國條件有何不如當日的中共之處。如果沉儕檢討，唯一缺憾，恐仍是精神與智慧的未得盡量發揮。否則我眞不信海外二千一百多萬中國優秀民族，竟不如延安巖洞中的三四萬蘇俄第五縱隊。

我們需要成功的人物

由於精神的不足，可能使「寶島」成爲蓑老終年之所，而非臥薪嘗胆之地；因之也必凍結內部百萬雄兵和海外千萬人力，都採取守勢。（八百萬人口足可動員七十萬以上後備兵。）其次神州陸沉五年，不僅海外二千一百萬中國人民，至今還未發現有系統成套的「如何復國」？與「復國後如何」的理論，辦法，和全民對共的鬥爭路綫，來打動大陸人心，壓倒共黨邪說，造成爲一種遠大理想與抱負的社會運動。甚至作爲領導復國的智識份子中，也都很少發現有度量恢宏，抱負遠大，韜略銳利，氣魄雄偉，理論切實，精神人格超若超邁的集體人士或書院，來從事團結社會與培養下一代的中堅。（所謂書院精神，也許台灣的政黨在埋頭從事，但未影響到海外和大陸與國際則係事實。）沉痛的說：我們今日以言軍事，沒有軍魂，（只剩餘一部份殺匪報仇和打回老家的反共熱情。）以言政治，不見國魂，（只倖存一部份私人歷史道義關係）充其量打回大陸，也不過比八年抗戰後的勝利較勝一籌（？）萬一打一敗仗，不過多幾個忠節之士而已，對國家民族億萬斯年的影響力何在？對挽救世界人類未來的浩劫何補？我們不希望如宋明末年，國家出幾個文天祥，史可法即滿足，老實說我們今日站在中國老百姓的立場，却急切需要如劉邦、項羽、李世民、朱元璋與管仲、商鞅、樂毅、孫武……一類成功的人物，來從事超自民間或配合政府的民族中興運動。這些人多是從二三十歲便投身革命，或冒險犯難參與一種偉大理想的運動，從事推翻暴政，驅逐異族外力，統一復興中國的事業。所不同者是今日的對象爲莫斯科與北平，今日的理想與作風是不僅要使中國文化，再獲新生，還要把世界上行將第二次再出現的黑暗世紀，挽救回來。

不要走上韓戰覆轍

當前的海峽戰雲，正在逐漸揭幕，敵人不僅在去年已大胆的公開要冒險進犯，（意在先發制人。）而俄寇去歲僞裝今年五月的交還旅順，已露出它對第七艦隊的特殊陰謀。中美條約，不過遲緩敵人的準備工作，決不會打銷莫斯科驅使中共擴大向海外，以中國人屠殺中國人，和以中國的人力物資去消耗美國實力的詭計。因爲不如此驅使中共對外惹禍，即不能激底造成中共對蘇俄一面倒的依存性，而穩穩的控制住中共。何況還可以借此使中共容易進入聯合國，甚至長期拖延美國國會對中美條約的批准。可是我們却因此果然不得不採取守勢防禦，而又走上聯合國軍在韓國的戰略覆轍了。

僅以宣傳一項而論，中共高呼美國佔領台灣，還明明是恐懼中國人，先揭穿蘇俄佔領大陸手法，移轉視綫的一種手法，也是驅使大陸人民以民族主義情緒來替俄共當砲灰的一種陰謀。

（下轉第二版）

論人事行政

·向誠·

檢討人事問題，先要從大處着眼。台灣近年人事現象，可稱大體安定。不過這種安定，祇是人事上的波動率不大，僅限於消極性的保守成份而已。同時，這種安定是特殊環境逼成的結果。假使一旦情勢轉變，局面擴張，不但無以充分適應，仍會走上亂離無章的老路。因此，無論爲對內建設或對外反攻，均不能止於這樣的人事現狀爲已足，而必須從安定中更求進步。

我認爲一個中興時代的人事運用，應具兩種大的性能：一是高度的發揮性；一是深遠的謀略性。兩者合流，構成人才動員的法則，纔能達到人盡其才的極致。這一大原則如屬正確，我們就依此爲出發點，再談及其具體事項。

解除「凍結」的限制

首先，要解除「人事凍結」的限制。人事凍結的措施，年復一年，遂陷整個人事局面於長期睡眠狀態。各機關首長爲了應付人事問題，更藉此爲「擋駕」的法寶。以至多少有用之才，得不到工作機會，祇好望洋興嘆。但亦有許多關係人士，並不受此禁例，仍可通行無阻；這種明「凍」暗「解」的作法，不當壅塞賢能進身之路，且適爲任用私人者開一方便之門。以至新陳代謝的作用無從發揮，影響行政效率。

散處海外各地之忠貞人士，亦因人事凍結，不免遏阻其向義投效之心，殊非中興動員時期所應爾。但我主張取消凍結，並不是說將所有失業人員盡行收容，而是要使已有職位者，知所振奮，未有職位者，能有希望，欣然擔任，兩者均依於機會均等的原則，循着一定的人事軌轍，公開競逐。這樣，縱然局面狹隘，容量有限，人才亦會樂於趨附，願効馳驅。

確立用人制度

其次，關於人員任用，必須確立一種合理制度。我國用人方法，向採多軌並行制，聽由機關長官隨意酌用，人事機構僅於事後作例行式的資格審查而已。這種多軌制演變的結果，等於沒有制度可言。故人事進退的標準，完全着眼於私人好惡或利害關係之上。夤緣奔競之風，由此而起，派系之爭，因此而盛。漸至社會風氣，政治道德，與行政效率，均蒙不良影響。

今日如要徹底矯正以往積弊，必須大刀闊斧，改進人事任用權：（一）政務官以選舉爲原則；（二）事務官一律出之以考試，統一分發；（三）機要秘書可由機關長官擇用。考試院對此一問題，在法規上本已有所修訂。去年元月九日公布新公務員法規定：各機關用人，須由銓敍部先將合格人員，分類分等編列候用人員名冊，送交遴選。如此限制其範圍，本不失爲一種進步性的革新。但是一年來，尚無若何事實表現。所謂候用人員名冊，並未見銓敍部開始造送，各機關人事任用，仍是率由舊章。我們除切望新法不要變成廢紙外，併作如下建議：（一）編列候用人員名冊時，應先公開登記，以免錯漏。（二）既然列冊候用，就不准再在冊外用人，否則仍等於零。（三）送交各機關候用人員名額，每次不宜過多，庶鑽營之風不復再起。美國與日本的「開單制」，每次限定三人或五人，其中自有道理，我們不可不察。

改革考試制度

任用方面有了定制後，關於羅致備用人員的方式更要建立一種卓立不移的制度。目前通行的辦法是推薦，其流弊已如前述。今後自須翻然改圖，（政務官與機要秘書及反共抗俄立功人員例外，）惟有嚴格考試取才的大道，纔能振奮人心，激勵士氣。本來考試用人，也不免稍有偏缺，但比較其他各種用人方法，還是它好，因爲考試的特質，既含有充分的民主平等精神，復具有偉大的吸引號召力量。大家在機會均等，公開競爭之下，人人有希望，人人圖振作，取捨之原，悉存於已，得與不得，不能尤人，今科不售，明年再試，縱使終生無望，自亦能心安氣平。我們的憲法本規定：「公務員之選拔，應實行公開競爭之考試制度……非經考試及格者，不得任用。」依此，考試制度，在法律上已有地位。只是事實表現，並未盡然。每年的高普考試，雖說是國家掄才大典，其實不過聊備一格。因其所取人員，各機關樂如敝屣，求一起碼委任職而不可得，誰又樂意趨向這條末路呢？

今後如欲高度發揮考試效能，須作如下的改進：（一）重新釐訂考試等級，分「特等」、「高等」、「普通」三種，以配合簡、荐、委三階。新公務員任用法第七條有「高於高等考試及格者取得簡任三階之資格。」但名稱不甚確切，不如冠以「特等考試」爲宜，事實上委、荐人員均須出自考試，簡任何可例外！甚望早日付諸實施，則整個人事局面，必可改觀。（二）現任人員資格銓定考試及升等考試，亦應從速舉辦，使久處低職者也有晉升之機，藉以蔚成強烈的進修風氣。（三）考試務求重質不重量，寧可提高標準，但取錄後必須保證任用，則凡欲進身仕途者，必羣趨於此，而不另走旁門矣。

革儲訓措施

關於儲備人才與訓練人才，亦爲當前重要工作。去年銓敍部舉辦儲備人員登記，一時響應者達十五六萬人，但現在已逾一年，聞審畢發證者，不及十之三四，其餘終年引領，消息沉沉，且其核定標準，寬嚴失據，證件審查，取捨不一，益使物議紛騰，亟宜有所改進，加工辦結，免失人望。至訓練方面，現時無論大小訓練班，院，總脫不掉小圈子習氣，非走關係路綫，不得其門而入。我主張受訓對象的選拔，不可拘於現職人員一途，也不必全以高階層者爲限，目前海內海外，實在還有不少人才，或閒居於野，或委身人下，倘每次能以一部份名額，用公開甄別方式行之，亦攬選招才之一法。

半週展望

·陳克文·

自由行使自衛權

上星期五立法院以三〇六對〇的絕對多數通過了「中美共同防禦條約」。隔日，政府方面非正式的向合衆社發表聲明，說國民政府仍保留其自由行使自衛的權利。這聲明顯然爲針對美國要限制我反攻大陸而發。所謂「自衛」自然可以包括反攻，但也可以解釋爲單純保衛台澎。美國國會對這項條約的空氣，似乎是認爲根據該約精神，可以約束我國反攻，不至牽引美國捲入戰爭漩渦。因此，該約的締訂，不是加速反攻，而是延緩反攻，已成確定不移的形勢。

我國在美從事外交工作的一位朋友，一月十日來函說：『和平共存之空氣，瀰漫世界，我如不反攻，則外人認爲應承認既成事實。我果反攻，則外人又視擾亂和平，應予遏止。天下事有如此者！』由此可知，今後的局勢，並不容許我單純自衛。單純自衛便得承認既成事實，換言之，便得接受「台灣獨立」或「托管」，甚或容許「中共進入聯合國」這一類的無理要求。

反攻，不獨爲外人所不喜，勢必加以阻撓，本身力量不足，亦爲無可諱言之事實。以此中美防禦條約之簽訂，眞是一則以喜，一則以懼的。如何打破今後的難關，實在是目前自由中國一大課題。

克里姆林宮可以休矣

巴黎協定成立，容許西德恢復主權和建軍，蘇俄從去年十一月起，即不斷的企圖加以阻撓和破壞。最先提議召開四強會議，繼之以召集衛星國舉行莫斯科會議。再繼之以廢除法蘇英蘇協定恫嚇英法。到了最近，復以對西德恢復邦交，及統一東西德爲餌，企圖引誘西德。此種狡謀之仍將幻滅，自可斷言。蓋西德政府已嚴正表示，非俟巴黎協定批准後，不能與蘇談判。

西方輿論，認爲蘇聯已暴露其致命的弱點，西方立場愈強，莫斯科便愈顯表示讓步。然吾人認爲蘇俄的狡謀決不會因此而熄，狗急則跳牆，蘇聯很可能驅策中共，於遠東發動事變——例如進攻台灣——以牽制西方實力，弛緩歐洲對蘇壓力。故遠東局面的危險性，今年要比去年更爲強烈。假使西方對遠東應付得宜，無懈可擊，則蘇聯內部的糾紛乃至於火併亦大有發生之可能。

美政府的新預算

在這樣的世界局勢之下，美總統艾森豪向國會提出一九五六會計年度的新預算，預算總額達六百廿四億元，國防費用佔百分之六十七，以三分之二建立空軍報復力量。至對外援助總額亦達四十七億元。這自然是一種高瞻遠矚，全球性的措施。

艾總統的預算咨文，關於遠東部份，雖提及對韓援助之外，要進一步加強台灣，日本，及現時接受軍援的其他亞洲國家的防務。但財堪當利對記者招待會却說，四十七億的援外總額中，用於亞洲方面者究竟多少，他未得知。預算中是否有此項要求，他亦答稱不知。

以此，美國的新預算是否針對今後的遠東危險局面，以加強其軍援與經援的實力，尙在未可知之數，我們希望美國的政治家要深切認識目前的遠東危險局面，更要澈底了解蘇聯征服世界的一貫策略。歐洲防禦固然大意不得，亞洲漏洞更非加緊堵塞不可。須知遠東的紅禍如果聽其泛濫，也會把歐洲淹沒的。邱吉爾說過：中共的縱橫爲禍世界，更比蘇俄更甚。語重心長，大家不要輕輕讀過。

怎樣整頓台省林業？（上）

•李　海•

官商勾結的積弊亟應掃除　省府何以還拿不出辦法來

台省林業各項嚴重弊端，如濫墾，租地造林，森林災害，林地放租，保留地交換等，筆者曾已撰成「台省林業痛言」一文，刊載本刊（三九五——三九七期）。茲再進一步，討論台省林業究應採取何種經營制度，才能清除積弊，以為國家保存資源，為國庫增加收入。可得而言者，有「林產處分制」與「一貫作業制」。試先分述其意義如下：

兩項制度的意義

所謂「林產處分」，簡單說來，即是出售林班，過去多採取特賣方式，後因弊端太大，為人詬病，始改行比較好一點的標賣方式。其出售程序，先由林務機關將擬出售之林班，查明台帳（內中錯誤甚大，從本省光復到現在從未整理過）所列該林班之面積，株數，材積數量；並勘查當地生產環境，計算其生產成本，然後擬定木材底價，公開標賣，所得價款，名為「木代金」。承買人於繳納木代金或保證金後，經山林管理所派員每木調查，加蓋查印，交付砍伐，其所有權始算移轉予承買人。

所謂「一貫作業制」，即完全採取僱工包辦制。為林場直營方式之一種，即在不適於林場正規生產之林班，由承包者具備砍伐林木之資本，器材，及勞力，在所屬林場之指導監督下，為政府開發該林班。生產之林木，由林場派員驗收，依照規定標準給付工資。至林產物所有權，始終屬於政府，實行此制，不但於林班開發之初，政府可不必付出大量資金器材，而且可利用商業遊資，達成增產之目的。

兩項制度的優劣

以上兩種制度，林產局過去採用前者居多，採用後者很少。尤其二年來，可說根本沒有。但據一般林業專家意見，多數認為後者優於前者，他們所持的理由如次：

第一、採用一貫作業制，林產物所有權係完全屬於政府，有可以統一價格，合理分配。在林產處分制下，則完全要受木商的操縱和壟斷。林木為本省重要資源之一，關係國防民生至鉅，如以普通商品視之，及運銷任由商人為之，其後果一定有不堪設想者。例如本省過去木材價格，常有暴漲暴落，林產局亦為之束手無策，就是一個好例子。

第二，採取一貫作業制，可以增加政府收益，整頓林業頹風。因根據林產局歷年統計之結果，實施林產處分，政府所得利益，最高僅佔材價總值百分之一點三一至三點一一。例如每立方公尺木材價格為一千二百元，政府只能得到三十七元，其餘百分之九八盡為木商所得。政府每年損失，為數甚大。反之，如實行一貫作業制，政府收益可數十倍於前。在普通情形之下，政府所得收益，可達木材總價百分之七六點一五。最低亦可達百分之四八點四零。以過去八仙山林業三十五林班為例，最初依台帳所列數字，以一七，八〇〇立方公尺標售，僅售木代金十九萬五千元。其後改用一貫作業制，政府收益竟達二千四百八十餘萬元。即扣除百分之四十生產成本，仍得純利一千四百八十餘萬元，（以民國四十年之材價計算）。兩數相差竟達七十六倍之多，林產處分弊端之大，可以概見。

官商勾結國庫損失

第三，一貫作業制可以利用商人資本，發展政府事業。因林班如由林場自己直接僱工經營，在開發之初政府需付出鉅額資本和器材，以興築集材線，台車道，公路，木馬路，索道，鋸木廠，貯木場，工寮等。而採行一貫作業制時，所有資金器材，均由承造木商先行墊付。政府可於收得木材後，發付工資。即在開發之初，不至受林產局經費設備的限制，而可達到增產之目的。同時證之過去實例，實行一貫作業制之收益，比之林場自己僱工自營者幾可多出一倍。如以八仙山林業區三十五林班，已開發的九千立方公尺材積為例，加以計算，由一貫作業法砍伐的結果，政府實得收益在五百萬元以上，如由林場自營，換算結果，僅得收益二百六十萬元。由此足見林場辦理效能之低，不如一貫作業式的招商承辦為有利。（參閱美籍林業顧問佛利茲NELSON H. ZIRT之調查報告）

第四、一貫作業制，可免除木商虛報木材價格及生產成本，掀騙蒙混，盜取國家收益的弊端。因出售林班林產局計算生產成本，是以木材市價定高低的。木材市價日夕數變，極難估計。不法官商每利用此一弱點，一方面低報市價，另方面高計生產成本，藉此將政府應得權益，竊為己有。例如新竹山林管理所屬下之四十五林班，其中有一半是先行實的，材積二千立方公尺，上等櫸木佔三分之一，查定底價行特賣結果，政府只得木代金五萬元。

特約編纂編審待遇問題

——教育部來函說明——

編者先生：最近貴刊所載讀者投書欄明君一文（陳氏並非特約編纂），內容與事實殊多不符，誠恐道路傳聞，以相莫明，本人認為有再加申述之需要：

一、本部特約編纂編審選聘及工作辦法委員會於卅九年二月舉行第一次會議，歷年以來，流動性是很大的，例如吳康先生應聘為台大教授，即辭去此職，一面也隨時增聘，最近一次審查委員會開會，在去年十二月八日，通過了鄒敬芳先生等三人。

二、特約編纂不必到部辦公，但可兼任部內外有關職務，此類部外工作均另有報酬，舉例言之：

（一）在本部各委員會工作，如齊如山先生兼任本部中國歌劇改良研究委員會主任委員。

（二）為本部編纂大學用書，如徐佩琨先生編輯「商業管理與組織」一書。

（三）調部辦公，如郭廷以先生為教育研究委員會專任委員。

（四）兼任大學教授，如羅剛先生在台灣大學任教。

（五）本部與華國出版社訂有合同，出版學藝小叢書。全由特約編纂編審擔任撰述，並按字數另送稿費。

當然仍有一部分編纂編審，生計確屬困難。因此每逢政府調整待遇之時，本部即為其請求改善待遇。最近一次為上年五月廿八日，行政院主計處通知本部關於調整待遇並比照發給研究費已奉批示：「撤銷照辦」，本人與張部長共事有年。深知其經營擘劃，推動文化出版事業，有非外人所能盡知。在其策勵之下，出版新書，殆不下千種。自就任教長以後，對文教事業更作全面推進，固為弘獎著述，促進文化，於學人生計亦有裨益，但滄海遺珠，自所難免。[illegible]經約集台北[illegible]編纂編審談[illegible]整待遇，須[illegible]者，不能自[illegible]但在編纂研[illegible]版各方面當[illegible]協助，期能[illegible]，並責成本[illegible]緊，到會各[illegible]然無間言。

又各部[illegible]員向由行政[illegible]派任，一切[illegible]法規辦理，[illegible]核，事務有[illegible]不合規定者[illegible]支之可能。[illegible]教部房屋一[illegible]本題無關，[illegible]此略為說明，[illegible]司長孫宕越啟

中華民國的神聖任務

張六師

（上接第一版）並且以此宣傳掩蓋了大陸人民內心仇俄的觀念。但數年以來，我們還少從這一點，向海外，向大陸，向世界如中共一樣的集中以民族主義的熱情，揭破俄共統治大陸的罪惡陰謀。（蘇俄顧問、特務、和陸、海、空控制人員的集中隱蔽居住，集中行動，自闢特區，不准人民接近，另外享受一種特殊優裕生活，一切在幕後活動，就是為的避免對中國人民的刺激，與俄共的逃出鐵幕，也就是證明俄共的作賊心虛。）

我們要有決心與勇氣

再以台灣地位的法理而論，蘇俄與中共和西方政治家何嘗不知道台灣是由中華民國的現任元首在開羅會議中所爭回，一九四三年十一月二十七日開羅會議的公告與宣言，並特別指明交還今日的中華民國，當然並無什麼給今日俄記商標的「人民共和國」中華字句。直到一九四五年七月二十六日波茨坦的中、美、英對日本公告時，中共偽組織在俄國人孕育之下還未結胎，但今日俄共中共竟恬不知恥的放言高論，說是開羅會議把台灣給這個向俄國一面倒的傀儡政權。居然國際上也就有人亦如此云云，這等於強盜劫財後，還冒充失主去索債，比「賊喊捉賊」還狂妄無理。然而大陸與海外老百姓和國際人士，認真了解此中道理的，就畢竟不多。

今日蘇俄把共產國際「中國支部」所改頭換面的一個傀儡組織，拿來稱之曰「中國」，內容實質與外表作法，一切都證明是俄化統治。所以中華民國繼續行使匪禦外的國家職權，則當然有獨立自主的自由，問題是在我們的決心，勇氣，與準備和技巧如何。事實上只要我們的軍事作戰能破釜沉舟的打上大陸，摧倒敵寇，我們的政治作戰使敵寇官兵與大陸人民望風擲應，我們的經濟作戰能使敵人的財政經濟完全破產……這時國際友邦的援助，還愁不來？同情的宣傳自然更多。即使俄寇直接參與，打成長期的拉鋸戰，運動戰，也比株守一島，坐待敵攻的運用自如。因為敵人大陸基地如不動搖，則後援不止，而我之消耗有限，未戰先已定局，除非善於利用海島，長期獲得致勝的消耗，（但須我之海空權掌握優勢）始為例外。

不要替人防守基地

今日中共，正百孔千瘡，由黨的內訌到政治、軍事、經濟、人心士氣，無不具必敗必亡之理，所恃只唯一的殘暴恐怖統治，與無限止的剝削。他們對外叫囂愈甚，即是內在的病根愈惡化，（單由大陸報紙與廣播都可看出聽出。）只看他們殺人之多，封鎖管制之嚴，剝削榨取之積極，對俄寇歌頌逢迎的自卑，甚至肯可把安內建設，穩定政權收買人心的力量都拿來作孤注之擲，足見對中華民國恐懼之深，內部不安的程度。

今日歷史的轉捩點，操在我們的手上，只要我們自己站得穩，肩負此項神聖的任務，而不是甘心只替別人防守基地。

編者　讀者

△方曙、鄧鐵人、金暐、張中林、劉靈如、小丞、胡凝之、代鍔、張忠建、周紹賢、猶士，諸先生：承惠稿已一一收到，甚感謝。

△本刊三七二——三八一期稿酬，通知單已分別付郵，惠稿諸君收到後，請蒞臨香港告士打道本報領取為荷。

△郭敏行，姚味辛，楊靈三先生：請示通訊地址。

人物述評

憶「虎癡」張善子

•小丞•

（一）

旅港畫家張大千之聲滿報壇，畫譽國際，已為中外人士所注意的人物。但是他的哥哥張善子也是一位有名畫師，他逝世已久，隨着歲月的推移，恐怕社會人士，已經把他擯之腦後了。

他在民國二十九年十月中回到祖國，一病不起，現在他逝世已十四年多了。他在那年九月底返港，漫遊歐美，載譽歸來，當時墨還菴還做了兩首詩送他，詩云：

「越海橫沮道義師，歐風美雨墨痕闌；山君貌出形如許，神筆寧勞上將揮。」「頸影休慚畫不成，高談猶許氣縱橫；負嵎出押却休問，同覩人間老復丁。」

（二）

他名澤，四川內江縣人。先世原居廣東番禺，他的曾祖到蜀中做官，便變成蜀人了。祖父曾任南溪教諭，他的父親，號懷忠，也是個儒生，祖母曾太夫人精研六法，能夠畫一手出色的閨畫。善子兄弟的丹青造詣，便是得她嫡傳的。他兄弟很多，一共十人。善子第二，他和老八大千，還有一位弟弟君綬，都專心繪畫。君綬在抗戰前便已去世。

張善子少年受家教，長就外傳，從清道人（李梅盦）曾農髯（熙）遊，研習詩文，兼治書畫，精於鑒賞，尤富收藏，羅致石濤，八大山人的精品不少。他寫下「大風堂畫絮」，「曾胡治兵評論」，頗多創見。

清末，加入同盟會，參與革命活動。宣統年間，曾任四川諮議局議員，民國成立，又辦理軍事，一度當過四川的陸軍少將旅長，後來改任鹽官，先後六年，張敬輿組閣，他入京當國務院參議。吳佩孚任直魯豫巡閱使時，聘他做過顧問。他喜歡塞上風物，就跑到察哈爾，在豐鎮、興和、涼城、商都各縣做了幾任縣官。十四年倦遊南歸，移家上海，侍養老親，得暇從事丹青，在蘇滬兩地創設「黃社」「大風堂書畫研究院」；教育青年後進。門下高才，因他的教導而有成就的却也不少。

（三）

他和大千，不但嫻於藝事，而且治學精誠，沈潛研摩，不以畫家自囿，所以畫也有着書卷氣，神韻超脫。素性愛好山水，足跡所至，遍於五嶽，兩登峨山，三遊黃山，攝取自然靈景，表現在尺幅上，不期工而自工。中年以後，喜畫虎，為了寫生，兩次養虎，因而有「虎癡」的諢號。曾作「十二金釵圖」諷世，其實畫的都是虎，他自己刻了一顆「一錢不值萬錢不賣」的圖章，鈐於畫稿，這也可見他的志趣了。

關於紀述他的遊蹤，張大千有傑作一軸，篇幅極大，寫黃山最險處，氣象萬千，在大千半生所有的作品中間，恐怕也是最難得的一幀。大千自題：「以吾蜀傅阮叔（字叔和，號阮叔，自號藏園老人）先生之善遊，皆未至其地，予與仲兄虎癡冒險以進，多度皆自中道而返，乙亥夏爰。」那是二十四年。另外還有一幅極幽默的作品，高高在上的最險處，又出現兩位熟悉的老者，他們當然代表虎癡兄弟；佛底下的半山腰裏，畫着另一位老者，有髯，他在陡側巖的竪邊上，進退兩難，十分尷尬，那應該是藏園老人了。虎癡兄弟也曾合作「華山行卷」，也可以代表他們的重要作品之一。

（四）

七七抗戰爆發，他才由匡廬返京，憤慨悲憤，溢形於色。本他藝術救國的職志，作畫宣傳，號召各方共赴國難。「八一三」以後，他到安徽郎溪，着手文文山正氣圖像的創作。意欲揭示民族正氣，激發人心，發揮藝術的抗建使命。

正氣歌圖像告成，他西行赴漢，數年開會展覽，那股正義之感，敵愾之意，很得社會好評。武漢各界「八一三」週年紀念，他預作大幅的宣傳畫，在二丈寬闊的布面裏，寫雄獅怒目狂吼於敵國富士山頂的形相，這便是當世艷稱的「中國怒吼了」的一幅名畫。

二十七年多，他遵奉母氏遺命，在渝受洗禮，信奉天主教，聖名安琪，接着和于斌主教，同往歐美，作藝術宣傳。二十八年一月抵法，把他隨帶的畫幅，在公鈞蓋得堡克開會展覽，法總統勒勃倫曾親臨觀賞，譽為近代東方藝術代表。四月抵紐約，與于氏分赴各大學講演，闡明東方藝術，發揮我國抗戰旨意，聽的人都受感動。同時舉行畫展，為振濟募款，傾動彼邦人士。美總統羅斯福宣布廢止美日商約，他為表示中國國民感佩他的賢明措施起見，特地畫虎送給國務卿赫爾，以促進中美睦誼。總統夫人曾屢次邀他到白宮茶會招待，美洲各報也一致稱揚他的藝術。

紐約佛恩大學以榮譽法律博士相贈，紐約美術專門學校更請他當名譽教授，聲名洋溢，他在國際上可說是光榮極了。

他前些年，就有血壓過高的毛病，這次漫遊歐美，旅途勞頓，又影響了健康。所以萬里歸來，沒有多久，就因病與世長辭了。歲月不居，一轉眼就是十四年多，他的弟弟大千，現已繼述遺志，蜚聲國際。在今天追憶之餘，當益深其脊令之痛。

經濟社會思想叢殘

（六）　金伯華

但是像普魯東一派的無政府主義的主張，我們認爲在很久的未來時期之內，人類的智慧還是無法實現的，（中國的老，莊，也是這一派思想的大宗師）。相反的！我們相信，至少在中國，政府的組織和權力，還應大大的加强，俾能完全依照憲法和一切法律所規定的範圍行事，方能齊一人心，集中意志，以應付並克服我們所面臨的這種空前的艱難局勢。

請讀者特別注意「完全依照憲法和一切法律所規定的範圍」這一句話！這是中山先生心目中所期望的「萬能政府」的先決條件。假使疏忽了這一條件，假使越出了這個範圍，那末政府的作爲，便會變成「帝王的專制」，使之「比較天生的（不同）更是不平等」了。這便是違法的人爲的不平等。這是我們期期以爲不可的！中山先生關於這點有極深切的指示：「說到社會上的地位平等，是始初起點的地位平等，後來各人根據天賦的聰明才力自己去造就，因爲各人的聰明才力有天賦的不同，所以造就的結果當然不同，造就既是不同，自然不能有平等，像這樣講來，才是眞正平等的道理。……天之生人，雖有聰明才力之不平等（讎按此所說「不平等」，實則是「不相同」的意思）但人心則必欲平等，斯爲道德上之最高目的而人類當努力進行者！」

合作社是人的結合

在上節裏，我曾錄合作社第一條規定：「本法所稱合作社，謂依平等原則……之團體」，可知合作思想，實在一種是眞正的平等思想，合作經濟實在一種眞正的平等經濟。因爲它是「人的結合」而不是「錢的結合」。它是「認人而不認錢」的。合作組織的唯一基準是「人」。合作事業的整個目的是「服務」。中山先生又說：「聰明才力愈大者，當盡其能力而服千萬人之務，造千萬人之福。……所謂巧者拙之奴，就是這個道理。……照這樣做去，雖天生人之聰明才力有不平等（不同），而人之服務道德心發達，必可使之成爲平等了。這就是平等之精義」。我們敢於此敝加一句：「這就是合作之精義！」

自由的涵義

「自由」的涵義，比「平等」更深更抽象，時賢論者很多，我不想在此裏作廣泛的討論。中山先生說過：「中國人對於自由兩個字實在是完全務有心得……常常聽到和在書本上看見這兩個字，但是究竟甚麼是自由，他們還是莫名其妙」。即此可知自由這樣東西，確是需要後天的培養和爭取的，而決不是人一生下來就會講自由，要自由的。小孩子固然多喜歡外出玩耍；但父母如果教他外出自由，不必再回家來，那他就一定賴着門內不肯出去。他們可在若干年內都一直受父母的管束，不要自由。犯人出獄，實係恢復自由，是一件多麽可喜的事情，但若干久於過慣了監獄生活的人，初出獄門，竟有茫然不知應向何處去的感想。我這話決不是說人們不要自由。完全相反！我深信人們是絕對應該自由的。事實上，人類爲着要爭取自由而流的血，既已寫成了數百千條的憲法條文，亦可染紅了整部的歷史！自由是最可貴的！「不自由，毋寧死！」完全是一種出於至性的最崇高的壯烈呼聲，而不是外强中乾的口號。然而事實上，無論在民主先進國，或在民主新進國——尤其在後面這種國度裏，情形格外顯著——問題確是存在：人民所不有，願不應有的許許多多的所謂自由，假自由，國家往往棄置不理，聽任自由，結果足以陷社會於腐敗黑暗的深淵之中，甚至於無法自拔！反之，舉世所久已公認的人民之基本自由權利，如同我國憲法所規定的「人民身體之自由」，「言論，講學，著作及出版之自由」，「集會及結社之自由」等，則有些政府都不免表現有一種審愼隨便加以干涉和侵犯的偏向：——這究竟是什麽道理？什麽原因？

爲何禁止合作社組織

我想對於上述這個問題，必須有適切正確的解答，凡事與全國人民共見共聞而共守之，然後自由方有眞實的保障。否則政府師心自用，好像人民的自由，必須出自我手，則本已抽象而不易瞭解的自由的意義，益將使人如霧裏看花，不知就裏，而社會風尚亦將於不知不覺中墮入邪道，有「飲鴆止渴」的危險！……這話扯得遠了。此中契機，顯已涉及政治哲學的邊緣，不在此裏談話範圍之內，我們姑仍拿經濟企業的組織來說吧。合作社是不以營利爲目的的一種經濟結社，它是採用近代最進步的資本主義的經營技術，以謀取全民福利而抱有崇高的改造社會的遠大理想的。依法律規定——合作社法第八條——祇須有七人以上，人民便有設立合作社的自由。各國立法例亦大都如此。可是自由中國合灣的行政當局，竟曾以命令禁止人民組設合作社。這顯然是一種侵犯人民自由的措施。

誠然！在深染資本主義毒素的大人先生們的眼裏，在看慣大銀行大公司的眼光，區區合作社算得什麽？這便如「泰山之於邱垤，河海之於行潦，……」，欲以合作來改造社會，來改善經濟，他們總認爲是一種夢想，一種烏托邦，（關於烏托邦，日後將有討論）。這也不獨他們這樣看法。共產主義的老祖師馬克斯就不但看不起合作主義，而且也絕對排斥一般的社會主義。

馬克斯當然是有他的堅定立場的：以共產主義社會來替代資本主義社會。但是我國反對合作的先生們，又不知究竟有什麽立場？他們既不肯明目張膽的提倡資本主義；他們更不敢自認爲是共產主義的地下信徒，他們都聲口口是虔信三民主義的。然則合作社在中山先生的遺教中，確確鑿鑿是有它的重大地位的啊！……

（未完）

月新一元還被開除
賣酒加稅引起失業

社會局目前對於無從確計的失業者，正大傷腦筋，要求各界協助，進行調查，並研究適當處置辦法。但正在此時，約有二千人又瀕臨失業危機，這對一般研究社會問題的專家們說來，無疑是一種挑釁。那面臨失業厄運的二千市民都是分布於香港、九龍、新界二百多間酒樓茶室服務的，他（她）們每個月除了膳宿之外，工資之低，說來根本不能成爲工資，說來令人咋舌，大致初進門的小工，每月祇有港幣一元，通常是三、五元增至十元、八元，最多也不過五、六十元。大體說來，這種職業祇不過是苟延個人生命，要恃此養家活口，初上工的人簡直莫作此想。

但是月入優厚的也並非沒有，那幾乎是全靠「下欄」（顧客的賞賜），雖說這一項收入並不穩定，有等大酒家的職工，男的也能每月分到三、五百元，女的七、八百元，甚至賺到一千元以上，最差的也有六、七十元至一、二百元；他們不但職業有保障，並且老闆常會躭心於他（她）們被同業挖去，尤其是女職工，老闆們對她們的去留，認爲對於營業有重大影響，因之現下感受失業威脅的，絕不是這些收入優厚者，却是勉強餬口的男女工。他們一旦解僱，生計迅將發生問題，向同業中再想找一份工，在目前的香港，顯然是不可能的。身強體壯的，也許會碰到出賣勞力的機會，但其餘的人，十九必告失業，這是嚴重的社會問題。

數達二千的勞工失業，對於資方說來，他們也有非出自願的苦衷，他們不但希望營業擴張，更希望多僱工資低賤的職工，此次醞釀裁員解僱的原因，無非是港府增加賣酒牌費所引起，儘管這種稅款可以加到飲酒者身上，他們認爲對營業仍有很大影響。至於變更酒牌收費比率，比過去增加兩倍有奇，是否合理姑且不談，就港府財政收支狀況看來，似乎並無增稅的特別理由。而且許多市民還認爲應該取消若干可以免征的稅類，如二百元一張的營業牌照，有等小本商人，全年的盈餘去了開支，怕還賺不出牌費。據當局表示，也經常考慮接納減免營業牌照費的申請；如果確能取消，不僅小市民感戴德，港府財政亦不見得少了一項歲入，便因此發現赤字。爲了工商業繁榮，誰都希望減輕小市民的負担，與其增稅而港內商業衰頹，而減少稅收，莫如維持現狀，以少博多的方式寄望於商人營業發達來增加稅收，則官民獲利，這正是減少失業的根本辦法，願當局者愼重抉擇，利莫大焉。

新書介紹

奴工營與奴工國

右古斯是西伯利亞的一個小市鎭。右古斯的郊外有一排極長的兩層半木房子。這些房子沒有窗門，外表上看來類乎前方的炮壘，貨倉，或者冰倉。這便是蘇聯的一個奴工營。裏頭的犯人大部份是政治犯。西方人士只要在外而稍一留連，便會感到終日不快，因而留下永難磨滅的恐怖印象。

西伯利亞奴工營的中心，是加巴羅士基，一個慘淡的小城，此地離開莫斯科有四十八小時的飛行時間，時鐘和莫斯科相差六小時。

蘇聯奴工營的範圍，比較好些共產國家爲大。若果以巴羅士基爲中心，西方邊界是諾利斯，距離巴羅士基二千七百英里，北面伸出二千英里而至北冰洋，南面一直達到滿洲，東邊伸出六百英里而達色哈林。這個大奴工營，事實上應該稱做奴工國。裏頭的奴工可分兩種，第一種，是被放逐到那裏的罪犯，他們居住在類似右古斯的小監獄裏頭。第二種，是被流放到那裏的個人，家族，和民族。他們都是大監獄裏頭的奴工。

奴工國裏頭，資源豐富。加拉根打產煤，是鋼廠集中的地區。波夏達鋼，德之士登產鈾。奴工國的行政和事務都由特務警察主持。

西伯利亞可以說是一個大監獄，大監獄裏頭的小監獄是專爲政治犯而設的。小監獄裏的悽慘狀況，是人所共知的事實。可是被放逐到大監獄的個人，家庭，和民族，過的是什麼生活還少人知道。

特字階級的人民

大監獄裏的人民，護照上面打了一個『特』字。凡護照上打有『特』字的人，只限在某一個地方居住。俄國人民的護照，打有『特』字的，爲數極衆。而中亞細亞，西伯利亞等處的居民，差不多全是『特』字階級。

政府准許『特』字階級的人民在居住的地區內工作，可是不許他們離開這個區域。『特』字階級的人民，都是政府認爲不忠於國家，或者認爲思想不純正，所以把他們放逐到邊遠的西伯利亞。第二次大戰時，高加索族全族因爲和德軍有合作的嫌疑，被放逐到此地，此外還有猶太和其他五六個弱小民族也被放逐到那裏。東歐附庸國家的人被放逐到此地的，爲數更多。他們過的都是地獄生活。

『特』字階級不能離開西伯利亞。小監獄裏的奴工，徒刑期滿，護照上加上一個『特』字，還得終生居留在大監獄裏。西伯利亞是一個嚴寒的荒涼地，物資豐富，需要奴工開發。因此蘇聯製造了種種罪名，加在人民頭上，把人民送到這裏。西伯利亞這個奴工國，在獨裁政黨仍在專政的時候，是將繼續維持下去的。

蘇聯新貌

美國西里士比利原著
夏巴□公司出版

（下）　李加雪

核子武器的祕密

對於原子彈的製造，美國認爲是一種祕密，可是製造的地點是公開的。蘇聯可大不然了。蘇聯沒有公布製造和研究原子的地點，那是蘇聯最大的祕密。

我雖然在蘇聯居住了六年，對於蘇聯核子武器的祕密還是一無所知。經過了多時的推斷，才得到了下面可靠的結論。

蘇聯的核子工廠和製造氫氣彈的工廠，無疑是設在邊遠的西伯利亞的恩格拉河傍邊，離開埃吉斯城不遠的一個地方。製造原子彈的工廠則設在西伯利亞西邊阿河邊的諾和西城附近。

一九五二年八月，蘇聯宣布在恩格拉河靠近貝克湖的地方，設立一規模宏大的水電廠。此地離開工業城市遠達數千英里，其所產生的電力非爲供給工業應用，實至明顯。恩格拉河爲歐亞大陸的分界綫，離海岸極遠，對於避免轟炸機的襲擊，頗爲安全，誠製造核子武器最適當的地方。

蘇聯雖沒有人民防空的設備，可是政府在不動聲色之下，修建了一道世界最偉大，而且最安全的民用防空洞。年前蘇聯政府宣布建築莫斯科地下鐵道系統，此種鐵道，並不用來行車，而且範圍極闊，伸展到莫斯科全部，深度也較普通鐵道爲低。莫斯科如受到核子武器攻擊，城裏六百萬人民，可能到這鐵道躲避。

蘇聯的外交政策

蘇聯的外交政策需要應付東西兩方，太平洋方面蘇聯的外交核心是中（中共）蘇同盟。因爲中（中共）蘇同盟，蘇聯在太平洋和美國的摩擦遠較歐洲爲甚。蘇聯對於中共的外交，似乎也不能避免摩擦。下面是一個很好的例子。

日內瓦會議結束的時候，莫洛托夫設宴招待周恩來。在宴會過程中，周恩來好幾次詢問蘇聯大員。這宴會是一種公開應酬，西方外交人員也有很多人參加。記者在國外窺探者，爲數亦衆。席間，周恩來用英語對蘇聯代表說，『蘇聯人員不願習中文，實在是一件不可解的事。』

後來周恩來又對蘇聯商業部長米高揚說，『你在中國做了這許多生意，爲什麼還不學習中文？』周恩來說他懂得俄文，當時說了好幾句俄國話，表演他俄語的純熟。周恩來再用英語問米高揚道，『你準備讀中文嗎？』米高揚答道，『中文艱深不易學習』。周恩來說，俄人習中文，和中國人習俄文，困難是相同的。

重工業專家高根諾感說了幾句話，替米高揚辯護，周恩來又說，『你們不肯學習中文，是一件不能夠原諒的事情。』

上面的談話，在西方的觀察家看來，是中共不滿意中蘇貿易的一種反應。又中共駐蘇聯大使，時常長期離開莫斯科，這也是一種冷淡的表示。

亞洲方面，蘇聯又極力設法增強蘇印的友誼。蘇聯似準備中（中共）蘇友誼轉趨冷淡時，便以蘇印友誼來補充她的損失。

歐洲方面，蘇聯對於外交地位的增強已經收到相當效果。蘇聯尋求增強對英友誼的一張牌，是貿易——英蘇貿易和中（中共）英貿易。數百年來，英國的商業和貿易是獨立的，近年來，成了美國的附屬，英國正深感不滿。英國人想利用這個機會，恢復英蘇和中（中共）英貿易關係，以回復她的商業自主。

希望和美國短期共存

英國會因爲蘇聯而疏遠美國嗎？這似乎是一種不可思議的事情。可是英國和西方各國的外交人士，常發表親蘇反美的言論，好像莫斯科的友情比較美國還要寶貴似的。莫斯科使用的手段是十分巧妙的，莫斯科向英國製造商提出許多定貨的提議，每交一次定單，總向英國提出一種要求。

莫斯科對於法國也企圖增强友誼。莫斯科增强法國友誼的第一件事爲兩國留學生的交換。其次爲巴黎至莫斯科一綫的兩國航空公司聯航。此外莫斯科又允許將判決十年徒刑的法國神父釋放，再其次准許一位法國著名攝影家至俄國各處攝影。

每日蘇聯總給法國一點小甜頭，跟着向法國提倡歐洲應該屬於歐洲人的論調，和反對美國干涉歐洲事務的理論。蘇聯在法國已經獲得相當成就，許多法國人受蘇聯之愚，做了蘇聯的應聲蟲。

蘇聯對增強法國友誼唯一的障礙是德國。蘇聯對於東德不肯放棄，對德問題不能夠提出一個合理的解決。法國對於此事也不以爲意。因爲法國以爲一個分裂的德國，可以減少對法的威脅，這對於法國是有利而無害的。

蘇聯最後的目的，是尋求與美國作短時間的共存。蘇聯新政權以爲現在國際的兩個頭等國家，乃蘇聯和美國。若果兩國能夠尊重雙方權利是能夠保證國際和平和繁榮的，最低限度能夠保證一時的和平。

蘇聯對於美國的提議發生了相當吸引力。可是蘇聯所說的一時和平，是指多長的時間呢？這個問題恐怕祗有蘇聯才能夠答復。

（完）

統戰販子的理論

馬五先生

（自由談）

在香港替共產黨効犬馬之勞，久傳「統戰作家」臭聲的曹聚仁，近來又化名躲在報端一角，託詞於筆記，對反共的文化人士，暗放冷箭，企圖中傷，而不覺其先把自己的臉射傷了！

本報最近刊載了一篇陶百川先生命題「世界第一大新聞」的文字，敍述美國參議員麥卡錫因共諜問題與陸軍部長史蒂芬斯的爭辯情形。他認爲艾森豪總統領導失宜——一味遷就陸軍部，介入糾紛漩渦，引起共和黨內部的分裂現象，以致共和黨在國會議員大選中，招來了失敗的惡果。所以，他那文字的最後一段話，特別揭示其中心意旨，不在爲新聞而談新聞，乃在藉新聞以闡述政理，因而希望在政治上負有領導責任的人，知所取鑑。語意淺明，凡屬具有初級中學生國文程度者，都能夠一目了然的。

然而，「統戰販子」却別有懷抱，裝着明知故昧的樣兒，認爲麥卡錫請作事決不及日內瓦會議和越南停戰那樣「重要的一頁」，成爲世界的大新聞。如是乎，翹着「統戰」的尾巴說道：「我們看看死硬派的想法，世界大勢也可想而知了」。像這樣的瞎說胡扯，統戰販子的臉，不是給自己先射傷了嗎？共黨的統戰前途，也就可以想見了！

你說他是無意識的胡鬧麼？決非也！他對孫中山先生且敢於造謠誣謗，曾說「孫中山就是以批判的態度接受馬克斯主義的」！乃斷定一切反共的國民黨人士，都是「對讀馬克斯主義發抖」，他自以爲是最精通馬克斯主義的理論大家了。實則他所精通的只是「謠言理論」，甚末馬克斯牛克斯主義，他識懂嗎？笑話！

金聖歎批評西廂記，說天下最臭之物，莫過於吃奶的嬰孩排泄出來的糞便了，而讚西廂的文字比這更是臭不堪聞。我對於共黨派在香港的「統戰作家」大作，亦有同感哩！

冬令珍品——栗子

·小丞·

蘇子由食栗詩云：「老去自添腰脚病，山翁服栗舊傳方；客來爲說晨興晚，三咽徐收白玉漿。」

栗子，是成熟於秋末多初的果品，北地產品，以河北的昌平、良鄉，山東的歷城鄒平爲較多，就中尤以良鄉栗子最爲上乘，遐邇聞名。浙省所產，則以諸暨、臨海、東陽、龍泉等四縣爲夥。如以各地產區，比較優劣，則果實以浙產者爲較大。惟味甘肉嫩，則不及冀魯兩省出品。（一）

栗爲落葉喬木，樹高可四五丈，葉如箭鏃，初夏開花，霜降後成熟。果實裹於大殼斗中，殼斗外有刺如蝟毛，一苞之果實，自一二個至三四個不等。詩人陸放翁有句云：「蝟刺根逢新栗熟」，蓋即指此。

種栗之法，選於栗之初熟出殼時，即緊密封裹，埋於濕土中，不令見風，翌年三月間，露芽萌生，稍長後易地還種，未成林前，每年多季，復須用稻草緊裹樹苗，以防受寒，足見物力維艱，一飲一食，亦非易事。

栗子中以「良鄉」最有名，據說是得力於范大成的一首詩，這位南宋的田園詩人路過良鄉驛（地屬易州），驛丞因爲他是個大官而且還是有名的詩人，請他吃了栗子，他賦詩道：「新寒凍指似排籤，村酒雖酸未可嫌；紫爛山梨紅綴棗，總輸易栗十分甜。」他說及北方的山梨紅棗，均不及栗子的甜味，於是乎就把「良鄉」栗子捧出了名，一經品題，便爾聲價十倍，致令今天南北老幼婦孺，對於良鄉的栗子，無不垂涎欲滴。（二）

在江南，任何栗子店或攤販都以「良鄉」來標榜，實則冒充居多。賣栗子的店或攤，均裝璜得極爲絢爛，並有背景，過去是留聲機，現在則爲無線電，附近有人在大鑊子裏炒栗子，爐中火光熊熊，替寒冷的多天平添幾分溫暖，中年人在讀着看到是種無比的欣慰。關於這點，香港賣栗子的店與攤上的情調是薄得多了。

這種糖炒栗子的風味，上海還有句俗諺云：「糖炒栗子，雞過日子」，由於再下去是氣候漸涼，衣服固然成了問題，最嚴重是蝨蟣罄罄，歲事云暮，轉瞬就是殘年急景了。

近人樊樊山曾有炒栗詩：「此事休文恐未知，東京風味仲秋宜，斜街巷陌鋒燈如豆，滿路糖香似蜜時。」

栗之爲物，氣香味甘肉脆，價亦低廉，洵爲冬令珍品，食時或煨或炒，或連同其他鷄鴨等葷味蒸烤，均無不可。又如將栗子與橄欖切成薄片，伴和同吃，號稱梅花脯，風味之佳，堪稱妙絕。

至於在鐵石上，

栗子還有補腎的功效，據說腰脚無力的人，每晨食風乾栗子十餘片，持之以恒，即可見效。宋人蘇子由曾有食栗詩云：「老去自添腰脚病，山翁服栗舊傳方；客來爲說晨興晚，三咽徐收白玉漿。」他在晚年時分，爲了要袪除腰脚病，所以依照舊方，大嚼其栗子，豈不是能夠醫治腎病的明證嗎！（三）

杭州西湖上滿覺櫳所產的掛花栗子，則粒稍小而帶桂花香，加以龍上的桂花同燒栗子羹，也是一樣應時的美點。

貴州栗子，據有人說有鷄蛋那麼大，所以貴州的館子，沒有炒栗子，只有「炒栗片」，還是貴州的一味名菜呢。

外國所產的栗子，全沒有「良鄉」產的好，過去上海飛達咖啡館，曾以良鄉栗子爲原料，做成栗子蛋糕，附近的一般西婦，均極嗜之，有時還要派人排隊守候才買得到哩。

讀秋原兄國本論

徐復觀

短紙飫飫見大文，嘲啾魅語復何論，書生倘有中興分，讓汝凌烟第一勳。

答客

·跛翁·

方喜驅愁詩作祟，忽嘲喪志我非夫。鶴鳧從古論長短，入出如今別主奴。豈有不材成大用，且於小道覓歸途。獨憐吟瘦便便腹，好句囊中細檢無。

此腹從來無負我，胸中壘塊豈忘澆。不妨閑以詩爲酒，何可狂如犬吠堯。樂事難尋逢惡歲，孤懷欲放託長謠。偶然覓得安心地，乞有唐家一大瓢。

短篇小說　當

楊海宴

（六）

第二天，他便到我住所來了，我們暢談別後景況，他是三十八年來台灣的，起先在一個小學裏教書，不久就離開了，轉到一家報館當出納股長，隨後又轉到一家私營工廠當總務組長，在這一連串職業變換裏，[illegible]還是那個老理由：「因爲那裏[illegible]」直到結婚前一月，才辭去一個信任合作社的科長。

「結婚？[illegible]，你眞是個怪人！」我笑他，[illegible]邊，就是結婚廣告，他也把名字寫在女方[illegible]個女人與你同名同姓呢，昨天，要不是我朋友讀報，那眞是『無緣見面不相逢』了。」

「我是招贅的，」他平淡的告訴我：「因爲她父親是本城裏第一家財主，但只有一個女兒，所以捨不得把女兒嫁出，要招一個女婿繼承家業，這時候，我便當選了，她父親愛我精明能幹，而她本人却愛我年輕漂亮，雖然要入贅，要跟他們姓，可是他們有錢，所以……」

「所以你便把自己當給他們了。」

我不知是因爲氣憤，還是其他緣故，說口便向他發了[illegible]話，他沒有理會我的說話，也並不生氣，而是出乎我意外的淡然一笑，這笑包含許多意義，像一個練達人情世故的老人，對一個幼稚孩子作下意氣衝動的事情時，所發出的微笑一樣，隔了一會，他說：「當！？你說我把自己當給人家了！眞是新鮮的名詞，」說罷，哈哈大笑，笑罷，又說，頓的：「你說得不錯，我不怪你責備我，我確實是把自己當給人家了，可是，你不想想看，那些漢奸，那些叛逆，那些竊國賊，他們不也是當麼？只是他們當的機會比我多，當的手段比我高明罷了，他們把公衆的利益，當給自己的私慾，把國家民族當給自己的野心，爲甚麼你不去責備他們，當然，我並不怪你責備我，可是，甚麼！比起那些傢伙來，我眞是高尚得多呢！」說罷，又哈哈大笑。

我厭惡他，但是無話回答他。

他走後，我沉浸在複雜的情緒裏，悲哀、感慨、悵惘，我在心底一遍又一遍的重複他的話，他的笑聲一遍又一遍的在我耳邊盪漾着，「這當眞也不能怪他，」我對自己說：「這是動亂時代難得避免的現象，在紛亂不安的生活縫隙裏，人總是容易變得冷酷，變得短視，變得苟安，把理想當給現實，把道德當給生活。唉……」想到這裏，我忍不住嘆了口氣，頹廢的搖搖頭，只感到一片迷惘。

（續完）（四三，七，就稿在高雄）

語意學漫談

徐道鄰

放射思考的形成，就是因爲人們習慣於把命題方程式看成了命題，習慣於把沒有固定意義的語句，看成了有固定意義的語句，習慣於把自己加於這些語句的意義，看成了別人也加於這些語句的意義。（人們常常自己有一種心理，因而認爲別人也有這種心理——要謀害人家的，常常以爲人家要謀害他；好欺騙人的，以爲人家也在說謊話——心理學中，稱之爲「反射」Projection）譬如張三請李四介紹一家「好」館子，李四極力推薦萬和居。張三吃了之後，大爲失望，認爲李四有心和他玩笑，原來張三的所謂「好」，是想一家「高貴華麗」的貴族館子，不料萬和居是既「髒」又「吵鬧」，而作出來的菜，一樣一樣全部是「辣」的不能入口，然而他却沒有想到李四之所謂「好」，是「價廉物美」，而且李四是湖南人，對於他，「辣」正是「好」的主要條件。張三之所以失望和錯埋怨了李四，因爲他把自己對於「好館子」的意義，放射到了李四的頭腦中去也。同樣的，如若一位欣賞「嬌小玲瓏」的美的人，託一位崇拜「魁偉健壯」的美的人去物色「佳麗」，兩人雖都具有極大的警覺，結果必定彼此大爲不快。在一九四五年舊金山會議時，討論到波蘭問題，「民主」一字，就引起許多爭論，原來美國代表心目中的「民主」是要對於少數民族的意志予以特別保障，而蘇俄代表所謂「民主」，則主張種族的平等和原有的共黨的優勢。但是雙方都沒有把這一點明白，因此你也「民主」，我也「民主」，愈討論而雙方距離愈遠，這也是放射思考所引致之困惑之一例。我們過去有一個笑話：一位北方老爺，到江南下旅館，叫了茶房來，茶房不動。茶房問他要什麼，他說「開水」。茶房不動。再說「開水」，他還是不動。北方人氣極了，駡他「該死！」茶房說「懂了，懂了」，飛奔出去，把開水拿來。北方人說，「這個茶房眞下賤。好好的和他講，他動也不動。一定要駡他，他才替你作事」。這位北方老爺所表現的，正是地地道道的放射思考。

一棵樹有它的固定枝葉，如果你我所指的是同一棵樹，則對於它的枝葉，你我的腦神經不能加以任何變動。一個字則不然，它沒有固定的意義。你我雖然同用一個字，但是你所給予它的意義，可能和我所給予它的意義，也可能不一樣，而且，不一樣的時候，遠超過一樣的時候。我們如果能切實記住這一點，則放射思考之爲害，可能減少許多。

我們日常說話談天，當然脫離不了種種或多或少的命題方程式。如說完全不用放射思考，則我們根本無法和另外一個人說話。（一個人沒有法子斷定另一個人腦子裏的思想）。所以我們是無法根絕命題方程式的放射思考的。不過我們應當時時刻刻留意——尤其是在討論問題的時候——一個表面好像似命題的語句，可能就是一個命題方程式。而當我們和人家有爭執的時候更應當很警覺的檢點，彼此的論辯，有沒有高度的放射思考的成分在內。如果我們要對我們的思想和言語，加以語意學訓練時，這就是最要緊和最基本的第一步。（三）

蝸牛的繁殖力

·牛布衣·

中國的蝸牛是一種比較細小的動物，生長在潮濕的地方，移動十分遲慢。繁殖似乎並不十分快，偶然在花園的泥土裏，或者潮濕的牆壁上看見一兩隻，倒覺得是一種點綴。（一）

非洲的蝸牛可不同了。這種蝸牛有金山橙大小，長達九寸，外表相當可觀。他的殼係由淺綠色，紫色，淺紅色，和棕色交織而成，中間雜了一條一條的白綫。生長的期間達到好幾年，繁殖之快，頗足驚人。

成熟了的蝸牛，外面有一重相當厚而近似磁器的殼，同一蝸牛能產生雄性和雌性的細胞，我們可以說蝸牛是並合雌雄兩性的動物，每一隻蝸牛都能夠產卵。一位科學家估計，一隻非洲蝸牛在五年內能夠產生一百一十億隻蝸牛，每隻蝸牛重約一磅，是以一隻蝸牛在五年內能夠產生一百一十億磅重量的蝸牛，蝸牛每次產卵總超過三百隻。他的步伐雖然慢，蕃殖却比較任何動物爲快。

蝸牛可以吃隨便什麼植物和水藻。變壞了的水藻和菜蔬，植物的幼芽，嫩皮，和青苔都合他們的口胃。可是他們最需要石灰。在西印度羣島和錫蘭等缺少石炭地方，他們跑到牆上去吸取他們的需要。

非洲的土人認爲蝸牛是一種美味，蝸牛的殼呢，他們拿來做容器，茶杯，或者切碎了做成茶匙，非洲土人又喜歡把殼切成小圓形，打孔穿上繩子，年輕的婦人把他戴在大腿上，當作一種裝飾。（二）

一八四九年英國人把蝸牛帶到印度，用來補充印度的糧食。可是印度人不喜歡蝸牛的味道，任從他蕃殖。一九〇〇年印度的蝸牛傳到了錫蘭，而又由錫蘭繁殖到馬來亞，婆羅州，蘇門答臘，和爪哇。他們繁殖到熱帶地方的樹膠園，因此好些人叫蝸牛做災禍。

日本人最喜歡吃蝸牛，他們把蝸牛製成罐頭，叫做蠔油螺。非洲蝸牛的樣子和海裏的東風螺是一模一樣的。日本人叫它做螺，實在是魚目混珠。日本人以台灣缺少糧食，把蝸牛輸了進去當作肉食和藥材。第二次大戰的時候，日本人把蝸牛輸運到太平洋佔領的島嶼，現在太平洋各處都有了此種蝸牛。（三）

香港的山上，蝸牛不非常繁茂。大戰的時候，日本人由台灣運來四對蝸牛，現在滿山遍野都是他的蹤跡。抗戰的時候食物缺乏，好些人採取蝸牛做食物。現在每晨還有不少人攜備布袋到二馬路和三馬路的蝸牛蹤跡，不一會便滿袋而歸。據他們說蝸牛的味道還好，祇是裏頭有一種黏性的液體，須用大量的鹽才能夠洗得乾淨。又據一般嗜此味的人說，蝸牛拿來燒湯，其色乳白，頗似牛奶，其滋補云。香港的蝸牛最大的不過五寸，大約因爲天氣關係，體積變小了。

自由人

THE FREEMAN

（第四〇六期）

中華民國僑務委員會
頒發登記證台教新字第一零二號
中華民國郵政登記第一類新聞紙類
（半週刊每星期三六出版）
每份港幣壹毫
台北市售價台幣壹元
督印人：瞿嘉猷
地址：香港高士威道二十二號四樓
3 rd. fl. 20 CAUSEWAY RD HONG KONG
香港發行及事務接洽
高士打道66號　電話：七四〇五三
承印者：東南印務出版社
地址：高士打道六十四號
海外總經銷
友聯書報發行公司
香港：德輔道中二十六號A二樓
台灣特派員辦事處
台北市館前街五十號
台灣總經銷處
台北市西寧南路一〇一號二樓
台郵撥儲金戶九二五二

一江山的得失

·黃震遐·

共軍於本月十八日（星期二）攻佔大陳水域前哨的一江山島。此戰是一個閃擊。共軍爲了打這小島，自晨至午，出動了新銳空軍一百架次，海軍艦艇三十艘（中央社），在下午二時强行登陸，傍晚席捲全島。作戰經過的時間，前後不滿一天，實際地面有組織的抵抗時間祇有三小時（合衆社十九日電）。在這樣短促猛烈的集中打擊之下，台灣本島的國軍來不及還手，第七艦隊來不及集合，世界輿論來不及動員，主要的戰事已經結束了——造成一個便宜中共的既成事實。

戰術上不能失得快

一江山島是共軍第一個俄式兩棲作戰的「大吃小」戰例，它以最佳的地理形勢，最大的力量，最精銳的部隊，來打一個最小的孤點。尤其是以最短的時間來結束作戰，這樣纔保證了俄共赤熊第一次下海的勝利。從共軍戰役指導的謹慎手法看，它們有所恐懼，也很憂心，這種兩棲閃擊戰，祇有美軍在瓜佳林（KWAJALEIN）有過同樣的成就，這需要準備，保密，靈活的集中，奇襲動作與一氣呵成的決心。在戰略上，一江山島是守不住的，但在戰術上不能失得太快，在這種場合，時間是最大的因素，國軍如能打得更久，情況必然不同。

共軍要造成一切既成事實，那怕是最小的一點事實，都可以造成政治和心理上的影響。一江山島的攻登陸得很快，使共軍獲得了比一江山島本身更大的勝利，這是一個戰術上的遺憾，國軍對此教訓，必須痛切反省；任何辯護都是多餘的。

證諸太平洋戰爭的經驗，孤島的守軍要對付一次動於「九天之上」的狂風暴雨式的三棲猛攻，唯一有效的對象，是「藏於九地之下」，利用抗道，洞窟，和一切地下戰，把自身也立體化起來，從地下翻上來打內綫戰，必須如此，孤島方可以守，方可支持一段較長的時間，比亞克（BIAK），伯利流（PELILIU），和世界聞名的硫磺島（IWO JIMA）三戰，以一對十的日本兵都靠「藏於九地之下」巧妙地避過了殲滅性的打擊，支持了上一個月。

在韓戰中，共軍在傷心嶺、上甘嶺、老禿山、白馬山，正是同樣打法，經驗人人會學。在目前，國軍需要爭取時間，處境上要比當年的日軍和共軍迫切得多，令人焦急得多。

據說國軍對此不是沒有準備，絕非沒有認識，應做的也都幹了。可是一江山島的開場白不能十分滿意，則是一個現實。在冷戰大環境上，自由世界又發現國軍經過一次小挫折，也是難以補救的現實。劉廉一將軍應該更進一步明瞭目前所打的是總體戰，不僅於武力戰。一江山應守三天，能守一個星期更好，打上一個星期，全世界都會動起來，情況必變。

可能是中共精銳部隊

當然，比較上更明瞭這點關係的共軍，是用大力來攻，登陸的部隊大有可能是「三野」最精銳的韓戰王牌軍——第二十軍（？），共軍的突擊部隊是派得出的縱橫三韓的第二十軍，自去春調回江浙以後，先決任務當然是攻台打先鋒。根據敵我雙方參加韓戰者的零星報導，綜合判斷，這枝中共的王牌軍，在一九五〇年九月自滬北調，十二月，會同第九兵團擊敗美陸戰第一師於長津湖；一九五一年三月單獨狙擊美軍第十兵團對樺川水壩的進攻。同年四月從鐵三角出擊，大破南韓第六師於加平，猛撲英軍廿七旅（目前在港）。一九五三年七月，在金城以南大破南韓第一兵團，打勝了韓戰的最後一仗，一九五四年春調回江浙，加强兩棲作戰訓練，準備攻台。根據共軍頭一仗必拿出王牌軍來的慣技，目前打一江山的很可能即是這個二十軍。不然即是九兵團的廿六廿七兩軍，也是參加韓戰的精兵。

不能有錯誤表情

還有一個可能，就是比起二十軍來還要精銳的四野卅八軍（萬歲部隊），也可能早已調進「三野」的對台戰鬥序列，這個軍是去夏從韓國最後抽出的部隊，目前越戰已停，南方無事，集中對台是有可能的。

總之，一江山島和上下大陳所面對的共軍，必然是中共精悍部隊。這點是必須注意到的事實，但在基本上，問題不在此。

問題在，一江山島使國軍的軍事指導者提高更大的鬥爭熱情，更多的責任感，和更深的警惕。

在冷戰中，今年台灣是主角，舞台上的主角，必須避免任何一點錯誤的表情，不能有一點點敗象，自由世界的億兆人民，正以炯炯目光，注視大陳的下一幕。形勢緊迫起來了。

認識共產主義的本質

·曾旭軍·

我常懷疑當今自由世界的政治家是否留心看過揭露蘇聯共產主義眞相的書籍。縱使是看過了，還是與蘇共集團和平共存的，不是神經失常，便是懷有特殊的動機。

我最近看了一些新出版的論及蘇共的書，我感覺作者固然沒有宣傳的動機，也沒有創立新的理論，祇是令讀者的眼睛一面看，心裏一面回想起許多事實，自己作例證，不能不同意作者的說法。恍然有所悟了。

發揚恨的哲學

從唯物主義理論運用到社會革命，加上俄國虛無主義與無政府主義的冷酷的傳統思想，便給政權慾極端大的布爾扎維克黨徒作很好的工具，去建立一個以蘇俄爲中心，以世界革命爲手段的和以無限擴張侵略，最後統治世界爲目的之帝國。

此帝國主義與專制主義，神權主義，軍閥獨裁主義，及其他一切極權及警察國家都有差異，而且兇惡厲害，無與倫比。因爲蘇維埃土皇的統治者不以其子民之能消極的接納其統治便滿意；他須要得一個子民對他的政權有『積極的態度』，所以有「洗腦」，「改造頭腦」，「沒有不說話的自由」，種種的措施。也因此在共產政權下絕不能安份守己做個順民便可以安然度日。尼赫魯、貝凡之流是否知道這種事實呢？

蘇維埃社會中，統治者不但管制人民的行爲，而且最重要的還有管制人民的思想。所謂「覺悟」（VIGILANTISM），要人民不斷的互相監視。因此有所謂檢討會、坦白、自我批判。互相批判，無形中爲統治者監視。令統治者安然穩坐江山。但人民因此互相猜忌，時常在恐怖中度過一生。

布爾扎維克主義更崇尚恨的哲學。許多蘇聯的作家强調破壞性的侵略，栽培恨的情緒。高爾基曾寫一散文題目稱爲「若敵人不投降，你必須將他毀滅」。西蒙諾夫寫一著名之詩，題目是「殺他」。另一著名的作家梭洛柯夫寫一書名「恨的科學」。在裏面他强調當今的蘇維埃教育家應如以往蘇聯的無政府主義者，以熱愛其主義作恨一切仇敵的源泉。由此看來，蘇聯共產主義，以「愛爲恨的手段」而已。何等的看重「恨」呢！布爾扎維克黨徒屢次的說「對社會主義國家的仇敵的仇恨心。係與列寧主義思想不分可離者。」

所謂仇敵不祇指外國的資本家，帝國主義者，與反動派，而且包括國內非黨員之反對者，甚至對黨當時的政策有「偏差」見解或思想者。此等人被指爲機會主義者，投降主義者，不站穩立場者，工賊、賣國賊，種種罪名。他們和外國的反對者一樣的被無情的整肅。——整肅即判刑及殺戮之別名。——共產黨認爲這對資本主義世界（其實對一切異己的）作生死鬥爭不可少的行動。我勸那些稍爲不滿現實便傾向共產黨，或嚮着中國大陸上共黨們說「祖國成爲美麗的天堂」而悠然神往的人們，想一想，和查一查上面所說是否是事實。尾巴們也應該知道整肅的陰影已籠罩着他們了。

戰爭狀態中的社會

共產黨徒口口聲聲說：「反對戰爭，爭取和平」。其實在蘇維埃社會中不斷的在戰爭狀態中。不但反對國外的敵人，而且布爾扎維克統治者成立一種機構，任意斷定誰人是機會主義者，走偏差路綫者、間諜、破壞者，資產階級，殘餘，永無寧日的鬥爭。列寧的對敵人作殊死戰的思想，成爲黨對國內國外政策的原動力。布爾扎維克黨徒以鞏固其政權必要運用其「不服從則死」的原則。因此恐怖成爲其權力的主要工具。

共產主義的本質是「破壞性質的攻擊」。除了「這一個本質」，便不成其爲共產主義。因此無時無刻不論對內對外均有破壞性的攻擊存在。如果不把這種攻擊導向國外，便會自己破壞。向外侵略的政策，可以引起國外的威脅，便可以激勵人民的對外的仇恨，使共黨的統治權不受內部革命來推翻。假使對外的侵略稍有成功則增加共政權的威望。若失敗，亦可維持人民對外緊張的敵視心。因此我們可以看到共產主義的本質是「唯恐天下不亂」的。我們不要給他們的「和平鴿」所欺騙。

新的第三羅馬帝國

請看一九三五年共產國際第七次大會的宣言道：『我們的路，就是反對壓迫和剝削人民的革命之路，我們的意志就是馬克斯，恩格斯、列寧、與史太林的意志。我們的目的是全人類實現社會主義。我們的口號是建立蘇維埃國家。』

這顯然是藉向外擴張，以減輕內部的破毀性壓力，同時以蘇聯爲國際革命的中心。

在「共產國際程序」一書中，有說：『蘇聯是無產階級專政的境地，是偉大的工人階級成功的境地，農工聯合的境地，是在馬克斯主義旗幟下作文化前進的境地……因此蘇聯當然成爲一切被壓迫階級世界性運動的基地，爲世界歷史最偉大的因素。

（下轉第二版）

半週展望

·雷嘯岑·

一江山之戰的價值

中共的廣播電台和報紙上，連日宣傳共軍已完全「解放」了一江山島；自由中國國防部到昨天纔止，却聲明一江山島上的游擊隊尚與敵人血戰之中，台灣的海空軍亦不斷地增援那些游擊戰士。無論如何，至少在昨天以前，島上的田橫式壯士尚未全部戰死，總與敵人周旋着，這是無可否認的事實。

共軍既以獅子搏兔之力，大舉進攻這一營人游擊隊駐守的小島，[illegible]遲早是要淪陷的，可是卽令一江山島完全失守了，在這一戰鬥中，我們可以看出一項最可珍貴的偉大價值！

島上的健兒不管他們是七百人也罷，抑如共黨所宣傳的千餘人也罷，總而言之，他們以寡敵衆，[illegible]決不及敵軍十分之一，却經過了三[illegible]並且比沒有一個投降或倒戈的五年前國軍在大陸上對共軍作戰的情況，實在值得我們興奮感動，增强反攻復國的信心哩！

這些游擊健兒都是從大陸逃出來的人民，已有這種戰死不屈的精神，將來正規的國軍出戰，當然不會讓游擊隊專美於前的！從一江山之戰中，鼓舞了自由中國「軍人魂」的忠勇氣質，表現了中華民族自力更生的潛能，對於軍心民心，皆有鉅大的影響，且使共黨不敢輕視我軍的戰力，尤其可以使那援助我們整軍經武的友邦人士相信，自由中國軍民的反共精神和能力，非復「吳下阿蒙」了！一江山島的得失在其次，這種崇高壯烈的戰鬥價值，是應該特別記取的。

停火之說沉默了？

英美所策動的「台灣地區停火建議」，據說由於不易實行，暫時停頓不談了。看情形，大概要另外換一套手法，從事變相的「停火談判」。

美總統現擬要求國會授以特權，必要時，派遣海空軍協助國軍自沿海島嶼撤退，理由就是準備將來由美政府以共同防禦的新佈防理由，向我國政府提示意見，認爲大陳一帶那些大小數十個島嶼，都無軍事價值，國軍不必因爲政治作用而徒然浪費兵力，美海空軍協助撤退，既不怕共軍來攻，又不喪失面子——是自動退讓的。

詎不[illegible]？專爲英美片面的利益設想，豈但大陳金門無軍事價值？必要時，爲着「避免遠東大戰」，台灣澎湖列島也沒有守護的價值，乃至於越南、泰國、高寮，都不妨撤退，即馬來亞，星加坡又何嘗不可放棄呢？（二次大戰時的前例可證）只要以全力保衛西方，讓西方列强與共黨「和平共存」，大做生意，過着繁榮安樂的生活，那就得了！

自由中國政府此時應該告訴美國朋友：你們是否願意批准中美聯防條約？第七艦隊協防台灣海峽與否？乃至於今後是否仍給我以軍援？都是你們的自由，悉聽尊便。至於大陳金門地區應否防守？撤守？澎湖列島怎樣守法？國軍對共匪的戰爭如何進行？那是我們的自由，恕不受人無理的强迫與攪擾。乾脆一句話：我們可以爲反共復國而犧牲一切，決不能祇爲着別人的安全，而將台灣弄成別人的一個「警衛室」（GUARD ROOM）。我們如不能堅强地表明這種「寧爲玉碎」的決心，繼之以行動，未來的前途絕對是暗淡的！

維繫人心要緊

繼續一次小島戰爭，而且是游擊隊作主力的，如其即倉皇失措，總覺受了別人的擺佈，急急撤守外圍島嶼，將使海內外人心沮喪悲觀而完全解體，慢慢地被共黨所誘惑，對自由中國失去向心力，這是最可怕的危險趨勢。

美國人固不會理解這種關係，他們也不屑重視這種關係，他們只認爲原子彈氫氣彈可以解決一切問題。我們却要首先爭取人心，以固根本。我們是中國人，不是西洋人，也非殖民地的人民，非幹下去不可！

台灣的鹽工生活（上）

·狄介先·

【台北通訊】自由中國近年來在政治、經濟、軍事各方面，都有了長足的進步。台灣鹽工生活的改善，是許多進步事實之一，值得我們重視。

年產卅五萬噸以上

台灣產鹽區域，分佈該省西南部沿海地區，計跨高雄、台南、嘉義、彰化四縣，包括烏樹林、台南、七股、北門、布袋、鹿港等六個鹽場，共有鹽田四、三九〇．八二七七甲，鹽工二、二九三戶，五、八三三人。賴以生活的鹽工屬眷計有二二、八五七人。全年預定產鹽額爲三十萬噸，四十三年氣候正常，產額激增。截至十一月十六日止，曬鹽量已突破四十三年度生產目標，而達三二九、五六八噸，估計四十三年全年產量總額可達三十五萬噸以上，全部產鹽，小部份供應台灣食鹽，大部份係輸出國外，換取外滙。所以，鹽產在台灣的經濟價值上，是佔有重要地位的。

鹽工生活已有改進

鹽工生活在遜關和草木不易生長的海邊。交通既感困難，生活亦復單調寂寞。更因自然環境的限制，疾病最易侵襲。凡在民國四十年以前，到過鹽區的人，對於鹽工所處的生活環境，都懷有悲痛和沉重的心情。可是近年來由於政府對鹽工生活和環境，不斷的加以改進。今天我們再到鹽場，所見早非往日淒涼景象，已是一幅和諧而富有生趣的畫面了。

自由中國政府對于鹽工生活的改善，是把握了鹽工生活問題的重心而實施的。諸如鹽工工資調整，鹽工住宅修建，鹽村淡水供應，鹽村電燈裝置，鹽工醫療設施，推行鹽區教育，以及建立「鹽工之家」等。在短短的三四年內，都能有相當的成就。

兩種鹽工的工資

台灣鹽工分承曬和僱曬二種。承曬鹽工是採取「小農制」方式，向財政部台灣製鹽總廠承租鹽田，其工資係計件給酬。僱曬鹽工則由鹽場僱用，每日工作八小時，按月給薪。承曬鹽工工資，原爲每噸台幣二十二元二角，四十一年十二月經核定增加十四元。每噸工資合爲台幣三十六元二角。當時鹽工生活僅能差可維持，政府爲遵照總統改善鹽工礦工漁民生活的一再指示，自四十二年十一月起，再增加工資每噸十二元。計爲四十八元二角，但鹽工收入因季候關係而有出入。一般以大汛季（三、四、五月）收入較多。小汛季（十一、十二、一月）次之。雨季則收入甚少。改營副業。去年台灣南部雨量較少，氣候正常，鹽工收入較爲可觀。試以四十三年三月爲例，每戶鹽工平均收入，布袋鹽場承曬鹽工土盤一、一二三．七七元，僱曬鹽工五一一．一八元，承曬鹽工瓦盤五八〇．三三元，僱曬鹽工五八七．〇五元。七股鹽場承曬鹽工一五四二．八八元，僱曬鹽工六五六．四九元。北門鹽場承曬五八二．一九元。僱曬四七〇．四九元。台南鹽場承曬八七七．九三元。僱曬四五四．二四元。烏樹林鹽場承曬土盤二一八八．八六元。承曬瓦盤七九五．六一元。僱曬瓦盤四〇三元。倘再以同月布袋鹽場鹽土最高收入計，該場土盤承曬鹽工四二八戶，收入一千元以上者，計有二二一戶。全年工資較之過去，已增加百分之一百三十二。鹽工生活由於收入的增加，獲得根本的改善。

鹽工的福利事業

政府對鹽工生活，除增加工資作根本的解決外，同時在鹽工福利設施方面着手，以補其不足。鹽工福利經費每年指撥專款，其來源係由台灣食鹽內銷全年五萬五千噸，每斤加價一角，全年增加收入約計台幣九百十六餘萬元，其中除增加鹽工工資及補助鹽場宿舍設備費用外，全年以三百二十七萬元作爲鹽工福利費用。各項福利經歷年積極舉辦，已著成效足資可述者，計有：

一、供應鹽區淡水　鹽田濱海，缺乏淡水。鹽工易患砂眼、皮膚、腸胃等病。故鹽區淡水供應最感迫切。近年經由積極裝設自來水及鑿淡水井，以求解決。在自來水方面，七股鹽場於四十二年完成南北綫自來水工程，全場鹽村現均有自來水供應，今南鹽場、烏樹林鹽場於四十一年完成安順區及永安區自來水工程，餘如布袋、七股鹽場現正籌款裝設。在開鑿水井方面，計有布袋場淡水井二十一口，北門場十四口，台南場灣里區四口，鹿港場六口，目前淡水供應已能普及鹽區各鹽村。

怎樣整頓台省林業？（下）

·李海·

林班，其餘剩下之半數林班，積價三千餘立方公尺，上等陳木估五分之一，時因政府取消林產處分制度，再行標賣，只好查底價實行標賣。於是官商勾結，將底價定特別低，只有十八萬元至二十六萬元，目的是希望以串標的方式，由預定之商人標得，朋比分利，不料，後來因計劃被其他木商破壞，結果有另外十三家木商投標，標價竟有高利七十五萬元至一百零六萬元者。林產局深以事出意外，無法善後，即再派專家前往。據複查報告，該十個林班，即使賣價作爲八十萬元，商人仍然可優厚利，諸如此類，將底價報低之事，在實行林產處分過程中，眞是屢見不鮮。在林業衙門中已經成爲見怪不怪之事。今後如能採取一貫作業制，以上弊端，自然不會再有發生。

林產處分積弊重重

第五、採取一貫作業，可消滅超伐、盜運、隱瞞材積等弊。因林產處分制，乃將一指定地區之林木全部售與承買人。商人和林官易於隱瞞材積，發生舞弊。如巒大山林業區之三十五林班，實有材積爲四萬六千餘立方公尺，不肖林官竟謊稱爲一萬七千八百立方公尺，使政府無端損失林木近三萬立方公尺之鉅，就是一個實例。更有甚者，不肖林官爲便利木商盜運各林班內隱瞞的大量材積，竟有上下勾結，將立木製成截材之利用率，定爲百分之一百，以增加國家損失的。因依照合理規定，立木製成截材之利用率，僅達到百分之四十五。即每核准立木一百立方公尺，僅能搬出截材四十五立方公尺。今改訂爲百分之一百，即商人每買四十五立方公尺立木，林產局即給予四十五立方公尺的截材，超過其原買數量一倍有奇。此種之官商公然勾結之怪事，一般人看了還許不會相信，而實際上則是經過監察委員調查，千眞萬確的事實。由於此一弊端，益可證明林產處分之不可取，而應當改行一貫作業制。

林產局用心何在

由於以上分析，可知近數年來，省內荒山之所以有增無減，至達四十萬公頃之多，可說完全是林產處分制的惡果。因爲林產處分所得，還不夠原有伐木跡地造林之經費，更無論在其他地方去造林了。但是林產局不圖興利除弊，多採一貫作業，減少出賣林班，例如前年在高喊減少伐木、維護水源的響亮口號下，出售給商人的林班，竟達六十餘萬立方公尺，比四十一年還要多二十多萬立方公尺。另一方面則對於一貫作業的經營法根本不予考慮。此種措施，林產局用心何在？多爲一般林業專家所不解。

前年中央日報「商人與伐木」一文中，曾指出現在森林利益的分配情形爲大林官，小林官，及木商各得其三，剩下能繳入國庫的不過十分之一。森林是台灣最重大的資源，竟一塌糊塗到這種地步，而且經過數位省府首長，雖口口聲聲要加整頓，但迄今均尚未能拿出一個具體的整頓方案來，談起來眞是令人不勝握腕浩歎的！

現在，明瞭台灣林野面積，究有多大？林木蓄積究有多少？雖已請了美籍專家，從事測量？但據記者所知，此項測量，須俟一年後方可能有結果。亡羊補牢，俗謂非晚；但我們的羊牢，明明是早就破了，難道我們能再拖一年或者更長的時間，才從事修補嗎？難道是現在已經跑掉了的羊，還不夠多嗎？怕的是拖久了，羊將都跑完了。那時修補羊牢，已根本無濟於事了。

（完）

貪污枉法的——包啓黃已伏法而死

方曙

【台北通訊】前國防部軍法局長包啓黃被逮捕審訊案，轟動台省社會，亦爲軍事當局懲辦高級官吏貪污枉法的第一案。

包啓黃現年四十五歲，江蘇邳縣人，曾在上海持志法學院攻讀法律，抗戰勝利，復員初期，還是一個默默無名的少校檢察官，自卅五年升任國防部軍法處中校軍法官起，每年必升。直至卅九年竟由台灣省保安司令部少將軍法處長一躍而爲國防部軍法局中將局長。七年時間，包犯由中校而中將，在現代國軍要員中，像包犯這樣升級的，實不多見。政府對包犯如此優遇，他理應鞠躬盡瘁，精忠報國才是，豈知升任軍法局長以後，就開始做盡喪天害理，操權枉法，罪該萬死的勾當來了。

包犯東窗事發，係一被害婦女指控。他被捕入獄後，其他數十案，就此併發。嗣後當局組特別軍事法庭，派國府戰略顧問余漢謀上將，任審判長，另派軍法官二人，陪審官二人，會同審理。經五個月的調查審訊，於去年十二月廿三日結束，包犯判處死刑，同犯軍人監獄監獄長楊又凡亦判處死刑。包犯已於本月十八日，執行槍決，明正典刑，民心自然爲之大快。

包犯的犯罪事實，據悉有下列數點：

一、勒索前聯總台北總庫副庫長魏文起黃金七大條及鑽戒一只（價值新台幣十數萬元）。內第二次勒索不遂，乃將魏文起處死。

二、浮報監犯習藝工廠購廠房價款新台幣廿萬元。

三、包犯駕車壓死戰士，強令司機認罪。

四、利用職權，向軍人監獄內合作社承包商，每月私索新台幣一萬元，共十九個月。

五、利用犯人做工造房據爲己有。

上面所舉，係犖犖大者，其他尚有誘姦犯妻多達三十餘人。又在監獄內製造恐怖，摧殘人權，眞是不勝枚舉。包犯任軍法局長三年，犯案累累，三年時間不算太短，何以竟未能及早發覺？這不能不說是政治機構或政治制度上一件値得注意的事。包犯是死了，爲罪有應得而死。今後要如何防範同樣的事件發生？這也是行政上應該注意的。

認識共產主義的本質

徐旭東

（上接第一版）

在蘇聯，世界無產階級首次獲得眞正自己的國家，爲了殖民地運動，蘇聯成爲一個有極大吸引力的中心。」

爲了使共產黨成爲其效的「第三羅馬帝國」的工具，一切附庸國的共產政權，必要以蘇聯爲統治中心。蘇聯的民族主義以蘇聯利益爲標準。一方面鼓勵分而治之的民族主義，使附庸不能聯合起來。例如強調地方或區域的民族主義，或鼓勵附庸向外侵略。但同時很矛盾的又要阻止汎×主義，與制止附庸領土過度擴張。蘇聯一方面挑起亞洲民族主義的運動，但如果有人鼓吹「汎蒙古族主義」，則必然被收拾。一方面鼓勵各種的巴爾幹民族主義，但同時又阻止「南方斯拉夫族大同盟。」

美國將淪爲二等國

由上觀之可知蘇聯共產集團是一羣一羣的職業化陰謀家，組成各級統治集團，而以蘇聯爲中心，去維持其金字塔式的統治，永恆的強調有國內的威脅，去抵消異己，和強調國外有威脅，來作向外侵略的口實。他們好像中蠱毒的人不去害人便是蠱死身亡。這樣的一個廿世紀的大怪物，尼赫魯、貝凡，……以及一切自稱專家××適的教授，爲利是圖的近視商人，和苟安或企圖以鄰爲壑的政治家隣色人等，紛紛說要和他和平共存，好像一羣綿羊要和餓豺狼和平共存了！在今天最重要的事莫過於使世人認識共產主義的本質。蘇聯的麻醉思想，遠比它的武器及氫彈較厲害得多了。如果不認識共產主義的本質，自由世界會逐一的被併入鐵幕。耶路大學一位國際關係教授尼米亞說：十年後美國完全孤立論爲第二等國家。看來好像危言聳聽，但也足資警惕。然而這位教授不過作預言式的議論。應該教人認識蘇聯共產集團的本質。——他是否認識共產主義的本質，今我無從而知——使人知所應付才是。否則間接爲敵人張目而已。

論者每以中共之出兵韓戰及屢次恣意暴行爲不智，或以爲自由中國之國運好。其實中共在在蘇聯集團既爲附庸國，祇時祇刻不受其「祖國」蘇聯的「維持對內對外緊張狀態」的原則所操縱。因此認識中共黨徒也是今後決策所必注意的了。

西·貢·風·情

胡養之

【西貢通訊】去年七月二十一日晚上十一點鐘，正是夜闌人靜，月黑風高的時候，阿爾卑斯山下的萊夢湖畔，代替張伯倫陰魂出現的法國新內閣總理法朗士，把越南二分之一的北部，出賣給共黨國際了。以後北越軍閥的河內，便陷於悽涼悲慘的氣氛中，素有「遠東寶珠」綽號的西貢，亦因此而感到唇亡齒寒！

漁村時代的西貢

西貢爲越南保大政府的首都所在，由於北越難民的南遷，法越部隊的集中，在都是這個和平象徵的西貢，突然轉變爲紊亂的市場。加以原來住着那裏的人們，有的是一本萬利的闊商人，有的在醞釀革命，有的在策劃戰略；有的……。總之，今日的西貢，乃是民族主義，帝國主義，共產主義等各懷着不同的心情，在那兒勾心鬥角，明爭暗鬥的場所。

記得一八六二年法國剛征服越南的時候，西貢還是一個小小的漁村，點綴在西貢江畔，離海洋只有三十公里。由於法國資本及技術的輸入，西貢正如上海，由一個無人知道的小村莊，迅速地發展爲現代化而擁有幾百萬人口的大都市。一小羣法國冒險資本家，經由西貢港，把法國貨運到越南來傾銷，並把越南的橡皮，大米及其他原料，運到法國去變錢。

第二次大戰結束後——一九四五年越共曾經佔領西貢一個時期，至一九四九年法國扶立保大組織越南政府，仍以西貢爲京城。法國所派的高級委員（總督）的衙門，以及法國遠征總司令部均設在西貢。

法國色彩的都市

西貢城內有條「秋郎」街，長約三華里，那裏的商戶及住戶可說大多數都是中國人，暄嘩及五光十色，亦正如一般的華人區；三十年前我們隨軍到達那兒的時候，大有回到故鄉之感。除了這條街外，整個西貢都是法國式的建築，純粹的法國風味，簡直向法國普洛文省的名城大邑差不多。當年建設西貢的法國人，顯然十分懷念他們的祖國，他們硬把一個零落的遠東農村，要發展爲巴黎、凡爾賽、杜納麗。

（上）

編者讀者

關於本刊內容

△朱滌秋先生來函▽

編輯先生：

（上略）貴報第二三兩版，所載有關討論文學的著述，不要每期均有，至讀者感覺乏味。而人物述評與新書介紹，最好隔一期一登。以多注重通訊報導鐵幕與自由世界的情況爲宜。辦報雖各有立場，但是也要合乎民衆的需要，例如台灣的××雜誌，何嘗不好，可是讀者甚少，反而仰仗國外。貴報的一、四兩版爲一般所愛讀，因其議論精闢，不過二三兩版不改善，則一、四兩版的精闢，仍抓不住民衆的愛讀。此事幸勿忽視，……爲達到目的，自由人必須寫人人所愛讀，若專於考慮，似不合現代的需要。鄙人爲忠實讀者，閱貴報將近三年，故作此諍言，採擇與否，惟抉擇之。

朱滌秋啓　一月十四日

朱先生對本刊的建議，至深感謝，今後我們對各版內容，自當力求充實，以期無負盛意。

—編者—

經濟社會思想叢殘（七）

金伯華

門戶開放制度

這話也還是扯得太遠了。我們還是回到自由問題來吧。合作社在一切經濟的或職業的結社之中，是絕對尊重人民自由的。「平等」與「自由」是合作制度最高的指導原理。法律以明文規定，合作社「社員人數及股金總額均可變動」的。這種「可變動」，不拘何時何刻均可實行。申言之，合作社有七人以上設立了之後，不問業務如何發達，不問社員有如何的好處，亦不問任何一個有行爲能力的成年人，都隨時可以入社——退社時亦同。尤其特別的，依法「新社社員對於入社前合作社所負之債務，與舊社員負同一責任」（合作社法第十五條）。——關於權利亦當然相同。這眞是一種「有福同享，有禍同當」的「門戶開放制度」。

自由中國應提倡合作

這看似不稀奇。但是讀者中如果某先生積有餘資，而想把這些餘資，不論大小，投放到一家賺錢的商業銀行或商業公司裏去做一個股東，對不住！那是很不容易辦到的。換句話說：他們蝕本或困難時，他們歡迎你進去——入股也好，存款也好；但若賺錢，那你就一定會吃閉門羹，理由很簡單：他們的股本已滿額了，你們休想來插足分別。光還這一點區別，已充分證明合作制度高度的自由精神！這眞是一種「天字第一號」的「自由制度」。我們不努力加强，反而處處予以掣肘，光這一點事實，也已足夠說明「自由制度」之在「自由中國」，大家實有扶持培養的必要！

寫到這裏，恰巧看見報載陳副總統在國大聯誼會演說有云：在政治方面，決遵奉總統之指示，做到「在法律的保障下，任何人都能發揮其完全自由的意志；在憲法之前，任何人都能充分享受平等權利」。這與我們所渴望的目標完全相同。我們讀了這話，實不勝其歡欣鼓舞之至！故即特爲錄出以作本節的結論，願國人向着總統所指示，副總統所遵奉的這個正確目標齊力邁進！

六「加强自由制度」！

我用這一句，一個多月以來早已被國人十分重視而紛紛申論的條約用語，來作話題，我並不想就條約本身來討論條約，而是想站在國內法的立場，對於條約中的這一條來作一個簡單的理論檢討。

我們知道，條約一經締約國批准公佈，即至少與國內法有同樣的效力，締約國的政府與人民都必須同樣的受其約束。否則人民在國內爲「違法」，國家在國際爲「違約」，那後果往往是很嚴重的。有些「公約」，我們因囿於本國的條件不夠，不能承擔約中所規定的義務，與其「違約」於後，不如「慎約」於先，而故意不予批准或不參加。這毋寧說是一種明智的舉動。因爲批准或參加之後，萬一我們不能履行義務，擬臨開會的時候，提不出一個執行進度的報告來，把全盤事實放在國際會議的桌子上與天下人以共聞共見，這在國際社會中是一件很沒有光彩的事！國人對於此次中美共同防禦條約第三條所規定「締約國承允加强其自由制度，彼此合作發展其經濟進步與社會福利，並爲達到此等目的而增强其個別與集體之努力」一點，特別感覺興趣，特別注重，其理由大概在此。

中美協定的自由制度

第一、我們說過，自由是有待於後天的爭取和培養的（參閱本「叢殘」第五節「平等」與「自由」。見本刊第四〇三期。）嚴格的講，人類知道要從統治者手中爭取自由，不惜以鮮血去爭取自由、建立政治經濟社會種種自由制度，不過是新近的事——還不到二百年。而於既有的「自由制度」之上，再用條約的莊嚴方式，締約國雙方互相「承允加强」，則更是自一九四九年北大西洋公約及去年九月間東南亞公約以來一番嶄新的國際傑作！誠如行政院議訂中美共同防禦條約總報告書所言：「本約以共同抵抗共產侵略爲目的，而在反共鬥爭中，政治經濟及社會各方面之努力亦極重要」：蓋自由國家所奉行之自由制度，實爲共產國家所施奴役制度之對照。中美兩國均係自由制度發達之國家，現復在約中共同承允更予加强，實爲對鐵幕後受奴役人民之燈塔。經濟進步與社會福利，在反共鬥爭中尤爲重要，雙方亦在約中承擔彼此合作予以發展，（見台港各報）。足見「加强自由制度」，實在是自由世界反共產，反奴役的唯一先決條件（SINEQUANON）！自由中國當局既然注意及此，這是反共最主要的關鍵。此後對於人民各種自由的呼聲和要求，定能衷誠予以同情而積極培養。這是此次中美條約簽訂經過及討論批准中最值得欣慰的基本之點。

玩法必歸失敗

其次，「加强」（UNDERTAKE TO STRENGTHEN……）這一個詞，正如字面所示：「强」而又「加」，是一個極高度的有力名詞。非同泛泛！考英文UNDERTAKE這字，本含有「計劃」，「企圖」。而且出於自願自動的意義。在法文的同義字爲S'ENGAGER &，亦是指自願自動而且自受而誓。例如TO UNDERTAKE TO CONVINCE，就是說「約定必能使其信服」，TOUNDER TAKE TO SAY，就是說：「我不怕確認，我一定敢說」——這種語氣的堅決，簡直可說是包含有宣誓的精神！——其實得簽訂一件條約或每公布一道法律，也確是一宗「天垂象，聖人則之」（易繫辭傳）的「信誓旦旦」，「懸諸國門」的大事！古今中外，什麼都玩得，惟有「玩法」是從來沒有不失敗的。我對於「加强」這詞之所以不憚辭費，無非試想說明國人在國內法方面特別重視中美條約這一條的原因。

當然，這條約的重要性，決不限於這一條。這一中美條約，如其名稱所示，是一種MUTUAL DEFENSE TREATY（相互防禦條約：中文譯本爲「共同防禦條約」）顯然是屬於軍事同盟的性質。這在今天整個世界局勢——尤其在遠東局勢中，對於共匪眞是一道晴天霹靂，足以震得他們頭昏目眩，不敢逼視。

這才是整個條約配合自由世界反共全球性戰略的主要作用和目標，也即是我們對於人類和平所願努力的貢獻。

書評

王世昭著　香港基榮出版社發行

無名氏自傳

王君實

西洋傳記文學，和中國傳記文學，顯然有些不同。第一、西洋傳記文學範圍比較寬，中國傳記文學範圍比較窄。第二、西洋人的傳記多由他本人執筆寫，中國人的傳記，多由別人執筆寫。第一點，是關於寫作料材和內容問題；第二點是關於寫作態度和技巧問題。如果說中國傳記文學不及西洋傳記發達，那是片面之談，未窺全豹的。

（一）

胡適之先生曾經極力提倡傳記文學，並慫恿過許多名人像梁啓超，梁士詒等寫自傳，結果沒有寫成，連他本人亦只有寫好四十自述一本小册子，裏面所講的只有兩件事，一是他本人在國內求學情形，一是他母親和父親訂婚的經過。梁啓超梁士詒雖沒有動筆寫自傳，但他們的親友曾經於二梁身後各編了一部完整而詳盡的年譜。如丁文江編的新會梁任公先生年譜（未刊印）梁季典編的三水梁燕孫先生年譜（已刊印）。裏面包含了清末民初豐富的史料，在史學方面說是有相當的價值，但在文學的觀點來說，是等於零的。

誠如傑克先生說：「二三十年來，出版界有個時期曾印行過大批自傳，多數是毛頭小伙子攪生意經的玩意兒，既不可讀，更不可信。憑着一點小名氣，和短暫的生活經驗，便執筆來寫自傳，宛如埋藏得不夠年頭的新釀，稀薄得沒些酒味兒」。可是反過來說，如果我們讀了一本生活和戰鬥經驗同一樣豐富的自傳，它的題材這樣廣博，它的內容這樣新鮮，它的態度這樣忠實，它的技巧這樣熟練，那麼便像呷了幾口陳年花雕，眞夠味兒。

（二）

著者在這本書自序裏說：「我這個無名氏自傳，是代表二十世紀五十年代，中華民族一個極普通的老百姓，自孩提以至成年後，對於現實生活裏慘痛的經歷與迴憶。這裏有關於家庭的、論理的、社會的、政治的、黨務的、哲理的、非科學的、對外戰爭的、敎育文化的、戀愛生活的，光怪陸離的演變，與靈魂創傷的呼籲，以及戰慄的悲鳴。」這是一個重要的提示。全書計分二十二章，約十萬言左右。

我要告訴讀者：本書的作者是一個愛國的革命志士，同時亦是浪漫派的詩人，他有良心，他有血性，他受過中國舊文化的陶冶，他經過生活上的磨鍊，他憬憧着美麗的遠景，他追求着正義和自由。在本書每一章，每一行一句裏，讀者可以發現以上所述的概念，接觸以上所有的情感。

這一本自傳，文學的胎息，重於歷史。舉例言之，如第九章裏寫下「海的胡獄」，想像力的偉大，修辭的精巧，和拜倫的海頌，實堪伯仲。第十章裏寫出求婚一幕，著者和他的愛人的對話，完全是一幕達到高潮的話劇。此外著者在本書寫下的對子和舊體詩，亦非常工整，把詩聯放在傳記裏，像張孝若編的南通張季直先生傳記亦是這樣，而且份量還要多出許多，亦許要表現狀元才吧了。

（三）

其次著者在寫作上，處處表現文學的眞實性。譬如他寫童年生活，和戀愛生活，不論是好是壞，赤裸裸把它表達出來。對於參加各種不同方式的工作中，涉及自己的地方，亦恰如份量，不會透露過火的表揚，和着意的洗刷，把個人修飾成一塊無瑕的美玉。這一點是值得鄭重提出的。

這本書，不是傳奇，不是小說，而是一本有文學價值的傳記。

教會人士倡導工讀
各界亟宜共起響應

去年度高中畢業無力繼續升學的學生，雖曾紛請輔政司署登記備用，多數迄未獲得生活憑藉；至於勉力就學者，到現在本年度之學業已去其半，亦已不易；處此農曆年終，若干學生學長每因經濟困難致令學生半途輟學，此種情形，每年難免，本屆尤甚。

寒假後，各初高中私立學校仍續招插班新生，對於秋季始業期中錯過入學機會的學生，本來是一個極好機會，但仍有許多人因經濟困難，無力入學。這種學生本來也是可以設法挽救的，只是戰前所設的獎助學金無從設法發掘。一般估計，這些獎助學金倘能全部清理撥出，則今日之嚴重失學難題當可大部解決。

關於這問題，教育司曾經呼籲熱心教育的社會人士協助，要求他們對戰前所設的各項獎助學金的情形，包括總金額，設立日期，發給獎助學金，原定條件，發給金額等通知或電話教育司署秘書。但知道這事的人並不多，而一般人對此似乎也並不熱心。

資助失學，旨在消除嚴重的社會問題，誰都不能輕卸此責，有力供其子女就讀者，應盡力捐助獎助學金，最低限度也該鼓勵有力出錢者捐助。至於無力供子女入學的家長們，則應爲其子女申請獎助學金，並嚴加管教，以使學業成續提高，因爲青年失學，不但是個人的損失，也是社會一大損害。

現時就讀於九所大專學校學生，多數係清貧子弟，他們有的是自大陸陷共後，不甘受奴役而逃來香港，多與家鄉無法往來，生活極感困苦，只得以半工半讀完成其學業。這是每個苦學青年應該及時效法的。有些學生雖有志願，却無門徑，因爲香港祇有少數這樣的機構。這是基督教會、堂所合辦，設於九龍窩打老道青年會內，他們接受校方間接替學生申請，給予工作上的輔導，使學生生活賴以維持，以三個月爲一期，期滿如認爲有繼續服務必要，可以繼續申請，每周工作時間爲十小時，以不妨礙學生正常功課爲原則。過去辦過二期，第二期本月終屆滿，第三期下月一日開始。但此種課餘的工作，以在基督教各屬下機構任職爲多。此舉倘獲社會各界人士響應，豈僅助成青年學業，對社會貢獻尤大，扶輪社及其他街坊組織似應率先試辦，俟有成就，則更可進而普遍推行至各業各階層。

深入鐵幕的汽球

本報資料室

（一）

一九五三年一個早晨，接近德國的捷克邊界忽然機聲不絕，槍砲齊發。原來德國境內升起無數五彩繽紛的汽球直向捷克境內吹去。捷克飛機和槍砲雖然不停射擊，可是被擊落的沒有幾個，多數都安全渡過了鐵幕，向捷克的都城布拉格和各大都市前進。抵達了目的地，一個一個的自行爆炸，投下了無數傳單。

自從那時起，自由歐洲向捷克境內發放了六萬個汽球。發放的基地在德國南部，收到的效果超出一般人的意料之外。

爲應付汽球的宣傳戰起見，捷克政府曾在報上發表了三十二篇社論，五十五個無線電節目。蘇聯的紅星報也同時發表了好些抗議文章。

（二）

這種汽球能夠準確達到數百英里以外的目標。天文學家在發放基地對於風向和強度，作過精確研究，即通知發放汽球。

宣傳用的汽球分爲兩種。第一種是用樹膠製成的，體積直徑四尺半。除了裝上兩三磅傳單，裏頭充滿了氫氣。達到二萬五千尺至三萬五千尺的上空發生爆炸。第二種是用塑膠製的，樣子像一個大枕頭。這種汽球不爆炸，達到了一定的高度，逐漸洩氣，而降落地上。爆炸的氣球適合近程，枕頭式的汽球可以達到較遠的目標。

發放汽球，使用的是特製機器，一架機器，每分鐘能夠發出六隻汽球。頭一件機器把汽球的頸打開，第二件機器通過氫氣至到規定的壓力爲止。第三件機器把頸部關閉。第四件機器試驗汽球的上升力量以確定其能夠達到目的地。手一推，汽球便以每分鐘二百尺的速度上升。要是目的地是捷克都城布拉格，那麼只裝適量的氫氣，使汽球經過九十英里的航程達到規定的高空而發生爆炸。路程的遠近可以加入氫氣的數量調節之。目標近的，多加些氫氣，目標遠的少些。

若果能夠計算得準確，汽球的進展是十分可靠的。自由歐洲常在汽球未升空前，以無線電向捷克境內報告汽球的行程。

（三）

自由歐洲委員會利用鐵幕內每一個變動，把消息告訴鐵幕裏的人們。最大規模的一次攻勢是一九五三年七月十二日。傳單印上東德暴動的照片，且用那被殺的消息，同時又仿印捷克的紙幣，加上「饑餓的鈔票」四個字。三日期間發出汽球六千五百隻。

第一批汽球在布拉格上空爆炸了，捷克的政治委員會便舉行緊急會議。布拉格街上和許多都市的街道，巡邏車用放聲筒命令人民拾得的傳單交回警察。市民不加理會，互相傳送，並且在街上公開閱讀。

爲了這件事，捷克政府向華盛頓提出了嚴重的抗議。

一個捷克難民逃到了德國，對於汽球散放傳單的事情這樣報告：「汽球的傳單是一種實在的證據，證明了西方國家能夠實際和我們接觸，證明了西方國家是要拯救我們。」

自由中國能夠仿自由歐洲的前例，向大陸來許多次汽球的攻勢嗎？（取材THE CATHORIC WORLD, NOR. 54.）

談車大砲

馬五先生

粵語「車大砲」這句話，比我們外江佬所說「吹牛皮」的語意，似乎來得響亮而富有幽默感。大砲之聲隆隆震耳，令人驚心動魄，縱是專放不裝彈頭的空砲，人們聽到耳中，也比新年間兒童所放爆竹之聲熱鬧些。

自一九四九年末，直到現在，我們隨時聽到對大陸山姆叔叔車出來的大砲之聲，響徹全球，而且都是出於負責國家責任，具有發放實彈大砲能力之人的口中者。例如：一九四九年末，中共席捲大陸時，杜魯門總統和國務卿艾奇遜，就很嚴重的說出警告，說中共如果再向中國境外擴張，美國就不能容忍了！未幾，中共大舉參加韓戰，而杜總統竟不敢打擊中共一下，然而聯合國要投原子彈，嚇煞人也！結果這些放的空砲，猶在耳邊，在板門店和談了；艾森豪總統一上台，宣言要解放被中共奴役着的人民，有聲有色，越戰在法國政府打得緊急之際，美國政府即大呼要以海空軍大舉參戰，且不惜使用原子武器，過了幾天，美國又簽署了投降式的停戰協定；東南亞公約訂立後，杜勒斯又說若共黨再不斂跡，侵與自由亞洲的任何地區，美國就要「猛烈射擊」，「大規模報復」，決不客氣了——可是，前兩天剛聽到中共進攻一江山小島的消息，又說統和杜長官即急忙提議「台灣海峽停火」，大有「神情……」原來「紙老虎」了！是火車大砲而不覺得雖驚弓之鳥，見是很奇怪的事了，已經是很奇怪的事了？然而，奇之又奇，怪之更怪的，過去不斷地車大砲，原來都是空頭砲彈，虛聲恫嚇的，這就莫怪中共說「美帝是……」

牛乎？鼠乎？

——解剖一個「統戰作家」的本質——

屠狗客

鴉，近來承他不斷地對本報刊載的文字，多所批評，他指說徐道鄰先生所寫「語意學漫談」一文，「莫名其妙」。本報上是「漫談」，「等於對牛彈琴」。依照他所說，弄的實式「統戰語意學」，「放肆作用」不但本報同人和全世界讀者都看見，這鳥自己也突變為「牛」了。否則他就不會講簡本報，又何致於通說作牛鳴之聲？

他對陶百川先生七嘴八舌，竟敢屬藏所寫文字的一干人，却不知其自己莫名其妙，……「命題」，而……的牛種之一。試問有如四川人所謂「……學呢？」他懂得甚麼屁的語意……

……

人與人了解的障礙

第二個大障碍

人們對於事物的了解的第二個大障礙，是以推論INFERENCE代替觀察……

……

悼唐圭良先生四首

•邵鏡人•

平生肝膽照人頻，磊落胸懷見性眞。去國一身輕似葉，傷心長作避秦人。

儒雅風流絕世殊，多材惟楚想雄圖。如何未遂歸時願？垂老天涯作酒徒。

一杯在手萬緣空，酒後雄談氣似虹。難忘小樓秋雨夜，高歌同唱大江東。

身後惟留詩百篇，夜臺應許作詩仙，人間今復知何世？一度思公一黯然。

唐圭良先生係庚子武漢首義先烈唐才常先生長子，民初頗負時譽。　編者附註

三峽經行記

（一）

「四川三峽」，多末勵人的名詞，多末令人向往的奇境，我居然曾經一度地飽覽過。那次是抗戰開始的時期，巫峽清秋，猿啼鶴唳。我由宜昌登民生公司輪船，開行後，但見遠山蒼翠，江水縈洄，過沈家坪，山石深黃，排列嶙……隨爲器，抵西陵峽，峽如屏。經三游洞，江水湍急，青嶂刺憶白樂天與其弟會於，犬，白樂天初入峽詩：「上有萬仞山，下有千丈水，蒼翠兩崖間，闊狹容一葦。」播夷陵，其弟白：「斯景勝絕，天地間有幾乎，遂賦詩書石上，寫曲背。蹤島十峽，樂天序之。」以不及

遠望黃陵廟，掩映於亂石間，廟供黃魔神禹治水有功，南岸高峭石間，牛首人身，相傳佐，有石如人牽牛狀，人黑牛黃，故名黃牛峽。時暮色籠江，炊烟四起，泊於……峽，此峽在秭歸縣東，懸崖絕壁，水流奔放，漩渦艱難，必給中所藏，搬卸一空，然後得過，故以爲名。

（二）

次晨啓椗，過香溪，爲昭君故里。杜詩注云：「歸州有昭君村，俗傳因昭君而草色皆香，故名。」易夫雍詩云：「香溪人去幾時歸，萬里龍沙雪打圍。上溪老翁愁欲絕，女兒生得似明妃。」身經斯境，不禁低回久之。過兵書寶劍峽，牛肝馬肺峽，蟠龍四合，摩天匝地，無疑前行無路，而舟轉峯迴，又另闢天地。過歸州，有屈原宅，宋山松云：「屈原此縣人也，既被流放，忽然歸，其姊亦歸，因地名爲歸。」旋經石門，深如重門，山有石徑，深如重門，備乃北門，追者急，備乃備爲陸遜所破，遂走燒斷棧道，然後得免。

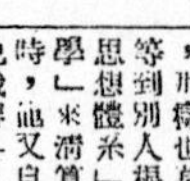

抵巴東縣，宋寇準曾爲邑令，猶存手植雙柏，呼爲萊公柏。入巫峽，江隨山轉，船逆江行，兩岸峭壁如削，攢簇夾翠，涉目成趣，須臾兒旁岸紅岩中留陰影，俗稱棺材峽，山腰凹入，上置物如棺，其地人跡不能至，莫究其實。更行至布袋口，川鄂交界處也，蜀山向西，鄂山向東，勞草茂林，亦如分向，山益深偉，極造化之奇，仰視犬牙雲峯特立，摩雲插犬，對面爲神女峯，鐵嶇奇峭，有縹袂臨風之致。

（三）

計巫峽一百六十里，江邊有孔明碑一方，字跡多漶，僅巫峽二字。其上即巫山十二峯也，若姑射仙人，綽約大際，過巫山縣至中，煙雲杳靄，過峽，兩岸峭窄如門，夔峽東江如帶，山腰有綿延所修之棧道，經風箱峽，石上刻「大梯津梁」四字，更行爲瞿塘峽，岩上有碑，即「中興頌」也。北岸如刀鋸，南岸如劈削，即夔門也，萬仞摩天，奇險可怖。傳中秋夜半，明月正懸兩山之中，曰「月掛夔門」。高峯上爲白帝城，公孫述所築，杜甫居此久，得詩獨多。詩境益奇。前山爲臥龍山，武侯廟在臥龍山上，諸葛功業，工部文章，照耀千古，宜爲後人欽頌也。下臨灩澦堆，巨石蹲踞，形如怪獸，傳孔明有「對我來」三字刻石上，蓋因江流至此，漩渦迭作，險惡萬狀，必須駛向「對我來」之石，始安全過此，有紫陽城故址，下有八陣圖遺跡，石於沙渚上，相傳久有鹽氣川其間，雨，過此夔府在望，停舟游永安宮，憶託孤處也，緬懷往事，不甘夫人甚感慨然，府後，勞有……廟，歸舟時近夜午矣。

語意學漫談

徐道鄰

第二個大障碍

……的範圍之內。人們是不能脫離推論的，根據一個人的服裝，推論他的社會地位；根據一個人的言語，推論他的行爲道德觀念，再更進一步推論他的……，我們日常行動必需的前提。但是……往往把推論當作事實……這是一種推論，而不是一種觀察……我們不可忘記……，

……人們……根據推論的結果，……第二層，第三層以至第四層第五層的推論……

……

……論來決定行動，而結果發現了事實和想像全不相符，那時候的損失可就大了。在精神病院裏，命令一位躺在長椅上的病人，趕快站起來，以便工人打掃。可是病人一直不動。管理員大怒，拿起皮帶來往病人臉上亂抽。過了半天，他才發現，這位病人是被他們綁在長椅上的。他根本無法站起。

我們仔細想一想，把推論當作了事實的例子，和看見人家所作過的，我們自己所作過的，實在是非常之多。

第三個大障碍

第三個影響了解的障礙，我們稱之爲定義思考DEFINITION THINKING。就是說，我們誤認爲一個字一定有它固定的定義。因而我們把一個字用於某一種事物時，往往誤認爲這一個字所含蘊的意義，也都一定存在。因之我們不去睜開眼睛，看看這些事物的現象如何，而關着門閉了眼睛，在我們的腦袋裏，從這一個字的「含義」裏去尋求解決問題的答案。

山本皮得的母親，是生在日本的。但是他父親和他自己都是在美國出生。他在美國進小學，中學和大學。他從來未去過日本，既不能說也不能讀日本的語言。但是到了軍隊裏頭，他的班長一定要他來一次講演，講日本人的性情和思想。山本再三的述說他對於日本和日本人實在是一無所知。但是他的班長說：「你不是日本人嗎？你當然了解日本人。準備你的講演去吧！」（四）

重點改良「霸王別姬」

張忠建

「霸王別姬」這一齣新型平劇，好幾年不在台灣演唱了；如果要重登舞台，自難免意識方面，要重新改良一番。手中並無該劇劇本，研討改良從何說起？大約記得該劇場子緊湊，在往昔原是無懈可擊。名伶程生余叔岩在該劇上演不久，曾經向編劇人說過：楚歌念唐詩名句：「可憐無定河邊骨，猶是春閨夢裏人。」其實，元明雜劇和傳奇裏集唐的句子不在少數，還且不談，而且該劇楚歌詞句後來也改良了，爲：「家中撇得雙親在，朝朝暮暮盼兒歸；倘若戰死沙場上，父母妻兒依靠誰？」

（一）

大劇考中關於該劇片段；霸王：「四面俱是楚國歌聲，莫非劉邦他們已得楚地麼？八千子弟兵俱已散盡，孤日後有何臉面再見江東父老？」士卒逃散勵作，當日排演，似曾表演過。編戲雖不必盡信書，但亦不可無書。項梁教羽兵法，羽大喜；略知其意，又不肯竟學。這是說：霸王也喜歡研究心理作戰。楚漢相爭的經過：有四句話可以概括全局：「七十二戰，戰無不利，忽聞楚歌，一敗塗地。」張良陳平的攻心之戰，主要的對象，是在主帥西楚霸王，而不在楚兵。因爲張陳的主要分析是霸王的兵源和決戰戰場在西楚，西楚幅員廣而兵源多；如果霸王突圍西行，戰局是要改觀的。劇詞中處姬盼望江東救兵那又是一種看法。本紀：夜，聞漢軍四面皆楚歌，項王乃大驚，曰：「漢皆得楚乎？是何楚人之多也！」那就是說：「不是楚地已失？怎麼楚軍全成了漢軍呢？」因爲聽了楚歌，就發生了這兩句話的感想，便使霸王斷絕了突圍向西之想，如此漢軍才縮小了包圍圈；但是東面却有缺口。當年並無擴音器等，霸王聽「楚詞」是聽慣了的，因爲「楚詞」是從戰國屈原，宋玉以降，便有名於世。楚歌既是出「楚詞」而來，一定有它的現成的調調兒。楚軍將士遠聽了耳熟的調調兒，便知道是楚歌聲，初不必拿詩文來打動軍心；如果是爲了打動楚軍軍心，則劉軍楚人更多，受影響將更大。讀史記：「歌數闋，虞姬和之，項王泣數行下，左右皆泣，莫能仰視，於是項王乃上馬騎，麾下壯士騎從者八百餘……」當時尚無逃散之象。

（二）

「霸王別姬」此時可以不演；如談改良，原則上可以着重該劇的片段性：

一、演至別姬而止，或變更訣別形式，因爲虞姬對江東是念念不忘的，不妨乘夜東去求救兵。

二、楚歌可選用適當之楚詞，不必有非戰性詩句在裏面。

三、刪去楚軍氣餒之況。

以上所談，聊備改良該劇之重點，並不堅持主張；因爲看戲取樂，今則在啓發民智鼓勵軍心，不宜使英雄氣短。

我們看三國戲，它便懂得攏絡人心很盛。曹操與孫劉二家每次對戰，最先氣得落花流水，曹操復多大言，等到曹八將被擒，曹操甚至剔藏袍，看倒反稱心滿意。這就是該劇心理分析另一面，可資教育部中國歌劇改良研究委員會參考的。

•徵稿•

稿約

本報園地公開，歡迎讀者投稿，性質不拘，當以最好勿超過二千字，譯作請註明出處；來稿如不合刊用時，當迅速退還。來稿請用稿紙，勿橫寫。——編輯室

自由人

THE FREEMAN
（第四〇七期）
中華民國僑務委員會
僑發登記證台教新字第一第二號
中華民國郵政登記第一類新聞紙類
（半週刊每星期三 六出版）
每份港幣壹毫
台北市售價台幣壹元
督印人：嘉歆
地址：香港高士威道二十二號四樓
3 rd. fl. 20 CAUSEWAY RD HONG KONG
香港發行及事務接洽
高士打道66號 電話：七四〇五三
承印者：東南印務出版社
地址：高士打道六十四號
海外總經銷
友聯書報發行公司
香港：德輔道中二十六號A二樓
台灣特派員辦事處
台北市館前街五十號
台灣總經銷處
台北市西寧南路一一〇號二樓
台郵撥儲金戶九二五二

為大學教育進一言

丁文淵

不久以前，台灣大學會因拒聘兩位知名之士，而受到社會上的責難、贊成和反對的人都各有各的理由，我們很難判定他們的是非。不過像我們的大學，在還沒有達到國際水準以前，聘任教授，似乎應取一種慎重毋濫的態度。以我過去在大學行政上的經驗來說，大學教育進步最大的障礙，就是在濫聘教授。尤其是經過了八年抗戰，這些有教授名義，而沒有教授實學的先生們，又因為缺少新的書報，無法進修，使得大學教育愈趨愈下。現在的台灣大學是我們唯一的一個國立大學，對於聘請教授，能夠走向嚴謹之路，不能不算是一個好現象。

德國學術得力於大學

德國在政治上，一向自認為係繼承羅馬皇位的正統。在學術上，他也久執歐洲的牛耳。我們只要拿一九〇一年至一九五二年（五三至五四年，因手邊缺乏材料，暫缺。）獲取諾貝爾（NOBEL）獎金的人數，就可以很明顯的證明德國在學術上的地位了。其間五十一年當中，除卻和平獎金不算，就化學、物理、醫學、文藝四種獎金來說，得獎的共有二一六人，分隸二四個國籍。德籍人居首位，共有四四人，次之美籍，三八人，再次之英籍，三七人。法籍二二人，瑞典一一人，瑞士一〇人，奧國八人，其他各國共四六人。德國學術如此的發達，不能不歸功於大學教育。我現在且將德國的大學制度介紹一下，作為一種參考。

德國沒有私立大學

德國沒有私立大學。所有的大學，都屬於各邦政府的教育部。事實上許多大學的基金，多是私人捐助的。為求各大學水準的劃一，所以才都統屬於各邦政府。政府對於大學最大的責任，是如何促進大學的發展，推動學術的研究。所謂促進，推動也者，就是不斷的增加經常和特別的經費而已。因此政府對一個大學，每年財政上的担負很重。政府也因此派有高級官員，專門管理大學的財政，名為KURATOR，大致等於我們總務長，可是他是對教育部負責的。私人所捐助的基金，都有其指定的用途，多數另有管理委員會，KURATOR也是其中委員之一，往往是此類委員會的主任委員。除了財政事務以外，KURATOR均無權過問，那就是大學本身的事了。

大學本身的行政，差不多是完全獨立。其組織以正教授為中心，他們是大學的真正主人。成立一個校務委員（SENATCR）會，來處理校務。這會本來全由正教授包辦，最近才准副教授選有代表參加。校長為一崇高的榮譽職位，由校務委員選出一年一任，不得連任。每一前任校長，就是現任的副校長，校長不能執行任務時，就由副校長代理。校長除享有代表大學對外的榮譽以外，還另有很優厚的公費，由他個人支配，不必報銷。大學都有其本身的校章，並非各大學都是一律。

大學行政完全獨立

從前的大學都有神學院，哲學院，法學院和醫學院。現在理學院全由哲學院分出來；經濟學院或政治學院也從法學院分出來了。最近也還有商學院和工學院的增設。新建的大學之中也有不設神學院，不過還是一個極少數。

各院（FAKULTAT）本身組織他們的院務委員會，處理院務，同樣是由正教授和副教授的代表組織而成。院長也是一年一任，前任院長即為副院長。表面還是由院務委員會選出，而事實上卻是由各正教授，按到校的年資，輪流担任。

教授的產生方法

正教授既然是大學的真正主人翁，所以每一個正教授的產生，完全掌握在院務委員會之手。各院只設學科，而不設系。每一正教授——除有特別例外——必定是某一學科的主任，完全負有某一學科的教學和研究的全面責任，不受任何方面的干涉。德國大學沒有什麼研究院，因為每一個正教授就是每一個學科的研究主任。他們各有各的講座，而講座則有一定的名額。如果有一新興的科學，發展很快，它的內容已經相當豐富，而科學界認為應當獨立研究時，就可以得院務委員會的通過，再由校務委員會複決，再由教育部的批准，就可以增設講座。教育部除在財政上有極大的困難不能克服外，不能加以拒絕。因為促進大學的發展，推動學術的研究，是教育部的責任。

如果一位正教授出缺，那他的後任人選，就由他本人或是由本院委託他同行的知交（別的大學教授）推荐三名候補人，送交院務委員會審核。這三位候選人在學術上的成就和地位，先由這位推選人負責，院務委員會所審核的，除候補人學術上的成就以外，還得考慮他是否與本院同仁合作，再作決定。院務委員會通過以後，再由校務委員會複決。校務委員會所注意的，也就是上述的第二種性質。複決後，就送請教育部就三個候補人當中，聘任一人。三個候補人的第一名，多為本學科中一極負重望的學者，第二名次之，第三名再次之。大約第一二名，多係現任大學教授，第三名則常常是一位極優良的講師。照法律規定，教育部也有權在三名候補人以外，另聘他人。不過就顯係有和大學對立的趨勢，將為大學所反對。事實上所有各邦政府從未引用此法執行，都是尊重大學的意見，保持向來的良好習慣，儘就三候補人之中，選聘一名。（只有在希特勒執政的初期，有幾次例外）如果是規模大的大學，例如柏林大學，明興大學等等，教育部必先聘請第一名候補人，經卻聘後，才能聘任第二或第三名。

教授的責任與待遇

就在這商聘的時候，使得大學能夠不斷的發展。例如，一位甲大學的正教授，經教育部被聘任為乙大學的正教授。這位教授必先探明乙校關於這一學科的設備，助教的人數，研究的經費，是否較甲校為優。否則必將卸聘，或由教育部接受了這位教授的條件。如擴大研究所，增加研究費用，助教及其他工作助手等等，教育部如不顧及這類要求，逕行聘任第二三名，就將為社會所責難，認為教育部有失其「促進」和「推動」學術研究的責任了。教授的薪金本有一定的規律，不過轉聘一次，就是加薪的機會。還有學生聽課費的保障，是有很大伸縮性的。德國學生除對學校繳有學費以外，尚須對授課的教授（包括副教授，講師），繳納聽課費。這種聽課費全為教授所私有，而由大學代為收取。例如化學，物理等科的教授，多擁有四五百至七八百名聽衆。

（下轉第二版）

傍徨歧路的日本

李重畔

吉田內閣下臺後，蘇聯與中共便以一吹一唱的姿態頻向日本賣弄。及鳩山組成「看守內閣」，蘇聯和中共的努力拉攏，也發生了相當作用，遂使鳩山一郎與重光葵，想玩弄兩面討好的外交手法。

照這樣發展下去，我們可以相信不僅鳩山看守不住他的內閣，且將賠掉其政治生命，危及到日本未來的前途。

際此日本展開競選運動，試就發展中的日本外交趨勢作簡略的闡述。

赫爾的忠告

一月十三日，聯軍統帥赫爾將軍鄭重地說：「如果日本企圖保持『中立』，不加強防禦力量，她將使自己淪為蘇俄附庸，這樣意味着日本加入蘇俄衛星集團。」

赫爾的忠告，顯然是正確的，也是針對鳩山一月十一日所發表的主張在「今後兩個月內，邀請中共和蘇聯談判」的回答；同時也告訴了鳩山：企圖和美國商量採取主動與蘇聯和中共修交，是不會有結果的。

赫爾更明確地指出：今天日本所存在的經濟困難和對安全的恐懼，完全是由於誤信中立和不信任用設置實力的方法以求自保所造成。因此，他再指出：日本擁有確能自保的充足資源，她能夠不損傷她的經濟生活換取自由與安全。否則必將因無防禦力量而屈服于蘇聯集團。

赫爾的聲明已經分析出，只要日本堅決留在自由反共陣營內，她的經濟困難是可以解決的，她國家的安全是無虞的。也正是說，只有日本人民不誤信蘇聯集團的宣傳和欺騙，才能為日本謀求正確的出路。

莫洛托夫的引誘

[illegible]赫爾的聲明，莫洛托夫在一月十五日致電日本，表示「願意終止日蘇兩國間的戰爭狀態，建立正常關係」。

這一反響的快速，完全是受了赫爾聲明的影響，並非誠意答覆鳩山。事實上卻給鳩山出了個難題，他促使「日本首採具體步驟，藉以開始外交方面的談判」；同時還假惺惺地說：「蘇聯政府一向希望與日本保持和平。」

莫洛托夫的話顯然是詭辯。蘇聯集團仇視日本和仇視美國一樣是一貫的態度。蘇聯集團是將美日關係結合在一起，用同一敵視姿態將日本作為假想敵人的。如果蘇聯政府一向眞的希望與日本保持和平的話，何以要阻撓和破壞舊金山和約，阻止日本從戰敗國的地位站起來？如果蘇聯眞有誠意和日本締交的話，又為什麼在日本國土內進行間諜活動和促使日共鬧暴亂！

難道這些事實莫洛托夫可以否認，也是日本人可以容忍的嗎？

芳澤暢論中日關係

但在日本國內，並不乏有識之士。日本駐自由中國大使芳澤謙吉在他暢論中日關係中，就反映鳩山和重光外交政策的曖昧，和日本大多數人民眞正態度。

一月十四日，芳澤對中央社記者說：「日本與自由中國維持親善關係及密切合作的基本政策，在新鳩山政府下未有任何改變。」從鳩山的「兩個中國」說到「未有任何改變」，其間除了受國際道義的指摘和日本人民的反對外，芳澤本人也從中作了相當力量，這是不可忽視的。他說「他曾竭誠致力澄清新政府的對華政策。」這間接說明了，他同意撤銷辭意返回台北大使任所，顯然是在得到鳩山、重光的「基本外交政策並無變更」，即與「自由世界繼續友好的關係與合作」的保證之後，才決定的。

此外，他對鳩山的願與蘇聯及中共終止「戰爭狀態」的聲明也表示了意見。他說「日本受舊金山和約的拘束，他個人認為這在技術上不是眞正可能的。」

日本人應善自抉擇

芳澤的談話雖不足以完全澄清當前日本的外交政策，但至少可以反映日本與蘇聯集團間外交關係的建立，暫時是不會有何進展的。

日本的全面外交路綫，究將何去何從呢？鳩山的看守內閣在過渡時期內，基本上是不能有所作為的。他如此做作，不過在於擺出新的姿態，以作政治資本而已。

今後日本究將何所適從呢？

很簡單：不是堅決地留在自由反共陣營裏，作一個獨立自主的國家，就是「一面倒向蘇聯」，準備作蘇聯的附庸國。中立是不可能的，日本決不能做印度。

日本命運的主要關鍵，就在日本人民自己所掌握的選票上。

四三年元月十六日

半週展望

·旭軍·

中共的再一試探

艾森豪威爾總統向國會要求授權他擴大美國第七艦隊防禦區域之前數小時，共軍又企圖登陸於台灣海峽馬祖附近之高登小島。這是中共又一試探。

中共採取一江山島作開始進攻的試探，係由遠而近，向台灣本土進攻前的政治性和軍事試探。「一江山」一探，造成大陳的危險局勢。然則高登小島一探，亦何嘗不會造成馬祖島的危急局勢呢？

筆者在前期曾扼要的指出：世界大局變幻多端，但中心樞紐在美國對原子武力優局的看法與決策，因為以蘇俄作核心的馬列主義集團的世界革命擴張侵略是不變的因素，故世局的樞紐是在美國執政者的「果斷」！

假如中美互助安全協定的防衛範圍包括一切國軍現據守的島嶼，則我可斷言中共不敢向一江山進攻。壞就壞在美國的所謂「讓共黨來揣測」。雖然共黨的試探未嘗沒有相當的損失，但除了自由中國亦同樣遭受不必要的損失外，更引起自由世界意見分歧，增加共黨政治與外交戰的籌碼。

一江山一戰，共黨已看透美國渴望台灣海峽停火的基本慾望。共黨即抓着這個要害，繼續進行賭博。在中共看來，縱然美國宣言保衛金門馬祖，但這一保護，可能是美國作討價還價的王牌。若能用甘言巧語假作願意停火。則金門與馬祖島可能被騙進中共的囊中。

寧為玉碎終不碎

美國如不把圍堵政策改變為解放政策，則終陷於困惑遲疑，被共黨瓦解圍堵，進而被共黨反圍堵，欲求孤立於西半球亦不可得。艾總統致國會咨文，並不是擴大防衛，仍然是劃地求和的一種畏怯態度。今天國際間苟安求和的氣氛仍瀰漫着，這是予中共以可乘之機的。我們應該「抱寧為玉碎，不為瓦全。」及「拚死無大害。」的勇氣，方克有濟，否則順着姑息的泥潭愈滑愈深，終陷於不能自拔。當年決心抗日，何嘗不是孤軍抗戰，又何嘗盼望那一個友邦拔刀相助呢？當年還有西南可退，還有重慶為首都，到了今天還有何地可退？如要不作國際賭博之籌碼，便須從自己拚命做起。要人人具有一江山守士七百烈士的精神做起。一江山之戰，已可測出共軍的戰鬥實力，他們的士兵在飛機與俄國顧問指揮的大砲下監視着，才不能不前進，士氣如何也可以想見了。蕞爾小島之一江山，幾不及香港海面長洲島之大，共軍耗費很大量人力武器，歷三天半然後攻下。共軍今日之實力，絕非當年可比，也已經有事實的證明了。

到了今天，自由世界各國是互相倚賴，不容分離的，常人祇知弱小國家倚賴強大友邦。但不知強大國家，亦必須倚賴弱小友邦。弱小國家如能不自暴自棄，俯仰由人，亦必能使強大國家跟着它們走的。在中美防衛協定簽字時，筆者呼籲國人不必過於樂觀，但到今天顯出了該防衛協定的弱點，而造成動盪之局，筆者更要請國人不必悲觀。必須以剛毅的態度，靜勸友邦。友邦也自然會跟着我們走的。我們始終認定，中共今天祇是在蘇聯武器支持下，作一時的強梁而已，實質上已民窮財盡，人神共憤。我們必須以堅決的態度，促使友邦看穿他們的弱點，不要使他們的恫嚇和試探終於得逞。

中共的無恥敲詐

新華社在二十三日指摘美國，中共所監禁的美飛行員「非不關心」。此舉已把中共的荒謬，無恥和卑鄙表露無遺。一個綁票匪，遇到一個不怕敲詐勒索的票主，偏不敢厚顏責：「你為何不關心你的親人？」這樣無恥的話。僅這樣，「不贖票就撕票」的硬朗話。這話充分表示中共的焦急，恐懼和無恥。惜美國沒有硬朗的友邦「分裂共管」的反敵詐勒索的勇氣，否則中共黔驢之技，便無所施了。

應付原子僵局的美國新軍事策略

本報資料室

美國認爲到了原子僵局，世界沒有戰事了。美國却以爲蘇聯將因爲原子僵局，而發動更多的局部戰事。下面取自美國時代雜誌的資料，是值得一讀的。

蘇聯將發動局部戰爭

共產黨的目標是征服世界，原子僵局並不能改變蘇聯征服世界的野心，只增加了共產國家的兇燄，使其發動更多局部戰事。局部戰事非指規模小的戰事而言，凡未在美蘇兩國使用戰略武器（核子武器）的戰事都屬於此類。

共產黨是十分狡猾的。曉得美國能夠使用戰爭武器消滅他們，仍敢毫無顧忌進攻高麗。在高麗，美國採取了有限度的戰爭。高麗戰事剛好結束，共產黨又發動了安南的攻勢。美國聲明要作大規模報復，可是沒有實現。美國的輕諾寡信，更增強了共產黨的胃口。到了原子僵局的時代，蘇聯將會發動更多的局部戰事。

美國普靈斯頓（PRINCETON）大學國際研究學社最近發表了一篇文章討論美國應付共產黨的「大規模報復政策」，裏頭這樣說：依靠「大規模報復政策」，是一件十分危險的事情。高麗和安南便是兩個最好的例子。爲防止共產國家進一步的侵略，除了戰略的防止，更需要戰術的應付。美國必須於最短期間，懲罰侵略者，使其不敢作下一步行動。所以除以輕氣彈粉碎蘇聯，戰術的爪是適用的。

應付侵略的新原則

普靈斯頓大學的建議深得聯合參謀部的贊許。爲了應付局部戰事，美國軍事當局決定了兩個重要原則，第一個是大規模的空運，第二個是使用核子武器的決心。國務卿杜勒斯這樣說過，『現在的國際政治使美國有將戰略武器改成普通武器的必要。』本星期聯合參謀長雷特福說，美國準備使用原子武器對付高麗敵人的新侵略。

美國使用什麼方法來應付共產國家下一步的局部侵略戰呢？除了不能宣布的秘密。現在把能夠發表的部分分述如下。

一、空軍的戰畧

共產黨在任何一地發動戰事，美國將在地面，海洋和空中予以還擊。美國決定事先訓練和裝備各地的武裝隊伍，使其能夠完成某種任務，能夠保持交通綫，能夠把敵人阻在某一個地區，能夠歸候援助。美國將在最短期間派出援兵，聽到了警鐘，美國戰略空軍的攻擊隊伍登時出發。戰略空軍大部駐防美國，分駐各地的只是小型隊伍。戰略空軍的一隊包括三十隻轟炸機，戰鬥轟炸機，空中油箱，運貨，和交通飛機。此種隊伍能完成任何戰略任務，並且能夠在一個地方担任作戰三十天，無需增援。

戰略空軍現在又組成了許多戰略小隊。每一小隊由四隻戰鬥轟炸機組成。一隻裝載核子武器，一隻掩護，剩下的兩隻是準備油箱，在後面比較安全的空中駐有大型C130型空中油箱機。

在空戰中，飛彈佔極重要的位置。美國海軍現有一種飛彈叫做麻雀，是一種用電子管制的武器，能夠自動找尋目標，擊滅敵人的飛機。還有一種飛彈叫做F99是一種沒有駕駛員的戰鬥機，這種飛機能夠攜帶好幾個飛彈。美國空軍部準備使用飛機發射飛彈，和擊毀敵人的飛彈。

二、海上的攻擊

美國海上的快速部隊將由二次大戰的一百隻船艦，減成二十隻，此二十隻艦隊並將分散在一個廣闊的地區。快速艦隊的主腦是超級母艦，裝載的是超音的轟炸機。每一隊快速部隊有原子發動的潛艇，潛艇到接近目標的海面發射飛彈。快速艦隊的任務爲（一）以巨大火力支持作戰地點，（二）保持海道，使得通航無阻。

三、海軍陸戰隊

美國的海軍陸戰隊雖歸海軍部指揮，卻是一個獨立作戰單位。近年來陸戰隊對於原子戰爭貢獻了不少意見。陸戰隊準備以直升飛機運輸隊，於原子彈，原子飛彈，或者原子大砲轟炸後，佔領一個原子地，或者前綫。

四、地面部隊

在局部戰事的戰術裏頭，地面部隊是不能缺少的。因爲任務尚未確定，美國本年大事削減陸軍的預算和減少其人力。地面部隊第一個條件是空運，美國陸軍準備於得到警報後的最短期間空運四師到世界任何戰略地區。陸軍採取的戰略和戰前不同，第二次大戰的時候陸軍偏重區的攔截優勢，此種優勢可能深入至七十英里，然後建成一條千條陣[illegible]軍在每一地區駐防一萬人，現在祇準備駐扎兩千。

美國陸軍現在增加了兩種新武器。第一叫做，『誠實的約翰』，是一種用大砲發射的飛彈，射程達到十五英里。第二種叫做，『小隊長』，是以電力控制的，能夠達到一百英里外的目標。此兩種武器都能夠裝上原子頭。

經濟社會思想叢殘（七）

·金伯華·

開國際條約的新局

但是自古軍事，必須能守然後能戰，能戰然後能和，也正惟能和然後能攻。老子說：「上德者，天下歸之；上仁者，海內歸之；上義者，一國歸之；上禮者，一鄉歸之。無此四者，民不歸也；不歸，即危道也！」劉向說：「國不務大，務得民心；佐不務多，務得賢俊」。關於這，劉基說得更具體：「力生敵，德生力，力生於德，天下無敵；故力者，勝一時者也。德，愈久而愈勝者也。夫力非吾力也，人各力其力也。惟大德爲能得羣力，故德不可竊而力可困」。上述他們所說「尚仁」，所說「民心」，所說「力生於德」的「德」，——在中國，這類古訓多得不勝枚舉——用現代術語加以繹演，無非都是一樣東西：自由！力生於自由，惟「大德」[illegible]

[illegible]

應解除合作社禁令

[illegible]有他的一貫做法——我們又應從何着手呢？依約文規定，必須從發展經濟進步與社會福利着手。申言之，要謀社會福利，必須先發展經濟；要謀經濟進步，則必須先加強自由。自由制度，牽涉部門甚多，光就經濟方面而言，則合作經濟制度實不失爲最進步制度。共產制度那一套極權奴役的騙辦法，既爲我們此次訂約所要「共同防禦」的對象，我們自然具有「共同決心」予以遏制和消滅，固不待論；傳統的資本主義經濟制度，其流弊之烈，貽禍之深，百餘年來，亦早已爲有心人所共悉。故「節制資本」爲孫中山先生解決民生問題的基本原則之一。在此二者之間，固然尚有其他各種的學說和主張。但最穩妥有效，而又最合於我國固有道德和文化精神的，實莫過於憲法第一四五條第二項所詔示應予獎勵及扶助的合作事業。在此中美條約特別規定「加強自由制度」的正大機會，我願向政府當局提出一個具體要求，以作爲我國履行條約的開端：政府對於人民組設合作社，應即解除禁令，任其自由的依法設立！

（未完）

爲大學教育進一言

·丁文淵·

（上接第一版）每學期所收的聽課費，可多至二萬馬克以上，往往有十名上下的聽課學生，聽課費也就無幾了。於是教授乃可提出要求，請教部予以保障，不足之數，即由教部補足。正教授享有公務員的保障，[illegible]以前取節，尚正係式退休，得領養老金，而非全斷了。

教授的資歷與地位

正教授有如此優厚的待遇，[illegible]在德國是決不可能的。他對他的科學，必須熟通古今。所有新的發現和研究的趨向，他都要在授課時介紹出來。所以他非不斷的用功研究不可，他也就是大學教育一種確有力的保障。

教授必須有他在教學上的經歷（ACADEMISCHE LAUFBAHN）。這種經歷的第一步，就是博士學位，然後任助教若干年，必須有多種學術研究的報告。如果他的教授認爲他的工作滿意時，就可以得其同意，進行講師論文（HABILITATION）。講師論文較博士論文（DISSERTATION）的範圍，要擴大數十倍，成爲一種專論。講師論文經過他的老師和爲學院指定的另一位前輩審定通過後，再提交院務委員會複審。如認此論文研究的方法精確，無懈可擊，而對於此一問題亦有新的見解，則即可得院委會通過。此篇論文的目的，是在請准在本學院內有授課的權利。這純粹是學院本身的事，與大學和教育部無關。講師是無薪給的榮譽職，他如果能在本學科內，經數年的研究，有特別的成績，就有被聘任作爲大學正教授的可能。他在本學院第一次的正式授課，是公開的性質，任何人均可旁聽，且有權提出種種質問。初期學科的範圍沒有現代如是廣博，也確有人提出質問，講師如果不能有滿意的答覆，就不能被承認爲講師。現在因爲各個專論內的問題，多甚複雜，通常也就無人再提出質問了。講師所做的研究，大都均想能在本學科的年會中提出討論。祇要他在年會的辯論會中，他的理論不爲人駁倒，能夠得到同行的公認，他在學術上的地位，就因此奠定了，也就有做正教授的希望了。

教學自由　人才輩出

德國在學術界上能夠人才輩出，完全有賴於講師的著幹，這類人才，素爲實業界所歡迎，他們就可以從這方面而得到了酬勞，多數還能同時保持他的講師職位。窮苦的講師，大多數任助教，那是有薪給的。老年的講師往往僅得到副教授的虛銜，而終其身。實缺的副教授，則有定額，多爲一種大學內一部分的負責人，或爲小學科的主任，不過名額極少。實缺副教授亦有養老金。副教授並不是講師升正教授的必由之路。副教授和講師都是終身職。除非他本身自願離職，或是違犯法律而受刑事處分，是不可能被任何方面辭退的。他們在教學方面，有完全的自由，不受任何方面的約束，這就是德國大學有名的「教學自由」（AKADEMISCHE FREIHEIT）。

以上是德國大學教授的一種正途出身。例外極少。大學對於講座的實授，取審慎毋濫的態度。往往一個講座出缺，在無法物色一位適當人選的時候，甯可使講座虛設，而不可能隨便位置一個勉強的人選。這是足以爲我國大學所效法的。非正途出身者，僅能得名譽教授。

德國有他數百年的學術歷史，當然不是我們在短時期內所能追蹤得到的。然而如果我們想使我們的大學，能夠在相當時期以內，達到國際的水準，他們這樣「正途出身」的途徑，恐怕確是促進學術進展的一條必由之路！

改革我國大學的意見

我認爲現在我國行大學法規之下，也可以順利的進行。現在我且大胆地條陳一個辦法如下：

一、現行大學制度，完全予以維持，不加變動。

一、教育部嚴格實行部聘教授的制度。

一、現任校聘的教授，並不因此而受影響，仍然照常由校方每年加以聘任。

一、部聘教授應爲終身職，除校方給予薪金外，教部更另給以部聘薪金，以加厚其待遇。

一、部聘教授的資格必須合乎國際水準。

一、教育部成立一部聘教授委員會，草擬部聘教授資格的準則，再提出全國教授大會，予以通過。

一、部聘教授資格準則經全國教授大會通過後，即交部聘教授委員會，嚴格執行之。

一、申請部聘教授之候補人，得請求教育部予以種種進修之便利，包括研究費用。

一、每一學院內須設若干部聘教授講座，其名額由各學院與部聘教授委員會議決之。

一、部聘教授應享有教（授課）學（研究）自由，不受他人干涉。

一、如一學院內之部聘教授名額已達全院教授三分之二之數，該學院院長即應由部聘教授及校聘教授之代表選任之，只有部聘教授，始有選舉權。一年一任，不得連任。

一、如一大學之各院院長，已有三分之二由部聘教授選出，則該大學校長即應由該校之全體部聘教授選出三名候選人，由教育部就其中之一人任命之。一年一任，不得連任。

一、第一任校長當選後，即應成立財政管理委員會，由校長及各院院長組織之。教育部任命一事務長及秘書長，兼任該會委員，負責執行該會議決各案。

一、第一任校長當選後，即應將現行大學法規提交校務委員會（由部聘教授組織之）修改，送請教育部批准。

一、講師則應根據上述德國大學講師之出身途徑仿效之，惟須由校方予以若干津貼。（德國窮苦講師，現亦有火食津貼）。

上述條陳，可使大學不受任何波動，而達到國際水準。至於大學行政之其他部分，因限於篇幅，不多贅。（完）

天下小事

麥克阿瑟將作獅子吼

大家久已不曾聽到麥克阿瑟元帥的消息，不過，不出半個月，麥帥就要作獅子吼了。

本月二十六日，是麥帥的壽辰，那一天，他的許多朋友舊屬們準備大大慶祝一番，麥帥本人也豪興橫飛，打算先後發表三篇重要的演說。據麥帥的親信說，壽誕慶祝大會決定當天在洛杉磯舉行，麥帥將打破多月以來的沉默，大家都預料他發表的某一篇演說將在新聞中佔有極重要的地位。

史達林兒子尚在人世

史達林的兒子，俄國空軍中將華西里究竟到那裏去了，到現在仍是一個不可解的秘密。有人說，他已遭馬倫可夫整肅，不復存於人世；有些人則說他被囚於西伯利亞充任奴工，人雖未死，但卻已鳩首鵠面，不似人形。然而現在消息傳來，與上述兩說均不相同，雖然同屬不能證實，但確有一提的價值。

據維也納綫索的新秘密情報說，在貝利亞被捕時同時失蹤的華西里，其實並沒有死，不過他原任的戰略轟炸司令部司令一職，確已爲馬倫可夫免掉，他現在西伯利亞庫索摩列斯克（海參威正北）附近的蘇俄遠東空軍司令部服務，風頭已不如以往之健，較之他爸爸在世時沉默得多。

美陸軍部長即將易人

美陸軍部長史蒂芬斯預料將在幾星期內就要離職，據說國防部當局老早就對他不滿，只因麥卡賽與陸軍部的爭執，當局爲了保持政府顏面起見，不得不硬着頭皮支持他，現在麥卡賽案已經過去了，國防部舊案重提，於是乃將有史蒂芬斯辭職的案出現。

據國防部長威爾遜常常向人表示，美陸、海、空三部中，以海軍部的工作最爲出色，空軍部也算差強人意，只是陸軍部的步伐太慢，需要加強工作效率。至於史蒂芬斯離任後，誰將繼承他的職務，目前揣測紛紜，幾位著名的共和黨員都有入選的資格，其中希望最大的，尤推現任助理國防部長西雅頓。（孟衡）

建議召開亞非會議的印尼

·李加雪·

一個沒有能幹的人，自己家裏弄到亂七八糟，景況一日不如一日，還想管別家的閒事，干預鄰人的事務。這樣一個人所主持的任務會能夠有結果嗎？

印度尼西亞（簡稱印尼）便是這樣「一個人」。家境每況愈下，已到了破產的邊沿，還想召開亞非會議，替別國解決事情，並且邀請虎狼般的中共參加。這樣一個會議能夠有所成就嗎？

印尼是怎樣的一個國家呢？請看下面的紀載：

獨立六年成就如何

印尼是世界第二次大戰後，十五個新獨立的國家之一。經過三百五十年荷蘭統治，驟然獲得獨立，而成為世界第六大國（人口八千萬）。這時印尼對於未來，充滿了信心和希望。去年八月是印尼獨立的第六周年，可是信心已消失了。因為通貨膨脹，國家經濟已陷入危險境地，而且政府無能，共產黨滲入活動，全國百分之九十的回教人民，都感覺到不安和失望了。

六年來，印尼的成就，實在寥寥可數。總統蘇加諾最近這樣說：「印尼的成就，實在是少得可憐。」糧食僅堪自給，全國文盲僅由百分之九五減為百分之七五。

經濟窒息　器材委地

首都耶加達的人口，獨立後由五十萬增加到四百萬。設備不良，市中心區臭氣熏天。昔日著名的威廉公園，現在變成了壞車和破舊車輛的墳場。通過大街的運河，是人民梳洗沐浴的場所，河裏滿塞垃圾，過者掩鼻。耶加達街上塞滿了奇形怪狀的乞丐。

因為政府的無能，國家經濟一天比一天壞。政府雖然聲言歡迎外資，可是現行的政策窒息了當地的經濟。好些種茶和種樹膠的企業，都聲明不再添種了。通用汽車公司在印尼設廠二十七年，最近把廠關閉了。飛歌無綫電和英國化學工業也決定在最近的將來停業。耶加達的碼頭堆積了許多建築材料，任其銹壞。爪哇西部萬隆兵工廠存有四千五百萬元的器材，沒有人理會，原因是找不到一個內行的人來料理兵工廠的事務。

印尼弄到這個境地，一般人都說是由於政府的近視和無能。印尼的回教政黨反對西方，同時也反對共產。可是七個禮拜前，印尼的宣傳部招待外國記者，放映的三部影片都是蘇聯的出品。印尼政府，從表面上看是偏左無疑。

盜賊遍地　叛變頻仍

首都耶加達反映出印尼的治安情形。耶加達的銀行區和貨倉區，入黑便宣布戒嚴。為防止搶劫和盜竊起見，軍隊禁止行人進入各該地區。一個印度商人這樣說：「怪不得印尼政府沒有辦法對付外間的盜匪，首都的賊徒已經夠他們忙的了。」

印尼全國究竟有多少叛徒？究竟有多少地方是反抗政府的？很少人能夠詳細曉得。一天某大使館的副官，忽然跑到大使面前說道：「不得了，政府的無綫電剛才宣布，作戰的消息，政府要打仗了！」大使緊張得不得了，趕忙查詢，才曉得印尼政府向三個宣布獨立的島嶼宣戰。北婆羅洲的西部和中部，都有叛變。西里伯斯島的南部，蘇門答臘的北部都有叛變。這些地都是印尼的一種事實。

印尼的陸軍共計二十萬人，黨派紛紜，沒有一個人能夠統率，同一隊伍使用種種不同的槍械。印尼的陸軍參謀長是未經過軍事訓練的。全國七個地區的軍事長官，都是地方軍閥，沒有一個服從中央政府。印尼的國防部長雖然不承認自己是共產黨，可是年輕的時候他到過莫斯科參加過會議。一九四六年並且因為領導共黨叛變，被囚獄中。做了國防部長，他無時不設法清除反共官員。凡對他表示不服從的隊伍，總被短給糧械。他想將耶加達劃出，成為獨立地區，軍事由其個人指揮。

上面是印尼近貌的忠實描寫，取材於最近的美國新聞周報。

西·貢·風·情

胡養之

西貢的幾條大街，都很寬闊，柏油馬路兩旁矗立着參入雲霄的高樹，長年綠葉油油。市內也到處都有秀色可餐的小公園及公共遊樂場；市中心有一座巍峨的聖母院，院的左邊數十碼之外，便是一座堂皇富麗的歐洲式的皇宮，原為法國總督署所在，今日改為高級委員的衙門。離這裏不遠則是保大政府，門口經常插着一面上繡三條紅的杏黃國旗。

再過幾十碼，又是一座偉大的歌劇場。西貢街道的兩旁，多是現代化的高樓大廈，有的是「柏文」，有的只准白人入內的商店，有的是普通商店，黃種人也可進入。各商店所售賣的奢侈品，大都是由法國輸入。沿街並有許多家美容院和麵包店，烤賣法國麵包及點心。大小飯店售賣各式各樣的法國吃食，大街兩旁多有露天咖啡座，要一杯牛奶咖啡，便可消磨大半天的時光。此外還有林立的酒吧間，水兵及白相人往往縱樂其間。

西貢近郊乃是土人區，中國式的商店及貧民窟也均在此。而整潔的營房，分別駐着法國兵，御林軍（亦稱遠征軍）及土人兵，一座又一座地包圍着西貢城。同時還值得一提的便是秋郎街裏的中國飯店及商店。此街的末尾，便有許多夜總會和妓院及賭房，各色人等均往光顧，不僅是縱慾聲色之場，且為特務，間諜，流氓，地痞活動之地。

盡情享樂的法國人

從表面上看，住在西貢城內的五萬多法國人的日常生活，仍跟往日差不多，根本看不出甚麼恐怖及內心不安。十多家法國公司，也正在十分活躍，準備撈最後一把。這些公司都是一本萬利，法國僱員的薪水極高，每年終並有很多花紅可分。所以一般旅越法人在物質上的享受，遠過於本國的人民。例如西貢城內法人住宅區的房子，寬敞而考究，佈置也很堂皇，且僱用成羣的土人及中國人為僕役，工資非常低微。

「入國問禁」，旅越法人入越後也跟着土人學會了睡午覺的習慣，每當日麗中天時，法人住宅區便鴉雀無聲，到處僅聞電風扇的聲音。到了晚上，他們卻照例是忙着享受，或者擺酒宴客；或者茶會跳舞；或者玩橋牌，進歌劇院；或至老茂林大飯店去吃國餐。因其店內名廚如雲，這些名廚們出面招待熟客時，往往口若懸河似地與顧客們討論烹調法及配酒法。同時也有至歐查奶去跳舞的，香濱酒盡情享受，並有新由巴黎到來的歌舞名伶，裸體高歌以助興；星期及例假日則賽馬、賽狗和賽球等不一而足！

越共滲透活躍

然自河內淪入越共以來，西貢城雖然地處南方，實際上則無異於戰場的邊緣。據可靠的內幕的消息，城外二十五公里的地方便是越共的天下，越共游擊隊甚至經常在距城三五公里處活躍。換句話說，鄉區都是越共控制的。是故那裏的白種人，生活固然闊綽，但內心卻不免惶恐憂懼之情。每聞爆炸之聲，雖僅為汽車輪胎爆炸所致，也不免膽戰心驚的！

由於紅色的陰影籠罩了這個越南自由都市的西貢，越共特務也大量地乘機潛入市區。據設在市中心七公里處的英美煉油廠的工人，便多半接受了越共的訓令而罷工，各該工廠的房屋設備都被炸毀，其中有兩個工人拒絕越共命令不肯罷工，結果他們的所有家屬，統統都被暗殺，並且還把一顆女人的頭顱，活活地掛在那附近以嚇人呢！（下）

台灣的鹽工生活（下）

·狄介先·

工人住宅氣象一新

二、修建鹽工住宅　鹽工住宅原為日人所遺留，大都破爛齷齪，不堪居住。自四十一年起，政府即撥款修建，凡僱曬鹽工宿舍已全部重建，紅磚白牆，水泥地面。每一鹽戶有屋二間，佔地約三十坪。計有布袋、七股等鹽場鹽工宿舍二十四棟，鹽工一四〇戶，另在最為困苦之北門井子腳鹽村修建七十戶。共計二一〇戶鹽工已有新屋。至承曬鹽工係承曬自營，由製鹽總廠訂定自行修建住宅補助辦法。補助款項計分二千元、一千五百元、一千元、五百元等四級。承曬鹽工自調整工資收入增加後，各場鹽戶已有餘力自行修建住宅，自四十二年十月迄至最近，各鹽場舉辦補助三期，計有受惠鹽工三一四戶。另有美援相對基金建築鹽工宿舍四十戶。鹽村環境如開鑿水溝，增建廁所，修增路面，栽植苗木等，加以整頓，確有一番新興氣象。

三、裝置鹽村電燈　台灣電力供應原甚普遍，鹽場地區如鹿港、台南、布袋、北門等鄉鎮，均已裝有電燈，但濱海小村，因距離綫路過遠，尚未裝設電燈者，在四十三年內，由台灣製鹽總廠配合電力公司，普遍裝設，目前鹽戶均能享受電化的便利。

工人教育日漸發展

四、推行鹽區教育　台灣鹽田面積固定，發展困難，但鹽工生殖力強大，鹽區人數逐年增加，鹽工又為鹽區環境及生活習慣所限，轉業不易，致有「生之者寡，食之者衆」的現象發生，其解決辦法惟有從教育着手，養成鹽工子弟就業技能，鼓勵門外謀生，歷年辦理情形，可分：一種子女獎學金，規定鹽工子女在大專學校就讀者，每人每學期發給獎學金四〇〇元，高級職校三〇〇元，初級職校二〇〇元，中學一二〇元，國民學校期考成績名列前五名者六〇元，此項辦法實施後，鹽工子女升學者，逐有增加，所得獎學金人數，以四十三年上期計，計有大學三人，高初級職校四十人，中學二十一人，國校二三六人。二鹽區國民教育，除有地方政府所設立之國民學校外，並由製鹽總廠在偏僻鹽村，舉辦代用國校，鹽工幼稚班及托兒所等，以普及國民教育。

保險與康樂事業

五、鹽工醫療設施　台灣製鹽總廠與省衛生處合作，在各場舉辦鹽民衛生所十二所，並由該廠在北門井子腳自辦診療所一所，又在布袋新厝增設醫療站一所。各鹽民衛生所均有內外及產婦等科，聘有專任醫師護士，醫療設備亦尚充實，所有鹽工及其眷屬診病全部免費。

六、舉辦鹽工保險　鹽工保險計分傷害、殘廢、生育、死亡、老年等五項，據統計四十三年一至九月投保鹽工人數五八五七人，給付金額三十五萬一千二百五十四元，其中生育給付佔百分之五三．七，死亡給付佔百分之一，殘廢給付佔百分之二．八，傷害給付佔百分之一．七，老年給付佔百分之〇．八，鹽工受惠實多。

七、舉辦鹽工之家　各鹽場舉辦「鹽工之家」係鹽工文教康樂活動的中心，全鹽區計有十三個，均係新建房屋，內部設有閱覽室，娛樂室，縫紉服務班，平價供應處，理髮室等，為鹽工服務。「鹽工之家」四字為自由中國書法大家于右任先生所題，筆力遒勁，更為鹽工福利生色不少。

八、舉辦經濟補助　在產鹽季節，利用鹽工收入較多時，舉辦鹽工有獎儲蓄；在雨季收入銳減時，舉辦食米貸金；在颱風災害時，舉辦損失救濟；在鹽工子女婚嫁時，給予補助費；在鹽工遇有緊急事故時，則酌予無息貸款，從種種方面，設法解決鹽工所遭遇到的困難。

此外，各鹽場均有憑鹽工自己意志所組織的產業工會。爭取自己的福利，充分享受到民主和自由。自由中國的鹽工，生活已有顯著的改進，但我們回想到大陸數十萬鹽工，正處於共匪暴力的壓榨和奴役下，度着非人的生活，幾有天堂與地獄之感。（十二月廿三日）

人·物·述·評

大陳守將劉廉一

·胡養之·

在目前戰雲瀰漫的台灣海峽中，防守大陳島的司令官劉廉一將軍，是自由中國將領中一個勇敢善戰的青年將領。

劉廉一原為前大陳島防守司令胡宗南將軍的副軍，去年五月胡氏調任台灣警備總司令以後，劉廉一才繼胡氏出任此一艱巨的工作。

（一）

劉廉一在抗戰前，還是一個寂寂無名的參謀，除了坐辦公室外，很少對外界活動，根本看不出他有什麼才能。直至民國三十一年多，隨軍入緬遠征，升為五十四軍參謀長後，出擊密芝那，轉戰騰衝，運籌決策，勝算過人。正是「時來風送滕王閣」，三十四年春，前軍政部長何應欽將軍受任陸軍總司令，設總部於昆明，特令調劉任總司令部的參謀處長，以其年青精幹，獲得信任，從此脫穎而出，漸露光芒。

抗戰勝利後，三十五年春，劉隨何氏東奔西跑，主持受降工作。旋纔與俊出長五十四軍的第八師，參加膠東剿共戰役。其次，青島第十一綏靖區司令官丁治磐，召開軍事會議於城陽，各將領大都諱疾忌醫，敷衍報告了事。惟有劉廉一站起來了說了一大堆，並指陳敵我形勢，說明陳毅共軍第九、十三兩個縱隊的主力在膠西，而我軍卻把軍隊部署在青島附近，獨以第八師孤軍深入二百里，防廣兵單，似非戰略所宜。當時軍長闕漢騫聞之大怒，當衆斥其不應在會場叫嚣；劉亦拂袖而去。臨行表示不打下膠州，決不回軍部再見軍長。

到底青年人的志氣，比較堅強。翌日劉氏親率第八師全體官兵，軍鋒指向膠州城，果然一舉攻克，把陳毅兩個縱隊打得落花流水，並鹵獲戰利品甚夥。就在光復膠州後的第五天，劉廉一發動當地民伕，協助構築工事時，便有共匪便衣二百餘名，偽裝民工，混跡其中，企圖乘隙搶奪武器，攻擊國軍部隊，作垂死之掙扎。同時匪又預先埋伏幾個大隊，準備再起圍攻，妄想奪回膠州。詎料這裏的劉廉一早已獲得情報，表面假裝不精明，聲色不動，暗中卻將計就計，佈下天羅地網，匪軍將要發動時，由於劉氏早有準備，不僅毫未中計，反而施行了一個「甕中捉鼈」的戰術，把共軍幾百潛伏人員，一網打盡。由是，雖以僥倖起家的共酋陳毅，亦無法施其技矣。

（二）

民國三十八年，徐蚌會戰失利，陳毅渡江進攻京滬，適劉廉一率領六十三軍設防江西上饒，受沈發藻兵團指揮。本來要在上饒一帶與陳毅作殊死鬥的，無如環境不許，未能展其計劃，祇好從容轉移瑞金，以及潮汕一帶設防。所謂「冤家路窄」，今天劉廉一面臨的敵人，又是當年膠州戰役的陳毅，彼此隔海對峙，自不免各有不同的回味。

提起這位青年將領劉廉一，他不僅勇於作戰，而且平時更有過人膽識，和吃苦精神。例如民國三十五年五月三日，前軍政部派駐廣州的接收大員莫與碩，赴京述職，已經買好兩張飛機票，結果以當日大雨傾盆，氣候突轉惡劣，莫氏竟放棄了那班飛機，提出退票。適劉氏與筆者也正在廣州候機北上，劉認為是千載一時的機會，馬上就頂替了莫氏的兩個座位，冒着惡劣天氣，飛往上海。時已黃昏，立刻又轉乘京滬特快車趕赴南京。因時間耽擱，上車後，座位早已客滿，祇好站在車廂口的廁所旁邊。當時劉氏帶着濃厚的長沙口音向我說：「中國的將領一向都是不值錢的，我們就在這裏站站罷！」不知怎的，後來給一個憲兵班長發覺了，向我們問清來由，才讓出兩個巡邏的憲兵位置給我們坐下。

劉廉一是幕僚出身的，所以對於國學也有相當造詣。他由師長而軍長以至司令官，從不設私人秘書；凡與私人朋友信件往還，從不假手於人，他的參謀長擬好的公文，如果一點不如意，往往全篇加以刪改。此外他的英語也說得相當流利，民國三十六年，何應欽出任聯合國軍事代表團長時，曾調劉氏隨行。不幸，正當劉氏興高彩烈，整裝待發的前夕，卻又給他留一件極端傷心的事情，便是劉氏的兒子在南京因喝醉酒，由二樓窗戶倒下跌死！

（三）

在國軍將領中，像劉廉一這樣年青有為的，雖數出幾個來。今年才四十五歲，他的家正在靈氣所鍾的岳麓山下，湘江之畔。父親是長沙城內的一位股商，個子很矮小，沒有劉氏那樣壯碩。太太為蘇州籍，小巧玲瓏，沉默寡言，賢慧有餘，[illegible]不足。能做出一手好菜，相夫教子，極稱賢能。夫婦感情都很不錯。

劉廉一曾畢業黃埔軍校第十期，和陸大第十六期。平生痛恨貪污，提倡「廉潔」，故取名廉一，表示身體力行的意思。他幼年在岳麓中學讀書時，學名叫劉雄。廉一是後來才更改的。他個子不高，圓身體，卻很結實，[illegible]。一次，他曾向全師官佐發出一件「官佐的頭髮只准留一寸」的規定。他說：「[illegible]」因此，便有人在背後說他[illegible]。[illegible]

劉廉一於練兵，非常嚴格。他與劉玉章的五十二軍，同為[illegible]。韓戰爆發之初，曾預定為赴韓參戰的部隊之一。目前大陳局勢吃緊，我們相信中共如果敢於進犯大陳，劉廉一將軍一定會有精彩的表現，把共軍打得片甲不留的。

春節談治亂

馬五先生

歲紀更新，一元復始，春回大地，生氣充溢，且談談治亂之由，聊抒咸與維新之願。

古今來，世人談治亂興亡的道理，至矣盡矣，不勝縷述，綜其要點，祇是統治人物如何維持社會秩序的觀念問題而已。換言之，即統治者所應爲必須如此的治理與治法，是否具有爲大衆衷心企盼，樂於接受的客觀妥當性，而非獨斷一廂情願的主觀想像？

劉邦項羽爭天下，只邀其想個簡單平凡的諾言：「約法三章」，就取得社會大衆的向心力與往，敗西楚霸王的強大武力於垓下。「人心思漢」。人心何以思漢呢？就因爲漢王的統治觀念適合大衆的生活要求，大家覺得本身的安樂幸福，得當而急務，以自動地各盡所能，與來維持秩序，社會自然安定了。

共產政權是專憑主觀想像來統治人類的，所以，它就非經常保持強大武力，採取高壓的治術不可。它們儘管花言巧語，說那人的民主自由生活全是假的，祇有共產社會才是行的眞民主，享的眞自由。但它那套主觀想像，跟社會大衆的現實要求不相適應，社會秩序即永無安定之日，人心時時思亂，那有「和平共存」的可能呢？

從失勢時效的觀念中出發的治亂治術，表面上無論怎樣嚴密，如果與社會大衆的生活要求相背馳，那就是徒勞無益的事，久而久之，必致人心渙散，形成土崩瓦解的大亂局勢。

現在我們正是到了「人心思漢」的緊要關頭，如何改變統治觀念，以適時適事，而收撥亂反正之功，實爲當前急務。這一着做不到，其他一切作爲都是白費的！

記學海書樓

（一）

香港的學海書樓，是中國珍貴典籍和文獻的儲藏所，是宣揚中國文化的講壇。恰比魯靈光殿，巍然獨存；倒障狂瀾，中流砥柱。

我們要記述學海書樓，且追溯這一點的歷史。遠在清代乾嘉以後。儀徵阮芸臺（元）任兩廣總督，在粵設學海堂，聘陳蘭甫（澧）任山長。蘭甫的學問非常淵博，舉凡天文、地理、樂律、算術、駢文、填詞、篆隸、眞行書，各項無一不精。所著有東塾集，東塾讀書記，朱子語類日鈔，漢儒通義，聲律通考等書，成一家之言。當日戴（震）惠（棟）之學既衰，今文家又謹守章句，不講治於他書。理學宗傳，亦漸漸銷沉下去。他於是挺身出來，主張鴻巢漢宋，調合鄭（玄）朱（熹），儼然是清代漢學的殿軍。

（二）

民國十二年（癸亥）增城賴煥文（際熙）太史，矜心於道之不修，學之不講，毅然有啓後承先之志；於是發起捐建學海書樓，以爲藏書講學之所。律師洪興錦和李海東，俞叔文兩先生首先贊成；於是號召同人，捐貲辦理。那時香港物力豐富。不久期募得大宗款項。爾巧廣州潘寶鑑氏，出售藏書，中多善本，全數購進。租賃堅道某號儲藏，公開閱覽，並仿廣州學海堂宗旨，取名學海書樓。後來社會人士，大感興趣，在洪興錦先生極力贊助下，由何東、李瑞琴、羅旭和、馮平山、李右泉諸先生捐貲三萬多元，購買般含道二十號樓宇，並得張公勇諸人，捐助常年經費，基礎由是鞏定。經費有着，規定每星期講學三次，延聘何蔚皐（藻翔）進士主講，陳伯陶、區大典、賴際熙三太史和俞叔文先生，亦輪流擔任，講授經史諸書。遇到有名流過境，必請他到書樓演講。如梁燕孫（士詒）太史休假回港，亦曾在書樓演講經濟，更生色不少。

（三）

開辦數年，香港政府特予嘉許，年捐一千元，其他名流，或捐貲，或捐書，由是藏書漸多增至十二萬卷，全數爲綫裝善本書籍。檳城譚備觀欣然，曾出資印刷書目二卷。計書樓藏書除廿四史、九通、四部叢刊、圖書集成、皇清經解，通志堂經解等大部書籍外，所收各種叢書如海山仙館叢書，知不足齋叢書，粵雅堂叢書等凡三十餘種，多屬善本及精本，爲商務出版的叢書集成所不及。但書目分類係依筆劃區分，不是採取杜威十大分類法，和王雲五分類法，檢查似有困難，尚待改進。但用功治學之士，前來鈔閱，或攝影閱片的，大不乏之人。

（四）

民三十年，日寇侵港，一切措辦，大受頓挫，全部書籍給日人移置香港大學，樓宇亦被佔用。直至香港光復，得義務司理俞叔文先生努力恢復，已復舊觀。

光復以來，主持人延納各方人士作專題演講，如伍憲子講孔子，梁寒操講孟子的人性論，唐君毅講王龍溪學術，羅香林講班超與西域，饒宗頤講顧亭林詩朱子詞，講十五國風，熊潤桐講古文，筆者亦承約講漢書董仲舒傳。聽講的有香港大學、官立文商學院、廣僑書院、華仁書院、西南中學各校的學生，成年人和婦女界亦不少。

丁此道喪學絕之時，倘承各方人士贊助，設立講座，對於發揚東方文化，當有更大貢獻，這是篤信好學，而不是抱殘守缺。

語言學漫談

徐道鄰

做人做事何以失敗

這兩個人的談話，從一開始時，事實上就已經停止了。山本的思考，是從事實上出發；六家的思考，是從標記上出發。這兩種思考方法，那一種是就事實來推論，就從語義來推論，一種能解決問題，那一種是在製造問題，大家不難猜想。

李伊文 IRVING J. LEE 作過一次試驗。他就「保障工人就業」的問題，使甲乙丙三個人各作一次講演。再把三個講演的錄音開放，使一班大學生評判其優劣。結果乙被列爲最優，甲次之，丙又次之。過了一個月，李又把這三個講演錄音開放，使這一班學生再作一次評判。不過這一次加了一項附帶說明，就是說乙是一個黑人。結果甲變成了最優，丙次之，而乙卻成了最末。這一個試驗說明了一個事實：就是頭一次評判的時候，大家所注意的是講演詞的內容；第二次評判的時候，大家卻祇注意「黑人」這一個字的含義去了。

這三種思考，我們不能，也不應當放棄它們。不過我們要知道，這三種思考，全都有其害處，就是我們不能用以來代替「事實思考」（FACT THINKING）。事實思考是用來幫助我們，而這三種思考，全都是用以來「代替」事實思考。作事失敗和與人不能相處的人，我們如果細心觀察，一定可以發現他們慣於放射思考，推論思考，定義思考，他們把一切行動的責任交給他們的臆測，推論和標記。而對於事實上人和物的關係，他們都不能顧到。他們相信標記而不相信事實思考。所以一個人要想對於人和事想求得進一步的了解，第一件要緊的工作，就是要加強事實思考，而加強事實思考的第一步，是要認識放射思考，推論思考，定義思考，都是人類智慧的產物，也都是人類用以發展其智慧的工具。我們需要隨時隨地刻刻提防它們的作祟。（五）

歲暮吟

金達凱

（一）

臘鼓聲低夜色沉，避秦何處覓桃林？敘環已渺魚書絕，魂夢依稀淚影深；紅豆凋殘南國樹，白雲長繫故園心；關河難渡胡塵重，聊把愁思付苦吟！

（二）

欲寄離情趁晚潮，寒烟漠漠水迢迢；一江嗚咽多悲壯，萬里棲遲感寂寥；爲掃閒愁歌古調，難消孤憤立中宵；嶺梅已報春消息，綠泛江南料未遙。

舊劇中的笑話

小丞

過去大陸上的各處地方劇，多無劇本，臨時由伶人按劇情大致，自編唱詞，錯誤百出。或因急中生計，胡謅解嘲。甚至故意逗引觀衆一笑，遂多有令人哭笑不得之絕妙好辭。

（一）

河南戲的「陳州放糧」，飾包公的還是豫劇名角，唱至退朝回府，包公大喊：「王朝馬漢，打道回府！」詎因聲撕人，始悟人腳不够。乃急改唱搖板曰：「頭上盤盤烏紗帽，衣上掖起滾龍袍，這番蹊蹺帶太少，王朝馬漢不要了！邁開大步不坐轎，陳州放糧……走一遭。」

又河南戲「劉秀走國」，飾漢光武者，出台時唱搖板：「打馬來在潼關，不知是啥地方？待我下馬觀看！」隨即作下馬觀望舉手計算狀，道白曰：「啊，上寫三個大字，潼關！」

甘肅之張掖，演陝西梆子戲，開鑼戲有票友演渭水河，就坐時應唱：「老夫姓姜，名尚，字子牙，道號飛熊……」詎心慌意亂，唱至「字子牙」之後，竟忘下句，只好「子牙，子牙，子牙……」唱下去，一連「子牙」十餘句。

台下大喝倒彩，通臺四起，票友愈慌，愈難想起，有觀衆叫曰：「不要驗，還是倒好呀！」票友一聞「倒好」二字，倒被提醒，趕即繼唱：「道號飛熊。」

故鄉江西各地的酬神戲，多係臨時搭的戲台，一般觀衆多在露天下看戲。某日風雨大作，一時觀衆多作鳥獸散。正在演戲的角色，以觀衆全無，只好草草收場。乃某戲子於其最末一段唱出：「風來了，雨來了，一般王八烏龜都走了，只剩下兩個婦人看毛×！」此事還引起了一點小糾紛，劉某劇團罷演出一天，始寢其事。（上）

短篇小說　老鼠

廉有譯

這一篇故事是J．B．S．何爾登（HALDANE）的作品。他於一八九二年生於英國，出身牛津。曾參與第一次世界大戰。他在生物學上的成就，廣博盛譽。大部份著作，是關於科學方面的。現居倫敦，在大學裏教「遺命測定學」。這篇故事，譯自「我的朋友李奇先生」（MY FRIEND MR LEAKEY），原文寫於一九三七年。——譯者附注——

從前有一個人，名叫史密斯。他是一個蔬菜商，經在克拉跟英王起的名，將來要繼承父業的。老大叫作喬治，是上過植物學特別班，懂得一百五十七種不同的葉菜，和四十四種根菜。他又上了動物學班，研究過寄生在葉菜裏的七十七種毛虫，曉得在菜上種點肥皂水可以把這種綠虫子弄掉，用烟葉擠汁可以醫除有條紋的虫子，而肥大的黃虫子則怕的鹼水。等他長大了，就成爲倫敦市上最有名的蔬菜商，他賣出的葉菜，誰也找不出毛虫來。

但史密斯先生祇有一間鋪子，所以他還有三個兒子，就得各自另找出路。老二叫作吉姆，正式名字自然是詹姆斯。他也上過學，得到所有英語作文的錦標。他乃全校足球隊隊長，打的是前衛。他又詭計多端，慣會惡作劇，常常跟老師們開玩笑。有一天，他把一根火柴頭子釘在粉筆上，並不是安全火柴，而是那種一碰上就着火的紅火柴頭，所以老師剛剛拿起粉筆在黑板上一上，火柴就着了，全班認有五分鐘做不下功課去。又有一天，他把裝蓋精放進所有墨水瓶裏，筆尖怎樣也蘸不上墨水。整整花了老師半小時功夫，把所有墨水都換過了，這一堂法文課也就沒有上得好多，他呢，本來討厭法文課。普通那些把戲，像把煤灰塞在鑰匙孔裏，或是把死老鼠放在老師書桌中，他倒從不搞。

三兒子名叫查理斯，他的數學和歷史功課，都還不錯，也被選入棍球隊，當一名拋球手，但他眞正出色的，卻在化學方面。全校中只有他一個人（我所知道的別的學校中也再找不出一個）會配製極複雜的有機化合物。他能做出頂可怕的怪氣味，如果他有意於此。但他因爲他懂得方法。但他是個好孩子，得不胡鬧。再則，要是他亂來，他們會不許他搞化學，而他卻是想以化學爲終生事業的。

四兒子名叫賈克，他樣樣功課都不見好。他運動也不高明，他一腳球都不會踢，在玩棍球時，有時還會打瞌睡。惟一顯長處的，乃是無線電。他在家裏差不多會自行製配收音機的每一種機件。他有一位祖姑，名叫瑪蒂爾達，好大的年紀，她說，她還能記得起從倫敦坐花修驛路到多佛。她已經不能行動，只得整天躺在床上。賈克給她做了一副耳機，她高興的不得了，說是自維多利亞載冕以後，從沒有這樣高興過。他對於別女人也都有幾手，他特別設計了一個閃電器，使他父親家中可以得到電用而無需付錢，那電表足足有一星期一點也不走動，那時他父親發現了此事，說道：「我們不應該如此，這乃是向電燈公司行竊。」「我倒不以爲這是偷電。」賈克說：「而且電流經過我們家裏的燈又回到幹綫去，所以我們並沒有保留電流，不過是借用而已。」但他父親一定要他把那鬼東西拆下來，還向電燈公司算清了鈔，因爲他是一個誠實人。

史密斯先生還有一個女兒，取名露西姬，但是大家都叫她柏姬。她在這篇故事裏並不是要角，所以我對她不打算多說什麼，要等到故事結尾再來提到她。現在祇說一說，當她小的時候，好幾顆門牙都打落了；但是等到後來，他們設法把她門牙裝還原了。

這時，倫敦碼頭正在大鬧鼠患。這些老鼠，是提別兒惡的那一種，祖先是在香港開來的輪船上，夾在茶葉、絲、米堆裏帶過來的。英國出產的糧食不够吃，要從各地運到倫敦來，所有用船運進倫敦來的，這些老鼠無一樣不吃。他們吃從加拿大運來的麥子，從荷蘭運來的乳酪，吃那從新西蘭運來的羊肉，還有從阿根廷運來的牛肉。牠們把波斯池艙從中間咬破，撕些碎條子來飾窩，把中國絲綢做的衣服咬破了來擦腳。

倫敦各碼頭的首領，稱爲倫敦港務管理局理事長，是一個了不起的大人物。他在塔山附近有一所辦公處，差不多有白金漢那樣大。這鼠患，使得他勃然大怒，因爲他要照顧那些用船運進來的貨物，從卸船時起，一直要照顧到裝上火車，卡車式大車運走時爲止。所以被老鼠吃掉的東西，他需賠出來。他把倫敦最出名的捕鼠專家都找來。但他們祇捉得到寥寥數百隻而已，因爲這種老鼠是很狡猾的一種。牠們有一個王，住在很深的洞子裏，別的老鼠把特別好的東西奉獻給牠。從瑞士來的朱古力，一片從法國來的火雞，從非洲阿爾及爾來的棗子，其他等等。牠則指示別的老鼠如何行動。（一）

急劇發展中的——台灣電影事業
政府亟應扶植國片生產

·方曙·

台灣通訊

【台北通訊】電影是文化運動的有力工具，其影響力量之大，無待贅述。三年來，台灣各城鎮人口暴增，加以電力供應之普遍之故，電影事業之發展有如雨後春筍。幾乎不多每個鄉鎮，均有一所電影院。

全省電影院三百餘家

根據民國四十一年[illegible]統計：民國四十一年以前，全省電影院共九十餘家，到了去年十一月，全省大小電影戲院已增至三百十餘家了。僅以台北一市而言，三十九[illegible]，真正放映電影的戲院只有八家，現已增至十五家。最近，還有一所最新最大的影院，正在台北最繁榮的地區——衡陽街中華路口建築中，[illegible]三百萬元以上。合台電影事業，確是方興未艾哩！

影片供應問題

談到影片供應問題：台灣影片的供應，全靠影片商，影院與片商是講分配制的。談到影片事業，必須談到合灣製片事業。說起來，台灣製片事業，真正的製片公司，自「農業教育電影公司」與「台灣電影事業公司」、「中央電影企業公司」之後，再加上「台灣省新聞處電影製片廠」，「新聞短片如「中製」」，共祇二家（[illegible]），近年來，[illegible]總共不過祇有三部[illegible]計劃，但須待事實證明）。此外的片商，外一部份是美國八大公司在台設立的分公司外，大部份都是代理國外製品的片商。據統計，經營影片商，在民國四十年以前，共七十三家，現已增至一百二十餘家。（實際經常有影片供應的不過是五六十家）。從以上統計數字看來，不論是電影院的建立或影片的經營，都是欣欣向榮，一枝獨秀。其對於社會文化影響之大，亦可想見。

國產影片少得可憐

台省電影事業的發展，雖如此急趣，但我國的自己製品，却遠不上實際市場的需要。而不[illegible]涉及金融問題，同時也涉及文化問題[illegible]。

[illegible]近統計：以台北市一地而言，去年一年中，各戲院上映的首輪影片共三百八十二部，好萊塢出品約佔十分之八，共二百六十部之多；義大利片和英國片共計二十部，日語片三十部，國語片[illegible]，其他國片實在少得可憐。[illegible]因此除美國八大公司外，其他片商[illegible]台灣片商[illegible]，如成事實，將來國產影片就可觀多了。此[illegible]業者所關心者也。

政府缺乏有效扶植

電影業關係文化與宣傳甚大，國產片既如其少，政府當局，亦已注意及此，民國四十一年十月，內政部舉行了電影輔導會議，會中研討了扶植國產電影事業，並擬限制外片進口以節省外匯等問題。先後開了三次會議，擬具若干計劃，但後來不知什麼原因，該項計劃胎死腹中。去年七月[illegible]入口辦法，規定全年祇准進口影片四百二十部。這辦法施行以後，進口影片雖有了限制，但國產影片並未受到若何具體的扶植。

去年下半年，香[illegible]忠貞影人相繼來合，合乎水準的影片，[illegible]「碧血黃花」、「小鳳仙」等以宣傳革命先烈忠勇事蹟為目的，在國民黨經營的中央電影企業公司轄下的戲院，似乎已有不成問題[illegible]。

[illegible]文的規定，國際的新片可以優先排映，除了過去有影片排映的困難。上述三點，實為自由中國扶植電影事業良好措施，但距實際需要和理想，相差尚遠。

外匯漏卮甚大

因為國產影片[illegible]，一部[illegible]片，好[illegible]，總數達一百四十萬美元[illegible]。

[illegible]上可以賺錢，（據的是黑市與官價的差額）。今天合灣經營影片業的商人所以增加，外匯引誘之力亦不小。

[illegible]際此外匯十分寶貴之時，每年有增無減的影片鉅額外匯，當然是政府一種負荷，政府對於影業准許以營業收入匯出百分之九十的規定，（日本僅准匯出百分之三十），似有加以調整之必要。同時為治本計，為發揚故有文化計，對於扶植國產影片之生產，更應切實拿出有效的辦法來。（一月十四日）

經濟社會思想叢殘（九）

·金伯華·

七「互助組織」

「互助」也是近代人類文明的一個大字眼。在社會經濟進化史上，「互助」是緊隨着「競爭」而飛揚於人類舞台之上的——雖然事實上，無論是人類或是其他一切動物，自古都有互助，也自古都有競爭。

不是嗎？當英儒達爾文於一八五九年第一次發表他的「物種由來」（試譯「生物本源」）時，一般博物學家雖均目為不經的謬說，可是不久之後，便被舉世學者推崇為是思想界的一大發明。學者多稱達爾文氏物種進化的原理為「時間」的大發明，可與牛頓的萬有引力之為「空間」的大發明相媲美，大家知道，達爾文費了二十年的苦工，從各地若干大大小小的動物訓以實地的考察和探討，結果發現「優勝劣敗，物競天擇」的所謂「天演淘汰」原則，乃是進化的唯一動力。由於達爾文這種思想——用中國傳統哲學的術語來講，就可說是「性惡論」，——的思想的不脛而走，風靡全球，實無異為十九世紀以來「強凌弱，衆暴寡」的強權世界大張其目！

剛剛比達爾文早一個世紀光景，亞丹·斯密士不是已為傳統的自由主義樹立了經濟學而為後來的資本主義經濟制度所遵為非果嗎？就思想路綫[illegible]言，資本主義確是淵源於斯密士氏經濟學說而來的。他們人的壽命只差兩歲：亞丹氏活七十二歲，達爾文則多活兩歲。說也湊巧！斯密士第一部出名的著作「道德感情論」是一七五九年出版的，也剛剛比達爾文的「物種由來」早一百年。在他這一部著裏，斯密士氏認為人類是具有同情心和利他心的。他並認為這種感情的因素，在社會裏負有主要的使命。但是再過十七年，到了一七七六年出版著名「原富論」，斯密士氏却特別強調利己主義是社會關係乃至國際關係的基本動力。先後兩種表面上似矛盾的主張，在一般自由學派的經濟學家眼裏，却認為是殊途而同歸，不但沒有矛盾，而且是和諧一致的。斯密士以為任何個人在他的自私自利的經濟行為中，結果都是對他人，對全國，乃至對人類，都是有利的。所謂有一隻非肉眼所能見的冥冥之手，引導個人的自利，而歸趨於大衆的公利，即係根據斯密士氏這種說法而來。這可以說是一種合理的，開明的利己主義。這與我們此處所討論的互助，似也本有精神上的聯繫。至於資本主義利用他的學說來作為經濟關係的理論根據，則有非斯密士所能任其咎。

這是插話，不必多談。

普魯東與克魯泡特金

至於認眞發揮互助理論的人，當推法國的普魯東和俄國的一個王子克魯泡特金。普魯東與傅理葉是小同鄉。他是無政府主義的祖師，但與結社主義者（ASSOCIATIONNISTES）有相當親誼。

讀「白日的海洋」

黃競之著　亞洲出版社出版

·沈秉文·

（一）

這是一部在思想和藝術的造詣上，都很優秀的海洋文學。它先描寫浙東某一漁村漁民的生活情形，接着深刻地刻劃這些漁民在戰亂與赤色政治壓迫下的劇變和痛苦。最後很生動地寫下了這些漁民為生存掙托，而掀起的抗暴鬥爭的英勇畫面。

在故事的部署和方法上，作者是忠實地走着新寫實主義路綫的。情節相當完整緊湊，筆法細膩，而又能變化，故讀來另有一種引人入勝的情趣。

故事的主題，相當正確、積極、而又鮮明。它充分說明了漁人的善良、純厚、和平、勤懇、勇敢、和可愛。也充分說明了他們終年辛勤底的目的，是為了改善生活，和培植下一代的願望。但當他們最後一綫生存的希望，被暴力扼殺的時候，他們的抵抗也是非常沉毅、英勇、和劇烈的。同時，此一故事，除替這個可悲的時代，留下一道滄桑的痕跡外，且隱隱替今日的大陳反共軍事，點出了它的本質——因為今日大陳的反共軍事力量，確實是由浙東沿海那些不甘受中共奴劃的人們，所逐漸集成的。因此，本書在目前讀來，更充分顯示了它的價值。

（二）

但此書最特出的成就，還在描寫技巧的熟練和精細。

由於作者對海洋知識的廣博，對漁民生活體驗的深刻，以及想像力的豐富，文字修養的老練，以及絕力的雄渾而又細巧，故不僅對人物的刻畫堪稱入木三分，也不僅對自然界——如村落、海洋、天色、氣候等——的描寫相當貼切生動、而壯闊。且筆觸所至，它始終恰如其分地流播着一種屬於漁村、漁民與海洋的風土氣息，和濃厚的純樸情感，充分地具有淨化讀者感情的特殊力量。

按照目前一般文學創作的水準，本書無疑是在水準之上的作品。亞洲編者在該書扉頁說：「它有漢明威『老人與海』的雄渾，却沒有『老人與海』的粗獷」，及「在藝術的壯偉與美上，作者有約瑟·康拉德和比爾·綠蒂的豐富想像力和技巧」，確非過譽之詞。

此書雖不免有若干缺點，惟作者在多方面的成就，必能在文壇上發射其應有的光芒。

（三）

作者黃競之先生，本係軍人，惟其在文藝上的成就殊非偶然。他精力充沛，天資過人，且力學不厭，故能有所創作。

作者以前從軍西北，即愛好自習繪畫及閱讀文藝作品，往往廢寢忘食。且所讀多名著，用心甚專。來港以後，即從事寫作，曾在新世紀出版社印行過「險山烽火」短篇小說一冊。本書之作，雖不能謂為「一鳴驚人」，但因此可以奠定他在文壇上的基礎，似無疑問。

× × ×

學生犯罪問題嚴重
學校家庭不容忽視

最近發生了兩件驚人的青年犯罪事件：一是年僅十五歲的學生，竟然拔刀行刼自己父親財物；另一是相同年齡的學生，加入非法組織「十四K黨」，為非作歹；他並且指證，他的黨在紀通球場打死一休班警員。這兩件事的發生經過儘管不同，問題却同樣嚴重。年來港九兩地的不良學生，犯案累累，主要原因，是在社會風氣悪劣，但學校與家庭間管教不嚴，均不能辭其咎責。有等學校僅注重正常學科與家庭間的嚴格督促課本學習，往往缺乏社會教育，忽視社會教育的重要性，學生沾染惡習，大致均由於社會不良風氣的影響，過去有人主張禁止市上發售外國神怪小說以及不良的連環圖畫，現在看來實屬必要。

就過去學生犯案事例看來，適足證明學校及學生家庭對於學生課外活動，均缺乏良好管教；這些情形，隨時可以發現，如許多歌場舞榭不乏學生涉足其間，若干天台偏僻之區，竟成「阿飛」打鬥與集會結黨所在，事雖屬為特例，但當局對學生課外活動，向未深加重視；除非發生違例事件，絕不干預，以致所謂「阿飛」之流無法無天。然則學校與學生家庭倘能合作，即令不能使「阿飛」完全撲滅，至少也可以不使在學學生為非作歹，此種方法簡易，而且有許多小學已經施行，他們發給學生一份調查表，要求各生家長填報，如：上學放學是否適時？聽從家長教訓否？與家人和睦否？有與鄰人爭鬥否？樂意幫助做庭務否？有說粗言鄙語否？有溫功課及做夜課否？有禮貌待人否？有討錢買文具否？有討錢買零食否？一共十項。這份調查表的附註中說明，庭長填註時只需在每欄方格中打一「△」或「×」表示有無，非常簡單。對於學生課少時間就不難控制，時間既能控制，學生言行也能受到家庭和學校嚴密監視，如是軌外行為自亦不易發生。大體說來，在學的學生管教較易，游蕩的流浪兒童自覺困難，但此事現已引起上海街「兒童習藝所」重視，該所將積極擴充，以便收容年齡在十六歲至廿一歲的流浪青年，及誤觸法網之青年罪犯，每天給養由社會局供兩餐飯食之外，並有一粥一牛奶，上午授課（中文小學程度），下午教與工藝，如縫籾器，造木器，車衣與裁剪等基本技能，一經訓練完成，離所之後，有技在身，不但可以自立，而予社會生產方面，也有莫大裨助，當局此種矯正社會不良劣習與卓育青年兒童的苦心，為父母者均應正視現實，不應忽視子女前途。

反攻大陸此其時矣

龍一江

（上接第一版）

更不會影響到美國國會對於中美協約的批准。那就祗要國軍反攻有了一些進展，共方不得不依賴蘇聯的軍火物資以維特其作戰，自由中國在自助人助的原則下，定然不難爭取美國對於國軍在軍火與物資上的支持。

天助自助者

謀國者固然要持重，但處於生死存亡的關頭，却不能不冒一些險。在艾森豪政府解除台灣海峽中立化之初，國軍因不敢冒險反攻大陸，而喪失了一個最好的機會；然而彼時尚非生死存亡的關頭，過分持重猶可說也。今則共方已對國軍大舉進攻，國軍退一步，則中共進一步，即使到了相當境地，暫遏其攻勢於一時，不久定必以更大的壓力重施其攻勢。國民政府在七七事變之後，不計成敗利鈍，毅然對日本作戰，彼時並無一個與國可以真誠相助，然而畢竟天助自助者，在獨力苦戰數年之後，太平洋戰事爆發，得與美英共同作戰，而卒收勝利之果。蓋以東方之精神，寧為玉碎，不為瓦全，除西方國家觀之，除德國外，殆無有認為值得冒此大險者。今者，中華民國遭遇中共壓迫之危，殆十倍於彼時之日本，而大陸人心之痛恨中共，更遠過於彼時我國人民之對於日人。我趁此時共消除反側尚未徹底，物質上的武力尚未充分以前，[illegible]有力的反擊之，國民政府此時對日作戰之[illegible]，在今日，由於反共陣綫已鮮明，[illegible]可獲得人助者，足自由中國之表現，是祇以助人而已。（四十四年一月二十三日脫稿）

和平獎金說

馬五先生

自由談

國際間有所謂「和平獎金」這套玩藝，原來用意是在獎勵為人類和平幸福生活而努力於科學創進的學者專家，給他們以精神和物質生活上的一種安慰，未可厚非。自俄共大頭目史達林亦婢學夫人，搞甚末「史達林和平獎金」，把牠當作政治魔術以來，這玩藝已經令人不無野狐禪之感，而西方正統派的「諾貝爾和平獎金」，也跟着變了質，隨便濫行施與，不成名堂了。

最近來自奧斯陸的消息，說是本屆的和平獎金，經主持人再三研究結果，一致認為應給予英國外交大臣艾登和聯合國秘書長韓馬修二位先生，因為這二公對世界和平貢獻甚大——一個創造了日內瓦會議腰斬越南領土的「越戰停火協定」，一個奔走中國共產首都，從事「兩個中國」的密謀，現刻正在促進「台灣海峽停火談判」。本來是酬謝科學界權威人士的文化禮品，竟蛻變為政客們的儻來之物，寧非滑稽透頂的咄咄怪事！

按照諾貝爾和平獎金主持諸公的高見，我認為「史達林和平獎金」本屆的給予對象，全世界祗有一個人受之無愧，他就是艾克總統先生！你瞧：他初進白宮時，即以高速度的手法，將杜魯門總統忙了幾年而不得要領的韓戰停火談判，在最短期間內予以實現了；繼之又不接納以海空軍支持越南反共戰爭的主張，贊同投降式的越戰停火協定；現在又大力促成台灣海峽的停火談判，教自由中國放棄大陳列島防守責任，讓共軍和平佔取。他在兩年總統任期內，就幹出這些轟轟烈烈，洋洋大觀的各種「和平」事業，而且都是對共產世界具有功德無量的貢獻，試問全球林林總總的政治家之中，有誰能夠跟他同日而語的呢？諾貝爾獎金給予艾登，韓馬修二位先生，史達林獎金則奉贈於艾克總統，兩個世界互相媲美，珠聯璧合，這才是「和平共存」的極致，善哉善哉，阿彌陀佛！還得撈上一個「阿門」！

剛果的進步

矜式譯

過去的非洲人甚至不知道時代輪子的運轉，他們沒有文字，屠殺少女當作祭禮，吃人肉是極其平常的事，甚於他們的信條，吃了仇人，就把他的力量，加在自己的身上，睡眠病及其他風土疾病猖獗，女巫治病威脅平民。

自從比利時由黎波多第二接管剛果那塊殖民地以來，他們着手建立（一）法令，（二）支付經濟，（三）地方衛生，（四）集體教育，（五）政治教育，以上三項均達到目標，而且有很大成功，至於集體教育已在開始。

白種人甚至深入灌木叢林裏，絕沒有任何危險，軍隊只担任打仗，剛果的龐大地方資產，總值達一百萬元，有兩千多間醫院和藥房，去年治療了六百五十萬人，睡眠病差不多已被撲滅了，在那裏沒有種族的緊張情勢，剛果是非洲許多地方之一，當白種人行經鄉村，土人總是不斷的報以微笑。

剛果人不准許一天做八小時以上的工，紅日當中絕不能工作，醫藥免費，他們住房免費，有轉換工作的自由，在白種人獲得土地以前，首先須向政府證明，那是土人不用的，如果當局滿意那塊土地，

在廿年以後，對工人那些硬性規定，保持的安居沒有需要了，每年最少一百人的白種殖民才能移入，殖民人數，差不多一百萬方哩，最少有八萬白種人，八倍於比利時的大小。

比利時行政機構，或半部落區域的比國公司，負責為土人建築房屋，他們建立屋基和牆垣到某種高度，並供給材料，至完成工作，當時未來的房主，由他的眷屬協助，在下工後，和星期休假，就把房屋蓋好了，因此就上需熟練的勞工，並且每戶花費政府的錢不過八百元，非洲人交付的按金每月估計由六元至九元。

工人家庭負担，保持最低支出，（大致每月廿元），幾乎他們一切所需要的，包括食物，均免費供給，可是打算令非洲人愛惜金錢，則頗傷腦筋，直到一九二〇年，還是以貨易貨，沒有貨幣，發工錢就是他們喝酒的日子，土人很快把所有的錢花光了，以博一醉，要餓到下次發工錢那一天。

但是現在在廣大市鎮中心的土人亦知道節省了，上千人在黎波多每月僅得一百至一百五十元，就非洲人標準說，則是一筆小財，土人購買力已高於十年前六倍，他們現在有經營小商店的，甚至有自己的小公司，去年大約一百土人的資本，變成了二萬多的，有幾百人變成一萬元的，中等階級一天一天的多起來了。

最近三百五十名未婚工人的罷工，就說明了當前的障礙，政府宣布對已婚工人的例外恩典，但老婆是財富的鐵正表示，罷工的工人抗議，爲什麼給富人更多的財富呢？

在教育方面，表現了某些非常的進步，一百萬小童及時進了二萬七千多主要或次要學校，佔學齡人口的百分之四十，今年還是第一次容許土人進入迄今爲歐人服務的學校，第一所地方大學，最近在黎波多開幕，一萬近學生，二百四十四班。文盲比多數亞洲國家爲低，多數的宗教信仰者，爲了教育來了八千名傳教師，包括一千五百名美國人，和英國新教徒，如果准許任何剛果人在國外讀書，比國人則覺，送一個人到歐洲的費用，他們能教育一千當地土人，當然，另一個理由是比國人所需要的，對不健全政治勢力的，要保持自由。例如剛果鄰近法屬非洲，准許非洲人到法國讀書。他們有幾十人已返國，又供給女人，好吃好喝，他們回到非洲，爲共黨方面担任煽動糾紛。

春日鄉思

周紹賢

（集王陽明先生句）

油菜花開滿地金，人間微雨結浮陰，鄉心草色春同遠，烟樹迷茫感不禁。
於今猶是天涯夢，正憶梅開西寺花，滄海浮雲悲絕域，不知何處是吾家！
歸心迢遞憶鄉園，日暮猶思東野春，極目海天家萬里！空餘夢魂到柴門。
春夜絕憐寒食近，天涯久客歲侵尋，艱難身世如漂梗，樽酒燈前故國心。

人是語言的囚犯

騎自行車的人，可以走得快，可以走得慢，走到十字路口，可以向左轉，也可以向右轉，不高興時，隨時也可以停止。這是人作主，不是車作主。坐有軌電車的人則不然，一坐上某一路，就得隨着某一路的軌道前進：快慢你不能作主，轉灣抹角你也不能作主，就是你不願意進行的話，不到站你也不能中途下車。這是車作主，而不是人作主。我們天天運用語言的人們，總以爲語言是我們的工具，是我們運用自如的工具，以爲我們運用語言，如同我們運用自行車一樣。殊不知道語言並不是自行車，而乃是一路有軌電車。我們自以爲控御語言的，實際上無時不是在受着語言的控制。下筆千言，滿紙烟雲的人們，以爲手中一枝生花妙筆，是能創造各種生靈的一枝魔棒，而殊不知語言是我們任何人逃脫不了的一套枷鎖，我們的思考、情感、知覺，沒有一樣不是在受着語言的陶鑄，沒有一樣不是祇能在語言所指定的道路上活動。所以我們可以說，沒有一個人不是他的語言的囚犯。就是想入非非，充滿極端幻想的語詞，也不過是一個囚犯帶着個滿身枷鎖在跳舞而已。

語意學漫談

徐道鄰

人類的有意識的行動，差不多全是受着思考的主宰，而思考就是一種語言的過程SPEECH PROCESS人類之發生各種情感必須依靠他先已有的某一種態度ATTITUDE。他這一種態度，是他從他的社羣生活中學習來的。而他這一個學習過程，又是主要的以語言爲其工具。人類的知覺PERCEPTION（聽覺、視覺、嗅覺、觸覺），現在我們知道，是最不客觀的。我們一天裏所看見的所聽見的，固然全部是由客觀的自然環境中的刺激而來，但是在這許多反應過程中，却有一大半主要的是由我們事先的心理準備PSYCHOLOGICAL SETTING在發生作用。（睡着了的醫生，電話鈴一響就醒，可是小孩的哭聲吵不醒他。同他一個床睡的太太，一聽小孩哭就醒，可是電話鈴聲她却聽不見，這是最明顯的一例。）而我們的心理準備，也正是語言，（思考，情感）過程的一種殘留RESIDUE而已。

認識名詞才生感覺

所以，我們學會了一個字，不但可以用它代表一種東西或事實，同時它也命令我們注意某些事物而不去注意另一些事物。我在房裏睡覺，聽見外邊說話聲音裏提到一個『狗』字，那麼等一會聽見有小狗汪汪的叫，或者有小動物在用小爪抓門，我就不會覺得奇怪，如若聽見一聲鵝叫，就不免驚異了。主婦買菜回家，放一個小紙包在桌子上，說是鹹魚，等一會我感覺着有一種臭味，就不會驚奇，如若聽見小包裏唧唧在叫，也許就嚇得大跳起來。一個沒有名字的顏色，我們不但描寫不出，如若混雜在許多顏色中間，我們也許根本就看不見它。同樣的，在許多幾何形狀當中，我們祇看見方形圓形，交叉形，三角形，其他『不成形狀』的形狀，我們雖然看得見，却是等於沒看見。因爲第二次再看見它們時，我們無論如何再也記憶不起來。這不是因爲它們沒有『形狀』，而是因爲對於這許多形狀，我們沒有適當的『名字』，把它們一一『標記』起來。（六）

十二月十五日（四〇四期）

修正

所談的命題方程式一節，係根據HAYAKAWA：LANGUAGE,MEANING一書，頃承讀者見告，並未盡合羅素原名原意。此筆者疏忽處，容日後修正。並謝讀者君雅意。

老鼠

短篇小說

康有譯

假如有一隻老鼠落入陷阱，牠就派出大批特使，到處警告。牠有一隊上萬計的勇猛的小老鼠，慣於對抗那用來對付牠們的任何別種獸類。一匹鐵犬，殺死一兩隻老鼠，毫不費力；但如有一百隻老鼠同時向這匹鐵犬撲去，牠可能咬死老鼠三四隻，而剩下的那一大羣終於會把牠咬死掉。那些長有最堅利牙齒的老鼠，則被訓練爲工兵，用來咬碎陷阱上的鐵絲，好讓阱中囚犯逃得出來。

如此，在一個月內，這羣老鼠咬死了一百一十一隻貓，四十九條狗，九十五匹鐵犬。牠們還使一大些貓犬受了重傷，嚇破了胆，祗要一嗅到老鼠氣味就老遠跑開，不用說碰面了。牠們從六百十八個陷阱中，釋放出七百四十二個囚犯。以致那些捕鼠專家失掉了他們最好的貓犬，最好的陷阱，祗有失望地放棄了這項任務。碼頭上的人，又到各藥房中，搜購了各種各樣毒鼠劑，摻入各種各樣的餌，在四面八方灑下。但是鼠王下了命令，牠的子民不許亂吃東西，除非是直接從箱子裏，桶子裏或袋子裏取出來的。所以祗有少數幾隻不聽話的老鼠中了毒，別的老鼠都說是應得的報應。於是毒藥也就和貓，和狗，和陷阱一樣，沒有一點效用。

於是倫敦港務管理局理事長在他辦公處的大會議室裏召開了局務會議，問道：「對付這羣老鼠，你們有什麼建議？」於是副理事長建議，在報上登一段廣告。下一個星期，廣告在所有大小各報都登出來了。那些報紙，一向把新聞刊在裏頁的，如泰晤士報和每日郵報，都把廣告刊在封面；那些把新聞刊在封面的，如每日先驅報和標準晚報，則把廣告刊在中幅。此廣告足足刊滿一面，用特號大字排印出來，好叫英國每一個人都看得到。史密斯全家，都仔細讀了這段廣告，除了祖姑瑪蒂爾達，她是向不看報，祗聽廣播新聞的。

現在，此廣告驚動了全國。因爲倫敦港務管理局理事長提出十萬鎊作報酬，並且把他的獨生女兒許配給那個能消滅碼頭上老鼠的人。（如果能獲獎的人已經結過婚，他自然不會讓他女兒再嫁給此人，但要送一副金剛鑽手鐲給此人的妻子作爲補償。）刊出了一張十萬鎊的照片；盡是一塊塊硬金幣，而不是紙鈔票。小姐的照片也刊出來了，長得很漂亮，捲起的金色短髮，碧藍的雙眼。除了容貌以外，她還會玩小提琴，得過烹飪比賽，游泳及溜冰比賽的優勝獎。唯一美中不足的，即是競爭者需自帶殺鼠用品，所以參加此項競爭倒須要先花一大筆本錢。

然而依然有成千成萬的人來參加。廣告登出的第二天，就需要添派三名郵差，遞送這類信件。而打電話給理事長的也多得不可勝計，弄得電話綫都出了毛病。一個月，一個月過去，各種各樣的人都來碰碰運氣。其中有化學師、魔術師、有細菌學家、有動物學家、有巫師、還有馴獅者，但沒有一個人有辦法多殺死幾隻老鼠。更糟的是，這樣一來，反而使碼頭上卸貨的工作受了阻礙，好多船隻要改道去利物浦、加的夫、赫爾、或南桑浦敦幾個港口卸落。（二）

舊劇中的笑話

小丞

（二）

以上是一般的地方劇，多屬不學無知，其淺薄粗俚，貽笑方家，自屬當然。惟一代京劇泰斗譚鑫培，也在劇壇上留下一些類似的訛誤百出，笑話。

原來平劇的戲詞，經過譚鑫培修改過的很多，最要不得的莫如四郎探母的引子，這引子本來是「被困幽州，思老母，常掛心頭。」大概是他嫌音節太單調，改成了「金井鎖梧桐，長嘆空隨，一陣風！」試覽讀誦，譚鑫培亭出來的「金井鎖梧桐……」較原來的「被困幽州……」確具抑揚頓挫之勝，是要好聽一點。

若就文字上講，則是似通非通，不知說什麼，最有趣的，這引子的意思分明在那裏悲秋，可是在十多分鐘以後，公主一出來便是芍藥開、牡丹放，花紅一片；艷陽天，春光好，百鳥喧。」

（三）

夫妻倆住在一個宮裏，竟然一個道春天，一個道秋天，這豈不是極爲矛盾嗎？

說起來也是由於人事的不協調，才會發生這樣大的漏洞。在譚鑫培開始走紅的時候，經常和他配青衣的是梅巧玲（梅蘭芳之祖）余紫雲（余叔岩之父）王瑤卿（程硯秋之師最近已逝世）等人，都是一時紅伶，論聲望，梅巧玲是前輩，論資格，余紫雲是先達，王瑤卿在當時雖然比較年輕，可是也是內廷的供奉，誰也不會讓誰的帳，譚鑫培那時雖然在清廷宮內走紅，氣燄萬丈，但是同行相妒，免不得就引起旁人的嫉視。所以遇着有打擊他的機會，你譚鑫培自作聰明，好出風頭，咱們可不改，就讓這樣一個蹩扭之下，兩口子在一個屋子裏，氣候居然相差了半年，這豈不是天大的笑話！（下）

自由人
THE FREEMAN
（第四〇八期）
中華民國僑務委員會
僑務登記證台教新字第一零二號
中華民國郵政登記第一類新聞紙類
（半週刊每星期三六出版）
每份港幣壹毫
台北市售價台幣壹元
督印人：雷嘯岑
地址：香港高士威道二十四號四樓
3 rd. fl. 20 CAUSEWAY RD HONG KONG
香港發行及事務接洽
高士打道66號　電話：七四〇五三
承印者：東南印務出版社
地址：高士打道六十四號
海外總經銷　友聯書報發行公司
香港：德輔道中二十六號A二樓
台灣特派員辦事處　台北市館前街五十號
台灣總經銷處　台北市西寧南路一〇一號二樓
台郵撥儲金戶九二五二

反攻大陸此其時矣

龍一江

自從政府遷台以來，朝野無時不以反攻大陸爲鵠的；但遲遲至今尚未發動，其原因不外反攻祇許成功，不許失敗，故不能不有相當準備。這無論在事實上和理論上都是不可非議的。但是準備的時間不能沒有止境：一因時間對自由中國旣然有利，對中共也同樣有利，甚至更有利；二則自由中國的部隊大部分以自大陸撤退者整編而成，時日蹉跎，師老可慮。

第二次的反攻良機

這幾年來，最有利於自由中國反攻的時日，無過於一九五三年春間美國艾森豪總統就職伊始，下令解除台灣海峽中立化之時。那時候，艾森豪急欲實踐其競選時早日結束韓戰之諾言，經過二度親自視察戰地以後，明知非實行轟炸東北，不易藉軍事行動結束韓戰，卻仍未能解脫民主黨政府所懷的恐懼，[illegible]大戰，於是轉而希冀關閉第二戰場，而此舉之實現莫若促使自由中國[illegible]成全面大戰之可慮，[illegible]接打擊中共，以致[illegible]，使韓戰更易結束。然在自由中國方面，則反攻準備尚未充分，美國援助亦遂未達到適當之度，我未敢輕易嘗試；此在持軍方面而言，也未可厚非。未能開闢第二戰場，美國也就不得不屈從韓戰「非光榮」的停火，以致韓國問題的解決遙遙無期。聯合國與美國的威望也一落千丈。在另一方面，則中共於日內瓦會議既已大收其對外宣傳的功效，而於東南沿海更得以乘機充實其武力，遂不斷對自由中國之外圍島嶼進迫，其大規模之軍事行動已發始於一江山之役，此一行動可以證實中共正積極企圖逐一剪除自由中國的羽翼，然後大舉進攻自由中國的最後堡壘[illegible]。[illegible]江山戰役所證實的，其[illegible]何阻力而中止的。從今日起，正是自由中國與中共「你死我活」的劇烈鬥爭開始之日。自由中國如不前進，便要後退，[illegible]後退，而後[illegible]的生機，[illegible]。自由中國不願坐以待斃，則此時反攻大陸實在是第二個最適當的時期了。即或由於準備尚未充分，未能立時發動大規模的反攻，然而任何規模的反攻將是最有效的防守策略，即爲防守計也不能不作反攻的軍事行動呢。

大陳不宜撤退

這日，盛傳美國企圖助自由中國撤退大陳，而以金門括入協防範圍爲交換條件。此一消息在持軍者看起來，或不免認爲值得考慮；蓋一因一江山陷落後，大陳孤懸浙海，迫近匪疆，終久不易保守，及時撤退，尚可保存一部分武力；二則金門正遭共軍威脅，而在美國協防之後，自可加強其安全，是亦失之東隅，尚可收之桑榆。但是金門的協防，固然爲自由中國所樂聞；然若以撤退大陳，或更如撤近傳言達成自由中國與中共停火爲條件，則這樣的條件，不僅是得不償失，[illegible]。

關於大陳撤退一事，軍事的勝敗完全以實力爲根據，以及時保存實力，以免不必要的犧牲，自亦不無理由；然[illegible]軍事之勝敗，繫於[illegible]力與士氣者居其半。自由中國[illegible]軍事的撤退，[illegible]。中共之倒行逆施，殘民以逞，士氣與敵愾日益猛進，無時不渴望早日實行反攻，以復國土，而解倒懸；今若不戰而突然撤退，影響於人心之鉅殆不可估量。縱因及早撤退而使一部分實力得免犧牲，然其所保存者遠不如其因此損失者十分之一。國民政府一再聲明寸土必爭，絕不後撤者，知所本矣。但認堅定方針，不爲友邦之壓力所屈，一面仍當以攻爲守，爭取勝利。

停火之議有害無利

關於對中共停火一事，則所謂協議式的停火，無論美國與聯合國如何努力，恐不僅爲國民政府所絕難允許，即共方亦必不肯承諾。萬一國民政府自動撤退大陳，金門復由美國協防，則在事實上共方對自由中國的進攻，自必稍擱一時，而美國與聯合國不免視爲雙方默認停火。其實停火之在共方，縱經承諾，亦臨無拘束力，況並未承諾，則其一俟時機容許，再度進攻，殆無疑義；然在自由中國方面，縱未正式承諾停火，然在事實上表現接受美國撤兵與協防的勸告，共方亦稍遏其攻勢於一時，則將來除由共方恢復進攻外，如由自由中國在認爲適當的時日發動反攻，定然不獲聯合國與美國的諒解，尤其是自由中國之從事反攻，事實上有賴於美國在軍備與物力上的援助，如果不得其諒解，則被時的反攻，不免要遭遇不少的困難。是則這樣方式的停火，不僅大挫自由中國的士氣，即對於將來的實行反攻亦有許多不利；然其對於共方則有百利而無一害。

或謂自由中國如不得美方同意，此時遽然反攻，亦必遭遇美國同樣的不諒解，而未必能獲得美國的支持，尤其是在美國國會正考慮其對中美協約批准之時，更不免會因此影響到協約的批准。此說在表面上固然言之成理，然實際上卻不盡然。

反攻不至失去盟友

一個國家要獲得友邦的協助與國際的尊重，惟一條件在乎自我的表現。假使本身毫無實力的表現，專賴友邦援助，則此種援助斷不能持久，終有被一筆勾消之時。反之，自身如能作有力的表現，則在共同反共的大原則下，前雖未獲得友邦的尊重，將因重視其作爲反共堡壘的實力，不肯讓其爲共黨所控制，終必出以同情的支援。美國所以尊重第二次大戰時曾爲敵國之日本與西德，即因其具有反共堡壘的實力或潛力之故；且其一度不惜勾消戰時盟友之中華民國，則因其自復員以至撤出大陸以前的表現不能使人滿意也。最近數年美國又日益恢復其對自由中國的重視，無他，亦因國民政府自遷台以來的表現有值得重視的地方。美國所以不肯同意國民政府即時反攻大陸者，非有愛於中共也，特恐自由中國缺乏實力，一經啓釁，勢必牽累美國參加對中共作戰，因而惹起共所不願在此時爆發的世界全面大戰。假使國民政府反攻大陸，無需牽累美國參戰，僅需其以軍火物資相助，祇要美國能與自由中[illegible]展，美國縱與自由中國並無協約之締結，而關於反共與中共勢力之消長終必影響到美國的安全，其不肯坐視，亦爲必然之事。即就美國民主黨政府中立化台灣海峽的措施而言，其目的原希望兩方停戰進行之時，不敢互相進攻；但如有一方進攻，斷然不會反對他方的反攻，尤其是以攻爲守的反攻。今者，不僅艾森豪解除台灣海峽中立化的公告並未撤消，而且發動攻勢者，自去年十月中共轟擊金門以來，無時不是由共方主動。沒有任何一個國際法原則，與任何一條聯合國憲章的規定是禁止被敵人襲擊的獨立國家從事於抵抗或反攻的。如果自由中國爲着確守隨時遭遇襲擊，而且可能隨時復遭襲擊的大陳與金門，如果自由中國爲着克復新近被共方強奪的一江山，因而採取適當的反攻性的防守行動，則要國民政府是專賴自己的部隊而行動，任何一個國家都不會指摘國軍的舉措爲不正當。

（下轉二版）

聯合國的黑市交易

日內瓦會議的性質是什麼？認眞說來，那是聯合國爲了不便在本店發售的手貨，而另在黑市上開的臨時營業所。所以設立臨時營業所的必要，何以聯合國必須出此一黑市主意？那就不得不明白聯合國主要股東美國近年來的不務正業，[illegible]的歷史了。從現實來說，[illegible]哈馬紹去大陸之行爲證，[illegible]位問題爲不現實的話，不無某種程度的合理。[illegible]屬危險萬端的[illegible]。不幸的，是世界政治家的通病，根本就像[illegible]想到現實的雞零狗碎之事，他們[illegible]以成行，也屬是要將「和平共存」推進一步。他之能[illegible]的事呵！因此，我們可以[illegible]聯合國。[illegible]「失敗」的[illegible]際的盲目陶醉，遠不如正視幻想破滅後所生的打擊[illegible]。

哈馬紹交易的性質

·魯男·

哈馬紹本人對於他與周恩來所進行的交易，雖現在仍在神秘狀態中，但依我們過去在大陸和中共多年和談的經驗，大致已可[illegible]。那麼，事情[illegible]雞零狗碎事情的安排！於是哈馬紹就以聯合國服房先生[illegible]來辦運私貨了。那麼，他[illegible]與論公布其內容呢？以聯[illegible]其公文袋內的貨品，[illegible]！這是聯合國的悲哀。

西方立心跳火坑

但如果不能正視此等現實的發展，則和接受和平共存的國家，所安排得演的。而不借爲聯合國義務[illegible]及大空軍原子報復等高論，則無非是「備戰求和」的老調，用來爲哈馬紹壯壯行色而已。可憐的大政治家們，明知自中共那裡只能求得短時的「和平共處」，而不可能獲致長期的共「存」，卻依然不顧一切要跳火坑，入地獄。

周恩來會將西方走進地獄的通路予以堵塞嗎？你能做如此的想法嗎？當然不會。因而哈馬紹自不妨公然宣稱：對其所欲解決的問題已經相當成功；艾森豪更預爲下一步驟開路，他告訴美國人民說：勿因初一步驟未奏膚功就高興報復。這還不足以表明其果有走向地獄的充分勇氣嗎？

以退却換取和平

奇怪的是他們竟不能認識鴻獄之爲地獄。其主因在於過分迷信「大空軍原子報復」的軍力，過分到近似歐斯特里患者了。以我看，在哈馬紹與周恩來交涉間，西方所採行者乃牽就現實的退卻路線；想以退卻換得緊張局勢的一時和緩。而中共則可能在西方退卻的速率上與哈馬紹有所爭論，但那是屬於次要的。基本上，他必堅持西方退卻的最高原則，即台灣應屬中國（中共）領土之一部。換言之，即中共誠者不多爭論，強西方必須在何時就退縮最後一綫，但它必力爲保持迫令西方最後須在遠東退卻的最高原則。因之，它可以在事實上需要和平的時候，就暫與西方共「處」一時；在事實容許其製造緊張的環境時，就再逼進一步，以期更接近於其遠期的目標。因此，對西方言，緩和豈非即等如火？

以退却換取和平，及祇能獲得和平名義之下的退卻，是哈馬紹交易中的付價。用短暫緩和，以謀求軍事上非可必得的擴張，在小擴張之下保持將來更大擴張的原則，是中共交給哈馬紹帶回紐約的復盤。也許西方是有其心目中之目前最後一綫者，惟基本原則既已喪失，則最後將屬無法守住其當前意想中的防綫了。

（元月十八日）

大陳撤守！

可恃惟有希臘軍，可恃惟有希臘刀，自由非可將人托，自由托人奚徒勞！——馬譯拜倫哀希臘。

看這兩天的形勢，大陳撤軍，很顯然已經不是一種理論，而是一個事實，而且這一事實似乎已經在積極的進行中了。這一點，在中國政府的立場說來，只是不得已而從其美國的意旨，我們既一切一切不能不仰賴於美國，當然美國如何說，我們便只好如何接受了。

假如大陳撤軍，僅僅還帶得有幾分的積極性，換言之，從大陳撤出的軍力，並不是置之無用之地，而是要從台澎調出一部份的生力軍加強馬祖與金門，抑以大陳的軍隊去填補台澎的原防，而美國對於金馬的協防又確能予以切實的保證，則大陳撤退，多少還可作一種戰略上的解釋。否則中共既不付出任何代價而坐得大陳，其第二步當然要繼續攻金馬。假如到了那一時候，美國爲了謀求和平，爲了避免戰爭，依然勸我們繼續讓出金馬，我們是不是依然……呢？這幾天，港九一帶的僑胞，正在苦中作樂的歡度春節，大家見面，無不垂頭喪氣，殷殷以大陳爲問，而憂慮到反攻大陸的遙遙無期，影響民心如此，其影響軍心可知，假如沒有進一步做法，我眞不知道何以善後！

半週展望

·左舜生·

美國姿態的可疑

在艾森豪總統向美國會提出咨文，要求以武力制止中共對台澎的侵略以後，美國在西太平洋的海空軍便有若干調動，他們這一調動的意義，據我觀察，不出五點：

一、故作驚人姿態，與艾克的咨文配合，表示他們好像眞有決心。

二、加強國民政府的信心，以便由他們安心從大陳退出，不久還可能要求我們退出金馬。

三、[illegible]西太平洋[illegible]我們的一環，美國所加於我們的一責任，便是爲他們好好看守，[illegible]軍的調動，可能有對大陳撤退的船隻加以護衞的作用，[illegible]。

四、關於釋放美俘問題，自哈瑪紹回返聯合國以後，似乎是一時歸於岑寂，但所進行的究竟是一些什麼，我們卻無從知道。自美國方面不表現悲觀的論調看來，好像是大有生意可講。可是美國究竟還要顧到一點面子，因此不能不軟中帶硬，這些海空軍的調動，也就無非是爲了面子問題而已。

五、東南亞同盟國，下月便要開會，美國爲維持其領導者的姿態，某種程度的動作，總還是不能不有的。

總而言之，一江島丟了，大陳也丟定了，金門馬祖更在搖搖不定之中，大陸若干的同胞，海外的流亡人士，惟有靜聽中共的勝利歡呼而已！

結束『反共八股』！

反共已進入第六年，我覺得有不少的『反共八股』應該加以修正了。

在過去五年，爲反共而印行的書籍或期刊，在港九，在台灣何止兩千種以上，無論是報導性的，文藝性的，或批評性的，儘管是應有盡有，但內容總嫌單調，淺薄，雜沓，缺乏正確性；不免某一時期，誠然也受到若干讀者的歡迎，可是陳陳相因，令人望而生厭，長此下去，還有什麼宣傳效果可言？

這些書籍與刊物的印行，據我所知道，大部分是得有美援支持的；在東方，以文字宣傳西方式來反共，美國人根本是外行，再加上文字的隔膜，一種書籍或刊物的內容如何，他們更無從鑑別。可是他們既然出了錢，當然便要來領銜領導，這樣一來，乃更變得轉彎而又轉彎。中共也懶得理他們的『新八股』，實際已沒有人要看，因此他們的方針也已漸漸在變了，我們從事這一工作的朋友們，還不應醒嗎？

分期投降

・李加雪・

美國人做生意喜歡用分期付款的辦法，這是一種推銷存貨，擴大營業的最妙方法。

共產黨想奴役世界，採取了一種新戰略。莫斯科和北平近來高唱和平共存的論調。和平共存是一種假貨，共產黨使用這種策略，引誘自由世界向它作分期的投降。

下面是分期投降的一些事實：

韓馬紹北平之行

中共把十一個美國空軍人員判了徒刑，在廣播上大事宣傳。

美國認爲這是一宗十分嚴重的事情。韓戰俘虜應該在換俘的時候回來了。中共扣留不放反把他們判刑是什麼意思呢？想起北平每天總在廣播上宣傳和平共存的理論，特此請了聯合國秘書長韓馬紹到北京去做和事老人。

那眞是一件十分嚴重的責任。韓馬紹離開紐約的時候，美國駐聯合國代表諾奇送他的飛機，他對韓馬紹說道『我會替你祈禱。』美國替韓馬紹祈禱的人眞不在少數。

到了英國，韓馬紹請牛津大學的國際法專家治落博士做他的顧問。英國外交部長艾登並且警告韓馬紹不好和中共談及加入聯合國的交換條件。韓馬紹又在巴黎停了一會。法國總理法蘭斯跑到機場和他會面。後來法蘭斯對記者說，韓馬紹的任務是一種和平的使命。

韓馬紹到了印度，尼克魯可沒有在機場上[illegible]他，韓馬紹之到北平本是由他斡旋得來的。尼克魯的不高興是因爲韓馬紹請了一位巴基斯坦的顧問，沒有徵求他派一名印度顧問。尼克魯對韓馬紹的談話全是冷嘲熱諷，印度報紙對他也大肆攻擊。

冷淡的招待

韓馬紹到了大陸，各地的共產政府對他都十分冷淡。幸得他的姪兒是瑞典駐北平代辦，特別跑到漢口歡迎。韓馬紹才感覺到一點溫暖。

到了北京，周恩來弄了一個雞尾酒會招待他，那天晚上，又請他吃了一個便飯。

北平電台對於韓馬紹也極端冷淡。韓馬紹到了北平第三天，北平電台才在廣播最末的一段做了一個極簡單的報告，說道，周恩來應允晤見韓馬紹，商議有關世界和平事宜。

根據報告，韓馬紹和周恩來會談了四次，會議的時間達到十三點零三十五分。替他們繙譯的是曾在美國哈佛大學讀書的中國人。穿了藍色制服的中國侍者一天三次侍候他們茶點，而他們的談話並沒有因此中斷。

最後一天周恩來弄了一桌酒席招待他。菜單裏有燕窩、魚翅、還有北平著名的烤鴨。酒是中國產的，此外還請他看了一部中國的彩色片。

離開北平，到了香港邊界，韓馬紹打了一封電報到北平向周恩來道謝。

談的是什麼

韓馬紹回到了聯合國。他對人說：『我成就了我要成就的事情。中國打開了』打開的門是什麼門呢？還是別的門呢？韓馬紹沒有提及。聯合國大會只限韓馬紹到北京商談放十一個美國空軍的問題，可是會談範圍竟涉及美國、中國留學生，中共加入聯合國和其他許多問題。結果什麼樣呢？中共要的什麼代價呢？韓馬紹沒有提及。

韓馬紹回到美國後，艾森豪威爾要求美國人民忍耐。他說『世界輿論是有力量的。在北平尚未認[illegible]時，我們得支持聯合國。』中共提的什麼代價呢，艾森豪威爾也沒有涉及隻字。

韓馬紹回到了紐約，國務卿杜勒斯對記者這樣說，『美國現在把拯救十一個空軍的責任交給聯合國，而自己置身事外。若果聯合國不能解決，美國應該自己負責任。』杜勒斯也沒有提及中共所要求的是什麼。

共存的代價是投降

美國參議員諾蘭向美國報界廣告聯合大會這說，『韓馬紹中國之行並沒有獲得成功。他回來了，十一個戰俘還沒有釋放。』

『共產黨提出最辣的條件。共產黨要求准許中共加入聯合國，重新開放東西貿易，把戰略物資賣給他們，更改支持台灣的政策，和停止抵抗共產黨征服亞洲行動。』

美國爲了想贖回被中共俘虜的空軍人員，共產黨提出整個亞洲做交換條件。和共產黨妥協，便是一種分期的投降！

中美最進步的——哥斯達黎加

・易敏子・

中美國家，年來動亂無已，先有危地馬拉的「共禍」，繼有洪都拉斯的「獨裁」，復有巴拿馬日前發生的總統被刺及哥斯達黎加的「兵變」。此一南北美連鎖的狹長地帶上，只[illegible]多事之秋。[illegible]地帶，確[illegible]哥斯達黎加有我僑民一千二百四十人，（僑務委員會調查數字），茲將該國人文史地及社會狀況，略述如下，藉供參考：

教員比軍隊多

哥斯達黎加，在中美國家中，如果不把巴拿馬算入中美國家之列，哥國是人口最少的一國，據最近估計，約有人口八十二三萬，比巴拿馬多一兩萬而已。同時哥國的面積，在中美各國中，也只比薩爾瓦多大，哥國面積約爲二萬三千方哩，薩爾瓦多只有一萬四千方哩。不過，哥國雖是中美國家中的小國，卻是中美國家中最進步的一國。尤其在教育方面，他們曾說，他們的教員比軍隊多。哥國的常備兵[illegible]僅三千，各級教員的數目，幾超過士兵五倍。教育經費，十足[illegible]折扣的佔[illegible]國家歲出百分之十五。教育機制，採自瑞士，在這個小國家之中，產生不少詩人文學家史學家哲學家和考古學家。它有好幾所有名的師範學校和中等學校，一所大學之外，還有一所暑期大學，暑期大學，頗多外國學生前往受業。哥國國立博物館，被稱爲拉丁美洲最好的博物館。

土地富庶人民和善

當西班牙殖民世紀以前，此邦的土著，屬於印第安族，爲數不過兩萬五千人，最著的有三族：（一）卻洛特佳人（CHOROTEGA），散居於國境西北的尼科耶半島。（二）博林卡人（BORINGA），散居於國境的西南。（三）活太里人（HUETARE）這是三族中最大的一族，他們佔着北部和中央高原。哥倫布在他探問新大陸的最後一次行程裏（第四次），進入哥國東岸卡利灣（CARIARI BAY），在今日稱做波多里門（PUERTO LIMON——里門港）的地方把船停泊，派遣他的兄弟貝托洛米登陸探訪，貝托洛米深入內地，到達距海岸的五十哩的山區，他說這是一個「富庶的海岸」（RICH COAST），哥斯達黎加的國號，就是如此得來。貝托洛米帶回幾個土人來見他的哥哥，哥倫布對於土人的印象，是「溫文爾雅，親易和善，銅色皮膚的客人」，同時因爲土人戴有特殊的耳飾，所以又稱這里耳岸（EAR COAST）。哥倫布自此回歸西班牙，沒有再來新大陸，此一富庶的海岸，也就沒人來理會。直至一五〇九年後，哥斯達黎加才[illegible]歸墨西哥殖民總督轄治下，開始移民。西班牙原將中美地區，分由墨西哥及巴拿馬兩殖民地總督轄治，後加設危地馬拉總督，哥斯達黎加轉歸危地馬拉總督轄治。哥斯達黎加，由於土著人數的不多，和土人的性愛和平，在和平中渡過了殖民世紀。哥斯達黎加的獨立，也沒有經過流血的戰爭和反抗的革命，當危地馬拉獨立的消息傳到，西班牙政府派駐此邦的殖民官吏，也就順應民意宣告獨立。隨後經過墨西哥帝國，中美聯邦的過程，於一八四八年八月三十日正式成立哥斯達黎加共和國。

大農產均美國經營

哥斯達黎加，北與東北鄰尼加拉瓜，南與東南鄰巴拿馬，東瀕大西洋加利賓海，西瀕太平洋，北部最闊處計一百七十四哩，南部最窄處計七十四哩。北境和尼加拉瓜隔着一條約安河（SANJUAN RIVER），那是尼加拉瓜預備開鑿尼加拉瓜運河的通路，爲此哥尼兩國從前已有爭執，兩國的交惡，可說是其來有自。中央高原有火山三座，最高的伊拉蘇火山，高達一萬一千三百二十二呎。中央高原是該國最肥沃的農業區，廣達三千五百方哩，在此約當全國六分一的面積之上，卻居住着佔全國三分二人口。咖啡與香蕉，是該國最主要的農產物，所有大咖啡園和大香蕉園，幾全由美國聯合水果公司所經營。此外，尚有可可，蔗糖，米，玉蜀黍，豆，水果，木材等出產。金銀在太平洋岸斜坡多有發見，珍珠是太平洋海濱的產物，樹膠是散佈於低窪地區，畜產如馬牛豬，都以肥腯見稱，繁殖于火山高原之間。蘭花亦屬此邦名物。該國雖是一個農業國家，可是以農爲業的農民卻不到一萬人。加上土地不集中，不到十萬的農民，是散布二十萬塊的零星土地上從事耕作，因此阻礙着該國農業的現代化。該國人口中，白人比率成分最高，白人和混血兒，在政治經濟文化各方面，佔着極重要的地位，土人黑人爲數既微乎其微，且都是勞力爲生，在中美各國中，哥斯達黎加，是白色人種比重最高的一國。

火山區的風光

首都聖約瑟（SAN JOSE），位於中央高原谷地，海拔爲三千九百八十七呎，街道整潔，公園廣場交錯通衢，市內建築物，舊西班牙殖民地形式，新添幾型美國風物，交通錯綜，不一而足。交通工具，上而天空飛機的翱翔，下而地面汽車的奔馳，間以慢步緩行牛車（OXCART），顯示着此邦的進展過程。首都擁有九萬多人口，全年氣候的變化，才華氏表五度。中央高原的氣候溫和，眞個是四季如春。海拔六千呎以上的地區較涼，兩洋海岸均熱而且濕。全年平均氣溫約爲華氏表七十二度，年分乾濕二季，乾季自十二月至翌年四月，濕季自五月至十一月，濕季中常有大暴雨，低地的氣候變化較高地爲大。伊拉蘇火山和吐爾辣耳巴火山，位於首都東北郊，相距才十餘哩，兩山相隔甚近。火山區[illegible]勝地，有公路通達，往在首都的人，每逢休沐之期，都來火山區遊賞勝景，尤以「日落」「日出」一時的風景，至爲奇麗。[illegible]由於火山的[illegible]，日出日落，[illegible]的萬變，如[illegible]，如綺羅絢彩，瞬息俄頃之間，窮自然造化之妙。拍斯火山，位於首都西北郊，相距亦只二十餘哩，高雖只八千七百八十九呎，卻是全世界最大的火山，該火山的噴泉口（火山口），周圍口徑有一哩多，深達數百呎，恍若一[illegible]，噴出的沸泉[illegible]千呎至四千五百呎，半哩之外，還[illegible]，不過在左近[illegible]，密密的生長着[illegible]樹林。

狂歡的咖啡節

首都西北約六哩的赫里狄亞（HEREDIA），是哥國的咖啡王城，景物明媚，氣候清新，該國人稱之曰花城。咖啡花季，是五月至七月，白色和粉紅色相間的花朵，一陣陣的清香，隨着微微的和風撲來，使個恍若置身於香國，既飽眼福，又快鼻嘗。十二月是摘取咖啡果實的旺月，晨光熹微際，男女老少，各各挽着籃筐坐上牛車，向咖啡園出發，夕陽晚照時，便盈盈滿筐的歸來。咖啡園主，在每一株咖啡樹，懸一個牌，摘完一株，便將一個銅牌取下，[illegible]銅牌領工資。咖啡樹[illegible]成長，才結果實，大約[illegible]十年，就得砍伐，樹身最高達九呎到十呎。果實摘下後，還得加上「水磨」工夫，才可得「咖啡米」。輸出的咖啡，到達銷售市場，仍須再加磨研，方成爲我們坐在咖啡座上的飲料。當那最後一袋咖啡，裝上港口的船舶，[illegible]了幾個月咖啡摘取者加工者主有者，有一個盛大的慶祝會，此之謂咖啡節，大率在新年舉行，土著的和外來的樂隊，銅樂，提琴，奏着土風曲，跳着土風舞，加上那些[illegible]，[illegible]的主演，[illegible]歡樂聲[illegible]。

哥斯達黎加對外[illegible]極受國際[illegible]的歡迎。[illegible]合水果公司[illegible]有泛美航空公司的航線，[illegible]和荷蘭航空公司的航線。[illegible]交通，海上有[illegible]，陸[illegible]有公路和[illegible]鐵路縱橫，[illegible]也可四通八達。[illegible]國語雖是西班牙語，但通用英語，[illegible]鐵路是英國人所經營，因爲所以通行英語。由首都到英[illegible]海岸，鐵路由首都到太平洋岸，[illegible]國幣叫做科命（COLON），定價約六個半科命，合美金一元，經濟生活絕少波及。[illegible]政府[illegible]，每星期[illegible]一次，頭獎約五萬科命，[illegible]中美國家的[illegible]也是在哥國首都開獎。（取材自「拉丁美洲」國出版的[illegible]）

艾森豪是否領導錯誤

△程光衡先生來函

編者先生：拜讀一月十二日貴報所載陶百川先生所寫「世界第一大新聞」，敘述美國麥加錫參議員因檢舉陸軍軍醫官比里士、艾森豪總統和諾蘭領袖反對麥加錫調查之舉，因而[illegible]，遂以一九五四年參議員選舉失敗，[illegible]激蕩。評艾森豪總統爲領導[illegible]失」云云。不侫對於陶先生的文章，甚拜服[illegible]，但對於看美國事情，仍覺得不無附上犯錯誤，可以「以人爲鑒，可知得失」之處，特函陳管見如左：

（一）共和黨選舉失敗，絕不是因爲麥加錫一案。一般說法，都認爲共和黨[illegible]，而將收購農產品的數額減低，以至失去農民選票，爲其最大原因。

（二）「陸長小不忍而亂大謀」是忽略了參議員有說話對外不負責的威風，[illegible]斯尚有正義感，但不懂得議會政治中LEGAL TECHNICALITY，因此下不得台，卻並沒有失去一般的同情。

（三）共和黨的內訌，並不像我們想像的「分裂」。對於選舉節，甚至外交政策，仍是一致的。如認爲因麥加錫內訌，而選舉失敗，這是我們東方人私仇心理的想法，難道陶先生認爲麥加錫及其同情者，會因不快於艾森豪而去鼓動選民，去投民主黨的票嗎？這在明瞭美國政治的人是不可想像的。

（四）事實上麥加錫的作風，不惜指鹿爲馬，只知出風頭，是爲很大部份美國人所厭惡的。如果照陶先生用東方人私仇心理的推論，則麥加錫既被艾森豪所不贊同。民主黨正好利用這機會來支持麥加錫，以與艾森豪爲難。但是民主黨參議員對麥加錫的攻擊，卻很利害。美國民衆都信基督教，對於DECENCY十分看重。像麥加錫這樣潑辣蠻誣，至今不知出了多少風頭，攻擊檢舉了多少人，但沒有一件能提出證據，連十足的共和黨魯斯所辦的雜誌，都認爲共和黨之羞。這總是足爲我們「以人爲鑒，可知得失」的榜樣。「幹政治的人共各鑒之」。

一九五六年的大選，共和黨的勝敗，恐怕還是要麥加錫這種人改變作風，不要自作孽，纔能挽回頹勢。我認爲艾森豪是不是像陶先生所描寫會領導諾蘭德金等來打擊麥加錫，仍很有疑問。就令有之，艾森豪的威望並未損失，也並未像陶先生所說的「領導上犯錯誤」。謹述鄙見，尚希賜教。敬頌

撰祺

讀者程光衡謹上

△鄭士瑾先生，大示奉悉，蔡智堪先生函，已代轉寄，尊囑一節，自當照辦，謹復。

「自由中國」來函

——爲「雨過天青」事——

自由人主編先生：近有讀者來信，對貴刊先後所載關於「雨過天青」的文字，向本刊有所詢詢，茲就有關各點，奉答於下：

一、黎中天先生前將「雨過天青」（原名「生活教育」）一文，賜寄本刊時，並未曾聲明不願接受刪改。（按本刊徵稿簡則規定，來稿本刊有刪改權，如不願受此限制，須於事先聲明。）該文前一部份在本刊九卷十期刊出以後，黎先生堅持取回原稿。當時本刊曾一再請求黎先生將該文後一部份寄本刊繼續登完，未獲黎先生同意。

二、貴刊於四十三年十月廿三日及十一月廿四日，先後刊出黎先生「雨過天青」及杜衣先生「生活教育與雨過天青」兩文。在本刊與杜衣先生並無關係。本刊對此問題如欲表示意見，自當以本刊或本刊編者名義發表，絕不假他人名義。

三、本年一月十五日貴刊又發表黎先生「文章病院與生活教育」一文。就作者文義及編者按語觀之，似均認杜衣先生即係本刊編者，諒係出於誤會。

以上各點，祈賜在貴刊披露爲荷。

敬啓

自由中國編輯部

四十四年一月十八日

台省中等教育的困擾

·方曙·

台灣通訊

【台北通訊】去年台省中等學校教育，因當局不斷努力，省市立學校大量增班，或大量增設夜班，收容學生較多。據統計省市立中學報考學生人數，暨錄取名額，已達三分之二強。故失學人數，已經很少。歷年嚴重的升學問題，今年似乎是解決了，這是一個好現象。但問題並不就此完全解決了的。

由於不斷的增班，每一間省市（縣）立學校，若以台北為例，差不多每校學生人數，平均在千人以上。全校班數有多至三十九班的。許多學校校舍寬敞的，收容千人自無問題，但也有許多學校校舍狹小，不能容納大量的學生，於是有些學校，便分設日間部與夜間部，更把班級分成上午班下午班，和晚班。（上下午班以補習學校為多，省市立學校現在祇有日班與夜班之分）。至於日夜班學生的分配，全以入學考試成績為定，成績較好的入日班，較差的入夜班。因此學生以能入日班為榮。

各校學生驟增，班次加多，學校當局的管教工作自然亦因而增繁，學生千人以上的學校，校長每天都要為人事、經費、和會議忙得不可開交。關於學生的學行，和教員的教學方法，自難兼顧了。這樣對於學校的辦事效率和成績，當然不免有所影響。

再說夜班，以十餘歲的兒童，要他們晚間上學，他們日間在家嬉戲，晚間到校上學，因精神疲憊，功課成績如何會好。有些來往路途較遠，夜晚上學亦多不便。故許多家長，對子女晚間上學，總不放心。現在各校夜班人數，已逐漸減少。同時所有夜班學生，成績亦均較日班為差，故夜班制度，在教育上的價值，很值得研究，即使事實不得不然，應如何補救缺點，也是值得考慮的。以筆者意見，夜班祇適宜短期職業或語文的補習，如果施之於正規教育，還有值得商榷之處。這些都是台省中等教育的問題，至於整個中等教育問題，還是希望今後要多設新校，並獎助私人興校。才是根本辦法。

美軍訓練趣談

不願受人笑作少爺兵　錯把銅人認作了真人

·文鑑·

美國軍事當局，因受了韓戰的教訓，現在對於軍隊的訓練，很多地方已加以改良。例如軍人養尊處優，不耐寒冷，不慣夜戰等，目前正加緊鍛鍊改正，務期將來上陣，不至再被敵人譏笑是少爺兵。

現在且就第二十八師的訓練情形做個說明：訓練期間，最短是二十八個星期，目的要在極寒冷的氣候之下，把士兵們練成能征慣戰的鬥士。第二十八師的士兵，都是本雪爾凡尼亞州人，為適應環境，當局把他們調到中部印第安拿州某軍營受訓。

（一）

頭一個階段，是基本訓練。軍營所在地的氣候非常寒冷，溫度常在華氏表二十度以下。尖刀似的冷風刮過積雪的平原。弟兄們整天學習打靶，由黎明到天黑，不准稍有鬆懈。基本訓練，除打靶之外，包括隱蔽、前進、斥堠、警戒，以及所有軍隊所應做得好的列隊操演、敬禮，和站崗等。

為了天氣太冷，夜間站崗不易，所以在麻色諸塞州特別製造機器人來代替士兵。銅人內部渾身都繞着電綫圈，和體溫調節器，使銅人有着安全的反應，經常把銅人放在氣溫試驗室裏，跟四十多名士兵在一起，或立、或坐、或伏、或臥，作各種不同姿勢的試驗。以便設計美軍在地球上不同地區的生活，應穿什麼樣的服裝，以適應不同的氣候。這些銅人對氣候的反應很銳敏，它的頭與軀幹和四肢，到處分別通着電路上，造成和人體一樣的溫度。每當它被推進寒冷或熱，或極冷極熱溫度的試驗室中時，它身體上的各部反應，便很精確的紀錄在一張大紀錄紙上。另外還利用較複雜的儀器，測驗出身體每部份散失的溫度。軍需人員根據這些紀錄，便知道那些部份需要特別的保溫設計。

這些銅人，在零度下四十度也好，在一百八十度的熱度也好，任何天氣，它都不會生病。在加拿大剌骨嚴寒的邱吉爾地方，銅人曾經站過三個月。同時也在海拔六千二百多尺高的華盛頓山頂零下四十度站過一冬。一個皮商人，錯把銅人當個真人，冒冒失失的向它高呼問路，叫了半天不見答應，跑過去看了一眼，急忙報告警局，說是在加拿大郊外看見一個凍死的美兵呢！

（二）

再次一步的訓練，是鍛鍊身體，有體操、遠足、露宿、和障礙物訓練。有一種障礙物是高四十尺的架子，架子上綁一條繩，斜斜地拉到離架底四十尺外的地面上。戰士爬登架子之後，再緣繩子溜到地面。又有三十尺的五層高塔，上大下小，上去之後，很費力才爬得下來。還有高欄，一個像瓜棚的架子，士兵爬繩上去，步行架子上面，像猴子似地攀緣了半天才下來。

基本訓練後便是集團訓練，即將整連整連的軍隊，在真正的砲彈、槍彈，飛過頭頂之下，爬山越嶺。又在真正的輕重機關槍掃射之下，滾過敵人的陣地。百分之三十的訓練是關於夜戰，注重警戒或預防滲透。然後在模仿真正作戰情形之下，練習訊號隊，砲隊，工程隊的合作。又由空軍假裝襲擊，訓練士兵躲避掃射。關於巷戰，則全體單位開到某一廢墟去實行。

（三）

最後幾個星期的訓練，預備由整個師的軍隊，實行演習。到時候，可能開到別的地方去，由上級將領考驗成績。據第二十八師師長說，經常一年的訓練，縮到二十八個星期完畢，訓練完後，上司有任何差遣，弟兄們一定可以負起任務的。現在美國受這樣訓練的軍隊有幾十個師。

國事痛言

不要重犯錯誤　應該立刻反攻

·靜文·

假定民十六年的清黨，能夠澈底，便不會再有現在的中國共產黨。假定中共二萬五千里流竄的時候，政府能把牠澈底消滅掉，也不會再有現在的中共。假定抗日時期，沒有受中共欺騙，根本不上它的鬼當，不要和牠聯合，首先全力把它鏟除，也不會再有現在的中共。假定抗戰勝利後，根本不搞國共協商，假定美國白皮書不發表，不至影響民心士氣，也許中共不會有現在這樣得勢。退一萬步說，國民黨的失敗，決不會如是之速，如是之慘！

（一）數年來政府退處台灣一隅，勵精圖治，念念反攻復國，世人是相信的。但，不論進步如何，台灣接二連三發生案件，例如與國相案等，影響世人甚深。使人對台灣的觀念，仍有自私的氣味。像我們這樣多難的國家，千孔百瘡，如仍有使人發生自私印象的地方，又何以維繫人心？更何以談復國？

（二）中美條約締結，大的地方姑且不提，單說其中一小節，「中國反攻大陸，事前須商諸美國」。（下轉第四版）

朱昌東暢談僑情

印尼僑領—

【本報特訊】印尼僑領朱昌東先生，近被印尼政府無理壓迫，於一月二十八日乘輪過港，昨日轉乘民航班機回台。朱氏旅居印尼二十餘年，為留美學生，曾任國民政府駐巴達維亞（耶加達）總領事，不僅對僑務多所盡力，[illegible]亦多襄助，第二次世界大戰，日軍南侵，朱氏曾一度被捕入獄。筆者昨與朱氏晤談於旅邸，握手道故，風采如昔。沉毅樂觀之精神，更令人肅然起敬。據談目前印尼僑胞雖備受中共誘騙壓迫，惟對國民政府擁護熱情，並不稍衰。從事文化教育事業之僑領，[illegible]態度稍有改變，而氣餒灰心。關於印尼政局，據朱氏觀察，現政府雖採依違兩可政策，[illegible]希望西方能加予援助。[illegible]轉變之關鍵。印尼共黨[illegible]力量，並不容稍加忽視。

朱氏此次回國，關於我國今後對印尼僑務之改進意見，想必能對當局多所貢獻也。

矯正社會不良習慣　發展成年男女教育

矯正社會劣習確是減少罪犯根本辦法。年來許多社會學家對於改革現社會病態，煞費苦心，然所有計劃，無一[illegible]見效。[illegible]知基本原因所在，以致罪犯有加無已。就罪犯身份，年齡與發生事件經過情形看來，殆因教育不夠普及所致。因之一位具有學識經驗的專家，[illegible]成年人教育之時，[illegible]社會的根本辦法。[illegible]

[illegible]

任何民主國家均不容文盲存在。香港號稱「民主櫥窗」，[illegible]

[illegible]熱心社會教育人士乃紛起響應，[illegible]女性成年人[illegible]男女市民均有[illegible]教育[illegible]

[illegible]四、五、六年級[illegible]每月學費三元；七八月暑期免繳。

經濟社會思想叢談

（十）

·金伯華·

他於一八四〇年發表「什麼叫做私產權？」一書而名大噪。他之所以成爲無政府主義者，是因他認爲在未來人類社會中，政府將是一種多餘的東西。至於未來人類社會的制度，則應以互助主義爲基礎。依他的看法，這種社會制度的實現是無需於使用激烈手段的。所以在他後來的「一個革命者的回憶錄」中，對於一八四八年的巴黎革命，他毋寧是加以擯斥的。他在互助的理想中，主張各人應有極端的自由，所以他同巴枯甯一樣，都是與馬克思弄不來的。而克魯泡特金雖不與巴枯甯本人相識，但在思想上却成了巴枯甯的直接繼承衣缽的人。

克魯泡特金的主要著作，有一八八五年的「一個叛徒的話」，一八九〇年的「麵包的征服」，一九〇二年的「一個生命的週遭」以及一九〇六年最著名的「互助」以及和許多小冊子。他和普魯東一樣，強調個人的自由，但重視社會的互助。他亦認爲人與人間的互助以及社會的協同，是一切人類社會的基礎。在他的互助論裏，他舉了無數的事例來說明社交性的自動本能（INSTINCT SPONTANÉE DE SOCIABILITÉ）。他就近代歐洲社會各式各樣的經濟結社，科學結社，教育結社，慈善結社，體育結社，衛生結社，以及中古時代的行會和村邑的生活，乃至各種動物的社會生活，都一一詳述其相互協助的事跡和形式。他說：「假使沒有人類社會所憑藉以作爲基礎的這個具有黏攝力（COHÉSION）和了解力（ENTENTE）的强烈本能，則上述大都份的結社將從來就不可能戰勝各種自然危險的威脅。」

他姑不論，只講互助這一點，普魯東及克魯泡特金的主張，實是顛撲不破的真理。

孟子的互助理論

其實，這道理遠在二千多年前，孟子早已發揮得很透闢了。孟子說：「人皆有不忍人之心。……以不忍人之心，行不忍人之政，治天下可運之掌上。」這種不忍去害人的心理，亦叫「怵惕惻隱之心。」有了這種毫無愛憎或利害關係的惻隱心，路人才會本着驚駭和憐憫的同情作用去救那將要跌到井裏去的小孩子。這惻隱是一種強烈的本能。這種是人類最純潔，最高度的同情心。這種本能，孟子就稱它爲仁道的發端（「惻隱之心，仁之端也」）。沒有這種心的人，簡直就不能算是人。假使一國的領袖，一國的統治階層，能具有這種心，即孟子所說，「今王發政施仁，使天下仕者皆欲立於王之朝，耕者皆欲耕於王之野，商賈皆欲藏於王之市，行旅皆欲出於王之塗，——天下之欲疾其君者，皆欲赴愬於王。其若是，孰能禦之？」這可說是中國民族傳統的互助精神。今天自由世界反共抗俄，能不能獲得最後的勝利，無論國內國際，就都得看看到底有沒有這種精神和這種精神的充沛不充沛……

至若見諸實行，要使全國人民都能「守望相助，疾病相扶持」，則自然有賴於組織。這就是我國合作社法上所稱的「互助組織」。這種組織的具體型態就是各種的「合作社」。所以說合作社是本於平等原則，在互助組織之基礎上所設立的一種最公道，最穩妥的經濟團體。

動物的互助行爲

真的！這不但是人。即在動物界裏也常常發現有這種奇妙的互助行爲。鱷魚是一種很冥頑凶殘的動物。可是，好奇怪——他却與另一種小動物——千鳥經常互助。凡是有鱷魚的地方，總產生有一種小鳥，其名曰鷸，或千鳥。鱷魚身上常寄生着若干虫豸，使得它怪不舒服的。它雖凶殘，但沒法驅除這些寄生虫，全賴千鳥飛集啄食，它才舒服。千鳥是很敏感的。倘有敵人來纖捕鱷魚時，他們便一齊驚飛作聲，等於是替鱷魚「拉警報」，使它警覺而避入水裏去。所以千鳥之與鱷魚，小大雖極不相侔，但在生活上却有其密切的聯繫。由此可知一國的領袖，更非需要與小百姓互助不可。尤其民主時代，這種互助的實要性更是顯明。在經濟方面，合作是最能實行這種互助精神的一種制度。因此之故，所以合作制度也即是最適合於我國仁道精神的一種制度。自由中國合作事業的表面上很是發達，但究竟合不合於這種精神，恕我外行，未願貿然加以批判。（完）

政治渡海

馬五先生

年來飫聞台灣方面傳播「政治登陸」之辭，意在使大陸同胞知道自由中國政府正在臥薪嘗膽，力圖弔民伐罪，復國收京也。這策略當然不錯。不過，所謂「政治登陸」的心理作戰，如果祇是經常搞些廣播，傳單玩藝，天空放幾氣球，海上漂流竹筒等類，而始終沒有一種足以興奮人心，堅定信念的軍事行動以相配合，久而久之，將教望眼欲穿的大陸同胞心理上，因失望而趨於麻痺，不感興趣了。這次一江山島上的七百游擊戰士，可以與敵人鏖戰數晝夜，壯烈殉國，然大陳島上的幾萬名駐軍，爲甚麼竟要不戰而退？美國不願協防就洩氣示弱，這樣還有自力更生，反攻復國的信心嗎？爲着鼓舞海內外人心，爲着對國際上表示中華民族決不俯仰由人的志氣，即令這萬餘國軍全部拚完，使敵人付出莫大的代價，然後放棄這孤懸遠洋的島嶼，其政治作用之深鉅爲何如耶？

有了大陳羣幕聞警即退的裝瀉戲劇之演出，亡羊補牢，我認爲「政治渡海」的工作特別緊要。這就是說：趕快對海外千多萬華僑爭取他們的向心力，表現自由中國的力量決非僅在台灣一隅，也不是別國所能隨便玩弄擺佈的。我們身羈海外，目擊敵人對華僑們不惜耗費，五花八門，無孔不入的統戰魔術，反觀我方只是因襲過去那套陳腐失效的作風，無治洪，無治人，仍然不改，故態依然的情形，實在不勝痛心疾首之至。

英美人士近來醞釀開羅會議宣言已成廢紙（艾登說的）台灣不能認爲是中華民國的領土（美國民主黨憲部對國會所發備忘錄中的話）國際陰謀家鬼影幢幢，將來不知甚還要玩出甚末花樣來。我們再不團結海外僑的力量，形成一個未可輕視的國家地位，縱想偏安孤島的滿足，亦將失望。不能傾心竭力，對華僑實行「政治渡海」的有效措施，光是發些又臭又長的所謂「告海外僑胞」的八股文字，有甚末用場呢？

記清季兩才人

·夢山樓·

人才的產生，與地理環境很有關係，他的家世和他本身生活，儘管寒微艱苦，但，他居住地的自然環境及人文環境大多是很優美的，證諸中國史實，屢驗不爽。江湖平原湘鄂地區，漢水烟波，衡嶽岡峭，產生許多的特殊人才，在清季要算湖北樊增祥，湖南易順鼎兩位大詩人最放異彩了。

（一）

樊增祥，字嘉父，號雲門，別號樊山，湖北恩施人，他的父親樊燮，做到副將，曾被巡撫駱秉章劾奏，這時湘陰左宗棠，正在駱幕很有地位，他去求他援救，長跪不起，宗棠不予答禮，他大窘而去，從此就罷官了。他對兒子樊山說：「一個舉人，就如此傲慢，武官眞不可爲，汝不發憤求科第，不是我的兒子。」樊山受過這樣刺激，果然中光緒丁丑進士，補陝西渭南縣知縣，累官至藩台，善於聽訟，著有政聲。會稽李慈銘，是當代的學人，很賞識他的詩文，張之洞開府兩湖，以獎勵人才爲己任，也佩服他的才學，從此他就做李張門下心悅誠服的入室弟子。

（二）

樊山天才奔放，吐納風流，雖然服膺之洞慈銘。但，他的作手。之洞七十大壽時，他作兩千言駢體壽文，分日電報拍發，其中有警句云：

「……不蒐其成事之迹，而貴其成事之智，不論其生財之勢，而貴其用財之效……」這樣搖曳生姿的好句子，無怪乎之洞得句大爲讚賞，擊節而呼曰：『雲門眞可人哉！』

（三）

他論詩以淸新流麗爲主，不拘於宗派之見，喜用僻典。他的政績，也很卓異，樊山判牘，慣用四六對偶，深入淺出，隨手寫來，萬口傳誦。生平作詩甚富，七律居其八九，豔體最多，無非想在聲律之中，顯出他的巧妙。自負甚高，評人輒曰：『此乳臭小兒也。』

某甲自負能詩，每對他誦其所作，他嗤之以鼻，曰：『君詩多不諧韻，品味甚卑。』某甲惶愧而說：『小子學植荒落，以致如此。』他撫掌大笑曰：『因無一草，不得言荒；無一草，何所謂荒草之田，無果之樹。』他一生做夢，往往如此。所以，他做陝西藩台時，因爲恃才傲物，被總督升允參奏，落得罷官歸本。後來張之洞保奏他恢復原官，不久淸室亡了，他退隱都門，以遺老，名流，才子，終其天年。

（四）

樊山有詩萬首，最膾炙人口的，要算彩雲曲，描寫賽金花故事，讀者比之吳梅村圓圓曲，白樂天長恨歌。自命一代詩宗的易順鼎，對他最爲傾倒，贈他的詩有：『久向南皮坐上見，一見如故，結爲知交。』樊山雖自負奇才，但從不輕許他人，但，讀到易順鼎的詩作：『閉門獨坐八月，宮三十六漢時秋』『何忍呼他爲腐鬼，向思老我此柔鄉。』『流幾濤瀟無情水，驚出河男不靜虹。』許爲精麗無匹，巧匠運斤，自此就與順鼎訂莫逆交，流連都門，詩酒爲歡，時稱樊易，眞是有幾國士，絕代詞人呢。（上）

純漚每逢除夕有詩，已十五年矣，甲午歲除詩來輒用其韻酬之

劉百閔

南渡年年又歲除，承歡何日賀吾初；滿山樓閣喧闐夜，多少流民念舊廬。

爆竹家家歡樂聲，春回無幸俟河清；老農已作祈年祭，不問秋收祇問耕。

短篇小說　老鼠

康有輝

在這一些碰運氣的人士中，就有史密斯家兄弟。吉姆、查理斯和賈克三兄弟。吉姆心想，祇要做得出一種老鼠籠，看起來一點不現得異樣，就可以騙過老鼠，像他在學校時愚弄老師那般。現在他知道在各碼上到處放的各式各樣的舊鐵罐子，所以他就找了一個舊鐵罐，特別設計了一種捉老鼠的籠子。老鼠聞到罐內所放好的餌的香味，跳上了罐子頂，而頂上正裝好了機關，老鼠立刻掉了下去，也再爬不出來了。他儘量利用餘暇來做這種老鼠籠，幾得了朋友的幫助。向做他父親借了十鎊錢，找到了失業的洋鐵匠約翰遜替他做了一大批。到後來，他一共做了一千三百九十四個這種老鼠籠；但其中有十七個做的太不好，他就沒有帶走。

他用他父親的一輛大車帶了做好的老鼠籠去到塔山，見當局理事長，原是一位公爵，正負責辦理捕老鼠的事。這位副理事長說，「這些老鼠籠當然不够分配到所有各碼頭上去，但我們可以先拿到一個碼頭上試試看。」於是他們就把這些籠子放在西印度碼頭上；從牙買加及其附近各島開來的船隻靠此碼頭，裝的是糖，酒糖，糖漿和香料。我以爲挑這一個碼頭並不很相宜，那裏的老鼠與別處不同，特別顯的又快又機伶。就因爲牠們日常盡在爬大桶，小桶，大瓶，小罈；爬的慢的一下掉了進去，命就完了，只有爬的快的才混的出來。所以在那一帶的老鼠卻來去很快，擅於爬上爬下。

吉姆的籠子，一半放了乳酪，一半塗上火腿。第一夜，捉到九百十八隻老鼠。吉姆不禁大喜，以爲從此可以得獎了。但是第二夜只捉到三隻老鼠，第三夜只有兩隻。鼠王已經警告所有牠的子民避開洋鐵罐子，祇有幾個傻瓜或不聽話的才會自投羅網。第四夜，他們把籠子移到維多利亞碼頭上去，但也只捉到四隻老鼠。原來鼠王的警告已經四下傳佈了。吉姆很傷心地回到家去。他白費了許多時間和十鎊錢，學校同學給他起個綽號叫「罐頭老鼠。」

查理斯·史密斯的主意，截然不同。他發明一種特別的毒劑，無味道，無香氣。我不打算告訴你這是什麼毒劑，也不講給你聽怎樣配合，因爲有的殺人犯也許會讀到這篇故事，要用這種毒劑來殺害所有各類的人。他做了不少這種毒劑，還配有一種香料，這味道就和法國最有名的乳酪一模一樣，聞起來眞是可愛。雖然有些人不中意，但老鼠卻無不喜愛的。他向他父親借了二十鎊錢，買了一百塊廉價的乳酪。每一塊切成一百小片，先浸在毒劑裏，再加上特配的最有名的法國乳酪的香味，然後用一萬個低價盒子裝好。他以爲這樣包裝，不會叫老鼠疑心的；普通含毒的餌子，都不過四下散開，從不裝盒子的。現在雖裝上盒子，但本是紙做的，老鼠毫不費事就可以弄開了。（三）

語言影響感情知覺

的人，我不相信他一生中會有一個時期不認識「瀟灑」兩個字，不認識「神聖」兩個字的人，我不相信他會把某一人或某一事看成神聖。一對男女有了婚姻外的性行爲，有的人稱之爲「相愛」，有的人稱之爲「私通」，也有的人斥之爲「通奸」。有的人說這是「神聖的戀愛」，有的人則說此乃「傷風敗俗的醜事」。而對於這一類事實的描寫，有的人喜歡用「恩愛」、「浪漫」、「熱情」、「纏綿」、「香豔」、「風流」等字眼，有的人則祇能以「風騷」、「淫蕩」、「無恥」、「下賤」、「罪惡」等字來加以形容。一個人對於這一對男女的行爲，其反應如何：還是欣賞讚美呢？還是深惡痛絕呢？就要看他腦袋裏所裝的是屬於上一類抑或是屬於下一類的字彙而定了。（一個腦袋裏沒有「香豔」和「罪惡」兩個字的人，恐怕既不覺得還是香豔，也不覺得還是罪惡。）

同樣的，我們有許多感覺，都是在認識了代表這些感覺的名詞之後才發會到的。

電車路綫的分站，長短不同。有時候兩站之間，距離得很長，有時候距離得很短，不能由你隨意變更。語言對於各種事物的分析，其精密和簡單的程度，也同樣的各有不同。你用英文可以講：「昨天我陪着一位朋友 FRIEND 看電影。」用德文則不行，而你非說明是男朋友或女朋友不可。因爲德文裏祇有「男朋友」FREUND和「女朋友」FREUNDIN兩個字，而沒有「不分男女性的朋友」這一個字。有人問你有沒有小孩，

語意學漫談

徐道鄰

你用中文可以回答說「有小孩」，而不說明是一個或數個。用德文英文則不行，你是用少數還是用多數，你必須交代明白。你用中文英文法文都可以說，「我的太太到巴黎去了」，用德文則不可以，因爲德文裏沒有一個簡單的「去」字，而你必須在GEHEN「步行去」，FAHREN「坐車或坐船去」FLIEGEN「坐飛機去」REISEN「作旅行去」這幾個字中間選擇一個。中國話有「伯父」、「叔父」、「舅舅」、「姨夫」四個字，英文則統稱之爲「UNCLE」。英文沒有須四個分別的名詞，中文也沒有這一個概括的名詞。結果在中國爲伯父要穿一年的孝服，姨夫則祇是一門無服的遠親罷了。而在英美，姨甥和姨夫的往來，恐怕要比姪子和他伯叔的往來還要密切些。中國人也許認爲英美人把姨夫看得太親近，而英美人則同樣難以了解中國人爲何把姨夫看得那樣疏遠。在北美洲西南部叫吉利卡華CHIRICAHUA的一種阿排吉APACHE的民族中，他們對於同輩的男女親屬（兄弟姊妹、堂親、表親、遠親），沒有任何名稱。凡是和自己同性別的就是「基司」—KIS，凡是和自己異性別的就是「拉」—LAH。這一民族中的男人和女人，對於「基」皆友好而親近，對於「拉」則客氣而疏遠，而且時時存着猜疑和提防的心理。太陽在法文裏是陽性的，因之意味着的是光華、威嚴，月亮是陰性的，因之意味着幽靜和美麗。而在德文裏太陽是女性的，因而就意味着了溫暖、慈愛，月亮是男性的，也就意味着了清高與孤獨。語言的範疇，如何的影響了人類的情感和知覺，這是最好的一個說明。（七）

國事痛言

不要重犯錯誤　應該立刻反攻

·靜文·

（上接第三版）這樣等於被一條鐵鍊子鎖住了頸子，限制了反攻。又何須有此締約？更可能由此而陷入人家計劃好的圈套。

（三）

北平之行，返國後，杜尼斯即提出台灣海峽停火的建議，艾森豪總統跟着就有研究或成立停火的提議，（如同韓國越南一樣），這些都爲既成的圈套，諸如此類，所謂「國際信義」，使我們懷疑。再聯想到韓馬紹爾離開北平後，中共就發動大規模侵犯一江山。固然，中共慣以武力來壯它談判的聲勢，但往往以此爲信號，也許是韓馬紹爾北平時約好的，以做個圈套。

（四）

一江山的軍民，當然不過一千，但已抗衡過八倍的來犯敵人。一江山失了，能不使民心士氣和國際觀感不無影響嗎？但我們必須強調一江山是游擊隊守的，政府並不負責的嗎？這句話說起來很小，很可能引起世人對政府的懷疑。

（五）

上所說的既成圈套，似乎已形成了。[illegible]

（六）

中共在蘇俄嗾使之下，[illegible]會甘願加入拚死的集團嗎？[illegible]

稿約

本報園地公開，歡迎讀者投稿，性質不拘，最好勿超過二千字，譯作請註明出處，如用筆名，當另行註明。來稿請用稿紙，勿兩面書寫。來稿請速退還。

—編輯室—

自由人

THE FREEMAN

（第四〇九期）

社址：香港高士威道二十號四樓 3rd. Fl. 20 GAUSEWAY RD HONG KONG

大·陳·撤·退·論

·李金畔·

一江山是經過與共軍激戰三晝夜之後才失陷的，這充分表現了國軍奮力血戰，共存共亡的崇高民族意識和戰鬥精神。因此，它的失陷，雖是不可避免的，但它的頑强堅決抗敵的戰鬥精神，足以排斥「沿海島嶼不可戰、不可守」的撤退論。

一江山失陷後，跟着國際間就喊出撤退論，這種論調，即使是「善意」的，但却是令人沮喪的。現在大陳的撤退，似乎已成定局了，這一撤退到底原因何在？尤其是將來的影響如何？是不能不加以愼重考慮的。

撤退的損失

大陳的撤退是否眞的在戰略上並無價値呢？

請首先對大陳的形勢，略予說明：

就軍事觀點看：大陳位於大陸東海海域，爲國軍拱衛自由中國北面的主要屏障。在軍事上不僅發揮了可以隨時襲擊大陸的基地作用，抑且阻塞了中共海軍的南下。

從經濟關係上看：中共久已在着力要取得一條無阻的沿海經濟通道，以便於經濟性的航運和軍事輸送線得的暢通。大陳（及金門）却眞正發揮了窒礙對其經濟封鎖的主要作用。

再從政治方面分析，大陳（及金門）的存在，無異是自由中國的耳目，也是自由的燈塔！它的光芒照射遠及遼闊的祖國河山，給予每個被奴役壓迫的同胞以溫暖，鼓勵，和希望。因此，它的政治作用，比經濟、軍事的作用更大！大陸上犯難冒險的衝破鐵幕，爭取自由的同胞，過去都是以大陳爲最近的目標的。

雖則大陳也有它的缺點，因爲與台灣相距較遠，易受共軍襲擊。但這項軍事上的缺點，並不是不可以彌補的。關鍵在於是否有決心堅守，和適當的應援協助而已。

決心堅守，是自由中國本身的事情，適當的應援和協助，除了本身努力之外，還要有友國的同情和支持。現在看來，本身的決心堅守是不成問題的，友邦的同情和支持顯然不足，這便是大陳不得不撤退的最大原因。從整個反共大形勢來說，撤退係屬不得已，現在事實上似乎已到了不能不實行的境地了。

撤退後的亞洲形勢

大陳在事實上既必須撤退，未來形勢的演變又如何呢？這是値得注意的。

軍事上，因無大陳，我海軍在沿海的活動和對大陸隨時攻擊，不免失却機動性，同時，俄共的海軍，必乘機南下，對金澎發生威脅，且第七艦隊遭受襲擊的可能性，亦更爲增大。封鎖大陸的可能性因而更小。在政治上則將嚴重影響到我海內外同胞的心理和士氣！更就整個亞洲來說，大陳撤退，將使日本完全暴露在中共面前，間接鼓勵日共的囂張，中共可利用漁船發展與日共的聯系，和援助其擴張，以動搖亞洲抗共的形勢。

大陳的安危，事實上既有這樣的重要性，但國際間的政要，却輕描淡寫地說：「大陳無戰略價値」，及大陳不可守也不可戰的論調。這豈非獨見其一未見其二的偏頗之見？

在軍事上，大陳如確非撤退不可，則對於撤退後，政治、經濟、和外交上應如何急謀補救之道，實爲目前自由中國急須應付的大問題。否則形勢所趨決不僅是一個大陳島的損失而已，自由中國之放棄大陳，決不應造成「兩個中國」的事實形勢，以達成將中國一分爲二的結果。

必須明示撤退得失

自由中國復國的主要條件，在於加强維繫中華民族的人心！目前已經到了不能再退！不宜再撤的境地！如果不戰而撤守大陳，豈非損害民族自尊和戰鬥士氣！間接影響了大陸同胞的心理。因此，如果萬不得已，大陳非撤不可，必須有個明白的交代，使海內外忠貞之士，了然於目前的反共形勢，明示撤退的利害得失，和國民政府收復大陸的決心，這才不至驟墮民心士氣，而長敵人的威風。

撤退不能放棄反攻

大陳本來是可堅守的，堅守的日子愈長，對於反共復國的形勢亦愈有利。爲配合自由世界的反共大形勢，作戰略上的撤退，固不是沒有好處。但還不應是撤退的開始，而應是撤退的結束。換言之，大陳撤退之後，決不能再繼以金門馬祖的撤退。否則不僅台澎勢將不保，整個亞洲的反共陣綫也將隨之而動搖。大陳的撤退只能爲反攻大陸奮發更雄厚的大勢力，決不應根本犧牲反攻的計劃。西方國家如認爲犧牲大陳即可以安撫中共，達到和平共存的幻想，那一定會貽害無窮，終有噬臍之痛的。

△上月西德下院批准巴黎協定前，總理愛登諾演說，强調在該約未實現前，決不接受蘇俄任何强制要求。

反共重要基地——澳洲

·胡養之·

澳洲在第二次世界大戰中，是西方國家在東南亞洲作戰的總基地，現在又是包圍中共的重要後防。東南亞聯盟成立，澳洲更是該聯盟的重要份子。它足以支持前綫的日本，菲律賓和越南。軍事上澳洲出產勇悍的將士；地理上便有繁盛的海港和工業中心集中的南部；北部雖是一大片沙漠，然亦足爲屏障。經濟上澳洲是少有的糧食出口國家之一，且地廣人稀，大有增加生產的可能。至於澳洲的工業自一九四二年起，便草創有重事工業，將來如果三次大戰一旦爆發，澳洲是能夠供應前綫的糧食和機械的。所以今後澳洲在世界政治舞台上——尤其亞洲的防共陣綫上，地位日加重要。

經濟尚待開發

澳洲全國入息，每年三十億澳鎊，而人口僅八百餘萬，是故爲全球最富裕國家之一。它的經濟完全倚賴對外貿易，除了出產糧食而外，還有羊毛、鋼鐵、鉛鋅等幾種物品，佔澳洲全部出口貨百分之八十。然而要發展經濟，便要擴充鐵路、公路、和電力、燃料、鋼鐵等類工程。但對以來，工人由鄉村遷居城市，糧食生產逐漸下降，基本工業又缺乏人力和資本，不重要的工業如製造玻璃人像之類，紛紛產生，結果這些工業的工人數雖多，而經濟基本上並未發達，造成國內通貨膨脹的現象。假使有十幾萬工人改行，再有二億澳鎊的資金投於基本工業，經過十八個月的時間，無論如何可以斷言：目前的澳洲政府，是自由黨和國家黨的混合組織，它們在競選的時候，曾獲得不重要工業者的擁護，故政府對不重要工業既不以恐嚇，也不取締。因此，乘政府和勞工黨雖然關心多數衣食所靠的不重要工業，勞工黨却百分之百的反對培植。澳洲勞工黨在全球各國中也是最保守，始終抱着蘇聯不會戰爭的幻想，故他們說軍事工業並非必要。

澳洲人民痛恨共黨

澳洲國會，對於經濟問題也不大關心，國會成立三年來，最重要的工作，便是設法由立法途徑去取締共產黨。而共產主義在澳洲雖是一個嚴重問題，幾個基本工業的工會如碼頭工會，鋼鐵工會，礦務運輸等都已被共產黨滲透，目的是在控制澳洲的工業生產。一九四九年全國投票自由黨和國家黨之所以獲得勝利，一個重要的原因便是澳洲人民痛恨共產黨。

一九五〇年澳洲國會提出禁止共產黨的議案，可是所賦予政府的權限，却超出了憲法的規定，一九五一年被法院判爲無效。政府隨即以取締共產黨爲主要題目；其次是解散國會，重新選舉，結果兩院都歸混和黨控制，然後再舉行投票，要求人民賦予憲法所未授與的權限，終以極少票數的差別失敗。原因一部分是政府未能制止物價高漲，特別是於投票前一星期裁汰公務員一萬人。這是經濟情形影響到政治的實據。

一些工會對於共產黨的目標和手段，也頗震驚。各重要工會要勞工黨工人和共產黨競爭控制權。勞工黨工人在鋼鐵工會和幾個要港的碼頭工會已經得到勝利。將來澳洲經濟如果漸見穩定和繁榮，非共產黨的工會會員所得的效果，一定更大。

澳洲與英美關係

澳洲的政策和英美政策本來息息相關，但是英美對澳洲沒有加以任何指導。因此澳洲在情感上，在經濟來源上多半傾向英國。而在防務的需要上和在若干項經濟的關係上，却與美國維持密切關係。假如澳洲不得不就英美兩國擇「而事」，結果一定會發生混亂、分歧、停頓、種種弊病。其實澳洲應能供應英國的糧食，英鎊集團國家的美元外匯應不至於大量耗蝕。澳洲的羔羊售與美國，也可以增加英鎊集團的收入。

英美對澳洲的政治和軍事興趣，沒有互相衝突的地方。因爲它們兩國都需要一個穩定的亞洲。澳洲所提倡的英聯邦援助亞洲的哥倫坡計劃，不抵觸美前總統杜魯門的第四點計劃。現在美英兩國對於戰事發生時澳洲的任務如何，尚未決定。一般澳洲人對於美澳安全協定如何配合澳洲對英的義務，以及對於澳洲所能仰望於英美的是什麼援助，仍屬莫名其妙，以致國防進行遲滯。澳洲對這兩位强鄰的夥伴，當不免發生怨懟的心理。

已嗅到共黨侵畧氣味

由於這些怨懟的心理，反應出許多不良的現象。例如美國正進行籌備對日和約的時候，澳洲政府却堅決地反對武裝日本，弄到美特使杜爾斯進退爲難！後來美國保證考慮成立一種太平洋分區的安全統系，來配合對日和約，才獲得澳洲和紐西蘭兩國的同意。

這個統系的內容，一方面是保證日本和菲律賓不受外國侵略；另一方面也保證澳洲和紐西蘭遭侵略的時候，不管這侵略是來自蘇聯或者是來自日本，美國都不能坐視。

看情形，澳洲目前似乎僅能跨住英美的中間，設法調協英美的觀點，然後叫這觀點脗合澳洲自己的利益。但自去年越南被共產國際瓜分後，澳洲已感惶恐不安，它認爲共黨如在東南亞繼續進軍，將可控制直達澳洲的北部通路及截斷其歐洲的生命綫，於是這素有「反共重要基地」的澳洲，也無形中嗅着赤色侵略的火藥味了！

一週展望

·陳克文·

中共會知難而退嗎？

美上下兩院以絕大多數通過授權總統，保衛台澎。美軍第七艦隊和一部份空軍並已積極準備應付中共對台灣海峽的軍事行動。在此局勢之下，中共是否會知難而退？不敢隨便向國軍和美軍挑釁呢？對於大陳撤退是否會袖手傍觀不加干擾呢？英政府官員對中共將實際同意停火表示樂觀，艾森豪和杜爾斯亦認爲中共最後有同意結束台灣海峽戰事的希望。

就常識判斷，中共儘管高呼不容他人干預他們的「解放」台澎，實際上大陸民窮財盡，決無力量與美國作戰，事至顯明。若遽以此而斷言中共不至冒險闖禍，斂手而退，則不免過於輕率。須知中共之無力與美作戰雖屬事實。但蘇俄是否容許中共自行作主？才是問題關鍵所在。中共之干預韓戰，係出蘇俄指使，已有事實可證。目前中共在台灣海峽叫囂衝突，機艦武器全由蘇俄供應，更爲舉世共知。中共沒有蘇俄支持，決不敢輕言「解放」台澎。蘇俄的亞洲政策，目前是否會讓中共同意停火，結束台灣戰事呢？

蘇俄嗾使中共發動「解放」台灣的軍事行動，目的不止增加西方國家的矛盾，和消耗美國的實力，同時亦所以削弱中共，以便增加對中國大陸的控制。爲中共本身利害計，停火雖屬有利，爲蘇俄利害計，停火決非所願。因此，我們可以預測，中共對於停火決無自由選擇的餘地。即使不敢大舉進攻美軍，亦決不能同意停火，台灣海峽的風雲，是不能在停火方式之下結束的。

蘇俄的停火提議

然則，蘇俄的態度又如何呢？莫洛托夫對美記者說，大概不會有甚麼人企圖阻止國軍從沿海島嶼撤退。似乎已有贊成中共停火的意思。但蘇俄却同時向聯合國提議，要求台灣區島嶼上的國軍和美國海陸空軍撤退，並指責美國在台澎及其他島嶼對共產中國有「侵略行爲」。蘇俄在表面上贊同停火，事實上却利用停火提出西方國家所絕不能接受的條件，這是促成停火，還是鼓勵中共去闖禍呢？蘇俄的建議，美國方面已立即予以反擊，認爲這是「典型的共黨行動」。英國方面也認爲蘇聯的提議，「已減少聯合國使台灣區停火案的成功機會」。蘇聯之不願意停火實現，不已洞如觀火了嗎？

筆者一向以爲巴黎協定簽訂後，西德恢復主權，重行建軍，蘇聯在歐洲所受壓力太大，必然要在遠東，利用中共爲猫脚爪，進行侵略。故台灣海峽的風雲乃蘇聯一手造成，實具一石兩鳥的作用，除非西方完全接受降服條件，否則中共是決不能斂手，停火亦決不會實現的。

鳩山勿受蘇聯哄騙

蘇聯企圖破壞巴黎協定失敗後，轉而向遠東哄騙日本，以期破壞亞洲的反共陣綫，此事進行，最近已愈積極。鳩山希望以外交政策作爲競選資本，飲鴆在所不惜，因而漸將墮入共產轂中。昨三十一日鳩山在民主黨會議中，竟說出：『彼堅信蘇俄要求兩國關係正常化係出誠意，並非企圖哄騙日本政府接受共產主義思想。』又說，『彼與蘇聯代表杜姆尼茨基會談時，蘇俄表示無意促使日本共產化。』鳩山以此爲其對蘇政策作辯護，

蘇聯一面以「無意使日本共產化」哄騙鳩山，一面又以歸還齒舞與色丹兩島爲餌，無怪鳩山要色授魂與，倒入蘇俄懷抱了。鳩山要知道蘇俄的諾言是否可以相信？請還按卅年前越飛不赤化中國的宣言，便可以得到解答了。難道日本對於鄰邦今日所受的災難，還可以熟視無睹，不加警惕嗎？

一江山失陷前後

本報資料室

下面一段資料，取材美國時代周報，關於一江山島失陷前後的報導加以糾正，同時又申明美國對於自由中國的一貫立場，是一篇可供參考的資料。

停火建議的由來

一月中旬，美國第七艦隊司令蒲賴德中將和負責巡邏台灣海峽的美第七十二機動艦隊司令基維德少將，聯同眷屬到香港休假。中共似係利用這個機會，大舉進攻一江山島。

遠在幾個月前，美國已決定不防守大陳和一江山等小島。一月中艾森豪威招待記者的時候曾說，「我所認識的軍事專家，沒有一個認爲現在遭受攻擊的小島，甚至大陳島本身，對於台灣的防禦發生重要關係。」

艾森豪威再事申明美國的政策，本來是一件不足輕重的事情。可是國務卿杜爾斯在記者招待會對記者詢問的答復，却發生了極大的心理影響。記者詢問杜爾斯台灣海峽的戰事可否採取停火的結束辦法。杜爾斯的答復是這樣，「美國同意以和平方法解決問題。以和平方法符合美國的國策，亦與聯合國的主旨相符，可是在未得中國政府同意時，美國不擬採取行動。」

第二天，艾森豪威舉行記者招待會的時候，記者以同一問題詢問艾總統。他答復說，「我希望聯合國能作評人。無論世界那一處發生戰事，終歸是一個火藥箱，是有爆炸可能的。聯合國對於此事，能否盡力，我不能夠確定。因爲雙方均將認此事係屬彼等內政，而拒絕調停也。」第二天，世界各處報章所登載的新聞，多斷章取義，認爲美國的建議，停火係屬台灣海峽的停火，認爲美國放棄了接近大陸的島嶼，認爲美國改變了對華政策。甚至懷疑美國接納了英國中立台灣的意見，也懷疑美國將承認中共爲一個永久性的政權，放棄了支持自由中國政府回歸大陸的計劃。爲澄清世界的疑慮起見，華府的重要官員特別召集了一個臨時記者招待會，告訴記者，美國並沒有更改對華政策。他們甚至說明美國並希不望實現停火，艾森豪威和杜爾斯的說法，係屬宣傳性質，因爲歐洲好些國家都以爲美國想挑釁和中共發生戰事。

何處適合對共作戰

美國的宣傳顯然是失敗了。在亞洲的時候，炮火沒有停息的時候，亞洲人民對於誰主持和平，並不感覺興趣，他們只想曉得誰獲得勝利。他們認爲台灣海峽的停火斷絕了自由人士回歸大陸的希望，使美國亞洲的友邦感覺到萬分的失望。

兩年前，自由世界在三個地區抵抗共產黨的侵略。韓國和越南相繼簽了停戰條約，現在共黨集中他們的全力對付台灣。一江山和大陳的得失，對於軍事雖不嚴重，可是對於政治方面，有嚴厲的後果。這件事情關係自由世界的面子，亞洲人民最重面子。他們心裏會這樣想，要是韓國，越南，一江山，和大陳都不適合對共黨作戰，世界上還有更適合和共產黨作戰的地方嗎？

白宮曉得這件事出了亂子，於是特向參議院提出授權總統使用美國武力防衛台灣的咨文，同時把金門列在防衛範圍之內，而蒲賴德中將和基維德少將也提前消假趕回台灣海峽。

共產黨的情報可以說是相當靈通的，他們曉得第七艦隊的主要人物都不在台灣海峽，便利用這個機會發動進攻一江山。剛好那天天氣非常好，海上雖微有波浪，正合帆船的航駛。

一江山島上只有七百名游擊隊，海空權都在敵人手上。清早敵人的兩隻驅逐艦，四隻砲艦，和好些巡邏艇便開始砲擊一江山。中午的時候六十隻共產黨飛機以五百磅炸彈轟炸一江山，彈如雨下。那時共產黨使用無數裝甲摩托船跟蹤登陸。據美國情報得到的消息，共產黨軍用極大量的軍隊進攻一江山島。守軍人數雖然大爲懸殊，仍作堅強抵抗。到夜裏，離開八英里的大陳島上仍聽到機槍的聲音。

一江山島之失，戰略方面雖無影響，可是心理方面却有極大的打擊。中國共產黨對於美國海軍陸戰隊的作戰方法有精密的研究，他們以海陸空三方並進的方法，進攻一江山，結果是一江山失了。

一江山和大陳離開台灣太遠了，在飛機保護圈之外，是不能守的地方。相當時期前，美國參謀部便勸國府在大陳等島撤退。一江山失陷後，美國把大陳島上少數顧問人員撤退。美國的撤退大陳係對自由中國的一種壓力，希望國府也把島上的守軍撤退。

編者讀者

△周塵先生來函：

關於「論憲法爲國本」的商榷

主筆先生有道：

（一）貴刊三三九期胡秋原先生「論憲法爲國本」一文，持論正確，見解透闢，洵不易多見。循讀再三，彌覺敬佩。唯有二點，似可研討，因特提出，就正高明。胡文憲法爲社會紀綱一節，中有「由於我們革命時間太長，雖有憲法，憲法意識，憲法習慣，沒有建立起來」之語，愚意似有未安，蓋憲法爲國家根本大法，來自人民。吾人今日雖偏處台灣，但對內樹立威信，對外正國際之視聽，[illegible]所言，爲四萬萬同胞，以是憲法之尊嚴，爲全國所遵[illegible]以輕言舊習慣？蓋至於無意識，無習慣，已爲不安，[illegible]更還什麼去斥人家作[illegible]爲正統呢？此憲法可竊於權者一。又同節，將「德」引申爲[illegible]，於意云何？共來自？說到讖緯，則更多[illegible]不配，繩繆，先儒？多有闡明，並道亦不如，則豈能與德並[illegible]而權己，何足服人？設令道是法統，共黨徒大可優爲之矣！[illegible]可竊而權之者非二。胡先生爲當世政論名家，必不至如此[illegible]，或別有所指，非僕所敢知，故略陳固陋，願安承教！

關於本刊內容建議

（二）僕自拜讀貴刊，於今已將二年，其間雖多獲益，然機械式潑婦式的文字亦不鮮見。此敢爲知者道者！又半月展望，最好不要太多人寫，以免人多手雜，反不見佳。又有等經濟文章，題目既小，又太專門，似無關冠於報首。至第四版文字，似宜多刊歷史掌故，或更能裨益讀衆也。

周塵拜上元月十一日

△行政院經濟安定委員會工業委員會：大函奉悉，已函商鄺先生，得復，再奉告。

△本刊四〇七期「彷徨歧路的日本」一文，作者李錦鄺先生，「錦」誤植爲「雅」，應行更正。

國外通訊

「自由日」在西班牙

【馬德里航信】自由日，這個偉大而令人嚮往的日子，來臨了。在這與自由奴役鬥爭的時代，我們紀念它，其意義是特別深長。這亦說明我們爭取自由的決心和熱誠，是何等的熱烈。

慶祝會的籌備

留學在西班牙的中國同學，和其他生活在海內外的同胞完全一樣熱烈的慶祝這偉大的日子。慶祝自由日，由「中國留西班牙同學會」發起。同學們於百忙中大家分工合作，把慶祝事項籌備完竣。原來我們的計劃，是希望在廿三日這天，邀請西政府高級首長，教育名流，教會人士，社會賢達及各東歐鐵幕國家留居西班牙之反共人士，共同慶祝。聘請西班牙國際法學權威演講遠東問題。後來因廿三日這天，剛好瑪德里中央大學也有他們的慶祝典禮與我們的時間衝突。於是只好把原有計劃放棄，並把慶祝的時間提前。

十三國代表參加

發起慶祝的雖是我留西同學會，但參加慶祝的，擴大到十餘個國家留學在西班牙的反共青年代表。計有：烏克蘭、波蘭、俄羅斯、白俄羅斯、匈牙利、捷克斯拉夫、羅馬尼亞、立陶宛、克羅地亞、斯拉伐尼亞、塞爾維亞（這後三者，本是南斯拉夫一個國家，實際上，一般的南國人都不承認他們是南國人，而自然的分開）、西班牙等，連我們在內，一共十三個國家。其範圍之廣可以想見。我們所以假聖雅各學院慶祝「自由日」，有特別的用意，同時亦很自然。聖雅各學院原名是「歐洲第一（自由大學」，在這裏都是（最少是大部份）來自鐵幕國家的青年，他們完全是爲了自由和人類的文明，離開了他們的祖國家鄉，充實自己[illegible]

代表」的名義發出。

我們慶祝「自由日」，而且是在這塊已經戰勝過共產主義的土地上慶祝，這是多麼可貴的機會。失去了自由的人才知道自由的可愛，那是太遲的了。因此，我們常常爲自由而奮鬥，努力前進。這就是祖國青年留學西班牙的[illegible]動機，凡是爲了我們國家民族的利益，在正義的旗幟下，我們是不顧一切的。現在讓我告訴讀者們，我們慶祝「自由日」的經過吧：

大會的熱烈情形

慶祝會本來是預定二十三日那天中午的，後來因爲時間的關係，改在廿二日的晚上十一時（香港時間廿三日早晨七時）。留西旅居瑪城的同學全體參加，不在話下。我駐瑪德里大使館于大使，武官處全體職員，均踴躍赴會。來賓有諸東歐鐵幕國家留居西班牙反共人士，外交團代表，教會人士，社會賢達，西京各學院院長，均應邀前來。大會開始後，先由我同學會代表，報告「自由日」之歷史，及我反共義士在韓爲自由奮鬥的經過，最後呼喚愛好自由人們奮起，並聲明我們反共的決心。來賓演講者，有一位曾在中國傳教多年，最後爲共黨逐出邊境的傳教士，講述中國民族反共的堅貞，闡揚中國民族愛好自由的天性。他特別提到信仰公教（天主教）的二千名教士在這兩年來的表現，博得在場者熱烈的鼓掌。最後還有一位東歐反共組織總部的代表，（這個組織是「反布爾雪維克聯盟」），詞鋒流利，慷慨激昂，字字感動聽衆。他特別提及自由中國在世界，特別在遠東反共陣線上的重要。該代表於極度興奮中，高呼中華民國反共領袖蔣總統萬歲，自由中國萬歲。

慶祝大會於最後半個多鐘，演奏中國音樂後結束，全體於興奮的歡樂中分手。

在國際政治風雲變幻莫測的今天，政治的低氣壓使我們難受。可是，這正給我們最大考驗的時機，時日已經到了。每一個生爲黃帝子孫的，都應該自覺勇起來。在這生死存亡抉擇的時候，我們應該勇敢地站起來，不再躊躇地站到反共戰線的第一排，爲前鋒。「自由日」的歷史是好的教訓。前途越是感到黑暗，光明就越爲接近；起來吧！全體同胞們！爲爭取自由而不顧一切的反共義士學習，向大陸到處鬥爭的火魔，投向他們，消滅他們，重建我們的[illegible]，恢復我們錦繡的河山。一九五五年元月廿二晚燈下。

·奔流

人物述評

麥克阿瑟的平生

◦李加雪◦

最近，（一月廿六）麥克阿瑟將軍在他的七十五歲誕辰慶祝會上，高呼「廢止戰爭」的主張，轟動了世人觀聽。沉寂已久的老將，有此驚人偉論，現在讓我們來讀讀他的生平，不爲沒有意義吧。

（一）

麥克阿瑟將軍身材很高，身體挺直，是一個溫文儒雅的軍人。他穿了美國的軍服五十二年，是一個五星上將。由一九四一年至一九五一年，他每天工作，夜以繼日沒有休息過一天。

[illegible]外間曾傳他和八位小姐訂了婚。

（二）

[illegible]

（三）

[illegible]

（四）

麥克阿瑟不只是一個軍事天才，而且是一個文學大家。對於任何一個題目他都感到興趣，都有意見發表。當他討論到作[illegible]

（五）

[illegible]

（六）

[illegible]第二次大戰和韓戰的戰績已全部編入了陸軍學校的課本。他偉大的天才，他的崇高的人格將永垂不朽。

大陸今日的四荒（上）

沈秉文

中共統治大陸數年，各種自然災害，層出不窮，而且空前慘重。此外尚有人禍造成的災害，給予老百姓的痛苦更有過之，茲舉其最重要的四荒，縷述如下：

人為糧荒四原因

所謂四荒，即糧荒，油荒，煤荒，與藥荒。尤以糧荒為最嚴重。有人以為糧荒的造成，係一年半年間自然災害所致，實際不然，今日大陸糧荒實際有四種人為原因，祇一種是天然原因。所謂四種人為原因，即：（一）為備戰或支持戰爭而瘋狂的輸出，我國人口衆多，向無餘糧可資出口。中共竊據大陸後，糧食生產，實際有減無增，自更談不到輸出。以中共因瘋狂備戰，以大量物資向國外換取戰略物資，於是不顧人民飢餓，儘量搜括人民糧食列為輸出品的大宗。糧食輸出的對象，為蘇俄及其附庸波、捷、匈、保、羅等國以及非共的錫蘭等國。換取物資品類，為軍火，電訊器材及軍火工業所需之母機、零件、原料等。此外復為支持越共、韓共，及其他國家共黨游擊部隊，無條件的贈予大量糧食。此種輸出和贈予糧食，都是中共由強迫征購中得來。以此造成民間的糧荒。

（二）儘管中共對外宣傳糧食「豐收」和「增產」，實際上產量反日見低落。其原因一方面由中共盲目改良稻種，加上一般鄉村幹部偏差行為，以至毀傷稻秧，影響收成。一方面中共藉口實行「農業的社會主義改造」，迫使農民納入組織。（合作社等）採取集體操作制度，剝奪農民的生產積極，以至造成農民消極怠耕情緒。且「農業稅」征額太高——約全部產量的百分之七十——且農民所得約百分之三十的口糧，亦以「餘糧」為名，強迫收購。收購辦法並不給予現款，而代之以「人民銀行」的存單，非經核准，或非購買所生產所需的種谷，農具，肥料，等物，均不得動支。許多農民在被迫出售「餘糧」以後，所得價款即為當地合作社扣除抵充「農貸」，（按：大多係在春耕時所借的種谷，肥料等物）。換言之，農民終年辛勞，至此一無所得。在此種情形下，受飢挨餓乃必然之事，於是一般年強力壯不甘坐以待斃的農民，不約而同，紛紛棄田逃荒，出外謀生。結果，農村的勞動力衰減，農作產量亦自然隨之下降。這三種現象，均係中共報紙時常透露，並一再加以批判，檢討。中共政權且三令五申，要加糾正制止的。

兩億以上的人缺糧

（三）吃飯的人多，種田的人少，必然造成飢荒。今日大陸的糧荒正是如此。一方面大量農民被迫參軍，由糧食的生產者變成消耗者，一方面大量農民轉向城市謀生，亦由糧食生產者變成消耗者。此外中共所有的黨部、部隊、機關、學校、工廠，各種「國營公司」和鄉村機構（包括合作社等等甚多）的過份複雜而龐大，用人衆多，在在都直接減少農業生產的勞力，而擴大糧食的消耗量，促成糧食的恐慌。

（四）過份集中的損耗　中共因企圖控制糧食，過份強調集中，不僅保管不易，且人為的偏差嚴重，以致損耗程度驚人，此種損耗，年年皆有，處處皆有，中共報紙經常對各地糧倉指責批判，往往一縣的糧食霉爛，便在百萬斤左右，最少的也在十萬斤以上，損耗重大可知。霉爛以外，尚有虫蛀，及集中運輸時，潮溼和雨淋，或沉船、翻車等等損耗。

因此今日大陸糧荒，已到了極嚴重的程度，中共的「人民日報」便供認有兩億以上的人民缺糧，

城市與農村均缺糧

關於農村的飢荒情形，據最近自廣東台山和上海浦東來到香港的農民報告，自去年青黃不接的時候開始，直到目前，農民們根本已沒米可吃，所有的米都已被中共強制「收購」一空；每天能夠吃上一餐麥糊的人家，已算是「富農」了。偶然吃上一餐麥糊或麵條的人家，便是「中農」。至於一般農民，經常依靠蕃薯，山芋，南瓜等雜糧，或菜類，野草等充飢。農民們已沒有錢可以買米，而使有錢也買不到米。中共的糧食控制，在「合作社」手中，非經半月以上的「申請」，及半月以上的調查，是不許買米的。而且即使經過長時間的申請，偶而敷衍一點，為數亦僅在數斤之間，根本不足食用。農民曾拿糠麩之類來作食品，中共發覺後，以糠麩要之餵養豬等，禁止人民用為食糧。於此可想見大陸農民缺糧情形之嚴重。

城市居民，去年春夏間，每日每一大口配給六兩，小口三兩。去年冬間，已減為四兩和二兩；最近已減為三兩和一兩。據悉，現時只有黨政機關幹部和「國營」工廠職工等能夠吃飽。此外凡屬私營工廠商店的職工，都是照最低消耗量，「按實配給」，便不能一飽。至於需用米麥作為經營原料的，如糕餅作，飯店等，不僅配給限制極嚴，而且須有確切證件，「實報實銷」，一點不能趁此機會吃飽肚子。又無論工廠、商店，或住戶，倘有客來，必須留飯，除非向所在地糧管機關申述理由，經過核准補購，否則，留客者祇好更加飢餓。凡此情形，今日大陸的糧荒，已至何種地步，都可想而知了。

中共對待僑胞的新花樣

改猙獰驕倨為溫和偽善　盡力拉攏僑領敷衍僑校

（耶加達通訊）印尼全國華僑，數在三百萬左右，為南洋羣島諸國中，華僑人數最多的國家。華僑文化事業和教育事業，向稱發達，全印尼現有華僑學校，據印尼教育部統計，不下一千三百餘間，各級學生人數約四十五萬左右。中共竊據大陸後，對於印尼僑胞威脅和恐嚇，竭盡手段，期使就範。因印尼已承認中共，中共且派遣使領人員駐在印尼，此種工作進行自易。去年下半年，反共僑領章勳義朱昌東等，被印尼政府無理驅迫，以至離境，亦即為中共活動之一種表現。不過，中共在大陸上倒行逆施的事實，僑胞亦深悉，故反共情緒仍有增無已。中共亦深恐威迫與恐嚇，徒增僑胞反感，故最近中共駐印尼使館人員已漸改變其對待僑胞之態度，一變其過去猙獰驕倨的面目，轉而為口蜜腹劍的溫和偽善態度。對於若干僑領不問其平日政治主張如何，概以偽裝禮貌，假意奉接，或東請宴會，或派車迎接談話。務期達到會見籠絡之目的。對於僑校，亦不問其平日教職員學生是否反共，無不多方設法前往訪問參觀，假意稱譽學校之成績及設備，以期博取歡心。印尼環境特殊，僑領或僑校對於中共使領人員，此種虛偽作法，頗感應付不易，有時為環境所迫，勉為敷衍，彼等即於事後在報紙上大肆宣傳，以示該等僑領或僑校已擁護中共政權。彼等且時時對人表示，海外華僑都是一致的，過去縱有不滿中共之言論舉動，亦不過一時意氣或見解偶有錯誤，並不足深怪。以此表示中共之寬大，不咎既往。中共此種改變，陰險狡詐，僑胞認識者自多，對彼等狡謀，嚴行拒絕。惟間有不知就裏或礙於環境，以至墮入彀中者，自亦不少。鑒者希望國民政府負僑務行政責任者與領導僑胞的僑領賢，務宜深加注意，多方設法揭露中共之陰謀，庶狡獪之共產黨徒不至向海外僑胞施其蠱惑之技倆。（一月廿日）

改善市民生活問題

革新會今集會討論

香港市民今天所感到的重要問題，似無過於怎樣減輕他們日常的生活重壓。因之革新會最近提出改善市民生活問題來討論，各方面都大感興趣。但是，這個問題說來非常簡單，要達到預期目的則斷非容易。該會所以今天在九龍青年會召開民衆大會，乃欲徵集大衆對於「生活問題」如何改善的意見，然後再邀請有關專家從事研究。在此以前，革新會經擬訂了一個大綱，分為：確定生活指數；調整薪工津貼；減輕市民負担；擴大就業機會；以及其他問題一共五項，這不過是舉其大者，問題是要研究具體的辦法，必須窮其癥結，深入研究，才能獲得結論，而後方可訂成方案。

關於確定生活指數一項，革新會曾經搜集有關資料，以研究所獲結果函送輔政司，並經輔政司函復，同意該會對民生問題作進一步檢討。因此，約請了余叔韶大律師和馬田核數師及潔芝女士等專家們徵詢寶貴意見。第二項是很難題目，驟看起來並不怎樣難，港府內職員津貼已經調整，最低級的職工的津貼尚在力爭；民營的工商企業，大多數是藉年終的分紅來維持第二年生計，根本就沒有津貼；例外的雖然也有，數起來也不多，但他們並沒有「紅利」可分。不過像這種企業，就產生了極大的弊病，有的是擇人而貼，影響了職工情緒，有的因為不夠公允，引起員工不滿，這一個問題端視資方的自覺和勞方互助，否則就很難解決。

第三項是減輕市民的負担，現時一般市民對於港府原有稅類似乎頗有煩言，增稅雖然是不易獲得大衆同意的。何況現年度港府庫存豐盈，新增稅類，稅額確是難有充分理由，自不能使大多數納稅人同意的；這一個問題似乎就要牽涉到立法局議員名額問題上去，倘使立法局有民選議員的話，市民對於反對增稅，或多或少會有爭論餘地。具納稅會經說過，增設立法局民選議席仍將據理力爭，自必獲得全民支持的。至於第四項，倒是解決前目嚴重的社會問題，是對於擴大就業機會最好的辦法，極有裨助，擴大就業機會最好的辦法，似乎希望於港府能夠撥出一筆鉅額的款，貸與興辦輕工業的社會熱心人士，這不但可以使大量的失業者獲得生活還藉，即對於整個社會繁榮亦具有決性定的影響。今天到會的人數必多，相信效果不會太差，誰都願使高壓的生活早獲改善。

世外桃源——砂撈越風光

·了聲·

砂撈越SARAWAK區英屬殖民地，位於婆羅洲的北部，是一個沿海岸狹長的地區，面積共有四萬七千方哩。北與布羅乃BRUNEI相接壤；東南與印尼屬的南婆羅洲為鄰。

白晝酷熱　夜間工作

這個靠近赤道線上的一塊熱帶地方，氣候並非如一般所說，熱到白晝不能着衫，而工作全在夜晚；反相地，因為接近海洋的關係，氣候是溫暖而略帶潮濕。日中氣溫平均在華氏八十五度，多春雨季，晨起可穿上裘，入夜則非蓋薄毯不行。較之香港署天的燠熱，要好到不知多少倍。雨季是在每年的十二月至次年二月間，常年平均雨量約為一百六十英吋。但樹林叢密，山嶺綿亘，所以沒有颶風的侵擾。

一八三九年砂撈越還是布羅乃蘇丹的一個屬邦，在其經過的歷史中，所受外族的侵擾，內部的叛亂，是屢見不一的。直至一八八八年與英國政府簽訂協定，乃將砂撈越置於聯合國保護之下。第二次世界大戰結束時，澳洲軍統治砂撈越。（一）

民主與極權理論之比較

黃公覺著　亞洲出版社出版

黃公覺教授所著「民主與極權理論之比較」一書，是一本有功於民主自由世界的著作。唐惜芬教授在該書序言中說：「民主與極權兩大思想體系，其發展由來已久。」可以說是與人類歷史記載的時代相與俱來的，而且在不斷的演變，循環發展，到了近代，才成為兩種有條理有組織，形式與內容完備的思想體系，同時也就接近了火拚階段。該書所比較的，不是從古代的淵源中尋根究底，而是由近代形成的學說措精取華，以本世紀的幾位民主主義世界的大思想家哲學家如杜威、羅素、黑爾和共產極權主義的馬克思等的學說，作為全書引伸的理論中心，由哲學觀念，論理邏輯，人道精神，政治權力，經濟制度，與科學證明諸方面的理論，比較民主與極權兩等理論之間的真偽利弊，括總全書，（約八萬言）的討論要旨，約可分後列六點：

（一）

（一）西方民主國家所宗尚的民主主義思想的主流如杜威、羅素、和黑爾種的哲學思想，是根源於密爾、休姆、盧梭、洛克諸思想的客觀、相對、多元和經驗等本體與認識的觀念；共產國家所實行的極權主義，則是師承由黑格爾的辯證法與費爾巴黑的唯物論混合而成的馬克思共產主義辯證唯物論所構成的絕對一元的唯物觀念。

（二）民主主義思想的態度是客觀的，研究的方法是自由的。因此承認各種不同甚至反對的理論的存在，容忍多元觀念的發展和比較，是和諧進步的。極權主義則是以絕對主觀、武斷樹立獨一無二的標準與法則，不容許任何反對或不同的觀念與理論方法的存在，是偏激反動的。

（三）在人道立場上，民主主義承認人身體與宇宙其他任何物體同一樣的物質原素所組成，但人身特別具有一種「精神質」，有一種「奇特的能力」，「所以使他能夠佔領一種特別重要的地位」，因而「構成人的性格和人的任務。」人既生來是平等的，所以各個人對其自己的心靈、意志和行為的管理也是自由的，而不容許任人加以無理侵犯。但在馬克思學說的觀點看來：人不過是一架有所謂意志的機器，而這一意志活動的中心，又必以國家為「一種更好的焦點」，脫離了這一焦點，人的意志便不得有活動的自由。所以一切人的思想，意志和行動，都必須埋葬在黨的思想、意志、行動中。否認一切自由意志的存在。因此在共產主義的統治之下，人便是一種無自由、無個性、無人格的動物，或者可以說機器而已。因此——

（二）

（四）在馬克思共產主義的政權之下，黨和國家的權力是無限的，黨權超越，掌握並代替了人權，黨成為人生活的目的，而人只是黨的活動的工具而已。但在民主主義哲學的觀點下，國家只是人民自願而共同的契約組織而已，人們組織國家的目的，為的是要使他們的生命、自由、和財產獲得有效的保障，故國家主要任務，是在保障並增進人民的自由權利，與生命財產的安全，可見人們的生活，以獲幸福與安全為主要目的，而國家不過是達成這一目的的手段與工具而已。唯其如是——

（五）民主主義的最高管理原則，必須承認人們的精神與物質生活的高度自由，除自由的精神思想外，還必須有合理的經濟制度下，人們在自由契約的經濟生活，且必須有若干私產，以保障其必要時有生活獨立，不受飢餓匱乏之威脅的自由，而極權主義的共產主義的經濟制度，則認經濟生活是決定人的思想志意的唯一原素，控制經濟資產是控制人民思想行動的唯一手段，故取消一切私有財產制度和經濟自由的思想學說，使黨和國家可無限制的搜刮並累積人民的所得，凍結、剝奪並腐化了人民的勞動價值，扼殺了人民生產的智慧和潛在力量，把人變成了活動的生產機械，此符合了他們人就是物質的一元唯物論。

（三）

（六）其實，根據近代原子理論學研究的結果，所謂物質，已經不是「科學實在的物質」了。物質也者，只是「稱它的原子分裂或融和作用，而變化為某種元素的能力一種暫時穩定的狀態」。「在原子的質子與介子的運動，電子變化中所發現的極度分解下，只是一種自發性的能力，實類似一種精神作用而非物質」，「這種滲透一切的能的性質，屬電氣的，並由電磁和引力，將世界把握起來」，許多科學家迄未斷定宇宙的本質究竟是物質還是精神，或者是相表裏，還要待科學家的進一步探討，因此，可見嚴格的唯物論實在是毫無事實與理論根據的武斷說法而已。

綜上所述，雖不能說是十分完美的論據，但至少在理論上已劃出了一個比較思想的輪廓，使人一看便知道有一個優劣的分別；有一個善惡的對比，而後便於決定撿取的途徑，這對一般知識階層是一種非常必要的工作。

鄧澤民

替今人担憂

馬五先生

（自由談）

最近在海隅聽到兩項並非謠傳的消息，使我憬惑感慨，累日爲之不歡。

一是有個純粹沒有政治觀念的商人——他的先輩是老同盟會的老同志，現居台灣。因其在商言商，過年對大陸也作過買賣，朋友們勸他要想練共區的錢，以防後患。他說：我何嘗不是這末想呢？可是呀，譬如我從香港打長途電話與上海的商家談買賣，只要雙方同意，交易的手續就很簡單；若向台灣的商家從事貿遷有無，那可麻煩透了！人的出入境問題固然愛惑乎其難哉，貨的流通問題更得費無限的周折，錢呢，有的說不要港紙，要英鎊，有的又說要美金。總而言之，顧慮多端，每出意外，做生意的人最怕有意外的麻煩，只好避難趨易了。

二是共黨爲配合其「解放台灣」的陰謀詭計，最近在海外猛烈從事統戰工作，也對智識份子的統戰法術，說是：「反共無所謂，祗要你反蔣！」這樣一來，有些素以第三勢力自命的人，也不知不覺的墮入統戰的迷魂陣，不惜間接爲共黨幫兇了。這些地方，即不能不承認共黨的宣傳技術比我們厲害得多！

因此，我對商業問題固然完全外行，但合理現行工商業政策和其「法令滋彰」而不必要的若干困擾商民之處，是否應該有所改進呢？以便民之策，而希望民心歸附；沒有吸引商賈輻輳的條件，而欲發展工商企業，改善財經，烏乎可？至於我們平日對自由中國知識份子所塑造的那類反共模型——即所謂忠貞的綫條，是否也可以改良呢？總知道：臉上刻着「忠貞」字樣者，未必眞是忠貞之士，張治中過去不是忠貞透頂，天下第一個響呼萬歲的人嗎？

記清季兩才人

·夢山樓·

（五）

易順鼎，湖南龍陽人，字仲碩，又號實甫，自署懺綺齋，晚號哭厂，天生奇豔，有神童之稱，十五秀才，刊刻詩詞一卷，有警句云：『眼界大千皆淚海，頭銜第一是花王。』『生來蓮子心原苦，死傍桃花骨亦香。』『秋月一丸神女魄，春雲三折美人腰。』『僕本恨人摘僕僕，卿須憐我更卿卿。』一時傳誦海內，人人驚爲奇才。

光緒丁丑中舉，是年赴京應禮部試，過金陵時，冒大雪遍訪六朝故墟及前明遺跡，作金陵雜感二十首，其警句云：『地下女郎多艷鬼，江南天子半才人。』『桃花士女桃花扇，燕子兒孫燕子箋。』都是哀艷欲絕的名句。

實甫曾偕樊山作詠古詩六十首，其中最佳者如詠諸葛亮：『萬牛回首因龍臥，三馬驚心爲虎來。』詠孔明詩，前人多用龍典，用虎典的，却自實甫開始。詠唐明皇：『三郎枉自除安樂，四紀何曾保莫愁。』詠項羽的聯：『二十有才能逐鹿，三千無命說從龍。』『咸陽宮闕須臾火，天下侯王一手封。』非得如此，不能把我們老鄉楚霸王活活的烘托出來。

（六）

他的才氣蓬勃，慣好作俠諧語，喪慈母時，乃作哭厂傳，極盡悲哀纏綿之能事，王壬秋曾貽書勸之：『僕有一言奉勸，必不可稱哭厂，上事君相，下對吏民，行住坐臥，何以爲名？臣子披昌，不當至此，若遂隨而死，朝夕哭可矣，且非一哭可了，況又不哭而冒充哭乎？……』這時湖廣總督張之洞最愛他的才學，又痛他的遭際，於是招他入幕，派爲兩湖書院分教。不久，奉旨召見，他賦紀恩詩有云：『金鑾民骨二萬萬，珠含天淚一雙雙。』因爲中日戰敗，賠款甚鉅，慈禧太后，常爲此流淚，二萬萬句，本不易對，居然對得一雙雙，又恰到妙處，他的奇才，眞是神逾狡獪呢！

（七）

中日大戰，我師敗績，此時他正在兩江總督劉坤一幕中，乃上書言事，痛哭陳詞，終於未蒙見用，上書，力陳割地一事，萬不可行，並上彈劾李鴻章父子一疏，[illegible]台灣人民，也反對割讓，設立台灣民主國，公推巡撫唐景崧爲大總統，劉永福爲大將軍，實甫適丁母憂，亦決心墨絰從戎，不顧親友的勸說，泣求劉坤一，[illegible]渡海。』坤一壯其志，並贈銀五百兩。

可是，大勢已不可爲了，他雖間關航海，往來各地，無盡千辛萬苦，但，終不能挽回既倒的狂瀾，而且，國家的大事，如果敗壞到不可收拾的時候，也決非一手一足之烈，所能挽救得來的，不過，他那種赴難的勇氣，眞不愧爲氣節功名的豪傑呢！後來出任廣西右江道，那時有句云：『新詞欲賦賀梅子，他日重呼易柳州。』但是，才人儘管才人，做一個地方官吏，未必適當，又因爲細行不檢，被兩廣總督岑春萱參奏一本，從此罷官，一蹶不振，更肆力於詩古文詞，並世才人，樊山以外，幾無敵手。

（八）

民國更元，歲逢癸丑，新會梁任公邀集都下人士，於三月三日，仿蘭亭故事，修禊於萬生園，實甫撰長歌當哭，人人傳誦，噫爲觀止。其時袁世凱爲大總統，次子克文，頗尙風雅，實甫折節與遊，幾以楊修自況，比克文爲曹植。嗣後，世凱叛國稱帝，用實甫爲印鑄局長，世凱死後，帝制取銷，克文狼狽遠走上海，他從此更潦倒頹廢，又因術士說他壽元不得度過五十九，所以格外放蕩不羈，醉歡詩酒，以娛殘年，曾賦貧醉律門雪中三絕：『焉知餓死但高歌，行樂大其奈我何？名士一文值錢少，古人五十蓋棺多。……』果然不幸，以民國九年五十九歲，一病不起了。較之樊山享壽八十六，晚境優逸，卻有遜色。然而，他的詩，詞豔麗，才氣縱橫，以及急難救國的魄力，實有過之無不及的。（下）

×　×　×

除夕疊韻詩

·張維翰·

庚辰除夕與曹君纕蘅同遊渝郊就山居小飲率得二小詩自是每屆除夕例必疊韻今十五年矣撫時憶舊感慨系之

雪意增寒歲欲除　借遊欣際晚晴初
雨京舊例詩篇在　更著吟鞭過野廬

到處逢逢聽鼓聲　田家豐樂吏廳清
却憐多少簪毫客　卒歲難儔荷耒耕

甲午

日俗相沿未易除　復嘗方屆十年初
居蘇元是唐人習　獻歲端宜醉暫廬

連月簷間積雨聲　層雲密布掩天清
多儔幸不妨農事　閒聽鄰翁論稼耕

（節錄兩首）——編者——

短篇小說　老鼠

廉有譯

在一天之內，用兩個人，拿手車把這一萬盒乳酪送到各碼頭上，分佈在各處。查爾斯帶了一副噴射器，跟隨着他們，再把特製的乳酪香味噴上去。那一天下午，整個倫敦東區都聞到一股乳酪味。太陽下山後，老鼠出來了，交頭接耳相告，『這種乳酪一定是稀有的珍品，小小一盒的香味就趕得上平常乳酪一整箱。』所以一大羣老鼠都吃了這乳酪。他們還帶了幾盒回去給鼠王，總算牠運氣好，剛剛飽餐了一個櫻桃肉和烟燻魚，一時吃不下。毒要經過相當時間才發作，一直到半夜三點鐘，才發現死亡。鼠王馬上懷疑到乳酪，急忙打發使者警告牠的子民注意。

那時恰有一個懸老鼠，因爲吃自己的兒女被判處死刑，王就叫牠嘗試那帶回來乳酪片。這一下，鼠王知道乳酪中有了毒，又派出大批使者四處報信。第二天早晨，碼頭上的人拾獲了四千五百十四隻死老鼠，死在洞子裏的比這還要多，得病的還不在內。理事長高興極了，拿錢給查理斯，再去多買些乳酪。但是兩天之後，祗有兩盒被打開，於是他們知道又被老鼠看破了。查理斯，不用說，傷心極了。他先滿以爲一定會成功，已經訂了一隻戒指預備給理事長女兒結婚的，又已寫了信給他伯伯大主教求他來證婚。如今祇得分別寫信給首飾店和大主教，說他不要打算結婚了。最糟糕的是，乳酪的臭味貼在他身上有一個月之久。他們不讓他回家住去，祇得睡在家中煤棚底下。

最後由賈克來試他的計劃。此計劃需要很大一筆錢，雖然向他父親借了三十鎊，還嫌不够。他另向我借了些，又要了幾套他自製的收音機，慢慢湊足了所需要的數目。他買了些極細的鐵屑，常那種細得多的，拿來烘成餅乾。這些餅乾，散佈在各碼頭上。其初老鼠來嘗這些餅乾，後來覺得沒有什麼害處，也就吃上了。其時，賈克弄到七精選的電磁石，分置在各碼頭上。每塊磁石放在一個深坑中，坑的四邊又光又滑。安裝了電綫，好讓「地方鐵路」和「東倫敦鐵路」來的電流可以傳到磁石上去。賈克幸而認識兩條地下鐵路的電機工程師，因爲他們都是精於無綫電的同道，所以能够借來電流。等得他認爲老鼠吃進的鐵屑已經够多了，就好在磁石上通電。所有散置的鋼鐵東西，都需要釘牢。那些船隻，因爲是鋼鐵造的，也要加用鋼纜緊緊栓住。夜間所有留在碼頭上的人，都得換一雙沒有鐵釘的靴鞋，除了那位副理事長，因爲他是公爵，所以他穿的靴子當然有金釘子。（四）

更正

上期劉卢閔詩，第一首第二句，「承歡何日負吾親」句，「負」字誤植「賀」字。

語意學漫談

·徐道鄰·

語言和文化的關係

自從人類學裏出了一個馬里諾夫斯基 MALINOWSKY(1884–1942)語言學裏出了一個沙皮爾 SAPIR(1884–1939)和一個霍爾夫 BENJAMIN WHORF(1897–1941)之後，我們對於文化語言的觀念，來了一次徹底的修正。我們現在知道，研究一個民族的文化，不能不注意這一個民族當時的自然的和物質的環境，研究一個民族的語言，一定先要了解這一個民族當時的生活方式和思想方式。我們一生下來，就開始學習一種語言，等到學會了用這一種語言來作思考，來傳達意志，這時候我們也就在不知不覺之中接受了這一個語言所屬的文化，接受了在這一個文化裏通行的生活方式和思想方式。希臘語言的構造，是最適合於形式邏輯的，所以邏輯發源於希臘，而在幾個西方語言中都很發達。中國語言和『和皮』HOPI語言，是不適合於這一套邏輯的，所以中國思想界特別缺乏類似這一套邏輯的成就。在愛好邏輯的中國，也許認爲這是一件大大的憾事。而就美國一羣所謂『非亞派』——非亞里斯多德 NON-ARISTOTELIAN——的語意學家們看來，他們却正十分羨慕們中國人同和皮我人之沒有帶着這一套沉重的枷鎖呢！

五、語言是一種地圖

就某一種意義來講，我們人類可以說都是生活在兩個不同的世界裏。一個是我們直接經驗的現實世界：這裏面所發生的事情，都是我們所直接看到，聽到或感覺到的，例如外面正在下大雨，隔壁的火雞直叫，小弟弟躺在床上發燒，這全是我親身體驗的事實。反過來說，西嶽華山，揚州瘦西湖，這兩個地方我沒有到過，艾森豪，艾登，這兩個人我都不認識，那麼對於我，這不過只是幾個人名地名罷了。我們如果每個人仔細算一算，我們眞正透過我們自己的各種感覺器官直接得來的知識，究竟有多少，那麼我們就會發現，我們所知道的實現是少的不得了。

我們大部份的知識，從父母，朋友，學校，報紙，書籍，談話，講演，廣播等，得來的知識，全部是透過語言的媒介得來的。例如我們全部的歷史知識，實際上不過祇是我們腦袋裏的一大套語文結構。現在我們大家都一致承認在公元前二〇八年，項羽曾經在鉅鹿大破秦軍。但是這一件事情，我們誰都沒有看見；而我們所根據的，只是前人的一種報導。而作這個報導的前人，他們也沒有看見，他們所根據的，又只是他們以前的報導而已。不過因爲關於這一件事，報導的不只一個人，而他們報導的內容，又大致相同。所以我們認爲最初報導這件事情的人，他們確實曾經在鉅鹿親身目睹過項羽之大破秦軍。對此我們相信這是一件事實，如同我們相信昨天晚上我們曾經在三軍球場看籃球比賽之爲一件事實，正是一樣。因此，同樣的我們發現，我們所有的知識，仔細說來：大部份全都是根據着一種報導的報導：例如一江山戰事的英勇經過，美國國會通過協防台灣的授權案，金徽案的化學方式，大世界今天要放映什麼電影，凡是這些不是我們本身體驗過的事實，全都是我們從報導的報導中得來的知識，全都是我們透過語言的媒介得來的知識。（八）

心臟病和營養

·陳雪英·

心臟病爲目前最可怕和最普遍的疾病。但心臟病並非不可避免的。也並非不治之症。關於這方面，近年來醫藥衛生及營養學上已有許多重要的發見。假如能有好的營養，好的醫藥，以及愉快而健康的精神，則心臟可以保持一百年的強健活躍。

維他命與心臟病

心臟需要「維他命」，尤其是維他命B。所以你最好平時多進富有維他命B的食物。缺乏維他命B1的人，往往很容易心跳。稍有勞動，心頭即忐忑不安。又體力勞動者對於維他命B1更爲需要。心臟跳動急速有時也因營養料中缺乏鈣質而起。因爲鈣質對於調節人體肌肉運動,有特殊的功效。牠可使肌肉運動輕鬆而均衡。你要得到豐富的鈣質,則維他命D亦不可缺少。因爲維他命D可以增進人體對鈣質的吸收能力。維他命E對於心臟也有特別重要的效用。許多種心臟病，可於病人食物中加以維他命E而克服。呼吸短促，胸痛，以及其他病症，因給予維他命E，在兩三天內即告消失。SHUTE博士建議，心臟病患者，第一個月每次飯後，進維他命E九十公絲。第二個月六十公絲。以後三十公絲。有一位七十三歲的老生物學教授，患了八年多的絞心症。心臟劇痛，胸部有窒息絞擰的感覺。病勢愈來愈利害。幾乎每天鬧心痛。自採用維他命E治療。結果出人意外，有戲劇性的成功。現已三年多沒有發過了。所以。凡希望心臟保持健康的，每天應食用維他命E。每天可吃半杯麥芽，或麥芽油的膠丸。麥芽富於維他命E。此外每天要得着充分的鈣質，鈣質在牛奶或奶油中含量較多。或食用鈣片。至各種維他命B，亦應注意吸收，維他命B是水溶性的。人體內不能儲藏，所以每天都要食用。它的來源可從酵素，麥芽，米麩，糖蜜，及肝臟得之。（上）

自由人

THE FREEMAN

（第四〇一期）

中華民國僑務委員會登記證僑字第一號　中華郵政登記認爲第一類新聞紙類

（半週刊每星期三六出版）

每份港幣壹毫　台北市售台幣壹元

督印人：雷嘯岑

地址：香港士威道二十號四樓　20 CAUSEWAY RD HONG KONG

馬·赫·之·爭

·陳伯莊·

紐約時報蘇事專家舒華滋HARRY SCHWARTZ於正月十六日在該報發表一篇「克里姆林宮統治層塔的裂兆」，根據蘇聯黨的直理報政府的消息報及其他刊物所透露的政策之爭，指出五項問題，認爲這是馬連可夫和赫魯徹夫兩巨頭劇爭已醋的表示。

五項問題的爭論

五問題是：（一）繼承史太林獨裁之爭，（二）對西方採取强硬抑溫和態度之爭，（三）側重消費品抑重工業生產之爭，（四）農業增產取順應農民願望，放鬆集體產銷以資鼓勵抑不恤農民輿情，另採爭產途徑於西伯利亞及中亞細亞大量開荒之爭，（五）對於中共週否寧冒大戰的危險全力助其攻佔台灣之爭。據舒華滋說軍方華西列夫斯基和朱可夫兩元帥係贊成赫魯徹夫的強硬政策的。舒氏的報導中，還有下一段「花邊式」的新聞：去年十月赫魯徹夫到北平訪問時發表演說，似已向中共保證全力支持其攻佔台灣。當時駐蘇京美國某記者草具了肯定的結論擬即發報消息。送檢時，被蘇聯新聞當局斥責，謂赫魯徹夫係代表蘇聯人民作保證，不是代表政府作保證，不得顢頇地混爲一談。

爭端已啓逐步加劇

史太林死後，蘇聯當局即高唱集體領導，如列寧死後一樣標榜集體領導。自古迄今，凡權力集團的力源完全在本身之內，而無任何制度能使本身以外的力量，意志，利益，得以表現而決定或影響集團內權力份子之進退的，則團體內的鬥爭必受熱帶叢草林的法則所支配，血淋淋地相殘噬，非至一人獨霸權力不止。因此我們可以斷定，所謂集體領導祗是臨時暫局。問題祗在內爭的進行，到於今，劇烈到怎樣的情形而已。史太林未死前，向以情報靈通的北歐瑞典方面已有消息，料到馬、貝（貝利亞）、赫三巨頭之爭。史死後，馬登寶座，不久即殺貝利亞盡鋤其黨羽，這是全世界皆知的。至於赫魯徹夫之做黨的領袖書記，是經過了一段曲折的。史死時第一次聯席會議，馬登寶座但同時辭去書記處長，而赫則祇專任蘇京區黨務，同時以「不管部大臣」式活動協助黨中央黨務。一直到第二次聯席會議才坐正中央的領袖書記的地位的。假如沒有彼此相妨的情形，爲甚麼第一次聯會不乾脆實授赫以領袖書記呢？此中究係何情，雖不能斷定，但現在馬赫之爭已形朗化，自然當時的曲折便很可能爲相爭的開始了。爭端既啓，祗有逐步加劇，快則突如其來，遲則三幾年內，馬赫之間，會見一個一死一活的分曉。

緩進乎抑急進乎

（二）（三）（四）（五）四問題都是相關連的，馬連可夫一致站在溫和的方面，從這世人所已知的共產黨的理論路線看來，馬赫之爭，依然爲革命程度取急或緩進之爭，緩進則有蘇民困，利民生，與及緩和國際關係的好處，而同時又有鬆懈革命意志，和給反革命以乘機侵入的危險。急進則有堅定革命營壘的好處，而同時又內有民不堪命外有敵不安枕，合出來會引起大禍的危險。騎上了虎背的共產政權，在全世界未到徹底共產化之前，永遠就在這或急或緩的矛盾顧慮中過活的。列寧死後，托洛茨基之主張急進，布哈林主張緩進，史太林便利用布哈林先將托洛茨基打垮，然後轉頭拾起托氏論緒加以修正，再將布哈林打垮。這段歷史祗花了四五年。現在馬赫之爭不是那托布史三角鬥爭而是兩人面對面之爭了，所以決勝負的時間更要短促了。邱吉爾於史太林死後，便倡言要舉行巨頭會議，要和馬連可夫「促膝談心」，於今看來，此老或早已有特別秘密情報，或者直覺地洞感有隙可乘，不妨一試。從舒華滋的分析，再從歷史成轍來料度共產內部情形，我們很可以拿這緩進急進之爭來做研究當前蘇聯的試用假設。

馬赫各有立場

農業增產的落後，尤其農業中畜牧生產的落後，使得蘇聯人民不夠肉食，不夠皮革品的供給，不夠衣著，史太林時代早就成了大問題。馬登台後，力從增加農產品的價格，希冀由此而刺激生產。但這祗是治標，因爲增加農產價格的負担早晚要分攤到一般物價的身上；爲一般物品消費者的農民早晚要感覺農產增價的實惠，會被這一變手，這一般物品增價的手奪回的。根本問題在農民就是不高興集體產銷，所以不起勁。如要順應農民的願望，祗有放鬆集體產銷，這在共產理論中，乃是革命路綫的大退卻，在共產黨們看起來，比甚麼都嚴重！馬連可夫之所以大倡和平，大倡「沒有一件事不可以和美國商量解決」，無非想把經濟力用於民生日用品的生產，然後可以提高生活水準安定輿情，然後經生產轉向的作用來安內。赫魯徹夫則處處要和馬連可夫作對，自然要採取正面反對的立場，說他心要軟化防衛，雖是推測之辭，當然這從共產理論與心理都很可能會走上這樣的立場以相爭。請讀者注意，所謂放鬆集體產銷便爲革命路綫的大退卻，這句話是有根據的。

對台灣局勢的影響

自由世界中有大力的美國和英國，自然顯見馬勝赫敗。但是否能左右馬赫之爭嗎？這問題牽涉的內素太多了，任何人都不能有肯定的答覆。對於台灣海峽的風雲，美國方面的消息，都是有所謂中華民國政府態度，可有影響的一件事，似乎是克里姆林宮較比這問題，不僅已經有了一定的決策，美英的局勢，使得赫魯徹夫的主張獲得勝利，似乎是反對的主張，還是當前的用心。

南共輕懲兩叛徒

南斯拉夫雖是共產國家，且正日益受蘇俄的吸引，在許多方面仍與蘇俄稍有不同，最近審訊共黨二名重要叛徒的情形，便是一例。在上月底，南國首都貝爾格萊德內地方法院開審兩位狄托總統戰時的主要助手，控以發動敵意宣傳，企圖推翻政府之罪。審訊全部秘密進行，民衆及記者都禁止旁聽。這兩名共黨領袖，一名是南國前總統吉拉斯，曾對外國記者發表談話，要求改革南共制度，在共黨之外再組織一個反對黨，形成兩黨制，因而失寵。另一個是狄托傳記的作者合迪傑，公開宣佈他同情吉拉斯，還將他所著傳記分贈各國政要。但這二個叛徒以他們這樣的罪，辯論後即依照共黨慣例，原可能被處二十年的苦役，可是吉拉斯僅處十八個月徒刑，合迪傑僅處六個月，而且都暫緩執行。他們兩人雖都因叛逆罪被整肅，但在法庭時都恢復了自由。據貝爾格萊德傳說，他們所以能受這麼輕的懲處，是全賴狄托在國外干涉所致，他不願這兩位戰時老友遭到共黨叛徒的慣常命運。（明譯自「新聞週刊」）。

請政府宣告——反攻復國的立場

曾旭軍

我深信孔子正名的道理，在崇尚詭詐的現代國際社會，正名可以在心理戰上粉碎有利於敵人陰謀的宣傳與謠言。因此，欲積極主張中華民國政府在目前必須向全世界有所表示，不論採取何種方式，或宣言，或白皮書，或致友邦備忘錄，或擴大談話，以闡明目前台灣局勢與政府立場，以粉碎敵人宣傳上及外交上詭計，掃除全國同胞及海外僑胞以及友邦的疑慮困惑，堅定我反攻復國的信念。

反攻復國不容放棄

此種表示：第一，須向全世界證明中共在大陸所建立的政權，係俄帝一手造成係奴役和屠殺我國同胞，及利用中國人力物力去實現其擴張政策的工具。第二，向世界證明目前中國大陸，並無中國人的政府。中共政權，不過係克里姆林宮代理人。因此，基於憲法而成立的中華民國政府，對於反攻大陸，恢復國土乃係中國人的權利，亦係受中國全國人民委託的神聖任務，絕不容外國絲毫干涉。第三，中國大陸是中華民國的領土，台灣及該區域島嶼，亦是中華民國領土。前者暫時受蘇聯武力強佔，假手其傀儡中共統治。目前根據開羅會議和波茨坦的主張和決定，台灣仍屬中華民國的領土，還給中華民國。因此，唯有中華民國政府才能接收台灣，絕不容任何其他國家，抹煞信義，以干涉中華民國主權。第四，中華民國與友邦訂立協定，不能損及上述的中華民國的權利，與職責，以及主權。協定上的規定，不過係雙方對一項共同目標作有時間性的共同信守措施而已。

澄清疑雲駁斥謬論

確定了上述四點，民國政府應向世界昭告，澄清疑雲，以正視聽。絕不能糊裏糊塗的，被人出賣，也要甘心啞抵。

首先我們要駁斥停火之說。中共之所謂「解放台灣」係蘇聯滅亡中國未完的一部份工作而已。如此停火建議無異於勸告強盜勿全搶受害人的財物，勸告殺人犯刀下留情，留下一個未殺盡的孤兒而已。天下之正義何在？人道更何存？

第二、我們要駁斥蘇俄的要求美軍撤退。蘇聯滅了中國大陸，驅毆滑毛澤東集團，控制全中國大陸人力物力，既驅迫千萬中國人民作韓戰砲灰，今則更用其飛機大炮艦艇向台灣進攻，欲竟滅亡中國之全功。此等彌天罪惡，不自反悔，反而指責不容許其逞兇的人。蠻不講理，有如此者！

第三、我們要痛斥艾德禮尼赫魯之流的國際無恥政客，企圖出賣中華民國，或強迫撤退大陳，放棄馬祖金門，以滿足強盜慾望。此等政客甚至主張交送台灣與中共及蘇聯，以完成共產黨征服亞洲，進而征服世界的陰謀。我們奉勸賣友求存，與慷他人之慨的國際無恥政客，你們這樣的主張，縱不災及其身，也要子孫受禍的。

放棄反攻民情激憤

最後，我們呼籲中華民國政府要拿出勇氣來幹。友邦視台灣爲防衛連鎖的一環，原係友邦自己立場。但民國政府決不能放棄反攻復國的立場，屈從人見。大陳之放棄，在軍事觀點上，可有種種解釋。未必全係錯誤。萬一必須放棄，對友邦必須明確聲明，苟有壓抑我反攻的意思存在，則寧爲玉碎不作瓦全，必須如此才可對祖宗、對國民、對世界毫無愧怍，否則將爲黃帝子孫千萬世之罪人矣。

最近舊金山電訊，彼間的「中國世界日報」著論指責蔣總統放棄反攻中國大陸的權利，該報呼籲一千三百萬反共華僑舉行救國大會。姑不論作者之動機如何，民國政府對當萬分注意，今天海外僑胞眼見國際姑息賣友的氣氛濃厚，已令人忍無可忍，憤慨萬端，疑雲莫釋。極盼望民國政府坦率宣佈堅定立場，粉粹敵人外交反宣傳的陰謀，掃除僑胞疑慮，安慰羈慕內者雛同胞的心情，這樣才可以共同堅定信心，努力完成復國的使命！

半週展望

·雷嘯岑·

還不揚棄惰性觀念？

昨天消息：美駐華大使藍欽，曾向我政府當局解釋艾森豪總統因受盟邦所謂「全盤戰略關係」的壓力，未便公然發佈美軍協防金門馬祖各島嶼的聲明，我政府亦已予以諒解，日內下令撤退大陳云云。

國際陰謀者正在準備撕毀開羅會議宣言，把整個台灣予以非法改變，而我們還不知警覺，祗斤斤於美國是否願意協防金門馬祖這類枝葉問題，眞是十足的惰性觀念，令人迴腸盪氣，嗚呼皆非！

美國如果眞是可靠的盟友，就不會在剛剛締結中美共同防禦條約之後，竟採取姑息共黨的手段，不理睬我們把牢守土逸給敵人了！它祗是教我們把台灣澎湖這塊軍事基地守住，此外皆無所謂。必要時，爲着遷就西方盟國起見，它也可以不支持「中華民國政府」，又以威脅的姿態與方法，「兩個中國」或「聯合國託管台灣」的建議哩！它對韓越之戰的作風，還不夠我們憬悟，引爲股鑑嗎？大陳島一萬多名的守軍未戰而退？七百戰士能夠犧牲，就得退嗎？記不記得謝武家坡說：「江山島的一句話：「再要往後退就沒有路了」！美國只要我們死守着台灣本島，爲它的利益而服務，我們偏不相信羊上樹，要傾全力與共賊孤注一擲，若成功，大家成功，失敗了，玉石俱焚，就不顧國際上自私自利的傢伙隨便玩弄我們，出賣我，以表現一點中華民族的人格和國格，不行嗎？我們祗要能有拚的決心，國際陰謀者就不會逞其猖獗無忌的！

我們如其自願瘡痍危幕，但求苟安，甚至最後不惜以「台灣共和國」自娛，那當然可以唯美國之命是聽，不必說二話。否則應該趕快自覺，再不要死心塌地的信賴它，徒召危亡之禍。它那種但知以原子彈嚇人，而沒有政治理想，又無政治人才的領導方式，將來一定會誤盡天下蒼生，成爲「亡天下」的罪魁啊！我們再不揚棄惰性，勢必先嘗「亡國」之痛，然後又遭受美國「亡天下」的大殃，不亦冤乎？

先要對全國人民有交代

自由中國前途已到了生死存亡的最後關頭，我政府必須深懍職責，抉擇自救之道，最大的前提，先要對全國人民有所交代！

怎樣交代法呢？過去有人主張召開救國會議之說，我認爲並無必要，現在却非召開不可了。把海內外自由中國各階層各黨派的代表人士邀攏來，共商救亡大計。然後政府的願算是何內容？大家有何意見？開誠示信，詢謀僉同，然後上下協力，一致奮鬥。表示自由中國的力量並不止是在台灣一隅，還有海外千多萬僑民後作盾，這才像個國家，才可以使國際上企圖出賣我們的陰謀者知所顧忌。

國家興亡，固然匹夫亦與有責，但執政者所負的責任特別重大。就政治家立場說，是要對民主政治負責；就所謂「負責」云云，是要對未來的歷史負責；是要對當時的人民負責，却不是對上帝或對自己負責。國家到了危急存亡的階段，自應對全國人民有所交代，說明政府救亡圖存的方策，徵詢全民的公意。有所表示，縱令危局終無可挽救，亦可以取得全民的諒解，不是某一黨派的責任，後世歷史家亦必予以公正的裁判。如其國家終能轉危爲安，全國人民更不會忘記政府當局臥薪嘗胆，恪盡職責的領導之功。

未來的局勢，即如艾森豪總統先生所預料的，台灣海峽還是表現不戰不和的緊張狀態，有相當時間的僵持。在此時間內，國際陰謀家的活動必更劇化，而其作用又絕對是不利於我的，乃可斷言。政府此時召開救國會議，無論對內對外，爲國爲民爲自己，都是適時適事的要務。不過，要召開就得大家實事求是，共濟危亡，拿出良心血性來，推誠相與，無詐無虞，否則不如其已也！

台灣生產事業鳥瞰

黃鴻斌

【台北通訊】這幾年來，台灣的生產建設，因本身的努力，加上美援的協助，確已有顯著的進步。不獨生產數量，逐年有所增加，就是提高品質，與減低成本，亦有相當成就；同時對外貿易，亦漸趨擴展。

生產建設的三時期

生產建設的演進，大致可分爲三個時期，第一時期，係民國三十九年，時政府甫經遷台，局勢甚爲艱危，生產建設在於能防範保衛，增加糧食生產。工業方面則側重發展公營事業，並扶植民營事業。第二時期係四十年至四十一年，時局已趨安定，除大力發展農業外，並積極促進公民營的生產事業的發展，增加農業工礦生產，以樹立建設基礎，並以一部份公營事業售與民營，以倡導企業自由。第三時期係四十二年開始。此時台灣經濟建設四年計劃已訂定完成，並開始實施，對於台灣生產建設，已進入一新的階段。

四年計劃的內容，分農業與工業兩大部份，其增產對象在農業方面，列稻米、糖、茶、鳳梨、香蕉、柑橘、小麥、花生、大豆、黃麻等十四種農作物。工業部門則以電力工業爲主，其餘如礦業、肥料、紡織業、製造業、化學工業、食品加工業、以及造船業之配合，計劃中對於交通運輸以及公民營企業的配合，也有詳細的規定。

自由競爭開放公營

近年政府爲配合台灣經濟建設四年計劃之實施，下列三項政策，正在努力推行中。第一，鼓勵自由競爭，台灣生產事業甚多獨佔性的，爲扶植發展起見，採取適當的保護政策，誠有必要，但不適合保護政策的有其合理的限制，且保護政策，係指對外而言，對內必須自由競爭，如能達品質提高，成本減低，產業才有不斷的進步。第二，開放公營事業，台灣現有公營事業，行政院施政計劃中，早有將一部份移轉民營的規定。自四十二年一月開公營事業移轉民營條例公佈施行後，此一政策更見具體化。依照這一條例的規定，各級政府經營有公營事業：除直接涉及國防秘密之事業，（二）或有獨佔性之事業，（三）大規模有特定目的之事業以外，均應移轉民營，並又於實施耕者有其田條例內規定，以公營事業官股搭配償征收耕地地價，以公營事業之三成，以公營事業官股搭設，隨即決定以水泥、紙業、林業、工礦四公司官股股票搭配，現在股票已經印好，最近期間即可召開股東會，實行移轉民營。

吸引僑資與外資

第三，吸引僑資外資從事生產建設。台灣需要大量資金，此項資金來源，除美援外，一方面須保護國民儲蓄，疏導社會游資投入生產事業，一方面就是吸引僑資外資來台投資。政府曾於四十一年九十月間先後頒佈華僑及外國人投資條例，及旅居港澳人士來台投資辦法，以吸引僑資及外資。截至四十三年五月底止，核准僑胞來台設廠，已有四十九家，其中已經合營者，有三十八家，已經完成開工者有十八家，其餘二十家，亦均在建設中。美國廠商以貸款或機器設備投資合營工廠已簽約者有兩家，日本廠商以機器等投資與我國人民合作在台設廠者五家，其中已來台者兩家。

產量已超日據時代

台灣因受戰時的摧殘破壞，在勝利接收後，各種生產，都落到最低點，經政府積極修復，使其迅速恢復生產，有若干鉅大工程，於人力、財力、物力極端艱難的情形下，能以最短的時間，最經濟的方法，達成任務。由於這種不斷努力的結果，使台灣生產建設事業，蒸蒸日上，三十九年各項產品的產量，有的已接近日據時代最高年產量，有的已經超過，自四十年起則大都超過甚多，以下就生產建設的成果，摘要列舉，現在只舉幾個重要項目如下：

（1）米：米的增產，最有成績，光復時產量，僅有六三八，八九〇公噸，經積極增產，至三十九年達一，四二一，四八六公噸，已超過日據時代最高產量，嗣後年有增加，至四十二年已達一，六四〇，〇〇〇公噸。當前台灣糧食生產，不獨可以充分自給，且有餘輸出，換取我們所必需的物資。（2）肥料：肥料供應與糧食增產，關係至爲密切，光復時肥料產量，僅有四〇〇公噸，所需肥料，幾乎全部仰賴輸入，經過幾年的努力，三十七年產量達三八，三三九公噸，已超日據時代最高產量，嗣後產量急劇增加，四十二年達一六三，八五三公噸。

糖產銷售僅次古巴

（3）砂糖：糖的產量光復時僅三三，五九〇公噸，接收後即積極增產，自中央政府遷台後，因逆轉大陸糧食的需要，力求稻米增產，不得不將甘蔗栽種面積加以限制。然在有限蔗田面積之下，仍能設法增產，四十二年產量達八八二，一四一公噸，此係因品種改良，深井完成，供水量增加，足以提高單位面積所致。四十二年間國際糖業會議，台灣獲得僅次於古巴的銷售額，每年外銷分配額爲六十萬公噸，在此協定之下，只能在七十萬公噸左右。（4）電力：電力爲工業之母，這幾年來爲了發展工業建設，積極擴建電力工程，增加發電量，四十年發電量爲一，二八五，一〇四千度，已超過日據時代最高發電量。嗣後逐年增加，四十二年發電量爲一，五六四，三四一千度。（5）紗布：紗布產量，增加最速，台灣紡織工業，原沒有什麼基礎，經政府於民國三十九年起積極加以扶植，突飛猛進，四十二年棉紗產量爲一九，五六七，七〇〇公斤，棉布產量爲一三，二三二，三一四公尺，當前台灣的紗布產量，不僅可以自給，而且可以外銷。（6）煤：煤的產量，光復時僅有七九〇，〇〇〇公噸，光復後三四年間，因大陸需煤，台煤外銷煤量均能達四〇〇，〇〇〇公噸，故年產量亦增至一，六〇〇，〇〇〇公噸，後因大陸淪陷，台煤外銷停滯，產量減少，不久因省內工業發達，需煤增多，遂又逐漸增產，四十二年已增至二，三九二，七〇四公噸，向日本銷售的煤，亦有二〇〇，〇〇〇公噸。

提高品質外銷增加

品質提高，這幾年來，一般農工礦產品的品質，均能逐漸提高，政府對此甚爲注意，曾經推行國家標準（實施品質檢驗），對於適合國家標準的產品，並准其使用「正」字標記，截至現在止，經核准使用「正」字標記的產品，有一百二十九種，足見產品品質已有顯著進步。（二）物資輸出，增加生產，一面是供給國內的需要，一面是推廣外銷，以增加外匯，並換取所需要的物資，這幾年因爲生產的增加，出口結匯總額，歷年均有增加，且除美援及自備外匯輸入物資不計外，均係超出，又在輸出物品中，當然是以農產品及農業加工品爲主，但最近兩年來，已有工業成品輸出，如水泥，五金，紙等多。

恐懼戰爭招來侵略

本報資料室

HENRY J TAYLOR於去年九月廿六日在JHIS WEEK發表本文。去年十二月美國「讀者文摘」曾予以轉載，本年初美國NBC電視及播音電台復在「青年應當曉得的節目」中提出辯論。故本文足以反映目前美國一般輿情，足供研究國際問題者的參考。

同盟不能維持久

將軍們依據上次作戰的方式，準備下次戰事。外交家也依據戰時的盟友，草擬外交策略。

根據上面的假定，我們建立聯合國來做世界和平的基石。可是上次戰爭的盟友可能是下次大戰的敵人，蘇聯和中共便是一個好例子。自由世界現在的盟友卻是從前的敵人，西德、義大利、和日本都由敵成友的。

聯合國安全理事會因蘇聯的否決權成了廢物，集體安全的計劃粉碎了。聯合國還有什麼用場呢？我們能夠信賴聯合國來維持世界的和平嗎？不！

舊戰畧不再適用

第二次大戰的時候，我們認爲歐洲戰場關係整個戰局的勝負。我們使用英國的空軍基地，認爲英國係一個不會沉沒的母艦。我們希望英法能夠和我們維持以往的交誼。

可是英國人的思想改變了。英國的權威人士認爲一旦英蘇發生戰事，只要幾個鐘頭，整個英國便消滅了。邱吉爾和英國的一位元帥這樣說，若果英國參加美國對蘇作戰，蘇聯只需在英國投下幾顆原子彈，英國便沒有了。

法國的意見和英國一致。他們甚至認爲美國駐法的戰略空軍根據地將成爲原子彈的目標，而法國將因此而遭遇到原子彈轟炸。最近韓國和越南的戰事證明了盟友間的意見是不能一致，是有分歧的。

如何對待盟邦

我們需要明瞭我們的盟友，尤其是接近敵區的盟友。我們的見解雖然不必一致，我們得了解他們的意見，用來增進我們的關係。艾森豪說，我們應該以對付「股東」的態度對付盟友，同時我們應當盡量利用聯合國。

我們應該予請求者以援助，我們應該停止領導不願意受領導的國家。我們不應該再以金錢或者物質收買不願意被收買的人們，倒如印度。印度是這樣一個國家，我們給他的錢和物資他們領了，他們仍然維持原有的態度，不和我們合作，依舊高唱和平濫調。

加强我們的力量

我們的軍事力量只能夠和我們的工業生產平行，我們應該設法鼓勵，加强和擴張美國經濟，同時加强歐洲和美國的工業生產。

我們對於北大西洋同盟應當繼續予以援助，同時盡力支持和平前哨，如合灣，沖繩島，和韓國。沒有這些前哨，好些接近敵人的國家將陷入共黨的掌握，蘇聯可以不發射一彈。我們應該全力支持我們的盟國，保衛我們的盟國，和他們並肩抵抗敵人。可是一經加入戰團，我們不能再陷韓國覆轍，半途而廢。我們的目的是勝利，我們將付出最高代價爭取勝利。

我們得準備我們的遠程轟炸機隊和飛彈，使其能隨時出動。「大規模報復」，是我們對付蘇聯的國策，我們應當時常警備。

恐懼不能避免戰爭

戰爭是一件最可怕的事情。雖然是可怕，我們不能有所驚懼。恐懼戰爭者，戰爭將臨其頭上。侵略者總選擇卑怯的國家進行其侵略的攻擊。我們最高的理想是『決心作戰』。我們可以這樣告訴敵人，『不要動！動啦，我對你不起。』

我們心裏不能再懷恐懼，或者失敗主義，我們下了作戰決心，我們的盟友會支持我們，我們的敵人敬畏我們。只有不恐懼戰爭，我們才能夠避免戰爭。

周恩來和尼赫魯反目

自聯合國秘書長哈馬修訪平以後，由聯合國傳出許多有關中共的新聞。最近據聯合國高級議員傳出消息說：哈馬修和周恩來談判時，曾經談到印度總理尼赫魯身上去。當時哈馬修以爲周恩來與尼赫魯沆瀣一氣，在亞洲大唱雙簧，周必定會把尼大吹大捧一番。誰知事情卻完全出乎他的意料之外。周恩來竟告訴哈馬修說：他認爲尼赫魯只是一個普通的人，而並非什麼亞洲的領袖。周恩來還說，對於美國與中共間的任何談判，他不要尼赫魯從中干預。

俄廣播電台大擺烏龍

莫斯科的俄國廣播電台最近於辱罵美國及從事冷戰宣傳之餘，曾特別發出一部份時間對中美洲的政局有所廣播。但就在廣播這些新聞的時候，鬧出很大的笑話，至今仍爲世人的笑柄。原來在哥斯達黎加內戰期間，俄共廣播電台竟謂美國支持加拉瓜，而實際上美國當時正馳援哥斯達黎加，電訊紛傳，全世界均已知道美國援助哥斯達黎加這件事，可笑莫斯科卻仍在那裏閉門造車，徒遺世人以談笑之資哩。

美衆院共和黨員內閧

美國衆院共和黨領袖馬丁和印第安納州共和黨衆議員哈萊克間，最近曾發生劇烈的幕後爭執，不過爲了種種的理由，白宮和國會一直隱瞞着這件事，不容絲毫有所外露。據熟悉這件事的某國會人士說：在共和黨衆議員中，哈萊克可算是艾森豪的嫡系，在上屆國會中，哈萊克爲了艾克的施政計劃，曾在國會中積極活動，爲艾森豪爭取支持。據哈萊克本人說，馬丁在新國會揭幕前，曾答應將新衆院的共和黨領袖一職交他繼任，但國會召開後，馬丁仍戀棧不捨，拒不移交，不過這純是哈萊克的一面之詞，究竟眞象如何，未必如哈萊克所說的這般單純、當時哈萊克聲勢洶洶，其他艾克的共和黨衆議員也過而附和，打算將這件事公之於外。所幸白宮方面能深明大義，敦勸哈萊克等爲了黨內的和諧與利益，把這件事不了了之。

伊王后泳裝驚動全美

伊朗王后蘇雅雅於隨同伊王訪美之際，忽然心血來潮，到海濱作游水之戲，不料這件事轟動全美，她不論走到海灘的那一角落，都成爲美人注意的目標。開麥拉早對準她穿着泳裝的照片，陪同伊王訪問的美國務卿安全官馬登竟大聲疾呼，請勿拍攝。但話還未完，攝影記者的鎂光燈就有了十幾次之多。伊朗國王的態度有趣，他說：「我並不反對大家看我的王后的半裸像片，但這件事傳到保守的伊朗後，我很擔憂會引起伊朗臣民的誤會。」（孟衡）

天下小事

聞撤大陳的悲憤

△理君先生來函

編輯先生：今晨報載，第七艦隊已準備協助我軍撤退大陳島。共匪只佔了「一江山」一個小島，美方倒強迫我方撤退一個比一江山百倍重要的大陳，尤其緊念身在赤禍邊緣的兩個胞姊及其家人，我心煩悶，彷彿耶穌受難的心情，而不能進，[illegible]上打滾，一面[illegible]小孩們，惟有求上帝給[illegible]鎮靜的渡過這[illegible]勸我忘掉遠東[illegible]得到呢？我怎[illegible]關出家的情況[illegible]悲感，想到張[illegible]」，我自承是[illegible]

△與康理君，[illegible]

△彭楚珩先生：[illegible]田，賀田，[illegible]收到，「至[illegible]到，暫停一[illegible]

艾森豪及其遠東政策

•胡秋原•

（上接第一版）

然美國優點亦在其中。他不是帝國主義者，他重視國際道義，他能在歐亞二洲留下善意。

一個國家與一個人樣，在一定情形下，長處常即短處，而短處亦即長處。方正可爲迂拙，好戰也可成就帝國。這就看雙方變短爲長，避長攻短的本領。這就是政治家所以爲貴，而政治家本領，是要在對手比較中才能評定的。

所以，「時無英雄，遂令豎子成名」。一遇人傑，流氓只好歛迹。曹操遇着諸葛，奸雄無能爲力。使成吉思汗與亞歷山大或李世民並世，又有什麼蒙古帝國？數年前熊彼得著『資本主義社會主義與民主政治』，說到斯達林比當代民主國家的政治家高明。我當時很不以爲然。但仔細想想，終不能不承認其有一定理由，雖然是未可盡信的。不是史達林高明，而是對手不甚高明。

還要指出一點，即同樣的人相對，如一方轉變新方法時，對方不能繼變，也必失敗。同樣一個拿破崙，先勝後敗。我們在一九二七年也打敗史達林。但後來俄帝辦法變了，我們不變，終于爲俄帝所敗。

艾森豪不敵馬林可夫

以今天總形勢而論，是艾森豪對馬林可夫之局。我第三個答復是：在兩極世界，作爲一個民主世界領袖之艾森豪敵不過獨裁世界領袖之馬倫可夫。這是今日世界之大不幸，這需要多說幾句。

一個政治家之第一個資格是野心與責任心。在亂世亂國，野心重于責任心；在有道之國，責任心重于野心。但二者原不能完全分離。第二是行政才能，這包括知人善任之力。但這不夠。第三，要能了解當前緊要問題，提出政策，鼓舞國民以赴。而且，要能善用其所能運用的材料，完成其政策。第四是能當機立斷。最後二者，可歸於遠見（VISION）。這等于創作上之「烟士批理純」。這不是能以一點二點三點來機械分析的。若問遠見由何而來，我只好說這由對業務充分內行所養成，由廣泛的常識經驗所擴大的。這不是知力測驗能確定，只有在人的比較中見高下的。此猶之美人不能說明，只能比較一樣。

若將美俄人物相比，威爾遜足以匹敵列寧有餘。若非然者，俄國共黨影響還要更大。如當時歐美諸國更能尊重威爾遜，俄國共黨影響還要更小。羅斯福足以匹敵史達林有餘。在羅斯福之前，史達林何其渺小。誠然，羅斯福爲其所欺。但這有如帝王爲宦官所欺，在于不提防而已。天假以年，世界必大不同，他一定能鑒得史達林叫饒的。而杜魯門亦足匹敵史達林，且有餘不少。誠然，俄國之擴張，在他的時代。但不可忘記他承羅斯福死後之艱難，使美國作了一百度轉變。而凡所規劃反俄大計，迄今美國不能更多一點。朝鮮一擊，豈僅大智若愚，簡直是神來之筆。史達林要開會。他說，「到華盛頓來」。這是大國元首之風。杜魯門何可厚非？

在共和黨上台之前，我曾在本刊爲文『希望艾森豪獲勝』。我以爲在杜魯門奠定基礎之上，他很可能大有作爲。以他與各國周旋的經驗資歷，他必能團結兩黨人才團結世界，對付俄國。他的威名，對俄人亦有先聲奪人之力。無論如何，他比史帝文生之爲國際問題生手，高明得多。當其獲勝之後，眞是天下翕然望之。史達林也鬱鬱而死。杜勒斯說「史達林時代過去，艾森豪時代已來」。眞是天下欣然望之。

他上台後，先說「兵士背包不比奴隸鎖鏈更重」。此非自信之言，但不失本色。然而，馬上是『中途與馬林可夫見面』，這就遠不如杜魯門。他決心使韓國停戰，這是他競選諾言，自應諒解。然他未免過急。這就沒有了解亞洲局勢。到了夏天，柏林東德抗暴運動起。這正是史達林死後俄國大亂之時，鐵幕破裂之兆。這是何等機會，而他無所作爲，只以『麵包袋』了之。這表示他也並不了解歐洲，更不了解俄國。一九五三年十一月初，我曾在本刊寫過一文，開始懷疑艾克的本領。因爲他在就職十個月後，對杜魯門所定之政策，僅能蕭規曹隨，無所增益。而且，韓國停戰條件，實在是杜魯門所不屑輕許的。削減軍備，特重原子，也是民主黨所不贊成的。「解放政策」束之高閣。他使馬林可夫度過最困難的期間，且能誇口『氫彈已非美國專利品』了。誰知道事有比『名下無虛士』之不可信更有甚者。

由奠邊府到一江山

艾府一時慌張，急在氫彈方面直追。到了去年初，杜勒斯高談「巨大報復」。三月間氫彈造成了。但這馬上在奠邊府遭遇嚴酷試驗。在日內瓦會議中，越北斷送了。這不能責備杜勒斯，因爲美國總統才有最後決定權。但我們很難想像杜魯門能容忍此一DEBACLE。也許還可歸咎於法國與英國。但杜魯門會使英國工黨同意必要時轟炸鴨綠江北。如謂美國絕對不能挽回越北局勢，也不是事實。

到了去年九月，俄國似乎眞正爆炸氫彈。艾府之政策，進入更混亂階段，雖然表面上較上年同期深爲鎖定。艾森豪政府將國防關鍵放在原子武器上。所以俄國原子武器之發展，就使艾府進退維谷。照美國人所熟悉的「是非法」與「選擇法」，一時說「不是原子戰爭，即是和平共存」。於是「和平共存」之說大作。艾森豪不僅無所澄淸，反而跟着唱「目前狀態」，「競爭共存」。這是禍根所在。

中美條約就在這空氣中簽字的。也許中國政府有不得不簽字之苦，既已簽字，立法院亦有不得不批准之苦。然這一條約措詞之古怪，早有許多人憂慮，笨拙無比的，是所謂「鼓勵敵人猜」。這就明明說是空城計。但敵人還不放心。他宣布十一個美國戰俘爲間諜。聯合國秘書長居然到北平去叩周恩來之門。如此示弱，敵人爲什麼不攻一江山呢？老實說，如果不掛招牌，唱空城計而且示弱，一江山是可以不失的。如美國表示不惜一戰，敵人是不敢攻的。

更笨拙者，是說「大陳無戰略價值」，甚至還要在國會咨文中公開說明重新部署之必要。這不是公開邀請共黨進攻大陳嗎？而美國的新聞同業還要實地報導大陳撤退，一若唯恐敵人不知者然。即使是一個必須放棄的據點，又何妨讓敵人吃點虧，而必須使敵人不費一兵一彈，而佔領一個地方呢？生死存亡問題，視爲電視節目！

即使是最近美國在台灣海峽的軍事調動，是示威，和警告，也是不足佩服。一年多來，美國將星不斷東來。然敵人攻一江山，袖手旁觀，說不重要。不重要的地方，沒有了，又大緊張起來。如果這是二次大戰時全球聯軍統帥的總統任內所做之事，後世史家，一定會詫異的。此非中國人對美國之友情辛勞，不知感謝，或對美國事後補救之勇敢，不知尊重。我想說：一、無論美國承認與否，中美禍福，最後是相同的。二、事貴防患未然。如美國在一月以前有此決心，一江山不致于失。既失了，在未給敵人重重一棍之前，不宜出擊。三、如果軍事示威只在實現「停火」，只在「兩個中國」，豈僅無益而已。

更重要的，是目前的示威警告，並不表示美國政策之混亂已經終結。美國的實力豈能天天擺在台灣海峽示威？此刻現在，敵人是不會動的，而且還可以「談」。等到美國五分鐘熱血一過，他將在海峽或東南亞再咬一口。循今日之道，也許美國再說不重要，再來示威。這便是「和平共存」，「競爭共存」！

艾克入馬林可夫圈套

這便是說艾森豪之無謀無策，已走進馬林可夫圈套。

無論韓戰越戰以及一江山戰爭，在共產集團，是一個戰爭。韓戰繼續下去，於馬林可夫和共奸不利，故急求停戰。但艾森豪亦要停戰。這是可以的。但任何人皆知，俄帝第二步即是越戰。如何應付，應胸有成竹的。否則即是無謀。奠邊府一試探。然此時美國連「賭」也沒有了，只想以空言恫嚇。所以越北之斷送，不能完全歸咎法英，而是艾克無策。越南停戰後，共黨之攻台灣，爲必然之事，亦共黨公開聲言之事。而竟有人以爲是共黨「姿態」。然如上所述，共黨還不發弈，先宣布逮捕十一個美國人來作試探。哈馬紹之赴北平，即是進入圈套。不等他到紐約，共黨猛攻一江山了。他看出美國弱點了。

我們尤要知道，無論韓戰越戰台灣海峽之戰，皆非小戰。這都是俄帝共奸以泰山壓頂之力來進行的，不過集中力量於一點。在美國看，韓國值不得大戰——原子戰。於是停火。當然，奠邊府不值得大戰——原子戰。又是停火。此時已有「日內瓦公式」，共黨不戰而得越北。現在，當然一江山，大陳，都不值得大戰，尤其是原子大戰。日內瓦公式又要搬出來了。共黨如是不斷進行，美國永遠認爲值不得一戰。然地球究竟有限。「一尺之棰，日取其半，萬世不絕」，究竟是詭辯。這無非是逐步將戰爭帶近美國，敗壞全球反共士氣，且使反共人民和堡壘化爲反美的力量。

應付這種蠶食政策，首先必須確定這是莫斯科的計劃。莫斯科計劃在莫斯科毀滅之前，不會停止。因此必須否定和平共存。其次，美國固不可實行預防戰爭，亦切不可親自去當中共。美國只有以大戰準備，支持反共中國，對共匪實行反蠶食。因此，第三，決不可劃綫停火，更不能不戰而退。如果志在於此，表示艾克之政策，還在蹈日內瓦之覆轍。而這是馬林可夫之勝利紀念碑。停火也好，「兩個中國」也好，不僅不能得到苟安，徒然使中共與美國直接相對。而用其走狗侮辱攻擊美國，是馬林可夫之固定計劃。這不是剛剛跳進馬林可夫之圈套嗎？

一將之智有餘

這是說馬林可夫厲害嗎？不。艾克太不厲害而已。

爲什麼如此？想想羅斯福好了。當年羅斯福應付兩洋，心困難不比今天小。國內有中立法障礙，美國國力，又豈如今日？然他何等自信，何等安詳？他善用自己之長，攻敵人之弱。他第一個武器是偉大政治號召。第二個武器是美國一般工業生產力。第三才是特別武器的原子彈。這是他還沒有親見其成功的。他心目中是「敵人無條件投降」。這太過度了。但這比艾克之「和平共存」，是什麼氣概？羅斯福第一句話是「不怕」。今天的艾克，眞是所怕太多。誠然，羅斯福如美國人所言，有過大錯。然求無過者會有大成功嗎？

爲什麼如此？羅斯福對政治內行，艾克不甚內行而已。艾克有責任心，有行政才。他是卓越的統帥，但不是戰略家。如美國人所說，二次大戰中戰略家是蒙哥馬利，不是馬歇爾，更非艾森豪。伯仲之間，見識美爾而已。他更非政治家。他缺之政治家必有的遠見。他提不出政策來。看看羅斯福與艾森豪咨文好了。羅斯福咨文是粗綫條，但有內容。艾克咨文四平八穩，但也就是八股。因前者是自己的主張，而後者是代筆；用美國名詞，即是「鬼寫的」。他也缺乏決斷力。在這一點，他還遠遜杜魯門一籌。

爲什麼如此？一個領袖人才原不需要了不得學問。他可以靠專家供給知識。但判斷要有見識。而眞正勇氣亦生於識。而成政治家才識之道不一，而基本修養在歷史，爲中外通言。威爾遜是學者。羅斯福是通人，他由歷史和哲學讀到偵探小說。即杜魯門，據其自傳，也精通羅馬史。又如邱吉爾，通文體都是模做吉朋「羅馬衰亡史」的。作爲一個今日美國領袖，必須相當通羅馬史，英國史，歐洲史，俄國史，歐洲和亞洲外交史，至少才有高瞻遠矚之識。從前中國一個皇帝批評另一個也算皇帝的人說：「一將之智有餘，萬乘之才不足」。萬乘之才，即大國領袖之意。我十分難過的說，此其艾克之的評駁？

艾克將貽誤世界

所以我的結論是：美國強於俄國，然艾森豪不如馬林可夫。馬林可夫不過特工出身，有何學問？但他懂得獨裁之虛實，懂得美國之強處與弱點。邱吉爾懂俄帝，但無本錢，艾森豪有本錢，而他外行。於是馬林可夫便顯得厲害。沒有什麼比這還使人難過的。在外行領導下，眞老虎竟怕紙老虎的狗。沒有什麼比這更滑稽的。這將增加中國的苦難，世界的苦難，當然也是美國的苦難。大難未已，這是沒有問題的。

然則這是否能變更共產主義必敗的命運呢？不，我所能樂觀的，即此一點。如軍隊一樣，軍力相等，看將略。軍力懸殊，將才之高下，使勝爲大勝，敗爲慘敗而已。在二次大戰，如鮑爾溫所說，美國根本無將略。其所以打勝者，[illegible]馬遜。同盟，國力相等，看政治家。所幸美國國力，不是俄帝可比。這不是四比一的工業力問題，還有質的差異。我第四個答復是：俄國終必敗。但美國政治家不內行，要使美國多付十百倍的代價而已。由於艾克之不內行，將延長俄帝壽命，增加美國未來犧牲，影響美國未來地位，是無問題的。但此無礙於俄帝之必敗。有如此國力而不能善用之，世間可惜之事，無過如此！我爲美國惜，爲世界朋友惜。

也許美國朋友看到我這些話會說，你們怎麼懂我們美國？我想答復兩點：

一、我不說美國沒有知慧。我相信巴魯區，杜魯門，艾其遜也不會贊成今天艾克的政策。由「外交季刊」「紐約時報」上許多文章，由貝爾納斯，蒲立德，乃至斯柏、鮑爾溫、達林、安蒙斯、特朗等庫村、尼梅斯、等人士的文章，我也相信美國人看到未來的危機大有其人。惜乎他們已無權或並無積決策。又假如艾克總統願意看看英國惠靈吞，巴麥斯頓的傳記和言論，以及美國約翰，兩位羅斯福，和史汀生的遺言，也可知道前人應付大變與他不同。惜乎他太忙了。然如果他不能由政治遠識獲得判斷力而爲韓國停戰經驗所囚，爲和平共存幻想所蔽，他也就難於衡量國會領袖，國家安全委員會和原子能委員會及聯合參謀部僚屬的建議了。

二、今日許多美國人既然怕俄國走狗的中國人，至少亦當尊重自由的中國人。中國國力不如美國人，但這決非說中國人智慧不如美國。要知道英國人美國人決非智慧唯一唯二所有者。一個基本理由即是中國人多能讀一切英美書籍，而有幾個英美人能讀其他國家或中國書呢？諸位懂得許多「KNOW-HOW」，但諸位不懂很多「KNOW-WHY」。時在今日，美國人無論想做世界領導者也好，或做夥伴也好，不求理解世界，豈不顧聽別人意見，彷彿還要吃虧，甚至沒有希望。我相信美國代表一個新文化之發，其前途可無限量，但如他不求理解世界的，則其前途便是不能在一年之內轉變，我將斷言，美國決不會有「美國世紀」，亦不會有「美國世紀失敗」，艾克不會斷送美國之前途，然必貽誤世界。

我國自處之道

以上所言，誠恐令人不能興奮。但我覺得，我們除了應對朋友耐心忠告外，也必須了解美國的長處與弱點，作最壞的打算。美國是中國之友，亦是世界之希望。這是無問題的。但是，他有極大搖性，衝動性。而美目前決策對中美兩國之危險，不僅是現在的，而可能是永久的，則不可含糊。第一，中美條約是我們的一支援，但我們的安全與前途，不能完全靠這條約。許多外圍島嶼，不可輕言撤退。當然，如果明天反攻，今天何處不可撤。但不可不戰而撤，尤不能作斷絕反攻之撤。第二，美國在技術上是進步的，但在政治上，不是成熟的。我們過去對美國朋友意見，在許多技術問題上接受少，而在政治上接受多。這應該顛倒了。我相信美國人對於民主自由的意見，對於經濟軍事合作的意見，是我們宜於多多尊重的。但關於「停火」，「兩個中國」，「停止反攻大陸」這些根本政治問題，則是萬不可苟同的。我得更明白一點，我們實可不要中美條約，而不可放棄反攻。第三，不幸而停火實現，一個必然形勢是美國與中共日益直接衝突。無論美國退到何處，用中共追擊美國是莫斯科既定政策。美國終有不能再退之日。最後結果無他，俄帝驅中共迫中國人民與美國作戰之策不成功。中共奸粉碎不足惜，中國人民將遭殃，而不由自由中國反攻，而不美宣傳下，美國措在盟友可能變爲敵人，自由中國政府的政治地位將亦十分艱難，而美國將受莫大損失，俄帝將收穫極大利益。這結果，馬林可夫懂，可惜艾克不懂。但我們中國人不能不懂。我寫到此處，也不忍再多說了。這是我最後的答復。（一月廿九日）（完）

世外桃源　砂撈越風光

•丁聲•

迨一九四六年英國下議院曾派兩個議員代表英廷訪問砂撈越，並由澳洲軍手中接過砂撈越的行政管理權，後經英代表與砂撈越最高議會會員雙方多次協商的結果，終於在首府古晉簽訂了一項讓渡文件，一九四六年七月一日起，砂撈越即成爲英國的殖民地了。

華僑達十四萬

砂撈越的人口約有五十四萬六千多人，華僑有十四萬五千餘，佔總人口百分之二六點強。這裏的居民可分爲好多種族，如華人、歐人、馬來人、印度人、美蘭諾人、達雅人，以及其他土著民族。（所謂土著民族，祇限於那些不效忠於任何外國，而認砂撈越爲其家鄉者。）語言方面更爲複雜，即常常在他們自己民族之間，有些方言也差異得很大。

砂撈越殖民地是一種混合的社會。在政治、行政、經濟各方面，都很明顯地表示出被華人和馬來人佔着優勢。砂撈越和中國的接觸，最少是一千年以上的事。舉一個例：土著海達雅人所穿的織物圖案，極類似紀元前中國周朝人所用。馬來人是主要的沿海或接近海岸的居民，他們大部份是回教徒。該地所有的商業及中間人的經營，現多爲華僑所佔有，因此，馬來人就不得不做生產者。特別是漁業、種菓子，供給亞答葉及從事採樵與農業上的勞工等；此外還有殖民地的警察、關員、及士司等，也多由馬來人担任。（二）

我們的反省

馬五先生

自由談

在本月五日出版的「自由中國」雜誌上，看到監察委員陶百川先生的投書，題爲「我政府當局近來對付輿論批評的新作風」，令人嘆服不置。尤其他提到與本刊有關的一項消息，據說有人憎惡本刊對台灣的黨政問題批評太多，曾向總統報告，希望「懲戒它一下」。然總統卻答道：「它的批評究竟對不對？應該檢討一下」！國家元首有這種民主政治的寬容精神，實爲自由中國前途的曙光，至少我個人作如是觀。

談到本刊對現實政治多所批評一節，首先我就應該深自反省一下，究竟是出於惡意誹謗呢？抑爲善意的忠告？因爲本刊關於批評庶政得失的文字，以我寫的最多。

本刊是一羣自由主義者所締造的出版物，與極權共產主義思想，水火不相容。我們迷信着反共的基本力量是文化精神，若不從文化思想上創造「事事與俄相反」的言行，甚或不知不覺地採取事事以俄爲師的作風，而欲奏反共抗俄之功，漫說決無倖理，即使僥有奇蹟降臨，如願以償，也不過是以暴易暴的一邱之貉而已，反共云乎哉？所以，我們仰望政府當局實施民主憲政的意旨，本着輿論職責，對庶政得失，隨時表示一些意見，確係出於「望之也切，責之也深」的動機，可以對上帝發誓，絕無些微惡念存乎其間。我們這羣人是共黨認爲格殺無論的階級敵人，而又不想搞甚末第三勢力，即在臺有一切政治小派系之中，也沒有絲毫關係，還何利害，具何理由。要對自身所托庇的政府加以惡意批評呢？弄垮了自由中國政府，在海外除卻變成無國籍之人的一條死路以外，還有甚末？我們雖愚魯，這點常識是懂得的。

我們的批評，固不敢自信都是對的，但極願意接受任何人的檢討指教，互相辯難質疑，服從眞理，這是自由主義者起碼的應有態度。總統之言，深所折服尊仰，永矢弗諼。若有達官貴人，討厭談民主自由的論調，聽不得半句逆耳之言，而想對我們「懲戒一下」，那到無所謂，輕則停止發行，重則殺頭坐監，或者做「鐵大砲」第二，我們都將甘之如飴。沒有這種覺悟，即不配作民主自由的鬥士。反共的目的，就是爲要爭自由啊！

秘密

·羅須·

壁爐在香港的屋子裏，似乎等於虛設，因爲在這亞熱帶，冬天也不會太冷。而且，更有便利的電爐可以代替麻煩的木柴取暖。但是，這一家每在冬季，無論天氣怎樣暖和，都一樣燃起了壁爐，像是這樣才可以獲取一點溫暖，何況今年據說又是這半世紀以來最冷的冬天，所以，這家設有壁爐的大廈裏，今夜的火光特別強烈了。要是不知道這個家庭的內情，倒以爲一定有不少人在這裏圍爐煮酒，誰又知道這個家庭如果不藉火來增加熱力，眞是冷寂得叫人害怕，就是在大暑天時，也陰涼如仲秋的。這座偌大的洋房，祇住着三個女人，從屋子裏的陳設看來，像宮式紗燈，油畫，安樂椅，魚尾鐘和那些茶色的傢具，一切都留下時間踐踏的足跡，到處所顯得淒涼。

家主人扶賢，是個年將半百的女人，追隨在她左右的那個忠僕，也與她的年齡相仿，她們都是屬於上一代的女人了，生命中所遭到的抑鬱，也都祇會埋在心的深處。因此，這兩位女人，差不多時時默默相對，不會採取外界什麼事物來慰解自己，這個家庭，也就永遠像被一重愁霧籠罩着。

可幸另外還有一個人，尙能使她們的生活得到一點調劑，這就是扶賢的女兒——再賢。她是個十九歲的少女，秀影的臉龐，端正的鼻子，眉清目秀，這樣一個美好的姑娘，本來應該帶給這個家庭一些活潑的氣息，然而，她的性格也很沉默，這也許是家庭環境培養而成，也許是受她的母親所遺傳，但她仍是扶賢唯一的慰藉。這位老太太的臉上偶或露出笑容，也都是她所激起的。

在往時，魚尾鐘敲過十響以後，不但一廳裏，沒有人聲，就是傭人的房間也沒有一點聲響了，她們是慣於很早就睡覺。今夜這家人[illegible]晚還沒睡，許多年來還是第一次。扶賢坐在安樂椅上，坐得有點不安，於是，站起來走到鏡子前，看看自己的影子。鏡中映出花白的頭髮，眼稍的皺紋，她不禁爲逝去的年華輕輕吐出一聲嘆息。她又回到安樂椅，再看見椅子上那個繡花的軟緞墊子。這是她親手綉的，手工和花式都非常美麗精細，可惜因爲日子久長，都已褪了色，這更使她勾起滿懷心事。她撥開火爐的灰燼，重新加上幾塊硬炭。

她忽然想起，把女傭叫了來：「看看小姐在做什麼？叫她到我這裏來。」

女傭聽了吩咐，便離開大廳。不久，再賢就來了。

「媽！還沒睡嗎？這幾天來整天爲我忙着，爲什麼不早點休息？」

「爲了你，忙一點又怕什麼？這麼忙倒反而使我非常高興呢！可是，今夜我觸起一件心事，想跟你談談。」

她露出一絲強笑，示意女兒拉把椅子坐到她身旁。「不知爲什麼？我心裏也覺得很難過，正想要向媽說說。」再賢有點嬌羞。

「好女兒！別難過，你媽以前也是一樣的，有那一個女兒不依戀着娘家。我們就在今夜好好的談談吧！」老太太拉着女兒的手撫慰着，現出無限慈祥。沉默了一會，她又吩咐女傭預備一點「宵夜」，揀再賢最歡喜吃的雞蛋蓮子糖水。

「媽！不知以後有沒有一個人會像你這樣的待我，這樣關心我了。我怎捨得離開你？」再賢的眼眶含着一汪淚水。

「不要再孩子氣，過幾天就是人家的媳婦了。他當然會好好待你，也許比我對你更好的呢。祇希望你多懂一點人情世故，你應該知道怎樣做一個好太太。」老太太感傷地說。再賢看見媽這樣子，眼眶裏的淚水，忍不住掉了下來。

「不要說了，再說祇會使我更難過。做了人家的媳婦，就是要離開你。」她倒在媽懷裏，哭着說。老太太拿出手帕，替女兒拭拭眼淚，柔聲安慰說：「這是女兒家一生必經的過程，並不是一件可悲的事。坐起來吧！好好地聽媽說。」

「當然我會牢記媽的教訓的，我要做一個最賢淑的太太，讓人家知道這是媽的好教育。」再賢的臉貼着媽的肩膊，輕輕地說。

老太太的臉色忽然沉下來，喃喃地說：「賢淑嗎？唉！有時賢淑也會害了人的。」（一）

語意學漫談

·徐道鄰·

這一個透過語言的媒介而認識的世界，我們稱之爲『語言構造的世界』，以別於那一個『實際世界』，那一個我們曾經或者可以透過我們自己的感官而認識的世界。人類和他的世界的接觸，第一步——這是人類和其他一切生物一樣的地方——是他本身周圍的實際世界。但是，在他才能開始了解語言之後——這是人類和其他一切生物不同的地方——他就逐漸在接受和堆積各種報導，各種報導的報導，各種報導的報導的報導。同時，他也在接受和堆積許多從各種報導產生出來的推論，和更多的從各種推論產生出來的推論。等到一個小孩子進學校讀書，開始交接朋友，他的腦袋裏已經裝滿了許許多多再傳三傳和幾十傳的關於倫理、地理、歷史、自然、人物、遊戲等等的各種報導和推論。這一切的一切，就代表這一個小孩子的知識，也就是他的語言構成的世界。（人類是宇宙間惟一具有語言的動物。這一件事實的重要意義，就在這裏所說的一點上。）

兩個世界的關係

一個腦袋裏的語言世界，和他本身周圍的實際世界，應當有適當的符合，如同一幅地圖應當適當的指示出一個地區的一樣。一個小孩子的語言世界，如果和他的實際世界，沒有太大的距離，則他在從小孩長大到成人的過程中，不會碰到太多的驚險和災害。因爲他的語言世界已經告訴他，他在以後的生活中可能遭遇的都是些什麼。他可以說是已經有了充份的接受生活的準備。反之，如若他在腦袋裏裝滿了一套一套的不正確的語言地圖來長大——就是說，充滿了錯誤的知識和各種迷信和偏見——那麼他就不免要一直在困難中翻觔斗，他將要消耗許多不必要的氣力，而作起事來，要一直被人們笑爲儍子。他將成爲一個不適合於他的實際世界的一個人。如若情形嚴重的話，瘋人院將是他最後的歸宿。

我們在日常生活中，爲了我們腦袋裏的許多錯誤地圖，因而作出種種的儍事，實在太是家常便飯，因之也就得不以爲奇了。有些人在旅行時一定要帶一塊馬蹄鐵，認爲它可以帶來幸福，有些人家裏有病人，不去請好的醫生來看，而要請一羣道士來唸經趕邪。在許多科學化的大都會中，許多大公寓裏都沒有第十三層，也沒有第十三號的房間。有些人在作生意或謀事，先要在他們的八字流年中推算出來哪一個對於他是最有利的方向。許多人一輩子祇用白玉牙膏，就是因爲廣告上說過，這個牙膏能使牙齒潔白而又不傷牙磁。這一類的人都是一直生活在他們的語言世界裏。祇是他們的語言世界，和他們周圍的實際世界，兩者之間卻正不知道有多少距離！（九）

詠感

（集王陽明先生句）　周紹賢

世路久知難直道，機關識破已多時，孤腸自信終如鐵，只守良知定不疑。

此身那得尚虛名，莫向支流辨濁清，世事浮雲堪一笑！人間瓦缶正當鳴。

末俗澆漓風益下，聖人自有定盤針，肝腸固已成金石，荷蕢休疑擊磬心。

年來險夷都忘卻，轗轉支離歎陸沉！久客漸憐衣有結，此時何限故園心。

短篇小說　老鼠

康有譯

到半夜一點半鐘時候，最後一班地下火車已經停止，就把原來用以推動火車行走的全部電流通到第一塊磁石上去，少數鐵釘子和洋鐵罐，一股衝向磁石，老鼠也被吸過來了，但來的比較慢些，牠們身上含有很多鐵屑，磁石正好吸引牠們。很快地，磁石附近的洞子邊就充滿了老鼠，於是，再把電流轉到次一塊磁石上去，然後轉第三塊磁石，如最下去，當然祇有在地洞的老鼠被磁石吸到那些洞邊，但是周而復始，輪流通電，從洞裏吸出來的越來越多，一一都被捉了。

鼠王知道事情有點不對，並且覺得牠自己也有被拉到一邊了。牠派出了一些使者，也不見回頭。後來牠祇得御駕親征，就被一塊磁石吸到一個坑裏去了。到了天亮，人們打開水喉，把那些死鼠通通沖死掉，這一堆有一百五十噸重。沒有人來細數，但是估計起來，當不下七十五萬名。

也有些令人頭痛的意外。一個更夫名叫丁明斯的，忘記了換穿沒有鐵釘的靴子，也來拉他的雙腳。剛被拉到老鼠坑邊沿，他倒是把靴子弄脫了，卻不料他那個大腳趾上吊了一隻老鼠，磁石把老鼠吸的那樣緊，竟把此人的大腳趾也扯脫了。所以他現在成爲沒有大腳趾的人，穿的靴子也就比一向的要小一號了。然而另外一個更夫，名叫希格斯的，運氣卻好得多。在大戰以前，他原是一個打檯球的高手，後來從軍，腦部中了一小彈片，就不能再玩檯球了，沒有醫生取得出這一小點彈片。想不到，當賈克給磁石通上電流的時候，那一小小彈片突然從他頭上爆了出來，因而原先使得他精於檯球的那一部份腦子恢復了作用。他現在又成爲檯球選手了。

第二天晚上，他們再使磁石通電，又捉得一大堆老鼠，約有一百噸。牠們的王已經死了，所以牠們茫然不知所措。第三天晚上，再又捉得不少。從此以後，少數殘留的老鼠，駭得都跑開了。有的跑上了船，開到國外去了。有的跑出倫敦市，給那裏居民添了好大麻煩，可再沒有一隻留在碼頭上。到了第四天晚上，他們已盜無所獲；雖然又用狗來再搜索了一天，也找不出一隻老鼠還在碼頭上了。

所以賈克就獲得十萬鎊獎金，和理事長的女兒在海外船上結了婚。他不願意在禮拜堂裏結婚，婚姻註冊呢，又嫌不美觀，他就雇了條船，開到距岸三里處，請船長給他們證了婚，如果船祇開出兩里半，船長就不能爲他們證婚，因爲法律限定如此。他們後來有了兩男兩女。賈克又獲得一個很好的職務，在BBC担任工程師。有了那筆獎金，他本可消遙終生，不必再做什麼事了；但他太愛好無綫電了，所以仍願繼續以無綫電爲業。

他的妹妹嫁給了公爵，所以她現在是一位公爵夫人；祇是到了今日，公爵夫人已[illegible]往日那樣受人重視了。但她總還有鑽石裝飾鞋後跟，好和她丈夫靴子上的黃金釘子配對。賈克給他哥吉姆及查理斯每人一筆錢，發展他們的事業。吉姆把錢用來購置了魔術棒，[illegible]大高帽子和把戲盒子，成爲一個幻術家，大大出了名。查理斯拿了錢上大學，後來做了化學教授。我也是一個大學教授，所以我深知道他。他們一家從此都過得很快樂。（全文完）

心臟病和營養

·陳雪英·

怎樣治高血壓症

現在我們再談高血壓與動脈硬化症。我們知道血壓有時因爲劇烈的勞動或情緒緊張而增高，這是一時現象，並非病徵。假如你年復一年的經常有不正常的高血壓，那就是病態了。高血壓的人容易得動脈硬化病，當然危險。但也不必過於恐懼。因爲動脈硬化的人也有能夠活得很長而且活得快樂的。所謂動脈硬化就是動脈管之內壁生成一種硬質蠟狀的物質，叫做膽汁精（CHOLE STEVOL）。是一種高級醇。動脈的管道因而日漸細小。但是循環系統的血液總量，是不變的。結果血壓就增高了。過去一般人總以爲對於日漸硬化的動脈無能爲力。這是年老的必然現象。可是現在情形有點不同了。根據營養衛生的研究，我們可以採取經常食用低脂肪的食料，以增維他命的吸收。及飲用新鮮綠色蔬菜汁液來挽救。據專家的實驗研究，動脈硬化基本原因，是由於人們經年累月的缺乏三種維他命B，這三種維他命B可以幫助人體利用並移轉脂肪質與膽汁。如時這類維他命B經常加入食物中，則動脈硬化症可以逐漸減輕。動脈內壁所生成之膽汁精亦能被消除，血壓即可恢復正常。所以，高血壓並非不治之症。這三種維他命B，在酵母，麥芽，肝臟中均含有之。腦髓及糖蜜最爲豐富。所以要保持心臟健康，避免高血壓與動脈硬化，必須注意每天食物中，是否富於這類的維他命B。同時，每禮拜可以吃一次牛腦，羊腦，或豬腦。除非慎選食物，否則高血壓與動脈硬化，是很難避免的。人們往往不注意獲得完全的維他命B族，維他命B族內有許多種的維他命B，它們有相互爲用的功能。（中）

自由人

THE FREEMAN

（第四一一期）

中華郵政登記認爲第一類新聞紙類

（半週刊　星期三、六出版）

每份港幣壹毫　臺灣售價新台幣壹元

地址：香港告羅士打道二十號四樓　3 rd. fl. 20 GAUSEWAY RD HONG KONG

總經銷：友聯書報發行公司

台灣總經銷：台北市博愛路

艾森豪及其遠東政策

專論

·胡秋原·

這篇文章，原題爲「美國能敵帝俄，艾森豪能敵馬林可夫嗎」，胡先生檢討艾總統就職後的遠東政策，和美俄兩國國勢的優點和弱點。他對艾氏的才能也有所論列，他認爲艾氏可能陷入馬倫可夫的圈套，貽害美國和世界，最後提出「我國自處之道」。——編者

一江山之陷落

一江山之悲壯陷落，自是大陸淪陷以來最令人可痛之事。這不是說一江山有何特別重要，而是其政治的心理的影響，以及他作爲美國政策之一種測驗的意義。所謂可痛，即是民主國家尤其是美國，長敵人之志氣，滅自己的威風。這是奠邊府之重演。這不是偶然的。去年九月以後，美國政策即已進入甚混亂階段。「和平共存」之聲，即此混亂之反映。敵人看清這種混亂，才敢進攻一江山。無可諱言，反共領導者的美國之聲望，已降落到最低點。美國當有感于此，才有於今所謂艾森豪咨文，美軍在海峽之展覽。然此決不表示混亂之終結。因爲，和這平行的，是「大陳不重要」論，「海峽停戰」論，「兩個中國」論，乃至請中共參加聯合國之停火談判。循此混亂不變，比一江山更大的禍亂還在將來。如所謂海峽停戰實現，不僅是中國之失敗，且將爲美國有史以來最大失敗。許多香港和台灣朋友知道我一向深信俄帝必亡，並甚欣賞美國的文化。有許多人寫信來問：如此美國，不但是共黨所謂「紙老虎」，還能望其反抗俄帝嗎？這是我作文之動機。

美強俄弱毫無問題

我第一個答覆是：作爲一個國家，美國強于俄帝，這是無用絲毫懷疑的。

俄帝才是「紙老虎」。他自古以來是貴族壓迫奴隸的國家。他沒有一個國家所必需的內在膠着力，所以強不起來。沒有自由，亦自無創造。所以俄國人在文化上從無貢獻。十九世紀英國大政治家巴麥斯頓即[illegible]俄國，「誰也不知道俄國究竟是強是弱」。他終竟創俄人於克里米。終巴麥斯頓之世，俄人不能得志于西方，才轉向東方。而東鄉平八郎也看出一個腐敗國家不足畏，痛創之于對馬。以後德皇和希特拉都能以少擊衆，痛創俄國。又俄國人之強，從來以量對質。六世紀東羅馬史家談原始斯拉夫蠻族的特點，即恃人數之多，但作戰本領在一切蠻族中是最不行的（見克留且夫斯基「俄國史講義」所引）。但俄人恃其人多，對於弱國小國常能得勝，除非有同盟者，無有不敗的。因爲奴隸究不敵自由人。一九〇五年，列寧評「俄國失敗」說：「俄國戰爭，實證俄國沒有自由結合獨立的國民的努力，沒有這因素，戰勝是不可能的」。然共產主義俄國之無自由，較沙俄尤甚。他怎能強呢？最近一個英國武官從鐵幕出來，記載他「密切接觸」，新聞與世界報導「美國」摘其所論，正證明關于沙俄的判斷。然一個「紙老虎」在未被戳破之前，還是「老虎」。俄國一天不戰，他便一天是老虎。但他是經不起一戰的。所以他一定用走狗作戰，既可藏拙，又可獲得戰爭之利益。

美俄各有強處與弱點

我第二個答覆是：美俄各有強處與弱點。[illegible]

美國是自由人之國，也擁有豐富的資源。因此也有強大的生產力與大量技術人才。他不好戰。然一旦戰爭，[illegible]

[illegible]是政治的。俄國所在的歐亞大陸，自古以來是民族鬥爭的漩渦。他先爲各民族之奴，後來奴隸各民族，通過不斷鬥爭不斷革命而長大。他的鬥爭經驗，陰謀詭計，比任何國家豐富。俄國對內經驗，是根據其對外經驗，然後再用於對外的。三是地理的。他處于歐亞之極北，形成負嵎之勢；進可戰，退可守。而他的周圍，是政治真空。因此，能兼弱攻昧而成其大。尤其是二次戰後，他兼併中國大陸，能通過共奸部勒中國人爲其作戰，是俄國有史以來最大成功。美國驕傲原子彈，俄國驕傲八億人口。

然優點亦即弱點。野心即樹敵。奴兵不能對抗勁敵，對付硬仗。陰謀詭計不能對抗堂堂之陣，正正之旗。他受不起挫敗。一旦戰敗，國外戰爭即變爲國內戰爭。又地大可以備多力分。而民族之複雜，在紙老虎戳破時，便是四面楚歌了。尤其是中國人，決非俄帝及其漢奸所能征服。在一定時期，這是俄帝最大敵人，亦自由世界最大盟友。

美國有三大弱點。一是心理的。美國人原是求世外桃源而遷新大陸的，所以美國人先天有孤立主義傾向。二是政治的。美國以工商立國，國內政治單純。他是突然成爲強國的，所以缺乏世界政治經驗。他是以國內買賣眼光來應付世界霸權競爭的。第三，他遠在新大陸，對于舊世界，常有鞭長莫及之苦。

（下轉第三版）

法蘭斯倒台的分析

·曾旭軍·

論者每謂法蘭斯總理在三十五個星期的執政期間，曾渡過了政治上多次的驚濤駭浪，最重要的對越問題和對德問題都已獲解決，今竟爲北非問題絆倒，實屬意外。但若深看一層，這是不足爲奇的。

對殖民地依然頑固

若將法蘭斯對此三大問題措施成敗來評估，便可見法國最畏共黨的威脅，其次是不能放棄軍事上及經濟上的依賴盟友，但對於弱小殖民地，依然頑固如昔。這實在令人慨歎的。

法蘭斯的爲人，有銳利的眼光，和賭博的氣魄。八個月來，其措施得失，未易估計判定，但在其個人政治手腕而言，可稱成功。他雖然是屬急進社會黨，但是黨內的游離份子，可算屬政治掮客一類型，——「政治掮客」未必是壞名詞，以前的白里安和魯意卡可能是例子。——法蘭斯目光銳利，他看到越南問題是他的政府必須解決的先決問題。他對議會訂約，假如四個星期後越南停火談判未能成功，便自行辭職。這是非常驚人的而且有類乎滑稽的打賭，但他知道此時環境並不尋常。他便用非常的快刀斬亂麻的手段，達成越南停火。然而此種停火，在法國的與自由國家的前途上來看，係屬苟安姑息的失策。

至於爲達到讓西德建軍以完成歐洲防衛計劃的巴黎協定，使得國民議會的批准，主要原因不是在法蘭斯的本領，——雖然法蘭斯在議會中的辯論稱：不批准此協定不能增強對蘇聯談判的地位，以及他能運用時機，——法議會議員畏懼孤立與倚賴美國的援助，實爲贊同批准該協定之動機。

對北非問題的努力

至於北非問題，在法蘭斯簽訂印支停火協定後十四天，他即到突尼西亞展開自治談判。這可表現出他政治手腕明銳，在他的政治宣言中，以印支問題、歐洲防衛集團問題、以及北非問題爲必須解決的重大問題。

法蘭斯之親自到突尼西亞企圖對突尼斯王及北非各屬地表示法政府與以往其他法政府有所不同，對於北非自治問題看得非常重要。他又偕同余恩元帥到該地，亦企圖向國內表示法政府不放棄在殖民地上合理的利益，俾能抵擋國內各政黨對他的北非政策之抨擊。

該階段的目的，在促成突尼西亞政府與法國舉行正式談判。當時法國政府的突尼西亞與摩洛哥事務部長爲沙治特最有勞續。

在去年七月三十一日，法蘭斯致覆給突尼西亞土王時，說明法國將繼續保證突國的安全及依照一八八一年巴杜協定（BARDO TEATY）維持國防的關係。在同年八月十四日法蘭斯在國民議會綜合他對突尼西亞未來的安排，有三點：第一，突尼西亞內部自治；第二，在外交上及軍事上與法國連繫的聯合；第三，保證法國人在突尼西亞的權利。

北非政策大受抨擊

但今天法蘭斯對北非措施最受抨擊的，是在北非的法國人的「未來及安全」。（指法國人僑居者現在突尼西亞的二百餘萬的人民中，法國人佔二十餘萬的）。法蘭斯除首先予突尼西亞以自治權以外，同時爲摩洛哥擬定了一個新政治計劃。當時突尼西亞對法蘭斯的措施大致上有良好的反應，突尼西亞的輿論贊成內部自治的計劃。[illegible]但在八月十日[illegible]政府獲差堪告慰的大多數票。

在此次國民議會，北非問題又被提出討論，經過三天的辯論，大多數議員均對現政府所採行的北非政策表示反對。共黨議員指斥政府在北非的殖民地政策違反人民利益。右派議員又抨擊政府撫力鎮壓北非民族怒潮。而與法蘭斯同屬急進社會黨的前總理梅耶，則就阿爾及利亞目前情勢加以非難，法蘭斯的內閣因而被推翻了。

法蘭斯失敗的影響

法國是在非洲擁有最多殖民地的國家，大小計有十處，共達四，二八二，二九九方哩，人口約有四九，〇八六，〇〇〇人。突尼西亞、摩洛哥與阿爾及利亞三處瀕於北非海岸，人口既衆，產業又極發達。此地區素爲智力較高之回教人所聚居，故北非問題不只對法國發生直接影響，而且牽涉到中東回教國家的關係。

此次法蘭斯內閣傾倒，對自由世界不利之點：在巴黎協定的批准發生波折，雖然這協定已獲得法國國民議會的批准，但共和國議會的立法手續未完成。法蘭斯之被迫辭職，議員對此協定可能發生改變態度。在共和國議會是否能完成立法程序，殊有問題。其次是法蘭斯的北非政策較近乎開明。今正因此政策遭受反對而倒台，則法國對北非問題之解決將更感棘手。此又對自由世界在北非戰略地帶的防衛建立也有不良的影響。

半週展望

·陳克文·

國際陰謀宜加警惕

大陳已經開始撤退，直至筆者屬稿之時，中共雖已集中兵力於三門灣一帶，還不敢採取干預行動。倫敦外電亦傳，蘇外長莫洛托夫已向英提保證，中共不會加以干預，英官方因此看得絕對鎮靜。這是否中共真的知難而退，從此歛手，或進而連「解放」台灣的妄想也斷絕了呢？

筆者說過，中共沒有蘇俄的慫恿和支持，是絕不敢輕易進犯台澎的。現在中共之所以不敢妄動，是懾於第七艦隊的實力，因爲原因之一，蘇俄最高蘇維埃會議正在開會中，對台灣海峽的政策，尚未作最後決定，亦有可能。尤爲重要的即國際間現正醞釀一種用賣自由中國以換取一時苟安的陰謀——據美聯社電，倫敦方面正廣泛研究台灣海峽停火計劃，該計劃有兩種方式：（一）循外交途徑秘密達成不成文的停火，使自由中國軍隊由金門與馬祖撤退，（二）舉行日內瓦式會議，由中國，中共，美，英，蘇，印各國參加——此種陰謀如果見諸事實，中共可不折一兵一矢而獲得沿海島嶼，且繼越之後，共產國家又得一次挫敗西方國家的勝利，則又何樂而不爲呢？

因此，中共現時的龜縮，是有其外交上的大陰謀的。他們要利用國際上的苟安心理，以逐步貶降國民政府的地位，而達其「解放」台澎的最後目的，這是自由中國要特加警惕的。

蘇俄準備戰爭

蘇俄此時即使不許中共妄動，大陳撤退得以順利完成，台灣海峽的戰火亦得以暫時停熄，但決不足以表示蘇俄集團真的有意和西方「和平共存」。蘇俄最高蘇維埃會議這一次通過的一九五六年預算，即其證明。該預算的軍費已比以前增加百分之十二，又據齊維列夫（財長）的預算演說，「主要工作爲進一步增加重工業，此乃爲國民經濟及國防的基礎」。史太林死後，馬倫可夫雖曾一再表示要增加消費品的生產（輕工業），以提高人民生活水準，現在卻一面增加軍費，一面增加重工業，其爲準備戰爭，已毫無疑義。這樣蘇俄的所謂和平，亦可思過半矣。

怎樣對待華僑

菲律賓華僑最近爲印度政府受共黨壓力，不斷迫害在印反共華僑，至旅印十餘年乃至四十年的僑領亦被迫離境，特向世界民主人士發出呼籲。此種事件迭次出現於印度和印尼。其爲中共迫害華僑陰謀之一，無可置疑。然中共除迫害外，還採取僞善陰柔手段，以期僑胞盡入彀中，本刊上期耶加達（印尼）通訊曾有詳細報導。於此，自由中國負僑務行政責任者，不惟要深切明了這種事實，隨時講求對策，即對於本身的工作也應切實反省，不斷改進。年來筆者曾和若干南洋和美洲到港的僑胞晤談，其中不少對國民政府的僑務行政加以指摘。此種指摘，雖不免有不盡不實，或過於褊激者，然亦足供反省。例如說，我僑務當局，旅行海外，晉接僑胞禮貌甚周，但歸國之後，態度便大不同。僑胞有所請求，輒易得不到答復，即有答復，往往無人負責，祗蓋上某科某處橡皮圖章，內容更多不切實際，滿紙官樣文章。令人所得印象，仍與大陸時代無異，官僚氣氛依然極爲濃厚。即此一端，可見僑務行政尚須切實改進。海外一千三百萬華僑，乃國民政府的絕大政治資本，然此一偌大資本並不是可以不勞而獲的，「民心爲危」，如果我們只有例行公事，祗有獎勵忠貞，祗有紙面宣傳，則這一筆偌大資本「鹿死誰手？」實在是很難說的。

亞洲三大會議展望

辛木

一月十七日美國新聞週刊說稱：德皇威廉二世曾經說過：「人人多知道亞洲和西方或黃種和白種之間將要發生的危險情況。世界人士多知道地球上全人類命中註定的嚴重危機，已經接近。但我們如果閉着眼睛去接受那個不可避免的事情，則是懦弱而愚。」

西方政治家最近在極不愉快的情況中，重提德皇威廉二世著名的成語「黃禍」。但新聞週刊以為德皇之言有正確的地方，也有錯誤的地方。所謂正確，乃是他預見一種危機行將發生，而且較彼所了解的有更厲害更惡毒的形式，這就是一種由共產國際操縱的反對西方的亞洲非洲大聯合。所謂錯誤，乃在德皇認為只有戰爭可以打破這種聯合，並以戰爭作為應付這個問題的辦法。依照若干和這個問題有關的意見，最有效的對策乃是防止這種聯合的成功。所以不久舉行的下列三個會議，應有左右全世界命運的力量。

萬隆的亞非會議

這三大會議，一為萬隆會議。可倫坡國家（印度、巴基斯坦、錫蘭、緬甸和印尼）將召集亞洲和非洲三十個國家的代表參加地球上過半數人口的空前大會。時間是四月下旬。地點是在火山邊緣的印尼城市萬隆。被邀請的國家連發起人在內，有印度、印尼、緬甸、錫蘭、巴基斯坦、日本、泰國、黃金海岸，埃及、阿富汗、高棉、寮國、越南、阿比西尼亞、東非聯邦、伊朗、伊拉克、黎巴嫩，約坦王國、利比亞、利比里亞、尼泊爾、非律賓、沙地阿剌伯、蘇丹、敘利亞、也門、匪共、越盟以上共計三十個國家。各發起國家似乎在以「門羅主義」反對殖民主義。其哲學基礎乃為亞非兩洲國家有其共同的命運，必須從白種人的政治勢力中解放出來，置於北大西洋公約集團和俄國集團兩大壁壘之旁。

英美的態度

英美兩國現正考慮對策，以對抗這一個運動。英國外相艾登在倫敦表示，他於曼谷會議閉會後，將作東亞各首都的首次旅行，訪問新德里，喀拉嗤和其他城市。這與杜勒斯出任國務卿後不久所做的國外旅行相同。艾登成能消除英聯邦中對倫敦「重歐輕亞」的憤怒。

西方國家的外交家，認為不久舉行的亞非國家會議，乃是一種反對西方的行動。華盛頓和倫敦將勸告其亞洲和非洲盟邦將抵制這個會議麼？抑或任其參加會議，以期減少共產集團及其同路人可能產生的危險傾向呢？

在華盛頓，這一個問題，目前已在高階層討論中，可能已提交國家安全會議作決定。負責遠東事務的助理國務卿勞勃森主張加以抵制。他說中共將以全力發揮它的影響力量，以操縱這個會議。而且任何鼓勵參加亞非會議的舉動，將使國務院與國會中支持中華民國的參議員發生摩擦。

至於反對上述見解的，包括有國務卿杜勒斯等。這一派人士，認為亞非兩洲中贊成西方的國家有土耳其，泰國菲律賓和日本等，這些國家都具有足夠的力量和人才以對消反對西方的勢力，最低限度，亦可削弱周恩來，尼赫魯在會議中的影響力。同情西方的國家如暗採取抵制行動，將使共產黨在會議中更易得勝利。這一派中的一部份人士，對埃及的雄心寄以厚望；認為埃及可能領導十多個國家使印度和印尼脫離共產黨的影響。

英國則遵循其自己的途徑而工作，不讓英國輕視亞非國家的集會，以免激起反殖民地主張的力量。英人頗信這些國家的利益既有很大的分歧，則彼等僅能對着干擾的原則取得協議。英國希望華盛頓不要反對同情西方的國家接受邀請，並派強大的代表團去出席會議。

曼谷與台北會議

二為曼谷會議。馬尼剌公約國家（美國、英國、法國、菲律賓、泰國、巴基斯坦、澳洲和紐西蘭）已經同意於二月二十三日在泰國的曼谷舉行會議，這些東方和西方國家，不分種族，也將用「門羅主義」去反對共產主義。莫斯科宣稱：美國謀在曼谷會議以高速度行動達成軍事優勢。

三為台北會議。這是亞洲人民反共聯盟的第二次大會。時間是二月下旬。地點是台北。這個聯盟誕生於一九五四年的鎮海會議。當時參加的有中國、韓國、越南、菲律賓和香港澳門。顧名思義，這是一個道地的澈底的反共組織。但是它的組成份子，不是政府，乃是民間的反共社團，它的任務，在以民間社團的力量，聯合反共，以奠定亞洲各國政府團結反共的基礎。這個聯合組織中的有力份子，目前祇有中國和韓國。中國曾經力邀請日本來參加，但韓國和菲律賓，因對日本怨毒很深，竭力反對。中國曾派代表二人去韓國遊說，近據報載：韓國已同意邀請日本先以觀察員資格蒞臨；如果會員國多數同意日本爲會員國，韓國當不致堅決反對。將來如能因這個聯盟的努力，促成中、日、韓三國的東北亞同盟，則亞洲前途庶幾較可樂觀。今年冷戰中心，已從歐洲移在亞洲。請拭目注觀這三個左右亞洲命運的會議的發展！

二月一日

怎樣看美國事情

△陶百川先生來函

編輯先生：自從拙作「世界第一大新聞」披露後，香港有一位趙天一先生，批評這是頑固派的看法。我因未見原文，還要恕不答復。最近讀到程光衛先生刊在本報的投書，說我「看美國事情，仍不無附會之處」。我在責任上於是深感有陳述幾句的必要。

（一）程先生說：「共和黨選舉失敗，絕不是麥加錫一案」。是的，我在前文並沒有說共和黨選舉的失敗，是因為麥加錫一案。相反的，我是說它「有關於一九五六年的大選」。

（二）程先生說：美國陸長「並沒有失去一般的同情」。這自不失為一種看法。我前文中也說過[illegible]；但是他的「小不忍而亂大謀」，卻是鐵的事實。

（三）程先生兩用「東方人私仇心理」字樣，說我「用東方人私仇心理的推論」，好像說，祗有我們東方人是有私仇心理的，而西方人是沒有私仇心理的。其實我們東方人才是真的「不念舊惡」，不斤斤於私仇。美國人，那程先生所推崇的「篤信基督教，對於DECENCY十分看重」的美國人，是否有私仇心理，我不敢武斷；但我的確知道，兩年前還是共和黨要角的摩爾斯參議員，那位因反對艾森豪而脫黨的所謂獨立參議員，現在的確跟着民主黨走，這次就是因此而由民主黨[illegible]。所以程先生所說的「難道同情者會因不快於艾森豪而去投民主黨的票嗎？這在明瞭美國政治的人是不可想像的事」，恐怕分明，程先生錯了！這正是西方人的特質。共和黨人因不快於艾森豪而去投民主黨的票，並不是不可想像的事，「明瞭美國政治的人」不會感到意外。摩爾斯參議員不就是活生生的例子麼！

（四）程先生說：「艾森豪的威望並未損失」。我也願其如此。但這不能證明他[illegible]。程先生既知道時代週刊是「共和黨人的雜誌」，而我前文所用的資料和所下的結論，又多半參考了那個共和黨員的雜誌，程先生仔細查一查，當知我沒有以「東方人私仇心理」硬派艾森豪總統的不是。

匆匆中不盡欲言。

陶百川上，二月一日。

編者　讀者

大陸今日的四荒（中）

其次說到油荒，油荒的造成，除與天災有關（油菜及荳類減產）外，主要的原因仍在製油原料的大量輸出和移作其他用途。製油原料主要為大荳、花生和菜籽三種，大荳大宗產於東北，花生大宗產於江北，菜籽大宗產於西南和江浙，除因歷年水、旱和虫三種災歉減少收成外，中共一面強制收購大荳和花生，輸出蘇俄等國或港澳等地以換取戰略物資（中共說一噸花生可換回三噸鋼），一面又下令禁止或限制人民用大荳及花生搾油，理由是大荳和花生均富營養價值，須改作佐餐之用。因此之故，荳油、花生油和菜油均大量減產，造成嚴重油荒。

油荒造成許多疾病

油荒已到什麼程度呢？據最近自廣州來的人說，荳油和花生油根本已絕跡，菜油只限於部隊、機關、高等學校和「國營」「工廠幹部」享用，一般老百姓，不論城市或鄉村，大多已用號稱「新發明」之動植物雜油來代替食油。而且限制極嚴，配額極微。據悉此種雜油之品種甚多，不勝枚舉；主要的是從蠶蛹、桐子、茶子、野獸等物中提煉而來。此等雜油不但極少營養價值，氣味難嗜，且非體質特別強壯者，食之往往發生吐、瀉、及腸胃病痢等症，人人見而生畏。雖然如此，中共規定的配額，每人每月祇有一兩；由此可見油荒嚴重之一斑。

另一種人爲的災荒是煤荒，但所謂煤荒的「煤」，並非專指煤塊而言，而是包括代表一切燃料，煤不過是爲主體而已。

大陸燃料，除汽油外，火水之類早已枯竭，一般燃料告荒還是在去年秋夏間發生的事，最近才進入了嚴重的階段。因此近期的「人民日報」和天津大公報，曾爲此發表文章大聲疾呼，要求全國節約。

沈秉文

馬赫之爭益顯

·陳伯莊·

倫敦三日美聯社電：「根據莫斯科廣播電台星期四夜之報告：蘇聯共黨巨頭赫魯契夫，採用猛烈與不吉兆之語句，抨擊蘇聯政府內一羣支持增產消費品意見之官員。赫魯契夫向蘇共中央委員會發表一篇長達四小時之演講，抨擊主張增產消費品之人員甚至提及此等部長之名字。他說：發展重工業爲蘇聯之最高任務。」這對本刊上期「馬赫之爭」所引的紐約時報評論的報導，不但予以證實，且顯示了鬥爭進一步劇烈化了。這等於馬連可夫雖爲「政」方「元首」而「黨」方的「元首」赫魯契夫於廣播電台上大罵了四小時。所謂「甚至提及此等部長名字」不用說一定是馬黨的首要（前任中央計劃委員會主席現任三大工業合併成一部的部長薩布洛夫，很可能便是其中一個），這便等於對全國人民向馬「元首」開槍了。

熱帶叢草林中一貓一虎的搏鬥，已到膠着遲遲的階段。我們所當注意的，是赫主張全力支持中共佔領台灣，雖冒世界戰爭的危險亦所不恤，而馬則反對這樣冒險的。馬是主張革命取穩重緩進路線的，而赫則適相反。

馬赫之爭影響到世界全局，而在海峽則金門馬祖乃爲待決焦點問題之一，又是很顯然的。這一點，當然周恩來比我們知道得更清楚。（完）

據莫斯科二日路透社電：最高蘇維埃會議，農業部長遭受預算委員會主席批評，其他肉類，日用品，魚類及消費品，木材部長等均遭受同樣攻擊。—編者—

人·物　述·評

敬悼壯烈成仁的王生明

「葡萄美酒夜光杯，欲飲琵琶馬上催，醉臥沙場君莫笑，古來征戰幾人回。」就用這一首唐詩來憑弔我這位老友，一月二十一日在一江山殉職的七百壯士的指揮者王生明上校吧！

（一）

王生明自從隨劉廉一將軍戍守大陳以後，所以彼此的情形，我們之間還未通問過。直到昨天，才接到台灣的朋友來信說：王生明在一江山島與七百個孤軍壯烈成仁了。噩耗傳來，使我這久滯香港的舊伴感到異常的哀痛！

我與王生明，是民國三十五年在廣州相識的。那時還是第八師二十二團的中校副團長，而第八師卻由那時起撥歸第五十四軍的建制。由於王生明老家和我的家鄉相隔不到五十華里，因此我們多少有點同鄉的感情，每遇閒暇，我們經常在一塊地方談天，逛馬路，遊山玩水。記得一次，我們騎馬經過黃花崗七十二烈士墓前，警察要我們下馬，弄得王生明面紅耳赤，大有「愧對先烈」之感！

三十五年五月，王生明隨軍北上，掃蕩膠東，克復膠州不久，又打了一次大勝戰，即前此我在本刊介紹過「劉廉一將軍」文內所說的一段「二十二團的中央突破」的妙計，便是王生明所領導的。因此，軍長劉廉一將軍得到這個捷報後，不僅喜歡欲狂，還馬上傳令嘉獎，同時擢升王生明爲該團的上校團長。其餘各官佐，也一律記功一次。

王生明升任團長的第二天，師長劉廉一特別准他兩天假，到青島市去玩玩。那時他的太太住在一家久已停工的紗廠裏，我們也由城陽回到市內，於是王生明拉我同到浴德池去洗澡，作爲慶賀晉升團長的意思。當王生明脫光衣服以後，露出他那副魁梧身體，記得他還向我拍着胸部：「你瞧，這就是我和共匪周旋的本錢。軍長既然信任我，我是不能辜負他的。」當天下午，王生明親自駕着吉普車，我坐在他的右邊，先後到過碧松嶺、嶗山古刹的湛山公園，參觀奇禽怪獸，和那清波映擁翠海沙的海濱水族館，欣賞過各國的奇珍。

（二）

三十六年春，劉廉一奉調何應欽將軍的代表團以後，第八師師長一職，便由副師長周文韜升充。這時的王生明更成了第八師的一張王牌。由於周文韜與王生明都是胡宗南將軍的老幹部，第八師是第一軍的基本師，他兩由排長幹起，一直就沒有離開八師。所以周文韜於走馬上任之餘，便視王生明爲左右手。

[illegible]

·胡養之·

如何做一個現代新智識份子

·代鋒·

新士大夫是新時代的知識份子，有其非常重大的意義。今日新士大夫所遭遇的時代及其責任，尤其與舊時士大夫大有不同，這即是說明了，新士大夫必須是適應今日世界潮流的，而且必須站在時代潮流的前面，或迎頭趕上，斷不可落伍在時代的後面，做人尾巴，成了落伍份子。這種新士大夫一方面保有固有文化優良的傳統，一方面還要配合世界最新的思想潮流，其中有個本末先後的次序，有種規模完整的內容。這種標準是完備的，卻不是高不可及的。乃是士大夫人人可學的，可能的，凡識書人皆有相當新士大夫的責任，也有做一個新士大夫的資格，並不限定外國留學，或大學畢業，即使沒有進過學校門而能識書明理的人，祇要夠這一個標準，都一樣成為新士大夫。這種新士大夫絕對的有個標準，卻斷沒有什麼資格的限制，光憑資格做不了新士大夫。關於這一點，在未來的一個新教育制度，必須予以配合。

以儒家精神為基礎

這種新士大夫的建立，一個基本的原則便是以中國固有文化即孔子以來的儒家精神為基礎，再迎頭接受西方的文化精華，融會貫通，從而創立一種中華民族的新文化，既不是俄國的，也不是美國的，而是我們中國的。新士大夫必須在這種新文化基礎之上建立起來，才見得擔實有力。做一個新士大夫也必然的應該以中西文化的幾個代表人物為模範，就中國文化說要以孔子的倫理道德為模範，就西洋文化說要以柏拉圖的知識學問及耶穌的刻苦篤行為模範，這三大偉人，正代表三種文化精神，孔子代表仁，柏拉圖代表智，耶穌代表勇，是智仁勇的合一，做一個新士大夫，不論是中國的或西洋的，（自然我們這里所論是以中國的士大夫為對象），都應該向這三種優良的文化傳統學習、培養，而後才可以成為一個理想的新士大夫。

三種基本的信仰

我們決不是在形式上做一個新士大夫，穿西裝革履，或穿長袍馬掛，都不足以表示我們是一個新士大夫，新士大夫必須有一定的規模氣象：

第一　新士大夫的思想信仰應該是哲學的宗教的，有其哲學的信仰，亦不妨礙宗教的信仰，是絕對的自由的。每個新士大夫有充分選擇他所信仰的任何哲學，任何宗教的自由，我們自不能予以硬性說明，指定新士大夫應信仰何種思想，這是毫無理由，亦是不可能的。不過，我們就整個世界潮低，文化趨勢的方向來探討，卻可以找出八種應為新士大夫所崇信的文化思想。如（一）對中國固有文化應有信仰，凡做一個中國人，尤其是做一個中國的新士大夫，更應該有這個信仰。（二）對西方科學的信心，科學是一種進步的文化，與人類生活發生最密切關係，人類文明的進步，生活的充實，必然離不了科學。新士大夫應對這種科學具有信心，而努力學習發明，人不是機器，但必須運用機器，這就是科學。（三）對民主自由的信心，民主自由思想在人類思想中發源很早，但直至現代始能確實建立，成為廿世紀一大潮流。民主思想向來遭遇到壓迫，即是今天，仍然向着極權主義的馬列文化僵門，共產主義者是反民主自由的，所以做一個新士大夫必須信仰民主自由主義，以抵抗共產極權主義，這應是無疑問題的。這三種思想信仰包括倫理、科學、民主三個範疇，為現代文化的結晶，對人類前途具備了決定性的力量與主導的作用，做一個今日的新士大夫接受這種思想信仰，即是義不容辭的責任與義務。這種思想信仰，便是今日的「道」，新士大夫應以「道」自任，當仁不讓。（上）

論法治

·滄波·

（上接第一版）十七世紀英國兩次推翻司徒輩王朝。宗教問題而外，便是這個法治思想。十七世紀中英國兩次革命，一次是推翻查利第一的清教徒革命；另一次是一六八八年的推翻傑姆斯二世革命。英國史家論這兩次革命的成功。前一次清教徒革命的功績，隨着王政復辟而消亡。第二次革命的成績，永遠照耀史策。英國近代史學權威屈萊佛茵G.M.TREVELYAN論一六八八年的英國革命，說這次大革命的問題中心，就是下面這一個問題：法律在王的上面，還是王在法律的上面？巴立門的利益，是和法律站在一邊的，因為國會可以變更法律。如果法律在王的上面，而國會可以變更法律，國會便是一國的最高權力。傑姆斯二世當時是想做到君主可以完全變更法律。如果他能辦到這一點，那末，君主必在國會之上，他就成了一個專制之君。在十七世紀初期，英國大法官柯克COKE及西爾登SELDEN一再强調這一個理論：君主是法律的主要公僕，並不是法律的主人；他是法律的執行者，而不是法律的源泉。只有英王與上下兩院三者共同方能變更法律，一六八八年的革命，柯克及西爾登的遺志是完全勝利了。英王在英國法律之下，英國的君主與臣民同樣受法律的限制。英國的法官是獨立，併為終身職。這就是英國的法治思想，也就是英國的法治制度。

勿向先秦思想尋解釋

英國憲法學者，戴雪A.V.DICEY，有左列明白的界說：

第一、法律的絕對至高性與專制性；反對政府方面的專橫權力，排除一切專橫，特權或大量權衡處理權的存在。英國人受治於法，英國人只受治於法。人民因破壞法律而被懲，人民除此以外，不受任何懲處。

第二、人民在法律之前，一律平等。不論階級或身份，人民受同一法律及同一種法庭之管轄。

第三、憲法是普通法律的結果。憲法不是個人權利的源泉，而是它在法庭上解釋及執行的結果。

戴雪的書，初版在一八八五年，距今已七十年。至今論英憲者，還是奉為圭臬。中國講立憲講憲政，也講了五十年。法治的思想與觀念，今天似乎不必再勞提倡，然而事實上今天確有再提這一本七十年前舊書的必要。惟有使國人心目中重溫此一近代法治基本觀念，然後不致無故再在二千餘年前先秦思想中去尋覓法治的解釋。這是中華民族建立一個近代國家成敗的一個大問題。也是今天反共抗俄重要的國是。關係國家興亡，關係世道人心。今天而重提這一個問題，「予豈好辯哉，予不得已也。」

法治與民治相生相依

從歷史事實看，或從政治理論看，權力終是容易被濫用而滋生流弊的。阿克頓勛爵的名言，亦既在文明世界中傳誦了五十年。所以權力當存所在，不論在君或在民，如果漫無限制，聽其發展，其結果是同樣的不幸。君主專制，與暴民政治，其為害於世，正復相同。所以法治的思想與制度，無論對民主，對君主政體，都是有利，而且法治的結果，必為民治，法治與民治相生相依，民治之國，必為法治。專制之國，必為人治。在東西歷史上，西方法治之樹立，初賴貴族，貴族持法以抗君權，立憲政治的基礎在法治。英國為憲政之母國，亦正因英國先有法治，法治觀念，就是英憲的主要成份。中國古無法治，春秋時代，封建社會崩壞之際，當時之貴族，其愚妄縱恣，罪惡淺濁，於君主之上，當時思想界乃以尊君為救民濟世，孔荀講禮，管商言法，其旨皆在戡抑貴族與權臣。而增强君權，所謂任法與法治，反成增强君權之工具。封建社會消亡，階級夷平，庶民更無抵抗君權或限制君權的能力。法家的任法思想，一變而成絕對專制思想。管商韓非之後，乃有李斯。今天我們要提倡的，應該不是先秦法家的所謂「法治」思想，而是近代歐洲的法治思想與制度。歷史的教訓與指示是極明顯的。如果我們要造成一個近代國家，一個近代的民主憲政國家，我們必須採取歐洲近代的法治思想，使這一個歐洲近代法治思想，全國上下，家喻戶曉。由思想而成制度，由制度而化為人民的生活態度。然後憲政可以確立，三民主義之共和國得以實現。如果反其道而行之，舍此不圖，硬要在中國歷史上去發揮國本主義，偏要在先秦法家思想中去尋所謂法治思想，而謀其所謂新解。那末，中國未來之亂，尚有不忍言者。休咎禍福，惟在吾人自擇之而已。

大陸今日的四荒

·沈著·

兩鍋併作一鍋燒

關於汽油類的缺乏，大家都可以想像得到是英美等國禁運，蘇俄又自顧不暇，中共開採能力不足所致。幾年來除中共的軍用車和高級幹部的小汽車配用汽油外，其餘一般機動車輛早已改用木炭。至於火油，原來最大用途，係用於煤氣燈或美孚燈之類的發光，為廣大鄉村所必需，但幾年來早已用菁油類的燃料代替。這對於鄉村居民是一種莫的困難。城市居民影響最大的，則為煤荒和柴炭荒。

煤荒的原因，一為盲目的輸出，一為煤產量和質的低落（中共自認煤的含礦量平均在百分三十以上，可燃量僅百分之六十左右）其次為各機關工廠大量浪費消耗，（各機關部隊冬季取暖用煤平均每人每日即耗去三斤，僅以一千五百萬人計，消耗即達每日兩萬餘噸。工廠、火車等用煤，爐灰中大多剩有百分之三十的可燃煤渣，此種浪費極為驚人）。造成柴炭荒的原因，則為較大的雜木已由燃料移作軍工等建築之用，小的雜木樵缺乏人力砍柴，致炭來源大量減少，造成供不應求的燃料荒現象。

煤荒和柴炭荒已到了什麼程度呢？據中共報紙自己透露：離開產煤區較遠的一般城市，工廠已因用煤量的不足而減少動力，影響了正常的生產率；一般城市居民的購買煤球或煤屑已實行限量配給（又稱計劃銷售）配給量每人每日僅得半斤，且須排隊輪購；至於柴炭，亦同在統制之列，憑卡購取，定量配給，已購得煤類燃料者，則不再配售柴炭。

由於煤炭燃料極度缺乏，中共最近曾通令各機關部隊工廠及鄉村裏等等召開「兩鍋節約用煤座談會」，號令全體竭力「兩鍋併作一鍋燒」。此種恐慌雖之數字足資說明，但由此等情形當可想見恐慌的程度，及其影響於生產和人民生活的嚴重性。

提倡中醫針灸原因

再一種人為的災荒是藥荒。所謂藥荒，並不僅進口的西藥為然，即自產的中藥，亦莫不如此。造成藥荒的最基本原因，乃為工農人民大衆的疾病叢生所致。蓋疾病叢生，使藥物的需要量空前擴大，亦形成供不應求的現象。而疾病之所以叢生，多半由於勞動過度，營養不足，尤其是生活艱困，精神痛苦所致。質言之，完全為中共瘋狂的奴役及各種政策性的全面迫害所致（如：失業、饑窮、生活和身體自由等等的嚴格限制，以及整個社會氣氛的荒涼和恐懼等等）。造成藥荒的另一明顯原因，西藥是屬於來源不繼（因西方各國禁運），轉而仰求於蘇俄但所得者亦微乎其微，據悉遠不及以前進口量十分之一（係中共去年夏間報紙透露）。中藥則因為植量和採量銳減的原因，則由於中共過份統制生產利益，及藥物生產者的人力日形衰減所致。（下）

中共備戰的實際情形

犯台　擊中

據近來大陸中共報紙透露，中共在攻台叫囂聲中，為着準備戰爭，已採取一連串軍事動員和政治鎮壓的非常措施。

軍糧的集中運輸

據天津大公報，及人民日報透露，中共為配合所謂「緊張局勢」，業已提前完成「糧食調運計劃」；其中四川及雲貴等省的糧食，係撥充軍糧之用。由長江水運大批移運到了江蘇、安徽、浙江和福建等省。為此，中共命令民生輪船公司，以每艘輪船在半年內「安全航行五萬公里」為目標，發動所謂「競賽運動」。且命令該公司工會督促所屬海員，為積極支援「解放」台灣的任務，而「加强一切工作」。同時，中共並命令浙江、福建等省的「國營商業部門」，及「供銷合作社組織」，搜集本省各地及鄰近各省的糧食、運用副食品、油脂、其他必需營養品，以及日常百貨用品等，大批供應沿海第一、二綫部隊，用以充實軍需，支持「戰鬥任務」。

加强鎮壓積極動員

接着，人民日報公佈毛澤東以「主席命令」所「訂頒」的「城市居民委員會組織條例」，和「公安派出所組織條例」。前者規定主要任務是「動員居民響應政府號召並遵守法律」，和「領導羣衆性的治安保衛工作」。後者規定的主要任務，是「保障有關公共秩序和社會治安的法律的實施」，「鎮壓反革命份子的現行破壞活動」，「預防和制止盜匪和其他罪犯份子的破壞活動」，「管制反革命份子和其他罪犯份子」，「管制戶口、劇場、電影院、旅館、刻字、無綫電器材行業和爆炸物品、易燃物品及其他各種危險物品」。前者的用意在為戰爭而組織、動員。後者的用意，在為戰爭而加緊實行國內的鎮壓，以消滅因戰爭而乘機活動的反共人民。

接着，人民日報又發表了以「向人民羣衆經常進行國防教育」為題的社論，一再强調，目前正潛伏着戰爭危機，指示各地「政府」，加緊實施各種軍事訓練。並組織青年、學生等在「勞衛制」之下，加緊鍛練體魄和接受軍事技能訓練。甚至指示各地「政府」，鼓勵人民為戰爭而動員，要他們鼓勵農民為支持「解放台灣」而「踴躍售糧運糧」，鼓勵工人為支持「解放台灣」而「加緊生產軍需物品」，鼓勵人民參加軍需生產或運輸，鼓勵人民參加「解放軍」，鼓勵人民以「實際勤務」支持前綫部隊，鼓勵軍人家屬寫信鼓勵前綫軍人積極準備作戰等等。

人民日報又發表了以「更有效地鎮壓敵人保護人民」為題的社論。命令各地「人民法院」、「人民檢察院」和「人民公安機關」，只要發現或認為有「反革命破壞活動嫌疑的人」，不論其是否為「現行犯」，亦不論其是否有何「罪證」，均可加以逮捕、審訊。發生任何情形，均可封鎖現場，實行緊急措置。

驅迫青年充當砲灰

中共的報紙，時常高呼加緊「國防教育」，據人民日報消息：上海曾集合一百五十萬人為叫囂戰爭，而大舉「游行示威」，各地廠礦業已為支持戰爭而逐漸發動生產競賽；各地軍人家屬「紛紛」寫信鼓勵在前綫的親人準備「為解放台灣而立功」；民生輪船公司的部份輪船業已發動運輸競賽，福建省的青年業已「組織起來」參加防空、救護、及軍隊的後方勤務。四川等省的青年，業已響應福建青年的「組織起來參加鬥爭」；而各地的民兵訓練亦已在積極準備之中。福建、浙江等省業已分別訓練各鄉的民兵隊長、民兵、基幹民兵、及其所謂「骨幹份子」，訓練的內容全為戰鬥性者，如練靶、投彈、衝鋒等。訓練的政治思想，全以「解放台灣」為目標。中共對此等訓練的情形，描寫得「如火如荼」，並謂其他各省的此等訓練，亦將次第展開。

綜上各節情形，顯見中共對攻台的準備，正在瘋狂準備之中，若認中共叫囂「解放」台灣，祇係試探性質，將為極大的錯誤。

·沈著·

張瀾「死球了」！

馬五先生

四川省南充縣的士豪劣紳出身，民國初年的共和黨人，曾經因爲吞沒川漢鐵路股款，被旅居北都的川籍青年學生發起清算，抱頭竄回老家，經常奔走於地方軍閥之門的張表方，最近以動脈硬化之故，在北平「死球了」！（這是一句川諺，即死掉了之意。）

他以八十四歲的高齡，舊降貳臣的身份，病死秧歌王朝鑾殿之下，可算是最幸運的一個「蒼髯老賊，皓首匹夫」，比較那些深懼「不知死所」之憂的所謂民主人士，自然是强得多啦！

對日抗戰期間，我住家在成都時，間常在朋友宴會中跟他有所接觸，實在看不出他對現代人所說民主政治的內容，知道它究竟是啥玩藝？然而，他後來居然被一般聞名於國內外的學者名流和黨派領袖們，奉爲「民主政團同盟」的盟主，由地方土劣一躍而成爲全國性的政黨領袖了。這證明現代中國士大夫搞政治的本能爲何如者？中國政治距離眞正的民主境界，似乎還有行萬里路的遙遠途程哩！也就是正以此故，才有那末多的「民主人士」，以巴爾扎克筆下的俄國「浪子」（BIHAMES）心情——祇要俄島給以金盧布，他們在一夜之間，即可以使敎織藝變爲遍處都是塊灑青的巴黎——去向階級專政的共產黨人乞取民主生活，這眞是中國智識份子的時代悲劇，張瀾固不足責也！

話說回來，像張瀾以及其他若干決無資格跟共黨沆瀣一氣而甘心從賊的人，我們竟不能使其懸崖勒馬，莫陷死地，而讓共產黨對他們那點垂盡的剩餘價值，恣意搾取利用，欺騙人民，也就是表示我們的政治技術未免太差了！

張瀾死不足惜，可惜的是那般追隨「表老」之後，對着秧歌王朝作「民主夢」的士大夫，在爲「表老」治喪時，想到林黛玉「儂今葬花人笑癡，他日葬儂知是誰」這兩句話，不知其是啥滋味？

記香海蓮社

·懷冰·

（一）

當我們經過幽靜的鑽頓山道，一幢三層高的大洋樓屹峙於山下，表現與的莊嚴，這便是香海蓮社。在香港許多宣揚佛教的團體中，香海蓮社頗負時名；如東蓮覺苑，和正覺蓮社，是由僧伽主持的，獨是香海蓮社則由居士們主持，性質有點近似以前歐陽竟無所辦的南京支那內學院。

這一個團體，依社團組織法是受華民政務司管轄，董事長爲馮公夏，董事有鄧忍惝，曾璧山，施剛毅，伍佩琳，黃達，余謙等，社員每年納費十元。活動的事業分演講，文社，義學各方面：

（二）

演講：香海蓮社的居士們對於佛教諸宗派，都樂於研究的，嘗定期延請佛學淵深之士到來演講，筆者友人羅時憲教授上半年曾在那裏演講「唯識要義」，一連繼續十幾講。唯識學是一種心物結構學，是現代心理學所望塵莫及的。唯識學分析各種心的成分最爲細密，不亞於化學家之分析物質的分成。依唯識學講，吾人舉心動念，在八識田中就下了一顆種子。這顆種子就會生長成爲生物的身體器官和他四周的環境：善的種子就生成高等的生物器官，和優美環境，惡種子則反是，所謂「假使百千刼，所作業不亡，因緣會遇時，果報還自受」。這種因果律，是受到科學的支持和擁護的，可惜領悟的人還不多。我誠懇的勸請我國的心理學家和哲學家們，抽一點時間去讀唯識學，一定能擴充他的領域。

回憶五年前，時憲偕同妻兒避地香港，隱居芙蓉山竹林禪院，我曾寫了一首詩給他「山開芙蓉[illegible]，結個茅廬隱避蹤；三徑未荒[illegible]，五株猶撫歲寒松。[illegible]迷熟了[illegible]，[illegible]堪傳唯識宗；天風海水[illegible]非觀法界，[illegible]映奇峯。」律，原希望他能夠光大唯識的法門，現在果然符所願了。

（三）

文社：論語有說「據於德，依於仁，游於藝」。香海蓮社的居士們，有些對於詩鐘，聯語，詩詞等文藝游戲發生興趣，並邀請外人士參加，[illegible]只車君是香海蓮社社員，此外周君爲鍾社社員，陳君爲太平詩社社員，俱屬鍛鍊能手。

民初樊樊山，易實甫諸老，和先師黃晦聞，高閬仙在舊京組織寒山鐘社，鐫月雕龍，繡虎，一時作者，今日已風流雲散。海隅文人流亡，眷懷鄉國，以文藝自遣，正是賢於博奕的微意。

（四）

義學：「香海蓮社辦有義學一所，但規模沒有東蓮覺苑義學，和佛教義學那麼宏大。佛教人士所辦的義學，在香港來說，當然趣不出天主教和基督教團體主辦的，而且宗教色彩亦沒有那麼深。相反的佛教的義學裏，有些竟講授孔子刪述的經書。這一點可證明中國民族性的偉大，是包容，而不是排斥。

今年正月初一，適值阿彌陀佛佛誕，該社特設齋筵宴客，四衆皆大歡喜。鬧節一齣，消千刼非。

語意學漫談

徐道鄰

錯誤報導產生惡果

一張地圖，可能畫的十分美麗，但是如若它所表示出來地圖的情形，長短遠近，高低左右，和實際的情形不相符合，那麼它就是一張無用的地圖。所以在我們畫一張游覽地區的地圖時，千萬不可以爲了一時美術的靈感，在湖沼邊隨便添上兩座亭台，在山林裏胡亂畫上幾層樓閣。因爲這樣子將把一張有用的地圖化成無用了。當然，我們不是不可以拿畫地圖來作游戲，我們儘可以不管這一個地區實際的形勢如何，隨意所之，東邊畫上一些湖泊，西邊添上一些邱壑，高興起來，南面再加上一些河流，北面再加上幾條道路。這樣子徹底胡鬧，的確可以使我們心神愉快。但是如若有人不幸拿着我們這一張地圖來作他們春季旅行的嚮導，那麼在他們的前途上，一定有不少的失望和痛苦，在等候着他們。

同樣的，我們常常根據一些幻想的或錯誤的報導，或者根據一些正確報導的錯誤推論，又或者根據一些文學家修詞家們一時高興的神來之筆，在不知不覺之中，製造出來種種和實際世界有大出入的距離的語言地圖。有的時候，這些不正確的語言地圖，沒有人太注意它們時，也並沒有惹下甚麼亂子。但是在有些時候，如果有人不太留心，錯把它們當作了正確的地圖來應用，那可就糟了。而我們世界上有許多的災難和悲劇，正是這樣子的產生出來。

我們每個人在從小長大的過程中，不知道接受了多少的無用的知識，不知受了多少不正確的報導和錯誤的見解（許多不正確的地圖，在它們的錯誤未被發現之前，都是被認爲正確的），所以在我們所繼承的這些知識財產中，有很大的一部份，我們必須要剔出來丟掉的。我們人類之所以尊重知識，尊重它們，就是因爲我們認爲這些知識是表示實際經驗的語言地圖，是我們可以接受來作未來生活的適當準備。但是地圖有時候是錯誤的——或者是人家給我們的一張錯誤的地圖；或者地圖是正確的，可是我們把它看錯了——並且到了某一個時期一定是錯誤的——不但道路建築物不斷在變化，就是自然的地形，山川河流，也常在變化——我們對人對事的知識，也正是如此，所以『語言是一種地圖』這一個概念，是我們作語意思考時最重要的一個工具。

（十）

念奴嬌

和友人獨游赤柱峯感懷　紹華

登高懷遠，似淵明獨愛，陽剛重九。峯巒嶂層樹清峙立，敗葉枯藤俱朽。泓崢是嵯峨，人原磊落，雙手摩星斗。蕭瑟，寒林斜日暮後。曾記故國神遊，書堂何處？一片深深柳。覆雨翻雲人世改，綠水青山依舊。商籟新收，煙波又起，欲飲無醇酒。天胡此醉，奈何輕視鶉首。

秘密

·羅須·

再賢聽了她的媽媽這樣說，把頭轉過來，睜着困惑的眼睛：

「媽！你這話怎樣說？」

「恐怕別人知道了，會說你媽不會教導女兒。人家對女兒，都是教之四德，但是，今夜我要跟你談的，是教你不要做一個太賢淑的婦人，這話我也不知從何說起。」

「媽！請你說吧！難道是妳的賢淑害死了爸爸的嗎？」再賢心裏又急又窘。

「你的年紀還輕，懂不了這許多人情世故，我也不知該怎樣對你說出來。賢淑決不會害死了別人的，害也祇會害了賢淑的人自己。」

「我的年紀還輕，希望將來會懂得，但是，媽，你爲什麼要我這樣早結婚？」

「就是因爲他太好了，不能錯過這段好姻緣。你媽結婚時比你還小呢？那時我祇有十七歲，好姻緣錯過了是不會再來的，十六歲那年，你的婆婆就打算把我嫁出去，聽說對方是一個很好的青年，我因爲覺得自己年紀太小，便一口拒絕了這頭婚事，後來才和你爸爸結婚的。」老太太又嘆了口氣。

「也許十六歲那年你媽結了婚，嫁的就不是短命的丈夫了！」再賢非常孩子氣的說，也跟着輕輕嘆了口氣。

「再賢！這話並不是這樣說的，對這問題，我從沒有後悔過，所謂生死有命。但是，你爸爸並沒有死呢！可憐你連爸爸也沒有見過一面。」老太太幽怨地說。

「媽！」再賢不由自主的大喊起來：「你怎麼說？爸爸沒有死？誰是我的爸爸？」

「鎭靜一點，我會告訴你的。」老太太說了，輕輕推開再賢，自己走入她的臥室。廳裏祇留下了再賢，她望着媽媽的背影，一時呆住了，困惑佔了她整個的心。一會兒，媽又拿着一個紙袋出來。

「這就是你的爸爸了。」抉賢從紙袋抽出一張照片。「他實在沒有死，祇是在我的心裏死去罷了。」

「我常常聽到別人叫爸爸，或談到自己的爸爸，我就會想起我死去的爸爸來。但是爲什麼以前從不給爸爸的照片我看，可憐我對爸爸，一直祇好模糊的想着。」再賢有點埋怨媽了。

老太太也覺得難過，一時不知該怎樣去安慰她：「十多年來我要對你保守的秘密，現在可以說明了。」說到這裏，又頓住了，努力抑壓着嗚咽的聲音。

這時，剛巧女傭端了個盤進來。

「太太——，蓮子羹做好了。」女傭把兩碗蓮子羹放在桌子上就走開去，一邊又說：「小姐，吃你心愛的東西吧！」

（二）

杭州岳廟瞻禮記

·淳風·

杭州最著名的古蹟，首推宋代忠臣岳飛廟宇，八年前，我經過杭州，特地前往瞻弔。那裏經常很多男女，身上掛着「朝山進香」的黃布袋，在半圓形的岳墓面前很誠心地跪着，很恭敬地叩頭，甚至有些老一輩的婦女，穿着衫褂，還用口去吻着立在墳前兩旁的石像，充分表示她們對忠貞爲國者的敬仰！墓門上面坎有一塊「精忠報國」四字的橫匾，兩旁有聯曰：「正邪自古同冰炭，毀譽於今判僞眞」，爲餘江吳邁所題；又徐邁闡一聯曰：「名勝非藏納之區，對此忠骸，總半廢西湖祠墓；時勢豈好能造，微公浥臂，有誰話南渡君臣」。這聯慷慨激昂，迄今猶縈繞着我的夢寐。趙子昂所作的岳墳詩更有意思，詩云：「岳王墳上草離離，秋日荒涼石獸危，南渡君臣輕社稷，中原父老望旌旗，英雄已死嗟何及，天下中分遂不支，莫向西湖歌此曲，水光山色不勝悲」。讀後令人無限感慨。

岳王墓前還有秦檜夫婦一對鐵像跪着，頭顱早已給祭墓者用棒打得不像樣了！好事者，戲撰一聯，綴夫婦鐵像頸上，作追悔口脗。掛在秦檜頸上的說：「咳！僕本喪心，有賢妻何至若是」？掛在檜妻頸上的說：「啐！婦雖長舌，非老賊不到今朝。」見者無不莞爾，足證貽害國家的權奸，徒供後人的唾罵！

稿約

本報園地公開，歡迎讀者投稿，性質不拘，最好勿超過二千字，譯作請註明出處；來稿如不合刊用時，當儘速退還，來稿請用稿紙，勿橫寫。

編輯室

心臟病和營養

·陳雪英·

不完全的維他命B，反爲不好。現時一般人都喜用維他命B片，實際上還是不完全的。所以營養學家再三建議，請你儘量採用完全的維他命B。唯一的來源，是從食物中獲得。吃藥不如講求營養。假如你血壓高，動脈硬化，或者有心臟病，請你最好採用低脂肪的食物：如瘦肉、牛肉、脫脂奶粉等。尤其要注意食用完全的維他命B，動物性脂肪，如奶油、猪油、魚油、肥肉等，均多含膽汁精，也會促助脈硬化，即使是植物性脂肪，也含有膽汁素，人體可以從任何脂肪中製成膽汁精，所以須儘撤少食脂肪，而多食完全的維他命B。要想知道血液裏是不含有過多的膽汁精，最好找醫生檢驗，很簡單，也不至多化錢。

應注意營養

過去對於高血壓的人，總是勸他人少食蛋白質食物。這種觀念，最近的研究，也改變了。低血壓的人，可因多食蛋白質而增加其血壓達於正常，但並不會使血壓過分的高，而發生嚴重病癥。相反的，多吸收蛋白質，可使血管健强、不過蛋類的蛋白質，以及奶酪的蛋白質，總含有脂肪與膽汁精，所以最好食用不含脂肪的蛋白質，如酵母、脫脂奶粉、脫脂奶酪、瘦肉等爲宜。此外，食鹽固是調味所必需的，但是鹽份太多，也可引致增高血壓，當你血壓甚高時，以少用鹽爲是，維他命C可以增强血管之彈性與堅韌，以免微血管破裂而溢血，所以當你血壓過高時，可以多食維他命C，但是食用純粹的維他命C無濟於事，最好從食物中獲得，因爲含維他命C豐富的食物如青椒、柑橘等。其成份中尚含有一種特殊物質叫維他命P。對於增强血管有特別功效。純粹的維他命C中則無之。患心臟病或高血壓的朋友們，當你病態嚴重時，固然要延醫診治，可是平時要愼選食物注意營養。（下）

自由人
THE FREEMAN
（第四一二期）
中華民國僑務委員會
頒發登記證教台新字第一〇二號
中華民國郵政登記第一類新聞紙類
（半週刊每星期三六出版）
每份港幣壹毫
台北市售價台幣壹元
督印人：雷嘉猷
地址：香港高士威道二十號四樓
3 rd. fl. 20 CAUSEWAY RD HONG KONG
香港發行及事務接洽
高士打道66號　電話：七四〇五三
承印者：東南印務出版社
地址：高士打道六十四號
海外總經銷
友聯書報發行公司
香港：德輔道中二十六號A二樓
台灣特派員辦事處
台北市館前街五十號
台灣總經銷處
台北市西寧南路一一〇號二樓
台郵劃撥儲金戶九二五二

專論

論法治

·滄波·

近六十年來，中國經過維新變法與革命。思想及制度上發生空前的變化。在六十年的空前變化中，其主要的趨勢是想造成一個現代的國家。六十年的近代中國史，充滿了變化，震盪與紛亂。而結果則現代國家至今尚未造成。此中原因不是單純的。多年來我們在思想上對於各種基本觀念的混淆，甚至於不求甚解，或更有意曲解，亦可說是造成今天混亂的一種主要原因。

譬如對法治觀念的解釋，就是一個明顯的例證。章炳麟曾謂中國二千餘年無法治，「獨秦制本商鞅，其君亦世守法」（秦政記）。章氏在「非黃」一文中說：「凡政惡武斷，武斷與非武斷者，則聽法尙賢之爲分。」（太炎文錄第一卷。）由章氏這兩段話研究，通儒博學如章氏，他亦並沒有十分懂得「法治」。可見中國人對近代許多基本觀念，弄清楚是不容易的。中國二千餘年無法治，這是十分正確的。中國二千餘年無法治，秦制亦並不能例外。因爲中國先秦法家所提倡而實施的，與今天西方所稱的法治，完全不同。以秦而論，無論商鞅與李斯所創制者，都是章氏所謂「武斷」之政，而非「聽法」之制。武斷之政，換句話說，便是專制政治，而不是法治，亦不是民治。

先秦的法家思想

先秦法家思想，導源於管子，大成於商韓。李斯更是法家思想的最後完成者。管子明法篇：「威不兩錯，政不二門，以法治國，則舉錯而已」。所以「法治」是管子治術之主幹。先秦法家思想，尊重君權。任用法術。從管仲開始，到李悝、慎到、尸佼、申不害而粗具規模。至於嚴格的法治思想，實待商鞅而成立。韓非則綜其大成。變成先秦法家學術之總滙。商韓兩人，不獨思想的內容豐富可觀。商子與韓非子兩書的流傳，及其內容之充實，今天要想研究法家思想，自以商韓爲主。管仲與商鞅，時間相去將及三百年。政治及社會環境也完全不同。管仲執政的時候，封建社會並未完全破壞，不過呈現衰落的趨勢。商鞅的時代（公元前三九〇——三三八），封建社會已瀕解體。韓非（二八〇——二三三公元前）的時代，更去商鞅百年。（根據錢穆先秦諸子生卒年月考）封建天下已瀕完全崩潰，而專制大一統的天下亦將降臨。封建制度崩潰的直接結果，爲天子微弱。諸侯強盛。此種新興的強略諸侯，已非當初受土分封的舊日世家。而爲權臣篡奪的諸侯，其由篡奪而興的諸侯，有時更爲家臣（陪臣）專政。在此種強弱兼併之中，列國國內既不能求得安定，列國相互間亦戰爭不已。無論對外的侵略與自衞，對內的保持安甯秩序。皆須政權指揮的集中與強大。君權的擴充與增強，變成時代的需要。尊君任法，是當時政治思想的主流。

歐洲近代法治思想

所以先秦法家的政治思想或其政治措施，無論其名號稱爲「法治」或「術治」，其目的都在增強君權，造成專制。名爲法治。實即專制思想。重法任法。都是法家的術。法家實際的中心思想，在於提高君權，造成專制。但從管子經商韓而至李斯，各人的主張縱有程度之不同，而實質上則萬變不離其宗。在管子書中，頗主君主立法守法。亦嚴言「納諫」「節欲」。所以管子雖主尊君權，但是有限制的。韓非，對「令尊於君」之說，並不再堅持。似已暗示君主已在法之上。已經離開「法治」甚遠，而接近專制。然韓非子十過篇中，對於不務聽治而好五音」，「耽於女樂，不顧國政」，「過而不聽於忠臣，而獨行其意」等各種行爲，絕大加指斥。可知韓非對君主，雖主絕對尊敬，然猶有限制之意。李斯相始皇二世，逢迎君主恣睢之欲，發爲「督責」之議。創言「獨制於天下而無所制」。（史記）這是一個絕對君主專制理論的最高發揮。因爲法家的法治思想，是以君主爲主體，而把法律爲工具。管子的「以法治國」，及商韓所提倡的任法」或「任術」思想，其實都是「人治」思想的一種。與儒家思想，根本上並無大異。所異者其手段與工具。孟荀以仁義禮樂爲治術。而管子則任法。所以說法家的法治與儒家的禮治及德治有別，則可。說法家的法治，就是歐洲近代的法治，則萬萬不可。中國先秦法家的法治思想是加強君權，其中心思想是造成君主專制。而歐洲近代法治思想是限制君權，造成民治。用心不同，目標大異。結果也隨着絕對相反。

英國的法治制度

歐洲的法治思想，中世紀即已開始有人提倡。英國一二一五年的大憲章，由諸侯貴族迫脅英王約翰所訂。其要點即爲限制王權，確定法權。追美國獨立，獨立宣言及其後的憲法，更將法治思想，具體明文規定。英國是法治思想發達最早的國家，也是民治制度的先進國家。這是和日爾曼民族的先天民族性有關。卡萊爾氏著中古時期政治思想史中所載。在日爾曼民族初期政治中，日爾曼君權所受法律的限制，有三種約束：第一爲當地之習慣法；第二爲羅馬法；第三爲經臣民同意所訂之法律。所以日爾曼民族的君權，早受法律的限制。溯源於英國的法治思想，便是說一個政治組織中，具有最高權威者爲法律而不是君主。君主雖君臨萬民，但不過執法之最高公僕。權高出於君權。萬民要受法律的約束，君主也同樣要受法律的約束。萬民在法律下面，君主也不能例外獨處於法律之上。英國在十三世紀十五世紀十七世紀時代，貴族與平民所持以抵抗王權者，便是這一個法治思想。

（下轉第三版）

新聞資料

空軍實力如何比較

美國遠東空軍總司令巴德瑞將軍，於本（二）月四日下午五時，在台北招待新聞記者席中宣稱：「中共空軍在數量上雖與美國相等。但整個共黨空軍（包括俄國在亞洲各地在內）在遠東區之飛機數量，則四倍五倍大於美國在遠東的空軍。據估計，整個共黨在遠東各地飛機總數，大約爲八千架。」美國對於蘇俄空軍力要大過美國空軍的估計，實不自今日始。遠在一九五二年六月，紐約時報軍事專家鮑爾溫和美國新聞及世界報導等雜誌，對於美蘇兩國空軍實力與韓戰前後的空戰效果，都曾加以分析過。

關於美蘇兩國空軍實力的比較，論者多半都是根據飛機數量和飛機生產量來作權衡，殊不知蘇俄飛機的數字，完全不過是估計而已。但是美國的飛機數字，却也有安全關係不得不守秘密的地方。最要的一層，是機數和空軍人數，雖然在短期上具有意義，可是不足以衡度通盤的空軍實力。長期成份，包括工業設備，關於大量生產的智識技術本領，有技術而又訓練的人力，基地和地理上的位置，電力與原料的富源，以及研究的設備，原子能工廠，商業航空等等。這些成分，無疑地從短期的成分來說，蘇聯空軍確是居

美蘇空軍實力比較

·文鑑·

全球第一或是第二的地位。據估計蘇聯各式各類的軍用飛機，包括訓練機和運輸機總數有一萬七千架到兩萬架之間。有人[illegible]蘇聯有飛機四萬架。不過這一般的估計，相信連後備和其他林林總總的飛機計算，大概對德國空軍實力的估計，便是一個例證。[illegible]說，美國空軍只有飛機六千架。這好像[illegible]估計美國空軍的飛機數字，常常遺漏了海軍和海軍陸戰隊的飛機一樣。照一九五三年五月一日統計，美國海軍和海軍陸戰隊的飛機，已有二萬七千六百架，包括戰鬥機[illegible]

飛機數量蘇佔先

畢竟美國空軍的飛機，一九五二年的統計是一萬七千三百架。包括戰鬥機八千[illegible]那末合計起來，不是超過四萬一千架了嗎？

但是話又得說回來，美國飛機一天天增加，蘇聯何嘗不正在加緊增加？總之，兩相比較，以數量來說，蘇聯或者略爲佔先。可是蘇聯不過比美國多若干實地作戰的機羣罷了。特別是噴氣式戰鬥機和輕型轟炸機三類。

至於空軍人員，美國卻比蘇聯多一倍。假如把空軍陸軍和海軍及海軍陸戰隊的航空人員一起計算的話，美國便有航空人員兵力一百二十五萬人，蘇聯頂多不過五六十萬人。有些專家推測，蘇聯最近也增到一百萬人左右了。

產量與素質

蘇聯軍用飛機的生產量，估計每年能夠製造一萬七千架到二萬五千架。而美國在一九五三至一九五四兩年中的出產量，[illegible]利呢？人們估計蘇聯飛機的生產率，正在擴充中，將來每年可能製造三萬五千到四萬架。美國飛機的生產率，比蘇聯的或者上升得更快，也不一定！

韓戰的經驗

在質的方面說，由於美國注重轟炸機和強力噴射機，致令蘇聯產生了優於美國戰鬥機的MIG-15噴射機。[illegible]

關於韓戰中兩方空軍實力的比較，[illegible]

半週展望

·旭軍·

馬倫可夫的垮台

馬倫可夫辭職一事，舉世議論紛紜，但筆者要指出最重之一點，[illegible]共黨黨人之內爭與非共黨人之內爭不同，[illegible]

反「自我圍堵」

上文已說過馬倫可夫的固吾藩籬主義，亦即自我圍堵主義。[illegible]（CONTAINMENT）[illegible]

朱可夫復出的意義

[illegible]朱可夫[illegible]國防部長[illegible]

新聞背景

美國如何應付中共攻台

本報資料室‧

授權總統調動三軍

本月初艾森豪在參眾兩院提出咨文，謂中共攻擊接近大陸島嶼，危害世界和平，請求參議院總統調動三軍保護台灣，澎湖，和有關地區。艾森豪爲什麼要提出這個咨文呢？總統兼海陸空軍大元帥不是有權調動國家隊伍嗎？那是因爲一九五二年競選的時候，艾森豪說過，調動軍隊參加戰事，他將於事前提出參議會通過。咨文提出的時候，民主黨參議員表示事前核定共和黨總統的外交政策，係一件不穩當的事情。共和黨參議員方面則認爲總統的咨文，係一種接近戰爭的暗示，另一部共和黨參議員却認爲係妥協的表示。

雖然意見紛歧，可是只經過三小時的辯論，即以四〇九對三的絕對優勢票數通過提案。辯論的時候，民主黨議員兼外交委員會主席羅素氏這樣說，『要是到了現在的田地，我們再猶豫，要是我們現在再向共產黨提出停火的請求，我們還能夠希望遭受共黨威嚇的國家抵抗共黨嗎？我們今天所採取的堅定不妥協的立場，足以加強亞洲國家對於我們的信念。現在我們達到了分界線，我們應該拋除疑慮，以堅決的姿態把我們的決心宣告世界。』

艾森豪的措施表現出一種有力而且富有機巧的領導。艾森豪使用其個人的聲望而獲得了政治上和政策上的勝利。艾森豪於兩院通過咨文，簽字公布的時候說，『這件事明確地宣告世界，美國人民全國一致支持政府援助同盟國家抵抗共產黨維持台灣地區的和平。我們現在可以採取步驟，而我們同時支持聯合國終止該區戰事的主張。美國人民全國一致決心防守有關美國和自由世界安全的一個重要地區。』

保衛台灣政策內容

艾森豪的談話反映出美國對於保衛台灣的國策。美國的新國策包括下面的四個要素：

（一）美國以堅強的決心宣告保衛台灣和澎湖抵抗共產國家的侵略。

（二）美國取銷了在韓國遭遇到重大損失的限制戰事，共產黨攻擊台灣時，美國空軍將窮追敵人，深入大陸。

（三）大陳撤防。

（四）討論停火，將全神注視台灣的防守，而放棄了台灣對大陸的反攻。

上述四點，以第四點最爲重要。停火實現後，共產黨無所憂矣。中共現在駐防閩浙等省大軍達十萬，若果美國對自由中國加以限制，中共可將該處大軍調至別處作侵略行動。

第七艦隊目前的工作爲撤退離大陸二十五英里而離開台灣

大陳島上又無飛機場的設備。

第七艦隊的任務

第七艦隊司令海軍中將蒲瑞德將軍的旗艦停泊基隆港。上周司令部的重要人員舉行秘密會議，商議以中美船隻撤退大陳軍民事宜。

他們決定以登陸艇駛進大陳用以撤退該島軍民。問題是這樣，中共的飛機，蘇聯的魚雷艇和潛水艇會攻擊大陳的撤退嗎？中共干預大陳撤退的時候，蒲瑞德中將決定加以還擊，並將直搗其巢穴。蒲瑞德中將這樣說，『此次戰事將不會再有安全地區。我們的隊伍有良好組織，我們能夠完成任何任務。我們能夠應付任何環境。』

敵我軍力的比較

蒲瑞德中將表現出愉快的信念。第七艦隊有船艦一百艘，航空母艦四至五艘。制海權掌握在手是絕無疑義的事實。可是敵人的空軍也不能忽視。中共和蘇聯駐遠東的飛機不下八千架，三分之二屬於噴射式；比較美國遠東空軍和自由中國空軍的總額超出三倍。可是根據上次韓戰結果，美國軍機刀和蘇聯米格機被擊落的比例一對十三。第七艦隊的戰鬥機速率超過每小時六百哩，當能應付米格機而有餘。

旬日前，美國加強了台灣海峽的軍力。四萬五千噸母艦中途號由星加坡折回。美國第八空軍大隊（有軍刀機六十架）復由冲繩島和菲律賓飛往台灣，只二十分鐘，到了台灣。飛行人員舉行聚會，聚會廳上掛滿了米格機式機和俄式轟炸機的圖形和側影。

在離開大陸的公海，蒲瑞德將軍的航艦一日二十四小時不停演習起飛和降落。蒲瑞德中將的意思是想中共曉得，我們有許多飛機，我們老早準備好了。

關於「國本論」

△胡秋原先生來函

主筆先生：

周臨先生所教，或由我爲了省略字數，沒有說清楚。

（一）憲法習慣與憲法意識不是簡單之事。例如美國人說「違憲」，猶較我們過去說「非聖無法」，「大逆不道」一樣厲害。如憲法賦與權利被侵害，任何人皆能力爭。但在我國，高明如周先生當然了解憲法之重要，一般似並不以爲違憲有何了不得。否則抽文即可不作。我願接受周先生指教，加四個字，即「憲法意識憲法習慣沒有深切普遍建立起來」。

（二）讖有根據證明之義，這是由我讀大戴禮「五帝德」，潛夫論「五德志」悟出來的。又鄒衍所謂「五德終始」，即以五帝各以五行爲根據之意。讖緯不相同，前人多言之。讖爲預言，如推背圖之類。緯書則是戰國秦漢天文曆數學家之說，有極可笑者，但亦有極可取者，不可一概抹煞。此在即將出版之拙著「中國文化」中論之頗詳。

編者　讀者

「春秋繁露」與「白虎通」多據緯書。「後漢書」天文志亦多據緯書。古人以此證明法統，說來話長。所謂「曆數在爾躬」，所謂「正朔」，皆由於此。中國曆書，原來出[illegible]和西洋人用聖經，用教會證明法統是一樣的。這並不還要高明一點。不過現在只能用憲法及自由選舉證明。至於俄人和共黨思想，則還在讖緯階段。俄皇自稱「沙」皇，即自以爲係羅馬凱撒之後（俄人口中不清，讀成CZAR）。至共黨所謂社會發展階段論，乃合波斯拜火教，羅馬奧古斯丁，及日耳曼（黑格爾馬克斯）讖緯而成。（黑格爾以絕對精神在地上有代表，此即普魯士皇帝。馬克斯將絕對精神換爲生產力，普魯士換爲德國普羅列塔利亞維克。此即若輩所謂「歷史使命」。）無產階級專政者，即以無產階級爲「國命天子」；此與活佛轉世說何異，非讖緯而何？彼等[illegible]人及共黨之所以爲大反動，爲何如？

胡秋原敬復　二月三日

停火會議難望成功

英國人士最怕戰事，他們深恐台灣海峽事件的燎原而變成世界大戰。爲安慰工黨人士起見，艾登在下議院演說：「英國政府第一件關心的事情便是消除戰爭。」因爲美國不反對聯合國調解停火事項，艾登馬上進行和美國及紐西蘭商討。紐西蘭是聯合國安全理事會代表，所以艾登請求紐西蘭在聯合國提出停火問題。但停火的範圍只限於外國的小島。

對於停火的建議，美國國務院人士以爲，艾登並不反對聯合國調解停火，即是「一種對於停止戰爭不能缺少的同情。」國務院洞悉停火建議是不會成功的，因爲中共根本不會接受這個提議。（取材本年二月七日美國時代雜誌）

法各地發生反納稅運動

‧杜譯‧

十九個月來，法國一個小城的議員普加特發動了風起雲洶的反納稅運動，他組織小商人抗拒政府的收稅員，拒絕他們查帳，把他們驅逐出城去。本月初，他們到巴黎演說，要求一切參加他這運動的人都向政府顯顯顏色。

普加特自詡：「我們是紀律嚴密的，我叫他們前進一步，他們就前進一步；我叫他們後退一步，他們就後退一步。」他們的許多會員不顧大水，不顧政府的阻止、警察的勸告，仍紛紛趕至巴黎聽他的演說，政府的稅務官雖大感困惑，也束手無策，祇好看着他們進行反納稅示威。巴黎的三所巨大會堂都禁止他們借用開會，但在巴黎郊區，普加特却獲得二千所會場，對十萬羣衆發表煽動性的演說。普加特還相當年輕，他自稱是「納稅人的羅賓漢」，他的演說，侮辱總理，也侮辱了政府及內閣部長。「我們應該得到這個餅中我們的一份」，他喊道：「從明天起，我們決不繳付任何稅款，直到政府實行適當的財政制度時爲止。贊成嗎？」羣衆隨聲附和，也喊道：「贊成！」普加特所要求的改革是：逃稅的人一經查出，不能處罰；政府應取消調查逃稅；過去的逃稅也都特免處罰。

政府對這些反納稅運動的反擊，是發表了一批統計數字，表明法國的一百五十四萬小商人中，有五分之四在一九五四年內，向政府填報的營業數字，每月平均盈利，僅有八十九美元；而一般職員每月還有一百另四元的收入。法國的小商人差不多人人備有二本帳簿，一本記錄實際的營業收支，另一本則都是假帳，專供收稅員查看的。政府也明知這種情形，所以在發表統計數字時曾說：「小商人中顯然有許多人虛報。」可是政府這一步驟並未獲得若干效果，在法國南部和西南部，普加特的支持者，仍在將收稅人驅出城區，結衆攻擊警察，甚至衛護收稅員的軍隊也無法應付。普加特聲言，他的反納稅運動到現在爲止，也有八十萬人參加，而且正逐漸向其他地區蔓延，官方也私下承認：「在魯艾爾河以南，我們對這局勢已無法控制了。」

普拉特對政府沒收拒絕納稅的商人的財產，也有他的特殊辦法。這些財產在沒收後，都須舉行公開拍賣，到這一天，普拉特手下的人便聚集拍賣場，以令人不可置信的低價將這些財產拍得，然後再還給原主。政府對這種惡作劇，自然也毫無辦法。（摘譯時代週刊）

本期稿擠，「砂撈越風光」下期續刊。

從一個人物素描說到社會問題

—並悼謝東伯先生—

‧陳伯莊‧

（一）

跟着我的「俄國顧問」站在火車頭司機座位之後，熊熊大火的爐門之前，從南京上海，沿滬寧路往返，欣賞俄國顧問的技術，開動時如何漸次加速，快入站時如何漸次減速，司爐如何拋煤入爐方能來維持充足和平均的火力和汽壓。眼看，口問，耳聽，手寫筆記，就這樣在這水火既濟風雷震耳的機車中，在江南平原險寒天色裏的奔馳中，向「顧問」學習了七個小時而到上海。這是民國卅六年冬的事。

他並不是「俄國顧問」，他雙目炯炯，聲音洪亮，方面，大眼，隆鼻，動作敏捷而有力。當我初次調他到京滬路擔任機廠總管時，廠工們不知這位工程師是誰，就祖率的喊他爲「俄國顧問」，其後他做了京滬路局局長自然大家都明白他就是出身日本帝大機械工程學士，歷北甯平漢粵漢各大路成爲鐵路界機務和運轉的領袖人才的謝東伯先生。

今晨打開工商日報一看，看見好些鐵路界舊同人凌鴻勛，[illegible]等諸先生的啟事，才知道謝東伯先生去年底在日本逝世了。多年來東伯的血壓很高，「其[illegible]太平輪將遭遇厄」（際遇中語）當然難逢永年了。須知他把妻子們送上太平輪赴台乃是遷在卅七年秋冬間的事，這是他決心選擇自由，決心選擇顛沛流離的表現。東伯是一生廉潔，事事認真的公務員，是鐵路界機械運轉的領袖人才。

（二）

從東伯的一生廉潔，我們可以窺探到中國的政治問題和社會問題。當中共及其同路人提出「貪污」兩字，來向國內和國際打擊政府之時，陳立夫曾經說過：「奇怪的不是在這許多人習於貪污，而是在這居然有許多人不肯貪污。」這話是不是掩飾醜惡的飾詞呢？據我所知，鐵路界與及一般國營交通工礦事業界中，的確有許多潔身自持不肯貪污的人士。謝東伯即其中之一，其中理由何在呢？

第一，鐵路界雖不像海關那樣「鐵飯碗」，而郵務，銀行等的「準鐵飯碗」，並無遜色的。在法幣未進入貶值狂潮之前，待遇又是比較過得去的。職務既比較專門技術化，而從業員又爲多受有教育的人們，不須裂冠毀冕寡廉鮮恥來爭食。有了這幾樣穩定因素，所以一方面事業本身自然進入職業化，而從業人員，由於比較穩定的環境養成了一種循規蹈矩的習慣以求存。

第二，膽大妄爲的人們尤其具有膽大妄爲的能力的人們，還是少數的。又因鐵路界的升遷是非常緩慢的，傑驁不馴一步便想登天的人們是不屑選擇這樣的出身的。爲了事業本身具有這樣個別選擇的號召，對其招手的反顯多爲循規蹈矩的人們，所以這一社羣中的人格類型分佈的統計分析，便比另一社羣，如軍界，其成份便顯然相反了。我們試一分析交通大學和保定軍官學校學生的性氣，心志，於這兩界分途的迴避站。已自顯然看出這分別了。曾經聽一朋友說過，唐紹儀有一天問他：「爲甚麼我唐少川做到這樣大的大官？」這朋友當然拿些恭維不到家的諛辭回敬他。唐聽了不耐煩，於是狠自矜誇地自行坦白說：「老實告訴你，我的本領，就在膽大又糊塗！」

（三）

第三，由於（一）所說的環境，和（二）所說的人格類型，其交互影響造成一個甚麼局面呢？碰着廉潔的首長，貪鄙成性的從業員，除非另有有恃無恐的靠山，爲着保持「鐵飯碗」打算，便知所斂跡，熬過荒年（廉潔首長任內）以待豐年（希望下一任來個貪污首長）。而廉潔自愛的從業員，便能稍伸志願認真做事，然仍顧慮多端，爲着保持「準鐵飯碗」打算，決不肯知無不言，得罪同事，自挑蛇窠。碰着貪污的首長，貪鄙成性的從業員自然心領神會，膽大些的便想「過海便是神仙」，膽小些的還是覺得「準鐵飯碗」要緊，貪污亦要講究乖巧。廉潔自愛的從業員，亦復飽歷滄桑，明哲保身保「準鐵飯碗」。不論廉潔也好，貪鄙也好，他們的人格類型有一共同點，就是不是膽大妄爲的唐紹儀型。有一次，我在鐵路同人同樂會上聽到一個編出來的笑話；一個摩登小姐，深秋九月戴上雪白的麂皮長手套，赤膚玉腿穿上高跟皮鞋。旁人問她：小姐，您手臂怕冷穿上手套，難獨您的脚不冷嗎？小姐很清脆而嫣然的答復，這樣打扮正和你們瞞上不瞞下一樣呢！這段胡謅的鬼話，恰恰形容了這時代鐵路界的人事靈魂。

第四，鐵路界的機務和工務都是近代工程科學的實踐。這方面的從業員發揮了費伯倫 VEBLEN 所謂變把工作做好的天性。而且這高級技術其內涵的理趣，使從業者的精神多少有這寄託。可以機工方面的情操又與運務業務方面的不同。

謝東伯先生是此中的健者，數十年替國家服務，末年在日本東京過其素不擅長的商業生活，貧窮孤獨而逝。我們仿佛聽見命運之神還在嘲笑他說：「你不知國家祇是個啞巴嗎？有機會不抓錢你自合該窮死呀！」東伯口吃平時說話常說：「這個時候的時候，……」誠然，這個是高唱反攻復國的時候的時候……！

如何做一個現代新智識份子（中）

·代賢·

積極進步的人生觀

第二、新士大夫的人生觀應該是積極的進步的。不應該保留一些頹唐腐敗的人生意識，這種新人生觀約包括三大原則：（一）積極的做人精神。挺起身來，頂天立地的入世做人，面臨艱苦患難的人生，勇往邁進，必毋畏縮不前，更不容臨陣脫逃。人生戰場上要做一位勇敢的鬥士，不以人的毀譽為得失，而以道的是否為進退。（二）積極的救世精神，新士大夫不是獨善其身的，而應該是兼善天下的，積極做人是救己，積極救世是救人，救人必先救己，未有己不救而能救人的，「己欲立而立人，己欲達而達人。」便是這等意思。救己是對人生負責，救人是對天下國家負責；「一夫不獲，若己推而納諸溝中」「天下興亡，匹夫有責」，皆是救人的責任，甚至不惜生命與之，而成仁取義，如耶穌上十字架那樣的犧牲，不求苟免，這是救人的極致。（三）積極的行道精神，新士大夫應對文化學術負責，啟發新文化學術的途徑，破除那種與道相悖的異端邪說。具體的說即是如何建立今日的新倫理，新民主，新科學。同時對馬列主義唯物主義的異端邪說加以說服破除，或予以改造自新，使新倫理新民主新科學確實建立起來，成為天下的大道，有了這個大道，而後才可以「大道之行也，天下為公。」使中國人乃至全世界的人都有一條光明的人的道路可走。這便是新士大夫對文化學術應負的責任。今日新士大夫的新人生觀應包括這三大原則，才可以確實的建立起來新士大夫的人生觀。

生活的新規律

第三、新士大夫的生活應該有一種新的生活規律！這種新生活規律約包括三個綱領：（一）生活勞動化，新士大夫應該是一個廣義的勞動生產者，不論體力勞動，精神勞動，都應兼而有之。新士大夫再不應是那種肩不能挑，手不能提的文弱書生，更不應該是不勞而獲的剝削階級，必須直接或間接參加勞動生產，自食其力。（二）生活平民化，新士大夫站在平民當中，應做一個真真實實的平民，新士大夫不論從政做官或從軍為將，都應始終保持平民生活，而且必須自然，不可虛偽做作。（三）生活藝術化，新士大夫並非槁木死灰，不必裝成那等道學模樣，做出一副假面孔，應該使生活藝術化。這即是一種新的禮樂生活。從前的士大夫，都喜歡彈琴，他們是很懂生活藝術化的要領的。但是後人將它變質了，便成了那等望之儼然的道學模樣。其實原來就不是如此的。所以新士大夫應該恢復這種藝術化的生活，養成活潑潑地的天機，蓬蓬勃勃的朝氣。所謂藝術化的生活，並非在燈紅酒綠之下消歌漫舞，而是一種接近自然的生活，如孔子的「曲肱而枕之，樂亦在其中矣」的生活，亦是藝術的生活，當然這所謂藝術是廣義的，不受狹義的限制，但亦非全無狹義的限制。如管樂演奏，詩歌合唱，都是正常的藝術生活。不過，在沒有具備這些條件的時候，也一樣可使生活藝術化，如屈原「澤畔行吟」，陶淵明「採菊籬下，悠然見南山」，陸放翁「簷前水漲邊無路，柳暗花明又一村，」皆是高度的藝術生活。這種藝術生活，唯獨士大夫享有，常人雖有之而不覺。這種廣義的藝術生活，士大夫真可享受不盡。像這樣的生活，也可以說是生活精神化，使人類由物欲的生活解脫而發展到精神的生活，以精神發揚物質，而不受限於物質。所以生活藝術化，亦可說是生活精神化。士大夫就懂了這一點了不起的精神，可以使地獄變成天堂，囹圄變成學院。「人也不堪其憂」，而士大夫卻「不改其樂」。孔子不辭九夷之陋，顏回不苦簞食瓢飲，皆是如此的藝術生活支持着他們。這種勞動化，平民化，藝術化三位一體的生活標準，便是今日新士大夫應該有的生活規範。新士大夫必須這樣始強而有意義的生活在世界上，才可以擔負新時代的責任，一個新士大夫對這種新生活的規律是應該身體力行的。而各人運用之妙，則存乎一心，全在各人修養上見功，不可一概而論了。

行為的準則

第四、新士大夫的行為，也應該有個準則。行為當然包括言語舉止等等而說，這種事情，本是最難有個準則的。由於人情之不純，甚於人性（內）而發的行為（外），自不免不盡妥善。人的行為必影響於人，行為不是個人的，而是社會性的。因此，個人的行為，就不能不注意了，尤其是士大夫的行為，直接間接受其影響的是全社會，其影響所及更深更大，所以更值得注意。中國倫理道德的主要目的，即在給人羣一個正確的行為準則。

我們要萬分警惕

——不要為「黑市交易」所犧牲——

讀者論壇

錢天任

美國的外交政策，有些真令人難於索解。就拿這次協防台灣海峽而論，他們的措施實在巧妙到了極點。一方面虛張聲勢，調兵遣將，大擺陣容道。像煞有介事的警告中共，「你們如果進犯台澎？我們不惜和你們一戰。」一方面又力勸我們撤退大陳，避免和中共正面衝突，以免牽累她本身加入戰團。更進一步由紐西蘭代表出面建議台灣海峽和平，並由聯合國名義邀請中共派員列席安理會，辯論停火問題，這種兩面討好的外交政策，大有手揮五弦，目送飛鴻之妙。

（一）

像這樣的態度，宛似路遇盜刦，行人出而調解，力勸被刦者放棄一部份財物酬謝匪徒，再叱責盜匪：「你得了這些財物，不准再剝奪他的衣服，如果不接受我的警告，再要動手，就是與我為難，我將對你不客氣了。」此外還邀請匪徒商談，此後不要攔路搶刦。在所謂商談中，極可能再由那倒霉的被刦者犧牲更多的為匪徒所覬覦的東西，來作將來「和平相處」的代價。請問這種「勇以赴義」的斡旋朋友，那被刦者對於他的「仗義執言」，是不是到了啼笑皆非的地步？

「自力更生」是我們的古訓，「靠親不了」是我們的諺語。值此正義消沉，尚詐偽的時候，我們的國勢已經到了危機四伏的階段，唯一的出路是自己挺起胸膛的站起來，和中共拚一個你死我活，決不可自我陶醉，認為有「泰山之靠」的好朋友。他們會出力保護我們，可以在「小朝廷」裏安富尊榮。如果再不澈底的警惕，到了「黑市交易」成功之日，我們便成俎上之肉，那時候就是哭訴無門了。

（二）

我現在還要正告我們的「好朋友」：我中華民族有好幾千年的文化，歷史上的奸雄，車載斗量，他們所玩各種各樣的把戲，我們都能夠洞燭其奸，到了相當的時候，沒有一個不自食其果的。我們不幸現在出了自殘同類的賣國奸賊，過去數年，俯仰由人，已經是夠苦了。現在又被人戲弄到這樣的可憐地步。但是我們決不可妄自菲薄，我們有四億五千萬矢志鋤奸的善良同胞，假以時日，一定能達到復國建國使命的。

（三）

我們過去因太相信「好朋友」的支援，所以叫喊了五六年的反攻大陸，不但寸土未得，而素所控制的一江山，也被中共搶去，更由「好朋友」的力勸，大陳又放棄了。馬祖、金門等島，極可能在「黑市交易」中，橫被犧牲，剩下來的恐怕僅是替「好朋友」作外衛的台灣孤島，我們如果再不迷途知返，完全聽任我們「好朋友」的擺佈，現在這個復國建國的「若根」——台灣，在他們有利的時期，恐亦將被人出賣，所謂解救大陸難胞，所謂剷除賣國奸匪，恐怕不是在本世紀內所能夢想。而血海深仇勢將永遠沉淪於太平洋，悲夫！

四十四年二月二日稿

遞解出境應予改善　各界注視罪犯改造

香港三日

遞解法令施行的主要原因，是為確保本港社會安定與秩序。凡是非香港出生之人，一經判罪而刑期逾一年者，法庭有權考慮援引該法令將其遞解出境，但在執行上，過去經由港督簽發遞解令，而由警方執行遞解的中國籍犯，或被認為無留港必要之人，通常送往華界交與我地警察機關接收。迨中國大陸陷共，共黨對於此等出境之人，除非與中共有關係者，拒不接收。因此本港治安當局對此問題頗感困擾，但法庭既已判令離境，旨在杜絕後患，非執行不可，因之當局乃採取權宜辦法，將出境者解往中英邊境，驅入華界，算是責任已了，但招致共軍開槍而造成慘劇，已數見不鮮。當局鑒於此等悖理之舉，也曾設法遞解往台灣；台灣亦多未加接納。然判令出境之人，至多也僅應該「遞解出境」，而並無死罪，就法理人情與國際常規說來，均不容存在這種「權宜」性而有如置人死地的遞解措施。雖然，被判遞解出境者大多數係屬不受歡迎之人，站在人道立場，對於此等不受市民歡迎之人，相信每個稍有理智的，對他們多少會有憐憫與同情之感，到底他們並未犯有「一死令人稱快」的罪責。因之當局乃闢蹊徑，警方將遞解者用船隻送離英境，任其流浪港外荒島；當局處理一個違例的人，原無設想犯罪者判決以後處境的必要；然出境潛回之人加刑三月，屢見不鮮，迄今仍難遏止。

過去本報屢有建議，給予應行遞解出境之人一條自新之路，社會人士亦有同感，何明華會督也以人道立場，擬向港府建議改善遞解辦法。尤於最近發生之「大山」島慘劇，人們對於十五名逃抵澳門之出境者，不但給予他們適當救濟，而尚有百餘名因飢寒死亡莫不關切，此種無異判處死刑的遞解出境者之遭遇，以使當局加強了修正遞解法令的信心，立法局最近一次會議中，已首讀通過律政司所提「遞解外國人（非英籍人）條例」修正案，而賦予當局於簽發遞解令及撤銷遞解令有較大權力，同時應受遞解的人犯，將獲有較多的自新機會。初次獲見此項權力所採取之行動，乃本月一日港府會同行政局撤銷六十名括有偷竊，吸毒及其他輕微犯罪行為而被判處遞解出境之命令，他們均已由警方代向裁判司請求准予每人簽保五百元，保證三年內約束行為。此種措施，不特受者感激當局之盛德，即一般市民亦莫不贊佩。但人們所顧慮的，即對於一般罪犯既給予自新機會，應如何使其獲致生活憑藉，乃是社會人士不應忽視的問題。

評：勾臉的人

易金著　亞洲出版社出版

·田雪·

亞洲出版社最近出版的一本易金著的小說「勾臉的人」中，有一句很值得尋味的話。書中描寫一個在劇團中扭任丑角的劉全玉，不願回到大陸去，當人們問他為什麼不去時，他回答說：「就因為那邊是小丑的天下！」

小丑天下

為什麼小丑不願到「小丑的天下」去？就因為戲台上扮演小丑角色的小丑，和現實生活中板起面孔冒充正角的真正小丑，有着根本不同。

小說「勾臉的人」的作者易金，用這種技巧的筆法，描繪出這大時代中的一些真正的小丑，怎樣欺壓一批被小丑認為是「小丑」的有靈魂的藝人。書中有許多像這樣的技巧的描寫，例如書中描述一個在海隅作共特的唐虎，是個絕無僅有的尚有一點天良的共產黨員，作者在描寫他的情感與理智的鬥爭時說：「一個人把時間在腳底下慢慢磨滅，等於思想上了斷頭台被絞殺，一個舞女習慣了在蠟板上作『生活方式的思想散步』，麻木的感情正同於今天下午唐虎的徘徊在太子道上。……唐虎自己也不知什麼是真感情，人為什麼沒有感情？有感情而偏不能作出感情的事，他常常矛盾地感情地想起這些有魔鬼在作弄着的大問題。」文藝創作中的技巧，怎樣才能生動地襯托出作品的思想內容？在「勾臉的人」中有最好的答覆。

反映時代

「勾臉的人」的故事，是描述一個流落在香港的改良平劇團，這戲團的台柱是個酷愛自由的勇敢、堅定、而又熱情的女伶金麗珠，作者通過她和劇團的人物，反映出自由藝人在香港所受的誘惑、壓迫和奮鬥，同時也反映了一羣藝人在這「背逆的時代」中的心情。作者用高度藝術的文字技巧，反映出這時代的實在情況。

記不起在那一本文藝理論的書籍中，會見到過一段關於批評在文藝作品中運用技巧的「理論」。它的內容大致是說：「技巧」是個沒出息的名詞，甚至認為是笨拙的。因為，它的外貌太欠忠厚了，任何人都能看出它的虛偽。因此它認為，在寫作中就不應當採取這種「江湖手藝」，認為寫作應有「直吐的勇敢」，如果作品能訴出當代的憤慨，就不必藉「技巧」來闡謀不朽。

文字技巧

然而，在看了「勾臉的人」以後，就使我們認識到這種「理論」的荒謬。一個作家運用文字，正如畫家使喚色彩。他可以畫山谷中清溪旁的一枝古松，也可以畫千軍萬馬出征的場面，但他必須用手中的工具描繪出一幅訴諸觀衆感官的藝術品。如果他沒有浪漫和音樂韻料，和有卓越的技巧，在那畫面上應該沒有形式與內容的距離。一個適當的和諧的安排，將使我們忘記畫板，而投入畫中的景界。文學作品也正是這樣，字不是死板的東西，在字典裏它們都僵着，但當成凝結結地跳出來時，它們就活躍了。活躍的字，正如活躍的人，和死的相較，在價值上有懸殊的差別。字典裏有的是字，人間有的是情景，但惟有一個善於選擇和安排的作家，才能使死的字變成活躍。

小說「勾臉的人」就是把你我現實生活中的情景用活躍的字反映了出來。這裏沒有直吐，而充滿了寫作的技巧。

控制讀者

所謂「直吐的勇敢」，正是文藝作品中最應該避免的。在作者和讀者之間，總有相當的心理距離存在；「直吐」無法消除這個距離。即使是一篇宣傳性的文章，目的也是使讀者看後，能理解到作者的意思，使讀者心中產生某種預期的反應，而這種反應——不論是同情或憤怒，也全是由作者的技巧來加以控制的。

如果作品不用技巧修飾，充滿了「直吐」的吶喊，那末作品的本身就已經是反應，它能留給讀者什麼呢？戲台上，悲角痛苦地擠出半聲嗚咽來，會引起不少觀衆凄然下淚；但如果悲角大哭，謝謝他，觀衆便可以省下自己的眼淚了！

我們今天都像「勾臉的人」中描寫的人物一樣，生活在一個窄隘的圈子裏。而這些人物正像鎖在動物園裏的新籠的巨獸，當我們的民族在困圍苦惱中，還睜着炯炯的目光，挺起堅硬的脊骨，雖一時不能翻身卻也不甘蟄伏，也不憐憫，時刻敏銳地關心着鐵籠的隙縫。

但我們卻不要這頭猛獸裂開血口來怒吼，這嚇不了人，只有引起恥笑，來自深山的猛獸決不會這樣，正如它也決不會流淚一樣。吼得最響的，屁股也最快。

閒話洋政治家

·馬五先生·

根據在台北的美國新聞記者報導：我政府人士對於美國務長官杜勒斯的評價，有兩種不同的看法，有的認爲他是對我國玩弄政治手段的政客，並非眞朋友；有的說他是自由中國的好友，他在白宮經常抵抗着「歐洲第一」主義派的壓力哩！

不管這兩種看法孰是孰非，但我對於這位時常坐着飛機奔波於歐亞各國的政治家之觀感，我是抱歉得很，恕不恭維！總而言之，統而言之，他似乎不及那位同屬律師出身的前任同僚艾契遜遠矣。

艾契遜在國務卿任內，表現其律師姿態，胸有城府，不隨便說話，杜勒斯先生卻總是說的多，做的少，尤其是好大喜功，動則大言炎炎，甚末「猛烈打擊」啦，「大規模報復」啦，說來好不威風凜凜，嚇煞人也！結果呢，銀樣鑞槍頭，共黨一加威脅，或者「盟邦」稍有異議，他又只好「作痛苦的考慮」，昔何勇銳，今何愚魯！

第二，艾契遜的氣度雖然狹隘，但因爲上過共產黨的大當之後（斷送了中國大陸），在外交上對俄共集團的任何言行，皆不予輕信，表面上卻不露大痕跡。殊不似杜勒斯先生去年在日內瓦會議中，不屑瞧周恩來一眼，然又同意周恩來等所弄出來的投降式協定那種屈從姿態之窩囊。政治家是堅持大體的，杜勒斯先生卻往往易放棄大原則，注重小動作啊！

綜觀他這兩年來主持國務的成就，還不如其在「國務院」時代當顧問時有建樹，然他在共和黨的政治人物中，卻不失爲佼佼者。我常常感覺到：大將軍身經百戰的艾克總統先生，就沒有杜魯門總統先生那股敢作敢爲的氣魄，不免老態龍鐘，缺少了朝氣，因而不能發揮傑出的政治人才，這到是今日美國的一種隱憂！

吳漁山與王石谷絕交事跡考

·一澗·

日前讀本港某報伯子嘗「吳漁山與王石谷」一文，謂漁山與石谷「因信仰不同，由友好轉成路人」，此蓋泥於前人舊說而殊未細考也。

吳王絕交事蹟，廷璵鷗波漁話「吳漁山入耶穌會」一段中，有話如下之紀事「漁山與石谷同邑相友善，而畫亦相埒，惟漁山老年好用西洋法作畫，靈氣縹渺凌虛，迥異乎昔日。相傳其後竟從西教，故有浮海不歸之說，然無確證也。故友王潤甫汝玉昔嘗語予云，昭文張約軒通守元齡，曾得楊西亭所寫漁山小像，出以索題，上有上海徐紫山跋云，余嘗於邑之大南門外，所謂天主教墳者，見臥碑有漁山字，因剔蘚弄碣之，乃知即道人埋處，命工扶植之，碑中大字云，天學修士漁山吳公之塋，兩邊小書云，公諱歷，聖名西滿，常熟縣人，康熙二十一年入耶穌會，二十七年登鐸德，行教上海嘉定，五十七年，在上海疾，卒於聖瑪弟亞瞻禮日，壽八十有七，康熙戊戌季夏，同會修士孟由義立碑。蓋道人入彼教久，嘗再至歐羅巴，故晚年作畫好用洋法，西亭此像作於辛酉，其時猶未入教也。余憶張浦山畫徵錄，稱石谷因漁山借其所撫大癡畫幅不還，遂與絕交。今觀此事，知石谷之絕交，蓋因漁山入彼教，而非爲借畫不還，石谷事親至孝，人品本高，竊交斷席，不忍顯言，故特假細事爲藉口耳」。

其實張氏所言絕交事，不過臆測之辭，漁山與石谷之未絕交，固可以漁山晚年與石谷書證之。此書曾經影印載於東方雜誌第二十七卷第二號，第九十頁，書後並有新會陳援菴先生考證，茲並錄如下。書云：

「憶自蘇堂相會，計有二十餘年，人生幾何，屈指先生之老，與僕俱出。關心如是，仰惟先生之名與智慧傑出於衆，但百年一瞬，歸之備否？吾得今忘後，得地先哭，非智也，知者計之，朝斯夕斯者，猶憾無從，窮迫衰告解時，口心在昏而頹坂，解後補實得當，處領聖寵，以增神力，必有升天之國，此乃第一要務也。幸勿憚煩，諸不宜，潘曜先生有道，半我同學弟吳歷頓首。」

後面陳援菴先生跋云：「右爲吳漁山與王石谷一尺牘，漁山年五十一，始往澳門，入耶穌會學道，習蠟頂文。七年學成，歸職，時康熙二十七年，漁山年已五十七，其後傳教上海嘉定間者三十餘年。此云蘇堂相會，當在漁山自澳回滬後，又加二十餘年，則二人殆皆八十矣。書中言告解聖體皆教中聖禮，所謂七聖事之一也。然告解領聖體，均須在領洗入教而後方能舉行。今漁山以此勸石谷，則石谷必爲曾領聖洗之人。特石谷之領洗，僅爲居士，而漁山之學道，則直出家，故其入教之名尤著，二人本同庚，同里同學，晚又同教，又同享高年，奇也。書中半我二字，甚新，蓋出利瑪竇友論曰，『吾友非他，即我之半，乃第二我也』。王肯堂鬱岡齋筆麈錄友論，刪此句，則半我二字，不知所云。而四庫提要（雜家類存目二）謂友論爲王肯堂所點竄，一若非經點竄，即不能如是者，今友論原文具載天學初函，王肯堂改本亦載鬱岡齋筆麈，試相比勘，未見王所改者爲優，而利原文爲劣也。此牘現藏大阪上野氏有竹齋，內藤虎曾收入清朝書譜，縱英尺九寸一分，橫三寸一分，中闕一字，非傾字即蓋字也。一九一九年九月，新會陳垣。」

語意學漫談

·徐道鄰·

六、「語言地圖」的形形色色

說話之外，人類的說話（除了以後再說的之外），都是有一定的目的的，就是傳達一種事實，也就是替這個事實畫一張地圖。我們說「武昌起義在一九一一年十月十日」，這就是一張語言地圖。所以凡是我們每天所說的話，我們都是在繪製地圖。

看地圖不能代替實地觀察

人類的智慧，是建立在知識之上的。人類的知識，百分之九十以上是從語言地圖構成的。所謂『學』，所謂『學問』，所謂『博學多聞』也者，實際上就是一套一套的語言地圖。同時，不但是一個人的知識和智慧，是建立於語言地圖之上，就是一個整個民族的，甚至於整個人類的文化，也是建立於語言地圖之上。語言地圖的功用，可謂大矣哉。不過這一件事實，也有它的害處。就是我們人類，尤其是所謂智識發達的人類，因爲從出生到成人，一直在吸收語言地圖，以致養成了一種過份倚賴語言地圖的壞習慣。我們往往祇在地圖上用功，而不肯去實地上去觀察，甚至於有時候祇相信地圖上所看到的，而對於我們在實地上親眼所看到的，加以懷疑，甚至於加以否認。

第二次大戰中的美國名將巴頓將軍 GENERAL GEORGE PATTON 在他的回憶錄上說：『我在一九四四年七月二十九那一天，到庫堂斯 COUTANCES 去觀察戰事，發現一個裝甲師停留在大路旁邊，而它的師本部卻躲在一個老教堂後面拚命在研究地圖。我問他們爲什麼還沒有渡過這條河 SIENNE，他們說，他們正在研究這個問題，因爲他們還沒有找到一個可以渡河的地方。我問他們用什麼方法來找這個地方，他們說他們正在研究地圖，就是爲了這個目的。於是我告訴他們，我是剛渡過這條河回來的，河水不過兩呎深，敵人所有的防禦，祇是一架輕機槍，而它對我射擊時，瞄準並不很佳。接着我就問他們，他們是犯了什麼毛病，不肯實地到河邊去看一看？自此以後，他們這一次總算得到了教訓，他們一直是一個很優秀的師團。』（十一）

次曾寶蓀女士『秋興八首』之三韻

·本際·

『和仲威秋興八首韻分簡諸弟』之三

·曾寶蓀·

山河百二亂斜暉，芳島棲遲總式微！畫地有言終謬誤，沖天無計奮飛飛！浮沉人海恩情薄，顧影林泉志願違，此日黃花空把酒，澄湖蓴負蟹螯肥。

不用揮戈反夕暉，怡愚心地轉危微！力耕竊足豐車困，晴點龍頭捷畫飛。城郭人非因柱槙，山林誰啓願傷違！民財聚散經宵永，大我匡贏小我肥！

載賡前韻

·彭楚珩·

天縱清暉惜落暉，人間焉不獨幽微？笑看糞土危牆補，雖怪雲鴻草地飛。旭日無私蜀犬吠，帝堯有道許由違，法天能大成家國，民瘦莫教宰相肥。

後記曰：近宿圓光寺，本際上人出示曾寶蓀先生步曾仲威先生之秋興八首原韻，上人亦次韻其三。並屬鈔示，援抵台北，細加吟哦，情殊難已，乃載賡歌之如上云。

風流狀元張季直

·夢山樓·

文章千古事，風流天下聞。這兩句話，相傳是張季直逝世時他的老友借來挽他的，寥寥十個字，把滿腹經綸，一代風流的張狀元，活活的寫出來了。

（一）

季直先生江蘇南通人，他的經歷，時易文叙明，這兒敘些他門前的趣事，他那南通縣政府的所在地的舊事：『曉得昔是州今是縣，長江之尾海之端』。這是他親撰的對聯，俯拾事蹟，隨手寫來，輕鬆簡雅，言人人所能言，不易寫得出，才人筆墨，畢竟不同凡響的。

他中狀元後，州牧及地方父老，歡喜欲狂，便把城中魁星樓改爲果然亭，到他眞個果然亭時，覺得中狀元，不過適逢其會，亭名果然，未免貪天之功了，又把亭名改爲適然亭，並親書一聯：『世間科第與風漢，檻外雲山是故人』。復以跋語：『余以清甲午成進士，州牧邦人擴魁星樓詩語，爲果然亭，世間萬事，得其適然耳。壬巳，余修亭，不敢承前意也。適然之事，以適然觀之，適得浩翁書，遂以爲牓。』

（二）

這樣精力充沛，才氣過人，又具有遠大眼光的人物，不能得志於天下，退而辦一州的事業，自有他過剩的精力，無所寄託，那便免不了『英雄難過美人關』的舊習了。本來，美人是天地間尤物，不多產生的，英雄才子，相互消受，才不辜負所生！所以，自古聖賢豪傑，自然趨勢，張先生蘇州美女，沈壽，別號雪宦，農工商部部員蘇人余覺之妻，擅於刺繡，精絕世所罕見，曾經慈禧太后召見過的，她的丈夫徒有潘安的姿容，年方三十，但才可想而知了。也就她因此多愁多病，習所課徒。季直先生愛其藝，特在南通開辦女工傳習所，聘她任所長。由她口述，季直先生筆錄成繡譜一書，以傳其藝，又建築一所謙亭，做她養病的溫床，她用自己頭髮繡成謙亭兩個字來報酬他。（上）

更正　本刊上期第四版紹華念奴嬌詞，「奈何無賜鵝首」句，賜誤植觀。

秘密

·羅須·

於是，再賢摘着媽媽來到桌前，擺在桌上的熱騰騰的蓮子羹，冒出一團團熱氣，一時也把這些不愉快的氣氛沖散了。再賢想藉吃東西來帶走媽媽的難過，便把一碗再移近媽媽面前一點：「媽！你看這雞蛋多好啊！我祇希望永遠吃到煮得這樣好的東西呢！」

爐火吐出熱烘烘的火燄，可是不能烘暖老太太冰冷的情懷，她祇苦笑着，沒有說什麼，把蓮子羹一匙一匙，慢慢地送進口裏，很艱難下咽的樣子。再賢則很快就吃完一碗，因爲她以爲很快點吃完，就可聽到媽媽再說她的秘密了。女僕見她吃完，說：「小姐！給你添一碗吧！」

再賢看着媽媽，見她祇吃了少許，心裏有點着急，但是不能在面前表現出來，祇好說：「給我半碗好了，我陪媽吃。」

第二碗再賢沒有馬上吃它，手裏拿着湯匙攪着冰清的糖水。

「媽！你爲什麼這樣難過？好的告訴我吧！」

「我卻要告訴你，你也不必太難過，我會告訴你的，但你會不會難過呢？」

女人，因爲我的爸爸太好，反而斷送了我的一生幸福，以致造成今日我對你爸爸的憎恨。」

「那麼，爸爸也曾害人了？」

「不錯，在我年輕的時候，還是個天真的女孩子，一心一意要嫁個好人家，一切都……」

自由人

THE FREEMAN
（總四一三期）
中華民國僑務委員會頒發登記證台教新字第一一第二號
中華民國郵政登記第一類新聞紙類
（半週刊每星期三 六出版）
每份港幣壹毫
台北市售價台幣壹元
督印人：羅嘉猷
地址：香港高士威道二十號四樓
3 rd. fl. 20 CAUSEWAY RD HONG KONG
香港發行及事務接洽 高士打道66號 電話：七四〇五三
承印者：東南印務出版社 地址：高士打道六十四號
海外總經銷 友聯書報發行公司 香港：德輔道中二十六號A二樓
台灣特派員辦事處 台北市館前街五十號
台灣總經銷處 台北市西寧南路一一〇號二樓 台郵撥儲金戶九二五二

對芬蘭的懷念

‧陶百川‧

最近在美國『外交季刊』第三十二卷第四期中看到哥倫比亞大學教授吳陵（J. H. WUORINEN）的『芬蘭在守衛着』一文，知道闊別了十九年的芬蘭，現在雖被關鐵幕之內，仍能卓然自立，維持着自由民主制度。這個可敬可愛的『千湖之國』，殊成有她的朋友，落月屋樑，懷念她的，當然不止我一人；而我今天所以特地寫這篇短文，主要的目的，是想寫出她的可敬可愛之處，以供我們的借鏡。

守信重諾的表現

芬蘭是北歐一個小國。人口四百十三萬，祇有台灣的一半，但面積卻大於台灣。（台灣是一三，八〇〇方哩，芬蘭是一一七，九七〇方哩）。她在國際關係中從來不佔重要的地位，不比我們今天的台灣，已有舉足輕重之勢。她所以能得世界的同情，而為大家所嚮往，主要的原因，是在她的精神方面；她在精神方面的若干表現，簡直可做人類的模範，其中最難能可貴的，就是償還美國借給她的戰債。

芬蘭在一九一七年俄國大革命以前，本是俄國的附庸。在第一次世界大戰中，她利用帝俄的崩潰，爭取獨立；經過艱苦卓絕的奮鬥，直到一九二〇年十月十四日才得赤俄的承認。美國因為對她表同情，陸續借錢給她。美國也借過好多錢給協約國；這些借款，後來統稱為戰債。在二十世紀三十年代，戰債成為國際間一個大問題。原來那時歐洲的許多債務國，因為戰後民窮財盡，連英法等大國在內，對於美國的借款，都頗賴不肯償還。希臘比較好，但償還了一部份，也就中止。祇有芬蘭卻始終維持債信，分年清償，從不間斷，直到第二次世界大戰爆發時為止。

芬蘭是一個窮小子，在大亨們都在賴債的時候，何妨也來一個『以待來年』，然而她卻不肯失信於人。這種偉大的表現，引起了全世界對她的注意和尊敬，尤其是在美國方面，國會因此通過了一個決議案，說：歐洲的大亨們聽着！你們有能力還債而賴着不還，以後休想再向我們伸手。至於芬蘭，重諾守約，令人敬佩，以後如有需要，我們自當慷慨解囊。（大意如此。希臘也似乎不在抵制之列，但我記不清楚）。

令人敬佩的印象

一九三六年，我在美國參加了哈佛大學學生的遊覽團體，取道北歐各國到蘇聯去遊歷。我記得到達芬蘭首都赫爾新基的時候，已是下午二點鐘，匆匆遊覽一下，本定第二天就動身，可是因為大家對她有好感，臨時決定多留一天。我對芬蘭一個最深刻的印象，就是市內好多大路都用細石舖成，但都非常潔，路上並看不到多少汽車。原因是芬蘭不產柏油，所以沒有柏油路，不產汽車，捨不得由外國輸入。她所輸入的盡是些必需品，如米、麥、糖、煤、鐵和羊毛。而輸出的祇有乳類，紙槳和木材。今天我查了一下大英百科全書，芬蘭一九三九年的政府預算，收入僅有一億多美金。說到窮，她真窮得可憐。然而她的預算是平衡的，她的人民的生活，因為合作事業很發達，（這是北歐各國的特徵），都在溫飽線以上。

所以窮不可恥，窮而無賴才可恥；窮不可怕，窮而不均才可怕；窮不可憂，窮而浪費才可憂。芬蘭雖窮而不可恥、不可怕、不可憂，所以才可敬、才可愛。

鐵幕在芬蘭之東

芬蘭是一個倔強而愛好自由的民族，即使在帝俄統治的九十八年中，（從一八〇九到一九一七年），她已有她自己的憲法和國會，沙皇祇派一個總督去主持大政。一八九九年開始，沙皇一度加強對她的統治，用軍令來指揮一切，於是國會形同虛設。但是不到六年，芬蘭國內就爆發了著名的『全國大罷工』（一九〇五年十一月），沙皇不得不下令恢復一八九九年以前的自治制度。

一九一七年十二月六日，芬蘭宣佈獨立。因為蘇聯的侵略政策咄咄逼人，她曾求助於瑞典，挪威和丹麥。一九三九年，史達林侵入芬蘭，芬人當然血戰抵抗。全世界都對芬蘭表示熱烈的同情，國際聯盟且因此開除了蘇聯的會籍。但因衆寡不敵，血戰一百零五日，芬蘭終於失敗，割讓了十分之一的土地給蘇聯。

一九四一年六月，德國對蘇聯開戰，芬蘭報仇心切，加入德軍攻蘇。相持三年，芬蘭又敗。除割地外，還須賠款三億美金；這個在芬蘭這樣小國所能負担的最大數字，已在一九五二年全部付清。

戰後最初幾年，蘇聯對芬蘭所施的壓力很大，在蘇聯支持下，芬蘭共產黨在一九四五年的國會選舉中，獲得全體議員二百席中的四十九席。政府重要部門，都由共產黨人主持。工會也在共產黨的掌握中。芬蘭似乎是被打入鐵幕中去了。但是一九五一年改選的結果，共產黨失去三席，降為四十三席，僅佔總數百分之二十一點五。共產黨並退出了政府。工會組織也脫離了共產黨的羈絆。而且共產黨對外的名稱，一直是『人民民主黨』，就是為避免引起人民對共產黨的反感。現在共產黨員大約是五萬人，去年三月的總選，投它票的共計四十三萬人，而參加投票的總數是二百萬人。所以吳陵教授認為芬蘭內部的情形，比諸一般附庸，還不能說是怎樣惡劣；『鐵幕尚在芬蘭之東』，這是芬蘭人民不斷奮鬥的結果，實在是很難能而可貴的。

民主自由制度的持續

芬蘭現有六個政黨，它們在國會中的勢力，可就所佔席位表示如下：

政黨	席位
社會民主黨	五四
土地黨	五三
共產黨	四三
保守黨	二四
瑞芬黨	一三
人民黨	一三

其中共產黨和社會民主黨都是左翼，但它們兩黨並不合作。現在的政府，是一個混合內閣，總理屬於瑞芬黨，其他閣員是社會民主黨六人，土地黨六人，保守黨一人。

最近一次選舉，是在去年三月六日舉行。選舉是自由的、秘密的，和公平的。右翼政黨在報上登了很大的廣告，指摘共黨的候選人。一般人本來以為共黨是要失敗的，但結果卻維持了原有的四十三席。

多黨制度是民主自由的試金石，芬蘭現在還維持着多黨制度，所以吳陵教授說：『鐵幕尚在芬蘭之東』，芬蘭尚在鐵幕之外。

但芬蘭究竟是個小國，且與蘇聯壤地相接，蘇聯『臥榻之旁，豈容他人鼾睡』！所以芬蘭對內雖維持民主自由，然對外卻不能完全自主。去年二月，斯堪的那維亞半島幾個國家所組織的一個合作互助性質的 NORDIC COUNCIL 在丹麥的首都開會，邀請芬蘭參加。芬蘭因其意義重大，當然接受邀請，願做會員。但因蘇聯反對，她祇能派出一個觀察員去列席，而他國的代表則都是首相。（下轉第二版）

新聞背景

馬倫可夫為什麼垮台

李加雪

——蘇聯經濟困難的暴露——

第一次世界大戰，德奧、土集團給同盟國家擊敗了。第二次大戰，德、義、日軸心遭到更大的挫敗。他們是給美國巨大的生產力量擊敗的。原子彈發明了，再進一步發明了氫武器。世界進到了原子——氫時代。英法一般人士都以為原子戰爭能夠毀滅世界，世界今後不會有戰事了。本世紀初期瑞典的諾貝爾發明黃色炸藥，爆炸性比較火藥大了好幾百倍。諾貝爾那時也以為世界不會有戰事了。他把賺來的錢捐了一部做獎金。諾貝爾獎金裏頭，和平獎金佔了重要的位置。

好些人以為原子時代只要有原子和氫武器，生產力量遠水不濟近火，退歸次要的位置了。英法好些人士主持這個意見。

克林姆宮的赫魯曉夫卻不以為然。馬倫可夫執政不到一年，國家生產日見減縮。他拿這個題目，迫馬倫可夫辭職。可見俄國仍認為生產力量係征服世界的重要工具。

下面一段資料取材二月十四日的時代周刊。

糧食慌恐工業落後

本月初蘇聯共產黨一百二十五個重要角色在莫斯科一連開了五天秘密會議。蘇聯共產黨執委會開會的事情沒有在報上發表。會議完畢，各報才紛紛登載書記長赫魯曉夫的演詞。事後五天，報上社論仍不停宣揚赫氏的偉論。

下面是赫氏演詞的節要。

嚴寒的冬天和枯燥的乾風影響一九四三至一九四四年蘇聯農業的收成。因為缺乏工具，收穫時間延長到四十五日，麥子的收割損失了四分之一。肉食和牛奶的生產也遭遇到嚴重的挫折，只羊羣的死亡便達到百分之二。

根據赫氏的數字，蘇聯現有牛羊的數目還不及一九二八年頭一個五年計劃開始的時期。蘇聯人口增加了六千萬，國裏牛的數目還遠不及一九一六年。

一九五四年生鐵生產的數目並沒有達到原定的數字，鋼片的供給又不能適應需要。其他金屬、油類、煤斤、和木材的生產都在定額之下。

赫氏說機器工業的生產使用陳舊不堪的方法。電機，蒸汽機，化學藥品，紡織品，貨車，一切農業用的機器，和其他許多重要的機器都沒有達到定額。

赫氏認為蘇聯生產落後，應即作下列兩項補救。（一）增加西伯利亞麥的生產，同時在蘇聯西方推廣畜牧美國種的牛羊。（二）減少消費工業，發展重工業。

赫魯曉夫的政策

赫氏盛譽美國的家畜，和美國畜牧方面的成就。他督促蘇聯合作農場種植美國混合種草料，供給牛羊食糧，並要求於一九六〇年增加粟米產量八倍。

赫氏說，列寧的教訓是，發展重工業作為改進農業，和其他物質的基礎。史達林是遵照列寧教訓進行的，現在和將來也應該遵照這個教訓。赫氏說，主張增加消費物品的人士有破壞國家建設的嫌疑。那是一種最嚴重的錯誤，根本違反馬克斯和列寧主義的精神。赫氏雖然沒有指出誰有破壞國家建設的嫌疑。那是在座的人都明白曉得的。馬倫可夫於一九五三年八月宣稱，蘇聯能夠擴大輕工業的生產，他答應俄國人民此後可以獲得更多的糖菓，電視機，和皮鞋。

大炮戰勝了牛油

一九五四年蘇聯輕工業增加的產量實在是微之又微。根據中央統計局的報告，人造絲織造的內衣增加了百分二十七，棉織品的產量也增加了百分之六。量雖然增多了，質可還不及標準。只有鋼琴，照相機，香檳酒，和香烟的產量是增加了。

赫氏的新計劃是這樣，蘇聯的預算雖不增加，國家將發行新公債。蘇聯的新預算把軍費增加了百分之十二。

赫氏主張增產，特別是重工業。馬倫可夫對於生產沒有辦法，只好走。赫魯曉夫戰勝了馬倫可夫，大炮戰勝了牛油。

業週展望

‧左舜生‧

『紙老虎』和『紙貓』

大陳撤了，中共究竟沒有敢加以干擾，這表示中共對於『紙老虎』到底還是膽怯。

我們湖南，有一種奇怪的風俗：便是當一個人病到纏綿床褥，醫藥罔效的時候，這位病者的親屬或左鄰右舍，往往會提個有趣的建議：『何以還不好呢？怕是中了什麼邪吧？還是趕掉一隻貓吧！』（貓字的音讀，在我們長沙和毛字差不多）這種『趕貓』的風俗，至少二十年前在我們長沙還是十分流行的。其程序是由紙紮店買來一隻七八寸長四五寸高用白紙和絲紮成的小貓，貓身上還有許多斑紋，頭上還寫着一個『王』字，非常神氣。然後由病家請到一位巫師或道士之類的人物，買上香紙蠟燭，一份三牲，（包括一小塊肉，一隻小魚，再加一枚鷄蛋）有時還從這塊肉上割下一小片，塞在貓的嘴裏，然後再把它放在桌上，好像是一尊神像所應處的地位。這一切手續俱已完畢，乃由這位巫師或道士開始作法，口中唸唸有辭，打拱作揖，大致是勸這隻貓啣着這片肉到別的地方去，不要繼續在這裏騷擾，貓似乎也欣然同意。但最後卻由巫師把貓放在手中，揉成一團，火而焚之！據說這個辦法很有效，病者往往可以霍然而癒。

我最初聽到中共叫出『美國是一隻紙老虎』的口號，心理想，假如美國真是一隻『紙老虎』，中共充其量也不過是一隻『紙貓』。美國這一次總算替中華民國趕了一次，勸我在大陳撤退，也正如割了一片肉塞在貓的嘴裏，可是這位不高明的巫師，卻忘了把這邪惡的貓一火而焚之，我想病是不會好的。也記住：『趕貓』只能趕一次，我們也沒有多的肉可以一割再割，金門馬祖是斷然不能再讓的！

俄國又一次的政變

由於馬赫的暗鬥，馬倫可夫終於被赫魯曉夫趕走了！我奉勸大家不要在蘇聯的政策如何的變化上去枉費心思，要知道這只是一個獨裁國家無可避免的一種醜惡。

一個獨裁者所處的地位，在實質上正如中國舊日的皇帝差不多，皇帝的味道，總是人人都想一嘗的，因此為了皇位的繼承，兒子殺老子，兄弟殺哥哥，在中國歷史上也成了家常便飯，何況區區的派系鬥爭呢？

幸而墨索里尼和希特拉都是及身而絕，否則一幕一幕的醜劇，也不知已經在意德兩國搬演了若干次哩！

我相信：除非莫斯科經過一場原子戰爭的大火，或北京的太和殿，保和殿，紫光殿……這些封建殘餘也已化為灰塵，這類醜劇一定是要繼續上演的。

所謂十國會議

蘇俄的統治者異想天開，居然建議召集所謂十國會議，希由此來解決台灣海峽的爭執，所謂十國者，即除美、英、法、蘇和中共以外，再加上參加科倫坡會議的印度、印尼、緬甸、巴基斯坦和錫蘭五國。

蘇俄不要中華民國，其目的在痛快的來一次『缺席裁判』，艾登先生更聰明，他覺得非有中華民國不可，其目的乃在從事實上抬出『兩個中國』！

今天的所謂國際陰謀，實際上都很有限，我們當然是不會上當的。

台北展覽時裝的一幕

台北一位少將階級的軍官，率領二十餘位便衣鬥士，居然搗碎了一個展覽時裝的大會，而且對於少數外賓，表現了一種不太禮貌的行為，因而這位少將乃以擾亂社會秩序的罪名被捕。

假如這件案子沒有其他的背景，而純粹是出於一種對於時局的悲憤，我總覺得是『罪無可恕，情有可原』！

國外通訊

美國經援的內外矛盾
—並論美國的經濟政策—

·楊懋春·

【紐約特約通訊】第二次世界大戰甫告結束，美國即以仗義疏財的風度和輔助自由世界戰後復興的責任感，向非共產黨國家拋出大量金錢與物資，以為援助。希望那些被戰爭破壞的地區能早日恢復元氣，人民也得早日走上正常的生活。此外，也希望共產主義和共產黨的擴展得藉此而被阻止，以免紅禍泛濫於全世界。平心而論，這確是美國在近十年內所作對外援助的政策和目標。到了今天，如把過去的事業作一通盤結算，各方面所得的結果是什麼？也可以說，接受經援的國家起了些什麼變化，和美國由此而得的酬報是什麼？

經援的目的和效果

約略說來，美國的金錢和物資在西歐各國發生的作用最偉大而顯著。馬歇爾計劃使被破壞最利害的西德不特恢復了元氣，而且已開始走上繁榮之路。西德一般人民的生活程度已經超過某些鄰國人民的，比中東及遠東各地的更高。法國因為受了政治及社會各方面的傳統弱點，不善利用外援，其進步比較遲緩。但因為她從馬歇爾計劃中所得的最多，所以在最近兩年來，她的經濟情況也逐漸穩定。其工商業不但已經脫去病魔，並且開始轉向健康。英國的經濟情況已經由危殆進於復甦，更由復甦進於向榮，是大家都知道的事。據最近的報導，一九五四年英國的對外貿易打破最高紀錄，為向來所無。其所以有此成就，一半是由於英國人自己的刻苦努力，另一半則是由於美國的戰後援助。意大利也是馬歇爾計劃內的一個重要國家。她所得到的援助很大。祇因其國內有共產黨的阻撓，及政治社會上的不清潔，乃使經援效果遲遲表現。不過現在也已經露其端倪了。

歐洲以外的國家，受美國戰後經援最多者自然要數日本和菲律賓。其次是中國和南韓。日本在受美國佔領期間，其經濟生活幾乎完全由美國供給。韓戰時期，美國在日本大批製造並定購軍火軍需，給日本一極大經濟發展機會。可惜日本人戰後民氣墮落，向上之心極微。又加傳統的自卑感和狹隘心理，把接受來的和賺來的美金大部分消耗在「裝修門面」上，不儉省節約，以建立國家的金融基礎，使幣值穩定。也不注意工商業的內部投資建設。到今天，日本的國民經濟仍在風雨飄搖中。一方面還是牽着山姆叔叔的手，哭着要吃的。另一方面却向共產黨集團送媚眼，想採取飲鴆止渴的政策。菲利賓的情況比較好些。但若非美國的大量援助，這個戰後獨立的島國，決不會有今日的「氣勢」。至於中國和戰後美援的關係，難免使人想起一些傷心往事，就不必提了。所幸近數年來，自由中國對美援的運用已大加改善，有世人共睹的顯著效果。今日台灣一般情形的穩定，農產的增收，以及軍事力量的加強等，[illegible]

美國得到甚麼酬報

美國人從他們的「仗義疏財」之風，施捨行為中得了些什麼報酬呢？稱贊感謝之話固然有，但怨懟責難的反應最多。共產黨國家的責難自是意料中事，不足為怪。可怪的是英、法、意、日等受惠最多的國家，並且是美國的所謂盟邦或受保護者，而其反美的運動也時常達於最高潮。（參看拙著「非共國家反美運動的原因」—本刊第三七八期）—美國人雖然時常表現[illegible]但究竟還不是聖人，他們的基督教訓練也還沒有達到耶穌基督的程度。所以在屢次看到聽到受他們援助的人起來反對他們，就感覺困惑不愉快。以後更由不愉快變為憤怒。憤怒之下，就想不再對那些「忘恩負義」的國家作無代價的施予。

美國人之幫助其他非共產黨國家，除了上述的仗義風和責任感外，還有個屬政治的主要希望。就是想藉此把那些動搖不定的國家穩定住，使不倒向共產黨那方面去。更再進一步，和美國切實攜起手來，結成個堅強的反共陣營。在民主國家方面看，這是很光明正大的政治企圖。但在過去十年內，很多受援助的非共國家在這點上表現得很使美國人及一切反共人士失望。他們不但未能在彼此之間堅固團結，再與美國結成堅強陣線；相反的，他們時常接受共產黨方面的離間，願意和他們妥協，覺着他們是可以和平共處的。有時甚至說，共產黨不一定像反共人士描畫的那樣壞；或說寧肯在共產黨管制下作奴隸式的生存，不願和美國站在一邊，惹起世界大戰，遭原子彈的毀滅。總之，這些國家的人是只圖生存，不擇方式。美國人見其政治目的又不能如意達到，就覺着他們的錢是白費了。為什麼還要繼續去白費呢？（上）

新聞資料

這一次的英聯邦會議

本報資料室

英聯邦會議，本來是一項經常的事情。澳洲總理孟席斯參加過好幾次聯邦會議。他說，「以前開會的情形大約是這樣：邱吉爾最先演講，是好聽的。講完了，他回頭向艾登道，『你講幾句好嗎？』艾登講完了，我也講幾句。問題都是宣言。我們總把宣言裏頭的文法錯誤修改，英國人就指着我們修改的字眼說道，『我不贊成你這個字用在文裏的意義。』」

邱吉爾的憂鬱

這一次開會的情形可不同了。這次開會是秘密會議。開會的時候，邱吉爾十分憂鬱地說道，『自從一九五三年六月開過會後，氫彈的恐怖佔領了整個世界。希特拉是一個狂人同時又是一個壞人。俄國人只是壞，還沒有到狂的地步。希望他們不至發動原子戰爭，因為原子戰爭是能夠消滅他們的。』老邱並且預測三年後，蘇聯能夠達到和美國在原子武器上同等的地位。邱又說，此後只有靠美國核子武器來維持世界的和平了。

只有尼赫魯一人表示反對。尼赫魯主張廢止一切原子武器，和原子武器的試驗。他又說，氫彈完全消滅了戰爭在政治方面的作用，核子武器威脅世界的文化。

對台灣問題的意見

其他聯邦總理紛紛徵求尼赫魯對於台灣的意見。尼赫魯認為美國應該放棄支持台灣。其他聯邦總理却支持艾登的主張。艾登的主張是這樣：以為大陸島嶼和聯合國的承認，作爲中共接受台灣海峽停火和中立台灣的交換。艾登還說，美國的主張和他的計劃距離接近。艾登還這樣說：『台灣和澎湖群島的地位雖然不能夠確定，靠近大陸島嶼之屬於中共是沒有懷疑的。』可是他又警告中共不能使用強力佔領上述島嶼。

聯邦總理沒有一個願意參加美國因台灣和中共發生的戰爭，他們認爲沒有一個國家應該爲台灣而戰。可是艾登以爲要是美國和中共發生大規模的戰爭，英國是不能不參入的。

糊塗的艾德禮

艾德禮領導反對美國援助台灣的主張。自從上次他到了北平觀光，艾德禮認爲他是一個有資格的中國專家。他在工黨的每日前鋒報發表這樣的談話。他說，『台灣應該中立若干年，然後舉行[illegible]。』並且主張台灣的自由中國人士都應該離開該處，另找一個地方來收容。[illegible]可是艾德禮不應忘記，韓戰時，中共二萬俘虜倒有一萬四千選擇自由中國，願意奔往台灣，而不願意回歸大陸故鄉。英國的觀察者寫報對於艾德禮的說話這樣批評：『難道艾德禮不曉得，要是台灣給中共佔領了，自由中國的人民將遭遇到可怕的屠殺嗎？』

尼赫魯的謬論

討論得興高彩烈的時候，忽然接到消息，說中共已嚴厲拒絕聯合的調解。艾登固然是驚愕，工黨人士尤其感到失望。可是當天外交部又接到駐蘇大使的電報說，蘇聯外長答應向中共調解，莫洛托夫請求英國向美國作同樣的調停。周末，印度建議由可倫坡國家設法調解，或者舉行日內瓦方式的會議去解決台灣問題。印度的兩種建議都不合時宜。好些不顧事實的人還認爲尼赫魯可作調人。尼赫魯最近又更改了他那台灣應歸中共的主張。他的新方案是由聯合國頒布命令，予台灣以二十年的獨立。尼赫魯曾對印度三千個學生說過，『說話在適當的時機發表，才能夠發生效力。』其實尼赫魯是一個最不識時機的人。（取材美國時代雜誌）

西班牙未來國王

上月底，馬德里車站圍集千餘保王份子，歡迎十七歲的卡洛斯親王回國。卡洛斯是流亡葡萄牙的西班牙王位繼承人唐璜之子，此次回國，是準備在法朗哥扶植下重建西班牙王位。但法朗哥認為，這位親王要在西班牙再受十三年的教育，才能正式成為國王。

這位金髮少年步進車站後，即揮手接受歡呼，法朗哥派來的衛隊，並沒有干涉羣衆的熱烈歡迎儀式。他背後站着一個穿着軍服的軍官，西拉諾將軍。這位將軍是法朗哥和唐璜共同挑選的，將照護卡洛斯，指導他一步步走向國王寶座。

卡洛斯在馬德里的住所，是一座巨大宮殿式房屋，靠近美國領事館。他在新居只休息了一晚，便接受西拉諾的指揮，上樓去會見他的教師。他第二天早晨，九時即起床，用早餐，立刻開始接受嚴格的訓練。上午學習數學，古典文學，再上一課體育，下午又上一個俱樂部學習騎馬，網球及高爾夫。下午回去，稍事休息，晚上却又要做功課和讀書了。（白譯）

雷德福將軍現身說法

美參院已於本月四日通過授權艾森豪總統使用美軍協防台澎及其他有關地區的議案，投票的結果是八十五對三票。事實上，表面上看來平淡無奇，但當時參院辯論及表決時却是緊張萬分，所以美國報章上曾稱之爲近年來參院團結的最大表示。

當這一議案首先由參院軍事及外交委員會舉行聯席會議進行審查的時候，氣氛顯得相當嚴重，聯合參謀部首長雷德福在八個小時的會議中，答復議員詢問及解釋遠東局勢，雷德福將軍大有運籌帷幄之勢。當時議場內掛有一幅台灣沿海情勢的地圖，大陸上塗以朱古力色，台灣則繪着翡翠綠色，此外還有許多其他的地圖。當然這些地圖都是極端具有軍事機密性的，所以不用的時候，都捲起來並由憲兵謹慎地保管着。這個會議緊張到什麼程度呢？據明尼蘇達州民主黨參議員韓富瑞回憶說：「[illegible]不到一絲笑容，也沒有人說過一句滑稽話」。外委會以二十七票對二票（摩斯及朗格反對）通過後，全案即送交參院大會討論。

諾蘭參議員手不停揮

在參議院會中，氣氛更爲沉重，號稱爲獨立議員的摩斯又登台發表長達兩小時的演說，極力反對此項授權，他主要的理由是：這無異授權總統發動一次預防的戰爭。這時坐在旁邊的參議院共和黨領袖諾蘭臉色很難看，他一面緊皺眉頭，一面用紅、藍色鉛筆在記事簿上匆匆地寫着。摩斯講完後，諾蘭立刻站起來，揮拳疾呼，大聲指斥摩斯的行爲危害國家。諾蘭一席話很有力量，若干猶疑的參議員顯已下了投贊成票的決心，案子看來一定是會通過的，但反對票一定也不會少。浮琴尼亞州參議員拜爾德仍未有確切的打算，田納西州民主黨的凱弗爾則主張對原案作劇烈的修正，甚至曾經協助此一議案的軍事委員會主席，民主黨議員羅素也拒絕登台發表支持的演說。

事情演變至此，很有拖下去的危險，諾蘭和參議院民主黨領袖喬治感到這種危險性的嚴重，極力設法促使大會進行表決，至四日下午九點五十分表決後，諾蘭和喬治總算經過一場激烈的肉搏，精疲力竭的吐了一口氣。

麥卡賽被拒白宮門外

美國參議員麥卡賽之不得人緣，在所有參議員中，無人能出其右。最近艾森豪總統夫婦在白宮舉行兩次盛大的晚宴，一次是爲了招待最高法院法官，另一次是爲了歡迎新任議長雷朋，近百位的參議員都被邀請參加，唯獨麥卡賽夫婦未被邀請。事後據白宮發言人透露說，這是艾森豪總統自己決定的。多事的記者特別跑去請麥卡賽對此事發表聲明，誰知一向喜歡說話的麥卡賽竟以「沒有」答覆。有記者問他，是否可以在報上刊登他的名字，說他已發表「沒有聲明」的評論，麥卡賽點頭稱是。（孟衡）

對芬蘭的懷念

·陶百川·

（上接第一版）據一月廿九紐約時報，斯德哥爾摩電，NORDIC COUNCIL又在瑞京舉行年會，它的五個會員國，瑞典、挪威、丹麥、和冰島都有代表參加。但芬蘭因蘇聯反對，連觀察員都沒有派去。大會主席在開幕詞中，對芬蘭缺席，表示十分關切和惋惜。丹麥外長和挪威首相，並對蘇聯報紙，關於這個北歐會議的惡意批評，大肆抨擊。所以在外交方面說，芬蘭是被關在鐵幕之內的。

誦詩一首以祝

我國前人有一詩道：『勝敗兵家事有之，含羞忍辱是男兒；江東子弟多才俊，捲土重來未可知。』這首詩可做芬蘭的寫照，敬錄於後，以爲祝頌。

二月二日於台北

編者·讀者

稿費捐贈災胞

△劉儒裕 王建國 兩先生來函

編者先生：

從報上，讀到我們的義胞被火災的消息，痛若之情眞若身受！我們深知這些義胞都是愛國家民族，痛恨賣國漢奸的一羣熱血華胄。他（她）們曾因此遭到朱毛及其爪牙的非人迫害。流浪海隅，備歷苦難，其間辛酸，可以想見。我們都是同一個遭遇，同一個抱負的血肉相連手足，我們同有一筆血海深仇記在心上，因而，我們同情他們正如同情我們自己一樣，我們關懷他們也正如關懷我們自己一樣。唯以心有餘而力不足，僅將本人等所得稿費，請貴報轉送最近蓮花宮被火災的難胞。區區之數，略表寸心耳。如果因此能引起廣大海內外愛國同胞的普遍捐助，俾我若離義胞免於飢凍，那正是我們所殷切企盼的。劉儒裕、王建國同啓

民國四十四年二月四日

△譚慈先生：大示敬悉，台端對本刊改革意見，自當鄭重考慮，謹復。

△張忠建、葉非葉、彭昌祜、白古、孫瑋、劉廸、毛顯鵬、吳鐵璋、伍潤三、申南、損士、胡鑾之、文鎔、淳風、臨先生：承惠稿，已一一收到，謹此致謝！

如何做一個現代新智識份子（下）

・代鍔・

個「禮」來加以約束指示，却也並非講什麼懲忿窒慾，做些戕賊人性的事，[illegible]爲準則當然今日新士大夫的行[illegible]弊的路子，我們應本着孔子那樣「率性之謂道，修道之謂教」的原理，啓導人性入於正常的道路。這個「率」並非佞賊他，也不是隨其自然，而是啓導啓發的教育作用，所以歸結到「教」字。中庸宗旨，全落在這個「教」字上面。「教」字是中庸全篇的主旨，所以說「修道之謂教」，可見得行爲至善，應在教育上培養成新士大夫的行爲準則。若從此處入手，發展到極處，便能可「不思而得，不勉而中，從容中道」了。

十項行爲準則

這個行爲的準則，古人稱之爲禮，詳細講究起來，雖不免繁文縟節，却也有它的價值；但在今日，却不能完全適用，我們祇能師其意，爲新的說法，這種新的說法，當然也就不是幾句話可以說得清楚的，所以本文僅能提出幾個原則，在時它歸單列爲十點：（一）和平中正，（二）沉潛從容，（三）嚴其在己，（四）恕以及人，（五）盡其在我，（六）講求方法，（七）認識時容，（即適應環境）（八）注重動機，（九）反省自新，（十）本末一貫。這十個原則，姑作假定的行爲準則，就是今日新士大夫的行爲準則。我們再現這些原則，[illegible]多適宜的內容，但是一部新禮記了。

八大學養基礎

第五，新士大夫養道德，讀的聖賢經典，他那股氣象，却全[illegible]的氣質，或氣象，也可說是一種規模，古然不是的。可見這種有所謂儒者氣象，便是非常的東西，而必須有內在的學問與修養。所人認爲這種氣象是指在的學問與修養。[illegible]

孔子說非禮勿視，非禮勿聽，非禮勿言，非禮勿動，[illegible]須建立在下述的幾個基礎之上：（一）親當貴如浮雲，自己有個安身立命之處，（二）頂天立地，獨往獨來，「雖千萬人吾往矣」的氣概，（三）以肝膽照人，以道義待人，（七）有膽量誠懇，不取暴力威脅或不擇手段，處理一切問題，（五）和平態度，民主的態度，勇敢的理智，見義勇爲，是非黑白，認定眞理的信心，（四）明辨是非，[illegible]巧，不畏官僚豪強，[illegible]

事理。（八）有生活的情趣，自食其力，非養尊處優，剝削他人，[illegible]夫氣象。夠須從頭培養起來！

上述五項！——新士大夫的思想信仰，人生態度生活，行爲，及氣象，便是今日新士大夫應具備的規模，內容，沒有這些規模內容，是不夠做一個士大夫。眞正的士大夫[illegible]這種新士大夫不是考試院可以考選出來的，也不是外國的博士頭銜可以取得的，必須士大夫從千鍾宮錄中鍛鍊得一番學問眞修養，才可以致不勉而中，爲世公認。（完）

調整外交陣容已不容緩

讀者論壇

以我個人的意見，一來是外放使節的實質問題，二來是我們使節官員對僑務工作不力，且與僑胞發生隔膜，特別要改善。[illegible]

美國大法官道格拉斯，最近發表承認兩個中國的事，[illegible]

國觀光，但仍然不過是象徵性的意義，[illegible]

[illegible]舊金山的僑胞們[illegible]我們是代表那個中國[illegible]這種地步，當局不知作何感想？[illegible]外交部和僑委會豈可推諉責任？

[illegible]調整外交陣容，此其時矣。

內官員輪調辦法，立意既善，效果亦必佳。久任外放官員，難免有與國內隔膜之感，[illegible]讓他們到外面去，儘量發揮才能。此事似亦不容緩了。

・葉非葉・

世外桃源 砂撈越風光

・丁聲・

野蠻民族的轉變

土著海達雅族是[illegible]一色的異教徒，所謂異教徒，即指不信回教和基督教者之外。他們還是崇信萬物有靈的野蠻民族。男子們身上圍着的是一塊腰布，身上刺有很多的花紋，常常直透到喉部而及其下顎，女人有時也穿着相當漂亮的「紗籠」，身上戴上銀質或銅質的手環和腳鐲，語言和馬來語有相關的成份。他們信奉他們自己的宗教，對善惡的預示很少迷信。達雅族不像其他異教徒之有智識，他們是被認爲最迷信的民族，雖然基督教和天主教的佈道者曾在他們中間活動，但大部份仍然是信仰靈魂存在學說的。

這種土著民族，沒有文化，所以也沒有進步，他們仍是過着終年不知幾月，也不知道自己年齡混沌的原始生活呢！

樹膠跌價影響農村

砂撈越主要的農產物還是靠着米穀（乾稻）近年來在米糧上，已將近於自給自足的地步。樹膠是主要的森林產物，同時也是砂撈越出產的大宗。全境約有二十四萬英畝的樹膠園，但因全係用種子法所栽種，所以生產情況並不甚好；近年來樹膠跌價太大，以致影響農村經濟而減低了一般膠戶的購買力。砂撈越主要物產的種植，是硕莪、胡椒，也是主要的輸出品。馳名星加坡商場的胡椒和硕莪粉，都是由這裏輸出的。由於戰後膠價一度高昂之刺激，最近又有不少新椒園作蓬勃向榮之勢植。其次如椰油，椰乾、鳳梨、甘蜜、士巴根等，幾年前也是很重要的出產物，現在因產量不多，其輸出已是微不足道。漁業方面，到目前爲止，仍然是開發殖民地中的一項重要節目。由於交通的不便，運輸鮮魚到市場上是一件極大的困難，因此在各個州府，民家及糧食店對魚乾的實驗，正進行設法使其大量生產，並研究晒乾的方法，所以許多人已養成良好而堅定的用乾魚佐餐的習慣。森林產物，如土材、柴薪，以及像具的木板，也有一部是輸出的，至今英國、澳洲、香港、上海，仍迫切需要該地的木材。次要的森林副產物，如野膠汁籐、打馬、日羅多，乃大量用來製造橡皮糖及香口膠的。還有一種所謂「樹枳」，土語叫做「英加榜」，可以搾取有價值的植物油，用以製造糖菓和化裝品。

砂撈越也有金鑛、煤礦，和石油的出產。金鑛工業因爲缺乏新式機器，勞工生活過昂，已蒙受相當不利的影響，陷於停頓。煤礦蘊藏量甚豐，但自一九三二年停工後，迄今尚未恢復開採。只有石油一枝獨秀，每月產量均有顯著增加，在世界石油出產中佔有相當地位；在東南亞洲，除荷屬東印度外，實罕匹敵。（二）

美國經援的內外矛盾

——並論美國的經濟政策——

楊懋春

欲罷不能的困難

自艾森豪政府就任以來，停止經援或作有條件的經援之聲，時高時低，但總不停止。英國人甚會隨時勢而改變其對外國關係。在艾森豪當選總統之後，立即聲明，他們今後所希望於美國者，祇是貿易，不是援助（TRADE, NOT AID）。但法義等國却不這樣乖巧。一聽到美國要停止經援或作有條件的援助時，就由恐慌而變爲怨怒。駡美國人「爲富不仁」，說他們要憑藉金錢勢力壓迫別國，干涉別國的內政。這樣一來，又使美國人左右爲難起來。因爲怕眞的法義等國會得不到經援而投向共產黨的懷抱裏去，那就不但以前所作巨量援助要完全落空，更可怕的是，非共產黨國家之陣營更要破裂軟弱。勢必爲共黨集團所乘。因有這種種顧慮，美國國務院方面就盡量說撫慰的話。聲明對各盟邦還要繼續經援。但在若干技術上必須修改云云。經援總署署長史塔生是由杜魯門政府蟬連下來的人物，也力主對外經援不可停止，對於盟國的反美運動不必生氣，稍爲忍耐，到底會收到好效果云云。可是財政部長胡弗里就堅執一切經援必須有代價。代價可以是付本還息，或政治上的合作。在國會及若干民間團體方面，「停止經援」，和「有條件的經援」，仍不絕於耳。結果是，有些國家照舊無條件的接受經援，別的國家就被拒絕，勉強給一些，或附帶各種條件，或雖答應而遲遲其來。

英美間的商業矛盾

英國人說，他們要貿易，不要援助，是什麼意思呢？原來美國人在其國際關係中，一方面顯得很慷慨大方，另一方面却又那麼心胸狹隘。他們的工商業界及工人團體最怕外國工商業和勞工侵入他們國內的市場。因此，他們逼着政府建立又高又厚的關稅壁壘，使外國貨物很難進入美國。同樣貨物，美國自己製造的成本要高，因爲美國工人的工資比別國工人的高出若干倍。若讓別國工業品大量進口，一定會嚴重影響美國人自己的工商業。他們必須大加削減其自己的貨物價格，才能與外貨競爭。削減價格勢必影響到企業者的利潤和工人的工資，所以在這一點上，工人和企業家都立場相同。一定要維持高的關稅率，好保護他們自己的利益。戰後西歐各國，英國的產業恢復得最快，而他們也最需要靠國外貿易而生存。所以他們最希望美國能取消或降低其關稅，使英國貨物可以進到美國的廣大市場。但美國的工商業及工人都不同意。美國人用經援把戰後英國工業恢復起來，但又用關稅壁壘拒絕英國的貿易。在英國人要貿易不要援助的話中另有一個含義是，希望美國人還就事實，把對共產黨中國的經濟禁運政策放寬一點。這樣，英國人就可和中共有更多的貿易。

專家建議不符事實

美國的經濟學家和財政家向其政府建議，在作對外經援時，要加上積極的條件。所謂積極條件，就是要受援助的國家實施自由經濟，撤銷許多政府統治或管制。這派人，如現任國防部長威爾遜氏，總統經濟顧問達智，國會議員朗達爾等，都主張美國應向其盟邦及一切非共國家力陳自由經濟的優點，應當求各盟邦在其國內維持相當穩定的貨幣，在相當限度內，任物價自由漲落；貨幣，物資，及勞力都能在競爭市場中自由運轉，不受政府限制，運轉的規模要能鼓勵並足夠大量生產。有了自由經濟制度，再輔以由美國借來的資本和技術，各國的經濟就可走上自發的繁榮。不久就可自己產生像美國今日的富庶。如果美國不向各自由國家宣講這些經濟原理，不大量借給他們所需要的技術，而祇知像以往那樣送給他們現成的物品和金錢，等各盟國物品金錢用完了，還是需要援助。這樣，各盟國不會進步到經濟自立的程度。這些建議誠然很好。所以就爲現任行政當局及國會人士所採納。以後的經援要多注意獎掖受援國家自由經濟的培植和技術上的援助。目的是要各盟國在自由經濟制度中求自立，有自發的繁榮。

但這些自由經濟原理不是光用宣講就可生效的。美國若只能對其與國講些自由經濟的道理，而自己不在國內及國外實行出來，則其努力只能惹別國的指責，不會發生好效果。美國人自己承認在這方面他們有很大的矛盾。從其國內看，美國經濟所表現的是自由企業，自由競爭，和私人主動。但從國外看，人們所得到的印象却適相反，或很能使人發生誤會。例如他們的關稅壁壘，政府控制的出口貿易，以及對農產品的限制與價格津貼等，都使人相信美國所施行的是政府管制經濟，不是自由經濟。又如他們對外的經援，形式上都很像社會主義化的國際事業。但很清楚的美國最反對由政府管制的經濟和社會主義化的國際事業。他們常告訴世人，使美國走上繁榮之路的不是政府管制，或社會主義的經濟，而是他們的自由經濟制度。

帶着索鏈的資本主義

在別的非共產黨國家，其經濟實施是內外如一的。其在對外貿易上的各種限制是隨着其國內的經濟管制而有。在這些國家內，其經濟制度不是自由的，不是屬眞正私人資本主義的。他們的作法也極不合理。他們是在資本主義的手足上加了索鏈，却要它去完成自己資本主義應有的功能，即使要民經濟走向繁榮，這如何能作通？這樣一來，在相比之下，共產主義的經濟制度反而顯得好看，而資本主義的經濟制度却被綑綁着，只顯出它的軟弱情形來。同時還要担當社會主義所致成的各種缺點。在義大利，人們把失業情形歸罪於資本主義，却不想戰後的意大利，除農業外，只有四分之一的生產事業操在私人手裏。在法國，人們也咒駡說是資本主義使法國的經濟陷於停滯。却沒想到法國的新工業資本有五分之二是國家供給的，使政府有權管制好多生產事業。法國的住屋問題那樣嚴重，究竟是由於資本主義的錯，還是由於各種反資本主義的限制？法國實行了四十年的房租管制和住房建築管制。到今天，繁重的管制手續把建築房子的事業幾乎完全攤瘓了。建造一所平常住房，要用兩年半的時間才能完成。這如何會不使住房發生恐慌？（中）

艾契遜的自負語

馬五先生

自由談

自從罷職丟官以後，兩年之內很少發表政治言論的前任美國務長官艾契遜，最近亦沉不住氣，大發議論了！他認爲艾森豪政府的遠東政策，根本就是抄襲杜魯門政府在一九五〇年定下的那套作法。但他不相信艾森豪現時所採取的行動，有杜魯門當年參加韓戰時那末有效。他說：「我們當時決定立即予以對付，將胡鮮來犯的武力驅退。我們就這末做，並未企圖避免與中共作戰」。

杜魯門政府的遠東政策原不高明，中國大陸之沉淪，多半就是受的民主黨政府遠東政策之賜，而艾契遜所負的責任亦匪輕啊！不過，他說杜魯門政府當年對韓戰「說幹就幹」，並不怕對中共作戰的話，却非車大砲之詞，事實昭然可證。如果不是英國從中拉腿，中共暴力早就給摧毀了，何致今日尚有甚末「台灣海峽停火」這類廢話發生呢？

艾森豪旣已聲明撤消杜魯門政府的「台灣中立化」政策，說是不再致第七艦隊替大陸上的共黨作庇護了。如今反而要教台灣放棄外圍島嶼，並且用條約來束縛台灣反攻大陸的行動。這比杜魯門的「中立化」政策更惡劣萬倍，自難怪艾契遜振振有詞，要以先知先覺的「教師爺」自居了！

看趨勢，今後美國的遠東政策還是被英國牽着鼻子走的，金門馬祖一旦有事，又「自動撤退」之勸告聲，必從白宮紛至沓來。我們過去丟大陸，大部分就並非「打」完，而是「撤」完的。如其金門馬祖再又不戰而退，結果就祗好退到英美人士心目中認爲是他們的「公共租界」台灣本島去，聽受玩弄擺佈而已。說不定將來共和黨政府必要時，也要學習艾契遜們發表對華外交白皮書的口脗，說我們「腐敗低能」哩！　××

由鴛鴦蝴蝶到蚊子蒼蠅

·燕廬·

前些時，一家晚報的副刊上，曾提到過劉半農，說他在未去法國之前，原是上海灘鴛鴦蝴蝶派的文人，關于劉個人，我們不想說什麼，提到鴛鴦蝴蝶派，却不免想及一些往事：

（一）

世人對鴛鴦蝴蝶派，不知道是否有過確定的解說，依我想：大抵指的是愛情，若僅僅如此，則我國舊詩詞戲曲中，固然十九離不了這一套，就是詩經上，却也多着這一類的詩篇，論語孔子論詩：『子謂伯魚曰：汝爲周南召南矣乎？人而不爲周南召南，其猶正牆面而立也與』？可知孔子不獨沒有反對那些詩篇，倒反而要自己的兒子去學。那末，民初時期上海灘竟又出了一些文人，要比孔子更嚴正，倒未免是非常可怪的。而且，「鴛鴦蝴蝶派」，彷彿終於成了一種惡謚，言外之意，不啻是「沒出息」或「不長進」，甚而至于是「下流」。因此，誰都不願意套上這一頂帽子，如今事過情遷，我們細細想想，覺得那也不外是一種生意上的爭競，一爲更新派的文人，因爲要搶地盤，替自己的刊物招徠讀者，自然非把另一批人打倒不可，而這些人除了寫言情小說之外，事實上又別無可以指摘的地方，於是這末一個「罪名」來，其技倆也如當時張作霖通電聲討馮玉祥爲禍國殃民，沒有多大分別。

但所謂鴛鴦蝴蝶派，終于倒下去了，起來一派，他們領中國文壇的，換了一大批新出的才子，這些才子也可以分成許多派：一派是名士，一派是紳士，另一派是鬥士，他們都分別標榜一種主張，第一派是爲革命而藝術的，第二派是爲人生而藝術的，第三派比較鑽古怪一點，是爲藝術而藝術的，但我們如今明白，他們這些主張，原不過是工具，在作戰時用作盾牌或刀劍用的，有了派別，自然就有戰鬥，最初，當然旗幟鮮明，有過一些精彩的戰役，但誰都不曾戰勝或戰敗，因爲文人的戰爭只是寫在紙上，誰在街頭上看到過兩陣對圓指手畫脚的場面麼？表面上雙方的主角都理直氣壯，說得口沫橫飛。但你能指出她們誰勝了或誰敗了麼？

（二）

戰爭終竟要過去，有些寫遊記，有些潛心學術，有些提倡幽默，「旣兩敗俱傷」，那些靜下來了，紳士們，或是紳士們，却都寂寞之餘，于是有些抄舊聞，有些嘗試了，或竟已經做了「革命」，原來是紳士們悄悄地參加了進來，有些名士們，顯然發生了很大的變化，同光前他們所標榜的主張，顯然發生了距離，至于論他們的作品，却也不少涉及到鴛鴦蝴蝶派的圈子，換上新的名牢罷了，比較在他們的筆下，那些都是鴛鴦蝴蝶派的原些，始終更正，但誰也不可反，隨時得編意，他們是才子，要顯些身份，固然必須要學問，一要做官，一要知識，蓋有言行錄，日記，隨筆，甚至情書都可以發表，這就是鴛鴦蝴蝶派過去的滄桑，中國文壇的大家抗戰來了，大家都得轉移陣地，不免驚惶失措起來，年輕的去，自以爲已經穿上軍裝入伍。

老的，一直向着後方逃難，在吃雜糧點油燈下寫作或教書，那些逃不出來或故意不逃的，一半變了李陵（自然仍然有蘇武），也有些竟因窮餓所迫，一時也說不清，寂寞地死去，但這裏面却給另外一派「革命文學家」造成了機會，他們在聯合陣綫掩護下，販運了普式庚，高爾基和瑪耶可夫斯基的貨色進來，讓青年們不知道到底我們是爲自己民族的生存而抗戰還是爲別人的社會主義而抗戰。那些在位的人，一面要做官，一面又須發財，自然無暇注意這些閒帳，於時文壇上便出現了一批纖犬和老鼠，牠們懂得狂吠搏擊，而縱指示的人，又站在後，裝出友善的樣子，我們于是失却了這是非，算是迷迷糊糊地上了一回大當。（上）

語意學漫談

·徐道鄰·

人類喜歡實地試驗

子去。當然，有些問題，我們實在沒有法作實地測驗，而非倚賴語言不可：比如說，在一九四九年我們發現了一種新大陸，我們祗好相信報紙的正確報導，我們祗有相信別人報導的事情。但是凡是可以實地測驗的，我們總是喜歡實地測驗一下。譬如說，你的朋友告訴你，宜香園新換了老闆，招待尤其欠週到，你也許就不必再去嘗一嘗。如若你聽了這些話，還不能就相信，又會自己去試試，結果也未必一定會好多少。如若有人告訴你，市場上新出了一種狗頭牌的刀片，你也許就不免要親自試驗一番。但到底有些好奇心，大概不致上當。

在某種情況之下，人類都是喜歡作實地試驗的。倘若你不相信，你不妨掛出一塊『油漆未乾』的牌子，看看它的反應如何。你將會發現，這一塊牌子，對於許多人的手指頭（你自己也許在內）確實具有不可抗拒的吸引力，但是奇怪得很，就很少人能拿出這種實地測驗的精神來，而一個一個都躲在老教室的後面去拿着一大堆地圖在研究。

人類易受語言影響

略里當年有一次在莫斯科講演，稱蘇俄近年來建設的偉大，好幾次提到卡爾．馬克思路上的那一座二十層的摩天大樓。聽衆中一位老頭站起來說：『略里同志，我最近五十年來，一直住在卡爾．馬克思路上，我每天晚上都帶着老婆在馬克思路上散步。但是我們從來沒有看見過這座摩天樓呀！』

略里當年生氣的回答說：『你們這些同志們，永遠是這樣不長進，浪費許多時間去散步，而不去看報。』

蘇俄這一座大樓，到底是存在還是不存在，不知道那些一直看報紙而一直相信報紙的人，在現代社會裏，對于他們，這一座大樓，大概是真的。而不相信自己眼睛的人，却正不在少數。

大洛甫PAVLOV說過：『人類接受語言的刺激所引起的反應，遠比他們接受實際事實的刺激而引起的反應強大。』這一點說明就不但共產黨人利用，所有極權國家的執政者都知道利用，就是在民主國家裏，許多心有野心的商人們也都知道利用。我們常看見美國報紙上各種廣告，正是最好的證明。所以我們對於這一點，一定要多加注意才好。

我們在明瞭了語言地圖這一個概念之後，我們就要注意訓練自己，不再過份的倚靠別人的報導，要訓練自己多作實地的觀察，這樣子我們才能知道實際的世界，也才能更切實的接觸到現實，才能從語言地圖之上，瞭解不完全在別人的不正確的語言地圖之上。（十二）

弔一江山戰士

·懷冰·

故壘西邊落日昏。海門潮上泣忠魂。應知杵臼殉時難。罔計離孟乞共存。五百田橫齊刎頸。一軍先軫漫歸元。江山如畫人豪傑。刻骨深悲不在言。

甲午除夕和純溫兄原韵

·黃天石·

宇宙真當大掃除。萬千爆竹夢迴初。誰知臘水殘山外。鬱鬱風雲起草廬。驚聞海峽鼓鼙聲。日暮寒雲蔽太清。歎息賓朋歸異族。心田留待萬夫耕。

風流狀元張季直

·夢山樓·

（三）

他爲她曾作惜憶詩四十八章，有云：『致病非今兒始今，一言頓使淚沾襟。終身自分無人覺，不道醫和是聖心。』這是寫她的隱痛與致病之由的。又云：『黃金誰返蔡姬身，常道曹瞞是可人。忍是東南珠玉秀，忍聽憔悴北方廳。』這是寫她自天津南下的。又云：『感遇深情不可緘，自梳青髮手摻摻。繡成一對謙亭字，留證雌雄寶劍看。』這是寫她髮繡謙亭字的。又有律一首，題曰：『雪君髮繡謙亭字，爲借亭養病之報，賦長律酬之。』詩云：『枉道林塘適病身，累君仍費繡精神。別裁織錦旋閭字，迴心斷髮人。美意直同珠論價，餘光猶厭黛爲壓。當中記得連環樣，璧月亭前祗兩巡。』此種哀艷的詩句，很富刺激性，無怪打動芳心了。後來，余舉人知道此事，曾親赴南通，想一見雪君而不可得，祗有憤書一聯於其寓所：『佛云不可說，不可說，子曰如之何？如之何？』而已。

季直先生對於雪君，詠詩傳情以外，並有小札兩通，流傳外間的。其一：『汝定不回，吾亦無法，惟有歸後，獨至謙亭，看可憐之月色耳。汝何由見之？十七日六時。』大概雪君被他糾纏吃不消了，也許有意迴避，所以才有這封小箋的。其二：『熱日加甚，當午盛暘，切勿低頭事繡，小亂最好。便人去，附書敬問謙亭主人安否？八月二十六，九時，謇。』復有謙亭楊柳詩兩首：『記取謙亭攝影時，柳枝宛轉綰楊枝。不因着眼簾波影，東鰈西鶼那得知。』又云『楊枝絲短柳絲長，旋綰旋開亦可傷。要合一池烟水氣，長長短短覆鴛鴦。』以年近七十的老翁，寫出這樣情詩綺錢，眞不愧爲寫情的聖手呢！

民國十年五月，雪君病死南通，他贈她黃泥山東南麓墓地一方，並作一篇贈墓地的文章。墓是用鋼骨水泥砌成的，簡直無法遷動，堂皇幽秀，確也修壯觀了。季直先生對於雪君，不獨生前佔有，連她死後的枯骨，也不讓離開南通，眞算情之豪者，但亦未免太貪了。

他不僅愛好女色，對於藝術人才，也很注意的，當代藝人梅蘭芳，歐陽予倩，當時在南通表演戲劇，研究劇曲，他爲他們建築一幢堂哉皇哉的歐梅館，並爲梅郎作一篇仿洛神賦，婉約艷麗，直追子建。相傳他得病而死的原因，還有一段趣聞。夏季假中，他到女子師範乘涼，校中有一女教員，親米粉湯圓請他吃，吃過洗澡，洗過睡在籐椅上耐涼，女教員替他打扇子，中了感冒，一病不起，所以有人戲輓他一聯：『一把招魂扇子，兩個送命湯圓。』與『文章千古事，風流天下聞。』一聯，堪稱俗雅雙絕。（下）

秘密

·羅須·

「我時常想法盡量迎合你爸爸的意思，因爲我心裏祇有他，他最歡喜綠色，我就把房中的佈置，都以綠色爲主，窗幔是綠色的，檯布、枕頭、被單、我都親手繡上翠綠色的花。因此，你爸爸很高興，同時他也對我的手工精細，也感到驚奇。」

「有時，他有事要在晚上忙着做，我就在他身旁侍候，爲他倒茶，遞煙。雖然到了深夜，我也一直陪伴着他。」

「他常常匆匆忙忙的從外邊回來，叫我一道外出。即使碰到我的身體不舒服時，我也立刻換衣服和他出去，有時，因爲我不想使他掃興，在晚飯的時候，大家說好飯後去看電影，但等我化好粧，他忽然說有點不舒適，不想去了。我也就毫不介意的把換好的衣服再脫下來，服侍他睡好，然後坐在他身旁。平時，祇要聽見他一聲咳嗽，我雖是做着事，也會馬上跑到他跟前，看看他是不是不舒服。我對你爸爸，可謂體貼入微，當然，你的爸爸，也覺得萬分滿足，我們的生活，就這樣快樂甜蜜的過着了。」

「以後兩年，我對你爸爸的感情，一點沒有改變。然而，一個多天的夜深，我替他整理衣服，發現他襯衣上有點口紅的痕跡。這事對我有如晴天霹靂，因爲我從未想到他會親近第二個女人的。這一夜，我背着他流了一夜眼淚，我很希望這是偶然的事，但是，這時是大冷天，不比夏天襯衣時常露在外面，口紅印在襯衣上，一定不是尋常的事。於是我想起他對我不如以前那麼樣熱情了。很久沒有親親熱熱的吻過我，『親愛的』這句話倒再也沒有提過。」（四）

自由人

THE FREEMAN

（第四一四期）

中華郵政登記認為第一類新聞紙類

每份港幣壹毫

社址：香港高士打道六十二號四樓
3 rd. fl. 20 CAUSEWAY RD
HONG KONG

海外總經銷 友聯書報發行公司 香港德輔道中二十六號A二樓

台灣特派員辦事處 台北市館前街五十號

台灣總經銷處 台北 中華路五九四號之一 台郵劃撥儲金戶九二五二

專論

論中國文化的改造

·吳康·

一個文化的構成，大抵基於左列三原素：民族的血統；歷史的傳統；環境的習慣。

這三因素，任何一種有若干變遷，那文化的整體，便不能不有多少改變。其中尤以環境的習慣，浸潤過適，影響最大。由環境的革新，可以使歷史的傳統中所涵的許多成分，發生本質性的變化。因之及於民族的血統，使其發生若干變異。這在我們中國華夏民族，自三代以來，和四裔種族接觸後所產生的各種結果，即其顯例。

中國文化往何處去

中華民族開國五千餘年，其歷史文化的悠久廣被，已夙為世界學者所公認。但最近一世紀來，與西方科學文明相接觸，歐風美雨，環境醞釀，錯綜，發生空前的劇變，尤以在最近四五十年來，起極綿跡的科學工藝進步，使我們久為天驕的世界最古文化之一的中國文明，（本文中所用文化與文明二詞，暫作為同一涵義），竟無形中停滯於「中世紀」的階段，是「中國文化為何化去？」乃成為我們目前關係民族生存的一個最大的問題。

中國舊文化所以形成現階段的停滯不進，甚至有傾向於滅亡的危機的原因，大要有左列各端：

一、西方科學工藝的偉大成就，壓破了我們中國固有文化中所未見的絕業，於以造成此日現代化的世界，遂以壓倒的優勢，領導現階段全球人類的活動，結果使我們中國的傳統文明，無形中退居下風，淪於次等的地位。

二、因西方自然科學工藝的優越，使其精神科學（心理，倫理，哲學，宗教等），亦一躍而居於第一流之列，而不復察其真正的價值。——「月亮是外國的好」，在學術文化界，亦一樣「未能免俗」啊！

三、自廢科舉，興學校以來，青年所受教育，日趨於歐化，而西方科學工藝的科目，漸佔課程表中的主要地位，而代替舊時經籍策論詩賦之作。此對於現代知識，固是一大進步，但同時亦成……厠漠而不顧。在輸出中火車上，能攜一……其中意義，是另一事），談話能插幾句

「變波西地」的緩管地，所謂故國的傳統，便神氣十足，環境文化，自無怪其沿直的習慣，到了這步田地，走下坡了。

低估固有文化原因

四、學術文化內一兩部分：一是理論，二是實踐，指道德修養；必二者兼備，始能構成完整的學術，施之教育，亦始能養成完全的人格。中國文化夙兼備此二者，特其歷史傳統，於知識理論方面，缺乏歐洲式自然科學等之豐富內容，較之西方文明，未免饑有遜色。但道德實踐方面，則廣大精微博厚悠久，可以位天地而育萬物，中國文化之眞精神，泰半寄託在這一方面。

乃近三十年來，中國受過科學洗禮的學者，治本國學術，偏重於歷史考證，以搜集例證為暨，以推論發明為高，寫成系統的論文，增加科學的資料，對於道德修養方面，完全棄而不講；將中國傳統的文化價值，減削泰半，使整理出來的國學成績，祇可替西方「漢學」SINOLOGY填補一些空缺。結果使中國文化在世界文化史中減低其應有的地位。這亦是無形中幫助國人對於自己的文化低估的原因之一。

五、「貴遠賤近」、「厭故喜新」，是人類的天性。由於以上種種原因，乃使國人對於自己固有的傳統，貶抑厭棄，惟恐不力，對於西方的學術文藝，風俗習慣等等，不分皂白，全部稗販過來。談哲學，必蘇格拉底，柏拉圖，亞里士多德，或康德，；講文學，必莎士比亞，歌德，；論宗教，必耶穌，；文藝，必希臘羅馬，甚督。而不願一引中國土產的聖賢豪傑，文人學士或歷史藝術。講現代政治，有土產的孫中山而不知實，必欲崇拜馬克思列寧。三民主義之折中衆論，適於國情，遠非俄式共產主義的極權專制所可比擬；乃「拜洋狂」大勢所趨，拾他人之糞稗，而以為五穀。結果，認賊作父，造成此日大陸沉淪的滔天大禍。——又如宗教信仰，中國的「祖先崇拜」，旨在慎終追遠，不涉鬼神迷信，充滿「人道」精神，實遠出基督教之上。（耶教如三位一體，基督復活等等，迷信成分最多，乃國人信之者，亦跟着西洋人亂喊一神教在各教之上，眞可笑也！）孔子代表中國古代文化，為人道的大聖人，其才德之全，遠非耶穌所及。乃國人最近風氣，十二月廿五日納耶誕，不信教者亦紛紛加入慶祝，共湊熱鬧，遠過於八月廿七日（近明令改為九月廿八日）的孔誕，（近年來「聖誕」一詞，竟為「耶誕」的代名，「孔誕」早已讓位，夫子九原有知，當復起居夷之歎了；）「拜洋狂」末流之弊，至於如此，「披髮伊川」之歎，能不說是我們此日共同的感想嗎？（按此處只是敍述實在情形，並非反對人信耶教，請勿誤會！）

「人道」為最高理想

上文所述，可說是中國文化與西洋科學文明接觸後，日走下坡的主要的諸原因。我們這一代的中國人，丁茲存亡絕續之交，倘不願其亡國滅種，應該下大決心，喚醒固有民族自信力，重振民族精神，努力革新文教，以改造文明之功，成復興民族之業。我們以為中國文化，是一種廣義的道德文化，它的中心觀念是「人道」，是代表儒家孔孟學說，的正統哲學。「人道」即是「仁」，是「人類生活合理的行為」，這種合理的行為，是平等互助，共存共榮。孔子說，仁者愛人；仁者己欲立而立人，己欲達而達人。故惟有崇高的「仁」德、才能實踐平等互助共存共榮的神聖任務。而實現「人道」的最高理想。中國文化的中心精神，正是代表這「人道」的最高理想；「人道」社會一日存在，此中心精神，必當發揮光大，而中國文化的生命，自可隨之而演進於無窮。

所以我們此日對於本國傳統文化，應該負起復興和改造的責任，使其充實新內容，而產生新生命，以貢獻於全人類的進化。唯文化全部內容，廣泛繁富，而其中心要素，却在學術思想，以下我們試提幾個關於學術思想方面工作的大原則：——

第一、建立人道的中心精神，是崇高的「人道」思想（人文主義或人本主義），所以中國文化，是一完整的道德哲學。

（下轉第二版）

去年的財經情況

國曆和農曆新年，接踵過去，中國海的風雲，緊抑了歡欣；而在論壇氣氛略為低沉之下，執筆者不無惻意了些。

年終結算，台灣的財政經濟，國外貿易方面，出口減少，其入超（包括美援）為三億二千萬美元之最高數（一億美元左右）。就中關市況言，亦減低二三成。歲入方面，四十三年上半年度（七月至十二月）省級預算不大，縣市級實收與預算相差最強。金融方面以去年八月為發行額新台幣八億二千七百萬元（輔幣二成不計在內，下同）為基數一〇〇，則歷月（四三年八月至四四年一月）發行額如下（單位百萬元）：

月份	發行額	指數
八月	八二七	一〇〇
九月	八七三	一〇六
十月	八九七	一〇八
十一月	八九一	一〇八
十二月	一〇四〇	一二六
一月	一〇六八	一二九

去年九月金廈砲戰，局勢緊張，加上金市開放，供求失調，金鈔一時大漲，美鈔黑市自八月之二六·五元，逐步上升至現價三二元；其間曾因局勢稍為和緩而回降少許，惟至十二月以後則扳高不下，如果與發行指數比較，就不難了解其關連性了。一方面，本年一期進口外滙配額減少，實績頂費大漲，竟有升至十成以上者，進口物價隨之提高，已成普遍之現象；而一般物價亦大多上漲，與發行之增加，自也有不可分之關係。物價上漲，意義着國民所得實質降低，亦即購買力縮小；而在一般所得已小得僅足以維持最低生活時，其購買力之貶低，無疑將影響納稅之能力。而財政收入減少（事實如上所云），其引起政府的困難，是可以想像了。

改變外匯管理已成熟乎

陳式銳

外匯管理急需解決

這樣底一個經濟畫面，實深深地隱藏經濟的危機，我想有權職者乃至一般國民，皆同樣地憂心。而目前急需解決者，厥為外滙之管理；數月來輿論之中心，蓋也為此；其中，進口實績尤為各方攻擊之目標。它係經政府由進口者手中取得便宜外滙，轉手之間（如頂讓），就獲得暴利加倍之數；此一制度專利於獲得進口實績之號而坐視出口之虧損，時至今日，已經沒有人再為辯護了。

現在當局考慮者，我想是外滙管理辦法的改變。回憶去年春間國民大會第二次會議時曾通過一個「當前經濟改革方針案」，即送請政府採擇施行，其於外滙方面建議：（一）改行外滙保有制，（二）開放自備外滙進口，（三）建立外滙市場。去年十二月廿五日行政院俞院長曾對國民代表聯誼會年會宣稱：「貴會今年三月的大會，向政府提供了很多的寶貴意見，政府各部門都會照着各位代表先生的指示努力去做」，照俞院長的話，本案應在採擇之列了。迨至十二月三十日，報載政府某高級人員對記者表示：「政府將自四十四年三月一日起，取銷進口實績制度，採取出口聯鎖進口制，即准出口商所得外滙購進進口物資，不再供給貿易商外滙。……今年（四三年）民間進口數額，約為美金四千九百萬元……民間出口數額最少美金一（至二）千萬元；這只要增加出口，即可解決」（台北公論報）。

匯率不提高的道理

該高級官員且進而聲明政府對外滙滙率不予提高，其所述理由倘稱中肯；其所採方針，顯然等於外滙保有制，即出口商保有其自己的外滙。但我當時認為進口增加固有希望，但於實施之時，若不同開放自備外滙物資進口，則進口貨物將因不足而高漲，仍嫌未臻完善。本年一月五日報載：「出進口聯鎖制實施後，為疏導物資來源，聞政府將開放自備外滙申請進口物資」（台北新生報）。在外滙貿易方面，我一向以外滙保有制及自備外滙進口為繁榮的雙腿，缺一則不能獨行。台灣的生產，年年可望增加，但如出口不隨之增加，則增產就招致損失；而出口增加，亦就可使進口增加，再加自備外滙物資進口，那末物資變軌增多，物價下跌，外滙需要和緩，外滙市價亦同時下降，不是自然底趨勢嗎？（上）

半週展望

·雷嘯岑·

杜爾斯的外交詞令

美國務長官杜爾斯前天發表關於台灣海峽戰火問題的演說，倫敦、華盛頓、台北等地方的輿論界紛紛揣測議論，憂喜不一。實則那不過是一篇師陳相因的外交詞令，我是不感興趣的。就台灣海峽的戰爭事件來說，聯合國能否維護正義，制裁侵略行為？這才是首要問題，美軍是否協防金門馬祖，乃屬末務。現在大家却斤斤於金馬的防守一事，好像美國如答應協防，天下就太平了，否則皇皇不可終日的樣子，這成甚末話？

再說台灣的國軍自從前年在金門小試其鋒，殲滅了共軍數千人以來，尚未與共軍較過身手，不無撫髀興歎之感。共軍要來進犯金馬，正可枕戈以待，唯力是視。一江山島幾百名游擊戰士跟共軍拚了兩天，即使艾森豪總統在其咨請國會授權的文書中特別提出「少數人的英勇作戰」之稱讚語意。如果我軍獨力在金馬打上十天半月，國際間對我們的觀感又是一樣了，幹嗎總是以美軍是否協防為念呢？越是現出不敢拚的患得患失心情，越就給別人瞧不起，何苦乃爾！

金馬萬一不守，共軍勢必得寸思尺，那時節，美軍若不退出台灣海峽，就與共軍正面相對了，看它為着「避免引起大戰」，又能搞出「和平共存」的奇蹟來？目前我們只有其在我，決不因外在的勸告威脅，而悄然放棄尺地寸土，杜爾斯的外交詞令，說好說歹，在用不着大驚小怪啦！

副總統言之有理

陳副總統在記者招待會中聲明，不問有無友軍協防，國軍決以全力防守金門、馬祖。這才算是有種的話，使國際間的強權主義者知道中華民族還有骨氣，並不一味乞憐告哀的。對金門馬祖若無自衛的勇氣，還談甚末反攻大陸呢？

他這篇洋洋讜論，實際只是兩句話可以包括：「無條件防衛台灣本土，有條件牽護外圍島嶼」。我們如不承認這種說法，就祇有下決心獨力防衛，管它協防不協防呢？

應注意另外一種協防計畫

我希望自由中國的「權威人士」和「名政論家」們，今後少談美軍應否協防金馬的廢話！南韓、泰國、越南，都是直接感受共黨威脅的國家，我們應該切實聯合起來，共同奮鬥，這倒是一項值得注意進行的大事。可是，這需要有得力的外交人才，從各面努力策動，因為我們現時所處的國際環境非同昔日，自己不策動，別人亦必不熱心的。然而，就現在那類寶貝式的外交官來負此任務，就是天大的笑話！尤其是泰越兩地使領人員之糟，有口皆碑，我不明白當局為甚末故作聾啞，不予整飭呢？

最近國際間盛倡「兩個中國」「台灣地位未定」之說，海外華僑僅紐約市的僑胞有所表示，其他與我有正式邦交的國家，如日、韓、泰、越、菲等地區的華僑，却毫無動靜。即此一端，可見駐在各該地區的外交人員之昏庸程度為何如者！「聯合世界上以平等待我之民族，共同奮鬥」，這項遺教現在更是要緊，事在人為，沒有人才可不成！

台產猪畜輸港問題

最近香港商人擬派代表赴台灣，洽商台灣猪畜輸港問題。這問題在去年因為中共禁止大陸生猪運港之故，曾經發生過，據說總統且已吩咐有關部門必須照辦，結果是障礙多端，沒法實現。但為表示遵奉總統意旨起見，乃指定東部海岸地方如花蓮等處的猪畜輸港，事實上非用飛機載運，即無從到達基隆，自然辦不到。然而，對上面却是有了交代，不愁追究責任了！

我盼望這次再不要抄襲文章。這不純粹是錙銖必較的商行為，是含有相當政治意義的事項啊！

國外通訊

阿根廷生活素描

·蕭立坤·

【阿京特約通訊】從一九五三年起阿根廷施行了一部人道、民主、自由的憲法，也一直沒有過戰爭，兩次世界大戰，她都實際上未曾參加。這裏的政府及人民，日日所注意的事，只是怎樣生活？怎樣快樂？打足球、跑馬、賽汽車、燒牛肉，而最重要的，還是家庭生活。

一九四九年經貝隆總統夫人伊娃極力推動，將舊憲法補充修改，由國會批准施行。新憲法的最大特點，爲保護工作，保護家庭及保護老年人。在憲法保護下工人的福利、工資、及生活，已於本文第一節（見本刊四〇三期）討論過了。本節擬記敘一些阿根廷的家庭生活。

家庭生活令人向往

阿根廷人認爲家庭是社會組織的基本單位，不過所指的家庭，只包括一夫一妻及未成年的子女，而不是中國古時五世同堂的大家庭。男女兩人，因相愛而結婚，而成立家庭，當然是平等的。但男女並不相等。『平等』不必一定『相等』。即如左手與右手平等，但兩者的作用卻不同。男人運用體力及智慧向社會及工作方面發展，女人運用愛情及耐性主持一個家庭。家是個人的保壘，是政府法律及朋友不能隨意侵犯的。這裏的家，不論貧富都是舒服，清潔與寧靜的，鄰居的主婦們在大門外見了面，都非常親蜜。可能站在屋簷下，敘述家常一二小時，但非經正式邀請，或有婚喪大事，彼此不進入鄰家家裏去。也有鄰居十年，而未進過鄰人屋內的。

父子，兄弟，姊妹，結婚後各人有自己的家，很少擠在一起居住的。因此屋荒是阿國青年男女想結婚而無力結婚的最大煩惱，加之阿國的葡萄酒價廉物美，一杯在手，許多青年男女，住在公寓裏，不得不把結婚問題丟開。但一丟即是十年廿年，一直到四十五十，還未娶妻。如果那時有錢了即可娶一位青年美麗的妻子，如果老而無錢，只好獨身下去，住公寓，領養老金，坐公園，就此結束一生。

獨身男子既多，對于女子自然是一個威脅，比中國及美國的方式，她們求偶的積極得多。十幾歲時，她們即結交許多男朋友，而且對男朋友，無論有意無意，都是笑迷迷的，唯恐他們不開心，父母、學校，也照這取悅男人的原則，教育她們，教她們化粧、愛美、音樂、跳舞、做家事、裁剪衣服，和怎樣說令人高興的話。

女子美麗軟語綿綿

中等家庭的女孩子，一到十五六歲，小學畢業之後，多數不再升學，而在家裏幫母親做家務，而每天經常的工作是清潔地板天井階跎，每晨必用水泥洗刷，傢俱、衣巾也時時清潔。

如果有機會升學，或到商店做店員，一旦物色到如意郎君，馬上便結婚去了。女子多數都很美麗、黑髮、或深鬈色髮，白膚、眼特別大，嘴特別小，身材與中國人差不多，說話與音調，活像蘇州女子軟綿綿的，你不必仔細辨別她在說什麼，只須看她兩眼的表情，兩手的指畫，有時，頭、頸子、甚至於全身都在表情，你已可懂得她的意思了。

阿國肉食特廉，人人都有多吃肉的習慣，但未結婚的女子，卻一定非常講究，吃肉很少，因爲一旦長胖了，即不美麗，也不容易找到丈夫了。但結婚之後，法律是不准離婚的（一九五四年年底法律已改爲可以離婚了，但這對一般人民幾百年的習俗，一時尚不致發生大影響），她們可以放心吃喝，所以這裏太太們都是肥胖的，在中國，如果形容一位太太腰粗得像一個水桶，當然是形容她胖，但在這裏，正是形容她腰瘦窈窕呢！（上）

編者　讀者

談軍官夫人會

△惠珠先生來稿△

韓非子說過一句名言：「戰士賤而遊士貴者國必弱」，他的意思說負實打仗的人在社會上處處沒辦法，而遊手好閒的人反處處有辦法，這樣的國家是一定不會強盛的。

過去大陸時代，士兵和下級軍官的眷屬實在太苦了，可以說，完全沒人照顧，而且還受到社會上的輕視。至於投機份子，不事生產的人，反個個紅光滿面，腰纏纍纍。因此，軍心不振，鬥志毫無。

數年來，台灣對於軍官和士兵的待遇，力求改善，對於軍人們的家屬，也有不斷的照顧。可是，現在在前綫浴血作戰的志士，他們的家屬，是否人人得所，還不敢說。

因此，要解決問題，還得老老實實的做些切實工作。我說這話，並不是不體諒政府困難。但是歸根結蒂，要反共，就得使「戰士」的身份貴起來，打仗的人和他們的家屬，不「貴」就不能打仗。

最近，蔣總統手諭所屬，叫他們籌組一個「軍官夫人會」，以加強軍眷間的團結和照顧，因此，連日婦聯總會，總政治部，陸軍總部，海軍總部，空軍總部，聯勤總部等，都忙於替這個「軍官夫人會」起草組織法，因此，我想乘章程還未確定前，提出一點小意見。

我想所謂「夫人」，大概不會是下級軍官的太太，更不會是士兵們的女人。這樣的「夫人會」是可以有的，但須用這個「軍官夫人會」來照顧下級軍官的太太，和士兵們的女人。如果只是爲軍官夫人們的團結，與互相照顧，似乎還是不够的。

在戰火彌漫於台灣海峽，這個「軍官夫人會」應該如何作法，大家想必都已知道。總之重視上級忽略下級的作風，現在應該不是時候了。

惠珠，香港上環，二月十五日

論中國文化的改造

·吳康·

（上接第一版）它以「仁」爲中心本德，以孝弟忠恕義禮智信等，爲部分的基本德目。它有五經四子爲基本經典，有史傳諸子爲解釋演論，有歷朝文集爲潤澤光輝。我們應該根據這些廣博的文獻作分類的探討，標出各種基本概念，闡明其涵義，指出其功效，以傳統思想爲之證明，以史迹行事驗其得失，重新建立偉大純正的「人道」思想。其步驟如左：

建立新人文主義

一、天地之大德日生，「生」爲人類存在之基本目的。

二、到達此目的之稱敘爲「互助」，而非「相害」，相害是戰殺鬥爭，與「生」之本義相違反故。

三、「仁愛」是中心本德，其他舊德目，如孝弟忠恕義禮智信等，祇是仁愛的分支。仁愛見之於行事爲「互助」，故「仁」爲「生」之本德，「互助」爲其實踐。

四、實踐「互助」，須賴工具，此工具即是科學知識，其內容要點，爲：（一）眞理（眞實TRUTH）；（二）誠實（知識的誠實INTELLECTUAL HONESTY）；（三）公平（公道JUSTICE）；（四）明證（證明PROOF OR DEMONSTRATION）。眞理即是正確，誠實即祇虛僞，公平則不偏頗，明證可避玄談；此四點構成科學精神，能完全做到，即科學對於人道之積極的貢獻。

五、以互助行事，促人類共同共榮，使社會日臻於進化，實現仁愛的使命，是即德之「至善」，其全部歷程，形成完美純正的人道思想。

六、此完美純正的人道思想，即我們所提倡的現代化新人文主義的思想，以道德爲本幹，科學（知識）爲工器，藝術（美感）爲調和，錯綜灑合，構成眞善美實體化之整體，此整體見之於個人，爲「完全自我」，見之於社會，爲「世界大同」——此即現代化最進步的人道思想之終極目的。

中國傳統哲學，即以人道思想爲其中心，故發於政治，則「天下爲公」，發於道德，則「民胞物與」，發於教育，則「有教無類」，此種宏博偉大之精神，乃中國文明的寶藏。國父孫中山先生講演三民主義，提倡仁愛等固有道德，發爲民主政治，達於世界大同，即在求人道最高理想的實現。所以我們此日的任務，應該根據上述各種步驟，原始要終，重新建立崇高偉大的人道思想，施之實踐，使人類生活全體，成一活潑而有生命之道德系統，即一具體化之道德哲學，不至如西洋倫理學祇是一系列的名詞解釋。努力求此「人道」新理想的實現，自能拯救人類的沒落，而使世界轉向繁榮進化。

保存固有文字

第二、保存固有文字——中國語言文字，在世界語言系統中，屬於單音系之一，其構製本於六書（指事、象形、形聲、會意、轉注、假借），與接合語，屈曲語各系，截然不同。它有四五千年的演進歷史，相傳黃帝史官倉頡作書，雖不可盡信，然觀殷墟甲骨文字，已能狀物記事，則最初文字，起自三代以前，殆無疑義。迄於今日，單字已達五萬以上，複詞已達十餘萬條，（此姑據中華書局的辭海而言，然辭海所收單字，纔一萬三千餘，去全體單字之數，尚極遙遠）。中國文字，旣是單音，其功用推廣，全在複詞，（如一爲單字，一人，一旦，一陽生等爲複詞），事物日新，複詞可隨情撰製，達於無限，故能範羅宏富，無微不達。中國幅員遼闊，各地方言，彼此不同，而書之文字，則若畫一，書同文之功，在中國確已做到，故能數千年來保持其大一統的局面。加以中國文字以形勝，同音異義之字，全恃形體爲之辨別，（此亦中國字體不能太簡單化的重要原因），故拉丁化之謬說，無法實行。又故傳四部要籍，爲中國文化之淵海，全以固有文字寫成，文字倘有銷亡，即文化受其損害。所以我們今後對於維繫民族文化生命的偉大精神工具——固有文字，宜盡力保存，廣加利用，擴充複詞的數量，容納新生的概念，使此承載中國數千年文化的基本工具，於民族生命延續歷程中，實踐其傳達情志的任務，完成其承先啓後的使命。

訓練邏輯方法

第三、訓練邏輯方法——人類本性有理知與情感兩要素，理知發展爲科學哲學，情感發展爲文學美術，意志基於情感而兼涵理知成分，則發展爲道德宗教。中國自兩漢以還，二千年來的聰明才智，悉瘁其力於文學，故長於情感想像，而絀於理知考驗。先秦名墨之學中絕，無西洋邏輯辯證的傳統訓練，故中國過去文化史中，無歐洲式的自然科學與哲學之出現。邏輯是一科內容，集合概念以構成判斷，聯結判斷以構成推理，進爲系統研究，以構成方法；一切科學知識，悉由此等程敍而產生，此與文辭之注重在標渺游移者，適居其反。（如白香山長恨歌，忽聞海上有仙山，山在虛無縹渺間，自是絕妙好辭，但衡以邏輯，適成笑話）。我們今後急宜取他人之長，訓練邏輯方法，以爲研究學術之工器，以精密之推理，求新知之發明。然後對於西洋科學文明，始能驟軌追蹤，迎頭趕上，使我們傳統文化，加入新血液，而誕育新生命，醞釀一光明燦爛的將來。

上文所述三事，在培植立人道思想，以保存文化的本原，固有文字，則充實表現的工具，訓練邏輯方法，以輸入科學的知識。以此三種主要的工作，致力於革新學術，改造文明，由是而誕生新中國文化，使中華民族發揮其傳統的潛力，重振其歷史的光榮，完成其復興民族，建立新邦，俾成人類進化，以達於世界大同之偉大使命。

（附）自由人編者來函，囑爲本刊作文，牽於校課，久未報命。近參加一座談會，討論道德思想，涉及中國文化問題，爰趁寒假，草此短篇，粗發其意，未能詳也。元月廿五日記於台北旅次。

（完）

蘇聯新總理　布加寧的生平

·人物·

本月八日，馬倫可夫突然坍台後，所遺職務，便由第一書記克魯曉夫向最高蘇維埃聯席會議，提名布加寧爲總理，於是迅速地獲得一致通過。

·述評·

（一）

我們知道，在史大林死後的兩年中，蘇聯是由六人的寡頭政府統治着：即馬倫可夫，莫洛托夫，克魯曉夫，加岡諾夫，米高揚和布加寧等。

不過在政治地位方面，布加寧卻不及莫洛托夫；在黨的立場言，布加寧也不及克魯曉夫；在經濟方面，布加寧又不及米高揚；尤其在軍事方面，布加寧不僅不及朱可夫等人的戰功，而且他還不是科班出身的職業軍人。凡是讀過「蘇聯大百科全書」的朋友，可以讀到下列的紀載：「布加寧爲城市貧民出身，他在一八九五年生於高爾基城。一九一五開始參加革命，一九一七年加入布爾什維克黨，在剿滅高爾卻克匪部的西伯利亞戰役中，著有彪炳的戰功。第一次五年計劃的天才組織家和執行家，在史大林同志和黨的領導下，完成了烏拉爾區冶金工程的建設計劃。一九三一年當選莫斯科蘇維埃主席。一九三八年任蘇聯國家銀行董事會主席，翌年被選爲聯共（布）黨中央委員。一九四一年衛國戰爭初期，被派爲國防委員會委員，爲光榮的列寧格勒保衛戰指揮官之一。一九四四年任白俄羅斯政治委員，擢升爲陸軍上將。一九四五年德日相繼投降後，國防委員會改組，布加寧被選爲副主席，並晉升爲元帥。一九四七年再由最高蘇維埃晉升爲蘇聯元帥，一九四九年出任國防部長。」

說也奇怪，蘇聯紅軍中的元帥也有三等。第一是「大元帥」，其次是「蘇聯元帥」，再其次是「元帥」。原來大元帥在蘇聯歷史上只有史大林一人，現在這個「大元帥」已不存在了。「蘇聯元帥」共有十一人；「元帥」共二十五人。而在這十一名「蘇聯元帥」中的布加寧，今天居然爬上了克里姆林宮主人的寶座。

（二）

布加寧這個名字，是一般人所耳熟能詳的。然若依照他的原來姓名，就該稱爲尼古拉•亞力山大維志•布加寧才對。他過去的職務很複雜，除了國防部長而外，還要負責武裝部隊的共產黨政治委員。其任務也頗爲微妙，便是保證武裝部隊對新政權效忠。他要是不使那些元帥和將軍們相信，他在蘇俄最高階層會議中能夠爲他們奮鬥，他這件任務也就很難完成。他像美國的國防部長一樣，做的是一種吃力不討好的工作，要把軍事機構各部門互相爭持不下的要求，加以衡量輕重，來定取舍。在非軍事性質問題的辯論中，布加寧可以一個以往很有成績的經濟行政官的資格來說話，也可以他的部隊終極須負起責任用實力來支持蘇俄外交關係的資格說話。

提起這位非軍非政，未嘗出過正規學校的布加寧，並不是一帆風順幹起來的。在他的人生過程中，也曾經遭過很大挫折。例如一九五〇年，一度失寵於史大林，當時如果不是貝利亞替他講情的話，布加寧早已被送上斷頭台了！但在史大林死後，他又重新抬頭，並與馬倫可夫聯合謀捕貝利亞，由朋友變爲敵人，由恩人變爲怨人。由於布加寧在第一及第二兩次五年計劃中以「冶金工業」的姿態活躍於蘇俄的政治舞台中，所以他做了國防部長以後，不但以國防部長名義控制着全體陸海空軍，同時還以部長會議副主席名義控制着一部分行政和工業生產的工作，恰恰針對着馬倫可夫缺乏工業生產工作的經驗，而輕輕地移去了他的總理寶座。

（三）

布加寧帶工人和帶兵一樣的無法無天，他對冶金工業雖然一竅不通，可是他知道用政治煽動的方式，如發明斯達哈諾夫運動等，去強迫工人作超體力的勞動，用量的龐大彌補了質的不足，終於使他得到了成功。至於帶兵，他出任朱可夫元帥的白俄羅斯軍政治委員時，曾一手創訂了許多軍紀法令，其中最著名的便是他訂定蘇俄軍官在非戰事狀下，有權於「時間不容延緩的緊急情況態下」不經法律審判，便可槍決任何不服從的士兵。由是在布加寧的政治領導下的白俄羅斯軍，其制度跟沙皇時代的俄軍完全一樣。有一個美國軍官在柏林蘇佔區中，見到一個紅軍上校用籐鞭猛打部下而感到驚奇！然而更使他吃驚的是布加寧的在軍官卻往往最受部下擁護的。這種白俄羅斯軍中所製訂的這些「軍紀法令」，現在已廣泛地推廣到所有的紅軍中去了。現據說連中共也將仿效布加寧在軍中倡組的強迫軍役制度，作爲廣泛改組軍事組織的措施之一。

（四）

當此國際風雲日緊的今天，素有「戰爭販子」綽號的布加寧，突然當選爲蘇聯總理。今後他的一舉一動，都要成爲整個附屬國家的法律。不但蘇聯二億多人民的生命握在他的手裏，即世界上每一個人民的生命的安危，也和他的喜怒有關。

·文鑑·

新書評介・在中國五十年

司徒雷登著　閻人俊譯　香港求精出版社發行

司徒雷登博士，久住中國，先事傳教，次辦教育，最後做美國駐華大使。他對中國問題，相當了解，對各階層生活狀態，也有很多體驗。可以說，他是外國人中最能了解中國問題的一個人，對於教育的供獻，尤有很大成就。他這本書，不僅寫作態度[illegible]，也是一部有價值的文獻。全書分上下兩冊，上冊偏於回憶，下冊偏於政治外交和軍事上的印象和評論，歸納到中國大陸喪失與世界大事的[illegible]共產主義悲劇的感想。以下，我對本書作簡要的述評，介紹給讀者：

（一）

司徒博士的父親司徒林登，於一八六八年，由美國被派到中國傳教，一直在杭州，前後達四十六年。其初，他還是一個單身漢，二次再來，他已[illegible]當時有人稱[illegible]小姐是一個「有非常智力和社會天才的婦女」。她們很欣賞杭州美麗的風景，有歡喜的西湖，有佛寺的[illegible]，又有以八月潮著名的錢塘江。她們不僅傳教，更辦學校，後來著名的杭州弘道女校的前身便是她們所慘淡經營而成的。司徒博士出生後，是個長子，十一歲離華回美，一身中國化的生活，引起美國一羣孩子很奇怪的訕笑。迨他父母再回中國時，把他留在他的姨母家中，直到送往蘇陀中學讀書，才成為一個正常美國孩子。

中學畢業，考入漢伯頓雪尼大學，又研究神學，據他說，他對傳教事業，是缺之熱心的，結果，還是作個傳教士。和變琳小姐結婚後，重返杭州，立刻學習中國語文，不久也就能說能寫了。他以為杭州話，在全中國的方言中，是最優美的，聽來好像有一種音樂般和表現性，具有誘惑的力量。

經過了幾年傳教的工作，並派到南京金陵神學院担任教授，為的解釋教義及工作方式不同，於是造成兩個差會，他便成為反對派攻擊目標，但，他能以精誠感召，終與做到很快樂和諧的偉大工作，而為人所崇拜的。

（二）

一九一八年，他離開金陵，前往北平負起建立新大學的責任，因為合併滙文、協和，兩校原名存廢問題，經過了無窮的爭論，他以誠懇，公正，和諧的態度應付，終獲得融洽結果，組成燕京大學。

募捐興學，原是一樁緩慢艱難的工作，他往來美國，中國各地方，確是費盡無限的心血和努力，他曾說過：我每次看見一個乞丐，都覺得我和他是屬於同一機構裏面的人，這種為與學而犧牲的精神，恰和我國乞丐興學的武訓，異曲而同工。

他辦學最注重的是建立師生間永久性的友誼，而盡量設法使中國人感到燕京成為自己的大學。中國教育，往往注重[illegible]，做到耶穌所謂「非以役人，乃役於人」。又以「因為真理得自由，以服務」為校訓。他並特別指出，中國青年是何等優美的原料，中國民族的生命力和智力是何等的優越。他能體會到中國人情味，他更能體會到中國儒家中庸的一套哲理。

（三）

胡適博士和他有深摯的友誼，他對胡氏文學革命，本着熱烈的贊成態度，他認為他的運動，合乎邏輯，具有進步性的演進。

他深信中國文學的滙和性人文主義，中國文學對於個人[illegible]，忠心和禮節，中國學術至上，和宇宙道德秩序之主要信念，尤其欽佩中國文學指出人無論以個人或以其他社會組織中的資格，都要盡力與宇宙的道德秩序相互和諧的。

到南京後，他以合衆社臨時記者身份，[illegible]

（四）

日本軍事佔領華北後，[illegible]

[illegible]大陸淪陷後，高級官員逃到海外的很多，[illegible]

[illegible]把一個領導民族抗戰的蔣委員長，[illegible]特別提出向那些日本審問者說：日本人自己既然有很高的愛國熱忱，[illegible]民族英雄的蔣介石氏。

飛彈這種武器，由來已久。而最先使用這種武器的便是中國的火箭，其次即十八世紀的印度對英，和一八一四年的英軍對美，都曾先後使用過。

德國使用過的飛彈

第二次世界大戰，德國發明V-2飛彈，用液體燃料而不是用火藥。這類飛彈，每顆重達十四噸，其中一噸是炸藥。由發射地點到倫敦目的地，為一百八十英里，預算落下的時候，離目標約有四英里左右的出入。還有一種是V-1，不是飛彈而是無人控制的小飛機。德國放射了八千個，只有二千落到目的地。可是這二千個曾夷平了房舍二萬四千間，炸壞了房屋一百萬間，炸死居民五十多人，重傷了一萬七千，輕傷一萬二千。

V-1的成本每顆不到一萬美元，V-2的成本不到十萬元，V-1的速率趕不上聲浪，便很容易被高射砲擊落；V-2速率卻比聲浪快，英國沒有法子防禦，只有祈禱落下來的時候，離目標太遠和太深而已。除了V-1和V-2之外，德國還發明了別的飛彈。一九四二年有一種曾在地中海炸沉了很多盟軍的船艦，是一架飛機放射出來的小滑翔機，每架用無綫電操縱，後來盟軍科學家才發明攪擾無綫電波的方法，這類飛彈始失去效用。

美國的飛彈研究

至於美國方面的飛彈研究，過去是由陸軍軍器局，海軍航空處，和空軍部三個機關分別進行，彼此互相妬忌。到一九五〇年十月，前美總統杜魯門把這三個機構合併起來，特別設立一個飛彈局，隸屬於國防部長底下，派克萊斯勒汽車公司董事長凱勒充局長，前原子能研究計劃的工程師尼古斯少將充副局長，集中工作力量，選擇最切實用的飛彈去實行大量生產。中選的是那幾類，是軍事秘密，不便宣佈。不過據說截至一九五三年止，在研究中的共有三十五種之多，成功的程度不同，相信都在繼續研究中。此外美國各大飛機公司，都由政府訂立合同，津貼進行飛彈研究。

據美國航空週刊報導，現在預備研究中的，有一種射程五百英里的長距離飛彈，又有幾種射程比較短點的，一年之內也可以普遍地供給軍用。但有一種射程最大的——五千英里以上，便要三年至五年以後才能研究成功。

進步神速的飛彈

・文鑑・

飛彈的四大類

近來美國所研究的飛彈，大約分為四大類：第一類是陸地到陸地的，步兵砲隊和空軍都適用。例如上次朝鮮戰事中，美國使用的有火箭彈，大排大排的放射。火箭彈有一種毛病是不大準確，不過如果大量放射，總有一顆命中目標。美國在朝鮮同時還使用過自尋目標的飛彈。

第二類是由陸地放射到空中的，和高射砲相似，多半是用來對付敵人飛機的。此類飛彈，能夠自己瞄着目標飛去，到了有功效的射程之內便自動爆炸。其中有一種能夠隨着敵機的閃避動作而轉折追炸；又有一種是由地面用雷達操縱路綫的。

第三類是由空中到空中的，預備由自己的飛機放射。有一種二寸半的飛彈，將來作大力老鼠的，就是屬於這一類。將來美國所有的轟炸機，都預備裝配這類飛彈。

最後一類是由空中到陸地的。以前德日兩國，都比美國要先進得多，現在美國均已迎頭趕上。此外德國又研究出幾種水底對陸地，水底對水底，和水底對空中的飛彈。目前各國飛彈的研究，都以德國為基礎。德國資料，多半已被蘇聯刼去，可是西方國家也得到不少。

蘇聯可能佔優勢

最近蘇聯對於飛彈的研究，正在積極進行。本來火箭砲是蘇聯最先使用的，曾經由空軍以火箭彈抵禦坦克車，才保住了斯太林格勒。同時美國軍事人員也承認蘇聯在飛彈研究上，可能要比美國佔先。如果蘇聯成功了地面對空中的飛彈，美國轟炸蘇聯本土的計劃，將無疑受到嚴重的打擊。無論如何，飛彈研究成功之後，是等於建成了一枝強大的空軍別動隊一樣。

讀者論壇

抗議停火謬論

吳繼琇

去年一月二十三日，我們一萬四千[illegible]百四十三位反共義士，背負着四億五千萬大陸同胞爭取自由的希望，回到了自由祖國的懷抱。一年來，[illegible]共產暴政，解救被關[illegible]籲，除了獲得同情外，並未獲得有效的支援與幫助，[illegible]一種荒謬言論提出嚴正的抗議。

姑息退讓　自取滅亡

邵林宗　（上）

我來自鐵幕，受過共黨的奴役與迫害，了解共產集團的陰謀，[illegible]

[illegible]道還不足以證明共產[illegible]變了赤色，我不相信[illegible]

[illegible]歐洲或美國能夠置身事外。所以姑息、妥協、畏懼、退讓實在是自取滅亡。以慷他人之慨，來應付中共的勒索，只有助長侵略者的兇燄，刺激其侵略的胃口，故今天祗有給侵略者以強硬的打擊，而不能和侵略者姑息妥協。今天制止侵略，消除危機的唯一方法，是反攻中國大陸，杜絕禍亂根源。所謂「停火」，「共存」，適足以加強共黨征服世界的野心，無補於世界和平。

毛以亨教授飛西貢

本刊作者權威政論家毛以亨氏，歷任全國各著名學府教授垂三十年，大陸淪陷前來港，從事自由文化工作，著述極豐，尤於建立民主體制之理論闡發為多。現毛氏應西貢華僑商會之邀，前赴西貢主持該會所新創之日報，業於廿一日晨搭國泰班機飛赴西貢。到機場送行者有毛氏家屬及親友多人。

政治上的愚昧行為

其次，我來自鐵幕，我要代表鐵幕裏的人民，控訴那些國際陰謀野心家，與政治掮客們。你們妄欲標新立異，抹殺中國大陸及海內外千千萬萬人民爭取自由的意願，提出荒謬的建議，實在違背了聯合國的精神。你們想使一個企圖吞噬世界奴役人類的共產集團，與一個愛好和平民主的自由世界共存，這不是天下奇聞嗎？你們要邀請被聯合國指責的侵略者的敵人，來分區抗議，共商和平。因此，你們得到的是拒絕邀請的侮蔑。試問你們邀請屠殺自己子弟的劊子手，奴役人類自由與破壞世界和平的侵略者，進入人類和平的殿堂，這不是侮辱聯合國的尊嚴，撕毀聯合國憲章的愚昧行為嗎？

我們為了不願做蘇俄的奴隸，為了自己的生存自由，也為了自由世界的安全，我們堅決反對與共黨討論停火的陰謀，因為這不僅侮辱聯合國和中國人民，而且正如我駐聯合國代表蔣廷黻博士所說的：「那是道義上的錯誤和政治上的愚昧行為」。因為中共是俄帝的侵略工具，是中國人民的壓迫者，根本不能代表中國。

揭開鐵幕自由投票

假如今天，聯合國還能保持其維護世界和平，與保障人類安全的宗旨，便應嚴懲曾經宣判為侵略者的中共。必須終止「海峽停火」與「兩個中國」的謬論，打破「和平共存」的夢想。接受板門店與日內瓦的教訓，趕快面對現實，消除畏共心理，拿出真知勇氣來撲滅危害人類的禍源。

假如你們真正關心和重視中國人民的自由意志，那就應讓我們四億五千萬中國人民，在聯合國的監督下，來一次自由選舉的公正投票。像我們在中立國遣俘委員會的面前，選擇自由的投票一樣。我敢斷言，如實行自由投票，至少有百分之九十以上的中國人民，都曾和我們一樣，拋棄中共政權，而擁護中華民國政府的。這一公正合理的方式，你們為什麼不提出來，偏要選擇屈膝的談判呢？你們如果沒有勇氣和決心揭開鐵幕，讓中國人民用自由投票的方式，來選擇政府，你們任何行動和決議，都是我們中國人民所堅決反對的。我們反攻大陸，解救同胞的決心，是任何行動不能阻止的。我們堅決擁護蔣總統的聲明：「中國大陸是中華民國領土不可分離的部份，光復大陸乃自由中國之最高使命，亦為其天賦權利，我們可以隨時進攻。」

勝利可期　死裏求生

最後，我要向我們的同胞貢獻一點意見，在這危疑震撼的時代，大家應該以惕悲憤的心情，打破任何的國際陰謀。應該加強戰鬥精神，提高戰鬥氣氛，準備一切，堅定反攻信念。不要自餒，不要畏縮，不要依賴，更不要苟安。要發揮中華民族的大無畏精神，不惜任何犧牲，不怕任何代價，將仇恨化為力量，把憤慨變成行動，團結一致，堅挺不拔。無論國際形勢如何險惡，只要我們有堅強信念，死裏求生的決心，任何野心家都毀滅不了我們的復國志願，任何陰謀都不能阻止我們的反攻。我們要誓死反對「三八綫」出現於台灣海峽。大陸是我們的，我們一定要打回去，我們要拯救自己的父母兄弟，重建幸福康樂統一的中華民國。

節約的首務

馬五先生

會議的作用原在集思廣益，博訪周諮，而以多數人的意見爲處理問題的準則，這是常識，亦爲運用民主政治的最起碼而最普遍化的方式。

既然舉行會議，教預會人犧牲時間精神來正襟危坐，一定是有問題要大家共同研討，來求得正確的解決方法，否則何必多此一舉呢？因此，在研討問題之際，必須讓大家自由發表意見，百無禁忌，祇要他是就事論事，沒有超出討論範圍的話，對任何一個與議案有關的機構或個人，皆可加以批評。說得不對的，大衆自不會盲從附和，而且有人予以辯駁指正。這樣才算是眞正有作用的會議，也是民主政治的合理軌範。

如果開會的作用祇在教大家來聽講訓話，除遵照主持人的意旨和既定方法一致通過外，不能別有異議；或者只由主持人一篇報告詞，不是說奉上峯指示如何如何，就是說奉核定如此如彼，意在「理合轉達，仰即一體遵照」；再不然，就是利用「會議決定」的理由來推卸責任，以便主事情辦不通，或是出了毛病時，具有諉過的口實。像這類的會議，與民主政治風馬牛不相干，爲節約人力財力和時間計，最好是少開爲上。過去我每見政治人物被那些各色各樣的無聊會議困擾得走頭無路的慘狀，認爲每一機關應該設置「會議專員」若干名，專司開會出席之責，庶幾乎可使各機關的首長們，有精神時間來做點正經事。反正開會只是一種形式主義，派個代表去應卯點綴，不是一樣的嗎？

會議固然是民主政治的普遍方式，但須發抒眞正的會議作用，如其只是虛有其表，說這樣就算實行民主政治，發揮幹部領導的效用了，吾斯之未能信也。要講節約，還自節省無聊的會議始！

正名與用典

‧小言‧

記得譚組安之喪在京，一時輓聯多運用傳統典故，把譚先生說成了一個輔弼柱石之臣，當時覺得很刺眼，事雖小，却反映了文化意識的混亂；文化意識的混亂不是小事。近來論政之文，常見有把立法院說爲民意機關。依憲，立法院明明是民權機關，其職非行政方面所能干涉，何以把他貶爲民意？如果爲民意，則行政方面具有採納與拒絕之權了。又對經濟事業主張民營反對國營的持論者，常愛引用「國家不當與民爭利」的老話。在君主政制下，其初本無國家的財富，如秦制的少府本來替君主管私財，後來戶部所管的錢糧才是國家的財富。唐明皇設瓊林大盈兩個私庫又是君主攫公財爲私己的作祟。明萬曆派太監開礦，更爲荒謬。這才是與民爭利的罪惡。憲法第一條明白規定：「中華民國基於三民主義，爲民有，民治，民享之民主共和國。」這樣的國家如何可能「與民爭利」呢？除非國家還像實世襲時代「總而言之，統而言之。民何有焉，國何有焉。」的國家，否則，「與民爭利」這一理論不能成立的，其意識是應洗滌去的。這種濫用的詞語——「民意機關」，「與民爭利」——表示了文化意識的混亂，政治意識的幼稚；這不是小事。

又運用成語成典，有時又易陷積非成是的錯誤。例如我們對「大言炎炎」，往往用來指斥「像煞有介事的車大砲」。莊子齊物論「大言炎炎，小言詹詹。」章太炎注，「炎，同淡，老子曰，道之出口，淡乎其無味也。」至「詹詹」則釋爲瑣碎。把「元酒味方淡，太音聲正希。」的道話來說不易說的道，誤作「像煞有介事的車大砲」，也是不對的。

再說，羅志希主張簡體字，本來是合理的。他却不該引證許多古雅的碑文，來支持他的論據。這，祇暴露了他的文化意識中有崇雅貶俗的傳統意識。現在中共實行簡體字了。如果自由人士便因此而不敢再主張簡體字，又是甚麼意識的表現呢？

由蒼蠅蝴蝶到蚊子蒼蠅

‧燕廬‧

（三）

如今，自然十九成了鷹犬的天下，牠們也都做了部長或副部長正在對主子拚命地搖着尾巴，發出嗚嗚的親暱的叫聲，一面在獰笑着分享所有血淋淋的「果實」，有剩下來的，一部份在過着煉獄一般的生活，一部份却僥倖逃出來了，那裏面也有些原算同路人的，却因爲進行「革命」時吠得不夠，分不到「果實」，終于也隨着逃出來，面目也彷彿像鷹犬，偶然會甕甕滴似的，在海外報效一陣吠聲，却已經很低沉，自己也知道起不了什麼作用了，這行徑倒像蚊子或蒼蠅，趁着黑暗時嗡嗡地飛出來向別人叮一下，如果有腐屍，或一堆腥臊的垃圾，也樂於爬進去，祇吸一口汚水，近來我們也讀到許多新印出的書，一些是回憶錄，有翻版的潤之我兄的信件，一些是先師的謝詞或遺著，一些是陳死人故事的翻新，一部紅樓夢，原已經給索引考證得稀爛了，都仍有人寫些散記引論之類，頗容易使人覺得文藝只是認錯追悔或附庸風雅的工具。

（四）

談文學史的先生們，大致都以爲魏晉，南宋，晚明的文學風氣是卑弱纖巧的，但他們到底有文彩，有個性，有眞正的藝術趣味，我們以爲：人類社會有文化，所以有文明，而文學自然就是一種文明的象徵，趕走了鴛鴦蝴蝶，招來了惡狗，終于又出現些蒼蠅蚊子之類，照歷史發展的觀念說，這應該是文學的厄運，依我看：蘇曼殊的小說：也很像鴛鴦蝴蝶派的作品，但却有文學革命大師爛柯山人（陳獨秀）的序言，那末，後來攻擊鴛鴦蝴蝶派的人，不是爲恩怨就是爲吃飯，單純的恩怨若未必會妨害藝術，只爲吃飯，則根本與藝術無關了。由鴛鴦蝴蝶變到蚊子或蒼蠅，這樣的蛻變是可悲的。（下）

語言學漫談

徐道鄰

七．地圖不能代表一切

地圖有多少種，有地形圖，有地質圖，有土壤圖，有國界圖，有道路圖，有生產圖，有氣候圖，有人口圖，有語言圖。同一個地區，而它各種不同的圖所表現的形態，就迥不相同。語言之描寫事物，也同樣是如此。譬如我們說張大才是一個貧寒家庭出身，是描寫他幼年的社會環境。說他在學校讀書時，每次考試，總是在前十名左右，是描寫他讀書的成績。說他現在財政部當科長，是描寫他的職務。說他是美以美會的教徒，是描寫他的宗教信仰。說他是五個小孩子的父親，是描寫他的家庭人口情形。這五項說明，是表示張大才這一個人在五種不同的觀察點下所表現的五種不同的情形，如同五種不同的地圖，表示同一個地區的五種不同的現象一樣。它們所要表示的，只是在這一個特定觀察點下所必須表出的現象，一點不能少，一點也不能多。（多一點，少一點就成了不準確的地圖，錯誤的地圖了）。但是在這裏有一個很奇怪的現象，就是在看地圖時，大家都知道，一種圖有一種圖的作用，不能彼此混淆。在使用時，大家都知道不可以超過這一定的限界。大家都知道，同一『國界』的地區，『地形』不一定一致，『語言』也不一定一致。同一『人口』密度的地方，不一定有同一的『氣候』，或同樣的『生產』。大家都不預備在一張圖裏讀出這張圖本來並沒有要表示出來的東西。但是在語言的領域裏則不然，語言所說明的，雖然祇是屬於一個特定的範圍，但是我們聽話的人們，却一定要在這一個範圍之外，同時在另外一個範圍內作一個毫無根據的推論，而且都是個人的推論，和別人常常不一致而且是很難一致的推論。譬如張大才是貧寒出身，因此就要人認爲他一定節儉刻苦，但是也有人認爲他一定吝嗇寒酸。因爲他考試的成績不錯，就有人認爲他一定是一個肯用功的人，但是也有人認爲他一定天分很高。他的科長的位置，有人認爲很高，有可以決定一切的權力，但是也有人認爲很低，其所能左右者，微不足道也矣。他是耶穌教徒，有人認爲這是他不能完全受中國固有文化的說明，有的人則認爲這正是他人格完整道德無缺的最有力的保證。他有五個小孩，有人認爲他爲了顧惜自己小孩的前途，一定拚命努力向上，有的人則認爲他在家庭負担的壓力之下，一定免不了貪汚作弊。這種思想的聯繫，就等於從一張氣象圖上去推求人口密度，從一張國界圖上去推求土壤情形，豈不十二分可笑。但是在語言的運用上，我們却是常常如此！（十三）

秘密

‧羅須‧

的傷心無可形容。他雖然對我冷淡了，但沒有對我不好的地方，我祇有怪自己不會討他更好一點。所以，我沒有向你爸爸查究這事，祇是暗自悲傷，同時也偵查他在外邊的行動，終於，給我偵查到了，你的爸爸已和一個年輕女人秘密同居。我後來也得知她的地址，有一天，我打算去找她，到了這樣的時候，我妒火中燒，已管不了行動是不是太粗魯。我只想向她大打大吵一場。誰知道事情並不這麼簡單，一切都使我欲語無由。」老太太長嘆一聲，閉上了眼睛，在追憶無限傷心的往事。再緊又倒在她的懷裏，撫摸媽媽已消瘦的臉龐。

「反正事過境遷，媽！你又何必過於傷心呢？以後怎樣？還是好好的告訴我吧！」

「那天，我怒氣沖沖的找上她的門，本想大駡她一頓，膽敢搭上我的丈夫。豈料這事會有這樣一場經過：我用力敲門，不久，有個傭人來開門，我不等那人問我找誰，就說要找韋潛先生。她說韋先生不常在家，女主人陸姑娘則在屋子裏。請女傭很有禮貌請我進門。當時，就有一個年輕的女人向我迎來，看見我，就趕快放下抱着的嬰孩，恭恭敬敬地給我送上一杯茶。她相貌長得端莊而秀麗，不知爲什麼，我滿肚子狠毒的話，這時一個字也說不出口了。倒是她先開口：

『你就是韋太太吧！』她羞慚地說。

『你怎麼知道我就是韋太太？』我對她怒目而視。

『我當然知道，韋先生曾給我看過你和他的照片，而且我非常尊敬你。』

『別多說閒話，現在不是你耍花巧的時候，你既然知道有我韋太太，怎麼又要勾結我丈夫？』我非常不客氣地說。

『當初我是不知道的，這事請你千萬原諒！』

她可憐的樣子，實在使人憐憫，感情濃厚的我，却忘記自己何嘗不是一樣可憐。我說：

『那麼，你告訴我，你是怎麼和他住在一起的！』

『我本是個平常不懂事的女孩子，無奈家境貧寒，祇得做舞女餬口。韋先生是可憐我的身世愛上我，糊里糊塗便跟他同居了。他起先沒有告訴我已有太太，我和他同居以後，我還是一樣做舞女，他不怎樣有錢，我祇愛他這人，他也沒有爲我化過多少錢，直到了我懷了孕，便不能不丟開那伴舞工作了。我不再出去，當然想到時常和他接近，因爲他從不肯在我這裏過一夜，這樣，便使我疑惑起來。我不得不追問他，他非常直率坦白的告訴了我：他實在早已結了婚，而且太太很好，事事都使他很滿意，這樣他反而漸漸地感到生活沒有一點情趣，呆呆板板的過着日子。他說我活潑而不浪漫，嫻靜而又天眞。因此，對我一見鍾情，忘却了你的好處。當時，我說：是不是見了你的好處，也一樣忘却我的天眞。他吶吶地說：也許是的。你說，世間會有這樣的男人嗎？』她哭了，在嬰孩的搖床便拿了一塊布揩眼淚：『他實在愛你的，但同時也愛護我。不過，他對兩個女人所愛的形式不同罷了。』」（五）

世外桃源砂撈越

丁聲

二次大戰日人南攻砂撈越時，即首陷石油出產地美里，由此可見石油對戰爭價值之大。今英國駐東南亞海軍油料之需求，亦全仰給於此。砂撈越最大的工業便是煉油，在第四省處東，有一間煉油廠；前年春，古晉也開辦了一間烏東油廠，現在還兼做肥皂工業，雖說因受樹膠跌價的影響，原料成本及人工過高，銷路滯塞，所以業務尚未能發展到預期的目標。

砂撈越是東南亞的一個寶庫，因爲土地肥沃，所以出產至爲豐富，每年對外之貿易，多係出超；而輸入物件，全爲五十萬人口生活上之日用必需品。如米、麵粉、鹽、糖、煉乳、布匹、烟草及工業製造品，均靠外埠之輸入。近來政府正盡量鼓勵生產，發展農業，以期在米糧上能達到自供自給地步。至於出口方面，如石油、樹膠、碩莪粉、胡椒、日羅多等爲大宗。根據砂撈越貿易統計，近年出口數字每年均有遞增，足見該地商業，正方興未艾，且此不僅鼓勵海外投資和商業上之輸出，且刺激農村之增產。

一般而論，砂撈越之商業和星洲比較有緊密之聯繫，各種貨物直接由英倫、澳洲，或其他地方輸入者，固不能謂絕對沒有，但其數量，實屬有限。華人方面所有之進口貨，全由星洲行家供給，雖然運載碩莪粉往印度或歐洲，與運載樹膠往美國之船隻，目前比較頻繁，然該地之土產，均係先寄往星洲，由行家分類分級堆積，然後再行轉口，若能由該地直接寄貨往歐美者，實屬寥寥。砂撈越土產，多係由小州府商店以物物交換方式，或向土人直接搜購而得者，雖然輸出數量相當大，但皆爲一點一滴蒐集而來，甚少爲大宗貿易收買所得。土人之日常用品，爲彼等自己供給者究屬不多，而華人則能居中媒介，利用其所好，供給其心愛之物。（三）

孤憤篇

‧許紹棣‧

東夷昔肆虐。豺虎橫通衢。流離逾八載。酸辛良所無。天道有循環。鄭廟奏奇謨。三軍歌凱旋。萬姓望昭蘇。我亦返杭垣。時復親尊爐。羣小亂網常。庶政日就蕪。胡兒方伺隙。魑魅逐負嵎。悲風西北來。毀我舊時都。賊衆復南下。所向如摧枯。中原喪亂後。殺戮盡里閭。復來瀛海上。生死忍須臾。炎荒多異俗。風物亦舛殊。念我父母邦。哀歎無良圖。何以遣日夕。并日事舉汙。新知顧我笑。舊好亦揶揄。吁嗟數已奇。負此七尺軀。昔如喪家犬。今如窮壑魚。嫂家安所歸。窮壑將焉趨。神州隔山海。欲行無舟輿。何時慶返旆。引領望中樞。中樞多俊彥。何以尙趦趄。比聞道路言。將伯適時需。顧我狐狸裘。蒙戎如蜀麩。念茲心鬱結。發思不可除。（壬辰舊稿）

自由人

THE FREEMAN
（第四一五期）
中華民國僑務委員會
頒發登記證台僑新字第一零一二號
中華郵政台字第五〇〇〇號
執照登記爲第一類新聞紙類
（半週刊每星期三、六出版）
每份港幣壹毫
台北市售價台幣壹元
督印人：雷嘯岑
地址：香港高士威道二十號四樓
3 rd. fl. 20 CAUSEWAY RD
HONG KONG
香港發行及零售接洽
高士打道66號　電話：七〇四五三
承印者：東南印務出版社
地址：高士打道六十四號
海外總經銷
友聯書報發行公司
香港：德輔道中二十六號A二樓
台灣特派員辦事處
台北市館前街五十號
台灣總經銷處
台北市西寧南路一〇一號二樓
台郵劃撥儲金戶九二二五二

冷眼看日本的轉變

·劉起·

二次世界大戰禍首之一的日本，眞可說明盡了不穩定的世界局勢之光，她於一九四五年在米蘇里艦上簽字無條件投降的時候，做夢也不會想到僅及十年光景，便獲准獨立。重新武裝之外，還竟外優視以前曾經戰勝自己的敵人鍰欽潑。也就是這樣，才使她看透了處在她左右的兩位巨人——美國、蘇聯所以很例的對她加之以熱烈的援手，其志原在要使她變爲他們一方懷抱中的忠實情人。可是這個夾在那位巨人之間似乎是一個姣娘的日本，在她命運的途程上經過了一度顛沛之後，其意却又不專在邀一方的偏寵，而要將其締約之態，進而搔首弄姿，左右逢源，欲就還推的大擺其矯了。

日本向左轉的象徵

由日本所處環勢的重要，及其將近一億的人力與先進的工業基礎說，她較之遠東一般落後國家，仍具有一枝獨秀的態勢。因此，她可能與左則左强，與右則右勝。而今美蘇雙方既以實力相角逐，自不能不注意爭取有力的與國，這就予日本在外交實質上，以善價而沽的機緣。雖然美國會給日本以慷慨的賜予，就便還有可能來監視日本的外交活動，但它對日本的外交活動除了監視之外則已不可能加以有力的强制了，這由親美的吉田（他曾被若干日本人指爲美國的駐日大使）的下台證明了這一事實。

日本於戰後一直走着美國路線，蘇聯是早已姤忌滿腔了。但當在日本亦以一邊倒式投在美國懷抱企圖藉美援以復興的時候，眼巴巴於美制對日和約的實踐而不得妥協末議，因不能忍此一朝之忿，遂於當時在三藩市拒絕對日簽訂和約，及今想來此又爲外交的失著了。那麼怎麼辦？機會不負苦心人，吉田下台了，美國不能强制日本外交活動的事實出現了。於是鳩山內閣與中（共）蘇建交之呼聲導於前，莫洛托夫對日復交之建議繼於後，中共總理周恩來亦接着發表了即日本與台灣締有和約亦無礙與中共建交的聲明。時間在催促着日、蘇中共建交事實的出現，有誰能保證日本不會向左轉？

日本要變了

我們固不必懷疑於日本之將與蘇聯和中共恢復外交關係，而應當着眼日本之所以圖與蘇聯和中共建交的意圖。現尙受鉅惠於美國的日本，如共要與蘇、中（共）建交，自不能不對美國有所交待。但這在三藩市的全體對日和約條文上已留有日本與蘇聯續訂和約的餘地；再者日本爲經濟打出路而與蘇、中（共）復交以圖展開貿易，美國亦無理由加以峻拒。如果日本與蘇聯和中共復交以後，我們就不難想像得到，日本的外交政策將與美國的對亞洲政策拉開更遠的距離，原因在日本早已鼓起反美的風波了。

進一步透視日本所以圖與蘇聯中共復交的背景，更反映出了美國對亞政策的缺憾——即反共政策的缺憾——。請看日本外交家的一般言論，曰：日本已變成亞洲的孤兒了；日本將要走英國的路線了；日本願當東西集團間的和事老了。亞洲孤兒、和事老，道都是什麼腔調呢？亞洲孤兒，懷恐不能親美亦親共。英國路線，表示不能祇跟美走。和事老，不親共亦不親美——中立。總之，日本意在改變外交現狀了。不是嗎？日本在變了，日本的變，會能擺擴美國亦即盟國在西太平洋的陣腳。

美犧牲盟國的影響

日本先天上是反共的，她同其他愛好自由的國家一樣，所以情甘團結在美國的周圍，原因是美國具有龐大的力量，高舉正義的旗幟，以反抗暴力捍衞自由爲號召的。因此所有被關進鐵幕受嘗共黨奴役的人民才不感到絕望，而處在鐵幕邊緣有遭受共黨侵略危險的國家，在與共黨的鬥爭中也期望着美國的始終相助，但事實證明並非如此。回首前塵：東德工人的反奴役鬥爭，在四顧無援下被蘇聯的坦克大砲所壓息了，李承晚總統因北韓之進攻而激起的統一企圖，隨着板門店和議的曲終人散而幻滅在三八綫了，越南人民對共黨叛第三國際之戰的正義旗幟，被日內瓦會議的指導者撕毀在十六度綫的蜂腰地帶了，一江山島七百二十名戰士的壯烈忠魂，因美國主動大陳之撤退，飄飄然而不知所歸了。這一切的一切，美國將何以解說呢？爲了還就西歐盟國嗎？爲那你乾脆就該脫下自由陣營領導者的鼻冠，一爲了怕惹起大戰嗎？一紙降書挖進克里姆林宮，即可消戰大禍於無形？何苦執言則使義，見危則縮首！不要把自己本身的算盤打得太過份周到了！須知人家也不願永遠作爲你們前門赤成卒啊！這一邊蘇聯與中共正在故示友誼的招手，日本從外交上先與他們搭綫以便走向中立又何怪其然？

妄圖中立將同歸於盡

原來美國是站在人道的立場，以反共的領導者自居的，但其數年來對於中國、朝鮮、越南抗共鬥爭的支持，則於其「信德不卒」之情況下，使億萬愛好自由的人民，相繼的倒進了鐵幕，以作善始，諸如此類的前車之鑒，自會使人發生「美國靠不住吧」的疑問。

也就因爲美國把其本身的利益看得太重要了，故共黨人罵美爲帝的醜詞，才能叫響，同時，牠又利用亞洲是亞洲人的亞洲的口號，透進了美國領導的反共陣營是你們西方集團的意識，導。隨着共黨宣傳的指導，於是亞洲的印度、印尼、錫蘭、緬甸等中立集團出現了。善爲自謀的日本，環顧亞洲形勢的發展，將掛酌前途的利害，將謂，共、非吾所欲也，美、又何足恃，中立、中立，吾道不孤矣。此一趨勢，乃自由陣營之致命傷，而爲共黨之所大欲。原因是中立了一國，則爲共黨侵略減少一國的抗力，遂假而把美國推上孤立的絕壁。這一可能性，觀於一向最忠實於美國的盟友如日本、泰國、菲律賓等國之欣然接受四月間印尼萬隆會議的邀請肇其始。萬隆會議，除了搞中立以外，殊難看到另有重要的意義。中立思想，出之於自由世界，中立集團，實踐於美國之盟國，但共黨集團中則從無一國走向中立者，此一趨勢，利孰得害孰歸了？可不言而喻。

盟國之反共以謀確保自由，固在全靠盟國人民之自覺與努力，然而春秋之義，責備賢者，美國旣處有領導反共的條件，實應即拿出最大的勇氣，重振反共人羣的精神，挽回將倒的狂瀾。否則，自由國家無論中立與否，遲早將一個一個跟着馬列主義的教鞭倒下來。最後應該提醒日本，須知蘇聯中共現在對你們表示的友善態度，其意在「將取之，固與之」，不管你對牠親不親，只看你跟她去不去，牠們的漆黑大地中，那會容你們明得到光啊？

時論選譯

英國人最近用慷他人之慨的態度，主張由中國把金門和馬祖近大陸的島嶼送給中共，二月十六日的倫敦泰晤士報的社論，便發揮這種似是而非的謬論：『國民黨想利用美國和中共的衝突來光復大陸。在國民政府的軍隊沒有撤離靠近大陸的島嶼以前，美國和中共的衝突，『國民政府不肯放棄靠近大陸的島嶼，使遠東的局面緊張而危險的』。那是一個十分嚴重而危險的行動』。使能夠保衞遠東的局勢，維持世界的和平了嗎？二月十六日香港南華早報發表美國名女作家費吾生夫人在香港扶輪社演講，說：『韓戰給共黨咬去了一半，越南的一半也完了，要是現在又把靠近大陸的島嶼奉送中共，下一步他們要求半個馬來亞，半個泰國，半個印度，半個澳洲，半個美國的。』（一）

犧牲金馬可保和平乎？

——美國女名記者的讜論——

·李加雪·

費吾生夫人的關睢是，『一位女記者關於台灣的報告』，還是本年最有價值的一篇文章。下面是演講詞的節譯。

不要再夢想和一個沒有信義的敵人妥協和共處了。那只能是一個惡夢。共黨第一個目標是想英美分裂。共黨使用種種策略來破壞英美的友誼。英美兩國的意見不必完全一致，可是兩國中間得有一種諒解，美英兩國應該把他們一貫的政策宣告世界。只有聯合一致才能維持獨立和生存，分裂是滅亡的唯一途徑。

誰是英美兩國的敵人呢？鑑濟了這一點，兩國的關係將日趨和講。跟共黨黨妥協，好比美國人民向大盜洲邦提議，『現在我給你們芝加哥賊，此後你不能再胡來了。』請求共產黨停火，好比倫敦蘇格蘭場警局對一個不停殺人的兇犯說道，『停止！』

美國人民堅決反對强盜的中共加入聯合國。對於這件事情，人民的意見是一致的。州議會和各工商機構均紛紛發表宣言反對中共。上次國會對於此事的投票又是全體一致，艾森豪威總統亦保證不會容納中共加入聯合國。（二）

自由世界的唯一希望，是停止退却。停止慷他人之慨，把不屬自己的東西奉送敵人；停止夢想和一個沒有信義的敵人商議停火條件。

現在世界的情形是這樣：俄國人雖不準備運用他們的紅軍，但要驅使中共替他們作戰。

中國人民信服中共政權嗎？不！韓國的兩萬中共戰俘是一個最好的例證。兩萬戰俘當中，不願回去大陸的超過一萬四千人。這件事表現出竹幕裏頭的中國人民對於中共的憎恨已達到極點。

靠近大陸的島嶼是重要的。這些島嶼是雷達站的根據地，我們由這些小島出發以襲擊大陸，同時把食物和日用必需物品分送沿海人民。

保持自由人士的士氣是目前的急務，特別在台灣這個地方。要是共黨能夠使到我們逐步退却，能夠佔領了半個韓國，佔領了半個越南，繼而佔領半數靠近大陸的島嶼；共黨一定會伸展壓力繼而佔領半個馬來亞，半個泰國，半個印度，半個澳洲，——結果呢，共黨還要求半個英國，和半個美國。（三）

我們在亞洲抵抗共黨呢？還是等候到了我們的門前再決戰呢？就算把靠近大陸的島嶼奉送共黨，能夠得到的只是片時的休息。過了一會，共黨一定又要求台灣本身。

和平不是公司裏頭攞出來的廉價貨品，也不是把別人的國土送却一半便可以換來的東西。和平是要拿血肉去買的，我們應該支持爲和平而鬥爭的人。和平不能夠爲一兩個國所專有，和平是有普遍性的，和平是屬於世界性的。和平是公正和自由的附產品。爲了保衞自由我們得警醒，我們得有堅定的決心。

半週展望

·李金曄·

曼谷會議的前途

東南亞集體防衞公約，於本年二月十九日生效。八締約國首次理事會會議，將於今日在曼谷集會。

東南亞公約是去年九月間，自由國家在日內瓦會議後，丟掉了半個越南，才締結的。唯一意義，在强烈表示：自由國家不再對共黨在東南亞繼續擴張的態勢保持忍讓了。

就今次各國出席該會議代表團的陣容看，借同各外長出席的，除了軍事官員外，尙有各國的經濟專家。其中尤以美對外工作總署署長史塔生，亦將於廿五日出席會議，足以表示此次會議對今後東南亞的經濟問題，和安定民生的政策，極受重視。締約國能着眼於此，實爲反共的根本工作。今後的東南亞反共問題，決不是單純的軍事問題，此乃衆所共知之事。必須以經濟援助扶植軍事防務，然後整個防衞力量，始能增强其抗敵性。此固不易之理。然而，軍事的部署還是不容輕視的。泰國當局已宣布泰國邊境和雲南接壤的車里，已經成立所謂「自由泰國」，武裝部隊不下二萬人，中共南侵態勢，已甚明顯。軍事上如果沒有明確的對策，決不足以阻止共黨的擴張。故曼谷會議的成就如何，要從軍事、經濟和政治三方面同時下手。

台山列島的勝利

連日戰報頻傳，國軍在台山列島海域內，獲得連串的勝利。這消息不僅使內外人心與奮，也表示國民政府有保衞沿海島嶼的信心與能力。

現在共軍在大陸沿海集結軍力，目的顯在乘曼谷會議期間，作軍事活動，以期折挫會議的聲望。因此，對集結中的共軍兵力，必須嚴加注意和警惕。

國軍能一再予共軍以沉重的打擊，自將對東南亞防衞公約的前途，發生良好的影響。

自由中國雖非東南亞公約締約國，國軍在台山列島海域的勝利，又足以顯示自由中國在東南亞防衞體系上的重要性。並將有利於外傳國府將接受邀請派觀察員列席的事實發展。

台灣地區的局勢，將爲曼谷會議會外討論的重大問題，不問與會各國態度如何，但可斷言，台灣的安危與東南亞實具密切關係。

美國海軍部長湯姆斯，在廿日電視節目中曾表示了「美太平洋艦隊已進入最高作戰準備」，並强調「準備擔負任何派給它的任務。」這就意味着，只要國軍能以實力造成有利形勢，友軍在必要時亦將協同保衞我們領土安全的。

寄語日本選民

日本大選，將在本週日舉行。大選後產生的戰後第十一屆內閣，將決定日本今後的國運。競選結果，鹿死誰手，目前推測固屬言之過早，亦無此必要。惟不論繼起組閣者爲誰，眞正決定日本命運的還是在日本選民自己手中。

大選後的新閣，主要的任務，似將進行開始談判日蘇復交問題，及對中共貿易問題，因此外交政策已成爲此次競選勝負的因素。

目前鳩山內閣所標榜的外交，是採取騎牆的中立姿態的。這一姿態對日本是禍是福，日本的選民應該有所抉擇。

日本選民該不會忘記，戰敗的日本所以未遭分割的命運，和德國和韓國一樣。這是盟國的寬大，與美國的善意扶助。今後如果輕易聽信政客的宣傳，輕易聽信共黨的甜言蜜語，或採取不切實際的中立政策，大和民族的前途，將是一個未知的問號。

寄語日本選民，請珍惜你們的神聖權利，不要鑄成大錯，至貽噬臍之痛。

嚴奉琦難逃法網

·中南·

上月十五日，台灣破獲了兩名國大代表走私案一件，其中一個是江西蓮花縣籍代表嚴奉琦。關於該案破獲經過，各報均有記載，這裏不擬再贅。現在要補談的，是嚴奉琦以前的貪污史實。這種人竟混充人民代表，可謂國家之大不幸。

（一）

嚴奉琦是江西蓮花縣人，原是候補代表，去年二屆國代大會選總統時，才補上的。正式代表原是劉行謙，據說，已在大陸被中共殺了。

「兩臉無肉，變財不足。」這是江西人咒詛貪得無厭的守財奴的話，嚴奉琦便是這麼一個典型人物。

嚴奉琦四十出頭的年紀，身材修長，而瘦骨嶙峋。他作官多年，弄得的貲金不少，到香港後，住在黃大仙。但獅子山下一幢自建的魚鱗板木屋，小橋流水，很是別緻。每天摸摸麻雀，聽聽聖道，終日無所事事，原該樂胖些才是。因他在竹園道造了兩棟石屋，寄山道又開了一處石山，成日成夜，錙銖必較，唯利是求，因此儘管營養高人一等，身子却是瘦削依然！

（二）

他中學畢業後，便進了警校。抗戰期間，在大西南贛黔湘省，做過很久的小警官。趁當動亂，混水摸魚，弄了不少非分之財。勝利後，奔往南京。他既是警界老手，發之多財善鑽，不久，便做得京市某局分局長。任職既久，識官自多。就在這時，他想到棄警從政，一嘗百里侯的縣長滋味。憑着他的逢迎有術，取得了某顯要的八行，輾轉萬貫回到江西進行縣長。那正是王陵基做主席的時候，他很順利的得到了贛南大庾縣長。後來又調任南康。

三十八年四月，共軍已跨過長江，踏入贛境。省府遙撤贛縣。就在這大局動亂之際，這位嚴縣長便用迅雷不及掩耳的手法，賣去了縣倉裏幾萬石糧谷，讓那管倉庫的主任逃走，另外他自己又請求調任。在他滿以為這樣的閃電手法，總可以瞞天過海。他腦子裏，以為江西全省淪陷是很快的了，他這偷天換日的行為，準可以矇混過去。

（三）

果然，他調任永新了，這是三十八年六七月間的事。不料第二天，贛主席方天，突從吉安前綫趕返贛縣，一到之後，立即手諭將嚴拘押，撤銷其調任命令，改為撤職拿辦，交保安司令部軍法訊辦。另責成民財兩廳廳長和省糧處詳查會辦。原來，東窗事發，嚴奉琦自以為機密的盜賣糧谷事件，已給方主席知道了。第三天，方天又回前方去，承辦這案件的幾位要員，並沒有因為方氏的嚴厲認真，加緊查辦的工作。

另一面，嚴的太太麥氏，是一位相夫有術的能幹女人，她從電話裏知道丈夫的事發作之後，立即攜帶應用法寶，從南康趕到贛縣，展開營救。

錢可通神，何況亂世？因此儘管方天一次到贛縣，厲下人員，但承辦的人，竟是一味拖延。就這樣一直拖到卅八年的八月上旬，共軍過了吉安和攻下遂川，省府再遷會昌，嚴案仍無結果。於是嚴奉琦身帶刑具，隨保安司令部解赴會昌。他的太太也寸步不離跟在後面。省府已是零落不堪的景象，在會昌不會停留，便過筠門嶺到尋鄔縣的吉潭小鎮。這時，方天在穗，聞知嚴奉琦尚未法辦，擬取道信豐，趕往會昌，將嚴正法。不料共軍早已截斷去路，方天只好中道折返。

就在這千鈞一髮之時，贛省府到了梅縣地界，承辦嚴案的主要人員，以為出了省境，政府等於解體，交通已斷，天下已亂，主席也管不到許多，一紙便條，把嚴奉琦開釋了。

（四）

照理，嚴奉琦既是死裏逃生，便應該痛改前非，留下這僥倖存的餘年，來爲國家服務，爲社會作福，豈料江山易改，本性難移，竟利用代表身份，幹起走私來呢？

據說，農曆年前嚴太太乘機來港，第一批交一個葉太太帶去私貨四萬餘台元，其中有大量口紅。一月十五日，她自己又帶一批，搭乘廬京回台。當時有人告訴她，報紙新聞說嚴奉琦走私已被破獲，她慌了，臨時將貨留下，寄放在她的一個鄰居那裏。不然，代表太太親自帶去大批私貨，人贓並獲，便不勞當局查辦了。

要不是去年國大召開，他決沒有機會去台灣，也不敢去台灣。國代大會使他有機會榮歸祖國，但也因此，使他故態復萌，終於難逃法網。若嚴奉琦者，可謂冥不畏法，亦天網恢恢，罪不可逭也。

美先要實行自由經濟

美國人沒有權力去吩咐意大利，或法國，或別的自由國家，廢除國內經濟上的各種限制。但美國應該能夠促請各國廢除或降低國際貿易的限制——關稅，以促進自由經濟的實施。自然啦，美國若想請別人廢除或降低其國際貿易限制，必須以身作則，先廢除或降低自己的限制。尤有進者，若是美國的關稅壁壘廢除了或降低了，其國際貿易就要由停滯而流動，外國資本和技術就可加速的向外流動。那些需要的國家就可藉以發展他們的工商業，實現其自發的經濟繁榮。這樣就可真正的健全的達到美國經援的積極和深遠目的。

美對外貿易停滯

很少美國人知道，雖然他們的經濟在其他方面突飛猛進，向外擴展，而他們的國際貿易和國外投資却在停止的狀態中。以錢數而論，是比以前增多了。但那是由於美元的膨漲，不是實在價值增多了。三十五年以前，美國的對外貿易佔其全國總生產的百分之十五，而今日的則只佔百分之七。去年美國的國外投資增加了二十億元，其總數是二百三十億元。但其中一大部分是投在西半球的國家內。這不是因爲美國的有錢人不願到外國投資，而是由於他們政府設立了若干條件，使國外投資不方便，或投資的前途不光明。要改變其目前的停滯情形，必須美國政府改變其許多對外貿易及對外投資的限制。

美國經援的內外矛盾

——並論美國的經濟政策——

楊懋春

艾克對外新經濟政策

艾森豪總統於年初在其國會中作新年新猷演講（STATE OF THE UNION MESSAGE）時，極力主張美國要實施新的國際經濟政策。他說『在自由世界中，每一個國家的經濟力量是建築在其國內所有高級的經濟事業上和對外的高級國際貿易上。今日沒有一個國家能在經濟上自給自足。每一個國家必須從別的國家購買許多必需物品。爲支付所購物品的價款，就必須有東西賣出去。爲美國自己的和各自由國家的安全起見，美國必須領先提倡自由經濟和自由貿易。因爲必須有高度的自由經濟和自由貿易，我們才能有高度的經濟力量。』說了這話之後，艾森豪就特別任命前文提到的達智氏作總統經濟顧問。

達智的主要計劃是，對外經援要着重自由經濟原理的樹立和實施，就是要勸告各與援國在其國內取消許多政府限制，實施自由經濟制度。又要着重技術援助。即幫助訓練各與國自己的人，使各國不久可以獨立的以現代技術，現代設備，及現代管理創立經營自己大規模的現代工商金融等事業。各與國在興辦大規模工商業時，如遇資本不足，美國之資本就可自由的投過去。這種投資必須是投資者與使用資本者兩方都得其應得的合理利益。要以私人企業方式行之。不夾帶政府上的干涉。同時，美國自己要取消或降低其關稅壁壘，也要促請各與國採取同樣行動。達智的職務是把美國政府裏各有關對外經援和對外貿易等部門聯繫起來，也和財政、外交、商務、國防等部門取得聯絡，造成步調一致的國際經濟政策，並作統一有效的實施。

新政策的可能性

美國若眞能實行艾森豪所講的及達智所計劃的，其本國及各自由國家可獲極大益處。但這新政策的可能性有多大呢？在其國會中有一大派勢力是主張保護關稅制度的。他們有好多眼光短而又自私的工商業者。這批人很難贊同減低關稅，讓別國的製造品容易進入美國市場，他們的工人也大半贊成保護關稅。情勢既然如此，新經濟政策就不容易在國會通過，國會不通過，如何能實行呢？艾森豪總統的減低關稅方案，在他初就職時，就向國會提出。但國會把它完全否決了。總統也無可如何。雖有若干自由國家向美國責難，但並未發生作用。相反的，去年夏季時，總統竟以行政命令提高了瑞士錶的進口稅率。理由是瑞士錶的進口使美國的鐘錶業受到很大威脅。這或者是事實。但這件事對於美國的國際威信總是個大損失。在大聲提倡自由國際貿易時，竟大加提高了自己的關稅，無論如何也不能自圓其說。而且鐘錶業既然可以要求高額關稅的保護，那一種製造業不可作同樣的要求？有這件顯著的前例，再加上那些反對勢力，即使艾森豪說的再響亮些，也不能使他人不抱懷疑的態度。

經援仍有矛盾

再看對外經援。美國眞要對其盟國，尤其是西歐的盟國，實行有條件的，或貿易式的援助嗎？眞要對其盟邦宣講自由經濟的原理，並促請他們取消政府管制嗎？這也是可懷疑的。美國無論如何必要拉住英法意西德等國作她的盟友，替她充實陣營。對英國，美國更不肯得罪。並處處願意接受英國人的意見。在這種情形下，只要英法意西德等國一「使性子」，一掀動反美的風浪，美國務院的人立刻要用道歉口氣說，「我們不能藉經援以要挾我們的盟邦啊。我們的援助應該是道義的，自由的，不帶條件的。要使我們的盟邦很愉快的接受。因爲我們的援助不只是爲他們好，也是爲我們自己的安全啊。」這樣一說，大批的援助仍是無代價的送出去。大體言之，從過去一直到現在，美國的作風是，她認爲那個國家或那個政府在她的世界戰略上佔重要地位，她必須爭取，她就無條件的，甚至懇求着人家，去援助。反之，那些不受她國務院重視，或遭英國反對的國家，無論有如何急切的需要，在反共的立場上無論如何堅定有力，也得不到她慷慨的援助。即有援助，也遲遲其來，並附帶上好多條件，把受援國家弄得啼笑皆非。（下）

四十四年一月於海外寄廬

阿根廷生活素描

·蕭立坤·

這裏的人家，窗子時常關閉着，所以室內很暗，理由是昏暗則蒼蠅少，也有寧靜的感覺，他們又喜歡添置家俱，時常廳堂寢室都放滿了長桌、大椅、玻璃櫃、大小茶几、衣櫥，剩下的空隙很少，加之太太們都肥胖，西班牙式的房子本不高大，所以看上去好像一個花生殼裏裝滿一粒花生米，有一種特別的感，逼近的氣氛。

吃茶吃肉　生活悠閒

早上他們都吃馬茶，（MATE）這是南美洲特產的茶，味有點像香港的涼茶，麵包等，——其實他們整天在吃馬茶，用一個小葫蘆樣的壺，用一根銅管插在裏面用口吸，葫蘆既小，所以時時須加開水和糖，那比潮州人用小杯吃鐵觀音茶更費工夫，完全是悠閒的表現。

中午及晚飯，差不多人人吃一大塊牛肉，或煎或燒，除了少少的鹽外，不用任何香料。胡椒是很貴的，同時吃許多洋芋和麵包，阿根廷人的食鹽是驚人的，農村裏四五個人一天吃掉一隻羊，甚至於一條小牛，那是很尋常的事。（中）

改變外匯管理已成熟乎

不過，出口商不一定即爲進口商；反之，進口商也不一定就可以兼充出口商。所以，外匯固爲出口商所保有，但在運用方面，則他不一定自己辦理進口，可以把外匯出售藉以補償外匯差價損失，因此而需要採行結匯證買賣。一月二日報載：「茲因進口實績制度政府已決定取消，因此實行結匯證買賣已成自然合理之趨勢。據主管方面解釋如下：（一）結匯證買賣後，由於進口物資預算與審核制度繼續存在，政府可嚴格控制其用途；（二）由於受物資預算與使用結匯證時間限制（三個月），商人不致競出高價收買；（三）爲促使結匯證供應充分配合進口物資預算，政府準備每年撥出外匯二千萬美元，於民間出口商供應不足或結匯證價格不合理激漲時，隨時拋售」（台北新生報）。如果報紙新聞不失實，那末國民大會關於外匯政策的改變，可以說全部被採擇，也可以說俞院長對國民代表所說底話是由衷之言了。

解決匯率萬全策

此外，羅敦偉先生給我「解決匯率萬全策」一份，所列大綱要點：（一）凡出口結匯及外來投資以及匯兌，除照官價兌予台銀外，同時設一定期差額憑證，准其自由買賣，自行協議差價（黑市必漸平，如超過黑市，港匯必內流拉平，自然調節）；（二）進口商須先付差價購進憑證，再以憑證按照物資預算照官價結匯（實績既已取消，差價必小於頂讓費，物價必平）；（三）公營事業收入之外匯，分爲三部使用：（一）仍以官價供應政府公用（絕對不准動預算）；（二）一部份准其售取差價，維持本身成本，以免虧累，減少財政負担（並有平準差價作用）；（三）由公營貿易機構，於商人申請之後，按照物價進口預算申請進口，一則調劑供需，一則平抑物價，三則彌補財政收入。羅氏辦法的特點，在把範圍由出口外匯擴展至外來投資以及匯兌；其次，則提出以公營貿易機構担任調劑供需及抑平物價。在缺乏資本底台灣，爲外資僑資的招致，羅氏的原則，實有採納的必要；而公營貿易機構用以調劑平價即可，如過去之與民爭利與專爲彌補財政收入，則利不及害了。至於「差額憑證」與「結匯證」究何者爲優，屬於技術問題，此點從略不論。

通貨膨脹亟應制止

台灣經濟的改革，原不只外匯一端，而外匯的穩定，有賴於貨幣價值的穩定，國民大會的建議「……（四）穩定貨幣價值改變外匯政策」。一再提出通貨膨脹的教訓，蓋即爲此。惟觀台銀新台幣的發行，去年八月以來，除十一月外，月月增加，十二月且激增至一億五千萬元（輔幣不計），本年一月又增加二千五百萬元；其引起物價波動已屬昭然，其促使外匯升至一倍強，不是使外匯問題益形困難嗎？所以欲使外匯管理改變辦法有效實施，通貨膨脹的激昇停止，爲不可缺少底一着，希望當局審慮之。（下）

·陳式銳。

編者　讀者

時裝表演的糾紛

△靜文先生來稿

中美文化研究會主辦的台灣時裝表演，發生不幸事件，係由軍友會主任江海東率衆所爲。現江某已被拘捕。這一不幸事件，發生於一江山七百二十名壯士成仁後數十小時，跟着又傳大陳撤退，以及國際陰謀家醞釀成立兩個中國的時候，軍人性格爽直，在這種情形下，易受衝動，絲毫不顧及後果，於是創下禍來！我相信他們的動機是善良的，我更相信陳香梅夫人他們爲了愛中國，也會原諒他們，政府也可以寬恕他們所做的。此次不幸事件，實在對不住國際友人陳香梅女士，可惜事前無人出來勸阻，本來此舉可以暫從緩議的。假定一定要成此舉，名堂甚多，何必非要在局勢危急的時候，來做這個不調和的舉動呢？

靜文，台北，二月廿一日

△胡蓉之、周紹賢、郭衣洞、勵軍、榮梅人、惠殊、劉靄如、文鑑、郭敏行、傅中、諸先生：惠稿已收到，謹謝！

△余偉昭、楊海宴兩先生：來函敬悉，另行詳復。

本刊特別啓事

嗣後有關業務接洽款項收支事宜，請逕向本刊業務經理劉君淞顯接洽。爲荷。

自由人
THE FREEMAN
（第四一六期）
中華民國郵政登記認爲第一類新聞紙類
內政部登記證內警台誌字第一〇〇號
香港政府登記認爲新聞紙類
（每週三、六出版）
臺幣壹份港幣
督印人 陳文
地址：香港銅鑼灣高士威道二十號三樓 20 CAUSEWAY RD HONG KONG
香港發行事務接洽 電話：七四〇五三
海外總經銷 友聯書報發行公司 香港：彌敦道二十六號A二樓
台灣特派員辦事處 台北市館前街五十號
台灣總經銷處 台北市西寧南路一〇一號二樓
台北郵政信箱 金 九二五二

曼谷會議的成就

李金畔

本月廿三日起在曼谷舉行爲期三日的東南亞反共聯防會議，廿五日已經結束。據電訊報導，該會議已完成幾項歷史性的決定：

一、在曼谷設立永久性總部，每一簽約國指派一駐節大使，參加此一機構。

二、總部之下設三個軍事小組，起草有關阻止可能性武裝侵略計劃；反顛覆小組，擬訂對共黨顛覆活動的政策；經援小組，協助反飢餓鬥爭，提高南亞人民的一般生活水準。

三、軍事小組的任務，各分兵之協議，該小組將研究防衛各個地區的方式之餘，同時就地擬定地方性防衛計劃，即軍事小組係活動性質的。

上述報導，僅其大概，亦即聯防計劃的初步實施工作。即此初步工作的完成，已使去年秋季日內瓦會議後，東南亞的散漫危險局面爲之改觀。筆者於會議開幕之始，曾寄語與會各國代表，希能把軍事、經濟、政治三方面同時著手，今會議有此成就，殊覺令人欣慰——

三國加盟 增加實力

現時參加此一聯防公約者爲英，美，法，泰，菲，巴，澳，紐八國。就地域的利害關係言，東南亞的安危興衰，八國必須負担較大的責任，自無疑義。惟東南亞能否確保安全，能否有効的防阻共黨侵略與顛覆活動？尚須與其他亞洲自由國家，保持更密切，更有効的合作，亦屬淺而易見。美國務卿杜爾斯於參加曼谷會議期間，堅決主張，東南亞地區的防務必須與中、日、韓三國防務取得內部聯繫。他認爲美國在中韓兩國支援之下，能於遠東發揮三面作戰能力，才能阻止共黨的侵略行動。他更進一步主張最後應將自由中國、南韓、和日本包括於東南亞聯防公約之內。杜卿此一認識，誠目光遠大，切合實際。與會各國對杜卿此論，究作如何反應，此時尚未透露。以常情推測，三國加入公約，雖屬有利反共，惟以目前國際情勢之複雜，與夫過去政治恩怨之糾纏，誠恐困難重重，一時不易實現。但可斷言，此三國如置身事外，實爲東南亞防務之一大弱點，亦將予共黨以可乘之機，此固爲八國政治家所宜深長考慮者。換言之，不能取得三國合作，則公約三項任務——軍事、經濟、與防止顛覆活動——是很難有價值效果之可言的。

曼谷會議與萬隆會議

史太林在俄共十二次代表大會席上的報告和結論說過：「東方各民族所佔據着的地方是共黨經濟發展所需要的區域，從軍事戰略觀點說，也是最重要的據點」。史太林的話是共黨經典，馬倫可夫垮台後，史太林經典更見重要，東方各民主國家如果沒有團結一致的合作精神，一定要爲共黨各個擊破，無所逃於赤化的命運。

歐洲局勢已較穩定，今後蘇俄集團必然以其全力從事軍事、外交、政治各方面作顛覆活動。目前台灣海峽風雲，泰國邊境警報，是軍事侵略行動之顯著表現。未來萬隆之亞非卅國四月會議是外交活動之顯著表現。萬隆亞非會議，乃共黨企圖以外交攻勢，從內部瓦解亞洲民主國家，實現史太林共黨佔領東方經濟地區與戰略據點的陰謀。東南亞聯防公約各國如果不能以堅決的反共精神，迅速的實際行動，團結內部，爭取亞洲各民主國家的共同合作；則萬隆會議的結果，必將成爲共黨抵消東南亞八國聯防公約所初步形成的反共勢力的勝利，殆可無疑。

保台澎始能保東南亞

說到軍事，杜卿指出三面作戰的形勢，一爲韓國，一爲台灣地區，又一爲東南亞（泰越）。就現階段言，共黨的遠東軍事重心，顯爲台灣地區，其初步目標爲進佔沿海島嶼——大陳、南麂、馬祖、和金門。必保存沿海島嶼，才能保存台澎，此乃不易之理。未有放棄沿海島嶼而可以保台澎者，亦未有台澎失守，尚有東南亞防務之可言者。曼谷會議之始，盛傳台灣問題將爲會外重要討論的問題。杜卿於赴會之前曾聲明美國保護台澎的決心，今後於會議席上反覆申言自由中國地位的重要。英首相邱吉爾最近且於議院表示，英政府不宜過份壓逼美國將沿海島嶼退給中共。

於此，我們不僅希望英國要放棄其捨棄沿海島嶼以綏靖中共的成見，應與美國採取一致態度，決心保衛沿海島嶼以保衛台澎。更希望參加公約的八國政府，能認識台澎的安危即東南亞的安危。沿海島嶼放棄之後，再言保衛台澎，再言三方面作戰，則爲時晚矣。

目前的遠東局勢，必須劍及履及，切實阻止中共在台灣海峽進一步的軍事發展，始能安定台澎，亦即所以安定東南亞。否則經濟援助，提高人民生活水準，與夫防止共黨顛覆滲透活動，一切都將無從談起。此決非危言聳聽之詞，凡能記取韓戰、越戰的痛苦經驗，與留心共產黨的陰謀策略者，都不會以此言爲河漢也。

日北海道的危機

胡養之

照目前形勢看，如果三次大戰一旦爆發，共產集團在亞洲的目的，中共的對象無疑是台灣，蘇聯的對象無疑是日本。最近中共正在加緊注意大陳、金門、馬祖等沿海島嶼，目的是佔據了這些小島，然後可以威脅台灣。蘇聯對於日本的北海道，也好像中共對大陳一樣。她雖沒有像中共這樣明目張胆，可是蘇聯對北海道垂涎三尺，虎視眈眈，卻是事實。

蘇聯勢力逐步南侵

日本是四個島嶼合成的。南部爲九州和四國，中部叫做本州，北部便是北海道。北海道直伸入寒帶。島的尖端，成了一塊風吹浪侵的海角，東面是太平洋，西面是鄂霍次克海。海上有大小島嶼三四個，燈塔一座，較近的島嶼，離日本本土只有兩英里，遠的也不過三四英里而已。最大的一個島嶼，綠色岩波上面，有茅寮一間、黑影一團，在那兒來回巡邏，這便是蘇聯的哨兵。這一名哨兵所代表的意義，深銘入八千五百餘萬日本人的心中。因爲有了這一名哨兵，全世界也在關心日本將會不會捲入赤色亞洲的版圖？

然而，蘇聯勢力的逼近日本邊陲，實不自今日始；起源遠在雅爾達會議的時候。當時不僅把庫頁島的南部劃歸蘇聯，而且連千島群島也歸蘇聯統治。千島是一連串的島嶼，南端緊貼日本本部，島上居民盡是日本人。在一八五五年和一八八五年間，俄國曾先後兩度聲明過——承認千島是日本屬地。一九四五年，日本無條件投降後三星期，蘇聯便派兵進駐。蘇聯部隊登陸後便向居民打聽美國軍隊在那裏？居民一致答說沒有，於是蘇軍次第向南進侵，一直佔到北海外的這幾個島嶼。由這些島嶼，蘇聯可以虎視眈眈地監視日本了。

俄虎視眈眈下

提防滲透鑽進

三年前，美國忽然發現北海道是亞洲危險地帶之一。韓國戰事揭露了日本是蘇聯所垂涎的主要目標。北海道居民，無分晝夜，戰戰兢兢的恐怕着蘇聯來侵。在蘇軍開到以前，又要提防滲鑽和應付冷戰。關於蘇聯的滲鑽北海道，日本警察稀少，不容易防範。共產黨人可以隨意來往，英國曼徹斯特衛報記者吉遇前往那裏訪問的頭一天（一九五二年八月七日），便有兩名共黨特工人員，帶着十幾名日本青年學生，渡過海峽，他們對當地居民說是往蘇聯去尋求樂土！政府所緝捕的日共頭目，相信有好幾名已經由北海道逃進庫頁島，轉往西伯利亞去了。

北海道，有從千島群島和庫頁島先後逃來的難民共一萬七千多人，日夜在那裏叫嚷着：「收復失地，打回家鄉。」也有共產黨的第五縱隊滲入其間，它們開始的組織工作非常良好，使局外無人法覺出。

直至現在，北海道可以說還是沒有防務。韓戰發生之初，麥克阿瑟元帥曾急電杜魯門總統，請增派四師美軍，駐防北海道。當時美國無兵可派，一直到翌年三月，才有兩個後備軍趕到。這兩個軍在國內訓練尚未完畢，開到那裏後，再加緊完成訓練。據美方情報，由前年五月起，蘇聯在海參威、哈爾濱，以及旅順大連等地，共有三十五個師，達五十萬兵力以上。其餘還有好幾個空運師，加上前綫飛機二千架，和潛水艇一百五十餘艘。千島和庫頁島上以前日本機場，現在異常忙碌。庫頁島有蘇軍兩個師，千島也有兩個師。庫頁島又有日軍六萬，是從前的戰俘，加以訓練改編，預備作「解放」日本以後使用的。日本人相信，假如蘇聯一旦進攻北海道，一定很容易的就會加以佔據。北海道是日本的次大島嶼，可是居民有四十萬。東北角平坦多霧，敵人容易登陸。

美國過去訓練日本的後備警察，就是爲了助防北海道之類的地方。這枝隊伍非常重大的隊伍，由韓國戰事發生後開始招募，同年八月十日正式成立。當時只有警員七萬五千人，後來逐漸增添到十萬。依陸軍的編制，訓練和裝備一概美式，在日本各地設有三十幾個營站，所缺乏的是一個參謀部和坦克車隊以及砲兵等。日本有人批評這些警察待遇過好，嬌養得和美軍一樣，將來恐怕不堪作戰！可是當時麥克阿瑟向美國參院說過，這些後備警察，隨時都可以編爲一枝勁旅。一九五二年對日和約完成，允許日本獨立武裝自衛後，果然由警察一躍而變爲正規的國防軍了。

日俄過去的漁業爭執

說到過去日俄漁業爭端，爲國際關係上一件終年不息的糾紛。大概是這樣的。日本漁民歷代以來在庫頁島和堪察加之外俄國領海中，捕漁大量魚類。兩國政府曾於一九二八年批准一個公約，確定當些漁民的權利，並劃某部分領海給日本；但此約。

鳩山必須警覺

還有一個連帶的爭執，即關於庫頁島的油田。日本不僅從他們自己所有一半的島中採油，並且根據一九二五年所簽訂的條約，還可以在俄屬北半島開採。日本人本想繼續經營並加推廣；但俄國人卻要保留油源。

現在中共正在瘋狂地侵略中國沿海島嶼，猶之乎俄國對於日本北海道的虎視眈眈。在這一熱一冷的對照下，我們衷心地警告日本「小雞」，趕快提防那隻貪婪無厭蘇聯的「黃鼠狼」。如果鳩山一郎硬要與布加寧去打交道的話，那是非常危險的。

每週展望

旭軍

三面夾攻的軍略

東南亞公約會議開過了，但骨子裏還是艾森豪威爾的「示威」政策，換句話來說，就是擺好陣容嚇唬人。我們不反對擺陣容，如果連陣容都不擺，便不堪設想。

杜爾斯在還沒有到曼谷來參加會議之前，說了一句似是而非的話，其大意是：美國的力量不欲因對某幾國負約而弄到支離破碎，然後迅速而有效，玩其意味，即欲表示不屑打小仗而要打大仗，以此謀略對付共黨的滲透蠶食分期劃取的政策正是「擴大板」。

這次杜爾斯在曼谷堅決主張：使東南亞地區的防務和中日韓三國的防務取得內部聯繫，筆者對此無間言，其措施係正確，但此措施之動機則成問題。

這個「三面夾攻」的形勢構成是經過軍事代表會議所訂出來的鑑劃，是萬分正確，但一交到外長的手中，便成了謀與共黨談判之本錢。杜爾斯雖提出這個陣容給中共看，但「三面夾攻」可作爲萬一作軍事行動上的原則，然而還不想運用於合縱攻事，連對共黨示威一時的勇氣也沒有。

鼓勵蠶食的政策

杜爾斯此次對東南亞問題提出了美國駐遠東軍事的靈活機動運用原則，不欲「支離破碎」的運用，更要擴張機動，將八國公約區以外的運用，即中國南北中三個戰場的兵力在必要時攻敵以牽制。但沒有說明中日韓三國兵力是否能開入東南亞公約區。照杜卿的說法，是屬於世界大打。所以一談到台灣問題，英美國均無法統一外交策略。杜爾斯這種三面夾攻是軍事上的原則而已，沒有攻守同盟的外交約束，拿中日韓三顯得礙擺在對共黨談判的桌子上，共黨將必須連瞧也不瞧一眼。當初組織東南亞公約組織爲什麼不容許中華民國參加？

所以若美國政府不改變「圍堵」「報復」這一類擺架子嚇人的，謀妥協的，等着敵人先動手的被動政策，則東南亞公約組織任何的措施都是中看不中吃的東西。至於什麼反顛覆委員會，什麼經濟委員會？都是緩不濟急之務。

美國愈要講整體大規模戰爭，愈鼓勵共黨的蠶食分割進攻。愈要拉住許多盟友，愈受「盟友」掣肘。杜爾斯自誇他的政策會使美軍駐遠東軍力運用得很靈活機動，我看假如沒有改變其被動的基本政策，實不見得怎樣的靈活機動。

南麂島撤退問題

今天談集體安全不從事攻勢防禦，則必不能安全。所謂「劃定防線」，實是自欺欺人的鴕鳥政策。馬尼拉公約八國會議閉幕後，不能以設立公約國防衛總部，及劃定防線便算了事。今天和敵人對峙不進則退，萬無幾倖苟安之理。甲地爲乙地所必守之外圍，乙地爲丙地所必守之外圍，以此類推，在敵人存心無限擴張之下，爲能劃界求存。在今天世界核子武器的威力太大了，把人類一切的正義感都麻痺了，把人類自私發揚光大眞是懿歟盛歟。有人要把金門馬祖趕快推入鐵幕，有人連「守金門馬祖」一語也不敢說。吾恐將來之史家秉筆大書：「奈何昔日第二次大戰之雄獅，已變爲今日怯懦之犧犬耶？」美參院議員史密斯衆院之李察斯及周以德指責政府之不敢公然聲明協防金馬，眞是蹂躪正義之舉。在今國際苟安自私的陰霾未散之際，我們必須加強革命精神，盡其在我。南麂島決不能不戰而退。共產國家之危機已暴露，中共經濟崩潰徵象已顯，蘇聯亦因經濟危機而釀成政府改組，這都是足以增強我們信心的！

台灣通訊

中央研究院的「新猷」

·施賁之·

最近中央研究院將歷史語言研究所遷到南港，成立了兩個研究所，（考古研究所、近代史研究所）。遷台以來，研究院值得宣傳的措施，無過於此了。在海峽風雲險惡之際，有此點綴，彷彿是難得的事。然而冷靜考慮一下，頗覺使人不解，更覺得為研究院前途寒心。為了國家，為了文化，筆者實在不能不說幾句逆耳之言。

為甚麼遷到南港

（一）先論史語所的遷居。

南港位於基隆台北之間，其地域是否安全？誰都明白。除非白癡和神經病者，誰也不會把許多年來，費了多少心血，辛辛苦苦，從抗戰到戡亂，搬運數千萬里，流傳數千百年的古物、古書、檔案、圖片；好容易避免了刼運的國寶，放在那樣一個地方去。何況松山機場就在南港前面，從飛機上看來，相去實不太遠。加以其地之多雨，甚於台北，僅次基隆，潮濕的程度是十分利害的。即使不遇到轟炸，擱上幾年，也就可以霉爛無遺了。聽說史語所搬到楊梅以後，因為地方狹小，有許多箱古書古物從來沒有打開過，預備到了南港，再完全開箱。然而南港新居，依然不數應用，依然不能完全打開，祇好堆在從前日本人在南港所作的防空洞中。這個洞是鑿山而成，其中潮濕更甚，終日滴水。就是金剛不壞之身，入了其中，日久也要霉成粉屑。古物古書，經得起這道考驗嗎？

楊梅車站倉庫，既屬狹小，也未必安全，應當遷移，乃天經地義。然而楊梅乾燥（去年整年未雨），不開箱的書籍古物，還不會因為潮濕而受到損失。既遷移要自然先要有調查，要有計劃，要統盤考慮。為什麼遷到這樣一個地方？除此之外就沒有合適的地方了嗎？有人說因為距離台北較近，主持人照應方便，而且各研究員往來上課方便。這自然是揣測之詞，也許遷到南港自有其中妙用。不過愚陋下民實在不能明白其用意之所在。

為甚麼成立兩新所

（二）再論新成立的兩個研究所。

歷史語言研究所本有四組：（一）文史考訂；（二）語言；（三）考古；（四）民族。把考古從史語所裏面提出來另成一所，（也許帶着民族）從研究性質上說，原可不必多此一舉。誰都知道，歷史不能捨棄考古，也如同考古不能離開歷史一樣。現任史語所所長，殷曆譜的作者董作賓，就是屬於考古組的，主持殷墟發掘的李濟之就是考古組主任。誰能說殷墟的發掘工作無所補於殷周史研究？又誰能說研究殷墟出土的甲骨和器物，可以離開歷史？如果人才多，為了容納新人才，為了擴大工作，另成一所自然不能說毫無理由。遷到台灣以後，人才既寥落可數，工作亦祇能抱殘守缺，為什麼要另成考古一所？如果說董李二先生，要各據一所，都過所長癮，因此而靡費國帑，巧立名目，那恐怕就是誣蔑賢者之詞了。

歷史應當從什麼時候算作「近代」？歷史研究應否包括近代在內？這自然值得討論。此次中央研究院新史語所之首，成立考古一所，又去其尾，成立近代史一所，可稱傑作。（也許是模仿中共）考古之不能離開歷史，已如上述；至於近代史，聽說是從鴉片戰爭以後算起，這在史語所裏自成一組，也還勉強，別成一所，在現在說來未免過份。為研究歷史方便起見，劃開時期，無人能反對，如魏晉南北朝，如隋唐五代：這本是可以的。然都不能成立一個所。縱然說從鴉片戰爭以後，歷史關係複雜，牽涉的方面廣，應當多找些人去專門研究，預備編纂成書，附庸成大國，於是成立了一所，這還有些理由。以今日台灣，人才之缺乏，資料之缺乏，種種條件不够，搜集已困難，何論編纂，何況經濟艱窘如此，竟然要設立一個近代史研究所，是粉飾太平呢？是位置私人呢？使人不勝迷惑之至。

遷地增所兩無是處

歷史語言研究所在傅所長主持的時候，他的編纂不敢自作主張，他提出了「上窮碧落下黃泉，動手動脚找東西」的口號，他自去實行，所以他把史語所辦得有了成績。傅氏的口號和辦法固然有流弊，偏重材料，走上新考據的路線，然而他還能自成系統，不是胡鬧。此次分開，則是亂了系統，是胡鬧。何以呢？既是找東西，上自上古，下至近代，都應當在一個所裏，豈能分開？如說考古是搜集和考據的工作，歷史則是研究和編纂，那樣考古可以分出，而近代史則不可以分出。如說歷史依然要作搜集考據的工作，那麼考古不需分出啊？而近代史之分出是要去研究和編纂嗎？還是依然在那搜集考據，作動手動脚的工夫呢？除了巧立名目位置私人的理由以外，實在想不出這次分設兩個研究所的道理何在。

在這危急存亡之際，許多重要大事都得待進行，絕沒有容許任何人胡鬧的道理。我們怎能坐視在文化負有重大使命的史語所，遷到那樣一個地方，而把國家許多文化寶物放到一個平時氣候不良，戰時危險的地方。而政府也似乎沒有理由允許研究院在這時候添設兩個研究所吧！

人物述評

兩度來台的薩凡奇博士

世界聞名的美國水利專家薩凡奇博士，偕同另一美國水利工程專家古蘭德，已於一月十八日再度來台，應我們為石門水庫設計委員會顧問名義，研究與設計石門水庫設計劃，薩氏預定在台勾留一個月。

這一以台灣北部為目標的水利工程，全部設計工作，已將近完成。預定在桃園縣之大嵙崁溪上興建高二百五十公尺大壩一座，用以防洪灌溉與發電。此一大壩儲水容積預計為十二萬七千立方公尺，蓄水量可達三億立方公尺。裝設發電機三台，可發電十三萬瓩，灌溉面積為五萬五千公頃，平均每年將使這一地區增收稻米六萬九千公噸。

（一）

薩凡奇博士於一月十三日，由其居住的丹佛城經舊金山檀香山馬尼拉來台，在台逗留一月後，即轉往澳洲。這位世界高壩權威到台後即前往桃園縣中壢鎮石門水庫壩址勘察，並研究著水發電灌溉等項計劃。

他這次到中國，已經是第四次了。他在前年五月，也曾偕同他的夫人和女公子梅尼爾小姐第一次到台灣，當時電力公司經理黃輝前往迎迓，並介紹中國工程師學會理事長凌鴻勛，與台灣省水利局長章錫綬，以及歡迎人員二十多人和他一一握手。

當時他說：近年他在美國，時常聽到自由中國各項建設，突飛猛進，非常欣慰。早擬前來訪問，今得如願以償，甚為高興。

他前次留台凡十八日，先後赴日月潭，烏來，霧社，桃園，中壢，大嵙崁等處勘察。當抵達竹坑時，村長率領村民夾道鳴爆竹表示歡迎，他極為興奮。觀察壩址時，正值大雨，冒着風雨，奔山涉水。臨別為村長題字，原為英文。意為「建設一個水壩的非常良好的地方」。

薩凡奇博士在前年即曾為台電公司五年建設計劃中數次巨大工程均極重要，尤以霧社坑壩的興建，更感興趣。

他對於技術上的一部份意見，在歷次舉行的技術座談會上，均有寶貴的意見提出。其餘意見，如他的考察紀錄，乃至台灣電力公司所提的資料，他都帶回了美國，加以研究後，再向台電公司提出報告，他兩度來台的貢獻，至為偉大。

（二）

薩凡奇博士係一八七九年生於美國威斯康新州，今年已七十六歲。一九〇三年畢業於美國威斯康新大學，一生從事水利工程事業，從不間斷，成績卓著。

我們讀到前田納西河開發局（TVA）局長李連紹所作工作總報告，對於那一片原來是一片荒涼石灘，忽然變為無盡田疇；原來是不通舟楫的河水，忽然浮載着五千噸大船，上溯六百里；原來是不可能建立工業，缺乏燃料和動力的地方，忽然勃起了數以千計的大小工廠。我們必然驚嘆於近代工程學所可能加於人類的惠澤，是多麼偉大。

這一個計劃其偉大，嘉惠人羣的田納西河水利計劃，就是薩凡奇博士親自設計的。他於一九四二年曾受我國資源委員會之邀請來華，從事設計揚子江水利發電工程計劃，留華甚久，備極辛勤。一九四四年，資源委員會贈給他「中國之友」金獎章，一九五二年中國政府並會授予景勳章。

（三）

他對於中國，對於台灣，並不陌生，所以他之再度來台，舊地重遊，情殷誼篤，他之受到熱烈歡迎，和他衷心的愉快，自然是極盡東南之美。

他過去替我們所設計的揚子江水利計劃，可惜因戰火蔓延，大陸變色，偉大的計劃，終於不能實現。可是薩凡奇博士幫助千百萬苦難人民的熱忱，是永遠在我們記憶之中的。

現在，他已經是接近八旬高齡的老人，尚長途跋涉，再度應電力公司之請，不辭勞瘁，視察台灣的水利工程，雖然為時甚短，預料所得的指示和校正，當極富有價值。將來嘉惠於台灣人民，當然未可限量。他之忠於工作，忠於朋友的精神，更令人感佩無既。筆者謹在此祝福老人的健康和旅途的愉快！

·劉竊如·

阿根廷生活素描

這裏羊毛與棉花同價，所以一般人都穿毛質衣服，男人們都要做成紳士樣子，（這是阿根廷政府執政之後的現象），雖然天氣熱，也穿上一套很厚的羊毛衣服。大約四時到六時，非常軟和。

阿根廷人無論男女老少，最大的嗜好是談話，他們的感情極豐富，所談的資料從張三家的狗跌了一交，到李四的小兒子明天將要過周歲，總是無微不至。從大辦公室到小廚房，談話的節目都是些[illegible]。

公共汽車及電車，在公共汽車及電車上無論如何擠，只是暫時的，何必不暫時忍受一下，大家都早到目的地呢？這種人情味，實在令人感動！回想起香港巴士滿座後人一個也不可多的作風，想到[illegible]……他們尊重家庭，愛好和平，富人情味的日常生活，實在比精神物質文明都比他們高深的英語民族及華語民族可愛得多，許多都與中國古時相似，所以林語堂的「生活的藝術」一書，也成了阿國最暢銷了。阿國小學六年級的課本上寫着「近代中國文化上，只有一個林語堂，值得一提」……。不知林大師知不知道？

（第二節續完）（二月六日）

·蕭立坤·

編者讀者

△秋山，王世昭，勞歆，孫澤英，吳文蔚，傅正，先薇，張緋翰，諸先生：承惠大作，均已收到，謹此致謝！

△余偉韜，楊海宴兩先生：示敬悉，稿酬一俟結算清楚，即將通知單奉上，謹復。

中共改幣的意義

暴露財政經濟的崩潰　改幣失敗現象已顯明

（一）

中共於本月二十一日發出命令，宣佈自三月一日起實行「幣制改革」，發行「新人民幣」（簡稱新幣），限期收回現行的「人民幣」。

該項命令規定，「新幣」與舊幣的比率，是一比一萬。並規定自發行日起，即行收兌。為期兩月，逾期舊幣不再流通市面，也不再收兌。換言之，舊幣於五月一日起，即完全作廢。

中共發行「新幣」的用意，該項命令雖冠冕堂皇，說是為了「適應國家計劃經濟建設的需要，和廣大人民願望」。又說「以便交易和核算」。但我們根據中共的財政經濟實情和政治宣傳的迹象，加以研究，認為中共的幣制改革，實質用意，大致有如下三端。

（二）

第一，在應付嚴重的經濟困難。眾所週知：中共的財經情況，一向因支出過於龐大，逐漸陷於絕境。一九五三年十月間，「人民日報」發表社論，號召「全國節約增產」，即已公開承認。其後毛澤東在偽「政協」大會上演講也說「有困難，也有辦法」。更足以表露困難情形的嚴重。此後一連串的實行「國家資本主義」，以剝奪私營廠商；執行多種重要物資的「統購統銷」政策；強迫人民儲蓄；兩度發行「國家經濟建設公債」。也便是毛澤東所說的「有辦法」。中共的主要收入，為「農業稅」，「工商業稅」及「國營企業上繳利潤」。但此三宗收入，因災荒，商業蕭條，以致收入和預算相差甚鉅，大量銳減。於是不得不濫發通貨，以彌補赤字。及二萬元，五萬元等大鈔大批出籠，物價因之不斷上漲，即係毛澤東所謂「辦法」的必然現象。

中共過去的濫發通貨，雖有幾分成功，仍沒有擺脫困難。發行終須有個限度，現有之通貨，則已至絕對危險的程度了。於是有所謂「實行幣改」，騙人民把鈔票的比率縮小到萬分之一以後，通貨澎脹的幅度在表面上看比較隱晦（例如澎脹的物價一萬漲五千，人民的心理是沒有分別的）。故中共的幣改，心理影響較大，一元漲五角，似乎比較輕些，祗是想藉通貨澎脹製造便利，來應付財經的困難。中共以為物資、生產、商業、發行統在他們的手中，打算增發通貨多少，祇需製造一些藉口，將全國商品價格加以調整，即可收效。不會因通貨澎脹而刺激物價狂漲的。這便是中共發行「新幣」的主要用意。但實行的結果如何呢？連日港澳的「人民幣」價格大跌，從得萬元值港幣一元二角左右的跌至僅值港幣八角，跌勢尚未有停止之勢。大陸各地物價，例如廣州亦紛紛上漲，甚至商店存貨為之絕跡，可知中共的改幣，並未能收到他們的預期效果，經濟枯竭情形更充分暴露無遺了。

（三）

第二，在整理通貨秩序。幾年來「人民幣」的票額相當複雜，假鈔充塞市面，已至無法鑑別的地步。廢止舊幣，發行「新幣」，中共以為混亂情形即可不了了之。

第三，作為政治宣傳的口實。按現有幣值以萬元為單位，在人民心理上存有習慣的恐懼，以一元為單位，則為人民心理上所一向習慣者。中共發行新幣，將幣值恢復到與法幣時代相接近的標準（約為法幣二分之一），以為可以迎合人民心理，以作為「人民政府有辦法」及「照顧人民」或「實現人民願望」等的宣傳口實。

·沈駒·

·新書評介·

在中國五十年

司徒雷登著　閻人俊譯　香港求精出版社發行

（五）

邵林宗

一九四五年十二月，杜魯門總統任命馬歇爾作他個人代表到中國來，幫助尋求一個結束國民政府與共產黨之間內爭的解決。此時司徒雷登正要趕回燕京處理戰後大學問題，馬歇爾突然邀他見面，問他願否作美國駐華大使？他以年過七十，對於外交又是個生手，很感覺猶豫，結果還是做了大使。

司徒博士做大使後，幫助馬歇爾展開艱苦的工作，斡旋國共雙方，希望組織一個有力的聯合政府。但是，談判會總是枝節橫生，共產黨代表周恩來，只想照他們的條件組織聯合政府，國民黨則較爲躊躇懷疑。司徒博士說：『他有生以來與人接觸，從未遇見這樣猜忌，尤其是共產黨中間對人的猜忌。』

可是，國共談判雖然頻於破裂，而馬歇爾一九四七年一月的聲明，却是公正而值得注意的：

『事實上，國民大會已經採取一個民主憲法，這憲法在一切重要方面都符合各黨各派的政治協商會議所規定的各項原則，共產黨竟認爲他們無法參加國民大會，這實在是一件不幸的事，因爲當時所採取的憲法，似乎包括他們所要的每一個重要之點。』

（六）

馬歇爾以忍耐，智慧不斷努力一年之久，『歸根效力等於零，』但，司徒博士曾對他說過：『我們有三個可能的途徑，（一）給予中國積極的援助，尤其注重軍事援助。（二）隨波逐波，沒有自己決定的計劃，而只是『等著瞧』。（三）完全退出，不參與中國的事情。他注重第一個計劃，否則，寧可採用第三項辦法。然而，搖擺不定的美國外交政策，根本不了解殺戮人民，掠奪財產，傾覆中國傳統文化美德的共產黨，足以影響亞洲的生存，足以影響全世界民主集團的安全。假如美國當局早見及此，採用司徒博士第一項計劃，後來又何至要聯合國秘書長韓馬紹親赴北京去磕頭求和呢？

在國共談判破裂以後，共軍勢力一天增長一天，司徒博士說：『我自己的經驗是很悲慘的，我看見中國在這空前鬥爭中耗盡了元氣，看見各階層民衆受鬥爭的後果，有很多被殺了，有很多凍餓死了，有很多財產全部喪盡，有很多流亡海外了，無力挽救，我眞痛心之至！』他又說：『中國當局畢竟是個中國人，總是受了個人的和政治的考慮之控制，而不能夠科學的依照軍事因素的兵站科學來計劃他們的作戰行動……而一般文武大員，在不知不覺間轉到中國官僚主義由來已久的弱點，假公濟私，侵吞公款，重家族派系之利益，而不注重國家之利益……』這種批評我們很冷靜的從三十年來事實上仔細檢討一下，假如良知未泯滅的話，也許要放聲大哭的？

（七）

原書繼續敘述：

中共軍事加緊南下，蔣總統於他的新年文告被共產黨駁復後，靜悄悄的飛返他的故鄉去了，一九四五年一月二十二日，由副總統李宗仁就任代總統職，但，他的陸海空軍的忠心舊部，依然信任他的領袖，服從他的命令，這事對於他偉大人格和中國人忠於個人的美德，是一個有力的證據，可是李代總統所處的地位，幾乎是沒辦法的。

共產黨看透這個弱點，以勝利者驕傲自居，一面很冷落對待南京所派出的代表，一面作軍事積極進迫，同時宣布戰犯名單，好像要與國民政府訂立城下之盟。這時民衆心情，忽張忽弛，幣制發狹，又漲跌無常，以致造成無法補救的殘局結果放棄南京，撤退廣州，使共產黨軍事迅速順利渡江，這眞是出乎意料之外，也是共產黨所夢想不及的奇蹟。於是他說：『我們美國有一部份人，光看到共產黨良好方面，而沒有用心研究他們那種不容異己，頑固，偏執，多方欺騙，和始終存在極權制度中共他罪惡，因此，我們對這巨大災禍，不僅中國而已，對於美國和整個自由世界也是極大的災禍，所以中國大陸喪失，我們不能逃避一部份的責任。』

（八）

南京、上海，爲共產黨佔領後，司徒大使陷落在中共所控制的區域之內，他代表國家的地位，完全不能存在，而他個人的自由，也受相當的限制，他的情緒終天在忐忑中，他深深體驗到共產黨是絕對控制人民思想和行動的，蔑視個人的人權，蔑視一切原則和信仰，他的著述，是從親若體驗中所得的正確實錄。

但是，他的實錄，固然什九正確，也有一些看法，我們不能盡同的，例如，他認定共產黨曾經嚴厲的紀律訓練，而且澈底的灌輸共產思想，本着勇氣，才幹，接收京滬，對於繼做的事都能迅速完成。殊不知共產黨所以能夠迅速完成他所要做的事，實由於他窒息思想，滅絕人性，把人當作器具，又利用慘酷而高壓的手段，以達到他的目的，所以，那些迅速的建設的成果，都是違反人類自然進步和社會自然發達的原則，都是人民血和淚，仇和恨所釀成的，終有一天會爆發起來的。中國秦始皇，建築萬里長城，又何嘗不是迅速而偉大呢！（中）

導輔家庭工業發展
繁榮社會擴大就業

港革新會香本年度民衆大會，到會人數空前踴躍，打破了歷年紀錄，這是說明了市民需要改善現階段高壓生活，特是怎樣的迫切，而各方所提建議，不但實貴且極實際，相信祗要假以時日，縱非可以完全滿足大多數人的慾望，也可聊勝於無。然先決問題，誠如余叔韶所說：唯一減低生活程度或提高生活水準辦法，乃以增加生產與增加就業機會。雖然，勞動者的目的只求加薪，不增加賺錢能力，也是徒然。因此，忽略了增加生產（賺錢），不特無法獲得最低的生活條件，更談不到較高的生活水準，即就業機會亦難普遍獲得。這是一個解決目前生活困難的基本問題，是任誰不容忽視的。

誰也知道，香港現下經常從事於車衣，編織手襪、草帽與尼龍絲手套，以及製燈紗、串珠、刺繡等輕便的手工業，至少在一萬二千五百家以上，由此反映出手工業和家庭工業生產關係的密切，對於受薪階級說來，在生活上也是一個極大的幫助，倘能進一步加以擴大和輔導，以及使其深入與統一，那末，在本港社會經濟方面，不但可望全面發展，對市民生活改善，也有重大影響，社會將更臻安定。因爲一個安定的社會必先求得市民最低限度的生活。家庭經濟能夠獲得穩定，則社會經濟基礎纔能堅實鞏固，維護社會秩序與安寧，方獲有力保證。於是，舍發展家庭手工業，似無由達成此項目標。然則對於樹立社會良好風氣，也有極大裨助。

當局現時正在極力發展成年女性教育之時，不僅幫助家庭婦女吸收知識，適足養成她們自立與輔助家庭生產德性，使她們樂予致力於手藝，不論車衣，編織手襪，草帽，至少可以充裕家庭經濟，不再有啼饑號寒之虞；更不致因爲狃於虛榮與奢侈心理，而幻想不勞妄取，造成鋌而走險，作犯法違例的勾當。竊盜案件亦必能隨家庭經濟穩定逐漸減少，以至無形消滅。是故手工業的盛衰，不但與整個社會經濟榮涸有關，對市民生活具有決定性影響。然而就目前的家庭手工業情形看來，似乎過於散漫，實有設法組織，輔導與擴大必要，這是社會局應該特別重視的問題。非但要鼓勵熱心輕工業人士投資設廠，對若干有前途的廠商，幫助其商務繼續擴大，或給予貸款，使生產增加，品質提高，劃一工資，在互惠合作氣氛中，外銷是不難打開的。這對於促進社會經濟的發展繁榮與穩定，以及市民生活水準提高，且有助於擴大就業機會。願當局者考慮及之。

自由人特別徵稿啟事

本港教育問題，諸如會考之存廢或改革，教師待遇之改進，師資之檢定及培養，教學及管理方法之改革，課程之分配，教科書之編撰供應，學生之升學及就業，失學之救濟，學風之改良，凡此種種，有待教育人士之研討解決者，不一而足。此等問題，與本港華僑教育前途，關係至鉅。本刊本服務文化教育之素志，現擬特闢專欄，發表有關此類問題之專門論著及通訊稿件，傍及教育工作者之平生行誼足爲楷模者。

謹擬徵稿辦法如左，幸我教育人士多加匡助，不吝賜教，至爲感荷！

（一）專著行誼每篇以二千字右左爲度，通訊每則字數不宜超一千字。

（二）來稿直行單面繕寫，其不願刪改者，請加註明。

（三）來稿請註明眞實姓名及通訊地址，發表時得用筆名。

（四）來稿一經發表，專著每千字奉酬港幣十元至十五元，行誼及通訊五元至八元，其有特殊價值者，並得酌爲增加。

（五）來稿不合用者，如經聲明，概行璧還。

本刊特別啟事

嗣後有關業務接洽款項收支事宜，請逕向本刊業務經理劉君淞顯接洽。爲荷。

世外桃源砂撈越

了聲

而與之交接，因此獲利甚厚，許多小州府之商店，雖然舖面簡單，貨物不多，而所得之利益，則較諸大都市，實有過之無不及之概！砂撈越主要交通的憑藉，乃爲海洋與河流，全境公路極少。人口稠密之處，彼等所持以旅客來往及運輸貨物之交通，仍多靠航行上之便利。公路除首古府晉市區及附近郊區有極少之柏油路面外，多數仍以不平坦之士路作爲公路。

祇有一條鐵路

這些公路，也可行駛「羅里」（貨車）和「巴士」，當天氣乾燥時，汽車駛過，塵土飛揚，路人爲之掩避；而在霪雨之際，則泥濘載道，難以暢行。間有少數係用三合土或瀝青碎石鋪成的，亦因車輛繁多，日久欠修，凹凸不平；而路面又狹，車輛之多，以人口比率言，較之香港，星洲，甚而過之。筆者去春在古晉時，日見車禍二三宗，已不足爲奇。空路交通，已有馬來亞航空公司和砂北航空公司，作星洲、古晉、汶萊、納閩、亞庇、山打根等地之間的定期航行。全境只有古晉一條七里長的鐵路，該鐵路無交通上之價值，僅作運輸碎石泥料之用而已。但砂撈越擁有萬輛以上的脚踏車，近千輛的脚托車，個負擔鄉村與城市間相人交通的重責。（四）

毒品帝國—中共

本報資料室

本報特訊

民國十五年以前，好些中國地方政府，爲增裕庫收，往往從事販賣鴉片。他們叫鴉片做戒烟藥膏，叫販賣鴉片的機構做戒烟藥膏專賣處。國民政府成立於南京之後，即厲行禁止種鴉片，並處販賣者以極刑；雷厲風行，收到極良好的效果。

可是，中共自逃竄陝北後，即在西北各地大規模種鴉片，製造海洛英，以毒害中國人民。那時主持鴉片販賣事宜的是薄一波。中共竊據了大陸，以薄一波販賣毒品，增裕庫收，功績偉大，把他升做財政部長。薄一波把鴉片列爲國營業務，把毒品的販賣擴充到全亞洲和世界各處。中共的國庫把此項收入列爲特項收益，每年庫收的數字達到美金一億五千萬元。

中共毒品輸出的開始

中共的毒品侵入美國，開始於一九五三年十二月。那時舊金山的毒品管理局長詹氏梯樂，接到一個匿名的電話，叫他到某一個住址。他說，那裏有兩個剛從香港運來富有興趣的樟木箱。

詹梯氏在那兩隻木箱夾板裏破獲了價值十二萬美元的海洛英。中共製造的海洛英係淺啡色，細粒甚粗，品質相當純淨，那是能夠一認而知的。

中共佔領了大陸，即大規模運輸毒品至東南亞洲，日本、和美國。中共亞洲在有極大規模的地下組織，以毒品換取外滙。一九五〇年中共和蘇聯訂立的條約，規定中共須以黃金和美元換取蘇聯的槍械。中共認爲販毒最易賺取外滙。

除了外滙，中共又利用毒品來毒害世界人民。這種有組織的大規模行動是不容易應付的。美國全國毒品管理局局長阿凌格這樣說，共中使用毒品賺取外滙，毒害人民，是一件十分可怕，而且可恨的事情。

販毒年獲美金億餘元

世界第二次大戰前，世界毒品降至最低潮，那是因爲國民政府厲行禁烟，一九三九年中國鴉片的產量已降低到每年一千噸。可是自中共將毒品收歸國營後，產量即增大到每年六千噸。中共以毒品產量的三分一，提煉成嗎啡、海洛英運輸國外行銷。

中共製造的毒品有種種特徵，是一望而知的。近年來日本、泰國、緬甸、和馬來亞的破獲販毒案都供認毒品來自中共，上列各國經紛紛向聯合國報告中共販毒。

中共於一九三〇年即行開始販毒。在陝西大規模製造毒品，交出特務運至中國各處銷售。那時販毒是中共收入的最大泉源。

管理毒品的是薄一波。中共佔領了中國，即把薄一波升任財政部長。薄氏感激之餘，更大事擴充毒品外銷業務。一九五四年中共國庫毒品收入達到美元一億五千萬元。

中共統治下，四川鴉片的生產和海洛英的製造是由省主席親自負責主持的。在雲南的南部，主持鴉片事務的係該省的副主席。國外推銷的負責機構係北平的「人民貿易公司」中共的國營機構。到了外國，則由表面上類似私人機構的商店來主持推銷事宜。

各地共黨經費來源

日本共黨領袖協助中共販賣毒品案件於一九五〇年首次破獲。日本政府的地下工作人員和三位有資格的日本人士接洽購買毒品，獲得了證據，他把那三個經紀扣留了。其中兩個係日本東京共產黨黨部的職員，另外一個係九州共產黨黨部的主持人。他們的供詞是這樣的，海洛英是由北韓運來的。他們從事這種貿易已經有好幾個月了，贏利撥供共產黨黨部的經費。

南韓的情形比較日本更爲嚴厲。在十二個月的短期間內，南韓政府破獲了二千四百宗販毒的案件。北韓共產黨偽裝難民流入南韓，好些女黨徒到了南韓，以女傭或者妓女作掩護而從事販毒。在北韓他們經過六個月的秘密訓練，他們中間有十分嚴密的組織。

毒品輸出路綫

中共的武裝車隊由雲南運輸毒品經過緬甸而至泰國、馬來亞、和安南，這是第一條輸出的路綫。第二條路綫則由廣州經水道或者陸路而至香港和澳門。第三條路綫則由中國大陸或北韓使用小舟私運至日本。

販運美國的毒品，大部係由輪船或者船上的職員偷運的。去年美國破獲一宗大規模販毒的組織，他們採用郵寄雜誌的辦法，雜誌裏頭挖空了，藏入海洛英。

在中共政權以毒品外銷收入作爲蘇聯軍械交換條件的情況下，中共毒品向世界的傾銷是只有日見擴大的。（取材美國新領袖雜誌，去年十二月號）

文理與政理

馬五先生

「文章是自己的好」，這是一般文人的通病。但，眞正懂得文章之道的文人，必不以今之司馬遷班固韓愈自命，也不敢相信自己的作品可與沙士比亞或康德媲美。一篇文字寫好之後，推敲再三，斟酌損益，然後才敢向外發表，接受別人的批評。古人撰成「呂氏春秋」，懸之國門，徵求評判，有能更正一字者，願酬千金。這其間雖不免亦有「文章是自己的好」的下意識潛在，然其不敢絕對自是的態度，固足多也。祇有不理解文章之道者，輕於下筆立言，且覺得文章之道，如是而已。前些日子偶遇香港大學教授羅香林先生，他教我把「自由談」的文字集成小册刊行於世，令我慚惶無地自容，粗簡答曰：這粗製濫造的玩藝兒，根本就不成其爲文章，還談得到價値沒有，焉能語此耶？

因此之故，我又發生了一種遐想：假使我去搞政治，官拜甚麼「長」，甚至於貴爲政首領了，是否能夠把平日寫文章這種不敢自以爲是的戒愼恐懼心情，用到政治生活上，隨時願意接受別人的批評指教，而不認爲有損官格官威呢？如果說能，何以許多讀學能文之士，一行從政，即飄飄然念非，竟不顧問絲毫異己的意見耶？搞政治總以爲「我的對」，這與「文章是自己的好」，並無二致。都是不長進的半吊子思想。這點心理攏換不克服，所謂民主政治云云，永遠是廢話一堆，再辯一百年，也不會有半點實績出現的。所以，政治的好壞，大部分責任還是在我們這些寫文章的士大夫身上。理由很簡單，沒有諂佞逢迎之臣，何來專制獨裁之主呢？

酒肆妙聯

·小丞·

天有酒量

相傳廣州陳塘有一酒樓，名「天一」，乃李鹿陳某獨資開設，當時閱稿坐花，酒綠燈紅之餘，招妓佑酒，至爲繁盛，陳某曾將「天一」嵌於聯首，亂爲雅致，其聯云：「天有酒量，地有酒泉，飲者莫留名；一醉總休，莫使金樽空對月，且顧傾國，佳人古難得，休將錦瑟誤年華。」

價廉物美

上海北站附近，有一家酒肆，小籠包子最爲出色，價廉物美，凡候車的人都喜歡前往進食，以當午點。肆內懸有一聯：聯文雖淺俚，但含義深遠，又甚切合這店的業務，下款署「老鄉親」，想係北方隱名之士。

聯爲：「車站未敲鐘，請諸君小坐片時，說什麼滬州求名，且用些點心去；蒸籠纔揭蓋，就此處飽餐一頓，若不是價廉物美，有誰肯掉頭來。」

壺裏乾坤

廣州壺天酒肆，向以屠牛賣酒爲業，至酒肆主人，恐亦係「仗義每從屠狗輩」之士，自負不凡，時正事頹繁，國內國難，他遂作一聯，並將「壺天」二字嵌於首尾，頗覺工穩，聯爲：「壺裏藏乾坤，須知游覽有餘，漫笑者，解牛甘小醜；天下無閒我，但願把杯同醉，休談逐鹿爲何人！」

童鷄風味

童雞風味之最佳者，各大都市中，當數貴陽的「培養正氣雞」。抗戰期間，曾兩快其門，惜無韻事，深以爲憾。有某老嫗設肆某邑之長橋南，築殊潔淨，其烹白雞尤肥飫適口，實不亞於「培養正氣雞」，某文士贈以聯，本地風光，不假雕飾，神韻絕佳。聯爲：「黃酒當雞風味；白頭老嫗生涯。」

小有天聯

各酒肆以「小有天」命名的很多，各處皆有，是否一家，未敢臆斷，上海的「小有天」，爲一代書家清道人李瑞清當小飲之地，清道人日食百蟹，且有「一元會」之組合，即係在「小有天」。所傳之趣事：因爲經常光顧，與酒肆主人也成了朋友，他贈「小有天」之聯，極有雋味，意義深長。聯爲：「道道非常道；天天小有天。」

語意學漫談

穆通郵

語言是一種符號，所以任何語言所表示的，沒有不是「一部份」的，然而我們一般人卻換一個「全部」。大家都知道六個瞎子摸象的故事。摸着鼻子的說「象」好像一棵樹，摸着耳朵的說「象」好像一條繩；摸着尾巴的，說「象」好像一條蛇；摸着耳朵的，說「象」好像一張大簸箕。摸着身子的，說「象」好像一座牆，摸着牙齒的，說「象」好像一枝長矛。這六個瞎子所說的全都對，也全都不對。就是因爲他們把描寫一部份的話詞，「推廣」成了描寫全部的話詞，他們忘記了地圖不能代表土地一切。

不合理的推廣

在我們的時空間裏的一切現象，是具有無窮無盡的形狀的，所以我們所感到了的，因爲經過了過去生活經驗的訓練，和目前心理情緒的現狀，祇是其中的「一小部份」，而我們所表述出來的，因爲語言的作用和限制，又是這一部份中的一部份。所以一句話的內容，不管它事實上是怎樣正確，我們千萬要小心不要把它太沒有根據的過份「推廣」。譬如對於張大才具有好感的人們，說他一口的牙齒潔白如玉，一雙大大的漆黑的眼睛，說他穿的衣服，洗得又乾淨，燙得又挺，說他既不吸烟，又不喝酒，說他是不賭。所以這五項描寫，無一不是他的優點。但是反對張大才的人，則說他一口高高低低的牙齒參差不齊，他的眼睛圓溜溜一樣，和人家說話的時候，從來不正眼看人。說他穿的衣服，前前後後總少不了幾個紐扣。說他賭將繼很大，常常好幾夜不睡覺，說他是個典型的諂上驕下的人物，同事中沒有一個人看得起他。雖然這五點描寫，都是正確的，但是所帶給我們的印象，卻和以前完全不同了。這是什麼緣故呢？就是因爲我們習慣於從局部的描寫中，無意中作了不合理的推廣。

我們且看下面對於一個人物的描寫：

『某先生的幼童生活，是很艱難困苦的，他從沒有接受過良好的教育。他很早想作一個藝術家，但是遭受了他父親的無情的反對。他於是努力自修，他後來寫了一部書，它的銷路，在他那一個國家裏，是僅次於聖經。在這個世界裏，沒有任何困難可以使他失望和灰心。雖然他常常得到警告，說『你不可以這樣做！』但是他卻一次一次的克服一切障礙和拘束。他非常重視青年人的健康，在這方面，他作了不少的努力。他是一個很有天才的演說家。他具有不少的信徒，這些人說：『他之所以完成他那樣多的偉大事業的，是他的寬大的胸懷，堅強的毅力，和他的善良的靈魂。』』

上面這一段所描寫的，是我們每個人熟悉的一位人物，就是大名鼎鼎的希特勒。而上面所說的，不折不扣，無一不是不確。但是我們從這一段局部描寫得來的印象，和我們從往常對於希特勒的整個認識所得來的印象，其相去正不知有幾千萬里！所以我們要時時刻刻的警惕。語言是一種地圖，地圖祇是一種局部性的描寫。我們千萬不要輕易的把局部的描寫，太沒有根據的過份的加以推廣。（十四）

馮平山圖書館觀方召麐女士書畫展覽 並序

·邵鏡人·

召麐女士，江蘇無錫人，早歲留學英國，潛心藝事，先後舉行畫展於倫敦、巴黎、東京、及瑞士之洛桑巴爾兩城，備受各國朝野讚賞。友人劉百閔教授，藝術家范新瓊女士已先後爲文稱譽，余亦賦句張之。

雲林石谷上虞吳，江左風流絕世殊。卻愛山川留爪跡，又從海外見麻姑。

快雪時晴入眼清，鍾王去後此希聲。黃庭恰好傳初寫，幾許籠鵝換得成。

蒼山輕霧紀前遊

·榮人·

邊地風光想依然
夢裏河山半壁天

叢山峻嶺的滇西南接壤緬，越，桂黔邊境。山勢奇秀雄險，地曠人稀，蘊藏豐富，奇花異石，森林藥材，崖谷山景風光清趣，不同昆明的風景。烟雲邊城，怎不供人記憶？

一 蒼山洱海

自滇緬公路通車，大理下關商業繁興，下關可以看到天生橋，據說諸葛亮七擒孟獲處，這一地帶，古蹟不少。

大理有烟水浩淼的蒼山十九峯，十八溪，此故鄉風景絕佳之地，令人懷念。蒼山十九峯，峯巒峻秀，洱海蒼茫，薄帶淺紅色的波瀾，薄薄的雲霧，春秋多佳日，那仍是山峯靜巒，雲影悠悠，華光皎潔，映影月嬌。十九峯終年積雪，尤爲奇景。

那兒有花甚多，桃、梅、榴、桂，有花海之稱，而有名的茶花，漫山遍谷數千百種，梅聖俞詩云，「南國有嘉樹，華居赤玉杯，曾無多春改，常冒臘雪開。」而她繁艷紅粉比山茶花好看多了。臨崖一看花海，石榴好似嬌桃，有「此中仙景不易得」之嘆。

還有睡蓮，早上披上霜紗，夜間尤開放。到了台灣數年，只是不容易看到雪，便在新公園內看睡蓮，便想起大理的睡蓮來了。睡蓮紅白點點的飄浮水面，亦如人的天崖飄落，春天到來，的蒼山，尤使人有雲霧堆雪的感懷。

二 古城憑弔

一座偶中南古老的小城——邱北，接壤廣西。距城十餘里的黎家莊，是革命先烈黎天才的故鄉，郊區有他的墓塚。碑石已壞，草色猶新，供人憑弔。

辛亥武昌首義，革命軍輕騎取金陵，黎天才架人梯攻城，砲轟雨花台，臨走張勳，南京十月十二日光復的故事，現仍爲村中族人所樂道。黎氏不僅身後蕭條，且後人多已凋零，其生平應介忠直的不朽精神，可爲邊地之光。

三 苗族風情

邱北民族複雜，沙族幾佔人口十分之六七。其他氣候溫和，出產以「三七」藥品爲多，現在距通人民種烟，罌花處處開了。過去有省立小學一所，收容沙族子女就學。筆者當年因公至該地，曾協助地方創辦中學一所，歷盡波折，得該地在外有力人士之助，才算完成。

馬關接壤越南，漢人少，儂族最多，次多爲苗族，各族相處和睦如一家。

每年三月三日苗人朝山，趕場熱鬧，男女服裝新奇，騎馬趕場而來，他們坐在山麓場所，男女歌唱之聲，遐邇可聞。男的投以掃射的目光，女的脈脈含情，男女意合而後約婚，直到勞晚戴月歸去，今年如沒有意中人的，只好待明年再來了。邊城同胞一年辛苦，他們快樂的時季，也祇有春天，既不像夏天「忙了蠶桑又插秧」，「五月榴花照眼明」過後，沒有幾天，便是「空水澄清一色秋」，又農忙於收成了。

四 別特區的霧

亞熱帶的麻栗坡，接界越南，其他設對汛督辦官署辦公廳懸一匾於門，書儀波樓三字。由於山大，行政兼辦外交，氣候惡劣，大霧迷漫，太陽光照射之下，霧中還可以看到一道一道的紅綠色，據說這是地上的腐葉和不清潔的水被陽光蒸發，反映空中，即所稱瘴氣，因多蚊，易染瘧疾。

障碍，霧崖，谷就是邊地的遊人去，山景使前遊。回憶當前，裏足不夢裏河山「邊地風光」之感，不知是否依然了。

秘密

·羅須·

「我沒有再說什麼，便離開了她那裏。」老太太頓了頓，又說：「她還要留住我，我想她是要向我說些她的淒涼遭遇吧，可是這時的我，胸間像儲着一枚炸彈，快要爆炸，非離開她不可，回到家裏，我收拾了一些我的東西，悄悄地離開你的爸爸。

「愛的範圍是最狹窄的，我祇愛一個也祇愛我的人，我從不想到會有一個同時愛想兩個女人的丈夫。這太使我傷心和失望了，因爲我以前還一直認爲我的婚姻是幸福的。

「當然，你爸爸以後便像走失了什麼，他感到無比不安。他曾想盡法子要求我再愛他，再回去，但我的心已成止水了。

「我一個人生活，過的日子是多麼寂寞，多麼空虛。三個月過去，我才發覺肚子裏已有了你，我太對你不起，我很自私，不曾爲了你繼談和爸爸在一起而重拾舊歡。到你出生時，你的爸爸知道了，歡喜得了不得，他派人送錢給我，還送了我很多東西，希望藉此使我心意轉回。我也曾有點心軟，但到底我還是把他讓與別人了。我知道他和她過的日子很快活，他們很恩愛，這樣，更不能挽回我的心。而且，這時你的爸爸在事業上也很有成就，我想，也許是她的幫助的緣故。要我再和他們相處一起，我是千萬做不到的，我有着女人本性的嫉忌，我知道，這樣的一個家庭，那有融洽的可能。與其要三個人終日受苦，倒不如就讓我一個人痛苦好了，犧牲個人，完成他人的幸福，這是值得的，我這麼想。

「時間是不留情的，七年後，你已是個小學生，長得美麗聰明，有你在身邊，使我多開心，但是，這更使我不能讓你認識你爸爸了，我怕他會把你奪了去。同時，你是我們間的橋樑，我不願與他再發生糾葛的關係。」

說到這裏，老太太嘆了口氣。

「媽！不要難過，我不會怪你，再說下去吧！」再賢雙手捧着媽的臉，輕輕的說。

老太太苦笑着，但淚水已滴到再賢的手指，她便拿起手帕，輕輕替媽媽揩去了眼淚。老太太把女兒的雙手放到自己的懷裏，繼續說：

「這時，你爸爸已名利雙收，在社會，在商場都很有名氣。他又要求我，讓他看看你，給你好好的教育，給你好好的生活。他幾番使人來說情，但都被我拒絕了。他無法可想，送了給我這幢房子。這時我覺得也不該拒人千里，就把它接受了下來。從此以後，我把自己關在這所屋子裏，連窗門也不常開，我不願聽見外間一點聲息，雖然有人說幸福會從窗口飛入，但我以爲何嘗不會從窗口跑出。我是與外間絕了緣了。」（六）

俄共黨改寫馬克斯著作

馬克斯的資本論，於一八六七年第一次在倫敦出版，他極力希望他的德文原本能首先譯成英文，但次年，第一譯本卻是俄文。而蘇聯的正式譯本，於一九二四年始出版。

最近莫斯科突然宣佈，經過卅年之久的共黨譯文原本裏，竟有「嚴重的缺點」。共黨對於重寫歷史，已有深湛經驗，此次共黨中央委員會是命令馬恩列史學院去負責這番工作，要該院完成一種新的卅卷的馬恩著作的「正確」版本。可是共產黨關於新譯本的聲明，並未提及馬克斯在第一次俄譯本出版時，給他的朋友庫茲曼博士的信。他說：「這是一個命運的諷刺，這二十五年來，我不僅用德文，而且用法文，英文，一直在跟俄人鬥爭，可是俄人卻始終是我的贊助者。」（矜式譯）

自由人

THE FREEMAN

（第四一七期）

中華民國僑務委員會
登記證台教新字第一第二號
中華郵政台字第五〇〇號
執照登記爲第一類新聞紙類
（半週刊每星期三、六出版）
每份港幣壹毫
台北市售價台幣壹元
督印人：陳文都
地址：香港高士威道二十號四樓 3 rd. fl. 20 CAUSEWAY RD HONG KONG
香港發行及事務接洽：高士打道66號 電話：七四〇五三
承印者：東南印務出版社 地址：高士打道六十四號
海外總經銷：友聯書報發行公司
香港：德輔道中二十六號A二樓
台灣特派員辦事處：台北市館前街五十號
台灣總經銷處：台北市西寧南路一一〇二號二樓
台郵撥儲金J九二五二

專論

論·台·灣·大·學

——兼論師院等校改大問題——

·何固齋·

本刊四〇七期，丁文淵先生「爲大學教育進一言」一文，介紹德國大學教育制度，作我國大學教育的參考。茲又得何先生這篇文章，從台灣大學的制度、人事、設備三方面，討論目前的台大的膨脹，並非大學教育的好現象，兼論省立師院工院改大宜加愼重。語重心長，均可供教育人士與教育當局鄭重考慮。（編者）

台灣祇有一間公立大學——台灣大學，許多人想進大學，而僅僅有這一所，如何能容得下？進師範學院工學院和農學院，不能成爲大學生，縱然書讀得比台大好，也不過癮，學生心理如此，家長們心理又何嘗不然。於是台大澎漲又澎漲，儘量收容，較諸日據時代的台北帝大，學生人數已然十倍有餘，辦學的人以此自豪，逢到學校有紀念日，講演訓話中，必然提到這一點，教育主管當局也以此告諸社會，說：『你看我們的高等教育是如何發達！』在台灣人士們心理中，也未嘗不欣欣然私心自慰，『我們的子弟有這樣多的人進了大學』。

是進步還是退步

說到實際，台灣大學比起日據時代的台北帝大來，究竟有了些什麼進步呢？這是從來沒有人問的。何況從表面上看，台大添了不少教授，蓋了好多間宿舍教室，而且最近有幾院又接受了美援，其有進步，在一般人心目中（包括辦學人士），自以爲不待言矣。可惜，就筆者從各方面直接間接所得到的材料來推斷，台大似乎並不比台北帝大有進步，反之，些某方面更比較的有退步；細細說來，有些情形不僅不足以自豪，而且足以慨歎，既不值得慶慰，却值得傷心。

講座制與學系制

第一　過去日本時代是講座制，現在變成學系制，這固然由於我們的大學制度和日本的不同，一方面也是受了人才缺乏的限制，因此從基太上，我們首先比日本人的台北帝大遜了一籌，從大學制度上說，無疑的，講座制有許多比學系制的優點，我們貴國大學，從來比不上歐洲和日本的大學，其原因何嘗不在於此？我們的大學，爲什麼沒有研究風氣（縱有也不普遍）？爲什麼等於中學的延長，教課老是裝罐頭式和塡鴨式的硬塞？先生是教書匠，學生是讀書匠，其就可畢業，其原因又何嘗不在於此？到過歐洲日本留學的人士和正想辦好大學的人士，都會有這樣的感觸。然而不幸的很，接收台北帝大時，我們賢明的教育當局竟然不能保留這個學校的原來優點，以致使它弄得亂七八糟，幾年沒能上軌道，傅斯年曾關於這事，有文論之，初載於台大校刊，後收入傅氏文集中。

人材寥落

第二　過去日本時代是講座制，教授之不容易當的，他們之間不一定有沒稍差的，然而比起現在來，要整齊得多了。今日的教員陣容以文學院爲最強，這是台大人士常常自誇的，而比起大陸上從前的第一流大學還是不可同日而語。台大文學院教員陣容之好轉，是從傅斯年長台大起，帶了一批歷史語言研究所的人們來。然而也不過是設了一個人類考古學系，其中大多爲知名之士，此外別的系便貧乏不齊，很難吹噓了。至於其他各院呢？不必去訪詢學生，他們的先生中有沒有學者，或者那些是濫竽之流？祇要是內行人拿到台大教員名簿翻檢一下，便可明白。其中名學者固爲寥寥，其中後起之秀也是屈指可數。聽說在某學院就有不能開課之教授，與夫以講客拉學生之教授。關於台大人才缺乏，傅斯年也曾慨乎言之，錢思亮之想從美國拉人回來，即其明證。

設備陳舊不堪

第三　說到設備，日本投降到現在整整十年了，台大的理工各學院添了些什麼設備？眞是天曉得。我們自己沒有力量，祇好靠美援，而美國人最多會幫一幫醫農兩院，還要從派教員出國學習做起。至於送給你什麼實驗儀器設備之類，是要再說的。至於理工呢，到現在沒聽說美國贈給過什麼儀器設備之類。以現在科學進步的速度論，我們以十多年前（也許還說得少幾年）的儀器設備，其來講科學和機械，不變爲講科學史或機械史者幾希。台大一批畢業生到空軍機械學校或通信學校受訓，看到那裏面的機械設備，都認爲是聞名未見面的新玩藝，其事之滑稽，假使人啼笑皆非。

祇從制度、人才、設備三方面講，便可曉得今日台大這樣的澎漲並非自由中國教育之福。以這樣形的情大學造就出來的學生，求其大多數都能成爲人才，眞是疑問？雖然社會上需要大學資格，看重學士文憑；主管教育當局似乎也不能夠順着一般人盲目的要求，信任台大懸性澎漲，造出些拿文憑找飯吃的高等游民？這終不成其爲高等教育目的啊？

師院工院改大的疑問

平心而論，在台灣的專科以上學校，台大總算是好的。雖然它有缺點，它還有優點。它到底有那麼多的設備，有那麼不算太少的學者在那當教授，那麼多經過嚴格考試取錄的青年。我們雖然對它有盡美盡善的要求，我們還要承認它是好的。至於台灣的其他專科學校或學院，比起台大，無論從人才從設備各方面論，都差得遠。近日報上說省立師範學院工學院等校將要改成大學，這事雖尚待省府通過，看樣子，大約是勢在必成。這固然可以是個換湯不換藥的把戲，只改一改名稱，使師院工院等校的先生們和學生們過一過大學的癮，如果如此，那還罷了。如不如此而是想同台大並駕齊驅，大開方便之門，收容幾千個學生，和台大一樣澎漲起來，則其爲害恐祇有比台大更加利害而已，其製造無能的高等游民，較之台大必更爲有效。爲國家計，爲教育計，希望主管教育當局和省府諸公對於師院改大一事愼重考慮！我們正在希望台大能夠充實改進，不要作一個徒有其表的半空心大學，我又如何能在這種條件不足之下使師院工院等校也像吹氣球似的澎漲起來，徒爲台灣取得增加了幾所公立大學的美名呢？

竹簾幽秘

塗滿了血淚的人民幣

曾旭軍

中共發行新幣，明眼人皆知其爲惡性通貨膨脹之現象，和距離經濟總崩潰之期不遠。但中共之宣傳喉舌和尾巴嘍囉虫，大言不慚的否認是通貨膨脹。說和以往的「金元券」不同。因此筆者想提出一點，讓大家注意的，就是共黨國家的經濟危機，和普通的非共產國家之經濟危機不同，以免被共黨的宣傳所迷惑。

貨幣是榨取人民工具

共產黨國家的經濟組織與功能，根本與普通國家的大異。我首先提醒讀者的是共產黨對貨幣的觀念根本就與普通人的不同。普通國家視貨幣係交易之媒介，至少在常態的原則上，人民有自由處置他所有的貨幣之權利。但共產黨國家政府，祇貨幣爲榨取人民脂膏的工具。人民沒有自由處置貨幣之權。

我是根據研究蘇聯經濟學專家斯華茲教授（PROFESSORSCHWARTZ）所著的「蘇聯經濟」而立論的。

最先，蘇維埃之領袖，從純粹學理上看，他們認爲在社會主義的經濟生活中，根本要消滅貨幣。但後來共產黨人看清楚了，祇爲貨幣非但不能廢除，而且係鞏固他們的統治和實行經濟計劃集中搾取人民脂膏不可少而極有用之工具。

中共的老大哥蘇聯早就確定（一）貨幣不能用來作謀私人利益的企業之資金。（二）如個人用貨幣購買貨物，以較昂之價轉售於他人，則屬違法。共產國家祇有政府運用貨幣去搾取人民脂膏，而人民若利用貨幣去謀利，則是違法。由此我們可以想得到，非共產國家陷於通貨膨脹危機時，可能使政府和人民一同被攪垮。但在共產黨國家中，政府先用人民的血汗眼淚維持其貨幣，人民先死了許多，而貨幣還沒有垮。所以共黨說『中共新幣和「金元券」不同』。是說得去的。果然不同，但金元券可能使人民白流許多汗，但人民幣數年來已經是「六億」人民的腥血結晶。下面有事實爲證。

以人民飢寒穩定通貨

現在讓我先說：中共所謂新人民幣之發行非係通貨膨脹一語，實係自欺欺人。國人已多有論述的人民幣是一鎳爛賬，不容贅言，我現在以共產黨人的祖國蘇聯來說，他們尚不敢諱言通貨膨脹。

共產黨國家是有通貨膨脹的事實存在，不過共黨政權平日握着人民經濟生活的操縱權，可以有許多種方法，掩飾通貨膨脹。尤其是强行減低通貨流通速率，這一切措施係以人民的飢餓寒冷，種種痛苦換取得來的。中共到了剝削困難的階段，便實行强迫人民儲蓄，亦即爭取貨幣回籠，減少貨幣流通速率。從民國三十八年起，儲蓄量不斷增加。在民三十八年儲蓄量爲一〇〇七億元，至民四十三年四月止儲蓄量爲一四七，九八七億元。這就拆穿連日尾巴報所吹的人民爭向政府銀行儲蓄的西洋鏡了。

認眞說來，人民既失去使用貨幣之權，則通貨膨脹與緊縮，與非共產黨國家的脹縮對人民的利害情形不同。

蘇聯從一九一七年至一九二四年的一個階段，通貨膨脹比昔日國民政府的法幣與金元券還厲害。盧布是逐小時貶值的。以物價指數來說，若一九一三年爲一，則一九一八年一月爲二一，至一九二四年三月則爲六一，九二〇，〇〇〇，〇〇〇。因此蘇聯政府曾兩度發行新幣。一九二一年十一月三日頒佈法令說，一九二二年初，發行新幣，一盧布值舊幣一萬盧布。（恰如中共目前發行新人民幣對舊幣的比率。）到了一九二三年十月二十四日，又頒佈令說；一九二四年發行新幣了，一盧布等於一九二三年的一百盧布，亦即等於一九二二年前舊幣一百萬盧布。

蘇聯怎樣穩定幣值

我不知當年的蘇聯政府，是否能像中共頭目的聰明，是否會說這是由於俄國人民要求發行新幣以便交易和核算呢？在發行上轉腦筋，絕不能挽回通貨膨脹的危機。蘇聯在一九二一年實行新經濟政策，到一九二四年才能把貨幣穩定下來，還須有賴於免除戰爭或備戰之壓迫，實行數次的五年計劃，增加生產。現在中共在蘇聯驅使之下，負起侵略鷹犬之責任，自然任何的幣制改革都不能挽救其財經危機。

（下轉第二版）

學週展望

·陳克文·

管理外滙的新措施

行政院於二月廿八日正式公布管理外滙及對外貿易的新辦法，並定於三月一日實施。這一項辦法係本過去數年的實際經驗，並經過長時間的討論，我們相信縱非十全十美，亦必害少而利多。

於此，我們尚不能已於言者，即過去許多法律之所以未能獲得預期的成效，往往不在法律本身，而在政府執行之不切實，以至毀法亂法，枉縱徇私，流弊不一。故今後管理外滙與對外貿易，不僅要有切合實際的新辦法，更要有澈底執行法律的決心。否則，徒法律不能自行，有法仍等於無法，此其一。

其次，台灣今日的財經問題，誠如財政當局所言，負荷過重，非賴外援，無從解決。但此一心理實在不宜强調，不惟有悖臥薪嘗胆，自力更生的刻苦精神，且易滋長苟安娛樂但求目前享受的心理。自己如果沒有切實辦法，雖有外援也等於零。兩次大戰後，德國財經幾同破產，但不旋踵即告復興，其所憑藉雖有不同，然人定勝天，賴着奮勵，人爲之功，殊不可滅，此宜爲吾人今日借鏡。今日台灣仍存在許多非戰時生活所宜有的不合理現象，此足反映政府對於實施財經政策，尚欠切實周詳，殊非克難復興之道。此亦端爲政府所切實反省者也，此其二。

南洋大學的糾紛

南洋大學校長與校董之間，最近因經費問題發生糾紛，雙方均對外有所表示，校長林語堂且發表許多文件，藉作辯護。於此吾人未暇深究雙方的是非得失。吾人今所欲言者，希望雙方能以實現建校爲重，如果祇知爭辯是非，使南大胎死腹中不僅爲外人所竊笑，且無論勝敗誰屬，公等均將不免爲華僑教育文化之罪人。南大以保存中國文化，發揚中華民族文明爲責志。公等今日所爭，在態度上，方法上，果合於中國文化忠恕之道乎？此公等所宜首先反省者也。公等今日的爭論其本身即具有文化表現的意義，將予華僑青年以廣泛深刻之印象，故更望公等知所自重也。

林校長以辦理第一流大學的責任自負，一言一動影響甚大，誠能本諸我國先哲先賢立身處世之大道，以與海外僑賢僑領相見，雖蠻貊之邦，將無往不利，一切糾紛將不解而自解。故吾人對林校長及各教職員，尤寄殷切之祈望焉。

日本普選的結果

日本此次大選結果，鳩山領導的民主黨得到一百八十六個議席的多數勝利，其次爲自由黨的一一二席，左翼社會黨的八九席，右翼社會黨的六七席，此外爲其他小黨。

這一結果，華盛頓方面，認爲表示日本戰後日益希望獲得獨立之情緒，但不至有强烈中立的趨向。倫敦方面則認爲表示日本未能獲得政治的穩定，可能形成日本對西方政策的轉捩點。台北的觀感，預料今後日本仍將傾向西方，但將帶染親共姿態，多少採取騎牆立場。觀點雖各有不同，大體上是不會錯誤的。

但不問如何，日本這次選舉的結果，對於亞洲的反共陣容上，已增加了若干複雜性與脆弱性，今後日本對於西方民主國家在反共運動的貢獻上，將遠不及歐洲的西德，似屬無可置疑。蓋民主黨以標榜對蘇復交，對中共增加貿易爲其競選政策的重點。選舉勝利之後，既未能取得絕對的優勢，則騎牆中立，勢所必然。騎牆中立即將予共黨以可乘之機，又豈能與堅定不移的西德同日而語？

可怕的原子塵

本報資料室

（一）

世界科學權威人士這樣說：『原子戰爭能夠毀滅世界的文化。』尼赫魯在倫敦參加聯邦會議時，說道：『我不歡喜氫彈，因爲氫彈把戰爭在政治上的意義消失了。』邱吉爾和英國軍事專家認爲，敵人若果在英國投下氫彈，英國便完了。』

近月來英美許多科學家紛紛研究原子彈和氫彈的殺傷力。原子彈和氫彈爆炸之後，發生一種帶有放射性的原子塵。這種原子塵是十分危險的。危險到什麼程度呢？爲了糾正宣傳方面的誇張，和人民心裏的疑慮，美國的原子能委員會發表了下面的一份報告。

（二）

去年三月美國在太平洋珊瑚島上試驗氫彈的時候，發生一種含有放射性，能夠致人死命的塵埃；此種塵埃的大部爲粉碎的珊瑚。其形狀類乎一枝雪茄，闊約二十英里，而長達二百二十英里。原子塵的殺傷力是厲害的，在這個雪茄形的二十英里闊度，伸展至一百四十英里的長度，塵的力量能夠毀滅該區所有的生靈。再伸展到一百六十英里的時候，他的力量仍然能夠消滅人民的半數，伸展到一百九十英里時，仍可能致百分之五至百分之十的人於死命。氫彈爆炸後，原子塵能夠在七千平方英里的範圍內殺傷人命。

若果在美國工業區的克利夫蘭城投下一顆太平洋珊瑚島爆炸的氫彈，該城將完全消滅。如果吹的是西北風，離開一百四十英里的畢茨堡城的每一個生命將遭受到死亡的威脅。若果風力強的話，原子塵的範圍可以侵入首都華盛頓，而殺傷該處的生靈。

（三）

原子能委員會的估計係依照普通情形計算的。若果人民曉得趨避，跑進地下室，那麼甚至祗有三尺深（美國式的地窖）也是一個安全的所在。等到原子塵吹過了，再跑出來，那便可保安全無事。

可是原子塵裏頭有一種東西叫做『鍶——九』是一種很危險的東西，吸入體內，能夠使到骨骼變壞。降落地下，由植物而傳到牛羊體內；此種牛羊的肉和奶仍含有此種毒性。

美國本來決定於二月中旬在內華達州沙漠試驗原子彈，因爲風向的關係，沒有如期舉行爆炸，跟據那時的風向，原子塵將吹至離開五十英里一個估有居民一千的小城市，而使該處生靈發生危險。爲策安全起見，等候了四天，才更改爆炸一個只有五千噸炸藥爆炸力的小原子彈。

法國共黨日趨沒落

文鑑

法國共產黨，自第二次世界大戰之後便成了法國最大的政黨。每次全國選舉，法共所得的選票，佔全部選票的四分之一。法共黨員，曾任內閣要職。在議員中的數字也很不小。一九四六年在六百名議員的國會中，佔一百九十六席。一九五一年因爲選舉法修改，才減到九十六席，却仍不失第三位。

黨員百萬減至六十萬

據美聯社的報導，歐洲鐵幕外面，除義共外，沒有一個國家的共產黨能比法共的勢力更大，組織更嚴明，並且更聽從莫斯科指揮的。以法共的行動，便可以觀察蘇聯對於各種事變的政策。法國共產黨的組織，上面是個政治局，直接秉承莫斯科的命令；政治局底下，分設許多所謂和平委員會，分佈各市各鄉，準備進可以當該市該鄉的臨時議會，退可以於共產黨被取締的時候，變爲地下組織。

至於和平委員會的委員，都是經過挑選和受過訓練的忠實同志。他們對於激起暴動，和實行破壞，是頗有心得的。在思想上深受莫斯科式的馬列主義薰陶，毫不遲疑地遵奉命令。法共政治局，以前由蘇聯駐法大使館轉奉莫斯科的訓令，然後對各地的和平委員會指導進行的方法。最近聯絡的方式，據說稍爲隱蔽，不過每個小組織中都有替莫斯科觀察變化的特務人員。又據紐約時報駐法國記者杜雷的報告，法共從未宣佈會員人數。估計戰後大約在一百萬左右，現在已減到六十萬，同時正在逐漸減少中。他們在選舉時候的號召力，一九四六年得五百四十七萬票，佔總票數百分之二十八。一九五一年六月得五百萬票，佔總票數百分之二十六．五。一九四七年法國內閣驅逐共產黨閣員，以後共黨沒有入閣的。在議會中，共黨議員便是孤立反對派。取反對的措施，多數是外交性質如法德鋼鐵合營，北大西洋公約之類。內政方面，法共也標榜幾種經濟和社會改革，贏到一般窮人的支持。

共黨報紙銷路大跌

一九五二年李治威將軍奉調歐洲，到達巴黎接替艾森豪的北大西洋公約聯軍最高統帥職務那一天，恰適西方三國和德簽訂一般性的協定。法國警察於李治威的飛機降落的時候，便衛戒備，由機場到市區，一律加派警員站崗，結果算一天沒事。但到第二天一大早，法共第二名頭目杜克羅，便在共和國方場召開群衆抗議大會，並斥罵李治威是做細菌戰爭的劊子手！而法國警察爭先禁止他們開會，堵塞方場的四面進口。當晚，共黨又實行暴動，五千名敢死隊，拿着木棍鐵棒和磚頭，作爲衝鋒武器，仍始終未能突破警察的防綫。（上）

編者　讀者

某少將干涉時裝表演

△管策先生來函

編者先生：

日前見貴報論某少將率領暴徒搗亂時裝表演會事，謂如無其他背景，則「其罪雖恕，其情可原」。縱使貴刊不明經過，其似乎至少也當說：如無其他背景，「其情可原，其罪難恕」。並且，還應當說，「盲從者其情可原。」

所謂時裝表演者，是中外歷史女裝之展覽，其主持者是華美協進會，其目的是義賣，用於救濟。其手續是曾得政府許可。某少將方面說是「大腿」。這不是事實。然某少將竟以「愛國」及「戰時生活」爲名，率衆二百人左右，搗亂會場。他以爲祇有他愛國，別人即不愛國。

所謂「情有可原」者，即某少將之行爲其動機無論是愛國，是出風頭，或其他難以告人之隱，總是犯法犯罪。凡犯法犯罪者，由人道觀點言，由社會學觀點言，總是情有可原的。

所謂其罪難恕者，即使其動機純潔得像天使，他畢竟是用暴力破壞秩序，威脅他人自由，並且破壞政府命令。如祇問動機，不問手段，則凡以愛國，革命的口號都有用暴力威脅他人之權利。此風是斷不可長的。

所謂盲從羣衆是情有可原者，一般未成年的青年，喜歡熱鬧的羣衆，他們的所謂「羣衆心理」，是我們容易理解的。俄國的布爾維黨即操縱此種羣衆心理的專家。說明白點，羣衆是容易煽動的。他們也是無辜的。

所謂某少將其罪難恕者，即他不是未成年者，不是盲從羣衆，而是少將，是軍人。以捍衛國家爲本務，以服從軍紀爲第一事。干涉時裝表演不在少將權限之內。縱事涉風化，某少將亦祇能自檢其身。這也是內政部及警察局的範圍，決不是少將的範圍。何況不是這麼一回事？國家如有法紀和輿論，便不能鼓勵一個少將來管這一類的事情。

然則這少將應受何種處置？假如一種處罰超過其應得的程度，或不經一種正常手續，便也不好。這分明是一法律問題。我不是法律專家，以常識而言，一個人用暴力破壞秩序，犯了刑法。受害者不控告，檢察官應起訴，按適當的條文科其罪。而某少將是一軍人。一軍人糾衆破壞秩序，干涉他人合法集會（內爲是得到政府許可的），憲兵或軍法機關應按一定條文科其罪。這才是正當的途徑與措施。這也是民主政治之起碼道理。貴刊是一有權威的刊物，希望將此信刊出，作爲對打風的一種抗議，也無非使打風從此不再見於自由中國。

管策上　二月十八日台北。

塗滿了血淚的人民幣

曾旭軍

（上接第一版）

中共國務院在宣佈發行人民新幣時說：『這是適應國家計劃經濟建設的需要，和廣大人民的願望，在財政收支平衡和金融物價穩定的基礎上，進一步健全和鞏固國家貨幣的制度，以便利交易和核算。』這幾十個字，完全是假話。

中共的發行手法

中共對發行數字從來秘而不宣。貨幣流通向來靠槍桿與特務維持。其少發鈔票手法甚多，第一，是變相發行，如東北發行的「工薪分券」，各地合作社發行的貨幣代用券，各地印發的「代人民券」，「流通票據」，「定額票據」等。二是務交換，中共憑着它的特務力量，威脅人民交出所收穫的物資，不給予現款，等到中共手中賣出時，才將鈔票交給人民，以此低減通幣流通率。第三，是支票轉賬，中共的大宗貿易多數操在它所經營的國營企業機構之手，其交易由銀行戶口轉賬，減少頭寸週轉。第四，是現金管制，例如限制軍政機關留用現金，大宗支出則利用支票或銀行轉賬。

最慘的莫如藉三反五反榨取人民脂膏。民國四十一年三月爲止，五反運動中共所勒擄的已知數字總額達十五億美元，可以彌補其赤字不少。

數年來中共將大陸上的兩千萬地主打倒，殺的殺了，死的死了，逃的逃了，將大陸的耕地沒收了，將四千七百萬公頃的耕地分配給三萬萬本無地和少地的農民。這些農民盡變成了農奴。他們所耕種出來的農產，大半被中共括去。不特此也，中共除了透過公糧及附加層層搾乾了農民的主糧外，對於農村重要的副產品，其統治括削，也不遺餘力。例如中共國營糧食公司透過各地機構去「收購」。中共的「收購」的爲「人民幣下鄉」的基本辦法，這也是他們『支持人民幣穩定物價』的重要環節。其所放出的，是毫無代價的紙幣，而吸入的則是農民血汁所凝結的物資。農民售出農產品後，根本買不到所需用的用品。

人民幣還獲得一種寶物的支持。中共政府是世界第一個販賣鴉片的魁首。從東北到西北，有十餘省之多，依然種植鴉片罌粟，每一家農民地上都要種植一部份。口頭上說明政府與戶口是三七成分佔。但實際上，收穫後，全徵給政府。韓戰發生後中共更加積極。

所以我說：每一張人民幣，上面不知塗上多少血淚，才能苟延殘喘到現在。現又發行新人民幣將必加速壓搾人民，但是「人民鬆」矣。

新僞幣出籠前，黑市物價的漲風已極猛烈。出籠後，更必加慘，但中共必加緊控制人民幣，強迫回籠，人民要索緊肚皮，多鬆些人民，人民幣還是不會鬆的。

·人物·述評·

唐圭良客死沙田

·易與·

昨得港函，瀏陽唐圭良（蟒）近病故九龍曾家大屋客次。計年當已將近七十，壽不爲短，吾儕知交，所相與感喟而太息的是此公有才而不當其用。回念二十餘年前，同客上海，幾乎朝夕過從，所謂抵掌以論天下之大，促膝以語遊樂之私，在他那滔滔不絕的言談間，個個「歡辭入裏」的無言不當無語不妙。

（一）

唐圭良，名蟒，湖南瀏陽人，爲革命黨人唐才常之子。唐才常先生，爲戊戌政變六君子譚嗣同的小同鄉，死于庚子「富有社」之難，「富有社」乃一類似幫會而具有革命性的組織。唐先生的主張，雖爲君主立憲，但對于中華民國共和的締造，大有「影響」。唐才常在漢口被難後，舉家避難日本，因此圭良昆季三人，皆在日本求學，圭良習軍事於士官，其仲弟有壬，季弟卜年習政治經濟於慶應。民國肇造，圭良時已學成，回國後，嘗一度綰領師干，惟以負才任性，嗜好又多，復喜作炎炎大言，因此所遇不免落落寡合。民國初年，北洋軍入踞湖南後，他又亡命日本。後來湘人光復物，譚「延闓」程（潛）交惡中，圭良是黨于程潛的要角。圭良才氣磅礴，敢作敢爲，胸襟亦頗恢宏，對友好至爲熱情，能急人急，對錢財殊不重視，萬金一擲，絕不顧惜。尤喜放言高論。爲他人謀，既極周至，復有分寸。對於自己的立身處世，却是祇計收穫不究耕耘。在湖南的每次政潮裏，雖說離不了「唐蟒」的一分，但事定論功，這位唐將軍，却難得有一個好的下文。國民革命軍出師北伐時，圭良是第六軍程潛的參謀長，國民政府定都南京後，圭良應在軍事參議院掛名一個中將參議，「蟒」在上海，無所事事，眼見當年偏裨，盡成名將，不無落莫之感。他在上海，有兩個公館，每間一星期，「換防」一次，換防是朋友們笑談間的用語，大小兩位太太，似乎都屬湖南鄉親。那時我們常在他那烟榻之上，于吞雲吐霧中，諦聽他的妙論，上而軍國大計，下而市井瑣聞。間或來點「餘興」，麻將，跳舞，最後叨擾他一頓晚飯，爆醃魚，船撈子肉，麻菌豆付湯，豆豉炒辣椒，麻醬豆豉，是瀏陽名物。酒醉飯飽之後，也許再去「會樂里」「桃源坊」流流，圭良對于北里花事，是老門坎，程潛所娶作第四妾的，那時還是一個黃毛丫頭。

（二）

圭良昆季間不甚友好，大家各自有各自的公館，老母親是隨卜年以居，他們兄弟三人中，卜年天性較厚，事母較爲孝順。那時祗有壬境遇寬裕，有壬在中國銀行任職，圭良靠着軍事參議院那份薄薪，日在困窮，卜年也是在失業掙扎中。他們兄弟全是「日本通」，抗戰前，有壬任汪精衛內閣中的外交部次長（汪自兼外交部長），以「親日」嫌疑，被人暗殺。在弔唁有壬之喪後，我和唐家就少有往來，因爲我已移家南京。後來，汪精衛在南京組織僞朝時，圭良出任汪之參軍長，勝利後，被逮下獄，幸賴覃理鳴（振）力爲作保，才得出獄。出獄的那天晚間，在愚園路覃公館，我和他同飯，他那談笑風生的神態，仍然故我當年，酒酣耳熱之際，快談風月，圭良酒量甚豪，那晚他的酒興特佳，直到他玉山橫倒，覃先生才用汽車送他回去。自後我因事忙，雖說時來上海，也無暇去拜訪他，好像在覃理鳴先生的喪事裏，曾和他在殯儀館靈堂前立談片刻，從此就沒有再和他見面。

（三）

四十一年在台北一個江蘇朋友處，聽說他已到香港，生活過得極苦。本欲寫信一爲慰問，無奈地址不詳，鄭寄無從。直到最近，才得到一個住在新界沙田曾家大廈的朋友來信，說唐圭良和他同住在一起，可是據說已作古人。照說圭良和大陸匪魔當不能說全無淵源，毛澤東和他，也似不無雅故。號稱中共五老之一的林祖涵，和他的關係是更爲深切。至於投共作賊的程潛，那也祗是苟延殘喘的偷息人間，是沒有力量對唐圭良作何庇護。圭良這一回，却算是善用了他的聰明，他深知毛林輩對他不會有什麼「情感」的作用，他悄然的來香港，落得保全首領壽終客邸，總算是難能而可貴的完結了他一生活躍奔波於功利中的程途。圭良大小太太，各有所出，二十多年前已在讀高中，但願故人子，能有他們父親的才氣，更願他們各各善用其才，能當其用。海天在望，願言故人之能安其靈宅。（台北）

·新書評介· 在中國五十年

司徒雷登著　閻人俊譯
香港求精出版社發行

（一）

邵林宗

司徒雷登大使留在中國最後幾個星期當中，天天不舒服，不穩定，充滿了煩惱、挫折、疑懼、恐怖，終於一九四九年八月二日，飛回華府去了。先謁國務卿艾奇遜，又與杜魯門總統，馬歇爾將軍先後見面。這時他接到白皮書兩册，是國務院所編印的，剛剛發表出來，書名爲「美國與中國的邦交」。可是，他見到以後，馬上感覺得對美國對華政策的疑懼。

這本白皮書對中國過去和現在的情形，作一次實體的估價，有些是大使館的報告，有些是關於機密談話的報告，有些是互相信任而透露的情報，有些是大使館對於某件事的解釋，建議，或提議，一切都公佈出來，昭告全世界知道了。

他說：「我看過這本書後，簡直把我嚇壞了，愈想愈害怕，將來對美國發生何種影響？對中國發生何種影響？對中美邦交發生何種影響？這書，固然獲到極大的讚揚，同時，也引起猛烈的抨擊，牠一篇到底說明國民黨在內戰中已經失敗了，並用暗示方式，表達美國對國民政府的支持，和美國對國民政府的生存所作的各種努力，均將結束了。」

司徒博士的意見，以爲國民政府畢竟是透過民主思想，而又經過革命熱忱所誕生的，許多年來受反對派及共產黨之摧殘，而且，不斷的受到外力壓迫，尤其是已本武裝侵略，她沒有獲得一個機會在安當情形下專心解決各種改革問題和民生問題。這一種寬恕的解釋，足夠給失敗者無窮的安慰，但是，失敗的遠因，近因，綜錯複雜，要而言之，內政失修，貪污橫行，是致敗的主要因素，但中美友好，由來已久，二次戰時，對抗日本持久戰，消耗戰上，中國也有很大的供獻，這次爲共產黨所敗，敗到不易收拾時，美國突然的發表白皮書，把他的盟友中國許多機密，和所有的弱點，在敗軍之際，危難之秋，盡量的公佈出來昭告全世界了，這種行爲，是不是臨難相棄？是不是落井下石？我們還不敢輕易下判斷呢？

（二）

他退休以後，他念念不忘的是中國，他深信：中國可以成爲以理智、正義、和國際間尊重爲基礎的新世界秩序之巨大資產，此廣大的人類前瞻，會與中國古聖先賢的教訓和中國人最優的傳統相和諧。採取眞正共和政體，會滿足青年智識份子的期望，而在政治方面建立中國人從歷史初期就享有的那種社會民主。要實現這樣一個目標，就需要保持中國的行政和領土之完整——她民族的獨立——對抗從任何方面來的侵略威脅。

因此，他認爲美國今後對華政策，必須有一個關於整個世界健全政策，聯合各自由民族保持一條共同陣線，對抗蘇聯所煽動的好戰的共產主義。否則，這不僅是中國的不幸，也是美國的不幸，更是全世界自由民主的不幸。

（三）

美國僑民和美國利益，與許多其他國家僑民利益，以及教堂，教育事業，慈善事業……自從共產黨控制大陸以來，一概被驅逐排斥了，並且抨擊美國爲帝國主義者中的魁首，『是可忍也，孰不可忍！』但，美國當局始終脫不了『等着看』的外交政策，一誤再誤，聲威日落，明智的美國當局，何以自解呢？

司徒博士又說道：我們信賴國民政府在抵抗共產主義的鬥爭中堅持到底的，而散處各地的中國人那種堅苦卓絕抵抗精神，始終維持不墜，始終站在世界性鬥爭中自由本位，我們欽佩他們精神，應當作最大的供獻，幫助全體自由國家，尤其是中國，保持他們的眞正利益。

現在，國際間議論紛紜，邪說聚訟，甚麼兩個中國，一個是國民黨的中國，一個是共產黨的中國，照司徒博士的看法，這種辦法，美國絕對不能予以支持的，因爲拋棄了自己的立場，失去各自由國家，祛除共產黨的障礙，給他們得隴望蜀，進一步征服全世界的機會，終致全人類陷於恐怖狀態，自由民主集團崩潰毀滅而後已。

（四）

他在他的名著最後一章中，又作一個有力的結束，特別提出來說：

『我們應當從道德、法律、和正義概念中演繹出來，確立外交政策，確實保證：我們關於中國的各種決定和行動，與我們的整個外交政策之目標相符合。我們所尋求的，乃是和平與安全，這些爲一切不以征服世界爲目標的民族之共同目標。爲了要我們自己獲得安全，必須與一切這類民族通力合作。我們的政策和我們行動，千萬不可建築在誘惑性「利益交換」，和好聽但未必兌現的諾言之沙灘上。我們的政策和行動，必須以健全的原則，始終一貫的誠信，和永久不渝的確實可靠，這些堅固的磐石爲基礎。』

筆者述評本書，至此結束，他最後還有幾篇附錄，是杜魯門總統遣派特使的聲明，和對華政策的聲明，馬歇爾將軍赴華使命各項訓令，以及國共政治協商會議所通過的五項議案，限於篇幅，恕不一一引錄了。（下）

自由人特別徵稿啓事

本港教育問題，諸如會考之存廢或改革，教師待遇之改進，師資之檢定及培養，教學及管理方法之改革，課程之分配，教科書之編製供應，學生之升學及就業，失學之救濟，學風之改良，凡此種種，有待教育人士之研討解決者，不一而足。此等問題，與本港華僑教育前途，關係至鉅。本刊本服務文化教育之素志，現擬特闢專欄，發表有關此類問題之專門論著及通訊稿件，俾及教育工作者之平生行誼足爲楷模者。

謹擬徵稿辦法如左，幸我教育人士多加匡助，不吝賜教，至爲感荷！

（一）專著行誼稿篇以二千字右左爲度，通訊每則字數不宜超一千字。

（二）來稿直行單面繕寫，其不願刪改者，請加註明。

（三）來稿請註明眞實姓名及通訊地址，發表時得用筆名。

（四）來稿一經發表，專著每千字奉酬港幣十元至十五元，行誼及通訊五元至八元，其有特殊價值者，並得酌爲增加。

（五）來稿不合用者，如經聲明，概行璧還。

世外桃源砂撈越

了聲

該境對內對外的聯絡，除靠無綫電報跨過茫無邊際之森林海岸外，也有電話站之設立，但祇限於境內。郵件之往還，近年來因人口增加，也較前緊繁；直到今年六月間，砂撈越才完成建立第一座廣播電台。但城市及農村擁有收音機者，爲數不少，他們以前大部收聽馬來亞及西貢電台的節目。砂撈越政府新聞處，目前正從事加強廣播電台各部門的工作，俾有更豐實的收穫。

師資訓練班

大戰期間，當地學校直接受戰禍影響，設備及用具，均已蕩然無存；學校建築物，多呈半傾圮狀態。然近年來，在砂撈越政府急切恢復教育計劃的實施下，目前政府學校、地方學校、私立學校、馬來學校與馬來人師資訓練所，皆已有極大成就。華文學校及教會學校，更注意創設夜學班；但因缺乏師資人材，所以不能將民衆教育計劃，建立良好基礎。在監獄中，但有一般義務工作者，指導犯人識字及其他程課。

華僑學校

砂撈越華僑學校，由於同僑的努力，採取統籌統辦的制度，這點是值得讚許的。可是戰後文教界人士觀點不同，所以一部份人士對於教育極爲熱心，而另一部份人士則保持觀望的態度；因爲這是必然的結果，在觀點和現存的教育方針相同的人，當然是興高彩烈地幹去，在觀點不同的人，自然不願意造出和自己志趣不同的青年。所以雖然有統籌統辦的機構，可是也不能產生優異的成績。然而，阻碍華僑教育發展的原因是很多的。如幫派的積習掃除未淨，行政上並不民主化等的作風，這都是使人抱着悲觀的態度，而妨害了華僑教育的正常發展。（五）

經濟社會思想叢殘（十一）

金伯華

本文前於本刊四〇九期刊至十續後，作者因事，續稿中斷，現復續刊載。又前刊各稿，僅以數字分段落，茲從第八段起改用第八節字樣，俾清眉目，以後類推。——編者——

第八節　什麼叫「共同經營方法」？

「靈臺」

我們前面說過，合作社是「以共同經營方法謀社員經濟之利益與生活之改善」的（參閱本刊四〇二期本欄「談結社」）。這一句話顯然包含有辦合作社的方法和目的兩個涵義。「共同經營方法」，可說就是合作主義的方法論，而目的則爲謀社員的經濟利益與生活改善。先談方法，以後再論目的。

「共同」是「合」，「經營」是「作」：「共同經營」就是「合作」。不過我們此裏所說「合作」，不是普通的，廣義的 COLLABORATION，而是近代經濟社會思想學術界中一個嶄新的專門名詞：CO-OPERATION。這在去年十二月二十九日（三九九期）本報本欄「合作與『合作』」一節中已有分析，茲不贅。那是對於合作二字定義的說明。現在所談的是合作的方法。這方法的應用，與合作運動的成敗，乃至「眞合作社」與「假合作社」的分明，都有重大關係。可惜辦合作事業的人及一般合作主義學者對於此點多疏忽，事實上足以使合作運動發生若干不必要的枝節問題！

「貌附」與「心附」

什麼叫「共同經營」呢？請讀者恕我牽強，我想在這裏先搬出一個古蹟——一章詩經來作說明。具體方面，這種引喻自然不免「附會」；但在抽象意義上，却也相當適合。

大雅文王之什靈臺章說：「經始靈台。經之營之。庶民攻之。不日成之！經始勿亟。庶民子來！」這一章詩的大意是說：文王自受紂王賜了弓矢斧鉞，得專征伐，做了「西伯」，總當時西方各諸侯（即各部落酋長）的首領，三分天下已有其二。可見那時西部人民擁護文王，服從文王，已經是很久的事。可是註詩的人，都說「靈台，民始附也」。意思是指文王既徙於豐，民心始歸附，乃選定地址，興建台觀，建築此一經營好，基地粉綫一經劃定，各種材料一經鳩集，全體老百姓——壯丁——便不待徵召，都爭先恐後，自動的來到場地替他做工。文王本來不曾定有完落成的限期，可是事實上要不了多少天，他們便把這偉大的建築做成了。並且他們知道文王獨德好，一致公決把這個台稱爲「靈台」，以尊崇文王的神明，表示愛戴。據說從前文王的所謂三分天下有其二，祇是侖長們歸附他，人民不過是跟着各自的頭子而來，還只是一種間接的歸附，註詩的人稱爲「貌附」；但到了現在，人民自動的來服勞役，替他築台，情形十分踴躍而熱烈，這才是人民對於文王直接的「心附」。

王道政治

這在我國自古政治上，叫做「以德服人。」

中國最高的理想政治是王道政治。「以德服人」是王道政治的方法。孫中山先生說：「中國幾千年以來，總是實行平天下的主義，把亞洲各小國完全征服了。但是中國征服別國，不是像現在的歐洲人，專用野蠻手段，而多用和平手段去感化人，所謂王道，常用王道去收服各弱小民族」（民族主義第三講）。政治道理如此，經濟道理也是一樣。西洋的資本主義是專用野蠻手段去剝削人。這不是以德服人而是以錢壓人。越壓越利害，壓迫的人（資本家）越來越少，而被壓迫的人（工人及經濟落後民族）越來越多。試問世界如何能和平？一壓再壓，壓出了無數的社會問題。而共產黨所乘機倡導的所謂「世界革命」，無可諱言，在某種限度內，的確也是這種資本主義在經濟上所施壓力的一種反動。一個國家的經濟生活與政治生活，常是不可分的。欲求經濟的改造，必須先行，或至少同時施政治的改造。現代政治的歸趨是民主。實行民主政治的方法，沒有別的，亦只是要全國人民得以「共同經營」而已。但要共同經營，使人民都能如詩經所載，文王建造靈台，雖然不曾定有限期，並且相反的勸人民勿必着急，而人民却都如子弟樂於替父兄做事一般，爭相效力，提早完成，自非居上位的人施行仁道，使人民心悅誠服不可。這乃正是合作經濟所採取的方法——「共同經營方法」。

本刊特別啓事

嗣後有關業務接洽款項收支事宜，請逕向本刊業務經理劉君淞顯接洽。爲荷。

蘇俄劫奪了西班牙的黃金

本報資料室

蘇俄對他的衛星國，也常說援助，但她的援助性質是怎樣的呢？且看她對西班牙援助的一段故事：

（一）

一九三六年十月某一日的清晨二時，西班牙馬德里國家銀行外面排列了兩條街長的卡車。銀行職員在共產黨隊伍的指揮和監視下，把五百一十噸的金條和金幣裝到卡車上面。那是西班牙全國發行通貨的準備金，約合美金五億六千六百萬元。西班牙發生了三個月的內戰，自從德國發動支持法郎哥，蘇聯支撐的左派政府到了傾覆的邊沿，準備將黃金交付蘇聯，逃亡國外。

卡車達到馬德里郊外，司機都更換了。共產黨告訴新司機說，車上裝的全是炸藥。這些運金的車隊達到了海口，一隻蘇聯輪船等候在岸邊，一箱一箱的金子都運上。

這件事情是這樣的。前西班牙親蘇政府的外交部長尼倫看見風色不對，勾結了蘇聯駐西班牙大使把國庫裏的黃金全數運到蘇聯儲藏。他們的舉動是這樣的秘密，連國防部長勃里闊都在夢中。事有湊巧，勃里闊剛好在那個港口，看見一箱一箱黃金搬進蘇聯的輪船，他詢問監運人員，黃金運往何處。他們的答覆是法國南部的一個安全港口。

（二）

連監運的四名西班牙衛兵也以爲他們的目的地是法國。可是輪船一直駛進黑海，停泊在蘇聯的阿地沙港內。

後來西班牙流亡海外的左派政府向蘇聯提出好幾次要求，請蘇聯交回代儲黃金，勝利的法郎哥政府也發出同樣照會。蘇聯都拒絕了，說沒有這回事。

收到了黃金後的幾個月，蘇聯政府宣告說，國內金礦增加生產，蘇聯有大量黃金可供輸出。

這件事情本來這樣便告結束。可是前西班牙左派總統披里闊居墨西哥城窮極無聊，近來大駡他的外交部長尼倫勾結蘇聯做出喪心賣國的事情。得到了這個根據，法郎哥政府外交部分別致函英，美，法等國政府，說蘇聯使用搶奪來的西班牙資金，操縱歐洲市場。

蘇聯是聰明的。他們把西班牙的金幣和金條都改鑄了。蘇聯用出來的金子沒有西班牙三個字鑄在上面，法郎哥政府有什麼辦法？能夠證明那些黃金是他的呢？援助西班牙左派政府打了敗仗，蘇聯倒因此而發了一注大財。——（取材美國時代周報）

自愚愚人

馬五先生

剛剛聽到主管軍國大計的政府當道否認撤防南麂島，必須戰至最後一人的豪壯聲明，正在鼓舞興奮之際，又看到官方消息，說該島的數千守軍業已撤退完畢了！

記得民國卅九年秋間，我軍在海南島作戰時，先夕官方發佈戰報，宣稱大獲勝利，從守軍司令部門前起，捷報頻傳云云。喜得海外若干當地沿街商民店戶，爆竹慶祝，傾向自由中國的報紙，大出號外，廣事宣傳。不料第二天全軍撤退了！這在宣傳作用上，比打一次大敗戰還要糟，而對海外一般反共報紙的信譽損失，亦比停刊半年尤爲嚴重。不圖四五年前的「愚人節」把戲，今日又來重演，眞是匪夷所思也矣！

孫子兵法所謂「兵不厭詐」的詐法，就是這末一套嗎？實在令人啼笑皆非。況且一個小島之得失，原係無關宏旨的問題，何必如此張皇幽渺？我以爲這是爲當時防軍事行動被敵人偵知而不得不然，亦復毫無是處。敵人隨時可從天空偵查我軍動靜，豈是一種粉飾撤防所能掩蔽的？若說守軍事機密計，不能撤防，也不能死守，把少數駐軍以迅速而周密的措置，作靈妙轉移式的自動退卻，難道不行嗎？由國防部、陸軍總部這些最高主管機關來撤臺，首先即使對於海內外的宣傳效用增加以盡，再白白給自己過不去，試問今後這類宣傳要發生什麼作用？這種技術，是否舍本逐末，因小失大？

宣傳決不是毫無故實的說詐，須得使人信賴與接受，無論得不償失的惡劣後果。無論軍事也罷，政治也罷，我們必須把過去那套低能而失敗了的觀念與作風，一概摒棄掉，才能收到宣傳的效果。這次關於南麂撤防的宣傳方法，眞不啻自暴其醜，今後政府當局所言行，人們亦必出以懷疑態度，而朝着相反的方向設想，這是誰的損失最大呢？想想看！

康南海集外詩談

·猾士·

（一）

康南海爲舉人時，文名藉甚，丁酉遊食廣西，省城外有隆佑寺者，元祐黨籍碑所在地也，碑石至今猶存，羣公方爲游賞之會，南海賦詩云「嫗相蕭大銅駕人，鞭龍發鳳已千春，即今隆佑年間路，猶爲遺碑勵馬蹶。」氣象萬千，人皆擱筆，然戊戌黨獄，竟成詩讖矣。又某年由汴洛入秦，過陝州甘棠廟題壁詩云：「岩嶢羊角倚陂陀，滾滾黃流舟楫過，秋色危城蒼翠裹，依然表裏壯山河。」又嘗有和顧亞蘧侍郎二律云：「老鳳高飛么鳳滯，中州犬鬩彼靈英，亡虢尚有子房嚮，復漢如聞周勃兵，再毀乾坤無有易，橫流滄海尚思平，西山王氣風雲鬱，臣靡猶聽鐵鼓聲。」「瑞台夜雨感零鈴，錦瑟初停聽砲聲，玉女投壺聊作博，金仙下淚太多情。家人饑饉截忠節，大陸龍蛇起甲兵，怕讀孤忠悲痛句，近看南北戰雲生。」此書爲橫幅，昔年余曾購得之，今亦佚矣。

（二）

民十五，余爲星子縣長。縣城背廬山五老峯，面濱彭蠡湖。奇峯插天，烟波浩淼，景物明靚。縣府前有城壁，上築層樓，構造宏偉。傳是周瑜練水軍時之點將台。適南海康氏來游廬山山南諸寺，止宿縣府。夜飲既闌，余展紙磨佳墨，乞其揮毫。康氏酣酒耳熱，不假思索，籠筆寫詩爲贈。詩曰：

飄颻纜觀亦雄哉，傳是周瑜閱將臺。廬洞雖溪有遺愛，玻璃鑿壁認軍來。四塔俯仰人間感，把酒沈吟桑下回。曾領湖山皆第一，好招五老共銜杯。

（三）

匡廬之勝，盡在山南。如白鹿洞，歸宗，開先，海會，栖賢諸寺，南海均有詩歌墨跡。當時栖賢寺壁上尚有康氏三十年前所題詩幅，康次子同籛擬向寺僧購去，僧不允，康氏復於其紙尾題云：「卅年又復到棲賢，壞殿頹垣祗黯然，惟有玉淵橋下水，雷音依舊震諸天。」並註云「丙寅七月，重游廬阜，讀卅年前舊作，老夫將七十矣，題記以待復游。」

海會寺有清初住持至善和尚血書華嚴經全部，闔寫經時，日刺其臂血和硃以書，名流題詠幾徧。中以康氏及梁任公題跋最長，闡發佛理，至爲詳盡，彌可寶重，寺僧視爲鎮山之寶，世亂紛乘，今不知仍能完整否。

（四）

康氏其時六十九歲，策杖登臨，尚稱矯健，行至白鹿洞。地爲朱熹講學之所，康氏讀朱子木刻一聯「與鹿豕游，物我相忘之境。泉峯交映，爲知仁獨得之天」。爲之流連不能去。回上海後，來書囑我募款修築白鹿洞書院，伊擬前來講學，其書略云：「德之搶損伯大學，英之劍橋，法之維曼，皆在西曆千二百年後。而白鹿洞乃創自唐代，實爲環球最古之大學。荒蕪若此，竊爲中國恥之。十年前過贛，曾爲贛省長言之，欲重修而未能也。今來文告鄧督辦李省長矣，幸弟又爲宰是邦。宜積極募款修葺講堂，增其式廓，則爲政風流，弟自千古矣。若能籌過萬金，余則來助講學。惟弟留意，待聞絃歌。」不意是冬北伐軍入贛，戰亂忽起，余遂去職。而康氏明年亦作古人。梁任公輓康氏聯語：所謂「西狩獲麟，微言遽絕」者，蓋指其西遊衡廬後即逝世也。

八、語言地圖須隨時修正

趙醫生半夜裏接到張先生的電話，請他趕快來看，他說他的太太害的一定是急性盲腸炎。趙醫生說：「你不要着急，因爲我去年才替她把盲腸割掉。」張先生回答說：「你的話不錯，可是你不知道，我上個月又娶了另外一位太太呀！」

趙醫生腦筋裏關於張太太的語言地圖，沒有變動，可是這個語言地圖所代表的張太太卻變了另外一個。趙醫生腦筋裏的張太太是割過盲腸的，而事實上的張太太卻沒有割過。趙醫生腦筋裏的張太太是一位豐盈的中年婦人，在某一個時期裏這個印象是對的，可是現在躺在那裏鬧肚子痛的那位張太太卻是一位美麗的青年女郎。這一位張太太和趙醫生腦筋裏的那一位張太太，中間正不知道有多少距離。

語意學漫談

徐道鄰

四十三年的台北地圖，中山北路上祇有一條鐵路線，今年四十四年的地圖，就會添上一座大大的天橋。以後坐汽車從北投到陽明山的人們，可方便多了。以上不過是四十三年以前的台北地圖，可就一下子全部變成陳舊了。依照着我們現在物質文明的發達，工業技術的猛進，地球的顏面，是時時刻刻在變化，而且是大大的變化，不但高樓大廈，像蘑菇似的一個個從地下鑽出，原野間的大道，城市中的馬路，一條一條的像蜘蛛網似的一天比一天緊密，而鑿山爲原，填海爲市，一個個的島嶼……夢原子試驗所報銷。所以現代地圖的印刷技術固然需要高明迅速，可是追隨地球顏面的變化，卻不免氣喘力乏，大有追趕不上之勢。

智識和思想的變化

二十世紀的人類生活，眞是一個變化裏的生活（A LIFE IN CHANGES）。地球的顏面在變化，天氣的氣候在變化，市場和市場間的經濟關係在變化，國家和國家間的政治關係在變化。以前的人類，也打過仗，打完了，勝利者總是擄奪失敗者的財寶，奴役失敗者的男女，還要割地賠款。現在，勝利者不但要以救濟物資，還要贈予戰敗者以生產工具和傳授以生產技術，而且還要爲之爭取市場，還要派出大量的武力來幫助他防衛他的疆土、領海、和領空。

這一切一切的變化，有的是深刻性的，有的是表面性的，有的劇烈，有的遲緩，有些變化，人類多少還能體會到的；但是還有些變化，比這些變化遠爲重要，而人們中卻很少能體會到的，那就是人類知識和思想的變化。（十五）

祝英臺近

先箴

夜空明，花寂寞。寒氣侵簾幙。怕見秋容，人遠月如昨。河山望眼闌珊，風懷故國，多少事，悲歡離合。

是誰錯。幾番錯了歸期，天涯雁零落。一夜相思，夢斷鎖衾薄。豪情不減當年，舊遊無着。悔不該，囂自縛。

祝中華詩苑

·王世昭·

自是泱泱大國風，九天珠玉啓鴻濛；蠡咳倘得填東海，諒有新聲勵反攻！

稱韻日爲王俠弟作於大帽峯下

「說項」——楊敬之

·彭楚珩·

嘗讀全唐詩話，載有項斯者，爲唐代江東人，別字子遷，初未有名，後以詩卷謁楊敬之，敬之愛其才，而贈之以詩曰：『幾度見詩詩盡好，及觀標格美於詩，平生不解藏人善，到處逢人說項斯。』

此詩傳佈，遂於長安，項斯竟以之而聞名當時，得登高第。『不患無位，患所以立』。項斯固自知其詩之美，亦自知其貲之美，更知楊敬之是能『與人爲善』者；否則，爲項斯者，必肯不以詩卷干謁也。當時種種，均在項斯意料中，故以楊詩公之當時，豈知千餘年後之今日，此詩竟爲『說項』之所從出，無論爲人作事？爲是爲非？爲美爲醜？凡是向人干說者，即爲『說項』，此不當項斯之辱，亦楊敬之之辱也。是又項斯所未及料者，如其料及，絕不肯以楊詩公之當時，而流傳於今世也。

雖然，太史公有言曰：『不附青雲之士，烏能施聲名於後世哉』！假令楊敬之至今尚存，雖爲之執鞭，所忻慕焉，遑論以詩干謁乎？楊敬之，虢之弘農人，字茂孝，爲元和進士，官至國子祭酒，以工部尚書終其任，闊達大度，虛懷若谷，能愛人，更能愛才，故特書而表之。

秘密

·羅須·

老太太又嘆了口氣，說：「可以調劑我這枯寂的生活的，就祗有你。我非常疼愛你，但總覺，你應不能讓你知道你的爸爸仍活着，而且是個有名人物……」

「爲什麼呢？」再賢打斷她的話。

「我也不知道，大概是自私心作祟吧！」

「現在爸爸在那兒？」

「也許你們見過面，也許你聽過他的聲音。」

「有這回事嗎？」

「因爲報上時常有他的照片，電台上也有過他的廣播。」

「媽……」再賢有說不出的話哽在喉頭，

「好女兒！不用再問了，現在我已把一切告訴了你，不久你便有一個家，以後你當然能與你的爸爸往來的，但不要把我拉在你們中間。」

「你太忍心了，媽！」

「不是忍心的問題，我已老了，還是讓我靜靜地過完這一輩子，豈不更好嗎？」

再賢低下頭去，不知說什麼好。爐中突然爆出一星火花，把坐在角落裏打瞌睡的女傭驚醒了。

「太太！小姐！還沒吃嗎？要不要讓我再拿一點熱的來！」

「用不着了。」老太太說，她的面色突然變了，彷彿整個人都輕鬆了許多：「爐火這麼暖，我們可以靠近一點。來吧！我們三人把桌子移到爐爐前來。」

這位老太太畢竟是女人，有着女人的本質——妒忌；也有女人天賦的憐憫心腸。這兩種不能相容的心理，時常在她心頭撞擊，使她祗有痛苦，但她到底原諒了那女人，她以爲罪在她的丈夫。她每每想到這個問題，就痛恨她的丈夫，卻沒有一點怪責那女人。這夜，她把久積的心事傾吐了。覺得很痛快，像是換了一個人一樣，但也像過完了她這一生。再賢看見媽媽態度有點異樣，乍驚乍喜，不禁緊緊擁着她。媽正站起來，也就低下頭，貼着女兒的臉龐，母女倆依偎着，爐爐不斷迸出火星火花，猛烈的紅光，照得她們的臉熱烘烘地。

（續完）

美建築師由波釋回

美籍建築師赫曼·菲爾特到鐵幕後尋弟，被波蘭關了五年，去年十月波共承認錯誤，破例予以釋放，最近由瑞士抵達倫敦，取道返國。他在倫敦發表談話，說波共五年前將他圍捕時，認爲他在一九三九年協助捷克人逃脫納粹魔掌，是「英美破壞戰後捷克政權的陰謀」，在去年將他釋放時，又自己推翻此說，並對他賠償殺捕損失五萬美元，另加一千五百元療養費。他的兄弟諾艾·菲爾特夫婦在去年十一月，要求匈牙利「赦罪」，諾艾曾任職於國務院，前共黨間諜章布斯曾向國會指證諾艾是共產黨員。記者問赫曼知道不知道他兄弟是共黨，他說：「我從來不知道他是不是共黨，但經過這次牢獄之災後，我對共黨的態度，當然絕無疑問了。」（明）

長淮女兒行（有序）

岳騫

台灣報載，彰化女中學生一八九八人，集體請纓，誓爲太平艦復仇，其志可嘉，其事足傳。因憶中華民國三十三年春，青年從軍高潮正風靡全國；皖北阜陽私立安徽中學有女生三人請纓，余時執教該地，曾爲長歌餞之。今國事蜩螗，勝於十年前；而學生愛國之心，較前尤熾。昔一旅孤軍，少康終於興夏；十年生聚，勾踐卒竟沼吳。復國在望，中興可期，爰錄舊作，以紀盛事。

長淮佳氣鬱葱蘢，千里河山一帶雄，自昔兵家爭勝地，即今壁壘障寰中。漢族健兒皆龍虎，臥榻豈容失寸土，會看天際起風雲，指顧河山收外府。冠裳濟濟會開羅，旌旗旋見出關河，閩南遙略追諸葛，長征踏遍馬伏波，出域還須征健旅，讀書救國豈空語，振臂登高纔一呼，四方應者猶風雨。舉國紛紛氣如雲，淮上英才更軼羣，報國豈獨男兒事，請纓今見女將軍。兒家生小潁州住，苦恨詩書將人誤，壯志忍讓救勒欲，雄心欲踏六南路，奮翮征霄惟待時，轅下豈能久偏促。投筆全拋典與墳，洗卻鉛華鬢漬塡，從容笑謝諸女伴，躍馬馳驅出國門。無復春恨與春愁，不掃胡塵誓不休，豈圖[illegible]榮閨閣，且爲人間除寇讎。道州城下月如霜，千古猶存姓字香，勤王功績秦良玉，俠烈風情聶隱娘。君不見，我有同胞四百兆，高山可移海可倒；又不見敵兇婦女齊反戰，士氣已衰時已變，從今大漢振天聲，凱旋歸來還三箭。陌上花開鳳啼鶯，珍重客身作壯行，故國河山千里夢，南天風雨一身輕，會看海外傳捷日，銅柱新標女兒名。

× × ※ ×

自由人

THE FREEMAN

（第四一八期）

中華民國僑務委員會
僑務登記證台教新字第一第二號
中華郵政台字第五〇〇號
執照登記爲第一類新聞紙類
（半週刊每星期三、六出版）
每份港幣壹毫
台北市售價台幣壹元
督印人：陳文彬
地址：香港高士威道二十號四樓
3 rd. fl. 20 CAUSEWAY RD
HONG KONG
香港發行及事務接洽
高士打道66號　電話：七四〇五三
承印者：東南印務出版社
地址：高士打道六十四號
海外總經銷
友聯書報發行公司
香港：彌敦道中二十六號A二樓
台灣特派員辦事處
台北市館前街五十號
台灣總經銷處
台北市西寧南路一一〇號二樓
台郵撥儲金戶九二五二

緊張局勢中的一些看法

自由中國應該怎麼辦？

左舜生

以最近國際的動向，大陳兩島的撤守，美國對是否協防金馬的態度模稜，以及英美策勵台灣海峽停火的企圖，至今未肯放棄，一般居留海外，堅決反共，同時也堅決主張民主者的心情，確實是相當沉重的。所謂台灣海峽停火，英美以及其他標榜中立的國家，似乎都是主張的，但在態度上則仍微有差別：英國及中立集團主張驅迫自由中國把所有沿海島嶼包括金馬在內一律送給共產黨，以換得他們所希望的停火，換言之，即在從實質上造成一所謂『兩個中國』的形勢。美國似乎還沒有公然驅迫我們放棄金馬，也似乎還沒有公然主張『兩個中國』，但鑑於中美聯防條約只明白規定聯防台澎，而葉外長在離美前夕，一次稍稍逾越限度的談話且不能不被迫而加以更正，則美國眞正的主張也就大略可知。世人所謂英美對中國問題的歧見，就實際說來，只是英國已經承認了中共，美國還沒有承認；英國可能贊成中共加入聯合國，美國則還保持相當的審慎態度，如是而已。中共的所謂『解放台灣』，以目前的形勢來說，他們最高的企圖，也不過希望以不戰或小戰而取得沿海的全部島嶼，等到把這些島嶼拿到手以後，他們自然還有其他的花樣，說他們眞正會以武力去侵犯台澎，乃至不惜與美國打一次硬仗，毛澤東周恩來還愚不至此，蘇聯也決不會許他們這樣幹。

中共的眞正企圖

中共現在有兩個假定：一、他們假定美國不會眞以海空實力去協防金馬；二、他們也假定台灣不會以太多的力量，去供防守金馬的犧牲；假令台灣眞要幹，只要美國不參加，他們便也不惜以三倍五倍的力量，非取得金馬不止。等到沿海島嶼問題解決以後，中共可能採取如下的步驟：1,自動或表示接受若干中立國家的勸告，對海峽暫時停火，或進一步移一部分力量於其他方面，造成另一緊張形勢。2,把大陸反美的宣傳酌予減低，或進一步將拘禁在大陸的美俘，全部或逐步予以釋放，以提高美國對他們的幻想。3,利用亞非會議，或類似這類的場合，展開和平攻勢，以及反原子戰爭的宣傳，以爭取中立國家對他們的同情。4,於萬隆的會場之外，由周恩來出馬，與日本的代表團保持密切的接觸，以促成日本對大陸的承認，並減低日本對美的信心，這一點必與日蘇在紐約的復交談判，取得適當的配合。5,假定這一切一切均能做到相當的成績，然後再來一次大規模的國際策動，以求達到他們擠進聯合國的最後目的。在中共想來，只要她能進入聯合國，則所謂台灣問題即已解決了一大半，以後便不難循外交政治的途徑來繼續爭取了。

本來，當我們退出大陸的初期，中共原有一點相當顧慮：即台灣當局或能一改過去的作風，實現一套像樣子的民主政治，一以加強美英及其他民主國家對自由中國的信心，一以爭取海外兩千萬人的團結，即以此發動對大陸的政治攻勢，去動搖他們的根本。可是依據中共過去二十餘年的經驗，加以最近五年的觀察，他們已知道這一點在今天的台灣還碍難辦到，於是他們大爲安心，乃一變守勢而爲攻勢：即加強他們的統一戰綫，反過來以之動搖台灣，爭取青年，蠱惑華僑，離間國際。以最近一兩年的事實來說，他們似乎是做得相當的得心應手。儘管這一進行的步驟是很遲緩的，可是中共却相信他們多的是時間，截至現在爲止，就軍事說，他們至少已經拿下了一個一江山，不費一兵，不折一矢，又已得了大陳和南麂，現在且進一步威脅到了馬祖和金門。就外交說，在過去一年間，他們已從事多方面的活動，至少已經有若干國家吃了他們的迷魂湯；艾森豪在就職前所說解放一切被奴役國家的理想，似乎早已拋到九霄雲外；所謂英美間的歧見，已經不是英國如何去接近美國，反而是美國要如何去接近英國了；他們一套向日本弔膀子的辦法，確能與蘇聯保持了密切的配合，在事實上已經使得若干無遠見的日本政客們心旌搖搖，可能上當！

邱翁的判斷

最近邱吉爾老先生判斷：蘇聯因爲原子彈的儲藏量還遠不如美國，氫彈及其投擲方法，也還不如美國遠甚，在最近的三四年內，她還不會挑起大戰，三四年後便很難說。我們相信他這一判斷是有眞憑實據的，在今天不失爲一種權威的看法。由此我們可以得出一個『大戰』『小戰』的概念：即必須用到原子武器或氫彈的戰爭，才叫作大戰，否則便只是小戰。有大量原子武器的存儲，又有氫彈，還有較的好投擲方法的國家才是一等強國；單有較少的原子武器而無氫彈，或雖有而無較好的投擲方法，便只能算是二等強國；如果並原子武器而無之，完全只能運用舊式的槍砲和炸彈來幹一幹的，即令冒充強國，也不過是第三等而已。蘇聯在今天不敢輕於冒險向美國去直接挑釁，誠如邱翁所估計，但要利用一個三等脚色的中共到海邊上鬧一鬧，却還是一定的。中共一直是被蘇聯牽着走的，說是多遠，一切要惟蘇聯之命是聽。如果中共眞去攻台澎，事實上即無異蘇聯直接向美國挑釁，這在三等地位的蘇聯是斷然不敢幹的。然則蘇聯將怎麼辦呢？她只將附和台灣海峽停火，即幫助中共不必使用戰爭的方式而公然可以把金馬拿去。假如美國以斷然的態度聲言協防金馬，蘇聯爲貫澈她不敢向美國直接挑釁的初衷，便只好命令中共悄悄收兵，其結果所要得到的，也還是台灣海峽停火，說到這裏，我們對於當前金馬問題，便只有兩點看法：

一、最好艾森豪以爽快的態度，聲言協助中華民國斷然確保金馬，這與大戰的爆發與否，可以說毫不相干。

二、即令美國終於只以協防台澎爲限，對金馬依然不管，我們自己也還是要以全力把金馬牢牢守住，斷斷不能讓中共得到絲毫便宜，而且從今天起，也決不與中共停火。過去的韓戰停火，使得中共通貨膨脹延遲了一年半；越戰停火，更使得中共在國際上招搖撞騙的地位特別提高；今後惟有和中共周旋到底，斷不能再讓她得到這種談談打打的幸運！

六點提要的說明

歸納上面種種，我們還可概括的作如下的幾點複述：

一、大戰最近還不會爆發，邱翁的判斷，至早也在三四年以後。

二、美國究竟有多大實力，蘇聯明白，英國更明白，這次經邱翁揭穿，蘇聯只好若笑。今天美國有氫彈，而且有有效的投擲之法，但不願輕用，一旦被蘇聯趕上，說蘇聯不會把氫彈投到紐約，投到倫敦，那才是怪事，這無異說美國今天的觀望，將來可能大大的吃虧。

三、蘇聯現在既不敢挑起大戰，當然便不敢嗾使中共去侵犯台澎。

四、中共儘管還是要高呼『解放台灣』，但目下最高的企圖，却只在侵佔沿海島嶼。他們的如意算解，便是把所有沿海島嶼拿到手以後，便自動停火，再以政治和外交的方法去動搖台灣，他們認爲最理想的，便是打進聯合國。假令我們不問有無美國援助，而能確保金馬，他們的這一企圖便要歸於粉碎，他們的國際法螺，也就從此吹不響了。

五、就亞洲當前的形勢說，蘇聯和中共對日本的二重勾引，乃是大可考慮的。亞非會議，我們也不能忽視。

六、我估量在台灣海峽歸於寧靜以後，蘇聯和中共可能在表面上表示對美國讓步，以造成美國的幻覺，我們要大聲疾呼，以免美國上當。

自由中國怎麼辦？

假如上面的分析大致不錯，自由中國打算怎麼辦？我們不要以爲只要大戰一起，我們的一切問題便可迎刃而解，如果台灣祇能維持現狀，而不想進一步的辦法，即令大戰明天便已爆發，也於我們毫無好處，而且危險不堪想像。我不歡喜持祇談原則不講辦法的民主論調，但我覺得局勢演變到現在，台灣却非就下列各點加以考慮不可。

一、一個執政黨當國家陷於緊急危難的時候，而不肯輕於變更主張，改變態度，這在某一意義上說，原也是很好的；可是對於國家民族的責任感，却不可不酌予提高。就我所知，今天國民黨外並沒有人願意去參加實際政治，即令就有，也毫無力量；因此國民黨大可不必憂慮到政權傍落，祇要國民黨領導得像樣子，大家自無不樂於接受。在今天的國民黨內，除浮在政治表面的若干人物以外，也並不是沒有遺才，何以一部分祇能永遠投閒置散，一部分則無論做得有無成績，都非叫他們永遠幹下去不可？橫豎不出國民黨的範圍，難道這也毫無商量的餘地？

二、以實際情形說，今天海外是海外，台灣是台灣，可以說太少勾通，太少聯繫；以致海外既不了解台灣的實況，台灣也不明白海外的想法和看法。以我所知道，目前在台灣，確有不少能說，能寫，能跑，而對反共也毫無問題的人才，爲什麼不讓他們在海外僑胞集中的地點，隨時走動走動？如果說怕他們一走動便要生問題，但生問題的還能夠超過吳國楨嗎？又有什麼了不得的可怕？團結應該從相互了解做起，能使海外的人因了解而多多的關心台灣，根據這裏人回去的報告，使台灣也多多關心海外，難道對於目前的國事毫無好處？難道對於增加國際的聲勢毫無裨益？

（下轉第二版）

從南大糾紛說到僑教

張雲

邇來南洋大學經費預算問題，林校長與校董會發生了歧見：一方顧到血汗錢得來不易，希望用款的人，略爲將就，勉爲其難；一方以成約在先，必要辦個第一流大學。照近日各報所載，如相持不決，似乎都替南大前途憂慮，最低也是一件可惋惜的事件。

教育乃百年樹人工作

其實一個大學預算的爭執，是很平常的事，用不着引起許多人注意和替它擔憂，更不必有什麼辦第一流大學和第二三流大學的紛紛共辯。爲的是這大學的產生不易，由最初地方當局的不同意，以至校址選擇和註冊捐款等，都經過很吃力的奮鬥，始有今日的成果。其次，在東南亞華僑最富庶，就學青年最多的心臟地區，興設一所完善的華僑大學，是一件極重要的事。凡關心南大前途和僑教的人，莫不抱着萬分熱情，期望它能安然順產，放上搖籃，無災無難，茁壯成長。故大家一聞絲微呼吸，或什麼風吹草動，就替它担一把汗。

查南大預算爭辯的要點，林校長要辦第一流大學，必要一筆足夠的巨大經費，否則，寧願不辦（渠謂不欲參與第三流大學之創辦，見二月廿四日星島晚報），這個「不」字落得太重，致令各方人士都有點驚異，而經過無數辛勞奮鬥的校董會，更覺有點不易應付，因此令人很直覺的或形式上發生了辦第一流大學嗎？吃不消；第三流大學嗎？不必要，的沮喪結論。

當然，辦一件事業，慎始方能慎終，英諺也說：好的開端，已成功了一半。但許多經驗告訴我們：其作始雖簡，其成就也大，作始簡簡，不算得不慎，也不能說不好，將來能否有成，全靠未來的努力。否則，校舍儘管堂哉皇哉，設備爲世界第一流大學之所有，以後如不向善發展，似也徒然。

（下轉第二版）

半週展望

·雷嘯岑·

亞洲禍亂無已

事實上，美國縱以「卑詞厚禮」乞得台灣海峽的和平，東南亞方面馬上就會出事的。因爲那一角落的泰國、越南、高棉、寮國等地區，也與台灣海峽的情形一樣——是英國人所認爲不必固守的區域。俄共集團就專找這類弱點進攻，無往不利。至於台灣本島問題，它有艾登、尼赫魯之流大力幫忙，儘可訴之於政治攻勢。

美國對亞洲的反共鬥爭，自己不願意參戰，而希望別人起來對打；別人要打時，却害怕別人的力量不夠，連累到它，又趕忙教別人割地求和。患得患失，莫知所措，而美其名曰：「維持永久和平」！

自雅爾達協定以來，有「國共政治協商」，有板門店「韓戰協定」，有日內瓦「越戰協定」，現在又想搞「台灣協定」。這一系列的「維持永久和平」的傑作，把亞洲的自由地區斷送了一大半！這樣的自由世界領導者，豈不導入牛角尖乎？

和平的基礎是甚末？

邱吉爾先生近來發出許多驚人的言論，一則曰：戰爭如果發生，主張不用原子武器的人就是愚蠢；再則曰：英國如受氫彈襲擊，美國的原子轟炸機不必跟英國協商即予以報復；同時又宣佈英國開始製造氫彈。這些表示，好像大戰之神已站在眼前，一觸即發了，其實未必然！

大概邱翁還有眞確情報，知到莫洛托夫、布爾加寧等人過去誇稱原子戰爭的論調，全是吹的水泡，蘇俄根本就沒有發展氫彈的能力，充其量祇不過有些原子彈而已。原子彈慢慢地變成普通炸彈了，不足畏也。

所以，邱翁說世界和平是得力於英美所掌握的核子武器之優勢，就是說，和平建築在氫彈的基礎上。美國宣佈要試爆最大的氫彈，英國也說要擇地試行爆炸，這都是向俄共示威，教它不要胡行妄爲，還是「和平共存」的好！

俄共當然有自知之明，它唯有教唆中共在亞洲拚命造成緊張形勢，使英美經常發生矛盾對立的言行，同時即使中共不得增強對俄帝的依存關係，所謂「一石二鳥」政策是也。

職是之故，亞洲方面的姑息主義勢必日益猖獗，非到馬來亞、南韓、日本這些地方都變成完蛋的時候，姑息主義的魔術是不會停演的。這是亞洲自由人類的災難，大家牢牢地記住罷！

杜爾斯的聲明

行色匆匆到台北訪問了七小時的美國國務長官杜爾斯，臨行發表一篇聲明文字，中述美國對台灣海峽問題的意見，其中只有「除了與中華民國相互合作，美國將不參加任何涉及中華民國領土或權利的談判」這兩句話，稍可澄清我們對姑息主義暗流侵襲的一些疑慮，此外都是外交詞令，沒有甚末新鮮意義。

依照艾森豪總統公開聲稱美國不願協助自由中國反攻的軍事行動，證以英外相艾登與尼赫魯之「熱心公益」，嘁嘁然大談其「台灣和平問題」的動態；艾登且說在數星期之後，討論「台灣和平問題」的機會即將到來云云。可知國際間對「台灣問題」的秘密交易活動，正積極地進行着，美國乃特別露出妥協姿態，以廣招徠。

俄共集團如果始終不肯妥協，硬要攻打台灣海峽，美國即被迫應戰了。這就是參議員諾蘭解釋艾克所謂「侵略性戰爭」（AGGRESSIUE WAR）那句話的用意所在，美國當局估定中共是可以妥協的！妥協的交換價值，當然以金門馬祖作籌碼，這又是杜爾斯口口聲聲表明美國是否協防金馬，須由總統決定的所以然。

我早在本刊說過：美國對台灣的作法是「無條件防衛台澎列島，有條件奉送馬祖金門，」現在這情況更朗然了。

蔣總統告訴杜爾斯：無論友軍是否協防，我軍決不放棄馬祖。我們祇有抱定這種決心，或許可使國際姑息主義者稍知顧忌，不致悍然重演出賣我們的醜劇。

匯率問題調和方案

——書陳式銳先生改變外滙管理一文之後——

·羅敦偉·

（一）

讀二月廿三日「自由人」，陳式銳先生，「改變外滙管理，成熟乎」一文，承介紹拙擬「解決滙率萬全之策」，並指出其特點爲（一）把範圍由出口擴及投資及僑滙，二，以公營機構調劑供需，平抑物價，結論認爲「實有採納之必要」，陳氏爲經濟權威對個人拙見如此讚揚，足見其治學之風。拙見雖命爲萬全之策，其實不過集維持滙率，調整滙率，自備外滙，保有外滙，結滙證市場，進出口連鎖等方案之所長而去其短。自各種方案之中，抽出其共同因素，即官定滙率與黑市「差價」問題，化繁爲簡，去紛歧爲統一，歸結到一個「差價」問題之解決。因差價爲患，在過去管理方式之下，凡花費國家外滙者受互獎，凡貢獻國家外滙者受苛罰，然外滙越管越少，出口阻塞，諸投資及僑滙於不可能。此「差價」之論一啓，外滙源源而來，上述各種方案之要求均能達到。擴而大之，及於投資及僑滙。以今日自由中國國際環境之優良，天然條件（除鑛產而外）之充裕，開發經濟，增加財源，提高人民生活，眞是易如反掌。

（二）

陳先生介紹拙案之餘，並提出疑問二，（一）「差價滙證」與「結滙證」孰優？（二）公營外滙彌補財政收入則不可。謹分別再加申論。結滙證完全脫離滙率，在黑市場獨往獨來，本爲外滙之心志，固然無不可，但站在維持滙率或站在期待黑市逐漸接近滙率之立場，總覺滙率微受威脅，且對投資僑滙，根本非由於結滙，似不如逕予以差額滙證，名實俱便。二者本來大致相同，利害相去亦近，總以較爲有利者爲宜。拙案公營外滙，公收公用，基本在反對以公營外滙廉價售予少數進口商，復受轉讓費百分之一百三十左右之暴人剝削，防礙國庫，任人暴利取巧。故不如實事求是，民間外滙，一律透過「差價滙證」任其自取黑市利益，外滙歸國家，利益歸人民。公營外滙佔百分之十以上，由公營貿易機構，在商人照入口預算申請之後，再補足申請，絕對不與民爭利。收發生調節供求及平價作用。但公營外滙既未付差價，又無實績轉讓等剝削，同時又不宜過分廉價，一律按照官價成本發售，惹起陡然低物價之恐慌，雖欲不賺錢以彌補財政收入，亦不可能。且獲致財政收支平衡，正所以穩定通貨及物價之道。即在民間申請進口物資之中，政府亦不妨略予掌握，以備無理漲價時平抑之需。（如此次紗價暴漲，且其中多公營事業，即爲一教訓）故與民爭利不可，而運用，打擊居奇，穩定物價，技術上尚多微妙。而利者其中，彌補財政收入，亦勢所必然也。

（三）

今日改變外滙管理，時機業已成熟，當局亦正在攷慮急待決定之中，苟誠如陳先生所云，拙案急宜採納。再自爭取尙棘手的貿易以及發行，利率，稅收政策各方面加以檢討。使海外（包括港澳）新投資以及僑滙，不僅暢通無阻，而且新投資，事實上獲得必然有利之保證。差價解決之後所有投資抽回，利潤滙出，均不必限制，則自由中國經濟，必煥然改觀矣。

從南大糾紛說到僑教

（上接第一版）何況教育是百年樹人，決沒有開創時設置許多第一流物質，便算第一流大學；所謂第一流大學也者，應以能否產生「第一流教育成果」以爲斷，而這第一流的教育成果，有時要幾百十年的不斷努力和培植。世界有名的大學，大概都從小規模開端，以後經長時間一點一滴的培養發展，方克有成。例如巴黎大學，七百年前，不過是索本（SORBON）所辦的一間神道學校（ECOLE DE THEOLOGILE，1253）；哈佛大學三百年前，是HAWARD創設一間小規模的學院（COLEGE）。數百年前索本與哈佛爾位，恐怕做夢也想不到他們手創的學校，成了今日頂好的第一流大學。可見一間大學的辦理，不是由個人可在倉猝間把握得着有輝煌成就的，何況教育事業的成功，每每不必在我呢？

不斷努力自有成功

昨讀陳公哲先生爲南大校董與林語堂爭執事件致陳六使函（見二月廿八日星島晚報），他說：「試問美國林肯、愛迪生是否第一流大學出身？法國的虞梭是否第一流大學出身？國父孫總理是否第一流大學出身？……所謂大學畢業，亦只爲足夠條件出以處理將來執業，再從而獲得經驗耳，其能成爲偉人與否，仍有賴于國經之經濟、政治之安定與社會之需要。斷非自第一流大學出身者，立可致國家于富強。」陳先生的話，對於不及第一流的大學，似有寬慰的嫌疑，且養成少數特出人物，也非創辦大學唯一的本旨。不過，什麼第幾流大學，確是一個很籠統的序詞，並無絕對性。如果參合一個時間的要素，更可能發覺他今日幼稚，將變爲後生可畏的。人之好善，誰不如我，即管他的大學，今日不是第一流，如能不斷努力改善，我以爲也有可取。其次，養成高級的專材，實在也不一定靠一間名義上的所謂第一流大學：如柏林的高等工業學校，巴黎的高等師範和百藝學校，波士頓的麻省工學院（M.I.T.）等，他們養成的人材，並不比附近頂好的柏林大學，巴黎大學，哈佛大學爲遜色，而且某方面的成就，有時特別超出。我嘗見法國有的老名教授，他們的名片，除印教授本銜外，職常印有高等師範或百藝學校畢業生（ANCIEN ELEVE）的銜頭，因爲全國人士都公認能在這些學校畢業，已可自傲了。故在作育人材，祇問這間教育場所是否勝任？是否有其實？不一定是一間名義上或形式上的大學，更不必限於這是第幾流了。

環境轉移僑教要變

講到華僑教育，以個人這幾年的觀察與體驗，深深覺得我們的環境已轉移了，我們不能拿從前那套規程來依樣葫蘆，以求適應。因爲教育如不能切合生存和環境，這樣的教育，一定會失敗，而被淘汰，終結會[illegible]有其一套。[illegible]方面，如不[illegible]實的環境，[illegible]行也不通，而爲時[illegible]。我們從事[illegible]，對於這一[illegible]不可麻木，[illegible]因循敷衍[illegible]免被淘汰。[illegible]

[illegible]

僑教要配合環境需要

[illegible]現在的民族[illegible]受着威脅，[illegible]，大都赤手[illegible]造他們的天[illegible]他們的生存[illegible]護衛我們的[illegible]，使永久和[illegible]明華胄粘結[illegible]益燦爛；及[illegible]我們的知識[illegible]適應現環境[illegible]要。這「固[illegible]與「知識」[illegible]目前僑教最[illegible]大支柱，我[illegible]種種技術與[illegible]到這兩個目[illegible]書的教育[illegible]如覺它[illegible]重新檢討[illegible]，而不必[illegible]地僑校[illegible]機會調查研[illegible]所論列，[illegible]教育而言[illegible]學校的制度[illegible]概都依樣葫蘆[illegible]切合時代與[illegible]否，似乎甚[illegible]我想，如再[illegible]革改，這樣下去，不難至窒息而死，瞻望前途，不寒而慄。

大學教育與人材出路

就香港一隅而論，年來英文學校的增設，風起雲湧；而相對方面，已有不少人爲高中畢業生出路而擔心。這無疑在僑地施教中，已露出非變不可的端倪。不容我們再依舊因循，天天把過去的一切搬來使用，便算了事。近年大家高喊：高中畢業生問題，越來越嚴重了。於是提倡辦大學以濟其窮，以治其標。但大學之設，不易獲許，於是大學變相的書院，應運而生。表面看，似乎令人鼓舞。但事實擺在眼前，細加檢討，就不容太過樂觀。上述陳公哲先生致陳六使先生函中有云「試問在馬來亞及其附近地區，於十年之內，能否開設超過一萬噸以上之造船廠，一大汽車製造廠，而與歐美相埒乎？如其不能，則所成就之第一流人材，祗能供給他國之用耳」。我以爲在僑地中能造成一些供給他國可用之材，已極可喜（因爲自己一樣可用），甚恐即此亦不可能，或可能而爲用人的老闆見外，屆時而對這無數出我們一手造成的所謂材，如何交代？眞是個極嚴重問題，我們決不能放任不聞不問。我們想：經我們栽植成熟的佳果，任由毀棄腐爛，當是世界上殘忍的事！

文化與技術要並重

華僑所處的環境，與祖國殊異，是毫無疑問的，教育的設施，必要因時濟宜，以適應需要，方見得有用。如仍墨守成規，食古不化，將見貽誤不淺。記得民國初年，菲島帆尼刺華僑已有中西學校之設，顧名思義，他們在一間學校裏，是中西並重的，功課的排列，上午全部中文（包括中國歷史地理等），下午全部英文（包括算學理化生物等），這間學校的特殊作風，當時我還以爲是[illegible]，後來調查，其他各島如怡朗，宿務，甚至不少所謂「埠仔」等的後起僑校，都倣照這校的課程辦理，已[illegible]他們的校名，全不是中西學校。那時既無僑教官廳設佈督導章則，也不必按照什麼章則報部備存，他們只依當地環境的需要而想出這個一舉兩得的辦法。因爲無論那個華僑社會，都有土生僑與出國僑兩種，在菲島而言，尤爲顯著。前者大都英文甚好，但漢家言語，甚爲欠缺，故以全部上午時間濟其窮（文化支柱）。後者大都英文不行，然而這是菲島謀生主要工具，故以全部下午時間爲補習（技能支柱）。這樣的配合，與化文技能兩大支柱都可兼顧，中西文教育冶成一爐，比諸只知墨守成規，認爲忠心教育系統的，效能顯著。方諸辦漢文學校無成，希望又辦英文學校以蘇其經濟之困的，更有足多了。

以上所舉，不過一例，然大可供吾人目前僑教的反省與改革的參考。

僑教的困難，無疑日趨嚴重，我們必須提高警覺，按照各地實際情形，自謀解決。時間是無情的，蹉跎只有增加困難，主宰在我們腦裏，我們不必再有所待。至於馬星地區，允爲東南亞華僑中心，將來南大的責任，比諸港澳所謂書院所負荷的，尤爲重大。我很希望仍在醞釀中的南大，對這一點，特別多加研究，似乎比爭論第幾流大學更爲有意義！

評：「日月潭之戀」

·胡秋原·

（一）

一個民族如沒有獨立的能力，則在一個不利的國際局勢中，便可能受到干涉而衰亂乃至滅亡。我們就是這麼樣沈淪，這麼樣倒下的。

長期的苛，混亂以及異族之征服，對於一個失去獨立的民族，是懲罰，也是鍛鍊，雖然還有時是殘酷萬分的。正如聖書所云，「憂患生強忍，強忍生練達，練達生希望」。

一個在憂患中的民族，如果是有希望的，則其希望之顯露，一定先表現於精神，後表現於實體。所謂精神，指文學、歷史、哲學，所謂實體，指科學與政治。一個民族復興之機運，一定最初就露於文學，最後結果於政治；而哲學與歷史，是其間的連鎖。

然一個民族之倒下，不是一天的；他的復興，也不是一天的。一個民族新的資質新的靈魂之培養鑄造，不是一篇宣言、一道命令之事。正如傳說中之修仙學道一樣，一定經過一番辛苦的過程。至於他需要多少時間，要看一代知識份子之功力。即以文學而言，也不會馬上即可產生偉大傑作。一般而言，他一定是由帶導性的到造型性的。一個有名故事之完成——荷馬也好，「三國」也好，都需要時間。

在這意義上，我也常常眺望文壇上的新作。以我孤陋寡聞之印象，自大陸淪陷之初，大抵帶導性作品爲多。近來似乎日益進於造型式的。這是一個成長的現象。

（二）

最近看到龔聲濤先生「日月潭之戀」。這新人之處女作，似乎是半報導半造型的東西。這故事跨自大陸淪陷前夕發生後的五年間。一個新聞記者江[illegible]在大陸淪陷前到了台灣，他之來，大了追逐新奇——如果用一個多年來店中常聽到一個術語，即是「尋找刺激」。後來聽到大陸「天翻地覆」，又回到大陸，爲的去追逐，或者去觀察，或者去「參加革命行列」。然而在鎮壓以後，他竟被共黨以「國特」「美特」罪名處死了。在其間，穿插了三四個戀愛故事，襯托着大陸淪陷前的混亂，各地的風情，以及共黨鬥爭的場面。而最後是江上宵的親戚與情人，結束他們的冷靜或感傷，投向反共抗俄的戰鬥。（上）

自由中國應該怎麼辦？

（上接第一版）三、中共的宣傳已經在變，不是從枝節和技術上變，而是從根本上變，這只有我們留在海外而又不斷注意中共動向的人才略略明白。由中國在海外的宣傳機構，僅是要去反共，當然[illegible]，我們所要去對着中共來[illegible]，祇是閉門造車，一切[illegible]更爲重要？

[illegible]聽其自然演變，這眞是太可憂慮了。[illegible]

四，中共對於分化亞洲國家與西方國家，年來已經[illegible]的工夫，下[illegible]非國家會議[illegible]他們一定還[illegible]手。現有一[illegible]同盟，我們[illegible]入，一個中[illegible]北亞同盟，[illegible]想邀之中，[illegible]毫無孤危之[illegible]不客氣的話[illegible]日本對南韓的外交，至少已經就誤了三年，日本不用說了，最近我看見一封南韓某當局親筆簽名的中文信，似乎他們對台灣的態度也不甚了了，我們的外交官究竟幹的什麼？在國民黨內今天還不難找出比較適於辦理對日對韓外交的人才，假如過去所表現的成績只是平平，何以不能另換新人去試試呢？上面只是舉例而言，此外只好請由此類推了。

關於詞人評介

△盧劍先生來函▽

主編先生大鑒敬啓者：貴刊關人物評介一欄，於今昔名流學者，爲作詳細介紹，裨益學人，實非淺尠。關於王國維先生的若華詞，雖則引起論戰，仍是饒有意義。鄙人三十年前亦曾從先師黃季剛先生研究詞學，先生於近代詞人最爲推尊朱疆邨況蕙風兩大家，謂三百年來詞學之精深，無過於彊邨。詞筆之雄秀，無過於蕙風者。貴刊於近代詞人除王國維外，如廖懺庵，劉肖端，王蓬巢等均曾有所介紹。惟於朱況二公尙付闕如，不無遺恨耳。左舜生先生近年於詞甚感興趣，所論小山詞若華詞，均具卓識。至堪欽佩。倘能鼓其餘勇，再爲朱況二公之詞，詳爲評述，實爲今日詞壇所共慶幸者也。且二公均粵人，在港九搜集資料較爲容易，兩粵學人，必有能闡揚其鄉先輩之學行者，可斷言也。耑此敬頌撰安

讀者盧劍謹啓

二月廿四日

△刁抱石、魯男子、劉起、張中林、申南、文鑑、獨公、彭逸民、李朗珊、萬香堂、東園、謝政、陳雪英、陳代鍔、吳文蔚諸先生：承惠稿，已一一收到，至深感謝！

△張忠建、蘇鏡明兩先生：大函敬悉，謹復。

△李文科先生：台端受屈，既得申訴，似可安心學業，餘俟當局處理爲宜。謹復。

讀者論壇

從時裝展覽糾紛說起

傅正

（一）

上月四日，台北華美協進社假空軍總部的新生社，舉辦時裝表演會，其時正是一江山失陷，大陳相繼危急之際。據民航隊月刊載，主辦人陳香梅女士解釋：「這個義演有兩項意義：第一，我們是想把中國婦女服裝之演變過程，向中外人士介紹，再其次我們更希望台灣的中外人士，能看到今日最時式的中外新裝，連歐美今年所提倡的H綫條也在內，此外對於我們今日中國婦女所穿的旗袍，我們也有推陳出新，別具匠心的式樣，但都以能適合於今日的生活爲準則，爲台灣的服裝加一點新的血液，新的光彩；第二，我們這次義演募款，是爲捐助中國流亡知識份子救濟協會的救濟經費，也爲捐助中國空軍的托兒所經費。」

這種展覽在台灣還是首次。不意在開幕之日，發生了一項不算太小的糾紛。據法新社十二日電訊：「二百名自稱『愛國軍人』的暴徒，會以暴力阻止來賓入場，同時散發傳單，揭貼標語。」又據合衆社十二日電：「國軍一高級官員，因須負担上星期五在時裝義賣表演會場外，率領若干人員擾亂的責任，已於今天被拘禁，蔣總統兩天以前頒發命令，逮捕軍友會總幹事江海東少將。」事態之嚴重，至此，已可想見。但台灣官方報紙，對於此事經過，始終沒有報導。直至二月十七日，台北各報始刊載一項關於軍友總社的消息說「該社總幹事因事舉措失當解聘。」至江某是否釋放，或加以何種處分，現尚未能知道。

（二）

筆者覺得這種行爲，如出於一江山烈士的遺屬，或是一般普通人民，罪尚可恕。但一個身爲國家高級軍官的人，不知自守崗位，竟做出這種破壞秩序的行爲，實在非幼稚或衝動所能解釋。情雖可憫，罪不可恕。如果身爲軍人的，動輒以暴力行事，此風一長，台灣還成甚麼世界？再則江某之被逮捕，要等到事後很多天，而且由總統頒發命令。難道治安機關不知道管？或是不能管嗎？

時裝表演究竟有無必要，理當由政府主管機關負責決定。如不必要，即不予核准，既核准，當然可以表演。惟另據傳聞，主辦的華美協進社，在政府並非登記有案之團體，這次表演，又未經核准，所以主管機關雖欲制止而不可得。（據本刊上期所載讀者曾策先生來書，業經核准——編者）如果確是如此，則這次表演在法律手續上尚欠完備。但江某仍沒有直接干涉的理由。

（三）

此外，筆者還有一點感想，今天的台灣局勢，似乎越來越險惡，眞已到了一髮千鈞的關頭。我們似乎不應有閒情逸緻，來做時裝表演這種輕鬆的調調兒了。南宋時代，大宋江山已危在旦夕，還是文恬武嬉。當時的權貴賈似道，便築甚麼半閒堂，跟他的大小娘兒們看鬥蟋蟀。又那時的西湖風光，被一班忘卻國家大事的君臣，點綴得十分華麗，據耐得翁云：「自高宗駐蹕於杭，而杭山明水秀，民物康阜，視京師（汴）且過倍矣！」西湖遊覽志餘，便載文及翁的一段傷心詞，據云：「蜀人文及翁，登第後，期集西湖。一同年戲之曰：『西蜀有此景否？』及翁即賦賀新娘云：『一勺西湖水，渡江來百年歌舞，百年沉醉。回首洛陽花世界……問中流擊楫何人是？千古恨，幾時洗?!……國事如今誰依仗？衣帶一江而已！便都道江神堪恃，借問孤山林處士，但掉頭笑指梅花蕊：天下事，可知矣！』林洪也有一首西湖七絕：「山外青山樓外樓，西湖歌舞幾時休？煖風薰得遊人醉，直把杭州作汴州！」這些故事和詩詞，如今讀來，能不令人感慨萬端？時裝表演雖不能和看鬥蟋蟀相比，但筆者總覺得這是太平盛世中閒情逸致的事。這幾年來，台灣一直在大喊克難節約，今年元旦，蔣總統更倡導要厲行戰時生活，政府首長也大聲疾呼來響應。時裝表演這類洋把戲，和克難節約，戰時生活，總是不十分諧協的。因此，撇開糾紛的事件不說，在筆者個人的意見，認爲時裝表演是大可不必舉行的。

名畫家方君璧馳譽東瀛

蜚聲海內外的女畫家方君璧女士，去夏曾在本港聖約翰禮拜堂舉行個人畫展，頗得藝術界極高贊譽。本刊對方女士的生平，及其藝術在國際上所享地位，曾爲文介紹（見去年七月十七日三五二期）。方女士於去多東渡扶桑，就三島題材，更努力從事創作，上月復在東京舉行個人畫展，彼邦人士轟動一時，頃接東京通訊，述其盛況，亟爲披露如下：——編者——

【東京二月廿五日航信】名畫家方君璧女士，去多由港來日，寄寓東京都世田谷區友人家，日往各地遊覽，遍訪名勝，努力創作，成就極多。經日本藝術界之熱誠協助，於今年二月十八日起，假座東京最繁盛的中心區銀座通松屋百貨大商店八層樓上，舉行六日的個人畫展。展出品爲油畫六十幅，水彩畫九十幅，其中一部份爲方女士歷年舊作，大部份爲到日後的新作。會場爲八層樓全部，共佔面積一百五十坪（每坪等於卅六平方尺），會場佈置，備極堂皇富麗，饒有藝術氣味。每日觀衆在五千人以上，六日共三萬餘人。包括日本皇室人士，政府要人，文化界，新聞記者，藝術家，莫不交口稱譽，認爲不可多得，報章雜誌，亦均有好評。較去年香港展出更多贊美之詞。展覽會已於二月廿三日下午宣告閉幕。筆者於閉幕前往訪方女士，方女士很謙虛的對筆者說：「此次展出爲日本朋友盛意幫助，各方又加推許，衷心至爲銘感。惟拙作得此虛譽，全是日本友人的盛情，僅足告慰朋友而已。」虛懷謙抑，藝術家有此風度，彌覺令人敬佩。（二月廿五日東京）

經濟社會思想叢殘（十二）

金伯華

資本家的「共同經營」

但是於此有須一步加以辨明的：資本主義的企業組織，又何嘗不是「共同經營」呢？老實說，資本家的共同經營，如托辣斯（TRUST）之類，其規模之龐大，業務之發達，以及組織之嚴明，簡直比現在的聯合國還要高明得多，靈驗得多！他們的組織適合於生產及市場各方面的共同經營，有如身之使臂，臂之使指，運用裕如。他們這種共同經營的範圍也是國際性的，他們的決議案更是令行禁止，往往比國家的法律還要迅速而徹底，決不像近年聯合國的決議案那樣軟弱無力！所以資本家的共同經營，實在比任何其他的組織都來得嚴密而有效。一等強國如美國，有時尚奈何他們不得，至於合作社所用的共同經營方法，鄙陋如小巫之見大巫，在效能上相去不知幾千萬里！不過，所謂共同經營，在本質上是各不相同的，合作社的共同經營，爲的是社員全體的共同利益，而資本家的共同經營，爲的是極少數人的利益，最大多數的人——消費者——則唯有共同受害而已！這道理很簡單，資本家所組織的企業是公司，而公司的目的在營利。至於一些經濟弱者所組織的合作社，其目的乃在經濟上自衞而決不在營利。這一區別非同小可！仍用前面所引喻的例子來說：合作社的共同經營，是「聯合」的王道經濟；資本家的共同經營是「托辣斯」的霸道經濟。共產主義的奴役經濟，則直截了當的是經濟魔王，請讀者且看以後對於托辣斯這一經濟魔王的簡介。

大趨勢，大矛盾

近代人類文明有一個很明顯的大趨勢，一天天的趨於分散，而事業則一天天的趨於集中。人格分散的結果是獨立，是自由。這是民主的主流。事業集中的結果，在音樂上是大樂隊，是交響曲；在建築上是大廈，是摩天樓；在政治上是統一團結，是聯合（例如聯合國就是一個明證）；在經濟上是大城市，大農場，大工廠，大公司等等。托辣斯（TRUST）就是這種趨勢的經濟產物。

明眼人都看得出在這一大趨勢中，包藏有一種大矛盾，當今世界一切萬分棘手的糾紛，莫不直接間接由此而生！人人都在矛盾中鬥爭，人人都在矛盾中找出路。這出路一天沒有找清，則鬥爭一天無法停息。所以這大趨勢給人類以光芒萬丈的進步，也帶給人類以無窮的悲慘。這好比「黃河之水天上來」，常常害多於利，致使有些悲觀的思想家竟說這是「新野蠻主義」，這是世界的末日！

人格的分裂

實際上這矛盾確是因時而異，因人而異，幾乎在每人心中都懷惜着它的暗影。因爲一方面是個人，是自由；另一方面是團體，是大我，是向心力。但無論那一方，都少不了另一方；無論那一種力，都不能不受另一種力的制衡。這正如矛盾二字所表示：矛，惟恐不利，惟恐不能攻破盾的抵抗；盾，惟恐不堅，惟恐不能摧折矛的鋒鏑。光就經濟關係而言，賣者惟恐不漲價，買者惟恐不跌價；生產者惟恐他的產品不貴，不能賺取利潤，消費者惟恐他的用品不賤，不能節省開支。而且同一個人，有賣必有買，有生產必有消費。反過來也復相同：要買必須有賣，要消費必須有生產。這也正和戰士一樣，必須矛與盾一身兼備，能殺害敵人而又能不爲敵人所殺害。小之個人，大至國家，無論從日常生活的那一個角度去觀察，都往往受這一矛盾的困擾……於是全世界人類就無日不陷於這無數的困擾之中！

這可以名之爲人性的兩面相，或人格的分裂。什麼托辣斯，什麼大王，就是最大多數的買者和消費者，尤其是成千成萬兩肩扛一頭，祇有勞力可資出賣的工人，如同共產黨所說的普羅萊塔爾（PROLETAIRE古羅馬的「賤民」（「無產者」），則是鳩形鵠面，永遠浮沉在貧苦深淵中的窮鬼。

會考制度正加改善 免費年限突行縮短

當局實施中小學生會考制度，旨在甄別學生畢業成績，是否符合水準，也是取決應否畢業的一項措施。去年會考結果，反映學生成績既差，而且各方對當局此項規定頗加苛責，每以評閱試卷觀點不同，使成績確具優異之學生擯棄，竟招致失意者頓萌消極。於是輿論界痛陳利弊，幾一致要求當局取消會考制度，此種建議，當局並非不加考慮，覺得會考對於提高教育水準，具有決定性的影響，至於技術上的問題，認爲並非不可以改正的。因之一般認爲本年度的會考標準，可望放寬，否則參加人數不但不會踴躍，而學生家長對其子弟參加會考，將會引起戒懼。雖然本屆會考距今尚有一段時間，有關當局現已開始籌備，因時間充分，對於會考期間興革規畫，可預作準備。

現時有一件頗使大多數清寒子弟失望的事，給予彼等家長們的打擊，可謂十分深重的。那是當局最近在會商改善本屆會考條例，作若干修正之時，已決定將高小畢業會考免費生之年齡，縮短一年，使十五歲畢業小學六年級的學生，繼續升學初中，喪失了免費機會。此項決定也非絕無理由，第一，每年十五歲升學初中的學生數量並不太多，第二，經規定縮短年限之後，小學教育水準，將會無形中大大提高。在教育當局看來，似乎感受影響的並不太大，同時對於一般幼年優異的學子，更可獲得充分機會，因此就決定由一九五五年度會考實行。

按諸向例，漢文小學六年級會考學生，規定有一百名清寒子弟免費升讀中英文初中，以至該生中學畢業爲止。參加甄別試的年齡，原規定提高到十五歲的限額，自不難想像到該生的家境。一般學生家長力能令其子弟入學，通常是六、七歲開始其小學一年級課程，倘中途未曾留級，則十一、二歲就可修畢小學全部課程。於是曏昔當局將免費升學初中的學生年限放寬，乃係純因救濟清貧子弟。但本年度突然宣佈取消，即使名額並不太多，到底不會沒有的。那末這些滿懷享受免費希望的學生，及其家長們所受的打擊，豈止深重而已。然而當局作此決定，使人遺憾的，並未考慮補救辦法。於是就有人考慮到助學金問題上去，就一般估計，本年度的獎助學金，經教育司向各方呼籲之後，數量上比去屆將會增至三分之一，獎助學生自將比例增加；自不妨撥出一部份來給予超齡（十五歲）的升學初中學生，否則當這批修畢小學六年級的清寒優秀學生，即令有志向學，卻失去了升學初中的機會，當局自應及時考慮。蓋獲益的豈僅受惠的少數人而已。

世外桃源砂撈越

了聲

文化落後

砂撈越文化事業的冷落與單調和其地理環境的荒蕪落後恰成正比例。全境共有華文報紙六份（首府古晉四份，第二省省會詩巫兩份。），英文，馬來文報紙各一份，捨此而外，再沒有其他雜誌刊物的發行。

單說華文報紙的內容，資料太嫌空洞貧乏，除每日電國際訊外，難得看到一篇像樣的文章。通訊、特稿及副刊之類，多半是剪摘自星港各大報紙，有時不是失了時間性，便是適空間也顛倒倒置。

砂撈越的報紙，結婚、死亡、開張、喬遷、生子、祝壽一類的慶弔廣告，幾乎佔去大半張篇幅。如果讀者須想在報紙上找點有價值的材料，簡直難似沙漠中尋找綠洲。還是星、港的報紙雜誌，雖然稍遲一些時間，反而擁有大量的讀者，能年十一月間，由當地僑領們搬辦了一份前鋒日報，據說大部份主要員工，都是由香港敍去的，但看過的人卻說，除了版面比較美觀，印刷清晰而外，內容仍然欠新鮮和充實。銷路方面，兩千份左右。

教會學校

在砂撈越信奉基督教與天主教的人，僅佔全人口中之小部份。凡未受回教影響的地方，牧師均可在內地各部落中作相當活動，倘時間長久，即可能吸收大量教徒。因許多基督教以現代化之教育醫藥上之救濟，作爲傳教的工具，蓋教會在教育上負有很大的任務。在古晉教會學校，有聖多瑪英校和聖瑪利女校，如十哩「士人柑榜」、成邦江、木中、美里等地，亦建立了許多中心學校，同時在土人之村落中，也有不少初級學校。（六）

海外寓公的悲哀

馬五先生

有朋友自南美洲的巴西一帶來，談到在那兒作寓公的若干中國籍政治難民，不用說，個個都是不愁衣食的有錢人家，生活不成問題的。可是，當地人士把你看作無國籍的流浪人，沒有朋友，更不會有親戚，一天到晚祇有面對着苦悶的日子，天涯淪落，孤芳自賞。「眞不是人過的生活」！那朋友很慨歎的發出這句結論。

還有前幾年從香港抱着大量金鈔，舉家遠走到南非洲去避地中國的朋友，最近又舉家回到香港來了。我問他爲何要走回頭路？他說：「老兄，我現在才知道逃難眞不是玩意，到處受人歧視欺凌，尤其是南非那種種族成見甚深的地方，更非我們中國人所宜居留之處，你有錢，受的氣就更多。香港雖然也是外國的領土，但，居民十九都是本國同胞，而英國的傳統政治生活，亦比別國來得高明些。所以，我今後再不想走動了，要走，只有到台灣去」。

印度、印尼、緬甸這些還未完全脫去殖民地生活的國家，也居然排斥中華民國的僑民，自以爲了不起的獨立國了。唯有逃到美國那些少數的中國籍門和貪官汚吏之徒，或許少受點氣，但除了每日在交易所鬼混外，亦不會有甚末好過的日子吧！

皮之不存，毛將焉附？要想過自由生活，而不大家努力，先使國家得到自由生存的地位，藉作自己的護身符，光是抱着幾個造孽錢，東奔西逃，惶惶如喪家之犬，還有人生之意義可言嗎？

目前許多滯到異域作寓公的人，都是過去在大陸上作威作福的大好老，至少亦是靠政府官僚外滙發財的工商企業家。國家危難的時候，他們相率遠走高飛，置理亂於不聞，如果將來這大多數的貪者人民，把國家振興之後，他們又款段來歸，不愁富貴了。假使中華民國在我有生之日，幸告復興，我一定要聯合若干窮漢，組織「打狗團」，專打那羣臨難「狗」免，事後又想來尋認故主的喪家之犬！

禍根

秀汶

這是我親身經歷的一個故事：

「乖乖；共產黨眞的來了！」當一個春意闌珊的下午，我正懶洋洋地在房里替多兒縫着衫子的時候，我的丈夫——炳林——像得了一個天大的喜訊似的從外面闖進來，邊闖邊喊。

「……」我向他望望，沒有出聲；心里卻在想：「那有什麼大驚小怪的!?」

「快點？我抱多兒，你抱小梅，上西大街看去！」但他不待我說話，便興冲冲地拾了多兒拖着我急忙忙的一直向西大街走去。

「你看，這些稀奇古怪的就是解放軍！」炳林拉住我站在人叢中，指着一列列走過的隊伍，告訴我。

我一看，嚇！有穿灰布軍服的，也有穿便衣的；有拿卡賓槍的，也有拿老毛瑟的；有赤脚的，有穿草鞋的，也有穿美式軍皮鞋的；有老幾不堪的，有年壯力强的，也有幼小得只十一、二歲的；更好看的，還有雜在伙伕隊伍里的女「解放軍」，有不男不女难穿着列寧裝的，也有穿着長得拖脚跟的旗袍的；有抱着孩子的，也有大挺着肚子的……一列一列地走過去，步伐很慢，遍脚無聲。有的歪過頭向我們看看，有的有氣沒力地笑笑，整個街頭顯然充滿着一種神秘的氣氛！

「喂：國民黨就給這些人打敗的麼？」我輕聲地問着炳林，非常好奇。

「喂！也可以這麼說，不過——」他拉長着語調，頓了一頓，露着得意的笑容，繼續說：「還不是靠我們工人的力量！」

「工人的力量？」我嘴里自言自語地唸着，也這麼想着，覺得炳林的話莫測高深！不過，我想炳林的話是對的，共產黨不是已叫了幾十年的工人階級專政嗎？而炳林，正好是一個道地的工人，他是一個汽車駕駛兼修理的技術工人。

「我們的好日子還在後頭！」回家的路上，炳林得意地滿含信心地這樣對我說。而且在回到房里的時候他與奮地捧着我的面龐吻着我，高興得大發癲狂：

「噢!?」我半信半疑，但我跟着他的情緒也充滿着幻想：

× × ×

「共產黨的確很照顧我們。」我曾經這樣想過。

因爲兵荒馬亂，我們從七、八年省吃儉用中積儲下來買進的，靠它供給全家生活的這部貨車，已半個多月躲起來不能跑生意；但共產黨到來不上一個禮拜，就將我們的炳林「請」了去，要給我們照顧。

「老鄉！杭州這地方眞不錯；不過，解放初期，還沒生意好做，我們照顧你，你的汽車來給我們運軍糧，給你很好的報酬。」一個駐在西浣紗路第一監獄里的不知什麼機關的共產黨幹部很客氣地這樣對炳林說。

「好！好好！」炳林高興地馬上滿口答應，並馬上與高彩烈地回來告訴我，我也很高興。

就這麼，第二天起，我們的車子裝飾裝飾，便開始替共產黨運軍糧，從杭州到甯波，不斷地來回飛馳，只半個月，就得了八十萬塊錢「人民幣」，市面上雖已買不到金于和成担的米，但論代價，足足可以買上五十石白米，我和炳林都樂得心花怒放！

「你很好！汽油省，載得多，跑得快，將來準得個駕駛英雄！」一天，原來叫炳林去參加運軍糧的那個共幹翹一翹大姆指，拍拍他的肩膀，非常稱讚他。

炳林更樂得得意忘形！

「同志貴姓？」他樂得親熱地跟他打起交道來。

「我姓高，是這里的軍事代表。」他索性連姓帶銜頭都報了出來。

「呵！失敬失敬！高代表！」炳林很會奉承。（上）

人類的知識，最初是從經驗得來，而『經驗』和『變化』是不相容的。因爲祇有不變化的，才能被經驗出來。（常常變化的，就是它的『變化』是不變化的。）而知識的發展，則又全靠過去知識的累積，而『累積』和『變化』又是不相容的，因爲祇有不變化的，才能被累積。人類從經驗中得知識，知識從累積中得發展，那麼人類思想之趨於保守而反對變化，不論從邏輯上講，或從心理上講，都不是極自然的麼？

而人類知識的發展，就我們現在的標準來看，也確實是相當太慢。人類生活在地球上，據說有一百萬年，而停留在石器時代，就有九十九萬年。又過了七八千年，接近我們現在所謂文化的文化，才眞正開始（周秦、埃及、希臘）。就是從希臘文化說起吧，蘇格拉底死後（公元前三九九）一千九百年，哥倫布（一四九二）才以事實證明了地球是個圓的。又過了三百七十年，達爾文（一八五九）才提出天擇說明宇宙間生物進化的具體理論。這些人類基本知識的發展過程，在我們今日說來，實在不能說是不慢。

智識容易變壞

可是近四五十年來，我們知識的發展，似乎又太快了一點。自從愛因斯坦的相對論發表（一九〇五）以後，隨着各種基本理論的提出，各種新的科學工具，更强有力的推進各種理論的迅速發展。我們現在有一種可以稱[illegible]放大十萬倍的電子顯微鏡，有二百吋圓徑的天文鏡，有等於十萬個人的計算能力的『七〇一號』電腦。（以兩個四位的數目字相乘，我們最快要用五十秒鐘，『七〇一號』祇要一秒的兩千分之一。）有記錄人類腦波的腦波儀（EEG）。我們祇要翻一翻近幾年來的各種科學的年鑑，雜誌，就會發現，在任何一部門科學，不是有重要的發現，就是有重要的修正，新事實的發現，新問題和新理論的提出。眞是使人目迷五色，而有應接不暇之勢。廣島上面原子彈的爆炸，是在一九四五年八月六日，而一九四六年版的大英百科全書，還說『鈾』的用途，主要是在陶器工業呢！懷德海A.N.WHITEHEAD說：『知識和鮮魚一樣地容易變壞，』KNOWLEDGE KEEPS NO BETTER THEN FISH，這句話眞是一點也不誇張。

時代的變化既如此，人類知識的變化又如此，可是人類的思想習慣是天然的不慣於接受變化的，這就是現代人的悲劇了。『隨時修正你腦袋裏的語言地圖，以求其符合現在實際的地形！』這句話說出容易，但是作起來可就不簡單了。尤其是年紀大一點的人，他整個的精神生活，是建立在他一向的那一套思想系統之上的，現在叫他作重要的修正，就等於叫他否認過去生活的一大部份的合理性，就是要他自己否認自己，那得要有多麼大的智慧和勇氣才能辦到呢。所以一般人到了老年，都是歡喜保守而反對革新，雖然他們腦袋裏一套一套的語言地圖，都在一天一天的變成陳舊，然而他們對於這些陳舊地圖的維持和辯論，却正是一天比一天更有力。

（十六）

讀『春柳』後並贈寄華詩人

・彭楚珩・

林寄華詩人，於上年春間，以漁洋『秋柳』四韻，作『春柳』四律，鏗鏘韻瑞，全台詩壇，全之震動，屬和賡歌，羅數月不絕，我來檢示諷誦，更加吟詠，彌覺神情跌宕，羅織無窮，誠佳篇也。爰賦新歌以贈。

風懷收拾入詩章，客夢滄桑路短長？柳寫柔情烟帶雨，花含密意色凝香。佳篇已早傳蓬島，靈瑟而今按楚湘。如此才華如此事，教人幾讀幾迴腸！

簡呈陳含光先生台北

・邵鏡人・

廣陵別後會公難，每念交遊涕泗酸。巫峽秋高愁杜甫，齊州煙燼望田單。隔江鼓角連宵急，觸目河山帶淚看。赤嵌樓頭風月好，砚盈一水憶騷壇。

論于右任的詩

・王世昭・

讀「右任詩存」，對於髯翁的思想、學問、風格、品格、詩風，我有一個概括的認識，因此提綱挈領先爲他作幾句總評，大意如下：

「于右任詩，絕句似東坡，七律似放翁，古風則胎息魏晉，睥睨民國，已入偉辭自鑄之境。詞曲亦黃鐘大呂，有家國憂，無兒女態，固蘇辛馬白之亞匹也。」

于右任，陝西三原人，曾主神州、民立、民呼諸報筆政。後任靖國軍總司令，及陝軍總司令，現任中華民國政府監察院院長，生於清光緒五年，今年七十六歲。

于氏的詩，可以分作五期來說明（截至現在爲止），第一是革命思想醞釀與情感激越時期——民國紀元前十年。第二是革命行動時期——民國前三年至民國十一年，這一期可以分兩節來說，上期主筆政，下期主軍政，以至失敗與中山先生會面。第三是南遊、歐遊、以至再回西北時期——民國十一年至十六年。第四是川陝，歸陝，又復南行，以至民國二十五年。第五是抗戰勝利以至現在。

（一）革命思想之醞釀與感情激越時期。

這一時期的于氏，爲了不滿清廷的政治腐敗，對外喪權辱國，對內官吏貪贖，置人民的疾苦於不顧，陷國家民族於萬劫不復之地。所以批評時政，攻擊官吏，倡言革命。爲了一本「半哭半笑樓詩」，爲清撫臣所揭奏，緹騎追捕之於汴梁闈場，乃脫身東走，至上海變姓名。

而其賈禍的作品，第一是辱罵官吏，如「署中狗」一絕云：

「署中豢爾當何用？分噬吾民膏與脂；愧死書生無勇甚，寄言俠骨愛盧醫。」

這一首詩，前二句駡官吏，後二句主推翻君主專制政體，似乎還比較不大露骨。但貪官汚吏，却把于右任看作眼中釘，肉中刺，非去之不可，此其被捕的最大原因。

其次是反滿思想，如雜感第一首云：

「柳下愛祖國，仲連恥帝秦，子房抱國難，椎秦氣無倫，報仇俠兒志，報國烈士身。寰宇獨立史，讀之淚盈巾，逝者如斯夫，哀此亡國民……」

又「從軍樂」云：

「中華之魂死不死，中華之危竟如此！同胞同胞爲奴何如爲國殤？碧血爛斑照靑史。從軍樂兮從軍樂，生不當兵非男子，男子墮地志四方，破壞何妨再整理！君不見白人經營中國策愈奇，前畏黃人爲禍今俯視。侮國實係侮我民，伈伈俔俔胡爲爾。吾人當自造前程，依賴朝廷時雖佚。何況列强帝國主義相逼來，風潮洶湧廿世紀。大呼四萬萬六千萬同胞，伐鼓摐金齊奮起！」

這兩首詩，不特不滿清廷的措施，而且提倡種族革命，不打倒滿清王朝不止。（一）

無冕皇帝歌

淳風

從前我讀過一篇「無冕皇帝歌」，曰：「報館神聖事，記者無冕王；香烟含在口，悠然寫文章；大事評國家，小事談街巷；起勁勿偸懶，直到晨鷄唱；趕緊拿衣帽，飛步下雲房；下脚踏上車，開回××巷；的篤一開門，就向樓上闖；傭役盡安睡，老婆被底藏；電燈開亮後，夫妻便拍檯；詰問回家遲，到底啥事忙？回答做皇帝，每日看奏章，近來國事多，所以到天光。太太弗答應，勁氣拍眠床，什麼鳥皇帝，累人做孤孀，今日我下旨，明天快改行」。這固然是極端挖苦新聞記者。但在另一方面說，「新聞記者」却是現代一種特殊職業。無論什麼人，上至帝皇總統下至販夫走卒，他們都能够訪詢質問。又無論遇着什麼事，甚至軍警林立戒備森嚴的場合，也都能够自由通行，橫衝直撞。

其他什麼大商號開業，大戲院開幕；什麼社團聯歡，和團體成立，或社會名流，軍政要員，小姐名星等，想發表些什麼宣言和意見，種種式式，他們都有參加的機會。並且還要恭請，要茶會或雞尾酒招待。

此外國際會議，也要特別爲他們設「記者席」。他們受着國際法的保護，世界各國，無論什麼情事發生，都脫不了記者們的份。記者的地位可想而知，記者的地位越高，責任自然也越重大。稱爲「帝王」誰說不宜。

自由人

THE FREEMAN

（第四一九期）

中華民國僑務委員會
僑委會登記證台僑新字第一〇二號
中華郵政台字第五〇〇號
執照登記爲第一類新聞紙類
（半週刊每星期三、六出版）
每份港幣壹毫
台北市售價台幣叁元
督印人：陳文華
地址：香港高士威道二十號四樓
3 rd. fl. 20 CAUSEWAY RD HONG KONG
香港發行及事務接洽
高士打道66號　電話：七四〇五三
承印者：東南印務出版社
地址：高士打道六十四號
海外總經銷
友聯書報發行公司
香港：德輔道中二十六號A二樓
台灣特派員辦事處
台北市館前街五十號
台灣總經銷處
台北市西寧南路一一〇號二樓
台郵撥儲金戶九二五二

『反共』與『民主』

—爲本刊四週年紀念而作—

·左舜生·

（一）

『自由人』是中華民國四十年三月七日開始出版的，現在已整整經過了四年，出到了四百一十九期，每期以兩萬五千字左右計算，也已經超過了一千萬字。

四年的時間雖不算是太長，可是以一小部分毫無憑藉的流亡知識份子，居然支持了這樣一個刊物至四年之久，畢竟也不太容易。

在這四年中，無論就精神與物質方面來說，我們都遭遇過種種的困難，一直到現在爲止，也還是日處於困難之中，可是我們還是堅持着我們的宗旨，一步一步的向前奮鬥，決沒有因爲這些困難而使我們感到氣餒。

我們的宗旨，概括的說來，只有四個大字：『反共，』『民主。』

就中國的立場說，我們反共；就整個世界的立場說，我們還是反共。我們是反共的死硬派，沒有商量的餘地。

就中國的立場說，我們要求實現民主；就整個的世界說，我們更要求普遍的實現民主。我們是主張民主的死硬派，也沒有商量的餘地。

（二）

進一步說：『反共』與『民主』這四個字不是可以截然分開的，而是有密切關聯的。換言之，要民主便必得反共，因爲共產黨根兒只有專橫，只有壟斷，只有殘酷，只有不把人當人，在根本上與民主是不相容的。要反共便必得民主，因爲不民主與共產外貌儘管不同，心理完全一樣，以不民主的態度去反共，這等於向火上澆油，以水濟水，實際是不會成功的。

更進一步說：『反共』與『民主』應該雙管齊下，無所謂先後緩急。因爲共產好比是黑暗，民主好比是光明，反共而又不民主，便好比是烏烟瘴氣。我們只能離開黑暗而就光明，我們決不能離開黑暗，又攢進烏烟瘴氣！

（三）

有人說：不能徹底的實現民主，只是要逐漸培養，如果今天一步一步走向不民主的路上去，說一旦回到大陸，高度的民主便會實現，這是事實所許可的嗎？第二、過去我們原也在大陸，並沒有實行過一天眞正的民主，何以見得這次一旦回到大陸，便會眞有實行民主的決心呢？第三、果然有一天我們能夠打回大陸，本來這也只能算是補過，但誰保不有人會要誇耀這是不世之功，既然不民主還可得到反共的成功，（我們自然相信這是不可能的）您相信不會有人爲這種成功所陶醉，反而更不民主嗎？第四、今天可借口共匪的氣燄方張，因而不敢實行民主，果然能夠進佔大陸一隅，安知不借口共產黨依然存在，仍舊不敢實行民主呢？即令中國共產黨大部已退出大陸，更安知不借口世界的共匪不曾根絕，還是不肯實行民主呢？總而言之，這類的詭辯我們已往聽得太多，以後我們斷然不敢輕信。

（四）

我們相信：從今天起，我們便下決心來實行民主，一以團結海外兩千萬的人心，並整齊其步伐；一以民主與極權相對照，轉移大陸大多數同胞的觀感，並激勵其反共的情緒；然後以此爲基本，好好與全世界反共民主的國家，作成眞正的盟友，以形成一股全世界的民主高潮，期以十年，我們終必把共匪的氣燄壓伏下去，否則前途便不可知。

像這樣一種工作，必須全國人同心同德的來做，不可瞻前顧後，不可三心二意，不可私爾忘公；像我們以少數人的力量，持支這樣一個小型報紙，這不過等於滄海一粟，聊盡我們的職責，聊盡我們的心之所安而已。

自由人特別徵稿啓事

本港教育問題，諸如會考之存廢或改革，教師待遇之改進，師資之檢假及培養，教學及管理方法之改革，課程之分配，教科書之編製供應，學生之升學及就業，失學之救濟，學風之改良，凡此種種，有待教育人士之研討解決者，不一而足。此等問題，與本港華僑教育前途，關係至鉅。本刊本服務文化教育之素志，現擬特闢專欄，發表有關此類問題之專門論著及通訊稿件，傍及教育工作者之平生行誼足爲楷模者。

謹擬徵稿辦法如左，幸我教育人士多加匡助，不吝賜教，至爲感荷！

（一）專著行誼每篇以二千字右左爲度，通訊每則字數不宜超一千字。

（二）來稿直行單面繕寫，其不願删改者，請加註明。

（三）來稿請註明眞實姓名及通訊地址，發表時得用筆名。

（四）來稿一經發表，專著每千字奉酬港幣十元至十五元，行誼及通訊五元至八元，其有特殊價值者，並得酌爲增加。

（五）來稿不合用者，如經聲明，概行璧還。

民主政治和自我批評

·徐道隣·

『民主國家，愈是到危機的時代，愈努力於言論的開放』。（大意如此）這是成舍我先生最近在立法院提出來的質詢案中的一段話。這一段話的意思，在一般不大接近西洋現代政治思考的人看來，也許覺得有一點費解，但是在英美講政治學問的教科書中，卻是一段老生常譚。我想在這裏略微爲之引證一下。

民主政體的基本政策

拉司威爾H.D.LASSWELL，在他的政治行爲的分析THEA NALYSIS OF POLITICAL BEHAVIOR, 1948 裏說：

『在政治上要想有健全的良好的策略，一定要對於各種言論的控制，內容和其作用，有明確的了解。雖然民主政治和專制政治都同樣的運用宣傳，但是民主社會所採取的路綫和專制政治所採取的絕對不同，而祇有在它能堅定的遵守這條路綫的各種原則的時候，它才能有效的應付一種非常時期內的危急環境。這裏面最明顯的一種事實，就是民主政治對於言論的控制，絕對不是用一套繁瑣的條文制度來把它全部束縛着。所有尊重它們自己理想的民主政權，凡是在一個危機的時期中，沒有不是儘量的容忍它們內部的自我批評，它們的這樣做，不是對於一種制度上弱點的讓步，而是一種用以動員它們內部裏天然力量的重要步驟。當然，如若祇是容忍一些對於執政人物、制度、政策的不利的報導，而不能馬上有一批有利的消息來予以平衡，那自然是非常危險的。所以民主政體的基本政策，既不是『不容忍主義』，也不是任人毀滅的『不聞不問主義』，而是一種強有力的，積極的『自衛』和『反攻』。』

容忍人民的不同意見

『一個民主政體的精神潛力，要比起一個專制政體的精神潛力堅強得多。因爲人民祇有在把他們的精力發洩在他們自己所尊重的工作上的時候，他們才能有最好的表現。專制政體的法寶，是『分散而統制之』；他們把廣泛的羣衆分成許許多多小團體，而這每一個小團體的組織，全都是在迎合這裏面人物的有己無人的私心。他們設法使每一層次的人物都相信，祇要他們毫無條件地向他們上面那一個層次服從，他們就會獲得更多的特殊權益。而最主要的特權，就是他們可以毫無忌憚的強迫他們下面的人物來服從他們自己的意志。在民主政體方面則不然。在這裏，政治權力的概念，是大家對於一個共同目標的共同爭取，每一個人都要依照他的能力來作他的貢獻。在宣傳方面，民主政體的統制是爲了瞭解，而不是爲了歪曲和強迫，雖然他們要經常注意申明他們的基本原則和提高人民對於他們最後成功的信心。他們可以放心的容忍人民對於各種方法和手段，表示他們不同的意見，但是專制政權的體系卻和這些是不能並容的。』

專制的僞裝姿態

『民主政體的雄厚力量，是不容否認的。許多專制政體都在僞裝一些民主姿態，就是最有力的證據。他們的僞裝，主要是使用各種民主的字眼和象徵。但是在他們那種神秘的，模稜的，不誠實的實施時，馬腳立刻暴露出來。專制政體對於民衆也常常說許多客氣話，但是他們卻交代的非常清楚，在選擇領袖和決定政策時，民衆卻不宜有發言權。』（以上皆見頁一一二。）

上面所引的，雖是教科書上的一段話，但是對於成先生所提出的一點要緊話，卻倒是很好的註脚，大家不妨多想一想。

核子武器與美蘇均勢

·陶天翼·

半週展望

·軍　旭·

杜爾斯返國後

美國國務卿杜爾斯在東南亞聯防公約機構理事會開會，及在馬尼拉主持遠東美國大使會議，再來台灣與國民政府蔣總統會晤，及與中美雙方軍政委員會商而返國後，他的今後外交方針，是否有轉變，爲全世界人士所注意的。現在未知其對全國廣播之報告及演說內容如何。但從其發表演說及報紙的報導，可以猜測其大概。

第一、是不退後的決定。在曼谷時，他曾發表過三面包圍中共戰略，這個措施並非是進攻的積極性，而是最後防範的措施。美國到了今天，因在韓戰停火及越南分割兩次上當，釀成今天的危機，他來到遠東與自由國家政要人士接觸，當知美國因此而喪失了亞洲非共產人民的信仰，這是嚴重的危機。美國如欲確保東南亞，必須在中共威脅之前堅定不移。如若有任何的對共黨的單方退讓，不僅將危及美國在東南亞的安全，而且將使美日關係受影響之劣態。第二、是仍持武力談判的政策。杜爾斯本月八日對記者說：若在遠東任何地方對中共威脅再作片面讓步那是危險的。這裏的「片面」兩字，十分重要。因爲由此可以看到他還是希望雙方公協讓步，並非說杜卿認爲有妥協可能，但他的政策重點還在劃界不互相侵犯。

第三、金門馬祖島不易放棄。但仍不明顯的表示負責絕對保衞。這是從上述第一第二的決定推演出來的。杜卿不退後的界綫，不劃在金馬之前，而是在台澎之前。但假如威脅及台澎，金馬是不放棄的。爲了拉住英國，他暫撤開金馬防守與否不談，但對金馬的地位在戰術戰略上有新的評估。假如中共能保證不侵台澎，則金馬還是不予協助保護的。

希望美國更積極

美蘇對抗原非兩大強權的衝突，應該是代表人類自由的一方面對代表奴役人民的集權警察國家的一方面互相鬥爭。假如美國執政者沒有這個認識，在決策便失了依據。俯仰由人。杜爾斯在未執政時所發表言論，例如他的『果敢的外交政策』一篇演說，令人十分景仰他的遠見。但自從他執政後，好像患得患失之心太重，並未堅定把握着初衷的定識定見。他以前出席美國國會作證時，曾特別強調兩點：（一）中共對大陸的統治是暫時的，不應視之爲既成不變的事實。（二）美國對華政策的基礎應建立在推翻中共的前提上。第一點既指出英國的「紙上承認」是不必要的。第二點指出美國將由消極的協防台灣改爲積極的助攻大陸。在現在看來幾同隔世。殊堪惋惜。我希望我的猜測不中。因爲光是不退後是不够的，應該積極協助遠東人民恢復自由，推翻蘇聯的傀儡政權，拆除鐵幕。

其次，是：沒有對共黨談判之可能與必要。希望共黨讓步，簡直是不明瞭共黨本質。他們那一套辯證法退一進二的把戲，永使你困惑吃虧。在漢賊誓不兩立的今天，金門馬祖都是雙方進攻的跳板。

應分緩急輕重

在今天自由世界的外交政策不論在任何區域應以反奴役第一，不給蘇聯製造機會。不分緩急輕重，必致自陷困惑。例如最近的伊拉克與土耳其的防務協定，引起阿拉伯國家的糾紛，以及以色列與埃及的衝突，竟發生於今日，若不及時制止，將爲蘇聯做機會。但西方國家如何消除歧見，方爲排難解紛的癥結。美國依違於阿盟，與以色列之間，欲雙方均願結成反蘇防綫。且不欲傷他們的尊心。故甚感棘手。黎巴嫩與敍利亞比較親法。外約但與伊拉克則與蘇接近。西方在中東，亦有不和諧處。中東國家之自固吾圉，對西方國家懷疑帝國主義，亦易爲蘇聯所乘的。

中共壟斷商業下 大陸日常生活痛苦凌亂

·沈若·

最近大陸各地情況顯示，中共藉口「實行國家資本主義」和「實行國民經濟社會主義改造」，普遍封奪私營廠商，全面發展國營公司商號及供銷合作社等組織以後，以至大陸城鄉所有人民一切生活資料，完全爲中共所壟斷、控制。一切批發和零售的商業活動，亦完全爲中共所獨佔包辦。即普通的戲院，飯館、澡堂、理髮店等，亦無例外。

竹幕幽秘

買來東西碰運氣

結果使人民的生活情形益形艱苦，北平「人民」及天津「大公」兩報，幾乎無日不透露此種實況。歸納起來，大致如下：

（一）許多商品須憑購物證，忘帶此證，或帶證而限售額已滿，便無法購得。（二）極平常的生活用品亦無處可購。（三）日間有工作者，便無購物或處理生活的機會，因許多公司商店（皆係國營者）在下午六時前已停止營業。（四）人民購物須碰運氣，無法選擇，倘嫌貨劣而不買，即遭店員（又稱商業幹部）呵斥。（五）店員因不耐厭煩常藉口無貨，拒絕顧客。倘購買者需用甚急（如藥品、主副食等），須向店員求情，否則難如願以償。（六）人民到公司、商店購物，常在貨物斤兩或銀錢上受欺，仍須竭力忍受，否則橫禍加身。（七）人民到公司商店或合作社購物，須耐心等待，等待原因，並非顧客擁擠。而係店員因私人消遣，而不予接應。（例如：天津大公報說，浙西某地一老農因病吃藕，到合作社買藕。在該社門口藕攤邊徘徊叫喊達兩小時，無人理睬。最後搖頭歎息而去。並自言自語：『藕是我自己種的，但要想吃點藕的時候，他們卻不理睬我，我要不是生病，會饞想吃的話，砍了我的腿，也不上合作社的門哩！』由此可見一斑）（八）人民倘需理髮或洗澡，而無法在工功時間內，偷偷外出，則永遠無法如願以償。因澡堂與理髮室營業時間，都規定自上午八、九時至下午五、六爲止。（九）各地食堂飯館，都有一定賣飯時間，而且供應量有限。故上食堂飯館進餐的人，既須候得上時間，還須碰得上運氣。爲吃一餐飯而排隊或碰幾次壁的事極爲平常。至於在工廠機關等處，錯過了開飯時間，想在外面進餐，則簡直是夢想。除挨餓以外，別無他法。

鐵門緊閉顧客碰釘

上述情形，最近「人民日報」發表一篇署名「長虹」的瀋陽方面共黨黨員的批判文字，更加明顯的暴露出來。這篇文字一開頭就說：「誰要跟國營商業部門接觸接觸，誰都會受一肚子氣憤！」接着他說，爲了上新華書店想買點文具，曾一連碰壁四次。他說，該店規定營業時間是上午九時至下午六時，門口有大木牌一塊用大字標明。他第一次是星期日下午五時餘去的，該店鐵門緊閉。他以爲星期日或有例外。次日再去，結果又是鐵門緊閉。第三天上午九時餘再去，亦仍未開門。他終於在忍無可忍之下，上前敲門。詎鐵門半開處，一店員怒容滿面，大聲喝問。他心有未甘，自以爲「理直氣壯」，反脣相稽，何以到時仍不開門營業？但該店員大喝一聲，「看牌子！」便重重地關上了鐵門。他上前一看，原來木牌子大字下面尚有一些「密密麻麻」的小字，註明星期一內部會議，星期二內部清掃，星期六下午四時半休息，星期日下午五時半休息，所謂上午九時至下午六時的營業時間只適用於星期三、四、五三天。於是該共黨黨員不得不於次日午後再去。詎一至該處，竟又鐵門緊閉，門上掛起臨時通告，因聽學習報告，暫停營業。結果一連四次，皆未購得所需之物。

他說某次到「人民銀行」提款，又無端端碰到鐵門緊閉，原來內部會議，臨時停止辦公。他說這還是不是偶然現象，而是常有現象。他說，他常在「人民銀行」門口看到幾百個或幾十個提款人「擾擾攘攘，議論紛紛」。這些提款人，多數是機關幹部或工廠等方面的人員。

三天奔波 理不到髮

他又說爲了理髮，曾一連碰壁三次。[illegible]

[illegible]前半小時要開始清場外，凡購物、洗澡、吃飯、都須經過許多釘子。[illegible]

評：「日月潭之戀」

·胡秋原·

這都是這幾年間，或者這一二十年間我們常看到的事件。這中間的人物，是我們成千成萬的親戚與朋友，父老或子弟。他的寫法也許是一種古典的對照法。富豪之女之小安，與藝術家之女之藍靜；才子式之江上青，學究式之方建夫；活潑的魏玉，溫柔的美珠；以俄國人要做中國人的彼時羅夫，以中國人要做俄國奴才的共黨；方建夫的母親，和美珠的父親，李三烙亮和李八鬍匠；還有江上青之姊弟，一個由大陸到台灣之日，正是一個由台灣到大陸之時；尤其是大陸的混亂與恐怖，台灣的安定與建設：這一切都相映成趣。然而這都很自然。這是用過一番匠心的。似乎作者對於音樂跳舞很在行。文字和結構有一種交響曲和進行曲的趣味。

（三）

對於書中主人公——江上青的描寫，我覺得很成功。你喜歡也罷，不喜歡也罷，他是這一代青年的面影。他們有才氣，喜追求。他們是善良的，也有求知和向上的欲望。但他們看不見國家內外環境，也不等到他們的氣力眞能担負國家憂患之重荷時就使用其氣力。結果無補於國家，並將自己毀掉不是國際陰謀家的貓腳爪，就是無辜的者犧牲者。一言以蔽之，撲火的燈蛾。我不知道作者可曾想到他會使用的燈蛾之比喻之至沈痛意義。燈蛾之所以爲燈蛾者，不正是其短視，焦燥，而輕浮嗎？然江上青雖穿西裝，並不是外來的人物。

唐宋以來，中國知識份子有三種顯著典型：一是才子，二是經綸與八股家，三是經生與史家。前二種人正是孽生子。江上青是才子之後裔。八股家的子孫在書中尚未正式出現，然無疑也是構成混亂與昏濁之無名英雄，且一度在松山機場有他們的影子。

（四）

近數十年間，中國之宮，早已朽敗，內有一羣蛀虫在做腐蝕工作，外而俄特到國卵蛋，化爲一羣毒菌，同時放火，中國這一間朽木之廈，便在燃燒中。中國之青年，羽化而爲飛蛾撲火。在這撲火者中，實有不同的人物。過去共黨之瞿秋白，現在爲共黨之郭沫若，以及作者所創造的反共的江上青，雖取捨不同，在氣質上，又實在是同樣的人物。他們都是「才子」（例如我似曾相識之瞿秋白，早年原是鴛鴦蝴蝶中人）。沒有比「才子」更可笑的名稱。然而因爲是「才子」，所以他們之撲火，也是再可惜也沒有的。作者使江上青假共黨之手「槍斃」。嗚呼，慨自阿Q云亡，於今江上青亦死。還李八鬍匠亦不知下落；現在是李三烙亮和東北「女革命」的時代了。

這也就是毛澤東那什麼超的時代。好在作者在方建夫身上作了一個第三型的子孫以素描。[illegible]新中國將屬於剛毅木訥之人。這是作者，一個青年作者，一個不凡洞察力之處。

（五）

這是一個青年之處女作。他全篇充滿處女的新鮮，活潑，與愛嬌。[illegible]作者無疑是有才，有思索之力的。[illegible]處女是可愛的，少婦是可愛的，而慈母是可感的。[illegible]之心。

然而一個可喜的少女，正是可愛的少婦可感的慈母之開始。我願祝作者更大的成功。（下）

編者 讀者

關於台大問題

△資友仁先生來函

編輯先生：貴刊四一七期「論台灣大學」一文，其中有幾點，鄙人不敢同意，茲指出如下：

（一）我不明白，爲什麼講座制比學系制有許多優點？現代的知識範圍浩如烟海，分學系是爲研究上方便。一個人不能學會一切，選擇某方面去學，那便是分設學系的原因。即在歐美大學有講座的，也照樣有學系。而且我們都知道，在一個學系，仍再分許多部分，一個人祇能力，研究一小部分。不知所謂講學系制好的說法，是從何而來？

（二）我更不懂，什麼是『填鴨式的硬塞』？大學的功用一大部分的傳授，那是先知的教授，教會後知的學生。有何不可？

（三）至於說一個大學的設備不好，可以說幾乎完全是一個經費問題。現在台灣的財政困難，外匯缺少，台大當然亦不可能在設備方面趕上世界各大學的最新標準。[illegible]

（四）[illegible]

讀者資友仁上 三月六日

江海東被拘捕事件

△王一鳴先生來函

編者先生：二月廿三日（四一五期）[illegible]

讀者王一鳴謹上 二月廿六日

法國共黨日趨沒落

文鑑

[illegible]

俄酋升降 人事滄桑

[illegible]

（續完）

天下小事

旅順撤兵 宣傳烟幕

[illegible]

共黨煽動 工人不受

[illegible]

·八方·

物·理·學·權·威 周昌壽先生生平

·述評·

·李毓田·

近三四十年以來，凡是在中國受過大學和中學教育的人，大抵無不知周昌壽其人，因爲他既主持商務印書館「大學叢書」，且復編著「復興初中物理學」、「復興高中物理學」、「復興高中物理實驗」等書，爲一般中學生所必讀。不過，眞知道周氏一生的人恐怕不多，茲値他逝世五週年，因撰此文以記之。

（一）

周昌壽氏字頌文，原籍貴州麻江，一八八七年八月二十二日生於成都。家貧，幼時所讀舊書，概由老母自授，偶遇父兄年假回家，始略爲清理。自幼體弱，五歲時曾患吐血症，七歲，舉家遷貴陽，隨兄入經世堂旁聽。其後兄出外謀生，仍由老母教讀。十四歲，母病逝，家貧無以爲殮，賴親友借墊，始得治喪。

一九〇〇年兄恭壽任貴州大學理科教員，偕氏入校附讀。二年後，因算術、英文成績特優，被提爲助教，乃由附讀轉爲正式生。三年後貴大停辦，氏應聘赴旅黔閩浙各籍學堂副教員，時僅十六歲。一九〇四年兄由日本歸來，任模範中小學校長，始以薪給資助氏赴日留學。

一九〇六年四月到東京入宏文學堂，一九〇九年考入東京第一高等學校預科，畢業後，分發到金澤第四高等學校，每試均名列第一。一九一一年三月黃花崗起義，乃入同盟會福建支部，回國參加革命工作，並任貴陽師範學堂英文教員，藉爲掩護。

辛亥革命後，由省府保送東京，繼續學業。一九一五年考入東京帝國大學（今改稱東京大學），以成績優異，頗爲名教授長岡半太郎所賞識。次年與同學陳啓修（豹隱）、王兆榮（宏實）、鄭貞文、楊子南、楊俊生等四十餘人發起創立「丙辰學社」，即今之上海「中華學藝社」。

一九一七年四月，與鄭貞文、羅鼎接受商務印書館特約，合譯日本三省堂之「英和辭典」，即商務之「綜合英漢大辭典」之底稿。暑假後，復赴日本。

一九一八年四月，日本企圖強迫我國簽訂軍事協助，留日學生誓死反對，並以全體回國爲武器。當時丙辰學社發行之「學藝雜誌」（一九四九年尚出刊）鼓吹最力。留日學生約二萬五千人，受此影響繼續回國者約有萬餘人，遂爲日政府所注意。該社理事長王兆榮被迫先行回國，氏不顧一切危難，毅然代理其職務，繼續奮鬥，旋亦回國，赴京聯絡北大、高師等校師生，宣傳前旨。一九一八年「五四運動」發生，氏與丙辰學社諸社友創辦「救國日報」，然後復返東京繼續學業。

一九二〇年氏畢業東京帝國大學物理系回國，上海商務印書館聘爲編輯，任職僅一個月，同學楊子南堅邀赴北京，任工業專門學校教務長，因辭不獲，赴京策劃教務。未幾患胃腸炎，腦貧血病，扶病返滬調治，病癒仍回商務服務，並主持「學藝」編輯事務。

（二）

一九二二年元旦與同鄉夏鰮玉女士結婚，夏女士爲貴州狀元夏同龢孫女。他倆的結婚頗不平凡，先是氏與某君同追求夏女士，最後氏失敗，夏與某君結婚。數年後，某君病死，夏守寡，氏追求如故，卒有志者事竟成，如願以償。王雲五氏在「我所認識的高夢旦先生」文中，曾說：「記得民國十年（按是十一年之誤）我初到商務任事時，編譯所同事某君，以向未結婚的老童男和再醮的某女士結婚；這在目前已不足爲奇，但在十五年前的社會習慣，和現在相差還遠。高先生對於此事，卻當做斷髮，天足一般的熱心提倡，逢人表示恭維的意思。所謂老童男即指周，某女士即指夏」。

一九三二年「一二八事變」前，日本侵略我國益亟，氏與學藝社社友共同發起「抗日救國會」，其夫人與親友組織「婦女抗日救國會」，因此日敵恨之刺骨。當事變時，氏與夫人僅離家數小時，而日兵已至其虹口家中，搜捕其夫婦。

「一二八事變」後，「商務」解散，氏即專任大夏大學物理教授。次年「商務」復業，氏仍回館担任編審員。一九三五年氏爲「大學叢書」事，奔走各地，接洽聯劃，積勞成疾，由天津返上海時已不能行動，經其夫人灌腸始癒。（以上資料大部份係由周夫人供給）

一九三八年「八一三事變」起，是年十二月氏被調長沙，次年調香港，後又調昆明，最後又調回滬，任編審部副部長，並兼襄理，使其担任應付日敵，保護公司財產等繁重工作。

氏兼任襄理時期，因職權上關係曾與同事發生摩擦，以至憤而辭職。這時日本已投降，滬渝交通已恢復。負責接收台灣教育文化機構的范壽康先生由渝到滬，敦勸氏任台灣大學教授兼祕書長。未幾，因病返滬。

氏病癒後，出任大夏大學物理系主任，兼中華學藝社理事長。氏爲一事業心極強烈的人，初與黃仲明等創辦大成出版公司，計劃平民識字三千字運動；後又與蔡賓牟、李毓田等籌辦人文大學。該大學校址即借用中華學藝社兩幢大樓。不料，有氏同鄉某君誤會其用意，從中作梗，兼在學藝社會議席上給氏以重大難堪，氏氣得面色灰白，遂當場提出辭去學藝社理事長職務，易地修養。

一月後，氏精神恢復，出任交通大學物理系教授，惟因多年來時患心臟病及血壓高病，再經近數年種種打擊，到一九五〇年一月六日，這一位物理學權威以中風逝世於上海中西療養院。次日在靜安公墓舉行火葬。

二月五日上海十餘文化團體在紹興路中華學藝社大禮堂舉行追悼會，當時商務印書館輓詞云：「山斗仰高風，碩學著書留翰館；龍蛇成讖夢，清流集會薦寒泉」。張元濟輓詞云：「風，西爾綢繆，君感才難，屢共傾談，情永著；冠裙今會弔，我嘶病臥，未能親奠，淚溶揮」。

（三）

筆者與氏於一九三七年初相識於香港，一九四五年勝利來臨，氏時在上海，我在重慶，因中華學藝社社務關係，開始與他通訊，一九四六年一月我飛台經滬時到「商務」看他，是時他正準備辭職。未幾，他亦到台，雖不在一處共事，他在台大，我在教育處，但時會面。四月初，我因出席國民參政會議，請假回渝，到七月十五日再返上海時，氏亦從台灣歸來。（上）

懲誡學生不應厚辱 教學方式應加改進

港九一部份書院若干措施，未能盡如人意，近年來頗多招惹物議。過去本報曾籲呼籲當局，制止隨意藉故開除學生風氣。事隔經年，此等不良風氣終告遏止。近傳某英文書院竟發生因懲罰導致學生羞憤自殺事件，這豈僅是教育界不幸，現社會實不應有。此事發生以後，頗引起重視，各方咸盼港九各校，對於學生懲罰應訂劃一有限度規則，期免嗣後再有類似不幸事件發生。因爲學生欠交習作，例應處罰，此等處罰，多數均限於背上掛「此人忽略習作」牌，罰避課室，而非罰站大庭廣衆之間出醜。但此種罰則，教育當局並無明文規定，致有差異，要亦不能斥爲非法。

就各方對此事向本報所提供意見，歸納起來，有學生、教育界及社會人士，分列三種不同觀感，許多現時肄業港九著名大專中等學校同學，他們承認欠交「習作」是學生過失，級主任拒收補交的習作，亦純屬替學生設想，原因有二：一杜絕學生抄襲別人習作；二，補交風氣一開，無形中促成學生怠惰。至於處罰亦有應得；倘不處罰，學生未必思過。但懲誡不能太過，凡人皆有羞恥之心，是以僅祇限於同學之前出醜，而不能公諸於衆。他們認爲該院具有侮辱學生故意，可能該六名被罰學生之中，間或因欠繳學費，以重罰厚侮方式，迫其自動退學。

若干教育界的權威認爲：對學生苛責，莫如重責；與其重責，不若輕責。然則對學生責備，不如令其反省，校長以皮鞭懾服學生，歷數港九各校實無僅有，這種封建教學方法，即令在百年前文化落後時期，想亦不會採取，何況該書院校長係社會上有地位之人當不能爲。要非變態心理，決不視學生直如「家奴」。大多數子女衆多的社會人士，對於某書院學生羞憤自經，既同情又遺憾，他們認爲大多數學生視學校親過家庭，自係教學方法優良。學生怠惰罰有應得，既在學校肄業，應在校中處置，不能當衆侮辱。該吳××學生以刀片切斷動脈，幸發覺尚早，倘因流血過多斃命，雖無人教唆或幫助致死，此種責任應由誰負，就法律觀點而言，學校原無謀殺罪嫌；倘眞有校長司機嗾使學生說謊，以蒙蔽醫院、警方；幸獲救生還，否則殊難免不干犯法律，構成罪嫌與否固毋庸置議。但誰都希望該校當局能勇於改過亦未爲晚，影響所及，後危堪虞。願主管教育當局對於學校懲誡措施，亦應及時考慮，釐訂一項適當而有效的規則，這不是社會問題而係教學制度，爲下一代設想，實不容忽視的。

世外桃源砂撈越

丁聲

婆羅洲是一個島嶼，它裏面還有不少未測量過的森林，也有許多未開化的生番，所以人們一談起婆羅洲，不覺要聯想到那些野蠻民族獵人頭，吹毒箭的故事。其實，第二次大戰結束以來，東南亞各地動亂頻仍，未染血腥的乾淨土，似祇有婆羅洲，它依然保持着一片寧靜與安詳。

砂撈越的華僑，以閩粵籍爲最多。他們的祖先，早在幾百年前，便移民到這偏僻的荒島上，終年胼手胝足，與瘴癘、荊棘、毒蛇、野獸相搏鬥，他們保持了中國人的固有美德與智慧，同時爲了旅居海外的目的，在於謀取比較適宜的生活，所以工作上，格外勤勉，忍苦耐勞，節儉樸實，直到今天，成家立業，繁榮後代，生活在這愉快安定的環境裏。無可否認的，處茲亂世，這裏有「世外桃源」之稱的砂撈越，華僑也構成對它發展上佔着相當重要的地位。

從經濟上看，戰後砂撈越的華僑在實業上的進展，是相當迅速的，尤其因爲這裏的環境安定，生活愉快，資產家以及勞動階層人士，都能保持穩定的發展。然而從另一角度來看，砂撈越還沒有大規模工業或穩健的實業，如果國際市場一旦發生變化，華僑經濟會不會遭受嚴重打擊？像一九二七年到一九三〇年間的痛苦經驗，那就是一個疑問了。因而砂撈越工商界的華僑對這個問題，似乎都很躭心。

最後，使人愉快而欣慰的，是自由祖國的日趨富強和壯大，華僑們由於本身及在大陸的眷屬備受共黨的敲詐勒索，殘酷迫害，在思想認識上，均已提高了一步。許多教訓和經驗的累積，正使他們邁步向反共復國的大道前進。共黨的陰謀欺騙和美麗的謊言，雖極力吸誘華僑青年返回大陸，卻到處碰壁，無人上當。（續完）

本刊三八二期至三八七期稿酬現已清發，請惠稿諸君憑通知單前來領取爲荷。

社會經濟思想叢殘

金伯華　（十三）

「半路殺出程咬金」！

是以這兩方面的極端，都是現代人類文明深刻的諷刺。幾百年來，若干和善的思想家和政治家絞盡腦汁所想出來的種種學說，主義，制度及政策，無非都是面對這一邊或那一邊，或兩邊兼顧所擬訂的調整方案，想藉以緩和磨擦，減小矛盾，以期縮短雙方的距離。那知「半路殺出程咬金」——馬克思，全心全意祇顧到無產者一方面的立場而創爲階級鬥爭及世界革命的極端主張，使無產者或被誘惑，或被裹脅，一齊陷入魔道，遂致原有矛盾格外尖銳化，形成目前民主與極權，自由與奴役兩大集團互相對時，有如箭在弦上，一觸即發的世界危機。

找出路

就目前世界政治局勢而言，前途唯一的出路，只有寄望於民主集團的勝利。——但若說到經濟關係本身的出路，則即在民主集團中，亦仍須繼續努力尋求。因爲這矛盾原是從老牌民主國家工業革命的火花所引發出來而依然不曾得到圓滿的解決。……所以筆者在未進入討論出路問題及托辣斯概況以前，對於集中這個名詞——這是前述大趨勢，大矛盾最突出的一點——認爲還有先加簡單解釋的必要：

「集中」的兩個意義

經濟與政治一樣，關於集中這一個名詞和內涵，有兩種近似而不相同的意義，在使用上常易被混淆。

集中可分爲「集權」（CONCENTRATION）與「集治」（CENTRALISATION）兩義，通常都混爲一談。其實「權」是職權，「治」是統治。職權是管理的問題，是技術，是「能」；統治是主權的問題，是主體，是「權」。這是我的事，又由我自己管。這是「集治」而兼「集權」。這是我的事，但我自己不管而把全部或一部付托於一個能力高強的人，一個專家，代爲管理。這在我是雖集治而分權；那個專家在他的職權範圍以內，他可全權處理，不受他人的牽制與干涉。但我，有權的人，却可本於主觀的理由，到時或隨時可以收回付託。這可說是僱傭關係。被僱用的人對於事是沒有權的。例如專制君主的命官或獨資公司老闆的用人是屬於這一類。反之，這是我們大家的事，由大家依事務的性質分別來管。這是分治。例如共和國家，中央地方各依憲法所定分別治理是屬於這一類。經濟上亦可同樣區分。但一般對於「資本集中」，「工業集中」或「人口集中」這一類集中，用的都是CONCENTRATION這一個字。然則在企業權屬及組織上，到底是集治還是集權，並沒有表示得明白。但是性質既屬不同，關係及後果亦甚重大，尤其所謂「資本集中」，顯然如此——「工業集中」與「人口集中」則並不須有此嚴格的分析。

無論政治或經濟，大抵「集治」的情形，比「集權」更爲嚴重。因爲前者是統治而後者祗是管理。「普天之下，莫非王土；率土之濱，莫非王臣。」這是統治者的口氣，何等威風！「一朝權在手，便把令來行。」這是寵臣或當權伙計的姿態。當其被信任，受付託時，固也一世之雄，儼然有介事。但一旦丟官或失業，他便馬上化轉原身，與一般老百姓或無產者列在同一立場，同一身分。在我們看來，這類人只覺可厭，並不可怕。托辣斯在經濟上是屬於那一種呢？這將是以後所要討論的課題。

現代經濟的集中運動

由於機械發明引發工業革命，後由於工業革命所引發的現代經濟，其最具代表性的特點之一，是從小單位競爭性資本主義，變成大單位獨佔性資本主義，這就是前兩次我們所說的「集中運動。」

這一集中運動所表現的形式和名目，在各工業國度裏各不盡同，即在每一國度裏，這種集中的內在性能亦各有差異。現先就一般企業集中的通性及形態略加敘述，然後再對其中特別突出的一種——托辣斯作較詳細的介紹。

企業集中的共同性格，可從下述同時發生的兩種情形來給它一個規範式的定義：工業所佔平均限度（幅度）的增加和最大工業在全體工業市場中日益加強的控制威力。根據這樣的了解，企業集中的現象，區分爲左列三種：

空間的凝聚　所謂空間的凝聚，通常的講法，就是說某一企業「已集合在某一些地區」。這在工業上完全是一種地理的集中。這純然是屬於原料或市場所在地的原因；至於各工業所經營的規模或大或小，並沒有什麼關係。

技術的集中　這是指同一企業的各種不同的設備，都聚集在同一個地區裏去。於此有須附帶說明的，所謂「企業」是指生產之經濟單位而言，而所謂「設備」是指技術單位而言。至於一個企業是否有若干種設備，以及這些設備的或係集中，或係分散，在所不問。

迫上賊船的藝人馬五先生

平劇名伶俞振飛在香港旅居幾年，最近溜回大陸去了。據說是梅蘭芳寫信來對他保證一切，他才敢回去的。這或許是溜回大陸的原因，或許是生活成了問題，至少是感到了苦悶，再經梅蘭芳的誘與共幹的遊說脅迫，乃不得不挺而走險。如果是由於梅蘭芳的誘騙的話，說去幾年間未必沒有同樣的來函？而且來函的必不僅是梅伶一人吧！

兩年以前，馬連良在香港，也以平劇沒有出路而深感苦悶，向朋友表示，要想到台灣去，曾經有人替他籌過交涉，而以其有鴉片嗜好，未便接納，馬殊惆悵。然當時杜月笙尚健在，馬之生活猶有所倚，治杜氏一死，馬只好與張君秋等，被誘回大陸去了。鑒於馬連良這段經過事實，所以我猜測俞振飛溜上賊船的原故，亦是差不多的情形吧？

我很感覺奇怪，像馬俞這類著名的戲劇人才，自由中國為甚麼不把他們接納到台灣去呢？中國的名伶，由於實有僅俗關係，十九都不免有煙癖的。台灣禁煙，自然對這些人物施禁令了，難道就不可以替他們設法戒除？現代醫藥進步，戒大烟並不是甚麼困難的問題了。共產黨就不管這些小節，總以能誘他們走回共區，聽受驅使，供作號召再說。我們似乎還是抱着潔身自好有那些恐怖念，聽着一個寶貴的戲子，沒有甚麼作用，何必重視？說不定還有人說這種話：[illegible]時生活的調劑品，不算成爭取這類唱戲的藝人呢！

實則唱戲的，賣笑的，戲劇的，不但都是民衆之一，而且比搞政治的人，在人格，身份，與職業的本質上，縱不算高，也決不會低到那兒去！

[illegible]這是必然的結論。今後自由中國一切事業，皆非爭取新作風來處理不為功，否則單日大篇，無論怎樣克難，終有事倍功半之苦，馬連良等問題，不過是政治號召中之一個缺陷而已，此外還多着哩！

鄭天錫的：食論

·靜安·

（一）我國前駐英大使鄭天錫先生某次歡宴英外相貝文氏，席間談到中國烹調術。貝氏說他很愛好中國菜餚，且最喜歡吃『第八號』的菜，但一時忘記那個菜名。鄭氏笑問他說：『閣下說那個『第八號』，到底是肉類，家禽類，海鮮類，還是菜蔬類？』[illegible]一個味炒雜碎之類而已。於是賓主相笑而言他。

過了幾個月，貝氏再度赴鄭大使之宴，砥是山珍海錯之中，原來『第八號』就是炒雜碎。

因此，鄭大使寫完了風行一時的『東方與西方』一書之後，跟着就寫『食論』，是把中國的『食』，向西方人士作一有系統而精闢的介紹。此書不但出語幽默，文筆流暢，而且內容新穎脫俗，別具一格。

（二）外國人雖然喜歡中國菜，但大都只懂[illegible]

（三）鄭氏所以名其書爲「食論」，而不名「食譜」或「食經」，實在因爲它是一本以談文化爲主的書，而非普通專講菜式及製法的。鄭氏這樣寫法，可以說是很別緻的，也是這本書有價值的地方。「食論」一書重選論，作者以爲一國烹調術之優劣，可以看出她文化的高下。該書首章有這樣一段話：「一個文化落後的國家，可能僥倖或間中產生一兩個大科學家，但必須有優越文化，才能擁有優良的烹飪術。因爲前者是個別的，而且是偶然的。而後者則是普遍的，而且是有永久性的」。此論，雖似偏激，但如使我們以歷史眼光來比較中外文化，他的論點，實在相當精確。因爲文化和科學雖難分離，但有其迴然不同的境界。外國的科學目前雖較爲進步，但這並不能據以爲他們已有較高的文化。這一點我們應該認識清楚，更不能因此而自暴自棄，發生自卑感。

（四）英文「東方」雜誌批評這本書謂「富有幽默感」，又謂此書不但足供茶餘酒後的談話資料，而且能使我們對中國文化有更進一步的認識。倫敦紀事週報謂此書「道前人所未道，對生活之藝術有其大之貢獻」。英詩人伊利奧說得好：「如果我們細心觀察各國文化，必定發現各有特殊的餚饌。我覺得英國最輕視烹調術，這也許是英國文化逐漸衰落的象徵。我以爲文化主要的作用不外使人生更富有意義而已」。如果伊氏的說法還有道理的話，那麼鄭大使的「食論」便不算是虛作了。

語意學漫談

徐道鄰

九、事實，推論和評判

法儒蒙旦（MONTAGNE 1533—1592）說：「上了年紀的人，思想上的皺紋，比在臉上的還要多。」（OLD AGE PLANTS MORE WRINKLES IN THE MIND THAN IN THE FACE.）這句話如此妙。但是正因爲如此，一個人的頭腦，是否有年老現象，抑或老朽衰頹，也正可以不受他的年齡限制。一個善於修正他的語言地圖而適之不斷推陳出新的人，他永遠是一個青年活潑的頭腦，他可能已經八十多歲，可是就頭腦來說，比起一個十八歲的，而腦子裏裝滿了陳腐思想的孩子，的的確確是要年輕的多呢。

事實

『事實』是在我們時空間內所發生的一種客觀的事實，是我們的神經系統所絲毫不能加以改變的。我們可能對於一個事實，根本沒有感覺到，或者故意避免這個事實可能發生和存在，但是這並不能使我們對於這一事實的『否定』，或者說『無知』，而不合，因而它不知道這一個事實的發生。當然我們可以對於一個客觀的事實，死硬的予以否認，或者強調專理的予以曲解，甚至於可以指鹿爲馬，或強把黑的說成白的，甚至於還可以把少數人『說服』，但是無論如何，最後的結果，事實依然是事實，我們一切否認和曲解它的努力，終成白費。爲什麼呢？因爲事實的發生，是在我們的腦袋以外的，任何我們腦細胞的動作，都沒有法子改變它。上午放在棹子上五塊錢，下午忽然不見了，怎麼我也找不着。這是一件事實，任憑你有怎麼樣的一付頭腦，絲毫不能予以變更。

推論

『推論』，是根據一些已知的事實來揣測一些未知的事實。也就是對於一個客觀事實的一種主觀見解。這裏面『事實』的一部份，是宇宙性的，是自主的發生，我們軀殼以外的一部份，是人與人所見皆同的。這裏面『見解』的一部份，是個人性的，是我們個人腦袋裏一部份腦神經的動作，是一個人和一個人不同的。所以同一件事情發生，各人的推論不同。而每一個人的推論的正確性如何，也正以這裏面主觀的那一部份爲斷。

『推論』是我們用以建立我們人類文化的最重要的工具。我們有許多門重要的科學——如同核心物理學，地質學，古生物學等等——其主要知識，完全是建立在推論和推論的推論之上的。而在日常起居中，我們更無時無刻不是在推論中過生活。我們根據一個女人的華麗的衣服推論她在社會上的地位。檢查一堆瓦礫的遺蹟，推論當時起火的來源。研究一個人的日常言論，推論他當政後所將採取的政策。然而推論各有不同，有些人的是很謹慎的很精審的推論，有些人的則是非常隨便而毫無理由。而各人用以作推論的知識經驗基礎，又大有上下。有些人對於他們所推論的對象，有極熟悉的認識，極豐富的經驗，所以推論也非常正確。一個熟練的汽車匠，一聽見馬達的聲音，就知道毛病在那裏。有些人則對於一些事情雖然毫無所知毫無所聞，然而卻不因此絲毫減少他們推論的興趣和信心。棹子上的五塊錢，不知怎樣忽然不見了。張先生認爲可能是小老二拿去偷偷的買了糖果，而張太太則確信是她那位合灘下女偷去了送給隔壁人家她那位最近生病的朋友。（十七）

閒吟

·余井塘·

猶未除官籍，閒同作逸民。日將詩代酒，事少吏驅人。閒口無臧否，搜腸有苦辛。老來還伴食，味可別勞薪。

未飲人還醉，除吟口少開。三年與幾首，一句敵千杯。思恐兒啼散，妙難手覓來。幷州留不見，焉得快刀裁。

笑我如賓道，朱門蓬戶遊。九州同鑄錯，大地欲埋憂。縱有詩千首，寧非豁一丘。乾坤何日正，歲歲買胡留。

酬井塘

·許紹棣·

孤燈風雨夜。悠悠有所思，不見故人來。但奉故人詩。開緘眼忽明。清芬撲我眉。久渴易爲飲。况逢醇非醨。脈脈感君意。酣酣不自持。良會殊匪易。交親情自滋。願言時有惠。心迹不相違。

論于右任的詩

·王世昭·

要打倒了滿清，恢復種族的自由，他露骨表示除革命之外別無他途，所以「和朱佛光先生步施州狂老原韻」云：

「願力推開老亞洲，夢中歌哭未曾休。人權公對文明敵，世事私懷破壞憂！偶爾題詩思問世，時聞落葉可驚秋。太平思想何由見，革命纔能不自囚。」

而且在雜感第二首中他也提到革命，如「偉哉湯至武，革命協天人。」至他自己的抱負，見「失意再遊清涼山寺題壁」云：

「萬千興會悵登臨，得罪蒼蒼罰苦吟。落葉橫飛偏礙眼，高僧時到一論心。手無閣斧開西北，足駐長途哭古今。爲問東山人在否？未流爲爾一沾巾！」

看這一首詩的語意，于氏不特辱罵貪官污吏，而且主張推翻滿清，倡論民權，提倡種族自由。還有一種想入非非的企圖，頗欲效公孫述，竇融之所爲，獨霸西北爲王，觀其與平懷古三十四首之二亦可以爲證云：

「王氣西川咽暮笳，當年躍馬亦堪嗟；寧爲玉碎羞低首，漫道公孫井底蛙！」（公孫述）

「撫結蘿雄韓衆羌，西州遺種計當長；風塵偏羈男兒事，何必低頭入洛陽？」（竇融）

于氏少年所作詩，直抒胸臆，眞情流露，元氣淋漓。愛民族，愛國家，愛社會，其可貴在此，而後來有所成就，想亦當在此。

（二）亡命與革命

清廷既捕之急，于氏遂逃之上海赴日本，[illegible]主神州日報筆政，黃花崗革命役後，除參與其事外，[illegible]既抵上海，創辦民呼報，[illegible]之日本。不久回滬辦民立報，作稿者有宋教仁，陳其美，楊守仁等。還宋教仁被刺，于氏[illegible]，主持[illegible]，以[illegible]。不得志，作[illegible]紀事詩二十首，遂渡遊入川，時民國十一年也。

這一時期的作品，有慷慨激昂的，[illegible]

（三）

禍根

·秀汶·

[illegible]

「休息幾天，咱們再幹別的事。車子一起停在這里。」高代表還樣關照着炳林，他就丟了車子光身子回來了。

× × ×

然而一休息就是一個禮拜，高代表沒再來叫炳林去，他等得有點不耐煩了，跑去請見高代表。

但高代表不會接見他，一個勤務員（即勤務兵）將他領到會客室里，等了足有一個鐘頭，挨着一個自稱講義夾的另一個姓趙的共幹來招呼了他，跟他談話。

「褚同志！你車子開得很好！」姓趙的一開口也稱讚他。

「那里！那里！」炳林連連謙遜。

「褚同志！你的車子是租來的？還是買來的？」但接着，他就開始問起車子來了。

「噢！是是，買來的，買來的！」炳林並不知道他問的什麼用意。

「那一年，那里買的？」他進一步問。

「噢！是民國三十四年，杭州買的。」

「噢！三十四年就是一九四五年，不過我問你是在什麼機關或那個公司買的？」他更進一步逼問。

「噢噢……」這一問，問得炳林大起疑惑，也有點恐慌，被問得一時不知該說真話還是該說謊話？因爲這是在查究車子的根底，而車子的來歷是從前向聯勤機關標買來的。

「是那里買的？老實說，沒關係！」他催問着。

「是是，是雲飛公司買來的。」[illegible]

（下）

美駐英大使的盛宴

美國駐英大使阿爾德烈治原是個保守的銀行家，[illegible]

（續）

・人物・述評・

物・理・學・權・威
周昌壽先生生平

因此，我倆同共事中，我學藝社，他任理事長，我任理事兼總幹事，還得以天天見面。我和他相處數載，總覺他是一位很有趣味的人。他的身體雖然素弱，疾病卻甚多，但從外表看來，像是非常健康的。腰板筆挺，鬚髮蒼蒼，爲人坦白，爽直，對任何事都感興趣，說幹就幹，雖一再失敗，並不灰心，

他做事負責，有始有終，而且樂此不厭，孜孜不倦，雖年逾六十，仍能刻苦用功；又勤於用筆，每日作日記，數十年如一日，有借必還，人有所託必記之，做到與否總有交待，對人態度誠懇，見人常開口歡笑，而且笑得很響亮，以故人多喜與交往，每日自朝到晚接應賓朋、開會，不僅不以爲苦，反以爲樂。

氏辭學藝社理事長後，一天上午他到社，特別進我辦公室談了一下，轉身退出。我到理事長室看他，他正在收拾抽屜，把書籍，分門別類，包捆整齊，井井有條，這天午飯，我簡直食不下咽。內子怪而問之，我回說：「周先生自今而後，不會再到社辦公了，不能再聽到格格笑聲了」！當時我還安慰自已，他雖不到社辦公，然仍可到他家傾談，孰料，不數月他竟從此撒手人間！

（四）

氏一生盡瘁學藝，他主編的書有：「最新化學工業大全」十五冊，「自然科學小叢書」一百八十冊，「理化大辭典」（尚未脫稿）。著作有：「物理學名詞草案」，「科學上之新貢獻」，「相對律之由來及其概念」，「電子與攝子」，「以太」，「宇宙論」，「天體物理學」，「飛機」，「譯刊科學書籍考略」，「復興初中物理學」，「復興高中物理學」，「復興高中物理學實驗」。譯述有：田邊元著「最近自然科學」，石原純著「物理學概論」，右丸卓郎著「物理學精義」，MILLIKAN AND GIALE著「實用物理學」，M. FARADAY著「電學實驗研究」，以上均「商務」出版。在「學藝」發表者，尚有：「無綫電信電話之新利器」、「物理的認識論」，「熱光波動電論」，「輻射律與作用量元假說」（譯），「旋迴分子說」，「相對律之文斷」，「放射性及蛻變說之起源」，「愛因斯坦底宇宙論和思維的究極」，「動電話發展之回顧」，「電子原子性——離子和電子」（以上三種譯），「康德之時空論」，「康德之運動論」等等。（下）

十二月七日

彭蒂柯伕的失蹤

美國出生的英籍原子科學家彭蒂柯伕最近在莫斯科公開宣佈，已入俄籍後，英國政府已於日前發表聲明，即將取消他的英國籍。彭蒂柯夫的失蹤，五年餘以前一直是一個難解之謎，西方官方雖明知他必已逃往蘇俄，卻仍無法追溯他「失蹤」的經過。他在一九五〇年離英赴義「假期」的前[illegible]，亦曾在美國及加拿大從事原子能研究工作，一般認爲他當時必已略知美國發展氫彈的秘密。他到義大利後，即帶着瑞典籍太太和三個孩子藉口赴瑞典探訪岳家，而前往芬蘭。他雖沒有芬蘭簽證入境，芬蘭當局因爲他是名人，並沒有將他扣留。他們全家從此就音訊全無。不過據當時遇見他們的人說，他一個孩子在抵達芬京時曾問：「我們已到了蘇聯嗎？」（劉暗）

廖崇聖將赴檳辦報

【本報特稿】文化戰士廖崇聖，在印度遭受迫害離境後，現在已到了美國，向華僑募款，維持他所主辦的印度日報，並準備在美國四十八屆新聞會開幕時作傍聽發言。「任重而道遠，仁以爲己任」，廖氏可說是弘毅之士了。又據最近消息，檳榔嶼光華日報主持人，慕崇聖名，特聘他主持筆政，不日就道。

（一）

崇聖，廣東番禺人，一九二七年嶺南大學畢業，在校時攻讀政治與歷史，與前嶺大文學院長黃延毓友善。畢業後，追隨吳鐵老，以辦事幹練，頗蒙賞識。

抗戰期中，曲江爲戰時省會，北聯湘鄂，西接黔桂，東通閩浙，爲華南軍事重鎮。當時曲江有三大報，一爲建國日報，以和第七戰區司令長官部接近，故登載軍事消息較敏捷，一爲大光報，以和省府接近，故登載政治新聞較翔實；另一爲黨報——中山日報，業務狀況不見佳。鐵老時任國民黨中央黨部秘書長，有見於此，特派崇聖由重慶前來接管，改組以後，編排和內容，都大見改進。

（二）

崇聖接辦曲江後，擴聯絡粵北各院校教授，担任星期專論稿件，因透過延穢的關係聯絡了中山大學，嶺南大學，廣東省立文理學院一部份專家學者担任寫稿，在坪石和仙人廟，桂頭兩地的人搭火車赴曲參加崇聖的招待會的頗不少。延穢嘗對筆者說：『嶺南大學出身，在抗戰時期從事新聞工作的，有兩位在桂林大公報工作，思想左傾，一位在曲江主持黨報。想不到我們這一羣人，都是研究政治和歷史的人，辦起報來亦不算外行』。延穢又問我：「桂林大公報的社論寫得怎樣？」我說「繫辭說：「吉人之辭寡，躁人之辭多，誣善之人其辭游，失其守者其辭屈，」我們可以這幾句話作爲尺度，以判斷時下的言論界。

曲江淪陷，崇聖和中山日報員工遷往梅縣，勝利後，復員廣州。不久崇聖復奉派印度新德里辦報。由國共和談破裂，大局形勢惡化，他得於報端著論，明辨是非，痛斥奸邪，義形於色。太史之簡，董狐之筆，還是天地間正氣所毛，

（三）

去年雙十國慶，崇聖領導旅印僑胞舉行慶祝，情形熱烈，與「十一」的冷落場面比較之下，顯出海外僑胞的向背。中共駐印外交人員勾結當地政府迫害崇聖，在國際環境和政治之下正義自由，毫無保障，檳報悄然離去。

六十年前，中山先生在檀香山創立興中會，鼓吹革命的言論機關，在檀島有隆記報，在新加坡有圖南日報，與保皇派喉舌較量，爲革命大業而奮鬥。我們面對的敵人，遠過於滿清政府，尚有待於文化界的戰士，[illegible]，爲民社黨黨員，現居港。

・紹萃・

其言不訒的林語堂

・小言・

（一）

論語「司馬牛問仁。子曰，仁者其言也訒。曰，其言也訒，斯可謂之仁矣乎？子曰，爲之難，言之得無訒乎！」朱熹註「訒，忍也，難也。仁者心存而不放，故其言若有所忍而不發。」又註：「心常存，故事不苟；事不苟，故其言自有不得而易者。」

說到論語，還記得一段不甚可靠的故事。據說何鍵在湖南主政時，大倡尊孔。有一天他聽說上海有一刊物名「論語」，不禁喜出望外，立刻訂購幾百份，準備分發各縣縣長研習。書刊到時，才知到是提倡優孀的「袁中郎集」和不朽的「浮生六記」的林語堂所主編的。只好心中自認晦氣。何鍵如果真有這樣「烏龍」，還和李「燈籠」對客人罵他「你令壽堂納福」，跳起來罵道：「××媽！你㗎令壽堂納福！」試是黑成一團的黑漆。

（二）

市上有某織品廠，以「聖人牌」做商標，畫個穿上黄袍的孔夫子。恕我褊狹，我看見非常刺眼。我想！在英國或美國，或在任何耶督教國家，如果有人把耶穌做商標，出個把「耶穌牌」子，必然會激動公憤，像上次在南京滿學潮總統時，一班「廣東佬」排「耶穌牌」[illegible]去打某報館一樣。所以我看見這「聖人牌」之時，令我聯想到數十年前林語堂有份辦的雜誌上一張漫畫，孔聖人遊上海黄金榮所辦的大世界，乎窺見他們在生意經的算盤上，「心有靈犀一點通」之妙。拿孔子來開玩笑，而有商業價值，社會的確變了。我並不是要先聲明一句，我並不是聖人之徒，然而我又聯想到「不及百年，此其戎乎，其禮先亡矣」的「見被髮而祭於伊川」之歎。

有個缺德朋友編一小段對話，說孔夫子居然拿英語來問林語堂：「我怎發起財來了？」林答：「BY SELLING MY COUNTRY AND MY PEOPLE（吾國與吾民）」。這是說對林語堂的那本「搖錢樹」的魅力的英文傑作開頑笑。

（三）

誠然，自己能夠和自己開玩笑，是聰明而有風趣的美德，所謂 SENSE OF HUMOR「幽默感」是。中國文人中蘇東坡作自嘲語，是最足欣賞的。如「郊郊先生長郊郊，宛郊學舍小如舟，時常低頭誦經史，忽然欠伸屋打頭。」他幸別人來開玩笑之時，亦復謂而不怒。[illegible]

（四）

本來「幽默」就是不要過於認眞。我們對於[illegible]子說便不該和他太認眞才是。「有人辭官歸故里，有人夜半趕科場」，讓他們各適其適有何不好。管他呢！

然而我們可以又要以「其言不訒的林語堂」爲題呢！只因他雖無王景略之蝨可捫，偏好向無人地大談其第一流大學。

稍懂語意學的朋友，都知道絕無界說的「猶淡流」三個字是毫無意義的。稍懂歷史，稍懂社會學的朋友，都知道「羅馬不是一天做成」的。稍懂「浮生六記」和「袁中郎集」的林語堂，不知道「其言之不怍，則爲之也難」。

還要找大律師作談話證人，還要向報界作聲明，還，失態乎，「保存文化」乎，自己和自己開玩笑的幽默乎，吾鳥乎知之。

反正，「路人未必信此語，強爲買[illegible]」

社會經濟思想叢殘

（十四）　金伯華

資本集中

假使所說資本集中，一定是指資本所有權的集中而言，那卻不一定是與企業集中同時符合。一種大規模的集中的企業資本，可能廣泛分散在無數小儲蓄者（小資產者）的手中。這種企業的情形，其組織型態便是一般所說的「匿名公司」（即我國公司法的「股份有限公司」）。但是，反之，各種企業的集中，往往是與資本的集中是相聯的。假若大宗資本不集結於同一些匿名公司之內，則企業的廣度將不可能達到現代的規模。

企業集中的三種方式

是以現代各企業集中的形成，要不外下述三種方式：或由於業務的擴展，這又有各種不同的做法。或就地加强設備，增多工人，如美國的福特，法國的西特隆恩是；或在各地增設分支機構，如很多大公司，大銀行等是；——或由於單位的合併。例如某一企業吸收另一企業，或創立一個新的組織，把兩個原有的組織收併攏來。無論這樣或那樣，所有原來的財務，業務及技術，都須經過司法上合併的程序而加以混一。——或由於兼併。一種企業可能到有一天收買另一企業資本（股票）的重要部份而加以控制。而另一企業的獨立性則因之名存而實亡。這種做法，在通常情形，與其說是企業的真正集中，還毋寧說是實力的集中較爲正確。

縱與橫的集中

依照企業發展的趨勢及途徑，企業集中可分爲「縱的集中」與「橫的集中」兩種：

「縱的集中」是說這一企業的發展活動是層疊式的。在同一企業之內，同一產品生產的過程，自原料以至成品，完全由自己一手完成而不假手於他人。這又有向上發展和向下發展兩種：當一企業在原有基本的工作做成以後，再進而延續去做以後的各種工作，以直接保障自身產品的銷路。例如煉冶業，於金屬物煉成後，自行設置建造機械的工場，把鑛物加工製成機件或機械，甚至自築鐵路或自造船舶以供運輸自己的產品；這叫向上的集中；——當一企業在它的經常的業務之外，爲保障原料的供應，又因而向下擴展，自行經營，例如煉冶業自行開礦，一家紡織大公司自行設植棉部是。

現代企業中亦有不少是向上向下同時分頭發展的，這力量便自然格外的擴大了。

這都是資本主義的共同經營方法

基於以上所述，可知現代各國大企業的集中，不論其性格與型態如何，都是資本家的事，與作爲消費者的我們以及恰恰就在這些集中所層層控制下的勞工大衆，無涉者，完全無關。

豈但無關！我們大家正是這些資本主義共同經營方法的犧牲者。他們集中的程度越高，他們所採用的共同經營方法越完善，越改良，則消費大衆的利益便越沒有保障。因爲無組織的消費者的所謂利益，原來也只是從資本家相互火併——「自由競爭」——的裂縫中所偶然脫漏出來的殘羹冷粥。天下沒有一個資本家是眞正會爲消費者打算的。讓資本家去保護消費者的利益，無異叫虎狼看守羊羣！——而共同經營方法又被資本家們發明運用起來，更是如虎添翼，遂使消費者的處境日益陷於危急。資本主義共同經營方法的組織，有「安打脫」（ENTENTES），「抓爾得」（CARTELS）及托辣斯三種，而三者之中，以托辣斯最爲著名和凶猛。我們打算在下期專門來談談這凶猛的經濟怪物。

托辣斯簡史及其形相

托辣斯是一種最高度的企業集中。凡參加托辣斯的企業，都必須放棄以前的獨立地位，並把業務，財務及技術各部門統統移轉托辣斯，混合爲一。

這一經濟巨魔是十九世紀末葉在美國首先出現的。它連續的披過各種不同色彩的外衣，有過不同的形式，而日本經濟的迅速發展，又以新的姿態出現。從歷史上說，這一巨魔是由盎格路撒克遜民族一種古老的司法規制轉變而來的。盎格路撒克遜人原有一種人叫做「托辣斯脫」（TRUSTEE）的，他專門替別人持有對物或對人的所有權。他的地位與法國法律的 FIDEI-COMMISSAIRE 頗相近似。在我國叫做被信託者或經紀人。原來，各企業的股票持有人，當該企業改組合併時，把他所有的股票交付於托辣斯脫，由他出具寄託證明書，並答應他在股票的利得上給他一些好處。在這種情形，托辣斯脫是一種財團。對於他受信託有股票的公司，於舉行股東大會時，他有投票權，可以提出他的政策。

因此，最初出現的一個托辣斯，叫做「投票托辣斯」。

一八七二年，羅克斐拉（ROCKEFELLER）適用這個辦法，組成煤油托辣斯，嗣後又組成糖及威士忌托辣斯。一八九〇年，美國審爾曼法律（LCIHERMAN），對於這種組織規定要予以處罰，認爲它侵犯工商業的自由。

不必吝惜小費

馬五先生

自由中國政府最近改訂外匯政策，自三月份起，實行新辦法，按照牌價先行購買結匯證，然後才可以辦理外匯手續，據說這是為着獎勵出口商，抑制入口貨隨便囤積居奇的撈蝕外匯而然者。

我不懂財政金融之學，對於政府所頒訂的財經政策，沒有甚麼可說的。只想到一件事：港澳一來，所有從海外進入台灣內銷的書報雜誌，似乎一律「打烊」不可了！因為這類文化事業，對台灣祇是一種入口的精神消耗品，並無貨物輸出以爭取一些外匯輸入的，今後為收那點僅有的售價，先得付出一筆相當數字的結匯證購買費用，豈非教他們知難而退，免來照顧嗎？

若說最大為出，較甚錙銖的經濟眼光看，因此一道新令而使海外若干報章雜誌自動停止進口，少耗外匯，當然是節約的妙計，未可厚非。若就政府的文化政策設想，似有設法補救的必要。文化交流原為立國精神的動力，台灣僻處海島，人的來去既不能隨便，精神食糧的輸入如告窒息，決不是一個國家的應有現象，尤其不是要號召海外僑民共赴國難與政府所團結的理想。大陸上的宣傳所標榜，為着爭取一個流落海外的幾個藝人，旅費一擲就是二十萬元外匯，現將海外若干文化刊物在台灣內銷所得之資，一年亦恐怕不到二十萬外匯吧！

我決不是專為本報的方便而說法，本報乃三日刊，在內銷的報紙中，外匯得失，渺乎小矣，縱使我們以無力購得結匯證而退出台灣，也不算是怎末了不得的事，我是希望當局者注意文化政策的利害得失，有些地方不必吝惜小費而已！

談投稿與編者

萬香堂

世界許多大文豪是由報紙的副刊發掘出來的，讀過高爾基傳的人，便知道報紙副刊怎樣發掘了他，哪說去年度得貝諾獎金的海明威，當初也是報紙副刊的長期作者呢。至於我們中國，那更普遍了。我相信，每個作家大概都多少與報紙副刊有關係的！

（一）

前在中央日報看到「中副」編者寫的「中副內情」，除了知道許多「中副」的內幕，還瞭解了編者的內心及其瞭解，那篇文章的技術實得很高，錯，不僅很坦白寫出編者的內心苦痛及顧慮，而且反映出投稿者的心情。

不久以前，我想寫篇關於投稿題材的小品文，因為有一天在包花生米的香港舊報紙裏，看到一首很幽默的「投稿歌」，歌云：「投稿一束，心血數斛，寫得手酸，抄得眼禿，不怕麻煩，不憚勞碌，投到報館，但望採錄，其心惴惴，其態逐逐，喜時呵笑，怨時哀哭，望之如龍，棄如覆獄，稿費菲薄，安足果腹？」稿人的心情描寫得呼之欲出，讀罷不禁大笑，而且覺得這首歌的敗尾還應該加寫兩句，方算完璧，遂隨筆加上兩句：「好出風頭，不顧榮辱！」這首歌自然沒有學院派詩詞的價值，但在林語堂看來是上乘的作品了。

（二）

講實話，我每天是愛讀報紙副刊的，不但此，有時興到也喜歡胡亂塗鴉，故或向副刊投稿，後來因故才放棄這種嗜好的嘗試。我從來並不介意於退稿的問題，到副刊的需要，如題材是否適合，內容有無興趣，修詞修否簡潔，因為有預先的考慮及代副刊編者打算，我很少嘗到退稿之滋味，即偶而有退，我亦處之泰然，絕不會失望生氣，更不會遷怒於編者。反之，我必重新估計被退之稿的價值，以客觀之眼光重加修飾，再投到他報，無不受到歡迎的！這是我的投稿經驗談。去，目的不想別人注意。）

（三）

在台灣看港台報副刊的經驗，我平時喜歡看有四種之多，裏面不少港台熟悉的作家，選稿比較嚴格的，中副編者自己報告：『發表是最有力的鼓勵，它只有新人，不縱容熟人，纔能使新稿子，不問其來源如何，各依其成就的高下，得其應得的結果。』這段話是很可貴的，他代替了許多優秀的編者陳情了，淺見以為副刊主編者選稿時應該虛心一點，任何編者的學識、見解、偏好，都會影響其選稿的標準的，尤其各作家的聲望常常也左右了編者的主觀。若干年前，上海有幾位第一流作家（包括魯迅）化名向幾個有名刊物投稿，常常也嘗到退稿的異味。聽說有一次魯迅親自跑到某報副刊去找回他化名投稿的一篇很好的文章，並且對該刊主編說：「你天天催我要稿，我的稿寄來了，你既不登，且不知，更不退，又不交稿費。」（編者是史東——崔眞吾筆名，崔為魯迅得意高足，當時魯迅尚未加入共黨。）這是一個好的例子。我對於素未謀面的仲父另一段話亦有很多感想，這就是「作者和讀者對於副刊的要求是多方面的，編者置身兩大之間，事齊事楚，不敢畸輕畸重。一個編者，且不管他個人的學識能力如何，決不能輕視他肩上的責任，編副刊雖屬小道，但與一時代的文風多少有關，……因而不可因「包辦」而斲傷人情而敗壞文風，所以他必須在他的崗位上作種種的「抵抗」。即使勞怨集於一身，也要盡心竭力而為之，落得身心清泰。」由此可知仲父曾受了不少的冤氣，我們希望他今後更進一步發揮他的責任感，又希望他自己檢討自己有無錯誤。

（四）

更希望他們（他及其他報刊主編）選出些經常投稿的作家做他們的義務專門顧問。（從前作者在美留學，因投稿關係，而曾擔任某西報的東方文化顧問，每遇到有關此項文稿送來審查，並視工作繁簡，致送審查費）因為一個編者不是百科全書，更不是包醫百病的醫生，絕不會精通各門的，如藝術部門的稿，「中副」編者過去曾經上過他人的當，曾刊載了一篇談藝術長稿（連載三天某西畫家所作）其內容錯誤很多，藝壇傳為笑料，這是一個例子，所以我們希望各報刊編者們加緊「不迷信高人」，其他如刊載介紹出版物的廣告式的書評文字，有時長達數千字之多，這些文章我們以為不僅編者要「抵抗」，即讀者也要抵抗的吧！這是與「不縱容熟人」有關，但處世較深，人情稿實在難免，惟規定與人情有關之廣告式文字（如書評、畫評之類）照例得作不得超過二百字，以免折衷，或者可以辦得到的吧！（如能全免更美滿。）

（五）

我想像各報副刊的大門是開着的，外傳包辦種種絕不可以相信的。我所喜看的報刊主編者所常採用的稿子多是各有所長的，而每一個人都有他的口味，上館子照當事人的口味去點菜，是天公地道的，旁觀者是不宜加以批評及指責的，不過我希望主編者不只是口饞上館子的人，而且能嘗百味的飲食家及調味能手的廚師呢！

「尺幅之內，有千里之勢」的確是小品文理想的標準，但曾繪畫的人便知道，畫冊頁是很艱難的，而江郎才盡的今天，眞不易長篇有了，寫短篇的能手動員吧！來合作「千里之勢」山水傑作吧！

論于右任的詩

王世昭

出關的時候，又有兩首律詩，茲錄其一首：

「目斷庭闈愴客魂，倉皇變姓出關門。不為湯武非人子，付與河山是淚痕。萬里歸家纔幾日，三年蹈海莫深論。長途若羨西飛鳥，日暮爭投入故村。」

二、依徊念舊的，如「燹旗」云：

「存且偷生死更悲，余收爾骨爾尤誰？平生慷慨爭民黨，一戰倉皇委義旗！熊虎運營思將帥，流亡載道泣孤嫠！良心痛若吾能說，又到雞鳴午夜時！」

又如「題宋墓前曰『嗚呼宋教仁先生之墓』」云：

「當時詛楚祀巫咸，此日懷殷弔比干。片石爭傳千古恨，大書留與後人看。殺身翻道名成易，謀國全求世諒難。如斗餘杭漁父繫，墳前和淚為君刊。」

而民立七哀中弔陳英士云：

「卜年嶄贈餘亡命，百戰河山弔國殤；霸氣江東久零落，英雄事業自堂堂。」

三、感愴弔古的，如「昭陵石馬歌」，「崤函道中」，「廣武將軍碑復出土歌」，「題文文山詩軸」等。又有「謁橋陵遇雨」云：

「路下雕陵鬱復鬟，鸞翔鳳翥見橋山。彌天風雨傳今日，垂老崎嶇過此間。開創文明開草昧，高懸日月識天顏。千霄古柏瞻蒼翠，掛甲何人亦等閒。」

這一首詩，王陸一為之箋云：「橋陵在中部縣，為黃帝衣冠冢，洛水縈迴至山下。山西峙而東向，環山小柏無數，蒼翠青鬱，數十里外望見之。陵碑曰：『軒轅黃帝橋陵。』有碑亭，刻石曰：『橋山龍馭』。……陵前有數柏，七八人始可合抱。一樹身多小孔，密攢如釘孔，土人相傳為漢武帝上陵時掛甲處，因號掛甲樹云。」

四、恬退深思的，如民治關紀事詩，前後共二十首。用植物名稱達六十餘，僅次於阮籍詠懷八十一首中所用之植物名稱：上下二千載，眞可與古人後先輝映者矣。今錄其前後二十首中，各一首。詩云：

「只餘民治關中路，老病扶筇日幾臨。客去偷閒眠樹上，愁來不語立花陰。移栽龍爪無靈氣，敗退雞冠有舊心。為念歸耕歸不得，忘身梓鼓託哀吟。」

「茫茫何地欲為家，計到勞耕日又斜。一笠閒雲僧帽菊，三年零雨馬蹄花。魂招南國歌哀郢，淚濕東陵學種瓜。一臥西關驚歲晚，刺桐高處噪寒鴉。」

這二十首詩，王陸一曾為之箋云：「民治關紀事詩，作於十年中秋後至九月下旬，其間約四十餘日，正陝西靖國軍危急存亡之秋也。直軍既入關，陳樹藩棄城走陝南，閻相文馮玉祥據省城，發號令，百計餂靖國軍受編制，靖國軍將領，主始終持議為革命奮鬥者，殊無多人，其皇皇然，恐不得改編者，則滔滔皆是，斯時在三原之總司令部，如陷重圍中。……先生艱危轉甚，退居民治小學校園中，故詩謂『只餘民治關中路』。以先生所負革命使命言，以先生一貫之志節言，以當時軍中變處不測言，先生實甑餘民治關中路矣。」（三）

誦胡君秋原論艾森豪總統有感

劉存厚

其一

囊籥共存說和平，為解連橫急備兵，
懦怯屏齊千古恨，讕言輕信誤蒼生。

其二

陳琳一檄愈頭風，義正詞嚴氣吐虹，
展誦終篇無限感，頑廉懦立振雄風。

聞雨

許紹棣

雨聲淒欲絕，天地有餘哀。久被風雲蔽，應期日月回。晴明本異趣，昏曉逐相催。聞道盈虧理，佇看曙色開。

語意學漫談

徐道鄰

評判

『評判』是我們對於一個人或一件事的贊成或不贊成的表示。如『贊成』或『不贊成』的最後基礎，是在於這一個人或這一件事對於我們之為有利或不利，那麼『評判』這一種能力，縱然不是世間一切生物的本質機能，至少在心理學上看，是我們人類求生技能中最基本的一套反應系統。那麼也就無怪我們對於這一種能力的廣泛的使用了。

一個人對於他所看見或聽見的事物，除去一部份他所認為無關重要而不再去加以注意者之外，他總是立刻就有贊成或不贊成的心理上的反應。可能這些事物，實際上並不是對於他馬上會發生若何作用，但是他對於這一件事物所採的評判的態度，卻總是很快就有了結論的，而並且有強烈的馬上就向人家表示的必要。人們在社交中的日常會話，一般稱之為『交換意見』也者，事實上還不全是各人在表明其對於某件事物的個人態度？人們大多數都喜歡背後談論人家，批評人家，其中一項基本助力，就是人類共有的『表示態度的需要』。雖然一件客觀的事實，各人的評判的觀點不同，而有時候這些觀點很難得到證實，然而人類卻全不因此減少他們樂於評判，勇於評判的習慣。如果下女眞的是偷了錢救濟朋友，有的人認為她是一個要不得的偷錢賊，非馬上加以開除不可。然而同時也有人會欣賞和稱讚她的富豐的友情和助人的美德。這兩種人的評判，雖然相反到了極端，然而他們卻同樣堅決的相信他們自己評判的正確。

勿把『評判』錯認為『事實』

評判是我們人類在求生中最寶貴的技能——我們的『生活』，是各種『行為』的總積，任何『行為』，都是一種『選擇』，所有『選擇』，都基於一種『評判』——然而這一種技能，也正給我們帶來了無窮的災害。就是因為我們對於各種事物常常須要加以評判的緣故，養成了我們一種評判太快，評判隨便的習慣，使我們忽略了忘記了我們的評判的性質，而往往把評判誤認為事實，尤其是把基於一種推論的評判認成事實。同時，人類都有一種惰性——祇肯看『地圖』而不肯實際觀察『地形』——常常有意無意中拿着別人的『評判』當作了『事實』，再從這上面加以『推論』，求得『評判』，而作為他們『行動』的原則。所以他們所據以作為行動思考的因素，不是外在的客觀的實際的事實，而祇是幾個人腦袋神經細胞的動作。這樣子大家個個拋開具體的事實不管，而祇是根據各人的腦神經細胞上作來打交道，人間的誤會焉得不多？世界焉得不亂？

（十八）

埃及發現「靈舟」

去年埃及考古學家在埃及最大的金字塔（法老王契奧普斯之墓）中掘出一艘「靈舟」，相傳這是「死亡之舟」，能載着法老王死後的靈魂，渡過地獄的黑河，環繞太陽飛行，永生不滅。當時這發現曾引起世界考古學界大為震動。最近，英國的埃及學家艾墨里又在紐約都會藝術博物館宣佈，他已發現另一艘同樣的「靈舟」，至少是四百年前之物。此舟是在撒哈拉中金字塔附近一個磚墓中所發現，墓主是較契奧普斯「靈舟」一半，木質已告敗壞，但具有古埃及較晚時代一切「靈舟」的特點。舟內有一個小艙，備死者的靈魂宿居。其中尚有磁瓶盛着食物與飲料，供「靈魂」享用。（劉明）

自由人

THE FREEMAN
（第四二〇期）
中華民國僑務委員會
登記證台僑新字第一第二號
中華郵政台字第五〇〇號
執照登記爲第一類新聞紙類
（半週刊每星期三、六出版）
每份港幣壹毫
台北市售價台幣壹元
督印人：陳文彬
地址：香港高士威道二十號四樓
3 rd. fl. 20 CAUSEWAY RD
HONG KONG
香港發行及專務接洽
高士打道66號　電話：七四〇五三
承印者：東南印務出版社
地　址：高士打道六十四號
海外總經銷
友聯書報發行公司
香港：德輔道中二十六號A二樓
台灣特派員辦事處
台北市館前街五十號
台灣總經銷處
台北市西寧南路一一〇號二樓
台郵撥儲金戶九二五二

我國大學的質與量

王聿修

本刊四一七期，何固齋先生「論台灣大學」一文，和王聿修先生這一篇文章，觀點上是各有不同的。但是他們的主張，都是目前談大學教育問題者所應考慮的問題，附誌數語於此，藉作介紹。——編者——

我國的人口約佔世界人口的五分之一。據民國卅五年教育部的統計，中國的大學生尚不到全國人口的萬分之一。從那時起到現在，其間經過抗日戰爭，二次大戰，與共產黨侵佔大陸，不安定的大局對教育影響最大。這些年來，即使大學生的人數增加，但在中國的人口比例上，必定仍是太少了。

大學不是少數人權利

現代的大學教育不是造就少數人，能在某一二種學術上站得住，便算成功。今天，必須大多數人有相當的知識和訓練，要有相當多的人受到高等教育。一個現代的國家，自政治制度，經濟組織，以至日常生活，無處不需要科學知識與工藝技術（TECHNOLOGY），這主要是在大學中可以學習。大學教育的主要任務，應該是普遍供給人民所需要的知識和生產技術，這是今天生存的必要條件。大學不是少數人享受的權利，只有在共產黨以及法西斯極權國家，才把進大學限制為少數人的權利。受教育的機會不自由，便根本造成人與人之間的不平等。限制入大學的人數，根本違反民主原則。一個民主國家應當盡量使每個願受而且有資格受大學教育的人，受到大學的教育。

我們可以看看現在科學與技術最發達的美國的大學教育。美國的人口尚不到我國的三分之一，美國大學之多，不必細說，但有幾點值得我們特別注意。美國的大學生多，差不多稍有一點歷史或名氣的大學，學生人數多是在萬人甚至幾萬人以上。許多大學在畢業典禮時，排隊領畢業證書的學生可以有一二里長。總計得學士學位者，總是幾千人以上，得碩士博士者，也是動以百計。但這並不是什麼『惡性膨脹』，而是教育當局盡力使人能有受大學教育的機會。

美國的大學入校制度

另一個值得我們注意的情形，是美國大學的入學制度最方便合理。一般的說，中學畢業，便可入大學，無須經過入學考試。轉學生只要有轉學證，便可轉學。至於中途告假退學，可以隨意離開學校若干年，以後隨時可再回校繼續攻讀。

常見有四五十歲的大學生，都是做了一二十年事，又回去讀完大學。這絕對不是制度鬆散，也的道理是，只要讀大學，總是有益處的。無論你讀大學也好，反正你『開卷有益』；對個人有益，對社會也有益。因爲這幾乎成爲一個現代公民的權利與條件。從整個社會看，能多有一個人受高等教育，對於這個社會便多一分益處。

提多使人民受較高的教育，是民主制度的一個基本原則。現代的生活複雜了，個人的起碼知識水準也漸漸提高了。在二次大戰之後，美國的退伍軍人，因上大學可以受到政府的津貼，一時許多大學都開了夜班授課，但這並未使美國的大學程度降低，或破壞了大學的功用。

大學的質和量問題

我國一向辦教育，每年夏天有不少學生被擯在大學門外。甚至有的大學以錄取學生嚴格自詡，從幾千投考者中，選取百數十人。但是，被擯在大學門外的學生，都不能被擯棄於社會之外，他們仍在這個社會裏。如果大學只收『好』學生，那完全是從學校的立場看，而不是從整個社會看。結果學校裏也許是『好』了，但社會卻可能受到種種損失。

大學的質量並不是兩個彼此衝突的問題。在質上，一個大學當然應盡一切可能求其好；但大學的數量，多少和大學生的數量，是由需要決定的，不能憑空武斷；直接要看中學畢業生要入大學的有多少，間接要看人口有多少。一個民主自由的國家，不能使許多要入大學的人，得不到受大學教育的機會。

增辦大學是好事

最近報載台灣的幾所獨立學院，改爲大學，這無論從何種角度看，都是一個值得歡迎的消息。在海外有人口一千二百萬，台灣有人口八百萬。在這樣的人口數字之下，當然需要更多的大學。而且按我國學制，本來學院與大學是有分別的。大學的一部分，要有三個學院，就可合起來稱爲某某大學。所以，凡是將已有的學院改爲大學，就等於增辦一兩個學院，根本與程度高低不發生問題。因爲要入學的學生多，就增開學系，有三個學系以上，便成爲一個學院，夠三個學院便成爲一個大學。政府增辦教育，是應當受人民的歡迎的。

大陸在共黨控制之下，自由的中國人和海外華僑子弟的升學機會，只有去台灣。在此情形之下，中國教育當局如果不增辦大學，不增收學生，才會受人指責。多使中國人受自由的高等教育，是應受到每個人支持的。台灣大學擴充學額，也是這個道理。

原子彈是一兩千個科學家共同工作造出來的，不是一兩個人的成就。受高等教育的人數，對於一個國家是很重要的；有高等知識的人加多，有產生出類拔粹者的可能性才多。這是一切進步的基本條件。

▷最近遜位的高棉王施漢諾（右）及新王（施氏之父）蘇拉瑪利◁

反共冷戰的基本觀念

•蕭立坤•

僑居南美阿根廷的蕭立坤先生，以前曾爲本刊寫過幾篇有關阿根廷的通訊，見解深刻，立論輕鬆，早爲讀者稱譽。茲復得蕭先生寄來此文，係從另一角度觀察大局，爲反共理論別闢蹊徑，想讀者亦當以先睹爲快也。——編者——

三九四期的「自由人」，十個星期後，才寄到我的工廠，黃煥文先生的「論英美全球戰略動向」，是一篇少見的好文章。再三讀之後，不禁手癢，爰草此文，求正於編者、黃先生及讀者諸君。

本文的要點，是我三年來深信不移的，可惜反共圈內空氣一向過於熱鬧緊張，不適冷靜的理論，雖然艾森豪、杜爾斯，逐漸也發出了長期冷戰，避免熱戰的論調，但一般華文讀者，仍不免焦躁之情。黃先生的大作，確實使我鼓起勇氣，特先向黃先生致謝！

英國是反共的

自由中國一向對英國不大了然，這自有其主觀的理由。但主觀的理由，只是片面的理由。堅持主觀，以加深與他人間之異議，並無補于反共的實質，有時更會削減自己的力量。我不是替英國辯護，只想提醒自由中國的反共同志，對下面一串問題，再考慮一翻：

（一）英國的基本政策，是否反共？

（二）如果我們認爲她是反共，她的方法是否與我們相同，類似，或互相矛盾？

（三）彼此反共的方法不同，是否仍可共同反共？換言之，我們可否聯合而不統一？

（四）英國人的名言，『兩個朋友的意見，最好相同，否則也應同意彼此之不同』（AGREE TO DISAGREE），這照中國人的邏輯，說不說得通？

全球戰略與局部戰略

白宮的主人，站在世界的屋頂，關察全局，兼顧美國及世界的利益，訂下反共的全球戰略。李翁承晚，站在離三八綫甚近的漢城，訂下反共的局部戰略。蔣總統先生，站在羅湖橋的南端，訂下反共的前哨戰略。反共人士，應如何同時欣賞三者的價值，協助三者的有效執行？當然，我們深信，艾帥、李翁、蔣總統的人格同樣偉大，德性同樣高超，智識同樣豐富，否則便難比較了。

反共與人道

如果美國今日願供給一百顆原子彈，交台北統帥，聽其自由使用，我們願否用以轟炸北京匪巢，及其各重要軍事基地，以求迅速打倒毛記政權而收復大陸？這問題太嚴重了，請各位三思之！

冷戰是戰爭

消滅敵人當然要用最有效的工具。如果熱戰比冷戰好，我們（包括艾帥）爲何不用熱戰呢？是否冷戰比熱戰更有效呢？看情形，正如黃先生所云，那偉大的『理想戰爭』或『末次戰爭』，一時還不會到來。如果我們冷戰勝利了，『理想戰爭』也永不需要了。那樣或許可使人類少受一點痛苦。如果我們冷戰失敗了，則失敗的原因何在呢？

我個人對冷戰有絕對的信心，我們一定會勝利，因爲我們兼重人道，自由，而敵人則否。

怎樣才叫冷戰的勝利

既然是冷戰，牠的勝利當然不是以殺傷了幾千名敵兵，或佔領了幾千里敵地爲勝利標記，而是其他方面。

這問題太重要了，今天由我這遠居南美的華僑，提出答案不大相宜，故不討論，但請各位讀者想想：三年的世界局勢，打破了我們許多美夢，做夢也是人生快樂之一。『夢裏不知身是客，一晌貪歡！』但反共的政策、戰略、戰術，卻一定要照事實擬製，才會生效啊！

冷戰戰略與戰術

冷戰既不以槍砲毒氣原子彈等爲前綫武器，則其戰略也值得研究，愚意如下：

（一）盡力加强我方的自由制度、道德、經濟、文化力量，使敵人無隙可乘。

（二）加强我方軍事力量，使敵人不敢將冷戰主動改爲熱戰（這點屬於熱戰範圍）。

（三）盡一切可能分裂敵人，愚弄敵人，麻醉敵人，消滅或減少敵人對我方的戰鬥意志。增加或擴大敵人內部的矛盾，必要時擇利害輕重，拉攏一部份敵人，作爲同志。（我們爲何不早早設法拉攏[illegible]，使他不致輕易[illegible]毛某[illegible]呢？）

根據中美互助安全協定的新精神，我們實可將上述各基本概念，再思考一下。

半週展望

•李金曄•

美不願單獨行事

美國務卿杜爾斯今次訪問遠東，所獲結論是：亞洲自由的前綫據點，就是中共拚命企圖攫取的前進據點。他又斷言，中共仍決定企圖奪取台灣。

可是，他在八日的廣播中卻表示，希望中共在海峽的軍事行動實際不是進攻台澎的。他還希望能夠獲得停火。

他的結論與希望，恰好道出了美國對台灣海峽局勢的態度，便是說：中共如敢於進行攻擊台澎，美國即予還擊；對於金馬，則認爲祇要中共的軍事目的，不是在進攻台澎，仍希望由「友好國家謀取實現停火。」

杜氏的話充分表明華府將放棄「單獨行事」，以免因金馬的防衛問題，傷害英美在遠東方面的團結。

因此，艾登也在八日下院演說中，主張國府退出金馬——換取實現停火！

這明顯的反映出：美英在對中共所持的政略態度是沒有很大差別的。

但杜氏也强調，艾森豪總統將在最緊要關頭，判定是否協防金馬。因此，艾森豪於十日召集三軍參謀長會議，聆取海軍參謀長對台灣海峽的意見和在台與國府最高當局會議的報告，以便決定金馬對台澎保衛的重要性。這顯示華府當局對嚴重中的台峽局勢，已予以高度注視。同時，杜爾斯在廣播演說中强調他相信「軍事足以阻止侵略」，並解釋對付中共並無須在各地駐軍，主要在海空軍的協助。此語不僅將增加艾森豪對協防金馬的信心，也可使美國人民懂得在亞洲的戰綫是不一定需要美國陸軍的。

英美沒有重大歧見

儘管美英雙方皆存有幻想，企圖實現海峽停火，但畢竟不能不在戰略觀點上求得統一，以備萬一。

杜爾斯的三路報復決策，和於必要時將使用原子武器的決定，有助於說明此項決定，是爲英國所能接受的，也是杜、艾在曼谷會議會外所商定的具體結果。

但是，這項成就，是基於美國在政略觀點上和英國看齊，才能換取英國在戰略上同意美國的決定。因此，杜爾斯大胆地說：「在軍事防務上，將主要靠盟國機動的，隨時打擊侵略者的軍力。」

此外，還可以獲得一新的印象，即新任聯軍統帥泰萊將軍，於八日飛抵新加坡，會晤麥唐納高級專員，而英帝國參謀長哈定，日前蒞臨東京及南韓，會晤有關當局，這意味着英美間對於東南亞、東北亞軍事上的協作，將因而更可推進一步。澳外長表示，英美對遠東政策並沒有若何重大的紛歧，這話似乎是可信的。

可憂慮越局

就目前發展中的遠東局勢看，雖令人樂觀的越局，似乎是更趨險惡了。其間的矛盾，實錯綜複雜之極。

法國雖表示一切信任美國，並同意支持自由越南政府，但卻又在企圖與胡志明開展貿易，並進行對北越作經濟及投資活動，暗中對越南政府採取冷淡態度，甚至有拆台之勢。

由於南越各宗教派系的尖銳對立，擁兵稱雄，彼此形同水火，增加越局的混亂。西貢的情勢，正在越南就非外部所能廣泛地進行，緊張有增無減。

就杜爾斯的三路報復策略檢討，東南亞的局勢，非俟越局獲得全面穩定，不能發揮積極作用。南越的混亂如再繼續，不僅將影響自保，抑且有礙於東北亞局勢的均衡發展。

法國迄未肯盡棄其殖民地利益，是企圖在胡志明身上取回一點補償，這種錯誤，將促使越局難獲澄清，並嚴重地妨碍了東南亞反共形勢，當遠東的情勢正在朝向自由陣營方面作良好的發展之際，越南卻因此反而成了東南亞地區最弱的一環了！

讀梁漱溟告「台灣同胞」書

·劉起·

梁漱溟先生畢竟是一個修養功深的學人，因此，他在被共黨逼迫下無可奈何地寫出一篇所謂「告台灣同胞」書（載北平「人民日報」），就不同其他緊攏文人、政客、將軍們如翁文灝、邵力子、張治中、黃紹竑、程潛、傅作義輩之八股式的所謂告台灣同事、同學、友好書之千篇一律，誠對自由中國當局醜詆濫攻——漢人學得胡人語，站到城頭罵漢人；或自投機背國搖身變爲紅朝新貴之得計，而皆恬不知恥地似乎在表示着：我們才是識時務的俊傑？他們既然企圖藉此替中共盡其搖尾乞憐的能事的犬馬之勞，所以在他們那掬不出象牙而正待烹之狗嘴中，自不能叫出絲毫持平之音，這是不足爲怪的。

但自由中國當局在此生聚教訓反攻復國的前夕，對於這般認賊作父的無育逆豎之猖猖狂吠，亦不宜掉以輕心，漫然視爲毫無作用的估計。因爲聚蚊尚能成雷啊？試觀梁漱溟先生也逼出一篇所謂告台灣同胞書，可見中共凡對自由中國之施爲者，不能用你的手，就用你的口，於是梁漱溟先生也緘口不得。

尷尬狀態與抑鬱心情

我在這裏特別提出梁漱溟的告台灣同胞書，並不是說他的匪口不臭，對於他的言語就易於入耳，或是說因爲他的學問大，比較更有號召台灣人心的技巧。而是從他這篇文章中所透露他跟共產黨走的過程之字裏行間，透視出他在中共壓制下的尷尬狀態，與抑鬱心情。看他說：

「我曾想：要不是當初我留在內地得有五年來親切認識機會，我現在對共產黨抱什麼態度，就不敢說」。是的，梁先生不幸當初未能逃出大陸，而竟被羈留在內地了。由於他過去的聲望，所以共匪未便對他即下毒手，還不錯，還是毛澤東故示其還有容人之量，同時也是梁先生的幸運。但也對於其他千萬善良人民的被害，在五年的長久歲月中，欲一加援手而不得，他除了咽下被害者同情之眼淚外，還敢說什麼呢？可恨鐵幕高張，插翼難飛，如果現在天假之緣，使梁先生能夠逃出鐵幕來的話，他對共產黨再抱什麼態度就一定敢說了，敢說，就會有明朗的表示。梁先生接着說：

「我知道在海外也有關於我的一些誤傳，彷彿我就是大陸上堅持着不信服共產黨的一個人，因此我有必要來向海外同胞說幾句話。過去我在國內政治上一向的立場和行動路線，既不是一個跟國民黨走的人，亦不是一個跟共產黨走的人。這是因爲我從來遇事好用心思，自有主見的原故；或者亦就是由此而引起那些謠傳來的。誠然在不肯跟共產黨走這一點上我同許多朋友曾是一樣的，似亦爲朋友們所深許和深信的；但到現在我卻願負責的說一句：我已經認定跟共產黨走了」。

不能不跟共黨走

這是如何嚴堪可悲的一個事啊！本來在自由國度內一個人的行止，與主見，是極其平常的事，如約翰穆勒氏在其論自由一書中說：「即令全人類只有一個人除外，大家的意見都是一致的，人類也沒有理由可以禁止這一個人發表其反對的意見，正同一個人（即令他有權力）可以禁止全人類發表意見一樣」。對此至理名言，想梁先生早已味之詳矣！所以[illegible]一向理想的結晶，而對一羣懷仁堂中的牛鬼蛇神說：我，我，我，「我願負責說一句：我已經認定跟共產黨走了」。噫！梁先生既跟定共產黨走了！但他又恐怕共產黨還不相信，於是他又說：「中國共產黨怎麼會使我信服於它呢？首先是有許多不可否認的事實，再則有它深刻尋思的理論」。

十分勉強的藉口

他把許多不可否認的事實歸結到：「像今天統一幅而遼闊的國土，東北邊遠、內蒙、西藏、新疆、雲南各少數民族都團結統一起來」，中國過去的地理，想梁先生會相當熟悉的。而過去明是自東北邊遠、內蒙、新疆、青海、西藏、雲南以及外蒙，一片大好版圖，也是統一在中華民國的版圖之上的，現在外蒙被蘇俄併吞進北熊的血口，作一個愛國者的梁先生能不憾然之否？然而所謂不可否認的事實，除了所謂統一幅面的寬廣以外，又別無不可否認的事實，[illegible]

對中國問題的看法

更有意思的是梁先生對中國問題看法的下邊一段話：「對共產黨從階級觀點來看中國社會，以階級鬥爭來解決中國問題，我以爲他們錯把中國當外國，[illegible]」

[illegible]對的。但他又親眼看到中共揮舞着馬列主義的板斧去劈中國人民，人民暫時屈服了，照共產黨的邏輯這就是團結了。而梁先生也就把這樣的團結邏輯，反反爲正的說：眞的，還是你們共產黨弄得對，而順便引出上述的一段話來；實際上此乃梁先生再度把自己對中國問題的理智見解提出以與共產黨處理中國問題的辯證法則巧妙地作一明朗性的比較，然則此老身在共匪統治下而能作到這一步，倒眞有一手呢？

不忘共黨的分化鬥爭

梁先生對共黨深刻尋思的理論的描寫是這樣：

「好比有眼睛才能走路，有方法才好辦事，共產黨所以制勝一切正如他們所說的全靠馬列主義把自己武裝起來，他們認識階級矛盾，分清敵我，而後從一定不易的階級立場去求團結。這樣團結一點是一點，總有前途，絕不落空。他們堅持階級鬥爭，團結就是爲要鬥爭，而鬥爭亦就擴大了團結。所以分化乃是團結的起點，而鬥爭乃是團結的途徑，而最後目的正是要團結所有的中國人」。

這段話，是梁先生讀者試默爾而思！對共產黨理論折服的說明呢？還是梁先生對共產黨分化鬥爭罪惡的控訴呢？難道說團結除了鬥爭就沒有別的辦法嗎？奇怪得很，共產黨的團結途徑就只有分化鬥爭，團結不成，鬥爭不已，用鬥爭的淫威去摧毀了每一個人的心靈之後，於是共產黨說煤是白哩，就沒人敢說個黑，共產黨說雪是黑哩，就沒人敢說個白，大概梁先生對於共產黨的理論就是這樣折服的。這實在折碎了梁先生的心。

相見有日　好自珍重

看到梁先生原書最後兩句話，眞是語重心長，對此風燭殘年的老人，豈容已於遙致慰問之忱，他的原書尾聲是這樣的：「末了說一聲，相見有日，人人好自珍重」。梁先生，告訴你，請放心，俺們在海外，第一呼吸的是自由空氣，有的在勞心，有的在勞力，可是只要掙來錢，日常生活所需都可任意買，因爲這裏的消費品是不受統制的。看到你的大扎，使俺一則以喜，一則以懼；喜的是知道你尚在人間，就不禁想起你當年在山東創辦鄉村自治的成績來；懼的是你老人家年壽高了，不知你一日四兩米（共匪配數）是不是吃得飽，一月四兩油是不是夠營養，一年一丈八尺布是不是足蔽體。這樣，你如果不自珍重的話，則故都風厲，西山陰森，馬列教條惟管堅節之硬骨，共黨天堂專勾游離忠迷魂，先生倘不勝其鬼使魔擾，而殉道於中南海之濱，雖槊首有期，誠恐彌時，絳帳虛設，舉楊空陳，欲見不能之足悲也。惟希珍重，餘不盡宣。

某少將干涉服裝展覽問題

△胡原秋先生來函

編者先生：頃閱三月五日貴刊，有傅君一文，談時裝展覽事。他雖然說某少將「情雖可憫，罪不可恕」，但說「此次表演在法律手續上尙欠完備」；而「時裝表演是大可不必舉行的」。文章這麼一做，某少將豈僅無罪而已。稍爲懂得一點文章的，也明白傅君眞意之所在。

我相信某少將之暴行，是自由中國恥辱之一。如果言論界的人不談則已，談而不講是非，不講公道，那是更大的恥辱。

我要問二個問題：（一）該項表演據說在空軍俱樂部。如果是未經核准之表演，會出現於空軍俱樂部嗎？（二）傅君將該項表演與南宋文恬武嬉相比，引了幾段文章。馬上又說，「不能與賈似道門蟋蟀相比」。我要問，到底能否相比。如不能相比，引這些文章幹什麼？如若可以相比，則（甲）時裝表演是爲了救濟知識份子與空軍托兒所，而賈似道則是爲的娛樂。（乙）如若說「時裝表演這類洋把戲和克難節約，總不十分諧和」。請問用「洋把戲」募捐救濟，可乎不可？如果說時局險惡，根本即不能有「閒情逸致」，則台灣的電影戲院皆應關門，因爲如今的電影，就是「洋把戲」。而某少將的「軍友社」也根本應該關門，因爲拱把戲」的。

但是，一個人要反對一件事，原不必要有了不得的理由。既可有表演，也可有反表演。無論某少將也好，傅君也好，反對時裝表演和「洋把戲」，自有反對權利。但有兩個條件：（甲）自己決不會參加任何「閒情逸致的洋把戲」。（乙）貼標語發傳單皆可，但不能動手。某少將之弟有二：動手，且以軍人動手，以軍人糾衆動手；不在其反對。我與時裝之類無緣，一切「土把戲」也是寓救濟於娛樂的業務，說「軍友社」之中不能免于「洋洋把戲」也看得很少，一生京戲看過一次，電影不到二十次。但我相信時裝表演與戰時生活決不衝突，不要說還是爲了救濟。並相信人類是不能廿四小時緊張的。尤其是在戰時，是應該有點輕鬆的。某少將之事，也許『非幼稚或衝動所能解釋』，但畢竟是一法律問題。我所謂是國家恥辱者，是當日警察無公正制裁，事後輿論對此無公正記載，足使人不安者，是不少的人，爲某少將辯護。敢惹也，自稱輿論者祖護他，那就不是某少將問題。我們可以不談一個問題，談就應該公道。我們今日在世界上，受人侵略，常向世界呼籲公道。如我們對某少將一事尙且不公道，我們有何顏面向世界要求公道？須知，我民族屹立數千年，即我祖先素來是講公道，有是非的。時至今日，還不講公道，即萬刦不復。我之不能不一言者，此耳。

胡秋原上三月七日。

△唐惺年，斑翁，劉鏡如，小丞，胡鑾之，尹斯安，文鑑，蔡俊光，胡節隣，力亞，靜文，郭德楷，易敏子，諸先生惠稿，已一一收到，至感謝。

中央研究院來函

——解釋建築及增所經過——

中央研究院總辦事處三月七日來函，原文如下：

貴刊四一六期載「中央研究院的新猷」一文，內容與事實頗多出入，特扼要舉陳實情，敬希惠予刊載：

一、建築地點　本院史語所原租用楊梅車站倉房，年久失修，極形危險。此一年半來幸承政府勉力分期撥款，得逐步自建倉庫工作室等。建築地點係經院中多數高級人員會同基泰工程司在台北近郊勘覓多處，或因議價受阻，或因交通不便，中途放棄，經院務談話會通過，訂約購定。俗謂「基隆雨」，係以汐止西至南港，南港在汐止西而近台北，氣候已與台北無殊。基泰負責設計，防潮濕（?）仍有所顧及。圖書文物箱籠等遷存新倉庫後，將隨工作進展，逐漸打開，分置工作室內展覽利用；且環境寬敞，易於曝曬，黴濕更無可慮。其地距市鎮較遠，山巒環拱，安全亦較他處爲宜，仍擬就附近山崖打適用之防空洞，因經費限制，尚待進行。所云文物已固置防空洞中，則非事實。南港交通便利，附近中小學齊全，並有自來水，（新店木柵等郊區多無自來水）亦其優點。

二、增所經過　本院深知政府無力恢復設備艱難之各研究所，乃於上年十二月院士談話會中，決定先就左列諸事籌備進行：

（甲）恢復植物所：因原植物所研究員李先聞爲本院與台糖合作改良蔗種，已極著成效，設所以後，更可與各方面合作研究增產。此事待籌措經費有着，即可開始。

（乙）將史語所之考古組改設考古所：因考古學在學術工作上自有其範疇，組織法原規定應獨立設所，現考古組已具相當基礎，期於劃出設所之後，各所機構簡便緊湊，工作易於發展。此事須俟李濟先生由美返國，再行着手。（組織法並規定有民族學研究所，故史語所之民族組亦有設所之議）

（丙）增設近代史所：近代史所首要工作在蒐集近世紀與我國有關之國際史料，配合政府各部門之實際問題，從事研究，以充實國策上參證之資料。國際學術界對此事極爲重視，並迭有積極建議，故籌設此所，以適應國家急切需要。此與當年在物理之外增設近代物理所之情形，大致相似。有人以爲將史語所按時代劃成三所，似屬誤會。

本院遷移後，部署稍定，將儘速籌辦公開展覽，俾外界明瞭一切，茲不贅敍。

印度共黨慘敗

本月初傳出了一個令人驚愕的消息：亞洲共黨又遭受了一次慘重挫折。印度南部的安特拉邦，印度政府於一九五三年按照語言界限而劃出的，那裏的二千一百萬人民，說的都是「台羅格」語，印共一直希望在這裏建立其在印度的第一個政治基地，且並公開表示準備將這一邦作爲度印的延安。在邦議會中，共黨擁有四十六席，僅比尼赫魯的國大黨少七席。同時，由於這一邦貧富懸殊尤甚，顯然是共產黨的良好溫床，這裏十分之四的人是佃農或窮無立錐之地的農工，自然易爲共黨所誘惑。

但在最近的地方選舉中，共黨雖自信必獲全面勝利，等到八百萬合格的選民選票將告點數完畢時，共黨卻像土崩般喪失了其實力百分之八十。四十一個選區，這次僅獲得十席，而國民黨聯盟卻增爲一百二十席。安特拉邦的共黨領袖賴迪克告落選，迫使印共全國領袖戈赫大叫「我的弱點，我的偏差」。印共這六年來希望用合法方法由選舉而控制全印的戰略，已在這一段的選擧全面傾圯了。（洛節譯時代週刊）

本刊三八二期至三八七期稿酬現已清發，請惠稿諸君憑通知單前來領取爲荷。

「人權保障」與「言論自由」

·成舍我·

——三月四日在立法院第十五會期第五次公開會議向行政院長提出質詢案——

特載

今天我要向行政院提出兩項質詢，第一、關於「人權保障」，第二、關於「言論自由」。

大陸撤退，與一部份烏烟瘴氣的國際局勢，雖然只是黎明前一段黑暗，但無可否認，此時此地，我們總算遭遇了重大挫折，如何來彌補挫折，或更進一步，變挫折為勝利。這在極權國家，通常的途徑，是對外越遭遇挫折，對內越加緊壓迫，民主國家則不然，且恰與極權國家相反。對外越遭遇挫折，對內越加強民主，加強團結。「人權保障」和「言論自由」，正是民主政治的兩大支柱，台灣已定為中華民國反共抗俄的復興基地，中華民國，應該是不折不扣的民主國家，而我們最近簽訂的中美共同防禦條約第三條又有彼此加強自由制度的承諾，當此安危興亡千鈞一髮的重大關頭，所以我特別提出這有關「人權」「言論」兩大問題的質詢，切望俞院長對此，各予以明確解答。

關於人權保障

先說人權保障。雖然外間對這一問題，有許多駭人聽聞的流言，但我絕對相信，政府對人權保障，絕不是從不注意，像政教告中所列軍法、司法審判範圍再度劃分，及切實執行提審法等，都可以親切看出，政府對人民身體自由，何等重視！尤其最近軍法局長包啓黃貪污勒索，枉法弄權，政府毫不寬縱，處以極刑，更為一最明顯的鐵證。但由於包啓黃的罪大惡極，從另一方面看，卻又正足以說明我們的軍法部門，確有嚴重問題存在。一個操生殺大權的軍法局長，任期那樣長，經辦案件那樣多，雖賴政府賢明，在懸貫滿盈以後，終於明正典刑，人心大快。不過以前由他經辦的案件，政府是否會因此引起警惕，有所檢討，君主時期，國家殺一壞蛋，像劉瑾，魏忠賢，和珅之類，一定同時就將被這壞蛋殘害的人，平反昭雪。包啓黃地位，雖比不上劉瑾，魏忠賢，和珅，至少總是「無法無天，有條（即金條）有理」，貪污弄權的壞蛋之一，則毫無疑問。幾年來，被他冤枉殘害的，死者縱不可復生，生者確必須平反，民主國家的刑事被告，在發現法律事實有重大錯誤以後，雖經判決確定，也儘有非常補救的辦法。我不知道政府對此有無準備？

我現在舉出幾件莫名其妙的案子，雖然我不知道是否由包啓黃主辦，但無論如何，這些案子，都沒有經過普通司法機關。假使不由包啓黃負責，那又應該由誰負責？是否還有和包啓黃一樣枉法弄權的人？我不明白真實情形，只有請政府去自行考查。

（一）龔德柏案

第一件，是國大代表前南京救國日報社長龔德柏失蹤案，龔德柏這個名字，大家聽來，一定不會生疏。他是一個將近七十歲的老報人，許多年來，我們政府的最高國策，是抗日反共，而龔德柏抗日反共的堅決徹底，就他所編著的征倭論，抗日必勝論，共匪禍國論等書，在配合國策的宣傳上，都會經發揮過相當功效。尤其他在馬歇爾來華的和談時期，當時主管宣傳機關，曾通知各報，對朱毛只稱中共，不能稱共匪，但救國日報卻拒絕了這個命令，並大寫文章，說共產黨本質，到任何時候都脫不了匪性。這一點，尤為難得。但他於三十八年隨政府撤退來台後，三十九年三月八日，忽然失蹤。從那時算起，再過三天，就整整滿了五年。這五年中，他的老婆兒子，都從來沒有見過他一面，老婆兒子生死存亡，他也無從知悉。他的老婆急到把頭髮禿成光頂，一家大小，啼飢號寒。這五年中，他究犯的什麼罪？關在什麼地方？誰都不知道。但似乎誰都知道，這五年中，他沒有受審，沒有判罪，沒有槍斃，卻也總沒有回家。此外又似乎誰都知道龔德柏這個人，只在此島中，雲深不知處。有人說，因為他一生信口罵人，人緣太壞，沒有朋友替他奔走，所以儘管失蹤了五年，不審，不判，不殺，不放，主辦這個案件的人，也就覺得放心，不會引起何種反響，因此，也就無法使我們賢明的政府當局，詳悉真相，誠然，他人緣不好，朋友不多，不過，我相信，龔德柏沒有人緣，龔德柏卻有人權，龔德柏縱無朋友支援，像這樣不審，不判，不殺，不放，卻可以激起天下公憤。龔德柏今年已六十六歲，聽說最近身體很壞，且曾幾度絕食。如果他是匪諜，政府就早應予以槍斃，如果他不是匪諜，相反的，且是一位抗日反共愛國家愛民族的老鬥士，就早應使其恢復自由。再退一步說，並曾信口罵人，縱於法無罪，卻應該遭一點口業果報，然而五年牢獄之災，這果報也夠慘重了！究竟怎末一回事？請俞院長予以說明。

（二）馬乘風案

第二件，是本院委員馬乘風被捕案。這一案件的經過，本院同人都知道，政府也不會不知道，他被捕到現在，也已快滿三年，依照我們的刑事訴訟，偵查羈押，固不能超過兩個月，如有必要，也只能延長一次。即依照去年八月十五日本院通過的「戡亂時期監犯處理條例」第二條：「被告在偵查中羈押滿二個月，審判中滿五個月尚未偵查終結或判決者，應自本條例施行之日起，兩個月內辦結之，逾期尚未起訴或判決者，視為撤銷羈押。」該條例於去年八月二十三日由總統明令公布，從八月二十三日起算，到現在也已半年，馬乘風無論是尚未起訴或尚未判決，也早應該有資格享受「視為撤銷羈押」的浩蕩國恩。老百姓對着立法委員，總常常很羨慕說，你們是老百姓的人權保障者，如果我們自己的身體自由，都得不到合法保障，我們真不知老百姓這類的話，是頌揚還是諷刺？也真不知將怎樣向我們的選民交代？這究竟又是怎麼一回事？請俞院長予以說明。

（三）軍法人犯已保釋多少

除這兩件平民而牽涉軍法的具體案件以外，第三，接着我還要請問俞院長，「戡亂時期監犯處理條例」，經總統明令公佈，業已半年，施政報告中告訴我們，普通監獄，依照條例，准予釋放的人犯，截至去年十二月止，為一七六九五，但軍人監獄，被保釋的，究竟有多少？報告中未經提及。據說有許多合乎條例的軍法人犯，依照條例，呈請保釋，卻以條例以外的種種原因，一拖再拖，迄無下文。難道立法院所通過，總統所公布的法案，下級機關，竟還可以打折扣？還可以不遵行？這究竟又是怎麼一回事？請俞院長予以說明。

（四）在港若干立委何以不許來台

最後，我還要提出一點，居住及遷徙的自由，本也是憲法上賦予人民權利的一種，不過台灣在非常時期，台灣需要出入境證，自有其必不得已的理由，但是我希望這種出入境證的核發，一定要百分之百的公平嚴正，不能看面子，講恩怨。我最無法理解的一件事，立法院每次會期，大家總接到院內紀律委員會的一份報告，報告內容，是有若干因居香港不能來台出席的委員，委員會要求院會，勿以「一會期無故不出席」論，將其除名。唯一理由，是他們不來台灣，並非他們不願來，而是台灣主管機關，不肯發給入境證。立法委員來台出席，是他的權利，也是他的義務，為什麼領不到入境證？假使這位委員，有附匪嫌疑，那麼，核發入境證的主管機關，就應該明白通知立法院，立法院紀律委員會，自然也就會確切了當，報告院會，依法將其除名。如果並無附匪嫌疑，如何可以剝奪他們居住本國的權利，阻止他們如期報到的義務，一連幾年，不許入境。幸而我們立法院，開會的法定人數，只要五分之一，而在台立法委員，一向均超過法定人數很多；又幸而我們院內的執政黨，佔絕大多數，少數委員缺席，於開會和議案進行，都不發生困難，假定我們的立法院，和美國參議院一樣，第一、是條約案需要三分之二的多數票，才能通過，第二是本屆參議員，政府黨和反對黨，相差只有一票，那末，行政機關有如此不可思議的大權，可以隨便拒絕立法委員入境，使若干立法委員，不能報到出席，則所謂最高立法權的行使，將成何體統？據說，這些被拒入境的委員，他們的言行，到現在還是指天誓日，反共抗俄，當然我並沒有責任，擔保他們的言行，但政府卻必須負起責任，將拒絕他們入境的原因說清楚，究竟是怎麼一回事？請俞院長予以說明。

關於言論自由

以上四點是關於人權保障的，現在，再質詢有關言論自由問題。

台灣報紙雜誌，事先都不檢查，台灣有極大限度的言論自由，這是無可否認的。雖然有人批評我們的出版法，對言論自由，束縛太嚴，因為第一，台灣不許辦新報和新雜誌，第二，政府可以停止任何報紙雜誌的發行，到一年之久，情節重大的，還可以延長。換句話說，就是封門。試問人民連報和雜誌都不許辦，還有什麼言論自由？一份報紙或雜誌，政府認為不滿意，就可以封他一年，甚且一年以上，豈不等於宣告報紙雜誌的死刑？但是這種對出版法的批評，真是黑天冤枉。出版法在立法院通過時，小組會和大會，前後開了不下五十次，大家十分謹慎，總怕這份出版法，與我們憲法上的言論自由，出版自由原則衝突。現行出版法四十五條，全部精神，是保障的意義多，管制的意義少，尤其鑑於過去行政機關，對人民申請辦報雜誌，動輒以莫名其妙的因素，長期延擱，作為變相的拒絕某報某雜誌出版，所以出版法第九條特別規定，登記手續，每一機關，必須於十日內辦完，不得延擱。我們翻遍了整個出版法，實在尋不出有一條文，禁辦新報新雜誌，也尋不出有一條文，封閉報紙雜誌，可以長達一年，或一年以上。那麼，批評出版法，束縛言論，過於嚴酷，這究竟從何說起？

原來這些束縛言論自由過於嚴酷的條文，不出於立法院通過，總統公布的出版法本身，而只是出於四十一年十一月二十九日內政部部令公布的出版法施行細則。這一份由行政官署制定的施行細則，許多地方多與母法的立法原則衝突，痛快的說，簡直就是違憲。所謂不許新報新雜誌出版，是根據施行細則第二十七條：「為計劃供應出版品所需之紙張及其他印刷原料，應基於節約原則，調節轄區內新聞紙雜誌的數量。」所謂停止報紙雜誌的發行，可以達一年或一年以上，是根據施行細則第二十九條所規定。這都是超越了出版法範圍，其責任非出版法本身所應負擔。

（一）新辦報紙雜誌何以不許登記？

因節約紙張及印刷原料就可以禁止新的報紙雜誌出版，這真是天下奇聞。那末，同一理由，出版書籍也要紙張，也要印刷原料，何以不為了節約，也調節數量，假使真這樣做，禁止新書出版，自由中國的文化，豈不全部破產？不這樣做，又何以對出版書籍如此其寬，而對報紙雜誌卻如彼其嚴？假定問題出在「計劃供應」四字上，但政府對報紙雜誌所需紙張及印刷原料，並沒有免費白送，只有過去紙業公司由政府公營時，各報配紙，價格比黑市便宜一點。然而政府絕無理由，認為這是一種恩惠。憑這點恩惠，就可剝奪自由中國全體人民的出版自由言論自由，而禁止出版新報新雜誌。且配紙制度，就台灣說，根本沒有必要，這種制度的產生，在西方，只有戰時因海上封鎖，本國產量不足，外紙不易運到，或平時因[illegible]足需要數量太大而又有經濟危機必須節省外匯，減少外紙輸入，這才有限制紙張配[illegible]辦法。英國配紙，即是最顯明一個例子。然而英國配紙，並不禁辦新報[illegible]而且上述造成配紙制度的那些條件，台灣都不存在。台灣白報紙產量，每年約二萬五千噸，以目前全省二十七家日報每月共需紙三百四十六噸計，全年[illegible]噸，僅佔總產量六分之一[illegible]怕紙造出來銷不了[illegible]然，戰時任何物資，都需[illegible]人說，台灣報紙雜誌[illegible]制新報紙雜誌出版，並非[illegible]報紙雜誌，為推行民主政[illegible]人民的精神食糧，和一般[illegible]商品，怕生產超過需要[illegible]，一國報紙雜誌，[illegible]明其文化發達，尤其戰時[illegible]可增強抗敵的宣傳力量，[illegible]動員。單就報紙一項說，[illegible]並非太多，相反地，只是太少[illegible]界每日銷報二億一千七百[illegible]人口作比例，英國最高，[illegible]百十五份，瑞典人口七百[illegible]萬，每一千人中，閱報四[illegible]，但他有報紙二百五十種[illegible]人口九百萬，多於瑞典，[illegible]二十七家，銷數三十三萬[illegible]每一千人中只閱報三十七[illegible]九〇與三七之比。試問這[illegible]還太少？這真是少得可[illegible]為東亞五千年文明古國的[illegible]少得可恥！為什麼內政部[illegible]版，？政府每年千方百計[illegible]產，[illegible]報紙產量不夠，海上封鎖[illegible]進口，限制新報猶有可說[illegible]紙供過於求，在此情形之[illegible]為藉口，新的報紙既不許[illegible]也限定篇幅，最多只許日[illegible]不等於叫自由中國的男女[illegible]年糧食豐收的情形下，禁[illegible]，要他們束緊褲帶，每天[illegible]

[illegible]一樣可笑，一樣不合理？[illegible]

（二）停刊可達一年以上豈非變相封門

至依據出版法施行細則第二十九條，停[illegible]

（下轉第四版）

報紙與批評

馬五先生

港督葛量洪先生日前在香港報業聯合會講演，認爲報紙是應該要批評政府的，如果報紙祇是歌頌政府，那就是不好的現象。他強調報紙立言紀事必須「負責」。這段話，把民主自由的概念說得很明白，言簡意賅，發人猛省。

報紙既是代表輿論，指導輿情的，如果對現實政治生活不事批評，根本就喪失了報紙的作用。不過，報紙的立言紀事，卻必須負責，不能隨便胡來，造謠生事，否則，就要担負道德與法律上的責任。這種常識性的理論，誰也能知之，能言之，就是不容易實行！知而不能行的毛病，即爲觀念問題。

觀念之一：認爲政府是對人民作之君，作之師的，天下無不是的父母之君，更沒有可以非議的君師。批評政府即是不滿意的表示，就有犯上蔑紀的嫌疑，自難容忍。因此，乃有所謂「善意」與「惡意」，「建設性」與「破壞性」的批評這類說法，以爲拒諫飾非的口實。其實，批評就是檢討一項問題的利弊得失，有甚末善意惡意的界說可資辯證呢？說得對的，予以採納，不對的，可以糾正駁復；若竟無故實地胡說八道，法律俱在，他能逃避責任嗎？這種錯誤觀念之形成，最大癥結是把「反對」與「反動」沒有弄清楚，原因即從「作之君作之師」的下意識而產生的。

觀念之二：認爲跟政府有關係的報紙，即絕對不應該對政府有所批評，否則豈不是自揚家醜，跟自己過不去？殊不知唯其如此，那批評才可以引起社會大衆的特別重視，因而在無形之中獲致指導輿情的效用，增加人民對政府的向心力。辦報紙是以對外爭取人們同情爲目的，而非對內自我陶醉，孤芳自賞的，天天歌功頌德，那張報紙即可用油印分送，不必搞甚末機器設備，浪費人力物力了。當然，政府機關報的立言紀事，在大原則上是與一般報紙有所不同的。但須盡在不言中，一着痕跡，宣傳的效用就遞減了。

能够澄清這些觀念的人，一旦從政，即爲地道的民主政治家，若從辦報，也必然是頂括括的標準文化人！

詩人黃節軼聞

劉鸞如

（一）

嶺南近代詩人黃晦聞先生，一生致力吟咏，他本是簡竹居的弟子，但卻沒有跟老師做理學，而別樹一幟，結果成爲一代詩學名家。他那本蒹葭樓詩集，許多人珍如拱璧。他是廣東順德鄉人，明末狀元黃士俊的後代，但他少小離鄉，早已久客忘歸了。

他是民國二十四年一月死於北平，死的時候已經六十二歲了，關於他的生平，章太炎替他所作的墓誌銘，極爲翔實，其文如下：

（二）

「晦聞諱節，廣東順德人，弱冠，事同縣簡先生朝亮，簡先生者，與康有爲同師，而學不務恢怪，性尤清峻，寡交遊，事之數歲，通習大體，冠其儕，歸獨佛寺讀，又十年，學既就，會清廷失敗，寇借用事，遂走上海，與同學鄧實等，創國學保存會，蒐集明清間禁書數十種，作國粹學報，以辨夷夏之義，時炳麟方出繫，東避日本，作民報以相應，士大夫傾心光復自此始，簡先生聞二生抗言，以爲狂，頗勵止焉，而二生持論如故，時兩江總督端方知之，不可奈何，欲以啗餌之，不能得，香山孫公主中國同盟會，聞晦聞賢，以書招之，亦不就，及民國興，諸倡言士大抵通顯，晦聞獨寂寂無所附，其介特蓋天性也。始，自廣東高等學堂監督，歷京師大學文史教授，凡在北平十七年，中間嘗出任廣東教育廳長，通志館長，歲餘即解去。其爲學，無所不窺，而歸之修己自植，然尤好詩，時託微歌詠，亦往往以授弟子，以爲小家瑣說，際亂而退，與之辯別攻訟，訟終不可止，詩者性情之際，學者浸潤其辭，足以自得，雖好異者不能奪也。其風旨大抵近白沙，而自爲激昂，所峻過之，自漢魏樂府，及魏三祖，陳王，阮籍，謝靈運，謝朓，鮑照詩，皆爲註釋，最後好崑山顧氏詩，蓋以自擬云。晦聞始因京師大學校長蔡元培招充教授，然與元培不相中，其後觀學制日頽，與人言，輒憤悒久之，民國二十二年，簡先生沒，晦聞盡哀，自是始病，民國二十四年一月，卒於北平，春秋六十有二，先卒時，人爲刻其蒹葭樓詩二卷，然稍涉諷刺者，亦略刪之矣，男子二，大星，大辰，女子三，以其年四月，葬於白雲山之阡，以狀屬爲之銘，予三辭，不足以增飾晦聞，然使晦聞而用民國之政，必不致媮薄，以遠今日無變也。乃爲銘曰：

其言足與，不烈勳籍，其默足容，又何諮諮，蓋闇績其中，而守以淡泊，彼褐之文兮，熟知吾之精白，古所謂天民者，其斯人之徒歟！其斯人之徒歟！」

（三）

蒹葭樓詩爲其晚年所訂，抉擇頗精，而早年之詩確係風華秀逸，尤以七律爲最擅長，一氣迴旋直下，若有一股熱情銳感，惻惻動人，不襲陳詞，不着閒語，警策獨絕。他到晚年，力求凝鍊，喜歡在用字做工夫，不知不覺之間，轉成晦澀，大抵暮年血氣已衰，智慮靈感亦隨之減退。

但他之詩，在當時詩人陳三立，張爾田，胡漢民諸先生對於他的作品，莫不推崇備至，均有好評。尤以郭璞先生說得最爲透徹。他說：「南海盛衣冠之氣，大抵山川靈秀所鍾，時有獨特瓌奇之士，一鳴驚人，不以僻處而掩其光芒者。若黎二樵之聲，若陳獨漉之詩，世所周知，固無論矣。黃節晦聞，其詩清新雋逸，卓有獨到，談民國以還詩人，嘗不能遺晦聞，談嶺南近代詩人，更不能遺晦聞也。」

黃早年矢志不做官，已見之於墓誌銘，在北平任教多年，但靜極思動，終於回粵任教育廳長，大抵文人結習，讀書本色，祇宜吟詠，若云從政，似有未諧，濃他在廳長任內，就發生了一宗妙事趣聞。

全省運動會開幕，他以廳長地位，率先跑步數十碼，但他身體肥胖，行動遲緩，當賽跑時，一手牽着長衣，一手扶着眼鏡，引得全座大笑，翌日，報章附刊，描寫其趣。不料這位老人誠然震怒，認爲有辱體統，竟轉飭公安局澈查，將記者數人逮捕，拘禁了十餘天，在文告當中，赫然書着：

龍井文喜，譚刀仔百業，梁迫擊砲，廖採，薛嶽公伯賢等，很像水滸傳中的人物，個個有渾號，實則是當時幾位作者的筆名哩。

（四）

他又親自做了一首運動會會歌，結句是：

「猶如猿，捷如熊，挾東海，超泰嵩。」

見者譁然，不知其命意所在，還是只求叶韻，猿與熊的矯捷，但熊是笨貨，那裏會見得捷呢？當時廣州的報紙，因爲國民新聞已經闖下了亂子，所以噤不作聲，但香港的小報，卻拿來和他開玩笑了，做了一首「挾東海超泰嵩歌」，突梯滑稽，調侃之至，當時的歌詞如下：

「東亞之東有東海，詩人挾之超泰嵩，猶如猿，捷如熊，高跨菊花驄頭鞋，寬袍闊袖御長風，我聞五鼠鬧江有蔣平，又聞梁山李俊混江龍，詩人說道一般傢伙都第九，我還勝過一個筋斗十萬八千里之孫悟空，廿省連年若旱魃，土壤龜坼如鹽多，詩人濟以東海水，從茲五湖十澤還崢嶸，飄者潤，拆者豐，四野歡歌聲隆隆，吁嗟乎，微詩人之力不爲功，我來作歌壽詩翁，詩成擲筆捧腹如蝦公。」

黃先生見了，爲之啼笑不得，只是頻說豈有此理，豈有此理！但後來他又說，這實在是一首別開生面的好詩。

日友山縣初男以詩見寄次韻酬之

・張維翰・

歲月婆娑臥一庵。揮毫如意見書函。卅年往事懷金馬。千里新詩誦碧潭。隔海停雲常在望。名都何日更重探。蓬萊島上松長茂。鶴算春來晉八三。

再酬山縣七絕一章亦次其原韻

世局蜩螗十載過。陌俄大錯鑄邱羅。滔滔赤禍東流急。自救要須挽逝波。

語意學漫談

徐道鄰

張太太不見了五塊錢，這是一件『事實』。她以爲是下女偷去了，這只是一個可能的『推論』。因而她認爲這個下女是一個不可再用下去的竊賊，這是她個人的『評判』。但是她卻把『評判』當作了『事實』看，因而立刻把下女開除。隔壁的李太太在想，張家的下女既然是個賊，她自己的下女，和那個下女是好朋友，自然也不會是好東西。於是也馬上把她辭退。這就是把別人的評判當作了事實，再據以推論和評判而出之以行動。過了幾天，張家的小老二無意中承認了那五塊錢是他拿去的，大家才知道過去是無故冤枉了好人。然而張家和李家卻都已經失去了他們又能幹又善良的好下女；張先生和李先生都埋怨他們評判太快的太太們，而兩對夫妻都各別的吵鬧了一場。可是這兩位純潔的少女，卻已經無故的受了意外的冤枉和恥辱。不獨她們心靈上受了重大的打擊，同時這件事又大大的增加了她們自己和她們許多親戚朋友們對於外省人原來已經存在的偏見和惡感。

科爾西布司基 KORZYBSKY 所常說起的『懶惰的孩子』，是一個很好的例子。他說，有一個小孩，常常很晚起牀。他的父母認爲這是一個天生的『懶惰』的孩子，『懶惰』當然是一種『罪惡』，而必須予以糾正的。於是斥責，打罵，種種的懲罰，相繼而來，可是孩子卻日加其乖張和反抗。幸而一位富常識的醫生認爲有問題，詳細的檢查，發現了他嚴重的腺體病症。經過一個長時期的治療，才把腺病醫好，這個孩子不但每早按時起床，並且成爲一個非常用功和非常有天才的學生。上面這一類的例子——錯把『評判』當作了『事實』——我們如果用心想一想，就會發現我們過去所看見過的不知道有多少，就是我們自己曾經作過的也不知道有多少！

評判停止思考

『評判』是一種『結論』，結論是一切思考的『結束』，所以評判有停止思考的作用。我們對於任何事物，不管它複雜或簡單，凡是達到了評判的階段，就不再繼續加以研究和思索。小學生們文章，總是寫不長，就是因爲他們一開始就使用了太多的評判的字眼。『好』，『美麗』，『偉大』等等，這幾個字一經出現了，你還想怎麼樣再繼續發揮和描寫？然而人們偏是喜歡很快的作評判。這大概也是心理上的必然。因爲人類爲了生活上的安全，所以很早就培育成了一種好奇心。好奇心促使人們對所見的事物都要加以思考。而思考的動力一經開始，沒有結論是不能停止的。然而人們卻隨時須要清閒的腦筋來準備隨時作各種思考，所以人類之評判太快，結論太快，實在是一種很自然的現象。然而卻正因爲如此，遂使他們不能作足够的適當的思考，使他們把評判代替了觀察，使他們常常用自己的力量來造成了自己的盲目。（十九）

九百九十九種死法

世界衛生組織最近在巴黎集會，承認人類有九百九十九種死法，其中包括致死的疾病，傷害，以及其他原因。在這成千死法內，自殺方法就有一百二十五種之多，可是這麼多死法，還沒有將全世界各民族的種種死法完全收羅在內，這因爲許多民族與地區沒有據實報死亡的規定，或即使呈報也沒有一切的方法，例如非洲一個野蠻民族，在其族民死後，僅止一張樹皮上記載下此人的去世，這種情形當然阻礙該組織的統計。因此在這次會議中，來自世界各地的五十位代表（僅鐵幕國家除外），規定了一種「簡化」死亡證表格，其中僅列有五十種死因，供死者家屬填報。例如：某甲是死於腹病，某乙是被獅子所殺，或某女是以難產致死。（明譯）

「人權保障」與「言論自由」

成舍我

（上接第三版）出版法第三十七條第四項，對報館最重處罰，雖有定期停止發行一項，但內政部絕不因此即可在施行細則內，擴大其定期停止發行的期間，至一年。尤其內政部還有權將停刊期間，延長至一年以上，所謂「一年以後再延長」，究竟延長至什麼時候，三年？五年？十年？百年？施行細則上並未確定。老實說，這就是無期停刊。出版法是「定期」，內政部不時把定期的時間延長到一年，而且延長到「無期」，試問施行細則是不是違法？現代的報紙雜誌已全部企業化，如以台北爲例，假使像中央日報、新生報、中華日報、聯合報等，一有過失，行政機關即有權將其停版一年或一年以上，試問這個報館，每月幾十幾百萬元的支出，幾百幾千職工的生活，如何應付？又正因現代報館雜誌多爲股份公司組織，報館爲法人，其地位與其他任何法人機關相等，報紙出了毛病，負責人應受懲罰，但不影響報館的存在。正如內政部下錯了一項命令，只應處罰下命令的內政部長，絕不能將內政部封閉一年，或一年以上，一年或一年以上，不許內政部再發命令，英美等民主國家，只處罰報館負責人，不停止報紙出版，這個理由，是十分顯明的。

台灣有極大限度的言論自由，從無人予以否認，而我們的出版法，立法原則，只是保護多於管制，也無人予以否認，只是因爲內政部以行政命令，頒布了這項超越出版法的出版施行細則，不許辦新報，辦新雜誌，行政機關可以變相的封報館封雜誌，這才使大家懷疑，台灣是不是有言論自由？不知俞院長對於這一錯誤，是否將予以有效的補救。

人權保障，言論自由，這兩大問題，就是我今天要向俞院長提出的質詢。如果說，大陸撤退以後，此時此地，談人權，談自由，未免不切需要，我的看法，正如我前面所說，極權國家，對外越遇有挫折，對內越加緊迫，民主國家，對外越遇有挫折，對內越加強民主。美國人有句傳誦一時的名言，即自由世界最大資產之一，是鐵幕內被奴役人民對民主自由的向慕。拿這句話適用到自由中國，我們也可以說，自由中國最大資產之一，是大陸上被共匪奴役的同胞，對台灣民主自由的向慕。一萬四千名反共義士的歸來，就正是這一項資產的兌現。而最近大陳全體義民撤退來台，也是自由中國民主自由深入人心的結果。此時此地，我們正應加強民主自由，使鐵幕同胞，一遇機會，即可聞風興起，全國響應，以比打倒滿清打倒帝制更快的速度，打倒共匪。立法院每屆會期開始，立法委員行使憲法上賦予的質詢權，對政府施政報告，追根查底，以及政府的開誠佈公，儘量答覆，這都是民主風度最好的表現。像我剛才所說的這些話，以及若干同人所說的話，如果讓鐵幕內同胞聽到，他們一定立刻會想一想，這些話，假若在共匪的什麼政協會議，人民代表大會上說，那不是馬上就會拖出槍斃？但他們相信，自由中國立法院立法委員，向政府提出合法的詢質，我們不特絕不會被政府拖出槍斃，並且還可以繼續不斷的質詢，政府還可以繼續不斷的答覆，報紙還可以繼續不斷的登載，這對於鐵幕同胞，將如何激起他們對自由中國的向慕？至於有人說，我們的質詢，不免暴露了政府弱點，世界上，那一個政府沒有弱點，問題就只在弱點會不會被暴露？暴露了會不會有補救？像美國這樣標準的民主國家，高級官吏貪污違法，各州警察，以私怨逮捕記者，秘密拷打，因被檢舉以致送進監獄的，幾於時有其事，法國以人權宣言震驚世界，而據最近報載，竟查出有十個人，每人被非法羈押到平均十八個月，未被審判。這是不是因爲有這些黑暗不幸事件的暴露，就損壞了他們第一等民主國家的地位？相反地，只是大家明知有黑暗，大家不肯說，不敢說，這才是一個國家的絕症，這才是一個國家的恥辱！

我的話就完了，現在敬待俞院長的審覆。（完）

自由人

THE FREEMAN

（第四二一期）

中華民國僑務委員會登記證台教新字第一第二號
中華郵政台字第五〇〇號
執照登記爲第一類新聞紙類
（半週刊每星期三、六出版）
每份港幣壹毫
台北市售價台幣壹元
督印人：陳文蕃
地址：香港高士威道二十號四樓
3 rd. fl. 20 CAUSEWAY RD HONG KONG
香港發行及事務接洽
高士打道66號　電話：七四〇五三
承印者：東南印務出版社
地址：高士打道六十四號
海外總經銷
友聯書報發行公司
香港：德輔道中二十六號A二樓
台灣派員辦事處
台北市館前街五十號
台灣總經銷處
台北市西寧南路一〇二號二樓
台郵撥儲金戶九二五二

讀立委成舍我先生的質問全文書後

・左舜生・

『大敵當前，話到口邊留半句。』我近來每逢着有一點什麼意見，想要寫出來在報紙上發表發表的時候，往往有這樣一種心情。

翁文灝與梁啓超

我也曾用反省的方式，分析我這種心情是怎樣構成的：第一，自然是由於我自己的性格，我深知道我這個人根本不適於幹政治。若干年來，我有幾句話常常向我的朋友們提起：『政治者，俗人之事，君子不得已而爲之，小人因緣以爲利。』我旣非『君子』，又不甘心做『小人』，有什麼必『不得已』，非叫我這樣一個不三不四的人去奉入這種無謂的漩渦呢？第二，我確也知道，除掉政治以外，就反共觀點或改進政治的觀點來說，我們可做而應做的事，實在太多，而生也有涯，可盡力的事業無限，只要宗旨不錯，站穩自己的崗位，一點一滴的去努力，又何嘗不可盡到各人的本分？記得有一次，從南京到上海，無意中和翁文灝同坐一列車，我看見他，他不曾看見我，其時他剛就行政院長的新職，車一到達上海的北站，便看見一大羣人圍着歡迎他，我覺得他無意中流露出一種『舉趾高，心不固』的神氣。我心裏想：把這位先生關在實驗室，讓他去繼續搞地質，也許還可能有點貢獻，何苦叫他扮演這樣一個腳色呢？最近偶然看見梁啓超一張照片，是民國十六年二月照的，有他自己的題字，其時他的年齡是五十又五，看起來，精神還是異常飽滿，無半點病態，比起民國九年我在上海看見他的時候，似乎還要好些，可是不幸第二年他便死了。綜觀任公的一生，他總算花了三十年以上的時間，在言論與學術方面，盡了他最大的努力，而且是孜孜不倦，死而後已。像中國這樣一個古老的專制國家，以一部分書生之力，憑熱血作本錢，以筆桿爲武器，居然把中國大部分的讀書人，從醉生夢死中叫醒，使得大家不能不捨其舊而新是謀，因而使得整個的國家民族，也得到了一種新的生命，現在我看來看去，還是推任公之功第一。倒袁一役，任公能投袂奮起，不惜以性命與這一中華民國的叛徒相搏，這是我所欽佩的。因爲袁世凱敢背棄誓言，公然要做皇帝，袁克定這個小子，居然要做太宗，這還了得！而當時有地位的文人如楊度，劉師培，孫毓筠之流，已經是寡廉鮮恥的去賣身勸進，如果像梁啓超這樣一個人物，他只是匿跡於天津的租界一聲不響；像蔡鍔這樣一個軍人，他也只是鬼混於北京的人海，當眞的迷醉於小鳳仙的溫柔之鄉；那中國人還算是有人格？他們當時發出討袁的誓文說：『成則爲一旅之興夏，敗則爲五百之殉田！』至今讀之，眞是凜凜然有生氣啊！可是討袁一役以前，消滅復辟一幕以後，任公還是參加過兩度的實際政治，由現在想來，究竟是近於蛇足。袁世凱之『不學無術，』段祺瑞之『剛愎自用，』任公應該是知道的，像這種人，如何可以去和他們共國家的大事呢？以任公三十年在文字與講學方面的勞績，兩度挽救中華民國的勛業，即令不幹那種『撈什子』的財政總長，司法總長，難道會於任公的歷史地位有絲毫的損害嗎？

談到我們的胡博士

由上面提到我所悲憫的翁文灝，又談到我所敬佩的梁啓超，因而想到在去年春天，我自己也幹過一件缺德的事：去年國大在台北開會，主要工作是選舉總統和副總統。總統自然還是蔣先生，他自己願幹，大家也希望他幹。至於副總統一席，我在未離香港以前，却是主張選舉胡適之先生。現在想來，這自然是我的書生之見，可是我當時的心情却是很單純的：第一，我知道共產黨非常討厭胡先生，他那一套自由民主的思想，他們曾不斷加以清算，至今也還是如此。我想，如果把這一尊偶像，搬上一個副總統的位置，這可能於反共的陣容有益。第二，我覺得抗日期間，胡先生幹過一任駐美大使，在中國近代的外交使節中，不能不算是有聲有色，在勝利剛有把握，胡先生的職務已告解除，這不僅多數的中國人覺得可惜，一部分的美國人也莫明其妙，假如把他推上副總統的位子，還或者於加強中美合作，更能做得順理成章。第三，我也覺得陳辭修先生幹了幾年的行政院長，確實有些成績，聲譽也一天天好起來，不以胡幹副總統，則當然便非陳莫屬，副總統既不便再兼行政院長，這樣一來，豈不是不能用胡之名，又不能用陳之實？第四，我雖堅信中國不亡，自由民主終必在中國實現，但我也相信能多擺兩個自由民主確有信念的人在政治方面去實現，或許到底來得快一些。我就本着這些簡單的意思，寫了三篇文字，兩篇發表在『自由人』，一篇發表在『祖國』，因爲意思單純，而且完全是爲反共與民主打算，因而引起不少的人共鳴，甚至有人自告奮勇，願提前跑到台北去，爲這件事有所盡力，可是沒有多久，我便明白過來，明白自由民主的實現，仍有待於我們一點一滴的去努力，這種移花接木的辦法，究竟是過於勉強，而且可能弄出更大的毛病，幸而胡先生有自知之明，絕對不幹；陳先生也眞有犧牲的勇氣，願跳火坑；才算免除了我這次良心上的譴責！

說到成委員的質問

最近在本港工商日報，讀到立委成舍我先生所提對行政院長質問的全文，（最初只看見俞鴻鈞先生一面的答辯）以其內容來說，總算是言人所不能言，也是言人所不敢言，（雖然實際還是避重就輕）其能給予各方面良好的印象，自不待說。不過我仍得提醒大家，像這種『開會期間的民主』，過去的例子已經很多，參政會即如抗戰期間有過八年的經驗，我們便曾親眼看見宋子文先生被質問得臉上發青，孔祥熙先生被質問得哭不得，笑不得，可是當時參政會的一幕，依然與現實政治毫不相干，所謂民主空氣，也就等於曇花一現。依據現行憲法的條文，立法院與行政院的關係，自與過去參政會與政府的關係不同，可是立法院沒有有力的反對黨，却也與過去的參政會一樣，甚至比較初期的參政會還不如。在憲政實行期間，不能名實相符的樹立兩黨以上的多黨制，單靠幾個能說話的立委，於開會期間提出若干的質問，便會有憲政出現，那眞是中外所未聞，古今所未有也。即以這次成委員所提質問的內容而論，如關於人權保障的提案，以及其他冤獄的平反，馬案，等等；以及關於言論自由的報紙多出少出，以及內政部運用『出版法施行細則』對言論所實施的壓迫等等；如果單就憲法來解釋，『最高行政機關』的行政院，確實有權來解決這些問題的，但就當前政治的實況來說，則行政院却一個問題也不能解決。說憲法所付予行政院的實權，全部被比行政院高的機關所剝奪去了，這也不盡合事實，實際比行政院低的機關要奪去，行政院也還是無可如何的。今天自由中國所實行的政治，只有若干比較的不重要的部分是看法，多數重要的部分却還是要看人，質言之，便還是夠不上說是『法治』，而實際只是『人治』，其與現代憲政制度的距離，至少還是有十萬八千里的。

這次俞鴻鈞院長答復成委員，除掉少數港澳立委的入境問題，他說『最好個別向主管機關詢問』（見三月十二日工商日報原文）以外，其餘的他似乎都答覆以『謀求補救與糾正』，我眞佩服俞院長的勇氣。除了靜待他的補救與糾正以外，我們只好暫時不談，可是關於立委入境，除行政院外，另有主管機關，我也還是莫明其妙，俞院長何不明白指出，究竟是那一個機關呢？說得太多，還是維持我向來的心情：『大敵當前，話到口邊留半句』吧。

時論選譯

英國的社會主義今後向什麼方向前進呢？恐怕工黨本身也不能夠解答這個問題。自從一九四五年工黨主持國政後，以往五十年該黨所主張的計劃經逐步予以施行，而且收到相當成效。但出人意外的，工黨反因事實的成就，而遭遇到理論破產的威脅。

理論矛盾政策分歧

過去三年，工黨在年會中所提出的計劃，可以反影該黨內心的矛盾。黨的領袖和貝文派鬥爭，工會領袖和主義的衝突。該黨刊物『覺邊報』，發表的種種矛盾理論，無不表現工黨已陷入不知適從的歧途之中。

工黨本身對於將來的政策尚不能確切的決定。擴大國營事業呢，還是鞏固現在的基礎？實現社會主義呢，還是以達到半社會主義的福利國家爲止？追隨美國的外交政策呢，還是採取比較獨立的立場？增強國防呢，還是增加社會的福利？實行國家資本主義呢，還是把工業的管理權交給工人？作進一步的改革計劃呢，還是維持現存的制度？集中管理呢，還是逐步予以分散？把權力交給工人呢，還是維持現有的辦法？黨中對這類提案總發生許多相反的意見，雖經過若干討論，仍不能夠決定一種有條理的政策。

這是什麼原故呢？工黨裏頭缺乏人才嗎？還是因爲工會領袖和主義有了衝突至不能獲得一種有條理的政策呢？又爲什麼社會主義者的意見會紛歧到這個地步呢？

工黨的困難開始於艾特禮組閣成功的時候。由於艾特禮的組閣，社會主義和英國政府發生了直接的利害關係。因此，社會主義者祇好保持已得的收穫，並從而設法擴大之。於是工黨分成兩派，一派主張維持現狀，一派主張要進一步，達到社會主義理想的實現。

英國社會主義的危機

李加雪

福利國家與社會主義

半社會主義式的福利國家，在社會主義者看來，是一種最可懷疑的成功。他們以爲被剝削階級的情況雖然改善了，但資本主義社會的不平等，還未能完全消除。社會主義者認爲半社會主義式的福利國家，是達到社會主義的一種不能避免的過程，但是在美國人看來，既福利國家乃實現社會主義的絆腳石。社會現象達到了現在的情況，主持人物對於主義的推動已經鬆弛了，革命的精神也可能消失了。

過去幾年，社會主義人士對於他們的主義理論已認爲陳舊不合時宜，同時對於工業國營也發生了懷疑。工黨雖一時不至放棄工業國營政策，但他們却認識工業國營不能夠解決社會主義經濟的所有權和管制等問題。一部份社會主義人士，甚至有主張採取捐稅政策，來管制工業的。

此外，工黨對國營工業政策，又發生了許多有關組織和人事的困難問題，在事實上和理論上，都找不到一個解決辦法。他們的認識是這樣的，工業國營困難多，而收效少。這種新認識是好的，因爲有了懷疑，社會主義者自然會檢討已往得失，從新估定政策的價值。

社會主義者進退維谷

社會主義者的最終目的，是經濟制度的全部改造，部份改造的結果，已使他們感覺失望，覺得實現社會主義的前途更遙遠而且更困難了。半社會主義的福利國家已消失了社會主義者前進的勇氣。

（下轉第二版）

半週展望

・陳克文・

蘇俄的蛻變

馬倫可夫的垮台，居然能夠保全他的首領（最少目前如此），從近卅年蘇俄權力鬥爭的歷史看來，不能不說是一件新異的政治轉變。

最近，赫魯曉夫和布爾加寧宣布蘇俄的農業改革，坦白承認過去政策的失敗，並聲言要取法於美國農業生產，雖改革的詳細內容，現在還未十分清楚，但其爲經濟上的新轉變，似屬無可疑義。

蘇俄十月革命後，經濟政策由最初的軍事共產主義，轉而爲列寧的新經濟政策，再轉而爲史太林的幾次五年經濟計劃。五年經濟計劃實行了二十多年，現在又不能不變了。

從共產黨的本質來說，無論是政治的轉變抑或是經濟的轉變，總是不會走上西方民主政治的道路的。

不過共產黨人也不是白癡的儍子，他們經過了三十年的痛苦歷史教訓，和面對目前國際劇烈競爭的嚴重局面，他們似乎不至於死守教條，重蹈覆轍。因此，觀察蘇俄目前政治經濟的轉變，如還以爲歷史可以重演，馬倫可夫非死不可，新農業政策也不過是五年經濟計劃的別名，那不免是危險的，也是武斷的。

因此，我們不要希冀蘇俄會因權力的爭奪再出現一次史太林式的大清黨，甚至馬倫可夫不會變成貝利亞，也是可能的。也不要以爲蘇俄對於經濟困難，會一意孤行，死守教條，以至發生內部的變亂。

英工黨的前途

本刊這一期刊載一篇關於英國社會主義危機的文章，我們從這一篇文章可以看出艾德禮之流何以要主張把台灣送給中共？何以主張把原子武器完全廢除。原來工黨的社會主義，在英國實行的結果，已走上絕潢斷港，內部意見紛紜，莫衷一是。今後想重握政權，再組政府，決非甚麼國有工業，社會主義一類口號所能號召得起了。他們要借外交政策來和保守黨爭衡。因此，他們要處處和保守黨標奇立異，比保守黨主張更爲激切。即使如此，且萬派的激進分子，還是不能滿意。艾德里想借外交做武器，顯見其不能收打擊保守黨之效，也不能維持其統一工黨的目的。徒見其心勞日拙而已。

工黨現在已陷於分裂狀態，第一次大戰後逐漸得勢的英國工黨，恐已到了一個急劇轉變的時期。此不僅與英國今後的政治演變大有關係，亦將爲社會主義能否繼續發展於世界政治舞台的重大試驗。

外弛內張的海峽局勢

前兩星期，台灣海峽的危險局面，大有熱戰一觸即發之勢。最近幾天，百餘里的海峽雖無若何新的軍事行動，還有若干觀察家認爲中共不至實行和美國挑釁。其實，中共始終不會放棄其進犯台灣的企圖的，目前的沉寂與其說是中共放棄企圖，不如說尙在積極準備之中。中美雙方根據安全協定，也着着從事軍事上的佈署，聯合指揮部的設立似乎已經快要實現了。在這種情形之下，除非美國不守諾言，除非美國的報復政策依然是空頭支票，我們實看不出，台灣海峽的停火是可能實現的。

論學術研究的獎勵

——台省府特種獎金應加改善——

・陳代鍔・

國家獎勵扶助學術研究的方式，不外兩種：一種是學院化，即是在學院之內，設立種種獎勵辦法，扶助在學院之內的教授，職員，學生，從事學術研究。這一方式因爲對象集中，自易辦理。另一種則是社會化。因爲學術研究原不限於學院之內，許多大學者，大發明，家並非產生於學院之內，往往從社會各個角落裏發現的。有的是各別的研究，有的是私人創辦的研究所或學院，這種散佈在社會上的學術研究者，一方面是最專心致力的在研究着，一方面也是濟若自勵的在生活着。他們各別在自己的家庭或實驗室內從事研究，他們沒有學院之內那樣完善的設備，更沒有學院之內的研究者那樣便於接受國家社會的獎助。但他們却往往有驚人的成功。因此我們認爲學術獎勵僅僅是學院化是不够的；還必須有計劃有步驟的向社會上的研究者去發展，這就是我所謂的社會化。國家社會獎勵扶助學術研究，應兩種方式同時並用；尤其是後者所謂社會化更顯重要。因爲散佈在社會上的研究者往往易被人忽視，而抹煞其價值。他們不如學院之內之研究者那樣容易獲得團體及有力的後援。因此，我們特別重視學術研究的社會化，而籲請當局特別從此方面着手。

目前的獎助欠完善

自由中國自中央研究院起至各大學各研究所，並非沒有獎助學術研究的設置。各級文教機關也曾有種種學術獎金的名額。如台灣省政府的特種學術獎金及最近頒佈的中華學術獎金，都分別在舉辦。這表示政府及社會各方面都在注意學術研究的獎助，這是一種良好的風氣，值得各方面重視。

嚴格檢討自由中國歷年來所舉辦的學術獎助辦法，無論是文藝獎金或特種獎金，都覺得不够完密而欠充實。甚至道路傳聞有出於私人愛惡而於事前分配給若干有關係的人，以爲籠絡有力份子的措施。這事究竟有無，我們自不便輕易斷定，但似乎是非有因的。這種獎勵辦法的不够公開不够嚴密，更是無可諱言的。例如台灣省政府的特種獎金，當收件時種種挑剔留難，有了聲請書，還要推荐書，推恐聲請的人太多了似的，其間辦理情形，從無公開宣佈過。究竟聲請者有多少人？什麼人担任審查？什麼是取舍的標準？我們未見有一字發表。甚至最後什麼人什麼書獲得獎金，連一條廣告都不見。其中隱秘似乎很怕公開似的，我們對這樣的學術獎勵是否公正合理，實不無疑問。

學術獎勵原來是國家社會用以促進學術進步的設施並非私人發揮愛惡的工具，倘措置不够公平欠當，則足以發生相反的作用；不但無補於學術研究；而且反爲阻撓了學術的進步，成爲學術研究的障礙，這樣的獎勵不徒無補，而反有害。與其有，不如無。

七項的建議

最後，我願對當局提供有關學術獎助的若干建議：

一、著作審查應做到公開，公平，應該認定著作在學術上的成功；而勿在一字一句上吹毛求疵，斷章取義。

二、學術審查應不分政治界域，不論派系關係，而做到以國家爲前提，以學術爲本位的原則，不問私人感情，不講關係，純從學術價值而論。

三、學術審查應不迷信權威，不抹殺人才。純從眞理學術觀點評議，發掘新人才。

四、學術審查應公開進行，評議人員的講話，應予公佈，必要時得公開辯論，由申請人到場辯論。

五、學術獎助應實行社會化，使散佈在社會上的研究者獲得獎助，鼓勵私人研究學術。

六、爲幫助學術研究者出版專書，應請開放各家公設出版機關，不爲私人工具；而爲國家出版機構製定收稿公開辦法，協助各界研究者解決出版上的困難。使研究者獲得幫助與合作，而鼓勵其研究興趣。

七、對民間文化團體，出版機構，予以指導獎勵，鼓勵民間出版商發行學術專著。

以上各項建議，希望文教當局虛心採納，加以注意，作全盤的設計，分別推行。一年一度的獎賞式的獎勵，可資倡導；但並非有力的根本辦法。當局應作進一步的努力，使學術獎助能够經常而普遍的推行，使大多數學術研究者能獲得其應得的幫助，那將是學術界的幸事。

論中共的幣制改革

（上）

・李金曄・

中共幣改令頒佈後，本刊三月二日曾列出曾旭眞先生「榨滿了血淚的人民幣」一文。該文引蘇聯經濟學家[illegible]教授的論述，對中共人民幣作極深刻的批判，較其他以自由經濟制度的觀點，來作批判的文章，更爲正確。筆者擬就曾文另加闡述，藉作補充。

共黨貨幣的性質

首先，我們不能以自由經濟制度的通貨學說，來看共黨幣制，更不能照共黨通貨有無準備，是什麼本位，和含金量多少，來研究此一問題。否則，難免有隔靴搔癢之感。

曾文說得對，「共黨對貨幣的觀念，根本就與普通人不同。……視貨幣爲攫取人民脂膏的工具，人民沒有自由處置貨幣之權」。換言之，人民喪失了自由處置貨幣的權利，人民的購買力，就無法作正常表現。貨幣的所有者，不論貨幣多少，皆不足以表現其勞動代價是否公平。工作加多，貨幣的收入雖亦隨之而增加，但市場缺乏供應，甚或絕無供應，即工作者對其所需要的生活資料，毫無控制力量，更談不到享有不虞匱乏的生活權利。因此，勞動者在共黨統治之下，最接近無償供獻勞力狀態的。

因此，共黨的貨幣，是以統制經濟——統購、統銷、預售、賒購，限制消費和剝削勞動力——擴張工作強度，提高生產額，加上集權恐怖政治，爲其發行準備的主要形態。

共黨貨幣與貿易關係

中共的貿易，可分對共黨集團內部貿易和對自由國家貿易兩種。

就前者言，盧布已成爲共黨集團間貿易清算的工具，就後者言，則主要工具，仍使用美金和英鎊。

因此，共黨集團內部貿易形態，是以物資交換爲其實質的，對自由國家的貿易，則是先行搜括物資，輸出國外換取外匯，再以外匯「結算」的手段。

中共的「人民幣」既不能在共黨集團間和自由區域流通，又不能用作國際貿易的支付，雖有兌換率，但主要作用——照蘇聯財政學家波戈列波夫所說，祇「是爲了在國際貿易範疇上，便利國內會計計核而設。」

因此，「人民幣」既無須以金鈔爲準備，更不必談本位制了。

中共管理貨幣的手段

儘管中共的幣制不講本位，也無需準備，但共黨管理手段，是十分嚴峻的。

首先，中共限制貨幣出入自由區。他們對僑匯，雖說保護，却是從僑眷身上吮吸僑匯精髓的。小額僑匯抵達時，由收款人辦完收款手續後，即予再行存入「僑蓄戶」，無形中加以凍結，不讓所有人自由使用。對於大量僑匯，則又以誘惑方式，納入「建設投資」之內，仍不能自由動用。

女教育家——胡素貞博士回港

【本報訊】女教育家，胡素貞博士，乃本港聖保羅中學前任校長，三年前以年老退休，並赴美就醫，歷時兩年餘，現經於本月初由美回港，健康已大有進步，惟足部仍略有殘跛。聖保羅中學教職員因胡博士遠道歸來，於上周四假座銅鑼灣某大酒家，爲胡博士設宴洗塵，賓主四十餘人，極一時之盛。（本刊去年四月十四日——三二五期——曾爲專文介紹胡博士之辦學精神及其成績——編者）

英國社會主義的危機

（上接第一版）

第二個原因，是社會主義者對於主義的信念已發生搖動。李察哥斯文在他那『新費邊論文』裏承認，社會主義的成功，在二十世紀的環境下，已遭遇到嚴重打擊。以前社會主義者認爲只有社會主義才能够代替資本主義，可是德國，意大利，特別是蘇聯，都實行了各種能够代替資本主義的辦法。於是社會主義爲資本主義唯一代替品的信念就打破了。

又社會主義認爲人係「一種有理性的動物，人類能够有決心，而且能够管理他們自己的事務，這是推行社會主義的一個大前提。可是，過去一世紀的科學證明，社會主義者的假定是錯誤的。人類只是動物之一，過去兩世紀，人類還不能脫離野蠻的性格。過去兩世紀的科學證明，人類的進步是一天比較一天遲慢。文化也是如此，這是社會主義的一個基本打擊。再其次，英國的社會主義者，對於經理式的國家，發生極大恐佈。他們覺得社會主義的推行，稍一不愼，便有淪入經理式和獨裁政府的危險。近來，甚至反對中央集權，而主張由國會管理國營事業。困難太多了，社會主義者已陷於進退維谷的情況之中。

外交政策 已失主動

第三個原因，是世界形勢完全改變了。[illegible]

徘徊歧路 危機嚴重

現在英國社會主義者面對的情形是[illegible]英國社會主義者既不能够決定進行的方向，更不能決定採取何種速度以達到他們的目的。[illegible]（簡譯美國政治科學季刊）

望風駛帆 惠利轉舵

美國威斯康辛州兩位共和黨參議員中，惠利與麥卡錫，說起來，他們來自同一州，又同爲共和黨的重要人物，[illegible]惠利對麥卡錫却抱着「敬而遠之」的態度。[illegible]當去年美參院表決譴責麥卡錫時，[illegible]在一九五六年的參議員改選中，惠利[illegible]上個禮拜，威斯康辛州舉行一次盛大的集會，由惠利任主席，四百五十位聽衆一致站起來熱烈歡呼。惠利也匆忙步下主席台，走到另一端和麥卡錫握手。他說：「麥卡錫和我從不曾有過口角，他走他的路，我走我的路。」有人認爲這是惠利對麥卡錫改變態度的表示。

東京決議 北平廣播

東京日本官員現在正着手調查一宗[illegible]「自由日本」[illegible]

火箭飛來 狄托失色

據說：蘇俄已將住在比薩拉比亞（前羅馬尼亞的領土）的壯丁，大批移往[illegible]

中英學會的文學比賽

【本報訊】香港第一屆[illegible]藝術節，將於本年四月一日至廿三日舉行，這是英國文化委員會主持的一個新的運動，[illegible]此一藝術節大會的節目中，尚有一項文學比賽，係中英學會文藝組主持，[illegible]

編者讀者

[illegible]

鳩·山·獲·勝·後
日本共黨的前途

·胡養之·

日本這次大選的結果，民主黨獲勝，鳩山一郎之連任首相已成定局。有人認爲日本前途，已無形中籠罩了一層陰影。恐將引起日共的抬頭。例如這次日共第三號頭目志賀義雄在大阪工業區的當選，便是一個警號！

文化界的反美宣傳

本來，日本左翼文化人的反美宣傳，已不自今日始；遠在一九五三年十一月，與勞動總協聯氣相應的左翼社會黨作家大山郁夫，曾發表一篇文章，他對於和平揭露新的見解，支持第三勢力。所謂第三勢力，大約和尼赫魯的中立主義相似。惟文內提出一個日本獨有的特點，就是日本式的第三勢力應該不得武裝。

日本共有四家著名大報，三家親美。其中最大的一家朝日新聞，立場卻值得注意。朝日新聞自從結束佔領狀態之後，成爲和平勢力的喉舌。且一度替美國原子間諜盧森堡表示同情。每遇着日本人被美國拒絕入境或是美軍行動越軌的案件，它都大鳴不平。

同時，日本反美電影，生意興隆。最初一套是一九五二年所攝製的，叫做「原子彈兒女」，描寫廣島被炸慘況。一九五三年初，傳舉打破紀錄的一套，便是叫做「百合花之塔」。敘述沖繩島一般少女，組織一校百合花部隊，替日軍效力，後來被美軍大砲掃數殲斃。關於席捲南洋後來被美軍絞死於菲律賓的山下奉文大將，和一九四五年被美軍炸沉的世界最大主力艦「大和號」，也各有一套影片。日共覺得山下死得寃枉，佔領期間忍氣吞聲，現在才敢發洩怨氣。大和影片，據製片者說，目的在反戰，可是評劇家卻認爲足以激發無知青年興風作浪的勇氣。

造成日共抬頭機會

日本共產黨，雖在一九五二年全國投票中一敗塗地。議員榜上根本沒有一個日共的姓名。但不能以這一點來斷定日共勢力已經消沉，相反的，日共的地下組織仍在繼續活動；日共所煽動的反美心理，也在蔓延中。同時，我們也不便遽爾相信日本的前途黯淡，因爲全國的局勢，仍在日本政府控制之下，例如一九五二年五月一日的暴動和炸彈事件，沒有蔓延的發生。日共的活動，僅足以證明日本並沒有像麥克阿瑟元帥之流所說的：已成爲民主主義的堡壘罷了。

我們知道，日共對於本身處境的估計，便有該黨領袖去年分發各級同志的信件爲證。那信的內容，是說明現在的局勢，需要盡量組織防衛中心和澈底調查敵人實力，可是還沒有到達工農武裝作革命鬥爭的地步。目前是需要明瞭有鬥爭需要的階段。由於美國禁止對中共通商，日本無形中喪失了天然的市場和原料來源。但是有些寄於投機的日本商人，預作戰事結束，美軍定單斷絕的打算，於是向日共暗送秋波。

說也難怪，日本戰敗之後，知道武力固不足恃。然而對於美國所送來的民主主義，卻祇聞其名，未見其實。加以軍閥財閥的東山再起，俄共中共的虎視眈眈，和平兩個字依然渺茫。日本人民，特別是日本青年，頗覺徬徨無所適從。尤其駐日美軍，往往滋生事端。即使奉公守法的，也不免養尊處優。一個美軍下級官員，薪餉多於日本閣員的俸給。日本人民到處都在節衣縮食，美軍卻大吃大喝。美日安全行政協定，又准許美軍享有十九世紀的治外法權，這對於日本人民的心理，在在都是日共擴張勢力的憑藉，和逐漸抬頭的機會。

地下活動的組織

日共在五年前，共有黨員十萬人；有兩院議員四十名；有刊物、印刷局、以及其他事業，可說黨務蒸蒸日上。但至一九五二年當中，不僅在選舉失敗，即黨員數目也減少了一倍半，財政機構瀕臨坍台，黨的勢力一瀉千里。這究竟是什麼原故呢？因爲一九五〇年一月，共黨國際情報局申斥日共缺乏進取性，下令採取積極行動，來配合共產黨在亞洲的攻勢。詎料不幾個月之後，韓國戰事爆發了。當戰事發生之初，日共已經在執行國際情報局的命令。麥克阿瑟聞訊之餘，馬上下令嚴密監視日共的活動。於是日共頭目德田球一和野坂參三轉入地下工作，合法行動卻次第減少，非法行動次第增加，黨內成立了軍事性和半軍事性的組織，意見歧異的份子陸續淘汰，產生了一個有革命性的組織，然後擬定新的計劃，和頒佈新的黨規，進一步證明日本共產黨決心不讓人民的唾棄，準備作革命的鬥爭。全國各地的黨部，[illegible]三個人組成一個小組，三個小組成一個大組，三個大組叫做一組，兩組或三組即等於一個軍事單位。日本全國分四十個區，每一區有一隊共產黨員負責「防衛」。日共多數是依照共黨員手冊[illegible]的武器尚欠齊備，又是由熟習武器的日共人員自行製造，此外，[illegible]由日本警察局[illegible]或私購，有的由日本警察局搶來。

（下轉第四版）

△料必連任下屆首相的鳩山▽

制止學生涉足舞榭
學校家庭必需合作

跳舞會被譽爲「有益身心」的「高尚娛樂」。「跳舞學校」本質具有教育含義，傳習舞蹈技術而設，原亦無可厚非。時下一般人[illegible]立場，別致成爲青年墮落陷阱，自非社會所能輕恕的。不久以前，報載少年學習跳舞，被人一時勸誘[illegible]，感染虛榮，女且因惑於[illegible]離家庭。而[illegible]海伴舞，淪爲[illegible]劣環境。此種事件，[illegible]時可以發現。釀成此種事件，究竟誰應負責，誰能制止？儘管輿論界竭力抨擊，至今並無任何人提供根本糾正良策。舞校新設之多，港九各地觸目皆是，他們除以低廉時值招徠，用心不外謀取生活資料，原無誘人入邪故意。

舞校所不同於舞廳，因爲設備簡陋。而舞校舞者，[illegible]以低廉代價延聘幾位女性助教，應付[illegible]多的學舞者[illegible]，以致分子[illegible]，形中吸引了許多學生涉足其間，[illegible]女生可以免費學習，[illegible]成舞校[illegible]。於是[illegible]如此，舞校者卻不知學業荒廢，[illegible]已不易自拔，[illegible]離家庭。年輕少女，鮮有不被物質誘惑，[illegible]的家庭，偶有覺察，必加制止。然[illegible]少與飛之流角逐的，難免疏忽，[illegible]教學生家庭爲生活奔馳，竟出於脫離家庭一途。

新年以來，若干學校舉行舞會，雖非學校主辦，純係學生課外自由活動。但風氣所趨，甚多中文中學男女生，也以英文書院學生開其先例，長此以往，對學生學業，未必不蒙受影響。因之許多學生家長，已紛紛發動，不准再有這種集會。然而舞校既無法制止，青年男女課外去舞校習舞，亦需加勸阻，否則戕害青年前途，貽害社會實非淺鮮。管教之法，端賴學校與家庭密切合作，雙方對於學生上課放學時間能注意，則學生的課外活動難控制了。這是比較易行的治標辦法。至於根本[illegible]辦法，除非學校[illegible]，學生絕[illegible]訓誡，[illegible]身隨時[illegible]，絕對有效的辦法。

社會經濟思想叢殘
（十五）

金伯華

於是乃有所謂公司櫃合併的辦法。這是說把所要合併的各公司一律予以解散，另創立一新的公司，把新股票交付於舊公司的股東。[illegible]托辣斯公司的時候，就是採用這個方法。可是這方法有一個不方便之處：爲要收購一切有關的企業，需要十分大額的資本。於是又有所謂資本「浸漲」的政策應運而生。爲要易於獲得企業老板股東的同意，新組織交付他們以高於他們原有股份的新股票。主持托辣斯的巨頭們專心一意營運利潤，[illegible]分派，乃使[illegible]利潤的資本發生一種人爲的膨脹。這自然有害於企業的健實和穩實。[illegible]或「投資公司」，爲煤油托辣斯所喜歡採用，一九二二年後，這種公司僅僅[illegible]企業的大部份股票；表面上，各企業依然保存他們法律上獨立的面目，但實際所有他們的事業，都完全受「控股公司」的控制並隨意指揮。

日本的家族托辣斯

戰前，在日本有幾個特別形式的托辣斯，叫做「家族托辣斯」，爲各大豪族所擁有。原來，工業與商業不同，事業[illegible]，由[illegible]族統制，分別隸屬於各部門[illegible]，而在每一企業[illegible]，必要的[illegible]，業實行[illegible]，僞獨立的自主[illegible]公司，各企業有他們自有的資本，（這資本是由母公司所供應的），而所負危險即以這資本的全額爲限，並受一表面獨立的理事會所管理。事實上，這理事會的構成份子，極大多數是家族中的親人，往往在公開會議之前，秘密集會以決定一切應行採取的措施。

托辣斯的權力

上述日本這些家族托辣斯，在他們的國民經濟中，實具有無可比擬的勢力。例如在日本侵華上半期的一九三九（一九四〇）年，十四個托辣斯控制全日本公司資本的百分之六十三，其後，都在增漲。其中尤以著名的三井、三菱兩公司最佔優勢。戰敗投降後，這些公司的產業化整爲零，一度消散；但最近數年來，又駸駸似已有改頭換面，捲土重來之勢了……

在美國，自十九世紀的末尾，托辣斯化勃然蔚興。從一九〇四年起，各托辣斯便已控制了工業資本的百分之四十。一九〇三年證券市場的崩潰及一九〇七年的恐慌，同時也受着老羅斯福的打擊，托辣斯的擴展趨勢略受阻遏；但是到了一九二九年，二百家大公司佔有全美資產的百分之四十八，再過十年，到了一九三九年，竟又增至百分之五十五。其中最著名和最有勢力的是一八七二年由羅克斐拉所創立的煤油公司和一九〇一年由於卡爾內奇及摩根兩集團所合併而創立的鋼鐵公司。（未完）

中國治平要略

程兆熊著

·彭昌祐·

（一）

在中國數千年的歷史文化中，無疑的，儒家思想是文化的主流。儒家的典籍，儒家的教化以及儒家學說之實施，都是形成中國數千年一統不墜的歷史與完整國家的主要因素。儒家思想之在中國，正如基督教思想之在西方，形成了西洋各國的歷史文化。

關於儒家的教化，典籍，學說，歷代先賢均有許多發揮宣揚，而當今錢賓四先生的「中國歷史精神」，唐君毅先生的「中國文化之精神價值」均爲不朽鉅著。但這些都係在理論上用心。至若着眼於儒家學說實際施行在中國農業上而表現的，程兆熊的先生的「中國治平要略——中國歷代農政之實施」一書實爲第一本。

（二）

中國是「以農立國」的農業國家，從事於農業的有全國百分之八十的人口。這百分之八十的人口又自然是中國政治的主體。所以中國政治亦可稱爲農業政治。儒家學說實施在農業，即是實施在政治，亦即實施在整個國家。農田之開闢，陂塘之興廢，是儒家的農政實施，農桑之興廢，倉廩之盈實也是儒家農政的實施，與夫農民之勤惰，農民子弟之「上學讀書，學道修身，興起門戶」以及「婦子含哺鼓腹，無復飢凍流移之患」，榮辱禮節，又莫非儒家在農政上的實施。而中國四千年來一統不墜的國家，亦正是儒家學說的具體表現。

程兆熊先生別具慧心，於教授農業之餘，本其十年宿願，博覽羣典，在離亂之際，寫下了這本十萬言的巨著，暢論歷代農政實施之得失，並指出日後中國農政開展的途徑。不僅闡明了儒家學說的具體成就，並可爲光復大陸後農政實施之借鏡。研習農業者，讀此固可以了解中國之農政，即不研習農業，而專事文史哲理者，一讀此書，可以對儒家學說更具信心。

（三）

全書共十一章，第一章總敘中國之農政除着眼於經濟之外，備有教化與道德之意義，抵抗游牧民族的戰略意義。農政實施之最終理想，在乎「至治」，亦即「野與市爭民，家與府爭貨，金與粟爭貴，鄉與朝爭治」。實施農政之主要精神，則是（一）讓人人都以國家民族爲前提，而先公後私，由此而以中國爲一人。（二）在政權方面，一切以人民生活爲前提，要先讓人人各遂其私，尊重個體，尊重個性，從而肯定人性，肯定人文。（三）以士待農，而不以農待農，視人人爲歷史文化的動物而非只是經濟的動物或政治的動物。第二章至第十章共九章中，則以朝代爲經，農政實施爲緯，論述秦漢魏晉隋唐宋明清各代農政實施之得失。如論之「以士待農與以農待農」，「重農抑商與裁兵」，農政上「自責，實吏，因其欲，不擾亂」之四大教訓，孝弟與力田，官吏的勸課，帝王的功課，農政上的戀與常，國防上的農政與民生上的農政，以及農政上的文化理想等。第十二章「井田與新井田」則指出一般以爲「井田」不過是解決土地問題之一個辦法的不妥，因爲天下可以行井田的時候，往往是土多人少，沒有土地的問題，而天下需要行井田的時候，則土少人多，無法實行井田，井田在解決土地問題上，不過是使耕者有其田。而井田的真正意義，則超乎土地問題以上，是合經濟組織，社會組織而爲一的組織，其經濟效果是「不洩地氣」「無費一家」「通財貨」及「無有相償」，其政治效果是「存亡更守」和「出入相司」，其社會效果是「齊巧拙」與夫「同風俗」「嫁娶相謀」「疾病相救」。「由此一井田組織之擴大，便是「始分爲井則地著，計之於井則數詳」，這便無異說井田組織成了細胞組織，而國家民族則因之而成了一個有機體，並因井田組織把握了情性，與發了道德，使國家民族這一有機體更成了一個精神的實體。當內而塞弭了欺凌與鬥訟，便自然而然地便外而戰勝了一些游牧民族的侵略與橫蠻，並從而同化之，俾一以中國爲一人，以天下爲一。」在這裏，井田之興，實即中國之興。井田在經濟上把生產和分配的問題一齊解決，在政治上把內政和國防的問題，一齊解決，在社會上把道德和勞動的問題，一齊解決。生活的條件與戰爭的條件聯結在一起，而職門的目標又與人文的精神聯結在一起，以作成一「太平的紀綱」。

（四）

程先生這一本中國治平要略（中國歷代農政之實施），是着重於歷代農政實際設施方面，另一本中國農業政治（中國太平要義），則是汎論農業政治原理原則者，與此書爲姊妹篇。

以前顧炎武先生在故國淪亡，憂慮之餘，寫下了一本「天下郡國利病書」，以警當世，以作恢復故國之準備，程兆熊先生的中國治平要略一書，亦可作如是觀。（完）

由衞某投共說起

馬五先生

曾因貽誤戎機，被最高統帥明令逮問，又經政府方面大員——廣州行營主任宋某——釋放潛居海隅的前東北軍政長官衞某，已潛回大陸去了。據說，還有些在海外作寓公的大貪官敗將，共黨也正在用統戰魔術催眠蠱弄之中。讓這類時代渣滓，一概投入洪爐中化爲灰燼，對中華民族的生存前途，固係除腐生新的機運，無所用其歎惜也。

不過，我們因此却聯想到一項問題：共黨既在海外猛烈進行統戰工作，採用「人棄我取」的手段，目的是想造成自由中國在政治上的孤弱形勢，以配合它那套以政治方法解決「台灣問題」的陰謀。那末，自由中國政府是否應該有所警惕，籌謀對策呢？

所謂對策，自然不是要與共黨去爭奪那些時代廢物，乃是要以廣大優越的號召力，把海外一切反共非共的人心凝結而堅定之，使大家樂於爲反共救國大業而效命馳驅。在這一點上，我們原具有先天的優勢，因爲自由與奴役的生活分野，大家的眼睛是雪亮的，心理是透明的。祇要我們高瞻遠矚，開拓心胸而爲之，共黨的統戰技倆就毫無用場了。

據聞革命導師孫先生當年曾對黨人說過：革命黨是不怕別人來欺騙的，最怕是沒有人來接近。這是何等偉大的氣魄！我們現在口口聲聲談革命，若又不設法招徠全國人士共同奮鬥，試問這種亘古未有的革命救國事業，如何能夠完成？我跟朋友討論此問題時，曾提示自己的一種妙計曰：反正台灣是安全的，等到世界大戰起來，俄共集團一定失敗，那時候，我們浩浩蕩蕩回到大陸，還我河山，豈不善哉！此時何必多費心機，搞甚末大團結運動呢？而且，人太多了，將來回到大陸時，競爭的政敵亦更多，這對我個人似乎太不合算了。因此，我認爲目前搞反共工作的人已經嫌其太多，應該再刷掉一些才對！朋友哈哈大笑道：老兄，你這場夢做得眞美，你就去好好地醉生夢死吧！我不覺惘然如有所失，所以提出來談談，請教讀者。

王石谷與吳漁山絕交事跡續考

石抱刁

「自由人」第四一三期，刊一瀾先生大作，對吳漁山與王石谷絕交事跡，考證甚詳。茲再補充理由，藉供參考。

（一）張庚「國畫精意識」，吳修「青霞館論畫詩」，李葆恂「無益有益齋論畫詩」，認爲黃子久之「陡壑密林圖」，曾由石谷臨一本，被漁山借去，迄未歸還，王吳遂絕交。或謂此圖原本，藏烟客家中，由石谷經手借給漁山，久之不還，兩人即絕交。這兩種說法，雖稍有出入，但兩人因借畫而絕交則一。惟王圓照「仿陡壑密林圖」題記云：「元季四大家，推黃子久爲第一，陡壑密林圖，乃其生平得意之作，向爲太原奉常公所藏，今已歸之山左友人，不復見矣。」「清暉閣贈貽尺牘」烟客致石谷函云：「膠州清河氏，不遠千里至婁（太倉），逸飛翁爲介，於弟所藏北苑大癡中，欲拔其尤者二幀，賴照翁極力周旋，幸不折閱，精華既去，畫苑無光，所指「山左」與所稱「清河氏」，即膠西張先三，出讓之作品，即「陡壑密林圖」，介紹人是王圓照。於此可見圖已不在烟客家中，石谷何能經手出借？此吳王不致因借畫而絕交一也；況漁山亦是烟客弟子，石谷可借，漁山當亦可借，何必出一轉乎？此不致因借畫而絕交二也。至漁山或因借石谷之臨本不還，以致絕交一點，則不妨以漁山「墨井畫跋」爲證辯。跋中有云：「『陡壑密林圖』，癡翁平生傑作也，…予每過拙修堂，必請觀之。嘗帶筆試臨，曲盡爲摹，殆難得其神韻。」觀此可知是圖，漁山亦曾撫一本。「甌香館畫跋」等，雖云石谷有是圖之臨本，但石谷可臨，漁山豈不可臨？此漁山不致因借石谷臨本而絕交也。

（二）又葉廷琯「鷗波漁話」：「知石谷之絕交，蓋因漁山入彼教，而非借畫不還。」考漁山與石谷同庚，漁山入天主教，在五十歲後，殆石谷八十生日，彼尚作長卷以賀，情誼殷摯。再睦時化，「吳越所見書畫錄」，載石谷題漁山話云：「此漁山得意之筆也，深入黃鶴山樵之室，兼追叢巨遺法，要非淺嘗所能夢見，佩服佩服。甲午冬日識於來青閣，耕烟散人王翬。」按甲午爲清康熙五十三年，石谷漁山皆八十三歲，距漁山入教已三十三年，何嘗絕交！另據「清暉畫跋」爲旁證。畫跋云：「墨井道人自其遁跡高隱以來，余亦奔走四方，分北者久之。然每見其墨妙，出宋入元，登峯造極，往往服膺不失。此圖爲大年先生所作，越今已二十餘年，尤能脫去平時蹊徑，如對高人逸士。」康熙三十一年四月，石谷得漁山畫於婁東，並親爲題記。

綜上所述，絕交之說，實厚誣賢者，不辯自明。

語意學漫談

徐道鄰

如何分辨語言

我們明白了這個道理，就要訓練自己，不要輕易的把自己的主觀的評判認爲外在的客觀的事實。同時，更要時時刻刻注意，在聽人家說話時，一定要分辨清楚，那些是事實，那些是推論，那些是評判，然後才能有適當的衡量，而不致於自造盲目。譬如人家說：『張三曾經以竊盜罪判了六個月的徒刑』，這是一種事實的報導。如若說『張三偸過人家東西』，那就是一種推論 因爲判決了的罪行，祇是在法律上的成立，並不因此證明它事實上的存在。（世界上的冤獄，何可勝數？）如若說『張三是個賊，是個壞蛋』，那更不是事實的報導，而祇是一種評判。因爲縱使張三眞的偸過東西，然而偸東西的情形，大有不同，作過『賊』的也不一定就沒有好人。所以這三種語詞，表面上固然是相像，但是在微細的分辨之下，它們却大有區別。然而人與人在智慧上的高低不同，事實上也就正在這些微細的分辨上啊。

十、抽象語詞的層次

人類的語言，是從各種『名字』NAMES發展出來的。『媽媽』是餵我奶吃的一個女人的『名字』，『皮球』是那一個圓圓的軟軟的好玩的小東西的名字。『阿花』是那一個咪咪叫圓眼睛喜歡抓毛綫球的小動物的名字。『山』是村莊前面那一個大土堆的名字。『河』是村莊後面那一道水流的名字。每一個『名字』的背後，都有一件我的眼睛看得見，兩手摸得着的東西。再進一步，所有我的感官器所能感覺到的事實，我們也都給它一個名字，『哭』，『笑』，『打架』，『說話』，『思考』，『香』，『臭』，『聲音』，『顏色』等等，逐漸增加，而人類原始語言的主要材料，於是大部齊備。

一定，要使人類的原始語言發展到成熟語言，從單純指示事物的語言發展到能作精密思考的語言，除了各種『名字語詞』NAME WORDS之外，還需要種種『抽象名詞』ABSTRCTION WORDS和『邏輯名詞』LOGICAL WORDS（邏輯名詞，例如『或者』，『不』，『等於』等等，此間暫不討論）。這二者都是我們人類思考不可缺少的先決條件，可是『抽象名詞』同時也給我們人類思考帶來了不少的困惑和煩惱。

人類語言中的抽象名詞，都是一種廣泛名詞GENERAL TERMS，就是說一種指示性較爲廣泛的名字語詞。我們家裏那一個咪咪叫的小動物，它的名字叫『阿花』。隔壁趙家也有同樣的一個小動物，它的名字叫『阿白』。同學王家和李家也各有一個，它們一個叫『阿黃』，一個叫『阿黑』。於是我們想出了一個可以對於『阿花』『阿白』『阿黃』『阿黑』共同適用的廣泛名字，而稱之爲『猫』。於是凡是可以適用於『猫』的描寫，對於『阿花』『阿白』『阿黃』『阿黑』全都適用。而且對於所有過去的，現在的和未來的『猫』，也都全部適用。（二十）

勉東吳法學院生

郭敏行

諸君此日究何來？倘爲浮名信可哀！
一紙難將家室護，寸心可使地天回。
移山塡海行堪效，鑿壁偸光志莫灰。
已覺時窮兼腹淺，忍拋精力故邅徊！

屋小

井塘

屋小尤難推暑氣，官閒何幸省心機。
出門未覺逢人少，舉足仍驚與意違。
事屬偶然還掛口，見無獨到況知幾。
昨宵覓句妨眠甚，短夢生雲擾更非。

論于右任的詩

．王世昭．

壁居民治學社爲于氏事業上一大轉變點：二十首詩，又爲于氏持心立志上一大考驗。于氏能處之泰然，不屈不撓，亦渾亦武。其最後一首，不以怨誹作結，尤見氣象萬千。詩云：

「慷慨當年此誓師，回頭瞧有斷腸詞。三條子弟多冤鬼，百戰河山倒義旗。動地鼓鼙歐亞戰，燒天兵火亦燃箕。雖忘民治偏中路，捲土重來未可知。」

（三）南遊，歐遊，以至再回西北

陝西革命事業既經折挫，于氏遂渡隴入川東下，與中山先生等民黨諸子聚會於上海（時十一年六月，孫氏以陳炯明變來滬）。見面時，于謝奉命不力，孫云：「失敗何傷，吾亦失敗來此也！」故于氏於「燈僧孟芙新婚招飲」詩中有句云：「天南困頓老元戎」，蓋指中山先生也。

民國十二年，于氏去滬入粵，於黃花崗過林子超，有詩云：

「白雲山下日將斜，播遷逢君感有加；爲道偸閒春雨後，黃花崗上種黃花。」

十三年在粵，讀史，讀經，讀唐詩，並遊九龍，於宋王臺有詩云：

「儘日借遊不計程，宋王臺下聽潮聲。儘余奔走身將老，話到淒涼意已生。避世安能知世亂，罷時未能轉談兵。歸來更荷瓊瑤贈，乘甲于思有淚橫！」

自註：「宋亡台亦作宋王台，陳樹人先生詩云：『臨江片石尚崔巍，七百年間認劫灰；人共河山沉默裏，夕陽西下宋王台』！」今日于氏倘重至，則宋王台已漸夷爲平地，片石亦無存，恐亦不勝今昔之感矣。

十五年春，于氏奉命經俄蒙至五原入陝，解劉鎮華長安八月之圍。途次作詩百數十首，題爲「變風集」，王陸一謂之「鉅麗雄奇，曠代無作」，如「舟入黃海歌」云：

「黃流打枕終日吼，起向柁樓看星斗。一髮中原亂如何？再造可能得九九！神京陷後余亦遯，奈馳不用賣文錢！革命軍中一戰士，蒼髯如戟似少年。嗚呼！蒼髯如戟似少年。何日完成革命史，大呼萬歲定中華，全世界被壓迫之人民同日起！」

以次沿途所經，如日本海岸，朝鮮灣，西伯利亞，貝加爾湖，烏拉山，莫斯科，沃木次克，買賣城，恰克圖，庫倫，臺莫多，諾顏山，嘛爾烏蘇，嘎嘎圖，烏陽圖包，臨河道，二之店，磴口，賀蘭山，甯夏，固原，邠縣，所至皆有詩，余最愛其「再過貝加爾湖」云：

「貝加爾湖清澈底，波浪如龜飛不起。昭見征人幸白頭，白海之名良有以。河流穿分似背，山脈東合如蠡，照映俄蒙兩大民族間，解放從平分此一水。蘇聯持節是耶非？於今北雁又南飛；計將隨爾渡沙漠，先入關門報我歸。」（四）

日本共黨的前途

胡養之

鳩。山。獲。勝。後

日共和中共的關係

（上接第三版）日共的革命行動；多半是轉籍中共的經驗作榜樣。中國東北的共黨印刷所，便大量印有日文的宣傳品。想盡種種辦法，向日本共黨書局傾銷，據說一次中共由上海開出一條輪船到日本，被警察搜出九萬多件宣傳品，其中以中共的游擊戰士手册佔大部份。

日共要採取行動，必須依靠那些血氣方剛的年青伙子，抵長物的苦力，和在工業中被驅逐的份子。此外還有個可靠的一幫，即韓籍僑民。傳聞共軍在韓戰勝利的時候，會一度預備向日本登陸。這個理想雖然沒有實現，但是韓籍共黨在日本登陸的人數却很可觀。由於二次大戰以前，日本強迫韓國壯丁來島做牛馬，現在這些韓僑達六十餘萬，仍然受日本人的凌辱與敵視，經濟狀況十分困難，多數鋌而走險，投入共黨懷抱。他們投共沒有甚麼值得顧忌，而且覺得只有共產黨對他們以平等相待。

總之，鳩山登台之後，日本成了一個徬徨岐途的危險國度。但是話又得說回來，如果美國不撤掉麥克阿瑟的職務，而繼續維持聯合國在遠東的話，即使鳩山的內心有點不耐煩，却是敢怒不敢言的，那末日本共產黨，又從何處去乘機抬頭呢？

義士迎母曲

有序　．跛翁．

四十三年一月廿五日，即韓戰反共義士歸國之第三日，台籍義士陳永華之母，自台南本鄉，偕大三兩兒來台北，晚訪義士村，探視愛子，八年離散一夕重逢。母子情深，悲喜逾恆。而其他義士逾萬人，一時皆勸慈母遊子之懷，無不泣下，同聲呼陳母爲母，事尤感人。爰作義士迎母曲以紀其事。

義士萬人忽如雛，紛紛待哺夕相呼。義士之母迎於途，一村春多世所無。獨有一人孩啼如，跪伏母前啼唧呱。母扶兒起揩兒淚，問兒何事不如意。八年萬死今生還，母子重逢事豈易。三哥在旁告阿弟，阿爺前年已下世。頓使永華淚更流，恰懷母亦淚並地。手指大兒話永華，渠生九子歡樂多。自從減租三七五，家家飽暖話桑麻。我歸當遣二哥來，試嘗田中新摘瓜。如今除却汝未婚，老頸未償尚有何。兒笑開顏語阿母，朱毛未滅敢娶婦。安排有緒即還家，三日三夜侍母右。殺豬宰羊先拜拜，痛飲還同樂親友。語罷入籠手探物，三寸紅鞋笑捧出。忙爲老母足穿上，試步心歡無不適。自言手製此鞋時，印度村中人不知。當時日日痛罵賊，鞋後慈母吾母慈。拾來鐵片磨成針，連夜製成惟恐遲。全場義士忽飲泣，各夢當年別母日。難忘臨別語叮嚀，如見遠望倚門立。懷中各有鐵磨針，母恩何時報萬一。同呼陳母爲阿娘，滿面笑容淚盈眶。各獻心頭最愛物，寸草春暉心欲償。一寸丹心一夕情，寸寸兒心萬里長。情長夜短母歸去，萬人送母塞路旁。車聲漸遠月亦落，阿娘阿娘聲猶揚。

自由人

THE FREEMAN

（第四二二期）

中華民國僑務委員會
僑務登記證台誌新字第一〇二號
中華郵政台字第五〇〇號
執照登記為第一類新聞紙類
（每星期三、星期六出版）

每份港幣壹毫
台北市售價台幣壹元
督印人：陳　文

社址：香港高士威道二十號三樓
3 rd. fl. 20 CAUSEWAY RD HONG KONG

香港發行及接洽事務處：高士打道七號　電話：三五〇〇七
承印者：南方印務公司　地址：高士打道六十四號
海外總發行：友聯書報發行公司
香港：德輔道中二十六號二樓
台北特約發行處：台北市館前街五十號
台灣總經銷處：台北市西寧南路一二一號二樓
台北郵政信箱八二五二號

低微的人性呼籲

·徐復觀·

一般流行的說法，共產黨不承認人性，不把人當人，所以我們要打倒它。打倒共產黨的最大理由是來自對人性的信賴；打倒共產黨的最大力量也是來自對人性的信賴；因此我們與共產黨之爭，簡單的說，即是人性與獸性之爭。這種說法，我覺得明快確切，比之心物合一那一類不可方物的哲學，實在簡要而有力。

人性是反共的法寶

共產黨拿著階級性以反對人性，於是不僅不承認人類有共同的利害，並且也不承認人類有共同的知識與道德。所以人與人之間，沒有可以互通的橋樑，沒有可以互信的保證，只有以當劫制鬥爭，一如古代奴隸社會中奴隸主的對待奴隸；其間決無由人性而來的所謂人格乃至人格尊嚴這類觀念的存在。相反的，他們只是以一切方法剝奪每一人的人格，打擊每一人的人格尊嚴，一如鴇母的去掉雛妓的廉恥心一樣。共產黨統治下的非人社會，完全是從這種地方發展出來的。

針對共產黨的上述情形，所以人性才是反共的真正法寶。人性是在我們這一邊，我們才有人格的尊嚴和人與人的信賴，以構成真正有人味，人把人當人的社會。不過，這件事並不像說來那樣簡單；有時候，也免不了令人發出難以抑制的呼聲：『我們的人性又到什麼地方去了？』下面這一件小事，只能算是一個不經意的例子。

我們的人性何處去了

窮教書匠可以請求子女教育補助金，還原是政府的德政。

為了請求每一子女半年幾十元的補助金，在開學之初，有『戶口名簿』的校正，幾乎就是子女『在學證明書』。我三個兒女，恰恰是大中小學，一樣一個。分別把證明書集齊後，送到人事室填申請書。申請書上列明直屬長官，主管長官的層層校准，我已經嚇得心魂不定；原來壓在我們頭上的是一堆一堆的『長官』，『長官』誰不驚幹，難怪年來為了爭奪這些長官，而頭破血流者不少，這且不在話下。一一依照填就後，又有『保人』一項，非要找兩個保人，而且是聯保聯坐的『聯保人』，經過幾重『長官』的『核准』，才得到近兩百元半年，合幣的補助費。假定沒有兩人聯保，我們這些窮教書匠，便會假報戶口，捏造證件來混領這樣一筆『鉅款』。天哪，我們忝為『教授』，在接受聘書之後，已經填過聯保聯坐的切結。現在為了這百把幾十元，每半年又來一次，難道說這就是人格的尊嚴，人與人的信賴嗎？我們的人性又跑到什麼地方去了呢？為了我這起碼的人格尊嚴，只好扯掉這三張證明書，犧牲這近二百元的收入算了。這正與司馬遷『怯夫慕義，何處不勉焉』的話相暗合。

做官的只顧自己亂扯

當然的，農學院這套作法，不會是自今日始，同時，恐怕也不過是一種例行的作法。因此，我便感到有不少的辦公事的人，能向老百姓找多少麻煩，便找上多少麻煩，能磨折老百姓多少人格，便磨折多少人格。一件事情，手續煩瑣而沒有一定可靠的標準，『臨表涕泣』之外，常常是石沉大海，莫測高深。這是作事的周衛嗎？這是作事的效率嗎？？連辦公事的人自己也多擺頭不知所以。其實，這只是說明這一代的風氣，大家隨着風氣轉。在此種風氣之下，包含兩種意義：第一是，事情應該怎樣下手去作，大家還是胡然而天的莫明其妙；好像狗屁不通的學生作起國文來，只有拋下正題去亂扯。第二是做官的人只顧自己亂扯，不顧在此種亂扯之下，置對方于何地。因為大家沒有人格尊嚴的觀念，根本不感到亂扯的內容，是有傷他人的人格尊嚴；更想不到傷害他人人格尊嚴，即是證明把自己不當人，沒有人格之感。所以沒有人格的人，也即是把自己不當人。

當前政治要求合人性

現在的時代，可以說是人性的災難時代。共產黨正在發掘人性的根，『大力』的要把人性從根滅絕。我們自然比共產黨好得多，在政治的間隙中，依然允許人性在潛存狀態中的存在。不過，要反共反得有力量，則只有在政治的正面，把人性發揚起來，使政治成為人性的集中表現。這話說起來容易，實行起來也並不困難；所困難的是在於若干人物對於『人性』的觀念，應當作點深切的反省。人性為人所共有；對於自己的人性認為是可信可賴的，則對於他人的人性也應當認為是可信賴的；覺得自己是一種人格的存在，則對於他人也應當承認他一樣是人格的存在，把他人不當人，同時也是把自己不當人。我們既基于人性而有共同的知識，有共同的良心，則一切問題應在共同的知識與良心上求解決，而不要在共同的知識與良心以外去求解決。假定這個願望能在當前政治中，便會發現有不少的地方，以求符合人性要求的政治面貌，同時，政治的面貌，一變不過，待改絃易轍做。

學院立刻為之聯保，可以舉出的可憐之例。因此，我此刻懷念起傳孟真先生來了。傳先生在台大免除了一面子，至今尚為大學讀書人保留一分顏面，即多留一之辱。讀書人『嶽日小了一之分補』。

反共抗俄是自由戰爭

邱吉爾在「不列顛戰爭」的演詞：說英國愛自由的人，要在海灘上戰鬥；在市街上戰鬥；還在山徑中與窮鄉中戰鬥。用着滴淚與血汗去向敵人作殊死的鬥爭。邱吉爾這篇演說，和不列顛戰爭，同垂千古。

保衛不列顛的戰爭，是一場為自由的戰鬥。在歷史上，自由的敵人，正和害人的病菌一樣。布滿在各方面。在人類歷史上，自由權利與人類歷史，同其久遠。同樣的，自由的敵人也與自由同時產生。自由產生之日，自由的敵人也跟蹤而來。數千年人類的歷史，就是一部人類自由鬥爭的歷史。不過自由的敵人，有時在近處，有時在遠處，有時在國內，有時在國外。為自由的戰鬥，有時是陣地戰，有時是游擊戰。人類社會一天沒有進入大同，自由的敵人，便一天不會消滅，自由的鬥爭也一天不會停止。人們要深切信仰自由的神聖，自由的偉大，自由對於文明的關係，自由對於人類生命的迫切，自然會慷慨而勇猛參加自由的戰鬥。更能前仆後繼，不顧成敗利鈍去從事這種戰爭。一部世界人類史，從希臘，羅馬，到中世紀而至宗教改革，以至大革命，再延續至於兩次世界大戰，都是這部自由戰爭的歷史。數千年為自由的戰爭，不論在政治，在宗教，在社會，或在經濟，終是繼續在那裏延持着。現在我們當前的反共抗俄，便是自由史上自由戰爭中最激烈的一幕。我們在這一幕戰爭中，是自由與奴役，正義與魔道，生死存亡的關頭。我們從事這一場戰爭，正應如邱吉爾所說：要在海灘上，在孤島上，在市街上，或山徑與窮鄉中去和敵人苦鬥。今天自由的敵人，不僅在外面，同時也潛伏在內部。凡是摧殘自由的行為，與摧殘自由的思想，都是自由的敵人。在自由戰爭生死緊張的關頭。愛護自由與信仰自由的人，對摧殘自由或造成環境[illegible]都應給以無情的打擊。在[illegible]上，在團體中或家庭內，我們應該成立為自由而戰的戰鬥組織。惟能在此時成立自由的戰鬥團體，然後自由世界的精神與實力，可以縮短自由世界的程途，可謀自由世界的勝利，可以更有把握。

為自由而鬥爭

——聽了成舍我先生的質詢——

·唐煌年·

爭取自由應擇手段

自由戰鬥的場合，上面已經說過，不論在孤島，在海灘，在市街，在山徑，換句話說，為着自由，在政治上，在社會，在學校，或在報紙上，都不應一時一刻放鬆。另一方面，在手段上，為着自由的確保目標。但從歷史上研究，為着自由，採用暴力手段是最不得已的辦法。因為暴力本身是妨害自由的。用暴力去爭自由，須使暴力無法抬頭。這對自由的確保，最為有利。如果為爭取自由而非假手於暴力不可，因此而出現的各種副產品，正是不勝其殺戮的！

發揮憲政保障自由

民主憲政的制度，就是在國內用和平手段去爭取自由的良好制度。國際合作，更是國際間用和平方法去確保自由的良好制度。在民主國家，人民用口舌在議會中爭自由，在報紙上用言論爭自由。而在國際間，那是用會議方式和平去解決爭端。所以議會中一場論戰，或報紙上各種論戰，以及國際間一個會議，都是用和平方法為自由而鬥爭。一個國家的未來吉凶禍福，看民意與輿論是否能制住操持權力的人，就看正義與道德力量，是否能壓制住暴力。自由的力量，終是在千方百計以和平方法扶持自由。如果和平方法，扶持不起自由的力量，自不免會流於暴力；輿論的力量，壓制不住權力，就很容易流為革命的爆發。由歷史上看，是可[illegible]憲政的國家，當然希望有了憲政制度的國家，更能發揮憲政的制度與精神。

保障自由的熱烈質詢

本月四日，在立法院旁聽席上，聽到立法委員成舍我對行政院長的質詢，提出了保障人權與言論自由兩個大題目。那次四十五分鐘的質詢，會場一陣肅靜的空氣，和一陣一陣的掌聲，一段一段的歡息與喝采聲。尤其他提到譚德柏案，所說：「不審，不判，不殺，不放，」幾句話時，旁聽席上有人流淚！提到馬乘風案時，他剛說出馬乘風三個字，全場接着雷動的掌聲。四十五分鐘的質詢，個個字叫到人們的心坎深處，每一秒鐘如在保衛自由大衛戰中的一節節前進。我聽着這一篇質詢，使我回憶邱吉爾的話，回憶着不列顛保衛戰的光景。

中華民國四十四年三月四日的立法院議場，正是人類自由史上一個大日子。也是自由戰鬥史上一個永久的紀念，而立法委員成舍我氏，便是這場戰鬥中的英雄！

緊接着成氏的質詢，俞鴻鈞的答覆，還提出一個「依法處理」。談到不能入台的港澳立委監委，他說「請求入台證的人，應向主管當局要求解釋。」這是我們「崇法務實」的行政院長，對議會負責的答覆。

國民黨為自由而奮鬥

台北當天的晚報，把這場質詢記載相當詳盡。自立晚報還載有一篇「憶念譚德柏」的短文。到了第二天，台北官報所記載，與官通訊社所發布。

（下轉第二版）

半週展望

·旭軍·

雅爾達前車可鑑

本月十七日，美國政府終決定將有關雅爾達協定秘密文件公佈了。自由世界各國朝野，因立場不同，反應不一。但筆者認為：一個真正獨往自由的人，必持兩點主要的見解。（一）主張廢棄雅爾達協定。（二）牢記此痛苦者的教訓，改善對付共產黨的策略。

持平而論，雅爾達協定與慕尼黑協定，不能等量齊觀。當日羅斯福總統確有為世界奠定永久和平的宏圖。他要在雅爾達會議做兩件大事：（一）計劃對日本作致命的打擊。（二）奠定戰後世界各國共同組織維持永久和平的機構，──也許當時他過於心切，而受一種不完全健全的精神狀態的影響，且他由於急切於成功。三強會議於一九四五年二月在雅爾達舉行會議；在某一次會議中，史太林已感到疲倦，羅斯福提出了蘇聯參加太平洋作戰，以避免戰爭延長的問題……據說在這次會議之後，羅斯福便說：「我們可以說羅斯福是過分老好，遇着狡猾的史太林，共產黨便奪下了他的一步。這是羅斯福的認識不夠，遺患至於今日的禍根。」

英美關係會受影響否？

我們希望自由國家今後固然不必在雅爾達協議問題上懷思痛感，亦不宜藉此互相攻訐，增加政治鬥爭之本錢，而應記取過去之教訓，共同對付共黨之計策。須知：第一、今後不可因自私而在西方盟國見解最分歧不協調時，尤其是英國的時候召開國際會議。因為當時美國官方公開批評邱吉爾的政策，是有關希臘的主要原因，尤其是當時美國首相出面干涉阻止共黨在雅典的爭取政權的主要討論問題，英美領袖對於雅爾達會議所要的，是有不協調事前沒有協議。正如當時的羅斯福總統不想蘇聯史太林退出，英美同盟對抗。羅斯福總統不想表示自己中立，史太林愈受鼓勵，在東歐問題上與美國不協調而從中取利。當時邱吉爾利用英美不協調存有從中取利的分歧見解，史太林抓着機會，相信羅斯福注重結束對日戰爭，而在歐洲可以縱容他控制東歐和巴爾幹。有關蘇聯參加對日戰爭之討論，邱吉爾首相被摒於外了。當時的氣氛怎樣，恐怕有許多是我們不知的。現未知此次美國揭曉秘密文件，英國最感不快。但我們希望「悟已往之不諫，知來者之可追」；實迷途其未遠，覺今是而昨非。」了！

遺禍無窮的秘密外交

第二、當知秘密外交之遺禍無窮。共產黨最喜歡秘密外交，因為他甚明瞭人類自私的本性，不從秘密外交中，可以使對方肯答應在公開會議不能讓步的讓步。中國因此而受害最慘了！雅爾達會議羅斯福答應史太林提出參加太平洋戰爭的秘密條件──一直瞞着中國，直到該年六月十四日，駐華赫爾大使才在重慶通知蔣委員長，此種遺害中國的條件，整個中國、韓國（雖則此處沒有提到他）甚至整個亞洲大陸命運，都已經確定陷於悲慘境地了。

雅爾達會議給我們的痛苦教訓太多了，在這裏難以詳盡。不過僅就當今局勢應注意的兩點，提出請大家注意罷。

美政府應實踐諾言

筆者認為美國於此時公佈二次大戰期中出賣中國及亞洲之重要外交文件──雅爾達密約，係正當的。讓大家明瞭已往之錯誤，不應再犯。因為目前尚有許多自私的政見，想出賣弱者去求苟安，讓他們看看中國會經徹底被出賣，文件證明並非虛假。今日世界陷於危疑震撼之局面，的確係昔日自私苟安造成之大錯。我們不怕因醜惡暴露而損害國際關係。我們希望全世界大衆人士認識醜惡愚昧，而引為前車之鑒。更希望美國政府實踐諾言，將此遺害人類的雅爾達協定立即廢棄。美共和黨施政綱領外交部份中會明白確認的寫下道：『在共和黨領導下的美國政府，將決計廢除一切秘密訂成損負的義務，諸如助長共產黨奴役的雅爾達協定之類。』美國共和黨政府如不廢除此協定，焉能樹立威信？又何況蘇聯早已違背了這項協定呢？

新外滙管理與現兌發行

・羅敦偉

日前自由人刊出拙作滙率問題調和方案一文後，朋友問我，你的辦法就是現在公布的外滙管理辦法，爲什麼還要堅持原有意見？是不是對新辦法有什麼主張，這個，完全因台港寄稿太遲的關係，那篇文章，是外滙辦法沒有公布以前寫的。不過因此使我有發表補充意見的機會，也是一件好事。

現兌發行的好處

目下公布的新辦法，與我那篇文章的辦法，可以說是完全相同。這是當局所考慮的，剛好與筆者意見相同的一種巧合。不過筆者的五年來提出這個辦法的時候，同時有三個要點。（一）即是現爲還證退還，即是現行的辦法。（二）爲現兌發行。（三）爲以退爲進的稅制。第三點，目下也許言之尚早。第二點，實在可以『現兌發行』，與實行辦法併行，而且必須併行。大家都知道游資作祟，自由中國另外還有一個更作祟的「呆資」。這些即是許多人家箱子裏退藏的金鈔。一家人家能夠找出千把幾百元新台幣的並不多，而能夠找出三五百元美鈔或三五兩黃金的卻很多。動輒即值新台幣萬把幾千元。這筆『呆資』，如果現兌（不是兌現）給台灣銀行，也照樣給予結滙證明書，保障其黑市幣值。民間呆資，即可大批出籠，參加工商業投資。台銀收到這些前所未有的現款金鈔，假定除原有限內限外發行之外，加一部份以百分之百金鈔爲準備的『現兌發行』。一定可以伸縮自如，發揮發行銀行調節市場，融通工商周轉資金的作用。同時市場既能調節，利率才能趨於合理，也才能眞正造成投資有利的環境。發行當然是應該控制的，通貨膨脹尤其需要避免，不過百分之百的金鈔現金準備發行，伸縮自如。絕對只有調節金融的好處，而不會導致通貨膨脹。這個國父遺教的『現兌發行』，如果配合新外滙管理辦法，予以實施，一切與新外滙辦法正相脗合。可以說，有百利而無一弊。

稅收政策應重訂

至於以退爲進的稅則，牽涉的範圍很廣，不妨稍微等待新外滙辦法及『現兌發行』發生顯著的效果以後，再逐步實施。總之，自由中國，面臨的是反攻復國艱巨的任務，國際環境又如此之好。這次外滙管理辦法，雖然還保留了很多的彈性，實施過程上，容易發生偏差。應特別注意。可是無論如何，相對的提倡了公平競爭，不失爲一絕大的進步，大家一定要趁這個機運，把經濟金融，財政，從此政策金融，都重新檢討，配合這個新的改革。爭取對外貿易之發展，尤其更切實的歡迎外資與僑資，修改一切有關的法令與條件，使外僑資來台，獲得保障。因此，活潑市場，造成投資有利環境的『現兌發行』以及稅收政策之重訂，亦不容忽視。這是個人對新外滙辦法，一個短簡的意見。

施亞努遜位與高棉前途

・申南・

三月二日高棉國王施亞努突然遜位於乃父蘇拉馬列，我們不要以爲高棉只不過是個剛從法屬殖民地，獲得獨立不久的一個幾爾小國，政變無關宏旨。

據電訊報道：施亞努宣佈遜位的時候，距他與杜鵬商談建軍問題的時間，祗有四十八小時。公開遜位的理由是抗議左翼政團民主黨領袖孫洛[illegible]民主黨解散了，軍隊也放下了武器，只是孫洛本人雖然參加過談判，卻不曾向施亞努投降。以退位的手段，來抗議一個放下了武器，解散了組織的政敵，這種做法是否正確，姑置勿論，但如果從施亞努過去十三年當政的作風去看，似乎有些出人意料。

青年有爲的國王

施亞努在一九四一年繼承外祖父莫尼旺王位時，只是一個二十歲的小伙子。然而他自從親政以來，首先他拒絕了日本人的引誘，不作傀儡，因此獲得了法國人的重視。繼之又勵精自勵，以身作則，勸誘愛國，並與士兵同甘共苦，其智勇兼優，使他成功了一位英明果敢的中興之主。他在於他以爲高棉的獨立，也使那些覬覦高棉的野心者，不得不知難而止。

力爭民族獨立

一九五三年二月，他在巴黎的談判未得要領，於是取道美國向法國爭取獨立的堅毅決絕，和對付共黨侵略的果敢機智，都是值得稱道的。

返國時，在紐約發表了炸彈性的談話，他說：「法國人不顧本人以爲高棉人民公開訴說懶惰人從我的意志，而事實上他們的不平受限制，高棉主要的困難，是軍權法和經濟主權控制均歸法國控制之手。高棉的法律不能適用於法國人，輸出入也無自由，……徵稅無自由，吾人不能容忍。吾人手足全被束縛，這是高棉人最大的痛苦。……我們再不予高棉人民以更多的獨立，於六個月內，法國人民必有叛變投向胡志明叛國的危險。……」

這段談話發表後，法國人雖然不滿，可是，法國人士之注意，更獲得了高棉全國臣民的擁護與愛戴。對高棉的要求，法國政府始終是採取拖延政策的。但施亞努却不能忍耐，於是在一九五三年六月，他出了出巡，突奔曼谷。在那裏再向法國呼籲要求獨立，他這一舉動，透過全世界新聞記者的筆觸，已是天下皆知。因此，他獲得了全世界的同情與敬仰。施亞努在逗留馬德望時，再次發表聲明說：「如果法國不能在當天九時以前給他以完滿的答覆，他將宣佈高棉脫離法國聯邦而獨立。而且，問題不獲解決，他也誓不返都。」

共黨恨之刺骨

他所表示的強硬態度，法國實亦莫奈他何，他們雖曾一度想把高棉駐法代表摩里勸親王立爲新王，但摩氏立即聲明永遠效忠施亞努王，而絕不受法人利用使國家分裂。同時，高棉全國的工農羣衆，智識份子、僧侶、各黨派都一致支持國王的立場，效忠國王。

不但此也，他一連串的轟轟烈烈的舉動，更感動了一些親共的叛軍，他們出兩個名叫落川鄉和浦士鑣的頭目，率領着來投降，宣誓效忠。接着他出巡西北部時，也接受了大批叛軍的投誠。由是那受共黨支持的「高棉民族解放委員會」崩潰了。由是共黨恨之入骨了。當去年上年，越邊[illegible]府戰事方酣之際，共黨曾分兵進擊高棉。保大，他有頭腦，有辦法，他立即決定，一面向聯合國投訴，一面下令動員。高棉在動員令下三個月內，便可以徵集十五萬民兵入伍的，只要有好的裝備和訓練，也是一支能戰的勁旅。這一役，共黨的叫囂恫嚇，不會驚倒施亞努，也沒有侵入高棉。

照理，一個國家能有一個這樣愛國愛民，有膽有識，而又允文允武，敢作敢爲的青年君主負責領導，該是如何值得慶幸的事，但偏偏有那曾經媚日，而今又親共的高棉敗類——孫洛丹與之爲敵，反對他所採取傾向民主國家的內外交政策，驅致其憤而去位。當北越的胡志明糾纏着北部的今天，高棉處境仍未脫離赤色的威脅，這一事件，豈僅是高棉人民的厄運，亦民主國家之大不幸也。

論中共的幣制改革（下）

・李金瞱・

在城市裏，通貨的流轉速率是快速的，中共一方面限制其信用膨脹，壓縮其流轉率，一方面則派出銀行服務員，深入工廠、礦場、學校和大企業組織內，去吸收工人、學生的現金。像上海等大城市，則更將業務推展到小菜場，吸取各攤販的交易現款。在消費方面，因物資缺乏，於是逐漸推行配給制，和限制購買量，對勞動者的消費能力加以約束。

中共自詡在推行貨幣下鄉的工作獲得成功。事實上，是農民在統購、預售、除購的暴政之下，被迫以勞動果實換取通貨，但一轉手間，便須向「農業生產合作社」投資，若尚有餘資，復須存入「人民銀行」或其代理機構。最後，剩下的錢却無法在合作社裏買到東西，因爲在「統銷」的政策下，合作社常是空無所有的。

農村的貨幣既不能流入城市，於是共黨再用以作爲第二季的生產貸款，和收購的準備。於是形成了以農民的血汗再剝削農民的形態。

幣改的目的何在

從上述中共管理通貨的手段，和共黨的貨幣性質來看，所謂通貨穩定者，實乃建築在飢餓和限制消費之上的。至此次中共改革幣制的目的，不外下列數項：

一、因過年戰事和「建設」，通貨發行，已達飽和點，穩定性亦已開始動搖，如再增加發行額，勢將氾濫不可收拾。

二、縮小票面，膨脹信用，使舊幣回籠，無形中將原有發行額擴大一萬倍。

三、因積極備戰，需要浩大。更換通貨，乃準備將新幣再行膨脹，不至刺激人心，危及根本。

四、因備戰，必須發動全面增產。但「勞動英雄」，「生產模範」的方法已成過去，不能再刺激生產的狂熱。這種現象，不僅中共如此，蘇聯亦然。一月六日「人民日報」轉載眞理報「社會主義國家的經濟作用」一文，該文爲蘇聯經濟家卡托夫斯基所著，即嚴厲批評蘇聯經濟領導部門之失當，提出「改善工資制度」，克服「消費品生產落後」的主張，目的在再刺激軍工業生產的情緒。中共當然也跟着發展，故首先要完成幣制改革才能發動新的刺激力。

五、蘇聯最近一次的幣改，在一九四七年十二月十四日。這一措施，按照經濟學家加千克的解釋，是「在戰時經濟條件下，（亦即中共目前的狀況），貨幣發行額必是超過經濟流通過程的正常需要，流通過程中的過剩貨幣，妨礙了戰後經濟的改造，……發生了否定的影響。如果不能除流通過程中的過剩貨幣，就不能廢除配給制度。」這反映當時蘇聯的通貨情況，和中共今日的通貨泛濫，蘇聯人民將積累的貨幣投向市場，物價飛漲，而又無商品供應，黑市大肆活躍。這也和中共今日糧、棉布和肉類等一樣。於是蘇聯不能不廢除配給制度，並廢除配給制度，但將部份主要生活必需品的零售價格提高，以降底次要生活資料的價格作爲抑飾，犧牲勞動者的利益，以穩定其政權。

六、中共面臨物資缺乏，供應失調，生產萎縮的困難，公債稅收和一切搜刮，均不足以彌補備戰的缺口，明知飲鴆止渴，也不得不在發行「一九五五年建設公債」之後，再繼之以幣改了。

幣改的後果如何

最後，我們可用馬克思在「政治經濟學批判」一書的話，作爲本文的結束，他說：「國家可以把任意數量的，具有隨便的名稱的紙幣，投入流通過程，在這一種機械動作的同時，國家的控制力，也就立即結束。……」加千克對此解釋說：「過剩貨幣的發行，引起了生產機構和流通的混亂與經濟破產的愈加增長，……尖銳化。」

從這一個論斷，就不容中共再掩飾其幣制的崩潰，同時可以證明，共黨政權，在經濟的籠罩裏，還跳不出自然律的規限，統制經濟也好，計劃經濟也好，只要共黨一天不拋棄備戰，堅持「世界革命」到底，就絕不能從惡性循環的泥淖裏脫身。共黨政權就絕不能避免從通貨膨脹而走到「結束國家的控制力」的絕路上去。

編者　讀者

△歐陽和先生來函▽

編輯先生：

我是貴刊的讀者，平素最愛讀馬五先生的文章，又是一個流亡的難民，來到台灣三四年，感覺自由中國一切都有進步，只是社會上一般生活方面緊張情緒，歌樓舞廳，到處謳啞，通宵達旦，政府對於這些浮華奢靡的事實，皆是一無限制，以反共抗俄大業計，似有限制的必要，人再不可附和提倡了，馬五先生對一去的伶人俞振飛，說政府有戰時生活的調調兒拒絕了他，不滿，我實在有點不同意，表達一多數流亡的意思，請先貴刊一角披露爲荷。

歐陽和上三月十三日

（以上是歐陽先生的原文——編者）

馬五先生的文章，我平素是最喜歡，他立意新穎；措辭典雅。寓褒貶於諷刺之中；別善惡懸以大義。直而有理，雖是小品之作，總覺嬉笑怒罵，都歸於大中至正，讀之，實在可以發人深省。

關於「迫上賊船的藝人」

但此次在本刊第四一九期所載的「迫上賊船的藝人」一文。謂政府藉口以戰時生活的調調兒，沒有放寬尺度，有舊觀念；無新作風，未盡力去爭取一個吸食鴉片烟的伶人——俞振飛——由香港來到台灣。認爲是自由中國莫大的損失，這卻有點不敢苟同之處。

戲劇這種東西，如果在太平盛世，無妨加以提倡，政府和人民來同樂，是無可厚非的，可惜，今日的中國，是一個國土淪陷，人民流離，國家民族爭生死存亡的時候，不是什麼太平盛世，民阜物康。大陸被俄寇操，一般義不帝秦，不甘做役奴的人民，流亡異域，或隨政府來到台灣，總希望政府能臥薪嘗膽，宵旰憂勤，謀復國建國的大業，去救救陷在水深火熱的同胞。除少數商女不知亡國恨，與此間樂，不思蜀的傢伙外，莫不一聞鐘鼓之音，舉疾首蹙額而相告曰：「夫何使我至於此極耶」之嘆了。

自由中國現在之所需要的人才，是軍事家、政治家、經濟家、科學家、教育家，以及成千成萬能爲國家荷戈前驅的青年。這些人流落在海外的很不少，我們要督促政府去爭取，去羅致。一個伶人，對於現時站在反共抗俄戰爭線上的我國，實在有之不加多，無之不加少，何況是一個吸食鴉片烟的東西呢！

報載共匪黨以二十萬港幣買動俞振飛潛回大陸，如果事實是眞的，那末，毛朝的驕奢淫佚，也就可以概見，他的崩潰敗亡，已可立而待了。我希望馬五先生把那如椽的大筆，在政治、軍事、經濟上去匡救政府；在社會、風俗、生活上去糾正民衆，不必爲一個伶人來責難政府，曉曉詞費，誤濕青衫。果俞振飛於人格，身份上，不亞於搞政治的（馬先生的原意）有一點愛國家，愛民族的思想，縱然一時生活困苦，也不應該潛返大陸，供共黨去驅使，難道他的生活，比香港調景嶺的難民還不如嗎？

爲自由而鬥爭

・唐煌年・

（上接第一版）

不僅和前一天立法院議場的問答，天淵相隔。便與前一天各私家晚報所載相比，也是面目全非。這是讀報的人都同樣觀感。不是任何少數人所得而增損。這也是對俞鴻鈞在立法院所講的官式答詰，一個極大的諷刺。這就是俞院長強調要保障的自由！俞氏答成舍我第二段質詢，一再強調政府要取締的是「不相干」刊物。當時許多人不明白這所謂不相干，出之於行政院院長口中，究竟是什麼一個解釋，看了兩天的台北報紙，我們完全明白了。自由中國一點眞實的消息，公正的報導，還靠若干少數「不相干」的報紙，給人們透漏一點消息。

今天當着反共抗俄的戰鬥階段，每一個愛國的人民，必定時時想着中國國民黨六十年來的歷史，就是一部爲自由奮鬥的歷史，中國國民黨的總理與總裁，也是畢生爲自由而奮鬥。看了立法院今天的情形，證明自由中國今天人權與言論的自由，還是可以樂觀的。大家在此時此地，應該踴躍去參加這一場歷史的鬥爭，時代的鬥爭。爲自由而鬥爭，爲國家民族的生存而鬥爭！

（完）

台灣的高等教育問題

——今日的高等教育是有形無形之中反學術傾向的——

·趙荃孫·

台灣的高等教育，除了台灣大學以外，還有省立的師範、工、農三獨立學院，及為了配合政治的行政專科學校。張其昀先生當了教育部長後，據說，他之所以特別保荐劉先震先生充當教育廳長的目的之一，是想把三個省立的獨立學院改為國立，使教育部除了可管而不可管的台大以外，還有學校可管。結果此一計劃遇着台灣省議會的反對，遂改而先將師範學院改為省立大學；接着台南的地方人士主張台南的工學院應改為成功大學；再接着台中的農學院也推派代表，運動議員，要求改為中正大學；現在台灣省參議會通過議案，師範學院今年便改為大學；農工學院明年改；行政專校則改為學院。有福同享，一律提升一級，台灣的教育前途，真算光輝而偉大。

圖書儀器太缺乏

改大學總是好事。但是台灣的高等教育本身所包含的問題，恐怕只會因「改大」而增加，決不會因「改大」而減少。

首先談到圖書儀器的設備問題。師範學院的圖書，固然遠不及台大，而實優於農工兩學院。農工兩學院，除了一部分陳舊的日文書籍外，幾乎沒有可供學生研讀的參攷書籍。適與專科研究有密切關係的世界有名的刊物雜誌，學生也很少有寓目的機會。固然，今日辦學校的要訣是在會貼標語；但許多學生中，不能說找不出若干好學深思之士。有書擺在他們眼前，縱然他們不能盡看，也可以使他們知道「學海」之大，引起其求知上進之心。若改大學而圖書不能增加，則學生與書本接觸的比率更小。台灣將出現些只有標語而無圖書的大學。

關於實驗儀器，工學院中雖然有的已嫌陳舊，然可用的，依然不少；可是學校有能力使用的經常不到十分之一，其他的遠不及工學院，而使用的精神與能力，正復與工學院相同。四個人一組的實習，實際等於不實習；但這是很普遍的現象。「改大」以後，政府對於這一點若事先沒有確切的打算，則學生可以實習的機會將更少，學生的水準將比現在還要低，這未必是台灣父老的真正希望。

人的問題更為嚴重

其實，圖書儀器，固然是問題，但最大的問題還是在人的這一方面。

各學院中，當然有不少的品學兼優的學者；但這種人決不是今日各學院的重心。各學院的重心人物，多半是在樹立黨羽，捧拍與援，講究人事鬥爭的這批人物身上，此種人抱着二三十年他當學生時候的老講義，照本宣科，以不變應萬變。至於二三十年來，他所學的那一門有了什麼進步，有了什麼變化全不關心，甚至根本不相信。他們所關心的是以捧拍鬥爭的方法鞏固自己的地位；再進一步便是把自己的老婆拉進學校來；其次及于自己的兒弟子姪乃至表哥表弟，形成自己的中心講座。張三是如此，李四又何獨不然。此種分贓鬥爭的結果，在中學教書不能立足的，便一躍而到學院來當教授講師，在某一個小小的學院中，一口氣便可以數出二十個以上、今後改為大學，則每一學院中，富有鬥爭性的若干家族細胞，更可乘機擴張一下，學校的流品，更不曉得要壞到那種程度。

改大運動的來源

大家不願意聽「野雞大學」的名辭。但過去大陸上許多野雞大學，總還有點想請好教授之心，總還四處打聽，怎樣才是好教授。縱然在這些野雞大學中沒有學術可言，但他們有的還嚮往學術，還承認學術上的成就。現在台灣的高等教育，除了台大還有一點根據學術成就以衡量人事進退的觀念以外（這是傅斯年的大貢獻），一般學院，壓根兒把學術不學術的觀念乾脆取消了。可憐一般青年學生，不僅接觸不到學術的內容，連學術的氣息，學術的影子都接觸不到一點。青年們初進來是失望，接着是灰心，接着是鬼混。只有鬼混，他們才能安心的住下去。圖書儀器不足，有錢可以購置；學術水準不够，也可以繼續努力提高，惟有由這樣下流的心理，下流的風氣，所形成的對於學術的全般的否定，致使整個青年失掉了目標方向，則其流毒真將百年而不止。這次的「改大」運動，骨子裏實是從這種「鬥」流出來的運動。

人事關係決定一切

不過，多想一下，也並不足怪。當前用人行政，有一根本原則，即是不守故常。因為假定用一個適當的人，去做一個適當的事，則被用的人，自己覺得是分所應得的，於是其感激之情不深，其服從之心有限。只有用那種連他自己都夢想不到的人，才使他會感激得五體投地。便可向他要求無限的服從，填補因大陸淪陷以至支配圈縮小的支配慾望。上級是這樣的想，下級也是人，也須要精神的滿足，當然也會這樣的想。於是不知不覺之中，在人事上形成了一種向下流競賽的運動。只要那一部門受到了重視，這一運動便要在那一部門中開始。教育在目前正是紫微高照，此一運動當然便會在教育界中推演。許多朋友說，台灣的前一任教育廳長是「呆若木雞」，現在則是「伶俐如酒保」，再下去不知更是個什麼？於是大家心裏不言而喻的說，張三可以當廳長，誰個不可以當大學校長院長；更誰不可以當教授講師？人事「關係」決定一切，關係由捧拍鬥爭而來，學術是什麼東西。何況現在是政教合一，官大，學問便大。並且官大了之後，一夜之間，便可以册封出一大批的學術權威出來。所以今日高等教育中有形無形的反學術，糟蹋學術的傾向，這正是時代的產兒，正是時代的驕子。

革命教育的道理

有的人莫明其妙的問：我們今日只有一個台灣，尚且找不出一個適當點的教育廳長，辦不好幾個獨立學院；那麼，回到大陸以後，更怎麼辦呢？其實，這是完全不懂革命教育的道理。我們的革命教育，已經把「人是學習的時間需要最長的動物」的這一事實，改變而為「人是學習的時間需要最短的動物」。回到大陸，還怕沒有人辦高等教育嗎？由此說來，台灣的高等教育，並沒有一點問題存在的。

集體努力發展僑教　各校宜組聯合機構

香港高中畢業學生，除了極少數尋求投考港大途徑，以及要求轉政司署登記作求職準備外，僥倖獲得職業者，實屬寥寥無幾。此等學生如求繼續升學，可以解決其困難的學校，似乎祇有：新亞、珠海、崇基、華僑、香江、文化、廣僑、光夏、廣大等九所書院，他們適合學生升學大學專科要求，歷年造就文、商、農、工專門人才，對社會貢獻之大，衆口交譽，各院主持如錢穆、唐惜分等均屬著名的學者，各科教授亦均係學術界知名人士。他們不僅彌縫了無力與無法就讀港大缺陷，而且堵塞了學生被誘赴共區的漏洞，這九所分設港九的高等學府，均屬僑港教育界人士自力艱辦的。

除了上述九所專上學校，其他七百九十所私立中小學校，大多數亦係僑港教育界人士自力創辦，就讀學生幾近十五萬人；他們擁有教師達六七千人；無一接受港府津貼或補助，教師待遇高低不一；清貧子弟也有免費、半費享受。過去除了各校聯合舉辦學生書法、作文、美術，與最近擬籌備演講比賽之外，平時甚少聯繫，就過去各項比賽成績看來，反映各校對於學生作業水準，非僅特別重視，均求極力提高。但是社會各方人士，咸認各僑校應有一個共同切磋聯繫機構，以結合集體力量，擴大和發展僑教，實為當前急務。

雖然各校設施年來均已紛加改善，以應容納逐年增多的學生，但如何促成各校組織健全，提高劃一教育水準，充實它的設備，均有待於各校當局間的常時研討，倘能由穆錢、唐惜分等發起組織一個僑校聯合會，相信必能獲得各校贊成的，這一個發展僑教的機構，對於發展香港教育前途，將有決定性的影響，例如會員學校不論經濟、師資或是其他任何困難，均可藉集體力量設法解決。如所周知，港九各間僑校，年來對於僑生容納數量，均有心餘力絀之慨，搶救各級廣泛衆多僑生，端賴各校擴充校舍與設備，由於經濟力的脆弱，除了九間專上學校，以及部分中學之外，小學均祇勉力維持現狀，有了一個集體性的聯合組織，這種困難問題，相信不難打破，而各校設施一經充實，且能容納更多學生，經濟方面，也就可以充裕，這對於改善私立學校教師待遇，將會出希望成為事實。無論從任何角度看來，僑校聯合會組織，不僅各校聯繫勢屬必須，即大多數亟待改善待遇的教師與廣大衆多的學生家長們，均莫不寄予厚望，盼能早日實現。

亞洲共黨的侵略三部曲

·羚式譯·

蘇俄征服世界的陰謀，向以和平為口號，滲透為手段，奪取政權為目的，在任何一個地區，都是這樣三部曲，有時則視環境的情勢，略有差異，那些被視為落後地區的亞洲國家，由於政治的腐敗，缺乏對技術的運用，人民的不滿情緒，和更多，於是在殖民地地方上長期災難，給主義的反對口號下，予它因利乘便的機會，發動它的地下組織，一面宣傳挑撥，一面武裝搗亂，等到時機成熟，就要伸出它的魔爪來了，而那些國家亦有他們的內在弱點、與矛盾的現象，自己的力量不足以抵抗侵略，他們亦知道，西方國家對亞洲，不若對歐洲之重視，軍事的援助，道義的支持，都沒有十分保證，因此親西方和親共的政策，一直是搖擺不定，這一切適足以啓共黨覬覦的野心，可以為所欲為了。

印度

印度中部海德拉巴省，印共佔很大的勢力，與尼赫魯的國大黨，在選舉中不相上下，一九四八年共黨在那裏曾發動過一次公開叛變，屠殺了二千五百名反共人士，可見其聲勢之大了，其次孟加拉西部，共黨包括加爾各答，滲入了學校和勞工團體，進行一切恐怖活動，另一個共黨根據地，是在東旁遮普省的錫加，已把農民武裝起來，準備打游擊，共黨在印度擁有六萬基本黨員，經費非常充裕，在新德里有四幢巨型大廈，作為總部辦事處，裝釘華麗的共產書籍，到處可見，並且取價極廉，反美宣傳是共黨煽動羣衆的一種工具，學生團體中，鬧得更激烈，尼赫魯的對內政策，雖然是反共，過去曾對共黨採鎮壓手段，禁止公共集會，拘捕嫌疑份子，在海德拉伯特省的監獄，一時囚禁了數千共產黨人，可是共黨在印度現在仍獲有合法的地位，它的勢力一天一天的澎漲，照這樣的演變下去，眼看有燎原之勢了。（未完）

社會經濟思想叢殘

（十六）　金伯華

但鋼鐵公司的獨佔性，並沒有能够達到煤油公司的程度，因為另有貝士朗鋼鐵公司出而敵對，而且貝士朗的縱的集中極為發展，有非比邦．摩根公司所能望其項背。

看了上文簡單的敍述，可知企業集中化實為現代經濟一大特色，而其主要方式，即為所謂「共同經營」而已。不過這是資本家的共同經營，與合作經濟的共同經營，方法雖同而目的絕異！前者是「魔」，而後者是「道」。但事實上，目前全世界合作經濟的共同經營，實尚遠不如資本主義共同經營的發展。這難道真是所謂「道高一尺，魔高一丈」吧！

「矛盾的統一」與「矛盾的進化」

資本主義經濟的「共同經營方法」，由於「托辣斯」，「安打脫」及「托爾得」的組織，可說已發揮得淋漓盡致，成為世界性的規模。這些組織好像是大洋裏的魷魚，長得一身長爪，是臂把，又像是觸鬚。任何動物一碰了他——不，亦應該說他一碰了任何動物——就被他緊緊吸住，無法擺脫，非把你的血吮乾不止。所以嚴格的講，這些組織所帶給人類的，並不是同表面上所見到的繁榮，豐富，廉價，美觀和安適，如同這些組織在他們的門面上，窗櫥上，招貼上，甚至大幅的新聞紙上所吹，所號召的樣子。所有現代文明表面上所見的繁榮，豐富，美觀，安適等等，都是科學家的功績；企業家所貢獻的成份，實在是微乎其微。

相反的！他們所帶給人類的是饑餓，貧苦，高價，醜惡和擾亂與不安。這正是人類當前所面臨的一個大難題！對於這一課題，歷來思想家不知已絞了多少汁腦，也不知已經提過多少方案。可是最技術，同時也是最藝術的，據我們的淺見，實在只有合作主義的思想，又穩安，又和平，又澈底而有效！因為合作經濟的方法，的確十分巧妙！資本主義用「共同經營方法」發揮最高的功能使世界陷於杌陧不安；合作主義也祗能使世界重復歸於安定。這種移花接木的辦法，對於資本主義來講，眞可謂是「以其人之道，還治其人之身」。所以同是這一個方法，同是這一種武器，在資本家手裏，是一支攻擊性的，也即侵略性的「矛」；但一到了合作者手裏，便立刻變為是一個防禦性的，自衛性的「盾」。而且這是個非常堅韌的盾，只消大家按着極簡單的公式把它編製起來，不管資本家的矛頭如何犀利，都將無所施其技……這樣，我們在前面所講的近代人類文明的這一大矛盾（參閱本刊四一八期），不就將可解決，至少亦可緩和一大半了嗎？

這並不是共產主義者所說的「矛盾的統一」。

這應該可以說是「矛盾的進化」。共產主義的所謂「矛盾的統一」，是互相否定而統於共產一黨的專政之下；「矛盾的進化」是互相協助而進於人類全體的創化之中。這是絕對不同的兩回事啊！

「營利目的」的積非成是

那末，合作者的共同經營方法又到底是什麼一回事呢？這很簡單！就是大家關於日常生活上有若干特定的經濟事項，經濟關係，在特定的範圍內，大家團結起來，凡從前所仰給於人的事情，一一都由各成員在團體——合作社內自勞自效，以互相滿足共同的需要。這就是合作主義經濟制度的「共同經營方法」。這所以合作社法定明以共同經營方法為合作社構成的法定要件之一。這是合作制度極重要的特點。

「經營」什麼？大家在市面上任何一個角落裏，隨時隨地都可聽到人們在紛紛談論什麼「營業不振」呀，「營業失敗」呀，或者很少數的幸運兒則說什麼「營業發達」呀等等，便不難了解通常的所謂「經營」或「營業」，都只是一種謀生的「職業」，而以「營利」為唯一目的。是以，凡是為着謀生或謀利而從事於工商業的，就叫經營工業或商業。這太明白，太自然了！因為人類自有商品經濟或貨幣經濟以來，幾千年來便是如此。這個已「習慣成自然」了。這種傳統的老習慣，已經自然到幾乎世界上所有文明國家的法律，都把「以營利為目的」的組織（中國公司法第一條明文）認為「法人」，而予以強力的法律保障；都准許這類「以營利為目的」的組織，又聯合組織「同行公會」之類的經濟，又暗中掌握全國人民的生殺予奪之權！

在這種自古以來，積非成是的情況之下，不但合作制度的共同經營方法，很少被人所注意，所瞭解，所奉行——辦理合作社的人自身，亦往往不免有這種疑惑！而且當初發明這個方法的賢哲們和實行家，還被社會目為瘋子——即在今日，亦有若干達官貴人，把合作主義的理論看成幻想，看成空論而且哭心非！……（未完）

妖孽性的揚子公司

馬五先生

自民國卅七年以來，我一聞見「揚子公司」之名詞，心裏立刻就引起「國家將亡，必有妖孽」的感想，固不暇問其主人爲誰，亦不管其究作何項業務也。比無他，「揚子公司」在上海曾經貽禍國家，罪孽深重；在海外又曾以販運戰略物資赴中共區域漁利，而被友邦勒令停止營業。穢醜播揚乎中外，丟盡了中國人的臉，所以我見不得這一臭名洋溢的商業牌號哩！

不料，近於報上看到立法委員質詢行政院長的事項，台灣又有所謂「揚子公司」者，竟比過去在本國和外國的非法作惡行爲更厲害，勾串政府財務金融機關，狼狽爲奸，貪污舞弊，而且連司法機關也居然替它幫忙，收回地方法院宣告該公司破產的判決，以便其取得繼續貪污作惡的「法定」資格。據報載立法委員檢舉出來的罪證，台灣銀行，中信局，農復會，國防工程處，乃至司法行政部這些赫赫然「民俱爾瞻」的政府機構，都有譸張爲幻，扶同舞弊，朋比分贓之嫌。此時而有此事，還了得嗎？吾儕小民，除盼望監察委員們急迅行使職權，（彈劾檢舉貪污失職，原是監察的事。）靜待政府怎樣澈究處理再說以外，且據述一些聯想，請問政府袞袞諸公，於意云何？

根據過去在大陸時代的歷史教訓，眞正大貪污大浪費的人物以政府的財經機關，和國營事業或美援機構這類機關衙門爲最多者，而這些人物之得以濫竽此等機構的職位，又決非由其專門學問與經驗而適才適任的，不是源靠橫貫條件，即是基於小組織派系，或藉着裙帶關係而混得着。這般信用掃地，聲名狼籍之徒，何以到今天依然原班原系，佔據着國家一切財政金融與產業機構？並且十九皆是某一二特定地區的人。我不相信其他幾十省的中國人士，未必就沒有甚末懂得辦財政金融與生產事業的人才？現在全民被他們搞到國破家亡了，他們不但濫竽充數如故，非法作惡如故，連一個妖孽性的「揚子公司」，也還要讓它到台灣來繼續幹其禍國殃民的勾當，這是啥格路道？阿拉自思不得其解。難道這般人硬要一手包辦亡國工作不成？不然的話，何以竟不能換些別的正派人來試試看呢！

政府是否眞有領導全民復興國家的能耐與信用，就看這次能否大公無私地澈究揚子公司這樁大貪污案了。仔細點吧！民衆的忍耐力是有限度的啊！

傅斯年先生二三事

郭德楷

傅斯年先生不獨是一個學者，一個自由主義者，而且也是一個教育家。這裏提到的幾件小事，是筆者就讀台大時親見親聞的，外界知者甚少。錄出，亦足見傅先生之爲人處事的一斑。

（一）

傅先生任台大校長時，內地來台，就讀台大的學生，幾全賴公費爲生。公費有限，僅可維持個人伙食。故伙食甚劣。傅先生對學生生活甚爲關切，常於開膳時間，來注意同學伙食，詢問學生意見。

一次傅先生到膳廳，有幾個同學在吃飯，（伙食團是分食制，隨到隨吃），有一位同學指着門口賣爆魚的小販，對傅先生說『校長請客』，他笑笑對同學說，『你們的伙食的確太壞，都該吃苦的。』他繼續說，『好了，其實校長也吃得不好，這個時候大家吧！看校長袋子裏有沒有錢！』他把手裏的烟斗含到嘴裏，從口袋搜索一回，掏出三塊錢。於是他說，『我請你們每人吃一條小魚，三塊錢爲限。』他自己也到小販攤上，拿了一條爆魚，邊吃邊和同學談天，把魚吃完了，才含笑而去。

（二）

又有一次，傅先生自己擬好了一個全校徵文的辦法。題目很多，獎金名額也不少。第一名的獎金，足可維持一年的零用，因而應徵的人十分踴躍。卷子經過評判委員決定後，他又親自看過一遍。那時筆者僥倖得很，也是一個得獎者，一筆不算少的獎金，對個人生活的安排，有個大幫助。徵文辦法規定，獎金是分期付款的，原因是怕同學一有了錢便亂用。當時筆者因兼任家庭教師，急需購一輛脚踏車，於是打了一張報告，請校長准將全部獎金一次發給。

他看了報告，問我，『你的家庭教師一個月多少錢？每天上幾點鐘課？』『一個月一百五十元，教個初中學生，每星期一二三晚間上課，各二小時。』筆者據實對他說。『我看，你還是辭掉這事吧！現在你有了一筆獎金，足够維持一個時期了，我舉辦徵文的意思，就是希望你們能够安心多讀書的，』

他繼說，『你每星期要出賣六小時的寶貴光陰，這是多麼可惜的事，尤其現在，你們正須切實用功的時候，更不應分心做別的事了。』

我說，『校長，我不能辭掉，我的家沒有在台灣，辭了以後怎麼辦呢』，我把自己的苦衷說出來。他還是不答應，他說，『以後再講吧！校長總是爲你們這些用功的窮學生打算的，知道吧？』他又歇了一回，說，『有甚麼困難，以後再來找我。』他拍拍我的肩膀，要我回去，一付和靄慈祥的笑容，使我無法堅持我的要求。我的家庭教師，就是這樣的辭去了。

（三）

台大的公費補助類很多，有獎學金，有工讀獎助金等等，都是傅先生任內極力向政府爭取來的。

有兩位女同學，爲了用度不足，沒有申請到任何公費，變跑到校長辦公室，要校長特准她們領取工讀獎助金。校長知道她們的來意以後，很打量了她們一下，很幽默的說，『你們兩位小姐，都穿得很漂亮，獎助金是給那些窮學生的呀！』

兩位小姐說『校長，我們的家雖在台灣，但父親都是小公務員，家裏負担實在太重。』

校長說，『你們爲什麼不去找訓導處主辦這事的人呢？』

『他們不肯答應，說不合條例。』

『那就算了，我又有什麼用處？』

想不到校長這樣一說，其中一位小姐竟哭起來了。

『好吧！好吧！你們回去，明天到訓導處，繳一張家境清貧的證明書。』

大概校長看出她們的眞情，也就答應了。

傅先生這樣愛護同學，所以當他逝世的時候，全體同學都自動的前往極樂殯儀館，憑弔遺容，有些同學當場痛哭，更可見他平日感人之深。

蒐竹樓隨筆

楊乃武案

舜生

居香港五年餘，所看中國影片絕少，去年因在『驪的呼聲』中聽到幾度宣傳，看了一次尤敏主演的『人鬼戀』，[illegible]兩幕，綽約多姿，乃知尤敏確不失爲一時尤物。

李麗華近年高踞自由中國影壇第一把交椅，直至現在爲止，似尚無人敢向其問鼎之輕重。去年雙十節，在香港在樂聲戲院舉行慶祝，始得一見其人。最近見其主演『小白菜』一片，『端莊雜流麗，剛健含婀娜，』可謂恰到好處。惟電影廣告，謂楊乃武案發生於六十年前，則失之未攷，蓋此案至光緒三年始告結束，去今固已八十年矣。

翁同龢李慈銘對楊案均有紀載，見於『翁文恭公日記』者兩條，見於『越縵堂日記』者一條，茲錄之以資談助。

光緒元年九月二十日翁記云：

訪夏子松，遇吳君仲愚，餘杭人也，爲楊乃武稱冤。又晤朱敏生，極稱楊乃武之冤。入署閱葛畢氏原案，不得，怒斥之，僅而得見。細核供招，互異者一，可疑者二，疏漏者一，遂用余說駁令再審。

光緒二年十二月九日翁記云：

葛畢氏案，提驗屍骨無毒，皆具結矣。此案余首駁議，而松姪司審極用力，甚矣折獄之難，而有司者之不可不審愼也。

又光緒二年十二月十日李記云：

楊乃武京控一案，聞昨海會寺開驗葛品蓮屍骨，皆白色，絕無毒也。此案初起，衆皆指楊謀殺，又傳實餘杭縣知縣劉錫彤之子遣人下藥，楊與葛畢氏皆不知情，鍛鍊成獄。劉爲大學士寶鋆鄉榜同年，皆欲右之。聞初訊劉猶恃老咆哮，及驗無毒，乃撤牀，齒相擊，俯首無辭。劉錫彤無論矣，若原審之巡撫楊昌濬，力庇屬員，顯抗朝旨；覆審之學政胡瑞瀾，朋比欺蒙，喪心鍛鍊，至被旨駁問，猶敢堅執；今將何辭以對乎？

所謂『小白菜』者，其娘家本姓畢，嫁了姓葛的，故原案稱葛畢氏。電影上的『葛小大』，原名葛品蓮。餘杭縣的知縣爲劉錫彤，但在電影上，他的兒子卻變成了姓鄭，名鄭仁來。一個民間流傳的故事，要把它編成話劇或電影劇本，自不能不多方穿插，以力求其戲劇化，但像鄭仁來這種改變，則似乎大可不必。

又我們讀了翁李兩家的紀載，可見即像清末那樣的專制黑暗，人權亦尚非絕無保障。且楊案一經平反，凡前此與訊辦本案有關之官吏，牽連得罪者亦尚不少。（浙江巡撫楊昌濬，浙江學政侍郎胡瑞瀾，即於光緒三年二月因此案革職。）如最近立委成舍我所提到的包啓黃一案，假如發生在當日的北京，恐怕最初引用包啓黃，平日庇護包啓黃，乃至主管軍法局的直接長官等等，亦均不能無罪，固不獨過去由包經手之案件，須一一根究已也。

月下憶滬上故居

錢雲蕖

從來月自故鄉明。常憶桃源緣溪行。惆悵庭前椿蔭晚。清輝霜夜窺寒檠。

觀魚

前人

遊魚如錦水如羅。嫋嫋青絲蕩綠波。自檢柳蔭多處立。滿身清影當披蓑。

語意學漫談

徐道鄰

抽象既然是一種選擇SELECTION，我們自然可以從一種抽象中再作一次抽象，而造成許多層次的抽象。就是說，高一層抽象語詞的含義，祇採用了低層抽象語詞所包涵的一部份，但是因此它所適用的範圍，也就比低層抽象語詞大爲廣泛。譬如說，『猫』是生活在人類家庭中的動物，『狗』也是生活在人類家庭中的動物，『馬』『牛』『雞』『豕』也是生活在人類家庭的動物。於是我們就根據這一點它們所共同具有的性質，而給它們想了一個廣泛的共同名詞叫『家畜』。照着這個樣子逐步抽象，層層抽象，於是我們說『家畜』是一種『動物』，『動物』是一種『生物』，『生物』是一種『存在』，『存在』是一種『觀念』。如此，抽象的層次，一次比一次高，它所指示的範圍，也一次比一次廣泛。可是它對於一切實際事物——一切我們感覺器官所能感覺到的事物——的具體描寫，也就一次比一次稀少和含混。譬如我說：我們那一隻鵝在草地上曬太陽的『阿花』是一種『生物』，大家還能約略的領會這一句話的含義。如若我說：『阿花』是一種『觀念』，恐怕就很少人承認了解這一句話的意義，縱使有少數人自認爲了解，我恐怕他們所了解的，事實上也很難相同。（不過很奇怪的，就是現在還有不少的人，正自認爲能了解這一類的語言，並且還特別愛好這一類的語言！）

抽象這一個動作，就是從某一些事物中選擇SELECT出來它們所具有的某一種性質，加以規範ISOLATE，接着再把對於這一個性質所已有的經驗和知識，推廣運用GENERALIZE到具有同樣性質的其他事物上面。所以我們可以說，人類的思考行爲，就是抽象行爲，進一步說，人類行爲就是抽象行爲。

抽象語詞是陷阱

就是因爲語詞無故，我們大家都習慣於過份的作抽象的思考，而忽略了抽象語詞之是一種陷阱。就是說，大家都忘記了注意許多語詞的抽象性質，尤其是它們高層次的抽象性質，因此大家都天眞的過份相信我們自己解釋它們時的意義，以爲這就是這些語詞內在的必然的意義，因而我們人類就演出了確鑿的許多笑話和悲劇，就是這樣子的產生和推廣。

最好笑的一個現象，就是一般人之喜歡用高層抽象字解釋高層抽象字。譬如有人問『民主』是什麼？說是人權的保障。再問『人權』是什麼？說是人類生下來就具有的權利。再問『權利』是什麼？舉一例。我們說例如自由。『自由』是什麼？我們說例如『信仰自由』。再問這是什麼意思？是『民主』政治所保障的對象。這樣是走馬燈式的轉了一個大圈，所得的答，無一不是兜留在抽象文字的高層。（二十一）

論于右任的詩

王世昭

又有「貝加爾湖邊懷古」云：「曾經北海濤沉思，此地匈奴據幾時？獨雪吞氈蘇武淚，行人往路李陵詩！牛毛被野誰來牧？碑碣連岡我去遲！亂于兩家存與否？風波失所古今悲！」

這一首律詩，八句中可用三個問號，三個感歎符號，亦可算詩中之別開生面者。于氏自爲之註云：漢時「蘇武被匈奴放至此，可知此地非蒙古人所有。」又云「中國文學家用辭，在水國稱風波，大陸稱風塵，塞外稱風沙。李陵送蘇武詩曰：『風波一失所，各在天一涯』，想係指貝加爾湖言，則疑李詩爲後人僞作者誤矣！」而且此三首詩中，第一首已如于氏之所發明，第二首有「臨河濯長纓」句，第三首有「攜手河梁上」句，則尤足以證明李詩不僞。昭明文選置之於古詩十九首之後，武答陵詩之前；尤爲卓見。此足破千載以下之疑團，了卻文學史上一段之公案也。

至「至諾闔山下蘇珠克圖地方訪二百十二古墓」詩七首，尤多翻案文章，如第二首云：「道是匈奴可不疑，韓寇襄爲名姬；王嬙嫁內知多少，轉換傷心亂時！」又如第六首云：「一壇數十美人戶，認斷天岳破碑時！可惜英雄多見竊，曾陳解贖文姬。」

謂「右任存」百首詩詞中，有任詩，雜詩與無題之類的作品，綺，寫情懷於徘徊古今之中；不失英雄氣概，且足以睨名士自命風流矣。

（四）由陝、歸陝，又復南行以至民國二十五年。在這一時期中，于氏的詩可分爲三段來說：一一回憶兒時的「斗口村掃墓詩」等，爲膾炙人口的如「題曼殊畫冊」等，爲遊詩中以「太白山紀遊歌」爲最當行，蓋自歐遊以還十年中無此作也。茲分略述如後：

（五）

自由人

THE FREEMAN

（第四二三期）

中華民國僑務委員會頒發登記證台僑字新字第一零二號
中華郵政台字第五〇〇〇號執照登記為第一類新聞紙類
（半週刊每星期三、六出版）
每份港幣壹毫　台北市價台幣壹元
督印人：陳文希
地址：香港高士威道二十號四樓
3 rd. fl. 20 CAUSEWAY RD HONG KONG
香港發行及事務接洽 高士打道66號 電話：七〇五三三
承印者：東南印務出版社
地址：高士打道六十四號
海外總經銷 友聯書報發行公司
香港：輔道中二十六號A二樓
台灣特派員辦事處 台北市館前街五十號
台灣總經銷處 台北市西寧南路一一〇號二樓 台郵劃撥金戶九二五二

法治與社會意識

·陳伯莊·

自由人（四二〇期）近載胡秋原先生對二月初台北時裝案的通訊，持單純的法律論，胡論本身是無可非議的。本人覺得要緊的是這案所表現的幾種病態的社會意識，及其所孕的危機，請得而論之。

轉變社會的道德標準

司馬遷說：「儒以文亂法，而俠以武犯禁。」凡法，都不可能盡各種人情的曲折，法的本身性質是如此的。所以陶侃用法能得法外意，便為史所稱道。可是「法外意」至少帶多少主觀成份，如為「法外意」三字帶有贊許的評判色彩所囿，則舞文弄法之徒便可利用這種贊許意識為其自私的護符；所以陶公用法是不可以為訓的。是「有伊尹之志則可，無伊尹之志則篡」的。

漢初，去鄒魯儒風未遠之儒，腹誹「承襲秦法」的漢法，自謂其行，而亂當世之法。從他們鄙視叔孫通，可以看出他們的情緒。去荆軻侯嬴未遠之俠，反抗本以以馴民於軌範之中為意，而常墮入為強者黠者作擁護之實的法，自謂其俠，而犯當世之禁。拿社會學的分析來解說這兩種現象，我們可以說，在轉變中的社會內——就是說從戰國社會到漢家定型的社會的轉變過程中，其由前一社會所產生而殘留於後一社會之內的局部社羣，如當時鄒魯之儒；燕趙之俠，他們各自有其習而尚之的觀範，亦即是各有其個別社羣所持的道德標準。而這標準與當時統治全國的法律所是所非的意識是有其不相容之處的。若再引申，更概括地立論，此外還有另一種行動方式，這三者是彼此參商，要求調整的。在任何一轉變中的社會，都會有兩種「行型」（PATTERN OF BEHAVIA），（一）前一階段所囊成的遺留下來的「行型」與當時之法所要求的「行型」不相符合。（二）當時之法所要求的「行型」，（三）在當時的社會中由於環境，包括物質的，與社會的環境所已產生的，要求一種新的合理的行動方式，它雖未形成一種新的「行型」，但與當時的法律與風俗所要求的「行型」是不相合的，社會轉變的進程愈遠，則三者互相失調的情狀愈顯。

另一方面，在一轉變極濡緩的社會，如舊中國的社會，對於現象不滿之時，便會發生一種懷舊懷古的意識，或寄情於空虛構的意識。梁山泊好漢都是「把法律拿在自己手裏」的腳色，然而人人都欣賞水滸傳是一種根深蒂固的社會意識的表現。假如讀者不是生在「世間多少不平事」的社會之中，縱使施耐菴文章光芒萬丈，也不能引起讀者的共鳴情緒的。假如我們對林冲武松也來一個八字判語，說他們「法無可恕，情有可原」，豈不有些兒文不對題嗎？

時裝案的三種意義

二月間，台北時裝案，決不是小事。前述的一段話，意在說明行動標準的社會性。論到本案，至少有三點值得我們推研與警惕的。

（一）它潛伏有社會革命的意識。「壯士軍前半死生，美人帳下猶歌舞。」這可以使壯士按劍。「朱門酒肉臭，路有凍死骨。」這可以使窮漢怒目。假如不是軍人們年復一年的熬窮，熬到眼珠冒火，何來這次的爆炸。所謂「怒在人而不在冠，」恐怕便是伏綫。這一心理，和從前抗戰期間的立法院，一遇到四行兩局的法案，和國營事業的加價案，委員們總懷着嫉視情緒去裁抑與抨擊他們那一種心理是有些相類似的。「人皆集於菀，我獨集於枯！」的寃氣，若是衝到「把吳鉤看了，欄杆拍遍」之時，是不可以忽視的。

（二）它又利用了社會上一種偽與「朽」的道德標準的意識。這一「朽」字的意義，是從湖南方言出來的，本來古諺就有所謂「人不婚宦，情慾失半。」而霍去病一說「匈奴未滅，何以家為」，漢武帝便又奈何他不得。曾幾何時，電影明星以色相勞軍，譽之為愛國，但豪華士女，偶倚新裝，偏偏便是不該又不該。豈不是「名實未違」矣。

斷，喜怒為用？」本來在有限度之內的偽，祇要不過份，不過火，乃人與人相處之間所不能少的。所以彼世人崇拜的英雄，他的太太與近身的僕役對他的崇拜，往往是淡漠得多的。無他，在接觸太近和太頻的場合內，是沒法裝模作樣的。然而過份的矯揉造作，便是湖南人所謂「朽仔」。「朽仔」的道德標準，而可以招搖過市，其來也漸矣，其來也遠矣。

純法律論不足服人

（三）糾結在於未臻法治社會的病態道德意識作祟。胡秋原先生板面孔的法律論，是不足以服人的。法律之設，就因社會內有犯法之人，所以要「導之以政，齊之以刑，」如果人人都是善人君子，又何必要法。所以責政府不守法，是有意義的議論，責人民犯法，乃「有司者治之耳」之事，左舜生先生在自由人三月十六日發表的「讀立委成舍我先生的質問全文書後」一文說：「只有若干不重要的部分是看『法』，多數重要部分卻還是看『人』。質言之，便還說不上『法治』，實際祇是『人治』。其與現代憲政制距離，至少還是十萬八千里的。」他慨地加一句說：「大敵當前，話到口邊留半句。」從這觀點看時裝案，不禁令人想到「惟無瑕者可以戮人」，想到「夫子教我以正，夫子未出於正也」[illegible]

正誼力量如何產生

法律本身，原是代表正誼而不容私的權力。其所代表的正誼，必須成為社會大衆所共認為正誼，否則無靈。至於正誼力量能否發生，則全視政府之行法如何，直接地在司法方面的措施如何，間接地在其他各方面的措施如何。在法律的道德正誼力量未確立的社會，人民將各自立正誼，各憑其力。[illegible]

從前西班牙是最大的海上王國。新大陸上，北至舊金山，南至南極的海洋上，西至台灣菲律賓，都是她的殖民地。後來美國耐了夏威夷，菲律賓，荷蘭人佔了台灣，拿破崙佔了西班牙本土，這海上王國的政治組織，才隨着瓦解。但她的文化潛力，現在仍處處可見。台灣澎湖的西名為FORMOSA及PESCADORES，都是西班牙文，菲律賓的大人物，都是西文姓名，即可見一般了。

移·民·與·移·資

——阿根廷特約通訊之三——

·蕭立坤·

英西的移民精神

早年西班牙向中南美移民，與英人向北美洲移民，有一個基本的差別。英人因不滿專制政治，追求自由，個別的向北美去找出路，可說都是些亡命之徒，很多還是海盜，越獄的囚犯，及在本島社會上無法立足的人。他們到了北美，既無上帝（？）又無法律，只憑個人硬幹，去找財富，享受自由。早年美國歷史上對印第安人的屠殺，虐待黑奴，大西洋海盜的猖獗，西部流氓的橫行，都是這原因，所以美國的組成，是先有人民及自由，然後有政府及法律。

西班牙移民美洲，是由政府主持的，每到一地，先由王朝委派總督，駐紮軍隊，供給船隻、牛馬、種籽、農具等，天主教隨着設立教堂學校。許多印第安人也信了天主教，同化於西班牙文化之中。西印通婚，又不限制，今日北至墨西哥南至南極，居民大半是西班牙與印第安的混合血統，危第馬拉，巴拉圭等國，有一半以上的印第安血統，阿根廷北部，土人血統也很顯著。所以南美各國的組成，是先有政府及法律，然後有人民及自由。

我應注意移民南美

一八一〇年阿國獨立時，人口不到一百萬，但到一九〇〇年，已有四百萬。再過五十年，已達一千六百萬人了。一九五五年元月的估計是18,919,000人。人口增加如此之速，自與大量移民有關。阿國雖是西班牙語國家，但憲法禁止種族歧視，又規定本國人及外國人一律平等，所以歐洲阿拉伯各族移來的人都很多，西班牙來的倒佔少數。

國際難民組織及西歐移民委員會，對於歐洲人移居南美，給予極大協助，不過這協助是不給黃種人的，近年來遠東受戰禍最烈，人口最密，難民人數也最多。但得不到聯合國的協助，不知我外交部及駐聯合國代表對此作何解釋？去年日本政府有移六千漁民來阿的計劃，並受阿政府鼓勵，現正進行中。台灣人口問題之嚴重，不亞日本，不知我政府有無類似計劃？

阿根廷優待移民

一個歐洲人，不論國籍、信仰、黨派，只要願來南美，即可由上述的移民機關代辦入境手續，贈送船票。如果是到阿根廷，抵岸後，政府設有招待所，供給膳宿，願務農的，由政府派員講解阿國農業情形，免費撥給荒地，種子等，每人平均給一百公畝（合一千五百華畝）。這土地是租用名義，租金極微，五年後可申請購買，地價也極少，且分三十年付，如不願買，一樣可以永遠耕種，只是不能轉讓，許多赤手空拳的人，到北邊種棉花，南邊養綿羊，辛苦十年八年，即成小康了。

如願做工，則自己向大小工廠找工作，工資都照政府及工會規定，不受歧視。（工資已詳本刊本年一月十二日403期）

歐美資本家的樂園

多數的移民除了受上述國際組織及阿政府之協助外，在阿國已有親戚朋友，抵岸之後，即可向戚友處安身，慢慢再找適合的工作。

二次大戰後的五年間，移民人數，據中央銀行估計，在五十萬以上，最近四年，則有逐漸減少的趨勢：這當然由於歐洲經濟復興，世界局勢安定，大戰危機減少，歐洲人不必出國謀生了。（1951年128,300人；1952年67,290人；1953年29,500人；1954年49,000人）

成千成萬的移民中，英美人極少。因為他們本國已有廣大的土地及工業，生活水準也比阿國高，所以不必來阿國謀生，他們所注意的，不是移民，而是移資。

一九四六年貝隆政府成立以前，阿國本是英美法德資本家的樂園，全國鐵路都是英國人的，電話電力都是美國人的，碼頭是一個法國人一手創辦，糧食加工、煤油、輪船、冷藏、都由英美勢力主持，他們有自己的教堂、學校、俱樂部，他們人數不多，但經濟勢力卻極大。

那時，阿國中部大平原的牧場，每一場有成千頭的牛羊，成千磅的黃油，芝士、奶粉，專車專輪，直運倫敦。貸款存在倫敦銀行，手續簡單。

（下轉第二版）

半週展望

·雷嘯岑·

且以揚子公司案為證

有政治生活即不免有貪污行為，這是古今中外都同然的，原不足奇。可怪的是[illegible]竟涉及那末多的政府機構，除若干財政金融單位外，還有與洋人有關係的農復會，又有國防工程處，甚至專司法紀的司法行政部亦被牽涉到，[illegible]我們相信政府必能依法澈究，以正紀綱，此時對案情的本身，不必多所論列。但，因此而別有不能已於言者：[illegible]

對「兩個中國」說的答案

所謂「兩個中國」的陰謀詭計，從加拿大澳洲當局最近所表示的言論仔細推想，即知其正在暗中加緊策動着，[illegible]此時此事，決非空言反對所能奏效，外交活動亦是枉然。「人為刀俎，我為魚肉」之勢既已積成，[illegible]在軍事上，無論遭遇任何外在的阻碍與壓力，除非經過一場大戰鬥，決不自動放棄尺寸的領土。[illegible]當年神州陸沉，就是自動「撤」完的，覆轍豈堪再蹈乎？

在政治上，趕快把胆量放大些，把心胸開拓些，[illegible]

法國的國會

本報資料室

新聞資料

法國人民對於政府懷有很深的恐懼。自從十九世紀起至現在一百五十年的期間，法國經歷過四個共和國，兩個帝制，一個羅馬式的統治，一種獨裁的統治，和三個過渡時期。法國的農民和小資產階級對於政府雖然不甚關心，卻同樣抱着不信任的態度。當法國的第四共和國成立的時候（一九四六年），他們規定了一種特有權而沒有多數黨的立法制度。

自從一九四六年起，法國國會推倒了十五個政府。國會裏的六百二十七個議員只知拱衛私人特權，對於人民和國家的利益漠不關懷。遇到政府的政策和本身利益或者黨派的利害衝突時，他們會毅然合作，想方法推翻它，只要有三百一十四個反對票，內閣便得坍台。

議員的任期是五年，除非在十八個月內推翻了兩任政府，他們的職位是穩當的。若果兩任政府在十八個月內被推翻了，國會便要被解散，而舉行總選。因此，法國議員對於此事是十分注意的。他們會衛護政府，總不至在十八個月內兩次投不信任票，以至打倒自己。

國會黨派別最多

法國人民喜歡自由，喜歡發揮個性，由是鄉村居民和城市人民，大企業家和小生產者，工人和工業家，各有鮮明的觀念，各立各的黨派。又因政黨分為兩個，如非共產黨的左派，分裂成反天主教的社會黨，和親天主教的人民共和黨，戴高樂派也同樣分成兩派。

法議會六大派別

共產黨　共產黨在上一次選舉中獲得五百萬選票，在國會裏佔有九十八個席位，是第一大黨。在西歐，除了意大利，法國的共產黨算是第一，因此他們的勢力非常可怕。以往法國的聯合政府，各黨均不願與共產黨合作。

社會黨　共產黨由社會黨中分裂出來，一九二〇年在法國誕生。社會黨現有一百零七個議員，他們信仰科學但反對宗教，認為激烈的民主主義。

人民共和黨　人民共和黨是戰後成立的，是法國天主教徒所組織的新民主主義政黨，在國會裏佔有八十五個席位。

獨立黨　獨立黨是一個獲得大商人和大地主支持的組織，包括獨立共和黨和農民黨，在國會裏佔有一百二十五個席位。獨立黨代表大地主和保守派的商人、實業家和農民。

戴高樂派　至一……

社會黨在國會裏佔有一百零五個席位，他們的主張是介乎社會主義與資本主義之間。

國會裏沒有右派

法國的國會沒有右派，議員們都不願自稱右派。一九五二年止，該派分裂了，一九五二年該派右翼的三十個議員宣佈退出，現在該派只剩下了七十二個席位。

議員多知私利

法國國會裏有好些議員是專為私人利益打算的。最重要的一個團體是酒商集團，他們支持法國酒商的利益，而不顧國家的利益。另外一派是北非派。

上次法國斯的倒台，便是因為法國斯的利益抵觸而被打倒的。政府，好些人是樂意支持的。

投票辦法

法國國會的票分兩種顏色，藍色和白色。藍票表示贊成，白票表示反對。藍白兩種同投表示中立。議員不必到會投票，投票交給領袖代投。好些西方人士認為法國應該採取英美的兩黨制度，好使政府穩定，但在法國的政治上是不可能的。

程天放已赴美講學

·人物·評述·

中南

前教育部長程天放，已於上月取道東京，飛赴美國，到華盛頓州立大學講學，講題為「有關東方文化學術的研究」。程氏聘約期限一年，當時因擔任政府職務，未能應聘。講學後，他將赴歐洲作短期旅行，年底由歐洲返國。

記得在去年九月間，程氏曾有一段教育不成的故事。他交卸教育部長職務後，台大當局，擬聘他任教授，不意為教授會議所否決。

程氏自從美國學成歸國後，在國內所擔任的黨政職務，多與教育文化方面有關。他做過浙江教育廳長，安徽教育廳長，國立浙江大學校長，政治學校教長，教育部長，中央宣傳部長，也做過江西省黨部宣傳部長，還當領過江西省民國日報的監事等。其中只有一任駐德大使，是和教育文化無關的。因此，他出任教授，該是一件適情合意的事，乃竟有此波折，實為一般人意料不及。

他是江西省新建縣大塘村人。少時，在南昌私立心遠中學畢業，後就讀上海私立復旦大學，後赴美留學，在哈佛大學習教育，這時，他便加入了中國國民黨。學成返國，正值國民革命軍師北伐。此時他做了江西省政府委員兼教育廳長，省黨部執行委員兼宣傳部長。十六年四月，江西共產黨徒，忽顯當時江西教育廳長兼南昌市公安局長朱德的武力支持，刼據省黨部。程氏當場被共黨團員王植三、姜鐵夫等所執。還和他的老師熊育錫，暨現任立法委員曾華英女士，考試委員羅時實等同被囚禁。並受共黨百般污辱，頭戴高帽，遊行示衆。寧漢合作後，始獲開釋。

× × ×

陳調元主皖時，程氏任安徽教育廳長，一直做了幾年。十九年春夏之交，還曾一度代理主席。

程任浙江大學校長時，對於懸衡大學行政，使校長與院長之間，權責分明，實為其得意之作，頗得浙人稱道。

他在德任大使時期，曾鬧出若干笑話，為他生平最不愉快之事。以醫教育之書生，强充國際使節，顯係用非其材也。

程氏本為江西閥閱世家，乃祖若父，均清代顯官，官至總督。與前大夏大學教育學院院長程時煃（伯廬）為堂兄弟。大派數來，伯廬行八，氏則第十六也。

編者讀者

一個傷兵希望入台

△張梅生先生來函

編輯先生：我是一個受盡戰亂傷害的傷兵，讀了三月六日「香港時報」晋少雄先生的一封投書，引起了我和這裏五百多人的感慨。……我們不做違犯命令的事，也沒有給政府增加的困難。因此，最近看見政府撤退大陳和南麂兩島的百姓撤入台灣懷抱，我們也感到一點困惑，難道對我們這些出過一點力的「殘軍」，政府遺忘了嗎？我們的困惑，只是一時而已，政府對我們入台的希望，也一定不會使我們失望。因此我們深信，我們終會能夠入台。古人說得好：沒有功勞，還有苦勞。我們希望貴報能將此信刊出，促政府和社會人士注意。

傷兵難民張梅生拜上三月二十一日

……怡珠、傅正、靜文、德超、劉醒如、光雄、愚穩均已收到，謝謝！

匈共的內鬨

·伯譯·

匈共首腦賴柯西曾說：攫取一個國家的控制權，應該逐日多要求一點，正像切臘腸那樣，一薄片一薄片的去切。

賴柯西的「切臘腸策略」已使匈牙利成為一個蘇俄最有用的附庸國。匈牙利的農業生產，「一片一片的」的被削減，以擴展工業。農田的強迫集體化，迫得農民到工廠去找工作。匈牙利過去是歐洲的一個「麵包籃」，現在竟需要由外國輸入糧食。但匈牙利的鋼鐵與鉛，卻增加了蘇俄主子的戰爭潛力。賴柯西也因此大受莫斯科賞識，史達林逝世前，捷克的史蘭斯基，羅馬尼亞的鮑加夫人，與其他猶太共黨領袖雖都遭大整肅，賴柯西卻能安然無恙。

等到馬倫科夫登台，賴柯西也奉令放下他兼支「臘腸」，而將總理一職移交與另一個匈共領袖納基。納基在第二次大戰時曾在莫斯科做匈牙利語廣播員，他接任總理後，立刻指責將匈牙利變成一個鋼鐵國家的理論，認為這是「經濟政策上的誇大狂」。他又指斥過去匈共的錯誤完全是因為「一人領導，依賴小圈子，不受批評，又不作自我批評。」納基下令增產消費品，放鬆警察管制，也放寬集體農場計劃。農民得到能脫離集體農場的機會，自然都紛紛退出。納基原以為這能刺激農業生產的增加，但這理論未告實現，一九五四年底，匈牙利政府所發佈的經濟報告，指出納基的「新路綫」（這實際也就是馬倫科夫的路綫）實行了二年，匈牙利生產的每一部門都反而大為低落。

七月馬倫科夫被貶黜，蘇俄的政策也從消費品增產回到重工業的擴充，匈牙利的隨之轉變自然只是時間問題。在本月中，這轉變果然不出所料而來臨，匈共機關報刊出一篇長達六千字的專文，對納基和他的一切工作大施抨擊。該文指責納基「以專橫的縱牽諾言欺騙勞工階級」，使勞工們都陷於疏懶，等待菓子成熟後自動落入口中。該文又痛斥納基有「右傾偏差」，因而鼓勵民族主義與極端愛國主義。這篇專文雖然大致是賴柯西所撰，但其內容卻直接來自莫斯科。

最近，匈牙利不斷傳出消息，說布達佩斯的納基黨羽，大批已遭逮捕，至於納基本人，在馬倫科夫坍台後幾天，匈共當局即公布說，他已患「嚴重心臟病」，看來納基的垮台也祇是時間問題了。（譯自時代週刊）

移·民·與·移·資

·蕭立坤·

（上接第一版）

……相反的態度。依據現在的環境，法國若果採取兩黨制度，左派的政黨很可能受共黨的操縱，而成共黨佔領法國的工具，現在的黨派紛歧雖然是討厭，卻比較安全些。（節譯紐約時報）

阿京一家英國船務公司，曾經一連十年，每年底撥給小職員的紅利，等於十二個月的薪金，該公司賺錢之多，可想而知了。

貝隆如何對付外資

貝隆大刀闊斧，把私人及外國的銀行基金，凍結在中央銀行裏，統制外匯，買回了全國鐵路電話，自辦了煤油公司，但仍准外商美孚亞細亞在政府管制下繼續營業，谷倉冷藏庫收歸國營，出入口由政府包辦……遲到今年元月，那啤酒大王也打倒了，將幾十家啤酒廠，交給工人們，以合作社方式經營了。

貝隆政權的初期，外國資本家恨之入骨，美國報紙一致譏他獨裁，國際銀行不給他信用賬，外國機器商人必須收得現款美金或英鎊才起運貨物。……加之天不下雨，一連旱災三年，大家都替貝隆算命，認為他必垮台，但一年又一年，他的地位更穩固了。

一九五二年農產豐收，貝隆二次當選總統，蘇聯威脅增加，西方盟主對希特勸舊恨已消，艾森豪上台，才派弟弟密爾頓，南來敦睦邦交，阿政府也趁勢伸出歡迎之手，於是這幾年外國資本又慢慢來了，不過這次的主人是貝隆。外國資本只是來服務，賺取合理的利息，而不能如十前年的一本萬利了。

阿國獎勵外資的辦法

一九五三年七月，阿國國會通過了獎勵外資法（第14222號法律），規定同年八月廿六日以後，外國資本，經政府核准後，即可以外滙，機器工具或特准原料的形式，進入阿國，辦理工鑛事業，享受與本國資本相同的待遇。自登記之日起，兩年後起算，每年可以8%的原資本，加上8%的利潤以再投資，於十年後，照事先規定的限額，滙回投資人本國去。至於一九五三年八月廿六日以前已進口的外資，於今年元月，政府才頒佈補充條例，規定如該外資係經政府批准入口者，其於一九五三年八月廿六日以前所獲利潤，每年可滙回資本額的5%，該日期以後者，可滙回8%，但均視當時中央銀行的外滙頭寸而定。

這法律的用意，要使外資至少替阿國服務十年之後，才可分期離去。一個公司經營十年之後，必有相當規模，屆時即令外資撤退，本國資本也可接管下去。所以一方面，對阿國有利無害，另一方面，外資每年利潤可達8%，也不可謂不厚了。

外國投資日見增加

受這法律鼓勵而來的外資，已有許多，最近三個月內，較大的，即有下列各項：

國籍	公司	投資額	出品
意大利	SAMP	八十萬美金	製造齒輪
德國	KRUPP	一百萬英鎊	裝配火車頭
美國	MCKEE	一千五百萬美金	建造煉鋼爐
美國	KAISER	八百萬美金	製造汽車
美國	MONSANTO	七十萬美金	生化藥品
英國	卜內門化學公司	二萬五千鎊	塑膠

中國人在阿根廷

我們中國人在此，人數極少，對移民與移資，均極微弱，值得告慰的，在這座古城聖尼古拉斯（SAN NICOLAS）郊外，有一家唯一中國人辦的紗廠，是香港南洋紗廠的分廠，廠屋已落成，年內必可開工，有六千錠子，香港派來的技術員工二十人。由此紗廠西行七十公里，有一家私營最大鋼鐵廠，作者在此任高級工程師，已將二年，也是二千員工中唯一的東方人。再向西行五十公里，是阿國第二大城玫瑰河（ROSARIO），有一位華籍老廚師，妻是本地人，當有房產，兒子已二十一歲，以織絲綢為業，居然自己做老板，也過得很好。

工人，中國人在歐美各國，多以洗衣、餐館、古董、雜貨為業，我們固然承認職業平等，但這些小生意，既辛苦又無發展，又難在社會上佔重要地位，欲求發展，一定要從工業着手。大陸淪陷後，中國的資本及技術，始終淤滯於香港一隅，實則天下之大，如果走遠一點，發展的機會正多呢。

自由人
THE FREEMAN
（第四二四期）
中華民國僑務委員會頒發登記證台教新字第一零二號
中華郵政台字第五〇〇號執照登記爲第一類新聞紙類
（半週刊每星期三、六出版）
每份港幣壹毫
台北市售價台幣壹元
督印人：陳文蔚
地址：香港高士威道二十號四樓
3 rd. fl. 20 CAUSEWAY RD HONG KONG
香港發行及業務接洽
高士打道66號　電話：七四〇五三
承印者：東南印務出版社
地址：高士打道六十四號
海外總經銷
友聯書報發行公司
九龍：彌敦道中二十六號A二樓
台灣特派員辦事處
台北市館前街五十號
台灣總經銷處
台北市西寧南路一〇一號二樓
台郵撥儲金戶九二五二

政治的人性基礎

·陳克文·

近讀徐復觀先生「低徵的人性呼籲」，認「要反共反得有力，只有在政治上把人性發揚起來，使政治成爲人性的集中表現。」語重心長，令人感慨。美法學家兼教育家詹姆士馬歇爾頃在政治科學季刊發表「國家與法律的人性基礎」一文，其所揭櫫與徐氏立論，有互相發明之妙，譯述其大意如左：

政治問題發生的根源

國家、政治、法律都不是抽象籠明的東西，可以說全是人類的手段。其起源由於人類不斷的要滿足慾望或避免痛苦。

人類在生活中，既要覓取衣食，又要有社交和友誼。既要尋求幸福，又要避免痛苦。對於世界事物，不論已知或未知，總想建立一種制度去加以控制，以免臨事倉皇，手足無措。個人的才能必須力求適應社會文明，因此人遂成爲社會的動物，人與人之間的關係，必須如何才能完善，其不妥適的地方，應該如何改進，遂成爲人類社會不得不講求的道理。這便是國家、法律、和政治問題發生的根本原因。

大體說，人的慾望多是不能滿足的，一個人得到利益，往往使他人蒙受損失，於是新的糾紛或困難隨之而起，因此便發生政治運動，或權力的鬥爭。

國家法律的人性基礎

人類的失望和缺憾是不可避免的，因爲人類得到某種滿足或某種利益之後，往往進而追求另一種滿足或利益。而且人類往往自視甚高，慾望無窮，永無滿足之日。更有已得權力者，往往壟斷與律，於是缺之權力者因而得不到滿足，自不免怨憤叢生。

此種人類本性實與孩提而俱來，逐漸發展，以深入於社會各部門，於是社會關係亦日趨複雜，糾纏不清。而人類之所以求福免禍的方法與態度，又千變萬化，各有不同。惟吾人必須知道，個人與個人或團體與團體之間，必須互助尊重，互相保證，才能發展才能互享人類共同努力所產生的成果與經驗。故合作才有安全之可言，合作比較鬥爭或爭權奪利要好得多。大家能以兄弟友愛之情，共同覓取安全和幸福，方是人類求福免禍的大道。這便是國家和法律的人性基礎。

政治運動的中心

因此，所謂選舉，所謂民權，乃至經濟上各種產銷的管制方法，無一不是爲適應人類的需要而產生。但這些制度有時成爲滿足慾望之源，有時反成爲剝削或壓迫的工具，於是此種制度遂又變爲權力鬥爭的原因。然而這些制度並不是無端產生的，是由於適應人類需要，解決人類糾紛與爭執而產生的。而且因爲不同的社會，不同的文化，與不同的環境，更產生不同的反應。

於此，有不可不加注意者，即人類參加政治活動或其他團體活動之後，人性衝動或慾求亦將逐漸擴大其程度，參加活動不問其爲積極的或消極的，人性衝動與慾望，影響其行動。於是人性的衝動與慾望遂永遠成爲政治運動或各種制度上的中心問題，亦即其根源之所在。

有權與無權的差別

然更有不可不知者，即人性衝動與慾望在有權者與無權者兩種人之間，實屬大異其趣。因此，所謂制度或工具的意義遂因人而異其觀念。故所謂忠誠，尊敬，或滿足等，在達官貴人富商大賈之所需要者，與一般卑微老百姓之所需要者，實相差甚遠，並非同一事物。

有權的人總是希望權力的增加，於是成爲權力的追求者。追求權力所遵循的途徑有時出以溫和，有時則出以殘暴和壓迫的手段。要以冷酷無情的手段爲多。故權力爭奪的方式亦千變萬化，不能一概而論。但此點並非爭奪權力的唯一原因，權力的爭奪有時亦由於互爭勝負而起。蓋統治者（即有權者）必隨時估量其本身的力量，與可能成爲反對者的力量作比較。常以愚弄，欺騙，或鬥爭的方法保持其統治權力，必不容許敵對的力量和其本身力量相等，蓋非如此即不能生存也。故保持權力爲一切統治者的艱苦試驗，敵對者不僅準備奪取其權力，往往在情勢緊迫之下，統治者如非準備投降，則臥榻之旁，決無容許他人酣睡之理。已有權力者，一旦權力失墮，即等於死亡。權力的貶抑即有失敗之虞。此即統治者所以不輕許改變現狀的大原因，此在他人看來，或者覺得是非改變不可的。

權力不宜過度集中

權力爭奪，有幾種武器，即武力，經濟力，和通常所稱的心理力。武力可作懲罰之用。經濟力和心理力不僅可作懲罰之用，有時更可作獎勵之用，較武力更爲省便有效。

並且，經濟力尤其是心理力的使用，可以減輕仇恨而增加建設的活動。心理力的使用特別可以提供希望和諾言。但長久的獎勵亦可能產生奢侈與腐化。惟有團體的獎勵或社會公認的獎勵才能產生健全和永久的圓滿結果。

權力分散，即權力不至過度集中，然後可使行使權力的組織有眞實價值之可言。

國家的基本任務何在

無論以何種方法抑制人與人之間的各種衝突，以求得一種協調，結果總不免由此而產生新的敵恨。國家和法律的成立，即所以維持此種協調，而防止新的敵恨之產生。國家基本任務之一，即使用最少破壞性的方法以處理敵視和衝突。或用懲罰或用獎勵，方式不一。專制獨裁國家和民主自由國家，其所採方式極不相同。例如，民主的政治方式，採秘密投票和民權自由使人民得以鬆弛其敵恨。經過此種方式，人民可以從事政治競爭，使相互間的敵視不至趨於破壞國家或社會組織之途。經濟競爭，自由發表意見，和自由辯論，可以使彼等無需在經濟及知識的衝突上採取破壞的方式。凡參與的人既無需畏縮，亦無需粗暴，更無需苟同。彼等參與國家的文化生活，政治生活，與經濟生活，得以紓個人的情緒。以此得到滿足，亦即得到鼓勵。彼等以此得到社會稱許，即無需從事破壞性的侵奪，即可轉而爲滿意與從事建設。

裁軍會議的前途

·李子平·

聯合國裁軍委員會五國小組會議，於上月廿五日在倫敦蘭開斯達爾宮舉行。出席該會議的五國代表是：美聯合國首席代表洛奇、英國務大臣納丁、法代表莫克加駐英高級專員羅伯遜和蘇外次葛羅米柯。時經一月，因屬秘密性質，內情如何，新聞報導，尚多缺乏。據已知之透露，似成效甚少。

這次會議，已是第七次了。由於以往六次會議，均爲蘇聯代表一貫從中破壞，故十年來毫無建樹。因此，是次會議，西方國家旨在打破十年來爲蘇聯所造成的僵局；並進而致力謀對國際裁軍和禁止原子彈及氫彈的條件取得協議。

蘇聯的一貫態度

按照規定，減軍小組會議是不受時間限制的，但商談完畢後，須向聯合國裁軍委員會報告結果。

此次會議，係依照去年十一月聯合國大會決議舉行，並須以秘密方式進行。但蘇聯一出手，即於會前加以破壞，透過莫斯科的眞理報發言要求會議以公開方式進行；並且要求准許中共、捷克、印度參加。此已表示蘇聯仍存破壞的一貫作風。同時，廿五日第一次會議後，葛羅米柯復利用英共黨工人日報宣露會議情況，和蘇方的「新」計劃。蘇聯全無誠意，與輕視聯合國大會之決議，已昭然若揭。其會議公開進行，基本上即違反聯大的決議，且將使蘇聯利用會議作全面反西方國家的宣傳。美國代表洛奇說，對會議前途的態度是決定不惜採取可行而誠實裁軍計劃。英代表納丁則說「全人類皆同意，如無眞正的全面裁軍，則無法獲致眞正持久之和平」。英美的態度如此，蘇俄的作風如彼，到底能否產生協議，是很難說的。

蘇俄的建議方案

再說蘇聯的建議，是以一月十八日的眞理報所透露葛羅米柯的內容。它的要點爲：

一、完全消滅各國現存原子武器和氫武器；

二、限令所有原子原料只能供和平用途；

三、各國不能使其軍力增過一九五五年一月一日的水平，也不得使軍費增加到超過一九五五年度預算撥款的水平；

四、建立「適當」的國際監督，來監督遵守上述決定；

五、即行召開一次討論普遍裁軍與禁止原子武器的會議。

自相矛盾目的何在

蘇聯的上述五項建議，事實上，除了宣傳作用外，並無實際意義。以第一項說，蘇聯明白宣告她的核子武器進步超過美國，雖眞實情況無從知悉；如果屬實，蘇聯所謂「完全銷毀」，是可信的嗎？至於和平用途一語，更是欺人之談，蘇聯如果說用原子武器來消滅自由世界的反共力量，不也合乎她所謂「和平用途」和「保衛世界和平」的邏輯嗎？關於限制軍備和軍事撥款一項，只要以本月七日最高蘇維埃會議上通過的新預算案軍費較前增加了百分之十二和蘇財長齊維列夫即席所作演說，強調「增加重工業爲國防基礎」一語，即不啻自己打自己的嘴巴。至於「適當」的國際監督，則無非是企圖藉此進行對自由國家半公開的間諜活動。若謂建議普遍裁軍，則可貴是，蘇聯根本就一貫地在反對同意裁減普通武器如飛機，坦克等的。

如此，蘇聯的眞正目的又何在呢？

一、破壞巴黎協定；

二、反對西德建立武裝；

三、破壞北大西洋組織的防衛力量，準備原子戰爭。

四、增加軍事預算，配合外交行動，向西方國家誇耀國防力量，刺激軍備競賽。

五、企圖將中共、捷克、印度等拉到裁軍委員會會議席上，增加破壞會議的聲勢和力量。

綜觀上述各點，再看共黨國家內進行「反原子武器簽名運動」，和蘇聯擴大衛星國家進行原子能研究，企圖在衛星國家增設儲存原子武器，擴大對自由世界的威脅，可以淸晰看出蘇聯正在積極備戰，故蘇聯的目的，祗是想製造緊張和維持分割世界的現狀，他的裁軍邏輯，祗是要毀滅自由世界的防衛能力而已。

西方應有的態度

就蘇聯十年如一日的破壞裁軍的活動看來，今次倫敦的裁軍小組會議，仍將因蘇聯的搗亂，失敗多於成功的。

蘇聯刻正在進行強硬的「核子外交」，自由國家在裁軍會議上，必須要蘇聯接受去年英法所提裁軍計劃爲討論基礎。首先要蘇聯接受按比例裁減普通武器，和在嚴格的國際管制下，接受監督，以示誠意。否則，會議是不會有成就的。

就廿七日倫敦的消息看，西方代表對於蘇聯洩漏會議秘密，已有可能以結束談判來制裁她。現在並沒有談判，是否蘇聯已經軟化，抑故意拖延時間，以觀局勢的發展，此則當非局外人所得知矣。

本週展望

·李金曄·

美仍期待實現停火耶

艾森豪總統對廿三日的記者招待會說：美政府現未有何謀合臺灣海峽停火的新計劃。自然華府當局過去是有過這種計劃的，艾森豪總統說這種意向曾透過英國駐「北京」代辦予以傳達。但結果，由於中共無情的拒絕，才使美國的計劃失敗。

美國碰了這樣的釘子之後，在杜爾斯才得到對中共的結論，說「在短期內，中共可能比較蘇聯更加危險與更富挑戰性」。但華府仍未因此放棄希望，故艾森豪又說，美國將以誠懇和同情考慮對台灣問題的任何合理解決辦法。杜爾斯同樣表示，仍有機會促使北平冷靜點。

美國究將以何種策略促使中共冷靜呢？國防部長威爾遜說，主要的依賴仍是空中原子報復。這話顯然是代表華府的最後決策；空軍部長泰波特則更以「蘇聯的進攻，將是自殺，我們將繼續保持空中優勢」一語來予以支持。

儘管美國有最後不惜一戰的決心，但目前，顯然在期待中共和蘇聯冷靜地轉變過來。美國所期待的，是要中共放棄對金門、馬祖的攻擊。中共和蘇聯會有這樣的轉變嗎？設有這轉變，美國的停火計劃又如何實現呢？

澳外長門齊斯從美國訪問之後，據說已有了和杜爾斯商好的新停火計劃，這究竟是美國決心使用原子武器以協防金馬，還是採取妥協態度以綏靖中共，祗有事實證明了。

蘇未能破壞巴黎協定

在歐洲，同樣值得重視的，該是法國議會對巴黎協定的批准與否，和蘇聯對此事的態度。

巴黎協定雖已經法國國民議會批准，福爾總理且已博得了聯合內閣的堅決支持，但仍須經過廿三日以來參議院的最後辯論。法政府具有高度信心，深信經過辯論後，可獲批准。法國的信心，是基於美、英兩國同意並支持法國，批准該協定後，即着手與蘇聯提出東西談判。

但，蘇聯的反應却是相反的。廿一日塔斯社發佈蘇聯外交部召開八國對付巴黎協定的會議情形，充分表露蘇聯集團對巴黎協定的仇恨。他們決定一俟法國批准該協定，即成立一個以蘇聯爲首的軍事聯合司令部。其目的是威脅，企圖永久佔領東德，使歐陸分裂局面長期化和破壞歐洲的和平。

巴黎協定的批准，現在已成定局，共產集團的對抗行動，亦已表面化。今後歐洲的冷戰局面勢將劇烈。

中共代表團恐難赴日

原定本月廿一日即可抵達東京的中共貿易代表團，因香港日領館不肯在他們的護照上加簽他們所要求的字樣，而擱淺下來。但據外電所傳，有關外務當局，已於廿三日下午訓令駐港領館，照中共所要求者簽證，這無疑是對中共低頭。外務省發言人田中光次郎雖聲明，此項改變，並非表示日本承認中共，亦不過掩耳盜鈴而已。

日本全國對該貿易代表團的反應，並不良好。各大工廠已紛紛表示拒絕中共人員參觀。鳩山亦表示，日政府將限制中共代表在日的活動，只有在指定的貿易城市，可以「到處走」。

從日本朝野的反應來看，接受中共貿易代表團訪問是勉強的，也是矛盾的。這是鳩山弄巧成拙的結果。

另據本港可靠消息，中共貿易代表團已退掉原訂印航包機，行止須待「北京」方面的指示，才能決定。是該團能否成行，尚未可必。

台大的制度和設備

傅　正

【台北特訊】讀「自由人」四一七期何固齋先生「論台灣大學」一文，他從制度人事設備三方面立論，認爲「台大似乎並不比台北帝大有進步，反之，某些方面更比較的有退步。」指出「台大這樣的澎漲並非自由中國教育之福。」的確，任何學校的過分澎漲，都非良好現象。台大在三十四年接收的時候，學生只有五八五人，現在學生却有四八五四人，從三十四學年度到四十三學年度，前後九年之間，人數便增加達八倍之多，以目前台大的實情而論，恐早就超過最高容量，雖其中有事實上的需要，但終是值得考慮的現象。

何先生的大作，牽涉到一個根本的制度問題，這是與人事相關的問題；至其所指出的設備問題，似與事實尚稍有出入；本文便先從制度與人事方面作分析敍述，並從設備方面加以報導。

講座制難實行的理由

台大在日本統治時代，原是採取講座制，並對講座制加以極端的運用，各担任講座的教授，保有高度的獨立地位，故無論是儀器圖書實驗室等一切設備，都以研究室爲單位，學校顯得比較分散，所以傅斯年先生曾說：「當年的台北帝大，與其說是一個大學，毋寧說是幾十個講座的聯合體。」

這種以正教授（ORDINARIUS）爲主，而帶着助手和學生，從事研究工作的講座制，原是歐洲大陸一般大學的正統辦法，也是學術性的大學所該採用的，但依目前台大的現實環境而言，似乎又不容此理想實現，這可從學校教授學生三方面說明。

在學校方面：一是制度的限制，現行系的制度，是取法於美國。雖然系是教育單位，講座是學術單位，兩者似可並行，但如付諸實行，由一元而兩元，觀點運用時，恐難如單獨採取任何一制之理想，而現行制度，事屬整個教育的通案，非台大可逕行變更。即欲增聘符合理想的教授，但教授的編制有限，非可隨意增加，而對原有教授，也不容輕易停聘。二是經費的限制：台大的固定經費，有一定的數目，要改取講座制，勢非對現有設備，大加擴充不可，但擴充的經費，又非現有固定經費內所可負担，所以校長必需另找財源，但錢思亮的神通不及傅斯年，大批的錢，恐難要到手，錢沒有，又如何擴充設備，以應講座制的需要？三是設備的限制：經費既難籌措，而現有設備又難符合需要。以現有設備，應付現行制度，集中使用得好，或可勉強維持，如實行講座制，勢將更分割使用，加以困難，而無從進行研究。

教授待遇與講座制

在教授方面：一是人才不夠充分：講座制的實行，是有賴於担任講座的教授，如果教授不都是第一流有專門研究的，講座制非但不會有成績，甚且比不採講座制度更糟。但現有的教授人選，恐尚未達到完全理想的程度，尤其目前學生之多，恐更難敷用，如硬採行講座制，勢必流於有名無實，對學校教育不會有貢獻。二是台灣環境安定：台灣的地區小，教授的活動範圍更小，台灣只有這一所大學，所以人事近於半凍結狀態，當年在大陸上，各校教授的流動性，是台灣所難有的，所以人才不夠充分的困難，又不能借此而予以補救，更加以員額的限制，新進十分困難，縱有人才，也無法招致。三是教授生活清苦：教授待遇菲薄，窮教授每爲生活所苦，家庭負担，迫使教授不能安心研究，而完全獻身於教育工作。但做教授的，又重視人格，喜講操守，毋多不願取非分之財，然現實問題，又不容坐視，所以今天的教授，大多數深受生活的壓迫，而心情不安。如此情形，縱採講座制，教授們仍難全神貫注於研究工作，講座制也就不會有好結果。

學生風氣與講座制

在學生方面，問題更較困難。一是中學程度太低：德國的講座制，是建築在德國的中學制度上，但中國沒有德國制的高中，要改講座制便沒有基礎。今天的台大學生，絕大多數缺乏研究的能力，現行的填鴨式教育，或許還能硬填進一點東西，如改講座制，將更是一無所獲，結果是害多益少。或說可用提高招生標準來補救，但今天的台大招生，豈可全憑理想？豈可完全不顧中學程度？二是社會的引誘：一個教育中心，最好和經濟中心疏遠些，不幸而台大便在台北，台北是台灣最奢侈腐化的地方，物質的力量太大，社會環境給學生的引誘更大，大多數學生，都不慣於清苦的生活。以今天台大一般女生的生活標準而言，早已超過復員後大陸上的武漢大學中央大學等校，幾可與上海的私立大學比美。現時竟有一個學生僱任家庭教師達六家之多，月入千餘元的。此種情形下，縱設講座制，學生也是無心研究的。三是時代的苦悶：教授的清苦和達官貴人的奢侈，這現實教材給學生的印象已夠深刻，加以畢業後的出路，更是問題，不但工作不能如學生所理想，甚至根本無法解決，今年的七千多大專畢業生就業問題，省教育廳長早在去年十二月十五日就向立法院報告，認爲是難以解決的大問題。學生深知道讀書並不能保證自己的出路，不找關係或倒是一條可循的途徑，所以台大學生的讀書風氣已遠不如前，最近公佈的四十三學年度第一學期因成績不及格理該退學的，便有五十三人之多。時代如此，即使改講座制，學生那會靜心去研究？所以，爲今之計，如要實行講座制，似以採取其精神與原則爲宜，即在多延攬人才，使教授人才集中。而提高待遇，以保障生活，以及放棄任何門戶之見，或正是達到這一目標的最好途徑。但整個國家社會的新生和好轉，似又是先決條件。

至於設備方面，近幾年台大隨有擴充，雖然不及人數增加的比例。何先生所謂：「說到設備，日本投降到現在，台大的理工各學院添了些甚麼？」或與事實不盡符合。現就所知事實，僅將近兩年增加的設備，概要報導如下：

一、擴充了化學館：新建的化學館，其普通化學實驗室，每星期用六個下午和一個上午，總共七次，便可以容納到六九八人做實驗。

二、擴建了物理實驗室：現在加以擴建後的普通物理實驗室，每次能容納九〇人做實驗，每星期使用六個下午和兩個上午，同時使用五套儀器，總容量是七二〇人。

三、建立了漁業生物試驗館：這是利用美援專款新建的，供理學院的動物學系研究，爲求促進台灣的漁業研究而用。

以上三大項，是僅就理工方面而言，此外還有農學院家畜醫院的成立，建築費也用去新台幣一七〇萬元，另有醫學院圖書館的擴建，及新建附屬醫院放射線科的新廈，暨各科研究室實驗室的修理，先後在四十二年度和四十三年度取得的美援相對基金，共計達到新台幣五八〇萬元。而全校各院系圖書及儀器等設備的補充，在最近兩年內，也得到美援約新台幣一八〇萬元，及美金十萬元。現聞又已籌得新台幣四百餘萬元，用以建築土木工程館，並擬擴建現有圖書館，約需新台幣三百餘萬元，已經洽請美援補助了。

亞洲共黨的侵略三部曲（中）

·羚式譯·

泰國

[illegible]

寮國

[illegible]

緬甸

[illegible]

編者讀者

請助蔡智堪先生

△趙尺子先生來函

編者先生：請貴刊代爲呼籲海內外人士，向有功國家的一位老人，伸出救援之手！這位老人，便是蔡智堪先生。民國十六年他潛入日皇書庫，抄出田中奏摺，被日人關入獄中。直到三十四年抗日勝利後，才經蔣總統電台擺出。這位老人十年以來，窮居台灣苗栗的故鄉，由姪兒咸陽贍養，長子咸河已經失業，尚有一幼女奐是亦失學。蔡先生現年六十八歲，已臥床二月，患着嚴重的心臟病！老伴也在病中。中央黨史會羅家倫、陸雲章兩先生，前年爲他請了新台幣五千元，但早已用罄。鄙人於他六十七歲壽辰，雖將家藏漢玉鐲一雙爲獻，其實是賣不出洋錢來的，不過聊表私人欽敬而已。茲特鄭重函請貴刊：將本人所得稿費，掃數寄「台灣苗栗後龍鎮南龍里信義街五十七號」，稍助老人藥費。並請代向讀者請惠贈金。

趙尺子　三月十日

△本期稿擠「社會經濟思想淺釋」下期續刊。

性病蔓延的鐵幕生活

——中共的「三長一短」——

大陸病人的悲慘

中國共產黨這樣說，遠東最流行的痢疾，他們有了特效藥，痢疾在中國可能於最近的將來撲滅。中共又說，五年來霍亂在大陸絕了跡，瘟疫減少了百分九十，天花減低了百分九十五。大陸變成了一個康樂的福地了。可是根據大陸最近來人的報告，結果剛好和他們的宣傳相反！

大陸來人說道，「現在中國大陸，醫院的數目較諸從前沒有減少，年來中共政府又增設了好些診療所。可是因爲同志們對於診病有特權，醫院的門診和病房都給他們優先佔去了。人民想到醫院治病得經過三種麻煩的手續。大陸人民叫這種手續做『三長一短。』

什麼是三長一短？病人想到醫院治病先得向醫院領號牌。領號牌得排隊，每天在醫院前面排隊領牌的總有好幾百人，排成一條極長的長龍。這是一長。領到了牌子還得要排隊請求登記，請求登記的行列亦不短，這是二長。登記好了，又得等候一個期間，等候的時間，更長，這是三長。經過千辛萬若，又等候了一個期間，幸得還沒有死，能夠跑進醫院的診病室；於是你便可以經驗到最後的『一短』了。醫生對你的疾病表現出毫不在乎的表情，只和你交換了幾句話，便把藥單開好了交給你。診病的時間是破天荒的短，破天荒的輕鬆，所以叫做『一短』。」

能夠怪醫生嗎？他們實在是忙不過來。理由是同志們生病的太多了。根據報告，半數以上的同志染有性病。診治性病手續最繁，而且還得每天診治。

大陸來人的報答靠得住嗎？天下楊梅一樣花，讀者有所懷疑，請參考下面一段資料。

×　×　×

男女雜交性病蔓延

得過『培力蘇獎金』美國名作家李通士鐸五年來參加自由歐洲的廣播工作。根據可靠的資料和鐵幕來人的報告，士鐸寫成一篇文章，題目是，『性慾洪流在鐵幕』，在本年三月份的『讀書文摘』發表。原文引證許多經過核對千眞萬確的事確寫成一篇六頁紙的長文。茲特節譯其五分之一，以供佐證。（以下原文節譯）

爲了想奴役青年以供共產國際的驅策，共黨在東歐附庸國家高唱『自由戀愛』的理論。他們申明婚前的貞潔和婚後的忠貞爲資本主義的遺毒。他們認爲性慾無殊飢渴，他們不反對男女雜交。上有好者，下必有甚焉。爲了雜交，鐵幕裏近年來增加了無數不知有父的兒女。爲了雜交，鐵幕裏性病空前盛行。爲了雜交，鐵幕裏無數好女兒淪爲娼妓。共產國家反利用娼妓的增加，而設立許多公營的妓館。

根據捷克一位醫生的報告，『因爲參加收割，一個小村莊裏頭十七個只有十多歲的女兒因爲雜交懷了胎。最可恨的是他們當中沒有一個曉得胎兒的父親爲誰。一個十六歲的女兒懷了五個月胎，同時又染上梅毒，承認在收割的一個月期間內和十六個男性發生過關係。』

一個波蘭來人說道，『在波蘭，女工宿舍的別名是『動物園』。女宿舍裏，喧噪的聲音通宵達旦。宿舍外面時常可以見到不少裸體的女人站立窗前。波蘭現在變成了一個禽獸世界。』

夜半交換睡伴

一位十九歲匈牙利的機械師這樣說，『好幾個男性把好些參加建築工程的女工帶去跳舞。跳舞完了，一道回到女宿舍。宿舍裏八個女工同住一個房間。那天晚上十八個男女睡在房裏，夜半常常交換睡伴，好像跳舞的時候交換舞伴一樣。』

共產黨有意製造男女雜交的機會。他們把許多十多歲的青年男女集中在青年營幕裏頭。男女的帳幕距離極近。沒有人管理他們，任其自然。

匈牙利的史大林城建了不少女工宿舍，這些宿舍就是變相妓館。男工人可以自由出入，軍人和特務更可以隨意停留。

鐵幕內私生子和性病

爲了人慾橫流，共產國家的私生子數目破了空前的紀錄。跟據各該國政府的公布，捷克一九五三年私生子的數字比較一九三八年增加了百分之八十八。波蘭的人口雖然只有二千六百萬，每年私生子的數字超過了五十萬。

一個投向西方的波蘭軍官這樣說，『在共產國家，沒有結婚的女孩養育兒女不是一件恥辱的事情。養下來了，只須把嬰孩向國營的育兒所送去，責任便算完了。多的，還可以得到獎勵。』

因爲雜交，性病在共產國家裏有類雨後春筍。根據一位東德醫生的報告，『東德鈾礦三十萬工人當中，二十萬以上染有性病。』匈牙利的史大林城，檢驗女工的時候，發現三分二以上染有性病。其他各地青年男女染上性病的總在三分二之間。共產國家從前常向人民誇耀說，『資本主義產生娼妓，共產國家把他消滅了。』他們並且把這句話製成標語。年來他們不敢再使用這個標語了。

·牛布衣·

香港教育

語文教學問題的商榷
——讀中文通訊後的感想——

·方登雲·

我寫這篇文章的動機，是爲了最近讀到阮雁鳴先生在「中文通訊」上所發表的「認清目標」之後所引起的。我對于阮先生的主張不敢苟同，因爲：（一）阮先生所定語文教學的目標太低調，意識不大健全。（二）阮先生的見解也太主觀。

最近我又讀到阮先生所編著的：現代教育與哲學一書，使我知道阮先生是研究西洋教育原理的，尤其致力的是杜威的教育思想。通常一個潛心西洋教育原理的人，喜歡講科學技術，過份的注重效率，拿他們的尺度來談中國語文教學，不見得很適當。這一點，我想阮先生也是一定同意的。因爲他們很可能把中國語文看成機械的或技術的問題，依我看，阮先生也不免有此毛病。

語文教學的名詞商榷

我不僅覺得「語文」這一名詞發生在往時候，大體上總歸不會太古怪的。目前大學裏有語言文學系，但我一直以爲中國人稱國文學的語文是牽强附會的。因爲在小學中國語，不必在學校裏，而必須在社會裏。目前說話的功課有一門，其實也是很滑稽的。教說話的先生們往往感覺到不知怎樣教學生。先生教他們說「成功」，「失敗」，「損失」，他們往往說「得米」，「執輸」，「走雞」，「頭水」，「走鬼」，「蛇王」之類，從來沒有人特地教他們，他們卻運用得相當自然貼切。因此，我覺得語是技術，可依賴環境教育來形成。文學雖然必要以語言爲基本條件，却並非其先定的條件。因此我以爲語文教學這一名稱是牽强附會的。

機械式的語文教學

把語文教學看作機械式的技術工作，大概是英語流行以後的事。在我們讀小學和中學時，就有先生拿馬氏文通的方法教我們作文。馬氏文通就是一本仿照英語文法做成的一本研究中國文法的專書。此書不止把字類像英文一樣劃分，連造句的方法也採用ANALYZE的形式分析出來。若說技術化，馬氏文通確實做到了。後來又有「中等國文典」，「修辭學發凡」……等指導學生作文的書籍問世。就工具與技術說，都比我們的前一代進步了不少。我們今日倒反而大嘆學生作文程度低落。那末，不是我們今天的課程編配有問題，就一定是今天的學生太低能了。這一點我們暫且不談。但我必須鄭重指出，上面這些文法專書，除了給教書的人在講授時比較便利，讓學生驚歎其像玩魔術一樣的技巧之外，真正的幫助學生解決寫作上困難的地方，其實是少得可憐的。我尤其必須指出，如果有人抱着馬氏文通去尋求作文的手法，這人一定是個笨蛋。他的文章也一定不會做得出色。我們說稱近代思想界先驅的吳稚暉先生，他自說作文方法是：從通何典悟出來的。新文學運動的大師胡適之先生，也說他的作文教師是施耐庵，吳敬梓，曹雪芹和劉鶚，與馬氏文通之類，無關。不必評說。我們讀中學的後半段期間，中學國文課本上，附印了一部份文法教材，份量相當多，問題也很多。但大半是略去不教，或雖教亦聽不進去。在我們記憶中，那些東西對我們的幫助實在很少很少。

國文教學是藝術工作

以上，我說了許多話，目的在說明國文教學的工作原是一種藝術，而並非一種技術，[illegible]。他又主張不要記誦背誦的老方法，而他的新方法則是所謂：問題，設計，和討論。但阮先生把這一工作[illegible]傳統。他又主張不要當傳統，因爲我們現已經生活在民主而自由的社會了。那講傳統，取材于經典史籍的方法，是祇宜於專制而黑暗的社會的。我以爲世界上可有不要傳統的技術，却不能有不要傳統的藝術。阮先生說他並非有意貶抑語文教師的地位，這則爲阮先生或者並非一位語文教師的緣故。所謂問題，討論，原是研究教育原理的阮先生所著重的名詞。不過我很懷疑，如果學生全不注重背誦記問，他的問題會有內容麼？他拿什麼材料設計？到討論的時候，他會有意見麼？阮先生爲了要避開歷史或傳統，把語文教學看作一種技術，這也許是一種苦衷。但在他又認爲：「中國語文還很不完足，源流長，詞語繁複，而涵義艱深……」這是一種很不大健全的意識，迫到去用低調的所致的一手段。阮先生以爲目標決定方法，不知道在低調的目標底下所產生的方法，會能夠提高學生發表或思想的能力？

教授語文的目標問題

阮先生把目下的語文教師分做三類，在他的筆觸下，這三種教師都是漫畫化的，把好處和壞處似乎都誇張得過份一點。照阮先生的說法，第一類老師是朽腐的，第二類是庸妄的，第三類則是褊執的。而且因爲她們都不懂得阮先生所定的語文教學的目標，所以她們施教的結果，是離題萬丈的。我記得桃李春風一部影片上有一句對白，意思是：「什麼事都不適宜做的人，才可以從事教育學」。若照阮先生的意見，恐怕應該改爲：「什麼事都做不好的人，才會去教授語文」了。

阮先生又列舉了時下教授語文不同的五項目標，這也是阮先生針對着那三類教師的造型所定的腹稿。因爲必須多，才可以見其不容易認得清楚。然後阮先生所定的一項才可以是確切不移的。於此，我倒覺得在只看重自己的傳統，而看輕別人的傳統的社會裏，中國語文教學只能讓他沒有目標，或有更多的目標。若僅僅只有一項目標，其流弊反而會更大的。

，例如繪畫之有油漆匠，英語之有帶街，國文之有街邊的「寫信佬」一樣。如果我們教語文，只希望學生能做成「寫信佬」，那便沒有什麼問題。否則，我們的目標似乎應該定得高一點，不應該抹煞傳統，而且仍然要學生在一定的範圍內，能記誦與背誦。一個中國人必須對其傳統的文化略有所知，然後可以誘導其對傳統文化生出一種尊敬。對其傳統文化具有起碼的尊敬情緒的人，乃能領略由其前人所積累而來的文化生活。於此時，於其學習中國語文，才能發生一種虔誠的態度。因此，我以爲要使中文的教學趨於正軌，必須使文字的技術應用和文學的民族傳統連在一起。必須注意情緒的感應，又必須重於欣賞技巧的傳授。直接欣賞成熟的作品，而間接討論機械的理論。尤其重要的，必須有一種普遍尊重民族文化的社會風氣。若祇在技術的方法上講求效率，結果仍然是無濟於事的。

國文教材的取捨問題

在教材方面，阮先生的意見也是根據他所定的目標來取捨的。他有一個原則，就是必須有利於語文教學，可以不必重視它在文學史上的地位，和它本身所包含倫理道德的意義。這是一種創見，也是阮先生不要傳統最好的說明。阮先生曾發表過不少篇標明正氣歌所包含有利語文教學的條件，而且這些條件，對於文天祥的爲人，是不必有什麼關係的。換一句話說，即使是秦檜作的，我們也一樣可以選來教學生。如果這樣的見解也算正確，我以爲最直截的方法就是把印度馬來亞各地所通用的英語課本譯成中文，作爲中國語文的課本。那該是最適合阮先生所定的標準的。因爲祇有這些地方的英語課本，才是最純粹的語文技術的工具。如果阮先生不以爲這些說話爲然，則可見阮先生在「中文通訊」上所發表的意見是太主觀了。

應該怎樣教國文

我以爲：我們教學生學中文，先不要存一種「它不過是一種粗淺的技術」的成見。儘管我們十九把文字作工具去運用。我又以爲：每一門學問都有它粗淺的部份

介紹一本教育新著
現代教育與哲學

·文平·

這是近年香港教育著述中最值得介紹的一本新著，著者阮雁鳴先生，全書二四二頁，每册售價港幣四元。一九五四年九月香港教文教育書社出版。

全書九章，首章「教育與哲學」，分別評述自然主義，試驗主義，進步主義，精粹主義，各派教育學說之內容及其得失。諸如盧梭，杜威，莢尼，白列特諸人之理論見解均有扼要之敍述，更從而作比較之評論。實爲研究現代教育理論者所宜省覽。

著者自序說：「取名爲現代教育與哲學，一是因爲知非一家之言，特就現代若干哲學派別對教育影響深遠者，闡述其要義，說明其關聯，而以現代教育兩大思潮——進步主義與精粹主義——作主幹。行文之間，雖免參雜個人觀點，但撰述本書的態度，於此可見。

著者說：「無論課程或目的，教育都離不開理想作用。即在傳統的學習作用中亦同樣保有興味，理想，態度等成分。若論教育目標和教育宗旨的擬訂，極其量恐有一半是依據現實之上，另一半則要就現實之上或理想之中求之。……教育無疑不可不植根於現實，卻不限於現實，教育本質是一種理想之外現，一種可能性之現實。……教育學的問題，實與整體而有之。」（二及三頁）

又說：「教育不僅要與社會的實相平行，教育又應是社會之代謝作用，尤應是社會存在之合理原型。」（六頁）「民主社會尤貴乎有一套配合民主需要之教育理論與指導原則。」（九頁）

著者的教育理論與其撰述本書的目的，已可於以上的簡單引述，而窺其大概。

著者係燕京大學教育學士，曾任國立師範學院教育學教授。現任職香港羅富國師範學院，學識經驗，本書價值自非普通可比。

對僑教的管訓意見

·白志忠·

宋儒云：「學者所以學爲人也，」亞理士多德亦說：「教育之所以重要，因人類之教化使然，如依賴於智識方面，則教化愈深，其人愈見野蠻。」

華僑教育的中心任務，除適應僑地的生活知能外，尤應將祖國的優良傳統和立國精神，在僑居地發揚而光大之，用以敦睦邦交，增厚與當地之民的情感。故學生的道德陶融，尤爲全部教學的首要。

當前海外僑校，欲達此目的，我以爲必須有新的認識與新的措施，完善的管訓機構之設立，亦不可少。

應注意兒童自尊心

所謂新的認識，應知兒童的不良習性，諸如懶惰，貪玩，粗野、放蕩……等；有出於遺傳，有起於環境，欲加改正，不祗學校要負責任，父兄亦要負責。良好的教育，不僅要把好的兒童教好，更重要的，要把有問題的兒童也教好。孔子說：「有教無類」，意即在此。其次，兒童的偶然過失，不宜視同罪犯，嚴加呵斥，鞭撻，或加重課業負担，甚或處以留堂、掃地，挑水……等一類粗暴懲罰。我們必須明白，兒童都是有自尊心和好勝心的。如果加以損傷其自尊的責罰，心理上不免發生自卑感，甚或表示反抗，所以濫施責罰，往往助長劣根性的發展，結果適得其反。

幾項新的措施

所謂新的措施，擇要言之，通常優良兒童總是多於頑劣兒童的，有問題的頑劣學生，一經發現，應即設法及時糾正，以免發生傳播作用。學行優良的學生，應作有計劃有步驟的鼓勵，學校應儘可能設置閱書室、閱覽室、運動場、遊戲室之類，供課餘的正當活動，有所宣洩，不至與外間惡劣環境多所接觸。尤應注意的，爲年紀稍長的兒童，應注意到適宜的性教育指導，現在都市兒童，耳濡目染，類多有關性問題的醜惡事實，苟無適當的性教育，易生犯罪之事。此一新課題，如何善爲因應，應該是教育家所不宜輕忽視之的。

處理問題兒童的方法

至管訓機構，所以爲各學校應組織處理問題兒童的小組，設組長一人，組員若干人。組員經常任務爲：（一）調查問題學生全校有多少，某班某級有多少；（二）設立問題學生犯規行爲的記錄簿；（三）調查問題學生的家庭環境；（四）探聽問題學生往來的朋友；（五）了解問題學生的日常生活；（六）統計有改善傾向的問題學生……等。

對問題兒童的處理方法：（一）個別談話——以同情和愛護的心情，善爲勸導，俾期悔改。（二）集體注意問題學生，由該小組將此類學生，通知各教師，共同隨時分別疏導。（三）訪問問題學生的家庭，請求家長協助，共同約束，期收實效。該小組應分析研究各問題學生的過犯原因，動機，並詳定各種處理方法。

惟處理原則，務求態度和善，言詞委婉。而且要獎勵開導，重於呵斥。懲罰，了解原因重於隨意批評，暗中勸說重於公開申戒。

以上所說，僅其大要，似足爲負僑教任務者之參考也。

× × ×

教師會舉行
教學分組會議

【本報訊】香港教師會自成立以來，積極展開工作。現有會員千餘人。茲爲貫徹本年工作計劃，加强會員教學效能起見，該會中文部特定今日下午三時至五時，假座九龍窩打老道培正中學，舉行第二次教學會議，歡迎會員及非會員之教師參加。今日各組主講人：中學國文組羅慷烈，小學國文組黃勃良，勞作組鄭懷智，幼稚組梁天慈，體育組黎緯濤，物理組王神瑜，地理組馮健民。

外行了一點！

馬五先生

本月廿三日台北中央社電訊，紀述司法行政部長谷鳳翔氏談話，以本刊上期的「半週憂語」和「自由談」關於揚子公司舞弊貪污案的評論，有涉及司法行政部之處，指係「虛妄無稽之詞，損害政府機關信譽」，並且說「更不知其所據為何種報紙」，要逕函本報查詢來源，並予更正云。抱歉得很，上述兩段文字都是區區寫的，而且明白地註出是根據「報載」消息。我在道德與法律責任上，對谷大部長的指摘，應該敬謹答復，以崇「政府機關信譽」焉。

首先告訴谷大部長：我所據為論點的來源，並非洋文刊物，乃是在台灣銷行頗廣之本月二十日出版的「香港工商日報」那篇源源本本的台北通信，大標題為「官商勾結貪污詐財巨案」，把立法委員質詢揚子公司一切舞弊詐財的經過，說得清清楚楚，如數家珍。在其分節小標題「胡光麃獲官員支持，連續詐取國家資財」的紀述中，有這末一段話：「台灣銀行內其承造之茶箱既未交出，欠款又不償還，遂將案送法院處理，經法院判決其破產，但未執行，後來又經司法行政部將破產宣判收回，迄未解決」。谷大部長對該項通信在報上揭載了幾天，並未指其為「虛妄無稽之詞」，我到廿三日才「引得」為評論之資的，然閣下當天就發表聲明，對本刊大打其官腔，豈眞是明察秋毫而不見輿薪耶？

如果那是「虛妄無稽之詞」，何以竟然讓原始刊佈這項「損害政府機關信譽」的報紙若無覩，而獨對我這「引得」者申申詈斥乎？閣下這種作風是根據那一派的法律學而來的？我倒要請教一下。

我也盼望司法行政部或許並無「鑄張為幻」之事，但本報卻不負「虛妄無稽」之實。我們既是引述別報早已刊載而又無人否認過的消息。若要上法庭吃官司，頂大的罪行亦不過是人云亦云的從犯吧！

我們決無「損害政府機關信譽」的意念，尤其希望谷大部長是鶴立雞羣的廉幹官吏。可是，憑這種本末倒置的作風來建立信譽，說句不客氣的話：外行了一點！

自由談

探母無回令

・東園・

（一）

四郎探母又名四盤山，係全部雁門關之一折，唱做繁重，為生角重頭戲，非中氣充沛，嗓音嘹亮者莫能辦。清末名伶無不以此齣為號召。蓋因劇情穿插，唱詞典雅，悲壯蒼涼，深中一般心理，潛移默化，感召實深。所謂忠孝節義，較之近今風行台灣之武大劈紛，的蕩色刺激，瞎打胡鬧，相差不可以道里計。昔年奎派演之，孫派演之，譚派演之，即秦腔若元元紅，亦莫不以此劇為撤手鐗。劇中角色，殆已包羅完備，民國肇建，該劇尤為社會人士所愛好，風尚之所趨，成為家絃戶誦。余生於津門，對於此劇歷年之演變，知之甚稔。老友中國大戲院經理孟少臣，曾為余告：本院任何名伶來唱，如不以四郎探母打泡，則難望其頂門紅，我為生意經着眼，為好劇本迎合，彼此人均得其益。孟君之言，誠屬旨言。在中國未辦以前，余曾主春和北洋兩戲院，無論任何京角來津，泡金者，多數必貼此劇，以壯聲勢。說也奇怪，每貼此劇，座無不滿，故一般伶工，端賴此劇收入，作為貼補。中國開幕近十年間，凡京角來演，每期十二日，必需演兩次，成為定規，尤以譚富英為更紅。富英嗓音高吭，而無假音，韻調唱來最為吃力。在中國演唱，登場前，必先由隨侍之譚門高足王琴生大夫，為之注射強力針，方能勝任。但曾於卅二年間，該生嗓調上不去問題，風波過後，再演時覆座愈盛，以之中國戲院撈得不少盈利，少臣認為判斷準確。

（二）

憶及民初，津雅韻國風票社，在廣東會館彩串，由名票王四爺君直演探母一劇，只至哭堂別家止，深得叫天神髓，執後來平津票界之牛耳。故友劉叔度步劉鴻（聲）學汪（桂芬），以三斬一探見長。嘗告余曰，所演三斬，上座雖盛，尚不及探母一次之滿堂也。予忝列票界，每年賑饑義演，至少三日，每次必彌演探母為開門砲，以次，再演龍鳳閣，逍遙津，胭粉計等，在合同鄉當能記憶，亦足見該劇，係戲就人，而非人就戲，好惡之種於人心，由來已久，固非行外人之所能禁也。

勝利以還，曾遭短時之禁止，未幾軍禍。近我自由中國主管劇務當局，仍蹈覆轍，再為懸禁。並聞擬加改良，將見焚琴煮鶴，畫蛇添足，若謂能較原劇為佳，則吾未敢信。要知此劇是八本雁門關，自兩狼山起至南北合止，中間探母有兩齣，除此之外，尚含八郎探得，斷章取義，固非全豹，楊家忠心耿耿，炳照日月，史不厚非，沙灘赴會時，幾乎全家殉國，而四八兩郎，身陷番邦，隱姓埋名，保守機密，伺機報國，實為反間諜工作之進行而努力。迨演八本雁門關，四八郎及鐵鏡二鏡公主，引領北番主臣，在雁門關向宋王納貢稱降，此即地工之後果，全劇告終。今不論其本，不探其源，春秋責備賢者，謂無民族意識。吾為四郎寃，吾更為四郎探母惜。夫琢玉者必玉匠，攻金者必金工，強玉匠而攻金，未有不弄巧反拙，釀成反噬者。

（三）

查四郎探母原劇，為坐宮，盜令，出關，見娘，哭堂，別家六折，所有劇詞，無一句不忠，無一句不孝，更無一句不義。清末民初，各名伶演至別家一折，即告終場，本無回令一場。其後譚鑫培因嫌原劇專重生角，公主在戲中表演，過於單調，乃編寫回令續貂，並親飾蕭后，穿插丑角二國舅，打諢鬥趣，用以調劑觀衆不繹之情緒，本不足非正劇而論也。見娘一場，母子抱頭大哭，觀者酸鼻，所歡二六，直如嬰兒撒嬌，一字一淚，感人心肺。哭堂時，夫妻久別乍逢，溫情畢露，及聞更鼓頻催，四夫人堅不放行，難捨難離，均為全劇之重心，亦為情節之所寄，老少觀衆哭在一堂，母子之愛，夫妻之情，手足之義，歡喜別離。四夫人係正青衣應行，且為正角，其仙演出，多以尚小雲為配，紅花綠葉，相得益彰。近年改用邊且承乏，剪頭去尾，濫竽充數，減色不少，劇情結構，不復有當年之盛。

乙未人日小集春讌

・伍潤三・

條風細細酒樓前。人日羣賢鬧晚天。
村釀幾回思故里。草堂五度負新年。
巳知湖海多同調。為記歲時共此筵。
小飲還祈放大量。梅花春訊到江邊。

蒼竹樓隨筆

『子曰：孟公綽為趙魏老則優，不可以為滕薛大夫。』

自來解釋這章書的人，如何晏集解，邢昺疏，朱熹集註，大致是差不多的：孟公綽是魯國的大夫。趙魏皆晉卿所食采邑之名。老者，家臣之長。滕薛是兩個小國。大夫，任國政者。朱子更申述其義說：『大家勢重，而無諸侯之事；家老望尊，而無官守之責。』他又說：『滕薛國小政繁，大夫位高責重，然則公綽蓋廉靜寡欲，而短於才者也。』

記『論語』的人，記了上面孔子說的兩句話以後，緊接着記載『子路問成人』一章，我覺得是很有道理的；因為兩章書的含義，可以相互闡發不少。後一章的原文是這樣的：

『子路問成人，子曰：若臧武仲之知，公綽之不欲，卞莊子之勇，冉求之藝，文之以禮樂，亦可以為成人矣。曰：今之成人者，何必然，見利思義，見危授命，久要不忘平生之言，亦可以為成人矣。』

釋論語兩章

・舜生・

朱子解釋這一章的上一節，似乎是很妥當的，他說：『兼此四子之長，則知足以窮理，廉足以養心，勇足以力行，藝足以泛應，而又節之以禮，和之以樂，使德成於內，而文見乎外，則材全德備，渾然不見一善成名之迹，中正和樂，粹然無復偏倚駁雜之蔽，而其為人也亦成矣。』

但是，為了一般人容易理解，我還是用現代語作成如下的解釋：

孔子在這兩章書裏，一共提到四個人：臧武仲（魯大夫），孟公綽（魯大夫），卞莊子（魯卞邑大夫），再加上他自己的一位高足冉求（魯季氏家臣），可以說都是搞政治的。因此，我覺得，這兩章書的內容，是孔子在說明做成一個政治人物所必須具備的條件。所謂『成人』者，係指一種獨立健全的人格。這種獨立健全的人格，孔子分兩種條件：第一種要知足以度勢，審時；廉足以立身；勇足以有為；藝則是應付一種政治問題所須具有的技術；如此還不夠，更須『文之以禮樂』。禮樂兩字在孔子的當時是很具體的，禮，就是禮，樂，就是樂，如果就今天來說，則所包更廣，應該是指一種高度文化教育的修養而言，如文學藝術之類，都包括在內。孔子覺得第一種條件也許太苛，因此他又提出第二種，意思是說，只要有充分的正誼感，（見利思義）有極強的責任心，（見危授命）更能鍥而不舍的去實踐自己的的主張，（久要不忘平生之言）也就勉強可以表現一個獨立健全的人格了。如果一個主持國家大政的人，既不知今世的潮流，又缺乏主張，一切奉命行事，談不上所謂責任，然而卻要旅進旅退，竊位以自娛，這在孔子看來，乃正是孟公綽一流的人物，為趙魏的『家臣之長』也許還可以，要做滕薛這樣小國的大夫卻是不夠的了。

語意學漫談

徐道鄰

甚至於有時候不少人竟常常拿高層抽象字來說明低層抽象字，那就更可笑了。譬如有人問什麼是『紅』？回答：一種『顏色』。問：什麼是『顏色』？回答：任何東西都具有的一種性質。問：『性質』是什麼？——回答的人沒有詞了，因為他一步一步的爬上了抽象梯子的最高頂，不能再爬，而問者還是沒有得到他所能了解的答案。所以我們要訓練我們自己會從抽象梯子上下爬。例如，問：『紅』是什麼？回答：你到消防隊上看看那些救火車是用什麼油漆來油漆的，你就知道了。我們就能隨時腳踏實地，而不至於長期飄蕩在抽象文字的雲霧層裏。

有些人的語言思考，一直停留在抽象梯子的某一層次上。比如我們聽那些到菜市買菜的主婦們談天，就只聽見什麼『張太太』，『李太太』，『皮包』，『皮鞋』，『尼龍絲襪』，『小孩子』，『打牌』，『司機』，『汽車』，『請客』，『賞錢』等等，她們在一二個鐘頭之內所用的詞句，差不多沒有一個字不是屬於抽象梯子的最低層次的。所以她們很少有彼此在思想上的誤解，和辯論上的爭執。但是另一方面，則有些人一直喜歡，也可以說是他們祇能夠在抽象梯子的高層次上兜轉。他們拿起筆來，一寫兩三萬言，總是脫離不了什麼『時代』，『生命』，『道德』，『天性』，『命運』，『眞理』，『心靈』，『意志』等等，而從來沒有一個字是屬於抽象的低層次的。聽說有一位從來講美學的教授，講了整整一個學期，從來沒有一次具體的舉出過某一張名畫，某一曲音樂，或者某一座雕像。就是學生們問他，他也不肯講。他的理由是：『我們所要研究的，是原則上的問題，不是具體的問題。』（也許有人以為這正足以證明他的學問之好。）上面這兩種語言和思考，都是在發生毛病。停頓於低層次抽象的人們，對於世界上的一切事物，所能敍述的太貧乏了。停頓於高層次抽象的人們，事實上根本不知道他們所說的是什麼。

眞正思想健全的人，他們能運用各種層次的抽象語詞。他們在作高度理論的思考時，他們用的是高層次的抽象文字，他們在檢討他們的理論和事實的關係時，他們用的是低層次的抽象文字。他們在抽象梯子上，忽而由下爬上，忽而由上爬下，活潑靈動，好像樹林裏的一羣猴子。科學家們忽而用幾個字母寫成一個定律的方程式，忽而拿着天秤玻璃管作這一個定律的各種實驗，事實上，也正是這一個動作。

高層抽象字是危險的

我們明白了抽象層次的作用後，對於某一些高層次的抽象字，就須要特別加以警備。我們要知道這是一批危險字。就是說，這些字的含義，太廣泛而含混，可能每一個人的解釋和另一個人的不同。司徒華蔡司 STUART CHASE 在一九三七年搜集當時大家對於『法西斯』的定義，結果得了四十二種不同的答案。

（二十二）

論于右任的詩

王世昭

于氏幼年生活多見之於「掃墓雜詩與歸省外家詩中。「斗口村掃墓雜詩」第一首寫母親趙太夫人云：

「永環三面白公渠，垂老重來省故居；猶憶阿娘哭阿母，報兒今歲讀何書。」

王陸一為之註云：「先生故家在涇陽斗口村，當白公渠分濟之口，毀於兵燹，乃遷三原。先生生二歲，母趙太夫人卒，新居又毀，伯母房太夫人攜就楊府村外家，劬勞鞠育凡九年。……先生七齡始受書，每歲寒食，房太夫人必攜歸掃墓。至趙太夫人墓必哭，哭必祝曰：『兒幾歲矣，讀書幾册』云。」

又第五首寫「父親新三公」云：

「發憤求師習賈餘，東關始賃一椽居。嚴多漏盡雞鳴熟，父子高聲替背書。」

王陸一註云：「父子高聲讀書至深夜，替相背誦，如嚴師督課，傳為美譚。」

又「歸省楊府村房氏外家」五首之二云：

「朝陽依舊郭門前，似我兒時上學天；難慰白頭諸舅母，幾番垂淚話凶年。」「無母無家兩歲兒，十年留養報無期；傷心諸舅墳前淚，風雨牛車送我歸！」

于氏愛家出於天性，愛鄉出於至情，愛國愛民出於肺腑。古人云「求忠臣於孝子之門」，而能愛其鄉其家者，亦必愛其民愛其國，于氏有之。

于氏不輕為人作題字，在詩存五百首中，題畫的有蘇曼殊，高奇峯，陳樹人，張善子等。題帖的有張溥泉，弟孝康等。題詩集的有曾慕韓之母宋太夫人遺蔭詩稿與羅慈威的呼江吸海樓詩等。分錄題高奇峯畫與題曼殊畫册二詩。前詩云：

「筆有奇峯人似之，奇峯無處不稱奇；蒼梧哭罷先元帥，心血都捐為義師。」

于氏自註云：「高寓居廣州大風閣，嘗以賣畫為革命軍助也。」後詩云：

（六）

自由人

THE FREEMAN

（第四二五期）

中華民國僑務委員會登記證
每份港幣壹毫　台北每份售價台幣壹元
督印人：陳文華
地址：香港高士威道二十號三樓
3 rd. fl. 20 CAUSEWAY RD HONG KONG

中共的三面策略

鄭竹章

大陳南麂島撤退後，美國對協防金馬，舉棋不定。近兩月，中共不僅積極擴軍備戰，且在外交及政治上大肆活動，企圖三管齊下，瓦解反共陣綫。自由世界的退縮政策，目前已到改弦易轍不可了。

外交攻勢的表裏

從中共的政權發展路綫看，能不戰而奪取台澎，自是上策。中共大陸上的經濟基礎與交通運輸，目前並無能力支持大規模的戰爭。一九五三年開始實施的所謂五年計劃，到目前已將近一半時間，而其所完成的工作量，仍不足五年總工作量三分之一，過去兩年天災水旱頻仍，農業生產一再歉收，缺糧人口已超過二億，凡此均決定中共無力挑動大戰。從中共決策者的立場言，必須完成第一個五年計劃才能保證其社會改造的完成，而經濟建設與戰爭乃屬無法並行的，因此儘力迴避大戰是中共上乘之策。

因此，中共自叫嚷「解放台灣」以來，在軍事上始終採取試探性行動，未敢正面與美國爲敵。在發動大陳攻勢以前，先進攻一江山，以試探美方反應。大陳撤退以後，又準備試攻南麂，從這些試探性行動，可知中共在宣傳上雖儘力蔑視美國，但在空海潛力的估計上，是不敢輕視「美帝」的。如果當日美國公開聲言協防大陳，則中共必不敢輕攖其鋒，今天如美國當局能明白宣佈共守金馬，相信中共亦必不敢冒然進犯。因爲美國軍政首領至今並無確守金馬的宣告，使中共認爲進攻金馬不致觸發大戰，因此才有最近一連串的軍事恫嚇。但雖然如此，中共當前的行動，外交似仍重於軍事。

去年四月日內瓦會議後，共方不戰而奪取越南三角洲，中共對外交策略的運用，已遠較前此爲重視。中美聯防協定成立後，中共利用英國以牽制美國的陰謀業已失敗，於是最近的外交攻勢，乃集中於東南亞，中東，及中南美諸小國。希望透過廣泛外交關係的建立，來達成其打入聯合國的企圖。在這一目的之下，中共一面宣佈與阿富汗，南斯拉夫建交，並於五月互派「大使」；一面正集中全力來操縱四月下旬在印尼萬隆的亞非會議。

對亞非會議的預謀

這次亞非會議的召開，中共雖係應邀出席。但從去年年底以來，印緬總理先後訪問大陸，與中共代表團的絡繹於途觀之，中共顯然是幕後牽線人。綜合中共官方報紙的言論，中共對這次會議實具有四項預謀：一，以亞洲主義爲號召，加強其對東南亞各國的領導地位；二，以反殖民地主義爲號召，加強反美運動；三，以「反原子武器」爲號召，掀起反美高潮；四，以「五項原則」爲標榜，瓦解東南亞防衛系統。如果這次會議召開的結果，如中共所預期，在東南亞建立所謂「和平地區」，則杜爾斯所提出的三面進攻大陸策略，可能在東南亞方面發生缺口。如比，縱使沿海戰事爆發，中共仍不至背腹受敵。這是中共當前外交上的一項重要措施，亦是其孤立美國的主要策略。

心理戰術的運用

除在外交上力圖孤立美國外，中共慣於運用的統戰策略，其在這方面的主要措施有三：一、是改變對待華僑的政策：從今年初改變華僑政策，到三月初宣佈長期保障僑眷，其目的均在籠絡海外的華僑，進一步孤立自由中國。二、是爭取認爲有偶像作用的人物歸入鐵幕：最顯著的例證，如最近衛立煌、俞振飛之流的投奔中共，均爲此項統戰策略的一部。三、容納過去列入清算鬥爭的投共份子。利用他們作爲對海外宣傳的工具。上述的各種步驟，其中心目標乃在縮小打擊面，動搖海外人心。

積極備戰

以上兩種策略，均爲中共瓦解反共陣綫的手法，這些手法的運用，消極的意義在減輕其未來軍事行動的障礙，積極的作用，希冀不戰而佔領台灣。

不過，中共是並未放棄其蠻幹的計劃的，其最近行動，主要集中在兩方面：第一、擴大新兵徵集。去年九月原定在今年二月底以前徵召新兵四十五萬人。但據三月十六日「人民日報」的報導，各地實際徵集數額，均比原定計劃增加十倍以上，第一期徵兵結果，總數可能超過四百萬人。數字是否可靠，雖不得知，積極備戰，至爲顯然。本年二月間中共所公佈的新兵役制度，乃一全國皆兵計劃，由於這一制度的實施，顯示中共仍準備必要時進行乾坤一擲的軍事冒險。第二、抽調駐北韓六師增援閩浙部隊，同時不斷擴充沿海的噴射機場，準備在美國「縮沙」時，向金馬下手。

中美不容再退

綜上分析，可見中共當前策略，似未企圖立時發動大規模軍事行動。其主要手法，是在外交上繼續孤立美國，迫使美國退出亞洲地區；在政治上則淆混海外視聽，以孤立自由中國，以便瓦解反共陣綫的精神基礎。同時繼續建立龐大的後備兵源，擺出一戰姿態，希望利用西方國家恐戰心理攫取金馬，進一步窺伺澎台。

面對着中共這一套策略，中美雙方如果能堅定立場，不辭一戰，相信中共是會自行退縮的，如果金馬再退，無異鼓勵中共放膽進攻，海峽大戰，反將無法避免！

英國的國防

——邱吉爾暢論核子武器——

李加霄

在英國國會提出國防預算白皮書的時候，邱吉爾首相這樣說：

「現在的時代在歷史上眞是空前。整個世界爲了理想和地理的關係，劃分成兩個集團，一個是共產黨的集體秩序，另一個是民主國家的個人自由。」

氫彈是國防計劃核心

他又說：「力和科學本來是人類的奴僕，現在變成主人了。現在世界的兩個集團都持有核子時代的毀滅武器。最可怕的是這種武器的殺傷力可以伸展到無限的空間和地區。蘇聯雖然是地廣人稀，因爲核子武器的殺傷力是這樣厲害，在國防方面，地大的蘇聯和島上的英國，現在是處於同一情形，或者是相類似的情形。」

「因爲美國氫彈的壓倒優勢，在將來三四年的期間蘇聯是不敢發動世界大戰的。過了三四年，世界的情形將有極大的變化，那時蘇俄將同具有核子武器。那時蘇聯可能有氫彈而且持有攜帶氫彈到目標區投擲的工具。」

「我們也迎頭趕上了核子時代，英國已經開始製造氫彈了。這是一個偉大的決定。氫彈是本國國防計劃的核心。」

「原子彈和氫彈有極大差別。原子彈雖然可怕，還不能夠使人類失掉自由思想，行動，戰爭，與和平的管制。氫彈可不然了。世界到現在還沒有找到一種對氫彈的防衛方法。」

「一旦戰爭發生，敵方有好些目標，我們的盟友美國和我們都是有的。最要緊的是那裏有許多飛機場，蘇聯的飛機可能從那裏起飛，攜帶氫彈到我們的地方來的。我們應該在戰事發動的幾個小時後，毀滅了敵人的基地，消滅各該基地的作用。」

英蘇武器的比較

「據可靠的情報，現在只有美國一國能夠在數小時內發動大規模的氫彈攻擊。」

「俄國民族是好的，我們非加抵抗不可。鐵幕裏的蘇聯發動後，我們非採取先發制人的行動不可。」

「有了氫彈，我們能夠把威脅本國的基地，於戰事發生幾小時內把他們消滅了。」此事關係國家的生命，民族的存亡，是當今第一件要務。

「蘇聯現在只有一種中型的炸彈。可是蘇聯正在發展進步的武器和攜帶這種武器到英美投擲的飛機。」

「我們維持核子武器的優勢，使蘇聯明白用原子武器偸襲英美，將遭遇到壓倒優勢的報復。」

以上是邱吉爾首相論氫彈和國防關係的言論。不過他說核子武器是英國國防的核心，但他闡明海陸空軍仍然不失其各別的作用。英國本年度的國防預算的白皮書，全年度軍費的支出爲十四億三千萬美元。空軍在預算上佔最重要的部份。

海陸空軍及武器

空軍　有史以來第一次皇家空軍在國防預算上佔最重要的位置。空軍的基本工作係建立原子轟炸機隊，準備應付蘇聯的攻擊。國防部雖然說英國的空防是穩固的，可是同時又承認皇家空軍的戰鬥機追不上蘇聯兩噴射筒的轟炸機，速率沒有它們快。

飛彈　英國公開承認飛彈趕不上美國，或許還不及俄國，那是指由地面放射的飛彈而言。由空間發射，和由船艦發射的飛彈英國是進步的。英國現在正發展一種球形能夠飛渡大陸的氫飛彈。

陸軍　國防白皮書又說，『核子武器可能使共產國家不敢直接作類乎高麗的武裝攻擊。可是共產黨將改變方式以滲透和地下活動，來代替武裝襲擊。』爲應付共黨的地下威脅起見，英國將建立戰略機動部隊，準備於短期間由英國空運至受威脅的各前哨。可是英國陸軍的人數和軍費在新預算裏均經刪減。

海軍　英國海軍準備廢除好些舊船，而建造發射飛彈的新艦，用以發射原子頭的飛彈。

防空　白皮書說，『氫彈若果襲擊英國，人民對於生存的鬥爭將達到最可怕的程度。』英國擬完全改建國家的空防計劃，增加一億九千六百元金元預算，編練四十六個機動營，於核子武器投下後，參加救護工作。』

以上所述，可略見英國國防的大概。

△美發表雅爾達會議紀錄，參議員諾蘭及勃烈奇率先閱讀▽

半週展望

•左舜生•

紀念青年節

昨天是紀念四十五年前黃花崗一役的青年節，港九澳方面除若干的報紙會發表紀念文字以外，若干的自由僑團，也曾舉行了極隆重的紀念儀式。

時間過得眞快，回想在四十五年前的昨天，我還是在長沙一所高等小學讀書的小學生，現在已居然是六十以上的老人了。在黃花崗一役以前，像我這樣一個小學生，雖然已偶然見過若干鼓吹革命的書報，已經知道有孫文，黃興，章炳麟，徐錫麟，鄒容，陳天華，……這類提倡和實行革命的人物，可是當時的革命運動能給我一個最深刻的印象的，却是從黃花崗一幕開始。

當時長沙的教育，總也算得是不十分簡陋的：像我所住的那樣一所『長邑高等小學』，每天除掉閱讀當地出版的報紙以外，居然還訂閱了上海的民立報，神州日報，時報；乃至鼓吹革命的雜誌和小册子，如民報，二十世紀之支那，革命軍，猛回頭，以及君主立憲派的清議報，新民叢報等等，也居然有機會落到我們若干的小學生手裏。例如黃花崗這一幕失敗的經過，我們便是從當時『民立』『神州』這類報紙的記載，才比較的知道得清楚的。

現在我回想起來，當時十五六歲到二十以上的青年，眞是純潔得如一張白紙。無論是屬于革命派也罷，立憲派也罷，他們對於領導這種運動的領袖人物，確實是沒有半點懷疑。他們相信他們的領導者，都抱得有一個崇高的理想，有一股感人的熱情，具得有一種大公無我的氣象，無論是言論或行動，總是赤裸裸以偉大人格與人相見，因此，您把他們領導向西，他們便跟着您向西；把他們領導向東，他們便跟着您向東；尤其像黃克強先生這類的實行家，他能以萬死不顧一生的精神，挺身走在青年們的前面，青年們更自然毫無保留的願意跟着他去死！我們今天來紀念青年節，首先要認識的，便是存在於當時領導者與被領導者之間的這種精神。

今天的青年，依然是和四十五年前的青年一樣：他們所追求的是一個民主自由的理想，假如您對這個理想的信念不堅，實行不力，他們便不會接受你的領導；他們依然只能爲眞摯的熱情所感動，所鼓舞，他們歡喜看行動，而不歡喜聽空言，假如您叫他們去死，而您却只坐在後面來領導，老實說，這種領導也不一定會有效；尤其近年社會的空氣，到處都爲私之一念所充塞，不要說整個的國家，甚至一個小小的團體，也往往爲私之一念破壞到不可收拾；假如今天還有人想領導青年，希望他們能夠爲國家民族貢獻出他們的一切，據我看，一個熱心的領導者，最好還是從自己多下工夫：除把握您自己的理想，以事實與行動去發揮您自己的熱情以外，尤其要緊的是克制私慾，表現一種大公無我的精神，否則，支離破碎的局面將無從收拾，而烏烟瘴氣的怪狀還會層出不窮，這便不是我們所願意想像的。

衛道京的一封信

最近一期的『新聞天地』（第十一年第十三號）發表了兩篇有關衛立煌的文字，尤其是衛道京女士寫給她登報脫離了父女關係的衛立煌的一封信，讀了眞使人感慨萬端。

我很幸運，我不認識衛立煌，像他這樣一個人物，中華民國居然把他培植保育了三十年，任以方面大員，委以封疆重寄，總算待他不薄了，可是到了今天，他依然經不起誘惑，甘心去做中華民國的叛徒，這除掉加強我們重整民族道德的責任，和提高我們反共的信念以外，實在也沒有其他的話可說了。

四國會議？

巴黎協定將要完全批准，西德武裝的重建即將開始實行，蘇聯在無可奈何的情形之下，不得已贊成由美英法蘇四國重開談判。在蘇聯沒有在事實上表現絲毫誠意以前，便汲汲召集這類會議，是否適當，此爲另一問題，但最低限度，我們不能承認這類會議有涉及中國問題的資格。

異哉所謂「中華學術」獎金者！

·魯實先·

教育部學術審議委員會所決定的四十三年度學術獎金得主，已於本月發表。「審議」經過和結果，據我所接觸的人，不論是教育部法定的「學術審議委員」——當然常務委員在外——或者對於學術有相當認識的人，都無不共曾其非，至於我呢？也正如骨鯁在喉，必須一吐爲快，在未說到本題以前，我有幾點申明：

先申明幾點態度

（一）假設這項獎金是教育部致送的年終薪資，或者定名爲「張其昀先生獎金」，以及其他任何一項名義，那末不要說每人得二萬元，就是二十萬元或二百萬元，我都可以緘口無言。但這獎金的頭銜，是「學術」，而且是「中華學術」，我覺得凡屬中華民國任何一個學人，都有維護「中華學術」尊嚴的責任，因此我不能緘口無言。

（二）幾十年以來，中國的所謂「學術」獎金，不論是過去的中央研究院也好，不論是近幾年以來台灣省政府所設的特種獎金也好，據我的見聞所及，假如你不與決定獎金的當事人爲同派同系，縱令你的著作是如何卓絕，也休想染指！根據過去的見聞，所以我沒有濫竽這次獎金的申請，當然關於這獎金的得失，於我個人是毫無酸葡萄心理的，因此我自信最能以客觀的態度，來評論這事的是非。

（三）我爲了讀刪訂中學歷史教科書的事，從去年十二月五日起便陸續寫過五次代電給張部長，而張部長的答覆，以前是推諉責任，在後是置之不理，根據這一經驗，所以我評論這次獎金的目的，不是希望教育部能夠予以采納，而加以改善，而是向社會人士公告一下這次獎金的內容，因此我只是片面的記述和批評，而不是全面的建議。

自從本年一月一日教育部公告所謂「中華學術」獎金之日起，直到最近三月十一日揭曉此項獎金的得主爲止，關於徵集著作，以至審查著作，與得獎人的推選，據我的見聞，大約有下列幾項。

評選工作令人懷疑

（一）根據教育部一月一日的公告，這申請獎金著作的截止期是二月十日，給獎期是三月十二日，但我由於一個偶然的機會，曾於二月十六日，到了一次教育部，並且還順便參觀了陳列在學術審議會的各種著作，不過四十多種，其時某權威送審的「殷曆譜」之類，還沒於開封，錢穆先生的著作，也沒有看到陳列，可是根據三月十二日中央日報的報導是：「依照規定申請獎金者，共計二百十五人」，那麼由於這次目擊和這個報導，便可得到兩點推論：其一、申請獎金著作的截止期，既不是公告所說的二月十日，也不是我所親見的二月十六日。其二、得獎人的著作截至二月十六日止，還沒有如中央日報所說：「送請專家評選」。由此可見這評選時間是非常短促的。就如公告所說，以二月十日爲截止期，並且假定從二月十一日起爲評選期，那末到三月十一日的揭曉期剛好一月，在這短短一月之中，由幾位「常務委員」（見下文第三條）在辦公、教課、應酬、休息之餘，去評選二百一十五人的著作，那末每一位委員至少要評選二十幾種著作，由這一點，我便有兩點疑問：第一、每一常務委員要評選二十幾種著作，在這二十幾種之中，想必不是同類，尤其不是同題；請問常務委員是否每一位都是萬能博士？第二、每一常務委員，要在這十天半到一個月的時間，去評選二十幾種著作，而且每種著作至少要當加幾條評語，那末試問每一常務委員，他是否都會停止辦公、教課、應酬、休息的時間，去從事這種評選工作？並且所謂 [illegible] 的溥儒先生的著作，除「審論」以外，大部尚未脫稿，叫人從何審查。由這幾點推論，我們便不難測度中央日報所說：「經過專家慎重之評選」，是相當滑稽的。假如眞是「經過專家慎重評選」的話，那末，試問這評選得著作的「專家」是何人？他的評語是怎樣？教育部爲什麼不負責公佈？

因人設類非因類求人

（二）根據各報 [illegible] 就應當包括文藝美術與社會科學中的歷史，但這次獎金卻是把人文部門分爲四類，由此看來，我們便不難測度常務委員諸公還不知道「分類」的本身即是一門學問，所以分得這樣的離奇。而實際他們只是因人設類，而不是因類求人。與「學術」無關涉。

不審不議的推選辦法

（三）根據參與會議的學術審議委員說：這次獎金的推選辦法，是由張部長以常務委員會的名義，向大會提出候選人名單，要求全體委員投票決定。但由於一、所提候選人只有六位，而應當選出的得獎人也正是六位，沒有再加票選的餘地。二、與會的委員多數沒有看到候選人的著作，常務委員也沒有報告詳盡的評語。三、少數委員看到得獎人的著作，也並不同意常務委員會的推選。四、不是經過全體委員的選舉，以致不信任常務委員會的推選。基於這幾點，所以大會爭執達兩小時以上，最後方決定「常務委員的產生，教育部既可以權力決定，那末常務委員會所推選的得獎人，教育部也當然可以權力決定」，於是：「經決議照常務委員會推選之候選人名單通過」。

（下轉第三版）

司法行政部來函

關於評論胡光麃案的資料來源

自由人編輯先生大鑒：頃閱本月廿三日貴報「自由談」欄刊文內，有「司法權在此地居然拱手聽他官將指示，收回地方法院的依法破產的判決」等語，經查台灣各級法院並未受理揚子木材公司破產案件。該文又有「據報載有關法院人員檢舉出來的罪證，乃至司法行政部都有職張爲幻，共同舞弊，朋比分贓之嫌」等語。事實上，該揚子木材公司案，係於本年三月十九日下午四時十分，奉行政院移交司法行政部，而本部於一小時內，即將公文轉飭最高法院檢察署，依法偵辦，似此情形，何從「職張爲幻，共同舞弊，朋比分贓」？[illegible] 如何牽涉。總之，該兩文指摘本部各點，盡屬虛妄，如有所據，敬希惠予詳示來由，以便查究實任，若徒憑揣測，則害自由中國信譽，在此反攻前夕，似不應出此。即希更正，以正視聽。國家幸甚。

司法行政部秘書室啓　三月廿三日

答司法行政部

司法行政部秘書處鑒：三月廿三日大函收到。關於胡光麃案，本報三月廿三日據爲評論的資料，本報已經說明係採自三月 [illegible] 在台灣出版 [illegible] 有此項資料刊載。三月十六日聯合報在「勾結官員騙取公帑」大標題及分段標題「胡光麃與揚子公司」一段新聞之下，即有如下記載：『胡光麃創辦揚子木材公司，……以承包製造台灣銀行所需外銷茶葉箱，向台銀行騙取台幣四百萬元，茶箱一隻未交，而以此款一部份到日本購機器，一部份經營黑市金鈔，曾被保安司令部查獲法辦，同時台灣銀行以茶箱未交貨，且欠款不還，便將此案送高等法院，法院曾判決破產，但未執行，結果司法行政部又將案收回，迄今未獲解決。……』又該報三月十七日綜合報導欄，在「如此遣設的揚子公司」標題下，亦有如下一段紀載：『……後來台銀以貨款均空，乃將此案移送法院，去年經法院判決破產，交高雄司法機關執行，正擬執行時，卻又收回成命了。』可見本報三月廿三日的評論資料並非「徒憑揣測，而妄加臆斷」的。特此奉答，即希垂察爲幸。

自由人編輯部啓三月卅日

靦顏投共的——衛立煌其人其事

·申南·

衛立煌，回大陸投共去了，這是三月十四日的事。去以前，連他的兒女都不知道；去以後，本港幾家尾巴報，竟用特大標題，作頭條新聞刊布，捧之甚高，說他回去，是經過五年長時期的詳愼考慮和週察，才有此決定的。（大意）是否如此，姑不置論。這裏只想報導一些有關衛立煌在港五年來的生活行狀。聰明的讀者，便可以從這些地方，去瞭解他是一個怎樣的人，怎樣會去賣身投靠的了。筆者從衛的親信和鄉友處得到如下許多資料。

× × ×

衛立煌卅八年到香港時，他的大兒子帶同妻兒一行也來了，可是不會合他一起住。不久，大兒子夫婦留下兒女，給祖父照顧，夫妻回廣州去。但不久，媳婦重來香港，把兒女接去。據說大兒子回大陸是因爲衛立煌不肯給他錢，生活無着；把兒女接回去，是因爲衛立煌對孫兒孫女，不願負責。

他的第二個兒子原在美國讀書，來信請寄費用，他沒有理，亦迫得回來，轉歸大陸。

他的第二個女兒二小姐到港還沒有結婚，要求入學校讀書，他也以沒錢爲理由，加以拒絕。不讀書，自然「女大當嫁」，可是他對那爲二小姐作介紹的人說：「××結婚，我只有一個女兒奉送，別無其他。」後來經過了一段時間，二小姐，由她現在的丈夫，供給生活費用。後來談到婚嫁問題，也經過許多波折，翁婿間不知鬧過若干蹩扭。感情極壞，幾乎要以與衛家斷絕關係，作爲結婚條件之一。結婚時一切費用，均由男方負担，衛立煌一毛不拔。

三小姐現在本港××書院一年級肄業，因爲父親不肯供給，祇好申請免費，才得維持學業。

× × ×

衛立煌貧窮麼？據已倒閉的復興銀行職員親口告訴筆者，他送給阮××的某漁業公司的二十萬美鈔，都是陳年老貨，已經上霉了，不經曝晒，無法撕開。即二小姐也曾對人透露，她爸爸平年要在天台上曝晒那用箱裝好成綑成紮的美鈔。

提起衛立煌和已倒閉的復興銀行的一段糾葛，也是饒有趣味的故事。他本與阮××素昧生平，自從在熊××公館一度同席，介紹之後才認識的。衛對錢財本是個地道的吝嗇鬼，何以一下子肯拿巨款交給阮××？這其間便大有文章了。

原來，衛阮相識之後，隔日即趨車衛公館拜訪。那時衛尚卜居香港，房宅雖好，傢俬卻稍欠堂皇，尤其缺少一具電話。阮××看在眼裏，幾天之後，衛公館的電話裝上了，傢俬也煥然一新。他想，我在復興不過[illegible]了一個四萬港幣的戶頭，那光是電話便值五六千，加上傢俬，數已逾萬。衛立煌收受之後，覺得頗爲合算，對阮便很感興趣。

四萬港元的利息，儘管照三分四分計算，也很有限，每月千多元而已。固然衛立煌並不在乎利息，但阮卻有他的主意。往來既多，阮在有意無意之間，對衛透露炒金利益，待到衛有動於中便搶着說：「如果長官有意，我可以代爲小小的做一做。」之後，不隔幾天，便有幾千幾千的支票送給衛公館。據說炒金所獲的暴利。

× × ×

於是在阮的諂媚逢迎，小利誘引之下，衛立煌上鈎了。三百萬港元投資到××漁業公司了，衛出任該公司董事長，並先期交付股金二十萬美元，折合港幣一百二十萬元。這是復興銀行倒閉前一年，秋冬之交之事。

年底，復興銀行，無法過關，在衛公館裏有一個緊急會談，出席的人有衛立煌，熊××，阮××，和復興銀行的高級職員二人。阮××說明好景在望，只是年關難過，熊××從旁打氣，衛立煌首先拿出一隻巨型鑽戒，折價五萬，另外經不起熊的好言相勸，阮的苦苦央求，又簽出一張廿幾萬翌年元月×日的支票。衛不懂支票如何簽寫，但阮卻早已擬好了稿樣。

翌年初，復興銀行倒閉了。按着債權團成立，衛立煌，大人物也，不便親自出馬，辦這瑣事，但又捨不得犧牲大把鈔票。於是從新界接來一位懂得法律的同鄉作全權代表。這位代表兩夫婦，住進衛公館，享受上賓的款待，專門爲他辦理這事。

代表的本領很不差，一百廿萬固然沒有辦到，但那隻巨型鑽戒和那張衛自己開出的二十幾萬港元的支票，卻弄回來了。然而衛認爲這位代表，不會達成任務，漸漸地由殷勤而冷淡，終於兩山一叠，請出。

× × ×

衛立煌似乎在報上登過一則啓事，聲明未曾搞過什麼勢力。其實，這正是所謂「此地無銀三百兩」的慣作法，衛立煌參加×盟的事，眞是誰人不知，那個不曉。當張××過港赴美的時候，衛的一位身任民社黨中央委員的同鄉，爲他們安排了一個晤面的機會，傾談之下，張自然表示歡迎。晤談議定，×盟的軍事委員會由衛担任委員長。其時×盟的另外幾位決策人物，多知道衛子多金，過去又是風雲人物，自亦樂於接納，共圖大事。又豈料×盟的軍委會，始終採用常委制，衛立煌只備位常委之一，與其他幾位如鄧××者齊名並列。衛立煌過去在國軍將領中的地位，原不亞於張××，現在把他擺在張××的部屬一齊任常委，心中自有不甘，於是一怒之下，拂袖而去，並且聲明無關。

× × ×

衛立煌腰纏數百萬金，而可以裝窮扮苦，聽任大兒大媳，孫兒孫女返回大陸，任二兒子失學，迫二女兒出嫁，另一面卻又會爲小利，讓整百萬的港幣給人騙去。對朋友，則有事即招來，無事即揮之使去。搞政治卻又斤斤計較名位。凡此種種，具見其爲人之一斑。是其今日之厚顏投共，又何足怪？更何足惜？

至如尾巴報紙，對他所作的頌揚，以及他自己在談話中所稱五年來閉戶讀書的自白，是眞是僞，不攻自破矣。

編者讀者

戰時生活問題

△傅正先生答胡秋原先生函

編輯先生：三月十二日貴刊胡秋原先生函，係因拙作「從時裝展覽糾紛說起」而發，誤爲某少將辯護。鄙者與某少將無涉，自問無此意，更不屑爲此。

茲可簡答胡先生所問二事：一爲核准與否問題，拙作初謂：「既核准，當然可以表演」，而後謂：「惟另據傳聞……如果確是如此」云云，足證並未採爲信論。二爲能否與南宋文恬武嬉相比問題，鄙意爲可以相比，因其同爲粉飾太平，方式雖有不同，本質並無差異，故歸結爲：「撇開糾紛的事件不說……時裝表演是大可不必舉行的。」設胡先生認爲以救濟之名，即可出此，則不敢苟同，蓋天地間有何種行爲不可竊用最動聽之美名者？又胡先生認爲人類不能廿四小時緊張。尤其是戰時，總該有點輕鬆，此固人所共知之常識。然所可惜者，此次參加此一盛舉者，恐「輕鬆」早已有餘，「緊張」正嫌太少耳。今日過於「緊張」而被罵「輕鬆」者，鄙意爲日夕苦守碉堡戰壕而保衛此最後根據地之前方將士。不知能當胡先生之意否？國事至此，生活過分懸殊，終非好現象，言論界應爲大多數竊若大衆呼籲，才是「公道」，否則導國家於「萬劫不復」矣。所以不能不再爲剖白者，此耳。豈好辯哉？弟傅正拜啓三月十五日

關於此一問題，討論已多，以後不打算再發表這類文字了。（編者按）

△羅敦偉，張維翰，靜文，王況裴，辛植相，胡鑒之，文鎔，陳雪英，彭楚珩，劉廼，習齋，陳立人，杞人，小丞，鄭秀之，傅正，諸先生：承惠文稿，均已奉到，至感幸！

△楊海宴先生：來書奉悉，另函詳復。

△本期稿擠，「侵略三部曲」及「密于右任的詩」下期續刊。

讀徐復觀先生人性論有感

讀者論壇

·小言·

「天哪！我們忝爲「教授」，在接受聘書之後，已經填過聯保聯坐的切結。現在爲了這百幾十元（註：請求在學子女教育補助金。）每半年又來一次，（註：另找兩人聯保聯坐）難道說這就是人格的尊嚴，人與人的信賴嗎？」又「因爲大家沒有人格尊嚴的觀念，根本不感到這類亂扯，是有傷他人的人格尊嚴，更想不到傷害他人人格尊嚴即是把人不當人，即是證明自己不是人沒有人性，所以沒有同類之感。」這是徐復觀先生在本月十九日「自由人」所發表的「低微的人性呼籲」，所作的憤怒的抗議。這，我認爲是當局應鄭重注意的，應該及早改善辦法的。如不能修改，應當提出說明理由，宣示大衆的。如祇以「相應不理」的態度，置若罔聞，便非民主作風。至少也是「以不教民戰，是謂棄之」的作風。

× × ×

誠然，尊重人格的尊嚴，是自由世界之所以值得保衛的。但法律中總有一部份是以禁非防奸爲目的的，對這部份，便不能以徐先生的人格概念而遽認爲「即是把人不當人，即是證明自己不是人沒有人性」的表現。據說美國紐約州的選舉法，規定每一選民必須在司法事務所，當衆拿一本書來讀，證明他是識字的，然後准予登記，發給選票，即使這選民身爲大學校長，也得如法泡製。不知尊爲教授的徐先生，假如親身碰到這場合，又作何感想。

如果聯保聯坐是一種不好的制度，是虛應故事的制度，是鴕鳥把頭藏在沙裏不見敵人便自慰爲敵人已逝的制度，乃至是侮辱人性的制度，便當修改。對「忝爲教授」的固不該，對身爲「蟻民」又何嘗該。

× × ×

我於此又聯想到李廣夜獵，碰到守關的醉漢灞陵尉的故事。他好神氣的問李廣，「你是誰，」。李廣答「故李將軍」。醉尉說，「當今的李將軍又怎樣？斷你還是故李將軍！」許多事的毛病就出在聲音容貌之間呢。

法國福爾內閣展望

·霜如·

（一）

走馬燈式的法國內閣，戰後不過九年半，已經輪換了二十個總理了。據獨立的法方人士估計，法國在四天之內總有一天在等待着一個政治的危機，或者從一個政治危機裏恢復過來。

在過去九年內只有一個法國總理在位的時間，達一年以上，使他能夠得到全年的薪俸，這就是居伊。他這一任內閣的爲期一年零二十六日。跟着組成的兩個內閣，都在數週之內就垮台。因此衆議院再請居伊再而組閣，但他的第二任內閣不到三天就夭折。

自從二次世界大戰結束後，法國曾經有過二十個政府。在西方同盟中沒有其他國家曾經表現這種政治上不穩定現象。一個法國政府的平均壽命是五個月零六天。

在法國有一個七年一任的總統，可是他沒有大權力。他的主要任務是在每一次內閣垮台時找一個人出來組織一個新政府，這工作使他忙個不了。甚至法國的總理也沒有多大的實權，在重要問題上他必須獲得衆議院的批准。一個美國觀察家指出，法國這種「受議會統治」，實際上是「受危機統治」，因爲三年多以來，有一隊共黨議員，一直是在設法阻止西德重整軍備。在這期間，美國會給予法國以數十億美元的經濟援助，如果沒有這些援助，法國的經濟早已陷於崩潰。可是法國雖然獲得美國的援助，仍然是西方同盟的最弱的一環，而且是行動最爲遲緩的一個盟邦。力圖使法國獲得穩定的法朗士，曾經被稱爲一個有權威的總理，可是他仍然不免陷在重重困難而終於垮台。

（二）

法朗士內閣於二月五日解散以後，人選擬過了畢奈，福林，畢諾等三人，時間經過了十八天之久，一再難產，於二月廿三日國民議會始對急進社會黨出身的福爾，加以信任通過，所獲票數竟係三六九對二一零票之多數。除法共與社會黨外，這要遠比法郎士內閣的安定程度，增高得多，法國內閣的危機，至此幸告結束，這使關心法國政局乃至歐洲大局的人，感到安慰。

談到新總理福爾的略歷，他是位出色的財政專家，也是位語言家，尤其精通斯拉夫語言，但最能是在與蘇俄舉行四國會議時的一種資材。

他現年四十六歲，爲急進社會黨的領袖，他降生於法國東南部臨地中海的貝丹爾鎮。他在巴黎研究法律，十九歲時即登記爲律師，他在求學生活中即有驚人的成就，他在選擇職業及作爲一個學言語的學生方面都很出人頭地。當他三十歲的時候，他決定在面臨日後增長的幹練或膽識之下，踏進政界，以新生命注入法國民主政治中。第二次世界大戰爆發後，他亡命倫敦，參加戴高樂的流亡政府，便任他臨時政府的內閣祕書長。大戰結束後，他成爲負責處理許多審訊戰犯案子最年青的一位律師，紐倫堡軍事法庭組成時，他任法國代表團副團長。（上）

丁文淵任教珠海學院

【本報訊】前國立同濟大學校長丁文淵先生，品學俱優，士林推重，旅港數年，居常熱心文化教育運動，年前曾主持智識份子救濟工作編譯所工作，最近應珠海學院之聘，任該校德文教授，授課已近兩月。

航界鉅子——劉德譜逝世

·紹華·

香港的水路交通，除尖沙咀航綫由天星公司經營外，其他如油麻地、旺角、深水埗、灣仔、梅窩、長洲、大澳，及新開闢的大埔坳至塔門航綫，俱歸油麻地小輪公司經營。油麻地小輪船公司，創自黃炎等，贊助人有劉德譜，陳秀峯等，經之營之，規模粗略。自劉德伯逝世，他的哲嗣德譜，繼承遺志，悉力赴之，由是業務暢達，一日千里。渡海小輪，由當初的十一艘，增加到四十餘艘。公司的資產，由開辦時的四十萬元，增加到三千萬元。三十年來，德譜先生把個人的心血放在公司業務方面，埋頭苦幹，實事求是，才有今天的成就。不幸，德譜先生最近辭世，不可不謂爲本港航業界一大損失。

據說油麻地小輪公司創辦時，香港船政司規定船長須由西人充任，公司方面力爭由華人充任，相持之下，德譜先生提出一折衷辦法，由西人華人各一名担任試車，考驗駕駛方技術優劣作最後決定。試車之日，由佐敦碼頭開出，到達統一碼頭，西人因不諳潮汐漲落關係，把舵不定竟將船頭撞碼頭，華人則安然達成任務，於是公司方面的建議，港府完全接納了。他這種頑強毅精神，實在令人佩服。

他本人還抱有一種偉大的思想，便是錢財，取諸社會，當用之社會，不要把財富集中於少數人之手。因此該公司每年盈利，除提一部份紅外，其他完全撥充公司資金，擴充業務。這一點，非一般企業家所想像的。他如對於工人福利，工人子弟教育，亦一一加以照顧，充分達到勞資兩利的目的。

他出身書香世家，受過英國式的教育，但對於本國文化，亦有高度的陶冶。綜論他的生平行誼，確有可比范蠡，忠義的精神，特別難得。猶憶民十六年曾幫韓先生南遊抵港，曾有一首詩贈他，其中有「陶朱事業新人老，……」之句。年前辭職養疴，病中仍關念公司業務，時常遣人詢問。後來舊病復發，友好勸他去日本就醫，結果亦去不成。我們到他的凝耗，心中有說不盡的悽惻！「蒙莊」一指，殆先覺於勞生；秦俠三號，詎忘情於恒化」。

異哉所謂「中華學術」獎金者

·魯實先·

（上接第二版）（三月十二日中央日報）由此可知這次學術獎金的推選，並沒有得到全體委員的同意。審查既然如彼，會議又是如此，因此這次獎金的推選，說明白一點，就是不審不議！試問這不審不議的推選辦法，是否能代表「中華學術」？

對推選結果的懷疑

（四）這六位得獎人的學術成績，既然是經過常務委員的遴選，應當是各有千秋，在這裏我權且不一一作評。但最起碼的條件，文藝應當有文藝創作，或建立文藝的理論，決不止限於記述掌故。史學應當提供堅證以作明確的考訂，或整賾博洽的纂輯，而決不能勦襲陳說，傅會謬誤，以致構成荒謬的武斷而又不能自圓其說。這是一般應有的基本軌範。倘如說來，以我所知，其中如錢穆先生早年的作品，如結構縝密的「先秦諸子繫年」，提要鉤玄的「國史大綱」，這總算是近幾十年難得的作品。至於這位以「殷史研究」一書獲社會科學獎金的所謂權威也者，我更是知之最深，二十年以來，他始終努力於古史的考訂範圍，他的考年工作，是從堯典起下到周厲王爲止。他運用的資料，是僞古文尙書，僞竹書紀年，斷碎的甲骨，和不可確知時代的彝器。他運用的方法是根據今測歲實朔策，加以隨時移動閏月的推算。雖然他的「殷史研究」，是我沒有看到的一部稿本，但凡屬他考定古史年代方面的一切印本，我都於近兩年作了全面的批判。我的結論，是以他的根本方法錯誤，以致他的全部立論沒有一項不荒唐，二十年以前的立論固然如此，近年見於「大陸雜誌」的立論，也無不如此，那末我決不相信他得獎的「殷史研究」，是會一時頓悟突然高明的！假如說到「愼重選評」的話，我對這位權威確是盡到「愼重評選」的責任，並且我把這「評選」的結論——「殷曆譜糾譌」和「曆術危言甲集」，於去年十二月五日連同代電一份，寄給張部長了，直到今年三月一日，我又以代電第五寄給張部長，舉了五點理由，請求教育部爲中學歷史教科書采用這位權威的一切謬說。而開一次辯論會，關於這次所得的反響是吳俊升先生回了一封信說：「關於所爭議之點，部長正在考量之中，以所關匪小，故未率爾更張。」想不到在「未率爾更張」遺誤全國學生的教科書之前，便「率爾」發給關於一人得失的獎金了！

社會經濟思想叢殘

·金伯華·

（十六）

「自然」與「人事」的不同

這也難怪。「營利」的動機，積傳既久，習而不察，不但幾已成爲人類的第二天性，而且常常被誤認爲是人類進化的動力。自達爾文以來所謂物競天擇，優勝劣敗的說法，幾已視爲當然。殊不知資本主義那種強陵弱，大吃小的共同經營方法，如果硬派它是進化，乃是物質的進化，是野蠻的進化，是「天演」而非「人爲」。然而中山先生說得好：「自然與人事，固絕對之不同也」（見民前四年八月二十日以「南洋小學生」名義發表於南洋中興日報「平實尚不肯認錯」一文）。他老先生對於這個不同，一向非常重視。他之所以畢生致力革命，倡導民生，要以「養民」的經濟替代「賺錢」的經濟，要以「人事」改正「自然」，換句話說，就是要合作主義的共同經營方法，要用「人的結合」來替代資本主義的共同經營方法，來替代「錢的結合」，要勸住「獸性」的發展來培養「人性」的發揚，實爲其革命的主要鵠的。所以他認爲「由天演而至人爲，社會主義實爲之關鍵」（見總理全書之七，上册第二○○頁）。這眞是一針見血之談——我們認爲合作制度是一種最和平而澈底有效的社會主義，與民生主義名異而實同。因此，樓桐孫氏曾說：「由鬥爭而至協和，民生主義與合作制度實爲之關鍵。這關鍵着實重要！這是物質與精神的關鍵，鬥爭與協調的關鍵，仇恨與仁愛的關鍵，獸性與人性的關鍵，盜賊與聖賢的關鍵，私利與公益的關鍵——就經濟制度講，就是自私與互助的關鍵，賺錢與養民的關鍵，剝削與合作的關鍵」（參觀樓著「民生主義與合作制度」小册第五六頁）。在這裏，企業家的共同經營，爲的自私，是剝削，而合作者的共同經營，則爲的是互助，是養民。前者是野蠻的物質進化，而後者則是理性的人文進化。我們談革命，難道這種萬惡蚘魚的命——最高度共同經營的托辣斯，還應該推波助瀾，爲虎作倀，而憲法明定應予獎助的合作事業，反可棄如敝屣，不予理睬嗎？我敢斷言，在經濟社會的思想範疇中，那些對合作存心輕蔑的人，不是爲桀吠堯的共產主義者，一定便是口雖不敢言而心實嚮往之的資本主義者——或彼或此，遲早都必得成爲被革命的對象！（未完）

稿約

本報各版園地公開，歡迎讀者投稿，性質不拘。來稿請用稿紙，勿兩面寫或橫寫，最好不超二千字，特殊稿件例外。譯文請附原作，如原文不能附寄，亦請註明出處。來稿不便刊用時需退還者，請附郵票。

中共毒品大量輸出

今日對世界毒品買賣情形知之最詳的，莫過於美國的安斯林格，他現年六十二，於一九三○年組成毒品局，迄今仍任該局局長。他在局內收集着各色各樣的毒品和吸毒的工具。最近他在參院國內安全小組提出報告，說明毒品威脅的日益嚴重。這威脅來自中共，中共官方所進行的毒品貿易每年達六千萬美元，以作政治活動的經費，並在自由人民間散播毒害。報告指出：中共的鴉片產量，這五年來已增加三倍，即從每年二千噸增至六千噸，超過世界醫學上的需求總額十倍。

中共不僅像過去中國政府那樣處決毒販達千人之多，且組織國家貿易公司，在「外交部」指揮下銷售毒品。這篇報告附有許多詳細文件，都是該局派駐國外的秘密人員所提供，詳列中共的毒品新工廠及招牌（如駱駝、跑馬、紅獅等）。他指出許多輸運方法，有的利用駱駝，有的利用客航。但中共的毒品輸出雖大量增加，美國的吸毒者已從一九三○年的三十萬人減至六萬人左右。可是在亞洲，中共的毒品貿易政策已使吸毒者大爲增加，日本現在即有二萬五千至三萬名吸毒者，其所用毒品全由中共供應。（北星譯自時代週刊）

新舊官僚觀

馬五先生

世人莫不唾罵官僚政治，實則有政治生活，即不免有官僚產生，祇是隨着時代的變遷，在其意識形態上，略有不同的表現而已，本質是一樣的。

官僚政治的現象，可以大別為新舊兩種。據我個人的私見，新官僚比舊官僚尤其堪憎惡，何以見得呢？新舊官僚都是志在作官，並不以國計民生為念，更談不到政治抱負與節操問題。但，舊官僚遵循一般的法度，講守份際，太說不過去的事，即有所忌憚而不敢悍然爲之，太無聊的話，亦能饑諷，現實情況，決不饑便胡說八道，令人討厭作嘔的。

新官僚則不然，口頭上掛着「革命」，實際的神祕，心理上卻不知道甚麼叫作政治？知識的修養更可憐，文不能參用，武不知立正稍息，但膽力與口勁者沛然莫之能禦乎常人，除了謟上驕下，爭權固位，走邪門，搞小組織之外，做起壞事來，因為把他們頭腦三天也吐不出半滴墨水之故，對一切政治的道理與法制的作用皆莫名其妙，膽大包天，愍不畏死，動則以「革命」二字招搖撞騙，表出一種新時代人物的氣派。嘴裏喊着「民主自由」，掃蕩打倒之聲不絕，民主自由之胎便在腹中被扼殺了。認識幾個洋字的，辦理就更先口而出，如「這是IMPOSSIBLE的事」之類，恬不知恥。跟人通電話而不以「哈囉」「喂」代替本國人慣說的「噴」「是」這類簡明的語言，那就不算是行新政的「新政治家」了！

同樣的官僚政治，如果眞正的民主生活不能實現，照我這個百姓來選擇的話，我一定情願受舊官僚的統治，雖然官僚同屬腐化，但比起那新官僚的惡化氣味，却使老百姓們的呼吸沒有那末急促難受的感覺呢！官僚政治不滅，國家大亂不敢，若要弭亂救亡，只有民主一訣！

黃花崗文獻拾零

．劉露如．

壯烈的開國序幕，驚天地而泣鬼神的黃花崗之役，它是發於民國紀元前一年的庚戌三月廿九日，距今已四十五年了。它的史實，已備載於黨史資料，它的故事，已搬上了「碧血黃花」的銀幕，這裏不擬詳述。讓我先烈燃起的耳火，鳳是光芒萬丈，永照耀着全中國的人寰，將是亘古長存！

（一）

關於先烈的浩然正氣，與光沛的民族意識，我們可以從他們的遺書，窺知一斑，如黃克強遺書云：「培臣、慣生、濟永、孝章、順蒙各兄鑒：事先細暇，通候，罪過罪過，本日馳赴陣地，督身先士卒，努力殺賊，書此以當遺筆，即頌籌安。」

又林覺民烈士給他父親的訣別書：「不孝男覺民叩稟父親大人，兒死矣，惟累大人吃苦，弟妹缺衣食耳，然大有補於全國同胞也，大罪乞恕之！」

再又李晚的烈士絕筆云：「景芝我兒覽：啟復者，昨天說及去年余妻盧氏與甥往南洋訪弟，適因歸寓，兩不相遇。弟此次理應返鄉一行，但軍情緊急，不出三日，兄便知矣。此行成敗不可知，任其事而怕死，非丈夫也！今明知無濟，祇在實行革命宗旨，決以生命為犧牲，推倒滿清，建設中華民國，事成則漢族光明，或敗身殉，願毋我念。懇兄代告余妻盧氏一言，若守節兒，他日繼父之志，常毋忘之，此別，敬請秋安！辛三月廿八夕。」

我們現在重讀黃興在發難前五天寫下的絕筆，眞是堅決悲壯，心雄萬夫；林覺民留別他父親的遺書，不但忠孝兩全，而且一字一淚；李晚烈士的遺書，情文並茂，大義懍然，這都是千古不磨，可歌可泣的文學。這種熱忱的情感，最能啓發青年的思維。

（二）

民國六年，中山先生護法南來，組織非常國會，參衆兩議院議長吳景濂、林森，倡議建修七十二烈士公墓，由海外國民黨支部捐資興建，墓後之牌坊壁上，隨有中山先生手書之「浩氣長存」四字。其上屹立一自由神，巍峨壯觀，墓道上豐碑林立，巨樹參天，風景宜人，已蔚成為廣州之名勝，供後人之憑弔。黃克強曾有輓黃花崗烈士聯云：

七十二健兒，酣戰春雲湛碧血；四百兆國子，愁看秋雨泣黃花。

又胡漢民輓詩云：

七十二英雄，黃花崗下笑；笑問同胞死，萬古有人弔。

七十二英雄，共葬黃花崗；黃花開爛漫，英雄骨亦香。

（三）

今天我們流亡海外，對驅除韃虜，恢復中華之任務，勢須從頭做起，端又待於海外僑胞之響應，重振黃花崗烈士精神。際茲紀念節日，誠不勝其感慨萬千，對已往烈士之流血，更不勝其嚮往之殷。前某君署名變珍樓主，曾祭黃花崗烈士，有以詩云：

海天雨橫更風狂，遙拜遺阡事可傷。樹木已無人愛惜；江山徒有氣飛揚。折節勞轉平胡議；破虜軍宜帶甲行。留得黃花埋俠骨，白雲山上鬱蒼蒼。

酣戰春雲月魄沉，卒餘碧血灑衣襟。兵兒海角傳書檄；事敗嚴城絕鼓音。殺賊獲刀元不缺；繒勛青史費勾尋。寒林一陣瀟瀟雨，說盡平生報國心。

中原恢復漢衣冠，壯士春蕪白骨寒。穿塚果眞成志事；為邦誰與勝凶殘。恨遣江水千尋碧，功表崇碑一片丹。四十年來家國事，悲歌猶自托陳安。

悲哉板蕩失神州，弔往傷離熱淚流。公等當年驅韃虜；吾儕今日負清流。紅棉挺拔花猶放；截根耕耘脫可收。收拾河山重告祭，風雲湧與激從頭。

寄慨遙深，撫今追昔，能毋更深荊棘銅駝之感。烈士的精神宛在，永遠值得我矜式，今日更值得我們痛定思痛，遺風未遠，我們如何繼反共復國，爭取自由和光明而努力。

唐鬍與楊大個

．易與．

「這不是故事，也不是小說，是我躬親體驗的一幕現實的眞實的故事或小說？如一定去推測伊誰何誰？那就未免太過分的『頂眞』了。弁言如此，請閱正文。」

偶爾在一個官式的宴會上，遇着楊大個子。同學，又是在大陸時同學，他是我中學時的同班，以後不同系的同學，他選的政治學系，我進的是教育學系，他並沒有等到畢業就伴隨一個綢緞鋪的小姐到歐洲去了一趟，似乎還沒有等到我畢業，我可也沒有留級，等我整整讀了五年的「呆死書」，這是楊大個子所加於我的「榮譽」評判，我並取得一個「教育學士」頭銜，楊大個子他卻滿載而歸，他那名片上印有好幾個歐美著名大學所給予他的什麼碩士博士一連串，可了不起，在一表人材了，現在他那身所倚侍的職位，那比他在外國所獲得的學位還要多，他在那一次宴會裏，是以貴賓身份被邀請參加，我呢？不過是一名不惜用口喫飯的，且要用口說話，如果不是他說話，我還並不知道我有一個深度近視的人，我祇有點頭的分兒，也沒有等我答言。

這麼一個闊同學在和我同席，當然他是高踞上座，我是叨陪末席。憔悴，他還沒有忘卻我這個窮同學，居然他還會瞧了我好幾眼，他沒等待宴會終了，他便匆匆的離開了座位，他居然還跑到我跟前來，這一次，眞個並不是順便路過，而是特地繞道前來，他跑到我的身邊，直待他伸手來和我握手，我才知道有人來找我，我便不迭的放下正在好吃的燒雞骨，急急的站起身來，頓時全座的客人也把他們的眼光集中過來，還是主人的半句「你們——」話沒說完，就趕緊湊上「我們同鄉而又同學」，他與我親切的樣子問了我幾句，他要我到他那里去談談，有闊我的地方，他就急急的走開，我為不受寵若驚地和他一輛嶄新的汽車，已有人開了車門，主人在門外，我也跟着走了，主人在和我談了幾句話，以傲態的長官樣子，對座的客人，也似乎身邊一枝烟捲兒，打火機來。

×　×

過了大約有兩個星期，長官告訴我，說「我為什麼不上他那兒去」，換言就用命令式的語調，可又不等待我是否願去的答復，長官一面說一面就吩咐王副官叫汽車司機開車子送我去，我還站在那兒等候，要我和楊大個子會晤後，長官自動的把我從一個普通的科員，升到五級，由原來荐任六級的科員，升到荐任一級的專員，並且要我常常上楊大個子那里去走走，他說即令在辦公時間，也無須乎請假的。（一）

破帽引

許紹棣

我有破帽戴之久。貧賤不移眞吾友。出門却遭輕薄唉。紛紛指點此破帽。貴戚名門見蹙額。項領年少驕欲溺。嗟予此帽雖老醜。憔悴風塵功不苟。譬如老僕精力殫。一朝棄置何能安。翻手作雲覆手雨。此道澆薄未足語。君不聞劉季竹皮冠。冠以人貴遂為傳。又不聞鷸冠子。鷸冠之名垂文史。竹皮鷸羽誠區區。在人在德眞不虛。捉襟決履浩然氣。世人那識此中意。與君同契金石開。悠悠之口何有哉。東西南北我未已。患難相需貴終始。

語意學漫談

徐道鄰

在羅斯福進行「新政」（NEW DEAL）的時候，一羣學者對之加以檢討。有人問「新政」究竟代表些甚麼？有人說代表「國家社會主義」，有人說代表「國家資本主義」，有人說代表老老實實的「自由主義」。於是大家就在這三種主義所包涵的問題上辯論了大半天。而對於羅斯福所提出來的幾個重要法案，所執行的許多激烈的政策，反倒一個字沒有提起。我們祇要細心觀察，就可以隨時發現，在大家討論一個問題時，因為一個人不小心偶而提出一兩個高度抽象語詞——我們在此處稱之為「危險語詞」的——馬上就會引起大家對於這一兩個字的強烈爭辯，而把眞正要討論的中心問題，反而擱置在一旁不管。不但如此，我們在日常的談話，思考，行動的時候，也常常在不知不覺中，為這些語詞所困惑。這些語詞是我們思考的絆腳石，是我們行動的陷阱。我們必須時時對之加以警覺。

我這一個警告，並非過甚其詞。四世紀中「三位一體論」的爭辯，五世紀中「耶穌聖體論」的爭辯，這是引起天主教東西兩宗分裂的主要原因，和羅世界東西對立的重要因素。詳究其實，這兩個震動全世界的爭論，還不是因為大家對於「位」，「體」，「性」這幾個字的解釋抱着不同的見解？據說在中古時代，經院派的神學家常常辯論一個問題，就是說一個針尖上究竟能站立能少天使。他們從沒有能得到結論，這個辯論也從不能停止。後來有一個人說：「這個問題並不困難。請你們給我一根針，再給我幾位天使，我馬上就會告訴你們能站在針尖上的天使是多少。」在許多「高深」的有名學者在討論他們高深的學理時，我常常感到他們所爭論的，都是他們各人針尖上的天使的數目。

每個人的兩種語言

凡是我們人類，每人都有兩種語言，一種是理智語言，一種是情感語言。理智語言的重心，是一切客觀的外在的事物現象，情感語言的重心，是說話者在說話的時候內心中澎湃着的情緒的高潮。

「請問從這裏到民生路怎樣走？」這是理智語言的問話。「從這裏往前走，到第三條橫路向右轉。」這是理智語言的回答。

「我一連叫你好幾聲，你為什麼不答應？你是不是死啦？」這是情感語言的問話。「我沒有死，你才死了呢！」這是情感語言的回答，並且表示的是非常高度的情感。

躺在浴缸裏高唱：「我本是臥龍崗散淡的人」，這是一個人表示情感的語言。（二十三）

愚人節快到了

．易敏子．

後天是「愚人節」了，亦即「萬愚節」，不祇是歐美人有這麼一個玩弄他人的日子，在古羅馬人十二月十七日的撒士那麗節（SATURNALIA），印度人三月三十一日的狐力節（HULI FESTIVAL），中美危地馬拉人十二月二十八的萬愚節，都是這種意義。就字面看，FOOL'S DAY者愚弄人的日子也。其實，人世人與人間，親愛如夫妻，密切如兄弟姊妹，彼此交互間，伊誰能不有些「愚弄」之屬乎已，而「愚弄」之施諸人或多或少，或有意或無意的行為？也許越是自作聰明的人，越是難免乎此。勾心角智云者，爾虞我詐云者，或者甜情蜜意云者，由古證今，歷史上所紀錄的英一干雄豪傑名士美人輩，在現實人世間的馬林可夫貝利亞莫洛托夫以至毛澤東周恩來郭妖沫若之流，還不是落得幾番譏笑幾番嘲駡而已，也就是祇不過落得幾許對己愚蠢和對人愚弄的若何事蹟而已！因此，我們那句「愚人多厚福」的古老成語便確實洞澈一點與妙人生哲理了。自然，我們有這麼一天來大家開開玩笑，調劑調劑人生的興趣，也未嘗不可以的。可不必一定選在四月一日這一天呀！有人說這是「國際」間默認（公認）的一天，你又何必要獨異于人呢？好吧，且看今年我們自由寶島上這一天會鬧出些什麼樣兒的玩笑？當然，這里要有一個定則，是「俗不傷雅」，是在給身受者祇能「啼笑皆非」不能「過分難堪」。等着瞧吧，請君注意着，有人在向你找笑料來了。

×　×

自由人

THE FREEMAN

（第四六一期）

每份港幣壹毫　台北市售價台幣貳元

地址：香港高士威道二十號四樓 20 CAUSEWAY RD 3 rd. fl. HONG KONG

友聯發行公司

專論

自由世界的錯誤戰略

・曾旭軍・

在今天，全世界人類有一大問題，縈迴於心。便是究竟自由世界和蘇聯共產集團相對抗，發展到如何的境地？

不能苟同的時論意見

姑勿論，鐵幕內的人如何想法，自由世界已有許多人認爲今後是不會有第三次世界大戰了。因爲有了核心武器，雙方都不想因大戰而同歸於毀滅。也有人以爲美國艾森豪總統和西方若干政治軍事領袖，有其「全球戰略」，藉着核子武器優勢，以及空軍與防空的高度進步，足以鎖儲蘇聯，然後從思想制度上競賽，使鐵幕內人民獲得鼓勵而起革命，去推翻共黨政權，拆除鐵幕，終可達成世界永久和平。

就在本報，也有人發表過此種見解。認爲今日自由世界要和共產集團爭全勝於天下，由建立均勢，爭取優勢，到確保優勢，以期達理想的戰爭，與理想的政治目的，結果俄帝已到了戰亦亡不戰亦亡的階段。

更有一種理論說：白宮主人站在世界的屋頂，觀察全局，兼顧及美國及世界利益，訂下反共的全球戰略。他的意思說「理想戰爭」或「末次戰爭」，一時還不會到來，如果我們冷戰勝了，「理想戰爭」也永久不需要了。這樣可使人類少受痛苦。

筆者不敢苟同這些理論，因爲它可能導致危險的策略，加深人類的災禍。其理由有二：（一）此種理論忽視蘇聯的蠶食政策。（二）爲堵塞政策張目。此種理論還有意或無意之間，爲當今白宮對亞洲表現出錯誤的策略掩飾洗刷。而正與在台灣數百萬同胞，和在海外千萬華僑，熱烈盼望反攻復國，解救在水深火熱的大陸同胞之願望相違背。

我不談軍事學而就事實論。我以爲以往鐵幕之所以能擴張及今天不能將鐵幕打破，主要之惡因在美國之過於注意其所謂「全球戰略」，而輕視局部小戰。

韓戰的錯誤在那裏

重視全球戰略者，往往以韓戰爲論據。他們說『西方國家領袖們已不再願打那種所謂韓戰式的錯誤戰爭，不願打一種枝枝節節局部小戰，他們還說美國共花費一千一百五十億美元之鉅，實爲最大浪費』。

我先要指出韓戰不能作否定局部戰爭價値之理由，須知韓戰是應該打的，祇是打的方法錯誤罷了。試想自由世界如不在韓國抵抗共黨的擴張，今日將成何世界？韓戰的錯誤，其弊在求「有限的勝利」。這種千古奇聞的打法，也正是導源於那太重視全球戰之思想。不肯在小戰中求澈底的勝利。而太顧慮全球戰。他們總想不如馬馬虎虎結束這個戰爭，犯恐共病的人，以爲如此可以消除大戰危機。即無恐共病之人亦以爲反正蘇聯不敢打大戰，不如持爲觀變。總而言之，是不屑小戰的錯誤思想。

此種思想，可伸延而爲『奠邊府小戰場也，失陷無關重要』，『一江山島無戰略價値，大陳失陷無關大局，棄之不足惜。』甚至『金門馬祖也可不守。要拼就在西太平洋大決戰！』此正中蘇聯蠶食之計。他知道美國不屑和他的傀儡中共作戰，他偏要中共去發動侵略，以下駟對上駟，汝勝之不武，吾遭敗而無傷。此蘇聯重視小戰之利也。

馬歇爾羅斯福的失策

反之，美國忽視小國，而重視大國。亦係忽視小戰，重視大戰之舞。此對於今日自由世界前途有極大之惡影響。

有人說：今日美國全球戰略思想，根源於馬歇爾將軍的意見。他在參謀長任內致陸軍部長之報告書曾說：『美國昔日以半球爲防禦之舊觀念，已不合實際，現在國家之安全繫於世界之和平，而此和平尤須強國維持之。』馬氏之謬錯在重視強國。其實世界和平應在能喚起弱小國家民族共同去打擊侵略者，才對。筆者並非斷章取義去責備馬歇爾。實在馬歇爾指導美國的外交與軍事政策影響甚大而悠長。其錯誤可謂已誤盡蒼生，已有史可查，有目共見。羅斯福一生功業之污點，就在犧牲弱者去謀和強者共維持世界均勢之和平。杜魯門承其餘緒，更不惜打擊中華民國去求東亞勢力均衡，以致遺禍無窮。

反之，蘇聯專從被殖民地主義壓迫的弱小民族國家下手，行其欺騙手段。專從下層滲透。他何祇重視小戰，簡直無孔不入。管你媽的核子原子全球戰略。老夫終有一天弄到你自由世界全身潰爛，血枯身亡！

西方固怕第三次世界大戰，蘇聯亦何嘗不怕。可是蘇聯運用蠶食政策，而自由世界甘受其蠶食，乜實爲無可挽救之人類大悲劇！

何以重大戰而忽小戰

至此筆者欲指出今日之自由世界決策者之所以太重視未來理想的大戰，而忽視小戰的一個原因，乃過於依賴核子及原子武器。

在去年十二月出版的美國「皇冕雜誌」，登載英國空軍史勒塞元帥的一篇文章，題目爲「永無另一次世界大戰」。其論據理由爲全面大戰已被核子武器所廢除了。但今年一月該雜誌又登出一篇反駁此理論的文章。該文由一實際從事海空軍工作多年的薩佛斯基少校所寫。他舉出許多實際事例和理論，說到核子武器可恃而不可恃。未來戰爭不取決於誰人積儲原子彈或氫彈多，而取決於誰人的施放方法佔優勢。不能祇依賴長程飛機，而是須最周詳的裝備和善於反擊敵人的飛機。此即賴久經訓練的空軍人員，及若干百萬在陸地上受高度機械訓練的人員。戰爭的攻與守，不能說那一方面佔絕對優勢。假使空權彼此對消，則自由世界對蘇聯集團之戰爭，終將恢復人對人，坦克對坦克，及海軍以潛艇護航之戰爭。蘇聯既早已獲得德國的科學家協助，籌出實際防衛的方法。其方法可能駕乎美國之上，有如此，自由世界的空權被取銷，則自由國家欲恢復人比人，坦克比坦克的對抗亦不可能。我說這話不是失敗主義，而是要我們警覺戰爭的基本原理是不會給核子武器大加改變的。

蘇俄二元論的戰略

我們又看 RAYMOND GARTHOFF 所著的「蘇維埃軍事原則」。其中說：布爾扎維克的思想結合政治與軍事之目的和方法。並運用一切認爲有效與適當的方法，還須選擇方法保有彈性的，不管軍事的或非暴力的，總要達到政治目的，而不專恃一種鬥爭的形式。

一九四九年蘇聯空軍元帥佛爾與會，在蘇聯『空軍日』說：『低估步兵的價値，反映帝國主義布爾喬亞階段面對人民與大衆的陸軍恐懼。』『戰爭之獲勝，由於使各種武器有完全的配合，與有效的組織。』

我看西方的戰略，反而趨向機械唯物論。蘇聯反而崇尙二元論。我們試看：一九四五年美國尙獨佔原子秘密，當時美國願公開原子秘密，祇提出一項條件，即要各國的礦藏工廠及實驗室公開給國際觀察。但蘇聯不願因原子秘密之獲得，而打破其鐵幕。可見蘇聯重視政治的防衛，重於軍事的防衛。美國欲恃其原子武器優勢，實行劃地界以保和平，甚而包圍蘇聯，都是堵塞政策。不但敵不過蘇聯的滲透政策，而且是被奴役人民所厭惡的政策。在鐵幕外我們欲藉圍堵以求苟安，但對被奴役的人不行解放，是有違人道的罪惡。

氫彈保障了鐵幕

固然，今日亞洲之積弱，非一朝可以解決，也非一戰可了。但不打破鐵幕，非但一切無意義，鐵幕之籠罩，亦將希望及身而見。此誠非危言聳聽之詞。美國民主黨失敗之總統競選人史蒂文生，在其一篇所謂『到偉大之路』有幾句說話：『我們不要以爲一下子解決世界上一切困難問題，我們要慢慢以求解決，雖要經過一個世紀，也在所不計。』表面上看，沒有什麼錯誤。但如果對自由世界與鐵幕而言，就等於妥協苟安及夢想。在漢賊誓不兩立的中國人看來，和了解共產黨咄咄迫人的擴張主義的人看。好一個「一個世紀，在所不計」，吾恐鐵幕中人，將對史蒂文生曰：『不用一個世紀，君可索吾於枯魚之肆矣！』吾嘗聞友人說：『當今氫彈非但不能炸破鐵幕，反爲鐵幕保證。』雖屬憤乎言之，但亦未嘗不有理由。以上一得之見，無非諍勸盟友，勿迷信於全球戰略，而忽視蘇聯之蠶食亞洲政策。亦與國人共勉，不能純依賴世界大局轉變，而自己還不憚一點一滴的努力，去實行中國之再革命也！

日本往那裏去？（上）

——從日本經濟的演變觀察日本的前途

。柯秉傑。

戰敗之後，日本經濟，大多數仰賴於美國的種種援助來維持。日本恢復爲主權國後，在赤色大陸的虎視下，如何維持其本身的經濟自給，確實是一個很重大的問題。日本人雖認爲日本帝國的喪失，對於經濟獨立有了重大的打擊。可是，事實上，撇開主權問題不談，必需的原料與食糧仍然可經由正常貿易的途徑而獲效。將來問題之所以發生，純在於世界上的政治劃分。

日本對外貿易的障碍

日本亟需很大的出口市場。活躍的對外貿易才能夠供給日本以必需的外滙與原料以維持她的經濟。雖則過些時日東亞及東南亞各國或許會再度成爲日貨的主要市場，但在一般人對日本侵略的宿恨未能遺忘之前，實在是推進日本對外貿易的極大障碍，加以東南亞各國日漸採行國家經濟政策，這又是把日本成爲遠東工廠的重大打擊。日本對英鎊集團的輸出，特別是紡織品，將會遭遇日漸增加的反對，其情況有如美國仇視生產費低廉的日貨輸美競爭一樣。日貨向拉丁美洲市場發展，雖有某些貨物可以獲得出路，但就一般而言，亦不易應付美國的優勢與歐洲的商品。在經濟上言，亞俄，共產中國與朝鮮，自然是大都份日本工業產品的合理出路。但在整個世界分成兩個不調協的政治集團之下，使日本與共產亞洲恢復經濟交流，實成爲一個熱烈爭論的問題。蘇聯與中共拒絕與日本簽訂和約，和日美間之默契，——如果有的話——日本不承認中共，都是恢復日本與中共蘇聯正常貿易關係的障礙。

主要的問題在於日本是否感覺有被迫與共產國家成立特別協定以獲得本身經濟獨立之必要。在一般日人的觀點，批准美日安全協定不是永久保證：（一）美國將繼續保障日本的獨立，或（二）美國將願意繼續以財政援助的代價以妨止日本與其天然貿易對手作貿易。因此之故，日本人對於貿易政策的想法，已逐漸傾向恢復與中共和蘇聯貿易。日共在國會選舉時的決定性失敗！尤使一般日人相信貿易問題是日本的經濟問題而不是政治問題。對於亞洲的共產國家，增加對日貿易不僅在經濟上有利，而且對日本與美國及其他自由國家相互利益間的最好楔入。

（下轉第二版）

半週展望

・陳克文・

中共如何應付三面作戰

巴黎協定准許西德恢復主權，建立武力，現在已成定局，蘇俄雖百計破壞終不得逞，今後八個鐵幕國家成立統一指揮部，亦無法改變此一形勢。西方國家有人認爲從此可保五年的歐洲和平，跟着此一有利形勢，西方更重提四強會議的召開，大體說，西方國家在歐洲外交上已獲得一絕大勝利自可無疑。

然而，緊隨此一形勢而來的，將爲共產集團在亞洲侵略行動的加緊，杜爾斯所宣布的三方面對中共作戰的戰略，已成爲共產集團面對的嚴重課題。以中共爲主的亞洲共產侵略，目前似將南北取守中間取攻的策略。

在中共與蘇俄協助之下，北韓軍已從二十萬增至四十萬，機場已增加爲三十八處，最少有六個噴射機場。中共駐北韓部隊約七十五萬，現已減至五十餘萬，其餘陸續抽調南下，（今後恐尙有更多抽調）以分佈於東南沿海各省區，作積極攻台的準備。另一方面中共即將在萬隆召開的亞非會議，周恩來親自出馬，積極活動，其主要目的之一，即利用印度和緬甸的騎牆政策及胡志明的越盟力量，企圖造成西南部緩衝的地帶。此一目的如能實現，則南北兩綫可無被攻之虞，中綫大可集中力量，以進金馬與台澎。

協防金馬的適時宣布

中共企圖明顯若此，美國軍方猜測，四月十五將爲中共進攻時期，雖不免有類預言，但確指中共野心之所在，絕無錯誤。美總統艾森豪於昨卅日向記者宣布，美將協防金馬，雖詞仍隱約，意極明白，此實爲適時明智之舉。此不僅增加國軍士氣，亦所以明示天下，決心阻止共黨進一步的侵略。

共產洪流在歐洲已經遭阻而暫時停頓，亞洲能否不因此而泛濫，端在美國對金馬防守，能否確切表示積極協防。英政府對金馬觀念雖仍未改變，我們相信祇要美國態度堅定，英國亦何愛於中共，而一定要和美國各走極端呢？其他國家如紐西蘭等則已明白宣言，贊助美國行動。

美國這一宣布，我們相信中共決不敢輕易挑釁，金馬可保，台澎自能固若金湯矣。

吳廷琰的考驗

越南總理吳廷琰，爲求越南軍事統一，建立現代國家制度，對地方軍閥無理要求，採取堅定不妥協態度，雖總理府受叛軍砲轟，屹然不動。此種偉大精神，令人敬佩。孫中山先生當年不以觀音山總統府受叛軍砲轟，而屈服於叛將，故能領導革命，建立中華民國。吳氏之堅強，實與此相類。於此吾人不僅對吳氏致其欽遲，亦對越南前途寄予光明的希望。

腐魚從頭爛起

英工黨左翼領袖貝萬因反對工黨領袖艾德禮，當衆斥辱艾氏，並於議會公開攻擊，甚至引中國俗語責駡艾氏，說：「魚的腐爛先由頭部生蛆」。（領袖先腐敗的意思），又指工黨影子內閣諸負責人，大聲譏駡說：「都是你們這一班管錢的人做出來的事情。」這位礦工出身的老粗態度如此橫蠻，可是艾德禮怎樣呢？據合衆社電，貝萬仍獲保留於黨內，原因有二：工黨黨員恐怕分裂，將來大選會爲保守黨擊敗，且艾德禮雖受貝萬最直接的挑戰，仍站在貝萬一邊，反對將貝萬開除出黨。

貝萬因此不至被開除黨籍，工黨亦得免於分裂。艾德禮的政治主張雖多可議之處，然此種不計個人毀譽，不問私人恩怨，容忍爲國的政治家風度，畢竟還是難能可貴的。工黨有這樣的領袖，黨內又有這樣的民主作風，將來大選的成敗，亦正未可輕加判斷的。

外匯貿易與自由企業精神

這次外匯改革，執行上固然要顧到現實，但必須逐步打破特權的觀念，倡導公平的自由競爭精神。尤其要逐步減少不賺外匯而專門花費廉價外匯的民族經濟之蠹。

・羅敦偉・

自由中國經濟金融界，觀念上有一個絕大的矛盾。（另外，還有許多積非成是的觀念）即是一方面主張自由企業的精神使大家能夠公平合理的自由競爭。另一方面却相當的堅持政府一定要維持一個偏低匯率，使少數進口商從事瓜分外匯的特權，甚至還是坐享公家外匯之成，而坐收漁人之利。這兩個矛盾的觀念，同時存在，又復交織進去若干不健全積非成是錯誤的想法。如低物價政策，限制發行政策之類。交相纏繞，造成了日益加深的經濟金融上的困難。

× × ×

這次外匯貿易管理政策的改變，尚未足針對這些不合理的現象，加以改革，而另外找出一條康莊大道的。所以明白的大胆規定，凡屬民間的外匯或民間的出口，結售外匯給台灣銀行的時候，除照官價結匯以外，還可以取得結匯證明書。准其自由買賣其黑市差額。進口商申請外匯，除開官價之外，也需要繳納同量的結匯證明書。基本原則上不儘比調整匯率，高明得多，而且把所有外匯改革的各種方案優點包括無遺，實是自由中國提倡投資生產，倡導自由競爭爭取貿易僑匯，破除上述觀念上矛盾的絕好機會，自然是一個絕大的進步。

× × ×

半個月來補充的辦法，公布了不少。結匯證明書的牌價也訂出來了。（每一美元簽價六元）這些辦法剛剛訂出來，個人還保留批評。可是有一點很令人就心的，現實環境，固然應該顧到，可是萬不可全部的爲上述錯誤的觀念所牽累。凡人總是要保留他們的特權的。少數的進口商，正斤斤於進口外匯的分配，當局也很在這個進口分配用功夫，（當然應該如此）爲的是結匯證掛牌價格祇六元新台幣，因此凡分到外匯的，在匯率上還保有百分八九十的利益，即加入防衛捐也還有百分之七八十的權益。自然分得外匯，還是一種特權。此種權益之頂讓金，據說還有百分之五十左右。利之所在，人共趨之，不能及早防止，可能演成實績頂讓費事實上的復活，這個當然打擊了自由競爭，也衝破了公平合理的原則，導致貿易商，還是在進口上在瓜分公衆的外匯上兜圈子。不肯在爭取出口上，賺進外匯上用功夫。這個發展，可能使這次進步的外匯改革「變質」。希望執行的人員提高警覺。今天情勢複雜，固然不可能全憑學理，可是至少也不能與經濟科學的法則相背。不迫使大衆走向投資貿易正當的途徑，專門貪圖一點偏低匯率的小便宜，以爲這樣可以滿足低物價的需要。要知道，既有頂讓費，羊毛出在羊身上，物價還不會低。何況過分的或者不平衡的低物價，正是經濟發展之病。尤其不賺進外匯而專門企圖花費低價外匯，更是民族經濟之蠹。

× × ×

筆者是贊成這次外匯貿易管理方式的改革的，可是也再三的希望提高警覺，在執行的技術上，要堅守原來改訂方式的基本原則。除開上次建議趕緊加辦「現兌發行」領導「呆資」以外，頂要緊的，即是堅守取消特權，公平競爭的原則。太多的保持少數人的既得權益，導致大衆走向不正當的途徑，正妨礙了公平競爭的自由企業精神。王安石說：「因天下之力，以生天下之財」。瓜分天下之財，而阻礙天下之力，是萬萬要不得的。這次外匯貿易的改革最進步。惟其是進步，必須堅守原來的進步原則。因爲顧忌環境在執行技術，有所增損是應該的，但是在趨勢上必須引導他們走向基本的原則。公平競爭，即是最重要的基本原則之一。

日本往那裏去？（上）

柯秉傑

（上接第一版）在這過渡的時期，日本必須在自由國家之林謀得一立足地。處於世界經濟舞台中，前途仍是渺茫的今日，日本的問題自然很多，而且會有挑戰性，這不僅對日本爲然，連美國及其他自由國家也一樣。正確的解答，只有在開明的對外經濟政策中求之，這便有賴於有關國家的高膽遠矚的偉大政治家了。

美對日的經濟援助

日本自與她的以前敵人（蘇聯，中共，印度，緬甸，捷克及波蘭除外）簽訂和約之後，除了因國防關係臨時協定授予美國在日本的駐兵權以阻止日本之被侵外，日本已恢復爲一個主權國家。因爲是一個主權國家，日本便不能再接受美國以主要佔領國的地位所給予的財政援助。這些財政援助，是在美國國防部指導之下，供給必需的美元以輸入食糧與原料，其目的在於恢復日本經濟，防止饑饉與經濟崩潰的。

在一九四五年日本投降以至一九五二年六月三十日之間，美國對日本的援助，包括援助及借款，共計爲二，二七六兆美元。（每2,276 BILLION）此外，尚有美國商品信用公司所借出之棉花和剩餘物資之長期借貸未加入內。自一九五一年六月三十日後，雖美國對日本的直接財政援助停止，仍有約六千一百萬美元的貨物在運輸途中。韓戰發生後，日本在對美軍的供應與服務上更賺了巨額的美元。從戰事爆發以至一九五一年年底爲止，這種特別獲得的契約已達五萬萬美元。在一九五二年，此種獲益幾等於同期日貨對美的總輸出。

日本恢復獨立以後，美國在日本的地位隨着而發生變化。在日美間所訂的特別安全條約，規定美國將繼續支付以往日本作爲一部份佔領費用所供應的貨物與服務的約一半的價值。事實上美國這種貢獻業已在一九五一年七月一日美軍補助終止後開始。這些款項，不管韓國的變化如何，最低限度可以代替戰後初期的美元援助及韓戰獲益的一部份。

復興與援助

雖然日本在農業及工業的生產能力上有顯著的復興，設使美國不在財政上支持食糧與原料的輸入，此種成就，實無可能。亦只有因爲獲得原料的幫助，日本才能再度踏入出口市場，才能掌握韓戰的機會以維持其經濟。又因出口貿易的復活，日本得以在美元區以外採購。結果，美國原料輸日，在一九四九年及一九五〇年有相當的減退。惟日本的經濟，有損於美國的援助仍極重大。隨着恢復主權而發生的外匯問題，祇要美國軍隊及其基地留在日本，亦可得到不少補助。美國在日本所用出的軍費和文員費，確實是日本獲得美元的重要泉源。

祇要一天日本的製造品被擯或自擯於中國及亞洲大陸的市場，日本的經濟前途是黯淡的。而且，除了市場之外，一切日本沒有生產或生產不足的主要原料如米，棉，焦煤及鐵砂，俱要仰給於亞洲大陸。

編者・讀者

貝隆夫人遺著譯本

△蕭立坤先生來函▽

編輯先生：關於拙譯貝隆夫人遺著中譯本出版事，承示頗困難，原在意中。……最近阿國輕級拳賽PASCALPEREZ在東京奪得錦標，又一名馬拉松長跑四十二公里之冠軍，也是阿人，想香港讀者，將逐漸增加對阿國之興趣。但欲了解阿國，最好從被阿國人民崇爲國家精神領袖，她對阿國人民所生之影響，可說不下於天主教。茲將譯稿出版，弟擬得回數十本，以便贈送友人，其他版稅，除必須開支外，概行捐贈慈善機關或其他文化事業，請由尊處代決定。弟流落海外，回鄉不知何日。毛慶祥及楊仁山先生，在阿京經營小生意，親歷艱辛，精神可佩。

弟蕭立坤敬上

二月廿二日

如有人願意出版該項譯著，請逕向本報編輯部接洽。——編者附誌。

詞人朱況非粵人

△羅芝光先生來函▽

編輯先生：讀三月五日貴刊讀者通訊，盧劍先生請介紹近代詞人朱彊村和況蕙風，並說：「朱況二公皆粵人，在港九搜集資料，較爲容易，南粵學人，必有能闡揚朱況二公之學行者」，似不無誤會。按況周頤（蕙風）籍廣西臨桂，謂爲粵人，勉強說得過去；至朱祖謀（彊村）則爲浙江歸安人，去粵甚遠。朱況二公，在晚清詞壇，[illegible]一代，儼然宗匠。我粵[illegible]學行，皆當盡力，固不必問其是否「鄉先輩」也。專門書籍，關於朱況二公學行之記載，不易搜集，僕不自量，倘有暇當整理爲文，藉作介紹，以就正於讀者。

羅芝光上　三月廿三日

吳廷炎與吳廷俶

【本報訊】越南現總理吳廷炎，港報有譯爲吳廷俶者。據吳自己對人說，第三字，既非炎，亦非俶，炎應寫作琰。台北某公贈他照片，琰寫作炎，亦有錯。據筆者所知，越南文字，現雖用拚音，但稍具學問的人，類多能漢文自寫姓名，吳氏寫漢文姓名，炎是寫作琰的。又吳氏爲美國留學生，現尚未娶妻，係虔誠的天主教徒，隻身住總理府內，勤奮治事。近對國內軍閥，採取強硬不妥協態度，可見其性格之一斑。

亞非會死裏翻生

定於下月間在印尼萬隆召開的所謂亞非國家會議，不久以前還鬼影幢幢，自由世界認爲這一會議的召開，對於民主陣營將是極不利的，但由現在的情勢看來，亞非會議的展望，對於西方來說，已比較光明許多了。這其中的原因有二：（一）據耶加達的觀察家說，尼赫魯最近已迭次表示，他在萬隆會議中，將對中共採取比較強硬的立場。（二）菲律賓已決定派遣羅慕洛爲出席會議代表。羅慕洛向以親美著名，他曾任菲外長，出席聯合國首席代表，聯大主席。因此，他的參加萬隆會議，乃意味着美國的意見，將受到亞洲最有力的外交代表之一的支持。

・人物・評述・

張季直的政治與實業

・鄭林宗・

科場屢戰屢北

張季直，名謇，初名育才，晚號嗇公，生於清咸豐三年。父親是個塾師，家道很窮，據說他的母親在田裏割麥時生他，放在麥籃裏背回家來的。童時讀書，天資並不過高，可是，寡言笑，好深思，儼然像個成年人。

他的學問雖好，科場命運，却不亨通，一考再考，考到三十三歲，才得中順天鄉試解元，就是舉人第一名。他雖是解元，可是，早已名動公卿，譽滿四海了。南通州官，將他薦到吳長慶幕中，長慶字小軒，世稱武壯公，提督氣旅，很好延攬人才。這時，一代梟雄袁世凱，也以通家子弟關係，在幕見習，特拜張氏爲師，每天作文送給他改，根據南通張季直先生年譜記載，世凱初作文章，並不通順，張先生往往板起面孔，耳提面命，他却能虛心接受的。所以，後來世凱叛國稱帝，張先生就聯合趙爾巽，李經羲等，通電天下，表示對他，永不稱臣，以『商山四皓』自居，這雖不是明白反對，但是，間接作正義的呼號，也足够給世凱很大的刺激呢！

光緒二十四年甲午，他以進士第一名引見，即世所謂狀元及第，時年已四十二歲。以前他朝考過三次都未得中，早已心灰意冷，這次他的父親一定要他再考，並論之曰：『兒試誠苦，但兒年未老，可更試一次，我心亦慰……』他爲體貼父親苦心起見，才勉爲其難，果然如願以償。當傳臚唱名，唱到一甲一名張謇時，他喜極欲泣，幾乎昏倒地上，狀元兩個字的魔力，眞是大哩！

創辦實業雄心萬丈

南通原是江蘇一州，位置長江之尾，東海之端，自從產生張狀元以後，教育、實業、交通、水利，以及文化水準，社會福利，無不突飛猛晉，舉凡歐美各國所有新的建設，應有盡有，不獨成爲江蘇惟一發達的地方，並且博得中外人士都稱南通爲模範縣，『人傑地靈』的成語，確不虛傳的。

張季直大魁天下以後，聲名不可一世，鄉黨尊爲神聖，他便利用地位，把握時機，開始建設，先後創設墾牧公司，漁業公司，大生紗廠，大達輪船公司，高等商業學校，農學校，醫學校，師範學校，女子師範學校，盲啞學校，各級中小學校，另在南京開辦河海工程學校，並組織赴日考查團，赴美考查團，想把東西各國的文明，儘量吸收過來，治於一爐，以完成地方的建設，這樣偉大的氣魄和計劃，眞是前無古人了。

反對帝制贊助共和

清廷的政治，貪污無能，一般頑固派，不明世界大勢，偏偏『夜郎自大』，仗恃拳民邪術，誤認爲刀槍不入，居然想與世界開戰，季直深以爲憂，乃向湖廣總督張之洞兩江總督劉坤一，建議東南各省自保計劃，並親赴南京面陳大計，坤一先仍猶預不決，以爲兩宮西幸，也許得保安全的，季直說：『無西北不足以存東南，爲其名不足以存也，無東南不足以存西北，爲其實不足以存也。』坤一蹶然曰：『吾意決矣。』遂聯合張之洞等宣布東南各省保境辦法，所以，八國聯軍陷北京後，東南各省，安然無恙，雖是之洞，坤一，主持大計，然而，奔走其間，擘劃周詳，確是張氏一人之力。

武漢首義時，清廷徬徨無措，傳旨任他爲農工商大臣，兼江蘇宣撫使，他復電辭說：『……今共和主義之號召，沛然莫遏，激烈急進之人民，至流血以爲要求，今爲滿計，爲漢計，爲蒙藏回計，無不以歸納共和爲福利，惟北方少數官吏，一身之私計，忘國家之大危，尚保持君主立憲主義……環觀世界，默察人心，舍共和無可爲和平之結果者，趨勢然也。……所有宣撫使之職，無效可希，不敢承命，至於政體未改，大信已潰，人民託庇無方，實業何從興起，農工商大臣之命，並不敢拜。』後來清廷毅然遜位，各省相繼宣布獨立，減少最後混亂的災難，張氏爲國爲民的功勳，確是不容湮沒的。

不做官的「失敗英雄」

辛亥革命一發不可遏止，但，清廷還命他的大將，馮國璋，段祺瑞，積極備戰，以作最後的掙扎，同時，特派唐紹儀南下，藉此緩和革命狂潮，此時民黨巨子胡漢民等，均在上海，張氏也參與其間，力主清帝退位，然後再議國是，並代清廷起草遜位詔書，拍發後，被袁世凱留中緩發，後來經過徐世昌稍加修改，始於辛亥十二月二十五日，頒布天下，這是民國肇造前夕一頁重要文獻，他的最緊要句子：『……余維全國人民心理，既已傾向共和，……更何忍以一姓之尊榮，拂兆民之好惡，是以外觀大勢，內審輿情，特率皇帝將統治權公諸全國，定爲共和立憲國體，近慰海內厭亂望治之心，遠協古聖天下爲公之義。……』（筆者按此時西太后垂簾聽政。）這樣詔書，冠冕堂皇，何異『抹上脂粉入棺材，死要好看』，也許是我們張狀元受過清恩，不得不替他粉飾一番，但，却是盡到文人狡獪的能事了。

南京臨時政府成立時，國父孫中山先生做臨時大總統，特任他做實業總長，不久便辭職，仍返南通，致力地方事業，他常說道：『吾不敢望聖賢，但願作英雄，英雄無事不可告人，願成一分一毫有用之事，不願居八命九命可恥之官。』自綜生平事蹟，著書一百部，名曰張季子九錄。他死在民國十五年，享年七十四歲，他的文章事業都够與天下後世相見的，所以，績溪胡適替他年譜作序，特別提出說：『……中國近代有幾個失敗的英雄，……一個是張謇，』照胡氏的意思，彷彿是說他志在天下，才足興國，然而，結果僅得志於一州一邑，這樣看法，也許是適當的批評呢！

中共摧毀東北林區

——粵農民大舉放火焚山——

據中共「人民日報」透露，中共因需要大量木材，用於構築軍事工事，鋪築新鐵路（主要是「中蒙」鐵路，和自蘭州經迪化通往蘇聯阿拉木圖的大幹綫）及用於各種軍事性的建築廠，以致到處濫伐樹木。其中尤以我國最大森林區的東北各林區，幾已變成白地。

東北大林區已成白地

該報說，據最近初步瞭解：黑龍江省境內的小興安嶺和完達山脈約六十萬公頃的新採伐跡地，估計約有百分之三十的面積，已根本被伐成荒山禿嶺。

該報又說，規定不得超過百分之六十的採伐率，本已很高，但許多森林工業局，竟盲目適應「任務」，採用日軍佔領時期的「剃光頭」式老辦法，砍去百分之一百，連一顆母樹也不留。以南岔森林區爲例，該區所屬五個伐木場幾已全部「剃了光頭」，變成一片殘敗的白地。

該報繼續說，友好森林工業局所屬的林區，砍伐情形，也差不多。所謂友好森林局者，即「中蘇友好」之意，全部由蘇聯供給機械化的伐木設備，爲東北「模範性」的森林工業區。機械化程度越高的地方，糟塌森林也越厲害，據該報說，不僅連一顆珍貴的紅松都留不住，就連一點小灌木和草皮也被機械推得光光的。就像「莊稼地裏打場一樣，祇見一片亂倒木！」又說這種情形，不僅機械化設備最好的「友好」森林工業局轄區如此，其他有機械化設備的上甘嶺、帶嶺等地亦同樣被糟塌得一片殘敗。有些林區，形式上雖留了些母樹或幼樹，但因留下的僅爲病腐木、損傷木或單株木，留後不久就枯死，留下的幼樹亦因驟然變成全光區，土壤乾燥，地溫增高，也紛紛枯死。於是共幹們强調說，「反正留也死」，不如實行「剃光頭」了。

林盡水發災禍無窮

更嚴重的，有些森林工業局在水源的上游和山巔間，也濫行砍伐，嚴重影響水土保持。有些森林工業局爲了貪圖方便，竟在育林區砍伐母樹和幼樹。任意使用機械橫衝直撞，毀傷了大批母樹和幼樹。例如：陽旺河和浩良河上游沿岸所有森林，因被濫砍盡，以致水土冲刷甚烈，山間經常有大石塊掉下鐵道上。因此從不暴發山洪的地方，去年也暴發了山洪。又如東南山一帶，原早經砍伐和整理，留下的乃爲準備供給東北各林區採用的紅松樹種；但最近竟被該地工業局「全部掃光」。又如雙子河林區，在砍伐時，原亦會計劃留下若干母樹和幼樹的，但在使用拖拉機收集木材時，將所有留下的母樹和幼樹都碰傷或壓倒了。

尤其荒唐的，各森林工業局因大多「超額完成了國家任務」，適合中共的需要，中共當局竟給予「先進生產者」的頭銜，予以「獎勵」！

東北是我國森林的精華所在，產量佔全國的一半有餘，且爲積千百年而成的天然富源。如能兼伐兼育，則爲取之不盡，用之不竭的財產。中共此種作法，不僅給東北同胞帶來洪水災害，亦給國家造成了非百年不能復甦的損害，實堪痛恨。

農民放火月近六百起

還有廣東方面，今年一月二十日前後，連續發生兩次燒山大火。據該省鬱南縣第四區四個鄉受害情形估計，就燒毀了松樹十萬棵，小松樹一千萬棵，大小杉樹一千萬棵，大頭松一萬三千棵。第二區便民鄉燒毀了栗子樹二萬棵。另據廣東「粵中護林防火指揮部」的報告，今年一月的頭兩旬中，懷集、廣甯等十個縣，一百一十多個鄉，共發生燒山大火五百八十四起，燒毀山林面積約達十萬零八千九百多畝，等於粵中區「計劃造林」總面積的百分之二十，燒死的松、杉、竹、茶樹等，共有「數百萬棵」之多。

粵省各地連續所以不斷發生燒山大火，實與中共劫奪政策有關，蓋廣東各地山林，過去曾爲農民私產，中共藉「土地改革」的手段，予以沒收，故農民憤而放火。中共亦再指出此種大火乃農民破壞行動。故中共在粵省設「護林防火」機關及部隊。農民亦時有因放火嫌疑，而被捕或被殺的情事。（沈書）

法國福爾內閣展望

●露如●

一九五〇年任預算部部長，並蟬聯以後三個內閣的預算部長。一九五一年改任司法部長。一九五二年一年一月，即出任總理。一九五三年六月關尼爾內閣成立時，又被任爲財政部長，那時候所謂「十八個月經濟計劃」，就是福爾起草的，主要內容，在强力推進法國的自主經濟政策。去年六月法朗士內閣成立以來，仍留任財長，直至今年一月，法朗士始改任他爲外長，以接替自己的兼職。

福爾是位脫髮戴眼鏡的人物，外表看來，好像位「校長」。他有兩個女兒，太太是文學界著名的「[illegible]」雜誌的主持人。他自己也著有本偵探小說，刻下爲巴黎最暢銷書之一。

綜計他的經歷看來，福爾是法國政海中極紅的一個人，自戰後以來，從未投閒置散，而且多才多藝，內政、外交、司法、財政、經濟，幾無不能，特別是他的理財能力，是戰後法國政海的第一人。

（三）

在法國新閣成立之初，大批重大問題之下，新內閣所面臨的最重大的問題有下列各項：（一）預算只批准了一部份，軍事預算甚至還未提出。（二）國民議會已批准了武裝西德的巴黎協定，但還仍待上議院的通過。（三）與突尼西亞會商內部自治，前[illegible]（四）工人工資的提高，法朗士曾許諾在四月間對此有所作爲。（五）賦稅法的修正，小商人與店員均在高壓抗議他們受到歧視，在短時間不會有迅速的解決辦法。

福爾針對了如上所述的難題，他曾經發表了新閣的新政，其要點約如下述：

（一）迅速批准包括德國整軍的巴黎協定。

（二）一方面與共黨進行談判，而同時與法國的盟國，研究一條巴黎協定批准後即開始舉行談判的條件。

（三）自一九五六年六月三十日起，法國工業生產增加百分之二十七，生活標準，增加百分之七。

（四）實行社會政策，包括雇用制度，提高薪資和社會安全福利，實行禁酒運動和稅則改革。

（五）平衡法國在國際上的支付，務使不仰賴外援。

（六）與突尼西亞締結自治協定和增加在北非各地的投資。

（四）

從福爾所發佈的外交方針和經濟新政所給予國際的觀感和希望，均有良好的開端。第一，是財政方面，過去法朗士內閣的得意傑作之一「經濟復興」，事實上就是福爾計劃的强化實施，這次在他的施政方針中，又把「實施經濟與社會改革」列爲要項之一，那是最能爭取民心。大不列顛在保守黨內閣努力之下，近來在經濟方面，已形好轉。法國在這位財政專家出組新閣後，定會有良好的進展。

第二，法國是北大西洋公約組織的中堅。西歐地位之是否穩固，緊於法國的態度及其努力的程度，固然很多，而緊於西德能否依照計劃，迅速整軍，亦同等重要。北大西洋公約組織之加强防務，人力方面的補充，所關至鉅。法國雖有世界第一流的陸軍，如果西德整軍實現，則北大西洋公約組織之防務問題，在武器與人力方面，將均感充實。他在大政方針中，既已明白揭示將「迅速批准德軍整軍的巴黎協定」，他這一計劃，必獲得國會的支持，行見西歐的防務，不久將呈現一種新的局面。

第三，北非是法國海外殖民事業攸關的重大地區。自越南被分割以來，法國對北非的地位，益形重視。法朗士之所以倒閣，即由於北非政策而起。福爾之新政方針，對於北非局勢，會標出「與突尼亞西締結自治協定和增加北非各地的投資」等項。照一般的預期，他的政策，一定獲得成功。法國對北非糾紛的解決，將成爲福爾新閣成功的有力保證。

第四，是閣員陣容的整齊。這次福爾內閣所網羅的閣員，可說均係一流人選，人才鼎盛，例如：

外長A．畢訥（獨立共和）；

國防部長P．柯尼克（社會共和）；

財長P．龐林蘭（人民共和）；

司法部長R．徐曼（人民共和）；

內長M．摩努黎（急進社會）；

內閣秘書長G．怕留斯基（社會共和）；

以上諸人，皆爲急進社會黨，人民共和黨，以及舊戴高樂派之錚錚者，今竟能同舟共濟，萃集一堂，共赴困難，相得益彰。福爾內閣雖與一年前關尼爾內閣之性質相類似，但絕不會重蹈無能之關尼爾內閣的覆轍。原因由於歐洲軍約之爭執，已在法國政界留有深刻的痕跡，其影響絕大，而法朗士前總理之奮發有爲，解決問題的精神，已發生了示範作用。所以才能產生必能步武法朗士的後塵，與其施政方針不會有大距離的福爾來。

總之福爾年富力强，敢作敢爲，血氣方剛，再加以他是高瞻遠矚的政治家，才能兼全，他今天受命於危難之際，絕不容有所因循，他必能挽救法國的危機，配合盟國的要求，有以慰國際人士的期望。（下）

充分調劑乙級教師津貼私校尤應放寬

不久以前，港九各校曾有一個傳說：「教育司不作預先公布，猝然停止所有現任職於港九各校四千多暫准教師」。所謂「暫准」教員，就是未經香港師範畢業，而具有教學經驗的教師。其中不乏來自大陸的教育界人士，也有高中畢業的學生；因爲香港師資缺乏，教育司經採取權宜措施，暫准他們執教，通常稱爲「乙級教師」，此等乙級教師的待遇較差，遠不及合格師資（[illegible]者」）；合格師資則通常稱爲「甲級教師」。最近港府調整「二百元以下公務員待遇」之時，他們也獲同樣優遇，男性小學（甲級）教師原先三百元（起薪）的，調整後可獲四百三十元，最高薪額爲六百七十五元；女性則由二百八十元調整到五百四十元，逐步遞加到八百廿五元爲止。

這一次取消「暫准」教師的謠言，原因何在傳說不一。有人說是若干私校企圖任用「黑市」教師以節省開支，故意，藉此據以作爲解聘乙級教[illegible]有人說是大陸上派人來港游[illegible]色學校放出空氣，使各乙級[illegible]感脅，而乘機蠱惑他們返大陸。孰是孰非，迄仍未獲確證，但是謠言，教育當局却已證實了這種事情的發生經過，總不外上述兩端。事實上教育司既經承認這四千教師，暫時准許他們在港九各校執教，在師資大量需要的現階段，絕無不承認的可能。捕風捉影的謠言，不攻自破了。然而予教育界投下了一個陰影。

就乙級教師的處境說來，毋寧是十分凄苦的。論其資歷和經驗，有的並不低於甲級教師，至於教學方法更不必說，所以沒有取得甲級資格和待遇，只是由於殖民地教育條例。教育當局對於這種情形並非不知道，在五年教育計劃中，早已決定了乙級教師晉升爲甲級師資辦法，以分期調訓（不妨礙本身職務）方式，將所有乙級教師逐步減少，以成爲全部及格的甲級教師，這種良好的教育計劃，不特解決了當前嚴重的師資荒，並且使現役的乙級教師獲得了充分的職業保障。只是每年報告申請受訓的人，經教育司嚴格審查結果，並不能悉數容納他們。這是不是由於他們受訓完畢以後，官校無法容納，抑係原服務學校無力提高他們的待遇，似乎誰也無法解答的一個疑問。照目前的一般情形，甲級師資，與暫准的乙級教師待遇高低，平均相差一倍有奇；乙級教師一經訓練完成，其待遇驟將比照甲級教師薪額。私校教師待遇已經低得可恥，爲了整個教育前途，不僅要充分調訓乙級教師，同時尤盼當局擴大津貼範圍，以改善教師待遇。

香港三日

介紹工運新著——「自由勞工講話」

●李雪超●

我承馮海潮先生介紹，得讀名教授吳凡蒂先生的新著「自由勞工講話」一書，讀後，我覺得這是自由勞工的最好精神食糧，殊不易得的好著作。也是從事自由工運的工作者，所應細心參考的。

× × ×

這本書是以工人、工廠、工會的聯鎖關係爲經，以英美先進工會組織與其發展經過爲緯。一方面指導從事生產勞動的工人，如何對個人的修身、學問、健康、和工作加以注意。進而論述工人對工廠的生產、技術、和保健，應如何重視。工人對組織工會的層序，法律手續，也有明確具體的指導。一方面，又介紹英美各國自由工運的艱苦奮鬥情形，及其成效，以鼓勵從事自由工運的工作者所有有關宣傳、交際、教育、福利等有關事項無不具備。

全書共二十篇，四萬餘言，以淺入深，由簡而繁。每篇結論後，附有討論題目，極便讀者。

讀此書後，可以了解工會組織的眞諦，以及國際上勞動生產工人的保險法，香港實施勞工保險法的程序。更可使資方對工人不應視爲生產勞動者的工具，而應爲生產工作的共同者。

勞工運動，需要同盟者的支持，方能顯示其本身力量，也有賴于工人本身的堅强組織，即所謂團結才能發生力量。關於這些地方，本書均有貢獻。

本書內容通俗，資料豐富，如能加插圖片，及其他有趣味的文字，則讀者當更感興趣。

× ×

最後，我要說的，我因馮海潮先生的介紹，而認識吳先生，曾作數度談話，他給我無限的鼓勵，尤爲感謝。吳先生曾在國內執敎於浙江大學，中山大學，除「自由勞工講話」一書外，現正從事寫作「美國自由工運」，「自由工運論集」，「自由工運和策略」等書，亦不日出版面世。吳先生已出版的著作尚有「中國土地問題」、「經濟建設的前途」、「中國農業經濟問題」等書。他現在香港大學經濟研究部工作，和他的老師傅尙霖教授共事。吳先生爲自由工運著作的權威，傅先生則爲立法研究的專家，共事一處，可謂相得益彰了。

外蒙古修建運河

中共爲配合俄帝的擴張侵略計劃，除建築兩條鐵路外，最近又計劃開闢直通西伯利亞的水路，作爲將來運兵與運輸輜重的幹綫，預料在數年內可以完成。這條水路是由內蒙出發，通過外蒙古，再經蘇俄的原子中心貝加爾與安加拉和葉尼塞河相連接，而直達北冰洋。

邱吉爾臨去秋波

儘管最近盛傳邱吉爾將於復活節退休，英女皇將命艾登組織新閣。但據熟悉英美政情的靈通人士表示，在邱翁退休之前，他仍極可能與艾森豪再舉行一次會議，對這種說法，英首相官邸內的人士也點頭表示同意。據說，邱公還打算與俄總理布爾加寧見一次面，但在未與艾克會見前，後者決不會實現。

士氣與民氣

馬五先生

艾森豪總統告訴新聞記者，說美國對於防衞台灣以外各地區的態度，必須十分小心，不致做出任何有損國軍士氣的行動。他認爲「這是在任何軍事情況之下，必須予以隨時考慮到的重要因素之一」。這是一種內行話，艾克究竟不愧爲身經百戰的「伯里璽天德」，深知士氣的重要。回想一九四九年國共戰爭激劇之際，杜魯門總統硬要發表國務院所編造的對華外交白皮書，給國軍士氣以嚴重打擊的歷史教訓，艾克這項決策，高明多了！

有許多事實可資證明，美國對於亞洲方面的反共問題，祇要在精神上予以支持，其潛在的力量就很大，並不需要美國的軍隊來拔刀相助，亞洲自由人民就能够堅強自衛，使共產黨無法猖獗的。

前天跟一位西德朋友談天，他說：德人根本就沒有承認過東德共產政權是能够代表德國人民眞正意志的政府，然英美各國在政治上總是將東西德等量齊觀，這對自由德國人的反共心理，很有影響。因此，他認爲目前自由中國與西德所處的地位，完全一樣，西方列強如不注意這項精神潛力，善爲培養護持，對於反共前途，乃是一大不利的因素。

艾克總統既然瞭解士氣的重要，我盼望今後關於對華政策與作風，兼顧到民氣之可貴，像「兩個中國」之類的說詞，再不宜讓一般政治人物隨時掛在嘴上，轟來轟去。這是一種天方夜談，除了損傷自由中國的民氣以外，並無絲毫益處的！

翠微峯

其地其人

·猬士·

（一）

雄峙於吾籟寧都北門城外之翠微峯，自明代末年魏善伯與其弟、叔子、和公、世稱三魏在此峯講學，而著名。三魏爲明代遺民，以忠貞自矢，善伯身殉地方之難，其兩弟亦眷懷故國，守志終身，至今讀其書，想見其爲人。至於易堂九子，皆爲當時志同道合之士，山樓谷汲，守死善道，不與世相聞，其高風亮節，足勵後人之思慕。

翠微峯孤峯突起，旁無餘脈。四圍無登山之路，如石筍之峭壁，不但無石級可尋，即草樹亦絕無僅有。遍山光滑，祗東面山罅，有一石罅，宛如一大石桃，中忽分裂，游山人士，即由此裂縫攀登。險森泥滑，登陟維艱，三魏易堂諸子竟不辭艱險，而必擇此人跡不到之奧區以治學，其宣懷毅力，誠卓絕矣。山中有田可耕，水源充裕，易堂諸子，自食其力，不假外求，即著名之易堂，亦就地取材，以樹竹石塊，爲建築材料。親手營構，而不鳩工，其刻苦如此。余于戰勝前一歲，避寇綏寧都，爲景仰前賢，曾冒險攀登，於峯頭流連半日，山中阡陌縱橫，流水桃花，宛然桃花源所記。但尋易堂遺跡，渺無存者。因其地險僻，避世者多據此以避亂。民十八九間匪亂之役，甯邑鄉民，據茲峯強抗，直至被圍日久彈盡援絕，竟體自殺，義烈之情，誠足可歌可泣。羅卓英氏曾於峯下收拾忠骨，建義民塚。不謂二十年後，行政專員黃鎮中亦據此峯與共匪搏戰。先以大批糧食彈藥布正衛生器材，運儲峯上，準備長期據守，伺機反攻。逃難之民衆，相隨者萬餘人。共匪經數次增援，大舉包圍，奮攻達三月餘不逞。乃集重砲數十門，日夕猛轟，黃氏彈盡援絕，卒被俘獲。匪愛其勇，百計勸降，黃卒不屈，遂被害。

此二役之悲壯史實，當瑞石之民，多能道者。以贛南士氣之盛，民風之強，又因昔賢遺風所被，赤燄無論若何昇囂，不能消滅其浩然正氣，亦安知今日翠微峯及附近大山中，不正在演着另一幕悲壯史劇耶？

藝林樓隨筆

梁祝影片及其他

舜生

『梁山伯與祝英台』是大陸出產的一部影片，大致是把舞台上的越劇搬上銀幕的。

最近這部片子在香港九龍的四家戲院連續放映，賣座之盛，超過了已往中外任何一部片子的紀錄，這是事實。

我聽說，有不少的人爲這一事實展開了一種研究。

有人說，這是緣於一種好奇心，因爲最近兩三年，共產黨不斷的大吹大擂宣傳他們在各方面都有如何如何的進步，但很難得到事實上的證明，現在據說有一部共產黨搞出來的影片，居然還不錯，因此大家『一窩蜂』的都跑去瞧一瞧，瞧過之後，大家便也覺得沒有什麼。

另有人說，凡中國的一切舊戲，雖因地方色彩各有其不同，但大體上的相似之處究竟不少，尤其越劇和粵劇，似乎在唱做方面，更多可以相通之點。大家既以看越劇的心理去看這部影片，即算成功，充其量也只能說是越劇的成功，決不是這部影片眞有什麼了不得。

也還有人說，這部片子的演出，既一切依照越劇的規模，因此在導演方面，實在看不出有什麼特別高明之處，其所以能够吸收較多的觀衆，大致是因爲在取景，採光，錄音，設色，剪裁，以及音樂，道具，字幕等等方面，確實是達到了相當的水準。同時這個片子的故事，原已在中國流傳了一千六百年，（從東晉穆帝永和年代算起）本來是家喻戶曉，雅俗咸宜，早已成了一種不必用腦筋的消遣品，這大致也是適合一般觀衆的條件之一。

上面的幾說，我承認各有一部分的理由，可是並沒有說出這部片子所以叫座的基本原因安在。據我看，這部片子其所以爲大家所不討厭，其最主要的理由，乃是由於共產黨根本的放棄了他們的共產主義！乃是由於他們的黨八股，對中國固有的歷史文化高高地樹起了一面降旗！這部片子的內容，只多少意識到四十年前大家所爭吵的『男女不平等』，同時也還隱隱約約提到『婚姻不自由』，『男女之防』，和『殉情自殺』這類東西，原本都是小資產階級的家常便飯，共產黨居然已退卻到了這一步，實在也是大可驚異的！

最近港九的書店，已經翻印的舊書，先後出現了什麼史料的編纂，什麼古典文學的研究，乃至翻印舊的小說，戲劇，甚至中國的醫書，這一切一切無一不在大量出籠之列，而且這類東西的銷路，又確實遠在他們的黨八股之上，這個趨勢是值得和梁祝影片這一事實加以同等注意的。隨後梅蘭芳預備把他所常演的六齣戲，即『梁紅玉』、『宇宙鋒』、『金山寺』、『貴妃醉酒』、『霸王別姬』、『洛神』，逐一製成彩色的影片，我相信果成事實，也還是有人要瞧一瞧的，可是這一樣不是說明共產黨的對中國固有東西的屈服！

論于右任的詩

·王世昭·

「世人莫評曼殊畫，大澈大悟還如癡；春江細雨江南夜，記得紅樓入定時。」于氏附註云：「曼殊時入海上校書家，信筆塗抹，人觀之則又入定矣。」此嘗爲于氏所親見。

「太白紀遊歌」作於民國二十二年，計一千二百字，詩意蔥蘢，文筆一歸於平淡。「續志云：『太白山，山極高，上恒積雪，望之浩然。』諺云：『武功太白，去天三百』。山下軍行，不得鳴鼓角，鳴則疾風暴雨立至。上有洞，即道書第十一洞天。又有太白神祠，山半有橫雲如瀑布，則澍雨。語曰：『南山瀑布，非朝即暮』。」李太白有「太白峯詩」，詩五古，共十句，不如于氏之洋洋灑灑，憶其一段云：

「……上是青天下白雲，人居中間行自在。數百里中鋪一色，如脂如綿變成彩。又如遠海不盡之波瀾，大起大伏彌復戲。驀峯露尖似魚龍，吞吐出沒無主宰，材木樅柏樺漆竹，山行漸高樹漸改。蒼蒼萬幹落萬松，亂葉爭地生真貫。枇杷大葉又小葉，銀背金背岱大宗。杜鵑如柴遍碧岑，芍藥開落自古今。名花滿地倡鞋菊，異草宜人手掌參。……」

寫源渺之境，狀新奇之物，變化萬端，如鬼魅神靈之生於筆底，于氏之作，至此已入化境。

（五）抗戰與勝利前後

這一時期自二十六年起，至三十六年止，在此十年中，于氏作品可分爲二段敍述。其一鼓舞抗戰精神，其二爭取勝利遠景。以六十至七十之年，猶復目送手揮，孜孜不倦，如「長歌復短歌」二首云：「長歌長，短歌短，神聖戰爭方開展。哥哥後，弟弟前，爭將性命爲國捐，擊破胡兒在今年！」「短歌短，長歌長，萬世榮名是國殤。愛吾愛，仇吾仇，勇者不懼仁不憂，大家起來衞神州！」其餘如「戰場的孤兒」，勉兒童也。「痛臂翁」，自儆也。「榮譽軍人歌」，勵戰士也。「老人歌」，弔韋超」，悼亡也。「爲「第二次大戰回憶歌」。而其登峯造極之作

印農大兄，遠道贈袖珍詩韻本，久不作詩，適年滿六十，又値初春，感賦一律呈政。

幼椿

正月南天春氣融，桃花梅蕊稱心紅，惟憐世亂年荒裏，久困車塵馬腳中。寒夜飛鴻悲紫塞，高樓垂柳憶新豐，（有巴黎結盟之壯，則長城之役，不遑兵南歸也。）廬君遺曆無多日，我亦飄蕭六十翁。

幼椿近作有『我亦飄蕭六十翁』之句，讀之喟然，因以小詩代柬，約作郊遊，兼謀一醉。

·舜生·

談笑居然六十翁，名山無分競圖空！紅酥美酒從君飲，莫遣春光負乃公。

語意學漫談

徐道鄰

『昨夜星辰昨夜風，畫樓西畔桂堂東。』這也是一個人表示情感的語言。才換了一張『單掉』，馬上又換了回來。你一定會駡一聲，『他媽的！』這又是表示情感的語言，並且是非常誠實的情感表示。

單純的理智語言，或者單純的情感語言，都不會給我們帶來困惑和煩惱。我們記錯了電話號碼，幾次打不通。我着電話號碼簿查一查——電話簿是世界上最單純的理智文字——馬上會自己承認錯誤，絕不會去和電話簿大辯特辯，或者對它大發脾氣。張同學在戀愛高潮中歌頌他的愛人，說『她是世界上最美麗的女孩子』。你絕不會去和他辯論，說他這句話不正確：說她的臉太小鼻子太長，兩條腿也太短，尤其不美觀的，是她那粗細不分，水缸一樣的腰身。

同樣的，一個人在盛怒時放野，說『我把你媽媽怎麼樣怎麼樣！』，這時候大家都知道他是在『駡人』，而不會誤會到他是在敘述他過去的一種行動，或者是在宣布他現在的一種企圖。

人類有一種特性，就是在他的情緒到了高潮時，一定要用語言來發洩它的壓力——動物則以行動出之：小狗高興時，在滿院子裏狂跑來『撒歡』猴子高興時，在樹林裏跳來跳去，同時也吱吱亂叫。——洩忿裏的『臥[illegible]』，換個一張牌大駡『他媽的！』就是這一種心理機械MECHANISM。尤其是在我們這些所謂『文明』社會裏的許多『禁用』『TABOO語詞』——在我們中國，第一等禁用語詞是有關男女的許多『髒』字眼——是我們用以發洩我們憤怒情緒的必需的和最靈驗的工具。並且撒村撒得愈野，它洩憤也洩得愈爲痛快。大聲嚷門，乾乾脆脆的一個字一個字的駡出那些頂難聽的話來，比用力摔碎一個大花瓶還要解恨。不但駡人者感到舒服，就是旁邊聽見的人，就是那些文縐縐從來不用髒字眼的人，聽起來也會感覺到渾身血脈流通，通體暢快。

社交語言

一個人在情緒高潮時所發出的情感語言，其目的是在發洩他的情緒，而不是在表達一些事物，其作用之不會被人誤解，如同一個病人在床上的呻吟之不會被人誤解其作用一樣。但是有些語言，其作用並非單純的情緒發洩，其性質是屬於情感的部份爲多，屬於理智的部份爲少，就是我們日常社交生活上的一般會話。

當你在一個酒會上被介紹給一個從未見過面的人的時候，你會說：『我很久就仰慕你的大名。』，『你到台北有多少時候？』，『你的小姐在那一個學校讀書？』，『請你有空時到我家裏來玩！』，『我很希望很快的再見到你！』。凡此種種，雖然不像一個病人的呻吟之祇有聲音而毫無內容，但是說話和聽話的人，雙方都十分明白這祗是些空虛的社交詞令，只是說話者口頭上的語句，而並不是他內心裏眞正的意思。

（二十四）

唐翳與楊大個

·易與·

（七）

有一天，楊大個子要我到他公館裏去吃便飯，我準時到達了他那一座富麗堂皇極壯觀的洋樓式的房子裏，他卻還沒有回家，好在他那佣人並沒有拒絕我進去，他明明我是他主人請來吃飯的客人，他就引我到客廳裏去坐，那客廳四壁，滿懸中外顯要所贈送的照片，在那些照片裏，我見到了一張照片，那是我所熟識了的一副面孔，不夠「丰度」的模樣，頭上裹着的一幅「包頭」的大巾，掛着那瘦削的土巴佬兒穿的短褂，卻顯露一雙炯炯有神的眼睛，那寬闊的前額光禿禿直到頭頂，十足顯示着相中人充沛的智慧。最妙的是在那相片上的右角，嵌印上「種瓜得瓜種豆得豆」「梁蒼則蒼染黃則黃」兩行字，那字迹也是我所熟識的。我注目凝神的思索了好一會，我不由的「呀」了一聲，我正在自言自語的說了「這可不是唐翳子的肖像和他所寫的字蹟嗎？」隱約的聽見門外的汽車喇叭聲，接着開門聲，步履聲，和楊大個子「噢噢」的聲音，楊大個子說：「對不起客人」，口裏連聲「對不起，對不起」，他一見我注視着壁上的相片，他一面讓他的客人進來，一面讓我坐下，他再笑着向我發問：「你還記得他嗎？」他說時，手指着壁上唐翳子的相片，我點了點頭，他便向他的客人數說了一番，滔滔不絕的說唐翳子簡直是一個前無古人後無來者的大聖人，同時他又把他自己和唐翳子的交情，說得更是如膠似漆的那麼密切，承他看得起我，說我也是唐翳子所最看得起的一個小朋友。

（二）

自由人

THE FREEMAN
（第四二七期）
中華民國僑務委員會核准登記證台僑新字第一第二號
中華郵政台字第五〇〇號執照登記為第一類新聞紙類
（半週刊每星期三、六出版）
每份港幣壹毫　台北市售價台幣壹元
督印人：陳文華
地址：香港高士威道二十號四樓
3 rd. fl. 20 CAUSEWAY RD HONG KONG
香港發行及業務接洽：高士打道66號　電話：七四〇五三
承印者：東南印務出版社　地址：高士打道六十四號
海外總經銷：友聯書報發行公司　香港：德輔道中二十六號A二樓
台灣特派員辦事處：台北市館前街五十號
台灣總經銷處：台北市西寧南路一〇號二樓　台郵報儲金戶九二五二

反共與投共

丁文淵

三月十五衛立煌發表聲明投奔了中共以後，香港的反共和非共人士不免紛紛議論。有人認為衛立煌這一次行動，是中共分化政策的成功。因此，有人認為在這裏的流亡軍人，甚至文人，商人，也許還會有繼續投奔的。不管以後的事實如何？我覺得於反共與投共的問題，現在應當檢討一番。

衛立煌知道甚麼？

像衛立煌這樣的人，本來就說不上反共不反共。他本是不識字的大兵。當吳忠信任旅長的時候，他是當吳氏馬弁的。以後風雲際會，青雲直上。由師長，軍長，而副司令長官，司令長官；副總司令，而總司令。後來，雖曾一度進過陸大特別班，但斗大的字，究竟還認識不到幾個。他的基本知識，可想而知。這樣一個軍人，在過去的落伍軍隊，和裴酈幼稚的情形下，自然可能因個人的聰明，和少年勇氣，於勦共戰役中，作特出的表現。但因知識粗淺，對中共的認識，自難真確深入。他可能對中共的得勢，認為是歷史時代變換。他一生只知如何服從長官，侍候長官，去取得長官寵信，以此作為升官發財的捷徑。升官可以發財，升官更可以把握權勢，這便是他的目的。他心目中絕不會有什麼國家民族的觀念，更不會有什麼責任和義務的觀念。為達到目的，當然更不擇手段。他覺得以他這樣的人，必先得找到一位主子，小心的侍候他，情願做他主子的奴隸，成為他的親信，才能有出路。他的過去，便是根據這樣的做法而得到很大成就的。一旦失了寵，自然會慌慌然，不可終日。但他初時還把握了一大批金錢，——據稱有十四箱金條美鈔——當然自認還有可圖，於是參加所謂「第三勢力」。希望再爬起來。豈知投資復興銀行及某漁業公司，大大的受了損失，加以「第三勢力」又復瓦解，便感覺得此路不通了。而且，他也許覺得自己的成名，是由剿共而來，他最後的位置，還是東北剿匪總司令。東北撤退時，他用專機來運載贓物，故到港以後，不得不隨潮流而反共。所以他的反共，純粹是根據個人利害和私人恩怨的立場，毫無政治意義的。現在，中共施以誘惑，加上他的兒女親家張治中從中引誘，焉得不受寵若驚，甘為新主子效勞呢？看他在廣州的言論，無非充滿私人恩怨，即可證明。

如何辨別忠奸

我們根據這幾年來的變動，可以得到一個定論：凡是平時拿他的長官當做主子的，甘心自處於奴隸地位，遇事唯唯諾諾，表示服從和忠貞的，一旦遇着大變動，或認為主子已經失勢——或自己已經失寵——一個個都會變成叛徒。過去投共的張治中，邵力子，程潛，黃紹竑，無不如此。衛立煌也不過是其中之一而已。

這些人的無恥行徑，豈能動搖正反共人士的決心？我們今天的反共，不是為國民黨一黨打算，更不是為效忠於某一個個人！我們的反共是因為中共暴滅人性，奴役全中華民族，以遂媚於蘇聯。中共為保持秋歌王朝，不惜剷奪全民族的自由，以成就他們少數人的封建王侯生活。因此，我們為保全中華民族的傳統文化，為建設一現代國家——有精神自由和物質享受的國家，我們不能不奮起反共，直至消滅他們禍國殃民的組織而後止。我們這種意志和決心，豈是衛立煌之流無恥行動所能動搖微末的嗎？

反共非為私人恩怨

因此，我們應當大聲疾呼，告訴全中華民族，和自由世界：

一、凡是投共的人物，不是奴隸，就是漢奸！

一、反共完全要根據全民的利害，不能根據私人的恩怨！

一、青年人更當瞭解：每一個人都是人，人便應有人的人格和思想。一個人必須尊重他人的人格和思想，才能希望他人尊重自己的人格和思想！每一個人都是社會的一份子。每一個人都必須承認任何人同他是一樣的個人。所有的人都是平等的。只有承認這樣的個人主義，才能達到真正的平等！也才能做到真正的普選，和真正的民主！

一、我們的政府當局更應當瞭解：凡是他的左右，如果與他只有奴性的唯唯諾諾，就是最靠不住的人。張治中、邵力子、衛立煌無一不是最好的榜樣！

自由世界的責任

一、自由世界也應當瞭解——尤其根據最近所披露的雅爾達協定秘密經過——中國大陸的淪陷，當時負責的幾位巨頭，尤其是美國的領袖都應當負重大的責任！因此，今天協助台灣防守金馬，也是他們應有的責任；協助自由中國，恢復大陸，解放全中華民族，他們也不能沒有責任！甚至援助流亡青年，使之不致再淪入赤魔之手，他們都是義不容辭的責任。

一、反共和非共人士更應當瞭解，現在不是談私人恩怨的時候。我們的敵人只有一個，這就是：共產國際，包括了蘇聯和中共！

一、自由世界可能有種種利害的不同，然而反共則必須一致！自由人士可能有種種不同的政見，然而反共則必須一致！我們希望自由世界所有的自由人士，時時刻刻想像到數億人民在鐵幕後的痛苦！應當本人道主義，從事於解放工作！否則紅禍泛濫，亦將禍及自己，到時搶救，恐將無及矣！

邱吉爾退休因素之一

邱吉爾似已決定於四月初復活節前後辭去首相職務，到義大利西西里島去繪畫和休息。年紀大，固然是理由之一。可是邱翁此時退休，工黨內部分裂也是因素之一。保守黨將提前於本年秋間舉行大選。

保守黨於三月中旬，舉行三次會議，籌商大計。三次會議邱翁均有參加，並由他主席。因為一九三一年麥唐納主持工黨時，因黨內分裂，使保守黨得掌握英國政權十餘年的機會。現在工黨內部艾德禮和貝萬派的破裂，情形較一九三一年尤為利害。而且最近新聞紀事報的民意測驗，工黨只得選票百分之四十四點五，比較去年十一月減少了百分之三。保守黨却得到了百分之四十六點五。因此，保守黨的主持人認為若在此時舉行總選，他們可能把國會十九票的多數，增加到五十票。

其次，保守黨認為邱吉爾老了，經不起競選辛勞，因此推舉艾登繼邱翁的職位，參加競選。

再其次，工黨為什麼分裂呢？分裂的經過如何？我們看工黨議員公開批判貝萬的一段經過可以得到簡略而且具體的解答。

貝萬被批判的一幕

——工黨極力保持團結避免分裂——

李加雪

艾德禮檢舉貝萬

三月中旬，工黨國會議員，在國會公開批判違反紀律和攻擊領袖的貝萬。貝萬雖出身礦工，却是一個具有辯才，而且富有煽動力量的人物。好些人認為除了邱吉爾，貝萬是目前英國第二個演說大家。他在工黨是左派的領袖，坐的是第二把交椅。

為了公開批判貝萬，工黨國會議員會派出十三個審判委員，加上主席艾德禮，一共十四個人。同時艾德禮又擔任檢舉的任務。開會批判的時候，貝萬穿了一套黑色便服，坐在議台右邊，[illegible]表現不願意和不高興的[illegible]。艾德禮檢舉貝萬，說他曾多次批評[illegible]的主張，又公開反對[illegible]黨策[illegible]。有一次，貝萬在[illegible]前，當衆斥責艾德禮[illegible]會演講，艾德禮沒有出席。貝萬竟在國會裏公開責罵他。艾德禮認為這些違反紀律的行為，都是不能夠原諒的。

結束檢舉的時候，艾德禮這樣說：『我曾多次設法維持黨的紀律和黨的團結，沒有得到絲毫效果。黨裏好些人說我不敢採取行動，說我懦弱，說我沒有力量維持黨的紀律。』

多數取決驅逐貝萬

當時，貝萬起立答辯，他說：輕視艾德禮的並不止他一人，他舉出好些黨內會經公開攻擊艾德禮的人物。他特別提起議員德士鐸。他說，『德士鐸甚至引用中國的俗語來攻擊領袖。中國俗語說，「魚的腐爛先由頭部生蛆。」』貝萬又攻擊工會，他說主張把他逐出國會的是工會的主持人。貝萬把指頭逐一指出在座工黨影子內閣的負責人，加以斥責：他，『都是你們這一班管錢的人，做出來的事情。你們結黨對付我，想把我逐出國會。』

貝萬雖目中無人，態度蠻橫十足，可是艾德禮坐在台上，只有狂吸烟斗。

貝萬的話還沒有說完，一位工黨右派女議員受不住了，起立質問萬道，『貝萬先生，上次你約我出外散步，你告訴我，我們得把艾德禮趕走。你所懷何意？』貝萬答道，『說謊。』

為了這件案子，工黨議員在國會裏爭辯了兩小時。工黨右派的一位議員甚至驚貝萬做共產黨的特務。那時工黨分成三派。右派人士主張驅逐貝萬，左派人士主張維持貝萬。大部份議員中立，不表示主張。

後來，艾德禮主張用投票方式解決當天的爭辯。第一次投票的建議是：貝萬應受懲罰，但不把他逐出國會。這建議以十四票的多數否決了。第二個建議，是驅逐貝萬出國會。以一四一對一一二票通過。艾德禮勝利了，可是一四一票的多數，仍不及工黨國會二九四席位的半數。這表現貝萬在工黨議員方面，具有極大的力量，同時又證明艾德禮懦弱無能，不孚衆望。

艾德禮的損失更大

工黨議員驅逐貝萬的決議，貝萬個人固然受到損失，但艾德禮所遭的損失，還要較貝萬為大。會議結束後的第二日，工黨主辦的每日紀事批評艾德禮說道，『他的日子無多了。』

艾德禮雖號稱工黨領袖，他對於黨的力量是薄弱的。輕視他的人，不止貝萬一派。工黨右派許多人認為艾德禮庸俗，沒有主張，時常採取貝萬的政見，作為自己的主張。好幾次，貝萬公開斥罵艾德禮，說他竊取他的外交政策。對於武裝德國這樣一個重要的國際問題，艾德禮找不到一種適當的主張，只好吩咐工黨議員，放棄投票。

工黨退歸反對黨的地位後，艾德禮沒有新的意見，也沒有新的政策。分裂後的工黨，好比一隻漂流海上的船隻，對於政府的政策唯唯否否，找不到一種對抗的辦法。

容忍和妥協的決議

為了貝萬的案子，工黨執委會於三月下旬舉行會議。因為怕保守黨會提前舉行總選，於是艾德禮在會議裏提出一個折衷辦法，暫時赦免貝萬，不把他逐出國會。

對於這個案子，執委會的決議是這樣的：派出八位委員組織一個特別委員會，來審訊貝萬，看他能否悔過。俟得特別委員的審訊報告，執委會再行開會，來決定下一步的對策。

貝萬能夠悔改嗎？能夠服從艾德禮的號令嗎？能夠暫時保留貝萬的地位嗎？能夠維持工黨的團結嗎？這都要待事實證明。

（下轉第二版）

半週展望

旭軍

中共內鬨表面化

共產黨是以不斷的鬥爭求發展的，不但對外鬥爭對內也連續的鬥爭。中共過去成長的歷史，便有所謂陳獨秀時代，瞿秋白時代，向忠發時代，李立三時代，陳紹禹時代，直至今天的毛澤東時代。總是中共內部派系鬥爭史此興彼伏的鬥爭階段代名詞。

本月四日中國共產黨中央委員會發出公報，說到中共全代會通過三項重要決議，其中有一項宣佈開除高崗和饒漱石黨籍，和證實高崗已死，並指出他兩人組織反黨聯盟。

共產社會的集團，築起一道赤色圍牆，和密不通風的鐵幕，其中內幕常似一個謎，難以猜透。但有時終不能掩飾而終變為表面化。

據我推測：此次鬥爭是劉少奇對高崗敵對的結果。近年來與劉少奇同處同位的共產黨中，堪與劉比量氣概者，高崗是傑出的一人。二人之政治地位與權勢，各不相上下，二人競爭久已臻白熱化。自中共展開倒藩，劉少奇以身居中樞掌握了中共政治局的便利。毛澤東對於高崗與俄人的關係過於密切，也自不然眼紅。臥榻之側，豈容他人鼾睡。劉少奇自然乘機鼓舞，對他的競爭者以打擊。因此去年秋劉少奇早已發出獅吼講詞，大聲疾呼反對割據。劉氏的心中的目標是針對高崗。他才是第一號的割據罪犯。若要整肅藩王，自然拿他首先開刀了。

本來高崗的飛黃騰達，由於毛澤東的酬報功。因為一九三四年十月毛澤東被迫離江西時，全國各地的共產勢力均已毀滅或動搖。在此黑暗時期，獨西北尚有一點微光。毛澤東在川北與張國燾爭執，堅持向陝北流竄到西北。後獲得西北共產黨接應。當時高崗隨附劉子丹在西北組織蘇維埃。毛澤東在此蟠龍起鳳完成霸業初基。因此對高加以提拔。但近年來高崗變成了樹大招風，終被消滅。投靠中共的軍閥政客，睹此當不寒而慄了。

至於饒漱石亦係因曾經與陳毅鬥爭，陳毅為饒所打擊，處處受饒之箝制，饒一度曾為華東軍政最高負責人。在中樞削藩收策之下，饒與高有同感，自然謀「同盟」以對抗了。

高饒被整肅後，中共之內爭必繼續不已。試看中共全代會議公報內所稱：『……我們黨內也總會有不堅定的和不可靠的分子，受他們的影響。和高崗饒漱石反黨聯盟相類似的事件，今後還可能出現。』便知道中共內部鬥爭如何的劇烈，今後之整肅尚繼續演出。

自由世界須加軍事壓力

共黨內部雖有矛盾與派系鬥爭，但自由世界不加以軍事壓力，則始終不會崩潰的。然而西方國家對共產集團，尤其是中共的估價太高，往往忽視共黨內部鬥爭的弱點因素。若就蘇聯之三翻四次整肅，及中共內爭之表面化而觀，即可判斷俄共集團不能亦不願打大戰。一旦大戰爆發，鐵幕內的被壓迫人民和共黨政權之潛在矛盾，必與外面的壓迫相應，足以使共黨政權崩潰。在共黨集團必不敢打大戰的必然性大前提下，我以為美國應當實行真正的果敢的軍事與外交政策！

亞非會議的烏雲四合

然而美國的絆腳石又鬥出在亞非會議而加重。今天透露的消息是：尼赫魯曾在新德里對英外相艾登圖承在亞非會議謀與周恩來對台灣海峽停火的一項買賣謀價。試看[illegible]亞非會議尼赫魯必向中共大獻慇懃，以求掮客利潤早日到手。其實印度國內的共黨威脅已日益增加。印共已轉移目光到印度北方，謀在巴基斯坦，喀什米爾，尼泊爾，不丹阿薩姆等地擴張努力，與中共互相呼應了。小丑們不見棺材淚不流的。

日本往那裏去？

—從日本經濟演變看日本前途—

柯秉傑

從戰前日本貿易型加以分析，很明顯的指出日本的經濟幾全部仰賴於國外所供給的原料和用以採購原料的大部份的外匯。在過去的三十年間，究竟日本的貿易型何時是處於正常狀態，很難加以確定。在一九三〇年之始，日本已着手於帝國主義的冒險，迨至三十年代末期，已準備作列強對陣，故觀察日本對外貿易的性質，以在三十年代初期較爲適當。

對外貿易的依賴性

自來，大體上日本是一個工業國，在初期的三十年代，原料的輸入超過進口總額的百份之五十，食糧佔百分之十至十五。在輸出方面，製成品佔百份之五十稿，食糧約佔百份之十，原料則在百分之五以下。日本原是一個食糧輸入國，其所以能夠出食糧，原因是日本漁業物製造業相當發達，同時，更將大部份的漁獲物運銷海外，故食糧的輸出，在出口貿易上亦佔相當的地位。

日本的無形收入，主要的在於航業與保險業。在一九三三年無形收入等於有形收入百份之五十，故國際收支能夠平衡。可是，在一九五〇年無形收入僅及有形收入百份之二十，其原因在於戰後日本航業與保險業尚未恢復原態所致。

準備戰爭影響工業

日本有許多原料本身並無生產，因必須輸入，其主要項目，在戰爭準備前十年間，有了重大的轉變。這一轉變是由於日本着手準備冶金工業的擴展。日本爲謀冶金工業之推進，曾不惜使在二十年代發達起來的紡織工業衰落，以維持大部份國民經濟的出口[illegible]紡織品減產。最顯著的例證，是棉花輸入的從一九三〇年佔輸入總額百份之二十六減至一九三七年之百份一十八。

日本生產型的轉變，一部份的是準備軍事的擴展。因此之故，日本部份的原料是用以非經濟的目的所完成，[illegible]的轉變是含有永久性的，雖則近來有恢復

紡織業特別是綜合纖維業的企業，完全將業已轉變的生產型回復舊觀，似已無甚希望。日本紡織業之所以難於恢復往日經濟的重要地位，還有下列三個理由：（一）東南亞的未開發國家，近正努力於工業化，尤其着重於所需要的紡織品的生產；（二）綜合纖維的勃興減少了生絲的經濟價值；（三）其他紡織工業國家，[illegible]日本在戰前的紡織業市場。

從以前的殖民地和佔領區所取給的原料來源業已斷絕，日本的經濟，只有仰給於世界市場，以供給她所需要的工業原料。大戰以上以往日本的殖民地，[illegible]財政上的負擔，而不

戰前原料的來源

是資產。但那些殖民地卻是日本主要原料的來源。同時，也是日本投資的有限閑地，與日本貨物的有限市場。作爲移民的出路，日本的殖民地卻並不重要，因爲對殖民地的移民，大體是限於官吏與技術人員。

在三十年代，日本所缺乏的資源，大部份已可取給些地的帝國。雖則這些資源並非時常適合經濟原則，一看日本的殖民地或她的統制區原料增產的估計，便可明瞭日本依賴的程度的日趨深刻。日本所需的糖，幾全部要靠外來的輸入，在三十年代之末期台灣已成爲日本糖的唯一供給者，同時還供給大部份的米。

一九〇五年從俄國獲得之南庫頁島，是日本所需的煤的重要來源，約供給十份之一的所需量。日本更獲得在北庫頁島的石油開採權，雖然供應是不敷所需，但仍不失爲一個石油的來源。

朝鮮對日本的經濟亦極其重要，除了鑛產如煤、銅、鉛、鐵外，更供給日本米與棉花。朝鮮的鑛產並不是輸往日本，只供給爲日本帝國之利益而設立的各種工廠之用。

日本從華北獲取大量的煤、棉及鐵苗。以一九三九年論，蘆煤輸日達二。五百萬噸之鉅。

滿洲的經濟，更全爲日本所控制。該地區農產豐富，蘊藏甚厚，惟鑛產之開發事，則是在三十年代間，而且，雖然煤、鐵、錳、鹽、鉛及銅的藏量不少，在戰前只着重於煤的開採。日本更積極鼓勵在滿洲設立各種戰爭工業，包括水電在內。

禁運對日貿易的影響

因爲世界分爲兩個敵對的陣容，經濟戰爭的趨勢乃隨着而滋長。這種現象，可從高度工業化的國家，特別是美國，亟欲禁阻戰略物資流入鐵幕國家表現出來。雖然西方國家對於禁運的程度尚有甚大歧見，且仍有非法貿易的存在，列強對於日本對外貿易關係的前途都是極爲關懷。自從日本帝國瓦解之後，她所需的原料，只能經過正常貿易手續向原料生產國採購。在過去，大部份日本的對外貿易，是含有三角性的。日本以美元向美國購買貨物，將消費品向亞洲發售以吸收美元，而亞洲國家，則以原料輸美以易取美元。這種貿易的均衡關係，在現情之下而欲大規模的恢復，實屬難能。

由於對華侵略與準備大戰，一九三七年及一九三八年日本的對外貿易形態，自然不能說是正常，但這兩年對中國，滿洲，朝鮮與台灣的貿易進口分別佔百分之三十六及百分之五十，出口則分別佔百分之五十八及百分之八十三。對遠東貿易增加的原因，是由於中日衝突的深刻。對美貿易在這兩年相對的減退。

朝鮮的鑛業俱集中於三十八綫以北，如果將來朝鮮問題能獲得和平解決而北韓仍在共黨之手，則一切工業生產俱仍屬於共黨國家。至於台灣，雖則近來有相當數量的糖鹽輸往日本，但欲回復日台間戰前的貿易比率，事實上亦不易辦到。（中）

亞洲共黨的侵略三部曲

·矜式譯·

（續第四二四期）

印尼

印尼不但是驕傲，而且比較傾向共黨，他們不承認會有什麼威脅安全的問題發生，而且相信非這樣的做，不合邏輯。過去，印尼有幾個地區已陷於混亂不安，使當局大傷腦筋，其中一個是爪哇島，那裏有人口五千萬，由依斯蘭所領導的三萬名游擊隊，以反對印尼統治爲藉口，突然對政府叛變，他們想建立一個回教王國，南西里伯斯島的馬加薩，中婆羅洲，和蘇門答臘的北端阿拉，亦不斷的發生騷動，那些地方實際都有共黨在幕後支持，另外，各級學校及農民團體，已被它的地下組織先後滲入，而擁有二百五十萬人的印尼工會聯合會，也受共黨的支配。

印尼的前途，受搖擺不定的政策所影響，危機是越來越深，英美觀察家們都認爲，印尼正在趕快跑到地獄去。

馬來亞

馬來亞戰爭的前途，對自由世界非常重要，[illegible]五分之四爲叢林地帶，日軍於一九四二年佔領馬來亞時，爲共黨控制的游擊隊即避入深密的山林中，日本投降後出活躍，他們便突然出現，意圖控制全國，攫奪政權，幸而英聯軍由錫蘭趕來，才把他們的陰謀制止，一九四八年聯邦當局宣布取締共黨，於是他們又回到叢林，幾年來，此起彼伏，四出擾亂，使英軍束手無策，例如最近之新村計劃，目的在斷絕共黨的供給綫，施行以來，雖已有若干成效，但要付全國總收入四分之一的代價了。

共黨擴展的野心，是不會滿足的，而西方國家能否有決心阻止它的侵略，過去，南韓的三八綫，越南的休戰，以及近來醞釀的台灣停火，這些姑息政策，不得不使亞洲國家感到困惑了。（下）

梅花和櫻花的爭論

·丘峻·

台灣通訊

【台北通訊】[illegible]春季，櫻花盛開，男女遊客，絡繹於途。本年台北縣議會，三月十四日，集會該山，議員何金榮提議，在陽明山加植梅花，翌日，有署名『有志青年一同』的寫信給他，指責他，不應在議會中主張在陽明山上種梅花，他說櫻花比梅花美麗幾百倍，並且說，如果不收回這句話，他將對他不利。信尾又加上一句日本人罵人的話『馬鹿』。

何議員接信後，對外表示：他之所以主張在陽明山種植梅花，一方面是爲了提高民族意識，一方面因梅花係冬天開花，陽明山種了梅花，冬天也可吸引遊客賞花，增多一個繁榮地方的機會。他並非主張將櫻花砍去，改種梅花。[illegible]

不過因此事，到使我想起一件舊事來，一年前，有一位在日治時代畢業於台中的女青年對我說：『從前日本侵略中國，自從九一八起，佔據了東北九省，繼而侵入關內，又佔據了許多省份，[illegible]

[illegible]負有教育責任的當局，切實注意。你們的工作還沒有做到完善的地方。

編者 讀者

△徐復觀先生來函

編輯先生：三月三十日貴刊的讀者論壇上，有署名「小言」先生的「讀徐復觀先生人性論有感」的大文。我讀後，只覺得「論者太複雜了，令人難于捉摸」。謹寫出我的「讀後感」，乞刊出向小言先生領教。

× ×

我原文的意思是覺得爲了請領百元的子女教育補助費，除了戶口名簿外，還要子女所在學校的在學證明書外，還要兩個人的連保的切結，這就損害到了對方人格的尊嚴。我更由此希望反共的政治，能成爲眞正人性的集中表現。這是我原文的主要意思。小言先生對於我的意見，可以贊成，可以反對；可以某一部份贊成，某一部份反對。把自己的意見清清楚楚的說出來，這是拿起筆桿寫議論文章的人的起碼態度。

小言先生在「有感」中說：「這我認爲是當局應鄭重注意的，應該及早改善辦法的」，似乎是贊成我的意見。

× ×

尊重人格的政治

但接着舉出美國紐約州的選舉法規定每一選民要在司選事務所當衆拿一本書來讀，然後准予登記的這一事來問我：「不知徐教授的徐先生，假如親身碰到這場合，又作何感想？」這種手段以旁敲側擊的方法來反對我的意見。選舉制度初行的時候，對于選民資格，常有資產或教育程度的限制；及普選實行之後，這種限制已經取消了。美國紐約州現在是否依然保留着此種遺跡，我不敢斷定。即使是如此，那是對於人的一種能力的考驗，等於當教授要審查著作而不能憑僞造文書一樣的道理。而我所說的是對於人的人格的考驗，這是兩種絕對不同的問題，即使是如此，每一個人在社會性的生活中，在某種場合，人格也一樣應有相當的考驗，所以我並不反對必須要「在學證明書」。但聯保聯坐便是太過。談問題應先把「問題的界綫和分寸弄清楚」。假如我說「吃東西應清潔」，你便舉出廣東人吃蛇肉的例子來反對；我說「吃東西不可吃得太髒」，你便舉出有人因未吃東西而餓死的例子來反對；那還有什麼問題可談呢？

× ×

最後小言先生引李廣「數奇」的一段故事，而結之以「許多事的毛病就出在聲音容貌之詞呢。」這更令人莫測高深了。這意思是不是說農學院承辦的先生當時假定對我的態度好，我便不會反對這種辦法？抑或指的是假定當時我對承辦先生的態度好，便可以取消此一種辦法呢？在我那篇文章中，分明說這種辦法，恐怕農學院是照一般規定的例行辦法；這與我和農學院承辦人之間，有什麼「聲音容貌」的問題夾在裏面，而要小言先生用閃爍影射的筆調來加以關心呢？做事不可以「亂批」；寫文字也不可以「亂批」，更不可弄這種影射的小技倆，一面模糊正面的問題，一面對他人放暗箭。像這樣的「小言」，便不是「小言詹詹」的「小言」，而是今日所流行的「說小話」的「小言」了。

徐復觀上三月卅一日

△上期「張季直的政治與實業」一文作者邵林宗，「邵」誤植「鄒」，合更正。

貝萬被批判的一幕

·李加雪·

（上接第一版）

一般輿論認爲貝萬暴戾成性，是不會馴服的。又執委會委員二十八人，投票的結果是十四對十三，票數的距離太接近了，兩派的力量相差不遠。這表示艾德禮的妥協辦法不能夠消滅貝萬派的敵意，反而引起右派對艾德禮本人的不滿，工黨內部的裂痕或者會反而日益加深。（參考資料，三月二十一日及二十八日的時代周刊。及三月二十四日的香港南華早報）

編者按：據最近電訊，貝萬已表示接受黨內決議，他的國會地位，亦已獲得保留。

天下小事

東施效顰　蘇俄選美

也許是看了美國的選美把戲，俄國最近也開始鬧着選美的把戲。據消息靈通的人士透露：蘇俄已決定辦理選美競賽，詳細計劃且已擬就，規定各附庸國選一美女參加，名稱定爲蘇俄集團第一屆選美競賽，俄國的美女已定於六月間選出，其他附庸國則定於七月間分別初選，然後集中莫斯科舉行決賽。美國長堤舉辦的選美競賽，冠軍取名「世界小姐」。共黨處處以和平爲標榜，莫斯科選美會中的優勝者，聞將授以「和平小姐」的稱號。

捷共巨頭　部署逃亡

近兩週來，捷京布拉格的西方國家使館，共黨警察突然增加了一倍，而且巡邏於使館週圍的武裝及便衣軍警，也顯然加了許多，當時西方使館的官員們相當驚奇，以爲是繼俄人大鬧莫斯科英使館後，捷共所採取的未雨綢繆的措施。後來幾經打聽，纔知道完全不是這回事，原來當時捷克共產黨秘密警察，獲悉：捷共政權中有一兩位巨頭打算棄職逃亡，並擬逃入西方使館中尋求政治庇護，因而捷共乃採取緊急措施，加緊監視西方使館的進口。

杜魯門不忘舊嫌

不健忘的讀者總該記得，美國前任國防部長中，有一位詹遜（LOUIS JOHNSON）先生其人的，他於一九五〇年因意見不合與當時的總統杜魯門鬧翻，結果被炒魷魚，退出政府。最近詹遜宣佈：杜魯門將至佛羅里達州度假，屆時將成爲他的座上嘉賓。這話傳至杜魯門耳中後，大概杜氏前嫌未除，堅決不肯與詹遜重修舊好，他計劃對詹遜的邀請率直予以拒絕。（孟衡）

國產影片的厄運

·孫瑋·

讀自由人四〇八期方曙先生大作「今日電影事業」一文，對台灣電影事業作綜合之報導，最後提到有關外滙及政府亟應扶植國片問題，具見方先生對國計民生與乎發揚中華文化有高度的警覺，至深敬佩！惟原文或因限於篇幅，故語焉不詳，特不揣狗尾續貂之嫌以充實之，想爲方先生及關心此問題的讀者所樂聞。

台灣影片需要量

依照政府四三年公佈之影片進口限額爲美片全年三四九部，日片二四部，英片四三部，法片一六部，其他各國片一二部，國片無限制，（但全年僅約四十部，國片無限制進口，固是扶植國片之一方法，但實際是空頭支票，無補於事，此中癥結，下文再詳）即台灣全省每年上映中西影片約四百八十四部，其中西片佔四四四部，國片則僅得十分之一弱，而中西片滙款限制相同，足見外滙漏卮是在西片而不在國片，而其實國片每年所得之十餘萬美元外滙，依然在國人手中。

國片少產的原因

國片的來源除了極少數在台灣拍製外，餘均爲香港輸入，而台灣拍製的困難與不合觀衆胃口原因，除了人材器材缺乏，藝術水準太差之外，就是黨八股性太表面化，本來國片市場狹隘得相當可憐，除台灣外，僅有新嘉坡、香港、暹羅、印尼、菲律賓、越南、及美洲等有華僑較多地方。而台灣拍製之片，因黨八股性太表面化的緣故，除了在台灣放映之外，（尚需用政治力量）幾乎外埠一律不歡迎，不只國家不歡迎，且當地政府亦多限制。（還有關台灣今後拍片應行改變作風之處，因篇幅所限，還是不加詳論）。至於在香港拍製的片，固然人材、器材、市場較台片爲優外，但較之西片所具備條件仍相形見拙。製成一部片既蝕本多於賺錢，難怪除了幾個較稍具規模的製片公司如邵氏永華，大觀，等外，其餘如曇花一現，且有江河日下之勢。

檢查制度亟須改善

國片外滙既與西片同樣待遇，國片通過檢查，則比西片加倍困難，國片往往因片中一些極微末問題，而檢查通過達一年或半年之久，或有些竟遭禁映，西片則極少此事。我們絕不反對檢查制度，（世界各國都有此制度）但我們卻主張檢查制度要改善：譬如劇本問題，政府大可規定各製片人應於拍製前將劇本送檢，核可後始拍製，以免召致損失；編劇，導演，演員，職員問題，政府應公佈附匪電影從業人名單，使製片人及購片人知所選擇。假如明知故犯，則罪有應得，若待一部片拍成後送檢始來吹毛求疵，到底不是辦法，亦無形中賦檢查者以作威作福之機，再說，政府既設一電影檢查處專司其事，便應賦以全權，不宜再有其他機關參加，蓋參加機關既多，便可互推責任，互逞威福。[illegible]參加檢查的機關，表面上是與檢查處相等或較大的機關，實際是派一位小科員或小辦事員參加，這些人學養多極淺薄，於是令人啼笑皆非的毛病也就很易發生，職權既不集中，一個問題發生，公事往返旅行，需費時日，無形中便增加國片的困難。

國片受歧視待遇

台北亦雖有廿餘家戲院，但專映國片的戲院只有新世界一家，其餘雖有明星寶宮等亦上映國片，但皆與新世界跑片，且間映西片，簡言之台北市每日祇有一部國片上映，（台北以外地區亦大都如此），新世界每年上映的國片不滿四十部，亦即等於台灣全省每年只能上映國片四十部，而且一部國片上映，往往要等幾個月才有機會，（這指中等片而言，若下等國片，則只有全年坐冷監或到小地方去作偸雞式的放映。台灣全省——尤其台北市——的電影事業可說大部份控制在中央電影公司手裏，只台北市西門電影院地區來說，屬於中影公司管轄的就有大世界，國際，台灣，新世界四家，而以新世界爲最小，設備簡陋，中影公司把新世界來專映國片，實等於給人以藐視國片的暗示，而且在中影公司所屬戲院上映影片，美商八大公司出品西片則享有種種利便，國產片則限制極苛，甚且連在新世界門口懸掛油畫廣告，也要納費，這簡直是大笑話。

關門的毛病

數月來國片中又有所謂中央輔導片與非輔導片之別，屬於輔導片的有優先上映權，及大世界或國際台灣[illegible]好日子上映之利，否則便要坐待輪流機會。所謂中央輔導辦法，我們從未在報上見過，聽說規定：（一）在台灣拍製的，（二）台灣投資往香港拍製的。（三）香港製片商自行在台發行的。我們覺得立法原旨根本就不通，同是中國人，同是中國人的資本，同樣要納稅，爲什麼要劃分不平等待遇？我們反共抗俄不是靠住台灣這八百萬人口力量，而是包括海外千餘萬華僑，甚至包括在大陸四萬萬五千萬中的大多數反共同胞，如果照這樣的分門別類，豈不是犯了關起大門的毛病？立法人不顧到拍片條件的困難事實，而閉門造車，這是要不得的。

國片如何虧蝕

國片受種種困難限制，已如上述，但國片的成本高，（所謂成本係指台灣地區放映權成本，譬如拍一部中等國片需要十萬港元或五十萬台幣，但能放映的地區極狹，故成本高，一部中等國片台灣地區放映權二三萬港元，上等的亦六七萬港元，下等的萬餘。較之西片——尤其美國片佔有全世界市場，就台灣地區來說，僅花一拷貝費一二千港元而已）更難與西片抗衡。一般人以爲一部國片台灣放映權僅數萬港元，而新世界常常滿座，觀衆且常需買黃牛票，片商及戲院一定賺錢很多，殊不知每部影片自入口以至結滙，要納了若干種稅款，譬如每張樓座戲票五元七角，政府約取去了三元七角，戲院及片商各僅得一元，而這一元還要開銷鉅額的廣告費以及員工薪資院租屋水電設備消耗等等費用，所餘的實在微乎其微。十部片中蝕本的佔十分之六，能够本的佔十分之三，能賺錢的僅十分之一而已，換言之，即賺錢的機會僅十分之一，而蝕本的機會則佔絕對多數，這是片商某君告訴筆者，當是事實。

總之，台灣影業雖然表面蓬勃，雖然消耗很多外滙，但實際上國片只有日就凋零，絕無發展希望，筆者提出下列幾點改善辦法：

幾項改革意見

一、消極方面——怎樣減少外滙漏卮及扶植國片

（一）再減少外片進口額。（各國限制都比我們嚴，譬如英國限制每家戲院每月要上映英片十天）（二）要減少外片的外滙限額。（譬如日本僅能限滙百分之三十。）但國片絕不能再減，（三）要規定每家戲院每月最少要上映若干天國片，尤其中影公司要以大世界或國際或台灣專映國片。

二、積極方面

（一）要改善台灣的拍片作風。（二）要改善國片的檢查辦法。（三）要扶植國片的製片商及影業商。

如此雙管齊下，庶幾可得國片的多產，可減少外滙漏卮，否則所謂扶植國片也者，祇是空言而已。

會考制度殆難廢除 放寬尺度不容忽視

現年度會考雖然距今尚遠，人們對於會考制度會否改善，至爲關切。教育當局對此確曾經詳爲考慮，並作若干修正。可以透露而未經正式公布的消息，是有關於小學畢業免費生的年齡縮短，本報曾加披露，亦經痛陳利害。會考尺度放寬與否，似乎每一準備參加會考學生，均感不安。但是主管當局，迄今仍在縝密研究、探討，尚未獲致結論。大體說來，過去應考學生，他們所感到不滿，認爲不合情理的，自無過於所出之試題均非當年所修的課程，乃是已經修畢一年以上學科。事先未經準備的，顯然臨考大傷腦筋，以致試卷成績不會太好，當非意外。

此種辦法，在主管當局看來，用意良善。人們深感遺憾者，由於當局偏顧及主觀條件，未加兼顧客觀環境。誰也知道，會考唯一目標，要求學生「學以致用」；測驗過去學業，殆欲考核該生全般性的知識，卻忽略了在學的青年子弟，與接觸事物的社會青年有別；前者所研習的係限前必修課程，後者則既有所學，臨事方纔致用。倘若解釋此一問題，並不困難，例如醫學上所用的 H_2O_2 係用於創口消毒；但在物理學試題中需要解答它的構成分子及其用途；答題本來並不困難，然而臨試時間既屬有限，忙中不免有誤。再說，一個高中畢業學生，臨時要他由別人選出——他過去曾經在初中讀過的一課國文背誦，未必能够一字不錯迅即背出，當屬同一理由。

由於許多似是而非的「合理」原因，會考制度存廢，迄猶讚否參半，有等疼愛子女的學生家長，他們根本就很反對這種舉措，也有甚多學校，爲了顧全校譽，不允學生參加會考，此等學校的學業不够水準，不言可喻；但肄業於這種學校的學生家長，偏偏反對，且向報館投書，在報上公開指謫。於是，就形成了兩種不同觀念，一種是可以替自己子女找出路的家長，只希望於他們的子女，能够修畢他們自認爲有相當知識程度，不計較有無教育司發給的及格文憑；另一種由於遷就現實，眼巴巴望着他們的子女會考及格，拿了一紙文憑可向輔政司署登記，以期求得一份安穩而薪高的職業。現在看來，廢除會考制度殆無可能，人們所希望於當局者，當是在此考慮放寬考試尺度之時，能就客觀環境與主觀條件，兩者兼籌並顧才好。

一個蘇俄青年——想做美國飛行員

·伯林·

一個蘇俄空軍中校之子，一心想到美國去做飛行員，最近從東德逃入西柏林，從他口中，說明了今日蘇俄青年的一般情緒的低落。學校中也仍有反共秘密組織存在。

十六歲的蘇俄青年，伐勒萊·李西柯夫，和全世界許多青年一樣，立志要做飛機駕駛員。對於他來說，這是十分合理的希望，因爲他父親是蘇俄空軍的中校軍官。可是他嚴肅的父親，不僅不贊成他這個志願，且對他的其他一切行動都感不滿。而且伐勒萊非但要做飛行員，還要做美國的飛行員，要是父親知道這事，更不知要不滿到何種程度了。他起先隨父親住在史達林格勒，後來父親調到東柏林，他也跟了去。這時期，他竟漸漸發生親美傾向，他對美國的同情，正和父親對共黨的熱誠一樣。每有機會，他就祕密收聽美國之音和英國廣播公司的播音，私下閱讀偷運入東德的美國歷史等禁書，他對美國的爵士樂，尤爲喜歡，口中常哼着流行舞曲。

據他後來敍述，他不但抵抗種種壓力，堅不參加共產黨青年組織，且參加了學校中叫做「無政府主義者」的一個秘密集團，這組織的目的，是和屬於共黨組織的同學搗蛋。他說：「像我這樣年紀的人，贊成我們的意見的很多，可是你得特別小心，否則保安警察便會來監視你的。」

他不時遭父親毆打，同時政治壓力也愈來愈大，到二月中一天，他覺得已不堪忍受，決定逃亡，他偷偷爬上一列從東柏林西駛的火車，但在車上被共警查出，把他送了回去。後來，東柏林蘇聯第一學校的一位教員把他叫去，給他看一封信。這封信是當時正在莫斯科途中的父親，把他的情形報告[illegible]，說他已中了「美國危險影響」之毒，且已因此遭受當地青年組織正式譴責。他受了教員一頓責備，走到外面走廊裏，忽然聽到[illegible]，他這天[illegible]烟，便離開[illegible]穿過邊界[illegible]美國官員[illegible]母，如果他們[illegible]見面談談。

伐勒萊的[illegible]震驚，[illegible]底到達西柏林[illegible]規勸，父[illegible]集中營」[illegible]，後來更[illegible]十五分鐘[illegible]母親嚷着[illegible]和兒子單獨[illegible]那個房間[illegible]，可是意志[illegible]他母親開[illegible]沒有用了，我們回家吧！」

司法行政部——關於胡光麃案來函

本報頃接司法行政部關於胡光麃案資料問題第二次來函，原文如下：

自由人編輯先生大鑒：頃閱三月卅日貴報答司法行政部函，略謂胡光麃案貴報三月廿三日「半週展望」及「自由談」所據爲評論之資料係採自三月廿日香港出版與行銷台灣之工商日報，及三月十六、十七兩日在台灣出版銷行甚廣之聯合報「勾結官員騙取公帑」與「如此演變的揚子公司」兩則報導，因而認爲並非「徒憑揣測，而妄加臆斷」。

查立法委員郭紫峻先生於三月十五日在立法院質詢時，提出胡光麃案，十六日台北市各報均有刊載，其中提及法院時，僅稱台灣銀行將胡之借款部份，迅即移送法院，擬將一個大貪污案，變爲普通司法案件，意圖減輕對方責任。而聯合報則有「同時台灣銀行以茶箱未交貨，且欠款不還，便將此案送高等法院，法院曾判決破產，但未執行。結果司法行政部又將此案收回，迄今未獲解決」之語。然此皆爲無法律常識之報導文字，蓋（一）台灣銀行爲民事訴訟當事人，依法只能起訴而不能將案件移送法院，（二）債務訟爭，亦不能遽送高等法院，（三）破產之宣告有法定之程序，法院宣告債務人破產，依法應以裁定爲之，故絕不可能有破產之判決。（四）司法行政部主管司法行政，不涉審判，對於訴訟案件，豈能收回。即此數端，已可見上項報導之非事實真相，而十七日各報復皆詳載有關胡光麃承製台灣銀行茶箱案訴訟原委，及第一審判決主文，與兩造在第二審當庭成立和解之情形。即聯合報亦未例外，於「胡光麃債務背信案」大標題下分段標題「屆期既不交貨竟又運出材料」之新聞中，有[illegible]「胡光麃[illegible]後，於四十一年六月五日，向台北地方法院民庭提出訴訟，官司打至同年十二月廿七日，當庭成立和解。因胡光麃[illegible]祇有敗訴[illegible]（按即台灣銀行）[illegible]打官司之[illegible]收回茶箱[illegible]將欠款[illegible]要以打官司[illegible]遂勉強同意和解。又分段標題[illegible]刀計失敗[illegible]段內，亦有[illegible]至第二審[illegible]」等記載。聯合報「如此演變的揚子公司」[illegible]：「後來[illegible]均密[illegible]法院。[illegible]決破產[illegible]機關執行[illegible]時。卻又收回成命了」之語。[illegible]實，即與該報同日「胡光麃債務背信案」一文之報導，亦大相[illegible]遲延，足證其記載之[illegible]

司法行政部秘書室啓 三月卅一日

香港風情之一

馬五先生

自由談

據說，香港的廁所名稱，計分三等：一爲「紳士與淑女」式，（GENTLEMEN, LADIES.）二爲「男人與女人」式，（MEN, WOMEN.）三是「雄性與雌性」式，（MALE, FEMALE.）這三等的地方，我都進去過，情況確有些不同。前兩種雖略有差別，但以結構與管理的關係，內部比較乾淨而有秩序些。第三種多在通衢大道旁邊，出進自由，沒人照顧，裏面隨時皆有遍地珠玉，琳瑯滿目之感。最危急的情勢，就是你正在小解而欲罷不能之際，忽有迫不及待的同志，急足奔來，不管三七念一地翹開兩腿，作遠距離的水龍發射，浪花四濺，不顧是否沾及別人身上，他卻昂首天外，若無事然，掉頭去矣。

香港對於吐痰的禁令詞句也分三等：一曰「請莫吐痰」（PLEASE NO SPIT.）二曰「不要吐痰」（DON'T SPITNG.）三曰「不許吐痰」（NO SPITNG!）這三種詞令的所在地，亦頗有講究，第一二種大概多是見之於比較有規律性的娛樂場所與茶樓酒館中，第三種乃通行於碼頭舟船之間。實則許多人都不見得注意這些詞令，其所以念茲在茲，不敢亂唾珠璣者，是因爲有被罰數十大元的危險也。我常常想到：如果在自己國土內，警察機關也效法香港，對隨地自由吐痰的人，予以干涉處罰的話，一定有人要大講其「人權」問題，說是人民連吐口水的自由也沒有了！但在民主自由的香港，同樣都是中國人，大家卻奉命唯謹，莫敢怠忽。就在娛樂場所或輪渡火車的售票處，大家亦沒有爭先恐後，奮勇衝鋒的情形了。同是中國人，在自己本國和在別國社會的生活意識，迥然大異，即此可知無政府主義再過一百萬年，也是不容易實現的！

論我國洋畫的創造

何鐵華

洋畫在中國總算已有四十年的歷史了，由于先覺的努力和倡導，以至政府之輔助與實施，陸續在全國各大都市如上海、杭州、蘇州、武昌、廣州、南京、北平等地，創立美術學校和團體，又經常舉辦展覽會，建樹好像不少，根基是打下了的。然而，洋畫爲何至今仍沒有普遍起來呢？反欲以其他的畫取而代之。這眞使人感慨萬千！其原因很多且又複雜，尤要者爲未能獨創出我國洋畫的璀爛花朵，卻常就西洋的一套原本東西，作一般性的移植工作罷了。所以，時至今日的洋畫頗有點感情沒有出路的樣子，即在台灣的曾受日本的洋畫薰陶過的作家們，也大多擺脫不了過去畫風的羈絆。只看此時此地洋畫團體和展覽會的尚屬稀少，和藝術創造之貧乏，和社會對於洋畫的漠不關心，便可以知道了。這自然有它的客觀原因在，不能歸罪於那一方面的。因了這種情形，致使研究洋畫的人逐漸減少下去是事實。就是既在研究的人，看見風勢不順（大概是國畫和漫畫都比洋畫吃香而易于出售），而轉舵的也很多。年輕的人大都受到流行漫畫的影響，跑往漫畫方面去；年紀比較大的基礎深一點的作家，則又捨棄了油色畫布，而向水墨宣紙中去討生活了。這現象在過去大陸的近十餘年來便已常見，許多公私立美術學校的校長改易爲國畫家（甚至有些連藝術的分類也搞不清楚的人充任），實爲最顯著的一例；至于共匪統治下的北平藝專，竟以漫畫匠來長校，那更不必說了！

×××

現在，我單想說一說關于我國洋畫家之國畫的傾向問題：其實只要能把作家的藝術感興乃至思想表現出來，不論洋畫也好，國畫也好，所採用的材料工具是沒有問題的。若以所用的工具輕便和材料低廉來論，國畫的確是勝過洋畫的；不過，從洋畫的立場看之，這傾向似乎是表示洋畫衰落的徵象，好在這還是表面的權衡之分，並非我們所重視的繪畫的本質問題。

但從另一方面去看，洋畫家之國畫的傾向，我覺得反而可以開拓出洋畫的新途徑來的。

我們不是常常聽到那些頑固的國畫家對于洋畫家的非難的聯麼？他們的意思大概是說：中國人自己有了很好的國畫不學，反捨近而求遠的，惟歐風美雨日習是尚，極力模倣外國人的繪畫，這種奴性，縱使模倣得很像樣，也是趕不上外國的。（至于國畫家之拚命臨摹古畫，則又是一回事，並非本文所要述的。）而頑固的外國人，看見了中國人學洋畫，也大驚小怪的說：你們中國已經有了那麼好的繪畫，爲什麼還要來學我們的畫呢？

須知洋畫現在已經不是西洋所專有的，而是成爲世界的繪畫了。這爲全世界各國所共認的事。——我們現在還稱之爲洋畫，實在已不很適當的。——洋畫因材料的特長，表現力的豐富，中國採用這種材料來製作繪畫，也沒有可以非議之點。那些頑固的國畫家和外國人的言論，當然不值得一笑的；問題只在於中國人畫的洋畫，是否能夠表現出中國的特色。（上）

南鹿犒師

·姚味苹·

虎嶼橫中流，貔貅怒而立，句奴苟不滅，中情盍忿悒。犒師愧弦高，中酒劍履集，清歌雜百戲，八音何促急！北鹿曉霧深，東瓜晚潮入，中夜風雨聲，如聞父老泣。鷙鶴貴翺翔，騏驥惡拘縶，要效神龍伸，毋爲修蛇蟄。勗哉諸將士，河山待收拾。

屏居

·前人·

琴書日自娛，時信野禽呼，不出非疏懶，忘言豈老迂？高吟仙尉宅，薄醉步兵廚，千載有同賞，誰云客夢孤！

唐髯與楊大個

·易與·

說來已是四十年前的往事陳蹟，那時，我還是一個十二三歲的孩子，不過我卻已在舊制的中學裏讀三年級了，我們這一級，組織了一個書報社，每人一個月繳二毛錢做月費，初入社時繳一塊錢社費。同時，我們除書報社而外，還參加一個世界語學會，那是全C城的兩所中學教職員和學生，加上社會人士，倒也頗爲熱鬧，這是由一個幹律師的和一個名叫「揚集」的四川人搞起來的，教英文的黃老師慫恿我們參加，他說世界語和法文差不多，世界語的文藝作品，最足代表各個弱小民族的特色，如是云云，老實說也不過如是云云，其實最够這伙青年大孩子們感覺興趣的，是每一個人搞個怪姓名玩玩，譬如揚集說他這個姓名，姓是把他的父姓的楊減少一筆和母姓的葉除掉草頭，如此云云，這個風行一時，眞正的學世界語興趣，似乎還似乎沒有搞這個姓名來得上勁，甚多的人搞了兩個月世界語，二十八個字母還是認不眞切。我們的世界語課，揚集祇搞了一個禮拜，接他的是一位湖北佬，滿嘴的「你家」和「麼事」，客氣的了不得，不過他對於世界語，似乎是下過一番功夫的。可是我們上世界語課的人數，卻一天天的「不景氣」來，旺盛的時候，幾幾乎有百來個人，當然那祇是揚集起初動手那個把禮拜，以後日見減少，雖說湖北佬的教法不差，可是總難叫座，而且一天比一天少，後來竟然祇是小貓三隻四隻，有時還祇是小狗一隻兩隻的冷落起來了，任令湖北佬如何的熱心「說法」，總不能鼓勵我們這幹「頑石點頭」來甘願承教，說來慚愧，我固然也算是一個「始終不懈」的聽法者，可也祇是三天兩回的來應一回卯，一天，我注意到那蜷伏在教室後面角落裏一個老頭兒，眞個他是自開課那天起就獃在那里聽課，我們誰也沒有對他望一眼，甚而也可以說誰也沒有看他一眼，後來人少了，我才見到有這麼一個人，最後祇有我們兩個人時，我不免對他有幾分親切之感，和他點點頭，在湖北佬走開的當兒，我近到他那里，無論人多人少，他總是遠遠的坐在那個角落裏，有時湖北佬看到空空洞洞的教室裏，祇有三兩個人時，就叫坐到前面來，他可他祇是笑笑點點頭，仍然坐在他那原來的角落裏，我挨近了他，我藉着借他的抄本來看的機會和他對的話來，我問他貴姓，他祇答道一個「唐」字，他並沒反問我貴姓，我再稱贊他的抄本太好，他並沒有什麼表情，略略的把腦袋幌了一下，實在的，他那抄本不祇字蹟清秀，而且所加的註釋十分簡明，眞個比湖北佬發下來的講義還够味，我不由得不對他「刮目相看」。（三）

語言學漫談

徐道鄰

……這些『空話』，『廢話』，我們卻千萬不可忽略它們在人類文化和人類生活上的重要價值。比方剛才在酒會上才介紹給你的那位朋友，假如他面對着你五分鐘，一語不發，你和他說話，他祇應以「是」，「否」，再也不多說一個字，你此時心理上的反應會怎樣？你坐輪船從基隆到香港，同艙的只有一個人，他一路上對你片言不發，好像沒有看見你一樣，你的反應又是怎樣？

兩隻生狗見面，有的咧嘴呲牙，馬上就要打架，有的則互搖尾巴，一步一步的逐漸接近。咧嘴呲牙就是敵意的表示，搖尾就是善意的表示。

人類在世界上之有今日的文化生活，完全是靠着他們之能互助合作。人類之能合作，其最起碼的條件，是彼此間之不敵視。人類消除彼此間敵視之方法有三：（一），在一塊工作；（二），在一塊游戲；（三），在一塊說話。而用說話來表示不敵視的方法，是最方便，所以也最最普遍。未同人講話，先在臉上堆下笑容，『今天天氣眞好！』這一句話在表達事物上並沒有重要的意義，在調協人類情感方面上，卻發生了重大的作用，它就等於一條狗之向另外一條狗搖尾巴一樣，至少不會馬上有打架的事情發生。

人類間之相互接近，在表示不敵對之後，要逐漸表示友好，而表示友好的方法，最自然的是在逐漸表示使對方可以同意的意見。一個人與另一個人間的友誼之深淺，和他們彼此間對於對方意見能同意的多少是成正比例的。所以人們在不知不覺中，也都熟練了這一種爭取友意的技術。就是說，和生人說話，總是先從極明顯的事實上，表示態度，而一步一步的加以擴充。『今天天氣眞好！』『是的，今年一夏天的天氣都好！』『就是春天也不錯呀！』『可不是嗎！我們今年的收成，要比去年的好多啦。』一個人，除非心理上有毛病，和生人說話，總知道儘量避免那些足以引起爭論的問題，就是這個道理。

不但如此，閑話家常，談一些極不相干的事情，既非報導外面才發生的重要的事實，也不是交換個人在思想上學術上的新產生的意見，雖然似乎近於『言不及義』，似乎是浪費了時間，但是在培植人與人之間的友好感情上，卻正有極大的作用。

『你爲什麼老是不和我說話呢？』太太說。

『因爲沒有什麼可說的呀！』先生回答。

『不是的。我知道：你現在不愛我了。』

這不是太太在撒嬌，內中恐怕確實有一點眞理存在，不信你去看一對才墮入情網的戀人，他們從早到晚喋喋不休，說話永遠說不完。可是哪裏會有什麼嚴肅正經的報導或討論在內？

（二十五）

關於黃花崗詩

編輯先生：貴刊第四二五期登載劉麟如先生大作「黃花崗文獻拾零」一文，內引拙作齋祭黃花崗先烈七律四首。其中稍有錯誤，茲特更正如下：第一首破「虜軍宜帶早行」，早應作甲。「白雲山上雲蒼蒼」，上應作下。第二首「寒林一陣瀟瀟雨」，陣應作夜。第四首「戲綵耕耘脫可收」，脫應作耜。「風雲誠與數從頭」，誠應作試。又拙詩於三年前發表於本港某一家晚報，署名變珍樓主，非敢掠美，聊以存拙作眞面目耳。敬頌撰安。弟王懷冰鞠啓

論于右任的詩

·王世昭·

歌凡二千餘言，從古說到今，從內說到外；從戰爭開始，到日本投降，總之內政、外交、軍事、經濟，一古腦兒都說盡。對於波茨坦宣言，以「天不管」三字盡之，其見解固亦與陳孝威等互相映發也。至於入台灣之後，時有佳作，以今年元旦所發表之「中華民國四十二年頌」爲較有意義，此詩以語體寫成，已見香港各報。故于氏之作至七十五歲又爲一大轉變，蓋由前之平淡，而進爲今之通俗也。

（六）詞與曲及其詩的結論

于氏之詞，紀元前存者六首，二十六年之後至三十六年間，已結集之塡詞計凡四十四首。至於曲，均民國二十七年及以後所作，至三十五年止，凡五十五首。現在我先來談他的詞。

他的詞，詞格很高，如「醜奴兒令，靈寶道中弔妹仲華」云：

「沉吟往歲留題句，字也分明，恨也分明，淚濕河山百感生。今來更有傷心事，兄也飄零，妹也飄零，木落天寒雁一聲」。這「木落天寒雁一聲」句，與蘇子瞻的「惟見幽人獨往來」，意境雖不同，似乎也可以相匹了。又「浪淘沙，謁關感賦」云：

「形勢踞中收，故國神遊，鐵兒一逝潰齊州，如此雄關雖坐守，豎子無謀。驚鳥再來投，竊深恩仇，明知不返也難留，大降繁霜人雪涕，白盡鳥頭！」這首詞雖年少時所作，氣概也自不凡。到了民國三十三年，越寫越好了，如「齊天樂，一勉青年軍人」云：「小華民族齊心進，人人載歌載舞，急難鴒原，報恩祖國，此實興亡在汝。精神所聚，便投筆從戎，經文緯武，天下一家，何人今後敢予侮！時時紀念國父，只生逢喪亂，難護陵樹。誠道淪亡，腐犬誓老，腸斷金戈金鼓。有懷欲吐，伏龍虎風雲，百千兒女，萬歲歡聲，一聲聲破虜！（八）

自由人

THE FREEMAN

（第四二八期）

中華民國僑務委員會登記證：香港新字第一二號
中華郵政台字第五○○號
執照登記爲第一類新聞紙
（半週刊每星期三、六出版）

零售每份港幣壹毫
台北市售價台幣壹元

督印人：陳文郁
地址：香港高士威道二十四號四樓
3 rd. fl. 20 CAUSEWAY RD HONG KONG

香港發行及業務接洽：高士打道66號　電話：七四○五三
承印者：東南印務出版社
地址：高士打道六十四號
海外總經銷：友聯書報發行公司
香港：彌敦道中二十六號A二樓
台灣總派辦事處：台北市館前街五十號
台灣總經銷處：台北市西寧南路一○一號二樓
台郵撥儲金戶九二五二

論英美全球戰略基礎

——並答蕭立坤先生——

黃煥文

三月十二日本刊四二○期載阿根廷華僑蕭立坤先生論「反共冷戰的基本觀念」一文，對拙作「論英美全球戰略動向」（本刊三九四期）謬承獎飾，實不敢當。筆者十餘年來專治世界戰略，近半年準備寫一本「世界兵學與全球戰略」專書。個人精研反共戰略所獲結論，大致與英國李德哈特（B. H. LIDDELL HALT）先生的見解相同。（詳李氏上年在英倫修訂出版之「戰略論」（STRATEGY）鉅著。）惟李氏二十年來主張的「間接戰略」，或稱「大戰略」與「高級戰略」，和我們東方孫子兵法的「古之所謂善戰者，勝於易勝也」並無不同之處。但李氏欲將支配百餘年的克勞塞維茲（CLAUSEWITY）戰爭理論全部推翻，吾人絕對不能苟同。限於篇幅，此處不能詳論。

冷戰與英國李德哈特

今天我們自由世界與共產集團之生死鬥爭，戰略之高下，不但決定敵我之存亡，且可決定今後世界之命運。蕭先生多年來對反共冷戰有絕對的信心是不錯的。這在全球戰略思想上可以說和李德哈特的間接戰略一樣。戰後十年來李氏被譽為「現代的克勞塞維茲」，他的戰史研究，他的戰略理論，不但支配了英國邱吉爾與艾登，且有潛移默化，無形中支配了艾森豪與杜勒斯之勢。他們間接戰略保險箱中，自以為藏有能使世界共黨自己打倒自己的法寶。所謂「LET'EM COME TO YE, AND THEY'LL BEAT THEIRSELVES。」這等於中國人打太極拳一樣，說穿了並無神妙之處。這也就是蕭先生在前文中指明的冷戰第三方略：「盡一切可能分裂敵人，愚弄敵人，麻醉敵人，以增加或擴大敵人對我方的戰鬥意志。增加或擴大敵人內部的矛盾，必要時攜利害輕重，拉攏一部份敵人作為同志。」云云。

蕭先生並非專研戰略學的人而有英美第一流戰略思想家同樣的見解，足見智慧之高，而這種致力分裂敵人的間接戰略正是當前英、美反共戰略第一個目標。不過此種柔性戰略，說時容易做時難。因為我欲分裂敵人，而敵人亦要分裂我們，有如，克勞塞維茲所謂戰爭「三種交互作用」，即我欲增兵二團，敵人即增兵四團，然後我又增兵八團，再後敵方又增兵十六團，有如現時原子彈、氫彈、飛彈等之雙方軍備競賽一樣，而最後仍難免一戰。這個問題為英、美全球戰略爭論之焦點，而且關係很大。如果認為單憑冷戰競賽可以打倒共黨，當此原子能時代，則十年後，欲和不得，欲戰不能，有如美國耶魯大學教授尼米葉博士（DR. GERHART NIEMEYER）的推斷：如果和平共存到了一九六四年之年，美國實際上陷於孤立而不能自拔，國內分成和戰兩個黨派，主戰派主張立即向俄國進攻，而主和派則認為斯時也，沒有任何理由冒險發動戰爭而招致全面毀滅。到了這個時候，使美國陷入歷史上最艱深的苦境了。（尼博士專文推斷極詳，載美國新聞與世界報導週刊，一九五四年十二月十日出版。）

冷戰與間接戰略

我把冷戰作為英國間接戰略的基本型態，自信甚為恰當。因為今日西方兵學界可以李德哈特為代表人，而李氏所追求的戰略完美境界是「一種極端有利的戰略形勢，由此形勢便可產生一種決定性的戰果，並不需要任何嚴重的戰鬥」。在廿世紀五十年代中，經過兩次世界戰爭進展到核子武器和飛彈時代，不經熱戰而可獲得決定性的戰果，實為人人夢想所追求。所以，李氏在其名著「戰略論」中很清楚的說明大戰略或高級戰略的概念是：「軍事力量只不過是大戰略的各種工具中的一種而已——它更應注意運用財政上的壓力，外交上的壓力，商業上的壓力，甚至於道義上的壓力，以求削弱敵人的意志。」因此，蕭立坤先生力言「冷戰是戰爭」乃是十分正確的。

另一位英國著名軍事思想家福勒將軍（FULLER）說得好，「冷戰就是一種大衆化的戰爭。本來，戰爭被當作政治（和平）的工具，可是第二次世界大戰之後，根本無和平之可言。事實上，現時和平被當作是一種戰爭的工具，真是有點歷史反常。」福勒在去秋又說：「由於一顆氫彈可以把莫斯科、倫敦，或紐約炸成平地，所以，現代軍事工具的威力實在太大了，使它無法達到政治上有利的目標。雖然如此，氫彈並不能取消戰爭，絕對不能的。但是氫彈卻使戰爭逐漸由物理的境界轉入心理的境界而已。」由此可知，戰後十年中冷戰之得勢及間接戰略之風行一時，二、三年內似有更趨激烈之勢。

冷戰與原子報復政策

根據以上戰略論述，吾人已可獲得一個初步結論，第一、氫彈不能取消戰爭；第二、冷戰不能無限下去。於是只有成為暫時「強迫和平」（FORCED PEACE）或「談判的和平」之局面。因此美國戰略思想家們就構成「預防性的戰爭」（PREVENTIVE WAR），及「報復政策」的對策。直至本年（一九五五）年初，富於想像力及熱情之美國後起軍事思想家如海軍上校浦斯頓（W. D. PULESTON），空軍上校李漢（RICHARD S. LEGHORN）等於本年一、二兩月出版專書，發表專論，根據「兵器支配戰略與戰略支配兵器」之相互關係，建議美國總統考慮宣佈下列政策：

「（一）假使美國任一同盟國，或者美國本身被一個侵略者用普通武器的陸軍進攻，美國即以戰術性的核子武器對作戰地帶進攻軍隊及其緊接後方地區各項軍事設備加以毀滅。」

「（二）如果任何此種侵略得有武裝飛機的支持，則美國即將在空中截擊並以核子武器進攻侵略者的空軍基地。」

「（三）倘若美國或任何一個美國同盟國受侵略者以核子武器進攻，則美國立即以核子武器將侵略者的核子武器儲藏所及其一切運載原子武器之工具加以徹底的毀滅。」

「（四）美國單獨宣佈，除非自由世界之一切城市被人首先以氫彈或原子彈攻擊，美國不首先以核子武器進攻敵方城市。」（詳見美國新聞及世界報導一九五五年一月廿八日號。）

報復政策等於自殺

以上四點，可以代表美國空軍的意見，而海軍方面，浦斯頓先生有「現代馬漢」（MODERN MAHAN）之雅號，其戰略思想更為深入，他指出美國所謂報復政策等於自殺政策。筆者十分同意浦氏高見，當此原子時代，誰是先下手為強，誰後下手遭殃。浦氏今年二月四日在美國新聞世界報導中發表他的名著，其中除詳列第二次大戰共計十八項大錯誤之外，並力言美國「原子報復」戰略將先制之利拱手讓與敵人，實太危險。他並告知我們，美國前國務卿斯汀生當時曾運用手段務使日本先行進攻美國，以便使美國在損失不大之情況下激起公憤，統一全國意志而加入戰爭。這種故意要敵人先下手，先放槍的策略，太過危險，尤其在今天熱核子武器之毀滅能力無邊之時代。

因此之故，浦氏大聲疾呼：「我們必須先下手」！他主張修正「原子報復」政策，只要有了確實證明侵略者正在準備攻擊我們的時候，我們立即先下手為強。這不僅合乎大戰略原則，而且亦合乎人道呢？（浦氏名著討論極為精詳，希望關心世局的人士細心閱讀一下。）

總之，冷戰目的在於造成一種極端不利敵人的全球大戰略情勢，上焉者做到不戰而勝，使世界共黨集團自己打倒自己，否則，只要加以輕微的一擊，敵人便整個的崩潰。似乎這就是冷戰的勝利，不知蕭先生以為然否？

透視中共的內鬨

金達凱

高崗之被清算，純由內部爭奪權力的結果。高崗之自殺，恐為周恩來與劉少奇先發制人所至。饒漱石是劉少奇所支持的人物，饒去劉派亦將不免。今後中共內部將為周劉對峙的局面。

中共內部的傾軋史

中共的歷史，本是一部傾軋鬥爭的歷史。自建黨以來，無時不在鬥爭整肅之中。首先是對陳獨秀之爭，繼而是陳紹禹對李立三之爭，接着是毛澤東對陳紹禹之爭，「遵義會議」後毛澤東又展開對張國燾的鬥爭，其間周恩來之爭而造成慘劇的，有「黃陂事變」與「富田事變」。毛澤東掌握領導權後，黨內的整肅仍未稍止，如一九四二年到四三年在延安的整風運動，一九四七年到四八年在晉察冀地區的第二次整風運動，一九五零年召開七屆三中全會通過的第三次整風運動，以及一九五一年的「三反」運動和一九五三年的「整黨」運動，都是為鞏固其寡頭獨裁在黨內實行的鬥爭花樣。但是「整風」、「三反」和「整黨」中，他們所鬥爭和清洗的對象，主要是省委以下幹部，其中央一級幹部，特別是負大行政區責任的高級幹部之遭受整肅者，則以這次高崗與饒漱石為始。

內部爭奪權力的結果

高崗曾任中共西北局書記、東北局書記、中共「中央人民政府副主席」、「東北人民政府主席」及中共「中央計劃委員會主席」等職務，是僅次於毛澤東的人物。饒漱石前為中共第三野戰軍政治委員、華東局第一書記、「華東軍政委員會主席」，後担任中共中央組織部長，其地位亦極顯要。這次中共之對他們整肅，既不是政策上發生歧見，亦不是工作上犯有錯誤，而是內部爭權奪利的結果。本年三月三十一日中共全國代表會議通過的關於高崗、饒漱石反黨聯盟的決議中，指責高崗從一九四九年起，就進行奪取黨中央的領導權而進行活動，其活動的方法，一是在東北和其他地方製造和散佈攻擊黨中央的言論，煽動地方黨員對中央領導人員的不滿，並形成一個反黨宗派，把東北地區當成獨立王國。一九五三年後，他更進一步煽動軍隊黨員來支持他的活動，並為此鼓吹說共黨將分為兩個，一個是「根據地和軍隊的黨」，一個是「白區的黨」，他自己是「根據地和軍隊的黨的代表人」。主張改組中央黨政機構，由他担任總書記和「國務院總理」。最後並以自殺表示「對黨的背叛」。

在同一決議中，中共攻擊饒漱石是高崗的主要同盟者，說他為了奪取權力，在黨內多次使用欺騙手段，一九五三年調任中央組織部長後，即與高崗結成聯盟，利用組織部長的職務發動反中央領導人員為目的的鬥爭。他二人的總罪狀是：「向黨中央委員會首先是中央政治局進攻，企圖推翻以毛澤東為首的領導核心」。因而決議「開除反黨陰謀的首腦和死不悔悟的叛徒高崗的黨籍和開除反黨陰謀另一首腦饒漱石的黨籍，並撤消其在黨內外的各項職務」。

（下轉第二版）

一週展望

·左舜生·

邱吉爾退休

半世紀以來雄踞英國政壇的邱吉爾首相，最近終於宣告退休了。

邱吉爾是一個愛國者，就英國來說，在過去兩次大戰，尤其是第二次大戰，邱吉爾的功業固然是如日中天，即最後這一次組閣，也還是有他不可磨滅的成績。

邱吉爾不僅懂政治，實際也懂軍事；他能運用很好的文筆從事著作，也還有閒情逸致寫幾筆油畫。邱吉爾卻有一個毛病：是精神上沒有培植和提攜起來的一個人物，艾登是邱吉爾一手培植起來的，而竟其事者以故之選，故必有第一流人物。

我願意對邱吉爾老先生表示我最高的敬意，邱吉爾是一個反共者，可是以當前的形勢來說，站在歐洲，不就是一個，歐洲不會有和平；中共不反，也還是不夠的，中共去反共，日本不就武裝，不去收復失地，亞洲也不會有和平。就這一點來說，我卻不能不對邱吉爾先生表示遺憾。

高饒被整肅

高崗饒漱石被整肅，這已經是一年以前的事，可是一直到最近才加以正式公佈，而且對高饒的罪狀也還是語焉不詳。蘇聯整肅貝利亞和馬倫可夫，並不須要這樣長久的時間，而中共卻非還延到一年以上不可。這在一方面可看出高饒一案的內容相當複雜，一定牽涉甚廣，所以毛澤東才不敢輕於一擊；在另一方面也可看出「老大哥」畢竟是「老大哥」，小弟弟也還幹這種整肅的把戲，即以這一件事來說，可見中共看齊，還得向「老大哥」好好學習，否則在毛澤東劉少奇眼中，中共內部待整肅的大頭子還很多，所謂小王國也並不只東北一處，臨時可能弄得手忙腳亂！

林語堂辭職

南大風潮，在最近幾個月來，曾鬧得滿城風雨，其結果還是不歡而散。平心而論，陳六使不了解林語堂，慕於林語堂的國際名流的虛聲，便貿然請他去擔任新的創業校長，這是陳的錯。林語堂也不了解陳六使，以為他真有鉅款的能力，便貿然想去實現他理想中的一個第一流大學，這是林的錯。

我們很了解：以今天中國人在一個外國的殖民地，想要辦一件實際的事業，中國人的教育文化事業，只能一點一滴的去埋頭苦幹，斷斷不能大於實際，換言之，只能一點一滴的去埋頭苦幹，斷不能的為所欲為。南大自然還是要繼續辦下去的，必須深深地加以考慮。希望繼林語堂任南大校長的某一位先生，

香港的『藝術節』

最近，香港有藝術節的舉行，展出了若干的藝術品和古物，開始時還有話劇的上演，我覺得這是一件好事。今年雖然是第一次，但我相信明年可能更有進步。

我在香港住了五年以上，覺得各方面都在欣欣向榮，教育雖仍有待於改進，醫藥衛生的設備雖還有待於普及，總算都有了基礎。假定一般市民都感到有發展香港藝術空氣的必要，事在人為，這一缺憾是不難彌補的，甚至做到像「馬與波」並不是不可能的事。

前兩天我去參觀了「馮平山圖書館」，覺得規模則似乎還有待於補充。九龍這邊新辦了一個「孟氏圖書館」，我不曾去看過，內容如何不得而知，但我相信一般切要，主其事者一定會有辦法滿足大家的希望的。九龍的許多地方，當地居民團體能自動發起建立一些閱覽室和兒童圖書館，我相信這十分有益，而且也一定會得到主管機關的贊許。

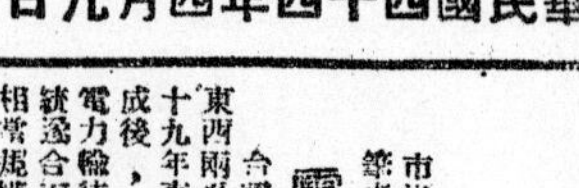

電氣化的台灣

·郭德楷·

（台北通訊）台灣近幾年來，工廠林立，生產飛增。市場繁榮，一片中興氣象，得力於工業動力之建設不少。筆者在此，擬將動力建設，作一詳細報導。

電力生產遠超戰前

台灣電力網原分東西兩系統，民國三十九年東西聯絡線完成後，以東部剩餘電力輸往西部，兩系統遂合而為一，成為相當規模之電力網，全省發電所計水力廿四所，火力九所，變電所一次者七所，二次者一一一所，除少數外，均連絡一起，打成一片。

目前全省之發電機容量為三九〇、四一四瓩，其中水力85%，火力15%。全省晚間最高用電量已接近二九〇、〇〇〇瓩，日據時代最高僅一七二、〇〇〇瓩，光復時因受戰爭之破壞跌至三萬餘瓩，故今最高負荷超過日據最高紀錄的70%，幾為光復時之十倍。

自光復以來，發電量歷有增加，平均每年增加20%以上，為戰後各國復興之冠。售電亦隨之年有增加，四十二年實際售出十二億度強。四十三年超過十四億度。其中工業用電佔全部四分之三，此現象為各國所少有，由此可見台灣電力在工業生產上之重要。

電力新工程

光復後完成電力之主要工程除修復戰時被毀之設備外，新建者計有：

（A）電發所：計有天輪五三、〇〇〇瓩，立霧三二、〇〇〇瓩，烏來二二、五〇〇瓩，松山五、〇〇〇瓩，其他二、六六〇瓩，共計一一五、一六〇瓩。

（B）變電所：計有新竹七二、〇〇〇千伏安，其他擴充二三一、〇〇〇千伏安。

（C）輸電線：東西線四四公里，天峯線二七公里，烏來線一六公里。

電源開發五年計劃

本計劃係由四十二年開始實施，預計增加發電容量三〇〇、〇〇〇瓩。及今適滿兩載，計已完成六〇、〇〇〇瓩，在進行中一五〇、〇〇〇瓩，其中一三〇、〇〇〇瓩均可於本年內完成，其餘九〇、〇〇〇瓩今年中也均可開始進行。

正在進行之主要工程計有：

（A）北部火力：擴充裝置容量四〇、〇〇〇瓩，第一部二〇、〇〇〇瓩，本年二月間可望提早完成發電。

（B）南部火力：裝置容量四〇、〇〇〇瓩，現正積極趕工中，預計本年秋間可完成發電。

（C）銅門水力：裝置容量二一、〇〇〇瓩，利用原有設備重加修配，並新建地下變電所，第一部機七、〇〇〇瓩本年二月間可望裝竣發電。

（D）霧社大壩：發電所原有裝置容量二〇、〇〇〇瓩，完成後可增加全系統可靠發電量約三九、〇〇〇，壩高一一一公尺，由美國墾務局協助設計，本年可全面施工，預計四十六年底可全部完成。

（E）天輪水力：增設第三部三六、五〇〇瓩，並在谷關打開河壩加裝閘門，增加尖峯電力供應，完預計本年底完成。

（F）龍澗水力：計劃裝置容量五〇、〇〇〇瓩，為尖峯水力發電所，完成後為東西第一高落差之發電所。

（G）南部火力：增設第二部容量四〇、〇〇〇補充枯水期中電力之不足，預定四十六年六月完成。

第二個五年計劃亦正在擬訂中，仍以水力為主，而以開發大甲溪及石門水庫為中心。

農村電氣化

農村電化之目的，在于促進農村經濟之繁榮，農電工程除供給電光外，更希望利用電力增加生產，使農民獲得經濟上之實益。

四十三年年初台灣電力公司與農復會簽訂第一期試辦工程合約，預定總工程費為五百萬元，其中農復會補助15%，貸款30%，台電公司負担30%，受益農用戶自籌25%，第一期農電工程已於四十三年十二月廿五日全部完工，計完成配線路一六六公里，供電村里九八村，用電戶數為六、一四五戶，估計受益農民在四萬以上。第二期工程也該由公司與農復會洽定，約本年八月中旬開工，本年底前竣工。

以上簡單報導，可見台省電氣化突飛猛晉之一斑，影響自由中國經濟建設前途，更可不言而喻。

透視中共的內鬨

·金達凱·

周劉對高下毒手

（上接第一版）這個決議所宣佈高饒叛黨的事實與實際情況可能有一段距離。我們知道，高崗是一個極平庸而土氣很重的人物，對毛澤東相當服從，一九三五年毛等從瑞金突圍向陝北逃亡時，他以當地土共的窠主身份，讓出其經營已久的窠巢，給勢窮力蹙的毛部以休養生息的基地。以後也很服從中共中央的命令，毛澤東曾表揚他是「一貫正確的領導者」。像這樣的一個人，何以突然變成「企圖奪取中央領導權的野心家」呢？因此高崗的被整肅，可作兩種解釋：一是毛澤東要徹底剪除非嫡系的人物，過去對高崗的優容，只是一時的利用，現時機成熟，不惜下以毒手。其次是劉少奇與周恩來為了鞏固他們的總書記和「國務總理」的職位，先發制人，給高崗戴上叛黨的帽子。根據共黨清算鬥爭的慣例，被整肅者是要接受和承認整肅者給予他的一切罪名的，現高崗既不願承認叛黨，又無法逃脫清算鬥爭，故只有以自殺來表示他的抗議。

劉少奇派恐將沒落

至于饒漱石，一向走的是劉少奇的路線，他從出任三野的政委以至調任組織部長止，也一向是受劉少奇的支持；可以說他是劉少奇的死黨。他從政治權力利害言，他當不會背棄與他久有宗派關係的劉少奇，而投入素無淵源的高崗的懷抱。因此饒之被清算，當另有原因，而這原因之一是與陳毅宿怨的影響，而陳毅則是由周恩來支持的。此次共黨決議中所說「饒漱石在一九四三年至一九五三年的十年間曾多次為了奪取權力而在黨內使用可恥的欺騙手段」，已明白指出了饒漱石在新四軍，三野和華東軍政委員會這幾個階段內與陳毅發生的爭鬥。因之饒之整肅，也可能是周恩來對劉少奇的打擊。從一九四五年中共在延安召開「七全大會」由劉少奇作「修改黨章的報告」起，凡是黨的會議和整肅性的運動都由劉担任發言，而這次則由鄧小平代表中共中央委員會作關于高饒反黨聯盟的報告。相隔數日——四月四日共黨舉行七屆五中全會時，鄧小平即選升為中央政治局委員。這一些迹象也顯示了中共黨內另一勢力的抬頭及劉少奇派的沒落。

流血鬥爭勢將未已

這次被整肅的不止高饒二人，就中共公佈的文件看，參加這個「反黨聯盟」的尚有高級幹部多人，其中包括前「東北行政委員會副主席」張明遠，「東北局副書記」、「東北監察委員會主任」和「東北軍區政治委員」張秀山，「東北行政委員會人事部長」陳伯村，中共「國家計劃委員會委員」馬洪，「黑龍江省主席」趙德尊，「山東分局第二書記」兼「山東省第一副主席」向明等七八。其他牽涉在內而未經公佈姓名者當為數不少。共黨每次實行整肅時，當某一派首腦被打垮後，從中央到省市縣各級，這一派有關的機構和幹部，都要進行改組和清洗。因之可以想見目前中共內部正展開廣泛的流血的清算鬥爭。此次他們全國代表會議所決定的「黨的各部門，任何地區，任何工作人員都必須實行嚴格的，經常的，由上而下和由下而上的監督」和監察委員會的建立，即是推行此項清算鬥爭的明證。

今後將為周劉鬥爭

高饒整肅事件，現還未終結，但它至少會發生三點影響：第一、過去高崗被認為是毛澤東的繼承者之一，與劉少奇、周恩來鼎足而三，現高已倒下，則今後中共鬥爭的焦點將集中於劉少奇與周恩來身上，而這一幕則將更精彩與激烈。第二、不管此次鬥爭的性質如何，但對共黨的力量總是一種削弱，「若要太平年，除非賊殺賊」，他們循環不息的相互砍殺下去，對自由世界是有利的。第三、這次的整肅可以給若干妄信中共的「寬大政策」而企圖投返大陸的游離份子和過氣官僚以深刻的教訓。因為有二十餘年歲齡為共黨「革命事業」立下汗馬功勞負方面責任的高級黨員，猶不免於鬥爭以至死，則一般投機份子自不能獲得更多的安全。在這一殘酷現實下，他們當會驚醒投靠的迷夢。四月六日

蘇俄眼中的共存

本報資料室

三月裏，世界各國對『共存』唱得震天價響。三月初，英工黨在國會質問邱吉爾，要求馬上進行和布爾加寧會晤。三月中，艾森豪表示，歐洲各國批准了巴黎協定，東西會商即可開始。跟着，布爾加寧在莫斯科以答復塔斯社訪問方式，宣布他同意東西會商。三月下旬，法國國會批准了巴黎協定，總理福爾即宣布他已吩咐法駐莫斯科大使，進行東西會商的接洽。

列寧和史大林不是多次說過，共產主義和資本主義的共存，是不可思議嗎？消滅資本主義不是共產黨已定而且不能更改的政策嗎？為什麼布爾加寧對於東西共存竟表示贊許呢？

美國先鋒論壇報女記者馬格烈希珍，曾在蘇聯旅行兩年半，最近在該報發表『俄人眼中的共存』一文，經本年三月份的讀者文摘轉載，美國國民廣播公司復於三月份該公司舉辦的『青年應該曉得的』節目中提出辯論，並且請參議員勃黎氏作主持，足見該文為美國人士所重視。茲摘要譯述如下：（以下為原文大要）

土耳其人的見解

土耳其駐莫斯科外交使節却說道：『共存是蘇聯的緩兵計。二次大戰後，蘇聯人口大增，得設法安頓他們。土耳其是蘇聯鄰居，曉得俄國人進行侵略的辦法。我們曉得當前的危機是嚴重的。』

『過了十年，甚至五年，蘇聯能够應付美國的氫彈了，他們的態度便會完全不同。蘇聯的行動總是邪惡的，經過一個時期的宣傳，蘇聯會給土耳其一種外交文書，要求土耳其割讓土地給他，二次大戰後，蘇聯曾向土耳其要求過土地的。』

『那時，美國怎麼辦呢？美國會不會說，「難道我們犧牲芝加哥來替土耳其爭一個省份嗎」？假設俄國指的是南斯拉夫，美國會不會說，「南斯拉夫是一個共產國家，難道我們冒世界大戰的危險，去替一個共產國家出氣嗎？」上面的兩個例子可以充份表現出共存的危險。』

塔斯社的論調

蘇聯一位工程師說：『共存的意義是這樣的，我們在英國取得我們需要的機器，在本國大量製造耕種用的車輛，於不久的將來把世界對於此項車輛的需要掌握在蘇聯手上。』

塔斯社的記者說，『共存是美國唯一的途徑。發生戰事的時候，所謂美國的盟友，是不敢援手的。歐洲國家曉得俄國厲害，不敢參加對俄國戰爭。以法國為例，法國是不能够作戰的，法國政府和蘇聯實戰，法國工人會以暴動來打倒政府。美國人若對共存表示懷疑，美國人便是戰爭販子。』

美國觀察家的議論

美國駐莫斯科的觀察家說，『共存只能够嚇倒土耳其。若果美國領袖敢於對蘇聯說，「退出東歐，不然，對你不起！」蘇聯只好馴服地退出。可惜的，是美國當局不敢採取此種行動。可恨的是美國只好和俄國謀共存。』

『為防阻蘇聯下一步的侵略，美國應下決心予蘇聯以嚴厲的報復。為了土耳其的一省，美國要不惜犧牲芝加哥。美國若果宣布作戰的決心，蘇聯將不敢再使用武力。』

『克林姆宮的主人對於人類的生命雖然不介意，可是他們倒愛惜他們所建立的工廠、礦場、高樓、和運河。蘇聯愛惜他們的工業組織，所以他們不敢發動侵略戰爭。』

蘇聯想做世界冠軍

莫斯科的外國觀察家，認為蘇聯不會發動世界大戰。蘇聯當前的企圖是「冠軍」，由體育運動而至鋼鐵生產的世界冠軍。

以人口為例，蘇聯的人口遠不及中國和印度。可是最近莫斯科某行記者招待會上，赫魯曉夫告訴英國人說，俄國的主要目的，是把人口增加一倍。馬倫可夫在傍邊，（那時他還是總理，）說道，加倍又加倍。蘇聯的人口現時是兩萬萬，加倍又加倍，變成了八萬萬，便超過中共了。蘇聯雖然繼續宣傳共產主義的勝利，是必然的結果。但他們却認為共產主義的征服世界可以無需使用武力。

共存的目的如此

蘇聯認為只有提倡「共存」，才能使西方國家資助蘇聯，完成她的經濟目的。「共存」是蘇聯的一種策略。跟據最近蘇聯要人的講詞，報章的社論，和播音的論調，蘇聯對於「共存」表現出下面的意見。即自由世界必須承認共產主義在東歐和亞洲的收穫，認為係一種已成事實。自由世界如能做到這點，蘇聯為酬答自由世界的盛意，將採取比較溫和的論調，甚至可以和自由國家訂立互助和互不侵犯條約。

蘇聯現在常使用的口號，是『緩和世界緊張局勢。』局勢緩和了，西方國家的警備鬆弛了，那時蘇聯和共產集團便能够在西方取得其所需的工業物資，以增加她的大砲和消耗物品的生產。

為了緩和緊張局勢，蘇聯做了幾種讓步，她的讓步是這樣的：派一批蘇聯著名的音樂家和一批芭蕾舞隊，到各國首都表演，同時對於外國使節的招待和護照的發給，也採取比較溫和的政策。所謂讓步者如此而已。

本來，解除武裝是共存的一個先決條件。但俄國人對於這個問題的見解如何呢？俄國人樂意參加解除武裝的討論，可是拒絕實際的行動。理由是俄國需要大量武力用來統治歐洲衛星國家。

美國是假想敵

蘇聯對於美國的態度會轉變嗎？那是一種不可能的事實。蘇聯需要一個敵人，把國家和工業方面的一切毛病加罪在敵人身上。蘇聯著意把內部的失敗，歸咎於美國，蘇聯要利用假想的敵人來維持其獨裁的制度。

我們如果到了俄國，學習俄文第一課，便會使人發生極大的恐怖，因為在俄文裏和平 MIR，世界也是 MIR。俄文 JA KHOCHU MIR這句話，可以解作『我要和平，』也可以解作『我要全世界』的。

編者讀者

「自由人」在馬德里

△何西先生來函

編輯先生：在西班牙的同學中，「自由人」可以說是大家最感興奮的讀物，雖然這裏也常接到其他報章什誌，但無論如何，總沒有「自由人」感到興趣。最先為大家所愛讀的，是「自由談」「半周展望」及「第一版」專論。以我自己為例，每次讀到後。總是一口氣從頭到尾，讀完了，才肯手做其他工作。此外在其他方面「自由人」對於祖國的報導，亦是大家所喜歡的。我許久未能為貴刊執筆，是因了功課太繁重的緣故。希望今後能多為貴刊服務，實覺榮幸。現附寄上「瑪德里近事」一文，若有刊載價值請為披露為感。

讀者　何西上　四月二日瑪德里

編者

「瑪德里近事」一文下一期發表。

△吳天任，易敏予，曾今可，陳雲英，楊力行，周樹聲，周紹賢，遜周，梅珍，植柏，彭遜民，龍慈，申南，白志忠，伍渭三，夏威夷，文鋸，小丞，晴人，慎夫諸先生：承惠稿，十分感謝。

△周明輝先生：函悉，可以照辦謹復。

△台中鹽原一讀者：函悉，請詳敍事實見寄。

△陳秉誠，曾聖揚，肖禾諸先生：大示敬悉，本刊最近兩期，已有說明，恕不另復。

日本往那裏去？

—從日本經濟演變看日本前途—

柯秉傑

從比較數字看來，日本對亞洲及東南亞國家的貿易，數額遠較對中國大陸，滿洲，朝鮮，台灣為少。在一九三八年，日本從緬甸，越南，印尼，馬來，菲律濱及泰國的輸入，佔入口總額少於百分之十三，出口則僅佔百分之十。

對東南亞貿易殊樂觀

目前東南亞的國家正在策動種種的開發計劃，自然需要輸入大量的基本物資。這些基本物資的供給，日本實屬合理的來源。可是，因為當前的日本物價高出於世界價格，以致貿易的發展，未能達到所期。日本政府為協助商人推進東南亞貿易起見，曾設立出口銀行，對基本物資的出口予以長期放款及企圖減輕成本。惟此種長期的嘗試，在目前仍難推測其效果。

附於促進日本對東南亞貿易的問題是在大體上交易須用英鎊進行。因之，日本對東南亞輸出越多，可能賺得的美元也越少。但此種情勢，因東南亞是世界主要原料生產地區之一，日本可以從此地區以低廉的代價與運費獲得所需的原料而緩和。而且，增加對東南亞的貿易，亦可以接連往日的三角貿易關係，以輸出的物資，換取東南亞國家以原料輸美所賺來的美元，除了那些國家如馬來亞必須以所賺得的美元繳交英鎊集之外，其代東南亞國家，亦有用美元向美國購買基本設備者，印尼即是一個明顯的例證。以所賺得的美元，用以購入必需的物資。如果這一大貿易的趨勢發展，使用軟幣或英鎊以去，美日間的正常貿易自會減退，但美國亦可從東南亞國家以所賺得的美元向美國增加購買獲得補償。

增加東南亞的原料生產，自然需作更大的努力。日本最近雖表示願意予東南亞國家以技術上及資金上的援助，以冀為日本工業獲得更多的原料，可是，日本這一個企劃，固不會立即產生效果，而資金的缺乏，更不易使其速成。加以，東南亞國家曾受日本的侵略，餘恨未了，也不願樂觀日本經濟力量的再度長成。

航業的重大損失

戰前日本的航業是一種主要的貿業，其無形的收入，抵補了大部份有形貿易的入超。日本的輸入物資，大抵都由日輪自運，節省了外滙不少。不僅如此，日本航業還佔了世界航業的很大部份。從一九三○年至一九三四年，[illegible]計算，每年日本航業收入稍為超過二萬萬美元，約佔同期平均每年日本商品輸出總額的百分之十二。因之，日本航業佔主要輸出的第三位，僅次於生絲與棉花。

日本戰敗的結果，航業受到重大打擊，因而一般輸入的運費，必需要用由輸出所賺來的外滙去支付。運費不僅高昂，而原料又未能從近鄰的中國大陸輸入，其所受的損失，自屬重大。舉例而言，從美國太平洋海岸運煤到日本，每噸運費約為九美元，而由開灤煤從天津運至日本，則每噸運費僅二美元。鐵礦從美國太平洋海岸運至日本，每噸運費約為十美元，但從馬來亞運出則每噸運費僅需四美元，鹽從地中海運到日本，每噸運費為九美元，從中國二運出則每噸運費僅美元。從美國太平洋海岸運米到日本，每噸運費約為九至十一美元，從泰國運出則僅四美元。

工資增高的影響

目前日本製品的價格，有不少已超過世界價格。考其原因，生產技術與設備的陳舊，當然是主要因素之一。故日本的工業，必須加以近代化，然後才可以增加其競爭能力，才可以希望奪回其原日的市場。其次，降低日本製品在國際市場競爭能力的另一原因，是戰後日本技術工人工資的繼長增高。增加的趨勢，一九四八年每月收入四、三七九日圓，一九四九年，七、五一六日圓，一九五○年，九、一一三日圓，一九五一年，一一、七○八日圓，一九五二年（六個月）一二、○七七日圓。工資的增加，在客觀條件上自然有其必要。惟其如此，故日本製品要恢復其競爭能力，日本工業的合理化，更為急要之圖。復次，運費如能減低，對日本出口商品的競爭能力，自亦有相當的裨助。[illegible]

日本的戰敗結果，使日本商船被擊毀嚴重的減退。航業的恢復，其始甚緩，因而引起日本以外的航業界的疑慮。航業在日本經濟上的重要性是衆所公認的，所不放心的是恐怕商船的恢復進展，與貿易不能平衡，諸其結果，日本過剩的商船有再度引起像戰前國際航業作不公平競爭之慮。

日本的航業與造船業的恢復，可從下列數字觀察出來。在戰爭結束時，日本商船共有噸數為一百三十四萬總噸；到一九五二年六月，數字已增至二百四十七萬總噸。戰後日本造船，原在禁止之列，後因外滙損失難於補償，始獲佔領軍核准恢復。惟造船成本高昂，只鋼鐵價格，已超出世界價格百分之三十五至四十五，因而使造船價超出世界價格百分之二十至三十。加以支援造船的商業銀行的借款利息太高，以致日本航業與造船業已無法與主要航業國家爭衡。

在理論上言，日本的造船能力每年可達八十萬總噸，但實際只能建造五十萬至六十萬總噸。從戰後至一九五二年之上半年，日本已造成二百七十七艘船，噸位共計為一百三十一萬三千六百四十一總噸，其中有些船隻，是代別國建造的。（三）

（本文須分四次刊完，已刊出上中兩次，此為第三次，下期刊登完畢。——編者）

亞丁將成原子基地

英國正秘密地擬定計劃，打算將紅海口上擁有高度戰略地位的亞丁港建為龐大的原子彈及氫彈基地，當地的機場正在大加擴展之中，而且還在建築地下機庫，以備儲藏原子彈暨運載此類炸彈的重轟炸機。

同時，據美國務院高級官員說：英、澳兩國正計劃利用澳洲新的鈾礦，作為促使美國供給更多原子工程秘密的「槓桿」，英國人的立場是：如果美國不交出原子秘密，英澳即不供給鈾礦。

經濟社會思想叢殘（十八）

金伯華

九　合作制度「共同經營方法」及其目的

「資本家與共產黨」

[illegible]由於托辣斯[illegible]其無上的權威[illegible]消費大衆的[illegible]有別的東西[illegible]偶爾的肚皮。[illegible]有意造成的條件，但實實在在是資本主義經濟運轉必然的結果，所以我們如果把五四運動一般「新青年」所喊「吃人的禮教」這一句富有惡意的口號，移送給資本主義，而喊「吃人的經濟」，似乎不算過分。

資本主義本世紀以來[illegible]的信徒一樣，現在全世界狂熱的共產主義者，正在用大砲高唱和平，用飢餓施行[illegible]證，用種種標榜平等，用奴役提倡自由，一句話：他們為要替我們建造天堂，他們要將我們一齊打入地獄。這份善意——至少是在他們的口頭上——我們實在感受不了！我們決心「原璧奉趙」，「魔鬼的歸還魔鬼」。我們要保存我們現有的生活方式。我們願意讓共產黨徒享有天堂的專利而絲毫不會欣羨。

[illegible]自十八世紀中下期以來的若干資本家，企業家，乃至政治家，以為機器工業可以帶給我們富裕，富裕可以帶給我們和平，[illegible]人民自由，工業發達之外，什麼問題都沒有了」。[illegible]「三民主義為造成新世界之工具」[illegible]到了工商業發達之後，[illegible]資本家。他們用金錢勢力，操縱[illegible]都是屬於優勝地位。試看那一國的法律政治制度不是為資本家而設的？」（同上）這樣一來，所以大資本家和共產黨徒子實在可說是「一丘之貉」，除非在手段上，技術上及規模上，共產黨比資本家更凶更狠，是「冰生於水而寒於水，青出於藍而勝於藍」而已。

資本與勞力齊施　理論與實踐一貫

這不是我們窮措大——經濟上的弱者——對資本家什麼嫉妒或眼紅。這是「近世資本主義之天然演進，對於勞動者，（另一方面，即對於消費者）常興不平之待遇。故吾人當力避之」（見孫中山先生「鐵路計劃與民生主義」）。

這是中山先生對於資本家的根本態度。

「夫資本家者，生產三大原素之一，其始也，凡勤儉之小工，以其餘財而再生利者，皆能為資本家。及機器之興也，則以一人而用機器，可作百十人之工，則不獨小工永絕為資本家之希望，而小本家亦難以自立而見併於大資本家，而大資本家又見併於更大之資本家，由是大魚食細魚，遂生出歐美等國資主與工人之兩階級，貧富之懸殊，乃以日而甚矣」（見民八三民主義手寫本）。這正是我們在上章裏所述資本主義的「共同經營方法」所必然發生的後果而為目前經濟世界急應糾正和解決的重大課題。

因為任何制度，一到了發展成為完全抽象化以後，便自然的會使原來也不是無益於人類的事情而竟失去了人性，變為萬惡的淵藪。近世資本主義的演進，實頗有似於此。「資本」本身不但不是壞的，而且是很正當的，也是很必要的。什麼叫做資本？「經濟學家之言曰：資本者，勞力之所獲，以給其需要之餘，而用之以生利之所需者，則為資本也。如農之餘粟，工之餘布，用以交易其需要之外而復用之以闢其田園，增其器械，此農之田園，工之器械，則謂之資本也」（見同上）。

合作社也是有「社股」的，也即是資本，即是上文所述意義的資本。大家把各人的資本——即「勞力之所獲，以給其需要之餘」的這宗大大小小的「餘資」——在合作方式下集合起來，來共同經營生利事業以增廣生產，滿足共同的需要，改善各人的生活，這就是合作制度共同經營方法的起源。是以在合作主義經濟制度中，是資本與勞力齊施，理論與實踐一貫的。

這是合作主義從方法論的觀點上與資本主義根本不同的特點。因為「自機器發明而後，萬般工業皆用機器以代之。去用機器以鐵勒自然之力，如汽力，電力，以代人工，本可減省人之勞力，應為造福於人間，而何以反生社會之苦痛？所以然者，則機器之發明而施用於工業也，乃突如其來，而社會之舊組織一時不能為之變更，亦知為之變更，故無從應付也」（見同上）。這所謂「舊組織」，孫中山先生指的是什麼？我們不必妄加推測。但從他後來在其他若干遺教中參證起來，這「舊組織」反面的「新組織」，必係指合作社無疑——因為合作社是所有社中的事業（包括社業務），都歸由社員自己來共同經營，以社員的利益為目標。它不許偏用非社員來社工作，原則上固不用說。因為無論何人都是消費者，合作社作，即如其他各種合作，如生產合作，信用，利用，保險等合作，都一運銷合作由全體社員共同致力於實際的經營，決不假手於人，坐收漁人之利。這是要剷除人與人間的剝削關係的根源，從經濟生活的本質上消滅「用金錢勢力，操縱一切」之資本家勢力，從而用托辣斯方法共同經營，操縱全國政權」，一面壟斷資源，抬高物價，一面盲目生產，暴殄天物，以致造成消費者的飢空肚皮，闖下了世界人類空前的大禍！（未完）

（本刊四二五期所刊本文，應係十七續，誤為十六續，合更正。——編者）

賽珍珠新著「我的幾個世界」

——對中國文化的推崇——（上）

柳英華

去年內，美國出版了兩本轟動一時極有價值，而且有關我國的書。一本是司徒雷登的「旅華五十年」；另一是賽珍珠的「我的幾個世界」。司徒的著作，在正式發行之前兩週，先由「美國新聞與世界報導」將該書後七章，摘要發表，封面用紅字大標題大書「共黨如何竊據中國」，殊引人注意。

「旅華五十年」一書，港台各報已有詳細介紹，茲不贅述。至「我的幾個世界」一書，恐知者尚不多。筆者於此，一面介紹此書，一面將這一位大名鼎鼎，蜚聲國際的女作家，她的身世，經歷，著作，思想作一綜合的報導。

中國好比一間老屋

賽珍珠是一八九二年在美國出世的。她的父親是一個長老會的牧師，在我國傳教五十餘年，最後死在中國，與他的夫人及四個夭折的子女，同樣埋骨異域。

賽珍珠是在鎮江長大的。她對這座長江下遊的名城，觀感確是不錯。她在書中，時常流露着思慕的熱情。尤其是讚揚一帶的食譜，更是「念念不忘」，讚賞不已。」

她十歲時，從一位孔姓老師學習中文，隨後又進過監理會在鎮江主辦的教會女子中學。那時一般學校，仍保存着中華古風。同窗之間，情同手足。每逢節令喜慶，她都被同學們邀到家中玩耍，對於我國風俗人情，洞曉無遺。晚清社會風氣，非常良好，處處給予她深刻不泯的印象。

她在書中有這麼一段話：「論到處世為人的道理，中國比西洋高明：……中國社會好像是一所巍峨壯麗的老屋，惟因年久失修，致破碎零落，斑駁陸離。然屋基堅固，棟樑完整，只須重加修葺，添裝新式設備，即可舒適度日，享受無窮」。她對中國文化的景仰可見一斑。

一九一○年她隨同父母取道西伯利亞，赴美升學，也藉此遊歷了歐洲各國。她對俄國的印象非常惡劣，她說『中國人雖窮，而俄國人更窮得可怕。中國老百姓是一個古老文明的產物，富於智慧，曉於禮義的，而俄國農民却生活於落後文化之中，愚魯無知，狡猾野蠻。拿中印俄三國的老百姓一比，俄國農人顯然是低劣不同的[illegible]

不贊成革命行動

賽氏認為近幾十年來，中國的革命行動，都是錯誤的。因為中國是一個根本極[illegible]厚，具有高度文明的國家。所需要的是「安定」，而不是「破壞」。只要秩序恢復起來，中國人民即可發揚其[illegible]

[illegible]的侵略，更增加大陸上的混亂。

她認為可惜的，是一般歐美傳教師，他們雖抱有宗教熱誠，但對中華文化缺乏認識。對於中國社會生活，也是格格不相入。他們所成功的，祇是醫院之興辦與學校之設立，所能傳受於中國青年的，僅是物質生活之享受，而不是基督教義之真諦。因此，「中國具有最優秀頭腦的智識份子，都不願意做基督徒」。

對農民的深切認識

賽氏在美國南部RANDOIPH—MACON女子大學的學業成績，是很優越的。畢業後（一九一四年）留任該校心理學系助教。就事不久，獲悉母病垂危，她馬上辭職，回到中國，親奉湯藥，隨侍在側。同時又在鎮江的一個教會中學教過一時期的英文。

一九一七年六月，她與一個美國青年農業專家白克結婚，兩人的興趣和性情不相合，終於一九三五年離異。她現在的丈夫是美國著名出版商華爾西氏，結褵迄今，忽忽已是二十年了。

白克的工作所在地，是皖北宿縣（即南宿州）。她在宿縣三年的生活，非常愉快，也結交了很多中國朋友。這些人物，以後在她的小說中，很活躍的被描繪出來。

老去的英雄

馬五先生

邱吉爾先生禪讓首相之位於其意中繼承人艾登後，倫敦路透社記者以感歎的心情，描述邱翁這回事，說他是「向着年齡投降」！

的確，人生絕對沒法抗拒的威脅，即是年齡。聽你意志怎樣倔強，能力如何卓越的人，遇到了年紀這一關，你就除却束手降服之外，無話可說了。這項威脅，任何人都是同樣感受的，並無富貴貧賤之別，但是「年齡之前，人人平等」，誰也不能自外生成，把那慣於催人老的光陰擋回去啊！

邱吉爾先生馳騁政治舞台垂五十年，建立過若干影響世界人類的煊赫事業，行年八十，怡然在執政時間告老休憩，可算是一個成功的大政治家了。他留給世人的深刻印象，在我看來，最難得的就是他那種幹勁兒——到八十歲還是不服老的倔強之氣。英王要封他以公爵，他遜謝不受，因爲不願意今後就好像擺在神龕上的雕像一樣，坐在貴族院去養尊處優，他還要留在下議院作一名人民代表，從事政治活動。壯哉，是翁也！這股幹勁兒，不值得我們傾佩尊敬嗎？

自由談

就中國人的政治情感說，我極討厭艾德里，乃至於羅素之流，但對邱翁却沒有甚末大惡感。他固然對中國未必有多大的好感，但他平日對中國問題的言論表示，並不似艾德里之徒那末下流失態。自從我們政府退出大陸，撤至台灣以來，他只公開地對我們說過一句話——當他接任首相之時，他曾說：「我們不會讓住在台灣的人遭受別人屠殺的！」這話且引起了工黨人士的詰問，問他是何用意？

近代的世界政治家，我只是贊佩邱翁，再古老一點的，就是德國的俾斯麥，他們的幹勁，實在令人敬佩也！

論我國洋畫的創造

何鐵華

然而，以過去我國的洋畫界的情形看來，實在還脫不了模做的圈套。畫派之雖有新舊之分，而其模做的精神却是相同的。舊派的人奉官學派的領袖爲祖師，新派的畫家則又拜倒在現代大畫家的脚跟前，他們的製作只是以能否像似某家的作風爲標準。這樣看來，也無怪乎他人的輕視與攻擊了。

民族特性的表現，原爲藝術上的要點，而「繪畫上的地方色」尤爲現代繪畫所重視；我們都知道現代的繪畫是集中在巴黎，但全然不是巴黎的模做。許多作家都以其各民族固有的地方色，在巴黎的世界畫壇上發揮其特色。所以一看好像是繪畫的巴黎化，實際上却是一種繪畫的地方色、民族性之國際化。就像碧卡梭（PICASSO）、米羅（MIRO）之表現西班牙之特色，司汀（SOUTINE）之表現利多亞尼亞的原始性，奇里珂（CHIRICO）之發揮意大利的特色，克利（KLEE），愛倫斯德（ERNST），康丁斯基（KANDINSKY）之把握德意志的特性，藤田嗣治之發揮日本世浮繪的精粹，便是最好的例子。何況現代繪畫又是着重於「自我表現」的，即使同屬一個畫派的畫家，而表現的個性各有不同，畫幅也自然異趣，大有錦綉滿目不暇接之概！譬如瑪蒂斯（MATISSE）、特朗（DERAIN）、盧奧（ROUAULT）、雛裴（DUFY）、佛拉芒克（VLAMINCK）、馬蓋特（MARGUET）、郁德理羅（UTRILLO）、羅蘭珊（LAURENCIN）、洞更（DONGEN）、裴理斯（FRIESZ）等，這十位野獸派畫家的個性就各不相同，可從他們的作品中看得出來。換言之，現代畫家如果只是一般的模做，而沒有特殊的地方色、民族性及作者個性的表現，那麼，就決不能佔得世界畫壇的一席位，已很顯明。

所以，中國的洋畫家如果要求出路，以獲得世界的位置，那麼非表現「中國的」不可。當然，從藝術研究的過程上來說，不須經過了模做而後才能達到創造，所以過去的繪畫上的模做，就算是發展上已經的過程，而現在正是達到應該創造中國自己的作風的時期了。

然而繪畫之表現「中國的」，不是一作怎樣簡單的問題。僅僅採取一些中國的題材，描寫一些中國的習俗或本地風光，並不能就算是「中國的」；我們要把握成畫面一切的要素，都帶有中國固有的精神、民族意識，以及新時代的思想感情，那才能說是「中國的」。（中）

讀井塘詩存二首

許紹棣

昨日跛翁來。遺我跛翁詩。不辭百回誦。齒頰生芳菲。輕謠濟容輿。長歌鬼神悲。高岡鳴鸞鳳。深谷啼子規。異響雖殊趣。妙同理無遺。冷冷伯牙琴。長以慰我思。

東野聲酸苦。昌黎詞詰屈。師道律精微。長公風宏闊。想與數子遊。痛寐未能得。子乃萃一爐。以此別巧拙。巧拙本異勢。如何望同轍。驊騮馳絕塵。令我徒嘆息。

梁啟超與清末言論

舜生

梁任公生同治十二年癸酉，卒民國十八年己巳，（1872—1929）僅僅活了五十六歲。

當民國元年他初回國的時候，曾在北京報界歡迎會發表演說，歷述他自己辦報的經過。

光緒二十年甲午，（1894）中日戰爭爆發，結果中國失敗，次年乙未三月，乃訂立馬關條約。在這一年的夏秋之交，康有爲在北京發起『強學會』，其第一件重要工作，便是向各方面募集捐款。據任公說，當時所捐得的，總共不過一千餘金，這個數字，還包括袁世凱個人捐出的五百在內。

他們有了這筆錢怎麼辦呢？首先爲他們所想到的，便是設一個會所，辦一個閱書館，出一張報。說來可笑，所謂閱書館，便是從上海買來了幾十種翻譯的新書；所謂出報，便是每天用木版雕刻一小張『中外公報』。（其時北京還不知道有謂印報的機器。）這張報紙，並無新聞，每天照例只登載一篇幾百個字短論，而担任這篇短論撰述的大主筆，便正是梁任公先生。到這年的十一月，『強學會』被封禁，報紙當然也隨同歸於正寢。可是發行的數字，却居然到達了三千份左右。（每天夾在宮門抄附送，當然是不費錢的。）這便算是任公辦報的開始，其時任公的年齡是二十三歲。

光緒二十二年（1896）三月，任公應黃公度之招到了上海，乃有『時務報』的創設。他在這個報館大致有一年半以上的時間，如『變法通議』，『西學書目表』等作，便都是這個時候寫的，一直到二十三年冬天，他應了湖南時務學堂的聘，才離開上海。

據任公自述，他當時也不知道應該如何辦，時務學堂一共只有四[illegible]學生，他每天批答學生的劄記，動輒是萬數千言，名雖講學，實際也是以報的精神出之。

戊戌九月，任公出亡日本，同年[illegible]月，『清議報』即已在橫濱出版。以論過於激烈，內地嚴禁發行，不得已[illegible]辦，但仍出了一百冊以上。『新民叢報』出版於光緒二十七年冬天，其時經過了一度大反動的拳匪之亂，清庭創鉅痛深，人民也深感國亡無日，因此叢報大受歡迎，銷行最廣，影響也最大。

除叢報外，二十八年的秋間，更有新小說月報的發行，任公自己寫的一篇『新中國未來記』，便是在這一刊物上發表的。但這個報好像支持得不太長久。

光緒三十三年，『政聞社』成立，其機關報曰『政論』，仍由任公主編，結果『政聞社』被清庭禁止，『政論』亦告停刊。

最後的『國風報』，發行於宣統二年，這可以說是清末立憲運動的一個司令塔，而任公所撰有關經濟財政的文字，也以在這個報上發表的爲最多。

[illegible]國以後所出的『大中華』，名義[illegible]任公主幹，但用力似不及以前。[illegible]「日本二十一條的駁斥，及反對[illegible]異哉所謂國體問題者」一文外[illegible]印象便也不及以前的深刻了。

[illegible]計任公的一生，其貢獻於言論者殆歷二十年；其言論的內容亦隨其個人的進步以爲進步；即以量來說，到今爲止，似乎也還沒有第二人可以趕得徵上。

語意學漫談

徐道鄰

語言中的情感背景

人類的純情感語言，大家都能看出它的性質，都能對之作適當的反應。情感作用爲主的社交語言（應酬，寒暄），大家也都還能運用自如，不爲之所困惑。但是有一個事實，是大家常常忽略掉的。而這一點忽略，給我們人類的思想溝通上，增加了無數的煩惱。這就是人類在運用語言的時候，都有他們在這一剎那間的個別的，一個人和一個人各不相同的情感背景。

天上的顏色，我們知道是一個時候和一個時候不同的。我們並且知道，無論甚麼時候，它總是具有一種顏色的。它有時是光天化日，有時是昏天黑地，有時是雲蒸霞蔚，有時是碧天如洗，形形色色，一天和一天的不同，一刻和一刻的不同。同樣的山川池沼，在不同的天色和氣氛之下，也就表現出極不相同的景緻和意味。

人類之具有情緒，正好像上天之具有顏色一樣。一個人，無時無刻，不是各具有個別的情緒背景。一個人的情緒，一天廿四個鐘頭內，常常在變化，如同天上的顏色時時在變化一樣，一個人的心情，有時在高興，有時在害怕，有時在生氣，有時在滿足，有時在驚異，有時在羞慚，有時在無聊，有時在疲乏，有時在不悅，有時在舒適，有時在苦痛，有時在希望，有時在灰心，有時在寬恕，有時在野心勃勃，有時在麻木，有時在興奮，有時在昏沉，有時在絕望，有時在信仰，有時在憐憫，有時在憂慮，有時在驚駭，有時在奇怪，有時在頑固，有時在崇拜，有時在嘲笑，有時在樂觀，有時在悲觀，有時在期待，有時在緊張，有時在猶疑，有時在有把握，有時在不安，有時在快樂，有時在恐怖，有時想捉弄人，有時想打人，有時想罵人，有時想殺人，有時想自殺，一個人在一生中，一天中各種心情變化，此起上天的顏色在一年四季中變化之多，恐怕要多上好幾倍還不止。

同樣的一事一物，因爲一個人和一個人的心境不同，他們對於它的反應，也就大相異趣。你想約一個朋友一塊到紅磡去聽滑稽相聲，可巧他昨天晚上打牌大贏，他會馬上披衣欣然同往。要是他才被公司解聘，那麼恐怕你多半要碰上一個不軟不硬的釘子。戲台上演出的是『殺妻求將』，台下那位才報名志願從軍的愛國青年，覺着像吳起這個樣子才不愧是『英雄好漢』，可是坐在他旁邊的那位戀愛成熟才宣佈訂婚的同學，却深深的憎恨着那些只知道追求功利而完全喪失了人性的一羣『冷血動物』。（二十六）

論于右任的詩

王世昭

又「暗香，野人山下一戰士」云：「野人山下，有荷戈戰士，歌聲相應。白骨夕陽，殷蟲幽花自謝。于役而今至此，依依是，孤懷難寫！但盼得，血洗陽河，百戰作強者。擺林，倚征馬，星月如畫見；照番瀰漫。歸想急流亡寥也。愁萬疊，鼻天應箏怎時，纔賜予白雲四野。」上一首對於勝利似乎已感到有了把握，所以見樂觀氣氛，只一首徘徊詠歎，廢壘「白骨夕陽」，「花自謝」句，似乎吐出無限哀響，但「百戰作強者」又把人振奮起來了，眞可謂盪氣迴腸之作。曲中以「中呂醉高歌，聞日本乞降作」，可補「第二次大戰迴憶歌」之不足，這不是說第二次大戰迴憶歌寫得不好，而是「第二次大戰迴憶歌」與中呂醉高歌有不同的地方，兩者並行不悖，可以共存的。

四十年來的往事，于氏以「雙調水仙子」一曲盡之，曲云：「一拳打碎黃鶴樓，二水中分白鷺洲。八年苦戰今難受，人白首。舊陵闕，江山渾是新愁，唸不盡神明大兄，說不清乾坤自由，聽不完淡春秋。」（九）

唐鬍與楊大個

易與

我向他問長問短，他也漸漸和我親熱起來，從此我倆在聽課時就坐在一起，其實那時我們這堂世界語課，也很難得有第三個人，有時湖北佬缺席不來，我倆也仍然坐談那兩個鐘頭，我佩他那淵博的常識，眞個是無所不曉，問一答十，而且無一不是有所依據的，頭頭是道。後來湖北佬走了，我們的世界語學也就無人再事過問，世界語課也就從不再上，偶爾他也來找我，他求益，不過我仍然去找他，可說是日必一面，當然是我去找他的時候爲多，我在每天晚餐以後，就匆匆的到他那里去。他住在一間籐貨舖裏，那是他姪兒的買賣，他自己好像也是一個籐匠，我常見他一面在和我談話，一面是雙手不停而且是很熟練的編織籃子什麼的，但是我始終沒有問他是不是籐匠？實在的，在那時像我這樣「大少爺」身份的人，若果和一個幹手藝的人做朋友，似乎會給家裏人聒絮我兩耳不清，比如他到我家去時，我家那春蘭丫頭，在他走後一定要把他喝茶的那隻茶杯，拿出去加工洗滌個不已，我媽媽嚕嚕囌囌的問我這個老漢是幹什麼的？我家看門的蔣老相，當他進出的時候，更是虎視眈眈的注視着他，本來他那樣的穿着，一件長到膝頭蓋的布褂，千孔百擔的補釘疊補釘，頭上包裹一幅黑布，兩脚又是赤裸的時候多，再加上他那付怪嘴臉，兩隻小眼睛深陷在高顴，背之下，幾根稀疏的黃鬚擋掩，蓋不住他那滿口的焦黃牙齒，前頂上的頭髮幾乎禿個淨盡，枯澀黝黑的面孔，又誰會猜測到他腦子裏有那麼豐富的寶藏？在我那時不成熟的知識裏，深恐我如果問他是幹什麼的，何況是幹籐匠？似乎是一種不禮貌的問話。（四）

自由人

THE FREEMAN

（第四二九期）

金馬問題與中國前途

張六師

過去台灣海峽的相持穩定，是由於中國國軍在金門，登步兩次大捷，使中共不敢輕率冒險，以後再因韓戰對中共的打擊，和第七艦隊阻止中國的反攻，才使這個區域在平靜中相持了四年多。但共產黨是閒不得的，因為「閒則生非」，它們的堡壘內部便會發出問題。

金馬成了賄賂品了

所以韓戰一停火，越戰便擴大，奠邊府失守後，日內瓦會議上分贓政客，還幻想中國會再屈伏，以讓遍大半個越南都甘心拱手奉送，怎的不鼓勵共黨惡意增加信心勇於對外冒險？假如西方國家在日內瓦會議當中就一致嚴正的警告共黨，無論在任何地區再挑起戰火，必遭加倍聯合反擊，則台灣海峽可能至今還不會有這樣緊張的局面。可是他們計不出此，得過且過，共黨因搶到那裏，才隨時倉惶的在那裏打主意犧牲別人，準備自己，於是中華民國的金門，馬祖今日便成為西方國家分贓會議中討價還價的賄賂品了。

西方安撫主義者和共黨同路人，他們雖也明白中美防衛條約把中國的領土分為兩個部份——一部是雙方共同防衛的，一部是不在共同防衛之列的，這個奇怪的規定已是暗示給他們還有可以再向中共行賄的餘地，但却不知這會激起中華民國海外兩千二百萬人民的憤怒。儘管國際間目前有人正在繼續沿著雅爾達的路綫，還想再來一個新雅爾達的公協，以壓力加諸中華民國，可是中華民國給予他們正式的答復……

金馬的重大價值

可是飽受強權國家背義失信以致喪失大陸領土於國際共黨的中國，今日所剩國土，已至退無可退，讓無可讓了。現在國軍……作戰，必要時由此登陸光復國土。

有人以為無美援，而且長期沉淪，已成為必實現，與中國大陸的……的命運。這正是過去西方國家認為中國即不可能反攻，而且……是中國的領土再被出賣，「兩個中國」……以撫日本（如承認）的……侵吞外蒙，出……

實中東路，移交天津，封閉滇緬路，白銀，……也是中共在廣東認為北伐是「準備力量不足」之外，一面而反對北伐的理論。西方國家今天不……方面已是中國政府的……是海外兩千多萬中國人民的前哨重要基地，更是……中國放棄金門，馬祖……要的象徵和希望。（退……府與人民間的團結，一約是簽訂於中國政府……

自己決定生死存亡

以中美防衛條約而論，雖然只規定中美雙方在防衛台澎方面的合作，但並沒有約束中國反攻大陸的自由，更沒有規定中國自己決定生死存亡。……西方國家……

西方國家一旦與共產集團發生衝突，（如過去……）……中國人民……有再會向……行動及……

中共何時攻金馬

共產黨是只怕實力的，他們……可以證明中共對中華民國軍民……的危機……這個話……

自由中國何以自處

……所以今天的台灣海峽……以振奮自由世界的士氣，打消安撫主義者的迷夢，也不失為中策。假如任憑擺佈，仰由人，雖可能苟安一時，但結果是否能免於「坐以待亡」，只留給歷史上對我們再寫一頁悲劇性的清算文字，就要看我們的做法如何了。

衛殖民地的，雖然中國已站在自由世界的立場……就必須先復國……

……弱留強，就中共種種活動跡象而論，他們一方面雖在作長期性的「攻」「防」軍事準備，但一方面仍在亟亟於幕後活動，希望藉蘇俄主子的外交騙術來收不戰而勝的果實。金馬兩島在海峽中所受大陸的影響，在中共方面是少於台灣方面的，所以時間上可能不會快過所謂四國會議之前。以軍事準備而論，他們如已就緒，即該在所謂亞非會議之際或以後發動，但他們目前之不動，非不為也，力不逮耳。

美蘇原子武器的比較（上）

胡養之

美國軍事批評家鮑爾溫，二月十三日在紐約時報發表謂：美國所擁有之原子武器或已達五千件以上，至於俄國則僅有五百件而已。鮑氏並否定俄國前此所稱：該國在氫彈發展上超過美國之說。但却承認蘇聯在某種形式之導向飛彈，或許略比美國之發展為先。

關於美蘇兩國原子武器的比較，不僅鮑爾溫說美國要比蘇聯多十倍，似乎任何人都會同意這說法。但美國紐約論壇報原子能等專門記者懷特，遠在一九五二年六月三日出版的展望雜誌上，便發表一篇「後來居上的蘇聯原子彈」的文章。他認為美國面臨的危機，便是蘇聯已經有了原子彈庫。其原子彈的數字，正在展開與美國競賽中。他說在鐵幕後的一個秘密的地方，那裏藏著的原子彈，一天比一天多起來，增加的速率，也超出了幾年前美國的速度，克姆林宮對於原子彈的增加，表示非常滿意！

是在一九四五年七月，研究的時間，一共用了三年半工夫。

蘇聯致力製造原子彈工作，大約是從一九四六年一月才開始。蘇聯的第一顆原子彈是在一九四九年九月落地的。大約在投彈的一個以前，那顆原子彈才完成。所以全部研究的時間，也用了三年半。

美國在日本所投下的原子彈，和在畢基尼所試驗的原子彈是同類的。以後美國就研究新的器型，一直到一九四八年四月，在安尼維托克島試驗時才告成功。新彈的研究時間，一共用了不到三年。蘇聯試驗新彈，在一九五一年十月宣告成功，研研的時間不過兩年光景。那末所費的時間，已經比美國為短了。

蘇聯試驗的時間

蘇聯試驗原子彈的時間表，比起美國試驗的程序來，費時常常比較短少。美國決定動員開始試驗製造原子彈，大約在一九四一年的十二月，第一顆完成的時間，但這種速度，使那些對蘇聯早有警覺的專家們都表示驚訝！英國的戰略研究名家伯萊開蒂教授，他是一向重視蘇聯實力的人，在一九四八年，他曾預測蘇聯的第一顆原子彈，將於一九五三年才能完成，

事實上，他竟錯估了四年的時間。美國總統的全國軍訓委員會，在一九四八年預測蘇聯的第一顆原子彈要在一九五一年完成，也錯估了兩年的時間。同時他們預測蘇聯大量生產原子彈，要在第一顆試驗成功的四年以後，現在蘇聯試驗第一顆彈成功又已經五年多了。

在一九四五到一九四九年間，美國對於推動製造原子彈工作，還在觀望時間，以後美國原子能委員會才全力動員起來，到一九五〇年再度加緊，而蘇聯自從一九四六年起，始終在全力動員之中。最近美國在薩凡那河，肯脫蓋，伊達荷，和俄亥俄籌地所建築的原子彈工廠，本應在一九四五年和一九四九年間就動工的，那時因為美國相信繼從速建立世界和平下手，而不應依賴製造原子彈，誰想到蘇聯也聲稱有相同的信心，以後竟變成遊戲文章呢？

製造時間的縮短

另一個中心問題，是原子彈的製造，並不如一般人想像中那末困難。從製造原子彈的最初時候起，事實上就是如此，凡是計劃中認為不易解決的困難，都一一迎刃而解了，試看美國開始研究製造原子彈的時候，曾化費了巨量的金錢，去試驗「鈾」和「鐠」，二者都是原子彈彈心的主要原料。由於當局懷疑那時的三種方法中，未知那一種可以成功，所以浪費了許多的人力物力，去一一試驗，但結果三種方法，全都試驗成功。

其次，當時許多人懷疑原子彈可以製造成功。在沒有試驗投彈之前，還有許多人對於投彈不敢置信，然而試驗投彈又告成功了。在畢基尼試驗投彈以前，一個從事計劃原子彈的著名科學家向新聞記者說，在畢基尼試驗的原子彈中，有一顆或許不能爆炸，因為製造員工不夠精練，但是試驗結果，全部投下的彈都爆炸了。雖然其中一部製造的員工不夠精練，事實上卻仍未受阻礙。

以上都是過去的事實，最近更有許多的新發展，已是人所共知的了。例如美國海軍的公佈：美國可以用航空母艦攜帶大量的小原子彈出發；又如美國陸軍演習多次，在新的作戰方法裏利用原子彈。

史蒂文生的幻想

今之自由世界國家的政客，視政權重於國運，忌政敵甚於防外敵。美民主黨恨共和黨之揭露雅爾達會議秘密文件也，遂由參院外委會主席民主黨議員佐治高唱大國會議。現在又有民主黨名義上的領袖史蒂文生，指摘政府為虛張聲勢，未有實力準備而作威脅，並建議邀蘇聯發表國際宣言，反對在台灣海峽使用武力。這種論調，完全是捨本逐末，授敵以柄。

中共之進攻台灣，實係以蘇俄為核心的擴張政策之一部份，而且係蘇聯滅中國未完的工作。這個基本觀念弄不清，一切的論調都是廢話。民主黨以在野之身，針砭政府或以匡政府之不逮，固然是義不容辭。但我看史蒂文生之議論抨政敵的成份多，挽國運之成份少。

今天美國之實力並非準備不足。艾森豪政府之失策在無決心實踐打擊共產侵略集團之諾言而已。民主黨若以國家為重，以世界眞正和平為念者，當力促政府信守打擊侵略之諾言，以樹立威信。乃史氏不作此圖，反而替共產黨宣傳美國為紙老虎，再則哀求蘇聯共同發表一紙毫無價值的所謂反對台灣海峽使用武力的「國際宣言」。更謂政府嚇退盟友，欲拉攏苟安之「盟友」以自重，不惜陷美國於更困惑之不利地位。信哉！麥加瑟之言曰：「幸史氏不獲選為總統，否則美國今日情形更糟」。蘇聯早已正式宣言支持「解放」台灣之主張。至於所謂讓實用武力中共必以內戰為辭，史氏以空言阻止侵台，未免所持者小，所欲者大，雖三尺童子亦知其屬可笑之幻想。

半週展望

旭軍

要有一拼的決心

史氏宣稱「就余判斷，美國與其他國家為此等沿岸島嶼引起分裂，致使自由各國大同盟所保證一致自衛軟化，則危害和平，比較各島本身尤為重大。」這無異於要放棄金門馬祖去遷就姑息苟安的盟友而已。我不知史氏是替有正義感的美國人民說話，抑或是替蘇聯中共說話？

艾森豪威爾政府為了拉攏「盟友」，不敢堅決明朗的表示打擊蘇聯的指使中共擴張侵略，已令蘇共集團在冷戰佔優勢，最近英國方面又有主張台灣舉行公民投票表決之議。中共之未奪取金馬，已使中華民國之國際地位危險。我政府應再三表示寧為玉碎，毋為瓦全的決心力挽垮中華民國。共黨直欲以國際勢力，不惜獨力與敵一拼。我相信拼死無大害，可以拚出太平洋積極反侵略的轉機。自由世界在台灣海峽的海空居絕對優勢，以及中共政權不穩，殺機四伏，民窮財盡，人神共憤的情形下，不拚待何時？

與總理赴蘇

蘇聯自史太林死後，內部不穩，經濟無法解決，斷不敢和自由世界大拚。我們從最近蘇聯對西歐批准巴黎協定可以窺見，如果蘇聯敢拚，就趁德國建軍未成，出力一拚。但蘇聯祇能以廢除英蘇協定及法蘇協定來示威作態罷了。廢除此兩協定是極少影響力。這兩個協定是第二次大戰時代的產物，現在形勢已大變，此等協定已失去大部份價值。祇留作親蘇派及幻想與蘇拉攏的憑藉作祟物而已。蘇聯宣布廢約後，又急急邀請奧國總理拉比赴莫斯科談判。可見這種種措施是作態給鐵幕內人民看，以維持面子而已。奧國能獲免份主權麼？我想在蘇聯從奧國身上榨取宣傳價值以盡後，蘇聯佔領軍還不會撤出的。

瑪德里近事

佛朗哥對遠東的看法

國外通訊

奔流

〔瑪德里航訊〕春天已經來到這個海拔六百多公尺高的城市，給人們帶來新的希望，和興奮，宇宙的一切都在讚美造物者的偉大。

美國下院議員史密斯夫人訪問自由中國之後，順途訪西返美。在她逗留伊比利亞半島的幾天，獲得西國政府上下的殷勤招待。從她返國後的反應，可以看出她是何等興奮與不平常。

史密斯夫人的活動，使我們感到友邦人士對於自由中國的同情之深。史密斯夫人與西政府元首佛朗哥將軍會談，曾提到遠東局勢。

佛朗哥將軍認爲目前國際間姑息的「中立主義」，是那些中立國家的懦弱與膽怯，向共產主義低頭，並非因爲毀滅武器的產生，而直接恐懼起來的。但這種姑息的中立主義，到頭還是自欺欺人，招至滅亡的。

史密斯夫人問佛朗哥，以他反共成功的經驗，對於美國今日內外與共產主義鬥爭的政策有何意見？佛氏認爲，反共是全面性的，對內宣佈共產黨一切爲非法，向人民揭發共黨陰謀，這是起碼應做的工作。對外，美國絕對不應該承認共黨侵略擴張所造成的事實是合法的。

史夫人又問佛氏，關於台灣問題的意見如何？佛氏斬釘截鐵的回答說：蔣介石總統一向是自由世界在最困難時，最忠誠的朋友。台灣是自由中國人民團結的中心，更加重要的，台灣今日是防守太平洋最重要的一環。她的喪失，無異就是開好大門，讓共產帝國主義進入太平洋。

佛朗哥將軍認爲反共，就必須一刀兩斷來個清楚。某一次他談到「和平共存」的意義，他很直截的說，那根本就是「獅子與綿羊的共同生活在一起」。這一句話代表了他的反共精神和他的性格。他不是一個遊說的政治家，他是一位軍人，所以他的見解，始終給人印象深刻，和易於明瞭。

四一反共勝利閱兵

一九三九年四月一日，佛朗哥將軍的參謀部，發出一項由佛氏簽名的通告：「戰爭結束了」。至今已經十六年了。從此以後，西政府定這一天爲勝利閱兵節。每年到了這一天佛朗哥將軍都要親自主持閱兵典禮，今年亦不能例外。

我們對於西班牙的勝利閱兵，自然不免有許多感慨。但也使我們更具信心，我們的反共必勝。因爲已經有歷史的事實作證，與共產主義鬥爭，是不會失敗的。

今年西班牙的勝利閱兵，一切和以往無異。但這是西班牙接受美援後的第二屆閱兵，在軍隊之裝備上，顯然有了相當的改進。以前的不說，即以去年和今年比較，新武器已增加了不少，特別在空軍方面。雷霆式的噴射機飛翔瑪德里上空，新的空軍地面部隊之裝備，是去年所未有的。四十七噸的坦克車，雖然在一年前已運到西班牙，但拿出來表演，還是首次。其他一百廿公厘口徑大砲，在檢閱的隊伍中，亦出現不少。

在整個西歐防禦中，西班牙這支軍隊，在未來的戰爭中是可以發揮相當的功效的，特別是用之於反共戰爭。他們將會以大無畏的精神來表現的。一旦戰爭發生，西班牙調出百萬雄師，並不是很大的問題。問題卻是今後西歐國家對西班牙的態度如何？能否把西班牙配合在西歐防禦的系統之內。

筆者於參觀西國反共戰爭勝利十六週年紀念的閱兵，不由得有一個美麗的期望，那就是希望在不久的將來，我們的勝利雄師，亦能在美麗的土地上，在今日千萬正在受苦的同胞面前，唱着凱旋的歌曲。（四月二日寄）

台灣的教育與學術

吳俊升先生來函

編者 讀者

頃接教育部長吳俊升先生來函，對本刊四二三期及四二五期所載有關教育與學術的文章有所辨正，原文如下：

編輯先生：五年前自由人在港創刊，作反共抗俄之前驅，弟忝居撰述之列，[illegible]來，愧無貢獻，但對於[illegible]維持，則甚爲欽佩。過去本刊之言論，除反共而外，並常批評政事之得失，作政府之諍友，[illegible]惟近若干期有若干記述與論評，似不盡根據事實，且夾雜意氣，有失本刊立言之風。他事不具論，即以關於教育與學術之論評言之，[illegible]較多，[illegible]肆口譏評，並不衷於事實。例如第四二三期「台灣的高等教育問題」一篇，謂[illegible]

[illegible]何間於學院與大學？論者之意，若大學爲高不可攀，[illegible]者，未知其意何居。

第四二五期「異哉所謂中華學術獎金者」一文，[illegible]有前例。若謂設備不充，則其待充實，又[illegible]值高下之衡較，定獎金之誰屬，殆爲不可[illegible]能之事，今者當局[illegible]之範圍內，儘量求評選之審慎與公平。得獎人之初選與決定，係出於學術審議委員會常會及大會之公意，教育當局及主管人員且未嘗參加表決，其廓然大公，可以概見。更就得獎之諸君而論，雖不能一一悉如魯君個人之意，（欲人人如意爲絕不可能之事）但均爲允孚衆望之績學之士，更可以事實證明評選之公平得當。今魯君未本學術之公心，論其大體，惟於細節肆其苛求。如謂評選時間太短促，即歷時一月，不可謂太促。謂獎金分類失當，則學術分類，固多異說。魯君憑其己見，揣測常委會「因人設類非因類求人」，未免失客觀論學論事之風度。至謂評選方法爲「不審不議之推選」，則公開審查，歷時一月，常會與大會開會審議，共歷多次。此猶爲不審不議，如何始可謂之審議？魯君對於得獎金之人選，儘可本其學術之見解作公開之論評。今乃對於評選之方法，厚誣事實，濫爲揣測，多見其論評非出於學術之公心也。以上爲弟所見與本刊論旨差違之數端。在投稿者但求能在本刊發表，其目的已達，而本刊遂成爲個人逞譏私見之工具，則未免不值。弟論公爲教育行政之一員，論私曾附本刊創辦人之驥尾。爲愛護教育愛護本刊計，未敢默爾而息，故陳所見，幸辱教之。並頌撰安。

弟吳俊升拜啓 四月四日台北

女·教·育·家——胡素貞博士訪問記

李毓田

中國近五十年來，眞正稱得爲教育家者，男的固不多，女的更少。我所認識的女教育家，南京有吳貽芳博士，在香港則祇有胡素貞博士，

胡博士先後畢業於牛津大學和哥倫比亞大學，獲教育博士學位。三十餘年前，她在香港手創聖保羅中學，募集鉅款（當時港幣二十五萬元約合今日百萬餘元），由港政府撥地，自建規模宏偉的七層校舍，即今之麥當奴道校舍，（色紅又稱紅屋）抗戰期間，校舍之一部曾租給大夏大學作分校。筆者曾在該校教過相當時間的功課（政治學）。聖保羅中學逐漸鼎盛，由一校成爲三校，當今均稱聖保羅，餘二校，一爲今之聖彼得中學，又一爲聖馬可中學，校址均設於鐵崗。三校現擁有學生四千餘人，三十年來，畢業學生如每年平均以五百人計，當在一萬五千餘人以上。據胡博士說：她的學生回國升大學（北大、清華、燕京、南開等校均有）及到歐美各大學留學者甚多，在香港擔任校長或教員的，也不計其數。胡博士，眞可稱得起「桃李滿天下」了。

× × ×

胡博士與吳貽芳博士兩教育家，有很多相似之點：（一）在思想信仰上，她們同是虔誠的基督徒，也同是自由民主的鬥士。（二）在學籍上，同爲留美教育博士。（三）在年齡上，現在同爲六十以上的人了。（四）在事業上，同爲終生獻身教育工作。（五）尤奇者她們兩人同爲抱獨身主義的聖女，身材面型也多相似。胡博士告訴我，她和吳貽芳還是朋友呢。因此，我們可以說：胡素貞是「香港的吳貽芳」，吳貽芳亦即「南京的胡素貞」。現在吳貽芳不幸身陷竹幕之內，雖未離開金陵女大（某報傳她已死，實誤）她精神上的痛苦是可以想像得到的。胡素貞便不同了，她在自由世界之內，可以自由自在地飛來飛去，瑞士、英國、美國、香港，愛去那裏便那裏。

× × ×

胡博士和現在普遍流行於世界各國的道德重整運動也有一段淵源。這運動於一九二二年正式發起於倫敦，但最初還胚胎於我國的牯嶺。那是一九一八年夏季的事，當時佛蘭克·卜門博士因爲想改變一位中國老外交官的不良嗜好和習慣，在牯嶺發起這一運動。胡博士便是這一運動小組會的重要之一員。當時該運動揭櫫四大道德標準：（一）絕對的誠實，（二）絕對的純潔，（三）絕對的無私，（四）絕對的博愛。胡博士自從參加這一運動以來，即不斷的努力作克己功夫，終日以「德之不修，學之不講，聞義不能徙，不善不能改」爲惕勵。她後來在教育事業上的許多成就，可以說得力於道德精神的地方不少。

× × ×

筆者曾與胡博士暢談多次，一次她對我說：「我年輕時，並不懂得用錢之道，也不懂得如何幫助別人，或如何做公益的事情。後來辦學校，建築校舍，錢都從別人腰包裏拿出來的。我做校長，錢由我支配，收了學生的學費，也放在我的手裏。我覺得這是有點自私的作風，不是爲人師表，講道德的好模範。因此，學校辦好了，我便辭去校長職務，把學校公諸社會，同時也把辦學校後，所節儲下來的大筆金錢，也捐還學校，作爲擴充校舍，和增加設備之用」。這一席話使我非常感動。胡博士眞是實踐了孔子所說：「君子謀道不謀食」，「君子憂道不憂貧」的格言。眞是不折不扣的教育家，百分之百的青年表率。

× × ×

胡博士把自己手創的學校還諸社會，今後她個人的生活如何呢？據筆者所知，她是靠親朋和學生的接濟過日子的。她不吸烟，不飲酒，亦不喝茶，生活非常簡單，個人用度是極有限的，她的親戚朋友和學生決不會讓一生盡瘁教育事業的老教育家餓死的。她這次由華盛頓回到香港（她是由瑞士柯峯出席華盛頓一月的道德重整運動亞非會議的香港代表），旅費也是友人代籌的。胡博士現時患嚴重的風濕症，行動也不很方便，香港這樣的天氣本來是不適宜於的，但是她有她的理想，也有她的抱負，到底不顧個人的安逸，毅然回到香港來了。筆者曾問她，這次回港，有甚麼使命？這位老教育家堅決的說：「我要做的是改變香港人乃至中國人的工作」。壯哉此言！寶刀未老，胡博士的精神，眞足令人敬佩。

胡博士將於下月前往東京，作推進道德重整的工作。於此，筆者覺得道德重整運動，過去把大部份的精力用之於西德、意大利及南非方面，對於香港似不甚重視，他們或者以爲香港隨時陷入竹幕之可能，又或以爲香港有教會足以當此責任。我以爲這種見解，是値得再考慮。因爲香港並不比西德更危險，而且教會。有教會的工作，如果認爲有了教會，即無需此一運動，則過去亦不必發起這個運動了。因此，我甚盼胡博士以在港辦教育的多年經驗，對於香港的道德重整運動，多加領導和推動。

四月二日雨中

港大經濟考察團

葛璧博士遊台拾零

〔本刊訊〕香港大學經濟系葛璧博士所領導的自由中國經濟考察團於三月廿二日飛台作爲期五日的學術性考察，考察經過，已詳誌各報，茲再從有關方面，搜羅若干饒有趣味的資料，未爲報紙刊載的，撮要報告讀者：

葛璧博士在台灣教育學術界歡迎席上致詞說：「我們英國在外交上，現在和中華民國沒有正式邦交，但我們英國人，新聞記者，乃至文化人士在台灣和中國人往來，依然維持極深厚的友誼，我們和美國人一樣，及其他友邦人士一樣，沒有受到任何的歧視。」他又說：「我個人的著述在台灣可以自由出售，如果到了赤色大陸，便要給他們燒掉了，恐怕連我本人到了那裏，也會給他們燒掉的。」

他回顧十五年前訪問台灣的往事，他說：「那時台灣在日本人統治之下，一切爲日本的利益，現在的台灣不但一切進步，而目一新，而且，台灣的殖民地痕迹已經完全消失了。」葛博士這一番演講使聽衆感到莫大的興奮。

後來葛博士和其他三個團員到總統府謁見張秘書長岳軍，張秘書長告訴他們，總統已經到了南部，不能夠和他們相見，很覺抱歉。現在談話的地方也便是總統平常接見來賓的地方。張秘書長起初用國語透過翻譯和他們談話，談得高興，改用英語直接談話，後來知道葛璧博士居留日本很久，會說日本話，又改用日語和葛璧博士談了很久。最後葛璧博士說：「今天我在這地方，用日本話和中國的政治領袖談話，頗多感慨。因爲日本在過去曾是貴我兩國的共同敵人呢？」張秘書長笑笑說：「這便是國際上沒有永久的敵人！」張秘書長的約會時間本來是卅分鐘的，因爲主客間越談越興奮，竟超過一小時以上，才鄭重道別。

這次訪問，時間雖短，主客雙方都感到異常快慰。葛璧博士自己請了一次茶會，到政府各機關首長及各界人士百餘人，離台之日，到機場送別的也不下數百人。可以說，這是一次中英國民外交，和學術性聯誼的最有深刻意義，而且是最成功的一次訪問。

關於中調詞

△王況裴先生來函▽

主編先生道鑒：（上略）此種文字在刊物只能算是塡補空白角落資料，既無時間性，又無連續性也。茲單繕中調，其小令長調，貴刊前此所登他家作品已多，惟此體尚所未見也。竊謂塡詞小令，以情韻勝，長調以氣勢勝，中調必二者兼之，方稱合作，所以尤難。前賢詞集中此體均不多見，雖號稱詞聖之周美成片玉詞，亦僅「滿路花」「踏紅塵」兩闋可誦。後來詞人多至四千餘家，納蘭成德爲之冠冕，其飲水詞中調名篇不過臨江仙飛絮飛花一闋耳。況裴不自量，大膽繕出中調二十闋，得毋有與前賢異趣之消嫩。倘乞賜予指教，是幸。但登出時敬請依照原稿標點及分排格式俾閱者一目瞭然，於此體之構造與小令長調稍異也。端此敬頌著安 三月十八日王況裴謹啓

（王先生的詞稍俟刊出——編者）

海鷗顯能 潛艇魁星

美國海軍部將於短期內公佈一種新武器，這種新武器名爲「海鷗」，是一種類似飛彈的可怖魚雷，由飛機上發射，爲專門對付潛艇的新利器。同時，海軍部不久還打算公佈另兩種新武器，一種名「鴿」，一種名「女夜叉」，兩者都是由飛機射擊海面目標的飛彈。

日本往那裏去？
——從日本經濟演變看日本前途——

柯秉傑

日本的人口壓力

日本主要問題之一，是人口的增加超過國內糧食生產。多年來，日本主要糧食，需國外輸入，國內生產絕不足以自給。戰前，日本所需的米，主要取給於她的殖民地朝鮮與台灣。自從戰爭毀滅了她的帝國，在投降時起，日本已立刻感到嚴重的糧食缺乏。雖然國內糧食生產，多數在很快的時間內，恢復戰前水準，但與人口的增加率比較，比戰前更感不足。日本人口增進情形，可從下列數字觀察出來。

年份	人口
一九三〇年至一九三四年（平均）	六五，七九二，〇〇〇
一九四一年	七二，七五〇，〇〇〇
一九四九年	八二，六三六，〇〇〇
一九五五（估計）	九〇，〇〇〇，〇〇〇

從一九三〇至三四年的平均人口數字看來，日本人口已有百分之二十五的增加。日本農民人口密度，已爲世界之冠，（每方哩可耕地日本有三千人，英國二千四百人，美國二百四十人）而稻田的使用，已達最密集的程度，欲求國內糧產的顯著增加，事實上似有難能。因此之故，日本須將努力於輸出貿易所獲得的外滙，大部份用於在世界市場採購糧食，因而不得不減少工業原料的輸入。近年來，糧食一項佔日本輸入貿易支出中最大的單一項目，便是明顯的證明。重要如鐵砂或焦煤的輸入，在價值上言，亦迫得降居於次要地位。此種情況演進下去，日本的經濟是會日趨惡劣的。欲挽此頹勢，固須努力於工業的近代化，同時，也要廣泛地投資於農業建設，如土壤的保存與改良是。

日美的經濟關係

在珍珠港事變之前，日美貿易佔了日本對外貿易總額的極大部份。以一九二六至一九三五之十年爲例，美國約佔日本的輸入貿易三分之一，亦約佔日本輸出貿易的相同比率。美國對日的主要輸出是棉花，而從日輸美的主要商品是生絲。戰爭結束後，日本的輸入貿易，有百分之五十是來自美國的，自從美國停止了人爲的以財政支援日本的輸入貿易後，日美貿易已難於恢復舊觀，其理由如下：

（一）美國的棉花市場是高價的。在正常的狀態下，日本勢須盡力在美元區外覓取較廉價的棉花來源。

（二）自美國綜合纖維工業發展之後，已減低生絲的商業重要性。加以，在戰時因生絲的無法獲致，一般消費者已養成使用纖維的習慣。

爲要維持一個在經濟上可能自存的經濟，照估計，最低限度日本每年必須比照一九五一年，三五〇百萬美元的出口貿易率增加一兆美元（US$ 1 BILLION）的出口貿易。換言之，爲要無須仰賴美國的援助，爲要無須倚藉韓戰的獲益，日本必須增加她的出口貿易一倍。只有輸出貿易，日本才能賺得足夠的外滙以維持她的經濟，與養活她的國民。

亟需外國投資

中國大陸，北韓及北越淪入鐵幕之後，南亞及東南亞各國能夠供給日貨以充足的市場，以彌補其損失嗎？欲推行一個可以自存的日本經濟，大部份有賴於日本對其本身經濟的基本投資。日本國內儲蓄，近來每年約達一兆半美元（1.5BILLION），即約爲國民收入的百分之十。這一個數字是不敷將日本的主要工廠近代化與改良之用的。建議中的擴增一倍水電發動力的計劃，即需時五年與二兆美元的投資。如果沒有外資的協助，日本恐非本身力量所能單獨負荷。雖然戰後美國私人投資不多，目前則已漸增興趣，惟多偏重於技術及特許與專利範圍，而非直接的投資。日本有不少建設是須靠外資的，這完全要看她的對內對外的經濟政策能否引起外國投資者的信心。日本曾經宣佈她願意負起戰前的國際財政義務。在國際貿易上，她又亟於表示將極力避免傾銷與不公平貿易的指責。現在只有待於日本之是否停止自殺的競爭。

日本經濟的前途

日本現須面對對菲律賓、印尼、印度支那及緬甸爲數共二〇·三兆美元（20.3 BILLINO）的賠款，故亦有待於日本之是否能夠賠償與是否肩負這一重担。她必須在崎嶇道上去克服艱難，以爭取經濟的康復。只通貨膨脹即須用斷然的手段去解決。他如戰前不齒人口的貿易手段，也須必徹底拋棄。同時，在貿易上自由國家也必須予日本以善意扶助，否則道阻且長，努力亦屬徒勞。限制主義，特惠協定，以及其他妨礙國際貿易進行的種種障礙，將予日本以較其他國家爲重的打擊。日本能否繼續向上奮鬥，端視她在鐵幕以外的貿易對手對她的態度如何。（續完）

經濟社會思想叢談（十九）

金伯華

經營主體的不同

關於合作經濟的共同經營與資本經濟的共同經營，其中不同之點，還得作進一步的分析。

就主體的不同，資本主義經濟的經營主體，不得說是資本家。至於小資本家，如同孫中山先生所說，由於小工業的發達的小資本家，事實上卻往往處於很被淘汰，競爭很烈，在一個小區域或一條小街衢裏，常常看見同一行的廠商不下三五家，比鄰儼成敵國，斷斷沒有方法共同經營。這正是目前人類社會經濟一種極不合理的現象——亦即是合作組織實有迫切需要的證明。而資本家將本求利，機運好的，便像滾雪球一般越滾越大，而成爲大資本家。濡染既久，相習成風，結果便祗知唯利是圖，不顧一切——除了自身以外（這就是自由主義經濟學家所謳讚的「利己主義」），最先，亦最慘直接被其剝削和犧牲的是平民大衆——這難怪孫中山先生早在民國元年演講「社會革命談」時，便慨然斥道：「資本家者，以壓抑平民爲本分者也。對於人之痛苦，全然不負責任者也。一言以蔽之：資本家者，無良心者也。」（見總理全集之七上冊第六〇頁）所以凡是「在經濟上已經成功[illegible]的資本家」（見民生主義第一講），當然會成爲社會革命的對象。這與其說是「勢所必至，理有固然」。因爲政治縱已民主，但若經濟制度沒有相應的改進，則社會決難安康。「蓋未經社會革命一層，人民不能安樂，享幸福的只有少數資本家，受痛苦的尚有多數工人，自然不能相安無事」（見同上）。

中國的社會革命

中國社會革命既不必用武力，那末應用什麼來革呢？

用合作制度。合作制度共同經營的主體，是全體社員，是窮人，是經濟弱者，是受痛苦者，是被剝削的全體消費者，如果大家都各就本業生活上的共同需要用合作方式組織起來，自行經營企業，則資本家的命將可不革而自滅。這是一種很和平的革命，但是一種最徹底，最有效的革命。這種經濟上的不流血革命，很似英國政治上的不流血革命，而代替制度，實際上是一種[illegible]

[illegible]孫中山先生「民生主義與社會革命」[illegible]……英美諸國資本家已出，障礙物已多，排而去之，故難；中國資本家未出，障礙物未生，因而行之，故易。英美諸國，社會革命或須用武力，而中國則不必。」（見同上）[illegible]貝勒斯（JHON BELLERS 1654—1725）[illegible]「勞動」[illegible]

[illegible]資本主義的共同經營，是少數大資本家[illegible]（見GROSLOV MLADENATZ著「合作經濟思想史」）

邱吉爾和繪畫

牛布衣

艾登說，邱吉爾是最偉大的英國人。年紀老了，邱翁上周辭去首相職位。全世界的輿論果然一致推崇他是『英國最偉大的人物』。邱翁堅毅沈着，較諸羅斯福自作聰明，墮上史大林的圈套，不可同日語也。

蘇格蘭場警察督察譚臣氏追隨邱翁二十年。最近刊行一書叫做『我的任務——邱吉爾』，紀述邱翁生平軼事。在美國刊行後，洛陽紙貴，風行英美。現選該書資料，寫成短文如下：（以下仍用譚臣的口氣敘述）

×　×　×

邱吉爾這個人是千變萬化的。到了埃及，他答應給我半天休息，忽然又改變了。他要到金字塔寫生，叫我替他拿畫具。起初我還以爲邱吉爾的寫生是一種衝動，後來才曉得繪畫之於邱翁有類乎癖嗜，是一種隨時隨地可以發作的癖嗜。

他帶領我跑到金字塔，一邊寫景，一邊抽雪茄，在那裏消遣了好幾個鐘頭。他的舉動吸引了不少閒人。他們圍着我們兩個大談大笑。把我們當做攝影題材，拍了不少照片，

邱吉爾出去繪畫總帶我一道去，每一次出發總是一整天。繪畫的時候，我站在他後面。有時他回頭向我微笑，現出一種滿足。他喜歡寧靜，時常整天不發一語，高興的時候，可能和我談論不絕。

×　×　×

大戰時，邱吉爾跑到非洲晤見艾森豪威爾，回到突尼斯忽然病倒了。休息了幾天，剛退了燒，他那繪畫的癖嗜又發作。他要我們把他抬到一所別墅，準備寫半個城的景緻。七十多人，把他抬上好幾百級石梯。到了頂上，只寫了一會，他便支持不住了。我們只好又把他抬下來。

邱吉爾對繪畫有一種過人之處。事實上，他太忙了，沒有工夫[illegible]。他對着景物，只須在畫布上畫上輪廓，又在每一個圖景物上染上配合的顏色，便算了事。在突尼斯養病時，他曾寫一個外形，那幅畫圖是兩年後才在倫敦完成的[illegible]，可是好些人都[illegible]是邱翁的傑作之一。

×　×　×

邱吉爾繪畫的生涯[illegible]四百五十幅，多數是寫生。[illegible]他的畫室總使我回憶起舊遊。好些人說，邱翁[illegible]世界各處收集在他的畫室裏，可以說得[illegible]世界奇景。博物館出重價要買他的作品，他總是吝不肯出售。他從不肯在畫圖上簽名，這也是他的怪癖之一。

（以後將繼續刊邱吉爾[illegible]和生病兩文——編者）

賽珍珠新著——「我的幾個世界」（中）
——對中國文化的推崇——

柳英華

她因工作關係，對於中國農民有極深切的認識。當時的社會風氣，已是「士習囂張，世德澆漓」。惟在農村的角落裏，還保存着淳樸善良的古風。賽氏說：「中國的農人是極優秀的一羣，剛毅篤實，辛苦勤勞，樂天知命，文明有禮——可惜他們目不識丁，無法爲自己表揚，這是人類的大損失」。

一九二〇年，白克應聘金陵大學農學院；賽氏也在金大及東大謀得教英文的位置。每於週末，回到鎮江家中，和父母共敍天倫之樂。

一九二一年，她母親因病去世，於是她把老父接到南京來，親自奉養，十年如一日，孝思之厚，令人敬佩。

寫作生活的開始

一九二五年，白克夫婦帶着一個白痴的小女兒，回到美國東部康奈爾大學念書。兩人之間，僅有一份休假津貼，經濟非常窘困。是年天氣奇寒，賽氏連添製一件厚大衣的錢都沒有。當時，他寫了一短篇小說，試投「亞細亞」什誌，結果竟獲得稿費一百元。後來，又參加全校論文比賽，以「中國與西方」爲題，又獲得首獎二百元。這兩筆意外收入，雖引起她無限的興奮，但在她今日的回憶中，僅不過是牛刀小試而已。

賽氏的處女作是一九三〇年出版的「東風與西風」。該書敍述一個舊式女子嫁給留學博士後生活改變之經過，把那位弱女子恐懼徬徨的心情，描寫得有聲有色，淋漓盡致。

經過這一次的成功，賽氏乃躲身於金大教員住宅內，閉戶寫作，歷時三月，遂完成其精心傑作「大地」一書。

「大地」是一部寫中國農民生活的小說。此書一出，（一九三一年）全世界文壇爲之震動，公認爲近世罕見之文學佳品。該書在美國「暢銷書」名單上，連續被列出達二十一個月之久，打破三十餘年來之記錄。十五年內，正本被翻印了八十餘次，其他副本等（即一元本，七角五分本，及二角五分本）也共翻版近一百次之多。銷路之廣，實足驚人。

文壇上的榮譽

賽氏一舉成名後，接着一本一本有關中國的小說在她筆下產生出來。就筆者所看到的，共十七本之多，實際數目，恐不止此。內中以FIGHTING ANGEL，PATRIOT，DRAGON SEED，KINFOLK等最爲精采，而「水滸傳」之譯出，尤見其氣魄雄偉，才華奪人。

一九三二年，美國新聞學會贈賽氏以普利澤佳作獎；一九三五年她又獲得活威爾文學金牌獎；一九三六年彼被選爲全美文藝學會之永久會員；一九三八年全世界最高榮譽之諾貝爾文學獎，亦由賽氏膺選。

賽珍珠對於這些與時俱來的榮譽，倒是「恬淡豁達，處之泰然」的。在她的演講詞中，她常常稱引施耐菴水滸自序中的一段話，「吾生有涯，吾鳥乎知後人之讀吾書者謂何！但取今日以示吾友，吾友讀之而樂，斯亦足耳。且未知吾之後身讀之謂何；亦未知吾之後身得讀此書乎？吾又安所用其眷念哉？」，虛懷若谷謙遜未遑，頗有儒家仁者之風。

中美文化的比較

賽氏對我國文化的認識，非常深刻，她說：「中國文化好似一泓清流，長川不息；美國文明如同山洪暴發，源流不定」。又說：美國人民有意見，有成見，有信條而無哲學；中國人上至士大夫下至販夫走卒，都有一套人生哲學，故能知足常樂，隨遇而安」。

她認爲「中國士大夫統治雖有不當之處，但較之今日滿保地痞之統治好得多……惜乎今日之士大夫們，修養不夠，言行虛僞」。

她對於中國人重視人情，忽略法治的缺陷，認爲並不是「絕對」的。她的：「中國人民把幾千年來的經驗與智慧，融貫於普通成語之中。小小糾紛，三言兩語，即告解決。遇有重大不決之事，即延請德高望重之士出來，公平處理，往往較今日法庭上的判決，更爲合情合理。」

西洋阿Q

馬五先生

在印尼舉行的亞非國家會議，本是亞洲幾個阿Q式的中立主義者所策動的，它不邀約歐美各洲的國家前來參加，自屬當然，否則就是名不符實了。

然而，近日我讀到一篇來自西方大國的「權威」人士對此會議的分析文字，其見解之妙，真是妙到不可以醬油啡！據說：亞非國家會議之不邀蘇俄參加，而請中共出席，這一方面固然是表示排斥白種人，同時也是證明中共對蘇俄之尾大不掉，俄帝一定大不高興，中俄共之間，從此就見加深，勢必鬧到分裂了！你說這項見解是不是妙到了極點呢？

西方列強政治人物害着嚴重的單相思病，已是歷有所年了。他們自作聰明，要藉此掩飾其專門犧牲別人，成全自己的自私自利政策，硬教別人相信他們的見解是高明的，可是，亞非狄托不但渺無蹤影，並且隨時遭受到「意中人」的辱罵擺佈，實在有些難堪。祇好自求安慰，充分發抒阿Q精神，遇事解釋成為自己心裏想像的那種趨勢與結局，以期平復其單相思病的創傷。這是跟着共產黨學習的一套本事──以思想變更存在！

西方列強以為他們的物質文明甲於全球，有的是原子武器，黃金美鈔，就了不起，隨便胡說八道，也要教別人相信是真理，卻不怕別人齒冷肉酸。這種阿Q式的優越感，至少我個人是討厭的。沒有妥當的政治理想以資號召，而又期待大家翕然相從，說是有原子彈氫彈可以壯膽，有黃金美鈔可以收買人，寧非阿Q精神？有原子彈而不敢投擲，有金鈔而不會使用，結果不過是一堆廢物而已，矜夸豈非甚末呢？

論我國洋畫的創造

何鐵華

在這裏，我以為把國畫的趣味融化到洋畫裏去，該是一種很好的方法吧。至於新時代的思想感情一節，則且待有機會時另文詳述之。

我所要說的，並不是用了油畫的材料照樣畫出一幅國畫的山水或花卉來的意思，在以前確實有人嘗試過，但這是一種愚蠢的嘗試，我知道現在還有人這樣做，可是終於會失敗的。那麼，怎樣把國畫的趣味融和到洋畫裏去呢？乃是指在洋畫上加入國畫的「味」而言。由此又會引起了國畫的革新問題來，因為洋畫之溶入國畫趣味與國畫之吸收洋畫優點乃出自一理，並非是表面的形式區分就可以的；如國畫中加入現代的事物：飛機、汽車、洋房、沙法、輪船等之不能成為一幅現代國畫，一樣陷於膚淺可笑，不足為藝者道。這問題非本文所述，故不多贅。

×××

國畫中文人畫的趣味，實在已經達到藝術的最高峯了。那種超越自然之境，詩意的豐富想像力，象徵的單純化的表現法，含蓄而寓意雅拙的線條，高雅樸實的色彩，空靈漂渺的構圖，完全表現了東方文明的崇高的精神。這樣的趣味，現代的洋畫家也在追求着，但西洋人的作品終究是西洋的，他們無論如何不能接觸到東西精神的深處。我以為我們的洋畫家，如果能够在這一方面發揚國畫的精神，的確是一條唯一的出路。只要對中國文化有深刻的認識，和相當的東方藝術修養，那便不難有所成就。或者也有人以為國畫的能够表現出國畫的趣味，乃是因了材料使然。如果用了黏稠厚的油畫顏料，高古淡雅的趣味，那是徒然的。這種說法也是錯誤的。我們知道，[illegible]化那樣材料的話麼？乃時[illegible]使用某種材料[illegible]出那種材料所能達到[illegible]的效果，那麼不是可以說是達到藝術上的「神化」之境了。只要你有巧妙的手法去處理油色，能够表現出水墨的韻味，國畫的特徵，那種藝術不是更深刻更耐人尋味了麼？

×××

我以為最最重要的還是作者的個人問題：大凡藝術作品都是作者先天的與後天的修積累和素養陶冶，以及當時觸發的感受，由於理、心理、精神、物質等各種條件的綜合而成。你能够深入感情浸蘊，跟藝術品起共鳴，那也就是作者的精神與感應能力嗎？那就是以超脫現實的理想方式的純客觀的世界，以探求宇宙萬象的內容，和在不純粹客觀的追求一種自然的完律，而用主觀的感情，連那物後的心情，發抒其感情和思想，以表達主觀與客觀一元的創作理想。這就是「游於象外，得其環中」，意象環周的意境，也可說是作者理想的寫實，「靈的空間」底形而上的最高藝術表現。

且看二十世紀的原子時代的今天，西洋繪畫的進步是隨着由感覺所構成的動勢的逐漸尖銳化，所有的實在都還元於純粹的表現，追求着抽象與純化的方式，揚棄複雜的手法，復歸於兒童般的簡明手法，原始的樸素。這無疑是與中國文人畫溝通的地方，亦即中西藝術合流的新趨勢。

所以，我以為我們的洋畫家的傾向到國畫方面去，只要他仍舊不忘記洋畫，尤其是現代洋畫；由深味到國畫的妙趣，使之發揮盡緻，再去製作洋畫，俾能充實現代精神活動的類型，同時，為積極地加強其純粹的性格的活力，即如何增進新的生命力？也就不能離開自然的本質為出發，模做臨摹固非正途，樸做也不可取，而還面對現實，藉以探求問題的真諦。一方面還使中國畫的特性與世界的表現方式交流，復宜以發現那能够適宜的塑造為主要着眼點的獨立性，那麼一定可以開拓出一種洋畫的新面目來。（下）

四十四年三月十日於台北。

題郎靜山畫山水 祝于右老七秩晉七

·曾今可·

流水鳴天籟，高山壽萬年，
修篁護茅屋，中有地行仙。

呈成惕軒先生

·刁抱石·

歷劫遠遊生事微，藏山閣卷沾人衣。
少陵社稷憂長在，庾信江關願暫違。
行見扁舟歸楚客，佇看寸草報春暉。
即今四海風雲急，健筆端宜振漢威！

語意學漫談

徐道鄰

拿一張二尺長一尺寬的橙黃色的厚紙，釘在牆上，再用一張黑紙遮蓋黃紙的上面一半。你這樣注視黃色部份五分鐘，然後再把上面的黑紙拿開。此時你會發現，這一張完全一個顏色的黃紙看成兩種不同的黃色。用三個臉盆，一個裝熱水，一個裝冷水，一個裝溫水。你把手先放在熱水盆裏泡一會，再放進溫水盆，你會覺得水是冰冷的。比時再把手放在冷水盆裏泡一會，然後再放進溫水盆，你又覺得水是滾燙的。這些都是我們人人具有的生活經驗，可惜我們太少把這一點重要的知識，在求了解別人的行為和心理上，予以適當的和充分的運用。

說話時不可忽畧情感成份

一個人無時無刻能脫離他的心情背景，因之他的一切言語和反應，也都不能不是含有它的特殊的情感成份。而他的這些情感因素，就在他所用的語言中透露出來。同是曾國藩一個人，一個稱之為『曾文正』，一個稱之為『曾滌生』，一個稱之為『湘鄉』，一個稱之為『曾國藩』，則這四個人對於曾國藩的態度，就在這一個『代名』上表示出來不少。大家同時討論一個人，有的稱之為某某先生，有的稱其姓名，有的則直稱之為『這個傢伙』，這也就明明的在說明這些人對於這一個人物的心理反應。可是在大家討論問題，或者表示各種意見時，我們常常忽略了這些情感因素，而把一個人的高度的情感語言，硬看成了單純的理智語言，而予以無窮的辯論。這特別是我們所謂知識份子者常常落下去的語言陷阱。一個開口『曾文正』，閉口『曾文正』，一個則一直以『曾國藩』呼之。這個指稱上的歧異，尚不至引起爭論。接着一個說他是『忠臣』，一個說他是『漢奸』，一個說他是偉大的愛國者。一個說他是道地的民族叛徒，一個說他有大學問有大事功，一個說他學問事功兩無足道。這種辯論，表面上彷彿是在追求事理的真象，事實上不過是雙方各別表示其愛憎的態度而已。如同一個人說他喜歡吃梨，一個人說他喜歡吃桃子，一個人說他喜歡吃桃子而不喜歡吃梨。一個人喜歡網球而不喜歡籃球，一個人喜歡籃球而不喜歡網球。兩個人誰是誰非，孰曲孰直，這是運用人類所有的一切知識和經驗，也都不能解決的問題。（二十七）

唐鬍與楊大個

易與

後來我卻知道他還在送上海報，他並沒有要我定他的報，有天我在郵局撞着他，肩上背着一捆報紙，我問他是什麼報，他告訴我是時事新報和民國日報，我便陪着他一道到他那裏去，由郵局到他那裏，可不十分近，邊走邊談他問我喜不喜歡看報？看些什麼書？他告訴我他只有兩種報，時事新報和民國日報，一共才百把份，看時事新報的人，比看民國日報的人多些，他的三十份民國日報，常常有一多半送不出，他說把副刊的「覺悟」裁釘起來賣，也是賣不掉，有錢看報的人不會看報，愛看報的人又沒有閒錢買報，他又說時事新報的副刊「學燈」，它和「覺悟」，都是值得一看的，到了他那裏，又坐談了一陣，仍然是在談報紙，那時正是張東蓀和丁文江鬧玄學科學的當兒，他說了許許多多在我那時還聽不大懂的「內行話」，還夾夾雜雜的一些「外文」，在我告別臨走時，他還撿了幾冊釘好的學燈和覺悟給我，他說他希望我有什麼難得了解的地方，可以和他討論討論，在我把那幾冊學燈覺悟看過一遍以後，我心想唐鬍子這老漢可真了不起，後來我們學校就加訂了一份民國日報，時事新報是原來已訂了的，從此他按月送我一冊他自己裁釘下來的學燈或覺悟，而今想來，在我識知的領域裏，他實在給我的惠益太多。其實該說C城的青年學生，受他的惠益太多。從而我了解的事物越多，對於他所說的那些話，也就懂得越多，同時，也便越覺他是一個真有學識的人，格外要和他親近起來，一有不懂的事物，必定向他請教，也一定會得到滿意的解答，甚而有時教本上的難題，也拿來問他，實在的他所講的比那些穿洋服的留學外洋的老師們還要透澈精闢多多。

×××

大約再過了半年光景，我在中學畢了業，在同班的同學裏，只我和楊大個子到上海去升學，我倆相同的考取了一間教會大學，一天，在他哥哥寄來的家信裏，提到唐鬍子，說他也許不會久於人世？楊大個子的哥哥，是C城一間教會的醫師，他說唐鬍子患的是一種癆瘵性的致命病症，原來這位楊醫師是私淑于唐鬍子的一位，他在那信裏以一種悲傷的語調，贊美唐鬍子是現代社會裏的一位完人，他勵勉他弟弟，楊大個子要把唐鬍子做一個立身處世治學行事的模範人物。楊大個子也是我們世界學會的會員，他說他對世界語並不大感興趣，所以他只偶爾上大把世界語課玩玩，不過他一到上海，却跑到愛文義路一家專賣西洋文書店裏去打聽上海世界語學會的地址，並且買了許多的世界語刊物。（五）

鐵幕幽默

·牛布衣·

下面的資料是「自由歐洲廣播電台」從鐵幕裏逃出來的人士收集得來的，是十分耐人尋味而且富有興趣的資料。

徵求黨員新術

羅馬尼亞的共產黨因不容易找到新黨員，想出下面的獎勵辦法。凡黨員能够介紹一個新黨員的，得免參加黨部規定的各種會議。招募到兩個新黨員的，准退出黨籍。能够募集到三個新黨員的能手，除了准許退出黨籍外，並同時發給證書，證明他從未參加共產黨。（一）

論于右任的詩

·王世昭·

這一首曲，于氏在回京機中追憶數十年來故事寫成，在這一首曲裏，我們的詩人回憶四十年來的生活，不曉得是酸是苦，是甜是鹹，是哭是笑，是血是淚，在短短五十五字中，做一下把它噴發出來。

到了台灣之後，于氏還寫了不少詩，「中華民國四十二年頌」用白話體，寫得很有力。其中分作四段，第一段頌中華民國，第二段詛蘇聯極權主義者，第三段勉自由中國，第四段以自由主義號召於中國與世界作結。氣壯力雄，以七十四高齡的老翁（氏作此詩於四十一年除夕）猶有此抱負，真可謂老當益壯者也。

最近左舜生先生由台灣回港，我又見到他送給左氏的一幅小中堂，上題近作一首，自云「基隆道中」，詩如下：「靈興滄海雨濛濛，港口陰晴更不齊，百世流傳三尺劍，萬家辛苦一張犁。雞鳴故國天將曉，春到窮簷路未迷。宿願猶存尋好句，希夷大笑石橋西。」

總之，于氏的詩與詞曲，愈老愈好，愈好愈平淡，愈平淡愈通俗，漸漸接近純語體的境界。但中國的散文詩，究竟是散文化好，抑或語體化好，而再進一步說，散語混合化究竟好不好？在我看來，文學上一種成功的創作，不一定關於文體，而在文藝的本身條件，合乎條件的便是好，不合條件的便是不好。如屈子離騷，阮籍詠懷，六朝陶謝詩，唐人李白，杜甫，白居易，韓愈，李義山詩，宋人蘇東坡，陸放翁詩，清人王漁洋，袁子才詩，民初黃公度詩，我們能說他不好嗎？至於蘇辛的詞，關馬鄭白的曲，亦無不異口同聲，認為是中國各時期的代表作，既是好創作不關於文體，而在藝術本身，那嗎，于氏的作品不歸之於民國時期代表作之林將不可得。

其次，若論于氏創作的內容，充分表現國家愛民族愛的真精神，發揮社會愛人類愛偉大的抱負。為了他初期作品提倡民族革命，中期作品提倡民族自由，後期作品提倡民族平等，以達到大同世界與世界和平。其思想崇高，其出發點與詩人之旨完全相合。所以樗翁的作品不僅僅是中國的，而有世界的成份在裏面，這是研究現代中國詩歌的人所不可不知的。為了心儀其人，最後，我寫兩首絕句以結束本文：

其一

三讀公詩五百首，都關國計與民生。
揮毫落紙雲烟起，想見鏘鏘玉有聲。

其二

上窺魏晉近蘇陸，詩史當今有幾人？
民國萬年論作者，先生不愧老斯文。

（全文完）

自由人

THE FREEMAN
（第四三〇期）
[illegible]
每份港幣壹毫
社址：香港高士威道二十號三樓 3rd. Fl. 20 CAUSEWAY RD HONG KONG
[illegible]

民主制度與生產力量

李伽雪

共產主義違反人性，所以老是辦不好。東德人士說，共產黨帶給他們的是失業、饑荒、和役鞭。其他鐵幕國家的情形也和東德相彷彿。蘇聯實行此項主義三十八年，到現在還是饑寒交迫。理由很簡單，共產國家內部有不可告人的隱衷。

赫魯曉夫口中的生產

本年二月間，蘇聯中央執委會在莫斯科舉行大會。書記長赫魯曉夫向大會作如下的報告：「嚴寒的多天和枯燥的乾風影響一九五三和一九五四年農業的收成。又因爲缺乏工具，收割時間延長到四十五日，麥子收成損失了四分之一。肉食和牛奶的生產也遭遇到嚴重的挫折，只羊羣的死亡便達到百分之二。」

根據赫氏所舉的數字，蘇聯現有牛羊的數目還不及一九二八年頭一個五年計劃開始的時期。三十多年來蘇聯人口增加了六千萬，可是牛羊的數目還遠不及一九一六年！

赫氏又指出，生鐵的生產沒有達到原定數字，鋼的供給更不能適應需要。其他金屬，油類、煤斤，和木材等生產都在定額之下。機器的生產使用陳舊不堪的方法。電機、蒸氣機、化學藥品，一切農業用的機器，和其他多種重要機器的生產都沒有達到定額。

集體農場是共產國家最大的失敗。蘇聯的集體農場，並不是缺乏人力，祇是吃飯的人多，做工的人卻沒有幾個。麥子熟了，找不到收割工具，只好任其自然。一部收割好的麥子運送到車站，沒有裝上火車，繼續在各地上腐壞。集體農場的毛病是人手太多了，卻沒有人負責做事。

集體農場如何失敗

蘇聯本來是農業國家。未實行共產以前，俄國的奶油產品行銷亞洲各地，那時西伯利亞的奶油佔有整個亞洲的市場。共產後，人民把牛宰了。年來蘇聯反向澳洲新西蘭等地購入好幾萬噸的奶油。集體農場的失敗是鐵的事實。上個月蘇聯在廣播上已公開承認失敗，他說道，集體農場的辦法太呆板了，影響人民的勸力。爲了這件事赫魯曉夫到各處跑了一轉，回來說道，「我們現在得向集體農場的管理人員宣戰。他們不理事，不做事，不負責任。黨部訓練了好幾萬人才，將於最近期內派出去代替他們。」本月初蘇聯把三萬幹部派到各地担任農場指導員和場長的任務。對於農業生產，蘇聯用盡了九牛二虎之力，並且犧牲馬倫可夫做了祭羊。最近又派遣一個代表團到美國採辦麥種和優良的牛羊回國繁殖。殊不知，美國現時種植的麥子，還是五十年前從俄國採來的種子呢。

美國的生產過剩

生產落後使蘇聯遭遇到極大的危機，可是生產過剩也使美國感受到相當困苦。

四月四日的時代周報發表[illegible]界各處找尋顧主，可是銷出的數量僅達一[illegible]磅，不及原[illegible]之一。二千[illegible]的大麥僅售[illegible]十萬蒲式耳[illegible]二種物資，[illegible]小麥等，尚[illegible]問世。」[illegible]匯的困難和[illegible]制使美國剩[illegible]能輸出。以[illegible]，香港需用[illegible]的百分之二[illegible]英國聯邦輸[illegible]擬以廉價在[illegible]牛油，遭遇[illegible]奶商人的強[illegible]」[illegible]現在糧如山[illegible]的一部，如[illegible]蛋等大有變[illegible]，可是想不[illegible]善的處理辦法。

民主制度與生產力量

[illegible]美國爲什麼能[illegible]許多餘糧呢[illegible]較蘇聯大嗎[illegible]面積比較美國超出一半。人口比較蘇聯少嗎？美國人口一億九千多萬，比蘇聯的兩億相差有限。爲什麼美國有這麼大的生產力量呢？理由是簡單的。美國人民有自由，有進取心，有動力。生產過剩是民主制度的成績，同時也表現出該制度的力量。

生產過剩，物資滯銷，不也是討厭的事情嗎？那關係各人的主觀。若果美國能下決心改『賣』爲『送』，不要錢，把吃不了的東西分送世界的貧乏人民，那麼美國目前的困難便完全消解了。

可惜的是富有的人總是斤斤計較的。美國能夠有這個決心，能夠有這個度量把『賣』改成『送』嗎？

看目標·談辦法

——評外匯貿易的新管制——

陳式銳

我在本刊四一四、四一五兩期發表「改變外匯管理已成熟乎」一文，滿希望爲有關外匯問題的最後一篇，因爲這一問題發生已久，討論亦多，既非事出匆卒，當局自可從容訂一套完整底辦法，藉以扭轉貿易的劣勢。三月一日，政府終於宣佈改變了。它的標榜是：「爲鼓勵產品輸出，調節物資輸入，配合美援運用，平衡國際收支」；報紙上一時充滿樂觀氣氛，也有人撰文加以讚揚。

可是實施的辦法卻付闕如，進出口商在等待，亦陷入不安，他們仍無法估量貿易的前途。三月七日、十日、廿一日、廿四日一次一次地把辦法陸續發表出來；直至四月四日，進口商才得開始申請本年第二期（三四月份）上半期的進口，申請件數達三千三百之多。大家急迫的情緒達於高潮，而業務停頓一月有奇，其損失可以估量嗎？

何以招來責難

在改變的當兒，許多朋友要我批評新辦法，我與貿易商相同，須當等待，一直遲延到三月底，才草成「論台灣外匯貿易的改變」一篇（自由中國十二卷八期）。而到了這個時候，台灣的報紙（包括官方的新生報）對新辦法的缺點，幾乎一致地加以指責。蓋過去底管理，對出口不利，對進口有利，造成貿易鉅額底入超，而讓一部份人（進口商）獲得暴利；一方面，出口既不利，則外匯勢必減少，四二年出口一二九、七九三、〇〇〇美元，四三年爲九七、七五六、〇〇〇美元，減少了三二、〇三七、〇〇〇美元。而此次改變，首先標出「鼓勵產品輸出」，何以又招致指責？問題在執行的辦法，因爲辦法不但離開了目標，而且引導其返回舊環套。

仍不利於出口

先看出口。一般民營出口外匯，每美元官價新合幣十五元五角半，另結匯證價[illegible]六元，八折四元八角（香蕉五折三元），合廿一元五角半或十八元五角半。美金黑市現值三十六元五角，相差十五元或十八元。雖然結匯證可以自由買賣，三月中一度市價到十二元，依此計算，差額尚有十一元或十五元。但是，二期上半期申請，並不附繳結匯證副本，而凡結匯證持有人（出口商）申請進口，同受自分之一至五底限制，結匯證用途大減，它的市場也就沉寂下來，將來能否維持市場十二元還成問題。改變之前，進口外匯價官十五元五角半，美金黑市（去年八月爲獨[illegible]，相差十一元；是此次加給結[illegible]，充其量，僅補償去年九月以來的貶值，出口的不利地位並不因[illegible]，更談不到鼓勵出口的功效。

進口也無好處

次言進口。民營進口外匯，每美元官價十五元六角半，加防衛捐二成三，爲十八元七角八。此外，由百分之一至五底限制；又有五個「不予[illegible]核」，五個「優先核准」，兩個「活動核配」，是進口外匯的取得，既困難而又有限。進口商欲求底數進口，須併牌照。據已成交底市情，牌照連併頂讓，高達一五、六五元的[illegible]二十元；單牌照的頂費，依物資自三成至七成不等，以五成計算，[illegible]八角，加結匯證十二元（？），[illegible]元。再加十八元七角，就達到三[illegible]上。改變之前，進口實績的頂費[illegible]成，現在牌照的頂費高至七成，[illegible]則達十三成；前此邪態如出一轍[illegible]

[illegible]將如何達到目的？且當[illegible]性如是其大，如有偏頗，[illegible]不亞於過去實績的造成，尤臨顯[illegible]

繁榮的雙腿

我在前文提出國民大會第二次會議有關外匯貿易底建議：（一）改行外匯保有制，（二）開放自備外匯進口，（三）建立結匯證市場；當時官方的宣傳，也正與此符合，我虔誠地期待它的實現。我始終以爲台灣外匯貿易的癥結，爲一「不足」問題；它的解決單從外匯的增加還不夠，仍須結以物資進口的放鬆。進口外匯保有制及結匯證市場，在鼓勵出口從而增加外匯；自備外匯進口乃爲出口增加，非一時可濟，求放鬆進口，以補其不及。所以我一向以外匯保有及自備外匯進口爲繁榮的雙腿，缺一則不能獨行。

目標雖好辦法不切實

準此，我指出當局所懸的目標尚屬正確，而它的辦法則不切實際；我知道巧婦難作無米之炊，正因爲如此，我們應當在增加米上用功夫。明乎此，欲求辦法之有效，出口保有之外匯（其比率以足夠補償其損失而有餘利爲原則），應讓其有與進口連鎖之用，使其在市場求得善價，外匯自然增加；進口外匯（配合美援）主要分配於必需品及工業原料與機器，其餘乃及於半必需品而徵以防衛捐等，奢侈品則不給外匯而高課防衛捐（寓禁於徵），亦讓其進口。此外，因外匯不足，物資仍感不足，再循「物價結構」由自備外匯進口以調節之。物資的供應期間偶有失常，不過滯銷其自尋水準，過足爲慮，我相信是根本解決的途徑。如此，才談得上「鼓勵產品輸出」，「調節物資輸入」，也才得以這兩點達到，美援配合乃見其效，而國際收支亦得以平衡。

應向開源方面努力

台灣以生產力不夠而需要工業化，亦連帶需要資金流入，外匯管理以是應與工業政策配合。現行辦法，匯款匯入雖十足給予結匯證六元，惟匯率與市價相差過鉅，結匯證又同無進口連鎖之用；匯款匯入即招虧損，既無功用是等於虛設。至於旅客不限制其隨帶金銀外幣之數量，似爲資金內流設一途徑，但當局卻未嘗爲開一正常之出路，亦有未盡之處。總之，當局既決定改變而懸有正確底目標於前，就不應以實施辦法而予折扣且竟抵銷之；在定量（且將減少）底外匯之下，管來管去多不了物資，而進口權利的轉讓且永不消滅。我的建議：節流方面既得不到途徑，何不轉向開源方面努力？同時，政府管得太多既收不了功效，何若反其道而讓人民多出點力量？四月九日

本週展望

·李金曄·

萬隆會議和大英帝國

周恩來已於十四日抵達仰光，此雖是他赴萬隆的打尖站。但他的主要目的，是爲亞非會議前，先與宇努、尼赫魯，及埃及總理納塞會談，謀在萬隆亞非會議對抗非、泰、越等國，貫徹中共操縱會議的陰謀。

十八日的萬隆會議，瞬即開幕，就以前茂物會議所商定該會議的目的，值得重視的當然是「有關民族主權的問題和種族主義及殖民主義問題」。

西方國家應該了然，共黨的世界革命行動綱領，有兩個重要手段，即在國內進行無產階級奪取政權；其次，在國際從事「民族殖民解放運動」！

從亞洲現勢看，共黨認英國爲最堅強而頑固的殖民地主義堡壘！因此，萬隆會議，共黨的目的不僅要打擊美國，也不祗爲「台灣問題」或中共進入聯合國問題。尤爲重要的，在離間英國與其亞洲聯邦國家間的關係。中共如能在這方面有所成功，則大英聯邦將遭受最大的影響。

中共惡人先告狀

印航機失事，死了幾個前往萬隆會議的共產黨人，中共首先誣指係美國與自由中國的「破壞」，又指責倫敦和香港當局未盡保護責任。

事實證明，這是中共狗咬人！據生還的印機員卡尼克說，該機墜毀係因左翼起火。又據該機印港間搭客美國米爾紡織公司代表波羅拉稱，該機十一日由孟買飛港前，機長曾力言該機不適於飛行。海底撈查機骸的英艦潛水隊管理官休士也說，並無爆炸迹象。是該機失事，與所謂「破壞」實際不相干。

中共曾預向英方提示嚴防「破壞」，正是事實預謀製造事件的證明，星洲方面傳說機上死亡的共黨是高崗黨羽，借刀殺人，遺禍東與，固中共所優爲慣技。美參議員曼斯斐爾德說得好，「中共如相信這是破壞事件，最好先調查他們的內部情形」。眞是一針見血之論。

不過，經過了這一次事件後，英國當局應該更加明白中共的「高明」了。這是繼海南島公海上空中共擊落國泰航機後，又一次給予英國人的好教訓！

嚴重的遠東局勢

儘管英國吃中共的虧不少，但始終不忘情討好中共，志在緩和反對黨，同時也希望和赤色大陸做一筆生意。因此，英國始終反對美國協防金馬。

不過，國務卿杜爾斯還不失爲眞灼之士。他雖不肯明白宣佈協防金馬，但始終強調遠東情勢是不可樂觀的，更指斥中共蓄意侵略，和希特勒納粹的作風無異。可惜美國還有許多人如史蒂文生之流，見不及此，附和英國主張的，因此，美國的政策便始終動搖不定。

金馬的重要性

遠東情勢，究已嚴重到若何程度呢？當從金馬說起。

金馬的重要，不僅是台澎的前哨，也是三路報復中共的中路戰略要衝！爲朝鮮半島與中南半島間的犄角。撤防金馬，不僅影響自由中國的民心士氣，同時削弱了中路的攻守戰略。

根據日內瓦協定，越盟將在下月接收海防。海防易手後，中共即可憑藉海南島，環抱東京灣，使成爲飲馬的內湖。新的形勢，將更有利於共黨在印支和東南亞一帶的活動！

再就日來台峽情勢看，醞釀中的制空權爭奪戰，將因俄製共機移駐華東各機場而展開。顯示中共企圖以此迫使第七艦隊退出海峽，然後進一步奪取金馬，威脅台澎。

美蘇原子武器的比較（下）

·胡養之·

而且事實證明美國現在可以製造大型原子彈，也可以製造小型的，寬型的，和狹型的原子彈。尤其前年和去年，曾經有兩個原子砲營開到歐洲，在可能條件下，他們可以用砲射出，或是用電動火箭投下。這些試驗，在美國證明並不困難，那麼在蘇聯也不會遇到困難。因為自然律是沒有地域區別的，在蘇聯製造小型原子彈不會比在美國要遇到更多困難。因此，美國不能再以只有美國人的天才可以從事那些複雜艱難的原子彈工作為理由，而自我陶醉。須知如果任何國家可以大量製造新式噴射機的，便可大量製造原子彈。

蘇俄並不缺乏鈾產

「鈾」本是製造原子彈的必需材料，在過去一個相當長的時日裏，大家都認為世界上的鈾產有限。由於鈾產的稀少，原子彈的產量自然就受了限制。美國過去覺得愉快的，是由於那一片非洲比國剛果的豐富鈾礦，美國可以盡量購用，而是蘇聯卻無法購得到的。想不到美國這種愉快，不久就消失了。因為在世界各地，不斷地有大量或小量的鈾礦發現。在美國的科羅拉多平原上，發現了豐富的鈾藏，於是美國原子能委員會公然宣佈，即使美國得不到一切國外的鈾產，本國的鈾量也足夠供給製造原子彈的巨量需要。雖然化費要很大，可是在這種特種事業上，價錢的大小又有什麼關係？

至於蘇聯，目前在本國也發現了足用的鈾礦，解決了一切原料問題。蘇聯的鈾質雖然較劣，但是蘇聯可以驅使大量附屬國的順民，或是拘捕大量的政治犯，去用廉價勞力改良鈾質，譬如在東德，蘇聯就驅使了五十萬德國老百姓，去開發東德的鈾礦。由此類推，可以估計出蘇聯對於全部製造原子彈工作，所動員的力量是何等的龐大！

蘇俄有多少原子彈

由以上各種事實，充分證明蘇聯的原子彈進展，已經到了驚人的境地。但是據美國紐約時報原子能問題專家勞倫斯，會根據原子彈工業上的需要，估計蘇聯藏至一九五三年止卻還不到一百顆原子彈。他覺得一般人對於蘇聯製造原子彈進展的估計，多半沒有根據。有人以為蘇聯試炸第一顆原子彈之後，經過兩年又才試炸第二顆，表現蘇聯對於原子武器的設計，比美國瞠乎其後。又有人說蘇聯過去幾年中，不是沒有進步，而是集中力量去製造試炸成功的第一和第二顆原子彈。這兩派人士的意見有一個相同之點，便是說蘇聯現存有原子彈，最多不過八十顆，卻與鮑爾溫目前估計的五百顆原子彈，相差六分之五。同時蘇聯用的原料多是普魯多礦，炸力和長崎原子彈相似，等於二萬噸炸藥。由於鮑爾溫不是原子能問題專家，所以不及勞倫斯估計的正確。我們要估計蘇聯的進步情形，必須先要明白生產原子能的基本問題，因為共產國家人造的鐵幕，遮掩了不能變移的事實。我們知道，原子彈是由兩種材料裏頭，挑選其中之一做成的：第一種是鈾礦第二百三十五號，為一種天然的原素，極為稀罕。第二種材料叫做普魯多礦，是由最普通的鈾第二百三十八號提煉出來的人造原素。

美蘇工程的比較

普通的鈾，千分之九百九十三是爆炸的材料，能夠爆炸的僅佔千分之七。這兩種材料不能以化學的方法去分裂，只有用一種氣體的方法，極端複雜而昂貴。美國第一座用氣體提煉鈾礦的工廠，設於田納西州橡樹嶺，費款項五億元。另一種提煉方法，是用電核反應爐，把鈾第二百三十八號煉成普魯多礦。這方法費款僅及氣體方法的五分之一，而且所用的電力也很少。

美國所需的工廠有兩個，用氣體方法的也有兩個，用電核方法的有兩個，因為最初不知道那一個方法最能收效，第一個原子彈在廣島投下之後不久，美國發表了斯邁士氏報告，披露用電核感應機製造普魯多礦的可能性，蘇聯就不費事去用氣體方法，專門採用電核方法的捷徑。據說仿造氣體提煉鈾礦的工廠，不是蘇聯工業力所能及。美國建立橡樹嶺工廠，召集了八個主要工業如汽車，金工，化學染料，製鐵等合作。蘇聯這些工業比美落後二十二年，況且工廠建立之後，需要五十基羅瓦的電力，蘇聯全國只有那麼大的電力廠一座。縱然用電力方法，也需要大量的鈾，石墨，鋁，和抽水機，以及許多精細的電力儀器。電力供應，同樣的有很高的需要。華盛頓州翰佛原子能工廠，有一組二十五萬基羅瓦電力的電廠。

原子材料的優劣

此外，一顆原子彈所包含的材料，也是對蘇聯一個重要阻力。[illegible]蘇聯試炸第一個原子彈，是在一九四九年九月，由那時到現在是五年另五個月，[illegible]純鈾所得的爆炸材料，只有三磅。假如蘇聯要製造有六十磅爆炸材料的原子彈，那末每年差不多得要二十萬噸鈾礦的能力。這比美國工廠的能力要高出十七倍，豈是蘇聯所能夢想得到的？[illegible]

自由人特別徵稿啓事

本港教育問題，諸如會考之存廢或改革，教師待遇之改進，師資之檢定及培養，教學及管理方法之改革，課程之分配，教科書之編製供應，學生之升學及就業，失學之救濟，學風之改良，凡此種種，有待教育人士之研討解決者，不一而足。此等問題，與本港華僑教育前途，關係至鉅。本刊本服務文化教育之素志，現發表有關此類問題之專門論著及通訊稿件，仿及教育工作者之實際工作經驗之心得，參加論述者。謹擬徵稿辦法如左，幸我教育人士多加匡助，不吝賜教，至為感荷！

（一）專著行誼稿以二千字左右為度，通訊稿則字數不宜超一千字。

（二）來稿請繕寫清楚，其不願刪改者，請加註明。

（三）來稿請註明真實姓名及通訊地址，發表時得用筆名。

（四）來稿一經發表，專著每千字奉稿酬港幣十元至十五元，行誼及通訊五元至八元，其有特殊價值者，並得酌為增加。

（五）來稿不合用者，如經聲明，概行璧還。

越共要餓斃二百萬人民

胡志明的越盟[illegible]，且已公開暴露。[illegible]七十年來，最猛烈的洪水，[illegible]米糧的收成，降低了百分之卅至四十。[illegible]難民源源逃往南方。從越共區到達法國控制的港口海防的難民，多患着腳氣病。

越南北部是世界人口最稠密的地區，從來不能自足自給，過去須由南部一年輸入大米卅萬噸，以交換北部的煤，紡織品，水泥。但現在在共產黨統治下，北部的貿易幾已全部停頓，重工業勞工失業，亦日趨嚴重。法國及中立的印度商人都在陸續撤退。除了共黨的公家汽車，其餘的汽車都看不見了。胡志明自己的像片，就成了經濟困難的象徵，這是一個諷刺，印着胡志明像的越盟貨幣，所值已不及過去價值的一半。

在越北各城市中，如河內那些地方，越共已實行糧食配給制度，小孩每月配給大米十七磅，成人卅三磅，現已成為特權階級的共幹們，則配給五十五磅。「反動派」輪到最後才有得吃，這是對北越反抗共黨政權的天主教區域中一項規定。

河內報紙大事頌揚中共的「慷慨協助」，但中共自已也正感經濟困難，它送給胡志明的米糧，迄今僅有一萬噸。有一個高級越共說：「今年我們怕要有二百多萬人死於饑餓」。越共政權公開承認他們困難，要求與吳廷琰政府恢復經濟「正常」關係。說得坦白一點，也就是要求遞得四十萬噸剩餘南越大米一部份。（譯自時代週刊）

·矜式譯·

美官員無意洩秘

美國海軍部為求國會通過建造第五艘超級航艦，最近曾有意無意間洩露了國防部所保守的一個秘密。海軍部設計家曾在國會委員會作證說：蘇俄為了遂行其征服世界的野心，現正集中人力與財力，積極研究一種極具威力的洲際導向飛彈，這種飛彈預定於一九六〇年完成。所以為保持美國在軍備上的優勢，海軍部認為目下即行興工，建造第五艘超級航艦是刻不容緩的事。

同時，美海軍當局為求在飛彈方面打擊敵人，還建議建造一艘載重四千六百噸的原子潛艇，預定建造費用是九千五百萬美元。原子潛艇與飛彈有何關連，海軍高級官員沒有說明，但據稱確有極密切的關係，原來這種新設計的原子潛艇，具有極複雜的電子設備，能駐泊於歐洲大陸沿岸，利用其微妙設備，控制襲擊蘇俄心臟區的長程飛彈。

醫生強詞為死人辯護

自雅爾達密約公佈後，許多美國人認為羅斯福竟肯向共黨作那樣重大讓步，或許與他的身體大有關係，因為那時候羅斯福已病容滿面，他在疲勞轟炸以及史達林壓力之下，無法支持，以致鑄成歷史上的大錯或亦有之。這種說法傳出後，退休的美海軍中將麥金泰立即出而否認。麥金泰一度任過羅斯福的私人醫生，現在是國際外科學校校長，他堅決否認羅斯福赴雅爾達之會時，實際上已是一個垂死的病人之說。他說，羅斯福雖滿臉病容，但對他的一般健康並無影響。羅斯福於染患流行性感冒及支氣管炎後，輕了十五磅，顯得似乎瘦小了許多，因為他襯衫的領子看來非常寬大。麥金泰建議他換幾件合身的襯衫，但為倔強的羅斯福所拒絕。麥金泰還說：「羅斯福心神很健全，處理事情也緊張，他知道他在雅爾達正做些什麼。他對他的行動完全負責。……他雖然身體倦困，但在精神上，我從未見到他那般警覺。」（孟衡）

賽珍珠新著——「我的幾個世界」（下）

——對中國文化的推崇——

柳英華

「我幼時在鎮江，沒有看到一個警察，而治安非常良好，人民本份守己，安居樂業。到上海念書時，才看到印度阿三追打黃包車夫，安南巡捕驅逐小販的混亂現象」。

她以為中國人素來不講究組織，也不崇拜領袖，但行為非常理智，風氣則民主自由，所以中國歷史上沒有宗教戰爭，也沒有西方典型的暴君出現。她認為「中國社會最優良的特徵，就是它的家庭制度，及人情溫暖，誠然，大家庭的辦法，養成了許多懶惰成性的子孫，但同時也連帶解決了許多嚴重的社會問題。」

敬老尊賢最高文明

「在中國並沒有老人院，神經病院，兒童改造營的設立。自殺、酗酒、暴殺、強姦、瘋狂，兒童犯罪，是絕無僅有之事。在西方這些都是很嚴重的社會問題」。

賽氏說：「一個不敬老的國家，決不能長久存在！」她以為中國人之孝順父母，及敬老尊賢，是人類最高之表現。在她眼中，美國社會，人民視老年為畏途，子女對父母也是冷酷無情的，以至很多老年人走上「瘋狂」與「自殺」的途徑。

因此，有人認為只要普遍設立養老院及育幼院，就可解決一切，賽氏的意見，這是一個極錯誤的看法，因為養老院中並無家庭溫暖，而育幼院亦缺乏母愛。

溝通東西文化

除寫作外，賽氏頗致力於東西文化的溝通工作，一九四〇年她發起「東西學會」的組織，總會設紐約。一九四一年她又創辦亞細亞雜誌，努力於東方文化的介紹與宣揚。無奈美國人惑於優越感，對於亞洲問題，缺乏興趣。亞細亞雜誌的銷路始終未超過二萬五千份，不及普通色情小說及「公仔書」的銷數百分之一。該刊不得不於一九四二年改組，而東西學會亦於一九五〇年，宣告結束。

賽氏很感慨的寫道：「美國對於東方之忽視及無知，將付出極重的代價；美國乃一尚在成長中的幼童，教以加減乘除法，尚能領會；與之談大代數與微積分，則瞪然莫知所對了」。這也說明了美國不足領導世界的原因。

共產乃西洋文明病徵

讀完了「我的幾個世界」之後，我似覺得如大夢初醒，冷汗長流，近幾十年，我國人盲目崇拜西洋，浮光掠影，數典忘祖，把自已廣大精微，博厚悠久的文化橫加摧毀，貶抑廢棄，以至闖下今日大陸沉淪，赤流滔滔的大禍。時到今日，亦當憬然覺悟矣。

筆者以為現在西洋文明，經過一段燦爛輝煌的時期（不到二百年）業已面臨毀滅的危機。共產主義實乃西洋文明的「病徵」，而非其「治療」；蓋其功利色彩，尤為濃厚，而其尚權術，重組織，崇拜唯物，迷信武力，更有過之無不及。故今日欲拯救人類之滅亡，必須重整道德，恢復人性。我國傳統文化，不祇要加保存，更須發揚而光大之矣。

在未來之歲月中，我們相信我國文化精神必能再生，重振以往歷史之光榮；茲謹借賽氏之書的號召力量，向國人大聲疾呼：「國魂今歸來，人道必須重建。」

編者讀者

林語堂為何要辭職

△褚天民先生來函

編輯先生大鑒：每讀「自由人」，即感各位熱情勝慨，宛在目前。南洋各地不斷發生學潮，無非共黨有意尋鬧，攪思想鬥爭。目前新加坡萬餘學生罷課，也是這種現象。南洋大學林語堂校長應聘之教職員，業已資遣，費款卅餘萬，合港幣五十餘萬。陳六使說：南大可無林某，但不可無陳某，自然是事實。但陳林之間，何以忽然反顏至此？據傳，也和目前投靠紅朝的陳嘉庚有關，此間赤色報紙公開宣傳說，陳庚嘉在北平聲言，林語堂辦南大，則南洋華僑非破產不可。蛛絲馬跡，實耐人尋味。我覺得可怪的，是港台反共報刊，多攻擊林氏，全從表面看問題。有人說，南大算是完了，不完也要拖延無期，即不拖延，斷非原來之南大無疑，此種看法，大有道理。

英國殖民政府很聰明，在林氏被迫下台之際，馬來亞大學即宣布，可以收容華文高中畢業生，只須會考及格，先入先修班。這種手法不是很高明嗎？因此，我要請國內人士注意，不可說……大，便是其他中等僑校，中共也是千方百計想法爭取或破壞的。

褚天民手上　四月九日（新加坡）

△靜觀，榮人，張忠建，萬香堂，我生，吳文蔚，夏威夷，桐猗，申南，曉風，諸先生：承惠稿，已一一收到，至感謝。

香港教育（二）

港·澳·僑·生——回國升學問題

何富僑

顧到反共抗俄的國策，則教育水準不免降低，要能雙方兼顧，除開辦補習班或華僑大學外，根本之圖在僑校本身的改進，以提高僑生學科水準。

國策，是國家當前施政的大經大法，自然是目前指導教育的原則；現在我們的國策是反共抗俄，因此，反共抗俄的國策，也應在教育政策上發生指導作用。不過，這在華僑教育方面，就有很多困難：

第一、華僑的居地政府大抵是禁止僑校與我國國內僑政機關正式聯繫的，一切國內教育政策，要經過很多困難手續，才能達到指導僑校的目的。第二、各地僑校課本，當地政府規定若干科要用當地政府出版的課本（或由政府控制的出版商出版的）。因此，僑校很難在教學方面符合國策要求。第三、由於僑居地學制不同，各地僑校學術成績水準，也與國內不同。例如僑生的一般英文水準，比較國內高些；但自然科學及史地等則相差頗遠。第四、由於僑校多處於商業至上的商業社會中，競爭，辦學者大抵不是當「觀念生活」的教育家，而是多少帶些商業頭腦去經營的。注意商業上的盈虧問題，也就忽略學生的成績水準了。

由於上面幾個實際問題的存在，便常常引起國策與華僑教育間的困難。作者未參加過僑務工作，也不會爲僑教服務，但這幾年來，因爲一般文教工作的因緣，每年都參與協助教育部在港澳招考大專學校新生的工作，所以我只能站在工作的邊緣上，摸索解決問題的淺薄意見，至於解決問題的核心，則有待於教育當局與僑教當局了。

教育水準與國策孰重

教育部與僑委會爲配合反共國策，舉辦港澳僑生回國升學考試，已經四年了。在這四年中，每年都遭遇一個未解決的問題：即錄取學生的標準以教育水準爲重呢？還是以國策爲重？當每年考試季節的來臨，港澳僑領，乃至僑居當地的文人學者，政界前輩，以及各反共黨派人士，都曾在輿論上反映他們對僑生回國升學的意見，相信在私人方面向台北教育及僑教當局呼籲的，也大不乏人，他們幾乎都一致呼籲以國策爲重，必須無限制的爭取海外青年回國升學，對於僑生的教育水準，可以置於其次。每年這股輿論熱潮在港澳出現，僑誠迫人，不知多少次說過『我勸天公重抖擻，不拘一格降人才』一類語重心長的話。另一方面，中共在港澳誘惑青年回國升學，並不需任何人士呼籲，而自有其固定的陰謀策略，就是多多益善，來者不拘，所有回大陸升學的青年，一律發給沿途膳費，車票等，什麼教育水準都一概不理，到達目的地再行「編級」試。這樣，我們就不能不注意港澳反共僑胞「國策至上」的呼籲了。沒有國家，那裏還有教育？在這樣的局面下，任何高超的教育學說，從理性主義到人本主義，都將無所作爲的；任何教育家，從柏拉圖到杜威，也將要爲氣勢磅礴的反共局勢所左右。於是，這幾年的港澳僑生回國升學試，一年比一年接近「國策至上」的目標了。民國四十年第一次在港澳招考僑生時，只有六十人左右及格，（台大照取錄廿一名），這批僑生就讀國內各大學，成績甚佳，學校當局也甚驚異，但有許多額滿見遺的青年僑生紛紛投向共區求學了，這樣，維持嚴格的教育水準，便損失了家國的青年，無形中違背了國策，總不是當前教育所應有的現象。至民國四十一年，四十二年，就將教育水準降低了，直至去年（四十三年），可以說，幾乎達到「國策至上」——爭取青年的目標了。去年港澳僑生參加回國升學試的一千二百人，而錄取來台的就有一千人之數。全港澳去年度高中畢業生也有百份之九十左右參加我們的回國升學考試。被驅投到匪區的，則只佔高中畢業生總數約百份之十而已。

教育水準降低了

我們運用國策的目的達到了，自然僑生的教育水準也就降低許多了。據我所知，去年考取回國升學僑生中，考試成績以數學一科，在十餘分以上的，也都破例被取錄了。一般的水準，要比自由中國國內降低了兩倍以下。因此，去秋回國就讀各大專校的僑生，在第一學年上學期考試結束後，就發現有約百份之七十左右不及格的（即有一科不及格的也算在內），其中有三分之一學分不及格的佔百份之三十以上，三分之二學分不及格的亦爲不少，還有兩名在廿四個總學分中，有十九個學分不及格，這是在國立大學中少見的。照台灣大學學規，有三分一學分不及格者，即被開除學籍，但教育部近訂定新辦法訓令各大學：凡僑生在三分一學分不及格情形下，仍可繼續就讀，准予補修至及格爲止。雖然有如此的法令，但這種現象，總不能長久維持下去的。照目前情形，很多僑生，即使補修至一年二年，也還有不及格的。更有若干僑生非常傲慢，不知自愧懺抑，在被學校公布成績不及格後，居然大搖大擺的跑到教育部來講求向學校調查他爲何不及格，大聲責備教授，這種事情，眞是開教育史之先例，令人啼笑皆非。

僑校本身的改進

於是，僑教當局也覺得情形頗爲嚴重了，在本學期開學後，召集成績有兩科不及格的僑生在中山堂「討論學業問題」，這不過是向僑生特別提出警告罷了，實際也無補於事的。看情形，今後必須設立華僑大學，或設補習班，以爲廣泛收容僑生，施以特別學科教育，乃可收配合國策之效。又保持教育水準，還是在僑校本身的改進。但根本做法，因爲僑生的學科水準低，到國內大學來作一比較，就無法趕上同一水準。我訪問過去年來台就讀理工科的僑生，他們之中，有若干名是香港頗有時譽的僑校畢業的，數學一科較艱深的微積分也趕上去了；其他在辦理不大好的僑校畢業的，不但讀了一學期，不知微積分爲何物，就連代數也莫名其妙的。如果能使大多數港澳僑校提高水準，當不至有上述現象。首先，要僑校不以賺錢爲目的，就必須有政府補助，有了充足的經費，才能提高教學水準、

（下轉第四版）

香港僑教改革談

國丁

在香港教了差不多六年書，對於香港教育，頗多感慨，難得一個教書匠訴苦的機會，自由人既注意這些問題，非常興奮。爰拉雜寫點意見，希望引起教育界同人的討論。

三種可嘆現象

首先，我得聲明，我所討論的範圍，是以私立僑校爲限，因爲對象是私立僑校，所以也是站在中國人的角度的。大凡由內地跑來香港教書的人，都會得到下面三種感覺：第一、學風的囂張，中國傳統的「尊師重道」精神，在這兒幾乎全不存在。社會視學校如商店，學生視求學爲知識買賣，交易而退，各得其所。因此教師的地位，成了百貨公司的夥計，有些學校當局竟也是這樣的看法。我不是說香港所有私校教師，全得不到學生尊重，我只說香港教師從學生身上所得到的尊重與敬愛，全是用他自己貨眞價實的學識，優良的教學技術以及高度教學熱誠所換來的，並不是社會先天所賦予的。管教方面，除了極少數之外，大多數學校，上焉者只重視功課的講授，而忽視了一個學童所應受的公民訓練；下焉者只顧收學費，甚至不惜想盡方法討好或拉攏學生。學生成了天之驕子，那會高興受功課的束縛，紀律的制裁？在這種情形之下，學校會變成什麼樣子，可想而知了。第二、學生程度的參差不齊。私校的生存，全部靠學費收入。要收入好，只需學生多，因此苟非已具信仰，無需扭心學生來源的學校，大多只有取濫收學生一法。事實上年來私校的增設，有如雨後春筍，一個程度低劣的學生是「此處不留人，自有留人處」的。復由于教育當局規定學費按月繳交，而轉學又無需什麼手續，所以在甲校初中二不合格，可以跑到乙校去讀高一，已早不是新聞了。於此，只苦煞了教師。初二，甚至初一程度還不夠的，要教懂他們高中一的功課，那使竭盡心智，結果還是徒然，但「現實」情形是如此，又有什麼辦法呢？第三、教師待遇微薄，生活艱苦，私校教師的待遇，到了「可恥的程度」，這是香港教育當局所承認的。但私校教師的工作並不能馬虎。學校當局爲了節省開支，常採一人當兩人用的方法，除了儘量增加鐘點之外，還要担任一些事務人員的工作，有些校主爲了要在教學上表示認眞過人，藉以樹立學校信譽，便拚命督促教師盡量獻出他們的勞力，可是人的精力有限，教師工作過勞，本身缺欠進修，甚至準備功課時間也抽不出來，就直接間接影響了學生的程度。

教育當局過於放任

這些問題的癥結在那裏呢？我以爲最重要的是香港當局對學校管理的方針和中國內地不同。香港當局對私立僑校一向採放任主義，視學官所重視的祇在教師是否依法註册，學生是否超出限額，衞生設備是否合乎標準，教科書是否經過核定，此外便非所問，尤其重要的是學生學籍不用審查，學生成績不用申報，學生畢業文憑不用驗證，學生所在學校的班級，入學那一年，畢業那一年，可以全部不相同。學生轉學到何處去，插班從何處來，也無需註明和證明，無形中就方便了學校的濫收，鼓勵了學生自由轉學或跳級，也就嚴重的影響了學生的程度。至于一般辦學的人，過於重視實利而忽視教育的眞正目標，已是無可諱言的事實了。那末，應該怎樣改善呢？這裏謹提供三點意見：

監督政策應加改變

第一、教育當局應改變政策，對於僑校的監督，應重視教育實質之改進，其最主要的方法，莫如嚴禁濫收學生，嚴限學生隨意跳級。因此應明令規定，學生學籍不能隨便轉移，學生成績每學期必須申報，學生畢業證書必須教育當局驗印方始有效。學生可以自由選擇學校，但中途轉學必須原校成績及證明，原校所提成績又必須呈報有案者方可。能夠這樣，既可杜絕學生躐等倖進之心，復可加強學生對於學校的向心力，他們知道跳級既不是可能的事，即使生性懶惰的，也只好接受師長的約束，其次，符合學校的要求，對管教上便利不少。視學官視察學校時，應注意其圖書儀器設備之是否充實，教師管教方法之是否得當，學生成績是否達到水準，嚴其考核，明其獎懲，久而久之，風氣必可丕變。

會考技術有待改進

第二、會考技術應加改善。自中文中學畢業會考舉辦以來，贊成的與反對的均有其人。據筆者體驗所得，它的影響最低限度已使得一向馬虎的學校，也知在教學方面下點實際功夫，以提高學生程度，免致過於丟臉。國文一科，在此地向被視爲冷門的，但由於會考對這一科特別重視，無形中也喚起了學生們對自己國家語文的認識，提高了他們的學習情緒。不過考試科目，合格標準，命題方法等等，教育當局爲了遷就目前現實，似乎還有許多應待改善的地方，但大致的方向已不錯。總而言之，畢業會考制度的實施，只要執行得當，對改進僑教實質是有相當助力的。

僑校當局應提高認識

第三、僑校當局也應提高認識。我們了解在此地辦教育也有許多特殊困難，我們也同情在現實的環境下，爲了學校的生存發展，不能不顧慮到學校的收入問題，但我以爲爭取學生，應在加強管教，提高校譽方面入手，所謂「實至名歸」，「名」歸了，其「實」亦必至。學校辦得好，學生之來學也，將如水之就下，拒之而亦不可，千萬不能在濫收濫教方面去打算盤。但要加強管教，必須選聘優良的師資，更必須使教師能獲得起碼的生活條件，能夠安心工作；若只以最少的代價而責備他們担負最繁重的工作，誠然，這年頭，在生活的鞭子下，他們也許不敢過份計較，但要得到什麼實際效果，那就戛戛乎其難了。

談大學國文讀本

·王君實·

現制大學一年級國文，每期共八學分（作文在內），爲各學系共同必修科目，坊間出版課本，計有商務印書館發行，傅東華編的「大學文選」，分上下兩册，上册自現近逆上以訖五代，下册由唐上溯古初。但祗印行上册，內容以一般性之學術文爲主。凡詩詞、駢儷、古文辭，但適文科學生用者，概不入選。（見該書編例）其他一種是正中書局印行的部定「大學國文選」，內有論文五十篇，由古代而至清代。

以上兩書雖各有特長，但仍未免有若干缺點：

（一）對國文教學目標未甚確定，以至選文似欠標準，如大學文選多選清代考據之文，而略於義理。詞章方面。（二）對分量方面缺乏實驗教學，以至選材過多，篇幅太長，如部定大學國文選，多列史記、漢書、三國志、列傳，似過於冗長。且編纂工作成於編譯館工作人員之手。不免閉門造車，出不合轍。（三）註釋與白文各成一本，不便教學，或附參考資料太多，且註釋錯誤，如大學國文選洪亮吉與孫季逑書『長沙所述「佚遊荒碎，生無益於時，死無聞於後，是自棄也」』註釋說「史記卷八十四屈原賈生列傳，賈生名誼，雒陽人也。文帝以爲長沙王太傅。」又說「引語出處未詳。」實則洪亮吉引述這幾句話，出自晉書陶侃傳。侃曾爲荊州大都督，陶潛述祖德詩稱侃爲長沙公，見於陶靖節集。註釋的人，誤以長沙爲賈誼，難免空疏之譏，貽於以訛傳訛。（四）「大學文選」，「大學國文選」，選文似各有所偏，而且文章類別少，不易使學生發生興趣。

×××

香港崇基書院文史系教授兼系主任饒宗頤先生，曾於一九五一至一九五二兩年之中，採用以上兩書作課本，後來發現教學上的困難，決意另行改編。先選錄該兩書中論文，擷其精華，再加補充，成「大學國文」一種。該書所採原則如下：（一）確定目標，選文通暢，容易誦讀或模仿者，（二）議論縱橫，富於學術性，對吾國思想文化有重大影響者，（三）作品特長，可代表某時代之文學趨勢，學生修習後可爲將來研究文學史之示例者，（四）行文章法謹嚴，可爲作文示例者，（五）能充實歷史智識，與研究國史大有關係者，（六）有關國學常識，對經史子集能作扼要論述者，（七）對研究國學及作文曾作重要啓示者，（八）對近代文學革命曾發生重大影響者。這幾項選文的原則，是正確的。並且編者是教育專家，講究教學法，使註釋與原文聯繫，以便教學，分量與時間配合，適度。實在是大學國文理想教本。

×××

是每一本書，其他特色是說明，或概述學術思想的流變，使讀者可以作深一層的研究，樹立國學的基礎。可見編者別出心裁，有功後學。

筆者對於該書選錄篇目有一點小意見，便是唐宋八家之文不妨選曾鞏一家，如曾子固戰國策目錄序，或先大夫集序，均可入選。既選朱熹中庸章句序，不妨略去大學章句序，二序均從劉子政學來。杜甫詩選，種瀟灑健茂之氣。哀江頭，與高中國文課本複出，不如選較大篇的如北征，或赴奉先詠懷。選白居易詩，他的雜詩中祗選琵琶行或長恨歌任一篇，另選一篇新樂府，詞選當中，不妨選他的慢詞，周邦彥兩家，不如選南宋詞人除辛稼軒外，不妨略去姜夔或吳文英。這是筆者站在批評立場獻芹曝背一點微意。（該書現由香港集成圖書公司代售）（本期第四版謎語，謎底「李白」。）

自由世界的悲哀
馬五先生

爲着金門馬祖兩個島嶼的戰爭氣氛，美國朝野人士近來鬧得滿天神佛，好似第三次世界大戰即在眼前，俄共的原子飛彈馬上就要射入紐約華盛頓來了！中共鬧聲不變，聽他們去瞎吵瞎鬧，看又能够鬧出甚末名堂來？

我不反對吵鬧，祇是認爲他們這種舍本逐末的亂嚷狂叫，成事不足，敗事有餘，結果一定要誤人誤己的！越南正在打內戰，那兒的殖民主義者一面與越共親善妥協，一面暗中教唆地方軍閥擁兵作亂，反抗政府的政治改革。美國派有大員駐在越南，援助當地政府改善政治，建設自衛力量，而坐視殖民主義者胡行妄爲，替共黨舖設侵襲之路。如果中共以聲東擊西的策略，裏同越共，把矛頭一旦指向越南，必然不費吹灰之力，即可獲致意外的勝利。可是，美國那些神佛們對這項嚴重的危機，却視若無睹，只領導嚐住金門馬祖，作無聊的鷄舌爭執，其淺薄爲何如者！

我敢作肯定的預言：萬一越南被共黨大舉襲擊，法軍必爭先落海而逃，把一切責任推到美國身上。美國呢，撤退軍事顧問團，然後發表一篇聲明，說越南政府「貪污低能」，不足與有爲。如是乎，國內的滿天神佛們又來檢討越南問題，你一道記者談話，我一道電視演說，互相埋怨指摘一番，又向共黨警告曰：你如果再前進，我就要投原子彈了！

紙老虎嚇不倒共產黨，但能够障礙着自由國家，這是共黨猖獗的主要因素，也就是自由世界的莫大悲哀！

自由中國的將士們，覺醒吧！凡事得靠自己想辦法，我們只要在金門馬祖乘機一顯身手，露點本事給那些畏戰如虎的空心大佬們看看，保險他們就要少說「台灣問題」的廢話了。

桃花源散記
●謝政●

霧失樓臺，月迷津渡，桃源望斷無尋處……。
——秦少游

讀自由人三八五期易與先生的大作——「桃花江是美人窩」一文，其中有「益陽女子龍陽腳，桃源妹子三隻角」之句，不禁勾引起離故鄉近在咫尺桃源縣的桃花源的思念來。

筆者籍隸慈利縣（與桃源縣交界），是一座小山城。因為僻處湘西，教育極為落後，縣中青年學子，多負笈常德，長沙一帶。往來慈利與常德之間，必需經過桃源，故曾有機會多次暢遊桃花源，茲就記憶所及，散記於後：

× × ×

從常德出發，（筆者擬用陶淵明先生所作「桃花源記」之順序，好加深讀者印象）水陸兩路皆可通達桃花源，但逆水行舟太慢。（如有玩賞的心境，則乘舟最理想的了。）公路因為湘西缺乏水泥，多用鵝卵石碎石路面，很鬆，大雨之後，即無法通車，所以，人們大多步行。

× × ×

沿常（常德）沅（沅陵）公路，沿途田地肥沃，田舍農家，小橋流水，風景絕佳。信步走去，約七八小時，即可抵桃花源。

× × ×

桃花源位在與沅公路左側，從公路旁邊起，有一條三四英尺左右寬的草路，全長約六七十公尺，路的兩旁都是高矮差不多的桃樹，路走完，迎面是磚石砌成的拱門，面横書：「桃花源」三個大字。過門以後，遍地都是桃樹，若是春二三月，正是「芳草鮮美，落英繽紛」！

× × ×

從桃樹林中循右行，登「水源亭」，亭旁一座小池，潺潺山流，注入池中，聲響不絕於耳。越池，有剛好容腳石級數武，躡足而上，一人工小洞口，恰容二人躬身而入，出之，則眼前[illegible]山[illegible]阻，「豁然開朗」，此或即淵明先生所謂「有小口，纔通人」之處。

× × ×

從桃林左邊，或水源亭，途經曲小徑，均可達「桃花觀」，桃花觀是遊人休息之所，觀中供有淵明先生靈位，及南陽劉子驥先生詩賦，其他名人字畫很多，均刻之於石碑，凡到此者，莫不競用紙搨模而歸，惜詞意均已不復記憶。

× × ×

「桃花源」這個美麗的名字，在亂世的今天，是最惹人遐想的。離開桃花源已經六個年頭了，夢寐之中，未曾或忘，懷念之情，眞是「桃源望斷無尋處……」唯望能早日回到大陸！

于右任院長七十七壽詩
●張維翰●

長髯飄雪拂襟裾，團扇家家畫不如。鐵板銅琶坡老曲，龍騰虎躍右軍書。當朝宿碩欣強健，與國來賓問起居。七十從心今晉七，卿雲重見曙光初。

抱石兄來訪並贈詩次原韻書感
曾今可

我欲逢人說項斯，多君磊落復欽奇，如於亂世爭來日，要挽狂瀾及此時。奕手思鴻棋未定，塞翁失馬事難知，瘡痍滿目風雲急，商女何心尚弄姿。

送天放飛美
●井塘●

看公奮翼入飛途，老更行空有壯圖。萬里乾坤浮一氣，幾回俯仰發長吁。雲間囊喜添奇句，海外人爭拜漢儒。自是休官忘小隱，何嘗韞玉肯輕沽。

萬竹樓隨筆

梅蘭芳舞台生活四十年 第二集
●舜生●

梅蘭芳的『舞台生活四十年』第一集，我是兩年前看過的，當時我曾寫過一篇筆記，編入我的『萬竹樓隨筆』第一冊。現在這本第二集，又已於去年十二月出版，一直到前兩天我才抽暇翻了一遍。

二集的篇幅比第一集稍多，其重要性也很難軒輊，替他筆錄的這位許姬傳先生，依然是這樣勤勤懇懇，把一部份有關中國近代戲劇的重要史料，像繡樣一絲不苟的紀錄下來，這一工作確實值得我們加以讚許。

我知道有不少的反共朋友，他們好像抱得有一種鴕鳥式的阿Q精神：不問是怎樣性質的一本書，只要是大陸出版的，他們便不願看。我覺得這個態度應有相當的修正。

在過去的五年，大陸印行的新書確也不少，除一部份中共的黨八股和若干顛倒事實的宣傳品我們不必去多予理會以外，為了從側面去了解這幾年大陸人民的生活實況，和若干留在大陸的學者文人那種彷徨無聊的心情，我們反而應從大陸的出版物中去用心的加以體會。

梅這本書共分七章，其主要的內容如下：

一、敘述梅本人對時裝新戲和新編古裝戲的一種嘗試。

二、敘述崑曲衰落的情形，也提到了穆藕初所創辦的那個『崑曲傳習所』的始末經過。

三、說明『京戲的產生，是混合了徽，漢兩種地方戲，再吸取一部份崑曲的精華，』而後成功的。

四、介紹了若干老伶工如程長庚、余三勝、譚鑫培、孫菊仙、楊小樓、蕭長華、余叔岩、姜妙香、王鳳卿，……以及漢劇方面的余洪元諸人的演劇藝術及其私人生活。

五、尤其敘述到梅本人對演劇藝術的不斷改進和多方面的觀摩，更使人感到一個在任何方面成功者之殊不容易。

單看了這一些，已經是很够味了，而梅又把他幾齣常演的新舊劇如『女起解』、『貴妃醉酒』、『思凡』、『黛玉葬花』、『嫦娥奔月』、『春香鬧學』、『佳期拷紅』、『抗金兵』等等，就演出的技術，作了極詳盡的說明和介紹，這不僅於他們的同行有益，乃至對於我們這些看戲的人，也增加了新知不少。

我在介紹第一集的時候，曾說它充滿了溫情，現在這個第二集也還是如此：梅提到某次在北京東安市場他和他的前輩譚鑫培分別在兩個舞台演出，梅因於舊戲外加演新戲，曾使得譚老板的賣座為之減色，他至今還深悔他當時的孟浪。他又說到譚老板民國六年之死，實因當時北洋軍閥為了歡迎陸榮廷曾強迫他在病中演了一齣『洪羊洞』，以致弄得他掙扎回家後便一病不起。梅在述完這個故事以後，曾憤慨的說：『一個七十一歲的老藝人（指譚）在病中還要壓迫他表演，……這哪兒是愛好藝術，分明是摧殘藝術！不怪當時外邊有「歡迎陸榮廷，氣死譚鑫培」的傳說。從這兩句話裏，就足够表示一般的輿論，因為同情這位老藝人的遭遇，不自覺的對惡勢力提出了抗議。』

梅蘭芳現在也是六十以上的老人了，儘管中共對他表面很客氣，可是從他的這兩本書裏，可看出他工作的忙迫，確實也早已超過了他的可能。他敘述譚老板的這一故事，恐怕也正是不自覺的為他自己再度向惡勢力提出的抗議吧！

不過，以我所知，大陸近年出版的新書，無疑的梅這一部是必傳之作，而『毛澤東選集』不與焉，僅此一點，梅蘭芳也足以自豪了啊！

唐鬍與楊大個
易與

楊大個得到他哥哥的信後，他立即寫了一篇哀悼唐鬍子的文章，對照着那些買來的世界語刊物，分贈起來投寄出去。隔了多久，楊大個子得到不少的世界語刊物，他那些哀悼唐鬍子的文章，居然登載出來，而且那些編者們，似乎也早已知道唐鬍子這個人，所以都有哀悼性的文章刊出，並且有一份叫做「綠風」的，那是上海世界語學會的會刊，居然還有唐鬍子的一個照片。

楊大個子很得意的翻給我看「唐鬍子還沒有死，你未免太急性點，假定唐鬍子還健在人間，我相信這些刊物，他一定會有，他看到你這類過份頌揚的哀悼文章，豈不要啼笑皆非嗎？再說我看你和唐鬍子的友情，也許你根本不會把他當做一個朋友，看你文章裏寫的，似乎又過分親切些吧」？他祇笑了笑，他沒有說什麼，過了一晌，我接到唐鬍子的復信，那是我看了楊大個子哥哥的信後，立即寫了一封信去慰問唐鬍子的病，他在復信裏，首先謝謝我的關注，接着他說他的病原是風痰，現在他仍然和我在C城時一樣，每天過着送報讀書的刻板生活，我將這封信給楊大個子看，他一聲不響，甚而他那多肉的臉龐上，也不見有什麼表情。再隔了些時，在那些世界語刊物上，見到唐鬍子向一切關懷他的致謝的一則啓事式的短文，他那詼諧式的筆調，我至今還記得有那麼幾句：「以有病之身，當多病之世，而又生處病國，所不幸而未能即死者，仍願病身有濟於病世病國而已」。楊大個子看過那段文章後，那堆脂肪的肥油臉上，也不禁黃油裏透出了紅潤。他嘰哩咕嚕的咒了他哥哥一陣，咒他的醫術不精，咒他是一個冒失鬼。暑假時我回C城，當天晚上我就去看唐鬍子，他正在端着一碗辮和紅薯的糙米飯嚼，他見了我趕緊立起身來和我招呼，我第一句話就是問他精神好不好？他沒有回答我的話，祇問我那天到的，當他聽到我「今天到」的話，他那不甚健康的病容面貌上，露出絕不是故意做作的笑容，他跟着說「够朋友够朋友」，接着他又打着哈哈的笑聲，說出「這比寫文章來哀悼我有意思」，他問楊××是不是C城人？我告訴他「他是楊醫師的老弟」，他「噢」了一聲後，再說出「原來是楊家二少爺，每當我送報到他家去，從沒見他和他點一點頭呀」！我告訴他「楊××也許會來看你的，他搖了搖頭，臉上露着微微的笑意說出「歡迎歡迎」。過了兩天，我去看他，我問他「楊××來過沒有」？他點了點頭，並且手指着他那堆滿報紙和書籍的爛方桌上，那裏有一對玻璃瓶，我順着他的手指的方向，將那對玻璃瓶拿來一看，原來是一對上海天祿齋的蜜餞菓品，他告訴我那是楊大個子昨天來看他時捎來送他的。（六）

語意學漫談
辯論過程中的陷阱
●徐道鄰●

所以在我們和人家談天或討論的時候，一定要注意到，凡是牽涉到了喜怒愛憎的問題，這不是用辯論可以得到結論的。因為我們有愛惡，人家也有愛惡，我們之不能說服人家使他們愛好我們所愛好的，如同人家之不能說服我們使我們愛好他們所愛好的完全一樣。人與人間的辯論，百分之九十是關於語言中的情感部份。對於情感之辯論不休，正好像是努力於說服人家，要他們不去愛他們自己的兒子，而來愛你的兒子一樣。

有關愛好的問題，雖然我們要警覺的避免加以辯論，但它們却是十二分值得我們研究的，尤其是那些和我們不同，和我們完全相反的朋友。我們要和善的虛心的詢問他們，問他們為什麼喜歡蘇東坡的詩，為什麼不喜歡黃山谷的字，問他們欣賞鄭板橋的是那一點，王夢樓的是那一點，我們能細心的聆聽他們的理由，能設身處地的從他們的出發點和背景來仔細研究，我們將會發現，我們多年來原有的成見，予以許多的修正。就是我們不須要修正原來的意見，那麼至少我們對於另外一個同伴人的心靈和情感，人格和環境，要了解的更深刻和更正確一點。也就是說，我們要比以前更聰明了一點，偏見更減少了一點，知識更廣泛了一點，在處世用人的技術上，也更高明了和更有把握了一點。（二十八）

港·澳·僑·生—— 回國升學問題

（上接第三版）說來，也是十分困難的。其次，各僑校當局，在高中第三學年開始時，就必須注意學生回國升學的特別教學，增加數理化教學時間，趕上國內中學水準。還得設法在公民課程的補充教材裏，以三民主義的國策常識，去年來台僑生，就有甚多係三民主義一科不及的。

結論

我們必須國策與教育保持平衡水準，纔能有濟於反共大業。沒有國策指導的教育，固然是盲目的教育；而沒有教育水準（知識水準）的教育，也是失卻教育的意義的。如何使國策與僑教兩相連繫，而不致顧此失彼，這是今天華僑教育的重大課題。

謎語

人是今人也是古人，是文人還是武人，是一人又是兩人。（打人名一）謎底，見本期第三版左下角。

自由人
THE FREEMAN
（第四三一期）
每份港幣壹毫
社址：香港高士威道二十號四樓
3 rd. fl. 20 CAUSEWAY RD HONG KONG
香港：德輔道中二十六號A二樓
台灣特派員辦事處　台北市館前街五十號
台灣總經銷處　台北市西寧南路一一〇號二樓　台郵撥儲金戶九二五二

亞非會議能做出什麼？

大概只能乘興而來，敗興而返

·左舜生·

以地域，以皮色來號召的一個「亞非會議」，這在以往的國際場合是不曾有過的。以這樣一個意義來看這個會議，也就很自然的能引起我們一種以往不曾有過的興趣。

眼中，至少有一部分是而生可疑的，借這一次開會的機會，可以在地圖上去找找某一些國家坐落在亞洲或非洲的那一個角落；從某一些載在統計數字的書刊，去查查他們的人口若干，幅員多大；更從報紙雜誌上，去瞻仰瞻仰他們代表人物的尊容；……凡此等等，也都可能有若干的好處。可是，話雖如此，世人果眞相信亞非會議能解決任何一個目前的具體問題嗎？這是決不可能的，充其量能談到若干的抽象原則，表示若干一相情願的希望，或發洩發洩多年蘊藏着的一股怨毒之氣，此外便不能有任何成就，這個道理很簡單，趨勢也很顯然：

任何成就都談不上的

第一、今日世界一切的問題，都牽連到共產與反共產的兩個壁壘，共產一方是侵略的，反共產便是反侵略，其所及於各方面一時一地的利害，更是參伍錯綜；還加上若干的投機取巧之徒，又從而標榜中立，因而使問題愈趨愈複雜。在聯合國那樣一個眞正具有世界性的場合，且有雙方主要的當事者在場，尚且不能求得任何一個重要問題的合理解決，像亞非會議這種場合，不過臨時拉攏來的一羣烏合，其利害的錯綜，意見的紛歧，較聯合國更只有過之而無不及，說它反而能解決問題，那豈不是滑天下之大稽嗎?!

第二、說亞非會議眞能鼓導一種和平共存的空氣嗎？這更是笑話。據一般共產報紙的「後合與好」，好像中共的代表周恩來，已成了這次會議和平空氣的象徵，實際則六年以來，中共及其所代表的主子蘇聯，乃爲破壞亞洲和平的罪魁禍首：首先破壞了亞洲和平而奉命策動韓戰越戰，更把這兩個國家破壞到無從統一；目前更在調兵遣將，弄得整個的台灣海峽爲戰雲所瀰漫；到會這些國家的代表，不見得都是尼赫魯這種瞎子，而且還有不少的國家，其自身早已感到切膚之痛，說他們便會爲周恩來這種說謊專家所欺騙，實爲常識所不許。何況中共根本就不顧與中國人共存，說它反而可與別的國家共存，豈不是白晝見鬼?!

第三、反對核子武器的戰爭，可能在亞非會議中得到一個原則上的決議，但這在實際上也是毫無用處的。吃不到葡萄的說葡萄酸，自身不能擁有核子武器的，當然要反對核子武器；世界上怕死的以共產黨爲第一，當然反對核子武器的也以共產黨爲第一。可是共產主義所加於人類的威脅，比較核子武器只有過之而無不及，因之世界上的共產國家一天不消滅，核子武器的製造便一天不容停止。共產黨惟一所誇耀的是人多，但惟一可以以少勝多的，也正是核子武器。核子武器的戰爭並不是不可反對的，但我們的反對這種武器，一定要等到它發揮過一次世界共產消毒的功用以後。

第四、據以上三點說來，這次的亞非會議，既對任何問題都不能解決，所謂和平共存的原則又祗能徒托空談，反對核子武器也只是一相情願，然則到會二十九單位的代表，好不好大家坐下來，專談一點彼此間的文化經濟合作呢？不說到這裏還好，說到這一點，乃更加可憐：在這二十九個單位中，除掉一個日本確曾在過去的七八十年多少具備了一點科學和工業的基礎以外，其餘的更有什麼可談呢？甚至就是日本，在上次大戰的最後無條件投降，她也還是承認係科學的失敗，請問這些不如日本的，更有什麼可以拿出來合作？說一句老實話，我們在今天既不是大家要去研究那些古墳墓裏「木乃伊」，更不是人人要去鑽研那些刻畫在烏龜背上的死文字，除掉向美英德法這些科學先進國家去好好習學以外，更何必「打腫臉充胖子」來修談文化呢？至於經濟合作，更屬可笑，請問這二十幾個赴會的國家，有幾個不仰賴「美帝」的經濟援助，即整個亞洲，不期待「美帝」的援手，更何從由貧困落後的情況中救得起來？一面希望別人的救助，一面還要矢口罵人，可恥而又可憐，眞所謂顏之厚矣。

會外接洽也落了空

以上還是就會內說，至於所謂會外接洽，則尼赫魯本身無力，根本即不爲人所重視；周恩來魔術有限，台灣問題也早已超過了空談時期；其不能有所成就，自更屬顯然。當這個會議的籌備之初，我們以爲日本方面，即令鳩山不來，至少重光總可出馬，周恩來滿以爲和日本在會外勾搭，多少可以有些成就，現在則並此一點也無可能了啊！

亞非會議的組成分子

這一會議的召集者，爲可倫坡會議的五國，即：印度，印度尼西亞，巴基斯坦，緬甸，錫蘭。

本來被邀參加的共有二十五個單位，但中非聯邦不來，因此合召集與被召集者算來，共得二十九個單位。

除召集國外，其餘的二十四單位如下：

（一）菲律賓，（二）泰國，（三）伊朗，（四）伊拉克，（五）土耳其，（六）日本，（七）黎巴嫩，（八）高棉，（九）寮國，（十）越南，（十一）阿富汗，（十二）埃及，（十三）阿比西尼亞，（十四）黃金海岸，（十五）約旦，（十六）也門，（十七）利比里亞，（十八）利比亞，（十九）尼泊爾，（二十）沙地阿剌伯，（二十一）蘇丹，（二十二）敘利亞，（二十三）越北，（二十四）中共政權。

聊快人意的一些好處

把如此這般的一些國家，約集攏來開一次會議，在某一意義上說，也未始不是一件好事。過去在任何一個國際會議，我們都只看見幾個強國，在那裏勾心鬥角，要秘密就秘密，要公開就公開；他們高興犧牲誰就犧牲誰，要出賣某一個弱者，便出賣某一個弱者，被犧牲被出賣的，只好忍氣吞聲，聽其全部！這一次，居然沒有這般大爺們的分，他們除派遣若干的記者靜聽批評，靜聽讚許，靜聽擺佈以外，眞可說是一籌莫展！說這不是一個世界變化的開始，說這不是一羣弱者們覺醒的初步，當然是不合事實的。從另一方面看，這次開會的二十九國家及其代表們來說，在一般的中國人

剝掉尼赫魯的中立外衣

·劉　起·

中立政策的面貌

這幾年以中立政策相號召，並以中立姿態現形於國際間人物，當以印度總理尼赫魯最爲活躍。

按說作爲一個國家領袖，憑其政治遠見與國內人民的意願，他當然有其權利去選擇它應走的國際路線。尼赫魯領導印度於二次戰後甫獲獨立，瘡痍滿目，百廢待興，他在國際場合上，能夠避開以美、蘇爲首的兩大集團之是非漩渦，把印度帶上中立，藉「好整以暇」去建設新印度，這在二次戰後的國際形勢上，雖未盡合時宜，但以國際道義論，原亦不可厚非的。那麼中立，就中立好了，可奇怪的，尼赫魯又似乎並不甘中立的寂寞。也許因國際爭端太多了，所以他一再地蠢蠢欲動，藉口和平，向國際站壇向鼎，對事不干己的是非嘵嘵饒舌。這也情有可原，因爲時際今日之輻射時代，如果世界和平不能獲致，第三次大戰發生，任何國家將皆難免毀滅火星的來臨。基於和平的要求，尼赫魯你就該使印度的中立如瑞士的中立態度一樣：冷靜嚴正，對兩大集團，無偏無黨，好好作個和平橋樑，使我佛慈悲，把世界衆生導致無慮恐懼的坦途，豈不善哉！然而不然，或許尼赫魯自覺他一個人去作和平掮客，形單影隻，不無人微言輕之感吧！於是他又處心積慮先後去拉攏甸緬、印尼、錫蘭、巴基斯坦等國總理搞出個哥倫坡中立集團外，又慫恿中東阿剌伯國家謀組織國際第三勢力，由他來領導着扛起世界犄角形勢的鼎足。看這位甘地信徒可眞野心不小呢？

撒旦心腸的政治小丑

尼赫魯的中立政策，無疑是在替共產黨人捉刀。可是共產主義之爲世害，尼赫魯則是心裏有數的，因此，他在內政上則堅決反共。但他爲了要使他這個和平掮客能夠令世人注目，他在國際交往上就一味媚共，借共產黨人對西方國家的罵口，去哄抬他自己的聲價。故他對朝鮮則堅主把北韓送給了金日成；對印支則堅主把北圻送給了胡志明；而最近則又叫嚷着把台灣送給中共。爲什麼？在尼赫魯來說，可能也是爲了「和平」。但是，尼赫魯，你未免太自私了吧？難道你們印度那些佛門弟子獨不可赤化，而台灣、北圻、北韓的人民就活應該受共產黨人的宰割？這就是你尼赫魯中立思想主導下底和平邏輯嗎？由中立而傾左，懷北韓北圻人民作鍘刀斧頭下的魚肉之慨，獲售親蘇媚共之技；想不到在大慈大悲的佛國內會出現這樣撒旦心腸的政治小丑——尼赫魯。

公開的親共反美

我們試再看由尼赫魯所導演於四月六日在印京新德里召開的十四個亞洲國家會議，究竟是會議些什麼罷。據說這次會議目的是在討論亞洲當前政治、文化、科學、經濟和社會等各問題的。可是我們所聽見由這個會場上發出的聲音，最響亮而足以令人注意的則是印度首席代表阿奴普·辛格，和中共首席代表郭沫若同調的反美雙簧。郭沫若他自承其爲斯大林的孝子賢孫，他反美罵美不足爲怪。然而辛格何爲其然呢？這將顯示着一種意義：是使與會而與美國還保持相當友誼的日本、巴基斯坦、敘利亞等國的代表們，聽了他公開地反美罵美之聲，教他們將作如是想：「如非美國不可侮，印度正還接受着美援，辛格怎敢公開地罵她？倘若美國眞是「紙老虎」，那麼我們的國家就不如預爲之地；也離開美國，走上中立與印度看齊，再好更親共」，這是一。其次緊接着尼赫魯爲中共壯大聲勢的另一傑作——四月十八日在印尼萬隆召開的亞非兩洲二十九個國家會議。中共總理周恩來又不惜親自出馬，他既更具煽動長才，尼赫魯又多方預爲之便，周恩來極有可能控制會議，把西方國家在亞非地區的聲望刷打個淋漓盡緻，爲共黨和平侵略底另一陰謀開路。尼赫魯爲虎作倀，說也眞夠到家。

踏進克姆林宮的中立

尼赫魯中立架勢的大走樣，實自去年他與周恩來共同宣佈所謂五項原則之時起，因爲他的幫襯，周恩來的嘴臉才得在南亞展露，奸滑的中共因投其所好在表面上還把尼赫魯捧得飄飄然魂騰九霄，抬眼越喜馬拉雅山而北望，盡見共產黨人對他歡迎以嘻皮笑臉。

（下轉第二版）

本週展望

·雷嘯岑·

亞非會議的表面形勢

亞非會議揭幕伊始的表面動態，似乎對中共沒有甚末好印象。印尼總統蘇卡諾的開幕詞，再三強調民族國家獨立自由的反殖民地主義思想，顯對俄共集團也具有間接警告的意味。接着正式會議時，共黨周恩來不發言，伊拉克代表傑美里即對共產主義作猛烈的正面攻擊，說「國際共產主義就是物質上的宗教，在各民族和階級間製造仇恨。共產主義是一種殖民地主義的形式，比舊式殖民地主義對我們更有危險，世界上沒有一國不受其影響」。

伊拉克代表這席話，引起了極大多數出席代表的喝采鼓掌，只有尼赫魯與周恩來扳起面孔，「有嘛表情」，而巴基斯坦總理阿里，且趨前向傑美里握手稱讚。從這種會議第一聲的表面情形看來，縱使周恩來將來再作一次「五原則」的宣講辯論，也難以掃除大多數出席代表對共產主義的疑懼心情了。錫蘭代表就公開表示對中共所謂「五原則」不信任的意念，敦促共黨提出保證來！拿伊拉克代表這段演說詞，跟美國務長官杜爾斯前幾天宣示要求中共莫進攻台灣海峽，而贊同中共保有對台灣問題提出任何要求的那項演說詞對比一下，於意云何？我們能怪亞非那些弱小民族國家之採取中立立場嗎？不中立，就可能被出賣啊！

幕後活動更烈

共黨周恩來之暫時沉默，是在觀察一般行情，以便相機說話，尼赫魯之主張各代表不公開演說，是要側重幕後協商，協商的目標當然是要使中共向預會人士騙取他們對其和平共存的「五原則」之信任，交換價值自爲贊助中共進入聯合國！出席亞非會議的國家，有許多並非聯合國的會員國，但發起這次會議的五個國家，却是聯合國一份子，這些國家的代表即爲幕後活動的對象，也就是尼赫魯所換以示惠兼示威於周恩來的政治資本。

所以，將來亞非會議的任何成就，必定是表裏不一致，靠幕後重於台前的。

西方列強莫忙高興

亞非會議的空氣，由於伊拉克代表之一場獅子吼的演說，似乎對共產黨不利，可是，這並不等於就對英美有利。他們對於反抗新舊形式的殖民地主義這項重要課題，無論是在台前或幕後，都是一致的。共產黨之能夠在會議中玩魔術，也就是利用這項因素。英美如果在東方再搞出像對韓戰與越戰那種出賣弱小民族國家的協定來，則今日在亞非會議表示反共的，將來都要變成英美的敵人。美國雖然不是殖民主義國家，却遇事要跟殖民主義者聯合行動。美國過去爲着「不單獨行動」而默認了一個瓜分越南的停戰協定，目前按照杜勒斯的表示，又要爲着爭取盟邦合作而來一次瓜分中國的台灣海峽停戰談判。這樣的話，將到第二次亞非會議的時候，全球的國家恐怕除了美國和其盟邦外，沒有一個不願意參加了！

美國的大選前哨戰

最近美國在朝在野兩大黨的重要人士，紛紛藉所謂台灣問題互相攻擊，各持己見。他們進行總統大選的前哨戰，却把自由世界的人弄得頭昏腦悶，好生難受。

自從二次大戰結束以後，中國問題一直成爲美國政爭的重要武器，共和黨藉此擊敗了民主黨，取得政權，現在民主黨也如法泡製，杜魯門，史帝文生等等，都是藉台灣問題來作攻擊政敵的資料。

就我這個中國人看來，兩黨人士對中國問題的瞭解，都是半斤八兩，無所軒輊，誰也高明不到那裏去！民主黨認爲「中共是土地改良主義者」，共和黨則認爲中共可以作「亞洲狄托」。美國一切對華政策，就是從這兩種觀念出發的。好在美國大多數的選民更不瞭解中國問題的內容，兩黨人士儘可自說自話，祇不過給我們中國人一些精神痛苦罷了。

台灣通訊

「彗星人物」——任顯羣的被捕

王擇良

【台北通訊】現年四十二歲的任顯羣，在抗戰後期，已有能員之稱，惟彼以三十之年任職後方勤務工作，但其地位，還不出於附屬。自大陸變色，中央政府播遷台灣，他以吳國楨智囊身份，擔任了省政府的財政廳長，兼任了代理國庫的台灣銀行董事長，又兼外匯審核主任委員。那時，省政府選舉：一方是縣市議會沒有民選；再是中央對省沒有積極的管理。最重要的是吳國楨有他的一套：多方面培養自己力量，所以當時吳、任兩人儼是自由中國頭號顯要。中央部會首長也不免有相形見絀，自嘆弗如之勢。後來雖以「鐵漢」稱的陳誠氏出任政院長，而時傳「院府之爭」，也就不言而喻的，顯示吳任的氣勢了。

×××

任在抗戰時期，任軍委會戰時運輸局川湘公路管理局長；遠征軍司令長官部交通處長；後方勤務部通訊運輸處長，都是技術性的職務，所以也得已經給與了的以「科學管理」做號召的前台灣行政長官和浙江省政府主席陳儀的青睞，先在台灣出任交通處長兼台灣航業公司董事長，和浙江省會的杭州市長。任在杭州市長任內，曾和陳儀的親家浙江省商會理事長金潤泉鬥法，原因是他一反前市長周象賢和商人妥協的「包捐」辦法，杭州是一個商業社會，金氏在中央有孔熙、宋子文；在省的勢力自更根深蒂固。況且，商人照付行政人員，第一是「捧」；再是「誘」；三是嚇——「控告」—「罷頭」「罷市」。然而任氏既得陳儀的信賴，就不理金氏的背景及和陳氏的關係了。他積極提攏新聞記者，提出了顯明的口號，「明查實征是合理的稅制；包稅便宜了富商。」便戰勝了環境。奇怪的，是任氏受陳儀的知遇，而陳儀在被捕前不久，任氏就離開杭州，並匆匆的到了台灣，一點也沒有牽連，且不久又在台灣出人頭地，這可說是政治上的「彗星人物」了。

×××

然而，這個風雲人物，終於在本年四月十一日午被捕下獄了，犯罪事實，據報載是庇護三十九年由港入台的遠房堂叔任方伷叛徒。任氏自四十二年四月省政府改組隨着吳國楨下台後，接着就掛牌做律師，並曾去草山受黨政人員的高級訓練。去年他有意在紙業公司改變民營時獲得大批紙廠的經營權以從事實業，可是在監事選舉過程中受到了挫敗。他被捕之前的四月三日，曾和同居數年的息影坤伶顧正秋出現在顧伶同寓張正芬的婚禮中，被記者作為攝影的對象，（因他和顧伶同時的出現在公共場所還是第一次，所以引人注意，警備總司令王叔銘也將顧由女賓席上邀來與任同坐。）據以爲使人豔羨的人常會使人驚羨，那知不出旬日，便因案入獄呢！

×××

風雲人物的起落，當然在社會上成爲一時談話資料的。以任氏主管財政期間，有其一套方法；雖不一定根據原理原則而也能應付過去，故社會人士目之爲「有術」的行政人員。然而講術，就不注重法度，所以評擊他的目之爲「狂妄」，譽之者則謂爲「有魄力」。不過，在「擠金案」中；與顧伶同居初期（傳說給顧原來的夫人有鉅金），輿論嘩然，曾轟噪一時的。所以，很多人以爲若在以上的時期，而併案將其「停職」「法辦」，那末，對於「嚴官箴」、「肅吏治」、「新耳目」有大的幫助。至於，一個有才能的人，在發展至中途而就走向岐途、趨於毀滅，似乎風氣使然，十餘年來已數見不鮮，以刺激的遞減率說，大家只輕嘆而已。

藝術節談藝展

鐵聲

香港首屆藝術節於四月四日起舉辦藝術展覽。展覽之地區有二，其一曰馮平山圖書館，其二曰海傍新填地。而其展覽出品大體上可分二部，其一曰清以前之藝術創作，其二曰民國以來藝術創作。前者包括範圍如下：

一、史前陶器，
二、石器及陶片
三、銅器及甲骨
四、瓷器
五、金銀器
六、漢簡
七、玻璃器
八、書畫
九、書法
十、象牙器

展出者，其一爲香港大學中國古物美術陳列所，其二爲金匱室，其三爲積善齋。若從大體上區分，香港大學所藏爲一二三四各項。金匱室所藏則上至石、銅、金銀、玻璃、象牙諸器，並及五代，宋，元，明，清之書畫及漢簡。自古及今，有條不紊，洵屬大觀，計五十七種。積善齋所藏自明元及清之書畫，凡七十四件。分而觀之，可謂各有所長；合而觀之，則上下五千年我先民之藝術創作瞭如指掌。可作一部文化史讀，亦可作一部文明史看，亦可作一部藝術演進史研究。此有益學人之計劃與安排，所有居留香港之中外人士，似不可失之交臂！至於後者，全屬現代藝術創作，大體如左：

一、西洋畫
二、攝影
三、中國畫
四、兒童畫作

此四部出品極多，約計五六百件，亦可謂洋洋大觀矣。

馮平山圖書館之展覽不須入場券，只要簽個名字及通訊地址，即可得目錄兩份。從統一碼頭坐大學堂三號車於般含道尾一站停車即到。上山所經地區風景極佳，出了兩毛錢，不特有公園可遊，且有知識可得，心身兩益，眼界爲開，眞上算也。至於海傍新填地交通更便，九龍過海輪渡在皇后碼頭登岸，左行數百步即是，入口處交費兩毛，可看到上列四項創作，如另交五毛錢，則入電影場花兩小時可看一場電影，座次不分，有空即坐，亦可樂也。

剝掉尼赫魯的中立外衣

劉起

（上接第一版）於是尼赫魯遂已自忘其爲中立之身，而向左作了一百八十度的大轉彎。所以今茲由他所導演的亞洲，亞非兩會議，才邀請中共參加，並讓它操縱控制作爲反西方的公開場合，直接爲共產主義創造侵略世界的有利條件。尼赫魯，知否？你的中立腳步已踏過克里姆林宮了啊。

挽回頹勢責在美國

尼赫魯把他的中立政策演變爲爲共產主義向外擴張的貓腳爪，我們如要就事論人，似也不宜對他深加苛責。因爲他這個印度阿Q，根本就沒有什麼政治才能。而中立集團被共黨第三國際所滲入作弄以後，尼赫魯之不能駕馭其中立路線的正當前進而向左轉舵乃意中事。再者中立思想之澎湃與起而爲一般國家所樂從，也並非中立主義眞能有助於和平，它之能夠乘時猖獗，美國實不能不尸其咎。因爲走向中立的國家，原本多是接受美援愛好自由的，而美國則又是素以領導自由陣營反共自居的。但一般亞非國家爲什麼要走向中立寧可放棄美援呢？這我們不妨檢討一下美國的反共政策。

不錯，美國是反共的，而且也有其領導盟邦反共的資格。但她對於共黨鐵幕，既先主張圍堵，復又主張解放；當然解放比圍堵更好，但她姑息多端，不去解放，忽又退回了圍堵；更可笑的是圍堵也嫌吃力，則又主張等共黨來打時再報復，可是報復恐又來不及也會得吃虧，就又奇想天開而主張與共黨和平共存。她這樣對共黨「柔則茹之，剛則吐之」的搖擺作風，這幾年來一直把亞洲國家素具之反共熱心弄得憧憧然而不知所據。在這種情況下，除非如南韓及自由中國等具有與共產集團誓不兩立之國格者，就難保其不向印度等中立集團去搭幫，以免會變爲亞洲孤兒，而直接剝蝕反共陣營的力量了。

非不能也不爲也

此一趨勢如果不能遏止，則一切自由國家，還要將注定同歸於盡。你們山姆大叔能否長居黃金國高談闊論？那麼只有天曉得。然而美國果眞是不能遏止此中立趨勢，不能不坐待自己的盟國一個個倒進鐵幕嗎？如眞不能，則共產黨人封贈你們美國是「紙老虎」的尊號實爲合情切體，那您就受之無愧却之不恭。如其能而不爲，而需恣其勢之發展，讓世界均勢逐漸推到畸輕偏重的轍軌上以就覆蝕的厄運，則於人道何解？美國之偉大又何在？但以美國所具有領導自由人羣反共的優越條件而論，則非不能也是不爲也。故吾於中立不能獨責尼赫魯。（四月十六日）

論交通部長的俞大維

蕭立坤

讀了燕廬先生的留學罪言（見四〇三期），使我百感交集。昔者孔子四十而不惑，耶穌三十而不惑；眞是他們時代的幸運，到了廿世紀，在新、舊、中、西文化激盪之下，大智大哲，如羅素，愛因斯坦，甘地，孫中山先生到了七八十高齡，也不敢說「不惑」，何況我們這些等而下之的小學生呢？

現代社會有三不定：一是生活形式不定，衣食住行的方式，天天受科學新發明的推動而改變；二是個人身份的不定，少受過去門第，貧富，禮教的約束；三是思想的不定，五花八門的學說，使我們不知取捨，有時確實各有所長。好像解析幾何學中，如果決定不了坐標及單位，怎能評論某個人或某羣人的優劣功過呢？如果各取各的坐標及單位，據之而各下各的結論，那只好吵吵算了，誰得有何益處。

燕廬先生把百年來留學生的錯誤，說得很對；但欲留學生不跳舞，不用抽水馬桶，向孔子叩頭，背誦易經左傳，也是事實上辦不到的事。因此，我想，與其抽象定出一個新時代中國知識份子的做人標準，不如如已有的人中，找一個比較完善的，做評論的標準。久經思考之後，才選擇做交通部長的俞大維先生做代表。

作者與俞先生並無私交，只在南京交通部期間，有過淡泊的僚屬關係，這正可使我客觀發言，使所論的只是「交通部長俞大維」，而不是其他方面或其他時期的俞大維。

×　×　×

俞先生是哲學、數學博士，所以有人稱他是學者。其實還是他自己也不同意的。他只是學而優則仕，既仕之後，即不是學者了。終交通部長任，他並未用過所學的專門技術，如彈道、微分等，而只是時用他周密的思想方法，科學的客觀態度，與虛心而現實的步驟。

俞先生是誠實的。一次陳孝[illegible]先生在會報上報告化學處理枕木問題，俞先生說：「從前我學了許多高等微積分，不久都忘記了，現在連一個普通微分方程式也解不了，其實那些高深學問，反不及應用技術有用。……」想起有些要人，昨晚看了一段曾文正公家書，今晨即以一大篇道理，訓誡部下，眞是天壤之別！

俞先生是反共的。他的交通政策，實際是鐵路第一。當時津浦，平漢線的搶修，是他日夜專注的工作，對軍事有極大的貢獻。

俞先生對民主制度與國際合作最有信心，一次他在會報上說：「如果十年前我們不同美國航空公司訂合約，至今這一點民航基礎也沒有。只要合約有期限，對方守信義，不必拘狹義的國家主權觀念，而閉步自封。」

俞先生是現實的。他觀察當時的政治環境困難重重，欲對交通建設有所成就，只有從輕易下手，所以他選定了「交通建設，郵政第一」。當時京滬之間，郵政確實迅速周到，南京中山路交通部大門附近，除了郵政分局一所外，尚有活動郵車一輛，郵筒五個之多。郵政人員投部長之所好，也是無可奈何的事。

俞先生是入世的。他喜歡受人重視，在他任內，最出色的是統計工作，一時竟有「交通統計第一」之譽。國防部派了上千的官員到交通部參觀統計工作，所以笑話不少，這一點當然是俞先生忽略了中國物質條件，對一件美國有效辦法過份重視之故。

終俞先生之任，對交通部內部人事只能做到不輕易更動一點。部內除了司長陶鳳山，是俞先生任用的幾個人外，由俞先生及俞先生帶來一位次長，也不肯多問，話多病。

俞先生不贊成由升官而發財。公子俞揚和，是飛機的駕駛員，薪金很高，正是「富貴可求也，雖執鞭之士，吾（兒）亦為之！」

俞先生不好發表政見，不載自己不分清楚的事。在個人修養方面很像馬歇爾將軍。他好吸煙，飲酒，打獵。很少見到他發脾氣，甚至很少大聲說話。

綜觀俞先生生平，他的才能大於環境所容許他表現的限度。他有現代人的科學道德，而仍不失中國傳統的舊道德規範，在這百年的留學生中，出了不少留學父子，油盡燈枯，無油無燈，這是中國新舊交替時代一位標準的現代人，一個現代的具體模範。

交通部長俞大維，已經過去，國防部長俞大維，正在開始，我們對他正懷着無限的希望。

影星之前李梅俯首稱臣

素有「轟炸機」之稱的美國戰略空軍司令部司令李梅將軍，生平個性强硬，輕易不肯向人低頭，以是美國軍中多稱他爲道地的硬漢。但最近某一天，他會屈服於電影明星珍雅莉臣之前，俯身低頭，聽她一手執着梳子，一手拿調髮喂他吃餅。這事情發生在尼布拉加州俄哈瑪的戰略空軍總部，時間是戰略空軍司令部成立九週年紀念的那天，且有攝影記者留下照片爲證。在那張照片中，珍雅莉臣淺笑輕顰，完全是一個征服者的模樣。而李梅將軍則俯首貼耳，嚴肅中含有柔順的表情。爲了紀念戰略空軍部的九週年，當局且已聘請珍雅莉臣和占士史超域合作一片，片名就叫「戰略空軍司令部」，但將來在香港放映時，我想一定會譯作「鐵翼藏空」或「無情空戰有情人」等等。（孟衡）

編者讀者

台灣的高等教育問題

△趙苓孫先生來函

編輯先生：四二九期自由人列有教育部政務次長吳俊升先生函，對鄙人「台灣的高等教育問題」一文，多所誤解指摘；茲簡答如下，乞公平刊出爲幸。

鄙人文中，提到張部長想將三個獨立學院改爲國立一事時，並未表示好或壞的態度；對于省參議會通過三個獨立學院改大學一案，分明說這「總是好事」。文中所說的「反學術傾向」，是根據文中陳述的許多現象，與張部長之主張改國立（就筆者的看法，改國立是對的），及省參議會之通過改大學，毫不相干。對高等教育中不合理現象之敍述，乃就一般情形而言，並非專對師範學院。凡此諸點，拙文都說得很清楚。讀者可覆按自由人四二三期。乃吳先生大函中卻說「作者根據此（想改國立）完全抹殺實之傳說，而發爲高等教育反學術傾向之議論」；「文中『于師範學院改爲大學一事，尤多譏評』；『一若……改學院爲大學便是天下之大不韙者』」，又「其意何居」？請問吳先生，人人可以看得懂的文章，你卻要如此穿插附會，硬把事情的批評，即是「肆爲人身之攻擊」？事情都是人做的，你認爲事情的批評，即是「肆爲人身之攻擊」，你這一推論，實在太令人可怕了。至於你說「自由人」近來「有失立言風格」；其實，自由人的風格還沒有變，我相信千千萬萬的讀者是可以共見的。

趙苓孫上四月十四日

△錯誤、東閔、宋贊之，諸先生：承惠稿已收到，謝謝！

印度青年的——赤都印象記（一）

風行譯

本文是印度人塞雅、沙馬（SATYA DEV SHARMA）參加印度訪問蘇聯代表團赴蘇遊歷的記述摘譯。他們承蘇聯莫斯科大學的邀請，於去年九月初啓程赴蘇。作者曾因參加聯合國主辦之國際青年學生運動，訪問歐洲數次，遊歷數國，具有相當觀察眼光。茲擇其較有意義之記述以資參考。

我們的代表團分兩組啓程，我這一組共十七人，在九月一日乘印度國際航空公司飛機，自新德里啓程，先赴孟買，另一組在九月二日先赴喀拉蚩，預定在維也納會合。

旅途的冷漠空氣

九月七日早晨，由維也納啓程情形有點異樣，我等毅邁進巴士裏，嘗過七十五分鐘的艱苦味道，曾經過十二處阻攔，十二次談判交涉，才得到達機場。那裏的航空站完全作僞裝佈置。好像提防一種莫明其妙的危險。在機場一隅，有一間小屋，佈置非常簡陋，唯一可稱現代化的東西是一架稱重機。機場裏除了飛機上，和機場中的職員外，有一名警察，一名看守，兩名空中小姐，一位「組織者」，和那駕駛我們坐的巴士之司機，以及我們這一班赴蘇觀光的人馬，此外便沒別人了。兩架蘇聯空軍飛機在那僞裝的鋼架飛機棚內。棚上有兩座起重機聳立着。每架飛機可容二十人。我不知道為什麼不讓我們從普通的國際飛機起程赴蘇。

事實上，我們當中，有些人看見好像軍隊中的嚴厲和肅殺的氣氛，有點惴惴不安的樣子。我們是負有敦睦邦交使命的學生，而不是戰犯，卻好像被鬼鬼祟祟的運去不知所終的目的地。我們當中有好些人，竊竊私語，隱約之間，聽出他們表示不滿。我是屬第一批，先往登機。機內情形也好像機場上一般的奇怪。想不到座位如此的不舒適。通座位安全帶也沒有。據辦事人說：俄國的駕駛員技術超凡入聖，因此安全帶已是絕對不需要的東西。

起飛後一小時，我們到了匈牙利首都布達佩斯的上空。該處飛機場倒很潔淨，但沒有其他飛機普通忙碌的活動。我們被帶到一間小室，職員很認真的收集我們的護照。我們到了地上，但沒有人和我們談話，沒有東西給我們看和吃。這個飛機場假令人打呵欠煩悶極了。我們當中有些人感到無聊，拿些蘇聯地圖和一覽表來看。在這停留的時間內僅看見六個人，包括那些忙於加燃料的和那收集護照的。幸而不到半小時，這個冷酷而不合情理的匈牙利首都和我們別離了。我們回到飛機，已有正俄國式的早餐等候着我們。食品祗有一杯清茶，沒有牛乳，和一些餅乾和朱古力。

初次和蘇俄青年接觸

不到四小時的飛行，我們又到了烏克蘭的首都基輔。我們大多數很渴望得瞥見俄國人民工作情形。不幸的，我們沒有機會走到平民那裏。卻直接的被帶到一間顯然是早替我們預備的房間。陳列了很豐盛的食物款待我們。房門又緊閉上了。一位懂得說英語的婦人作我們的女主人。但我很渴望和俄國老百姓相晤會。我大胆的踱出走廊，藉着手勢和很少的俄語半懂，和一些俄國人談話，他們很熱誠的反應。但很難盡情暢談。那「組織者」又來宣佈飛機起飛了。

大約經過四小時的飛行，我們的飛機盤旋在莫斯科的上空了。我從窗門窺見一些男孩女孩和成人在機場上捧着花球等候。我們下降，後來我們下機後，各人都獲獻上花球。機場上已安放了三架擴音機。還有十餘個攝影人員。莫斯科大學校長彼等洛夫斯基教授，以俄語致歡迎詞。其後高等教育部一位代表用印度土語作簡短致詞。

彼得洛夫斯基宣佈道：也許我們風塵僕僕太疲倦了，應需要休息。明早十時在大學設宴款待。我們代表團內的教師們乘坐大車，其餘的和俄國學生一同乘巴士。車中空氣倒還和洽。我們第一次和俄國青年接觸。歷四十分鐘才到達「莫斯科旅館」。這是特別為我們準備的，那旅館正處在城市中心，也許是莫斯科至大的旅館了。一共有十五層，有房間八百間，館內可稱小型城市，因爲有其自己的理髮所，商店和商店窗櫥，咖啡店，酒樓，攝影室，和化學品店等。該旅館宗旨以招外國代表為主。旅館內似乎隨時可以開餐。早餐由上午三時至正午。有些吃完午餐，有些人才開始吃早餐。

我們在該旅館獲得周到的招呼。房間裏有自用的浴室。世界上任何地方來的旅客都稱羨。我們住的房間普通每天收費一百盧布。我們代表團的教師們所住的每天原定收費一百五十盧布。

蘇俄的文化中心

洗盥沐浴後，招待員告訴我道：他們已替我們定座購票，請我們去那著名的波爾賽劇院看歌劇「QUEEN OF SPADES」。我久已聞波爾賽戲院的名聲，這是所謂蘇維埃新文化的中心。這個宣佈令我們興奮喜形於色。波爾賽戲院是一間古老高貴華麗的建築物。蘇維埃最優秀的藝術家在那裏表演。其中的歌唱與音樂演習為俄國人民所稱羨。我們每人的座位票大概值三十盧布。

我們初進這蘇維埃文化中心，就遭遇到一幕醜惡的事件發生，弄到大殺風景。我們一進戲院的大會堂，看見我們代表團的座位，安排得有計劃。各人的鄰坐，都不是自己人，而是俄國人。我想記下鄰座俄人的姓名和地址。但我遍摸了衣袴的袋，都找不到我的自來墨水筆。我還以為在旅館中，聽聞被邀來觀劇，一時興奮過度而忘記攜帶筆。或在入座中跌掉了。於是我向鄰座的那位馬德拉斯大學泰曼那斯萊米博士借筆。但他也驚訝的找不着他的筆。我還以為也許我倆都忘記帶筆。可是，聽呀！隔鄰包廂發生一些驚訝嘈嚷聲音，洛克諾大學的阿加華說不出為何緣故失去他的筆，而他的鄰座當場抓到一個正動手去爬筆的俄國人。那種雖然是小事，但將我們生平第一次看俄國極講究的歌劇的興趣，剝奪去不少。

當我們回返到旅館時，心裏懷疑，恐怕在波爾賽的一套把戲會在我們自己的房間裏上演，因為見過鬼的人遇暗則驚。果然不妙，我們的衣服和睡衣不翼而飛了。可是這是一場虛驚罷了。因為這件東西被管房的人收拾去洗了。然而我們當中有些人要借睡衣才能度過一宵。（未完）

公醫應診難維現狀　無牌醫生竟無出路

香港醫療機構並不太少，祗是人口眾多，而且受薪階級及窮苦平民佔多數，更因他們的起居環境衛生不佳，易罹疾患，除求診公立或慈善社團所設醫院、診所之外，私人診所顯然無力往顧，形成了前者應接不暇，而後者則反而投閒置散。去年醫務當局曾因各公立醫院輪診擠擁，體恤病家，乃開放夜診以為疏導，擁擠情形纔告逐漸減少。天氣漸熱，各免費醫療機構門口，殆將重見大擺長龍。儘管當局計劃擴充醫務衛生機構，終因限於財力、人才，未能迅速實現。有人認為私人診所診金太貴，假如想到他們過去所投下的資本時，情有可原，而且一個普通人顯難負担的。

不說他們曾經留學英倫或其他英聯邦國家；僅就港大醫科畢業，給證行醫，其所費每年五千元港幣學費，已著實令人咋舌，一位出身港大的醫生，在香港開設診所，應診十年，殆未必可以賺回本錢。這大概是香港私家醫生收費貴的原因之一，但在有產階級看來，私家醫生收費並不太高。因時制宜，私人診所收費過高，[illegible]無可厚非。但是擺在現社會的一個諷刺事例，在一般市民看來，不無感到困惑的：爲什麼要有「黑市」醫生，且往往因「無牌行醫」被控違例。醫生「無牌」，行醫係以「黑市」方式「進行交易」，對醫生的崇高人格，無疑是一大詬病。然而香港自經大陸陷共之後，南來難胞不乏甚多醫務人才。

在前年開設診所應診的一位醫生，他原先係留美的知名人物，可是到了香港，無法選其資歷開業，於是就不得不再去倫敦，取得在英屬地行醫資格。而南來許多知名醫生，與國內取得資格的醫藥人才，不一定都有遊英財力。可能他們的才智，大多數均因格於本港醫務衛生條例而埋沒了，對於維護市民健康說來，怎不是一個極大損失。就情理上說，英國的醫學並不比德國進步到怎樣，可是很多留學德國醫，均難在香港開業，舉例來說，去年有一位留德醫生，被控以「無牌行醫」的罪責；現時這僅下能開業醫生，祗好轉業營商。諸如此類情形，更因當前醫務人員需求孔亟之時，當局實有考慮修訂條例必要，不妨以考試方式，逐一甄別，最低限度將他們登錄為備用人員，俾作不時之需。世界民主國家既重視醫科專門人才，即在鐵幕後面，亦未嘗輕易排斥。殖民地醫務條例，遮斷了三百多位來自大陸的流亡醫生服務健康之道，殆難免被譏目私與封建。然而變通辦法倒非沒有，不久以前，有十四位自一九四八年以前在本港服務醫生，曾獲不列顛全國醫委會認可；當此二百多萬市民均感醫生大量缺乏之時，自可由主管當局向樞密院建議，援例允許此等流亡醫生開業，即令使彼等從事於一個短時間見習，亦未嘗不可，何況約有半數現服務於港九各大社團，醫務當局對於此一問題，應有及時考慮必要，受惠者豈僅是少數的流亡醫生而已。

香港三日

邱吉爾當編輯

—邱吉爾廿年隨從譯臣的敘述—

牛布衣

邱吉爾十分喜歡做事的。一九二六年英國總罷工的時候，邱吉爾是內閣的財政部長，那時倫敦混亂不堪；一切都停頓了，連報紙也停了版。邱吉爾最愛看報，寧可沒早餐，不能缺少晨報。於是，他建議政府辦一種早報，由他担任編輯。他從來沒有辦過報紙，更沒當過編輯。但他一點不介意。

倫敦晨報應允在罷工中，把報館借給政府。邱吉爾高興極了。準備好了車子，他叫我跟他到報館。跑進了編輯室，邱吉爾真是得意忘形，坐到總編輯的椅子，大哼其流行曲。邱吉爾的歌聲是世界上最可怕的聲音，一半發自喉嚨，另一半發自鼻孔，是一種說不出的怪聲。我生平最怕聽邱老唱歌。可幸的是他不常唱，只在極得意和別有會心的時候偶一爲之。

他先跑到印刷場去參觀，回到編輯室，馬上召見報館的職員。他神彩飛揚，好像金礦就在面前似的。報館的人員也十分高興。財政部長到報館當總編輯，那的確是一件難得的事情，一個難逢的機會。

邱吉爾正和晨報的人員談得起勁，電話來了。那是工會的電話。工會禁止晨報人員替政府工作。報館人員都跑了。邱吉爾一個人在編輯室裏亂跑了一會，拿起聽筒，接電話給「每日快郵報」董事長傅化勃陸爵士。不一會，快郵報把他們晚間的監督派來給邱老驅使。這位監督不屬工會，能打字，而且會製版。邱吉爾担任編輯，快郵報的監督担任有關技術的事務。第二天早上英國公報刊行了。

× × ×

那是一張只有兩頁的報紙。編輯好了，邱吉爾在編輯室踱來踱去，表現出十分不耐煩的樣子。我趕快把印好的第一張報紙交給他。他一邊看，一邊放出怪聲，又大哼流行歌曲。那是邱翁一生最得意的時間。

機器房缺少機械匠。邱吉爾接電話到潛艇基地，請他們派專家來幫忙。不一會，人才都齊全了，都是第一流專家；可惜的是他們都是外行。邱吉爾白天在財政部，每天總接了十多個電話到晨報。下了班，他便跑到報館，當英國公報的總編輯。英國人民倒也歡迎邱吉爾的報紙，由幾千份開始，到罷工結束時，已達兩百多萬份。

經濟社會思想叢殘

金伯華

經濟對象的不同

誠如孫中山先生所說，資本家用金錢勢力壓迫平民，平民是資本家共同經營所要加以無情剝削的廣大對象。合作制度共同經營的對象則不然。

有錢人是少會參加合作組織的。第一，他家資鉅萬，予取予求，根本不感到合作的需要。因之，他便自然的會瞧窮人不起，不屑與胼手胝足，衣衫襤褸的小工或者百姓爲伍。因爲合作社是「人的結合」，而且事實上往往是「窮人的結合」。他們之所以需要共同經營，是要由「自助」以達於「互助」。他們共同經營的對象，是要於經濟需要之外，還須有精神需要理想，具信心，驅愿氣求，志同道合的覺悟份子。他們的共同經營，是自己的事要由大家自己一氣來做；自己的需要，要用自己和整個人類的生命，要靠大家自己的共同努力，共同充實來予以發揚！凡是合於這個崇高純潔要求的人，一律可以合作——資本家亦不例外——毫無等差。

他們唯一所要排除的對象只有一種：中間人。因爲剝削關係，完全由於中間人而發生。

沒有中間剝削關係，則經濟學上通常所說的「利潤」，便自然無從發生，然後「公平價格」，「經濟民主」，方有實現的希望。

基於以上所述，我們可以得到下面這樣一種認識：

資本主義的共同經營，是金錢的大結合（方法），專用以來剝削人（對象）的；合作主義的共同經營，是人的結合，專用以保障經濟弱者而要建立人與人間的公平經濟關係的。

政治、軍事、經濟

現代國家在「共同經營」這一個方法上，無論政治，經濟，軍事各方面，均已有長足的發展和堅强的應用。政治與經濟既不可分；經濟與軍事似亦有互相因果的關係。例如有古代中國「代天行道」的「天子」，即有中國人民順應自然的農業經濟；有英美各國研幾物理，「人定勝天」的科學發明，即有「自由競爭」，重利輕義的資本經濟；有帝俄淫虐專橫的「沙皇」，即有人形牛馬，從屬於地的農奴經濟；有馬克思主義「經濟決定一切」的所謂「勞農專政」的極權制度，即有泯滅人性，倡行階級鬥爭的奴役經濟而與帝俄專制的社會背景，水乳交融，成爲當前威脅整個人類文明的共產主義集團的罪首，使經濟制度的分野——自由與奴役——第一次劃然顯示於人類良知之前，迫使我們不能不作徹底的檢討及慎重的選擇。

中國的「天子」及帝俄的「沙皇」，均已成爲歷史的陳迹，以及這兩個龐大國家今後的命運如何，此處不擬深論。但若單就資本經濟與奴役經濟兩種制度比較起來，至少在可預見的未來期間，前者倘不能自行順應潮流，有重大的內在改革，以維持「共同經營」的鞏固，則後者實有它生存活躍的條件和空間……這所以，相當明白，資本主義在美國，在英國，都確已有某些管理技術的轉變。十五年前，德國經濟大師米西司教授出版了一部鴻博精湛的「國民經濟學」，十年後移居美國，改用英文刊行，雖內容大致相同，但他竟把書名改爲「人的行動」。

（二十）

（未完）

我為民主說項斯

馬五先生

「平生不解藏人善，到處逢人說項斯」，還是古人對於立身行己的修養工夫，也是處朋友之間的一種德行。我認爲吾黨負有輿論職責的新聞記者，也應該有這種態度。

新聞記者隨時對於政府得失發爲批評，對時代人物有所臧否。但，一個機關或一個人物，其言其行，固然必不免有所缺失，然亦未必毫無是處？有所失，即批判指摘之，有所是，若不予以鼓勵稱許，那就不合理性，與民主自由的風諦相牴觸了。所以，我在「自由談」中雖然對時事與人物的缺失，每有指摘，卻亦並未忘去「說項斯」的道理，過去曾以「試舉例以明之」的題目，指出政府某些事和某些人，很有民主作風，是進步的現象。有讀者來函指詰我的不是，但我自信其爲發於天理良心之言，泰然自安。

近日看見僑委會主持人鄭彥棻氏致香港某報的一封信，辨正該報對華僑處某擬組青年軍問題所作的批評，心平氣和，樸述事實經過，娓娓道來，毫無一點官樣意味，我覺得這就是民主政治生活的好態度。某報記者原以「鄭彥棻所司何事」爲題，指僑委會不盡職責，「擺官僚架子」，其詞殊爲凌厲。然鄭氏不激不隨，列舉事證以明是非。這樣一來，不特批評的人無話可說了，即此會人士亦對鄭氏的作風，表示贊美，更與世俗所謂「政府威信」，絕無損失，相反地適足以增加政府信譽哩！假使鄭氏見着記者的批評指摘，即怒不可遏，氣衝牛斗，悻悻然發表官式談話，跟新聞記者從事門霧式的紛爭，那不但於事無濟，而且有失體統，更傷政府信譽，尤其不是民主作風。因此，我由衷地要公開向讀者「說項斯」，指出他這種風度是對的！

區區也曾是官場中的過來人，常抱有一種觀念，即官吏生活一定要受得了「閑氣」，否則趁早不要作官的好！

觀李麗華有感

我生

影劇雙棲藝人，北平李麗華在影壇上早有盛名，中共竊據大陸後，她豐居香港，從事水銀燈生活，曾東渡日本拍片，前爲懷念祖國，在着千困難情況下，毅然組團回國觀光，率領香港自由影人王豪等一行十餘人並自任團長，終於返回國門，抵達松山機場時歡迎場面相當熱烈。休息了幾天之後，即赴最前綫各島嶼展開勞軍工作。東奔西走，實實相當辛苦。

立信會計學校爲了復校籌募基金，假台灣省鐵路局禮堂，邀李連演三晚，誠爲盛舉。三日的劇目計醉酒殺惜並活捉、虹霓關、園房樂府齣。我以爲殺惜活捉定有熱烘情緒，可是未盡理想。三日的戲，以醉酒闆房樂爲最佳，活捉虹霓關次之，最使人失望的是坐樓，問題是在嗓子，當然不能足怪了。

×　×　×

已經四十開外近五十的李麗華，論年紀一經扮起上裝，竟有如此漂亮的扮相，玉琢粉團，仍舊還樣姣麗，無疑是天生尤物，更無怪顛倒許多衆生。當晚演醉酒，用了八個內監八個宮娥，再加高裴二闆，一共是十八人，全台花團錦簇，煞是好看，氣派大方，台省鮮有之演出場面，前次我兩度欣賞沈元變，如用四監四娥，孔雀扇屛，已够偉大，李艷居然尤有過之。曾憶往日觀梅荀二氏所演此劇，均未有此場面，幾段四平調，唱得清脆動聽，其高音雖然略差，而不足爲病，身段水袖均極好看，三個臥魚姿勢不錯，尤其是中間的那一個，既快又捷，可謂乾淨利落，三次啣杯，腰功煞是不錯，但我認爲稍快了一點，同座三位鄉親批道，年齡老了，腰桿的工夫總得差點，可以原諒的，我這才恍然。全劇精采無疵，在目前的藝壇，能叫一絕，周金福夏維熙分去高裴二角，倒是挺好的綠葉牡丹。

×　×　×

翌晚演坐樓殺惜代活捉，李氏只演坐樓活捉二幕，在過去名伶無此演法，因此坐樓殺惜而不代活捉，或縱代活捉則由另人演唱，以前都是如此的。猶芙蓉艷雷豔生皆不唱活捉，小翠花倒是一人自始至終，我卻少見只演頭尾者，幸有良好配角梁正聲頂替，否則精神不貫注，就無精采可言了，這點要讚李麗華，以後凡演此劇者，需要特別注意到，因爲接唱的人，萬一趕不上場，那就貽笑觀衆了。

演坐樓一場，稍有疏忽之處，不妨列舉如下：（一）宋江來敲門的時候，神色不够緊張，開門時亦嫌緩慢，正樂只從手下鑽了進來，（二）把鞋兒拋地感覺太快，致使正樂有措手不及之感，於是釀成大錯，（三）念白時過於低沉而現本嗓，且無旦角味，猶如近乎話劇台詞型，今後望注意及此。唱調尚韻，表情也十分可看，關於活捉一幕則大佳，幾乎非一人所唱，劇情至此已達最高潮，走邊圓場尤其好看，其飄蕩的姿態，酷似鬼魂，一副猙獰的面目，煞是恐懼，所唱小工調的吹腔，則比前面皮黃爲佳，她演此劇是長於活捉，但不精於閨院，依以姿態神情口白，偶爾說上幾句上海話尤覺生動，無一不好，這角色以吳劍虹爲絕活，寶島恐無出其右了。

春暮雜感

張任氏

荏苒光陰又一春，悲歌慷慨敢憂貧，
誰知潦倒天涯客。曾是風雲叱咤人。
閉門風雨不尤天，壯士從來感暮年，
誰信馮唐眞老去，我心猶憶祖生鞭。
家亡國破感飄零，酒未消愁醉又醒，
魂斷江南千里外，中山陵上草青青。
大陸沉淪五度秋。幾人捐憤赴公仇，
中原北望渾如夢，暮色蒼茫獨倚樓。

語意學漫談

徐道鄰

十二、人類語言的兩名劫路賊

人類語言，是用以傳達意志，溝通思想的。一個人把他腦袋裏的思想意志，透過語言的功用，傳達到另一個人的腦袋裏，好像一個人從村莊『甲』經過一條道路走到村莊『乙』一樣，也好像我們打電話時的聲音經過一條電綫達到對方的耳機裏一樣。如若在這一條路上出了一個攔路賊，把這個行路人闊稱打死，或者把他綁架到山寨裏藏起來，或者這條電綫發生了毛病，使我們聲浪所造成的電波不能在這上面繼續進行，那麼這一個走路的人，和我們對着電話機所說的語詞，永遠不能安全的達到對方。而這一個交通過程 COMMUNICATION PROCESS，因之半途夭折。

可惜我們人類一般的語言習慣，實在不是一個十分可靠的傳達思想的工具。在我們這一條語言道路上，有兩位強梁大道，經常出現，來攔截打劫過路的行人，使我們在思想溝通的過程上，遭遇了無數的困惑和煩惱，如同許多被攔劫者的家人所感受的焦急徬徨一樣。

主觀見解客觀陳述

（我們一般人——沒有受過語意學訓練的人——在說話時，經常犯着一個大毛病，就是喜歡把自己個人的主觀觀念，當作一般的固定的客觀事實敍述出來。）

某甲說：『哥倫布發現新大陸，在一五一七年。』某乙說：『不對。在一四九二年。』在這裏他們兩個人所想表達的，都是一種客觀的事實。所以他們爭辯中的是非，是比較容易證明的。如果某甲說：『羊肉比牛肉好吃，』某乙說：『不對，牛肉比羊肉好吃的多。』那麼他們兩人所發表的雖然都是個人的意見，卻是他們用以表達的方式，卻全都像似客觀的事實一樣。因之是非愈難判別，他們的爭論也愈爲之持久。

某甲的頸項，周圍有十六吋半，穿上件十四吋領口的襯衫，如何扣得上？某乙說：『這件襯衫的領子太小了！』那麼這是一件客觀的事實。如若某甲穿的是一件花襯衫，而某乙說：『襯衫應該穿白的，花襯衫多麼難看！』則某乙所說的，不是客觀的事實，而祇是他自己個人的意見。但是如若他說：『老甲，花襯衫現在不時髦了！現在流行的是白的。』那麼他所說的，又可能是一種事實。

（二十九）

唐鬍子與楊大個

易與

他說楊大個子留有一本薄薄是顯要們題名的紀念册，要他題它寫上幾句話，他說：「我不知要寫些什麼才好？我並不是爲着他老兄對我的兩瓶蜜餞糖菓，我是爲着他老兄的友情，」他說到這裏，突地拍着我的肩膀，他竟笑不可仰的喘起氣來，嘻了一陣，才慢騰騰的說道：「我料不到這個人居然會有人找我寫什麼話，還叫做什麼話呀」，他忽然又板起一付嚴肅的神態，用着極其莊重的語調，而向着我說出「小老弟，你可別玩這一套呵！不過，際今之世，我看楊大個子比你要有出息」。他說罷深深的一擊。他接着順手拿起筆來，就在那本紀念册上，寫下歪歪斜斜的兩行字，每一行是八個字，「種瓜得瓜種豆得豆」，「染蒼則倉染黃則染」。

暑假過後，我仍舊到上海去讀書，而且仍舊和楊大個子結伴同行。寒假回C城，我一到家，媽媽就告訴我「送報的唐鬍子，前幾天打發人送來一包報紙給你」，我問媽媽「我們家裏的報紙還是他送嗎」？媽媽搖了搖頭，說他又有一個多月沒有來送報，我下意識裏似乎有一種不幸的預兆在潛伏着，我便急忙的去看唐鬍子，他的媳婦說：「叔爺去世已六天了，今天是他的頭七」，我們明了他的理由所在，含淚一鞠躬，帶着傷的心情走回家去，我記得我曾經到他的墳上看過一趟。

在楊大個子吃飯後兩天，我到報紙上一幅佔二十行字以上的啓事，說是某月某日假座××寺爲世界文化先驅大師唐××舉行四十週年紀念，下面署名的是楊大個子爲首，接着都是赫然顯名於現代的名人物，我看了也就淡淡然置之，因爲那事的唐××這個名子，好像根本不是唐鬍子？不過同時我也接到楊大個子一封請柬，在那一天的紀念會裏，楊大個子敍說了唐鬍子一番生平，有若干地方都是我所不能瞭然於心的，即如他那名字，我就從未聽人說過，就是我所見到的唐鬍子墳前石碑，也祗是「故顯叔考唐公之墓」。我望了望那幅放大的世界文化先驅大師的遺像，再看了看主席楊大個子那付傲然自得的神態，尤其他那舌翻蓮花的一篇絕妙好詞，我的腦子漲疼得受不了，急急的若喪家之犬似的逃開了。

有入說：利用活人的關係，不如利用死人的關係，利用男人的關係，不如利用女人的關係，我于楊大個子對唐鬍子的生前關係和死後關係，深恨不該太那樣的眞切了。眞個以一個生前幾乎會被人忘卻的人，死得卻得在現世裏頗爲顯要的活躍人物的利用，以一個編纂過報的人，居然在死後博得世界文化先驅大師的頭銜，唐鬍子要是泉下有知，對於楊大個子爲他這番做作，該又是一種什麼感想？就我所知，楊大個子因爲攀好唐鬍子，不，該說是世界文化先驅大師唐××的關係，好像在什麼國際的和什麼學術的聲譽，似乎又錦上添花的加多了一些輝煌的彩色。說來慚愧，我這個沒出息的唐鬍子的生前小友，祇不過抱殘守缺的領略了他所給與我那些舊報紙的東東西西，卻沒有像楊大個子他這個死後老友給他來一番身後風光。

（續完）

阿剌伯風光

伯林譯

五十年前，沙地阿剌伯還是個沙漠王國，國家收入，主要是依賴回敎徒到麥加去朝聖所付的人頭稅。今日，美國公司的鑽管與機器，發掘了沙漠下的石油寶藏，使它們變成源源不絕的黃金，流入沙地阿剌伯國王的財庫，每年達二億元之巨。最近，美國記者愛勒到阿剌伯訪問，寫成了下面這篇報導，不僅說明了這座沙漠「煤金所」的希望，也剖解它所面臨的種種問題。

從遼闊的阿美（阿剌伯、美國）石油公司的現代化大廈遠眺，南北西三面都是一望無際的沙漠。許多事物，使公司的首腦們夜不安眠，這大部份是由於爲這沙漠帶來巨大財富所引起。去年，阿美公司一萬四千名阿剌伯員工全體罷工。一位公司主腦對我說：「你知道罷工領袖所要求的是什麼嗎？他們不僅要求加薪，他們要求和美國人一樣的生活津貼，像美國人一樣乘着汽車去上工。他們要消除他們自己和美國人之間的差別。這是無可奈何的事，錯誤不在我們，也不在他們。我們到這沙漠來，帶着無線電、洗衣機、汽車、和各色各樣的現代用具，使沙漠中數世紀來的古老文化發生了激烈變化。我們到這裏來，並不是要造成一個模做美國的國家，但我們無法也阻擋這樣的變化。問題是，所產生的模做，既不是美國式的，也不是阿剌伯式的。」

阿美公司所付的薪金，高過沙地阿剌伯其他任何機構。阿美公司總部所在地，員工們住的宿舍，並不是按照國籍而分配，而是依照職位的高低的。阿剌伯職工的離開了沙漠，離開了蓬帳，住到有冷氣設備的房子，他們有游泳池可抵擋晝午的烈陽，且有漂亮的運動場，裝着明亮燈光，以供夜間遊戲。但是阿剌伯員工的生活愈來愈像美國人，阿美公司卻愈來愈阿剌伯化了。公司和沙地阿剌伯政府及五十三歲的國王紀德的關係，是保持絕對尊重對方的意見，以致許多年青員工認爲公司當局對政府太軟弱，使美國員工多表不滿。在二年餘前，老王下令禁酒，公司裏的美國人都十分憤怒，但也無法可施。後來，公司當局又接受了，不許輸入書籍的禁令，這顯然是爲了防止破壞性的書籍流入國內，政府又下令不准婦女在公司範圍以外地駕駛車汽（在公司場地內則不加限制），公司當局也沒有提出一些抗議。二年前，在國王的「提議」下，阿美公司又將總辦事處從紐約遷來這沙漠，結果阿美公司不再是一家在外國設立的美國公司，而是一家在美國設分公司的美國公司。今日要參加阿美公司做一個長期員工，把這工作當作一種事業生活，便必須接受沙漠到後，適地做了相當時期後，能調回國內的總公司，因爲總公司就在沙地阿剌伯。

（上）

巧對

有以香港地名屬對者，頗見工巧：

淺水灣跟灣水淺
紅梅谷裏谷梅紅

刁作謙的風趣

李毓田

筆者近於胡素貞博士寓所，遇聖馬可中學校長刁作謙先生，經胡博士介紹後，刁老先生很幽默的說：「大陸淪陷後，這校長是胡博士派給我的工作。……」他遞給我一個名片，上面除刊載「聖馬可中學校長」名銜外，另刊「前清——翰林院編修、法政科進士」、「大英——劍橋大學碩士、高等法庭辯護士」四項銜名，這些都是他老人家在學術成就上的標記，他沒有把他在外交界服務的官銜寫上，於此可見他重視學術的意思。

自由人

THE FREEMAN

（第四三二期）

3 rd, fl. 20 CAUSEWAY RD HONG KONG

海外總經銷 友聯書報發行公司 香港：彌敦道中二十六號A二樓

台灣特派員辦事處 台北市館前街五十號

台灣總經銷處 台北市西寧南路一〇一號二樓

台郵撥儲金戶九二五二

金馬與世界和平

—雷德福與羅拔遜的來台任務—

曾旭軍

美聯合參謀主席雷德福上將和助理國務卿羅拔遜將於本星期日到台，據美國防部宣布他們來台是因爲遠東局勢緊張的關係。雷德福上將原定數日後前往歐洲參加北大西洋公約組織所舉行的總演習的，因此取消了赴歐計劃。同時，根據路透社倫敦新聞電訊，雷羅赴台的眞正任務，將爲準備使國軍爲「世界和平計」撤出金門馬祖。並說，美國領袖現已不反對撤退大陳島嶼（金馬）之議。杜爾斯國務卿同時發表談話，謂雷德福上將赴台並非因台灣局勢有突然的危險。於此雷德福來台的眞正任務似已不難得其大概了。

撤守金馬的理由如是

我們從紐約時報四月九日的評論，已可明瞭美國當局無意協同守衛金馬的原因有三：第一、是恐懼金馬之戰足爲世界大戰之導火綫。該報說：「美蘇兩國對於『他們所保護的中國』之糾紛，是不能置身事外的。誰也不能預測一旦金馬發生戰事，對方有何行動。許多被蔣介石總統鼓勵的軍事家，以爲如此的局部戰可以推毀毛澤東政權，但一旦戰事爆發，少不了最低限度要用戰術原子武器，然則蘇聯豈能置身事外？莫斯科政府會甘心讓其附庸中共被消滅麼？又豈能不信守「中蘇協定」嗎？」第二、美國不敢單獨行事。該報又說：「一旦蘇聯替中共還擊，我們的盟友未必肯參戰。因爲他們若干人已聲明不爲金馬而戰了。」第三、是美國始終認爲金馬無戰略價值。在美國的純粹軍事立場看，這是不足爲奇的。因爲他們以劃界自守的眼光來看，必然是如此的。以一例作證；上月美國大使會議於菲律賓之碧瑤。柯林斯將軍與美海軍普雷德斯將軍都說「金馬二羣島無戰略價值。因爲中共佔金馬亦無法進攻台灣，而國軍仍守金馬亦無法反攻大陸。」紐約時報亦以放棄金馬不能與慕尼黑悲劇相提並論，因捷克地位重要，卑斯麥已預言而希特勒已證明布希米亞之地位足以左右歐洲全局。

愈退縮大戰愈難免

假如雷羅兩氏想來說報自由中國放棄金馬，我想大概不出以上的理由。但自由中國決不能不戰而放棄金馬。最重大的理由是：如放棄金馬無異對大陸上四億同胞與千餘萬海外華僑宣告復國已無望，大陸永遠沉淪。因而精神武裝全部爲之解除。一潰將不可收拾。針對上述美國放棄協守金馬的觀點，我們應指出：避免世界大戰，不能以退縮求苟免，愈退縮，則世界大戰之來臨亦將愈早。愈強硬，則共產集團亦愈不敢放肆。若謂蘇聯必然協助中共，故而不敢協守金馬，則無異美國自認怕強權而輕公理。吾不知美國尙何所恃以領導自由世界？

若謂慮無盟友支持，而甘受共黨威脅。試問將共負若離的盟友犧牲，而遷就自私苟安的盟友，又是否得計？若因無此等盟友的支持而退却，試問要退到何處爲止？

若謂「金門馬祖即在共方手中，亦無慮台灣之被進攻，金馬即在國軍手中亦無法反攻大陸，故而應予放棄。」則由此推論：冲繩在中共手中，亦無法進攻美國，美國死守冲繩又所因何在呢？這個反駁推論，並非犯「諾意學」的放射作用之錯誤。因爲從主從關係上看，金馬與台灣，的確和冲繩與美國有同樣的關係也。

金馬萬萬不能撤退

際此滿天妖魔氣紛之局勢，我希望自由中國當局必須有定識與定力，決不能再作後退，再退必無死所。我更希望當局大聲喚醒全世界人士，當知今日中共之鴻攻金馬，必無止境，蓋中共侵台實係蘇聯「世界革命」的擴張侵略之一部份，亦即爲滅華之未竟工作。決不會得到金馬即歛手不前也。

此次，雷德福與羅拔遜倉卒來台，究爲勸說自由中國退讓金馬，抑爲針對亞非會議所造成遠東危險局面的新形勢，籌共同應付之策？筆者未敢即下堅決判斷。但盼我當局持既定方針，本中美協約的精神，堅決反對安撫，共黨封豕長蛇，決無饜足之日，得失利益，瞭如指掌，雷羅二氏，當素爲中國之友，能鑑別得失也。

爲世界和平計，金馬是萬萬撤守不得的。

△復活節假期，艾克主持棒球賽開幕▽

所謂「五項原則」的批評

黃同仇

我們讀了尼赫魯和中共去年所談的五項原則：（一）大家不涉彼此的事情，（二）訂立互相尊重彼此的主權與領土；（三）不干涉別人的內政；（四）平等互惠；（五）和平共存。從這些原則看我們無法說明尼赫魯的想法錯誤，假使他能採取適當的行動，以求這些原則的實現，這不但是亞非國家有利，也是當前世界所需。可是他從一個份子複雜的亞非會議，來實現這理想，這未免太天眞，或竟可說太愚昧了。

國際新暴力的興起

不管共產黨的宣傳方式如何妙巧，外交手法如何狡猾，儘管把威脅世界和殘害人類的責任推得一乾二淨，拿「資本帝國主義者」做個幌子來掩蓋「赤色帝國主義者」的醜惡面目。但事實已告訴我們，二次世界大戰結束後，東方帝國主義的日本固已不復存在，即西方帝國主義的英法德意荷也已名存而實亡。他們保持了三四世紀的殖民政策，也早隨着他們的帝國衰亡而終止了。大韓、印度、巴基斯坦、錫蘭、印尼等亞洲國家便是在這樣的時機而得到新生的。最近的法越叢約，英軍撤離蘇彝士，都是時代推移使然，也就說明資本帝國主義已經逐漸沒落，不足爲人類的大患了。現在應該是一個光明的新時代開始，尤其在原子能的發明及其應用於生產動力以後，人類社會不應該再有戰爭，飢餓，物資匱乏及其他一切殘酷野蠻現象的存在。竟料不到，在這「資本帝國主義」退汐的今日，却又產生另一個危害人類和威脅世界和平的暴力。這一暴力的基礎，是建築於馬恩列斯的蘇維埃帝國主義之上的，它由莫斯科橫溢於歐亞兩洲，並滲透於全世界。目前世界所有的糾紛和國際緊張的局勢都是由於這一新暴力所造成。共產黨正想利用他們這一個暴力來傾覆全世界。他們爲了掩蔽自己的陰謀，更不惜採取種種騙人和無恥的手法，轉移一般無知者的視綫，把當前世界不安和醞釀戰爭的責任轉移到西方國家已經僵死了的資本帝國主義的身上。把亞非民族和西方國家幾個世紀以來的歷史宿怨從新提出，加大渲染。

這種失去時代價值的濫調，當然改變不了眼前事實，而取得明眼人的信服的。

幫助中共虛張聲勢

尼赫魯和少數幾個亞洲國家的當權者，他們忽視當前世界危機的眞正所在，是共產帝國的窮兵黷武和無限擴張，是共黨國際的間諜滲透各國作內部的破壞。他們不明白目前亞洲民族並不是害怕已衰退了的西方帝國，和已經沒落了的西方殖民政策，而是害怕共產帝國的侵略政策。尼赫魯之輩假使連這點都不明白，那便是十足的幼稚與愚昧，假使他們已有領悟，而還要採取現在這樣的途徑，這就叫人百思不得其解了。

共產黨的陰謀策略是整套的，鬥爭技術是複雜的，一進一退都有它的作用，表面上是一回事，骨子裏又是一回事。儘管表面上對你如何卑躬屈節，選賢和善，骨子裏却另有打算。表面上對你如何強硬，如何激昂，實際也上許是色厲內荏，虛張聲勢，故作宣傳。最近中共代表周恩來大吹大擂，反對什麼殖民地政策，反對干涉內政，反對種族歧見，主張禁用原子彈等，請西方國家退出亞洲，「解放」台灣等，一連串帶有煽動性、挑撥性、和侮辱性的口號，他何嘗不知道，這是許多亞洲國家所不會接受的意見。尼赫魯之流又何必替他作態，增加共黨的宣傳聲勢呢？

反戰爭須反人海戰術

現階級的國際形勢，蘇維埃帝國主義的侵略兇燄，已把歐亞兩洲過半數的土地和人口圈到鐵幕以內去了。目前亞非兩洲的民族，與其高呼反對西方垂死的殖民政策，實在不如反對蘇維埃的侵略奴役政策。說到干涉內政，現在全世界沒有那一國沒有共產黨的滲透顚覆勢力的潛服滋援。全世界的共產黨都在莫斯科的操縱指揮之下，從事各國內政干涉，從事援亂與破壞，尤其東南亞各國，可以說沒有那一國是不受共黨援害的。因此，反對干涉內政，首先要停止共產黨的活動，要取消共產國際的組織。原子戰爭是殘忍可怕，違反人道的，但是我們更不能不承認「人海戰術」也是殘忍的違反人道的。我們反對使用原子武器，更不能不反對人海戰術？並且中共既反對戰爭，主張和平共存，何以還要天天擴充軍隊，製造戰爭呢？中共既然要製造戰爭，要使用人海戰術，爲甚麼要實備別人使用原子彈呢？這大概便是共產黨的辯證法。

總結一句，和共產黨人講道理是永遠講不通的，要和共產黨人開會議，也是白費的。共產黨是絕對的不擇手段的，共產黨的道德觀念與尋常人的道德觀念也是兩樣的。共產黨的字典沒有信義兩個字，他們是以欺騙和殘害爲道德的。現在全世界非共產國自由國家和自由人民都是共產黨的敵人，尼赫魯當然也不能例外的。

半週展望

陳克文•

反新殖民主義運動

萬隆亞非會議，首由印尼總統蘇加諾於開幕詞中，提出對新殖民主義的譴責，跟着伊拉克代表耶馬里明白指責「共產主義爲一種新殖民地主義」，昨廿一日亞非會議發起國之一的錫蘭（可倫坡集團五國之一），她的總理科特拉瓦拉又於攻擊西方殖民主義之後，猛烈攻擊共產黨的新殖民主義，他舉出在共黨統治下的許多歐洲小國做事實的說明。於是反新殖民主義運動便成爲這次亞非會議的最有力量的洪流。共產黨一向利用「反殖民地主義」做攻擊西方的武器，此次參加亞非會議也正想充分發揮這一武器的力量，竟料不到「以子之矛攻子之盾」，共產黨反因此而受到絕大打擊，難怪周恩來這好垂頭喪氣，默坐無言了。

反新殖民主義運動是今後亞非國家命運所關的運動，這運動一定會和過去反殖民主義運動一樣非達到成功之日，是決不會停止的。

周恩來的「熱心親切」

反新殖民主義的怒吼把中共藉亞非會議做叫囂宣傳的氣燄，給了重重一大悶棍，於是周恩來的態度變成「溫和」了，變成「熱心親切」了。然而披上羊皮的豺狼，仍是不可不防的。他和印尼簽了華僑雙重國籍的協定，又藉尼赫魯的拉攏和泰外長萬親王，菲外長羅慕洛見面酬酢，這一切表示周恩來想藉「溫和」「親切」的羊皮，向亞洲華僑聚集的國家，賣弄風情，施展詭計。假使周恩來的狐媚之術得售，不僅可以孤立自由中國，離間西方，同時更可控制千數百萬的海外僑胞，供其犧牲奴役。

美國參議員惠利說，萬隆會議各國質問中共拿甚麼來援助亞洲？我們可以說，共產黨的政治本錢是威脅和欺騙，美國的軍經援助，固然可以引起亞洲國家的興趣，但共黨的威脅和欺騙也是亞洲國家所不容易抵抗的。西方國家必須明白這一道理，才能夠釐定確實有効的亞洲政策。

吳廷琰與越南前途

越南三個教派建立聯合陣綫企圖推翻吳廷琰政權的風潮，現在已鬧了將近兩個月時間，始終沒有解決希望。這些含有土匪賭徒色彩的私人軍閥勢力，一日不能就範，則越南局面決無安定進步，以至對抗北越共黨的希望，事理至屬明顯。

這樣的混亂何以治絲愈棼，吳廷琰且不免有下台之勢？最大關鍵還是法美兩國對越政策的不協調。這些落伍軍閥如果不是法方暗中慫恿支持，又何至放肆橫行，一至於此！法國的政策如果依然不改其過去統治殖民地那種精神，我想決不會和美國一致的。這樣，吳廷琰固不免終於要下台，越南的改革計劃，也就完全付之東流了。軍閥盤據之下的越南只能加速北越共黨之併吞越南的進展。

尼赫魯最近有利用亞非會議以調停南北越之謀，法國如果不從速協調其對越政策，則越南混亂之局恐將無法收拾，徒爲共黨製造機會而已。

艾登的勝利信心

艾登做了首相，立即宣佈五月大選，他對大選很有信心，他對保守黨的黨員說，大選必然獲勝，他的信心寄托於過三年半的和平與進步的工作。這自然是一般人同意的。但是，艾登不要粗心，共產黨正在製造事件，要打擊保守黨的威望，蘇俄對奧的讓步，中共假借印度飛機失事，拚命誣衊香港，都是別有用心的。艾登的勝利信心，必須提防共黨的陰謀破壞。

艾登的大選把握

本報資料室

新聞背景

艾登奉命組閣，回到衆議院的時候，反對黨領袖艾德禮發表了一篇含有諷刺性的歡迎詞。他說：『我們恭祝新首相健康，精神奕沛，可是不希望他的任期長久。』議員們大笑起來。笑過了，艾德禮說道：『我想起了一個故事。邱吉爾爵士擔任首相的時候，推來推去，總不想幹。他的好朋友貝格對他說，「讓人！就算只做三個月，英國首相總是值得幹的。」邱吉爾才肯坐首相席上。』

[illegible]艾登只能做三個月首相。但艾登是議會能手，於是立刻答謝艾德禮，他說道：『謝謝你，我想起了邱吉爾，邱吉爾雖然不情願做首相，可是身不由己，一坐便坐了七個年頭。』

準備久任唐寧街

艾登認為他的首相職位是很穩當的，他坐上唐寧街十號，只兩天工夫，便把內閣從新組織，使他內閣有新的氣象，又[illegible]把許多年輕的新血灌進內閣，他又和財長布特拉商量了兩天，決定五月二十六日舉行總選舉，新國會定期六月七日開會。若果艾登在大選裏敗了，他得於六月七日前退出唐寧街，便只能做兩個月首相。艾登在保守黨坐了十多年第二把交椅，邱吉爾退職，他坐上了第一個位子，本來還可以多做首相好幾年。為什麼要在短期內舉行大選呢？他對於大選具有什麼把握呢？

保守黨有利的形勢

綜合近日報章的記載，下面四件事是有利於保守黨的因素：

（一）工黨內部分裂，艾德禮和貝文的鬥爭，給予保守黨以大選的好機會。

（二）英國的特殊繁榮，有利於保守黨的大選。

（三）本年英國國庫盈餘超過十億美元。財長布特拉一大筆減稅，在下年度預算減低所得稅率，來爭取選票。

（四）艾登在外長任期內，對於巴黎會議和倫敦會議均著有成績，希望選民擁護他，使他能夠參加商討東西共存的四強會議。

此外，還有一九五一年保守黨執政的初期，國庫拮据萬分，一般人意見，以為七個月內，英國便要宣告破產了。可是經過保守黨四年統治，和平興盛，首都倫敦和全國各地呈現空前繁盛。以工業區而論，中部工業區的生產比一九四七年增加了一倍。本年紡織區內，竟有四萬零五十個空缺，找不到人員補充。農業機器的產量，比較上年又增加了百分之五十。蘇格蘭擴充水力發電，四年內電力增加了三倍，通貨額也由三年前[illegible]分之四十五才能抵消進口原料的價值。

人民信心是競選本錢

經過保守黨四年統治，英國生產較諸一九四六年增加了百分之五十，可是內銷數量的增加還不及百份之八。近年來英國以其製成品向國外傾售，貿易數字總是出超。以汽車為例，過去四年英國輸出的汽車比較英國多出一倍。英國去年飛機的輸出比較戰前增加十五倍，汽油二十五倍，電氣冰箱一百四十三倍，農業車輛七十二倍。

近四年來，英國的繁榮甚是空前的。全國沒有失業工人，人民的購買力比較四年前增加了一倍，中等收入階級人數比較從前又大為增加。工黨執政時所規定的許多津貼，如衛生津貼，和養老金等，家庭津貼，總值達到二十多億美元。去年保守黨把這些津貼省了下來，在各處建造了三十二萬五千多所房屋。

保守黨的四年執政，使英國人恢復了信心。保守黨認為人民的信心是他們競選的本錢和把握。保守黨希望這次大選後，能夠把國會的多數由二十票增大到五十票。這便是艾登認為他可以安坐首相的原因。也便是保守黨要在這時候舉行大選的理由。

我對亞非會議的觀感

•李金曄•

亞非會議為歷史上有色人種的首次國際集會，是值得重視的。共產黨自始即對該會議想加以操縱利用，為一種新興殖民地主義，和赤色帝國主義作鋪路的工作。

現在從會議第一天的情況來說，卻充分表露亞非兩洲的人民，對共產國際新侵略主義的憤懣和不安。大會開幕前，代表秘密會議中，尼赫魯為迎合共黨意旨試圖禁止通過發表開會詞，未為多數國家所接受，經過巴基斯坦總理阿里的堅決反對，卒遭正式否決。

正義的呼聲

再看印尼總統蘇加諾的開幕詞，強烈指出，亞非國家的團結因素，在厭惡殖民主義，但「今日殖民主義已披上新衣，出以經濟統制、知識統制、與文化統制的方式」。這已經勾畫出國際共黨新型的帝國主義的嘴臉了。

伊拉克代表耶馬里的演說，更直率指責「國際共產主義為一種唯物宗教」。其最主要的目的，在使各階級各民族間發生仇恨」！他更以激動的感情說：「共產主義為一種新殖民地主義，比舊殖民地主義更為危險」。

耶馬里最後很悲憤的說，「在舊殖民地主義之下，尚有聽見受征服人民哭聲的機會，在共黨支配之下，且不准有哭聲聞之於外！」

蘇加諾和耶馬里的演詞，已經道出了自由亞洲人民的心聲。共黨頭子周恩來也覺得除了尼赫魯之流，甘於被他們利用外，大多數的亞洲國家，是不會輕易上當的，於是只好緘默無言，臨時取銷發言，徐圖應付了。

亞洲人助亞洲人

矜式譯

「免費醫藥診療所，日夜開診」，一塊大招牌上這麼寫着。那間診療所是在越南新近獲得自由的一個鄉村裏，從前是一座倉庫，裏面，有一羣菲律賓醫生，為一個越南農婦正施行剖腹取胎的手術。他們的手術枱，用美國軍用毯子，和一條係由聯合國難民救濟組織的包裹撕下來的白布蓋着，那個病人安然躺着，金屬綫釘在枱子旁，防她移動，一些口糧罐子，架起了她的身體。房間裏祇有一盞電燈，另外用六個電筒，由護士們握着，將光綫對準了割口旁邊，一個護士則負責驅散圍集在電燈泡上的蚊蠅。經過四小時的手術，一個越南嬰孩降生下來了。

自從去秋越南休戰後，菲律賓醫生首次前來協助自由越南的人民僅他們大約已診病十萬次，這次接生不過這十萬次中之一。法國殖民當局在越南僅僅訓練了一百五十名越南醫生，而菲律賓人以不充足的設備，對付天花，瘧疾，和腳氣病等等疾病已做得相當成功了。五十八個「志願人員」，醫生，牙科大夫，護士，和社會工作人員，都竭盡所能，在此幫助越人。杜爾斯國務卿最近曾對美國人民演說道：「這是一件令人鼓舞的事，看看菲律賓人，他們纔獲得獨立不久，現在却已在幫助新來加入自由國家行列的越南了」。

這種援助越南的主張先是阿瑞爾諾所發起的，他才卅八歲，是馬尼剌一個建築師，他目睹去年夏季越南混亂情形，成千的難民，由越北共區逃出，他認為菲律賓醫生和護士應該願意去幫助他們解決一些問題的，所以他向國際青年商會馬尼剌分會提出了自己的主張，當時，某些抱着懷疑態度的人則說：「這是阿瑞爾諾『自我宣傳把戲』」，但去年十月第一批七個菲律賓醫生，和三個護士，却率先響應啓程去越南了。他們的平均年齡祇廿五歲，這些菲律賓人開始在八個新的鄉村裏用稻草建築茅房作診療所。

那些小村都是難民在森林外建設起來的。他們獻身於醫務，贏得了越南人的尊敬。但這些菲律賓人最好的財產，都是他們令人喜愛的態度。他們斷然的說：「大家需要有點笑容。」因此他們拿出了自己的積蓄，舉行派對和舞會。

同時，在馬尼剌，援助越南人的所謂「兄弟行動」，已獲得全國性熱烈支持，一個馬尼剌圖書館管理員說：「我們菲律賓人很久以來一直得到別人的幫助，而以美國為最多，我們現在能幫助別人，我想那是一件好事。」菲律賓人希望在一九五五年內能替卅萬至卅五萬越南人治病，並實行一個訓練更多越南護士的計劃，以及在鄉村成立急救小組。國際青年商會已採納了這個計劃，亞洲其他國家的分會也紛紛參加。

越南總理吳廷琰對這些菲律賓人說：「你們所提供的，不僅是肉體上的醫藥，而且是精神上的醫藥。我們原以為我們越南只好單獨掙扎，現在我們知道這種想法不對了。」阿瑞爾諾快樂地說：「看啊，這計劃行得通了！」（譯自時代週刊）

編者讀者

△阿根廷蕭立坤先生來函

對「自由人」的意見

編輯先生：

『自由人』行銷日廣，為海內外自由人士靈魂所繫，作用不小，僕不敏，惟本一片誠心，向各位先生，敬致愚誠。

（一）廣告第一：刊物欲維持長久，必須財政獨立，而收入之主，莫外廣告，或有清派編輯及讀者，輕視廣告，實屬大錯。（中略）『自由人』少刊廣告之政策，似可再加攷慮。

（二）多友少敵：吾人今日唯一大敵為共產式之毛氏政權，故應集中目標，多友少敵。『自由人』愛好心切，有時對台北指摘過嚴，甚至於連鳩山一郎艾森豪一把罵，這雖是一時痛快，但對『反共』主體，恐無實惠，吾人切不可以不可能的事責備人。天下那有不貪污的政府！如果美國高級官員與台北一樣窮，恐怕會污更甚十倍！阿根廷，法國，意大利，日本，菲律賓，尚不如台北。英國本國，或稍勝一籌，殖民地則糟透了。其餘南美諸小國，中東，南洋，一般腐化貪污，更不堪問了。所以『自由人』不可閉目不看現實，拿着主觀的十全十美的理想，去批評一個實際當政的政府。老實說，台北今日處境之苦，如千金之子，忽然拿起鋤頭，受人督責，自力更生，已非易事。至于鳩山是否投機政客，尼赫魯是否吊膀子，艾森豪是否車大砲，均應客觀一點去看。

× × ×

愚意『自由人』的主筆政策，應注重以下各點：

一、凡打擊北平城內毛記政權的事，應盡量做，也是我們第一及唯一的奮鬥目標。至於對那些脅從份子，反抗份子，盲目份子，應取同情，憐憫的態度，了解他們的苦況。所以偶然說萬歲胡風，俞平伯，梁漱溟之類一句好話，也無不可。三九七期大陸人民吃草渡日，及梁漱溟告台灣同胞書，二文極好。

二、論大局要用現代眼光去論。根據春秋戰國，來論聯合國，似乎未把前提弄清楚，難望讀者信服。

三、凡報導台灣建設，督促其改革的事，也可做。空穴之風，牽涉台灣各機關事務人事的文章，似乎值得考慮了。

四、對煩悶的知識青年，給予正確可行得通的路，如移民，工業，學術，操守，台灣的林農漁牧事業，澎湖及各小島的開發，南洋華僑史話，實際職業，這一類材料，有永久價值，指示向現實的人生。

『經濟社會思想雜談』、『語意學』、『當學罪言』、『孟保羅醫生』，都是極好的文章。

× × ×

僕遠在萬里，但甚愛護『自由人』，恰如春草之熱忱，「更行更遠，還生」！況『自由人』也不容許我們不愛護，萬一『自由人』夭折，中國的自由份子，更無半點安慰矣！即此敬候『自由人』萬歲！

弟蕭立坤上四月八日

共黨對亞非會議企圖

以蘇聯為首的共黨集團，在基本政策上，在擴張蘇維埃，征服世界。他們所標榜的反殖民地主義，只是一種侵略的糖衣，列寧曾為此指示過他的黨徒說，「社會主義者，應當要求立即實現一切殖民地的解放，並推行殖民地解放運動與蘇維埃國家最密切聯盟的政策」。所謂「最密切聯盟」，即淪為永久被共黨附庸國！但是共黨這一套策略，在亞非會議席上，已經再騙不到甚麼人了。蘇加諾和耶瑪里的演詞已經把他們的陰謀揭破了。

蘇加諾的演詞，曾提到舊帝國主義生命綫對歐洲獨霸主的重要性。舊帝國主義的生命綫，起自直布羅陀海峽，穿過地中海、蘇彝士運河、紅海、印度洋、南中國海和日本海；而控制了亞洲和非洲。在這條生命綫兩岸的土地和人民，曾長期處於被迫狀態之下，為舊殖民地帝國主義式微蛻變的今天，以蘇聯為首的新興帝國主義者，正對這條生命綫垂涎不已，企圖爭奪過來，據為己有。他們為了進行世界革命，奴役世界人民，非將這條舊帝國主義的生命綫搶過來不可的。共黨集團對亞非會議的目的，其重要精神即在於此。

共黨恐懼亞非的團結

共黨也很明白，爭奪這條生命綫所遭遇的困難，不是「舊帝國主義」的火力防綫，而是亞洲各民族間的團結力量，尤其是屬於宗教性的團結力量。

列寧在他侵略的經典裏，曾寫下了對這一地帶侵略的策略，他說：「必須與落後國家裏有影響的教會及其它反動的中世紀的份子作鬥爭；必須與泛回教主義和類似的思潮作鬥爭。」照列寧的認識，這一地帶的人民已經逐漸覺醒，「因為他們也企圖……聯合起來。」

聯合起來的力量，固可以用作對抗帝國主義，但也可以阻礙共黨的滋長，和阻止共黨在這一地帶的侵略行動！

所以，共黨儘管宣傳亞非會議旨在解決民族殖民地問題，事實上並非真正幫助亞非國家爭取民族的解放，和維護主權的獨立完整！照列寧的經典指示，是藉此擴勵各民族國家對西方關係的惡化，挑撥和擴大亞非國家彼此間的仇恨與分裂。

共黨不會有所成就

因此，自由亞洲的人民，固然要反對「舊帝國主義」對亞非利益的侵奪，同時更須謹防前門拒虎，後門進狼的危機。因此亞非會議的歷史任務，不做正面表現的諸力量，對抗殘存的舊帝國主義和殖民地主義勢力，更重要的，在認清歷史的新面，認清新興的敵人，是披着新的外衣的惡徒，是披着羊皮的豺狼。

從這幾天的情形看，共黨儘管多方設法利用亞非會議，求其陰謀之實現，實際上恐怕不會佔有多少成就的。

服飾巧合　媽咪一笑置之

華盛頓五月花旅館中，上週曾有過一次歡迎艾森豪總統夫人的盛會，出席的賓客中，有一位名叫克拉恩的夫人，從前是芝加哥歌劇院中著名的[illegible]，當她抵達會場，展眼一望，突然發覺[illegible]，竟和「總統夫人媽咪」身上所穿的完全相同。依照美國的社交習俗，這多少是一種不禮貌的行為，更何況這當晚的首席貴賓，是當代的總統夫人。克拉恩夫人正在窘困之際，艾森豪夫人已看到她了，連忙一笑走過來，揭開她的披肩說：「不要遮住了，這是一套多麼漂亮的衣服」。之後，她倆寒喧了一會，克拉恩夫人竟因此成了媽咪的好友。（孟衡）

印度青年的——赤都印象記（二）

風行譯

我們到莫斯科第二天早上，便享受一個食物繁多的早餐，實際上已不是我們通常的真正早餐。桌子上堆滿了牛乳、茶、咖啡、啥咕，和汽水一般飲料，食物有炸肉排、火腿、軟煎蛋塊，以及麵麵所製的食物。在任何一國看來，這是可驚的菜款。我們當中若干同伴，對此大堆的食物，驚訝失措。

莫斯科大學

我們去到莫斯科大學，先有幾為寅畏之感。該大學創立於十八世紀，當時以俄國大哲學家科學家，及詩人羅蒙梭夫爲名。但現在這大學的建築物，是從一九四九年開始建造，至一九五三年才完成。最高的一座大約有八百尺高。該大學共有三十六層樓。假如給我們的數字是正確的話，則可容一萬七千的大學生和研究生。此大學位居列寧山上，佔地皮二萬方公尺。莫斯科河流過前面。有運動場、草地、動物園、天文台，及植物公園。

我們一到大學不到一分鐘，即開始進行安排定的秩序，即被帶到校長室。裏面有教授們，高等教育部代表，和十個學生代表等候着我們。第一件引起我注意的，是室內成行成列的桌子，又堆滿了許多食物有各種菓實，各色飲料、餅干、朱古力，香烟等。

該大學校長照例的致歡迎詞。我們代表團團長致答詞。校長問我們停留在蘇聯時，喜歡到什麼地方參觀。但我們這一班人，平日對於俄國鳥籠籠，不知所答，有些隨便的答覆。我們想看看教育機關，工業機關，社會福利機構，法庭，歷史古蹟，和列寧格勒，史太林格勒，塔什干等名城，以及亞米尼亞與佐治亞共和國等。老實說，這些都不是有學術性的觀光團的目的地。關於遊覽目的地的討論，自然草草作結論，也好像在蘇聯其他的事物一般，讓那些政治意識甚濃而敏感的『組織者』來安排罷。

機械般的火車乘客

我們一開始便到著名的地下鐵路遊覽。這是蘇聯，尤其是莫斯科，拿來誇耀的。其月台與車站表現出藝術的意味。白雲石的地板，光滑如鏡。其牆壁並不像其他國家的佈滿了廣告畫，而是繪上了蘇聯領袖的故事，和蘇聯英雄事蹟畫。也有列寧、史太林，與高爾基等人，以及科學家，教育家各界領袖人物的雕像。我們當中沒有到過外國的，看見這種的地下鐵道建築，和自動梯（ESCALATORS）的新奇，自然有些稱羨。但有一種情形我不能不注意的，就是：雖然這裏環境這樣的美麗，建築設計如此之高雅，圖畫與雕像如此之動人。但上落火車的人，完全沒有一點喜樂的神情。他們的行動呆板到可怕，好像機械一般的，只是有些人被一羣外國人所吸引，尤其是我們的女同伴披上印度紗裳（SAREES），他們注視着我們。我們遊覽了一小時半，又是午餐時份了。

俄國的午餐不是進點心小食，而是正餐。吃罷，再去觀光，這次我們被引去波爾舍劇院，觀看遊建築物的外表。至於其他的歷史遺跡和文化中心地，我們很乏味的依次遊覽了。據導遊者說，蘇聯有一種用人力推動的房子，例如：活動小型戲院與醫院。可惜我們未能目擊此種「奇蹟」。莫斯科有兒童戲院四間，全蘇聯共有一百間。其教育意義如何，我們未敢斷定。但我聽說有一齣著名的戲劇『紅領帶』，劇中有兩個男孩子，一個女孩子和三個少年先鋒隊。這齣戲劇故事是說到一個壞小孩，不肯參加學校壁報活動，被少年先鋒隊排斥，終被感化而改造。還有許多宣傳性質的戲劇。

一九五四年九月九日十時，我們到莫斯科大學，兩位高等教育部代表和一些教授與學生，已等候着我們。一開頭便聆聽主人們的宣傳演說，原來他們所說的，已在我們離新德里之前，蘇聯駐印大使給我們的小冊子列出了「蘇聯的高等教育」，「蘇聯的科學進步」，和「蘇聯爲和平而奮鬥」一類的東西。

蘇聯各級教育

現在說到蘇聯教育的大概情形。讀完了幼稚園後，便是普通教育，依照程序來說，是初級的和中等的。中等學校分爲完全的中學，和不完全的中學。初級學校四年畢業，畢業後進七年畢業的不完全中學，或十年畢業的完全中學。但自初級學校起讀完了七年的書，可以轉入技術學校。至一九四〇年止，凡是在普通學校或專門技術學校讀書，是免費教育，但從該年起，教育部頒行新法令，要收學費了。大概每年一百五十至二百盧布。此外另有一種夜讀學校，給有職業的成人受教育。在一九五二年莫斯科和列寧格勒有百分之二十五的畢業生是從夜讀學出來的。

初級學校與普通中學是由教育部管理，專門學校，由高等教育部管理。但其經費係由有關部門支出的。例如：訓練在煤礦場工作的學校，便由煤礦部，或依其性質，可能由保健部支出。技術學校畢業出來的學生，依律例要在他學的那一種技術部門服務三年。在一九五二年技術學校共有三千五百餘間。

沒有選擇工作的自由

由於蘇聯統治者之急於求工業化，努力，一九四〇年創立「勞工儲備學校」。大概分三種：（一）金屬工人技術學校，礦工，與石油工業，（二）鐵路上的機器管理助手，修理人員，鐵路局工人等，兩年畢業。（三）工廠裏需用的熟練工人，此種講習班，六個月畢業。他們畢業後不能自由選擇工作崗位及工作地點，而由勞工儲備部直接調派。莫斯科郊外有四十六所此種學校。他們如沒得到的批准，擅自離校，則受嚴重的刑罰。

蘇聯統治者對此很坦白的暴露其淫威。當時政治局一位委員雪鐵巴柯夫坦率的宣稱：『此種學校有意改造此種「不顧國家利益與需要」的人，他們以爲工作權利是有選擇自己職業的權利。』（載在一九五一年一月二十二日眞理報）

訓練兒童做間諜

在正式受教育之前，蘇聯的兒童受保健部所管理，該部掌握全國幼稚園。三至七歲的兒童可進入這些幼稚園。但沒有很多兒童享受幼稚園教育。現在只有一百五十餘萬的兒童在幼稚園。由星期一至星期六，皆是留在學校裏，至週末下午，父母來攜帶他們去度週末。但有許多住得太遠的父母，很少能來看他們的兒女，有一個婦人說，她已有數月沒有看見她的五歲大的女兒了。有點悽愴至酸鼻的樣子。

在莫斯科印度大使館有一職員，送他兩孩子進幼稚園，滿兩小孩祇經過一月，便大受麻醉，在他們與父母談話中，說道：他們的學校，衣服，書籍，糖菓，等等都是史太林所賜給的，要多謝史太林。當父母說：他們在個國有自己的領袖，如甘地，尼赫魯等人時，他們便大聲呼叫表示反對，道：他們不相信沒有比得上「偉大的史太林」。自然，他們的父母便因此而不讓他們入學了。

我在談話中知道小孩子在星期一回學校時，必須寫下他們在家中的情形。若遇見有客人來訪問，則必須描寫那些客人的行動，和體態，以及談話的要點。雖然表面上是鼓勵學童的寫作能力，但無寗爲國家作偵察，成了小間諜。

聯合僑港教育人士　搶救高中畢業學生

關於本港高中學生出路問題，本報曾提供建議，頗爲熱心僑教人士重視，他們認爲開辦中文大學，一方面搶救僑生，另一方面亦爲緊張十分嚴重的社會問題。但此舉畢竟不是一蹴可幾，自須假以時日。最近由於日本「亞大」擄讓僑生事件，各方咸認籌設中文大學，勢已迫不及待。否則，類似此種欺誤僑生學業事件，不特無法遏止，且有助長投機牟利者趨勢。僅就僑日的香港學生而言，精神、學業與經濟上的損失，殆已難以估計。還一批將近百名的高中畢業學生，遠在一九五三年畢業於本港各著名中學，他們原先嚮往自由祖國，若以不得其門而入，投考國外大學，更非經濟能力所及。日本教育界牟利之徒，如高橋尙民等人，以香港高中學生畢業以後，彷徨失措，認爲有利可圖，藉「相模大學」作幌子，在港擴大招生宣傳，蠱惑學生入數，事實上高橋與該校並無關係，而且「相模」係女子大學。當時許多學生及其家長們祇求可以繼續升學，無暇明辨眞僞，逕行報名投考；應考人數竟逾三百名之多，可見香港高中學生力圖升學的迫切，終因無力一次過繳納全年學費，實際註冊的還不足報名應考者三分之一，祇九十五人；他們到了日本之後，纔知道是遇上了「教育騙子」，在進退維谷之時，也祇好由人擺佈，聽任由高橋設法安置於「經濟大學」，並接受他保證於畢業後免試保送其他大學二年級，而就各人個別志趣繼續升學。

迨至屆臨（三月三十日）畢業，高橋竟食前言，過去所許下的承諾，只是一味敷衍拖宕，以致羣情惶惑，最近曾傳九十五名學生對校方採取行動，要求校方給予他們升學保障。本港中正中學校長韓文溥特以此事赴日，對學生表示歉意，希望能獲圓滿解決。不管這件事情今後如何發展，誰也應該爲本港逐年增多的高中畢業學生設想，教他們何去何從，這個問題的嚴重不下於吾人日常的飲食。金文泰中學梁校長曾向當局提供建議：由港大開辦大學預科。儘管各方極力支持此一建議，終以難獲如願。本屆高中畢業學生，轉瞬將有大批離開學校，唯一的希望，自無過於投考台大，名額能否放寬，尙難逆料。根本辦法，梁校長的建議，未必一時可行，新加坡南洋大學即令不致變色，順利開學，遠隔到底不及近謀，近謀舍僑校聯合起來創辦中文大學，還有什麼比此更好的辦法呢？這是熱心僑教人士應該負起的責任與及時考慮的。

邱吉爾生病的時候

——追隨邱吉爾廿年諱臣的敘述——

牛布衣

邱吉爾是一個十分曠達的人。官爵和功名並不在他意中。可是每逢丟了官，他的脾氣却是很壞的，家人都怕他，不願意陪他在一起。

我們從埃及回到英國，習佐治的內閣倒了，邱吉爾失了業。發了幾天脾氣，他對我說，『他們不要我了嗎？不要緊，我另有辦法。你替我收拾一點行裝。明天我們往敦堤去競選。』

可恨的是當天晚上他染上了急性盲腸炎。我們把他送進醫院施用手術。我坐在病房外面侍候他。

手術剛好完畢，他便在裏頭叫我。原來他想看報紙。過一會，他又大聲喚我，要我把他那幾位祕書找到病房裏來。不一會他又叫我去接電話，要他的朋友書面回答復他的問題。醫生告訴他，說他生病，才用過手術。邱吉爾答道，『我曉得，因此我找他們到這裏來。』

不一會，他的客人來了一個進來，一個出去，日夜不息。護士長警告他道，這樣過度勞苦會影響他的病體，而且也違反醫院的規矩。邱吉爾答道，『醫院的規矩太麻煩了，要有閒階級才能一一遵守。我太忙了。』

邱吉爾的脾氣十分怪，加以聲音又大，病房外面時常圍滿了醫院裏的病人在那裏觀望。

過了沒幾天，他告訴醫生說，他已定好了一輛專車，連接在蘇格蘭快車後面，當天晚上，他便得離開醫院。醫生警告他說，『你當心，你身上縫傷口的綫條還沒有解下。』邱吉爾答道，『不打緊。綫留在身上，可以用來紀念你們。』

那天晚上，我們用担架床把他抬上蘇格蘭快車。

到了蘇格蘭，他馬上進行競選。我把他由街上扶到旅館，把他由禮堂扶到講台。扶來扶去，日夜不停。他的面容現出苦痛，但他不介意，他有堅強的意志。可恨的，人是血肉做成的，一個人的精神不能夠離開肉體。因爲驅體的障礙，那一次競選，邱吉爾名落孫山。

經濟社會思想叢殘

金伯華

台灣圖書館館長吳克剛先生認爲這是經濟思想上「一個不小的革命」，並認爲經國濟民，用貧求富的正統科學。已經「出了什麼事，犯了那條法」，故乃不得不「隱姓埋名」，把「國民經濟學」改稱爲「人的行動」，可說是觀微知著，入木三分（見四十四年二月二十日出版台灣省合作金庫出版的「合作界」季刊第十五號第二十四頁）。因爲早在二十年前（一九三四），法國有一位經濟學梅拉（LOUIS MERAT），便已喊出了「救救資本主義」的呼聲，認爲資本主義與共產主義既經成了對峙的形勢，「如果前者不極力設法自作必要的適應，則必將傾覆的。它是因爲失望迫得它不能不有改變」。大家知道，事實上資本主義確已在變。於是無可諱變，本質上總不會使梅拉所指出的「失望」得到「滿足」，那是可以斷言的。

因爲專制政治與奴役經濟相表裏；而營利經濟則必然是利己損人，具有侵略性的。用軍事爲喩：資本主義好像是侵略的軸心，而合作制度的共同經營，則爲獨立的協約。前者是攻，後者是守；前者只重功利，後者則本於道德；前者只講力量，後者則旨在建立正義，昌明公理：——一句話：資本經濟以自利爲唯一動機；合作經濟則以互利爲最後歸宿。是以我們認爲在經濟領域上與共產黨的鬥爭，無論資本主義如何矯揉造作，虛張聲勢，曠日持久，終將難於制勝——取勝之道，非把資本主義的毒根拔去不爲功。合作經濟在經營的技術上，可說完全是承襲資本主義的衣缽，並無兩樣，所不同的只在它的目的不在「營利」。下面轉述前輩談合作經濟的目的。

「不欺人」，亦「不受欺」

「共同經營」是合作制度的必要方式和方法，已如前述。進一步說，合作社裏不容許有一個非社員的受僱人員，以出賣勞力或技能的身分參加其間，即合作社每一構成份子，均必須是同勞共作的社員。這是以個人爲單位的社員與社員之間的共同經營，亦可稱爲「社內的共同經營」。這就是僱工制的廢除！僱工制果能廢除，則中間剝削自然歸於消滅。這是經濟思想上的大革命！

各地各種合作社分別健全成立以後，又就同一地區或同一種類的合作社一致聯合起來，成爲各地各種合作金融的聯合社，對於合作金融的週轉，合作品物的供銷，以及合作教育的推廣等等，都由聯合社來負指調節的責任，以謀全面合作事業的配合進展。這可稱「社際的共同經營」。我說「社際」，是的！因爲合作事業與一般文教事業一樣，也是沒有國界的。國際合作聯盟不是成立已有幾十年了嗎？這是合作國際，合作國際也有它的莊嚴悠久的憲章，每年召集大會，集全世界任何角落的代表於一堂，親愛精誠，情同手足！這是較之近年聯合國開會的情形好得多多！這是「世界大同」的胚胎。這樣，人與人之間的關係——至少在經濟方面，便祇有「競賽」而無「競爭」——可能慢慢歸於「和諧」，如同一般合作先驅者所想像的。（二十一）

談精神虐待

馬五先生

近代術語有所謂「精神虐待」一名詞，常常是適用於男女兩性相處之間的問題上，尤其在美國，無論男女任何一方，凡是指對方實施精神虐待者，即構成離婚條件。至於這一名詞的涵義也很廣，幾乎沒有一定的界說，完全以男女雙方的心理感應爲標準，譬如女的指其「黑市伴」睡在床上，打鼾如雷，使她不能安眠，即爲精神虐待行爲的一種，誰能說這理由不充足嗎？

按照一般的民族傳統習慣來觀察，西方人因爲比較的尊重女權之故，夫婦間的精神虐待行爲，常以男方爲受害最甚。那位大名鼎鼎的美國總統林肯，一輩子就被那位「打鈴」隨時弄得氣沮神傷，即週末亦不敢回家休息，情願一個人跑到鄉鎮小旅館去開房間，安靜的過一夜。俄國大文豪托爾斯泰之孤身客死異域，也是由於受不了太太威風的精神虐待而然的。

唯有咱們這東方文化的禮義之邦，源於男性中心的傳統觀念，家庭間總是男子漢大丈夫實行種種獨裁的多。例如有位前任宣傳部秘書郎的某君，每逢寫文章感到困難的時候，就對太太拳打腳踢，據說這樣一來，他的文思即湧起了，而最近那位聯勤總部的「車老爺」啓亮，且常常勒令太太對他作「兩腿半分攤」的蹲立姿式，不對勁兒就實行槍擊以洩忿。諸如此類的精神虐待情形，豈非駭人聽聞的今古奇觀嗎？當然，中國人——尤其是大人先生，亦有被太太虐待的，但總不如林肯，托爾斯泰那種淒慘之狀，而男人凌虐女性的行爲，像車啓亮之流表演出來的傑作，卻可謂曠絕古今中外哩！

所謂心理變態的虐待狂，在夫婦生活中最容易發生，這似乎成了普遍的當然律。爲甚麼太太竟要如此這般呢？但是一言難盡，總而言之：「人之性本惡，其善者僞也」！

津沽陷匪痛史追述

唐棨

民國三十七年十一月九日國軍自葫蘆島退出東北，華北局勢，已十分嚴重，但初未料及在一個月以後即惡化得不可收拾了。

×　×　×

記得葫蘆島大撤退的時候，我隨運輸署長趙君槩賠軍，某兵團副總司令羅將軍，於八日下午乘大生輪自葫西開塘沽。當天晚上，在船長室閒談，談及華北局勢，羅將軍認爲確保華北，應將唐山駐軍，轉移至津沽外圍，增強津沽的防衛力量。如能守住津沽北平，華北仍然是可樂觀的。即使戰局逆轉，守軍還可自塘沽由海道南撤。當時我對羅將軍的意見，堅守平津塘沽是同意的，放棄唐山卻大不以爲然。我認爲要守北平，必守津沽，要守津沽，必守唐山，放棄了唐山，津沽還有什麼外圍呢。但羅將軍用談笑的口吻說：「你懂得辦運輸，不懂得作戰的。」這倒是實在的話，我只好一笑了事。

那正是十二月十一日，一個週末，津沽的疏運，經過二十三天的忙亂，已告一段落，我便抽空自塘沽到天津洗澡休息。那天晚上，我借住在招商局天津分局的招待所，大致是十一點鐘的時候，平津運輸指揮官陳嗣堯將軍自北平來電話，」已告一段落，凡公民營船隻，即日起恢復自由攬貨，不再控制，要我轉知航業公會。他並說剿總有意在天津成立華北航業機構，將華北的航業，無論公營民營，統一經營管理；他對這件事的意見，認爲應由航業公會出來主持，不應由剿總採取主動，要我明天召集航界人士徵詢意見，並將談論結果，用電話告訴他。

從這一消息看來，華北的局勢似乎還很穩定，私心不勝爲大局慶幸。

但戰局的變化，在我接過這一個電話以後的五小時，即降落華北。

十二日清晨四時，招待所的電話鈴聲，一陣急變，留宿在招待所的人，都自夢中驚醒，有幾位很不耐煩的在自言自語說：

「這三更半夜，什麼人還打電話來找人，眞是活見鬼！」

我知道這電話一定是找我的，沒有等工役起來問明白，我已自床上跳下，將電話筒搶在手裏。

「你是……天一亮你趕緊回塘沽去……我已通知鐵運辦公處調車……十七列……限今天上午九點鐘全部趕到唐山撤退部隊……」電話裏是陳將軍的聲音，我想問個詳細，但綫已掛斷了。

這究竟是怎麼一回事呢？——我在沉思着。

同住的幾位先生，大概見我的臉色有些沉重，都不約而同的自床上坐起：

「有什麼重要消息吧？」

「沒有什麼。」我鎮定的說。

「不見得，你不肯說吧，不是陳指揮官的電話嗎？如果沒有重要的消息，他不會在這深夜搖電話給你的，是不是局勢惡化？」

「我也不明白，他祇要我天一亮就回塘沽去。」

大家都相互呆望，誰能再安然入睡。

我回到塘沽的時候，知道十七列火車，除已開出一部份外，其餘的均已調齊，升火待發。至局勢爲何有如此的急劇變化，仍無從知道。

十三日晚上九時，與唐山通話，知道部隊已全部上車，立即南開。這一緊急任務，總算沒有貽誤。但大家的心情，都非常沉重。（一）

感事

張維翰

自由平等今之世，猶是天驕肆譎時。
竟爲拒狼迎餓虎。忍將盟友作犧牲。
媚強諂暴緣何怯。害義賊仁只自私。
金馬又遭謀割棄。操心慮患倍深危。

呈曾今可先生

刁抱石

滄桑世變至於斯。以硯爲田際遇奇。
回首落花眞似夢。（曾先生抗戰前著有落花詞集）
中興鼓吹正當時。（曾先生台居名中興吟廬致力鼓吹）
從來健者憂先樂。畢竟詩人覺後知。
廿載聞名欣識面。生風談笑傲霜姿。

語意學漫談

徐道鄰

我在這裏想說明的，就是關於客觀事實的報導，是可以加以考證而辯明其是非的。譬如牆上掛着一只鐘，我說大針小針都在十二點上，你說不對，大針小針都在六點上，那麼多請幾個人來看看，——必要的時候，加上一位眼科醫生，或者一位精神病專家——就可以把問題解決。一個人的個人意見則不然。某甲喜歡玫瑰而不喜歡茉莉，某乙則恰恰相反。張小姐崇拜林黛玉，而李小姐則偏同情薛寶釵。東坡愛吃肉，張翰愛吃魚，而曾皙則愛吃羊棗，這都是我們每個人所都具有的『個人偏好』PERSONAL TASTE——決定一個人的偏好的，有說不盡的種種因素：身體素質，社會環境，生活經驗，無不在發生其有力的作用。同時每一個人的偏好，也是指出他的『人格』PERSONALITY的最好的標誌——個人偏好，是無法以客觀事實證明其是非的。我們可以，並且應該設法了解一個人的偏好！有時候，我們並且可能設法慢慢的去影響和改變一個人的偏好。但是，考證和論辯的方法，在這個場合上，絕不是立時能發生有利效果的有用工具。

我們在平常說話時，無心中常常犯着一種毛病：明明是我聽不慣這一齣戲，而我偏說『這一齣戲一點也不好聽！』明明是我吃不慣『烤肉』，而我偏說『烤肉眞是再難吃也沒有！』明明是我的口味太淡，而我偏說『這隻菜燒的鹹死啦！』。這種說話的方法，全都是以敘述『事實』的方式，來表達個人的『私見』，也就是說祇有他個人是對的，所有其他和他見解不同的人，都是不對的。這種向全世界挑戰的態度，是不是會討人喜歡？這樣子來處世接物，會不會有太大的成功？

而我們聽話的人，也多犯着一種毛病，就是在沒有明瞭這種語詞的眞正性質之先，往往認爲它確實是一種『事實報導』，因而和發言者開始一場論辯。而在論辯的過程之中，又常常不免犯了同樣的錯誤：以挑戰式的語詞，把個人的偏好當作客觀事實來敘述，而給對方以有力反擊的機會。這樣子爭論愈久，意氣愈盛，去題愈遠，愈辯愈深。平常很好的友誼，經過幾次這樣子的爭論，而不逐漸疏遠，以至半途夭折者，吾不信也。

根據這一點認識，我們在聽人家說話時，必須時時刻刻留意，知道許多人的說話，表面上似乎是在敘述一種事實，實際上祇是在表達他個人的意見，在我們認爲他們的語詞不太正確時，大可不必過份的認眞而一定要站起來和他一爭辯——爭辯個人的私見，是既無用處也無好處的——。而在我們自己說話時，則更要加倍注意，千萬不可用陳述事實的語詞來表達自己個人的見解。你說：『這一塊綢料的花色我不太喜歡。』你不要說：『這件料子眞難看。』你說：『我不太考究了，我要買便宜一點的。』你不要說：『這雙鞋那裏能值四百塊錢？』你說：『我是比較喜歡讀宋詩的，唐詩不大合我胃口』，不要說：『唐詩那裏比得上宋詩！』這樣子的態度，既不妨害你暢所欲言，也不致於給你帶來許多無謂的爭執。同時你會發現，人家是在怎麼樣一天一天的更歡喜你。

（三十）

論于右任詩後

王世昭

「論于右任的詩」一稿，自由人共分作十期發表，都凡八千言。這篇文字，在我所寫的「中國詩人別論」之中，算是較長的一篇。

我過去寫過一本「中國詩人新論」，自屈靈均起至黃公度止，共二十二篇，得詩人凡二十五人。這一次寫「中國詩人別論」，拉上孔子，並及近代，計二十九篇，列詩人三十一人，徐志摩和朱湘也都在內，這且不表。現在先說「論于右任詩後」。

這篇文章發表後，老詩人于右任先生極爲關心，最先託丁俊生兄來函獎勵我，後來又交代鄭仲武先生送我「右任詩存」上下兩册。而仲武先生對於此稿校讀則甚精細，見有訛誤即來函更正，三月廿五日校誤云：

「三月五日（第四十八期），選中狗詩內：「分噬吾民脂與膏」，誤作「膏與脂」。

「三月十二日（第四二〇期）（一）謁橋陵遇雨詩與最近台灣印本不同，台灣印本乃經右公手訂者。（世昭謹案，前寫「論于右任的詩」時，乃用泰東書局印行本，所收詩只到民國三十六年，今本所收者至四十年，而橋陵遇雨詩，第四版「右任詩存」題目及內容如後：

與王子元謁橋陵遇雨

「路下雕陰鸞復鵠，驚翔鳳蓋見橋山。曾經爲雨川原潤，且是遺黎稼穡艱。獨創文明開草昧，高懸日月識天顏。干霄古柏摩挲徧，掛甲何人亦等閒。」）

（二）民治校園詩：「客去偸閒眠樹下」，誤作「樹上」；「魂招南國歌哀郢」，誤作「哀邪」。

「三月十九日（第四二二期）（一）舟入黃海歌：「奔馳不用黃金鞭」，誤作「乘馳」。（二）再過貝加爾湖：「照見征人半白頭」，誤作「牛白頭」。」

「三月廿三日（第四二三期）貝加爾湖懷古：「牛羊被野誰來牧？」誤作「牛毛」。

以上略舉一端，其餘則盼仲武先生仍有以教我也！

至於本篇續論，——即接到四版詩存發現新作二十六首以後之論評，則發表于天文台報，題曰：「讀于髯翁詩」。

阿刺伯風光

·伯林譯·

許多美國人所以參加阿美公司，就因爲能夠免付美國的所得稅，而一般薪金也比國內高百分之二十五。他們的合同，每期是二年，他們多數希望在二期（即四年）內積點錢，就回家去買幢房子，再另找職業。不過因爲阿刺伯生活太寂寞，積錢並非易事，獨身漢常常以賭博消遣，以致賺來的錢都在牌上輸了去。有家室的人，大多把太太和孩子帶到阿刺伯，目前阿美公司的職員家屬，約有三千四百人，他們的房子有冷氣設備，又有游泳池和網球場，使生居較爲舒服。

公司的收入，源源供給阿刺伯國王。這位國王是東西和新舊文明集於一身，其生活奇怪得令人難以置信。他從地下油礦得到的錢雖如流水，滾滾而來，可是還是不夠他的化費。本年政府的預算，估計約有六千萬美元的赤字。而國王的錢，很少從宮中流出，用到平民身上。

沙地阿刺伯國王的家屬究有多少，沒有人知道。已故老王伊本沙德的兒子，有人說是三十二個，也有人說是三十七個或四十個。現在的沙德王，也不喜歡別人提到他有很多兒子。據說年輕王子阿勃杜拉：「有時他對我們這些較大的孩子說：『你們都是好孩子，但我有你們這麼多也就夠了。』於是我們笑着回答他：『這屋子裏孩子多着呢，他們都是你的。』他假裝發怒道：『噢，不是吧，那裏有這麼多，我還不很老呢！』」

根據一般估計，宮內連王室家屬和一切侍臣僕役在內，大致有一萬人左右。國王常常從利亞特到傑達或麥加去，每次旅行，主要人物都乘坐政府航空公司的飛機。這公司擁有飛機二十七架，一聽到國王要旅行，便將一切班機都全部取消，使國王可以動用所有飛機載人及載行囊。

國王的巨大耗費，是傳統使然，不論他是否喜歡，都不易改變。每天晚上，宮內必有盛宴，賓客少至八十，多至二百，國王坐在首席，頗有父風。他也喜歡巡視國內各地，在登基後第一年，便比他父親一生內旅行的地區更廣。有一次到南部巡視，他行過了沒有道路的沙漠三千五百公里，他和隨員乘着美國汽車，不辭辛苦。後面跟着大批卡車，載有沉重的袋子，裏面放着銀幣，以供沿途佈施窮人。一位侍臣說：「在我們這國家，必須讓人民看到國王。以前的慣例，是人民到宮中去覲見國王，現在是國王去看他們。」

國王這種用錢的方法自然十分奢侈，不過如說這位新王一切祇顧自己，也未免太不公平。他的父親生時，起先國土貧窮異常，後來發現油藏而金錢滾滾湧來時，他被過去的訓練所束縛，無法好好的利用這筆財富，因此這塊土地的成敗，現在要由他的兒子去決定了。（下）

發酬通告

本刊三八八期至三九九期稿酬通知單業經分別寄送，請惠稿諸先生，憑單前來領取酬金爲荷！

本社編輯部敬啓。

自由人
THE FREEMAN
（第四三三期）
每份港幣壹毫
地址：香港高士打道二十號四樓
3 rd. fl. 20 CAUSEWAY RD HONG KONG

從多方面看美國前途

伍憲子

現世界中，美國地位，總算關係重要。美國前途如何，世界安危係之。無論何人，對此問題，皆非常關心，而結論或不相同。玆篇即從各方面觀察美國，寫其所見如下。——

美國的傳統精神

美國是一個新興國家，自一七七六年脫離英獨立，以十三州建設起合衆國，至今不過一百八十年，論傳統的歷史文化，本較淺薄，然美國以一個新興國家，百餘年間，日臻強盛，今日執民主國家之牛耳，必自有其強盛之理由。美國獨立宣言，謂「上帝給予人類以不能剝奪之自然權利，人民為保障此權利，乃有政府之設立」，此是美國一百餘年間，樹立民主政治規範之精神。華盛頓不肯連任第三次總統，飄然退隱於萬嶺山私第。約翰亞丹繼華盛頓之後，亞丹與哈曼頓同為國權論健者，然亞丹終不以哈曼頓之極端集權為然。嗜化臣繼約翰亞丹為總統，嗜化臣則極端擁護州權論者，但亦不極端反對國權，故「主權分有」之說出。其後麥臣為第七任總統亦如是，皆富於調和性，皆受華盛頓之感化，不會政權以自私，不持偏見，而通達兩方面。此是美國開國以來，其偉大人物所造成之民主政治精神，亦即是美國之傳統精神。孟子所謂「賢聖之君六七作，」「故久而後失之也」，君主政治如是，民主何獨不然。假令美國能長保持此傳統精神，則今後民主政治之發展與進步，將為美國是賴，美國為世界民主領導者，其地位終不失，其前途尚非常光明。但是從一方面看如此，須再從別方面看。

從資本主義看美國

上說美國之傳統精神，純從人格方面說，有關諸偉人之人格，可以感化全國人民，所謂「流風善政，猶有存者」。然受環境之變遷，人格感化之力量，漸趨微弱，資本主義之在美國，自十九世紀下半世紀以來，一日千里，愈自由，愈自私。雖然傳統精神所在，所謂「上帝給予人類以不能剝奪之自然權利，人民為保障此權利，乃有政府之設立」，此信條仍屹立不能動搖，亦只是消極的保障人權，不能積極的培養人格。在政府方面，只知提倡選民，不知培植國本，執政者雖無大作惡之人，亦難得有大魄力之人，因為大權仍操之資本家，站在總統背後，握無限權力。在民衆方面，則移民日多，品流日雜，奢侈、姦淫、盜殺、酗酒之惡風，浸淫於全國，蕩檢敗行，宗教不足以制裁之，此是資本主義太發達之必然結果。因此，生出兩種現狀，其一、則中產以上之人，養成一種苟安習慣，義之所在，明知當然，執行不能澈底，往往得過且過，尤其是畏懼戰爭。其二、則生計艱難，失業之人太多，物質之誘惑，容易鼓動其非分之心，與不平之氣。不幸共產黨乘機而生，挾其預定之計劃，以繼續不斷之努力，乘資本主義國家人民之弱點，着着推進。美國對之，亦窮於應付。我常說，以中國人性民主主義，與西方人權民主主義，合力創造一個新世界，則共產黨極權政府，與世界革命之夢想，終必失敗。但以現在西方之資本主義國家，仍保守其十九世紀式之資本主義作風，而不知改進，則與共產極權之爭鬥，勝敗未可知。此論，對美國亦不能例外，故站在資本主義方面看美國，其前途誠未可樂觀。而況大勢所趨，尚不止此。

受民主集團之牽累多

美國現在，雖然是西方民主國家之領導者，但現在西方民主國家中，美國之資格尚淺。在物質方面，美國之金錢多，在科學方面，美國之原子武器進步，但在兩世紀來，執世界外交牛耳者，是英國，不是美國。美國之能在世界外交舞台大顯身手，是最近五十年間，第一次世界大戰後。然威爾遜之理想，不能實現於第一次大戰後之壇場，鍛羽而歸。到第二次大戰當中，雅爾達協定，羅斯福又敗於史太林之手。美國外交手段，似乎並不高明。美國到底是新興國家，外交經驗少，不如英國之自稱老斷輪。雖然所謂老斷輪，亦不斷的着着失敗，然譬諸鄉村之中，老紳士到底有面子，新發財之農夫，財產雖豐富，而子總讓老紳士幾分也。而況場面上禮儀之嫻習，手腕之靈敏，打算之周密，機實粗魯之農夫，終不敵有心計之紳士。現在外交場上，美國之對英國，情形是如此，美國只實要領導，英國總不想跟其抓頭。加以法國，又是一個故家遺族，在歐洲之歷史關係，英法之結合至深，其所以牽掣美國者至容易。美國對歐洲，隔了一個大西洋，向守門羅主義，外事不想過問。近三四十年始沾手耳。對東方亦然，不如英法資格之老，經營之久。所以在此情勢之下，美國雖不至事事惟英法之馬首是瞻，然已是不能指揮如意。謂美國客氣乎，或有一點，未必盡然。然則美國何以不自決策，或者有些自怯，有些不敢，為其到底鄉里氣未除也。在此情形之下，西方民主主義國家之團結，就不穩固。假令長此下去，不能改善之，不能想出一條光明出路，我恐美國之前途，仍是漫漫長夜，永在被動之中，擺不出主動威儀，結果，恐怕二十年來之曙光，亦會逐漸減退。故從民主集團方面看，美國前途受其牽累多，得其幫助少，因此之故，又造出一種投機取巧乘火打劫之風氣，所謂中立國家。

中立國家興起的原因

所謂中立國家，是由上述二、三兩方面產出。美國因為尚未能完全脫離資本主義，雖無軍事侵略與殖民地之野心，但商人市儈氣味，有錢人架子，總還不免。

（下轉第二版）

新聞背景

一九四三年同盟國承認奧國為「解放」國家，應恢復其獨立和主權。戰後十年，奧國還是劃成四部，由英、美、法、蘇四國佔領。民主國家方面老早允許恢復奧國的主權，只有蘇聯一國從中作梗。在過去十年期間，為了奧國的獨立，民主國家和奧國曾和蘇聯商洽四百次，蘇聯的答復總是一個『不！』奧國和英、美、法三國曾經允諾接受蘇聯任何條件，只要蘇聯肯把佔領軍撤離奧國。莫洛托夫的答復是，在蘇聯沒有和德國訂立和約以前，蘇聯的佔領軍不能離開奧國。

蘇聯的巨大讓步

可是上個月，蘇聯的論調改變了。蘇聯要求奧國總理賴布到莫斯科商洽獨立條約。本月初賴布乘機往莫斯科。賴布曉得共產國家的奸計，心理戰戰兢兢，不明蘇聯的用意何在。飛機到了莫斯科，莫洛托夫和好些蘇聯副總理都在機場歡迎。莫洛托夫對賴布說道，『今天天氣不佳，未能符合我們歡迎你的心情。』副總理米高揚說，『今天的天氣沒有多大關係，賴總理走的一天是重要的，我敢斷定那一天的天氣一定晴朗。』

但出乎賴布的意料之外，蘇聯政府給他異常盛大的歡迎。酒宴和晚宴連天不斷。在一次雞尾酒會中，奧國大使波倫提議為迅速恢復奧國獨立而乾杯，莫洛托夫頭一個把酒乾了。奧國外交部長建議，十年佔領為期過長，各國應迅速撤退奧國駐軍。蘇聯的領袖們也高興地乾了杯。

為了獨立，為了恢復國家主權，賴布準備接受蘇聯的任何條件。蘇聯的殷勤款待和巨大讓步，使賴布喜不自勝。臨走的一天，賴布接電話由維也納，說道，『奧國快可以獨立了。奧國的領土一點沒有損失，戰俘和其他囚犯也可以全數放回。』

奧國的獨立條件

——蘇聯設下的陷阱

李加曙

奧國要付甚麼代價

賴布停留在莫斯科四日，便把蘇聯十年來在奧國獨立的障礙消除了。蘇聯應允於簽訂條約後，把佔領軍撤退，並且規定佔領撤退日期最遲不得超過一九五五年十二月三十一日。蘇聯又答應下面的四個條件。

（一）把油田和煉油廠交還奧國，惟在將來十年內奧國每年須給蘇聯以汽油一百萬噸。（過去十年，蘇聯在奧國取去汽油共一千七百萬噸。）

（二）把奧境的三百所工廠交還奧國，惟奧國應償還蘇聯一億五千萬美元價值的貨物。

（三）把多瑙河航運公司，船塢和碼頭設備交還奧國，由奧國償還蘇聯適當的價值。

（四）把四百五十名平民俘虜和三百五十名戰俘交還奧國，並規定於蘇聯佔領軍撤離奧國時即將上項俘虜全數釋回。

賴布對於蘇聯所提的條件感覺到十分滿意。此外，蘇聯又加上兩個附帶條件。

（一）奧國不得參加任何軍事同盟，和在其領土內准許任何外國設立軍事基地。

（二）四國保證，將來德國如再圖合併奧國時，應援助奧國，抵抗德國。

蘇聯的真正目標

賴布一行剛一走了，蘇聯總理布爾加寧便求舉行四強會議。同時蘇聯各報又大收其和平共存的論調。只有真理報的社論替露出蘇聯的真情。

真理報說道，『奧國將來的地位和瑞士相彷彿。奧國在國際上獲得一種新位置，奧國的中立化加強了歐洲的和平。奧國的例子適用於歐洲好些國家，特別是德國。』

蘇聯對奧國的讓步，是完全為了德國。蘇聯老早想併吞歐洲。蘇聯認為把德國弄到了手，整個歐洲便成了囊中之物。可是十年來，蘇聯在德國遭遇到空前的失敗。東德實行共產後，民不聊生，人民逃往西德者，日以千計。西德人士曉得蘇聯的目的是為奴役世界，因此予蘇聯以堅強的抵抗。十年以來，蘇聯在西德一無進展。月來北太西洋公約國家批准了德國的建軍，五月初西德便可恢復其主權，參加歐洲聯軍而成為北太西洋公約會員國。

咬在嘴裏的一塊肥肉忽然丟了，蘇聯肯甘休嗎？蘇聯因此利用奧國的獨立來引誘西德。真理報社論幾句話的用意是這樣的，『德國想恢復主權嗎？想統一全國嗎？奧國是一個好例子。只要答應中立，只要英美撤退駐軍，東西德便可合一，那時德國變成了瑞士，成為歐洲和平的屏障。』

蘇聯在東德建立了好幾十萬人的警察大隊。名義雖然是警察，組織卻和紅軍無異。西德如答應了蘇聯中立德國的條件，在英美隊伍撤離德國時，只要兩天功夫東德警察便可以佔領整個德國。這是國際共產黨傾覆自由國家的一種最可怕的陷阱。為了想傾覆德國，襲括歐洲，蘇聯第一次給賴布以少許甜頭。

每週展望

左舜生

中共在亞非會議的慘敗

亞非兩洲二十九個單位，從四月十八到二十四，在萬隆開了七天的所謂「亞非會議」，總算已悄悄的閉幕了。把若干平日素無關係或從未接觸的國家，聚在一塊兒談談，相互的自我介紹，我們原也說這未嘗不是一件好事，可是到底不能有任何成就，卻也是我們所前知其當然的。

中共，在這一會議的籌備期間，原打算借此一會來一顯身手的，但沒有想到卻遭了一次出乎意料的失敗。

中共所以失敗的原因很多：

一、在這個會議中，表裏如一同情中共的國家，可以說少到幾乎沒有。

二、尼赫魯幾年來的態度，可以說只有在這次會議中，表現得相當的穩重。

三、日本對這個會議，除掉找一點做生意的便利以外，沒有存任何非分之想，因此他們的代表團長不是重光，而是高碕達之助，他們似乎懂得沒有到他們有力發言的時候，而且他們也懂得像這一種會議，也並不是他們作有力發言的地方。

四、不參集團的印尼，不太客氣；錫蘭態度模稜，巴基斯坦的態度更十分嚴正，這都出於周恩來的意料之外。

五、泰國、菲律賓、土耳其、伊拉克、南越等國的態度，也出乎意外的堅強。

六、美國在會議期間，在華盛頓和萬隆會外，都採取了有效的行動；英國似乎也有過許多沈着的應付，顯明的受了若干損害的，只有一個法國。

在聯合公報中，堂堂正正寫出：

『宣佈各種各樣表現形式的殖民主義是一種應當迅速予以根除的邪惡！』這無異給予蘇聯一記重重的耳光，周恩來在這一惡劣的環境之下，除俯首簽字以外，一籌莫展，我們看他對他的僱主如何交代？

在聯合公報中，也明白的指出：

『高棉、錫蘭、日本、約旦、寮國、利比亞、尼泊爾、一個統一的越南，』已具備聯合國會員國的條件，聯合國安全理事會應予支持接納，惟獨沒有提到所謂『中華人民共和國。』這可看出中共無資格加入聯合國，即在『亞非會議』也是毫無異議的。周恩來外交的失敗一至如此，我們看他有什麼臉面回到北平向他的同志們去說話。

所謂『台灣問題』，根本沒有被允許提到會議中討論，周恩來不得已，乃假出願與美國直接談判的聲明，這無異承認美國原有容喙於亞洲問題的資格，從這一點，可看出『亞非會議』沒給中共以面子，中共也正式的放棄了『亞非會議』！

以自力確保金馬！

因艾德福和羅伯遜的到達台北，金馬問題乃成了舉世所注目的一個焦點。

假如在今天還有人要勸告蔣總統放棄金馬以換取所謂台灣海峽的停火，這無異是瓦解自由中國兩千萬的人心，銷毀六十萬武裝部隊的士氣，澈底言之，更無異勸告蔣總統自動放棄對自由中國的領導，和永遠拋棄我們反共復國的國策！『是可忍，孰不可忍』!?

據我們想，政府當局對這一點無論如何不會放鬆，今後惟一可行的途徑，只有以自力確保金馬。

中共在新加坡

據二十四日合衆社新加坡電：林語堂之不能不辭去南洋大學校長一職，實由中共所加於林氏一種打擊。同時新加坡警方，亦證明有若干華僑中學，確已為中共惡勢力所滲透，且已採用過好幾次的暴力行為。這個消息，確實是加於主張對中共予以姑息者的一種諷刺。中共對香港問題，據周恩來這次在亞非會議所表示的好像還可延到十五年以後，這總算是比較客氣的了。

中共的瘋狂備戰

強迫婦女從事勞動　征兵已達六百萬人

·沈秉文·

周恩來儘管在亞非會議，裝模作態，表示和平，但中共積極準備戰爭的情形，却是有加無已的。我們從大陸的報紙雜誌和從鐵幕出來的人士所述，可以窺見中共之積極備戰，主要爲：加緊軍工建設，擴充陸海空軍部隊，大舉征兵，及動員大批婦女投入軍需生產，或接替男子因服兵役而遺留下來的各種生產崗位。

軍工軍港機場鐵路

軍工建設，係以北平、瀋陽等地均擴建立軍火工廠，[illegible]機場及海防[illegible]，並在上海、浙東、福建等[illegible]。中共由於戰爭的需要，早在前年冬季即已[illegible]，建立一百四[illegible]個，至於鐵路方面：[illegible]十一項軍火工廠建設，最近東北各[illegible]蘭新鐵路（自蘭州至[illegible]）[illegible]

[illegible]面，中共已將舟山羣島建成最大的海軍基地。自國軍放棄大陳列島以後，中共並計劃在閩江口（浙東溫州港口）或三[illegible]。[illegible]前正在動員全國人民[illegible]門等地也新建機場，顯示中共對機場的建設之重視。[illegible]之最近除以西安爲中心[illegible]心的漳州建造一個機場[illegible]路各大站，如重慶、廣州、武漢、南京、[illegible]東南亞的軍事威脅[illegible]

海陸空軍的擴大

最近中共發表的[illegible]關於中共的國防建設，[illegible]部長彭德懷曾公佈在[illegible]一項文件說：「中國人民解放軍目前正在向着近代化和正規化的目標邁進」，[illegible]「人民空軍」的[illegible]建設計劃和目標[illegible]海軍方面[illegible]東海、南海四大海域，[illegible]空軍[illegible]強大空軍[illegible]

強迫婦女從事勞動

大規模的征兵工作。現今中共的征兵情形，據逃出的青年，強迫被徵入伍，幾達百分之九十以上。

若照河北、熱河、四川等省市報導已征集的人數加以推算，[illegible]得之青年，已達六百萬人以上。[illegible]中共在大陸上的征兵，[illegible]不少獨子被征，[illegible]

家庭婦女，投入各項生產工作，或分別接替前述因征兵而遺留下來的生產崗位，忍受殘酷的熬煉。

據中共最近統計，[illegible]「烈士」、「家屬婦女」被迫參加農業生產的已有百分之六十以上，在東北、華北及華東[illegible]且已達百分之八十以上。在工業方面，多數紡織業，女工[illegible]的百分之六十。新省婦女參加工作的已比一九五〇年多了七倍；瀋陽女工已激增到了四萬七千人。此外，重工業、基本建設（多屬建築工程）、交通運輸等方面[illegible]今後爲了戰爭的需要，[illegible]更多的婦女投入沉重而艱苦的勞動。

從多方面看美國前途

·伍憲子·

（上接第一版）

致令受人懷疑，以爲西方若之民族，[illegible]所以雖受美惠，依然離心。此是道出所謂中立國家的原因之一。其次，則英法與美國，不能緊密聯繫，[illegible]世界國家以一條光明大道。西方國家仍是鬼鬼祟祟，[illegible]暫救目前，絕無大計。有時英法似乎[illegible]，美國又似乎不能合力而起，[illegible]此又是逼出所謂中立國家之一原因。我不敢說所謂中立國家絕無理由，但我敢說[illegible]

政治應從文化做起

[illegible]

堪雅情況改善

聆式譯

最近在非洲的奈羅比，一個晉謁的[illegible]毛毛叛徒的[illegible]

[illegible]

編者讀者

蔡智堪先生患心臟病

曾自臨迴日宮，抄取田中密奏之台人蔡智堪老人，現患心臟病，其子成河先生，今致函本刊，述老人病況原函如下：

△蔡成河先生來函

自由人編輯先生：素昧平生，[illegible]管城子奉候，河僅一小卒，[illegible]之至。家父智堪近來發生[illegible]心臟病，據大夫言，今後兩個月內，必須特別小心。老[illegible]義務，日夜在床前照顧。希望[illegible]有關歷史之照片兩幀：（一）[illegible]片，與後歷照片，日軍待機[illegible]（田中義一[illegible]）鳩山[illegible]家父所贈藏，家父誠心奉贈貴[illegible]內恐亦無有，此亦家父赤心爲[illegible]

蔡成河謹上四月十四日

△敬覆成河先生

成河先生大鑒：惠示奉悉，尊翁病恙，至深系念。尊翁赤誠[illegible]，吉人天相，尊翁早日康復自可預卜。[illegible]極感珍貴，謹此致謝。乞代候尊翁，請安心靜養爲禱。

[illegible]自由人編輯部敬啓四月廿四日

[illegible]將一渠，盧元駿，張維翰，胡承[illegible]路成功各位先生：[illegible]此奉謝。

六次訪台的雷德福上將

·人物·評述·

美國參謀首長聯席會議主席雷德福上將和助理國務卿羅伯遜已於昨（星期日）到台。雷上將這次訪台，已經是第六次了。雷氏這次訪台，外傳有勸說國府放棄金馬的任務，雷羅兩氏東來的消息宣布後不到三天，周恩來便在萬隆放出要和美國直接談判台灣問題的宣傳。雷將軍此行任務的重要是可想而知的。

雷德福將軍是自由中國人民的好朋友，他接長參謀會議主席，主持五角大廈以還，幾無日不爲遠東方面的危機而操憂；尤其是關懷台灣。所以人們叫他是「麥克阿瑟第二」，實在一點不錯。同時雷氏協助艾森豪實現其許多的預定計劃，例如台灣中立化的解除、韓戰的停火，以及日本和西德的建軍計劃等，都是艾森豪在競選期間向美國人民保證的事項。也可說是雷氏事先替艾森豪運籌帷幄的計劃成功之一。

雷德福上將，原是美國防衛太平洋的艦隊總司令，他對於太平洋的各島嶼及各防線，向就是老馬識途。因此，他一向就反對台灣的「中立化」，[illegible]當時的美國政府的政策，也有耿耿於懷。直至一九五三年一月，當艾森豪競選總統成功，東來視察韓國戰場的時候，他才趁機向艾氏獻計的。艾氏歸航途中，由關島乘坐[illegible]，駛往珍珠[illegible]的海瑞拉巡洋艦，當時雷氏陪同艾[illegible]的旗艦，供其垂詢。雷氏[illegible]

[illegible]曾草擬「封鎖中共大陸海岸」和「結束韓戰」等備忘錄。雷氏曾指出海軍封鎖中共大陸，適足以暗示中共的戰略物資如橡膠、石油、化學原料、工業機器和零件，以及電力裝備等，均因這些戰略物資的被封鎖而受到影響。雷氏的遠見卓識，均是當時雷德福上將所提出的。[illegible]部份。

對於自由中國認識最清，和最同情的，莫過於雷德福將軍了。記得還未出任參謀總長之先的一九五二年五月和十月，曾先後兩度訪問台灣，作爲蔣總[illegible]

統的上賓。並於同年十月二十日，在七十二機動艦隊司令威廉少將的旗艦奧瑞斯勃里海峽巡洋艦上，召集過重要的海軍會議。當時討論，對於台灣的「中立」，也曾提出。他認爲：「中立化」游擊隊對大陸沿海島嶼的突擊行動，並且反攻大陸，必須「中立化政策」的而且不違反[illegible]

的：「此等軍事行動，[illegible]可以使台灣島嶼的本身與安全，亦然。對此等事件，控制與台灣島嶼[illegible]關於「三個月後」，雷氏以攻擊，不反對「中立化」。據報導，雷氏主張艾森豪解除台灣不過[illegible]，採取雷氏的計劃，付諸實施。餘下來的，是雷德福將軍，[illegible]以協助上將的命令，攻擊行動，是一九五三年六月才國奉命宣佈，艾森豪元帥到台灣訪問，在奉[illegible]東南亞各國，留達一星期之久。香港也在軍事上[illegible]

[illegible]防衛下，提高警覺。雷氏[illegible]當時察看雷氏在台的表現[illegible]港後，猶不禁的搖頭嘆息呢！

雷德福現年五十八歲，生於芝加哥，長於伊阿瓦州，十五歲考進安拿波里海軍學校的二十一歲畢業，[illegible]一九一九年赴佛羅里達科的[illegible]開始在海軍航空兵[illegible]

[illegible]航空母艦，[illegible]新的一次噴射機世界[illegible]。以他外[illegible]

是一個海軍上校官而已。至二次大戰時，他還是[illegible]海軍九十歲[illegible]

雷氏不僅有指揮實際戰爭的經驗，而且有第五十八艦隊的航空母艦大戰的輝煌戰績，[illegible]

由中國人民的立場看，最希望雷將軍[illegible]福將軍的見解，[illegible]的浮言所惑。

·胡養之·

印度青年的——赤都印象記（三）

風行譯

大學在培養黨的工具

蘇聯的大學教育目的在培養黨的工具，故除黨與政府中要人的親戚子弟佔優先入學特權外，凡報名投考大學的必受政治上的甄核。

凡投考大學的，除了出示受十年的中等學校教育而及格的證書外，要寫出自傳，和內政部發給公民證書，和軍事服役證書，——三張像片。大學設有特別委員會，核驗證件。經核准後，便參加入學試驗。依照蘇聯入學試手冊，投考人必須有高度的政治意識。例如投考文科的人，必須表示能熟悉蘇維埃文學著名的典型文章，與文學問題上重要文獻，及共產黨中央委員會文學上的指示原則。假如他想投考歷史系，他必須了解時局，與蘇聯政府為『永久和平與民主』鬥爭之任務。如投考技術科學者，亦必要完全了解與接納蘇聯共產黨的理論。要相信電燈、飛機、無線電報、及噴射推動機係蘇聯科學家例如洛底根，校柯夫斯基，蒲普夫，茨奧夫斯基等人所發明的。蘇聯統治者禁止不利於他們的智識灌輸之例，最顯著者，則為不准學生研究愛因斯坦之理論。他們說恐怕學生受『反動的哲學』所影響。

莫斯科大學也是世界上最與政治有關係的大學。該校曾一度稱為『莫斯科帝國大學』，於一七五五年由俄國以利沙伯女皇所創立，在卄悠悠歲月中，曾蘊育了許多革命之思想，自共黨佔有後，有時開了許多『反革命之花』，因此曾發生過若干次的對該校教授與學生的慘烈大肅清運動。雖然共產黨誇口說此大學公開收容一切良好工人，但事實上，學生是經過嚴厲的甄別。黨部高級官員的子女照例可以進去讀書，而不論他們的程度如何。史太林的女兒史威闕娜是其中的畢業生。維辛斯基甚會做過該校的長。

蘇聯大學既然是製造黨的工具，故學生有津貼。一九四三年通過新法例，給予每月費用自三百五十至七百盧布不等。但參買國家公債，志願捐，抽所得稅，以及學生們要參加的學校工會，文化會社等節會費，七除八扣，其實每月只得二百五十盧布用來支付衣，食，洗衣，什用，買書，交通車費而已。當我們在蘇聯時，男子的內衣每件值五十至六十盧布，一件長睡衣值二百六十盧布，一對鞋值四百盧布，一套衫值六百盧布。一枚普通的唇膏值四十盧布，——奇怪了，一個誇言有化裝品部的國家，有如此的情形。——我知道一個讀哲學的女學生，常寫信回家叫她的父母資助。她並不奢侈，這種情形也普遍。

蘇聯的大學生生活

蘇聯的大學生日常的生活怎樣？早上七時十五分起床，整理其房間內務畢，在八時前往大學。除星期日以外，每天上午九時起上課六次。每次約四十八分鐘，當中休憩十二分鐘。直至下午三時進膳，或在校中餐館，或回到宿舍吃。假如他很用功，他便再進圖書館去研究。每星期受強迫軍訓凡四小時。每六個月被測驗一次。假如不及格，便被取銷津貼，甚至常有因此而被革除學籍。此外如有餘時，他必須參加共產黨青年團活動，或有利於共產黨的組織。

在學校磨折了數年，幸而獲得畢業了，還未得自由。更由此而開始作黨的工具。他們沒有擇業的自由。沒有樂業的人生觀。畢業生要快到職業指派委員會報到。該委員會即指派他去就某一個崗位。他不管本人是否願意，是否有不便之處。他一定要絕對服從。經過了三年的服務後，才正式接受文憑。

一九五四年英國全國學生會會長諾維斯和蘇聯高等教育部長依魯丁會談，得悉蘇聯的大學畢業生，隨時有喪失其畢業文憑之虞。稍有不慎，被指責為有違紀律，便被褫奪其學位，甚至坐牢獄或勞動改造。

大學的畢業生

我們到莫斯科旅行，每次聆聽共黨發言人滔滔不絕的誇耀其成績，儼然有介事的列出許多數字統計。但我們實無法去證實是否無僞。姑妄聽之，據說：目前蘇聯的大學或高等教育大學畢業生廿三萬人，投考新生四十萬人，投考而不得進大學的也大約有四十萬人。畢業生與新生中女性的佔五分之二。假如現在的五年計劃進行順利，至一九六年每年畢業人數達三十萬人，大學教育為期四年至六年不等。升級與否，視學生之工作及教授的意見。最後的畢業試由政府執行。研究專科的百分之七十的時間耗在其科目，百分之三十用來研究馬列史主義。而辯證唯物論占嚴重要部份。

畢業後之研究生分三種（一）純粹研究生，不求學位的。（二）求取哲學博士學位的。（三）求取科學博士學位的。此等學位不易獲得。例如一九九一——五二年度，僅取博士學位的四千人，成功的祗有二千二百人。

蘇聯政府現注重栽培的人材，係機械工程及農業經濟人材。因為欲迅速推進其工業化。但目前又更關懷到東歐及中共附庸國之需要的工業化人材。

教兒童恨敵人

蘇聯的教育是依照黨的需要而製造人材，早在一九三四年，史太林告歷史家H G威爾斯道：「教育是一種武器，其效果視執有這武器的人，和被這武器打倒的人而定。」一九五四年出刊的一本教師閱讀的（教育雜誌），內有一項重要的訓示：要教師們不可忘記『教兒童恨敵人』。烏克蘭版的「眞理報」作指示道：『教師必須向學童說明：資本主義國家的人民的權利被剝削，及陷於貧困，及說明英美帝國主義者係我祖國的死敵。一切科目——例如歷史、文學、地理、化學、物理等，都是教師手上的利器，去製造學童對英美的仇恨！』

適合當前迫切需要　訓練師資應予擴充

據港府新聞處消息：當局培植大量師資，今年九月仍將繼續舉辦「教師講習班」，俾使現任職於港九各私校的乙級（暫准）教師機會，能夠獲得升入甲級（及格）教師。對於目前在各私立學校的乙級（暫准）教師說來，無疑是大感欣慰的。因為「教師講習班」參加受訓的教師，收入也相應增加。這種相等於業餘補習教學，增加教學知識辦法，乃改造教學人才，師資畢業以後，且可享受甲級（及格）教師待遇，不致再有「可恥待遇」詬病。但是三年來甚當洪，羅富國師範校的「講習班」，報名應考者固衆，每年取錄人數，實在不能滿足應考者要求，此種原因，至今仍難付測。在此及格師資十分需要現狀下，使人不能無憾。

一般說，當局未能盡量容納暫准教師受訓，不外兩種原因：第一、官立及津貼學校未能容納該受訓畢業教師。[illegible]

第二，報名參加受訓的教師，必須具備兩項甚嚴條件：A、在本港曾任專職教師三年以上及B、在本港中三程度普通教育程度，能說流利的粵語。因此，就有甚多的暫准教師被擯棄了。大體說來，港九有資格升為甲級的並不太少，[illegible]使乙級教師[illegible]將難望實現，訓練者全遭淘汰，[illegible]招致淘汰命運，[illegible]學經驗及其知識[illegible]教育司署[illegible]開始[illegible]三十一日截止。

讀：「中國史前史話」

徐亮之著　亞洲出版社出版

記得十五年前數學生說：「世界人類發源以中國為最古，所謂爪哇猿人，海德堡人，皮爾當人，均在中國北京人之後。因此，中華民族的文化，不是西來，不是東來，不是北來，更不是南來；我們遠古的老祖宗，實在是道地的土著！」然而因為沒有更多的證據，所以無法推翻西洋學者的理論，更無法闡明中華民族之所以為世界人類的胎盤，也無法進一步說明東部亞洲是世界人類之祖的發祥地。想到做不到，一拖就是十幾年。到了去年，見到徐亮之先生一篇「中國史前史話序」，歡喜為箇儻作，把我所想到的，引古證今，頭頭是道地寫出了概括的輪廓，使我歡喜得直跳起來，連忙做了一篇文字，在香港時報發表，我當時認為徐先生深入的見解，一定會把中國史前史，世界人類起源史，一顛腦兒把她扭轉過來。

不錯，亞洲出版社竟然出版了這本書，徐先生更可愛，把我認為他的知已，前三天寄了全部將近三十萬言的大著——中國史前史話——給我，並且附了一封信，說：「執事仍有興致一細評否？」

其實，我對這本書，只有資格細讀，那有資格「細評」！

×　×　×

我現在把該書的特點介紹出來，讓沒有讀過的人去注意他，已經讀過的人也把我的印象參證一下，看看我所說的話，對，或不對！

第一，我應該說：徐先生寫作的技巧很高，歷史本來就是很枯燥的學科，史前史更要命。但徐先生寫來毫不費力，而且奇趣橫生。這裏不必多說，讀者一讀便知。

例如們把西王母的神話當作歷史敍述，使人恍然大悟，西王母不特是人，而且是一個民族綜合的象徵。

他又據傳說，找出西王母特有的寶樹，那就是西遊記孫悟空偷吃的東西叫做蟠桃。而孫悟空偷吃蟠桃的小說是根據東方朔的故事而來的。

諸如此類，寫得太好，經讀美到像一篇散文詩。

×　×　×

其次，他對伊甸園的考證，作一個大膽的假定，他說：

「上帝所創造的伊甸園，和中國的伊甸園實在相似極了。因為中國伊甸園也有四道河，也有一道河流環繞一個著名的區域……這個區域便是中國新疆省西南部的搭里木盆地，也就是管子所謂『崑崙之墟』，山海經所謂『西海之南，流沙之濱，赤水之後，黑水之前的『崑崙之丘』。」

這可說是一個發明，這發明如果我們把聖經創世記第二章重讀一過，當知東方民族是西去的，不是西方民族要東來的。而且，這把舊歷史觀念推翻了，創造了亞洲歷史上的新觀念，了不得！了不得！

×　×　×

又次，中國出了北京人距今五十萬年前已就可驚，而香港又出了六十萬年前的巨人齒那更震動了世界；這個面積不過十方英里的小島，竟成了人類史學者研究的對象。雖然香港的歷史很短，但這三顆巨大臼齒的化石卻使人類歷史上溯而且加長，來源或是來自廣西，管他的，橫豎南中國的巨人化齒這個論斷大體不爽。要想詳情，請讀徐著四十七頁「由人猿到巨人」一章。

×　×　×

復次：舊約裏的伊甸園是上帝創造的，徐亮之的伊甸園卻是人間實有的世界，依他推測，距今約洪積統初期的第二冰期，大概五十萬年以前吧！他說：

「眞正的伊甸園並不像上帝的伊甸園，可不勞動便有食物；也不像森林王國，天然食物豐富，可以予取予求。……初期是素食，以後吃魚、吃肉、吃蛇、吃鳥，最後吃土，吃同類。到了吃無可吃，或你怕我吃，我怕你吃，在無可奈何中，只好離鄉背土，闖出了伊甸園。」

於是南行北去，東奔西走，糢糊其口於四方，這便是人種樹的分支，而成各部巨人，或人種。

×　×　×

此外，他把中國古史上的疑案糾正過來了，他先說有巢氏，次說燧人氏，三說伏羲氏，都有條不紊。列了新石器時代他把文化分作八種，曰細石器，曰紅陶，曰彩陶，曰刻紋陶，曰灰陶，曰大石，曰黑陶，曰白陶，而歸之於五類：曰羌狄文化，曰華夏文化，曰南蠻文化，曰東夷文化，曰中國正統文化。於是神農氏來了，黃帝氏來了，陶唐氏來了，夏后氏來了。他斷定黃帝是西部中國人，不是西來的外國人，闡明陳漢章等所不及，這個貢獻也是不可磨滅的。他說少皞金天氏是東夷部族最早的盟主，他說顓頊高陽氏是東夷化的黃帝族，他說高句麗是高辛氏之後，他說虞舜是貉族，他說夏族是大石文化的主人，他說殷商是黑陶文化的繼承者。如是互相交錯造成了中國的史前史。

×　×　×

寫這一本書，參考資料多到五百種以上，猗歟大哉，余欲無言。

不過其中我發現印刷時的小錯誤，如第五頁小標題，「而來」植「來而」，三十九頁有「註三六」，我翻註解只見「註三五」，無「註三六」並下文，再版時請注意！

總之，這一本書，是一本極有價值的書，不但學者要看，教師要看，學生要看，連普通平民要看，甚至全世界的歷史學家，更不可不看。因為：他發現了世界歷史上的新觀念，中國歷史上的新定義，是二十世紀六十年代一部空前的著作。

．王世昭．

經濟社會思想叢殘

金伯華

試看，共同經營方法關係之重大有如此者！這所以我們稱之為合作制度的方法論，並非誇張。

上文所說，是合作經濟終極的功效——即合作主義的理想。但是合作社具體目的是什麼呢？依合作社法所定，是「謀社員經濟之利益與生活之改善」。

依筆者所信，這目的包含有兩層意義和兩個步驟。兩層意義：物質利益與精神利益。「經濟利益」，通常都係指有形的物質而言。申言之，積極方面，獲得某種利益；消極方面，不喪失某種利益：合作目的所追求的經濟利益，實包括這兩方面的利益。因為就消費者的立場而言，做了合作社社員，可得「價廉物美」的利益。即如照「市價主義」的辦法，社員向合作社購買東西，雖也付出與向普通商店購買同樣的價錢；但在這價錢中所「多付」的部份，仍由合作代為存儲，到了結賬時期，按購買額攤還社員，決不致如一般買賣，落到商店或公司老闆的腰包裏去，這在合作學者稱為「一面消費，一面儲蓄」，拿向合作社買過一磅麵包，都有幾分錢存在社裏了。就生產者（工人）的立場而言，做了合作社員，便可做到「各盡所能，各取所值」，在工錢中，不會像普通工廠受到資本家的「少付」。一面買進日用品不要「多付」，一面賣出生產品不受「少付」，這樣，社員的經濟利益不就保持完整了嗎？廣義的講，每一個人都必然是消費者，同時也應該都是生產者。透過合作社組織，把每個人的生產和消費打成一片，混為一體，使買主同時也即是老闆，工人同時也即是顧主，經濟利益完全歸於協調，這正是合作制度極巧妙的關鍵。因此，從一個合作社看，固然是「人的結合」，但若從一個個的人看，亦即是「人的尊嚴」。所謂「人的尊嚴」，簡單的講，就是「不欺人」，亦「不受欺」。這是人格的完整。（二十三）（未完）

挺勁兒

馬五先生

李鴻章在生時，常對于姪和少友們說，他的老師曾文正公一生事業的成功秘訣，就是一個「挺」字。「挺」也者，遇事撐得住氣，吃得甜，而始終挺起胸膛做人之謂也。試看曾氏以文人而帶兵，當時正以身份，在長沙編練新軍之時，因爲當常受到駐防綠營兵勇和地方官僚的凌辱蔑視，即自請移到衡陽，默默地去進行他的工作，不屑跟這般人較短長，爭閒氣。後來統率大軍到江西，那曾門去跟太平天國作戰，又遭到江西巡撫沈葆楨的刁難，他就決意不赴南昌省城。江西各級官吏不遵照朝廷命令供應軍餉，他即改向湖南籌措。從來不值此國家多難之秋，爲人臣者不但替君主增加意外憂慮。這番話好像是老生常談，如果沒身處地而躬歷其事，沒有挺勁兒的人，做得到嗎？

治金陵克復，太平天國消滅了。來自四方八面的歌頌功績的函電，目不暇接；過去祗嫉反對他的文武大員，如沈葆楨之流，當然又是一副面孔，恭維備至了。他卻告訴左右，把這大批祝賀功的函電彙集成帙，可名之爲「米湯集」！一生以「挺經」立身行己的曾氏，當然不喜歡喝「米湯」，他祇願多喝若水。明乎此，即知其對於那位在思想上和他格格不入的左宗棠，始終忍讓而不校，他的氣度，還是「挺」字的功用所使然也。

祇要能夠挺起胸膛做人，內心憑明辨是非，生命力自然特別健旺，還怕甚麼事沒有成就嗎？

不管世人對曾國藩的政治思想作何評價，我對於他的「挺」字的修養精神，總是衷心傾服的。曾氏以後，在政史上，像他這類人物和其成就者，能夠數出幾個呢？想想看！

×　×　×

新聞掌故

談「東南日報」

·沈柬文·

以一張破破爛爛的報紙起家，後來銷數曾達六萬多份的「東南日報」，這是新聞掌故中最值得一談的。

提起「東南日報」，不僅東南各省人士耳熟能詳，在抗戰期間實爲一張銷數僅次於「中央」和「大公」的報紙。在勝利以後，亦僅次於「中央」，「大公」，「申報」，「新聞報」等四家，銷數佔全國報紙第五位。

×　×　×

事業的成就，決非偶然。「東南日報」的成功，也有一段極爲艱苦的歷史。

「東南日報」初辦的時候，原名「杭州民國日報」，那時只有西湖紫陽畔的一間狹小的房子，一部收音機，一架舊式印報機，一些呆笨的老宋，五六個工人，十來個職員，日出兩千餘份，只供應杭州市及鄰近各縣的讀者。

那時，許紹棣先生是浙江省黨部宣傳部長，兼任該社社長；胡健中先生任總編輯；劉湘女先生以宣傳部秘書於公餘之暇，協助該報業務。該報紙。後來，許紹棣轉任教育廳長，放棄社長兼職，乃由胡健中任社長，劉湘女出任總編輯。由於不斷改進，發行逐漸推廣，報雖有黨報之稱，實際是黨員所辦的民營報紙，年有盈餘。所有盈餘，皆用之改善和擴充設備，逐漸奠定了該報的基業。民國二十三年改名爲「東南日報」，並在衆安橋畔建造他的廣廈的「東南日報大廈」。

×　×　×

抗戰爆發，杭州淪陷，該報撤運了一部份器材到金華，繼金華後，天天空襲，但該報同人業在東南各省，埋頭苦幹繼續出版，貢獻至大，掌握了東南輿論的重心。

該報最艱苦的時期，是在金華淪陷，移往麗水，雲和，縉雲一段時間。那時報社無錢，員工死人甚多，（鼠疫流行），日軍又時時威脅，要是沒有犧牲決心，早就停刊了。

抗戰勝利後，該報隨即復員。復員的時候，他們買了一大批最新式的印刷機器，許、劉二位以正副社長名義主持該報杭州版，並由胡健中主持南京上海發展。上海大報林立，競爭不易，但「東南」報格特殊，畢竟打開新地盤，擁有很大讀者。所謂「事在人爲」，「東南」成功的因素即在此。

×　×　×

許、胡、劉三氏曾有三位一體之稱，可見他們都是辦報能手。胡氏富組織力，對社務發展，貢獻甚大。許氏長於用人，事事精誠，故東南報能建立制度精神，人人發揮合作效能，是東南進步與發展的關鍵。劉氏爲人和易可親，談笑風生，既善於處理人事，糾紛社務，亦長於領導編務，文字功夫。他常寫社論，每遇重大事情發生，不論是他親自執筆，或他人執筆，事前多開小組會議，集合各方意見，從長討論，然後成文。「東南」之所以能樹立輿論權威，獲得廣大銷路者，原因泰半有賴於此。

故「東南」成功的最大原因，可以說是許、胡、劉三人之間，公誼私交之篤，合作之密，與乎才具之長，有以致之。現三人皆在台灣，皆爲立委，胡先生且爲中央日報的董事長。

大陸陷匪，「東南」於倉卒間盡失物資，現在台尚設有辦事處，復版一時尚無可能。於今談及往事，自不免有幾分感慨。不過來日方長，事在人爲，「東南」當終有復興之一日的。

和黃景南先生春興原韻

周樹聲

櫻在陽明花滿林。出郊士女半惜惜。尋巢飛鳥枝頭喚。避釣遊魚水底沉。萬里雲山猶極目。百年石火應驚心。春來無限生機茂。何事頻聞戰鼓音。

鄉耆九十六歲老人馬直彼先生無疾壽終香港詩以輓之

每於新歲誦公詩。今歲詩遲意頗疑。赴告忽來驚溘逝。誄章並至繫追思。大年篤祜稱人瑞。亂世全貞作士規。只憾首邱歸未得。彌留猶自盼王師。

語意學漫談

徐道鄰

有限的經驗，籠統的表達

我們一般人說話的第二個大毛病，就是喜歡把自己的有限的實體經驗，總是用極籠統極概括的語詞表達出來。前天你在東來順吃了一碗紅燒羊肉，非常可口，於是你就說：『台北的羊肉館真不錯！』而你的同學趙君，昨天在西來順吃的一碗油爆肚，硬的像皮鞋底一樣，則他一定會反對你的意見，而認爲『台北的羊肉館實在要不得。』我相信，你和你的同學趙君，如若把你們的經驗，相互掉換，可能你們對於『台北的羊肉館』，所表達的態度，完全一樣。也就是說，你們兩人的口味，心理和意見原來一點卻沒有怎麼不同，祗是因爲你們二人各有了不同的經驗，又因爲你們二人所用以表達這個經驗的語詞，全都是籠統性概括性的，因而使你們二人在這一段對話中的表現，似乎在口味心理和意見上，你們二人都處於完全相反的地位。

大凡一個人發表一種籠統的意見，沒有人能知道他所根據的，是祗有極少數的事實，或者是有較多的事實，或者是包涵了一切有關的事實。就我們一般的經驗來說，人們常常根據着或是少數的事實，就發表一種非常籠統性的意見，而表面上似乎在指陳着有關的一切一切。至少在聽話的人們這方面，是常常如此感覺。而他們卻又經驗過一些和這種意見不相符合的事實，因而起來加以辯駁。但是他們所用以說明這些經驗的語詞，又同樣的是一種非常籠統性的性質，因而又給予對方一個辯駁和反擊的好機會。這樣子一來一去，幾個回合，雙方發表的意見愈多，彼此相互明瞭的機會也愈少。

在一個討論到財產和幸福的場合，張三說：『有錢的人是比沒有錢的人幸福多了。就拿洛克斐勒的女兒來說吧，她最近承繼了那麼大的一筆遺產。你能說她不幸福嗎？』李四說：『不，她一點兒也不幸福。』我相信在他們繼續相互攻擊之先，在場的人請他們各別的指出他們意見的根據的事實。張三說：（一）她一點也用不着爲金錢發愁；（二）她想買甚麼東西，就可以買甚麼東西，絲毫用不着考慮價錢。李四說：（一）她沒有一個美滿的家庭生活；（二）她無論到那裏，總得帶着一個保鏢的。她豈不是不幸福？』（三十一）

津沽陷匪痛史追述

唐瑩

自唐山撤退的部隊，奉總命令在天津楊柳青一帶駐在車上待命。當時我很不了解，剛鑽對於共匪的動向，一定沒有弄明白，不然決不至在這緊要的關頭下，將有用的部隊集中在火車上待命的還有什麼問題？今見他這種張皇失措的舉動，實令人大惑不解。後聽說演變的究竟，原來是這樣的：

傅作義坐鎮華北，北平雖是軍事政治的重心，但他的嫡系部隊，始終留駐在張家口包頭一帶，準備華北惡化，向西退走，攜兵以觀變。這完全是基於個人的一種打算。當時中央很不以爲然，要他將基本部隊開入關內，確保平津塘沽。傅作義在無可奈何之下，勉強接受這命令，即電張家口包頭各軍限期入關。想他那些自認爲勁旅的基本部隊，一旦奉命開赴關外過久，師老兵生，拖兒帶女，以及個人資財，牽扯甚多，無法作到速行軍，給予共匪一個破壞機會，將南口一主要涵洞炸毀，截斷交通，一面調動大軍，向北平進攻。這樣一來，傅作義便手足無措，放棄唐山，連同塘沽也準備不要了。

就軍事佈置在天津楊柳青一帶來看，似乎已將軍隊撤減至塘沽一綫，如軍隊城不守，塘沽天津隔絕，失去出口呼應的效用，將喝不能守。而事實上唐山既已放棄，津沽已陷極端不利的境地，如此軍隊撤的塘沽撤守，只要守天津一座孤城，是否可能呢？如津沽均不屬有用心，最低限度，已踽踽失措，無以爲懷了。

當時「剿總」的傅作義，原爲一般人所信賴，認爲傅長官坐鎮華北，

十四日下午，塘沽已聞砲聲，匪軍已自唐山猛撲北塘。北塘在塘沽北面二十公里，距新河站十五公里，新河至塘沽五公里，如北塘失守，戰事便迅速的逼近新河。

晚間砲聲已更清晰，十五日晨匪軍果已攻抵新河。一夜之間，人民已逃避一空，街上摩肩接踵的，都是軍人。到了十五日晚間，有兩處倉庫被亂兵劫掠，駐守塘沽的兵團司令侯鏡如將軍，力予彈壓，鎗斃二人，始將搶風壓了下去。

但匪軍並沒有進入新河，已繞道撲向塘沽猛攻。塘沽的防綫已自新河轉移至海河旁招商局碼頭起經專員公署前大街永利化工廠而訖於新港一綫。保衛塘沽的兵力，只有八十七軍的三個師和九十五師一個師，共約兩萬多人而已。（二）

英國紡織業

·劉易·

一條華貴汽車最近駛過蘭開夏郡的一個棉紗城，許多女工都圍攏來，歡快地探望。車中的依麗莎伯女皇微笑着從窗口望着她們，又不時揮動戴着手套的手，向她們招呼。這是女皇第一次蒞臨這個英國著名的工業區作官式巡視，和她同來的是愛丁堡公爵，他們希望能替這遭遇不景氣的地區帶來一種新氣象與新的鼓舞。

蘭開夏郡有五十萬勤苦辛勤的英國人，它是英國紡織業的主要地區。它的景色，並不是一般遊客所看到英國那麼美麗。它是一塊長五十哩，中間四十哩的土地，被烈布河所隔分，分爲南北兩區，北區是鄉郊，併入華茨渥斯湖區；南區則是工業化的煤礦區，有許多小城市、貧民窟、礦工們的小村、紡織廠、運河、和鐵道，形成一個複雜的緊密結構，像是蜂窩相似。南區也是倫敦以外英國人口最稠密的地區，他的人民有英格蘭的平民、威爾斯的牧人、愛爾蘭的農民，他們都因工業革命而來到這裏，成了「蘭開夏人」。

蘭開夏擁有利物浦的深水港（人口七十九萬），氣候潮濕，煤礦豐富，過去一百年來，它的棉紗製品供應了半個世界。蘭開夏的人發明了第一架大量生產的機器，也首先運用蒸汽驅動這些機器。但蘭開夏雖擁得這樣的進位，它的人民也付出了很大的代價。在蘭開夏「陰暗的、魔鬼般的工廠」中，童工得天天做工十二小時，婦女們到三十歲便未老先衰了。

宗教是蘭開夏人民的主要精神安慰。浸信會在蘭開夏各工廠區勢力極大。而工黨的根據地之一便在南蘭開夏。今日蘭開夏郡在下議院擁有五十二個議席，其中三分之二屬於工黨。蘭開夏紡織業的不景氣，可能增加五月間大選中工黨的選票。

最近，不景氣的陰影正籠罩於這個區，在歡迎女皇巡行的羣衆中，便有三萬二千名紡織廠勞工因爲工廠縮短出產時間而停工二週。在去年度，蘭開夏郡的紗布產量，較一九五三年減少了七千二百萬碼，也就是降低了百分之十。一個紡織廠的經理說：「我們的紡織機已有半數接不到定單，但我們還算幸運，我們這市鎮的十家工廠，完全停工的還祇有二家。」

這種現象的直接原因是十分明顯的。蘭開夏的最大主顧澳洲，上月已將紗布的進口額減少了百分之三十三。此外，由於美國可能將剩餘棉紗抑價輸出，也使世界各地的進出口都暫時減少定貨，希望價格能告減低。不過蘭開夏紡織業的困難，並不是僅在未來市場的萎縮。

像蘭開夏郡已迫漢醇市所出產的紗布，已無法與日本和印度等國家的產品作價格上的競爭，這些國家所用的機器雖然大多是蘭開夏所製，它們的勞工成本，都遠較蘭開夏爲低。印度的廉價紗布，甚至已湧進英國的市場，一九五三年還祇有一千六百萬碼，到去年竟增爲一億三千萬碼。蘭開夏工業界人士，曾埋怨有些國家自己限制英國紡織品輸入，而它們的紡織品卻仍准流入英國市場，這也確是實情，不過有人批評蘭開夏的工業家說，他們容許自己的生產方法和機器都逐漸落伍，以致無法與人競爭，這種情形，也是確實的。（上）

發酬通告

本刊三八八期至三九九期稿酬通知單業經分別寄送，請惠稿諸先生，憑單前來領取酬金爲荷！

本社編輯部敬啓。

自由人
THE FREEMAN
（第四三四期）
中華民國僑務委員會
僑務登記證台教新字第一零二號
中華郵政台字第五〇〇號
執照登記爲第一類新聞紙類
（半週刊每星期三六出版）
每份港幣壹毫
台北市售價台幣壹元
督印人：陳文華
地址：香港高士威道二十號四樓
3 rd. fl. 20 CAUSEWAY RD
HONG KONG
香港發行及事務接洽
高士打道66號　電話：七四〇五三
承印者：東南印務出版社
地址：高士打道六十四號
海外總經銷
友聯書報發行公司
香港：德輔道中二十六號A二樓
台灣特派員辦事處
台北市館前街五十號
台灣總經銷處
台北市西寧南路壹壹號二樓
台郵撥儲金戶九二五二

泛論殖民主義

·蕭立坤·

萬隆會議第一日，各國代表都提到殖民主義，這是一個定義極紛歧的名詞，茲根據作者個人幾次環遊世界的實際觀感，及研讀歷史的心得，作簡單的討論。

三種方式的殖民地

照近百年的世界實情而言，「殖民地」大概有三種方式：

一、一個民族的一羣人，遷居到一塊荒地上，開始生聚教訓，漸漸建立成一個脫離原居地而獨立的新國家，如該荒地上原有少數土人，或將他們殺死（如南非，白人對毛毛），或限制他們的繁殖（如美國白人對印第安人），或把他們同化（如阿根廷白人對印第安人）。這塊新土地即是那優勢民族的殖民地。一百年前華人在婆羅洲，也建立了這樣一個殖民地，名叫蘭芳共和國，後來因爲滿清政府漠不關心，而被後來的荷蘭人滅亡了。

二、一個國家用武力或經濟力量，征服一個較落後的民族所聚居的地方，取得該地的統治權，派少數官員及資本家駐在該地，統御大多數的土著居民，這地方也是那統治國的殖民地，如幾年前法國對安南，蘇聯對亞洲北部都是。

三、一個民族的一羣人，遷居到本國以外生活較容易的地方，受當地政權的統治，這地方也可叫做這一羣人的殖民地，如華僑在南洋，意大利人在阿根廷之類。

種族歧視　經濟榨取

在今日的亞洲，最受人反對的是上述第二種殖民主義。它的毛病不在於殖民及統治，而在種族歧視及經濟的榨取。

從前美國脫離英國而獨立，原是第一種殖民主義，好比兄弟分家，雖暫時免不了爭產打架，事後終究會和好的。

關於第三種，如果殖民地政府是開明的，外來人及土人間能不互相歧視，又沒有政治思想及民族主義，參雜在內，則這殖民主義原是進入世界大同的最好途徑，似乎値得提倡，不必去反對的。因此澳洲，紐西蘭，美國，加拿大，南非聯邦等政府，他們現時所推行的歧視黃種人的「反對第三種殖民主義」的政策，正是我們所要反對的，不敢贊成的。

南洋一帶歧視華人

在中共佔據中國大陸之前，中國人原可自由出入南洋一帶，今日南洋各國對華人的限制，主要是以無法分辨華人與中共黨員爲藉口。

又美國、菲律賓、泰國，訂出許多歧視華人的法律，主要原因是華人不願與土人同化。許多土生華僑，不効忠當地政府而効忠於祖國（中國），因之使當地政府及人民不放心，將心比心，易地而處，自然也是値得研究的一個問題。

意大利人移居阿根廷則不然，（歐洲人移居美洲，一般均如此）。他們一到新國，精神上即與祖國脫離關係，好比女子出了嫁，即全心忠于丈夫，與娘家兄弟們，各立門戶，各是一家了。

一個政府希望移居國外的僑民，第一向祖國効忠，不啻一個父母，希望已出嫁的女兒，第一向娘家効忠，而將丈夫擺在其次，一樣的不合理。已嫁的女兒自身，如果時時念念娘家，而不効忠丈夫，其後果也是不堪設想的。

這自然是純理論的想法，事實上和國際法的關係上，當然不是這樣簡單的。

今日亞洲[illegible]政治的（第二種）殖民地，已所剩無多了。越南獨立之後，我們希望馬來亞聯邦，香港自治領，[illegible]在賢明的[illegible]之下能逐漸成爲事實。

蘇俄中共的殖民主義

現在問題的重心，倒在亞洲北部，中共對新疆，西藏，青海，蒙古人民的統治，正是一種最殘酷的殖民主義，因爲他們並沒有實行民族平等的原則。

再向北看一點，問題更嚴重了，俄羅斯民族，自從推翻了西蒙古帝國後，一直經略到太平洋岸，用武力征服了幾十個古文化國族。至俄共興起，更用蘇維埃聯邦共和國的名義，完全奴役了亞洲北部各民族。統制思想，封鎖新聞，禁外人遊歷，限制本地居民活動，迫害宗教，以暴力強迫改變各民族生活的方式，使有數千年文化的亞洲北部，變爲共黨原子彈的試驗場，軍事工業的安全帶，集中營，改造人性的生物試驗場，慘不忍睹的屠場。

解放共黨的殖民地

所以今日凡是反對殖民主義的人士，不必重複的只對已逝去的南亞殖民歷史發生興趣，而應集中注意喜馬拉亞山以北全亞洲心臟地區，那佔有世界陸地六分之一，人口十二分之一，正在受共產殖民主義殘酷無比的殺害。我們應請萬隆會議各自由亞洲國家，聯合國各會員國，一致的努力，要求蘇俄及中共將亞洲西伯利亞的統治權，迅速交給聯合國，以聯合國的力量，扶助該地區幾十個民族逐漸達到獨立自由的境地。（四月廿日）

△美副總統尼克遜的獵人裝▽

大學教育痛言

·江仁·

大學爲一學術研究機構，而非一行政機關，因此大學教育只包括了兩部分——教與學。要達到教與學的目的與效果，只有在學術自由的空氣下始可達成，教授要有教學與研究的自由，不使受到人事上的干擾；學生必須能有充分的選課與研究的自由，必使排除一切身心上的束縛而後可，可是目前大學現狀遠非如此，爲避免含混起見，茲就教與學的兩點分敍於后：

教授應有新陳代謝

大學的主體當然在教授，爲教育爲學術研究這都是當然的。教授在人事上的變動當然愈少愈好，可是這必須在後述的前提下才屬正確，即教授必須是好教授（而不一定爲名教授）。不能研究的不是好教授，不能「苟日新，又日新，日日新」的教授也不是好教授，唯有好教授始能享受到人事上的安定。以今日唯一的國立台灣大學而論（以下均以台大爲例），教授位置的安定確乎已到了不容太予指責的程度。可是教授的本質是怎樣的呢，台大教與學均佳的好教授固然不少，而亂七糟八的教授也不在少數。有些教授們的講義被學生視爲天書般的不可理解，生呑活剝的直譯固不可解，即連他自己所寫的也是文句不通的令人發笑。另一些教授的講義可以一直維持四五年而不加稍改，這些類的教授當然不是好教授，但爲什麽不加更換呢？於是在人事安定的口號下，教授們少了新陳代謝的恐懼，而可以馬虎從事悠然自得了。外面的好教授進不來，內部的糟糠又去不淸，豈不誤盡天下學子！

不負責任的教授

大學的課程原該是因科而設教授的，絕不應遷就教授而開某科。今日台大有些却非如此，內容相似而巧立名目的課程屬不少，即連毫無內容根本無開課價值的可是爲了遷就教授而設的也爲數頗多。這雖可炫入耳目的以爲該教授的學問淵博，一經講述之下却幼稚粗淺的可笑，這樣的課程對於學生有何裨益？對教育有何貢獻？而且更有奇特的現象存焉；教授們的職責所在當然是教與學，可是台大有幾位教授，對於本身的工作可加漠視，而以教授之名向外發展，對於學生的講授可以粗而略，而以大部分的時間與精力寫稿外投，授課的講義只是對外稿件的集合而已。固然這是由於教授們的生活清苦所至，但這確是教育上的危機與失敗。

沒有選課的自由

大學教育的成功與否，固然與教授的好壞有着密切的關係，課程訂定的適否，似更有決定性的影響，如果課程的本身發生偏差，不僅阻礙了學生思想上的發展，亦且破壞了學術自由研究的風氣。

教育部規定，大學四年至少須修滿一百卅二學分始准畢業，這其中必修科所佔的百分比實在高的驚人，理、醫、工學院不說，文法兩院各系的必修科大都在[illegible]學分上下，以每學期所修不得少於十四學分不得超過廿一學分的規定而論，每學期必修學分常在十二學分以上，即每學期有必修科四門，加上選修軍訓體育星期上課時數總在廿四點鐘左右，還有什麽選課的自由，更說不上自修研究了。每日聽講的時數較之自修的時間還要多，學生平日戰戰兢兢的花上大部分的時間去應付那些不必要的必修科，出於自己意欲的時間便少得可憐。抑有甚者，在多得可以窒息自由研究的必修科外，又有所謂必選科的規定，這就是在一科的範圍內，必須選修其中兩三門指定的課，於是所謂選課的自由更爲減少了。

必修科中，有些是不適應實際的，講理論無內容可言，談實用又不得要領，本來大學課程不應偏重于實用的，而我們的情形相異，是日後就業時需要什麽，便授什麽，高等考試要考些什麽，便着重什麽，學校是以畢業後的出路爲主，學生，只好忍受下來，似此情形與職業學校何異？近來傳言台大有某些系正欲請示教育部將某些選修科改爲必修，我不知道教育部對此作何感想？作何處理？

畢業論文官樣文章

在這種選課制度下，上面已講過，欲學生從事研究，已是件難而又難的事，然而我們的教育當局根本就未曾注意及此，依舊規定到了四年級後，學生必須寫作論文，這雖不至自欺欺人，却也滑稽有趣。畢業論文者乃學生就其四年所學之精華，就其興趣所作的論文，然而就現今的選課制度下，學生必須在四年級上期擬定題目及大綱，於此時其能運用於其論文的資料，就只有前三年的所學。但學生們所學既如此的貧乏，一二年級的全是些所『[illegible]』的必修，根本無自由選擇的機會，于那些必修科中，能有多少於他有益，與其論文有助，及至三年級，方有一二門選修，但在一年之中，所獲値幾？總之，學生們所學僅有的，也只是教授們所知道的，至少在此階段中不會得到滿足。因此在歷年的畢業生中，幾曾聽說有過出類拔萃的論文！學生們知道的有限，在作論文時，只得借上三兩本書，數本雜誌，東抄一段西扯一片的拉雜成文了。學生們固然視畢業論文爲官樣文章，即使有些教授們又何不如此呢，導師就得指導選他的學生，這對教授而言是一種麻煩，教授知道學生不會有驚人之舉，於是在指導時也就馬虎從事，有些甚至連學生們交上的論文只字不看而允其派司的。

筆者不知道，在今日這種情形下，論文的設置究有若何的價值！

我們每欣羨歐美能有那麽多偉大的文學家，科學家，哲學家，我們每慨嘆今日學生，程度的低下，然而我們這種教育環境是培養偉大人物的溫床麼！總之，今日大學教育制度已至非徹加改革不可的地步，否則我們的國家將永不能產生如愛因斯坦，康德，凱因斯等人物，我們也只有永居人下，永遠欣羨別人！大學教育制度的改革，當另文論之。

本週展望

·旭軍·

美國上中共圈套了

本月二十三日周恩來在萬隆發表一個願意和美國直接談判所謂「台灣問題」的書面聲明，本來是含義極模糊的幾句話，即：『中國人民對美國人民是友好的，中國人民不希望同美國作戰，中國（共）政府願意坐下來同美國談判，討論和緩遠東緊張局勢的問題，特別是和緩台灣地區緊張局勢的問題。』這是中共裝好的彈弓，引美國入彀，因爲只要美國願意『坐下談判』，便不能不除下美國堂堂正大的『聯合國懲罰侵略者』的金字招牌，而淪爲與匪同等地位，且默認自己是所謂『台灣問題』的負責人，將中華民國之地位加以侮辱。一石兩鳥，其用心實毒辣非常。這樣『一坐下來』，便有七八條困惑而恥辱的繩索捆綁過來。如果美國當局不是短視猴急的，應嚴正的拒絕。縱然不理不睬，視若無睹，人們不會說你是錯的。而周恩來亦碰了一鼻子灰看他怎樣沒趣下場。

但一則忽略了政治理想而患了『核子』歇斯的里病，二則因所謂（友邦）的催促，不能堅持定見，於是美國不能不上人家圈套了。

艾總統未免大意

廿日國務院聲明舉行談判，以（一）立即停火，（二）釋放美空軍及美僑，（三）國府須以平等資格參加，（四）聯合國內談判爲談判條件。這樣已是左脚已踏進圈套了，但右脚還沒有走去。因爲還用一些條件來難中共，而以「立即停火」作談判的條件而已。——自然，停火二字本已不通之至，美國未與中共在台灣區開火也。——但艾森豪威爾總統在二十七日居然對記者說『美國願意同中共會談關於台灣地區停火問題。』這樣一來，不是以「立即停火」爲談判的條件，而變成了以「停火」爲談判的內容或議程了。奈何竟大意到如斯田地。共黨已肚裏暗笑了。詭計獲售了，但輕率還未了，艾總統居然還說討論問題不限於「停火」，而且擴張到一般足以和緩國際緊張的問題。雖然他補上一句「唯一的例外便是直接與中華民國有關的題目。」但假如中共提出要加入聯合國，或要求撤退美國第七艦隊，則此等問題是不是與中華民國直接關係呢？所謂「盟友」是不是會七嘴八舌硬要拖着老實頭子山叔叔將這種問題來纏纏弄到無法自拔呢？我勸美當局仔細想想才好。試看現在幕後外交已在前活躍了，澳洲等國又倡議聯合保證及國軍放棄金馬。所謂「聯合保證」是一句空話放棄金馬便是中共極大的勝利了。

事態的發展愈來愈對自由中國不利。時至今日，我們不要光指責美國「不敢單獨行動」。因爲艾森豪威爾的「原子僵局」已把美國的主動僵着了。我們還要想想是否從此俯仰由人。難道自己完全沒有一點「單獨行動」的可能麼？

我們要造成形勢

反攻大陸不能不有相當準備，祇許成功，不許失敗，故而遲遲不發動，未嘗沒有理由。但準備至何時？何時方係反攻時機？我相信等候國際形勢轉變，是無異守株待兔。形勢可以由我們造成。我們雖然不能以全力作孤注一擲，但爲了保衛金馬的正當理由，當早以空軍轟炸中共之基地。總之在可能有出擊之機會，便不必因顧忌外交上的理由而猶豫。蘇聯與中共訂攻守同盟之約來滅我國家。我豈能束手待滅。祇要國民政府是專賴自己的部隊而行動，任何一個國家都不會指責我們。國與國之間係因利害關係而結合。中華民國的存亡與自由世界有密切的關係。我不相信因反攻而失去盟友，反而因反攻而推動國際向反侵略推進。中共目前是在弱，而蘇聯必不敢惹起大戰。前任美國駐柏林軍事總督侯萊將軍說：『採取行動渡過台灣海峽始去推翻共產世界的陰謀，這是可實行的。』豈戲言乎。

南大糾紛的內幕

·萬香堂·

關於南大糾紛，我很早便想發表一點意見，國內一般人對林語堂及南大風潮的內幕不了解，而我忽然唱反調，是會有人懷疑我有什麼作用的，因此，我幾次擱筆不寫，直至林語堂辭職後，報載南大風潮乃受政治所壓制，證明我的看法不錯，現在雖似明日黃花，但仍有一評的價值。

神秘人物何永佶

星加坡在南洋羣島的地位，在軍事經濟文化方面均有舉足輕重之勢，共匪早已派人馬在那裏分頭滲入及把持，南大籌備之初，共匪及盟分子即欲有所作爲，但因陳六使連瀛洲等對林語堂十分崇拜，而不敢即顯露其野心而已，而其所滲入一個重要的種子，是非常重要的，此種子爲何，即爲大家很不陌生的何永佶的滲入南大，何久已不知去向，年來忽在星加坡露面，並膺任南大建築委員的設計會主委之職。何永佶是廣西人，是著名的左翼份子，平時在大公報出風頭，而另舉起一把扇子住面孔，所以在大陸時期仍得在政府機關活動，大陸淪陷前二三年，他任孫立人將軍的高等顧問時，某次在滬忽然失蹤了的，何永佶爲神秘人物，由此便可以深切了解了。數月前，由星加坡歸台的朋友曾對我說：『何永佶是反對政府的，反對自由民主的。他當然反對林語堂。如果台灣方面不注意南大風潮的發展，南大必落在共匪的手上了。』這句話現在差不多不幸而言中了。

有一位國員曾向教育部張部長詢問關於南大風潮的對策，（該員當然明瞭南大風潮內幕）而張部長對此詢問並不注意，且謂南大立案問題並未加以考慮，由此可知自由中國對共匪文化鬥爭實在太疏忽了。林語堂乃自由主義分子，我們熱望他在南大成功，可惜他沒有辦學經驗，徒然大喊要辦第一流大學，請問林語堂，什麼叫做第一流大學？什麼所謂第一流，以何爲標準？是房子漂亮，就是第一流嗎？平心講話，林語堂除了英文很好以外，他自己應該知道有華而不實之弊，當大學校長不是能寫幽默小品文就可以的，自己應該檢討自己是不是第一流大學校長呢！他所聘教授與作者認交者不乏人，如被聘爲南大文學院長的熊式一雖然他在英國把平劇王寶釧舊瓶裝新酒演出而成名了，但他在中國學術界地位是很平凡的，似乎也不是理想的第一流文學院長呢？

董事會應加警惕

至於林語堂抵星加坡後與南大董事陳六使所發生的歧見，也是一場很[illegible]的風波。林受聘於人，依行政法乃受董事會支配，校長僅能執行董事會決議案，僅能處理經常校務，對於學校開辦費，校長似不應過問。更不應限董事會一次籌足二千萬元交其支配，校長作主，將教授待遇預算特別提高，也很有疑問。至於辭職條件之鉅，林語堂一人亦[illegible]，數人竟索三十餘萬，估七萬餘元，也不免過份了。

報載南大決聘前嶺南大學校長陳序經繼任校長，但傳陳劉在匪區任職，如所傳屬實，則爲南大前途着想，南大董事會應加警惕。

自由中國的疏忽

憶去年香港文化訪問團來台時，聽說

東德的不安

難民的談話暴露了東德農業遭遇的嚴重危機。肉類、小麥、糖、以及食油，現在均極度缺乏，並且有些地方，在「自由市場」中已發生搶購現象，「自由市場」的價錢要比配給的價格高出六倍左右，有些東德人且認爲最近東德對西柏林實行的「小型封鎖」，西德，可能是某種新的陰謀的前奏，因爲東德政府正在這時宣布，共黨已逮捕美英及西德間諜五百二十一人。

在西德的難民中，爲了特別原因而逃出鐵幕的，可以明顯的分爲三類人物：一、農民，他們怕農場集體化將加強進行。二、青年，他們則因爲對抗西德再武裝，「人民警察」的名額不久要增加一倍而驚恐，怕被強迫徵召入伍。三、教師，他們所以逃亡，是因爲共黨要他們令學生接受「青年獻堂式」，那是共黨作爲教堂堅信禮的一種代替儀式。一個逃出家鄉的文法學校的教師說，「歸根到底，毀害教堂，便是毀害東德今日唯一有效的反共體系」。

矜式譯

建甌機場米格突然飛走

福建中共建甌機場原停有若干米格十五式噴射戰機，但最近一週內這些米格機卻突然不見了。台北的美軍情報官接獲這一情報後，均感意外，而且大惑不解。這事至爲引人注意，因爲共軍如進窺馬祖，必須賴建甌基地的中共空軍以爲支援。但米格機何以飛離建甌，有種種不同的說法。一個可能的解釋是：中共害怕美以原子彈進攻建甌基地，故已靜悄悄地將飛機疏散。

法美交惡柯林斯成眼中釘

法美兩國駐越官員的關係近來弄得很壞，其惡化程度據某些觀察家說，已到了「接近內戰」的階段。事件的起因很爲複雜，但其焦點卻爲雙方對越南大局以及解決問題的看法各不相同。美總統駐越南特使柯林斯將軍和法國遠征軍總司令艾利將軍間，對如何處理軍閥（和好、平順兩教派）擁兵自重，使用武力篡奪政權的問題，一直意見歧異。據說，法國目前正在運用多方面的努力，要求美國把柯林斯召回美國，就是法國運用壓力的結果。

高瞻遠矚，在此反共復國大時代中，南大豈能陷入共匪之手，陳六使先生當創辦南大負責，應該提高警覺了。而自由中國方面，教育部及僑務委員會應即正視南大的創立問題，宜以精神物質輔助南大之開辦，使納入軌道上向上發展呢！

瑞京行俄造「中立帶」

蘇俄外次葛羅米柯突然訪問瑞典京城斯德哥爾摩，很引起一般人士的注意。據熟悉內幕的人士說，他抵達後，會與瑞典官員詳細討論瑞典的裁軍建議。有些人懷疑葛羅米柯之訪問瑞典，目的決非如此簡單，他們認爲葛的來訪，必與蘇俄的某一計劃有關，這計劃便是在蘇俄與西方之間建立「中立帶」，帶中包括瑞典、東德、奧國及南斯拉夫等。

疲勞審問俄大學生自殺

最近一個俄軍上校的兒子投奔西方，已使俄國大學受了若干嚴重的影響。據東

天下小事

柏林地下人士報告說，東德的秘密警察日前曾馳至某大學，將「破壞集團」中的十一名學生捕走，毆打拷問，逼他們招出「新羽」，以及與西方勾結的「陰[illegible]」。[illegible]結果其中一學生不堪虐待，已自殺[illegible]。據說，像這類[illegible]，莫斯科大學也有一兩起發生。

編者　讀者

百年留學紀念罪言

△廖文剛先生來函

編者先生：讀貴刊「留學百年紀念罪言」，感慨實深，燕盧先生所言，眞智者之所見。吾人深感具五千年悠久歷史文化之中國，竟步入目前這般慘淡的命運。百年來留學者，不能不負其責任矣。余有友人旅美多年，係攻習自然科學，有人已入美籍，有人正擬回返祖國，各人處境不同，感想自異。擬將貴刊此一文章，轉寄此等友人，俾彼等得一讀此文，同深反省。……廖文剛敬啓。四月十九日台北

△馬龍，劉海，胡蓉之，逯婆生，周武成，郭德楷，彭楚珩，東闖，中文，王世昭，邵林宗，陳金麟，徐嘯山，諸先生：承惠稿，已一一收到，謹謝！

△劉露如先生：示悉，當遵囑辦理，謹復。

再論中華學術獎金

答吳俊升先生

魯實先

最近看到自由人第四二九期所載吳俊升先生來函，對於我在本刊第四二五期發表的一篇「吳哉所謂中華學術獎金者」，指爲「充滿偏見與意氣」，當然站在吳先生作教育部次長的立場，對於批評教育部的文字，不免要認爲「偏見與意氣」，因此我很諒解吳先生的處境。但吳先生是「愛護教育愛護本刊」的，這個宗旨卻與我不謀而合，我們的宗旨相同，而立論迥異，這就不能不加以辯解了。

（一）吳先生說：「得獎人之決定，係出於學術審議委員常會及大會之公意，教育當局及主管人員且未嘗參加表決，其廓然大公可以概見。更就得獎之諸君而論，雖不能一一悉如魯君之意，但均爲允孚衆望之績學之士。」

不滿意批評不勝枚舉

關於這一項，我有四點疑問。第一、學術審議委員會的九位常務委員，是教育部指派的，不是大會選舉的，他們所推定的候選人，怎麼可以代表公意？至於大會的情形，據與會的委員說，對六位候選人卻是一致攻擊，就以見於文字的說，如民主潮第五卷七期以及三月二十七日香港工商日報，所記各審議委員的態度，除了表示反對以外，無不冷嘲熱諷，請問這是「公意」嗎？第二、六位得獎人的決定，教育部主管人員沒有參加表決，這倒是事實，但所謂「殷史研究」，是高等教育司司長孫宕越先生推薦的，不參加形式的表決，卻參加事實的推薦，這是「廓然大公」嗎？第三、這六位得獎人我以前還只懷疑少數成問題，但一月以來的一般反響，竟還不止此數！公開抨擊見於文字的，除民主潮五卷七期五卷八期和工商日報以外，還有三月十七日的聯合報，四月三日的民衆時報，以及新聞天地三七四期。至於口頭抨擊，或見於私人信札抨擊的，更是不勝枚舉。時至今日我還沒有看到在教育部和常務委員以外的任何學人，有過一篇文章，一封信札，或者一次談話，來稱許過這次獎金的措施，請問這「均爲允孚衆望」從何說起？難道這也可認爲「允孚衆望」？難道說只要在「中國一周」上寫過文章，或者在「中國一周」上刊過相片的人，他就是「允孚衆望」？第四、如果要說「允孚衆望」的話，我們倒是希望得獎人的著作能允孚衆望，而不希望他們只是聲名上能允孚衆望，因爲在這長夜漫漫的時代，只要有一個研究機關供給他出版，把不妥當的東西一印再印，當然會博得一時虛名的！再進一步說，我並不希望得獎人的著作允孚衆望，而是允符知者之望，因爲凡屬學術性的專門著作，決不是衆人所能瞭解的。而吳先生竟以「允符衆望」來說，請問這是獎勵虛名呢？還是獎勵學術呢？

（二）吳先生說：「魯君謂評選方法爲不審不議之推選，則公開審查歷時一月，常會與大會開會審議共歷多次，此猶爲不審不議，如何始可謂之審議」？

沒有著作如何審查

關於這一項，我又有四點疑問。第一、根據三月十一日教育部分發各審議委員的提案說明，這次獎金候選人的產生，是經過「常會三次會議詳加討論，並將所有作品闢室陳列，請全體委員蒞臨審閱，爲期一週」。請問這歷時一月從何說起？第二、六位得獎人是由於常會的推選，而九位常務委員沒有一個通理學的，怎麼能審「宋明理學概述」？沒有一個懂地質的怎麼能審「地球固體外殼突然整體滑動述略」？沒有一個懂美術的怎麼能審「寒玉堂論畫」？在全體九十五位審議委員之中（包括九位常委）沒有一個通甲骨和曆法的，怎麼能審董君作賓的一切著作？假如說得獎的著作曾經送請審議委員以外的人審查，那末就以董君的作品而論，在台港之間能通甲骨的不過三兩人，能兼通甲骨和曆法的，幾十年以來還不過區區一人，我和幾位先生都沒有接到這項審查的委託，豈不是其餘五位也可由此類推？第三、根據教育部的審查報告和三月十二日台灣各報的記述，董君作賓是以「殷史研究」得獎，但根據張部長答覆方豪先生的質詢，卻是董君並沒有這部著作，（見民主潮五卷七期）我於二月十六日到教育部的時候，也沒有看見所謂「殷史研究」，請問根本沒有這本書又如何審查？第四、我認爲必須由各類專家審查各類著作，再由審查人向大會提出審查意見，這才叫「審」，由大會根據各審查人的意見，去評判優劣而定獎金誰屬，這才叫「議」，這是最簡單的必然方式。而這次大會一致反對的情形，張部長都似乎充耳不聞，這叫「議」嗎？沒有這部書也可給獎這叫「審」嗎？

關於殷史研究的批評

（三）吳先生說：「魯君對於得獎金之人選，儘可本其學術之見解，作公開之論評，今乃對評選方法厚誣事實，多見其論評非出學術之公心」。

這段話的用意，無異說：「批評每一位得獎人的成績，是你魯實先的自由，教育部的決定獎金的人選是教育部的自由，原可以與批評者有兩極端的距離」。假如不是這樣立論，那末這「厚誣事實」的空洞考語，是無以自圓其說的。我原文的論旨，正是着重批評審議方法，對於評選結果也不僅批評董君一人，何以吳先生竟用一句「不待覆案而可見」，便輕輕撥開，以致說我「厚誣事實」呢？

我覺得其餘五位的著作不管怎樣，但至少還沒有人糾駁過，以此得獎還有一分理由可以講得通。至於「殷史研究」的得獎者他的作品如甲骨文斷代研究例、殷曆譜、中國古代文化的認識、西周年曆譜……凡是稍有思辨工夫的，都被我澈底糾駁過了，就是大陸雜誌先後對我的反駁，我也澈底糾駁過了，並且猶恐自己有一份「偏見」，所以爲了請刪改中學歷史教科書的謬說，在三月一日以前，我便以五次代電申請教育部召開辯論會，這就是想要求到不是「偏見」的公評，申請次數不可謂不多，申請時間不可謂不早，理由不可謂不足，辦法不可謂不適到而克己，假如教育部眞有「廓然大公」的態度，眞有明辨是非的意向，對於我這個毫無利潤可圖的申請，（我不是請獎金）是應當不勝歡迎的，但我所接受的是無言的拒絕，而對方卻得到了無書可審的獎金！因此我才特別提出董君作一個例子，來批評這次獎金的評選方法和結果，這正是管窺一斑可知全豹的方式。假如依吳先生的說法「批評自你批評，獎勵由我獎勵」，那末據我所知在中國歷史上的學術論爭，凡是失敗的一方，有降官的，有革職的，甚至如清代吳明烜於革職以後，還打了四十大板，至於被批駁得只能出於謾罵與污衊，對於我所申請的辯論會也畏懦不前，而居然得到政府的獎勵，這倒是史無前例！請問這究竟是我「厚誣事實」呢？還是教育部厚誣學術呢？

（四）吳先生說：「投稿者但求能在本刊發表，而本刊遽認成爲個人發私見之工具，則未免不值。弟論公爲教育行政之一員，論私曾附本刊創辦人之驥尾，爲愛護教育愛護本刊計，未敢嘿爾而息」。

愛護學術明辯是非

這段話是吳先生表明和自由人的關係，並且他似認爲凡屬批評教育部的文字都是「私見」，請以後不要發表，這與我愛護教育愛護本刊的宗旨，卻是大有出入。我認爲不論任何作者，只要他是用悲憫的心情來揭發任何一部門黑暗的一面，他的積極意義必然都是督促這一部門走向光明，如果教育部眞想有所作爲，那末這類文字正是可資警惕的南鍼，應當歡迎不暇，民智初萌的時代，掌握鄭國政權的鄭子產尚且不毀鄉校，難道二十世紀號稱民主自由政府所轄治下的教育機關，竟會阻遏逆耳忠言？如果教育部無心向善，那末防民之口如防川，這個防堵工作，必然是收效甚微！以本刊說，「爲民喉舌」，「爭取言論自由」，這是言論界的不二目標，難道自由人可以例外？以我個人說，凡屬我的一切批評文字，都是以「私怨可忍公憤必伸」的態度出之，每一句話我不獨負法律責任，而且負人品責任。我因爲愛護學術和歷史因爲愛護教育，所以才批評這次學術獎金。因爲愛護國家，所以才違背了「三諫不聽而復去之」的古訓，而喋喋不休。因爲要明辨是非，所以才有學術上的批評文字。這些行動只能結怨招災，不能求官得獎，既無私欲，難道還有一分「私見」？

我參加人海戰的經驗

——一個脫離魔掌戰士的自述——

·岳瑞伍·

我參加過共匪發動的「人海戰」，在九死一生中，終於回到祖國懷抱。茲值共匪大肆叫囂「攻台」之際，對共匪所施行的人海戰，願意把我個人的經驗，報告給讀者。

欺騙戰士的法寶

民國三十九年，共軍十五軍原是分駐於川南長江流域的荒山僻野中的。其時每個士兵的心理，都存着「萬事皆休，回家要緊」的思想，軍隊的士氣，可說一落千丈，匪酋們也深感情形的嚴重。於是他們把那每逢節日都用的欺騙技術，──所謂「和平運動」先拿出來。命令部隊盡量發揮如何厭惡戰爭，和實現和平的情緒。要每人都向和平簿上簽名。到是年六月，差不多每個人都簽了三次以上的名。這時候，中共已達到僞裝和平的目的了。

緊接着，中共又實行其第二項步驟，就是要士兵大家學習寫字讀書。並喊出充滿包含戰爭和仇視的口號，說「我們是無產階級，過去只顧打仗，不顧學習，現在我們要進一步做世界的主人了」。要大家把槍枝放在枕頭底下，拿起筆來寫字，拿出書本來讀書。這樣把士兵的思想漸漸冲淡，要大家自己選擇進一步的學習地區。久困於深山窮谷中的士兵，是換個新環境，誰又知道了，中共是別有用心的呢？聽說可以換到新的學習地方，就然大家都表現極高興的情緒，在士兵們極高漲的情緒下，於四十一年一月開始離開了川南，先到漢口，轉到鄭州，一氣到了鴨綠江畔。這時士兵們才發現四天四夜的火車，竟把他們送到安東市了。除一部份的老幹部，徐徐在途中逃跑外，其餘的通通給中共騙到了韓國邊境。

共幹控制隊伍的詭計

於是，士兵們在不由自主的情形下，冒着聯軍的飛機轟炸，並在彼此監視的網羅之下，以夜速八十五華里的跑程，到達了離三八綫十二華里的抱川。在那裏已隱隱的聽到砲聲了。部隊在那裏休息了三天。上級先把包圍美三師的命令達到佔全部隊人數百分之六十五的黨團員，由軍師團營的黨委會，日以繼夜的加以討論，要如何再把這個命令傳達到羣衆，並使羣衆不至發生動亂。跟着這命令就通過連的支部，和班排的小組，再加討論。過了三天，就掀起一個有形的軍事會議，由軍級幹部召集下兩級的幹部，一直到班，都是如此的連貫起來。到了全體士兵都知道這事的時候，使已經離戰鬥不遠了。緊接着，就發出狂叫，說「敵人不可怕」。匪幹們都表現着狡猾的面目，僞裝溫情，並捏造許多假敵情，向士兵解釋。這一幕懸劇演過之後，就要大家訂戰鬥計劃，寫保證書。保證書每人寫兩份，一份送上級，一份貼在自己的槍柄上。這便是叫士兵訂下決死狀。一切完畢之後，於是喊着壯胆的口號，把比例敵人十五倍以上的人命，趕到戰綫上去，造成「人海戰」的悲慘鏡頭。

火海消滅了人海

要是聯軍眞的不怕死，靠火海來消滅那十五倍的人海，實在是太單純了。譬如單獨美軍三師一個師，遭共軍四個軍的包圍，再有源源趕來的新兵，數目已經超過了十五倍。又拿武器來說，共軍全無制空權。以同等人數的單位來計算，俄式的裝備，亦只相當於聯軍四分之一。因此，共軍六十軍於五月廿六日渡過北漢江後，廿七日就完了。沒有過江的三個軍，也潰敗得無法收拾。在抱川和議政府附近山洞中的軍火倉庫，也成了俘虜品，整個西線共軍都搖動了，這時彭德懷下了最後的絕命令，是「輕傷不許叫喊，重傷不許脫火綫」。士兵們在這種情形之下，後面簡直是一條無形的黃河，只有死路一條。於是少數共幹把頭藏在掩護坑內，把腳伸出坑外，想把腳炸斷就回家。但大部的士兵，因爲形勢所迫，毫不珍惜自己的生命，拚命往前衝。這時共軍的炮火也是相當密集的，可是對江的聯軍，却很少倒下來。結果，共軍除冒着炮火向聯軍投降的一萬八千多名之外，其餘就在亂七八糟的情形下，把自己的生命犧牲了。

共軍攻台一定慘敗

爲什麼共軍敗得這樣慘呢？很明白的，共軍進入戰場後，炮火密集，地形一經變動，一人或一小組中，一人已經死亡，中共拐子馬式的拚死綱就打破不能再起作用，彼此監視不能連貫，士兵便可以掉過槍來，也就是各奔前程的好機會了。可惜聯軍因俘虜太多，不再去找過江追擊的麻煩，共軍才不至全軍覆滅，反而借此宣傳勝利。

現在中共又叫囂「攻台」，攻台是不容易實行人海戰術的，大概將施行所謂「船海戰術」，不論是「船海」也好，「人海」也好，我想總是那些大陸上嚮往自由的士兵們，一個脫離鐵幕的好機會。中共果眞冒險來犯的話，必然和韓戰一樣慘敗無疑。

鄭震寰歐遊行踪

——六月底回港——

【本報訊】本港羅富國師範學院前院長鄭震寰，去年七月間奉派赴英考察，已歷時十個月，頃據鄭氏最近函告親友，將於本年六月廿四日乘輪返港。鄭氏此行，曾遍遊英倫各地，備受彼邦人士歡迎。上月中參觀初等師範之馬來師範學院，據稱該院特點，爲師生共同生活。四月下旬，參觀英倫北部各有名師範學院，並遊覽蘇格蘭，四月十日左右回倫敦，廿日左右前往歐洲大陸比、法、瑞、荷考察，預計廿日前正式離英。鄭氏此行任務，純爲考察英國師範教育之設施，同時研究師範訓練之改進，必將於本港師範教育有所貢獻。

改善私校教師待遇

當局應予考慮津貼

幾年來，關於改善私立學校教師待遇問題，祇有空口叫囂，從未發現任何具體的實現徵象。每一位私校教師，不論待遇菲薄，住宿問題亦無解決辦法。儘管有一個時期港府曾擬興建教師宿舍，可是則又告煙消雲散；原先曾經有人建議將西灣河一塊空地撥作教師宿舍，但這塊空地却在半年後的今天，已開辦一所費高昂的學校。教師負有承先啓後培植下一代的責任，社會人士爲什麼對教師祇有口頭上的「同情」，不肯伸出眞正同情手來，誰也幾乎想不通的一位。實在說來，改善教師待遇，對於一般市民的利害得失，與整個教育前途，具有莫大關聯。

「可恥的待遇」一語，源於教育司的共鳴，教育司對私校教師待遇低微，不特十分同情，而且力謀改善良策，這幾年來，似乎時常研究，到了最近，纔草擬了一個方案，雖然尚未頒布，是否有推行，則現在還不知道。但就方案內容來說，最低限度每月不得少於一百八十元；（一）私校教師待遇，（二）教育當局津貼一般私立學校支出，（三）倘若該校收入不敷支出時，得一私校除對於提高教師待遇與否，必須觀學費收入來決定，不是倚恃政府津貼來支持教師的待遇，照現在各間私立學校所收學費來衡量，學生家長顯然已經感覺太高，不勝負荷之苦，倘若此一辦法實行，不但鼓勵「學店」牟利，將會造成學生大量失學，自是毫無疑問。因爲教師待遇提高，除了港府各機關公務員，受薪階級並無改善待遇可能。於是，教師待遇提高，不應以增加學生家長負擔爲對象。否則，學生既大量輟學，學校收入勢將減少，依然入不敷出，這種變質損失，且將使社會問題更形嚴重。萬變不離其宗，教師推行殖民地教育，殖民地當局自不能取旁觀態度，既有補助一項，津貼當該普遍，何況庫存豐裕，倘能給予私立學校酌加津貼，亦未必會出現赤字，如是，不特教師感激，學生家長亦莫不頌德。教育當局應及時慎重考慮的。

經濟社會思想叢殘

金伯華

精神利益：經濟與道德合一

以上說的是物質利益，亦即是每一個人在現實生活的經濟關係中所應持守的態度：「不欺人」，亦「不受欺」。據孔叢子所載有幾句子思的話：「不取於人，謂之富；不辱於人，謂之貴：不取不辱，其於富貴庶矣哉！」我們正可借這幾句話來形容合作主義者所應追求的目的：富與貴！合作者的「富」在「不欺人」；合作者的「貴」在「不受欺」，「不取於人」，「不辱於人」。社會上人人如此，人人都不剝削人，人人都不受人剝削，在物質上人人都能自助自立，即在精神上亦必人人都能自主自尊：物質利益與精神利益打成一片，冶爲一爐，這便是人人應有的「完整的人格」。

人類自有歷史以來，關於經濟社會的思想和學說，眞是多得汗牛充棟，不勝縷述，而實際上能有「從容中道」，以具體方法（共同經營方法）見諸實行，以實現完整人格的，老實說，直到如今，確確實實祇有合作思想。

合作者知道精神與物質是不可分的。「生活之改善」，必須跟着「經濟之利益」而生。他們決不要求人類大家都要束緊褲腰，扳起面孔，過着「簞食瓢飲」的顏回式的生活。顏回窮居陋巷，雖能「不改其樂」，但他畢竟是短命的。他之所以短命，營養不足，一定是重要原因。所以，相反的，合作者正惟因爲重視物質，故而把「經濟利益」作爲第一層和第一步目的。合作社法第一條所定文詞，是有極其深長意義的。合作主義者並不盲從「玩物喪志」（尚書）和什麼「君子固窮」（論語）或「養心莫善於寡欲」（孟子）一類的「道學」主張。這是關於各人德性上自身的修養，不屬於純經濟問題的範圍。他們祇是不贊成資本主義經濟的一味「以營利爲目的」，致使天下滔滔，幾乎沒有一人不是「性爲欲汨」，「心爲物動」（劉蕺語），而引起無窮的禍亂與紛爭。當前世界人類經濟社會思想兩相對立的主流，不論是資本主義也罷，共產主義也罷，都是不但「重利」，「唯物」，而且甚至把「人」的本身也當作「物」！這恰好就在這「不忍人」之人所斷難容忍的。合作思想正所謂「以不忍人之心，行不忍人之政」，天下應該沒有不能解決的問題！合作社的「共同經營」，就是當仁不讓，要儼然担負起解決這個難題的責任的一種最好方法。合作社的共同經營，不但爲要達成社員由共同的目的──物質利益只是初步的凡俗目的；它並要達成全人類間的共同目的，改善全人類的生活，才是無上的精神利益，才是合作運動終極的目標。

這樣，我們便又觸及另一問題──道德問題的領域，可能引起讀者的詰難：大家知道，通常所謂經濟是含有不道德性的。依你如此說來，經濟與道德不將混而爲一，無所辨別了嗎？是的！我敢先行反問一句：爲什麼經濟一定是要不道德的呢？既發現有毒癌似的不道德性穩匿於現行經濟制度之中，我們又爲什麼不應該趕快設法予以滌除而使它合於道德呢？利已損人，是現行的營利經濟；利已而不但不損人，而且利人，是合作經濟。這就是我們從前所已經討論過的「互助組織」，所以合作經濟是實行經濟與道德合一唯一可能的途徑！（廿三）（未完）

邱吉爾當泥水匠

——邱吉爾廿年隨從譚臣的敍述——

牛布衣

邱吉爾是一位個性相當强的人，他認爲他能做任何事情；他做事情總不會壞，總比較別人好。

邱吉爾不停執筆，稿費的收入相當大。加以他的一位堂兄又把全數遺產給他，手裏掌握了一大筆現款，他把茶威爾的大房子買了過來。

看房子的時候，他要我跟他一道去。他既興奮，而又滿足。他對我說，『工程十分浩大。我們得種植許多樹林，得填平那面一塊凸凹不平的土地，得在這裏加上一道籬笆，得將那一道水溝改移到林裏，又得將那一塊濕地改成一所水塘。此外，我想還要好幾千方尺的草地！』

房子買了過來。公餘之暇，他總帶我到茶威爾。邱爾吉請個一大隊泥水匠，石匠，園丁在那裏布置他的新房子。他對於泥水工作，他十分感到興趣。他時常參加各項勞作。

他喜歡鼓勵工匠。雖然沒有拿過泥刀，雖然對於泥水不內行，他却時常指導和教訓泥水匠。此時好些人都稱譽他做『泥水專家』。

兩年後，他到美國和加拿大旅行演講。他總高興對聽衆提起他那鋪磚和泥水的本領。他說，他鋪的第一道牆只費了四小時時間。

不錯，他只費了四小時，可是裏頭一段秘密，是他到現在還沒有曉得的。

一天早上，他高興起來，拿了鏟子去鋪磚；他想單人匹馬鋪好一道牆。沒有掘牆基，也沒有用垂直綫，由早上到中午沒有停手，經過四小時的勞作，他把那一道牆鋪好了。他高興極了，一邊行一邊唱歌，他跑到餐廳吃他的中飯。

我和幾位泥水匠跑過去看他鋪牆，我們只有搖頭。要是那能夠算做牆只好稱爲危牆。只要天公下雨，那塊牆便得馬上塌下來。

實在看不過眼，我們幾個犧牲了中飯不吃，把那一道牆拆了，挖好牆基，再把磚鋪上。

吃過中飯，邱吉爾跑回辦公廳去了。晚上他帶了幾位部長回來。下了車，邱吉爾領他們去參觀他的傑作。邱吉爾一邊解說，一邊大唱其流行曲。那幾位貴賓只有點首稱許。

因此邱吉爾對於鋪磚特殊感到興趣。周末閒暇總參加此項工作，後來他請求參加泥水工會。工會派人參觀他的成績，認爲合格。邱吉爾馬上繳費參加。邱吉爾是英國的首相，而同時又是倫敦泥水工會的會員。

鐵幕幽默

·牛布衣·

共產黨與資本之別

在匈牙利一位老百姓請教黨部，共產黨和資本家的區別。『那簡單極了，』同志回答說，『資本家愛金錢，而共產黨愛人民。』

『我明白了，』老百姓說，『爲了愛錢財，資本家把金錢鎖在箱子裏；爲了愛人民，共產黨也把人民的手腳綁起來。』

那是一所新房子

蘇聯的一位視察員停在一所差不多要塌下來的房子傍邊看。說道，『這所房子好些時候沒有經過修理了。』『對！』監工回答，『那是一座新房子，剛好建築完畢的新屋。』

多看報紙少逛市場

在匈牙利的共產黨各處大事宣傳他們的成就，他講增加了物品，物價較從前大大降低。一位反聽衆大搖其頭，『爲什麼你大搖其頭？』宣傳的同志質問他。『不錯，』我回答，『但今天我到過本城市場。貨物數量比從前減少了，可是價錢却比從前增得多。』『你犯上了一種嚴重的錯誤，』同志回答，『你應該多看報紙，少逛市場。』

一件好事

馬五先生

報載：現時駐在香港調景嶺的殘廢難民，連同眷屬共計八百人，將於七月底以前，分四批前往台灣。台方的大陸救災總會協同各界，已替這些殘廢難胞們籌劃安居樂業的若干辦法，政府方面亦已爲這些殘廢難民興建住所，朝野合作，解決這項多年來懸掛心頭的大問題，這是一件值得我們大書特殊的善政。

人而致於殘廢，已屬不幸了，殘廢之人又要逃命，更是可悲的遭遇。尤其一般是曾經爲國家出死入生，効命疆場才弄成殘廢的，因此而攜其老小眷屬，流落天涯，生活艱難，除卻政府設法援救，便是死路一條，政府也負有無可諉卸的責任。如果說一般人民有對政府要求享受基本教育的權利，那末，這些殘廢了的榮軍，更有向政府要求生存下去的特權哩！

最近幾年來，我們一直惦念這些殘廢難胞的前途，引爲恨事，今大陸救災總會既有此壯舉，使他們播教入台，而凡對他們的生計與其子女的教育問題，都有了相當安排，這能說不是一件大事嗎？這件事不特對國內的人心具有很好的作用，尤使國際人士對我們並非『以鄰爲壑』，認爲我們並非『只顧自己』，對無告的同胞淪落他鄉，而使他們有所皈依！

同時調景嶺的這一批殘廢難胞已有安頓了，今後對香港方面的難胞問題，自當更易處理。這個問題，在國內的人看來或許不覺得怎樣重要，但我們在香港就深深地感覺是一項關係政府信譽的重要事務啊！

黃公度之日本雜事詩

吳天任

嘉應黃公度之革新詩派，殆無人不知，而其隨使日本時所撰之日本雜事詩，則知者尚鮮。按公度於光緒三年隨何如璋赴日本任使館參贊，時日本正當明治維新後，國勢驟張，我國人初尚輕視之。公度則悉心研究其國情，著「日本國志」，實爲我國借鏡之資。曾斷言「日本維新之效成，則且霸，而首受其衝者爲吾國。」當七十年前，公度已有此遠見，而後其言盡驗，以是人皆服其先知之明。

（一）

初公度先採日本雜事撰「日本雜事詩」二卷，敍述風土，紀載方言，錯綜事跡，感慨古今，俱以七言絕句出之，或一詩但紀一事，或數事合爲一詩，詩下各附本事，實爲著「日本國志」之先河也。公度光緒十六年自序云：「余於丁丑之多，奉使隨槎，既居東二年，稍與其士大夫遊，讀其書，習其事，擬草日本國志一書，網羅舊聞，參考新政，輒取其雜事，演爲小注，串之以詩，即今所行之雜事詩是也」。又日人石川英序云：「上自神代，下及近世，其間時世沿革，政體殊異，山川風土服飾技藝之微，悉網羅無遺。吾人從知先生本非欲作詩，所以如此勸於網羅者，則早有作日本國志之心，處處留意搜集材料，雜事詩其芻記而已，則是謂先生寫雜事詩之初，即爲作日本國志之始無不可。」日人之推重如此。其詩以異邦風物，播之韻語，寫物如繪，妙趣橫生，尤具歷史價值。原本上卷七十三首，下卷八十一首，共一百五十四首，戊戌定本上卷刪二增八，下卷刪七增四十七，計共詩二百首。擇錄數首如下：

（二）

其紀日本先烈史迹者有云：

石塔光明照夜燈，武尊宮闕鬱觚稜，至今灑涕吾嬬語，酹酒相尋白鳥陵。

（註云：史言日本武尊征東夷，泛海相模，風濤大作，寵姬橘媛投海，暴風遂止。凱旋過碓日嶺，歎曰：「吾嬬已矣」，後人因號東陲爲吾嬬國。及崩葬，白鳥從陵出，日爲白鳥陵，今有祠。）

南朝事往久灰塵，叢叢櫻花事事春，手懇銅鈴拜遺像，嗚呼碑下弔忠臣。

（註云：楠正成者，南朝殉難之臣。日本比之文文山岳少保，源光國題其碑曰：「嗚呼忠臣楠子之墓」，墓在湊川，有櫻花數百樹，手澤所留，重於大璧，尚有神鈴塑像，能文者皆紀之。）

其紀日本文化流布情形者有云：

博物千間廣廈開，縱觀如到寶山迴，摩挲銅狄驚奇事，親見委奴漢印來。

（註云：博物院中有金印一，蛇紐方寸，文曰漢委奴國，云筑前人掘土得之。考後漢書：建武中元，委奴國奉貢朝賀，光武賜以印綬，蓋即此也。）

五經高閣竟如刪，太學諸生守兔園，猶有窮儒衣逢掖，著書播棄老名山。

（註云：學校諸書，自西學外，日本書有輿地學，有史學。中學則唐宋八家文，通鑑攬要，廿一史約編，而五經四子，皆束之高閣矣。）

海外遺民竟不歸，老來東望淚頻揮，終身恥食興朝粟，更勝西山賦采薇。

（註云：朱之瑜，字魯璵，日本稱曰舜水先生，浙江餘姚縣貢生。明亡，走交趾，數來日本，遂家焉。水戶藩源光國執弟子禮甚恭，年八十餘卒，源氏爲題其墓曰明徵士，從其志也。舜水善講學，一時靡然向風，弟子多著名者。）

鐵壁能逃劫火燒，金城幾縛錦囊苞，彩鸞詩韻公羊傳，頗有唐人手筆鈔。

（註云：佛寺多以石室鐵壁藏經，秘笈珍本，亦賴之以存。變法之初，唾棄漢學，以爲無用，爭出以易貨，通檔捆載，販之羊城。既稍加珍貴，然唐鈔宋刻，時復邂逅相遇。余到東京時，廣文來，余語以此事，並囑其廣爲搜輯，黎蒓齋星使因有刻古逸叢書之舉，此後則購取甚難矣。）

豈獨斯文有盛衰，旁行字正力橫馳，不知近日雞林賈，誰費黃金更購詩。

（註云：詩初學唐人，於明學李王，於宋學蘇陸，後學晚唐，變爲四靈，逮夫我朝，王（漁洋）袁（簡齋）趙（甌北）張（船山）四家最著名，大抵皆隨我風氣以爲轉移也。白香山袁隨園尤劇思慕，學之者十八九。小倉山房隨筆亦言，雞林賈人爭市其稿，蓋販之日本，知不誣耳。七絕最所擅場，近市河子靜、大窪天民、柏木昶、菊池五山皆稱絕句名家，文酒之會，援毫長吟高唱，近世文士，變而購美人詩稿，譯英士文集矣。）（二）

弔一江山

‧伍潤三‧

一江山在水中央，兩里彈丸作戰場，敵旅四圍勝不武，背城一戰敗猶強，睢陽堅守忠貞在，竞地留名姓字香，激得海濱洪浪湧，濤聲國旆共飛揚。

弔一江山

‧桐綺‧

小島孤危勢不支，守如巡遠志難移，自沉江海非吾事，戰死疆場是此時，寧可斷頭懸望櫓，不甘垂手樹降旗，一江山即田橫墓，七百英魂足繫思。

語意學漫談

徐道鄰

不就各項具體事實來討論，而祗就籠統的普遍名詞來爭辯反駁，好像在兩條鐵道上向着不同的方向推車，永遠不會碰頭的。也好像一個棄着碗裏的花紋色彩，來熱烈的辯論碗裏的菜燒得好不好吃；永遠不會接觸到問題的本身。

王君才從西湖回來，說龍井飯店實在是『好的不得了』，就是那裏的大菜，也不愧爲第一流的。趙君今年夏天去住，因此也到那裏去住，結果卻大大的失望而歸。原來王君住的是二十九號房間，床上有一張新的席夢思彈簧墊，所以他每晚睡得甚舒適；而趙君住的是一個十四號，一面靠廚房，油膩的氣味一天不斷的從隔壁吹來，一面靠浴室，永遠有流水的聲音，使他一夜不曾閤眼，感受着屁股底下牀上舊鐵絲綳子的滋潤，使他十分難過。同時大菜的不是飯店，而是廚司，可巧王君欣賞的那位好廚司最近才因爲鬧意見而辭職，而新來的繼替者是一位祗會吹牛而不會作菜的人。那麼趙君之失望，我們可以深切諒解了。

有人說：『女人們總是靠不住的』，而他所根據的，祗是他所知道的四個不善良的女人。而在我們所認識的人中當然也有四個和四個以上的非常貞節的人。但是因此就和他大大的辯論一番，卻就未免沒有意思了。因爲他在說這話的時候，他的眞正用心，祗是在說明這四位不善良女人的存在，並沒有意思否認我們這四位貞節女人的存在，而我們這四位貞節女人的存在，也並不能否定那四位不善良女人的存在。『女人總是靠不住的』，說這句話的人，可能是指着世上所有的女人們而言，可能是指着世上大多數的女人而言，或者百分之三十的女人而言，也可能祗是指着少數的幾個女人而言，或者是指着『坐樓殺惜』中的『閻婆惜』而言。在我們的語言裏，我們很少有習慣說明白，他這一句話所適用的範圍，究竟屬於那一種範圍 SCOPE OF APPLICATION。

我不是說，我們不可以使用概括性籠統性的語詞，不可以發表適用範圍比較廣泛的意見。不過我要提起大家注意的，是要大家在將要開始辯論的時候，先辨別清楚，大家所爭執的，還是幾項具體的事實，還是籠括一切的廣泛的見解。（三十二）

津沽陷匪痛史追述

唐瑩

九十五師配備在化學廠附近正面，對匪軍的攻勢，予以猛烈還擊，使匪未能越雷池一步。二十一日渤海艦隊司令馬紀壯將軍，率艦到新港，即以艦砲對匪陣地轟擊，據前方情報，匪師長一名被擊斃，並毀匪砲數門。匪受此打擊後，便不敢向塘沽輕進。

同時天津北平均已被匪包圍；匪對天津攻擊甚急。塘沽我軍兵力有限，僅能勉強保衛海口一隅，無法向匪反攻，爲天津聲援。此種情勢，已預示整個華北凶多吉少了。

× × ×

三十八年元旦，收聽南京廣播，蔣總統發佈元旦文告，說明重啓和平之門。蔣總統的這孤詣苦心，我們知道共匪決不會接受，胡適博士當年說過，「和比戰更難」，如果共匪還稍有一點人性，稍有一點國家民族的思想，早就不至乘機作亂了。

一月六日，天津聯合廣播：「邵力子張治中日來與李副總統商談和平甚忙，並已得最高當局之信任，日內傳將飛往共區洽談」云云。又說：「華北各界近組和平促進會，分電中央及中共先行停止軍事行動，再行談判。武漢各界亦有電呼籲和平。」這則廣播，使我們深切的體會到國內已有一股逆流在乘風作浪，想一下將整個的神洲淹沒。但沒有想到，李宗仁乘機竊政，邵力子張治中已存心附匪。不消說，這廣播對於全國軍民的影響是很大的，使國人如墜五里霧中，不明是非，無所適從。

一月十一日下午二時天津廣播：「丁參議員等四人已由共區返津，進行和談順利，已有三分之一成就，下午五時將再赴楊柳青，轉至北平。」華北的局部和平，似已接近成熟階段。但這種的「和談」，究竟是由何人示意？是否配合中央的政策？共匪眞有誠意接受嗎？這一連串的問題，我們都無從求得解答，卻沒有逆料傳作義亦已存心附匪。

這則廣播後兩個鐘頭——下午四時，我機一架，飛臨新港上空，投下蔣總統致侯司令官親筆手函一件，對保衛塘大，備致慰勉。信上說：「戡亂係關係國際之安全，應穩紮猛打，以完成此一偉大任務。」這封信使我們瞭解一般的眞實情形：中央的戡亂政策，係關係國際之安全，自不能因局勢的惡化而輕易有所改變；李宗仁、邵力子、張治中，以及北平的「和平促進會」，天津的丁參議員等的行動，都是別有用心，爲匪張目。這封信一時傳遍塘沽的戰區，軍心大振。（三）

英國紡織業

‧劉易‧

關於蘭開夏郡的問題，倫敦的「經濟學人」雜誌說：「這問題如果尚有解決辦法的話，這辦法便在於革新及專門化，而決不是極力把握紡織業輕而易舉的方法。」同時，蘭開夏郡的人本身，也已在研究一個比較持久的對策。

許多紡織工人已認清他們這個工業前途黯淡，因此已放棄了他們現在的職業，而向其他方面求發展。這種轉變自然是艱雖苦痛的，但數以萬計的前紡織勞工，卻已在製造堪培拉型轟炸機、眞空管、重扭克、肥皂、及電視機，這類現代化工業在南蘭開夏也如雨後春筍，紛紛興起，現在已有十餘所新工廠，在機械業方面，全部工廠共雇有五十萬工人，而紡織業卻已屈居第二，僅雇有勞工四十萬人。

一位巴迪漢市的紡織工人夏克爾頓說：「我記得有一個時期，這個城市從頭到尾祗有一望無際的棉紗，現在卻情勢大變了！」巴迪爾市今日最大的工廠，不是紡織廠，而是一所設備優良的洗衣機廠，一座巨大無綫電廠也在興建中，落成後將雇用勞工三千人。夏克爾頓說：「我的十五歲的兒子將去幹機械工作了，他是我家四代中第一個不幹紡織業的子孫，他的前途將十分光明。」（下）

囂俄投擲「不平之心」

‧牛布衣‧

法國文豪囂俄的『悲慘世界』家傳戶誦，是當代的第一部傑作。可是法國當局認爲囂俄有辱法國榮譽，把他流放到祖西島上。

囂俄心裏憤憤不平。日暮的時候他總跑到海邊的一個小山上。望着斜暉，一個人在那裏沉思。太陽落到海裏去了，他在地上站了起來，挑選一塊小石塊，用力把石塊投到海裏，才慢步回去。

風雨不改，每天日落的時候，囂俄總在小山上，投擲石塊。

附近的孩童看見囂俄天天在那裏投擲石塊，莫明其妙，問他道，『囂俄先生，爲什麼你每天總到這裏投擲石塊呢？』

囂俄回答，『那不是石塊，』『那是我的一顆不平之心。把他投到海裏，我心平氣和了。』

自由人
THE FREEMAN
（第四三五期）
中華民國僑務委員會頒發登記證僑台新字第一〇二號
中華郵政台字第五〇〇〇號
執照登記爲第一類新聞紙類
（半週刊每星期三六出版）
每份港幣壹毫 台北市售價台幣壹元
督印人：陳文華
地址：香港高士威道二十號四樓 3 rd. fl. 20 CAUSEWAY RD HONG KONG
香港發行及事務接洽 高士打道66號 電話：七四〇五三
承印者：東南印務出版社 地址：高士打道六十四號
海外總經銷 友聯書報發行公司
香港：德輔道中二十六號A二樓
台灣特派員辦事處
台北市館前街五十號
台灣總經銷處
台北市西寧南路壹壹壹號二樓
台灣郵政劃撥儲金戶九二五二

輿論應有的立場（上）

丁文淵

一個獨裁專制的國家，只有官式宣傳，沒有什麼輿論；惟眞正民主自由的國家，才有眞正的輿論。這是人人皆知的事。民主國家的輿論，一方面要提醒政府，注意尚未發動而又必要的建設或改革，或是批評既成而且有害的事實，促使政府隨時修正，隨時改進。所以主持輿論的人，確實負有一個極端重要的責任，這是無可否認的。因此，主持輿論者，應當如何謹慎將事而又須顧到輿情，一方面使執政者可以接受，以達到他的眞正目的；一方面又須顧到輿情，不可使讀者所誤會，引起不必要的疑慮。所以當一位主持輿論者，執筆著論的時候，他必須懷有一種，戰戰兢兢，如臨深淵，如履薄冰的心情，才能不負他的責任；才能盡量發揮輿論的作用。

先講我們的國情

要使言論發生作用，又要希望所發生的作用，就必須事先認清我們的國情，和我們現在的處境及在國際上所處的地位。

先講國情，我們當然無可否認，我們現在上上下下確實還沒有做到眞正的民主，還沒有得到一切的自由。同時，也是無可否認的事實，我們現在上上下下確實已經走上了民主自由的路程。這是一件極端重要的事實，千萬不容忽略的。中華民國自從辛亥革命以來，成立了已經有四十四年。在這四十四年之中，除了國民政府成立最初的幾年以外，可算是沒有一年不在戰禍憂患之中。然而就在這樣混亂的情形之下，我們中華民國的憲法，在卅五年十二月廿五日的國民大會已經三讀通過了。卅六年元旦，當時的國民政府把它公佈了，當年十二月廿五日也就依法施行，確是我們中華民國歷史上最大的一件事實。在此以前，我們曉得，我們的最高當局曾召集了全國政治協商會議，其中包括了各黨各派的人士——就是共產黨也沒有例外——來起草這一憲法。要知道一黨專權的政府，國民黨本來早已起草了所謂五五憲草，它的內容和現行的憲法大多不同。經政治協商會議長久的研究，當局到底接受了他黨的主張。現行的憲法，是由民社黨的首領張君勱先生所起草的。國民黨最後要求，曾提出必須保留：「中華民國爲三民主義的共和國」，經張君勱先生等力爭，修改爲現行的「中華民國基於三民主義，爲民有、民治、民享之民主共和國」。這不能不算是民主在野黨的勝利，我們又何能不承認，我們確實已經走上了民主自由的路程。

要建立優良傳統習慣

天下沒有十全的憲法，全賴政府和輿論，在執行憲法的時候，建立起優良的傳統習慣。我們現在確實已經走上這樣的路程。最顯明的例子，莫過於國防最高委員會的案子。到現在還擱在立法院，還沒有正式討論。立法院不願意輕易予以同意，也不願輕易予以否決；行政院不願意立法院的立場，一意孤行。兩方面都在慎重考慮，找出一條不違背憲法，而又能適合環境的路子。這都是事實在證明，我們已經走上了在根據憲法，建設起優良傳統習慣的路程。輿論界應當根據上述的事實，用愛護的情緒，協助政府——包括立法院和行政院——建立起優良傳統習慣來。

我們國家的處境

再論我們的處境。中華民國的生命線，經過八年艱苦的抗戰，本來是在大陸。在這一旦勝利降臨，在這樣精疲力盡的狀態之下，必須竭力應付當前的困難，確實不是一件容易的事。共產黨暗中得到了蘇聯有力的支持，想盡方法，破壞政府的威信。用卑鄙的欺騙手腕，引誘無知青年，鼓惑投機政客，來打擊政府種種措施。加以我們唯一有力的盟友——美國——，他們國務院的遠東司竟然爲共黨間諜所把持，在種種密謀滲透之中，居然能使美國政府放棄了他們的立場，公開宣佈停止對我的援助，發表對我有害的白皮書。因此打擊了我全國軍民的信心，造成了大陸全部淪陷，使我們在大陸的全體同胞，墮落在一種非人的奴隸生活之中。幸虧我們最高當局，尚能及時佈置，保存了台灣，做了我們現在反共抗俄的基地，能夠待機而動，作爲打擊中共的一個大本營。這不能不算是我們不幸中之大幸。

惟一敵人是中共

我們應當瞭解政府歷年的困難，面對現實，集中力量，來推毀在大陸上的，慘無人道的，獨裁的中共政權，以解放我大陸的全體同胞。只有中共，是在一面倒的政策之下做蘇俄求榮之事；只有中共，是在不顧老百姓的死活，用欺騙方式，去實行他們的壟斷經濟大權的社會主義；只有中共，是在慘無人道的方法上，用不斷的清算鬥爭，來維持他們極少數人的政權；只有中共，是忍心害理，奴役同胞，爲蘇聯鋪建滿通不凍港的鐵道；只有中共，是施用人海戰術，向外發展，以威脅四鄰；只有中共，是因爲不許任何人有獨立的思想人格，時時要消滅每個人的自由生存。因此，只有中共，才是我們最大的敵人，也是我們唯一的敵人。我們對於國家現在的處境，應當予以充分的認識。認定了唯一的敵人，集合所有反共的力量，予共產黨以致命的打擊，我們才能爭取到每個人的自由生命。

我們的國際地位

再其次論我們在國際上所處的地位。現在因爲科學一日千里，已經縮短了世界的距離，加强了國際間的各種關係。

（下轉第二版）

從兵法看「俄式和平」

羅稻仙

和平本是人類始終追求的目標。但從侵略者蘇俄集團口裏喊出來的和平，不僅根本沒有絲毫和平的氣息，而且簡直就是戰爭的另一形態。通常稱之爲和平攻勢，以別於軍事攻勢；或稱之爲冷戰，以別於熱戰。而其爲禍之烈，却遠非有形的流血的戰爭所可比擬。杜爾斯四月十一日說得好：「他們經由諸如斯德哥爾摩式的和平呼籲，企圖誘使自由世界各地人民放鬆必要的防禦措施，轉而要求不惜任何代價的和平。自由世界倘不幸而墮入陷阱，亦以和平爲絕對目標；那末，投降將成爲不可避免」。這種和平，無以名之，姑名之曰「俄式和平」。

不戰屈人的原則

用暴力打別人的江山，已是本輕力厚的便宜事；打江山而至於不要用流血戰，當然更是再便宜沒有了。但是對方的主帥既非盡是劉景昇的「豚犬兒」，其智囊團又非盡是蜀中「世修降表李家」；爲什麼乖乖地肯上這個惡當呢？孫子爲解答這個問題，提出了左列三原則：「屈諸侯者以害，役諸侯者以業，趨諸侯者以利」。

在實施這三原則之前，必須依據敵我情況，假定誰是主要的敵國，誰是次要的敵國，誰是可能的友國。縱令事實上分不清楚，也要設法造成一種「我專敵分」的形勢。例如秦以「遠交近攻」滅六國：「遠交」以燕齊楚爲對象，「近攻」以韓趙魏爲對象。這本是地理上自然的形勢；但變連橫爲合縱，使六國各不相救，却是秦國製造的。又如蘇俄雖在今日極端敵非殖民國家，中立西歐異共國家，孤立與自由明顯的分野之下；却盡力設法拉攏主敵美國。甚至弄得英美兄弟之邦，也不免時常發生歧見。將來打起來以後，自由世界固將聯合一致。但蘇俄已在避免戰鬥大戰——小戰是不避免的——之大前提下：運用各種利害關係，企圖屈服主敵，中立次敵，離使友國；實屬彰彰明甚。

孤立美國成功了

怎樣才能逼迫主敵屈服呢？祗須使知不屈服招來的禍害，更比屈服大且速；也就不得不兩害相權取其輕了。此之謂「屈諸侯者以害」。這是第一原則。美國對蘇俄至今猶無屈服的迹象，相反地日益增强。

怎樣才能爭取次敵中立呢？祗須使知順我則生，逆我則死；也就不得不坐觀成敗，甚且供我役使了。此之謂「役諸侯者以業」。「業」即事，亦即「雜於利害之事」。這是第二原則。常人莫不愛利益而惡禍害，重現實而忽遠見；明知中了敵人「不戰屈人」的詭計，還以苟安一時爲得計。西歐國家除西德和英國外，幾乎普遍瀰漫着中立主義；其病根即在此。

中立主義的病根

英國的利益中心在歐洲大陸，對歐陸防務雖甚積極；但對亞洲則採中立主義。這不僅妨礙了攻防力量。但艾森豪就職時，儼然以自由世界的「領導者」自居；現在却改稱自由世界的「良好夥伴」了。「措辭不妨委婉，手裏却必須拿着鞭子」。本是美國總統傳統的作風，實與孫子「辭卑而益備」的旨趣相符，值得我們同情。然而俄共却說美國正在走下坡路，由「領導」降而爲「夥伴」了；私屬「孤立美國」之計，已達到初步的成功。了艾森豪歐亞並重政策，甚至鼓勵了蘇俄西守東攻政策。孫子曰：「形之，敵必從之；予之，敵必取之」。蘇俄循此原則，無形中逼使英國的遠東政策，不決於唐寧街十號，而決於克里姆林宮。說起來誰也不信，但事實確是如此。

中共何以甘爲貓脚爪

怎樣才能趨使友國跟着我走呢？祗須餌之以小利；甚或虛名，也就不得不上鈎了。此之謂「趨諸侯者以利」。這是第三原則。過去爲殖民地現在爲獨立國的印度、緬甸、印尼等國莫不富於自卑感，僅由蘇俄給以中間路線的虛名，便拿雞毛當令箭，自以爲可在國際上嶄然露頭角了。無怪中共僞政權自榮獲亞洲革命領導地位後，樂得「一面倒」在蘇俄懷抱裏，甘爲到處闖禍的貓脚爪。

蘇俄近年來運用孫子「不戰屈人」的三原則，尤以第二三兩原則已發生了意想不到的效果，可說是兵家眼中的常事，可說是常人眼中的奇蹟，也可說是獨惜西方一般遲疑的領袖們竟熟視而無覩——直使美國第一流政治家和軍事家急得跳起來！

原子武器成了廢物

自由國家雖在「百戰百勝」的軍事準備上超過蘇俄集團；但在「不戰屈人」的和平攻勢上，且因冷戰戰略沒有原則，掉以輕心，甚至遭受挫敗；馴至如山的原子武器也變了廢物。其後果誠恐難免不如杜爾斯所說：「犧牲原則來換取和平，實是引致地球上許多人類精神的毀滅」。

自由國家的戰略

祗有以「不戰屈人」對「不戰屈人」，才能贏得冷戰，避免大戰。蘇俄集團的弱點，已把自由英法殖民主義者逼得四分五裂。對殖民地的壓迫比起蘇俄集團對人民的奴役，尙屬小巫。今後要轉變冷戰局勢，祗要把「解放政策」的旗幟舉起來，便足使騎在人民頭上的暴政，倒在人民的脚下。但和平方法，也打不通層層封鎖的鐵幕，選擇若干反共而又有外援的鐵幕據點，如北韓東國大陸之類，採取重點進攻，使鐵幕人民起而響應，不僅刺激一切異共乃至鐵幕逐步解放；也可使國家軍建信心，放棄中立主義。從而毀滅性的第三次世界大戰，也因家的大聯盟，消弭於無形。如果戰而引起大戰，三年韓戰，七年越戰，便是事實。以民主反獨裁，以自由反奴役，以「解放政策」反「俄式和平」，本是一套不戰屈人的戰略。如果自由國家捨此不用，仍然循着「俄式和平」的外交途徑；吃苦的日子還在後頭呢！

半週展望

李金曄

華府幻想和平共存耶？

綜合幾天華府方面消息，顯示白宮當局已有些沉醉於周恩來的和平幻想中，不能自拔的樣子。另一方面，英國大選，促成台灣「非正式停火」的活動，也就成爲白宮支持唐寧街十號的最大誘注。英外次季特頓在二日下院答辯中，却說明「英政府未與美國會商關於台灣方面的任何承諾事項」。眞乃是欲蓋彌彰！美英間的微妙活動，目的似在促成再來一次類似日內瓦式的會議，否則何需在支克表示願與中共直接談判之後，又主張以六月前爲談判的最後期限呢！這一着是法郎士「戰勝」周恩來的手法，但我們斷定這一着是行不通的。去年十二月廿七日英國政府立下「款從停火的悲劇！這種不惜以「慕尼黑」式的謊言來對付自由中國，這是我們認爲難辭其咎的。

越局變幻莫測

最近的西貢局面，一日數變，眞有難以掌握之慨，越南政局已成了一個多彩的萬花筒。這裏面包含了保大派企圖與吳廷琰爭奪軍事開發的野心，也包含了美法間彼此的紛歧攻擊。美國支持吳廷琰，是爲了要實現南越的民主統一，爲了穩定印支，强化東南亞的反共防務。法國還是爲了殘餘的殖民地利益，不肯放手。越南政府軍與平川派已經釀成軍事衝突，現在已從堤岸延燒平川派總部，悲觀的結局，使堤岸西貢全非，死傷慘重！這地區是保大派的陰謀所在。照日內瓦協定，今年六月廿日，是南北越會談南越大選，今年七月應舉行大選，現在南越的局面如此，不祗是保大派推翻吳廷琰政府的鬥爭繼續，如果軍事的組織，南越將永無寧日，前途更爲可慮。二日西貢消息，吳廷琰已宣稱召開三區國民大會，將決議推翻保大，此舉如果成功，則印支的前途，實未可樂觀。

泰國的曖昧態度

但周恩來在萬隆會議上與泰國代表交涉，並在五一節表示，據說中共已同意與泰國和平共處，泰國的態度也開始動搖了。泰國目前處於東南亞公約的中心，也就是越南正處於危急的局勢。泰國是東南亞的橋頭堡，泰國的曖昧態度，雖未可厚非，但在國際間却有不良的反響。

朱哥夫的叫囂

在歐洲，蘇聯又在作已被歐洲報紙所報導的準備，朱哥夫已定於五月十一日在華沙召開八個衛星國家的會議，建立一個統一的軍事司令部，由蘇俄將領指揮，並將擴大組織。

中華學術獎金平議

周武成

自由人最近數期，對於台灣教育，有報導，有批評，頗引起一般人士注意。筆者雖爲純粹研究科學的人，對於自由人這種自由民主的作風，頗感到衷心的愉快與嚮往。但就個人見解，認爲輿論，對於執政者的措施，不當的地方，要加批評；好的地方，也應當加以承認或予以宣揚，如馬五先生所謂「說項斯」的精神便是。

值得稱許的教育措施

去年財經內閣成立之後，各部會的表現，比較可以稱道的，根據一般無成見的意見，恐怕不能不數到教育方面。具體的事實：新開創而頗受歡迎的；例如聯合招生；資深教員的獎勵；中美教育合作計劃之擬議；中日文化使節之交流；科學館的興建；各種教育委員會之成立，中華學術獎學金的創設是。恢復大陸上舊有制度的：例如教員進修辦法；私立學校的立案；政治大學的恢復；中央圖書館的恢復；公費留學考試的舉辦；大學用書的編印等是。在局勢艱難，財政拮据的今天，教育當局能有這樣積極的精神，力行的魄力，已經是難能可貴了；尤其在中國政治傳統上「不做不錯」的官僚作風之下，當局在短短九個月中，能有這許多表現，不能不說是有朝氣的作風，至少可以廉頑立懦，值得支持的。

提倡學術應加體諒 當局要有接受批評雅量

筆者和教部公私均無淵源，更無任何往來。只覺得這次事件，人選也許不太合理想；手續也許不甚完善。但提倡學術的好意，大家是應當加以體諒的。尤其是某人得獎，並不等於說某人就了不得；更不是說：未得獎的人，就一定不成；粥少僧多，總是不免有遺才的。獎金的積極意義，應當是鼓勵整個學術界，不必注重於某一人。例如中國社會向來輕視戲劇，今者平劇作者有人得獎，似乎可以鼓勵平劇界人士增加研究興趣，力爭上乘。梅蘭芳可以得文學博士，齊如山何以不能得獎呢？我們的眼光要遠看；我們的胸襟要擴大；要公不要私；要成人之美，不要吹毛求疵。要有泱泱大國之風，不必悻悻然求遂個人之憤。所以筆者的意見：獎金的發給自然應當慎重；審議的方式，應當改善；學術界人士，應當多多提出積極的具體辦法；不必專作消極的挑剔或漫罵。同時更希望教育當局，也要有接受正當批評的雅量。那末，學術的前途，一定是很光明的。

中國社會做事不易
—我對獎金的看法—

自然，這些措施，或者有人認爲是空洞的，是「多做多錯」的！這就表示中國社會做事的不易，批評者多，鼓勵者少。例如最近遭受批評最多的中華學術獎金而言，其人選可能不夠理想；但其原因何在呢？客觀的說：中國專才不夠多，教育當局的疏忽，學術審議會分組不均勻，有的太多，有的太少，有的且付缺如，[illegible]而有之。但這個獎金辦法，是經過大會無異議通過的，等到提出人選，問題就發生了。筆者相信：通過任何人物得獎，都難免有人反對的，因爲文人相輕，自古已然。如果再夾着私人意氣在內，則更不必說了。又有人說：中國學術水準不夠，根本不必舉辦，這是因噎廢食，似乎不足爲訓。更有人說：平劇繪畫，不能稱爲學術，這似乎是過去的觀念，應當放棄。也有人說：這次人選，有政治作用，[illegible]在內。那末，我要問：[illegible]得到[illegible]獎金，是不是也有政治作用在內呢？更有人說：常委會是由教育部指定的，不能作爲人選的決定，那末，[illegible]全民推選呢？[illegible]如果因爲自己未列名於教部各委員會之內，卽認爲所有委員均不合審委的標準，也是不合理的。

蘇聯的體育
—重要冷戰的工具—

李加雪

二十世紀初期，俄國雖在沙皇統治之下，但該國的文學，音樂，舞蹈，甚至飛機的製造，天才輩出，在當時的藝壇上放射出燦爛光輝。一九一七年，共產黨佔領了俄國。共黨把文學，藝術，科學，無一不劃入黨的範圍，用來做黨的宣傳工具。於是俄國的文學，變爲黨化藝術，無[illegible]上的商業廣告，使人噁心。共產主義把俄國的光輝熄滅了。

經過了三十多年的共產，蘇聯能夠拿出什麼成績，來炫耀世界呢？什麼建設，工人天堂嗎？蘇聯工人到現在還沒有能夠吃飽。集體農場嗎？俄國通年發生人造災荒，集體農場的工人集體荒廢職守。經過長時間的思慮和計劃之後克林姆宮才決定要拿體育來做國家的招牌和冷戰的工具。

國營體育

經過多年經營，蘇聯在體育方面的收穫，已有相當成績。一九五二年在挪威舉行的奧林匹克世界運動會，蘇聯得到五百五十三分半和六十九個獎牌，只稍次於美國的六百一十四分和七十六個獎牌。蘇聯最近宣稱，要在一九五六年墨爾本的奧林匹克世界運動大會擊敗美國，獲得全世界的冠軍。

蘇聯的國營體育計劃，是戰後才施行的。於十年的短期間內，收到這樣特殊成績，因爲體育關係個人，容易收效，選擇了可造之材，勤加訓練，數年之內，便能夠表現特殊成績。蘇俄覺得，拿體育來做冷戰工具，既易舉辦，又能收急效，可以說是十分切合蘇聯需要的。

一九五四年七月，紅星報有下面一段記載，「共產黨和蘇聯政府認爲體育係共產制度的一種重要教育。蘇聯政府每年分配給健康和體育的款項超過二百九十億盧布。（依照蘇聯規定匯率約合美金七十五億元）在過去五年內，蘇聯從事於體育的人數增加了一倍。蘇聯的體育家打破了本國紀錄二千二百次，達到世界紀錄二百零九次。」

訓練方法改變了

二次大戰前：蘇聯對於體育是採取集體訓練辦法的，由政府遣派政治人員辦理體育的集體訓練。那時蘇聯體育的進展遲慢或者可以說完全沒有進步。戰後蘇聯放棄了集體訓練方法，採取個別的特殊訓練。一九五〇年，蘇聯頒布了一種『體育人員五年生產計劃』。蘇聯的體育訓練開始於童年。政府每年派出偵察隊分向各校視察，選拔特出人材。一經選定即由導師予以特殊訓練。每一個體育學生的成就，健康，和飲食均有特殊記載。十二萬可造人材，分派在八百所兒童體育學校從事各項訓練。

除了這八百所體育學校，蘇聯還有許多體育訓練機構。集體農場的體育會擁有會員數百萬之衆。此外蘇聯的特務警察也設有許多體育會。特務警察所建立的運動場足容納七萬人，另一個體育訓練場足容八千人。此外復設有許多足球場，游泳池，健身房，和醫院。工會主持的斯巴達體育會的規模也不小。（上）

危哉梁思成
—民族建築開罪了中共—

思愷

古典建築的權威

梁思成，爲梁啓超的兒子，習土木工程，爲國內有數的建築學家。毛記王朝成立後，梁氏做了中共的北京市都市計劃委員，協商委員會副主席，北京人民政府委員。他又受命以建築工程學會籌備委員會主任的名義，堅迫全國的建築學家爲紅色王朝服務，可謂大賣其氣力了。

梁思成特別爲毛澤東賞識的地方，在他所提倡的古典形式建築的式樣。一經品題，全國風行，梁亦以古典建築權威自命。

這種古典建築式樣的推行，所有赤色報章雜誌，無不一致推崇。于是赤色大陸所有新建官府衙門，一律紅牆綠瓦，屋脊斗拱，亭台樓閣，到處出現像城隍廟似的建築物。一入內部，則又雕梁畫棟，古色宮燈，琳瑯滿目，大有復古氣概。提倡得更澈底的要算工廠廠房，政府人員宿舍，電力公司的鍋爐房，鐵路的水塔，科學館之廁所等，無一不加上大屋頂，使全部古典化。是爲赤色大陸中一九五一——一九五四年間建築工程中表現得最顯著的新氣象。

違反了老大哥理論

不料，今年蘇聯共黨第一書記赫魯曉夫在全蘇建築工作人員會議席上發表了水泥路面比瀝青路面堅固耐用的經濟建築演說。中共的建築學家奉命研究的結果，發覺目前大力推行的民族形式建築違反了赫氏的意旨。于是，今年三月開始大力抨擊民族形式建築浪費，不合實用，以迄於今，還在繼續發展之中。

因此，民族形式建築的原始提倡者梁思成亦遂成爲衆矢之的，現時雖未至像反黨聯盟的高崗饒漱石一般被淸算，但至少已經被迫啞口無言了。如果再加上一頂在建築中散播浪費國家金錢的建築思想破壞國家建設計劃的大帽子，那麼梁思成就會成了資本主義潛伏在內部的敵人了。危哉梁思成，我們不能不爲他捏一把冷汗。（四月十四日）

砲兵專家鄒作華在台生活

·龍慈·

中國近代砲兵之創造者，應推鄒作華氏。氏爲吉林人，當兵由日本士官學校習砲兵歸國時正値第一次歐戰正酣，黎元洪當國，國務總理段祺瑞，力主對德參戰。於北平安定門外之黃寺，設有參戰軍軍官教導團。聘有不少日本軍事顧問教官，以任訓練，其任砲兵訓練者爲荻原倉崎清爾氏。鄒卽奉派爲砲兵科隊附。氏在日本留學時，砲兵造詣既精，至是復與此兩客卿共處，昕夕薰陶，藝更精進。迨段爲吳佩孚所敗，鄒率教導團所有之野山砲軍砲及其優秀幹部，以投奉天，深爲張作霖學良父子所器重。遂命其創立近代式之砲兵於瀋陽北大營，簡練揣摩，歷時兩載，所部砲兵已是新發於硎矣。

× × ×

亡何第一次奉直戰爭事起，張學良之東路鎮威軍，爲張景惠之西路鎮威軍失敗牽動引退，並未能及鋒而試。但民十三年第二次奉直戰爭時，鄒所部砲兵在山海關，民十五年奉軍與馮玉祥部戰於南口，及民十六年對晉軍之涿州圍城，則轟轟烈烈，極顯神威，馳致國內外人士，莫不爲之拭目，有如當年陸軍大學之日本教官土橋一次郎，田中久，每於課餘，評論南口涿州砲兵之指揮運用，對鄒氏皆致敬佩。迨關外易幟歸附中央而後，鄒氏首任砲兵學校校長，爲責全國砲兵之創造。氏長校三年，本其專長學術，豐富經驗，循循善誘，造就殊衆。現代參謀總長彭孟緝，亦是當年與鄒在南京湯山創造砲兵學校之得力助手。

此外鄒氏行誼，亦頗有足稱者，當其在關外隨張學良時代，自奉頗厚，生活亦饒豪華，顧自效力中央而後，頓歸節約，前後奢儉，判若兩人。人亦有言，由儉入奢易，由奢返儉難，此在鄒氏則殊不然。抗戰期間，在重慶過八年刻苦生活，現隨政府播遷到台，數年來茹苦含辛，均能甘之如飴。

當張學良氏二十年躋列爲陸海空軍副司令時期，部屬中如劉翼飛等，均經張力保爲察哈爾等省主席。鄒資望與劉等相埒，但獨未能任封圻，亦在所不計。當時請於張，願赴興安屯墾，築路臨緘，亦復有聲有色，不幸初具規模，九一八事變即已爆發。

當年隨張學良統兵大員如胡毓坤榮臻劉多荃等，時至今日，頗多不能忍受抗日抗共兩役之磨折考驗，附逆投共，蹈相接也。鄒氏獨能砥柱中流，永矢忠貞，其節操爲何如。國府曾特簡鄒氏爲吉林省主席及戰略顧問，亦正所以酬其勳庸也。

× ×

歲月不居，人事代謝，卅年前隨鄒氏在關外之砲兵基本幹部，今已凋零殆盡，今尚生存在台者，僅有馮業權王和華黃永安賴愷元數人而已。往歲曾於其六十生日，公共祝其壽時，獻詩一首，句云：

丁年書劍賦同仇，馬首遼瞻十六州，生面果能開曠代，奇兵常與遏橫流，明公海上驟千里，餘子遼陽貉一邱，運啓貞元周甲歲，抉看攬轡復金甌。

輿論應有的立場（上）

丁文淵

（上接第一版）加以中共的後台，是蘇聯的共產國際。這個共產國際的生存基礎，是建設在不斷的鬥爭。沒有鬥爭，他們就不能生存。他們爲求在政治上的生存就只有製造鬥爭，製造世界革命。因此共產國際是自由世界的最大敵人，也是自由世界的唯一敵人。中共是共產國際的附屬，也就是其中的重要份子，當然就是自由世界的敵人。不同之點，就是，我們早已受到了中共全面的毒害。每一個同胞都曾身歷其境。而自由世界現在僅僅受到了威脅，和我們身歷其境的人，其間却有相當的距離。他們應付共黨集團的方法，因此也不可能符合我們的理想，然而將來是必然要殊途而同歸的。自由世界當然已經瞭解到與共產集團和平共存爲不可能。然而共黨既表示「和平」，自由世界就不能不予以機會，必須等到全世界都明瞭了共黨的陰謀，才能證明共黨對於和平共存是全無誠意的。爲了要保持自由世界不至被共黨奴役，到時就不得不起而反抗，戰爭也就不可避免了。一旦戰爭降臨，則賴以取勝的，自然有賴於重工業。歐洲是東半球最重要的軍工業區，也就是自由世界必需竭力保護之地，這就是歐洲第一政策產生的理由。我們中國人看來，可能覺得他們過於自私，然而爲了顧全整個世界的大局，我們不能不諒解他們的苦衷。這也是我們唯一可以原諒雅爾達協定的地方。我們在國際上，本於反共的立場，既可原諒雅爾達協定的錯誤，原諒美國在大陸淪陷前因爲停止對我援助的打擊，來共同合作；然則我們在國內政治上，本於反共立場，又何嘗不能原諒政府過去的錯誤，而予以合作，以加强反共的力量？要知，現在是我們生死存亡的奮鬥時候，稍一不慎！就會全盤傾覆。

編者讀者

希望中英復交

△蕭立坤先生來函

編者先生：從一九五〇年元月英國工黨政府片面的宣佈承認中共政權之日起，中華民國與聯合王國之間卽無正式外交關係。雖然淡水設有英國領事館一所，雖能辦理商務，[illegible]

[illegible]

印度青年的赤都印象記（四）

參觀了骷髏城

風行譯

在一九五四年九月十六日，我們前往訪問列寧格勒。我在某地曾於閱讀中得悉蘇聯的火車共分五等。因此我原想乘機觀察各等之情形。但當我們到達火車站時，我感到失望。因爲當局以頭等專車招待我等。除了我們自己人以外，車上所遇的都是官方派來的招待員，和經過訓練的導遊。車廂設備相當奢華，均設有收音機，傳播莫斯科廣播電台的音樂和談話。但我們不是爲求享樂而來，而是想觀察實際的生活情形。但現在無法看到了。

早上在車上我們吃的早餐是清茶、生菓、火腿、蔬菜、和三文治。到列寧格勒後便定在下午觀光。街上行人的態度氣氛，沒有像莫斯科那樣嚴肅。甚至商店的窗櫥也較爲美麗動人。雖然比不上歐洲各都市的普遍情形。

在數世紀以前，列寧格勒是一片沼澤荒地，當時名爲彼得格勒（或彼得堡）。在一九一七年以前，充滿了帝國思想，其中的平民也孕育着人道思想。早在一七四九年這裏的紡織工廠工人已第一次罷工，反對沙皇的專制。在一九○五年這裏發生革命，幾乎推翻了獨裁政權。一九一七年七月，列寧領導布爾扎維克黨起革命運動於此間。列寧格勒可稱爲革命城，然而亦因此而爲俄國死人最多的城。爲了野心家的光榮與偉大，許多人遭殺戮，祇是開闢這沼澤地，建設京都，已死了無算。因此這個城市的一個綽號爲「骷髏城」，未嘗沒有理由。

兒童宮殿少年先鋒隊

列寧格勒以其美麗的建築物和十八世紀初葉始建立的教育機關著名。現在的列寧格勒大學——以前名彼得堡大學——是在一八一九年始創。科學研究院在一七二五年創立。以博物院、亞洲人類學、植物學、地質學、礦物學和動物學自詡。

列寧格勒由一七○三年至一九一七年是俄國的首都。現在仍是蘇聯第二個大城市，此城居尼瓦河（NEVA RIVER）之河口。河水流入芬蘭灣。該河將列寧格勒分爲兩部，有「大街」之稱。有三十條橋跨越河上。百餘小島，星羅棋布，水道如網。每立尼瓦河旁瞻仰巍峨雄壯之建築物，使人生寅畏之感。

在未返莫斯科之前，我們參觀「兒童宮殿」，這就是少年先鋒隊的總部，俄國的少年先鋒可與普通各國的童子軍比擬。但究有甚大之差別。童子軍運動是一九○八年貝登保爵士所創始。沒有黨派政治意味。祇是純粹的訓練，使少年成爲一個良好的公民。雖然，愛國是他們信條之一。但現在蘇聯的少年先鋒隊運動的目的，乃鑄造忠於共產黨的少年。

隊員一千五百萬人

少年先鋒隊總部在以往的沙皇宮中，一八七○年沙皇以此爲兒童遊樂的地方。現在裏面分成許多部門，祇是機械部門有四十間工廠，和實驗室。此外有藝術、體育、和古代物的研究部門。這種的設備，固然使訪問者感到了不起。但沒有實際的活動。他們還是着重軍隊的活動，例如集體的大合唱和跳舞。每年大約有一萬六千兒童參加。依照教育部頒發的黨政策或方案指示去實行。現在全蘇聯少年先鋒隊一千五百萬人。每逢元旦，列寧紀念日，史太林紀念日，便大出風頭。一九五四年爲首的九個月，政府爲少年先鋒隊支撥費用，達七百五十萬盧布。

尊史太林爲神

此種運動的目的含有極濃厚的政治意味。在一九五二年五月十九日紀念少年先鋒隊成立三十週年時，共產黨青年團秘書長米海洛夫說「共產黨青年團與少年先鋒隊給學校訓育員和教師訓練學生的指導和協助」。他們的指導的成績，從共產黨青年團在一九四六年出版的一部書，可以窺見。內有幾句詩歌崇拜史太林如神的尊嚴！

史太林！「在我們的心靈中，常體到你的美名。我們遵循你的足踏過的石前進。讓我們跪下吻着你的聖脚跡。」

一九四六年出版的「蘇聯人教育學雜誌」第十卷第十一期說：「青年人教育問題，和我們趨向共產主義前進的問題相同。」

「兒童宮」所有的科學設備都是宣傳作用。當我們參觀時，他們顯示給我們看一副電動曳引機模型，說是兩個女子製造成的，而「沒有人幫助她們的」。但很奇怪，當我們參觀的三小時中，在工廠和實驗室內不見有何種工作進行。祇見一個少年先鋒隊員孤零零的在磨着一條桿。我們注意到先鋒隊的男女少年，以謹慎的態度對待我們。但當我們被引導到體育文化中時，少年先鋒隊員立即邀請我們參加他們的跳舞。一俟我們踏上跳舞的場地，立即有電影拍片機開動。好像早已安排我們上鏡頭，讓他們製成電影片作宣傳了。

不許非官式訪問

我們來蘇聯觀光好像一切由蘇聯當局擺佈，完全不如你的意旨。例如在九月十四日我們原擬可與莫斯科大學的學生作「非正式」的接觸，——請注意「非正式」——外國人到蘇聯觀光的秩序安排，都是官式的。我原希望自由的和各級的學生談話。但屆時令我大爲失望。我們被引導經過走廊，來到一小室，所會見的不是學生，而是他們的領袖十人。他們是體育與文化活動的領導人而已。我們未到莫斯科前，原欲和學生們同居，試去觀察他們真正生活狀況。但這計劃無法實現。蘇聯當局寧願花錢叫我們到一間豪華的大酒店居住。

莫斯科大學中據說共有五十七個國籍的學生，但大多數係指蘇聯中各共和國或共產附庸國而言，好像沒有見過西歐和美洲的學生，甚至東歐國家的也少見。至於蘇聯的學生也顯然不獲鼓勵到外國留學。甚至目前在蘇俄控制下的附庸國的大學，例如捷克的布拉格大校，也不讓蘇聯學生進去。

法魯克羅馬逢人作揖

一九五二年被革命委員會下令放逐的埃及遜王法魯克，當他由亞歷山大港乘着四千六百噸的私人遊艇「瑪羅莎」號離開埃及的時候，他還下了四座皇宮，兩幢位於尼羅河畔的別墅，一個私人動物園，和一批價值一千一百八十萬美元的名貴郵票。最近這位舉止揮霍的遜王在接見義大利某雜誌記者時說：他亟須在羅馬尋一份工作，他說：「我個人決談不上富裕，革命委員會那些人沒收了我的全部私人財產。外國銀行的存款嗎？根本沒有那回事。談到在海外的投資，我一點也沒有。……我的情形危急得很，我必須揾工做來維持生活」。因此他在羅馬逢人作揖，請求介紹工作。

讀者論壇

確保金馬主動反攻

陳金麗

近來自由中國掀起了擁護政府確保金馬的運動，這一運動，正如火如荼，進入高潮。

金馬居大陸邊緣，雄峙台灣海峽，無論從反攻大陸的角度去看，從保衛台澎的角度去看，確保金馬，都是十分重要的。自從總統宣佈確保金馬的決策以來，全國人民一致擁護，海外僑胞一致聲援，無論如何，金馬是守定了的！

×　×　×

不過，守未免還消極了一點，我們爲甚麼不反守爲攻呢？爲甚麼不由被動而改採主動呢？爲甚麼不把挨打改而爲予打擊者以打擊呢？老實說，守，總是有些吃虧的，今天守住了，明天不一定守得住，一次守住了，十次不一定守得住，攻，總是佔些便宜的，今天失敗了，明天可以再攻，第一次失敗了，第二次可以再攻。採守勢的一方，誰能保證會天天勝利，次次勝利呢？採攻勢的一方，誰能說他會天天失敗，次次失敗呢？

四月廿二日，報載關於雷德福和羅伯遜來台的新聞：「……雷德福此次來台，與國軍計畫是否向中共主動攻擊有關，當局採取主動的計劃，久已進行。」四月廿五日，台灣各報載省議會副議長林頂立一段談話：「……政府必須確保金馬，決不可撤退，如果迫不得已，則……」若到最後關頭，不惜傾國而起，作乾坤一擲，幸一擊而中，固可告慰黃帝及國父在天之靈，否則爲中華民國留一點正氣於後代，必信繼起有人，匡復舊業於異日。這些主張與確保金馬厲新耳目，振奮人心，所謂「主動攻擊」！「八百萬人齊向大陸撤退！」「不惜傾國而起，作乾坤一擲！」這是多麼有光有熱有力的呼號啊！

政府撤離大陸，退保海疆，六年於茲，最初的用意，無非想藉此機會，使我們喘息，以便重振旗鼓，再回轉頭來擊潰敵人。當撤離大陸之始，我們的海疆，除台澎以外，尚有海南、舟山、大陳、和金馬等外圍島嶼，相繼撤守，到現在只剩下金馬了，自然，我們要誓死確保，而且要主動反擊。總統說過，當共匪進攻金馬之日，便是我們反攻大陸之時，現在已經是時候了。我們可以消滅共匪一部份勢力，乘勢反攻，這樣，才能確保金馬，進而完成反攻復國的使命。

學生身心不應束縛 學校應樹良好楷模

對於宗教信仰與否，人人都有自己抉擇的自由，香港有甚多崇信宗教人士，開辦了許多學校，每年收容學生，數以萬計。雖不能完全解決嚴重的失學問題，至少它們在減少失學兒童方面，已盡了一部分責任。就社會安寧與繁榮說來，教育下一代是社會各階層人士，誰也都有他們應負的責任。因此，教徒與辦學校，應非爲了吸收教友，純爲整個社會設想。然而，事實上竟非如此，若干教辦學校，門戶之見極深。較爲顯著的事例，殊無過於天主教所辦的學校，拒絕基督教辦的學校學生轉學，以致每年總有許多學生，在學期開始時間，無所適從。然則在教辦學校讀書的學生，他們不一定都是宗教徒；祇爲教辦學校讀過書，除非同教，或無宗教色彩學校，將會受到異教歧視，拒絕報名應試。

僅就上述事例，對學生心理上說來，毋甯是感應十分惡劣的，負有教育下一代責任之人，自不能認爲非「嚴重」的事態。需要世界和平，端賴人類友好互信。於是必須摒絕人類怨隙、仇惡，纔能確立信誼基礎。以親不同教別對立，不啻促使人類製造怨隙；拒絕異教學生報名，直如將就讀具有宗教色彩學校的學生，以竹籬將其圍住，使他們純潔心靈，從此玷染了莫名其妙的仇隙。這難道是教育下一代應有的現象？香港號稱「民主櫥窗」，且無「殖民地教」；除了政治，任何教別均許自由發展，例無強迫信教明文。市民對於宗教，信否更有絕對抉擇自由，誰知有等教辦學校，竟然以「聖經」列爲必修課程。

本來可以這樣說：「你無宗教信仰，可以不必投考教辦學校」。但是有等學生在只求讀書，不擇學校之時，未進學校之前，根本就不知道學校性質，入學之後，容或感覺種種條件，束縛身心，迫得中途轉學，因此造成失學，或不可免。所謂條件束縛身心，例如某一教辦學校，規定學生星期日必須返校參加禮拜，否則就要扣除作業績分，又若某一學校，將「聖經」列爲考試主要項目。姑不論學生曾否受洗，此種違反教育基本原則的規定，對學生學業前途，有無影響，不言可喻。更有某校新近創辦，非同教教友子弟收費特高，高出一般私立學校以上，但是對於同教教友，可以享受半費、免費權利。然而校方闢地建築校舍，與一般私立學校同受港府優遇。而它們興辦學校經費，除了教友，教外人士亦加捐助。此種情形實不應有。教育當局尤不容忽視。爲了教育下一代，社會人士對於教辦學校若干亟待改進之點，也應及時提供教育當局參考，迅予糾正，則學生受惠，造福社會，實非淺鮮。

共黨口中的日戰敗內幕

信不信由你，日本所以向盟軍投降，完全是參戰僅數天的俄軍的赫赫戰果。多年來的共黨宣佈，都說擊敗德軍，完全是俄國人的功勞，但現在他們竟厚顏誇言打敗日本的也是紅軍了。捷克共產黨最近廣播說：「在蘇軍的猛烈打擊之下，美國人無法對付的精銳日軍開始投降。這是日本戰敗的真正內幕。」（孟衡）

經濟社會思想叢殘

金伯華

己立立人，己達達人

孔子早就說得非常淺明而又深遠：「仁者愛人；仁者己欲立而立人，己欲達而達人」。以及「己所不欲，勿施於人」等等聖訓，無非都是要把「小我」「大我」化，把「人」「我」融爲一體。而「推己及人」，「克己復禮」等等，就是要做到這個目的，實現這種境界的修養工夫。古之所謂「修養」，「涵養」或「反省」，在目前時髦的說法，便叫做「自我檢討」和「自我報告」。在有些黨的小組裏，若干黨員或不免以此爲苦，但在合作組織裏，却一向便已成爲每一社員日常的課業。

不是嗎？第一步，合作社是要求每一社員都必須能夠切實自動的。在消費合作，要求社員不賒賬，不浪費，（賒賬的人，往往容易流於浪費），不貪小便宜等等；在生產合作，要求社員不偷工，不減料，不抬高物價，不操縱市場等等；在信用合作，對於社員所要求的條件尤其苛刻：操行好，不失信，不借錢以充當時當地一般所認爲非必要或不正當的開支，以免徒然增加顯可避免的負債等等；——總之，合作組織要求社員必須克勤克儉，有守有爲，方能成爲社中健全的份子。事實上，亦惟擁有這種社員的合作社，方能算是一個眞的，有生命的合作社；否則合作社社員人數雖多，業務雖發達，亦往往是「合作其名，營利其實，與一般商店銀行，無甚多異。（據說台灣的合作事業頗有近於此，此所以未能引起政府的重視和社會人士的同情云。）其主要原因，就在社員們對於合作主義認識不夠，對於合作理想，茫然不知，因之他們未能化除小我，未能「推己」「克己」，未能「自助」而奔走呼號，祇知事事都求「人助」。換句話說：他們只望「人人爲我」，而全不講求「我爲人人」的道理。這樣，還能算是「愛人」的「仁者」嗎？這樣，己不欲立，還能「立人」，己不欲達，還能「達人」嗎？合作社共同經營的目的，決不是這樣的！

作爲一個合作社的眞實社員，是必須對合作主義有基本的認識，對合作理想有明確的了解，然後方能本着宗教的精神，具有虔誠的信仰，抱住堅毅的意志，見諸艱苦的實行。在一個合作社當中，一人如此，人人如此，一人能自立自達，人人都能自立自達，則人與人間的一切關係，決沒有不圓滿的，豈但經濟關係而已哉！這所以合作的共同經營，是要以道德爲基礎，以倫理爲範疇，陶鑄人類完整人格的一種綜合生活——嚴格而言，經濟問題之能否永久的公平解決，其根源厭在道德。這原是「德者本也，財者末也」的「老生常談」。合作經濟的方法，就是這樣平庸的一種方法。要使人們實行這種方法——由己立立人，己達達人。

（二十四）

你也配彈此調？

馬五先生

在海外的共黨宣傳器，近日竟出一種特別腔調，說台灣社會各階層人士實行防奸防諜的聯保切結，是「喪失了自由人權」！

我對它那類攻訐台灣政治生活的各項公式說法，司空見慣，素不發生感官上的反應作用。最可憐的卻是它們厚顏大胆，居然敢來向富人們提「自由人權」這四個字。這等於「亂倫女郎」，當着人講貞操節烈，好不笑煞人也！

不說那保甲連坐切結原係地方自治的應有措施，也不[illegible]，我們[illegible]大陸人民沒有絲毫自由[illegible]「人物」、「自由人權」[illegible]

[illegible]大陸人民生活痛苦，說不敢說半句批評的話呢？[illegible]「自由人權」[illegible]

唯有堅決爭取民主自由者，才有資格談「自由人權」[illegible]。唯有堅決反對共產暴政者，才有權利來批評自由中國的政治設施。至於共產仁兄，以及替秧歌王朝効犬馬之勞，在海外搞統戰使命的「第三方面」先生們，很抱歉，我覺得你們不配彈這調調兒！

黃公度之日本雜事詩

吳天任

著色，而老氣橫秋。）

其記日本民間風俗事有云：

綠窗高燒照別離，烏衣換卻出門時，小時膝母今時婦，宛轉鍾頭釘綰絲。

（註云：大家嫁女，更衣十三色，先白最後黑，服衣畢則登輿矣。母為結束五綵線於髻，滿堂燃燭，蓋送死之義也。[illegible]）

南嶺師法南田翁，北方禪宗是一家，偏是蛾眉工淡掃，青螺爛熳寫秋花。

（註云：畫法傳自中土，初摹唐宋院體，後分數家，有土佐家，有狩野家，有雪舟家[illegible]）

[illegible]花，七十鬢翁猶狹邪，欲聘狸奴先問價，紅氍分送野貓家。

（註云：呼妓為貓，[illegible]各齋集正出帖子，用類印書仰弟子云入門何處[illegible]集，專有一等野貓[illegible]宋時亦同此稱呼也。）

當罏少女似羅敷，精舍安排茗鬪爐，茶鼎酒鐺料理，語郎圖坐且須臾。

（註云：賣酒賣茶，皆以少女當罏，酒樓日料理屋。）

湘簾半捲綺窗開，帕腹帕頭爛熳堆，這是蓮池清淨土，未妨天女散花來。

（註云：喜潔浴池最多，男女亦許同浴。近有禁令，然積習難除，[illegible]）

相去僅咫尺，司空見慣，渾無慚色。

（三）

以上諸詩，皆據光緒廿四年戊戌長沙富文堂改定重刊本。[illegible]

[illegible]光緒五年四月廿三日[illegible]

[illegible]致余充眉中於書，（又見戊寅尺牘卷十二）中有云：此間黃公度參贊撰有『日本雜事詩』，不日付諸手民，此亦游宦中一段佳話。又其雜事詩序云：[illegible]

[illegible]逮余將行，出示此書，讀未終篇，擊節而歎，再三，此必傳之作也，亟宜付手民，俾世得以先睹為快。因請於公度，即以余處活字板排印，公度許之，遂棄以歸，旋聞是書已刻於京師譯館，洵乎有用之書，為衆目所共覩也。

此外列本尚多，則為光緒二十四年改定長沙本，公度光緒十六年自序又云：時值日本維新之始，百度草創，規模尚未大定，紛紜無定論，余所交多舊學家，微言刺譏，咨嗟太息，充溢於吾耳，雖自守居國不非大夫之義，而新舊同異之見，時露於詩中。及閱歷日深，聞見日拓，頗悉窮變通久之理，乃信其改從西法，革故取新，卓然能自樹立，故所作日本國志序論，往往與詩意相乖背。久而於美洲見歐人，其政治學術，竟與日本無大異，今年日本已開議院矣，進步之速，為古今萬國所未有，時與彼國賓官碩學言及東事，輒歛手推服無異辭。使事多暇，偶翻舊編，頗悔少作，點竄增損，時有改正，共得詩數十首，其不及改者姑仍之。嗟夫！中國士夫聞見狹陋，於外事向不措意，今既見之矣，猶復緣飾古義，足己自封，且疑且信，逮窮年累月，深稽博考，然後乃曉然，於是非得失之宜，長短取舍之要，余滋愧矣！

時公度方隨薛福成在倫敦任使館參贊，是年公度所著之「日本國志」四十卷刊成。於廣州之富文齋，蓋因國志付刊，於初撰之雜事詩，乃重加刪訂也。

又據公度戊戌四月自跋長沙刊本云：此詩光緒己卯上之譯署，譯署以同文館聚珍板行之。繼而香港循環報館，日本鳳文書坊又復印行。繼而中華印務局，日本東西京書肆復爭行翻刻，且有附以伊呂波及甲乙丙等字，衍為註釋，以分句讀者。乙酉之秋，余歸自美國，家大人方權稅梧州，同僚索取者多，又重刻焉。丁酉八月，余再見長沙，懸諸標泉，讀詩者，詢之又一刻本。今此本為第九次刊印矣，此乃定稿，有續刻者，常依此為據，其他皆拉雜摧燒之可也。

（四）

茲據所跋，分列其各種板本如左：

（一）同文館聚珍本，光緒五年己卯。

（二）香港循環報館巾箱本，同六年庚辰。

（三）日本鳳文書局巾箱本，年期未詳。

（四）中華印務[illegible]

語意學漫談

徐道鄰

在你申明你的主張的時候，最好請你一一說明你心裏所想的各種細節，舉出幾件客觀的具體的例子，附帶些有關的確實的數字。這樣子，縱使你使用的語句範圍廣泛，也不致使對你發生過份的誤解，因為大家明白了你的真正用意所在，因之不須要，也就不會再根據一些你『口裏說然』的，但並不是你『心理所要說』的言詞來對你加以駁斥和攻擊。

『哲學家』們是最喜歡運用最廣泛的語詞的人們，而事實上他們心裏所要說的，可能是非常之多，也可能是非常之少。在我們沒有表示意見之先，最好先請他們『畫出幾個例』來。如若他們堅決地不肯『畫例』，那麼我們還是以暫守緘默為妙。因為我們明明沒有瞭解他們的真正的意思，為什麼要裝出一付似乎已經明瞭他們真正意思的樣子呢？

籠統語句也可以引起同意的誤解

籠統的語句，不但可以使相同見解的人，發生誤解，因而引起許多無謂的爭執，同時，有些人因為了許多籠統的語句，大家初看彼此的見解相同，可是等到後來研究討論到細節的時候，才發現彼此在思想和偏好上的距離甚遠，這就是說，籠統的語句，有時候也可以使意見不同的人們，因為彼此誤解而表示同意。雖然這個同意，只是非常『短命』的。

譬如說某甲問某乙，是否欣賞文學，某乙說是，並且是特別喜歡作詩。某甲說，好極了，他也是最喜歡作詩的一個人。那麼這兩個人應該談得來了。可是某甲所喜歡的是李杜，而某乙所喜歡的，則是疑雲疑霧的新詩。這樣子就恐怕兩個人談不多久就要走了。同樣的喜歡美術，並且是同樣的喜歡油畫，然而一個最擁護的是『五百年代』（CINQUE CENTO十五世紀的文藝復興派），一個最崇拜的是『野獸派』，那麼這樣兩個人，也很怕很難談得攏。至於同志間談合了吧。然而如果一個是民主政治的信徒，一個是獨裁專制的擁護者，則二人都是從此不能見面的仇人，那還能說得上他們的見解是相同的呢？籠統的『大前提』雖同，而其『細節』之不可不辨也如此。（三十三）

生日述懷

郭敏行

忍說中年萬事休，當年王粲亦依劉。惜陰陶侃非無志，飲恥韓公信有謀。孟德才情今也絕，正平狂悖更何求？吾生倘合詩人老，要與淵明共去留！

景伊先生以四十五生日詩見示次韻奉答

如山憂鬱隨年峻，歷得詞人盡白頭。寧與嗣宗哥慟哭，恥從猗頓訴窮愁。淸狂到底公何憾？貧賤終生我不尤！誰信江南老居士，猶能投筆起神州！

劉銘傳和台灣建設

猖士

台灣之建設，人多以為日本佔領時代，始行着手，其實甲午以前七年，清廷以劉銘傳巡撫台灣，即由劉積極建設，舉如近代台灣之政治國防，經濟交通，文化教育，均在劉任內樹立規模，奠定基礎。

劉銘傳為李鴻章同鄉，於攻太平天國時屢立戰功，稱淮軍名將，相傳曾國藩善相人，淮軍諸將任職，事前均須由曾面試，而試時即測其儀容言動，當淮軍成立，李鴻章領諸將入見，曾氏先不發言步行於諸將前後，靜心觀察，復謂李曰：諸將皆能立事功，而年少而麻者，事功成就尤偉。李問故，曾曰：諸人見我，皆屏息矜持，獨而麻者態度自然，有孟子見大人則藐藐之概，足覘其才氣非常也。洪楊平復，劉賦性恬淡，功成不居，乞退之疏凡十五上，時以東捻西捻擾西北，被任為陝西提督，事平復引疾歸田，光緒十年，以台灣緊追，始奉命督辦台灣軍務，嗣即署台灣巡撫，前後六七年中，一切建設，竭力籌辦，以豐荒之區，數年中成績，即他人一生精力，或不能及，可謂篳路藍褸以啟山林者矣，劉氏建設台灣史實，日本伊多加知會著台灣巡撫劉銘傳一書，言之甚詳，即言台灣近代化建設，皆創始於劉氏，以短短六年，而成績優異如此，日本人皆驚歎不置。

劉氏撫台之先，沈幾觀變，知當時中國，險象環生，即昌言中國如不變西法，罷科舉，速開西校，譯西書，以儲人才，不出十年，國事不可為矣，尤以俄國積極經營遠東，與日本明治維新，皆認為是中國未來之隱憂，主張盡國力以建設國防，與辦鐵路，籌組海軍，上疏云：「中國幅員遼闊，北邊萬里，毗連俄界，通商各口岸，又與各國共之，畫疆而守，則防不勝防，馳逐往來，則鞭長莫及，惟鐵路一開，則東西南北，呼吸相通，視敵所驅，相機策應，雖萬里之遙，數日而至，雖百萬之衆，一呼而來」。故中國後來興建鐵路，劉氏提倡之功，實不可沒，其請籌海防疏云：「海防以船為命，無船即無海防，各國皆然，中國豈容獨後，綜計沿海七省，須備兵船百艘，方敷戰守。」並建議「於閩粵各省，設海軍學堂，教育駕駛之才，大練水手，習業專精，再令出洋遊歷」此皆建設海軍基本要素，惜清廷不[illegible]，至甲午中日之戰，北洋海軍，指揮[illegible]敗，但對劉當時設海軍衙門之議，[illegible]重視，光緒十一年，成立海軍衙門，以醇親王總理其事，[illegible]副之。曾死即有台灣巡撫[illegible]軍軍務之命。

劉氏以台灣為國防要[illegible]省藩籬，[illegible]國防堡壘，[illegible]海七省，[illegible]，東望日本，[illegible]曰：「彼[illegible]國人因循不悟，不出十年[illegible]。」劉氏既無法喚醒清廷，[illegible]所轄之台灣，則不容稍懈，故六年之內，台灣百廢[illegible]全島，使台灣成為自給自[illegible]堡壘，並與福建巡撫楊[illegible]海軍為三路，津沽為北洋，[illegible]，台澎為南洋。惜清廷以[illegible]實行，劉以事不可為，決[illegible]戰後，台灣割讓之歲，亦[illegible]年，劉氏可謂與台灣共存[illegible]

津沽陷匪痛史追述

唐瑩

一月十三日

沉寂多日的塘沽，前綫，整天都有砲戰，共匪似已向塘沽發動攻勢。同時天津的戰局，已日趨嚴重，這一天天津市區人民中彈的，已有五十六人。

××

一月十四日

日匪向天津猛攻，電訊全毀，旁晚時的消息，匪已攻入天津，東面及西面之民權門，西營門，發生肉搏戰。

十四日夜間十二時，天津發出乞了降的哀音！這乞降之音，每三分鐘廣播一次，其原辭是這樣的：「林彪將軍注意，林彪將軍注意，林彪將軍注意：三天以來，市內到處遭遇砲擊，人民死傷無算，工廠則天津毀壞，將甚人要求，守城將士放下武器，[illegible]攻擊。中共[illegible]楊亦周，明[illegible]獨自離南，商[illegible]，派出代表[illegible]平事宜。」[illegible]播了這小時降[illegible]軍的警備司令[illegible]長劉雲[illegible]的憤怒，[illegible]限到匪分子完全[illegible]匪軍警備司令[illegible]津軍兵盡彈絕，[illegible]晉中所說的[illegible]陳將軍放下武器[illegible]脫險，他們被俘[illegible]支持在絕援的困[illegible]彈絕的地步[illegible]是值得我們欽[illegible]

自由人

THE FREEMAN
（第四三六期）
每份港幣壹毫
社址：香港高士威道廿號四樓 3 rd. fl. 20 CAUSEWAY RD HONG KONG
總經售：友聯書報發行公司
台灣總經銷處：台北市館前街五十號
台北市西寧南路寶蓋戶二號二樓
郵政劃撥儲金帳戶九二五二

不容忽視——中共的對日貿易活動

·李金暉·

在日本活動了月餘的中共貿易代表團，於五月四日和日方簽訂了一項貿易協定。對手方是日本國際貿易促進會，和國會議員促進日中貿易聯盟。這協定仍有幾項重要問題，未能解決，看來，不像是個可以順利履行的協定。不過，經過這次協定後，未來的發展趨勢，是值得注意的。因為中共的目的，並不在於一紙貿易協定啊！

政治重於經濟

首先要了解的，中共訪日貿易代表團的目的是政治重於經濟，宣傳活動大於貿易商談的。

幾年來，日本與中共間的貿易，一直是在半公開或不公開的情況下進行着。就公開的而言，這次協定之前，中共曾與日本的私人組合，簽訂過兩次協議，第一次是在一九五二年六月；第二次是一九五三年十月。這兩次協議，並無若何成績，第一次協議所規定的貿易總額，只完成百分之五點零五。第二次，只實現百分之三十八點八。

去年十月十二日，蘇聯與中共發表共同對日關係宣言，向日本招手。中共跟着積極展開對日關係活動。

中共始終認定，儘管對日關係，雖說曖昧，但希望貿易關係能改善，搭上與日本官方有直接交手的機會，才能謀進一步的發展。

冒任民親卒班子到日的目的，便是中共想在藉經濟的誘迫，對日展開政治的進攻！

現在從中共所發表的有關公報，和已簽訂的協定裏，便足以證明中共政謀與日本官方機構接觸，使日本在事實上承認中共政權。誘日本政府機構捲入這次談判的漩渦，以求達政治目的。

司馬昭之心路人皆見

在這次談判中，中共貿易代表團曾提出以下幾個提議：一、關於支付問題，應由雙方國家銀行締結支付協定。二、互設常駐商務代表機構，該項機構應為一個權力機構，是個政府機關。三、對於上述之機構及其工作人員，享有外交特權。四、中共並堅持，建立貿易關係，一定要由政府承担應負的責任和義務，即不以日廠商組織為交涉對手。

中共的企圖，於此已昭然若揭，談判因之時時擱淺。中共即利用機會將代表團分散，到處旅行作宣傳活動，擴大其離間挑撥的工作。因此激起日本朝野普遍的不滿。「讀賣」和「朝日」均曾警告說：中共貿易代表團的政治目標遠大於促進貿易的目標。

日本將成中共傾銷場

日本政府對中共提議，並未表示明確態度，該協定的效力如何，自成問題。如何在一年內完成三千萬英鎊的交易，恐將無法實現。

再就協定所載交易貨物品類言，中共所需要的，是甲乙兩類物資，（鋼板、鋼管、建築材料、運輸設備、船隻、卡車和交通設備等），中共亦自知是買不到手的。

但有一點必須注意，中共決不會放棄對日的輸出，日本將自中共輸入糧食，畜產品和礦產，中共藉此吸取日本的外匯。據日本通產省公佈：一九五三年日本輸往中共，計值一六二萬英鎊，由中共輸入貨值一，〇六〇萬英鎊。一九五四年輸往中共，計值六八二萬英鎊，由中共輸入，則值一四五六萬英鎊。這說明日本將成為中共的傾銷市場。尤以該協定簽訂以後為然。

鳩山的錯誤態度

中共因無法取得日本官方承允其所提要求，於是轉而要求日政府予以保證支持履行該項協定。鳩山首相竟於四月廿七日接見日本國會議員促進貿易聯盟代表時表示願支持和援助。並以書面致送中共代表團。這雖非正式文件，已顯示日政府的意向。不能不說是鳩山政策的錯誤。這對自由中國是不友好的姿態。中共利用經濟力量對日本發生影響，實行國際共黨「和平共存」的口號，以發展國際貿易，達到其政治目的的戰略運用，實已得到初步的成功。

中共今後將陸續派出「貿易官員」到日活動，其中心工作，當然在破壞自由中國與日本的關係，並分化離間，增加日本與西方國家的距離。此點為自由中國與西方國家所宜特加注意的。

▷西貢街頭的內戰景色。

輿論應有的立場（下）

丁文淵

前文我所說的國情、處境、國際地位三項，凡主持輿論的人，是不能不時時顧慮的。我們如果承認上述我們的處境，確是如此，輿論界就應當注意到如何能平實行民主的艱難路程。輿論最大的目的，當然在如何使政府對於輿論的願望和批評，能夠接受。要政府能接受，自須根據事實，心平氣和的加以分析，也還須推想到政府的出發點和困難所在，只有如此，才能使得政府心服。如果是根據私人恩怨，或圖一時快意，則不特使批評者不易心服，甚或引起反感，以至引起許多不需要的誤會，造成許多不智的人為的困難。凡此種種，都足以抵銷反共的力量，有害於我們反共的鬥爭，這是主持輿論的人不可忽略的一件事實。

最近的輿論和政府

最近輿論界對於政府的責難，日趨嚴峻，政府負責的人，也常常表示反感。在現在這樣生死存亡的決鬥關頭，對於這一類的摩擦，大家似乎都應當儘量避免。譬如關於胡光麃案，在交法院辦理以前，有關事實的報導，當然不厭其詳。至於批評某方的負責人，似乎尚非其時，因為真相還沒有大白之故。既交法院，便應當尊重法院的職權，暫時不予評論，以等待法院的判決，這是法治應有的精神。

再說教育，從前不准有私立學校，現在教育部對這一點，已經放寬尺度，我們應當予以鼓勵。大學和其他高等教育，在現時戰爭時期，當然不可能有特殊的改進。但根據三月廿六日本刊傅正先生所發表的「台大的制度和設備」一文，則化學和物理兩科的設備，確已擴充不少，而漁業生物試驗館，因為得到美援，亦正在改進中。其他醫學院又在不斷的擴建和改善。這些都是可喜的事實，值得輿論稱許。我將這事特別提出，是因為近來聽到一位朋友說，他有一位小姐，不久高中即可畢業，他擬送她入台大就學。可是她近來看到了報紙上幾種嚴峻的批評，已對她的父親表示不願意投考台大。不是無形中影響政府爭取海外青年和華僑子弟到台就學的政策嗎？這實在是有妨反共工作的，所以我在此附帶聲明。

學術獎金的意見

此外，關於教育部這次舉行的學術獎金，外間有許多人表示辦理欠慎重，或欠公正。教育部方面也發表過他們的解釋，說為外間批評不符事實。我個人認為在現時這種窮困情形之下，教育部能夠舉辦此盛舉，就已經是一樁好事。至於得獎諸公，確是學術界有名人物，我們似乎不必過於苛求？如果教育部是藉此機會，對不夠資格的私人或親或給獎，我們當然要力加以反對。否則，這一次本是第一次舉辦，先就社會上已成名的學者，儘先予以獎勵，將來再慢慢的一步一步改進，卻也未可厚非的。如果某一位學者對於另一同行的前輩學者，在理論上有所糾正，這當然也是絕對合理的。不過，如因此想急急打倒另一位學者在學術上的地位，則似有未當。因為科學家的研究，不外追求真理。而科學家所得到的結果，往往都是根據前人研究的結果，如果加以研究，當然可能引申出更接近真理的假說。前人雖最近乎真理，必不能因此而完全否定前人的價值。這也是科學界所公認的一種道德觀念，大家不可忽略的。

我寫這一篇文章，完全本於我們反共作戰的立場。希望政府能夠尊重輿論，能從大處着想，務以說服輿論為要，不可因一時衝動，意氣用事。

過渡時代的犧牲

末了，我覺得我們現在還沒有能夠脫離新舊鬥爭當中的一段過渡時代。在這個過渡時代中的我們，在新陳代謝當中，總抱負一種犧牲精神，才能促進一個現代中國的誕生。記得民國二年，家兄在君先生為舊式婚姻問題曾向我和其他青年介紹一種觀念。他說：「我們如果希望中國富強，就必須接受西方的新道德觀念。要想我國在短期內，成為一個現代的國家，就必須具有犧牲我們這一代本身權利的決心。譬如，婚姻問題，我們當然主張一夫一妻，婚姻自由，不受父母的干涉。然而要推行這個新道德觀念，稍一不慎，就可以引起上一代人不必要的反感，適足增加推行新道德的阻礙。我們雖然醉心新道德，但我們只能對下一代，促成他們的實行。這就是說，我們對於下一代——我們的子弟——絕對要讓他們能夠結婚自由，不加以干涉，不需要他們來養活我們和孝順我們。對於我們的上一代——我們的父母——就不得不遵從他們既定的事實，奉父母之命，媒妁之言去結婚，我們對於他們，仍然必須奉養，以盡我們的孝道。惟有如此，才能使新道德觀念推行無阻，才能使我們的國家，能夠趕上現在的時代。」

不可缺少的容忍

我們既然還沒有脫離這種過渡時代，[illegible]我們的民主才能够順利進行。（完）

德國走進了復興之路

西德共和國已於前天正式宣告獨立自主，馬上就要成為北大西洋公約國與西歐七國聯盟體系的一員了。自主，人口衆多，過着自由生活的西德共和國既已獨立自主，僅有一街之隔，千餘萬人民被俄共集團奴役着的東德，慢慢地一定可以自動解放，歸於統一的。

西德之有今日，乃基於兩大因素：一是執政者能見其大，始終抱定民主自由的政治理念，決不游離，而且隨時表現其寧為玉碎的大無畏精神，反共到底，乾乾脆脆，義無返顧，使西方列强刮目相看，推誠相與；二是執政者能忍小忿，謀定而後動，由於法國對於薩爾問題的固執，有違法理，就法國依法國的主權，由佔領軍在戰後自由作梗，於是西德共和國的領土，收回了薩爾的主權，以換取獨立自主機會，「小不忍，則亂大謀」，只好放棄薩爾的一部分的主權了。這些政略運用之成功，不能不歸美於西德總理阿特諾爾的深謀遠慮，領導有方！

「東方的德意志」如何？

過去六十年來，日本處處效法德國，而以「東方的德意志」自命的。戰後日本的復興情形，跟西德比較起來，相去遠矣！即以對於韓國的復交談判，就是一大的政治而理想不說，日本在韓國的財產問題，僵持不下，以致隔海相望的兩個自由國家，迄今互相敵對，夙怨難消，日本實在太渺小了！看看西德政府對於世仇的法國那種忍讓精神，日本的吉田茂在位最久，堪與西德的阿特諾爾媲美。但是，吉田卻沒有阿特諾爾那種才氣與魄力，祇有滿懷虛驕之氣，因而日本雖然得天獨厚，倖運優於西德，然結果並未使日本走入復興的大道去，西德後來居上了。現在的鳩山一郎，更是一位內多慾而外多言的政客型人物，一蟹不如一蟹，這是日本的悲哀！

本週展望

·雷嘯岑·

言多必失

這兩天，鳩山一郎正是招惹着多言的煩惱。兩個日本工商團體的代表，跟中共簽訂所謂「貿易協定」，竟以文書附入那項「協定」之內，說是鳩山首相保證日本政府對該項「貿易協定」予以支持協助，促其實現。鳩山已極力否認他對日本工商團體的代表說過這類話，這是偽裝，祇在避免國內與論與國際友邦的指摘懷疑而已。我們不相信兩個民間團體的代表敢於偽造首相的政策說詞，給外國人以條約上的證據。多慾而又輕言的鳩山，當然有此言論，乃因日本工商業者太猴急，為要取信中共，乃將其寫成保證書，這才使鳩山着了慌，害怕美國再給他過不去，影響個人的政治地位。

言多必失，良有以也！担當國家大事的人物，總以莫亂說話為上。

馬問狐狸？

泰國出席亞非會議的代表萬親王，在萬隆跟中共頭目周恩來親近，大談其華僑的國籍問題，因而引起國內外的謠諑預測。泰國有向印緬那些親共國家看齊之可能，果得這位萬親王趕快說，聲明泰國立場不變。

其實，萬親王就跟周恩來談過了一下，甚至於談了甚末問題，也是所謂「聽到周恩來在萬隆說了一句「願與美國談判遠東局勢與台灣問題」的外交詞令，就急忙美顏媚，受寵若驚。跟美國訂有共同條約的自由中國表示一點異議，他們就悻悻然說是「不需要「兩個中國」」參加談判哩！不特此也，他們生怕中共不相信美國的誠意，還鄭重地告訴中共：你們對台灣的任何要求，儘管提出來總是好商量的！此為自由世界反共的美國當局且如此，泰國代表在萬隆跟周恩來周旋一下，又有甚末稀奇呢？馬問狐狸，真狠當道，焉問狐狸？

國外通訊

共黨恐怖籠罩下的星洲教育界

李金火

【星洲航信】共產黨傾覆自由國家重要決竅之一是恐怖。共黨在星洲的特務學生，槍殺了一個自由學生的領袖，和幾個教育行政或學校主理人員，便使到整個星洲教育界，和整個星洲商場噤若寒蟬，不敢作聲了。

學生反英獨立會

遠在一九五一年中國共產黨便在星洲組織許多秘密團體，其中最主要的一個叫做「中國學生反英獨立會」。在極短期間內，這個組織便控制了整個星洲教育界。他們使用的工具也便是恐怖和暗殺。中國學生反英獨立會的份子，差不多都是超齡的職業學生。他們在學校裏頭想法留班，來延長他們的活動。他們在各學校散佈反英宣傳，鼓勵學生罷課，和反對英國的徵兵法。近年來，他們變成了星洲反英運動的核心。去年冬天，共黨的職業學生做出一件驚動世界的事情。有一個自由學生的領袖李大林，同時又是學校裏口琴歌唱隊的領隊。他爲了愛好自由，時常發表反共言論。

李大林爲反共而犧牲

一個禮拜天下午，李大林正領導一班同學在學校二樓的會堂裏練習口琴。樓下忽然傳來呼喚他的聲音。學校外面是一條相當熱鬧的街道。李大林跑到樓下，不久，街上傳來一聲槍響。口琴隊員慌忙跑到街上，只見李大林已倒斃在血泊裏。星洲警局曾懸賞星幣二萬五千元，捕捉兩個謀殺的兇犯，但沒有得到甚麼結果。愛好自由的李大林做了反共的烈士！可是當李大林出殯的時候，學生到來送葬的，只有十二人。共產黨的恐怖政策已收到了出乎意外的效果了，星洲的反共意志也被擊碎了。

教育人士慘遭毒手

除了對付學生的反共份子，反英獨立委員會又以極殘酷的手段去應付教育行政人員和學校當局。一家女學校的校長和三位教師因反對共黨職業學生進入該校，以至被鏹水燒傷。一位反共學校的視察員被槍殺在街上。馬來亞聯邦的霹靂，共黨恐怖份子也異常活躍，一位反共學校的校長曾在校內被槍殺。除了實行恐怖和謀殺外，共黨又在星洲辦了好幾種小報。林語堂到星加坡的時候，此項小報便同時向林博士施行攻擊。林氏到星洲沒有幾天，便接到好幾封恐嚇信。恐怖極了，林博士只好請求政府派警保衛。小報每天對林語堂總有一兩篇攻擊文章，職業學生更對於林博士常常怒目相視。林博士的幽默和反對意志也就消沉了。他借了一件大學預算的理由，辭去校長職務，乘飛機跑到歐洲。

林語堂被迫出走

到了歐洲，林博士覺得安全了。他對記者發表了一篇關於逃出星洲的報告。他說，星洲一個華僑商人李某是共黨的走狗，此外共產黨又在星洲雇用了六十名職業學生。他要求英國政府把這幾十個人驅逐出境。他說，他在星加坡的時候，不敢提起這件事，是爲了生命安全起見。

林博士在歐洲的秦庭興師能發生作用嗎？星加坡政府能夠查出眞實證據，把共黨職業學生驅逐出境嗎？林博士在歐洲對記者發表談話後沒有幾天，星洲政府便發表一段新聞，說林語堂的報導和事實不符。

有膽識才有幽默

好些人稱呼林博士做幽默大師。什麼是幽默呢？幽默是膽識的一種表現。惟有有膽有識的人士才能夠幽默。意大利的總理西魯巴氏上個月來到美國，美國人說他是當世最幽默的一個人。原因是這樣，四年前，西魯巴氏是意大利的內政部長警察總監。那時，他時常單人匹馬跑到羅馬共黨集中的工廠區巡視。四年前羅馬的共黨異常猖獗，工廠區裏頭差不多都是共產黨徒。共黨工人看見西魯巴單人匹馬跑進他們的勢力範圍，眞是莫名其妙。可是他們却十分佩服西魯巴，佩服他的勇氣。佩服他的幽默。每次西魯巴跑進羅馬共黨的工人區，共產黨徒總報他以極熱烈的掌聲和歡呼。共產黨是知利害的。他們佩服勇敢，佩服幽默。林博士不夠幽默，只好逃回美國。

·人物·評述·

穩健外交家劉師舜的生平

植柏

自國民政府定都南京起，始終置身外交界，以穩健外交家著稱，這人就是現任中國駐聯合國代表團代表劉師舜先生。

× × ×

劉氏號琴五，江西宜豐縣人，幼受庭訓，敦品力學，是一書香子弟，清華大學畢業後，留學美國，得哥倫比亞大學政治經濟學博士，民國十四年歸國，旋任清華教授。國民政府奠都南京，氏由平還京，受任爲外交部條約委員會委員，此爲氏從事外交事業之始。後胡漢民長立法院，邀其轉任立法委員，並參加立法院外交委員會工作，仍未脫離外交業務。羅文幹任外交部長時，任外交部歐美司司長，此職歷時最久，直至外調加拿大公使（後升格爲大使）爲止。抗戰勝利後，內調外部政務次長，大陸淪陷，受命爲駐聯合國代表團第二代表。計自民十六任外部條約委員起，二十八年來，始終從事外交業務。忠勤職守，爲典型的職業外交人物。

× × ×

抗戰期間，筆者曾與劉氏在渝獲一面之晤。彼時劉氏已頭髮蒼白，今轉眼又逾十餘寒暑，想已垂垂老矣。去年周謙冲氏過港返美，得知其健步消息，私心稱慰。氏與江西另一教育哲學家邱椿了，交甚深，情甚篤，同爲江西人士所遲慕。渾厚性質，端莊容貌，亦與邱氏相彷彿。劉氏今日固爲中國外交界一耆宿，平日勤於學問，國學亦有湛深修養。劉氏篤於故舊，余有一鄉友追隨劉氏十餘年，離職歸家後，劉氏仍常念念不忘，去年來臺，特爲詢及，竟不知此君已作古久矣。

劉爲人篤實，故在外交坫壇上，以穩健篤實稱。中國近幾十年來的外交家，曰顧維鈞，曰顏惠慶，曰王正廷等，都以忠於職務，了解國際情形，擅長西洋語文，具有相當學養稱，劉氏雖未能與顧維鈞，顏惠慶等並稱，然仍不失爲職業外交家之有數人物也。（完）

白宮滾鷄蛋

·矜式譯·

對於許多美國人說來，滾鷄蛋與炒鷄蛋是混爲一談的，那似乎只是中國飯館菜單上的一種菜，可是對華盛頓市民，則有一種春天的神秘象徵，在每個復活節的星期一，年青的人被清晨鷄啼所喚醒，去參加首都的滾鷄蛋把戲。在那一天，成千的市民羣趨動物園的獅屋山，在四週猛擲復活節的鷄蛋爲樂，在日光之下蹦蹦跳跳把草地踐踏得七亂八糟，給警察和園丁添了不少麻煩，不少的人還在教堂、學校、和私人家中玩玩滾鷄蛋，而以羣集在白宮的人數爲最多。今年的復活節總統官邸的草地上，又集合了一萬七千人，好看那擁擠的景象，好像有什麼大事發生了。一般說來，他們之中大多數人都不知道滾鷄蛋究竟是什麼一回事，其意義何在。滾鷄蛋是一種神秘而長遠保持的民族風俗，既不是游戲，亦不是宗教儀式，既不多采，更不刺激，只有專家才能告訴你那是怎麼樣，什麼時候，或爲什麼搞起來的，滾鷄蛋可能歸於中世紀歐洲的古老風俗。最初，是美國赫斯總統在白宮草地發起了滾鷄蛋那種玩藝，相沿有六十三年之久，到一九四一年，打破了以往紀錄，在白宮竟聚集了五萬多人，鬧出不少意外事件，有十個人因受熱又過度疲勞而倒地不起，四個人昏厥，七十三個小孩迷路。後來世界大戰爆發，一度被禁止。戰後，白宮交際秘書赫婚夫人曾指摘那種玩藝，他說是太浪費鷄蛋了，並宣布杜魯門總統不願意再恢復它。但兩年前，滾鷄蛋再度在白宮出現，係由艾森豪夫人所支持，她認爲那是快樂而無害的風俗。

滾鷄蛋的基本規則是簡單不過的，可是很少人知道，亦沒有人留心遵守。那種玩藝應該每組分爲二人，一個人把鷄蛋向草地的斜面滾下，另一人則滾下他自己的鷄蛋，去碰那第一個。這差不多是絕對碰不上的。下一次是滾第一次的人改滾第二次，如果二個鷄蛋居然碰上了，那麼碰了的人就進入比賽的第二局。這一局是碰鷄蛋（或是撞），一個人握住鷄蛋的尖頭，用手指護住那一尖端，他的對手用另一個鷄蛋的尖頭向下輕擊，在一個裂了的時候，競賽的人就用鷄蛋大的一端再接再厲，但鷄蛋的尖頭和圓頭都被撞裂了的人，就得讓渠他的鷄蛋，如果甲方鷄蛋的尖頭，把乙方的圓頭撞裂了，那麼甲的圓頭應該再對乙的尖頭，有時，兩方鷄蛋的尖頭和圓頭都撞裂了，那時就輕擊鷄蛋的一邊，互相對比，以決定勝負。這樣的賽局可能是相當近代的變化。上月白宮的滾鷄蛋，沒有一個人願意去找麻煩而照規則滾鷄蛋、碰鷄蛋、或撞鷄蛋，他們祇隨便把鷄蛋亂滾一番，打成稀爛擲到草地上。

白宮園丁們對那種大場面的嬉鬧，事前亦有所準備，爲保護花壇、灌木林、以及總統打高爾夫球的草地，圈起了三千尺的籬巴，午前不久，艾森豪總統出現在一個小台上，在閃爍的陽光下微笑着，歡迎那一羣人。他說：「去年確有一羣人迷失了，但我們發覺並不是小孩子們，而是他們的父母，今天我希望你們要好好招呼他們，彼此別離開，痛痛快快的過一天」。總統退到白宮以後，鷄蛋呼呼的掠過天空，和播音器發出找尋失迷了自己的父親的聲音，至下午六時，八個失迷的父母，終被尋獲了，遊人紛紛離去，四十九個園丁在破瓦碎片中工作，歷三小時，稀爛的東西打掃一乾二淨，小雨開始落下，園長李蒙得意歡呼的說：「沒有一點損失，這是最有秩序的一次滾鷄蛋。」

越平順叛軍作亂受法人支持

·百廸譯·

熱帶陽光照射下的越南首都西貢，最近爆發了革命，使反共又反法的吳廷琰政府受到震動。平順派私人軍在法國殖民份子支持下，發動叛亂，造成流血慘劇，但終於宣告弭平。當內戰炮火熾燃於西貢時，一位越南將軍，也在法國殖民份子支持下，又企圖發動政變，幾告成功。這場激烈爭鬥中，牽涉了越南的民族主義者的希望，法國殖民份子的野心，也牽涉到美國政府的信譽。

在西貢的自由宮內中（自由宮以前是法國駐越專員的官邸），吳總理以出人意料的堅定態度，應付這場挑戰，雖然不久以前，美國方面已準備因爲他能力不夠堅強而幾乎將他放棄了。臼砲聲在這對抗平順叛軍的攤牌戰中，震撼着首都，吳廷琰宣佈：「我相信我是站在正義一邊，我決不畏縮。」

在二日的苦戰中，政府軍使出動了四營部隊及十八輛裝甲車，便將平順軍逐出了市區，也揭露了關於叛軍實力之謎，同時，所謂法國人的中立，也證明了究竟是什麼一回事。法國人在這次內戰中，一再阻攬國軍的活動，在另一方面則協助叛軍逃遁。正當吳廷琰逐漸取得控制權時，法總理傅亥却在巴黎公開說，吳廷琰政府未能履行它的責任。而在法國海濱的度假勝地利維艾拉，越南元首保大辛辛苦苦作了一日的行獵，聽從法國人的使嗾，突然電召吳廷琰來法會談，顯然是準備將他撤換。法國官員對記者說，吳氏是個不孚民望的人，過於頑固。一位越南官員寫信給紐約時報說：「法國人的想法似乎是：要逐走吳廷琰，便必須先獲得美國人同意；也就是先要證明吳氏的低能，而要證明吳氏缺乏能力，便必須先行挑起叛亂。」

美國人是在等着看吳氏如何從事自衞，這時候，吳氏却極力表現了他的能力。突然之間，西貢出現了一個組織，稱爲「國民民主革命大會」，會員是三百個青年，他們在西貢市政廳開會，他們抨擊保大是法國殖民主義者的傀儡，要求予以廢黜，吳廷琰對於這委員會，顯然表示支持。這組織自稱擁有十八個民族主義派政黨，他們要求吳廷琰消滅平順叛軍，並驅逐法國的九萬人遠征軍。

西貢市內的叛軍是逐出了，保大所支持的阮文輝將軍的政變也告失敗。吳廷琰的一位顧問說：「局勢是令人鼓舞的」。保大似乎也已承認失敗。他對吳廷琰發出的電報，已較以前溫和，希望吳氏拒絕「盲目份子」要將他廢黜的企圖。」

但美法之間却因越南內戰而發生了歧見。每年以四億元援助越南的美國要求法國改變立場而支持吳廷琰政府。法國則指越南的混亂是美國所促成，不過法國人仍表示，他們至少在表面上將贊同美國的對越政策。（譯自五月九日時代週刊）

編者讀者

△埃及總理納塞，參加亞非會議後，有承認中共之說。關於埃及今後外交動向，殊值得注意，本刊下期將刊翁毅先生開羅特約通訊，對此有翔實報導，讀者幸爲留意。

△本刊平時存報極少，近日讀者常來補購，往往無從應命，殊以爲歉。再惠稿諸君，欲多購若干份，務請事前聲明，俾便預爲保留，至爲感荷！

△辛未，郭德楷，梅珍，白志忠，王世昭，伍潤三，龔，胡蓁之諸位先生：承惠稿已一一收到，至感幸！

△孫旗先生：示悉，三月六日稿未收到，謹復。

△何志浩，饒宗頤，金奇方三先生：請賜通訊地址，爲荷！

天下小事

俄特賠了夫人又折兵

蘇俄的情報機關最近一連出了兩件丟盡顏面的事，負責人已戰戰兢兢，唯恐因此遭到嚴厲的處分與發落。事情的原本是這樣：俄國駐委內瑞拉的兩個外交代表，據說是負責特工的勤務的，不久前奉召返國，誰知他們抗命，接令後立刻匿藏起來（事後據說已自殺）。莫斯科特工總部獲悉後，立即派兩個親信特務往委內瑞拉尋覓那兩失蹤的特工，務必要捕之返國定罪。誰料這兩個可靠的特務抵委後，又自動投奔西方，請求庇護，他們還把大批共黨滲入南美洲的貴重情報交給委內瑞拉當局。克里姆林宮共黨面孔本已氣得發紅，這一來更由紅轉成紫色。

干尼報告哈嘉第作證

月餘以前，美國報紙忽傳出中共將於四月十五日進犯金門，馬祖的消息，事後復據報導這是剛剛訪華歸來的海軍作戰部長干尼海軍上將，在與極少數記者作秘密午宴時透露出來的。這件事頓時在國際上引起軒然大波。

可是眞確的事實却大謬不然，最近內幕消息傳來，干尼上將確沒有說過中共準備四月十五日攻打金馬的話，他祇在午餐上扼要說明台灣周遭的軍事局勢。

據說，白宮新聞秘書哈嘉第也參加了這次午餐聚會，他曾向記者表示，戰爭的危機正日益迫切。當日干尼談話的眞正內容他自會向艾森豪總統報告，所以外傳艾克不滿干尼，干尼任期屆滿後將遭罷黜之說，自也是子虛之談，不可憑信的。

空軍參謀長無動於中

當時中共四月犯金馬的消息傳出的時候，美國海陸軍官員都相當震動，但是空軍參謀長端甯將軍及其他空軍軍官却鎮靜異常，認爲不論情報正確與否，空軍方面都有絕對把握。端甯將軍且向外間暗示，一旦大戰爆發，美遠東空軍將很容易地消滅中共空軍，然後徹底地摧毀大陸上的基地與供應綫。（孟衡）

如何改革大學制度

筆者曾將台灣大學的教授問題，選課問題，畢業論文問題，於本刊四三四期撰「大學教育痛言」一文發表，該文結論歸到大學現行教育制度應加改革。茲進論改革的具體意見，以就教讀者。

說到大學現行教與學制度的改革，當然也得就治標與治本兩法同時下手，治本的方法當然是走向德國式的講座制度，至於治標之法，見仁見智說法不同，筆者願於此提供一些意見，俾便當局改革時參考。

如何任用教授

一、改良現行的教授任用制度，聘請教授不可有門戶之見，教授的任用，要有新陳代謝的作用，現時不能教與學的教授，應請其讓出位置，外界確屬好的教授要儘量羅致。

二、教授開課不可濫，要能不因教授而開課，必須確具開課價值的課程，且有適當優良的教授後始可開課。要知道好的教授在大學中不開課的並不是件奇特的事。

三、暫行改變選修論文的時間，在改良選課制度的三四年中，論文的呈繳不妨放在畢業後的三年內，讓學生或可就其所學，就其經驗心得，好好地作出一篇像樣的東西。

盡量減少必修科

四、減少必修科學分至最少限度，最好不要超過全部畢業學分的三分之一，而且這些必修科必須爲工具性的（研究進一步學問的工具），這樣可使學生能在一二年級內修畢所有的必修科；三四年級的功課必須是些選修且沒有必選的限制，這樣可使學生有充分的選課自由，能展其所長，學有所得。

五、儘可能的減少講授時間，加強啓發式的授課方式，每週上課時數最多不要過於廿小時，（保留現行的每學期選修學分最高和最低的限制）。減少一些無謂的考試，尤不應將平日的實習使其考試化，免得學生爲了應付考試而減低了研究的興趣。但每學期的終考試決不可免。

教授和學生的關係

六、加強教授與同學間的聯繫，尤其是助教，更要保持親切互勉的態度（現在的助教，有好些只是教授的私用人，爲教授評改課卷外別他無事，學生有什麼疑難之處，並不能藉助教而獲得解决）。助教要達到實助教授（助詞用）的目的，他應當是教授與學生關係的講通者，助教不應握有評閱試卷給予分數之權，免得助教目空一切而不可一世。

七、充實圖書的供應。學生與教授們應有同等的借書權利，現在圖書館中有價值的書，教授們常一借整年，學生們欲借而不可得，似此情形，學生所能得到知識的範圍，豈不大爲縮小。

作本文的動機

至此，或有人誤會筆者在攻擊某人了，筆者於此申明，本文之目的在使社會人士了解大學教育的現狀——病態，及促使教育當局對此加以改良。筆者係一台大就讀學生，台大本身年來並非無進步，而是這些進步祇是虛浮的，根本的毛病並未去除，爲拯救自己，爲拯救後來者，故敢冒損毀本校名譽之諱，而作此文。

江仁

蘇聯的體育
—重要冷戰的工具—

李加雪

體育大學和體育行政

爲了造就體育人材，蘇聯在各處設立了十多間體育大學，莫斯科，列寧格勒和許多城市都有此項大學的設備。此外又在三十九個城市中設立體育訓練學校。蘇聯國內建有運動場一千二百所，足球場五萬五千所，其他體育設備難以計數。蘇聯設立體育運動事務委員會管理體育行政事宜，體育委員會主席的階級相等於政府的部長。

蘇聯的運動人員係由政府負責訓練，並且完全由政府供給。

運動人員參加比賽得到勝利，即可升爲體育學士。連得多次勝利者升級教練，並授碩士銜。運動人員若有特殊成就和勝利，除了可以得到大獎金，並且能够在工作方面獲得升級，獲得假期，獲得較優住宅，獲得特殊食物配給，和獲得其他種種特權。

要製造機器人

共產黨對於運動人員的訓練有精密的計劃和組織。蘇聯的目的在製成許多能够打破紀錄的機器人。一運動人員的訓練，一年十二個月，沒有假期，也沒有休息。日夜不停的苦練目的是在增強運動人員的體力，使其動作機械化，而成爲一個機械人。

運動人員在外國勝利歸來，功勞歸於黨，那是黨的訓練成功。戰敗歸來，運動人員得負全責。那是因爲他們平日對於黨的訓練未能盡心領會，而鑄成可恥的失敗。一切都爲了主義，爲了黨，蘇聯黨化了體育。

冷戰的好工具

拿體育做冷戰的工具，蘇聯最近收獲到相當大的效果，一年來蘇聯派遣體育代表團六十八隊到歐洲各國，鼓吹「和平共存」，而同時炫耀其對於體育的特殊成績。

蘇聯對於運動人員雖然優遇有加，依然不敢信任他們。到了外國，運動人員不得和外國人士交談。運動人員的每一隊伍總配有特務，運動人員不得單獨出外購物，不得單獨出外遊覽景物。運動人員在外國犯規或在運動場上失敗，一切優待特權即被取消，而成爲共產主義的敗類。

運動場和戰場

爲了想在下一屆奧林匹克運動會擊敗美國，蘇聯經於中亞細亞選定一個和墨爾砵天氣相同的地方，把四百名準備參加奧林匹克運動會的選手派到那裏，作日常的訓練，使其習慣和墨爾砵相髣髴的氣候。到了墨爾砵這些運動選手將得到政府更優的待遇。蘇聯經已選定得力人員，教練，醫生，營養專家護送選手到墨爾砵。

蘇聯決定要在運動場上擊敗美國。蘇聯認爲運動場和戰場是有聯係的，運動場和戰場的勝利便是冷戰的勝利。（下）

讀「東遊散記」

作者：曾虛白　出版者：亞洲出版社

·沈東文·

本書作者中央通訊社社長曾虛白先生。他於四十二年九月應邀赴美考察，回國後將見聞所及撰成此書，又稱「遊美見聞錄」。

本書文筆暢達動人，有散文詩的情趣，也有小說的生動。對事物體察非常廣闊而深入，且頗多理論的分析。作者對美國各方面的考察，又常以本國的情形作比較，這都是本書的特色。

全書分代序、社會萬象、生活斷面、政治鱗爪、總結、及附錄等六大部份，約十五萬言，附圖片甚多。問世以後，已有人譽之爲近年來最有價值之著作。

×　×　×

作者經過一番細心考察後，在代序中，提出四個比仿，使讀者對美國這個國家，得到鮮明的了解。

作者說，美國像一盤雜碎，又像一隻鐘擺，又像一個雪球，更像一座走馬燈。雜碎，是從民族角度看的，他指出公平的法律和生活發展的權利，使每一種民族愛護美國，融於一爐。鐘擺，是從政治角度看的，他指出美國的政治在任何一個階層都是兩種力量的互相制衡和競爭，從競爭中求進步。雪球，是從經濟角度看的，他指出美國是從生產程序不斷的改進與人性勞力不斷的激發，這兩大原則的推動像滾雪球一樣前進的。因此擴大了社會財富，從而使資方、勞方、消費者三方面皆大歡喜。走馬燈，是從社會角度看的，他指出美國社會在任何方面都是自由競爭，只要是有能力，有創造，今天你可以佔據這隻位置，明天我亦同樣可以取到這隻位置。說明成敗浮沉，都是個人努力不努力的結果。也說明自由競爭，是美國整個社會不斷進步的大動力。

×　×　×

作者進一步介紹美國各方面情形，範圍甚廣，項目衆多，不必於此贅述。惟值得一提的，作者指出，今日美國人民，無論貧富，從無不勞而獲的事情，即以家庭設備言，倘遇損壞，必須自己修理，雖巨富大貴也不例外。許多家庭，例多不用傭工，一切自己動手。故有一分享受，必須有一分努力，已成了美國社會的不移原則。

其次，作者說到美國的勞資關係，也很值得注意。他說勞資矛盾雖有存在。但工會爲少數野心者操縱，工會與工人間的矛盾，尚尖銳。工人變成三明治裏的餡子，兩面受制。因此，開明的資方已另找途徑，以調整勞資關係，使工會在某一工廠或公司中獨立，給予足够的發言權，並互相眞誠相處，共謀發展。這辦法已實施得很有成效，目前正在推廣中。

×　×　×

作者於考察美國的結果，認爲美國整個社會組織的形成，有如一座大規模的工廠，計劃精確，秩序井然。而個人與個人的關係，和個人與集體的關係，都建立在一種不成文的契約之上。這種契約，作者認爲是可以自由的地方盡量自由，應該遵守紀律的地方就自動遵守紀律。在個人的人格和身份上完全平等，乃至生活享受上也趨向平等，但各人在自己的工作上卻必須充分發揮效率。

最後，作者認爲美國已經做到生產者、消費者、與資本家三方面利益調和，和合作發展的地步。惟作者提出他介紹美國的目的，並不是要我們崇美，而是在幫助我們認識美國。這種著作態度，自然也是很正確的。

投考官校希望極少
咸盼當局增加限額

今年投考官立小學一年級學生，據表申請人數之多，竟達三萬四千餘人，頗踴躍情況爲史上僅見現象。很明顯的反映出受薪階級生活艱苦狀況，比往年更甚；決不是今年驟然大量增加學齡兒童。人們所以令其子弟申請投考官立學校，主要原因，自無過於一、學費低廉，一經錄取，對於家庭負担多少可望減輕；二、課程嚴格，且儘優良學籍。在畢業以後，升學官立初中，當無大困難。可是，申請儘管衆多，制度儘管放寬，名額並不增加，以三萬四千之衆，角逐一千名限額，香港土生的不但感覺：不一定有錄取把握；異地來港的，即令各項成績優異，殆亦未必列入錄取，更談不到錄取機會。

現下負責審查申請書的選拔小組委員會，對此項甄別核定工作，已經着手進行，經過兩周來的初步整理，發覺申請者的年齡，未及六歲和超過八歲，以及未遵表格規定填寫申請書，將被剔除的，幾佔總數百分之三四十之多，餘下的六七成，數量仍極可觀，那二萬多份申請書逐一愼重甄審，將費甚多時間，預料需一個半月之久，方可正式決定將錄取者表格，在各校秋季開學之前，送交申請者志願就讀之學校，由校方通知各生家長，帶同其子女赴校參加口試，並備辦入學手續。至於未被錄取者，以不獲通知，當可認爲被棄，也可另行設法，投考私立學校。但是大多數學生家長，不管會不會錄取，對此早有預作準備。

當局爲什麼祗限制一千名學額，不僅由於官立小學校太少，也由於官立的中學太少，小學畢業以後，無可否認地，誰都希望升學官立初級中學的。因此當局就不能不作硬性規定。影響所及，不要說是一般市民的子女，即公務員和官立學校教員們的子女，也不一定能被錄取。幾年來，許多公務員和教員們因爲待遇菲薄，希望減輕教育費負担，曾向當局呼籲，要求開辦「公務員子弟學校」和「教師子弟學校」，然因限於經費，對此種殷切要求，祗能留作參考。大體說來，上述兩種計劃如果可以考慮接納，也就不難擴設官校。援諸向例，官立學校從不公開招生，下學年官立小學容納名額，也就是這一個一千名經核定的數字。就香港人口比率說來，官立學校既少，容納學生名額實在微不足道。爲下一代着想，爲社會建設前途計，當局即令在現下無意增設小學，自不妨擴充原有各校校舍，盡量容納適齡學童，否則，未被錄取者不一定有力就讀私校，大量失學，徽字的砌成，對社會將是一個何等重大的損失？

香港三日

中共作者讀者頭上五道刀光

中共對胡風的第二次鬥爭（第一次鬥爭是在一九五二年六月）自今年一月開始，迄今已將四個月的長時間，仍在繼續擴大進行中，中共除授意一般御用文人對胡風「圍剿」外，最近甚至在華南各地，更利用「通俗演講」的方式，來進行反「二胡」（胡適、胡風）的鬥爭運動，可見中共對胡風仇視程度之深了。

中共最初調遣周揚、袁水拍主持對胡風的鬥爭運動，後來又增派林默涵，何其芳「助陣」，最近又更調舒蕪和沙鷗兩人向胡風追剿。三番兩次派兵遣將，可知中共非將胡風置之死地而不休。

舒蕪在四月十三日天津大公報上，直戳了當地指斥胡風的文藝思想是「反黨反人民的實質」，這一項罪名比從前那「決不是一個眞正馬克思主義者」的罪名，又嚴重了一層。

舒蕪對胡風猛擊的罪證是：在「文藝問題的意見」上，胡風攻擊中共的文藝理論政策的錯誤：「在這個頑強的宗派主義理解上面……在讀者和作家頭上就被放下了五把「理論」刀子。……這五道刀光的籠罩之下，還有什麼作家與現實的結合，還有什麼作家與現實主義的結合，還有什麼創作實踐可言？」

大陸耕畜災難
—耕畜也要入合作社—

思愷

中共在農村中的法寶，是由集體化而至奴隸化。目前，大陸的耕畜，也因爲主人變成農奴，而跟着受罪了。

耕畜的受罪不是因爲農村機械化了，用不着，而遭屠殺。耕畜所受的罪，還是由集體化而來的。

中共實行集體化，於是組織農業生產合作社，以及集體農場。耕畜也必須跟着主人加入合作社。

耕畜入社不是簡單的事，先要看肥、瘦、壯、弱、老、幼，稍一不合，就不准入社。

合作社的共幹對於耕畜，要先估價，把耕畜趕到市集幾趟，給估價的人估價，估低了原來的主人要生氣，估高了社裏的同志又不願意，可眞困難。

入了社，歸公合槽，以前的主人是不管了，誰也不注意牠的飼料，飢一頓，飽一頓，這是平常的事。

社裏的農民爲着增加自己的工分（勞動力的單位），不容牠吃飽飲足，就拉牠上耕地。到了耕地，不像以前的主人一樣，會體貼牠。累了，歇一回兒。現在，不同了，爲了增加工分，累死了也沒人管。

於是瘦、病、死，跟着而來。這就是目前大陸農村的耕畜所遭到的苦難。我想，不但是人，就是驢、馬、牛騾也要對中共的社會主義改造制度，大加咒罵的。（四月廿七日）

當官一累為紅顏

馬五先生

（自由談）

巴基斯坦總理先生阿里，新近娶了一位如夫人，而且帶着她到過印尼去出席國際場面的「亞非會議」，不料竟因此招來煩惱。巴基斯坦的「婦權聯盟」，日前據派代表百餘人，擁同一種警告性的備忘錄，結隊前往總理衙門，為呼「教阿里出來說話」。因阿里先生不在，乃留下文書而去。那文書內容是警告阿里：趕快恢復其糟糠之妻的「第一夫人」地位，否則將有集體對付的行動繼其後，勿謂言之不預也。

按照回教民族傳統的習俗，多妻是常事，本來不成問題。阿里總理先生如果不是祇帶着如夫人出國參加亞非會議的話，就決不會激起婦女界的公憤，要出來替正宮夫人打抱不平的，壞就壞在不該讓如夫人出盡了洋風頭！

假使阿里不作官，亦決不會招惹這場是非煩惱；作官而不是身居總理這類高位，更不致引起婦女界的集體抗議。因為作了大官，隨時要儷影雙雙，出入交際場合，斌媚多姿的如夫人，自然佔着社交伴侶的優越條件，太太為鞏固本身地位起見，當能默爾而息嗎？阿里總理先生可說是受着紅顏之累了。

據說：美國已故總統羅斯福在第四次競選，物色副總統人選時，左右親信一致推舉霍浦金斯，羅氏答道：人才很適當，只可惜他是離過婚的，未便提出。霍浦金斯的副總統當不成，亦就是受着紅顏之累哩！

總而言之，無論古今中外，凡是作官的人，都容易受到紅顏之累。官越大，受累的機會就越多——除非你在開始動念於作官之時，即發下誓願，永不二色。像阿里先生這種意外的煩累，講道理是講不清的，「婦權聯盟」的英雌們固屬言之成理，若教阿里出來說話，他又何嘗不是振振有詞呢？唯一合理的結論似乎是：要作官的，就不好兼作風流自賞的才子，而風流才子也就不適宜於作官。我平日總是把「LADIES」這個字譯成「累得死」，此物此志也。

行乞興學的武訓

楊力行

中共竊據大陸以來，為鎮壓所謂反動計，於大屠殺之餘，又巧立名目，實行清算關羽，岳飛，不一而足，即以行乞興學聞名於世，已於清末逝世的武訓，也不能例外，真是千古奇聞。

× × ×

武訓生於民國紀元前七十三年，即清道光十八年十月十九日，（公元一八八一，十二月五日）。出世的地方，山東是堂邑縣西北四十里外柳林鎮西的武莊。光緒廿三年四月廿三日（公元一八九七年六月五日），在臨清縣御史巷他的第三所義學裏死的，享年五十九歲。計其一生，五歲喪父（宗禹），隨母崔氏討飯，七歲復喪母，孤苦伶仃，寄食伯母家。十四歲為族人做小工，十六歲出外正式傭工。因不識字，三易主人，均被欺凌不給工資，憤臥破廟中三日夜，自思被侮辱與被損害的情形，不能自已。於是立志行乞興學，以救濟無力讀書的貧苦青年。俾免再陷於和他一樣的悲苦命運。那時他年已二十。自行編唱山東土語歌曲，為引人注意起見，剃髮留一桃形短髮，左右常易其位置。他歌道：「這邊剃，那邊留，修個義學不犯愁；這邊留，那邊剃，修個義學不費力」。且行且歌，若瘋若狂；經常手持一鋼瓢，肩背一搭子，人給一文錢，即叩頭謝恩，跟着歌道：「義學正（詳後），沒火性，見了人，把禮敬，賞了錢，活了命，修個義學萬年不能動」。

× × ×

如此行乞，三十年如一日，到他五十歲時，堂邑柳林鎮義學成立，山東巡撫張曜奇其行，特予傳見，撫慰有加。並專奏明清廷，賞穿黃馬褂，賜建「樂善好施」坊。武訓並不以此榮，仍一本初衷，行乞如故。賞錢者因此特別踴躍。九年之中，續立臨清和館陶所義學，死後葬於堂邑柳林義學之側，三縣士紳執紼送葬者萬餘人。三校學生全體披麻帶孝，痛哭失聲。鄉人都說：「誰說武訓沒有兒子。」他始終沒有結過婚。

死後八年，山東巡撫袁樹勳專摺奏准，將其生平事蹟，宣付國史館立傳，准入堂祀，並在堂邑建忠義專祠，春秋致祭。並為祀典，時人譽之曰：「義丐」。民國以來，各界又尊之為「聖丐」或「乞聖」。教育當局並將其行乞興學事蹟，列入教科書中。臨清公園並建有武訓紀念亭，亭前觀有白玉石像，擴建陵園，整修祠堂。民國十年三月，[illegible]二十七年二月，國民政府明令褒揚。江浙人士並以武訓像入祀文廟，與孔子聖像並列，可謂尊崇備至。

武訓排行第二，乳名武七，父母既早喪，家又赤貧。雖有胞兄武讓，亦早已出外謀生，不知下落。[illegible]自號「義學正」。有識者「義學症」者，亦不以為病。[illegible]說：「正也好，症也好，義學病好，大家都好。」

× × ×

武訓行乞的方法有四：（一）討得食物有好或完整者，賣錢積存，粗而零碎的，吃。且常喝髒水，歌道：「吃好的不算好，修個義學才算好。」喝髒水，不辦義學真算不好。（二）要把戲：玩蝎子，爬蟲，供小孩觀賞，己身上玩耍。他說：「豎一個，豎十個，十個豎的多，錢也多，誰說不能興義學？」爬一遭，一個錢，十個錢，修個不費難。我作馬你騎，你出錢，你騎的聽，爬的快，修個義學永不壞」。

（三）經常替人做活：[illegible]（四）撿破爛[illegible]

[illegible]（上）

高陽台

乙未春感　懷冰

綴網蛛勞，營巢燕苦，等閒又近黃昏。風雨無端，閒眠猶掩重門。爐烟嫋嫋疑成篆，待凝眸，是幻還真？莫思量，落魄天涯，半屬羈人。

傷春已在尋芳外，算千紅萬紫，負了殷勤，一段新愁，金樽可奈誰親。餘生哀怨何須說，看樓前，墜絮紛紛。怕飛花，化作芳泥，更惹輕塵。

閉門

井塘

老喜醰醲醉人詩，覺來妙境未前知。若忘臣壯胥輸衆，竟欲吾衰略吐奇。閉門有愧陳師道，車馬聲常擾我思。

黃公度之日本雜事詩

吳天任

（五）（六）日本東西京書肆本，年期均未詳。（七）梧州自刊本，光緒十一年乙酉未刻。（八）長沙翻刻本，年期未詳。（九）長沙富文堂自刊定本，光緒廿四年戊戌木刻。另據尤炳圻所撰「公度年譜」稱：「後上海游藝圖書館等又有活字本」，及周作人謂「又有一種依翻印同文館本，題字及鉛字全是一樣，惟每半頁較少一行，又夾行一注，排列少異，疑即中華印務局本」云云，因未見原書，已無可考。諸本中當以梧州及長沙兩自刊木板本為最可靠，而長沙之刊，為改定本，且有光緒十六年新自序及戊戌自跋各一篇，則尤有價值也。

此詩不特板本多而流傳廣，（但求之今日則殊不易購）。其後王錫祺等且取其紀事輯為「日本雜事」二卷，見「小方壺齋輿地叢鈔」。又王之春著「談瀛錄」，卷三四即「東洋瑣記」，幾盡鈔襲詩注，其影響殊非淺解。要而論之，公度此作，其思想之新銳，在當時固足珍貴，而其於日本風俗事物，搜錄之賅備，尤為難能，若論詩之工拙，乃餘事耳。公度於雜事詩末首註云：

「山海經」已述倭國事，而歷代史志，於輿地風土，十不一識，專書惟有「籌海圖編」，然所述薩摩事亦影響耳。（原註：「明史藝文志」有李言恭「日本考」五卷，侯繼高「日本風土記」四卷，書皆不行於世，余從友人處假有「風土記」鈔本，不著撰人，未審是侯本否？書極簡陋，不足觀）。唐人以下，詠日本事詩至多，曾不及風俗。日本舊已有史，因海禁嚴，不得著於錄，惟朱竹垞收「吾妻鏡」一部，故不能詳。士大夫足跡不至其地，至者又不讀其書，悠謬無足怪也。宋濂未有「日本曲」十首，「昭代叢書」有沙起雲「日本雜詠」十六首，宋詩自言出之海東僧，僧不解答，亦可知矣。沙詩僅言長崎民風，文又甚陋。至尤西堂「外國竹枝詞」日本止二首，然鑿太閤事，已謬不可言。日本與我僅隔衣帶水，彼述我事，積屋充棟，而我所記載，彼第以供一噱，余甚惜之。今從大使後，擇其大要，草「日本志」成四十卷，復舉雜事，以國勢天文地理政治文學風俗服飾技藝物產為次，衍為小注，串之以詩。余雖不文，然考於書，徵於士大夫，誤則又改，故非鑿空揣摩之譚也。第不通方言，終慮多謬，顧後來者訂正之耳。

自公度著「日本雜事詩」，至今已越七十餘年，定稿編成，最後之長沙本刊出後，亦五十餘年，中日且一再爭戰而復歸和好，求其能搜述日本情實，而其文又有可觀，足資國人研究，或就公度之作加以訂正者，竟罕其人，至若空前巨製之「日本國志」更無論矣。嗚呼！此公度之所以不可及歟。（完）

津沽陷匪痛史追述

唐瑩

十六日中午，兵團部召集緊急會議，侯司令官決定由海道退出塘沽。[illegible]

兵團部和聯勤單位以及港局人員，于下午二時在七米碼頭上船，四時抵達大沽口外停泊，部隊亦均按照計劃順利撤出。

× × ×

我們在大沽口外冰凍的海面上駐紮了三天，[illegible]

一月二十二日十時半，[illegible]

[illegible]（續完）

語言學漫談

結論

我們的結論，凡是有人發表他的意見，我們要注意，須是侯有下面三種可能：一，他可能是根據着幾項具體的事實而言，同時他會把這幾件事實，和它們的詳情細節，明明白白的予以一一指出。二，他的話語，雖然是籠統而廣泛，但是在他的心裏，他是指着幾件具體事實而言。他雖然沒有明白地說出，但是在他的意思裏，却是很明顯的存在着。三，他的話詞，是籠統而廣泛，在他的心裏，也並沒有具體的事實。他說的話，似乎是適用於一件事，也似乎是適用於許多件事，也似乎是適用於所有的一切的事。這些事實，他沒有明白地舉出，在他的意思裏，也從來沒有明顯的存在着。

在你和你的朋友談話時，你一定要注意辨明他們的意見，是屬於發表的第一類，或是第二類，還是第三類的。如若是屬於第一類或第二類，你不妨和他繼續談談。就是第三類，有許多意見不同，也還可以弄個明白。如若發現他的談話是屬於第三類的，那麼你還是回家去休息吧！因為和這樣子的人談這樣子的天，不僅沒有結論，未免都太辜負了你有限的精神和有用的時間。（三四．全文完）

自由人
THE FREEMAN
（第四三七期）
中華民國僑務委員會登記證僑刊字第二號
中華郵政登記認爲第一類新聞紙類
（半週刊每星期三及六出版）
每份港幣壹毫　台北市價台幣壹元
督印人：陳文華
地址：香港告士打道二十四號四樓 3rd. fl. 20 CAUSEWAY RD HONG KONG
香港發行及事務接洽
高士打道66號　電話：二四〇五三
承印者：南華印務公司
海外總經銷：友聯書報發行公司
台灣總經銷：台北市衡陽街
台北郵政信箱

「毛周政權」與所謂「台灣解放」

敗固不可，勝更糟糕！

左舜生

從去年六月起，中共開始叫囂『解放台灣』，在時間上已經快到一年了。除由美國脅迫自由中國丟了他們一個大陳，並由他們奪去了一個幾百人防守的一江山島以外，中共便沒有採取其他任何積極行動。至於隔海開放幾砲，這是配合着這種叫囂的應有之義，當然不足重視。

中國人民不要和美國打仗

我們老早說過：中共攻台只是一面『空大鼓』，其目的僅在構成一個緊張局勢，使『台灣問題』成爲國際上一個急迫問題，更運用若干國際無聊的和平掮客，向四面八面從事播弄，把這個人爲的急迫問題，渲染得更爲急迫，他們便可希望不戰而有所得。

以中共當前的實力論是不敢戰，以經濟情況論是不能戰，以大陸的民心與士氣論是不願戰，周恩來在萬隆會議的宣言說：『中國人民同美國人民是友好的，中國人民不要向美國打仗。』周恩來說這個話的動機是虛偽的，但這兩句話所說明的事實卻一點也沒有錯。同時另外一個意義，從這兩句話也可看出：中共若干年來在大陸所做的反美宣傳，事實上是等於零，也可以說是無的放矢，換言之，即中國人民對美國依然友好，依然不願和美國打仗。如果中共眞要以武力『解放』台灣，事實上便非和美國打仗不可，中國人民既不願打，請問中共對這個仗如何打法？

這還是就大體說，就表面說，如果我們更作進一步的分析，則中共之不能以武力侵略台澎，亦即不能以武力與美國去碰，則事實上更屬顯然。

毛周政權的兩大基礎

當前的所謂中共政權，實質上便是『毛周政權』。『毛周政權』的基礎有兩個：其一爲他們現有的武力，其一則所謂『統一戰綫』，而黨不與焉。他們的現有武力不起變化，黨便無法抬頭；『統一戰綫』有其需要，黨的力量便自然削弱。

今天最足以使得『毛周政權』發生動搖的，便是不顧一切居然以武力去奪取台澎，居然與美國去打仗。要從自由中國和美國合作的手中去奪取台澎，決不是一件輕鬆的工作，至少得動員地面部隊的精銳一百萬，再加上現有全部的海空力量，而有效無效且不可知。而萬一這一百萬的精銳葬身海峽，全部的海空力量也打得零零落落，不復成軍，試問毛周所憑藉的這第一基礎，還剩下什麼？尤其首當攻台之衝的三野，如不幸全部犧牲，請問這位做了五年『總理』的周恩來，他還有什麼第二套把戲好耍？

這還是就失敗說，毛周已經要失掉他們這一有力的憑藉，如於十分的僥倖，這一次的對台侵略居然成功，那毛周便更加無可倖免的非垮台不可。

進一步的分析

失敗對毛周不利的這個道理大家還容易懂，成功對毛周更不利的道理大家便不容易懂，且聽我再加分析。

美國現在的態度是容忍的，其所以容忍而又不得不容忍之者，其一是台澎依然存在；其二是英國[illegible]與美國切實合作。美國以條約關係，[illegible]如果參加戰鬥而同歸於失敗，還在美國便不只是一個台灣問題，而是一個關係自身的利害問題。[illegible]大陸作爲與美英所謂『民主聯軍』的決戰之場，到那時候，今天的所謂『毛周政權』，便早已不復存在，起而代之者，乃爲另一個與蘇聯完全一體的『新傀儡政權』一『工作』！因此，『毛周政權』敗固不可，勝來更糟糕，乃是天下事情之微妙往往如此，可惜太家不去加以體會就是了。

統戰分子以台灣的存在而存在

以上還是就中共與蘇聯的關係說，至於說到『毛周政權』另一基礎的『統一戰綫』，則與武力侵台關係，乃更爲微妙。本來首先背叛中華民國向中共去靠攏的便是這一大羣統戰分子，周恩來憑藉這基礎，乃居然維持了五年的『毛周政權』，這在另一羣人看來，眞所謂眼中之丁，遲早必得拔去之而後快。可是只要台灣存在，所謂『統一戰綫』，便無法使之毀滅。這羣統戰分子儘管也在隨聲附和高呼『解放台灣』，可是他們內心明白：台灣千萬解放不得！他們的存在，以台灣的存在而存在，『毛周政權』又以他們的存在而存在，這個道理，毛周懂得，周恩來更懂得，一部分有腦筋的統戰分子也懂得，但不懂的乃是過去的『高饒集團』。時候還沒有到，他們便想動手推翻『毛周政權』，其被犧牲是活該的！

現有武力只能保守

依據我這一種看法，台澎確實是安如磐石，美國只要能守住條約，用不着過度張皇，更用不着派遣地面部隊到台灣去駐紮。今天台灣所應該注意的，乃是以大力確保金馬，如果眞有人勸誘自由中國放棄金馬，我們應該以堂堂正正的言辭去答覆他們：「金馬是中華民國的領土，依據中華民國的憲法第四條，非經國民大會決議，任何人都是沒有權去加以變更的！」

眞要反攻得另想辦法

以上的論點，僅就台澎金馬的保守立言，非所論於反攻大陸，眞要反攻大陸，則除軍事以外，同時必須着重政治，政治不能澈底民主，即將永無反攻的可能，這是我們五年來一貫的看法。

政府應向聯合國聲明

中共之與印尼在四月二十二日簽訂一項所謂『處理旅印華僑雙重國籍協定』，主要目的是迫害那些不甘做中共暴虐政權下順民的華僑。此舉不獨使旅居印尼的二百四五十萬僑胞大感震驚，而且令到一千三百萬海外華僑同感憤怒。中共的動機是以此方法強行束縛華僑，將成反對中共政權的華僑成爲無國籍之人，言之實令人髮指！

預料中共將繼續推行此毒辣之計謀至各地！這個問題已不單屬於印尼僑胞，而是和我們海外華僑全體有切身關係。我全體華僑應一致團結，聯合反對。而我政府應向聯合國提出聲明，指出中共與印尼此舉係破壞聯合國憲章及人權與自由之基本原則。

中共與印尼訂約協議原則：（一）印尼華僑其願接受印尼公民身份者，必須向印尼法庭作書面的宣佈。（二）其願保留中國（指中共）國籍者必須辦理登記手續。（三）其不願做中共順民或印尼公民者，將視作「無國籍人民」，不能獲得中共及印尼所簽訂有關條約之保護。這三項協議原則，勢將使二百五十萬的印尼華僑成爲無國籍之民。這是中共加諸他們的兇惡的迫害。

我們決不放棄「中華民國」國籍

曾旭軍

中共對華僑的迫害

數世紀以來，我華僑在外謀生，除極少數特殊原因以外，均始終矢言自己是黃帝子孫，是大中華國家的人。滿清推翻後，亦始終全體矢言係中華民國的人。永不放棄『中華民國』的國籍。所在國從來不勉強他們放棄『中華民國』的國籍。縱然是軍閥當權，亦不肯使用像中共這種卑劣手段，去壓迫華僑，利用政權引起所謂國籍問題，使華僑如不屈服於其政權下便要拋棄祖宗而歸化外人。以往在軍閥政府雖竊國，而不敢改號。故不能藉國籍問題以壓迫反抗他們的華僑。老實說：他們縱然會利弄權，亦未忍心加害海外華僑。

違反國際法原則

現在我們才知道中共竊國改號陰謀的用處了。他們只要維持其僞政權，對於甘作順民之華僑早已視之如眼中釘，又何樂而不將忠於中華民國之僑胞迫至『無國籍人民』的總綱呢？

考所謂雙重國籍DUAL NATIONALITY，乃係因各國民族什處，在權利與義務上之交涉關係，而自然生出的。有所謂依出生地而定之國籍（JUS SOLI），即不管該人之父母爲何國籍，祗看該人之出生是否在其國領域內。有所謂依血統而定之國籍（JUS SANGUINIS），即視其父母之國籍而定。因僑居外國之人血統與出生地不統一，而自然有雙重國籍問題，不過在某一項問題（CASE）發生時，所在國如不規定以某一種國籍爲依據，（例如徵兵，納稅，糧食分配等）而已，並不能像中共與印尼作硬性的規定，消滅『雙重國籍』問題，——這是以上這一點，就是說中共印尼強迫消滅雙重國籍是不合國際法原則的。

違反人權與自由

還有主要論點是我們誓死反對消滅我們原有的『中華民國』國籍。中共印尼協定表面上雖然是說『印尼華僑有選擇其國籍之權』，但限定在印尼與中共二者之中選擇，而不許維持華僑原有的中華民國國籍，則無異強迫華僑之意志，如不依從即剝奪公民權利，這是有違聯合國憲章及人權與自由基本原則。有違國際正義與其國際義務。我政府應向全世界聲明：由印尼中共訂立此約或類乎此約引起中華民國華僑遭受損失，則印尼與中共，或與中共訂立此一類協定的國家均負責任。中華民國華僑有要求賠償，及訴諸聯合國或國際主持正義法律機關要求主持正義。

保衛國籍大運動

中華民國政府必須盡力保護那些不願放棄「中華民國國籍」的華僑。我海外僑胞更應鼓動『保衛「中華民國」國籍』的全球性運動。指出中共政權係從蘇俄翼卵下生長而成的傀儡政權，違反中國人民眞正意志的政權，絕不能因華僑所在國的承認而壓迫我們放棄「中華民國」的國籍。我們是有國籍的。決不甘心受人壓迫而改變國籍或淪爲無國籍之人。旅印尼華僑固不必激動，把定決心爲中華民國之人的意志。拒絕共諜誘惑。但此外的華僑亦須以奮鬥精神，早爲綢繆，去對付切身關係的問題！

半週展望

•陳克文•

歐洲的新形勢

德國潰敗後，經過十年另一日的時間——西德恢復了主權後第四日——參加了北大西洋公約。亞登諾總理代表西德出席本月九日該公約的理事會，備受十四國家的熱烈歡迎，這不止顯示德國的新生與復興，也顯示歐洲新形勢的成立，蘇俄集團在歐洲吃了一頓絕大的冷戰慘敗。

蘇俄因這一慘敗，於是對奧和約大示讓步，同時積極從事東歐八附庸國家的軍事聯盟，成立統一指揮機構。赫魯曉夫最近又宣言希望與西方合作。蘇俄過去那種虛驕跋扈之氣，至此差不多已經消失無餘了，蘇俄的態度已經有了改變了。

西方在歐洲雖然得了這一次很大的勝利，然而還是大意不得。美國務卿杜爾斯說得好，蘇俄外交政策並未改變，西方應加警惕，東西間的空氣雖略見和緩，克里姆林宮的觀念和目的並未改變。這眞是一針見血之論。

英國的大選宣傳

巴黎協定生効後——西德恢復了獨立主權，跟着發生四國首腦會議問題，這是去年多季以來，英國不斷的主張。現在爲爭取本月內的大選勝利，保守黨政府堅持更力，美國對此本來是不大熱心的，爲促成保守黨的勝利，就也有了遷就之意，杜勒斯說還要和艾森豪商量，實際上已有了默契。六月內或七月召開四國首腦會議，想必已成定局。（定稿時電訊，艾森豪總統已同意）。保守黨政府要利用此事作競選宣傳資本，我們自無閒言。如謂四國首腦會議眞能解決甚麼世界問題，那是不可輕易相信的。

保守黨明知外交政策爲此次大選勝負關鍵，因此四國會議之外，台灣問題亦成爲宣傳的重要題材。吾人所希望於保守黨者，勿以一黨競選的成敗，而忘卻國際正義，與世界和平之範途。否則，總算獲得一時勝利，終必自食其惡果的。

越南危機如何解決？

美英法三外長適日藉北大西洋公約理事會會議的機會，交換意見，求解決越南的內戰危機。究竟越南的危機何在？越南危機在法國之不忘情於殘餘殖民利益，支持其傀儡保大與乎藉保大名義而實行魚肉人民的教派軍閥部隊。法國一日不放棄此種落伍自私觀念，越南一日不得安寧。

總理吳廷琰爲反對殖民主義，反對軍閥最力的人，他因此一向爲法國人所不喜。最近他所遭遇的種種困難，也都由此而起。現在要解決越南危機，事至明顯，非法國放棄其殖民利益，消滅教派軍閥，別無他途。法國如尙欲挽回久失民心之保大，以牽制吳廷琰，則越南局面，只有治絲而愈棼耳。

貪得無厭的殖民主義者，是不可以理喻的。惟希望以越南獨立自主眞實自負之吳廷琰能始終貫徹其不屈不撓之精神，以與殖民主及軍閥奮鬥到底。教派軍閥現已着着失利，吳氏如能再對殖民主義者不屈，越南前途乃有光明之可言。

不再退卻政策

行政院長俞鴻鈞最近再度鄭重聲明，我國政府已採取不再退卻政策，決心防守金門及其他沿海島嶼。政府有此決心，不惟足以鼓舞海內外的民心，亦足以打擊國際上無恥投機政客，如尼赫魯，梅農之流的繼續掃擾的陰謀。我不自爲魚肉，又誰得而魚肉之耶！

埃及的外交趨勢

納沙會不會承認中共

·翁毅·

翁毅先生是國大代表，旅居埃及多年，曾在愛資哈大學研究宗教哲學，對埃及政情素有深切研究，茲篇論述，尤覺精審，亟爲披露如左：——編者。

納沙在玩火

埃及革命至今年四月已滿三年，其中經過了許多波折始奠定了現總理納沙的政權。納沙這個人雖寫過一本甚麼「革命哲學」的書，不過他始終是個現實主義者。一切措施，都是爲着維持他的政權。他雖口口聲聲「反共」，但認爲共產對他本身的威脅尚遠，不過借此來釣取西方的魚而已。因此他在國內的作風，便處處有與共產國家加緊合作的趨勢。他說，政治與經濟不可混爲一談，他一方面與西德建立外交，一方面又在經濟上，和東德發生密切連鎖。東歐的附庸政府，如波蘭、捷克、匈牙利、保加利亞，羅馬尼亞等國均在開羅異常活動，甚麼文化經濟等訪問團體，紛紛在開羅出現。例如目前正在開羅舉行的捷克工業展覽會，規模宏大，天天都在報紙上大肆宣傳，參觀的人也很多。開羅的大中小學生，每日排隊前往，等於接受了共產的洗禮。一位曾在附庸國家做過多年使節，最近來到開羅的某國公使，曾表示驚異說：「我參觀了這個展覽會，其中一切表現，全與捷克國內情形相反。使此種錯誤印象，注入一般埃及青年腦子裏，實在危險甚大。」他又說，共產的宣傳，在埃及算是頭一步成功了，但納沙貪小利而忘大義，實在是玩火而不自覺」。以筆者觀察，事實尚不止此，東歐國家受蘇俄的驅使，正以經濟誘惑，引埃及入彀。他們用許多特別優越的條件，和埃及訂立各種貿易協定。埃及吃甜了嘴，恐將漸漸的走入共黨的懷抱。另一方面，埃及亦正引以爲得計，以爲這是對西方的一種示威。擺擺架子，你不幫我的忙，我自有生財之道，你不信，我就做給你看。

尼赫魯的敲榨

埃及革命後的外交演變，概言之可分成三個階段：在英埃問題未解決之前，納沙逢人便說，只要英埃糾紛解決，埃及便準備加入西方陣綫的，這是想利用美國的壓力，使英國讓步。英埃問題解決後，則又倡言，如欲埃及參加西方防禦，必先加强阿盟國家內部的團結。這是要美國承認埃及在阿盟國家中的領導地位，並給予軍援，以維持此一地位。土伊條約於本年二月簽訂後，阿盟已因之瓦解，於是納沙又決意與尼赫魯合流。尼氏在國際上口唱的「中立」，用實際的方式，使英美側目。納沙認爲尼赫魯是一個了不起的人物，我爲什麼不能向他學習。因爲眩於尼氏近來的「成功」，於是納沙得到了一種啓示，以爲要想美國乖乖的送軍事與經濟援助，說好話是不中用的，祗有靠「實力」表現，也就是所謂「威脅」的方法了。所以，埃及時而唱「中立」，時而稱頌蘇俄中共，及其他附庸國家，最奇怪，納沙認爲對美國施行威脅最後的一張王牌，就是「承認中共」。以往兩年，他不斷的利用這一個法寶。開羅的共和日報（革命機關報）已透露這種消息，不知經過若干次了。尼赫魯每一次到埃，「承認」問題，即跟着甚囂塵上。某埃及代表團從蘇俄與東歐歸來，曾建議政府「承認中共」。即納沙和他的宣傳部長沙拉沙，對外國記者談話，亦曾暗示「承認中共」正在政府研究中。適此消息，該報發表甚多。我駐埃大使何鳳山氏曾面詢其負責人，則又支吾其詞。他們甚至以看來似極懇切的態度坦白對人說，這一套不過用來嚇嚇美國人而已。如此賣弄玄虛，簡直是於兒等戲。

納沙爲甚麼變了

說句良心話，以往埃及朝野對自由中國的態度並不壞，因爲自由中國對埃及所有的問題，歷來都是同情和支持的。所以納吉當權時，對自由中國非常友好，現總理納沙，雖較現實，但對自由中國以往對埃友好，亦並未一筆抹殺。不幸的，是亞非會議之前，一連串的國際事件發生，如土伊協定，埃沙敍安全公約的失敗等，打擊了埃及的自尊與前途，埃及因遷怒美國，也把自由中國牽連在一起。現在埃及似乎已認定祗有向印度看齊，及和中共接近，方能在國際上揚眉吐氣，在國內拉得住民心。據傳，亞非會議召開之前，埃及並不願意參加的。他們原反對邀請以色列與中共，同時對於邀請蘇丹也不感愉快，認爲尼赫魯故意開玩笑。後來經過詳細考慮，納沙雖允赴會，亦確有意聯同接近西方的與會國家，共同抑制尼赫魯的囂張，這是埃外長親自對某國大使透露。迨土伊協定問題發生，空氣轉爲緊張，該約簽訂後之第二日，納沙尚心平氣和的對某大使老老實實說：（一）他和尼赫魯不同，尼氏僅反對白色殖民主義。他反對白色之外，尚反對赤色的共產。（二）尼氏曾勸他承認中共，他卻反問，爲什麼承認中共？承認中共有什麼好處？（三）印度與印尼都承認了中共，然而兩個國家內許多糾紛，聽說都是中共大使館所派間諜幕後指使操縱的。他這次要到兩國去，就是想親眼看看。納沙這番話，觀念當然很正確。不過臨行前夕，由他左右探聽出來的，他的憤慨情緒，則是智理成份大大減低了，這到底是納沙口不對心，抑另有原因，一時尚不清楚。當他帶了大批人馬飛到印度，受尼赫魯熱烈歡迎。後來到印尼，又準備與中共談商業，並宣布派宗教部長訪問赤色大陸。筆者就不免爲他担心，是否他們受了尼赫魯的蠱惑，抑或言行不一致，還要待以後的事實來做證明了。

日印和埃及

筆者是一個回教徒，旅埃多年，前年內參加國民大會回台一次。和國內許多朋友討論過幾次中埃關係問題。深深覺得我政府對於埃及與中東的事情，不太關心。和日本及印度恰好相反。日本爲埃及化了不少錢，他們在開羅郊外建築一所日本式公園，其中羅漢石像，水閣涼亭，風景絕美，暇日遊人如織。僅就這一點言，已使埃及人對日本發生不可磨滅的印象。日埃復交後，日人更大規模的在埃活動。至於印度，更爲積極，獨立後，印在開羅設使，認埃及乃中東的樞紐，竭全力爭取埃人感情，舉凡文化、宗教、商務等機構，應有盡有，無不具備。最重要的即來此訪問的印度團體，絡繹不絕。尼赫魯自己也不知來過了多少次。他們確有深謀遠慮的看法與作法。

我國的努力不够

我國情形，至少還是不够努力，在戰時，認開羅爲一交通孔道，設使之意，似乎僅在招待往來賓客。戰後，對埃國的政治意向並未加强。一九四九年大陸沉陷，「承認」問題發生，聯合國內我代表權發生動搖時，始注意到阿拉伯國家有七八個之多，他們在聯合國內擁有六票。現在雖高唱「加强回教國家關係」，但實際上，除大使館三數人外，別無其他措施。連報導新聞的記者，都沒有一個。說到此地，筆者不得不一提駐開羅的何大使鳳山。何氏在埃艱苦奮鬥，已近九年。埃及朝野，及阿拉伯國家首要，乃至外交團人士，沒有一個不認識他。認爲他是一位活躍可佩的外交家。他平日焦心苦慮，增進中埃友好關係，打擊尼赫魯之流的種種陰謀，其間艱苦情節，一言難盡。埃及前外長哈松那曾對記者說，「假使國民政府沒有何大使駐節於此，埃及可能早已承認中共了」。可見一斑。何大使的貢獻，可

埃似不至承認中共

惟今後中東的困難益多，國際情勢，變幻莫測。何大使的責任固然更加重大，我國對此間的事情也必須刻刻留心，時時注意。否則不僅是中埃兩國的不利，對於整個反共陣勢，也是不利的。

最後筆者要說，埃及的局勢雖有轉變的可能，祗要我們能繼續以往的方針，不斷努力，也不是令人失望的。埃及人自己也很明白，尼赫魯無論如何棹花槍，總是跟着英國走的。歸根結蒂，埃及仍以和西方合作爲有利。埃及少不了美國的援助，除非瘋狂，埃及似不至承認中共，與共黨沆瀣一氣，引狼入室。（四月廿六日開羅）

我所知道的衛立煌

——骨頭比火柴梗還輕

吳文蔚

衛立煌的傑作

衛立煌悄悄的溜回大陸，投靠中共，事成過去，本不值得再談，但就我所知道的，這無恥叛徒之所以有今日，也非偶然的。

衛立煌接任東北剿匪總司令，是三十六年十二月底的事，那時東北行轅撤銷，由衛籌組東北剿匪總司令部，名稱雖異，大致上還是行轅原班機構，所不同的就是行轅遷到招待所辦理結束，讓鐵大樓的門前，另外掛了一塊「東北剿匪總司令部」的大木牌而已。

衛立煌接事不久，便遇到新立屯遭受攻擊，不幾天，新立屯便失守。緊接着又是黑山，阜新、遼中、台安等地一連串的放棄。同時營口也隨着軍事的失利而自行撤退。

這一連串的失利，當然不能過分責備衛氏，因爲他剛接事不久，對東北情形，不甚熟悉。但停了沒有幾天，緊跟着敵人又來攻擊遼陽，攻取鞍山，戰事迫近了瀋陽的大門。衛立煌新官上任三把火，一不做，二不休，索性便把四平放棄，吉林撤退，冠冕堂皇的加上了一個動聽的軍事名詞，美其名曰「兵力集中。」這便是「長勝將軍」（衛過去曾有此虛名）到了東北的第一傑作！

戰事一天比一天緊張，到了大年除夕的晚上，一股匪軍竟然竄到了瀋陽郊區的鐵西皇姑屯，大砲轟隆轟隆的日夜不絕，砲火代替了除夕的爆竹。人心惶惶，不可名狀。這時一位參謀，手拿着紅筆在地圖上標示敵人的攻擊地點，一面拿電話耳機聽前方報告，他手中的紅筆在地圖上越標越近，眼看着地圖上的敵人馬上就要攻進瀋陽城了。於是氣得把耳機一摔，接着拿起一把一米長的大米達尺，做出自殺的模樣，把木尺橫在頸上說：「打的這仗眞窩囊，這位『長勝老總』就當眞要把敵人引到總部裏來不成！好了，共匪進來，我便消極！（一面說一面用米尺放在頸項作自殺狀）可這一次，瀋陽城眞是危險萬分！可是敵人便在這萬分危急的當中，竟自動竄走了。過了幾天，瀋陽解除了威脅，每個人都輕鬆的出了一口氣。事後追究責任，衛立煌還槍斃了一個擅離職守的師長。

骨頭比一根火柴輕

這位師長臨槍斃前，他的醫官還未給他換藥醫瘡，他知道槍斃命令已下，直爽的對醫官說：「算了吧，一切都完了，還換甚麼藥呢」說着便告辭妻兒，自動的走到總部，聽候處決！

據說，這位師長擅離職守的罪名，是由於他在大年三十晚的夜裏，回到瀋陽家中過年，恰巧匪軍在這一夜進攻，因而失了陣地，遂遭處決。

他死後，劉德一位高級參謀，去慰問他的家屬。師長夫人在含淚忍痛中，取出茶烟待客。這位高級參謀，取火吸烟，正把火柴梗丟入痰盂之際，師長夫人卻當住他說：

「這是有用之物，不可丟入痰盂」。

高級參謀，有點詫異，遂問其故，師長夫人說：

「它雖是一根用後的火柴梗，但它的重量，比一個位尊職高的高級大員的骨頭還重呵！」

高級參謀覺得話中有話，遂追根底的說：

「你所指的是誰？」

師長夫人毫不猶豫的說：

「衛立煌」！

高級參謀感覺奇怪，繼續追問：

「你何以知道衛公的骨頭比一根火柴梗還輕？」

師長夫人又毫不猶豫的說：

「有事實爲證：衛立煌接任後，遼西遼南的重要據點，一連失了不少。我丈夫不過回家過年，竟被槍斃。我知道他不但現在不會引罪自殺，將來戰敗，還會悄悄溜走，說不定還要覥顏事仇呢！」

想不到事過八年，師長夫人的話，果然完全應驗了。（一）

國外通訊

越南命運與吳廷琰

——吳廷琰的政策及其性格——

李世光

【西貢特約通訊】法國殖民主義者和越南現總理吳廷琰是不能相容的。法國政府曾屢次向美國建議，要求更換吳氏。美國對於吳氏的態度亦曾因此而發生過動搖。上個月中旬，艾森豪威爾總統的駐安南代表柯林斯趕回美國的時候，法國政府認爲美國對吳氏的態度轉變了，再向美提出更換吳氏的要求，並公開指斥吳氏爲越南的渣滓。越南內閣中的保大份子亦全體請求辭職，參謀本部的軍要人員也簽名致電保大要求他回國執政。當時支持吳廷琰的似乎只有他的幾個親信朋友。

以花捐爲活的保大

爲什麼越南有這許多人反對吳氏呢？理由簡單得很，越南有三個教派，均各擁有軍隊。平順派的黎文萬出身海盜，到現在賊性仍然不改，手上掌握了不少軍隊，保大便利用他，把首都的警察總監和花捐總局交給他。黎文萬爲酬答保大把全國的花捐收入交回保大。許多年來，保大的享樂全部出自越南花捐。其他兩個教派力量雖小些，也分割了西貢以外各省。保大的越南可以說是一個軍閥割據的局面。保大便利用他們從中分肥。（上）

編者　讀者

摩頂放踵的解釋

△蕭子珍先生台北來函

編輯先生：我的孩子在台灣某中學讀書，一天，他對我說，國文老師解釋孟子裏墨子「摩頂放踵」一句說是——「摩平了頭頂，放棄了兩腳，有利於天下的，還得去做」。當時有學生問：「老師，這個『摩』字不大像？」老師說，「不，沒有錯，這是『磨平』的『磨』。」

我聽了不禁偶有所感。據說該老師自稱，是根據辭海「摩損其頂」一句的。他老先生翻過辭海，姑置勿論。至於「放踵」兩字，依我淺狹的讀書所見，未見有作「放棄兩腳，斬斷不要」解者。這個錯誤，出諸國文老師之口，是不可饒恕的。其實，「摩」字只是一種意象，「摩頂放踵」猶言「自頂至踵」整個自我犧牲之意罷了。根據箋註，然後下一個確切的界說，讓學生不致茫無頭緒，不會有模稜兩可的彷徨，才是國文老師的責任。決不能猜度字面，自作聰明，更不可泥於舊注，搪塞敷衍所可了事的。

據說這位「麗徵」老師，原是其本行。現在教起國文來，弄到「黃絹幼婦外孫齏臼」，都怪中學生的國文水準，一落千丈了。

做過大小官兒的人物，一旦熱心教育，不計薪給，但讓學校一席房子住，本無所謂的。他們苟能自知不足，埋頭進修，專心致學，倒也未可厚非。可是有些人到了學校裏，還保留着那份優越感，甚者，營私結黨，挾校長以令全校，視同事如僚屬，看學生像治下的老百姓。遂使神聖的學府，頓成大陸陳腐的縮圖，寧不可痛？

現在政府提倡尊師重道，但要知道是「師」乃尊，知「道」方重，否則什麼都成空話了。未知教育當局，對此種事亦有顧及否。

我從鐵幕里搶出來一大串孩子，就讀於中學者三人。而我已年逾知命，決無「養兒防老」之意。但除非我們不要回大陸，除非我們回大陸后僅苟安圖存便罷。否則，後一代的教育是不容忽視的。既有感，遂不得不有所言。

蕭子珍四十四年四月．在中壢。

風雨飄搖的台灣省立博物館

台灣通訊

徐嘯山

【台北通訊】博物館在教育上，學術上，均具極大作用，歐美各國莫不加以重視，我國博物館之歷史亦頗長久，目前自由中國僅有台灣省立博物館一所——館址在台北。該館爲日治時代所建，經費爲台胞所捐獻，直轄台灣總督府，當時主持人由台灣大學教授兼任。其所蒐集之標本，偏重高山同胞及南洋群島，內容甚爲豐富。光復後，該館改隸台灣省教育廳，由教廳派專人負責管理。

十年來該館之成績如何？在教育乎？在學術乎？社會輿論早有批評，事實俱在，於此不願多言，今所欲言者，乃缺乏成績之責任問題耳，試舉下列故事述之，讀者當知大概矣。

經費與房屋問題

經費問題：博物館的經費來源，依照歐美先例，不外社會人士捐助，或會員繳納會費，與政府之補助。目前台灣省立博物館經費僅靠政府補助，省教育當局僅核定經常費每月七千元。標本之採製，陳列室之增修，歷史文物之購置，水電，辦公費之開支等，均爲此區區之款是賴，如此，又安能望有成績之可言。

房屋使用問題：博物館僅有三層樓一座，日治時代二三兩層爲陳列室，地下一層爲倉庫，已感不夠分配。光復後，非但未能擴建，台灣省立圖書館，且佔去整層二樓，博物館陳列室，僅剩三樓。各部辦公則遷入地下室。目前圖書館又有向地下一層擴展之意，大有喧賓奪主之勢。試問僅有三分之一地方的博物館，業務究將如何推行？且兩館員工甚多，加以觀衆日以萬計，川流不息。他姑不論，即廁所設備，亦已不足，以至管理不良，環境衛生惡劣，觀瞻大有妨碍。成爲社會人士所指責。

變成臨時展覽場

陳列室任意出借：博物館之陳列品，有臨時與永久兩種。前者雖可移動，但應盡量避免，後者，陳列櫃內，裝有永久保存設備，是移動不得者。珍貴之陳列品，隨年已久，更易損壞。故陳列室，實不能再做任何其他用途。外人縱欲在館內作其他展覽，祇能另闢專室。陳列時之設計，亦應聽館內負責人之指揮。若無專室設備，應將展覽品交給館方，由館方負責展出，歐美博物館類皆如此。台灣博物館不然，陳列室可以任意出借，（出借皆由教廳批准），並且可以自動陳列。對原有之陳列品又可以任意撥動，甚至強行移動，館方不得過問。因之，每有其他展覽，館內即弄得七零八落，破爛不堪。巧小玲瓏之雕塑，與乎珍貴之大理石，及價值甚昂之壁櫥，均被破損，言之痛心。且有甚者，往時假借博物館，事先必有公文洽商，得教育當局之允許，始能實行。近來竟先於報端公佈，然後強借，或臨時通知，使負責者進退兩難。於是社會人士均認博物館爲一時展覽場所，彼此相借用，每年不下數十次之多，每次展覽時間，少則三天，多則月餘，平均以一週計，幾佔全年四分之一強。其有礙於博物館本身業務，可想而知。吾人爲珍惜有限學術文化之唯一博物館，俾能發揮其應負之使命，不但不能[illegible]，教育當局，亟應加[illegible]理，勿令其繼續受[illegible]摧殘也。一九五五，四，十二，于台北。

經濟 社會 思想 叢殘（二十）

金伯華

[illegible]共同負責，以達到共同目的，滿足共同需要——唯一基本工作在於教育。合作的事業確是很有着落的。這些年來，各當局對於國民經濟這一主要的部門，未能因勢利導，根據憲法的規定，用教育方法着加緊獎助而推廣之，實在是一件很可惜的事情！政府當局日理萬機，對於合作問題可能認爲是不急之務。假使如此，則目今當政的大人先生們實在太近視了！須知近代合作運動，實是人類文化正本溯源的運動！亦即是反共最持久的有效的運動！請予不信，請看下文慢慢道來：

合作與中國文化

[illegible]

合作社的產生

中國古代並不是沒有合作思想。有！而且不少！但也就是「推己」「克己」等說法同樣的過於抽象，包藏著一層濛濛的哲學氣氛。在這哲學氣氛中，加上勞動大衆日常勤苦生活的汗液，再透過著思想家的腦汁的陶鎔，終於在一八四四年，由於羅虛戴爾（ROCHDALE）二十八位紡織工人之手，編製成爲一幅偉大的藍圖，文情並茂的不朽傑作：這就是合作社！

合作社這一與衆不同的，新型的經濟制度，在全世界各國凡有合作運動的地方，其基本原理及組織原則，幾乎無不相同。它之所以能夠用具體方法（若干國家都已定爲法律並在政府中設立專部），把「己立立人，己達達人」的仁愛哲理付諸實施，主要之點，略如左述：（至於詳細辦法，請讀者參閱合作專著，茲不贅。）

（一）合作社社員與社員間，以及聯合社的單位與單位間，一切權利義務關係，都是絕對平等的。其中最與資本主義經濟迥不相同的地方：合作組織是以「人」爲基本單位的，以「人」爲主體的。這所以惟有合作社方能稱爲是眞正的「人的結合」。在合作經濟中，嗅不到一絲一毫的「銅腥臭！」這是人性尊嚴和人格價值最有力的表現。

（二）合作社是採用眞正的共同經營方法的。我在「共同經營方法」上加「眞正的」這一個形容詞，決不像市儈們所喜歡標榜的什麼「眞正」「眞正」一類的所謂「陸稿荐」，而是切切實實要每一個參加的社員，對於社業務共同工作，共同負責，以別於第八節中所述資本家們壟斷式的共同經營。這是人性交流和人格培養最有效的方式，而充分顯露出惻隱慈愛的天機！

門戶開放制度

（三）由於上述（一）（二）兩點的理由，所以合作社的分配盈餘，假使有盈餘而又決議分配的話，是不以各人出資額的大小（即股份）爲準，而是以各人對社的實際努力成績爲準的。通常大家所說「盡一分努力有一分收穫」這句格言，在經濟界一切關係中——大家知道現代人類的經濟關係是何等複雜而機微！——祗有在合作社裏方能實現。

中國歷代行人考

著者　蕭一山

出版　黃寶實　台北中華書局

[illegible]

義務醫生應免束縛 醫療設備亟待擴充

香港三日

醫院少，註冊醫生少，城市衛生雜亂未能全面改善的現狀下，對於市民健康，無疑是一個重大威脅。香港擁有人口逾二百五十萬，就人口數量上看，二十六所公私醫院，顯然不是保健的有效屏障，何況這二十六所醫院所能安設的床位，總數僅不過四千六百九十五個，平均五百七十人纔佔得一個床位，而這些床位其中還包括了產婦，以及不少是小市民力能負担的所謂「私家病床」。還有供長期療治肺癆病患者，且有一小部分是專供普通病患者。因此，需要享受免費住院資格的普通病患者，實在少之又少。熱心人士雖曾捐助，每年雖然頻開增建病房，終因不是大數目，以普遍實現，自然祗有望於改善環境衛生。

改善市民環境衛生，乃是積極防止疾患的一種方法，年來當局計劃徙置木屋居民，表面上看來，貧苦的居民獲得了良好環境，到底不是多數；大多數住在白鴿籠式房屋的，均麋聚於熱鬧市區，如何使其疏擠，當局迄無具體辦法。奔馳於街坊求診之病人，大多數都是這一類人物，他們並非赤貧，多屬受薪階級，由於入息太差，營養不足，一經患病，束手無策。於是，各街坊福利機構，遍設義務診所，一方面減少病者痛苦，求其速癒，另一方面無形中也就減少公立醫院門診擁擠。因爲純屬免費，義務醫生亦無待遇可言。

這些廣大衆多坊衆服務的義務醫生，他們大多來自大陸，由大陸來港的醫務工作者，數逾三百之衆，其中固不乏具有充分資歷與經驗，只是沒有取得英國或英屬地醫學資格，不能在港註册開業；但能允許他們義務服役，雖說是「權宜措施」，實在說來，也是矛盾的，這些被視爲「無牌」的「黑市醫生」，雖然日常替市民服務，不啻束縛雙手，因爲有許多疾病，需要投以一種特效藥劑，而這種特效藥，每因格於禁例，不能使用，代以其他適當藥劑，未必能夠預期見效，不僅貽誤病人，而街坊義務診所亦徒有其名，爲了市民健康，減少病者痛苦，誰都希望於當局對於禁止藏有、使用毒藥條例，迅予考慮作適當的修正，街坊的義務贈診所，應視同一般普通醫療機構，不受禁例限制。同時，爲數極衆的義務醫生，也應採取權宜措施，給予他們一條維持生計，以及廣泛服務大衆之路，一洗「無牌行醫」與「黑市醫生」之惡名。則對於他們本身旣獲選藉，造福市民更不待言。

控制粮食！中共激成民變

十項控制糧食辦法 各地發生爭糧暴動

【本報特訊】據大陸來人談，中共想利用統制糧食做武器，鎭壓人民反抗他們的暴虐統治，一九五三年十一月，曾頒佈一項關於實行「糧食收購，和供應」的十項辦法。其要點有五：（一）農民應按規定收購糧種，及分配米糧，餘糧售給國家。（二）城市方面，如國營機關，等可通過它的組織，進行供應。一般市民則憑購糧證及戶口簿購糧。在集鎭方面，和災區及一般農村方面，則採取由上級政府頒發控制數字，並由群衆實行民主評議相結合的辦法，控制糧食銷量，以防投機屯積。他如熟食業火車旅店等供應。旅業食糧和其他工業用糧，一律照過去一定時期的平均需用量，定額供給不得私購。（三）統購統銷的控制數字，各由其一級政府規定。（四）城市居民購得國家計劃供應的糧食，如有剩餘，或不足時，可到國家指定商店賣出，或到國家糧食市場進行相互間的調劑。（五）一切有關糧食經營和糧食加工的國營，公私合營，地方國營合作社經營的糧食店和工廠，統一歸當地糧食部門領導。所有私營糧食商，一律不得私自經營糧食。

中共以爲如此控制糧食，人民就無從作反，就可高枕無憂了。可是事實證明，並未能如願以償。例如本年三月間，山東濟南府各縣鎭，人民因爭配粮食，曾引起數十次暴動；又四月間，滇、粵、桂、閩邊區一帶，人民因不堪中共迫害，不斷蜂起反抗。共黨幹部被人民擊斃至數百人。人民也死去無數。

最近蘇州又有三千人力車伕失業，因無法生活，羣起暴動，使中共當局大傷腦筋。人力車伕曾將公安局三個派出所燒燬。諸如此類，現時大陸上，已成普遍現象。大陸上內部情勢之不安，於此可見一斑。

記者的惡作劇

馬五先生

本月七日，華盛頓新聞記者俱樂部舉行常年聚餐會中，有化裝表演的遊戲節目，內容是對艾森豪，杜爾斯，艾登這些美英政府大亨們，極盡嬉笑怒罵之能事：如編製艾克與俄共軍頭朱可夫的「戀歌」，作爲在世界屋脊——紐爾菲士峯顛召開的大國和平會議中合唱的歌曲；爲甚末列強的和談要到那世界最高峯去舉行呢？就因爲美國很慷慨地把歐亞地區奉送給共產黨太多，以致容身無地了！當時美總統艾森豪亦在座，親聆這類尖酸刻薄的詞調，大笑不已。

這類玩意如果在東方這些「落後地區」表演，一定會鬧出是非來，說不定那幾個惡作劇的記者還要吃官司哩！但在西方那些民主國家卻無所謂，艾克總統先生聽着且笑不可仰，他笑這般書獃子想入非非，給他在日理萬機之餘，得到了一點輕鬆的精神娛樂。

事實上，這對美英政府那些大亨們的人格，地位，以及所謂「威信」，毫不相干。在朝與在野的人，對政治的觀感天然是兩樣的，絕對無法統一。你說你的，我作我的，說得對，不妨採納參考，如不對，一笑置之，當伊嘛介事，這就是眞正的民主精神。世人常有「健全的輿論」之說，我曾經若思焦慮過，總想不出所謂「健全」與輿論的定義究竟應該怎樣解詁才對呢？

前年美國新聞記者集體寫作了一本書——「一九八四年」，描述未來世界大戰的情況，也是開頭笑的游戲文章，然蘇俄政府居然提出抗議，這就是統制思想的必然表現，不足奇怪的。

西方人常說我們的住在區域是「落後地區」，我頗有反感，唯有談到言論自由這一點，吾無間言矣！

記南吳北齊兩畫家

夢山樓

中國科學落後，是無可諱言的，但，歷代藝人嘔心血，絞腦汁所產生的藝術作品，觀全世界之任何部分，皆無遜色。而且，往往有獨到之處，亦爲全世界任何部分所不能及的。

遠古不論了，自明迄清，便是藝人輩出，蔚爲大觀。其中放出異道異彩，歸獨上海的爲吳昌碩，雄踞北京爲齊白石。他們兩人雖是旗鼓相當，但，他們的造詣，還是各有不同，而大醉小瘋，也是在所不免的。

一、

吳昌碩，浙江安吉人，別號俊卿，亦名老缶。詩、書、畫，皆能獨闢蹊徑，不落前人窠臼。陳散原撰安吉吳先生墓志銘說：『其篆本秦漢印璽，饒趣洋溢。書摹鐘磬，運以鐵鉤鎖法。爲詩至老彌勤苦，據抒胸臆，出入唐宋間者。畫則宗青藤、白陽，參之石田，大滌，雪個。』的確不錯，他雖參酌前人作法，而絕不受前人的束縛，所以，才能獨往獨來，造成他爲宗派。

有一次，胡公壽對他說：『君之嗜畫似乎太遲了。』因爲他開始習畫是在三十歲以後。當時有畫家任伯年在座，插一句嘴說：『胸中有才華，縱底有氣韻，還有甚麼關係！』他自己嘗說：『謂是篆籀非丹青。』很明鮮的主張用篆隸書法來作畫的。他題畫有句云：『師陳玉几，李復堂，吳讓之，張孟皋。』這是說明他偶爾參加別人的趣味，而並非全盤仿效某一個人的。

二、

他的作品，松、竹、梅、蘭、菊花，石頭較多，山水風格極高，但，卻不多作。寫意花卉，用筆蒼勁秀逸，略似青藤，而古拙深秀之氣韻，上溯宋元，深得古人「潤含春雨，燥裂秋風」之妙境。尤其是中見淨，淨中[illegible]地方，不是普通人所能領略得到的。

日本人對於他的作品，特別傾倒，曾聯合同好集資替他塑像，裝在杭州西湖。他自己作一篇贊語：『非昌黎詩，讀木居士，非敦煌碑，呼石人子。鑄吾以良金，而吾若鐵耳。重吾以越齒，而吾無補於國恥。吾何道而遂束，滋吾作而竭已。敬鳴哉缶，得此同調。有如梁稽王所云：「嘉荷交并矣。滄江歲晚，故我依然，抑又不能無感。書此並誌歲月，非敢爲東方自贊也。」』藝人妙語，卻爲湖山增光不少呢！

三、

湖南湘潭人，齊白石，名璜，別號萍生，十八歲時，還是一個雕花木匠。初通文墨，生性愛好藝術，隨帶芥子園畫譜，隨時臨摹。有一天王壬秋訪友某家，適值白石在某家作工，刀斧之旁，置有湘綺樓詩文集，王秋見而怪之，因問曰：『汝能解此否？』白石起答：『集中大旨。』這位國學大師馬上改容稱許不已。並告之曰：『汝如此精勤，何不從吾讀書？』白石即下拜，一個願請收爲弟子，一個小木匠，一躍而爲湘綺門徒，眞够驕狂了！

他到王門以後，依然不廢雕書。從湘中尹和伯學畫草虫，山水花卉，則從八大入手，潑辣琳瑯，自成一派。他的同學夏壽田，方在袁世凱幕中，招他進京，初到時，畫扇面一柄，僅訂潤金一元，但，當時北方畫家甚多，陳師曾、林琴南、陳半丁，均早已成名了，沒有人注意到他。後來，國會議員胡鄂公發現他的天才，大詩人樊樊山也替他捧場，這才漸漸的登上畫家第一流寶座的。

四、

他是木匠出身，不但不以爲恥，而且以此自矜，舔着自己努力，從刻苦中打出一條新途徑，經過數十年苦工，成就他獨特的作風。他最看不起的四王，（王時敏、王鑑、王翬、王原祁、）最推重的八大，石濤，青藤。對並世畫人，愛好吳昌碩。他有詩云：『青藤雪個遠凡胎，老缶超奇出衆才。我欲九原爲走狗，（鄭板橋有印曰，青藤門下走狗鄭燮。）三家門下轉輪來。』可見他把他們三個人看作三位一體的宗師。昌碩對他的畫，也非常推重，曾說過：『白石的山水，可以嫓美石濤，花卉則獨超前人之上』。內行的批評，不比尋常阿諛，這樣一來，白石的聲價，日益抬起，幾乎要獨霸藝林了。

五、

金梁『爪剛』述異記載，把他和大軍閥吳佩孚，妓女賽金花，列爲『燕山三怪』。他這怪是怪得有趣，他以學生隨筆句云：『布局心又小如要賦馬，吾豈敢休騰怕』。夏壽田，楊度介紹他和軍閥大總統曹錕見面，他贈曹錕蟹一幅，題以詩句：『多足乘潮何處投？草泥鄉裏合勾留。秋風行出幾蒲界，自信無腸一蟹羞。』卻是諷得俏皮呢！

筆者對於繪事是門外漢，無法批評他們的長短，記得從前有些人論斷，特地引來作本文的結論：『吳昌碩以寫石鼓筆法入畫，古拙醇厚，別有雅趣，惟設色重濁不分，筆法亦少變化，是其所短。齊白石筆縱橫，佳者可與昌碩並駕。惟以鮮紅寫花卉，奇紅駭綠，筆花，鳥蟲蟹葉，少失醇古之風神。若純用墨水，反多秀逸。所繪蝦蟹，姿態活潑，用筆清靈，可謂前無古人。但他甌喜「多買胭脂畫牡丹」。也許以此取悅低俗，可是，反而遜色了。』雖道，『賢者之用心，衆人固不識也』嗎？

總之，在中國藝史上，吳齊本人，各有他的重要地位，他們的作品，是成功的，亦只是他們本人成功而已，所謂『得之者生，學之者死。』一般摹仿他們的人，天賦才力不够，東施效顰，徒勞無功。藝術雖是小道，可以喩大。舉凡沒有獨立風格，失掉靈魂的人，一味摹仿他人，倚傍他人，甚至投降他人，終落個焦頭爛額，一敗塗地而後已。

勉台中分台同人

梁寒操

楓以霜天豔，梅從雪地奇，丈夫生亂世，不用嘆非時！

次韻三首

彭楚珩

一、春來

春來綠滿樹，花葉鬥新奇，色色年年樣；江山異昔時！

二、驚夢

推枕深宵坐，覺來事太奇，驚呼腸已斷；風雨夢歸時！

三、見鷹

獨見鷹雄立，搏飛作勢奇，浩渺何可限？矜海出征時！

劍底秦庭

歷史小說

吳如

（一）

公元前二百二十九年的深冬。蒙古高原的寒風，就像當年犬戎的進侵鎬京一樣，瘋狂地湧過了華北廣袤的平原。一股寒流，跟着一場大雪，一場大雪之後，跟着又是一股寒流。

燕國的京城，這時也正罩在一片白雪之下。從女牆的城堞望過去，只見遠處的易水閃爍着寂寞的寒冷波光，只有頭接頸的一行行寒鴉在上下飛翔，幾乎使人懷疑這還是一個絕人烟的古城廢墟。

然而，這寂寞的城市裏，卻洶湧着一股憤懣勃熱流。夜了，陰沉的暮色漸漸掩合了雉堞之間的空格。就在北門城牆的右側，不斷地傳出了一陣粗獷的笑聲，猜枚聲，酒器相擴的聲音。

這是一家破落的酒肆。酒帘被風捲上了簷頭，樹木的枯枝撒滿了屋頂，屋角的後面，還隱約可以看到本來是通過護城河的一道斷橋。

「飲！呂翁」一陣濁濁的吆喝。

「酒保，來酒！」又是一陣濁濁的吆喝。

「我說呀，樂威，你這懦夫」！吆喝的聲音加上了捲起舌頭的含糊的咀咒聲。

突然之間，所有的紛擾不知道在甚麼時候失落了，竹窗裏泛起了淡淡的燭光。

就在燭光升起的當兒，窗子裏跟着飄出了一闋悲愴的筑聲，筑聲嗚咽的雄正在調轉着激越的音調。

「朋友們，高漸離獻醜了！」一句低沉的話語，來的聲音，卻比筑聲更加悲過。緊接着，筑弦急轉過門的音節，然後，便是一陣豪放而又悲涼的歌調：

「風瀟瀟，易水寒，龍蛇四野，挺挺血未乾，屠龍壯士今不見，千將寂寞空泣瀾，安得燕丹兮，一笑長揮斬戎蠻！風瀟瀟兮易水寒。」

行乞興學的武訓

楊力行

他堅決拒絕，並歎道：『我的事，你別管，兄弟分居不相干』。其姪克信，[illegible]照例不[illegible]衆人[illegible]家當[illegible]恐怕[illegible]他要[illegible]我買[illegible]貧窯，準[illegible]。（[illegible]冠縣[illegible]妻子[illegible]侍奉[illegible]生活[illegible]十畝[illegible]人好，給她十畝，還嫌少，這人孝，這人孝，給她十畝爲養老』。

×××

他終身行乞興學，專爲他人不爲自己，時爲五十八歲，還有人力勸他娶妻生子和締辦後事，他都一笑置之。並歎曰：『不娶老婆，不要孩，以修義學爲生涯；不娶妻，不生孩，修個義學歸自來』。又曰：『街死街埋，路死路埋，死了自有棺材』。

此種捨己爲人的精神，實在難能可貴。他亦有歎曰：『人生七十古來稀，五十三歲不娶妻，親戚朋友斷乾淨，臨死落個義學正』。他死前一年事，分刊濟南，青島各大報，今已無存，惟七律一章尚能憶及，茲錄之，以作本文之殿：

莫道乞人無下場，乞四走，布囊銅釜，身與爲偶。這種捨身爲學，曠達無我的精神，惟墨子的兼愛主義，差足以當之。

×××

筆者抗戰勝利後宦遊山東，曾遊堂邑，臨清，館陶三縣，參觀武訓所創立的三所義學，並詢其舊廬。曾有萬言長文紀其事，錢頭糖出千秋業，豆十得八九。其貌則魁，其功未見留萬古香。

武訓逝世之，山則久，三縣興學，出左名畫家李松亭老先一丐手，允突奇人，生爲繪遺容一幅，藏永垂不朽。

之臨清御史巷武訓小學內的「蔚起樓」即武訓公祠；鄉賢陳恩普先生特爲親題像贊，雖寥寥七十二字，已將武訓生平爲人，及其形狀，栩栩繪出，並錄其詞如下：

狹額磕首，豐頤扁口，狀類老嫗，行乞四走，布囊銅釜，身與爲偶。斷綫殘襪，手自結料，繪像者誰？松亭李叟，而貌精神，誰知武訓盛名揚？

六十年來，國內教育文化人士，所寫有關紀念武訓的文字，不下二百餘篇，筆者曾搜羅彙集成帙，可惜遺留大陸，未曾攜出。甚願將來光復大陸後，能廣徵武訓生平事蹟，寫成一部完整的「武訓傳」俾世人對於這一位畢生行乞興學的武訓，有更深刻的認識與永遠的紀念。

（完）

國父之論詩

彭楚珩

國父孫中山先生，爲近世哲人，文章道德，冠絕千古，但少於作詩，人以鮮見而謂其不能，實則國父不特工於詩，即其論詩，亦有精闢獨到處。

嘗見『懷舊集』中，載有國父挽劉道一烈士之七律一首曰：『半壁東南三楚雄，劉郎死去霸圖空！尚餘遺孽艱難甚，誰與斯人慷慨同？塞上秋風悲戰馬，神州落日泣哀鴻！何日痛飲黃龍酒？橫攬江流一奠公』！詞意悲痛，淒楚動人，非出自衷腸，不能道也。

又民國七年，國父道經日本根箱，日友宮崎寅藏，偕同志數人來迎，即設洗塵宴於『環翠樓』中，席間宮崎求書存念，國父即席揮筆而贈以一聯曰：『環翠樓中乳燕客，湧金門外岳飛魂』。切人切事，律中之工穩聯也，倉卒命筆，成此佳構，誰謂國父不能作詩哉。

至其論詩，則『不匱室詩鈔』載有：『民國七年時，執信偶爲新體白話詩，中山先生輒詔吾黨曰：「中國詩之幽美，逾越各國，如三百篇以逮唐宋名家，有一韻數句，可演爲彼邦數千百言而不能盡者，或以格律爲束縛，不知能者以是益見工巧，至於塗飾無味之作，自非好詩，然如「床前明月光」之絕唱，謂妙手偶得則可，惟決非尋常人所能識也」。』語語中的，深切簡明，非湛深於詩之研究，何能及此？

夏威夷改州好夢成空

美國夏威夷和阿拉斯加改州的議案已送達衆議院，大概不久就會進行討論。但是，衆院議長民主黨議員雷朋已經表示，將來議案提出時，他會反對將兩地統統改爲正式的州，至於他贊成那一個地方，阿拉斯加還是夏威夷？他不會明白說出。同時，他的對手，衆院共和黨領袖馬丁則宣佈，他贊成將夏威夷改建爲州，但反對阿拉斯加改州的議案。此語一出，無異說明了雷朋的立場，一定是贊成阿拉斯加而反對夏威夷的。因此，這也意味着改州的議案暫時還是解不開的死結。（孟衡）

自由人 THE FREEMAN （第四三八期）
中華民國郵政登記認爲第二類新聞紙類
每份港幣壹毫
地址：香港銅鑼灣道二十號四樓 3 rd. fl. 20 CAUSEWAY RD HONG KONG

從速搶救印尼華僑

丁文淵

亞非會議期間，周恩來和印尼外長簽訂了一個「解決華僑雙重國籍問題的條約」，這條約關係我們旅居印尼二百六十萬華僑的利害很大，我們政府不能不予以嚴重注視，應速謀一個有效的，切實的辦法，來搶救印尼的華僑。這事不但關係印尼華僑，實際上也影響到海外一千數百萬華僑的前途。我們不能再因循等待，不能僅事理論宣傳，或僅做口頭的，文字的警告，應當從速拿出有效的辦法，華僑的生命財產才能得到合理合法的保障。

中共控制華僑的毒計

他們所訂的條約；其內容包括三個條例：（一）印尼的華僑，如果願意接受印尼公民身份，必須向印尼法庭，作書面宣佈；（二）其願意保留中國（指中共）國籍者，必須辦理登記手續；（三）如果不願意做印尼公民，即不願做中國公民，即時變成一種無國籍的難民。

這個協定，中共企圖在表面上表示願意和東南亞各國在和睦會議上解決糾紛，藉以減少東南亞各國對中共的戒懼心理，故周恩來在簽字的時候，便說：「有重大意義者，爲此問題在亞非會議解決。此亞非國家在友好精神中，解決困難問題之又一好例。」事實上，中共借此作爲一種有利的宣傳姿態，是絲毫沒有解決糾紛之意的。不但如此，他們還想借此，以達到處心積慮全面控制海外華僑的企圖。這是一個有意安排的圈套，當然不止引誘印尼華僑，也要引誘其他東南亞各國的華僑入彀。[illegible]並沒有加以周詳考慮，自願吞了這個毒餌，將來一再想拔出來，已經是不可能了。

這個協定須經雙方批准，才能發生效力。中共的批准，當然無問題。印尼現有兩個政黨，正式表示反對，這未嘗不是一個希望。從印尼本身說，挽救這個違反人道而且有害於印尼的可恥協定，是最好不過的。

顛覆印尼的陰謀

中共這個有糖衣的毒餌，就是安排了一個極端險狠的，可以傾覆印尼政府的陰謀的！爲甚麼呢？共產國際——「就是蘇聯」——始終沒有放棄它征服世界的野心，尤其在亞洲，它利用民族主義的口號，反對舊式殖民地主義，以期達到推動世界革命的目的。中共是蘇聯在亞洲的走卒。蘇聯深知東南亞擁有一千多萬華僑，且有相當的財產和地位。所謂「解決雙重國籍問題」的協定，便是中共爲蘇聯的目的來操縱海外華僑的法寶之一。試看協定的第一個原則，凡是願意接受印尼公民身份的人，必須向印尼法庭書面宣佈。這點，印尼被中共瞞騙了，因爲他們不知道，這一條事實上是[illegible]，祇是一種謊言而已。

華僑的傳統心理

這話怎說呢？海外華僑，根據千數百年來的文化傳說是具有「敬祖敬宗」信念的。這一種宗教式的信念，不是任何政治行動所能輕易影響的。他們要在任何環境之下，保持他們祖宗傳下來的國籍。但這種信念也是絲毫不影響到他們對任何國家所盡的任何義務的。他們並不會藉此[illegible]他們對住居國的任何責任，都有事實證明的。因此，要解決雙重國籍問題，必須明瞭華僑的這種心理。何況[illegible]還有許多親屬，多數[illegible]他們的接濟，始能[illegible]國家所應諒解的。[illegible]如果是向中共[illegible]果如何？今後中共對他們所施的剝削和一切不可思議的虐政，以及種種非人的要求，他們即將無法避免，他們再不可能和中華民國國籍的在外僑民一樣，自由自在的專心從事本身的營生了。

沒有自由意志可言

此外，[illegible]反對中共[illegible]華僑，當然不願意變[illegible]他們中華民國的國籍。然而他們處於當前的環境之下，[illegible]不得已[illegible]肯予以證明？因此這類僑民將受中共種種[illegible]和威脅。這樣，[illegible]被逼或因顧慮大陸親屬的安全，而淪爲中共的順民，或聽其自然，而成爲無國籍的人民。做了無國籍的人民，不但得不到任何保障，且在印尼的媚共政策之下，章勳義、朱昌東兩位僑領的事件，恐將不斷出現，印尼華僑的前途，眞是不堪設想矣。

應向聯合國提控訴

至此，我覺得我國政府應本愛護華僑的政策，從速以行動切實保護華僑。自由中國和印尼還沒有外交關係，當然無從交涉。但自由中國是聯合國的當然會員國，印尼是聯合國會員國，所以我政府應當從速訓令我們駐聯合國的代表，根據當前事實，向聯合國對印尼提出控訴，阻止這件違反人道的措施。同時印尼國會中，也有不少尊重人道，崇尚自由，明白事理的人士，我們希望他們及時起來盡力加以阻止。

印尼將首先受害

如果印尼不能擺脫中共的脅制，竟使這協定成爲事實，我敢說，首先受到禍害的，就是印尼政府的本身。中共全面控制了華僑之後，必將公開的或秘密的加緊組織華僑，以推行他們征服世界的陰謀。經過中共秘密組織和特別訓練的僑民，不久即將產生出金日成和胡志明之流的人物。這時候印尼政府將不復能安枕，印尼人民亦將無法避免赤色禍災。這是我們的好意忠告，絕非危言聳聽。

聯合國責無旁貸

現在我們的政府必須要求聯合國，向印尼提出交涉。最低限度，印尼政府必須承認中華民國的人民有權保留他們的國籍。在自由中國與印尼未恢復邦交之前，所有在印尼居留的僑民，應當直接接受聯合國的保護。聯合國根據憲章精神，實在也責無旁貸。

（下轉第三版）

意大利已脫離了赤禍

·李加雪·

生產日形增加，生活水準提高，工人不再失業，戰後瀰漫一時的赤禍已經逐漸消失，共黨在工廠和農村的力量已經微不足道。

二次大戰後，意大利民不聊生，失業工人舉目皆是。此時意大利共產黨的力量膨脹得非常利害。全國工會都在他們掌握之中，工人十分之九傾向共黨，故意大利舉行戰後第一次選舉的時候，共產黨認爲必勝，他們已準備接收全國的政權。各地共產黨黨員都於選舉前數日，分別派人察看各該地的大房屋。他們都說，過幾天，共產黨選舉勝利，我們要沒收這些大房屋，用來做工人宿舍和黨部辦公處所。但是結果共產黨竟以少數選票之差，而失敗了。

戰後工業長足進步

十年後的現在，意大利情形改變了，他們已渡過赤色危機，達到新的繁榮和安定。

上月，意大利在米蘭舉行第三十三次展覽會。在二百畝闊的展覽會場中，全國參加的廠商，達九千四百家，外國廠商加入的也有四千家。兩星期展覽期間，前往參觀者超過四百二十四萬人。外國人士和顧客到會觀光的，亦不下十萬人。這一次展覽會，表現戰後意大利工業的長足進步。

在這新派建築物的會場中，眞是應有盡有，無物不備。由牙刷，冰箱，以至噴射發動機，巨大的火車頭，美不勝收。一個大堂裏，陳列了超過一百種三輪和雙輪的電單車，另一大堂陳列精巧的玻璃器皿、磁器、耕田機器等等。

生產增加生活提高

去年意大利遭遇空前的災荒，小麥收成減少二十億噸，可是全國總生產量，比較上一年，仍增加了百分之五。工業生產增加了百分之[illegible]，鋼的生產增加了百分之[illegible]，汽車生產打破以前紀錄，達二十一萬[illegible]千輛。意大利半島開發了一個容量極大的油田，西西里島的油田，經已鑽成油池五所。

沒有失業的工人

意大利靴形的南部，素以貧瘠稱。可是近年來，意大利的商業資本紛向南部設廠。最近奧利威特廠南部建立分廠，預備每年生產計算機五萬架。另有五家大工廠經於去年在南部成立分廠。去年南部的電力消費量增加了百分之四十三點五，無綫電收音機的銷場增大了百分之十[illegible]點五，汽車銷場增大了百分之四十二點六，耕種機器的銷場增加了百分之三十五點六。近年來，意大利南部的人民生活水準，已經達到全國平均的標準。

北部工業區，因爲需要增大，鋼的生產還不敷分配現狀。北部兩家三輪電單車廠，每月產量各超過一萬一千輛，比較兩年前增加了一倍。戰後，意大利生產了二百四十萬輛三輪電單車，數量雖大，仍未能充分供應各地方的需要。

因爲工業生產品的增加，工人工資，去年平均增加了百分之三點五。在米蘭等工業區，失業工人已不復存在，而熟練工人反日見缺乏。工業區裏工人家庭，許多全家出動，參加工廠工作。他們希望以勞力換取汽車。飛力汽車廠的工人曾有千餘人申請購買該廠的新式六百式汽車。

共黨工人日漸失勢

因爲工人能夠安居樂業，於是意大利的共產力量日趨退縮。北部二十多個大工廠裏頭，工會的主持權，已由自由工會從共黨工人的手裏奪回來。米蘭規模最大的科洛鋼廠，最近舉行選舉，共黨的票數由去年的百分之七十二減至百分之四十八。規模最大的飛力汽車廠，遠在慕索里尼時期，便有共黨堡壘的稱號。當時爲了遷就共黨工人，該廠曾把人事管理權交由共黨主持。那時候，共黨在飛力汽車廠佔有百分之九十的選票，到了去年，已下降至百分之六十。本年三月，該廠舉行選舉，共黨票數再下降至百分之二十七。本年內共黨在意大利全國工廠裏的力量，已經減縮至百分之三十七了。

農民不信共黨宣傳

農民方面，共產黨遭遇到更大的失敗。本年意大利舉行農村行政人員的選舉，農村行政係一種新機構，負責農村的醫藥和救濟品分派事宜。共黨認爲農村行政人員和農民有密切關係，同時也是宣傳主義的一種有力機構。未選舉前數月，共黨即分派黨員到各處農村活動，向每一家農舍陳說他們的主張。他們說，共產主義是農民的天堂。但選舉結果，共黨慘遭失敗。全意大利七千六百四十九所農村裏，共黨只佔到一百四十二所。

現在，共產主義在意大利已經急速衰落，意大利亦已轉危爲安了。

本週展望

·旭軍·

東歐的赤色聯軍

蘇俄和東歐七個附庸國，今日（十四日）在華沙簽署所謂「友好合作互助公約」。這個因西德重整軍備而恐懼及急謀對抗北大西洋公約的組織，將積極組織新的紅色聯軍，也是給東歐一個新枷鎖。目前蘇聯正與波蘭政府討論「設立八國聯軍總部」問題。主奴間的會談只有唯命是從，快就會實現。最近蘇聯國防部副部長考涅夫在波蘭首都的奔走，便是任務，就是設計統一東歐陸軍部隊。將來八國聯軍總司令，現在是波蘭國防部長兼副總理洛柯索夫斯基元帥。因爲他出世在波蘭，又是一個蘇聯最著的陸軍將領。照理他是最適當的人選，而八國聯軍總部或許便設在華沙了。蘇聯既實際上控制附庸國，表面上又表演尊崇波蘭民族主義的姿態，這是一石二鳥政策。

密鑼緊鼓外交戰

這個五月，因有德國恢復獨立整軍，與東歐華沙會議，與奧國和約之簽訂，以及美國同意開四國元首會議，使世界局面顯露出未來的大致趨向。約而言之，蘇俄共產集團顯露出畏懼大戰，而猶寄望於滲透戰。美國則以原子武器優勢在握，有恃無恐。英法方面仍幻想和平共存。蘇聯集團內部有農業經濟與內閧的危機潛伏。這是貝利亞被殺，馬林可夫被黜，最重要的因素。而中共自承高崗早在一九四九年已謀叛變，可見內閧禍根之深。但此雖係畏懼大戰之因素，而非係共黨崩潰之因素。因共黨鐵幕中之軍事化組織，足以維持其政權，非有外壓力不足使其崩潰。

蘇聯在奧國和約上的讓步——其實不是吃虧的讓步，而是略減低價錢——是和平宣傳姿勢，同時促四強元首會議成功，從此西方國家矛盾分裂加深了。蘇聯方面欲藉此緩和緊張局勢，四強元首會議，分裂自由世界。美國則欲藉此以困擾蘇俄，這是美國反對與美國合作而傾向於蘇聯的。同時美英工黨左翼國亦不敢拂逆歐洲方面之意，可以堵住歐洲人的嘴。姑與一談，談不成，他們死了條心罷。

蘇聯看見美國居然同意四國最高級會議，得寸進尺，又來一個所謂「裁軍新計劃」的和平攻勢，目的使中共打着「我有六億人民」的大招牌，打入「最高級會議」。

彭德懷以觀察員身份參加華沙會議，居然在會上大放厥詞，用意何在？是對蘇聯附庸兄弟宣傳麼？是對西方表示中共參加大戰的人力？如要談裁軍，都不是的。而是向西方表示：「六億中國人民」，好像看中國人民是奇貨可居！彭德懷口口聲聲自有定見，可以「上車」。可是上了車，蘇聯便提出種種難題，以「不答應不下車」爲要挾。同時與英法峻勸，惹起艾克艾登互相怨艾。總之使美國在車上扮演一個「不愛好和平」的腳色，遊行示衆，蘇聯的目的便達到了。

星洲事件是星星之火？

今後蘇聯以外交上的縱橫捭闔及政治上的滲透爲主，以軍事上不可少的爲輔。其進行擴張的方向，在東南亞，中共是蘇聯的大工具。戰後十年以來，蘇聯扶植了中共，助其奪取了統治中國大陸的政權，由此建立了亞洲的進攻橋頭堡。現在且協定，得以插足東北，分割外蒙，控制西北，向東南亞廣泛的滲入，或利用民族獨立的口號，或煽動民衆鬥爭，或鼓動武裝暴動，來奪取政權。東南亞目前最危險的地區，是在越南與馬來亞。現在星洲罷工發生暴動的事件，具有嚴重性，不可忽視。從林語堂在星洲「南洋大學」文章看來，可見共黨在星洲如何的積極實行滲透，而傾覆、企圖以武器，不用軍力而赤化東南亞。自由世界如紙政治理想，則誠屬危險了。

林語堂與南大的餘波

莘客

國外通訊

【星洲特約通訊】林語堂和南洋大學的糾紛，曾因各國通訊社駐星記者競相拍發電訊，而沸揚全世界。直到四月十七日林氏及其他教職員領得三十多萬元叻幣的遣散費，離開星洲，事情本可告一結束。但由於林氏後在法國發表談話，及在生活雜誌寫文章，把他的辭職原因說成爲受了共黨所迫害，於是本可沉寂的「林南」事件又再度洋溢起來。

林南事件死灰復燃

在星洲方面，這一期的生活雜誌固然被搶購一空，而大小報章更不惜通篇累牘刊出抨擊林氏的文章。大焉者，社會名流的闢謠談話；中焉者，攻訐林氏的任用私人；下焉者，尋章摘句，挑剔林氏來往書函上的別字，錯與眞是洋洋大觀，教人目不暇給，這些以前未經發表的東西，頓時成爲一般僑胞的談話資料，無論在茶舘裏，寫字間裏，俱樂部裏，巴剎（在菜市場專營夜食的地方），到處都聽到他們這樣談論着，或爭辯着。

他們的爭論是很公平的，祇是就事論事，不肯盲目地偏袒任何一方。但祇是零碎的，片段的把事情分割開來談論，對整個事情並不輕易下一個總批評。筆者也祇能依實報道，請讀者作爲這次林南事件的餘波看好了。

普通僑胞的看法

這裏一般僑胞對這事情另有一種看法，不像外地人士把林語堂和南大看成兩個敵體。林氏的來去，他們祇當作是南大的內部問題，或者是校董與校長間的問題。他們百分之百愛護南大的，凡有不利於南大的話，他們都不願說。他們堅定的信念，是：這裏的中國人應該有中國人的大學，但不一定是「第一流」的大學。因此，二千萬叻幣基金的籌措，然不成問題，但祇夠兩年多的開銷，（林語堂提出的每年的經費預算是八百多萬元），倒反而成爲問題了。不滿意林語堂的人知道南洋華僑好實際而不尙浮誇的脾氣，就把握着這一點來打擊林語堂，而迫走了他。這觀點是純然從預算案作出發的。

其次，林語堂任用女婿當南大行政秘書，女兒任校長秘書，姪兒任會計長，領取一大筆薪水，也得不到一般輿論的同情。這也是預算問題中的枝節問題。

吹毛求疵的攻擊

至於南洋商報指摘林語堂的別字，錯典，如：「如雷灌耳，汗流浹背」，又把「築室道謀」誤爲「築室道旁」，「妨礙」寫作「防碍」，「背壞」誤作「脊壞」等，一般輿論都認爲未免吹毛求疵，縱使是林氏一時筆誤，也不應拿出來作攻擊的口實。如果把文字上的偶然小錯誤，說爲林語堂「純盜虛聲」，夠不上當大學校長的資格，那聘用林氏的校董們便首先要負責，事前失於明察，事後卻來放冷箭，似乎迹近小器。難怪林氏在送行會上，有「黑白縱諸報界，是非自在人心」的一副聯子了。（按：南洋商報的社長李玉榮，是林氏指爲幕後操縱人的李光前的令弟。）

李光前是何人？

李光前是個什麼人物？除了我們知道他曾認捐南大基金總額百分之二十，而且先交二百萬元的一位校董外，林語堂在生活雜誌上說得更清楚，他是一位擁有很多橡膠的商人，現年六十六歲。在韓戰期中，曾沾出相當橡膠與中共，因而獲得一筆很可觀的利潤。估計其財產，約達二千七百萬元。他的岳父是陳嘉庚——現任中共的僑務委員。由此關係，便成爲中共政策的媒介，立意不誠林氏建設一個眞正自由的最高學府。

林氏所指陳，除了關涉中共的一點外，這裏的人完全同意。岳婿的關係是否可以驅使李光前走上共產主義的路線？這是一個疑問。因爲在星洲一般人看來，如果走上這條路，可以立刻被驅逐出境，如此富有的李氏，値得冒這風險嗎？緊急法令一天存在，還要準備一天不談政治，甚至別人談政治也不願意，故從來不肯隨便地給人去上有色彩的帽子。林校長之所以給校董們不滿的，這也是一個很大原因。

反共談話種禍根

記得林氏在美國受任南大校長後，曾發表談話說要將南大成爲反共的堡壘。電訊傳來，校董們已爲之歸慈。其後林氏抵星，雖會公開否認這談話，可是印象猶新，不易抹去。華僑銀行之董事長非他，李光前是也。林氏之所以事後指實李氏爲幕後操縱人，並建議英國政府把他驅逐出境，是不無原因的。不過其間是否含有一些私怨的成份呢，這裏就沒有人敢下一句斷語了。

南大校長將誰屬？

南大的先修班快要開學了，校長一缺，還在虛懸。有人推測，南大既然不要爲「第一流」大學，大可以由李光前自當校長，而以表面上與林語堂同進退的熊式一來當副校長，不是了卻這宗頭痛公案嗎？熊氏現正漫遊歐西，遲遲尙未返星，這安排也許不難成爲事實的。（五月八日）

越南命運與吳廷琰

——吳廷琰的政策及其性格

李世光

法國不喜歡吳廷琰

吳廷琰總理是一個十分倔强的人，他不要錢，不妥協。一九四六年胡志明攻擊法軍的時候，吳氏表示中立態度。一九四七年他組織了一個政黨叫做『國民聯合前綫』。法國不信任他，禁止該黨的活動，吳氏跑到美國，請求國務院和參議會不要支持法國的越南殖民地政策。吳氏說道，『法國駐越南的軍隊不錯會和共產黨作戰，可是他們也同時蹂躪安南人民。』奠邊府丟了，法國才允許吳氏以安南獨立條件，請他出來担任總理。

吳廷琰的四項政策

吳廷琰回到西貢，發覺安南沒有一營是可靠的軍隊，國庫裏也沒有分文。每日從北部逃奔自由的人，日以千計，政府沒有辦法安置他們。

吳氏赤手空拳，也發動了四項運動：（一）計劃召開國民大會，和減低田租。（二）百分之五十上的田租，減低到百分之十五。（三）改組越南軍隊，預備收復共黨退出的地區。（四）由法國人手裏收回紙幣的發行權，力求發展越南的國營貿易。吳氏的清廉，和保大的愛財如命，可[illegible]就是一個十分明顯的對照。因此，只幾個月，越南人民便曉得吳氏的爲人了，從此，他所到之處，萬人空巷，對他高呼萬歲。

革命委員會開會

黑白是容易辨別的，當教派份子和保大份子全部撤退，表示和吳廷琰不合作的時候，內閣搖搖欲墜，於是越南的愛國份子三百名有志青年，創立了一個革命委員會，在西貢舉行大會，通過幾個議案：（一）保大是法國殖民地主義的傀儡，驅予罷免；（二）法國應把遠征軍九萬人調離安南；（三）請求吳氏組織臨時政府，召開國民大會。

這革命委員會代表國內十八個政黨，和國民軍。開會的時候，他們把保大的照片扯下，撕碎，加以踐踏。

阮文輝狼狽潰逃

越軍總監阮文輝還以爲越南國民軍是服從他的命令的。深夜領了保大的警衛隊一千九百人，通過法軍區域，衝入國民軍防地，（西貢法國部隊准許阮文輝和教派隊伍通過他們的區域，拒絕國民軍進入。）高呼國民軍歸隊，共擁得保大的警衛隊反向國民軍投誠，阮文輝只好一人逃到鄉間——茶叻。

平順派殘餘隊伍出法軍防地發動，向國民軍攻擊。國民軍祇使用了三營降落傘部隊，和十多輛裝甲車，便把叛軍逐出城外。越南教派的隊伍大部消滅了，剩餘的不過千人左右。因爲民心的愛護，和國民軍的矢忠，手無寸鐵的吳廷琰克服了空前的困難。腐化的力量，軍閥的爪牙，都望風潰逃，越南的局面似乎可以穩定了，安南可以復生了。

法國人只曉得要錢

法國殖民主義者的目的只是錢。吳廷琰太固執了，不是他們的同道，因此法國人不喜歡他。

當西貢戰事正在激烈進行的時候，吳廷琰對外國記者說：「我主張和共產主義作戰到底。根據經驗，有民衆支持，共產黨是不會失敗的。怎樣才能夠得到民衆的支持呢？惟有把人民從殖民地主義和軍事制度的水深火熱中解放出來。只有自由人民才有力量打擊共產主義的侵略。法國的殖民地軍隊並不想打越南，也不肯離開越南。他們的目的是要美國每年給越南一大筆援助，他們只想讓一筆援助也拿到手上。」

任重道遠的吳廷琰

法國殖民地主義者和保大以及宗教的派別，都是想發財的，祇有不發財的越南，才能夠維持[illegible]。越南大選已定期一九五六年七月二十日舉行，[illegible]現在只有一年零一個多月，若果越南再落在要錢的人手裏，一彈而變收南部的一舉，不要錢的，有骨氣的愛國主義者吳廷琰，他的責任實在是太艱巨了。（五月一日）（下）

我所知道的衛立煌

——骨頭比火柴梗還輕

吳文蔚

刺蝟的挨打戰術

東北的局勢，從那時起便一蹶不振，當時的老百姓，把衛立煌到東北後的情形，曾用幾句非常透澈的話來形容，這幾句話是：

「衛老總，一聲不響，瀋陽城，長晝動盪，高築工事，日日操演，老百姓，時刻憶慌，發電廠，暗暗無光，火車路，條條斷絕，錦州城，瀋陽城，衛老總，準備飛騰！（指衛立煌坐飛機逃走也）」

這幾句話，倒把當時東北的情景，形容得淋漓盡致，當時的輿論，也把衛立煌消極挨打的措施，喻爲「刺蝟戰術」！

冬天過去了，東北的局勢，似乎是有了一點生機，[illegible]有來，[illegible]

這一年五月，衛立煌忽然發動了一次搶收運動，這是東北的麥收季節，遂[illegible]。瀋陽的市民，到處慶祝勝利，國防部也同時派大員到東北慰勞大捷。這時候，本來是轉機的關頭，可是衛立煌自高自滿，在慰勞大會上，宣佈他的計劃說：「三分作戰，七分準備，準備夠了，勝利是沒有問題的」。從此以後，衛立煌按兵不動，一聲不響的，等着敵人來打。

坐失時機倉皇應戰

敵人已作緊急的佈署，日以繼夜的趕修由通遼到大虎山的一條鐵路。匪軍逐漸向遼西集中。因爲錦州是東北空運的主要大倉庫，錦州一失，瀋陽長春便會不攻自破了。衛立煌一味埋頭實行堅洞的準備，備來備去，不知他備了些甚麼。自己的部署，一切依然故我，而敵人的動向，卻一日一日的不同。這時候，剿總一位參謀擬好一個反攻計劃，請衛立煌於七月中發動攻勢，直取彰武，打通遼南，奪取營口，移師遼西，迫敵決戰。同時力促衛立煌機先發動，說明誰能機先，誰便能操左拳。衛立煌對於這個建議，只是點頭唯唯，過後仍然是一聲不響，按兵不動。

到了九月上旬，敵人便在錦州動手，十月初又取了長春，此時瀋陽孤立，匪軍抽調一部進攻錦州的軍隊，急渡大凌河，情勢非常危殆。衛立煌此時才驚惶失措，把七分準備的所有力量，一齊撥出，倉慌應戰。其應戰步驟，雖然和那位參謀所擬計劃無異，但卻遲了一步，完全出於被動了。當時廖耀湘雖直取彰武，但遼北匪軍卻乘機南下瀋陽，剿總危如卵累，廖兵團陷於進退維谷之勢，在這種情況之下，本來劉玉章部以雷霆萬鈞之勢，連克鞍山營口，打通了遼南走廊，正是移師遼西殲滅頑匪的好機會，不料遼西卻被敵人重重包圍，劉部因而成了有心無力，英雄不能用武，只好登艦撤離。這時瀋陽的情況不明，而這位所謂「長勝將軍」的衛老總，老早已準備好飛機，藉開會的名義，拒絕了任何將領的會見，悄悄地登機逃空，溜之大吉了。

他先逃到葫蘆島，作爲觀風測雨之地，到了那裏，便放出空氣，說總部遷移該地，仍舊繼續指揮作戰，實際上他坐的飛機只在葫蘆島加了一下油，便一直飛廣州了。

投到垃圾堆絕不爲奇

東北的河山，和數十萬現代裝備的大軍，便這樣被「長勝將軍」如此這般的斷送淨盡了。

據說剿總的官員，從瀋陽突圍回到南京後，有的堅持要請當局活捉衛立煌。不久，政府便明令緝，衛立煌便從此一逃，逃出國界，溜到香港，逍遙法外了。

這位所謂「長勝將軍」，單憑他在東北的一套爛污稿發作法，那裏還談到甚麼軍事和打仗？他到了香港，做了幾年生意，把本錢敗完了，卻又靜極思動，觍顏投共，人謂這是共產黨的統戰工作成功，爭取偶像的策略，實際上他祇是一堆垃圾，現在投入共區，正是進了垃圾箱，有甚麼稀奇的？

衛立煌的骨頭沒有比一根火柴梗兒重，到如今卻是千眞萬確的靈驗了。（下）

周恩來萬隆臨陣退卻

上月萬隆亞非會議中，反共國家代表大駡共產黨的一幕，極使人稱快，但還有一幕好戲本來可以令人叫絕的，只因最後一分鐘的轉變，便沒有上演了。這一個重大的關鍵外間極少知道的，眞正明白的只是共黨的代表而已。原來在會議進行當中，周恩來和越盟代表同等本來預備演出大鬧美國山的節目，而且內容是，決心以美國在太平洋上的原子試驗作攻擊對象，指責美國的原子試爆，危害世界安全，並希圖贏得日本的好感，誰知道在周恩來等準備登台時，[illegible]地裏先和他們商議，說，如果共黨控訴美國原子試驗，伊朗代表決跟着發表演說，斥責[illegible]（蘇聯）也在北部的[illegible]原子試爆，有碍伊朗人民的安全，其他中東國家與日本[illegible]馬，就在四月廿一日上午[illegible]，俄國[illegible]一次[illegible]間，科學家判斷，東京[illegible]大的原子爆炸，原因[illegible]（宏衡）

編者　讀者

△把討論香港教育問題的文章集合在一起刊載，本期是本刊的第三次，今後因爲稿件處理的方便，也許不再用這一個方式，我們將把這類文章隨時分別發表，請讀者留意。

△徐道鄰先生的「語意學」一稿暫停一期，並沒有完稿，以後仍將繼續刊出，請此聲明。

△金伯華先生的「經濟社會思想叢書」

△台省稿件彙集轉寄辦法，現覺並不十分方便，今後請[illegible]諸先生，仍直接寄港爲荷。

△劉鵬昌，戴一麟，梅珍，小丞，沈嗣誠，沈澤甫，劉起，無象諸先生：惠稿均已奉到，至感幸！

香港教育 三

論歷史教學

·燕廬·

最近讀了一篇司徒雷登先生的在中國五十年，發現這一位美國的老人，竟深深地愛着中國，他愛中國的禮俗、文學、藝術、人文思想，甚至於生活方式。這，並不因為他在中國生活了五十年，而是因為他曾讀完了中國的歷史，體驗過中國人的生活方法，他對中國的了解，是內心所發出來的一種同情，同別的外國政客、外交家、傳教士，以至於陰險狡獪的間諜，喧賓奪主的「顧問」，真是差得太遠了。因此，我以為要一個人愛一個國家，首先得讓這一個人有機會認識這一個國家的歷史，這也即是說：要那一個國家的國民愛其自己的國家，必須使其國民認識明白其本國的歷史。普通學校，一定有歷史這一門課程，而且一定須先教本國史，其理由即在於使他的學生愛國。

香港學生缺乏歷史興趣

最近香港教師會中文部的歷史教師在培正中學舉行過一次分組研究的集會，我有一位朋友，他正在香港的學校教授中國歷史，因此他也參加這一次的集會，他同我談過開會的情形，大致是所有的教師都一致認為香港的學生很少學習歷史的興趣，他們如何討論提高學生學習歷史的興趣我不知道，但我却很願意談談學生為甚麼會很少興趣的原因。

我有過一次經驗：我的另一位朋友病了，叫我替他代課，他原是教國文的，歷史功課只有四小時，我覺得也許可以一試的，於是答應他，替他上課了。當時那一班學生讀的是中國現代史，剛剛是北伐前軍閥混戰的一段，這些史實我不算生疏，於是除照着書本講解之外，還徵引一些課本外的資料，意思想指出造成那一種局面的社會背景。但，學生們終於提出異議了，他們說：「先生這樣講原很好，但將來考起來，我們就吃不消了。我們的先生並不照書本講，他只在書本裏摘出一些大事，寫在黑板上，叫做筆記。是很簡單一條一條東西，我們抄下來，將來先生考試時，只要把筆記讀一回就行了。若照你這樣教，我們要記，而且要想，份量又太多，你還是替我們寫些筆記罷！」我於是叫他們拿筆記給我看，原來像我們讀書時，為了省事摘出溫習的習題一樣。那時，我們是背着先生做的，但如今却是先生教他們如此做，我只好知難而退，不再去上課，但從此我開始注意這一個問題：

賣魚買肉　加搭骨頭

香港的教師們，開始注意歷史教學這一問題，大概因為教育司規定中學會考必須考歷史。未有會考以前，歷史一直是一門可有可無的功課，做校長的，絕不必考慮羅致教授歷史的師資，也不必花錢置備一些關於歷史的教具，因此就變成凡是教國文或地理的人，同時一定也能教歷史。一間學校裏，很少有專教歷史的先生，大概都配給教國文或教地理的先生去担任。香港學校的支薪，是以上課節數計算的，那一位先生担任本課節數不夠規定的限額時，校長或教務主任，就請他「幫忙」幾節歷史。像市場上肉販對一位買魚肉的主婦，勉強塞她搭一塊骨頭的情形一樣。做先生的，為了職業，雖明知是一塊骨頭，也得硬着頭皮去啃一下。我曾見過一位教國文的朋友，兼教兩班學生的外國史，他不懂得華盛頓是人名，同時也是地名，忽然文理上發生華盛頓作成地名時，他立刻放下書本，慨嘆地說：香港書店的印刷太馬虎，竟把華盛頓變做地名了。

做教師的要負責任

我們不願意過份嚴厲責備為了吃飯而教書的人，但我覺得既然選了這一門職業，便該有一種責任感。儘管我們所受的是可恥的待遇，而教書到底有其應有的一點尊嚴。前些時，我到一家中學參觀一次成績展覽會，在學生的歷史作業中，有一些塑膠製的古代兵器，是根據一本書報上所繪的圖樣和說明抄下來的，十分像戲台上的傢伙。我們的歷史水準，竟至趕下七戲台上的伶工，這又是誰的責任呢？韓愈作師說，以為先生對學生要負起傳道、授業、解惑的責任。說傳道、授業，似乎太堂皇一點，不過最低限度要做到可以幫助學生解惑。但結果却是不祇惑不能解，反而令他們大惑不解。這，難道可以說是我們出來教書的本意嗎？學生對歷史功課情緒低落是事實，而這種事實，恰巧大半是教師缺乏責任感所造成的。我以為：說他們情緒低落，絕對不能委卸我們的責任。

過重教學法的流弊

此外，香港教育界有一種過份看重教學方法的風氣，以為懂得教學法的人，可以不必有什麼學術上的素養，便一切功課都可以教人了。許些全憑教學方法做武器的先生們，自己不學歷史也教歷史，既不懂得史實，自然說不上史識。他們不知道什麼叫廿一史，也不知道唐宋元明各朝代的先後次序。他們的工具是一些五花八門的圖表（自然都不大正確），和油腔滑調的口才。正如一般有經驗的人，[illegible]本是味求價便，[illegible]廚師，不單是[illegible]用可口的菜餚[illegible]的鹹淡，菜餚[illegible]有問題，自然[illegible]吃客們「倒胃口」了。最近我看到一本香港印刷叫做歷史作業圖表的書，內容全是[illegible]

[illegible]

智識界不健全心理

此外，我覺得香港的知識界還有一種不大健康的心理，[illegible]阿Q心理。[illegible]

研究歷史的真目的

我們研究歷史，[illegible]

要掃除阿Q的心理

[illegible]

矛盾的教育政策

·文華·

【本報特訊】香港教育當局近曾對本港英文學校的校長們說，他們接到本港若干商行或廠家的函件，申說本港英文書院畢業生英文程度不足，不能適應實際需要，希望學校當局把學生的英文程度提高。可是就在同時，一間英文學校的監督，因為想聘一位英文好而又有教學經驗的英文教師，教第五班（會考班）的英文功課。物色了許久，纔得到一位國內大學英文系畢業而又極富教學經驗的某君，監督先生十分滿意。願出該校最高的待遇，請他立刻到校授課。然而當某君前往教育司請求註冊的時候，却被堅決拒絕了。

教育司各層負責人對他說，按照規定，必需英文第五班畢業，有會考及格的憑證。（英國及英屬地的都成），纔有在本港充當英文教師的資格，某君的學歷和經驗都是不相干的，格於規例，無法照准。於是某君只好廢然而返，該校也只能照規例去另外聘人了。這種矛盾政策，我想教育當局，也很難加以解釋的。當然，在規例之下，有本事的醫生也有許多不能在本港掛牌行醫的，很有資歷的英文教師，不能充當教員，自然不足為奇。奇怪的是教育當局要提高英文程度，不知如何可達目的耳。

× ×

失學救濟的建議

·廖任超·

目前的香港教育，應興應革之事很多，為二百餘萬僑胞子弟教育前途計，實有促請當局實行改革之必要。不過要提出具體的改革方案，斷非一二人的意見，所能見得周到，必也賴全教育文化界的人士，多多提供意見，集思廣益，然後才能提出具體而切實的方案來。

筆者曾在國內服務文化教育界，歷有年所，對此問題素感興趣。我對於當前的香港教育，覺得亟須改進及解決者，約有下列六項——（一）發展社會教育（二）救濟失學（三）發展專門教育（四）糾正學店的作風（五）管教問題（六）課本問題等等；仍如骨硬在喉，久欲一吐為快。現在我想提出：「救濟失學問題」幾點意見，藉供大家討論。

失學兒童廿三萬

失學，目前在香港，是一個嚴重的社會問題。

失學兒童究竟有多少？一時無法得知，不過據一般估計，香港人口約有兩百四十萬人至六十萬人之間。及齡學童人數約佔全人口的百分之二十右左（連未及學齡學兒約共佔百分之二十五）。據此推計目前香港的及齡兒童，（至成年止）至少在四十八萬人以上。但目前在學兒童，不過是二十五萬人左右，（據教育司高詩雅在一九五一年十月份的季報報導，至是年秋止，全港學生，即在學兒童，共有十八萬零二百五十五名，至一九五三年十二月季報報導，全港學生共有二十二萬七千四百零六名。事隔兩載，即增加四萬七千一百五十一名，平均每年增加二萬三千五百餘人，依此推計則目前學生共約二十五萬餘人。）若以及齡兒童（至成年止）四十八萬人計，除在學兒童二十五萬人外，則尚有二十三萬度的失學兒童，（即佔全及齡兒童之半數弱）。似此龐大的失學數字，對於香港僑胞教育的前途，確是一件可怕的威脅。為要解決這個問題，實有切實研討具體辦法，而建議當局採取措施之必要。

居民教育促進會

關於救濟失學，有二個問題：（甲）高中畢業生之失學救濟問題，（即應發展專門教育以解決之）（乙）兒童失學救濟問題，（即中小學生失學救濟問題）。本文限於篇幅只討論：「救濟兒童失學」問題。（不談理論，不加解釋，只談辦法）

查兒童之所以失學，無疑的，是為了經濟問題。（其次為學校缺乏），目前要具體解決這個問題，筆者認為：首先應發起組織一個推動工作機構——香港居民教育促進會。（由港九教師會，港九居民聯誼會及新界鄉議局各推舉代表若干人組成之，並聘請熱心教育的社會人士參加），其任務：（甲）研討及厘訂發展香港教育的具體方案，（乙）「建議」「促請」及「協助」當地政府採納施行，其計劃方案內容：（A）發展專門教育的計劃，（B）發展「中」「小」學教育的計劃，（C）目前失學救濟的計劃，限於篇幅，本文祇討論（C）項——「救濟失學問題」。其辦法約分三點：

幾項具體辦法

（一）設立義務學校：（一）首先進行切實調查全香港（包括九龍新界）目前的失學兒童數量，（二）根據失學人數，確定應設（中）（小）學義務學校若干所，（預定每校容納若干人）（三）劃分若干個義務教育區（即失學救濟教育區）每區應設義務學校若干，依其失學人數而決定，（四）每個失學救濟教育區，應計劃設官立義校若干所，私立義校若干所，（五）凡屬難民區（如徙置區）應設立特別義務學校（除免學什費外，並供給課本，文具等項。且對特別貧苦之優秀失學難童，應津貼其膳食費）。

（二）經費來源：（一）政府方面：應請當局增加教育經費預算，採納實施救濟失學方案：（A）設立官立義校（B）津貼私立義校（建校及開辦費）（二）人民方面：私立義校經費，由各街坊福利會負責籌措之，並由政府協助。（三）鼓勵各宗教教會籌辦義校，（由政府協助之：（A）撥建校公地，（B）協助籌募經費，（C）津貼其建校及開辦費。）

（三）教師：（一）師資：如廣泛實施失學教育，師資人才，必感缺乏，當局可徵聘（舉行甄選辦法）失業（或流亡）之富有教育經驗人士（或各教會之義服教育工作者）充任之，（二）待遇：為減輕經費，擴大失學救濟教育起見，凡義校教師，應半服務性質，不受薪給，祇支津貼費（比照調景嶺難民學校之義服教師的津貼標準酌量增加之）。

難民教育亟應注意

（四）設立難民教育區：選擇適當地點，設立難民教育區，大量收容失學難童，其目前最適當地區為調景嶺，[illegible]

速從搶救印尼華僑

[illegible]

讀書隨筆

馬五先生

閒來無事，偶爾翻讀中國錢穆書中的「離騷」一遍，頗惜屈原那樣自命忠君愛國，一副傻頭傻腦的書獃子心情，殊不及他那位姊姊之通達世故，審於自處。據屈原自述：

女嬃之嬋媛兮，申申其詈予，曰：鯀婞直以亡身兮，終然殀乎羽之野。汝何博謇而好修兮，紛獨有此姱節！薋菉葹以盈室兮，判獨離而不服。衆不可戶說兮，孰云察余之中情，世並舉而好朋兮，夫何煢獨而不予聽？

她這段話，指摘屈原不知和光同塵，隨俗浮沈之錯誤的人生觀，以致為上官大夫靳尚那般達官顯要們所憎惡排斥，落落寡合，徒自苦耳。屈子既然理解「衆不可戶說兮，孰云察余之中情」的道理，卻又不聽乃姊勸告，說是「余固知謇謇之為患兮，忍而不能舍也」，又說「老冉冉其將至兮，恐修名之不立」，書生氣習十足；並且頑固倔強到底，自認「阽余身而危死兮，覽余初其猶未悔」，居然表現一種殉道的宗教精神。這與加里略被酷刑臨死時，仍然大呼「我還是相信地球是圓的」那種為真理而犧牲的氣魄，殊無二致。

假使屈原聽從女嬃的勸說，改變觀念，對靳尚一流人物逢迎容與，憑着他的才情，當然不愁富貴，又何至於窮愁潦倒，流落他鄉，最後惟有投水自殺，以了殘生呢！不過，他若不被懷王疏遠，流放失意，也就寫不出像離騷這類藏之名山，傳之萬世的作品來，或許連他的名字亦不會為後人所知曉哩！

人類文明的創進，就全靠有若干守死善道，不惜以身殉真理的書獃子存在着。今日我們要反抗那野蠻退化的共產生活，如其沒有「阽余身而危死兮，覽余初其猶未悔」的屈原精神，而寄望於上官大夫式的人物，行嗎？

徐樹錚新傳（一）

・邵林宗・

一、開場白

孔子說：『才難，不其然乎！』可見，人才艱難，孔夫子也老早嘆着眉頭嘆氣！大抵人才產生，有由於先天的，或者偶然的，也許與後天教育和地理環境有相當的關係。徐州這塊地方，古稱彭城、京浦、隴海，路綫縱橫交錯，芒碭毓秀，黃河揚波，廣大的平原自古為兵家必爭之地，也是英雄豪傑，挺生的地區，劉邦、項羽、蕭何、曹參一些帝王將相，史不絕書，降及近世，具武略，擅文學，通政理，有辯才的人物，無疑徐樹錚要首屈一指了。

二、家世與出處

徐氏別號又錚，徐州蕭縣醴泉村人，他的先世，是半耕半讀人家，到他父親才中了拔貢，以教讀為樂，及門學生，不下千餘人，稱為徐州大師。他生後聰敏過人，七歲入塾讀書，過目不忘，鄉里傳為神童，十三歲中秀才，不久，以第一等第一名食廩。可是，他賦性倜儻不羈，無意以科舉晉身，喜讀孫吳兵法。當時，袁世凱做山東巡撫，年少躁達，以訓練新軍，富國強兵自任，他覲謁軍門，上萬言書，痛論時政，自然洒落文章，娓娓動聽，袁氏雖正值丁憂謝客，但不忍棄置這篇萬言書，當交付他的幹部段祺瑞延見，此是他和段氏的淵源，也是他發靭的前奏。

三、和段祺瑞的關係

合肥段祺瑞在北洋系軍人中，要算傑出的人才，和徐氏接談以後，曾避席稱之曰：「先生才學，勝祺瑞十倍！」從此就留在幕中。但是，一個假應生，在軍事上不算甚麼資格，特地保他到日本入士官學校，畢業回國，依舊追隨段氏，參贊戎機。民國成立，袁世凱做第一任大總統，以段氏為陸軍總長，徐氏先後任軍學司司長，軍馬司司長，兼任政治委員會委員。甲寅年，擢升將軍府廳長，陸軍部次長。

四、反對袁氏稱帝

袁世凱感覺民主國家，備受國會牽制，不便獨斷獨行，更不易為子孫造成萬世基業，楊度等一般政客，迎合意旨，組織籌安會，計劃恢復君主制度，徐氏上書袁氏曰：「……名者，實之賓，今天下初定，國信未宣，而遽復紛更其事，所關利害至鉅。名實之間，御之惟其宜，願公審焉……」書上不省。他又往說段氏曰：「帝制萬不能行，諸將帥多幅起爭用威力，朝夕自快而已，四方分崩離析之形勢立見，宜深引，以俟變也。……」段氏深韙其言。

五、西北籌邊使

袁氏稱帝，改元洪憲元年，蔡松坡、梁任公，先後潛赴雲南，聯合滇督唐繼堯，聲討帝制，西南各省相響應，袁氏憤悶暴斃，副總統黎元洪繼承大位；段氏任國務總理，他任國務院秘書長，持法度，抑倖進，不循私情，任用必盡其才，無恩怨之私，也不計較成敗毀譽。但『行高於人者，衆必非之。』況處在混濁政局當中，自然惹人畏懼、惹人猜忌，因此構成府院之隙，他遭遇這種環境，只有自請罷免而已。

後來，馮國璋繼任總統，段氏再任閣揆，兼長陸軍，他任次長，此時蒙古局勢危急，他認為蒙古問題不解決，足夠影響國家的安全，所以擬定治蒙計劃，政府特派他做西北籌邊使，兼西北邊防軍總司令，糊塗的蒙古自治佛爺，暴虐無道，蒙八汗，感受痛苦，聽說中國特派一位赫赫有名的大將軍率軍入蒙，於是扶老攜幼，簞食以迎，王公喇嘛以下數千人，步出庫倫東行三十里，拜伏道旁，歡呼大將軍萬歲。

花月夜

・王沉裴・

戊辰春暮，與崔樹棠游舊京三海，還過舊日國會春園，訪情文校書不遇。

輕陰日欲暮。正霧鎖烟浮。蒼然平楚。杏林花雨。看片片飛紅。灑窗填戶。漫凝竚。菱蔓重湖。到眼春光如許。同車言訪故。是載酒橫琴。舊曾游處。徽絃誰顧。但譜曲文君。不知何去。羨崔護。今日重來。空有桃花滿樹。

王沉裴先生和余者（載四二九期），論中調詞必須情韻與氣勢二者兼備，前賢詞集，此體尚不多見。並承錄送所作二十闋，茲陸續刊出，藉供同好。－編者－

劍底秦庭

歷史小說　奚如

（二）

歌聲，筑聲，一刹那之間，都忽然消失在蒼暮的寒風裏。沉寂屏息的聽衆，大家都暫時怔了一怔，然後才發覺失落了些甚麼東西，這才使盡緊勁，鼻管地迸出了一聲：

「好哇」！

跟着又是一陣火雜雜的狂叫：

「小高，有你的，再來一曲」！

「高漸離，唱呀」！

「把劍拿來！高漸離，舞着唱呀」！

……

高漸離的面孔是緋紅的，在緋紅的面孔上，挂着三分笑意，七分酒意。半醉着俊秀的雙眼向四圍的酒座拱了拱手：

「獻醜獻醜！咱高漸離是拋磚引玉，那一位高興，我倒願意用這破筑奉和一曲。來呀」！

回答的聲音祇是一片喧囂的鬨笑，酒徒們知道的只有酒的味道，對於歌，他們並不是不感到喜愛；然而，當歌聲像風聲一樣過去之後，跟着而來的卻是酒的誘惑。因此，每一個人的頭這時都深埋在滿載着酒的斗裏面，誰都沒有注意高漸離說些甚麼了。

高漸離輕輕地嘆了一口氣，下意識地用手指彈了彈沉重的筑面，正要舉起手來，對酒保說些甚麼，

就在這時候，酒肆門簾出現了一隻纖纖白皙的手，迅速地把簾向左面一掀，肆酒的門前立刻便忽忙地出現了一個女人的身影。

這是一個豐腴的少婦的影子，裊裊的衣服包裹着一身似乎是在準備突圍的白肉，然而，每一寸肌膚上面都籠罩着一層逼人的英氣，可以使人迷眩，但是也可以使人氣沮。

狹隘的酒堂平地起了一陣奇異的鼓動的呼哨聲。可是，哨聲並沒有使少婦感到半點的假借，索性就在尖銳的哨聲和浮動着的目光裏以迅速的碎步，走入了酒堂裏面，在酒堂的中間停了下來，向高漸離招手：

「漸離！快來」！

「甚麼事？姐姐」！高漸離也感到有點意外，他想不到自己的姐姐徵姬會在這時候跑到這個地方來。趕緊放下了手上的筑，便從狹小的坑上跳了下來。

「快回家去，有遠道的客人來了」。徵姬的聲音有點急促，急促之中，却帶着一些奇妙的喜悅。

「誰呀」？

「一個你日夜懸念着的人」！徵姬笑了。彷彿在這一笑之間，酒肆的酒徒們都在徵姬眼底下變成了半死的生命。只有一個人的輝光照耀在她底腦海裏，她底眼前……。

希臘的難民

・矜式譯・

在一九四六至一九四九年希臘的內戰期間，共黨在希臘北部放火、搶劫、掀起恐怖活動，紅軍也曾擄去了大約四萬名希臘人，把他們押到各共產附庸國。現在這些俘虜開始遣回，這一行動先是由南斯拉夫開始，後來從匈牙利，羅馬尼亞，捷克，以及保加利亞也越來越多，至本年二月為止，由共黨遣回的希臘人數，已有三千六百人。

這些人也形成了一個意外的問題。雖然在世界其他地方，成千的難民，寧願選擇污穢而艱苦的地方，決不願過共產主義下的生活，但是這批希臘人，並沒有多少人對於重返自己的家鄉，感到快樂。僅舉一事而言，希臘難民事實上沒有多少能真正回到自己家裏。他們的鄉村大多已毀於戰火。他們被安置在伊庇魯斯和馬其頓，那兩處是希臘最窮的地方，難民們吃不飽，又沒有工作。可是在共黨統治之下的時候，他們如能苦幹，能夠不反叛，至少尚能勉強有衣服穿，有房子住。在比較進步的國家如捷克等，這些人有的還學到了做買賣，可是回到希臘北部，他們便沒有用武之地。

卡斯托立亞有二百七十一名難民，是去年由羅馬尼亞和捷克遣返的，他們不幸住在一棟傾斜欲倒的四層大廈。到達那一天，每個人由政府發給一百五十希臘幣（合美金五元），從此就沒有下文了。另有一個五十五歲的婦人，帶着疲憊的樣子，煮了一鍋豆子，供十一人吃。同時失業的人們靜靜的坐在板條箱上，身邊放着破損的行李。那些板條箱裏，有簇新的自行車、無綫電、和縫紉機，都是共黨送給遣返難民的，運到希臘後，便成為有力的宣傳材料。有些漂亮的東西，已經賣掉，換了吃的。

有兩個遣返哥雷奧斯山家鄉的青年，已公開表示願意回到匈牙利去。另外一些青年，竟談到在紅軍統治下，是如何的好。西方國家當局相信，共黨特務已在難民中佈下了破壞種子。在沙勞尼柯的希臘北區總部，官員們對於難民的湧入，而且日益增多的情勢，竟不知所措，他說：「我們把他們安置到什麼地方去呢？」

希臘總理巴巴高斯對遣返難民的救濟計劃，進行得十分遲緩。美國大使加農對這種情勢正焦灼地注視着，希臘當局希望華盛頓方面能按照每年希臘人一萬七千名可移民到美國的限額下，儘量吸收這些難民。同時，美國表示，希臘如能想出可行的計劃，其經費可由美國政府另行補助。

留鬍子的自由

・布衣・

一八三〇年的一個禮拜日，美國麻省費士發的一個禮拜堂正在舉行禮拜日聖餐紀念。牧師拿了一托盤滿滿的小酒杯，跑到一位教友朋麻面前，向他臉上注視了一會，沒有給他聖餐酒杯，便轉到另一教友面前去了。朋麻氣極了。跑到台上，一口氣把桌上剩下的一大杯酒乾了，大聲說道，『我愛耶穌超過你們之間任何一個。』

為什麼牧師不把酒和麵包給朋麻紀念聖餐呢？理由是朋麻臉上長了一臉的鬍子。那時美國男子的習慣是每天刮臉，美國的開國人物如華盛頓，富蘭克林等沒有一個留鬍子。他們認為鬍子不清潔，不雅觀，不把鬍子刮淨，便跑進禮拜堂，是一宗不尊敬上帝的事情。

× × ×

禮拜堂長老開了一次會議，決定要替朋麻剃鬍子。聖餐後沒有幾天，他們在街上遇見朋麻。兩個人上前抱住他，另一個在身上掏出一把剪子，強迫執行他們對於上帝的任務。朋麻不答應，拚命爭鬥。警察來了，說朋麻無故毆人，把他關進牢裏。

朋麻在獄裏把被捕的經過寫成一篇詳細文章，交給兒子投到當地的日報上，跟着美國各地的報紙紛紛轉載『難道美國公民沒有留鬍子的自由嗎？』全國各報大聲疾呼，正義的聲音充滿了全國。費士發的警察和監獄覺得這件事不易辦理，所以特許朋麻出獄。

× × ×

朋麻認為費士發警察的行動違反憲法，拒絕離開監獄。獄長只好找了三個人幫忙，請朋麻坐上藤椅上，四個人把他抬到街上。

在獄裏出來，朋麻成為美國當代的英雄。昔日認為不潔的鬍子，現在變成了美德。鬍子象徵丈夫氣概。美國青年紛紛仿效朋麻留鬍子，他們稱呼朋麻做美髯公。

情聖雪琴

彭楚珩

『書生笑率戰船來，江上旌旗曙色開，十萬貔貅齊奏凱，彭郎奪得小姑回』。此詩丰韻已極，堪稱絕唱，儒將風流，令人景仰稱慕而不能自已也。詩出彭剛直公玉麟雪琴之手，當其以水師克服長江小孤山，遍大江南北，一時傳誦，作此自嘲，後更摩崖刻石於石鐘山，幽默者流，竟疑為彭之韻事，事出有因，而非此者。

彭為湘之衡陽人，幼識梅姑，約以成名之後，即行迎娶，嗣以蒿萊國事，勤勞軍旅，不遑及此，乃梅姑者，竟以情殉。迨洪楊破滅，彭歸衡陽，得聞死事，傷心無已，誓作梅畫一萬幅以悼念之，每幅必題一絕，每絕必寓其意，長江采石磯上，有公梅石刻，題詩四首，附首云：「姑蘇西邊憶故人，玉壺冰澈絕纖塵，一枝留向江南去，頻寄相思秋復春」！又曰：『太平鼓角靜無嘩，直比寬旌望眼賒，無補時艱深愧我，一腔心事托梅花』！

彭之梅畫，無論石刻，術刻，區蹟，在抗戰以前，猶隨處可見，萬幅之數，雖不可徵，要當不少耳。天下惟至情至性之人，乃有至大至剛之氣，彭為保障歷史文物而戰，曾捐其代人經理鋪店資財之大半，以助軍餉，而無所求；曾文正公被困江西時，首先冒暑徒步七百餘里以赴難，功成身退，不作清吏；而為幼時情人，畫梅萬幅，稱為情聖，誰曰不宜？

自由人
THE FREEMAN
（第四三九期）
香港每份港幣壹毫　台北每份台幣壹元
地址：香港高士威道二十號三樓 3rd Fl. 20 GAUSEWAY RD HONG KONG

認識共產主義

王聿修

西方人士的幻想

西方國家在對付共產國家上，犯了許多錯誤，這主要是由於不認識共產主義。例如，在前些年西方有不少人士，認為中國的共產黨不是共產黨，而是農村改革者；這就是說，中共並非信奉共產主義。等到以後中共在蘇聯的支持與指揮下，侵奪了中國大陸，中共自己一再說明必須向蘇聯一面倒，但西方的固執而愚昧的人士，卻硬要說中共不會一面倒到底。國際間時常有人盲目的認為中共與蘇聯發生分裂。近來西方國家又在接受共產集團的和平攻勢，希望與共產國家和平共存。

這一切都是幻想，而這些幻想的來源，主要是因為未能認識共產主義。

共黨信共產主義

共產黨都是信奉馬克思，恩格斯，列寧，史太林的教條的，不論是在蘇聯也好，在其他共產國家也好。共產黨人在奉行這幾個人的主義。共產黨把這些人的言論和著作，奉作經典，在各級學校裏，各機構的學習小組裏，在日夜研究這些經典。例如中共在初得政權時，是把沒收富農的土地分給農民，但這不過是一種欺騙手段，不久便把農民的土地收歸集體農場。謂時（一九五四年）中共中央下令叫幹部研究史太林寫的「蘇聯共產黨（布）黨史」的第十章，推行集體農場時所根據的理論基礎，由此中共的幹部便可知道，用什麼手段對付農民，不惜頭破「集體化」的農民。

凡是共產國家，例如在中共統治下的中國大陸，都是在大量翻譯和印行共產主義的書籍，介紹蘇聯的出版物，學習蘇俄的經驗，追隨蘇俄的路線。在這些國家中以及每一個人，凡公共場所，或遊行行列，掛着的或舉着的像片，不但有本國的共黨頭目，而且有蘇俄的，和馬克思恩格斯的像片。這不是偶然的，這是表示共產黨信奉共產主義。

共產主義的國家論

共產黨是要侵略整個世界的。這是他們的基本目標，是永遠不變的，因為共產主義說：國家永遠是壓迫人的工具，政府（國家的具體機構）是壓迫人的統治階級，雖然各時代的統治階級不同，但其壓迫人則一。所以共產黨主張，必須整個世界共產化，把國家取消了，政府也沒有了，社會上才可以沒有了壓迫。如何取消國家呢？共產黨是要使世界整個共黨化，成為共產黨的世界。這是他們的最高「理想」，是非達到不可的。因此共產國家永遠是侵略的，這是它的基本理論。共產國家對共產主義的信奉狂熱，表示這個基本目標是無法改變的；因為如果改變了，共產主義在政治上就沒有理論基礎了。

所以共產黨是要取消國家的，是沒有各自的祖國的。第三國際的政綱內說，「蘇聯……是世界革命的中心，是世界無產階級的祖國。」蘇聯的各附屬國，都在學習「新國際」，也就是接受以蘇聯為祖國。

與共產國家不能共存

西方國家不可能與共產國家和平共存，是因為共產黨不要這樣。共產黨口裏說共存，只是一種手段。共產黨在未完全達到它控制世界的目的之前，所有一切時軟時硬的外交表現，都只是手段而已，它的目的是獲取整個世界。

不注意共產黨的基本目標，而只看共產黨的暫時政策，便來判斷共產黨和制訂對付共黨的政策，都是危險的。蘇俄的對內對外政策，一向是時緊時鬆的。例如從革命到一九二一年是緊的時期，實行所謂「戰時共產主義」。自一九二一至二八，改為新經政策，緩和下來，許可自耕農業與小型私人企業。從一九二八又向左轉，把以前所許可的自耕農又放逐到西伯利亞去。一九三三年起，因德國希特勒的興起，各國左派勢力眼看要被各個擊破，於是蘇俄提倡大家聯合的「人民陣線」。一九四五大戰結束，蘇俄的態度又兇起來，最近又有軟化的表現。這種時左時右時兇時好的態度都是手段，最終目的是要成立以莫斯科為指揮中心的共產世界。

全世界共黨是一組織

世界各國的共產黨，全是屬於共產國際的一部分。各國共產黨與蘇俄的關係，並不是一種鬆散的聯合，是一個統一指揮的中央集權體系。共產國際實際上是一個世界性的政黨，各國的共產黨都等於它的支部，它們有共同的目標，有配合一致的行動。

共產國際的最高機關是在莫斯科的世界共產黨代表大會。這個大會是指導機關，它檢討關於共產黨的理論、政策、組織、和行動。在閉會期間，由大會選出的執行委員會負責，這當然完全是把握在蘇俄手中。它有權發布命令，指揮各國共產黨的行動。例如在一九二九—三一年，它發出命令：叫德國的共產黨注重工會中的活動；法國的共產黨在工廠中成立細胞組織；英國的共產黨加強「工人日報」的活動；美國的共產黨成立的工會組織，作為美共的活動基地；在印度從速成立共產黨，從事共產革命活動。它更為各國的共產黨籌劃經費。

結論

共產黨是一個在蘇俄指揮之下的世界性的組織，它是不要祖國的。它的基本目的是使世界共產化，所以它的侵略是不會停止的。與共黨成立協定是無用的，因為只有在對它有益時，它才遵守。與共黨不可能共存，因為它不要和你共存。共產黨是信奉共產主義的，並聽從蘇俄的指揮；不可能希望共產黨放棄共黨主義，或違背蘇俄，它們是走同一路綫的。

莫洛托夫秘密談話

莫托洛夫與奧總理頗布在莫斯科舉行的談判，其中還有一段秘密的談話，最近始在奧都維也納的報章上刊布，據說：莫洛托夫曾告訴奧總理說：如果西德改變它關於參加北大西洋公約組織的心意，蘇俄可能不再堅持劃一永久的奧得—尼斯界綫，並可能壓迫波蘭將原屬德國的領土歸還德國。（愛德華）

英國大選的展望

·李加雪·

雙方機會的分析

六月二十六日是英國戰後的第四次大選。全國各地將有候選人一千四百人，參加競爭下議院的六百三十個席位。參加的選民預計將達三千四百五十萬之衆。衆議院的席位雖然有六百多個，但此次大選，將有變動的只一百以至一百五十左右。

保守黨政府提前大選是想增加其下議院的席位。兩周以前，新聞紀事報發表的蓋洛普民意測驗，保守黨的支持票數比較工黨多出百分之三點五。依據統計，保守黨百分三點五的多數，可能增加其國會席次到九十席的多數。

保守黨之佔有優勢是有道理的。該黨在英國三年的執政表現出相當成績。失業人數消除了，捐稅減輕了，工商各業欣欣向榮，三年以來該黨政府又建造了一百餘萬所民房。加以年來艾德禮和貝凡發生內鬨，工黨聲譽大降，均與保守黨有利。

蓋洛普測驗的結果發表了沒有幾天，保守黨在下議院提出減輕捐稅的預算，希望進一步獲得民衆更大的支持。出乎意外的是剛好這個時候，情形又突然轉變了。工黨內部為了應付大選，團結起來了，歡迎貝凡重新加入下院的工黨組織。第二次的蓋洛普民意測驗，保守黨只比較工黨多了百分點五的票數。

主張互相接近

保守黨和工黨的主張可以說是十分接近的。內政方面，工黨的競選宣言有類於一張聖誕老人的禮物清單，說得天花亂墜。此外工黨提出工業國營，限制糧價，和增加富有者的捐稅。

保守黨一本三年來的成績，對於內政積極貫澈他們繁榮國家的主張。保守黨的競選宣言是一篇長文章。裏面說，三年前，國家已到了破產邊緣，保守黨竭力把英國救了回來。只有保守黨才能使英國繁榮，保守黨會得到人民的支持，是絕無疑義的。

外交方面，雙方意見也很接近。保守黨和工黨共同主張舉行四強會議，以減輕國際緊張局勢。對於台灣和遠東，雙方主張大同而小異。可是工黨指摘保守黨沒有外交政策，說保守黨是美國的傀儡。祇知靜聽美國音樂，保守黨的本領祇是聞樂起舞。

保守黨的顧慮

德國投降之後不久，英國舉行戰後第一次大選。功高望重的邱吉爾竟然落選了。理由是主持一個政府有類乎主持一個大家庭。當家的人，在一般人眼光看來，總是討厭的。由十九世紀到現在，英國政黨於執政後，下一次大選，能夠保持政權的，總是減低了國會的票數。

保守黨執政三年，雖然著有成績，可是仍不免招迎一部人民的不滿。以最近減輕捐稅的預算而論，保守黨把棉布和麻織品的購買稅減去一半，後來全數減除了。可是毛織品則認為政府並未給毛織品以同樣待遇，是一種不公平的政策，這是一個很明顯的例子。保守黨能夠在這次大選增加票數嗎？根據一般人的意見，保守黨可能維持原有政權；但增加席位一層，許多人都發生疑問。

工黨顧慮更多

工黨的疑慮比較保守黨還要多，還要複雜。艾德禮和貝文雖然和好了，可是兩年來雙方的爭辯和噪鬧，已是人所盡知的事實。這種黨內繼續不停的爭執和破裂對於選票的爭取能夠一無影響嗎？此其一。

上一次大選，工黨總票數比較保守黨多，但因分配不勻，好些地方佔票數太多了，成為浪費，以至被保守黨擊敗。現在據預測，保守黨只比較工黨多百分點五的票，數目相差不大，但保守黨將來在議會的席位可能比較現在的二十六票為多。這是工黨內部的一個嚴重問題，此其二。

貝凡是一個大野心家，工黨准許其重入國會組織只增加了他的氣燄。這一次大選，左派的貝凡在工黨內部佔有極大優勢。好些地區的工黨候選人都給貝凡的黨羽佔去了。工黨右派肯罷休嗎？大選的時候不會再發生亂子嗎？此其三。

國際上的號召力

最後一後決勝的關鍵，是雙方領袖對於國際方面的號召力量，和對於國際問題的處理能力。

艾德禮最近所作競選演講，曾說道，只有工黨扶助被壓迫殖民地民族獨立的政策才能夠維持世界和平，因為工黨過去曾扶助印度獨立，亞非民族都信任工黨，敬重工黨。不錯，工黨是左派政黨。好些人都認左派為進步，所以艾德禮說，進步人士應該選舉工黨。

艾登是一個外交能手。英國人士認為上次巴黎會議，艾登對世界和平很有貢獻。最近艾登又獲得一項更大的成就。即最近巴黎舉行的三國外長會議，提出四頭會議問題，致電艾森豪威總統，徵詢他的同意。過去三年，每次提起四頭會議，艾氏說時機未到。這一次他卻滿口應承。因此，保守黨興奮極了。保守黨只會聽樂起舞嗎？艾總統對艾登的讓步，予保守黨以一種極有價值的宣傳。

英國大選，結果如何呢？英國人民選擇艾登？還是選擇艾德禮？選擇繁榮？還是選擇工業的國營呢？到本月二十六日，英國的人民會給我們一個總答復。

半週展望

·李金曄·

台峽又緊張起來了

本週內，國際情勢有着急劇的變化，外弛內張之局，從亞洲的華沙到星洲，以至於閩海的三都澳，包括了外交戰、冷戰和熾烈的空戰！

但就全盤情況分析，迄十六日止，半月來閩海上空，已發生三次空戰。首次是四日，地點在烽火列島；十五日是第二次，在台山列島；緊接着十六日在三都澳上空爆發第三次。上述三地，皆在馬祖東北七十哩。共方出動全為米格機，自由中國空軍僅在第二次以雷霆機戰米格機，憑藉空軍優異的技術和經驗，螺旋槳機也照樣擊敵，安然返防。

中共空軍的不斷出擊，顯示其實力已有增加，機種亦較米格十五為更新的米格十七和十九。共機三次攻擊，顯在阻攔自由中國空軍越過閩省進入浙海上空作偵察，亦可反證，中共在浙海正集結較大的陸海兵力。布爾加甯於十一日公然宣布支持中共對台行動，即此次共機活動與前傳蘇艦南移助陣之說，就更值得注意了！布爾加甯的聲明和共機的出擊，最重要意在增加台峽的緊張，目的在企圖以實力壓迫西方造成有利於四巨頭會議對共黨之有利形勢。

共黨顛覆活動的加強

金馬不能退讓？國府已一再表示其態度。陳副總統大聲疾呼，抨擊英國對共妥協的行動是愚蠢的行動，他說，台灣將因喪失外島而受更大影響；英國如退出台峽，英國便不能自保香港，馬來亞和星洲。事實上，儘管英國人一再對中共表示妥協，共黨是決不會因此而放棄所謂「殖民地民族革命運動」的。

共黨的顛覆活動，有時比戰爭更為陰險可怕！

這次星加坡的工潮和學潮，就幾乎鬧垮了星洲當局的防衛堤！英國人今後除了要對付馬來亞的森林恐怖份子外，又將要應付城市中共黨顛覆活動的暴動和流血了！

在星洲暴動事件之前，五月六日起，印尼也曾陷入全國性的工潮，為時非暫，港口癱瘓，船隻不動！但卻未為世人所注意。

共黨這兩地的工潮和學潮，都是意料中事，都是國際共黨選擇五一勞動節，早已訂定的鼓動「殖民地和附屬國人民」鬥爭的陰謀。這是亞洲地區冷戰的逐漸擴大，中共躲在幕後操縱的。

建立中立地帶的夢想

歐洲情勢現得很「平靜」。這是因為蘇共互以「和平」姿態傾巢而出，發動外交戰的暫時現象。他們忙於在布拉克、華沙、維也納等地活動。卡岡諾維奇、布加甯、莫洛托夫、這些巨頭都一致動員出來。他們的和平攻勢，可以想見了。

在華沙，布爾加甯擺住了彭德懷，用「六億人民」支持歐洲共黨八國聯軍的支票，用好戰的姿態喊出「和平」聲！中共真有力量參加歐洲的戰爭嗎？還不過借此壯壯共黨的聲勢而已。

莫洛托夫於西德加入北大西洋聯盟陣營後，對奧讓步，以奧國「永遠中立」為條件，簽訂對奧和約。奧國本早該獨立的，因蘇聯「作梗」，拖了十年！

赫魯曉夫定期訪問狄托，說是為了改善兩國關係。其實，最大目的，在中立南斯拉夫，以建立歐洲的中立地帶。

蘇聯目前的活動，很顯明的想建立一條橫斷東西的中立緩衝區；北自瑞典始，南迄南斯拉夫，中經德奧，而以共黨八國聯軍實力為後盾，波蘭則淪為防禦莫斯科的第一綫屏障！蘇聯已擺開陣勢了。但這一目標，西方國家似乎不會輕易上當的，西歐已鐵定一個目標：決不中立。蘇俄對奧退讓的詭計，已首先受到打擊了。

戰略的大革命

——小型原子武器和未來戰爭——

·李世平·

【綜合報導】本年二月到週近，美國在背加沙漠試驗了十四顆小型原子彈。這種原子武器小到可以裝到普通大砲的砲管放射，能够裝到戰鬥轟炸機的翼彈架上面向敵區投擲，也能够裝入潛艇的魚雷管放射，甚至可能裝進高射砲筒射到天空。小型原子武器之與槍砲，有類乎槍砲之與刀劍，威力之大，超乎想像之外。

小型原子武器的威力

兩顆小型原子彈，便能够粉碎敵人的砲兵部隊的陣地，而免被敵機偵察。一座八吋口徑的普通大砲放射一枚原子砲彈，力能消滅敵人一師部隊，海軍用的原子魚雷能够炸一艘戰艦拋上天空，驅逐艦它便易如反掌，減一艦隊巨艦。

戰鬥轟炸機裝上，這是一項重要試驗，那些砲彈代表着飛機。另一個小型原子彈則是原子地雷。背加沙漠小型原子武器的試驗，是一種作戰的實地演習，他們演習原子武器爆炸後，估計敵人基地成爲焦土，陸軍部隊開進爆炸地點附近，戰車運輸肅清敵人的殘餘。

人海戰術的喪鐘

近代作戰的戰略上，小型原子武器在戰略上發生了一個極大的革命。有了小型原子武器，敵人的人海戰術便無可施其技，小型原子武器可以說是人海戰的喪鐘。

從前是使用種種方法，尋求敵人的弱點，以備突破包圍，現在可不然了，現在的戰略是找尋敵人的集中地點，投下數顆小型原子武器，便可長驅直進，如入無人之境。在歐洲的時候，使用此種戰略，是敵人致勝的策略。北大西洋公約歐洲聯軍爲了配合這種武器，從前歐洲聯軍的策略，是敵人致勝的，現在不然了，現在歐洲聯軍總司令部的決策，是堅守歐洲邊界，不再退後一步。

再沒有灘頭陣地

世界二次大戰的時候，同盟國家準備了兩年時間，使用了英美兩國能够調動的軍艦，和好幾千艘飛機作掩護，動員超過百萬的軍隊，才在法國的諾曼第登陸成功。有了小型原子武器之後，進攻一個國家，登陸一個地方，不需要建立灘頭陣地了。

美國海軍陸戰隊認爲「灘頭陣地」這個名詞已成過去，已成歷史上的陳蹟了。代替二次大戰諸登陸大規模登陸的，是在敵人區投下小型原子武器數枚，進攻步兵即可乘坐直升飛機或者坦克，對於敵方陣地，作平錢的追入和垂直的包圍。

有了小型原子武器，以往一切戰術已成過去。英美各國正從頭研究應付小型原子武器和配合小型原子武器的新戰術。

空軍決定勝負

小型原子武器的威力是這樣大，一變而爲空軍，使其成爲一種能普通戰鬥機能够裝載一枚相當於廣島爆炸的最小型原子彈。對於將來的戰爭，空軍是佔決定勝負最重要的因素了。爲了加強空軍對於作戰的威力，美國正從事組織新戰略空軍，包括加油機和交通機，可以從任何一個基地出動，航空母艦上裝載小型原子武器的飛機，小型原子戰鬥轟炸機若果在極低空飛行，可使敵人的雷達失其效用。一旦戰事發生，在地面直升飛機的第一個目標是炸機場，一種只需要一顆小型原子武器便能使敵方的飛機場永遠失去效用。爲了這個緣故，敵方的飛機場永遠失效。

蘇聯還沒有這武器

蘇聯爲了小型原子武器，據歐洲聯軍總司令部格魯在國會報告，蘇聯還比不上我們。格魯甚至說：「關於飛機方面的發展，蘇聯落後於我們，在防禦方面比較我們落後得多。」蘇聯沒有小型原子武器，根據估計，蘇聯還得要好幾年時間，才能產生此項新武器。這是蘇聯必敗的最重要因素之一。

台灣通訊

應修改的歷史教科書

·劉應昌·

【台北通訊】從張其昀先生出任教育部長以後，有不少的措施，這些措施不論他的成就如何，但他的魄力是够偉大的，精神是够積極的。雖然對於今年所公佈的學術獎金，社會人士不免嘖有煩言，可是在我們中學教員這一階層的人看來，這獎金反正不會輪到我們頭上，不論論誰都可以漠不關心。現在我所要談的，是一項與我們切身有關的教科書問題。

歷史教本有了問題

自前年教育部頒佈標準教科書以後，我便一直採用着歷史教科書作爲講授的，雖然其中種種值得研究和商榷的地方，但因爲課務繁忙，而且不易找到所參考書，只好照本宣科。但去年魯實先先生的「殷曆譜糾譑」一書出版以後，董彥堂先生一篇「論董氏殷曆譜科學」發表以後，於是我才知道教科書中所敘的商代史事，凡與殷曆譜不同的地方，多半是採用董作賓先生的考訂。在後又看到魯實先先生的「殷曆譜糾譑」，和民主評論的「西周年曆譜祛疑」，我才知道向學生宣佈：關於商周兩代的史事和紀年，某些地方是大成問題的。但除了附載的大事年表經魯氏指出凡是周厲王以前不可信以外，至於課文方面，經董氏在中興評論二卷二期中所論到的，[illegible]略的章節，而沒有逐章逐句明確指出那節那句是可信的，那節那句是不可信的。

講授發生了困難

因爲商周的年曆和商代史事，是關於甲骨和曆法的專門問題，還其間的是非，似乎除了董魯兩人往返辯論的文字以外，還找不到其他參考資料。因此一年以來我也很常注意董氏所主編的大陸雜誌，關於董氏的反駁，但都納所得的概念，不外三點：其一、張謂殷曆譜非常可信。其二、敘述推算日與殷曆有問題。其三、在論點以外未列舉事實，而對於魯氏爲人多所指摘。至於對周年曆譜的三十五條「可疑」，似沒有針對原文加以反駁，也沒有一處說到西周年譜是可信的。並且從今年一月份的「一論殷曆譜糾譑」（見大陸雜誌　卷一期）出版以後，至今四個月了，還沒有看見「二論」「三論」……出來，因此雖然經過一年的留意，仍然不得要領。於是每當我講到高級中學歷史第一冊第三章以及商周年代的部份，有好些地方只能含含混混敷衍終場！

對學生的影響如何

我覺得政府正在大力提倡民族精神教育，而歷史一科誰都不能否認是民族精神的重要支柱。如果我們對商代的史實與年代只能含混敷衍，向學生作模稜兩可的介紹，豈不是一個很大的矛盾？假如我們要作肯定講解，如果學生們到了一知半解的時候，對這一時期所謂標準教科書的「標準」二字，將作何觀感？又將作何感想？因爲他們將來決不會都是史學家，萬一他們還有一知半解，便以爲凡是商周部份的歷史既一不可信便百不可信，甚至把標準教科書視爲日本的「三書記」「古事記」之類，這豈不是於提倡民族精神教育的原旨，適得其反？

教科書應加修改

現在關於商代史事和商周年代，既然魯董兩人有完全相反的持論，而魯氏的「殷曆譜糾譑」和「西周年譜祛疑」，雖然他們引據的甲骨和曆法，在我們外行看來，不能懸斷是非，但他所引據經史方面，資料，却是繁徵博引而又逐條逐項言之成理，書就不能僅以「意氣之爭」一語而予以抹殺。何況一年以來魯氏的立論已經引起文教界廣泛的注意呢？所以我覺得關於現行中學歷史教科書的是非問題，無論如何是值得教育當局從長計議的。至於修改的手續，或者採用董先生在中興評論二卷四期的提議，和魯實先生來一次討論，或者由各位編輯先生會商修訂。修改的方式，或者折衷魯董兩人的立說，或者完全撤開兩人的立說，在我看來是無可無不可的。我不過是爲了減少教學的麻煩，使學生求到近是的眞理，因而作這個懇切的呼籲！

·人物·

共黨八國聯軍統帥

面目猙獰的科涅夫

·評述·

最近俄國與東歐七附庸國在華沙會議成立八國聯軍司令部，科涅夫爲最高統帥。科涅夫於一九四五年佔據維也納後，曾任佔領軍司令。那時他的態度極其驕傲自大，對盟國不斷提出無理的要求，有一次美國佔領軍司令克拉克將軍問他：「假如我今日答應了你的要求，以後又當怎樣」？他板起面孔說：「我明天又將帶來十個新的要求」。

科涅夫是對共產黨徹底效忠的一個黨員，什麼事只知道服從「黨的路綫」，他亦像大部份的俄國人一樣，沒有獨立思想的膽量，一個新聞記者曾經這樣的問他，「你在軍事行動上的成就是由那種因素所造成」，他仍不脫共產黨一貫的口吻，並且一本正經的說：「我的一切軍事行動，全部依照史大林的戰略來實施，這種戰略是世界最進步，和最有勝利把握的」。

科涅夫是貧農出身，一八九七年在勒阿努的一個小村落降生，從小就過着窮苦日子，十二歲爲了謀生即上山伐木，十九歲那年被徵入沙皇的軍隊，在十月革命以前，他已參加布爾塞維克黨，一九一七年他在家鄉組織第一個蘇維埃，[illegible]

……但他並未跟他們流氣，仍然對史大林效忠，[illegible]

西德參加聯防

·伯林·

「今日，聯邦政府已能十分滿意地宣佈，我們已是一個自由、獨立的國家。」總理愛登諾在波恩的森堡宮外的儀式，對着麥格風宣讀了這簡短的宣言：「我們現在已自由地站在自由民族之間，與以前的佔領國聯成了眞正的友伴關係。」可是沒有人對此發出歡呼聲。

在這種異樣的沉靜中，德國恢復了主權，約在十年前這時候，裴德爾准將在蘭斯一座紅磚的學校，向盟軍投降，當時無數德國人爲之高興，而德國卻解體了，全國陷於崩潰了。這種情況，今日幾乎已被遺忘了。西德在重獲主權時，已再度出奇地成爲位居第三的世界最大貿易國家，重獲健全，當然是由於數以億計的美國援助，佔領當局的同情態度，但最重要的還是德國人本身的若幹精神。而德國之能以能在西方世界獲得信任，主要還須歸功於一人，這人就是愛登諾總理。

西德人民對於這次儀式這麼冷淡，或許是因爲在這儀式未舉行以前，西德實際已獲得了自主地位。一個德國婦人在一位外國記者向他道賀時，他竟悶然不知何事。於是記者解釋道：「你們現在已重新成爲一個主權國了！」婦人祇說了一聲：「原來是這回事，」便掉頭而去。某報會訪問四十個德人，問他這一天有何意義最大，其中竟三十三人，不知如何答覆。

愛登諾甚至還不許親自向國會報告這個消息。他事先已接到警告，如果他親自宣讀主權的聲明，社會民主黨便可將這聲明作爲要求舉行全面外交辯論的根據。經過一小時的爭執後，社會黨才容許愛登諾以書面向國會報告德意志聯邦共和國終已成爲主權國，但他不能親自宣讀。每黨可獲五分鐘的時間對這公告提出評論。

社會黨領袖艾倫豪就利用這五分鐘對下院說：「佔領體制的結束，我們沒有理由加以慶祝，在德國未統一以前，我們根本談不到獲得主權。」愛登諾坐在一邊，聽到這話，面色十分嚴肅。

許多批評者常指責愛登諾以爲保留一個小小的德國，以他故鄉萊茵區爲甚礎，另加巴伐利亞便可滿足。愛登諾深知人民這種情緒，所以他對共黨統治下的德人說：「這些得不到自由與正義的，被迫與我們分開的人，你們可以永遠依賴我們，因爲我們和自由世界一起，在你們未和我們統一爲一個國家而得到和平生活以前，我們決不會鬆懈下來。」

愛登諾這番話和他的政敵[illegible]都形成一個明顯的警告，表示德國常會想着他們自身的問題。德國人永遠忘不了現在共有三個德國，這次重獲自由的，不過是其中之一，西德所含的人民最多，有五千萬，其土地約佔一九三三年德國疆域之半，但在蘇俄佔領下的東德還住着一千八百萬人民。這在外國民族主義者口中，是稱作「中德」，「東德」則是按照波茨坦協定劃歸與波蘭的德國疆土，這片在奧得尼斯以東的土地，約和「中德」相等，其最後地位須待締結對德和約時始後決定。（上）

編者　讀者

越亂中的僑胞

毛以亨先生函

頃接毛以亨教授（西貢知用中學校長）來函，具見越南亂事對僑胞影響情形，特披露如下：

編輯先生：敝寓在邊河之堤岸街，係三層洋樓，足避炮火，除非燃燒彈直接命中，不至受害。惟此地曾爲國家軍之機關槍地、對河則爲平川部隊陣地，雙方爭奪重點爲中和橋，相距當不過百碼，槍砲聲曾整十二小時不止，尚幸無子彈或火種落入中。兩傍或十碼之地，俱有大火，門前亦死了兩人。弟等幸平安，足資慰也。此間僑領新近籌備之華聯日報，定於本月底出版，此亦僑胞文化運動一好消息也。

毛以亨　五月九日

唐富言先生函

編輯先生，此間自上月廿八日起至本月三日晨止，槍聲時緩時驟，造成市內火海多處。我僑胞生命財產損失之鉅，爲從前所未見，一時不易統計，眞浩劫也。幸現已平息，秩序亦逐漸恢復，救助工作，亦已積極展開。敝校知用中學，地處火綫外，幸不至波及，全校員生平安，知注並聞。

唐富言　五月十二日

公文書不宜濫用

沈澤清

公務機關對外發布的公文書類，包括所主管的業務新聞，談話，聲明等等，總不宜隨便濫用。如果隨便濫用，其效果必然等於零，也許還可能引起相反的作用。因此，凡是治公文書者，首先離不開一個「誠」字。假使「修辭不能立其誠」，縱然如何說得冠冕堂皇，終不免有官樣文章之誚。其次，更得注意一個「信」字，所謂「民無信不立」，故說話總不能離開事實，才能見信於人，否則，即使擺起面孔自說自話，也不過是官腔十足而已，別人會嗤之以鼻的。

讀者論壇

讀者反面下判斷

這也許是時代病之一：現在一般人看公務機關的公文書，布告也好，通令也好，甚至官方聲明，要人談話也好，總喜歡從反面去下判斷，找結論。你越是否認決無其事，就越使人相信確有其事；你越是聲明查無實據，就越使人懷疑事出有因；你越是反覆說明純屬謠傳，就越使人意會到決不致無故空穴來風；你越是鄭重其詞的說是關係無中生有，就越使人覺得其中必定大有文章。所以反而欲蓋彌彰。這不聲明還好，一聲明或者不免是一種偏見，但擺在眼前的種種事例，不由得不叫人相信這個看法是相當正確的。

沒有接納盡言雅量

譬如說：邇來台港言論刊物，對於自由中國的若干重要行政措施，時有詳盡的報導和善意的批評，這原是言論自由極可喜的現象，即使筆鋒偶帶感情，也不過是望之深而責之切，原亦無傷大雅。然而有些行政機關首長們，似乎尚沒有接受盡言的雅量，和承認事實的勇氣，顯然有點招架不住的樣子，於是而有各種不必要的聲明，或逕予否認，或函請更正；其方式有：（一）由機關首長以發表談話方式出之，表示正面的答辯；（二）由機關內某一單位主管人，冠以官銜，如某某司長姓某名某之類，去函更正；（三）用機關內某一單位的名義，不署負責人姓名，祗蓋一個圓形或長形戳記，如秘書室之類的名稱，投書聲明。以上三種方式，第一種詞氣往往失之悻悻作態，不免有些意氣用事，倒還不失為負責任的表現；第二種儘管出風頭之意味居多，祗要得到長官許可，勇於代人受過，也還情有可原。否則，依照公務員服務法的規定，公務員未得長官許可，是不能以私人或代表機關名義，任意發表有關職務之談話的。惟有第三種，說是負責嗎！卻又沒有負責人署名，說是不負責嗎？其來函內容又好像極其負責。殊不知任何機關內某一單位，如秘書室不過是幕僚而已，能否代表整個機關對外作負責之聲明，是很值得研究的。

止謗莫如自修

昔賢有謂：「凡做官自己心上問得過，便爲之；問不過，切勿爲！」曾文正亦謂：「凡辦事必有艱難波折，吾黨總以誠心求之，虛心處之。誠則志專而氣足，千磨百折而不改其常，總有順理成章之一日，心虛則不動客氣，不挾私見，終可爲人共亮。」因此，不妨奉勸某些行政機關首長們，與其自己出馬或暗示部屬作些多餘的聲明，斤斤於口舌筆墨之爭，還不如自己先做一番省察功夫，其所作爲，是否誠心以求，虛心以處？只要是心上問得過，就無所慚於清議，所謂「止謗莫如自修」就是這個道理。否則，縱使掩盡天下人之口，也還不免內愧於心的！

集體農場與蘇俄命運

李世光

倫敦觀察報的政治分析專家格蘭蕭所著「克里姆林宮的漏洞」一書，風行歐美。格氏係蘇聯專家，目光如炬，無微不見。該文登載『大西洋月刊』。以下爲格氏論文要點：

蘇聯的當朝人物到現在才曉得近代的工業社會不能以不堪果腹的食物去維持。近代工業社會需要豐富的食物，並需經常接濟。管理重機械的工人若果每天只吃一餐麵包配南瓜，體力是維持不來的。爲了這個緣故，克魯曉夫把他的前程，和他的全副精神，放在集體農場改革計劃之上。集體農場的成敗直接影響蘇聯共產主義的成敗。克魯曉夫說，蘇聯現在實施的是國家農業的第三次革命。

人民生活置諸腦後

對於農業革命，克魯曉夫解釋道，農業革命係一種由低價值生產而達到高價值生產的一種正常過程。那眞是欺人之談。蘇聯的農業革命並不是一種正常的自然過程，而係一種人爲的虛飾。爲了想做世界第一強國，爲了要把共產主義推動到世界任何一個地區，克里姆林宮的主持人物自動的加重了他們自己的責任。爲了世界革命，他們把簡單的種植方法改變成十分繁複而雜亂的耕植，同時，克里姆林宮的主持人物又把許多土地和資源劃歸「工業收成計劃」，設法謀農業器材的自給。克里姆林宮同時進行兩種革命：工業革命，和農業革命，克里姆林宮置人民的生活於腦後。

農民注定的悲慘命運

結果如何，雖然不能預定。農民之將遭遇到空前苦楚，可無疑議。若果克魯曉夫幸而獲勝，蘇聯農民將淪爲國家的農奴。克魯曉夫失敗了，那便有史大林的前例可援，即爲了實行集體農場，實施蘇聯的第二次農業革命，史大林曾殺害了數逾百萬的農民。

蘇聯第三次的農業革命關係共產主義的前途。施行第三次農業革命後，若果蘇聯農業仍不能夠增產，那麼第三次農業革命便是蘇聯共產主義自趨毀滅的途徑。

蘇聯現在的農業危機不在生產，而在理論，——集團農場的實施使到蘇聯全國農民愁眉不展，集［illegible］盤。農場的實施喪失了蘇聯全國農民的生產力。

評：「石頭人」

蕭吐溫

「石頭人」　葉時傑著　亞洲出版社出版

一個對民間有相當廣泛接觸的人，總會感覺到中國老百姓彷彿始終在「爲生活而生活着」，他們往往是在生活方式裏的「舒適自在」中來完成他們的生命意識和生命價值的，他們的生活藝術更不必寓意於嚴重的宗教儀式的膜拜，也不是一套有「系統哲學」支持著的理性的理智理論在使他們活得快活。

所以眞正的民間老百姓——尤其是農民階層，與其說是「孔夫子哲學的踐行者」，倒不如說成是一個「老莊之道的尊重者」，儘管他們在日常家庭生活上可以是「孔夫子主義」的信徒，在精神生活上，——其實他們注意的倒是注重精神上的「感性」方面的——任何人都是李耳的「青牛主義」的崇拜者！

從這點來看葉先生著的石頭人，以「石頭人」做爲中國民間「多神主義」的象徵，作者確着是對民間有相當深刻的瞭解，作者說得好：

假使有人默默地又想起那個石頭人——多神論的象徵，他會反而羨羨那失去了自由：可以自由崇拜誰，反對誰，也可以自由地不崇拜誰，也不反對誰，只做一個平平常常的老百姓，信奉善良的天性和誠實——那種幾千年來傳統的精神！

對一個相似於古希臘式多神主義的自由崇拜者的這種中國老百姓，想用「觀念遊戲」做爲殺人魔術的道具，往往是不容易成功的：由於一個一神論者的「觀念的變動」，遠不如一個多神論的「觀念的變動」，老早就有着先天具備的排他性「反一尊」性質在他那性格裏作祟。

尤其，當「生活」是老百姓最高鵠的的時候，生活過程本身就是「生命價值」的目的，精神上既沒有「一尊神祇」的偶像崇拜，而竟要斥奪他們日常生活的自由方式，當然那反感是非常深沉的。像「或者如此，因爲這是革命的過程」——「始終於辭盡了。」「騙人也是過程，殺人也是過程，破壞也是過程。我們幾時方才可以到達天國呢？到那時候還有人類嗎？還有文化嗎？也許只剩了馬列教或毛家教的金字塔尖上的法師和他們的脊鞭了。」雖然是老生談，說來非常中肯，也是老老實實地說了老百姓眞正感覺到了的話。

以風格說，作者的筆觸，別具一格，讀來有如讀西洋小說，然而決不流於市俗間一般空洞的說情式的敍事小說，雖不是一本寫觀念的著述，可是作者確實在用着經過一番消化作用後的觀念來寫出的。尤其在寫中國式的「無我之境」上，取石頭人以寓意，相當別緻。文筆之美，眞情之流露，處處可見，寫中國悲劇在中上層善良老百姓心地上罩上的重重陰影，是沉痛的，然而決不空洞，不是一個智慧沒有成熟的泛泛作家可寫的出的，所以應該說：是一本值得介紹的書。

救助失業應求徹底　首須開闢就業途徑

最近社會局發表了一個「招領」公告，列名三十九個男女孤兒，要求他們的父母，或是監護人及親屬，領回這一批失去家庭溫暖的無辜。他們都是由父母託人撫養，結果給他們的父母輕率遺棄。社會局的公告中規定一個期限，假如逾期一個月仍無人認領，那末由社會局設法妥爲安頓。這事不過是屬於社會局的一部分，顯然還有很多的沒有送去社會局，數字恐怕比上列的更多。假如隨意注意一下報紙的服務欄，或是分類廣告，不難找到有父送女，或是有母送子的告白。幾年來，由於贈送子女而獲得職業的，只有一對中年夫婦，因爲他們投函一張西文報，並且連全家的照片也登了出來。

從來幸運的人並不多，絕大多數的小市民，覺得子女衆多無力撫養，既找不到職業，又無法維持生計，而且更送不掉子女。這種情形，不難到處可以見聞的。社會局對於失業的救濟，大抵限於老年的鰥寡，壯年的向小施食。今年一月，該局曾經制定一種表格，送交各街坊福利機構，就近調查各該區中坊衆的失業者，這種表格對失業市民，極可能會獲得社會局介紹一個可以餬口的職業。辦理填表的固多，擱置的也有不少，對於失業說來，即使不一定很快就可以獲得棲枝，也可提供社會局注意，街坊會自然不能忽視的。雖說這不是街坊會應辦的事，此事至少對於社會利害具有關聯。

社會局調查失業市民的實際情況，對現社會的嚴重問題，將會獲得初步了解，然後再從事研究。這個畢竟不是根本辦法，誰也知道，香港有數逾千計的手工業戶，他們如織襪、串珠、刺繡、繡結手工，多數受雇中間剝削，而所有的製成品，自又沒有劃一規格，影響銷路。假如由社會局負責領導，逐一組織起來，不但可以使無數失業者增加了單位，更可以減少手工業戶所受到中間的剝削。因爲有了一個系統的組織，對於手工業製品可以劃一規格，且可以開拓外銷。這種積極的促進就業方法，至少比尋求機會救助失業要有效得多。

然則社會局有許多熱心人士，他們經常願意捐款，倘能分心投資於手工業的話，豈僅是助長就業機會，更可以促進工商業繁榮。一舉兩得，何樂而不爲呢？

經濟社會思想叢殘

金伯華　（一廿）

日本賀川豐彥氏說得好：「在合作社，因爲不是求利潤，而在滿足社員的需用，如果合作社發達，能全面的驅逐企業，就成立與資本主義（及社會主義）不同而沒有利潤的經濟社會」（見周建卿譯「合作通論」第八頁）。因爲「合作社所經營的是合業（與分業相對的合業）」；因爲它「並不是收益經營，而是所謂實費（成本價格）經營」。（見同上九，十頁）這樣，在人與人間，一切經濟關係中，就再也沒有障礙或裂縫去讓與「中間人」作「剝削」的活動！

（四）合作社的大門是終年廠開的。任何人對作合有信仰，有需要，隨時隨地都可以加入，而加入做新社員之後，即祗認極少的社股，譬如一股或二股，也與老社員享有同樣的權利，負担同樣的義務，在老社員與新社員之間，決無任何秫些的軒輊。這在一般商業行爲，能夠辦得到嗎？這一點意義極大：這是大同之路的起點——經濟家稱這爲「門戶開放制」。這決不是像從前中國的「門戶」，被迫的向所謂「列強」「開放」，讓帝國主義（即資本主義的昇華）進步侵略。這是經濟弱者自衞自助組織，向同樣處者的招手，希望大家進來共同保衞，共同互助，以滿足共同的需要。我國合作社法所稱合作社是「社員人數及股金總額均可變動之團體」，即指此而言。

內部連帶精神

（五）更重要的是合作社內部的連帶精神。在合作社裏，是要大家手拉手一同前進的。關於此點最明顯的表現，是對於公積金，公益金的提成，要比商業組織高；社員對於公積金，不得請求分配；新社員對於入社前合作社所負債務，與舊社員負同一責任；［illegible］一般商業組織所無。試［illegible］「推己」「克己」的具體方法，［illegible］己立立人，己達達人［illegible］？綜合這些［illegible］約可見了！

（未完）

農民嚼樹皮共幹享清福

沈者

最近北平「人民日報」的「讀者來信專頁」先後發表了兩則新聞。

第一則說，許多地區農民爲了「救災渡荒」，到處都在尋覓糧食「代用品」，包括：榆樹皮、甜草根、野菜、葛藤、水草、南瓜葉、山藤等等。又說農民之所以不得不嚼樹皮草根以療飢者，除了因災荒及糧食徵收外，更因「愛國」而出售「餘糧」過多之故。

第二則說，北平很多下級幹部沒有病也喜歡賴在醫院裏享清福，即使已痊得肥頭胖腦，仍不肯出院。又據統計，「北京醫院附屬醫院」可以出院而不肯出院的病人，平均經常有百分之八。中央直屬「衛生部直屬醫院」的數字更高。現有百分之二十六的「病人」是假病人，而且最久的竟已住了五年之多。他們在醫院中，都是一面照常支薪原職位的薪金，一面給予無代價享受「病家」的食物和滋補品等優待和享受。

七首與亂彈

馬五先生

世人對於報紙副刊上所謂「報屁股」文字，大別爲兩種觀感：一是肯定這類文字有[illegible]，激濁揚清的效能，以短峭奇拔見長，可名之爲匕首文學。匕首，小刀也，沒有幾許生命的威力，抑也使受之者感到刺痛難耐，因而產生文藝的功用；一是亂彈式的聊聊天之作，上天下地，無所不談，似有意，又是無意，像飯後而歇，又是短小精悍，信口吹，自鳴天籟，給我們湖南話所謂的消料打嘴，足以啟發人的智慧，激迸反省心思，是謂之亂彈主義的文學。

七首文藝的內容，一定含有尖銳刻薄的意味，否則此，便不成其爲七首性的作品了。近代的文藝作家，像魯迅（周作人）最擅長這一道。[illegible]

但相信這類文字必須帶有如川黔一帶[illegible]

徐樹錚新傳

（二）

邵林宗

[illegible]見這樣情形，捏了一把汗，知道不夠抵抗他，乃自動廢藩撤治，彷彿當發王孟德說在孔明面前退卻：『丞相天威，南人從此不復反矣。』

六、治蒙策功虧一簣

他把擒住這個[illegible]陷，中國人民逃[illegible]外似的」而是[illegible]徐氏卻不忍然視無諸[illegible]建築一個廣大柵房，把所有逃亡的俄國人一律收容起來，[illegible]守衛，撫之，慰之，視若同胞。俄民[illegible]告曰：『中國素[illegible]視我等，今見大[illegible]待我等以恩，保我妻子，吾等有命矣。』這種以[illegible]服人的作法，感人入於肺腑，以此[illegible]，平天下，天下[illegible]，大概沒有做不到的吧！但是，倒運[illegible]政府，偏是[illegible]

七、綏靖輕裘統一全閩

直皖大戰爆發，[illegible]徐氏頤之失勢，被指爲戰爭禍首，乃入東交民巷，蒙日人之掩護，儼服[illegible]避地上海，閉戶治學。這時，粵軍將領許崇智、閩軍王永泉，都勸他出來，持續一顯身手。因此，他就間道孑身入延平，聯絡閩軍，在很短期間，掀起閩省倒李狂潮，指揮王軍，攻下省會，逼走閩督李厚基，建立軍政制置府，儼然與中央公開抗體。他這番驚人的表現，等於晴天霹靂，國際視聽，爲之一聳，因爲匹馬單鎗，居然擊敗敵人，把一省軍政統一起來，大家懷疑他有三頭六臂，好似孫悟空拔毛變身似的。不是，不是！拿他治蒙德威並施的氣魄，再加上才氣過人的資本，自然會無往而不通的。他主持制置府軍政，僅僅兩個月，功成不居，委政於王永泉，飄然遠颺！

八、遊歐美載譽歸來

甲子，奉直大戰結束以後，各方將帥公推段祺瑞組織執政府，以毀法創法，復興中國自任。他奉命爲考察歐美日本政治專使，歷經英、法、德、俄、義、瑞、比、荷、以及美國、日本，其間留居法美較久。當盛譽時節，遊覽凡爾頓戰場，歷經四日之久，毫無倦容，有一次乘水上飛機遊覽，機壞，墮入海面，同遊人盡皆失色，他卻神色自若，各報登載新聞，傳爲美談，驚爲神奇的人物。法國海軍鳴禮礮致敬，法國總統並贈他一等榮光勳章。」他在英國牛津大學，講演中國古今音樂之沿革，聽衆數千人，其中多有歐洲第一流音樂家，莫不佩服！遊蘇俄時，與其外交部長翟趣林談論政治，翟氏很誇耀蘇俄新政的設施，徐氏老早瞧不起他們的暴政，很從容對他講中國先哲一套政治理想，是王道的，不肯用暴力推行的，而用溫和的方法，以進大同，翟氏語塞，無以爲對。（下）

鄉耆馬直坡先生以期頤高年壽終賦詩以輓之

·張維翰

每於新歲誦公詩。今歲詩遲意頗疑。赴告忽來驚溘逝。和章幷至緊追思。高年耆德眞人瑞。亂世全貞作士規。祇憾首邱歸未得。彌留猶自盼王師。

（註）五年來公每於歲初必和余除夕叠韻之作，今春和詩已成，而公忽逝世，詩出其長君少波錄稿隨訃書而至。

劍底秦庭

歷史小說

奚如

（三）

「啊，我知道，我知道了」！高漸離忽然濺出一陣得意的狂笑，把另一隻手上持着的酒器向後一拋！

「誰？你說說看」！高微姬也欣悅地扯了一下高漸離的衣袖。

「荊卿荊卿，我們的荊大哥呀！」跟着又是一陣恣放的笑聲。緊隨着笑聲的消逝，高漸離像一陣風似的捲出了酒肆的窄門。

微姬目送着漸離的離去，也正想跟着移動腳步，忽然瞥見漸離心愛的筑還丟棄在炕上，這又轉過身，隨手把它撿了起來，喃喃地說了一句：

「這個人呀，連自己的寶貝也給忘啦」！

「誰呀？誰叫我做寶貝呀」？就在微姬再次準備起步的時候，酒肆的右角泛起了一陣捲着舌頭的呼喊。

高微姬的心裏有點發慌，然而，倔強的個性使她不能不抬起頭來，向發聲的地方白了一眼。

呼叫的是一個蜷髮，勾鼻子，眼睛稍爲有點淡黃的大漢，一看便可以知道不是燕趙兩地的土生，聲音就在那堆黃色的虯髯鬍子裏噴發出來。

「嚇，嚇！高——高——大姐，你——你說忘忘了我這寶貝啦？我——我——倒沒沒有忘忘了你哩」！大漢一面說，一面踉蹌地從座位掙持着站了起來，一直闖到了微姬的面前。

「滾開，給我滾開！我不認識你」！怒火填塞了微姬整個的胸脯，急促地一升，又是急促地一降，一升，一降。……

「唔，你不認識我，我蒙嘉倒認得你呀，你太欠啦」！一陣酒氣沖進微姬的鼻膜，更加燒起了微姬的怒火。酒肆裏的每一個酒徒都在三分的清醒裏帶着十分的憤恨，可是，面對着這一個孟賁型的西秦浪人，震懾於那隆起的臂節，震懾於那腰間的短匕，誰都沒有勇氣發出半點不平的聲音。

「滾！你滾開」！微姬已經失去了最後一分的理智，尖銳地叱喝着眼前這一座酒氣薰人的豆山。

「要我走呀」！蒙嘉的笑聲驚動了屋樑：「我的寶貝，來，咱們飲飲了這末一個雙杯呀寶貝」！一隻長滿了黃毛的手已經搭上了微姬的肩膊。

就在這一瞬間！

「劈！拍」！兩聲清脆的巴掌摑連落在蒙嘉的右頰上。

弱者的反抗激發了弱者的共鳴，聲停處，蒙嘉的背後，也迸發了一陣充滿激憤的喝打聲。聲音震懾了蒙嘉的狂莽，不期然地向後退了兩步，用手摸了摸發熱的面頰。

清代詞壇殿軍朱彊邨

紹莘

清代二百六十餘年詞壇殿軍，朱彊村實在當之無愧！原來晚清詞風之盛，更突過前人；但發徑的開闢，變類浙常兩派以降諸詞家。他們有的主南宋，有的主北宋，有的主唐五代，有的主樂府風詩，這是屬於詞派方面。談到格律方面，有的重情韻，有的重氣勢，有的重寄托，有的重聲律，無不燦然大備。在倡始的，未嘗不遵循正軌，但效法的，往往都有所偏，於是後起的，斟酌利弊，損益分寸，而雅音復振。

×　×　×

清末詞人聚集北京的，倡設宣南詞社，名流唱和，盛極一時。如盛昱、文廷式、陳銳、王鵬運、鄭文焯、况周儀、朱祖謀，都是社中人。其時國事日非，遭罹變亂，他們往往形諸詠嘆，宛然小雅怨悱之音。

朱祖謀，字古微，號漚尹，後易名孝臧，別署上彊邨人，浙江歸安人。光緒傳臚，外任廣東學政，轉禮部侍郎。

×　×　×

當彊村任京官時，臨桂詞家王鵬運勸他填詞，時已年逾四十。初時佐鵬運校夢窗詞，數易其稿。故所作專宗夢窗。訂律精微，遣詞麗密，而托體高渾，行氣靜空，尤能一掃餖飣之弊。著有彊村語業。庚子之變，閉門不出，成庚子秋詞數十首，寄托遙深。如果說杜甫的詩，是詩史；那麼彊村的詞，便是詞史了。

庚子禍作，清廷多主仇教滅洋，袁爽秋、許景澄、立山等廷對極斥其非，彊村亦朗聲說「臣期期以爲不可」。西太后聽見厲聲問，「言者何人？」[illegible]息不敢對。那時殿中集九卿科道甚多，僥倖沒有被捕。第二天袁爽秋等遂被捕被殺。

辛亥以後，專意刊詞，先後刻彊村叢書三百八十餘家，兩宋金元名家搜羅殆盡，且無一不手自校訂。散原老人有題彊村校詞圖詩云「[illegible]」（其一）「[illegible]」（其二）可算揭出他的志業。

×　×　×

罷官後，僑居蘇州，滬社既毀，隱居上[illegible]

瑞典人和咖啡

（一）

若果以個人做單位，瑞典是全世界消耗咖啡最多的國家。爲什麼瑞典人民這麼喜歡咖啡呢？

十八世紀初期，咖啡和茶同時輸進瑞典。瑞典人民十分愛好咖啡的香濃，和茶的清香。可是他們懷疑咖啡和茶都含有毒質。

瑞典國王佳士導夫是一位十分精明的君主，他決定以實驗的方法來解決這個問題。

（二）

剛好這個時候，一對孖生兄弟犯了謀殺罪，判處絞刑。佳士導夫把他們兩個傳到宮裏，問他們願否改判無期徒刑，在監裏試驗咖啡和茶的毒性。

商量了一會，弟兄兩個決定接納無期徒刑的條件。

國王指定哥哥服食咖啡，弟弟飲茶，並且規定每日服用份量最少各五杯，能夠多吃更妙。

在獄裏，弟兄兩個以咖啡和茶度日，每日服用的份量都超過五杯，生涯實在不錯。

（三）

過了一個月，醫生進去檢驗，發現他們全無中毒徵象，弟兄兩個都很健好，氣色比較從前更好。[illegible]吃茶的弟弟活到八十三歲才去世。吃咖啡的哥哥比較弟弟多活了十年，九十三歲那一年他無疾而終。[illegible]

·牛布衣·

唐山礦工大鬧風潮

欠發工資竟達七十多天　工人以工資咭借債爲生

【本報特訊】據天津來人談稱，開灤礦務局所屬唐山煤礦，刻正因礦工怠工，陷於停頓中，其詳細情形如下：

自中共攫取所謂唐山、西林、古冶、趙莊、門頭溝礦等各礦區後，因支援「國防經濟建設」，[illegible]驅迫礦工拚命生產，礦工待遇則未見改善，反形苛刻。因此礦區內經常發生礦工與幹部打鬥、爭執和工資糾紛。工人間中發生短時之怠工以示反抗！

此次唐山礦區興起新風潮，起因由於[illegible]延期扣壓工資，[illegible]。按唐山礦區[illegible]公司積欠該區礦工工資達七十多天，[illegible]工人生活陷於困境。[illegible]於是用武力壓迫[illegible]表示，未請發積欠工資前，決不復工，現尙在僵持中。

自由人

THE FREEMAN

（第四四〇期）

中華郵政登記認為第一類新聞紙類

（半週刊每逢三、六出版）

每份港幣壹毫　台北市價新台幣壹元

地址：香港高士威道二十號四樓　3 rd. fl. 20 GAUSEWAY RD HONG KONG

海外總經銷　友聯書報發行公司　香港：德輔道中二十六號A二樓

台灣特派員辦事處　台北市館前街五十號

台灣總經銷處　台北市西寧南路壹壹號二樓

台北郵撥儲金戶九二五二

領袖·輿論

·邵鏡人·

古人有兩句名言：『士有諍友，不亡其身，國有諍臣，不亡其國。』這雖是老調子，它的真理是永遠存在的。一個人見聞有限，如果不能虛心周諮博訪，那就很容易走入一意孤行，誤己僨事的道途上去。尤其是負國家重任的人，責任愈大，愈要有容人的雅量，愈要從多方面聽取別人的意見，斟酌損益，付諸實行。這是公忠體國的精神，也是政治領袖應具備的條件。

領袖應有的雅量

秦亡，劉邦項羽逐鹿中原，韓信攻下齊地，請封假王，劉邦怒，大罵韓信使者，張良陳平躡足以諫，劉邦立刻改變態度，封韓信為齊王。假如他不能從諫如流，依然板起面孔，維持他的尊嚴，恐怕謀士從此箝口，韓信擁兵獨立，西漢的局面就不易統一起來了。以一個椎魯無文的劉邦，居然有這樣豁達大度，明辨利害的機警，所以才能夠創業垂統，奠定漢家四百年天下的基礎，而成為一代的領袖人物，這決不是偶然得來的。

中國政治史上成功最大的，要推唐太宗李世民，他所以能夠造成輝煌的政績，不僅憑他的才學武略。他特別偉大處是能夠了解自己不夠，他決不誇張自己的本領，很能聽從反對的意見。有一次，他忽然就地域影響民性問題大發議論，認為太行山以東和以西的民族，截然不同，殿中御史張行成立刻糾正他的錯誤說：『天子以四海為家，如果強分東西，便是示人不廣。』在普通的帝王，一定要維持殿上的尊嚴，然而李世民却馬上點頭稱善，立對那位張御史厚加賞賜。他聞過則喜的故事尚多，不必細說。

君主政治的領袖，固然要接納諍言，民主政治的領袖，更要隨時注意「民衆意識」，接納「輿論批評」，自不待言。也許輿論未必盡是合理的，正確的，可是，做領袖的人，却不可不悉心加以分析判斷，所謂：『衆好之，必察焉，衆惡之，必察焉。』這才是領袖的作風。

民主政治與反對派

政治是衆人的事，替衆人做事，如不懂得衆人心理，和他們的需要，是永遠搞不好的。在中國先哲理想中，認為凡是從事政治活動的政治家，應該事事為人民打算，所謂：『天子作民父母，以為天下主，』『民之所欲，天必從之。』此是天道觀念，亦為民主觀念，但，這種觀念，亦為現代民主政治家所必須了解的。周厲王最怕別人議論他的長短，所以派人監謗。召公認為這種辦法是危險的，不是長治久安的善策，他對厲王說：『防民之口，甚於防川，川壅而潰，傷人必多。』這一套理論。厲王不能採納，以至演成『流王於彘』一幕悲劇。中國政治史上，這類事例實在不少，也無須多說。

最近，胡適之說過：『民主政治，應培植合法的反對意見』。這是合乎中國政治傳統思想的。現代的民主政治是要批評的，是要人人都來批評的。民主國家的人民有反對意見，甚至形成「反對派」，不但不是壞現象，而且是頂好的現象。因為政府當局，對於各階層人民心理和需要，未必能都觀察周密，凡所措施，未必處處合於實際。「反對派」以在野身份，不負實際責任，『當局者迷，旁觀者清』。所以有了「反對派」，才能補偏救弊，以推動政治的進步。

反對並不是反動

因此，反對是反對，而不是反動。反對是基於善意的、合理的、建設的。即使偶有吹毛求疵，責備太過，也不過是本着『恨鐵不成鋼』，一片好心腸而發出的。反動，那就不同了，是基於惡意的、陰謀的，要想以陰謀打垮現實。故當局的人對於這兩種區別，必須分得很清楚。反對意見，要虛心接受，反動陰謀，自然要特別防衛。如果不分皂白，一概誣之曰：『反動意見』，這不獨是很大的錯誤，也是民主政治前途的莫大障碍。

今日自由中國的當局，和海內外所有反共人士，政見與言論，容或有若干差別，然而，在大原則上，是決無二致的。政府既為根據憲法所產生，除了共黨，任何人不會否定其合法的領導地位，只要政府能本天下為公的精神，所有的反共力量，自然會集中起來，向着共同目標邁進，紛歧自易泯滅。萬萬不可把善意的反對意見，看成對立的敵人。

勿灰志士報國之心

政府雖有相當的尊嚴，但過度重視尊嚴，過度講求面子，稍不如意，便疾言厲色，拒人於千里之外，此將使有形無形的力量一概分散抵消了，這才真正中了敵人的詭計。平心而論，政府和海內外反共人士，共信已早有基礎，祗是互信未堅。這是有關作法的問題，而不是原則的背馳，假如看成不可和解的死對頭，那就錯了。可是，一切不必要的誤會，如果累積得太久太多了，却能使有志報國之士，對現實政治發生反感。反感日深，便會影響團結，此種無形的力量是非常偉大的。

言論界應有覺悟

凡賢明的當局，無君主民主之分，總是有『海納百川』之氣概的。當然在言論界方面，也不論處甚麼時代，必須實事求是，對於評論的對象，必須分析清楚後，運用理智與技巧，這樣的言論，才有分量，才能夠感動他人，而收立言的成效。苟不然者，縱使文章寫得淋漓痛快，讀者擊節稱賞，也往往發生不到實際效果，或反而發生無謂的誤解或糾紛，此不獨是言論界的損失，也是民主政治的損失。

尹文子所言：『為善使人不能得從，此獨善也。為巧使人不能得從，此獨巧也。未盡善巧之理。……』所以，言論界必須謹慎將事，立言以誠，本於情理，發為文章，才能言無虛發，語中肯綮。

言論技術不可不講

說到言論的技巧，我很欣賞「觸讋說趙太后」那篇文章，齊國要趙太后兒子長安君作質，太后不肯，一般大臣強諫，太后發怒，左師觸讋求見，絕不談甚麼為質的事，祗講家長里短，旁敲側擊發表一番大道理，說得太后口服心服，最後慨然曰：『諾！恣君之所使之。』於是為長安君約車百乘，質於齊。『言論技術的巧妙，收到最大的勝利。可見立言的技巧，也是不可少的。

清末民初，梁任公，運用他如海如潮的椽筆，發為文章，風靡天下，可是，有些未成熟的意見，往往急不暇擇，觸所欲言，後來自知過當，則曰：『吾不惜與自己前言宣戰』。因此被詆為：『好出風頭』。胡適也說：『我們跟他走到一點上，還想往前走，他倒打住了，或是換了方向走了。』以一個學究天人，名滿中外的梁任公，猶有這樣自貽後悔，受人指摘的言論，今天的言論界，更應該慎重將事，不待言。

總之，大局艱危至此，政府當局必須開誠布公，察納雅言，輿論界也必須立言以誠，講求技術，能如此，民主政治才能逐漸推進，反共復國之大業，庶幾有成。

阿登諾的堅強領導，德國的命運和西方自由國家聯合在一起，蘇俄佈下的中立陷阱，一定歸於失敗。

西德是不會中立的

李子光

德國已分裂成三部

戰後德國已分成三部份，德國人叫這三部份做，『三個德國』。現在的西德面積只及一九三三年德國的一半，人口五千萬。東德到現在還在蘇聯佔領之下，面積只及西德的二分一，人口一千八百萬。西德人士叫現在的東德做『中部的德國』。此外另有一個東德，那是德國戰敗後蘇聯硬把德國東部領土（約合全國四分之一）劃入波蘭版圖的一部。德國人民全數驅回西德。德國人所指的『東德』，名義雖屬波蘭，事實是被蘇聯併吞的一部份國土。

砲彈落到西德

蘇聯對奧國獨立的讓步，在德國發生了極大影響。西德外交部負責人士說，『蘇聯在莫斯科響了一砲，維也納聽到炮聲，可是砲彈却落在西德。』因此，好些德國人心裏發生一個問題，[illegible]

[illegible]

美國的有力行動

[illegible]

恢復全德才算自主

本月上旬，德國恢復了主權。阿登諾對全國作了五分鐘的廣播，他說，『今天我心裏感到十分滿足，德國恢復了國家的主權，德國是一個自由和獨立的國家了。』[illegible]從前佔領德國的國家訂了條[illegible]成同盟國家。』[illegible]的社會民主黨主張德國恢復[illegible]政府黨和反對黨只許向人民[illegible]。社會民主黨甚至不許阿登諾[illegible]宣布此事。辯論一小時後，[illegible]阿登諾的代表到議會宣讀自主文告。阿登諾的五分鐘廣播完了，社會民主黨[illegible]跟着說，『德國被佔領的結束，[illegible]件甚麼可慶祝的事情。我們必須等到三個德國恢復團結，成為一個德國，才算恢復了國家主權，才值得國民慶祝。』

如何恢復失土

現在，西德爭議最熱烈的，是如何收復其他兩個德國。[illegible]阿登諾的主張是這樣的，為了收復國土，西德必須把本身力量和自由歐洲聯合在一起。

（下轉第二版）

半週展望

〔左舜生〕

美國真要和中共談判嗎？

[illegible]

中共不能對台用兵

我們現在應就中共和蘇聯的關係，中共對美國所採的態度，以及中共內心對所謂台灣問題的一些想法，根本加以澄清：

一、由中共出面，單獨的，直接的，和美國坐下來談判任何問題，均為蘇聯所斷斷難容忍。

二、中共對美國的態度，表面是強硬，裏面是軟弱，不僅她不敢自動的向美國去挑釁，即再度為蘇聯所嗾使要她這樣做，她鑒於已往韓戰得不償失，也會要想盡方法去竭力避免。

三、中共不敢，也不能對台灣用兵，她所希望做到的，只是台灣不復作反攻大陸之想，事實上無法發動反攻的行動。[illegible]

美造成有利中共形勢

我在本刊上曾寫過一篇『毛周政權與所謂台灣解放』，說明中共如果以武力攻台，無論戰敗，都可以使得中共政權發生變化[illegible]

[illegible]

曹委員俊——對新聞局的十點質詢

方規

台灣通訊

「台北通訊」五月十六日的香港時報，曾刊載新聞局長與南如一封信，說立法委員曹俊於質詢該局業務時，對他本人「有在人格上難以忍受之言詞」。這一場質詢和答詢的情形，報上已略有記載。惟曹委員質詢的內容如何？外間似尚未盡明了。茲記其大要如下：

查曹委員的質詢，係五月十一日在立法院內政委員會第七次會議提出的，內容共分十點：

和新聞界聯繫不夠

他首先說：「上次會議本人很遺憾沒有能參加，未能聽到吳局長的報告；事後本席向內政委員會調了報告的記錄，非常高興，知道新聞局一年多來確也做了不少事，惟大局嚴重，我們對於新聞局的『責備』，也許要求苛刻一點，所以提出幾點來請教。」

其次他分開十點提出質詢，他說：「第一點、吳局長上次報告，……祇報告了些關於新聞發佈的問題。其他有關新聞局的掌職業務，大都均未提及。……所以我要求依據新聞局組織法的逐項職掌，將年餘來的工作情形，以及依據行政院四十四年度施政計劃『加強宣傳文化工作』欄內所列舉的事項，予以補充報告。尤其希望說明，做了些什麼？將做什麼？成果如何？……」

曹委員認爲加強政府與新聞界之聯繫，是新聞局的重要責任，這個聯繫覺得做得不夠，他問：「新聞局係以何種方式聯繫？聯繫成效如何？有何定期記者招待會？」他又說：「我們是個民主國家沒有新聞統制。我想政府與新聞界聯繫的目的，在政府認爲應該加強宣揚的事項，透過新聞局的聯繫，能夠儘量的登載宣揚；對於認爲不宜多登的新聞，儘量透過聯繫的關係，儘量使其自然的少登，要達到此種任務，新聞局業務要當服務事業一樣的來從事，而不是騎在人家頭上的上司，必須在生活行動上與新聞界建立深切情誼」。他說：這在新聞局組織法中已經充份表現「這個性質的」，他舉胡光應事件爲例，當時吳局長一再申述，是由於當時中外各報，渲染過甚，所以不得不發了那項斷然的聲明，希望由那項聲明來澄清空氣，曹委員說：「這我就覺得新聞局的工作，未能善盡其責任，如平時聯繫切實，則何至臨事絲毫不生影響，而必待那項聲明呢？」這是質詢的第二點。

未盡輔助報業的責任

第三點、是關於新聞事業輔助事項的。曹委員問：「新聞局已做了些什麼？如這次關於白報紙問題，政府一方面說白報紙短絀，但亦不得不同意開放洋紙，這個問題原非紙業公司改爲民營而引起；若干年間以前早有要求開放洋紙的呼聲。而紙業公司方面亦言之成理，說他的原料成本已漲了若干成，白報紙的原料是木材，這是省營林管局的專賣品，政府會否未雨綢繆，從原料與成品的生產成本過程中，作全盤的考慮，使讀者不加重負担，紙業公司亦無謂停滯，而國家仍可節省大批外匯呢？」他又說：「在此次白報紙事件中我們但見到新聞界找省政府，找直接找俞院長，未見新聞局如何善盡其輔助的新聞，是否新聞局長過份謙虛，請各報不登有關新聞局的新聞呢？」他進一步追問：「關於各報紙的發行額與白報紙的配給額問題，新聞局是否曾調查注意」。

第四點是關於電影事業的輔助事項的，曹委員說：「我還[illegible]與吳局長答詢[illegible]的記錄，我感到非常奇怪，吳局長說：『我[illegible]長官的指示』，[illegible]新聞局監督電影輔導[illegible]，而不管電影輔助，[illegible]」曹委員的結論說：「[illegible]影事業的輔助事項於廣播電影，戲劇等文化事業之輔助事項[illegible]。」

對外國記者聯繫不足

關於外國記者的聯繫事項，[illegible]，曹委員說：「我很久前曾提出過，[illegible]等到了台灣，亦已錯[illegible]。去年反共義士回國[illegible]前，在東京的大批外國記者要來台灣，但因新聞主管辦理入境證而拖延[illegible]，大大減低新聞的價值。這批記者中[illegible]台灣由於新聞局的安排，要去金門亦辦不到，要見總統亦未能見到，致大多滿懷失望」，曹委員說，這事現在亦不必計論了。但他跟着說：『即以去歲金門砲戰後，外國記者前往者絡繹不絕，但回來後對採訪的限制幾乎都是不滿意的。當然我相信也有滿意的，但我所直接或間接聽聞的卻十九不滿。不過我也無意責新聞局全負其責，也有許多是軍事國防的理由，但新聞局總應設法幫助他們獲得有價值的新聞，好使他們爲我們擴大宣傳』，說到這裏，曹委員提到吳局長在上星期一再聲稱台灣的新聞自由和外國記者的聯繫運用情形，之後他說：『事隔二日在台的許多外國記者，包括美國人，英國人，法國人，聯名向吳局長提出了一封憤怒的抗議書，並作五點改善的建議，這對吳局長的答詢眞是無情的諷刺，而新聞局對外記者之平時聯繫工作也就可想而知。未知對此抗議書及建議將作可處置。』這是第五點質詢。

第六點，曹委員謂，新聞局正[illegible]了，許多辦事機構，設四十四年度亦列了一百六十幾萬的預算，他請吳局長將該等機構的情形，工作情形，經費的使用予以說明。

電影檢查答復矛盾

第七點、是關於永華影片公司借款而引起的該公司七片問題。曹委員說：『一張影片是否合乎電影檢查法及其子法的規定，這當然主管機關有權認定，至於認定是否正確，任何人自然有權批評建議』。他認爲新聞局對本身電影檢查職權的行使，前後答復顯然矛盾，他說，吳局長『上次對侯委員答詢說：「小丈夫」片係在四十三年六月以前早經核准的，在三年以內有上映權，政府不能干涉，也不能否准。但剛才沈處長對「少女寶鑑」一片則稱因接受侯委員的教訓，予以複檢，重加刪除陶希聖先生之建議而許多鏡頭，這眞不知將如何自圓其說？』仍第八點質詢，係有關映片檢查問題，他說：『我還要問假使一經核准放映的片子，事後發生與國策衝突的問題，我們是不是仍是依法不管，關於「小丈夫」片，我是卅八春在香港看的，原名「火葬」，此片之主題並無意見，惟此片在台放映後，一般觀衆幾乎都知道此係出揚陶金主演，而此二人爲共匪黨徒，並有共同的感想「此係六年前的舊片，然其技術水準較我們最近拍攝的一般片子爲高」。此種反應我主管心理作戰的新聞局作何看法，請問究竟是爲誰心理作戰？是爲誰展開宣傳？』

第九點，曹委員問『電影檢查是根據電影檢查法及其他依據該法而制定的若干行政命令，這些電影檢查的子法已否送到立法院來』，他提請吳局長注意，中央法規標準法第八條規定，「各機關將發布與法律有關之規程規則細則或辦法全文即送立法院」。

最後，關於揚子木材公司一案，曹委員說：『吳局長所發表的聲明，上次吳局長一再說，是爲了當時中外新聞渲染過甚，所以就「目前」及「初步」的檢討，作此聲明以澄清，我現在並未檢閱當時的原文，然就記憶所及，[illegible]「目前」或「初步」的字樣[illegible]。若照吳局長的意思，那麼[illegible]是否將再發表第二步第三步的聲明呢？現在司法的發展尚不可知[illegible]』

[illegible]

以上便是曹委員質詢的全部內容，[illegible]（五月十七日台北）

美國看亞非會議

美國「新聞週刊」專欄作家林特萊，最近訪問中東遠東區，亞非會議期間，他適在那裏逗留，事後他在該刊發表了他對這次會議的印象，也可代表美國輿論界對這次會議的一種看法，茲特譯出，以供讀者參考：

亞非會議已過去了，但在人們記憶中還具有不易磨滅的印象。[illegible]阿剌伯國家，雖[illegible]例外。這次會[illegible]顯然有蕭牆[illegible]最後公報中所[illegible]是會議中予人[illegible]對共黨的不信[illegible]團是強力反共[illegible]們對共黨的日[illegible]西方觀察家所[illegible]周恩來在萬隆[illegible]對共產主義採[illegible]就是一種嚴重[illegible]個善於玩弄手[illegible]所以起了作用[illegible]普遍的和平渴[illegible]都反對美國與[illegible]而發生戰爭，[illegible]他們對共黨示弱。（四）所謂印度總理尼赫魯能代表自由亞洲發言之說，是被揭穿了的一種神話。他在會議中是最洩氣的領袖。亞洲發出了許多呼聲，尼赫魯甚至也不能代表中立集團說話。緬甸、印尼和其他亞洲國家的領袖們自己說話，且對一般以爲他們是尼赫魯的應聲蟲的說法表示惋惜。（五）亞洲人反殖民地主義的強烈而集中的立場，必然將加速非洲的帝國主義的結束，不僅在北非的阿剌伯國家如此，而且在中非南非的黑人區域亦然。（六）這次會議的結果已給予亞洲和非洲領袖對世界問題的影響力，即使增加這些領袖更多自信。這種新精神本身。（七）印尼政府和人民對參加會議來賓的慇懃招待，和周密的佈置，使他們得到了特殊聲譽。（八）國務院對周恩來唱的高調的初步反應，好像是一張壞了的唱片，在唱着：「是的，我們沒有香蕉。」這使我們的友人感到困惑。會議中所產生的最尖銳的問題，是中共的眞正企圖何在，如不確實尋求問題的答案，使輕率拒絕周恩來的姿態，將是外交上的錯誤。

（羚式譯）

西德是不會中立的

李子光

（上接第一版）有了力量，才能使蘇[illegible]發生懷疑，他們許多德國人對於這項主張，不希望德國恢復一九三七年的國土[illegible]只有逐漸的與西方合作，才能得到蘇聯的讓步。贊助阿登諾的右翼自由民主黨，則提出第三種解決方案，[illegible]

和西方國家聯合一致

現在只有阿登諾一派，堅持聯合西方的決心。阿登諾說：「德國將來的命運，與自由命運是滙合在一起的」。[illegible]阿登諾把德國的命運和西方自由國家聯合一起，這是正確的。[illegible]近年來西德工業的驚人進步，便是一個自由發展的最好例證。因此，蘇俄儘管以對奧讓步，作成陷阱，企圖把德國造成中立地帶，西德社會民主黨和自由民主黨抱持不同的意見，儘管社會民主黨和自由民主黨不會輕易上當的。阿登諾決不輕易屈服，大多數的德國人民也不會背棄阿登諾的領導的，證之以過去的事實，這個判斷是不會錯的。

天下小事

南國狄托不忘舊惡

由蘇魯欽夫率領的俄國代表團，已定於本月底訪問南斯拉夫，[illegible]第一副總理米高揚，外交部第一副部長葛羅米柯等等。在這張名單中，[illegible]莫洛托夫[illegible]但爲甚麼他竟榜上無名呢？

消息傳出後，一般人紛紛推測，許多外國觀察家認爲[illegible]老政治家的地位，並斷定葛羅米柯之隨同訪問，就是他即將出任外長的有力證明。

這段話表面上看來頗有理由，但事實上莫洛托夫[illegible]在此。[illegible]官員名單中原列有莫洛托夫的，終因狄托的堅持而被刪除了。

布倫達諾見獵心喜

蘇俄對於與國和約的一記殺手鐧，許多西方政策設計人都担憂會在西德內部引起爆炸性的影響，大多數自由民主議員，以及若干基督民主黨（總理愛特諾爾爲黨魁）的議員，都公開接受蘇俄新態度的欺騙。在這一打擊之外加之其他種種因素的促成，他們已開始建議，敦促愛特諾爾步邱吉爾的後塵，自行引退，而居於元老政治家的地位。

如果愛特諾爾下台，誰將繼任爲西德總理，熟悉內幕的人士所經常提到的，是現任國會基督民主黨領袖布倫達諾。據說，他不久就會出任西德外長。另一方面，布倫達諾愛由外相而首相，正式作爲邱吉爾的繼承人，他也不禁心喜，很想一躍而爲外長，再躍而爲。（孟衡）

編者 讀者

愛國老人蔡智堪病

△趙尺子先生來函

編者先生：台灣愛國老人蔡智堪先生（「田中奏摺」取得人）患嚴重心臟病，已爲次代呼籲。本月初，台北聯合報亦載有「大家談」。大陸災胞救濟總會秘書長方治（希孔）[illegible]苗栗縣長劉定國，表示願送蔡先生入台大醫院就醫，費用由該會負担。蔡先生得此援助，已於一週前入院，由蔡錫琴、李鄉愷兩大夫診治，經過良好，而[illegible]消退，據主治大夫云：如無特殊變化，大約一月[illegible]社會對此事亦相當重視，羅家倫先生曾派員慰問並致送醫藥費一千元，苗栗縣長劉君及[illegible]日所得，已捐得千餘元，讀者投函聯合報並附[illegible]苗栗黃議長並表示，決將蔡先生愛國事迹，記入[illegible]李宗芝被車磨亮打兩槍所引起之社會同情，則[illegible]見愛國與人道兩者之價值亦似有極懂[illegible]筆者上週赴醫院探視，蔡先生囑筆者代向[illegible]秘書長、羅主委、劉縣長、黃議長，捐款各位大大致謝。並云：『本人當年爲黨國一切努力[illegible]。此次死中得生，實出諸上述各位的恩賜[illegible]感謝外，相信台灣愛國同胞亦必同深感激[illegible]』以上消息，想貴報讀者所樂知，因識述以聞。[illegible]讀者趙尺子百拜

△本期稿擠，「德國參加聯防」下期續刊。

△陳式銳、耘農、萬香堂、雪夫、狷士、馬丁、周棠、穆斯曼、范英、撫象，諸位先生：承賜稿，均已奉到，謝謝！

中共實施——粵省奴化教育一斑

裕生

【廣州訊】中共爲徹底搖蕩民族意識和傳統的國家觀念，年來大肆燬滅古典文物書籍，並訓練一批農工階級幹部，來代替已遭整肅的各級教師。

據中共廣東省「文教廳」四月廿五日至卅日舉行的「教育」工作會議報告，一九五四年會經辦高初中師資短期訓練班，培養了高級中師資五百八十人，並開辦小學教師輪訓班，訓練小學教師二千八百人；在梅縣、海口還經辦教師業餘文化補習班。可是他們的計劃，完全失敗，因爲這批教師均表現其低能不能任教，所以該會議又決定以後必須再從現職幹部中另行選拔訓練，以備補充。

又據該會議另一報告，在一九五四年間，曾將全省各地小學加以整頓，換了一批校長和教導主任，另在海南黎族和苗族自治區裏，設立初級師範學校，以備今後向少數民族區進行思想統治，實施奴化教育。

該會議最後決定，決依照蘇俄的教育政策，強迫青年跟隨共黨統治的腳走，將於本年內召開一次全省小學教師代表會議，以貫徹此一政策。此外還計劃增設一所工農速成學校，爲農民和工廠培植幹部。此爲粵省中共實施奴化教育的近事，足見其趨勢之一斑。

談談工學院

・松風・

讀者論壇

讀了自由人四三四期「大學教育芻言」後，筆者也想說幾句一得之言：我是個工學生，對工學院這方面的現行大學教育，較有認識和經驗，茲就工學院方面的事，作一個討論與建議：

如何健強教授陣容

江仁先生說：「合大教與學均佳的好教授，固然不少，而亂七八糟的教授，也不在少數」。又說，「有些教授的講義，被學生視作天書般的不可理解」。這些話也適用到工學院。我們不能說校方沒有改革之心，可惜往往有些蹩扭！以至行不通。舉例說，我們選了一個必修科，而此科祇是某教授一人開的課程，除了選他的課程外，別無他途。因此雖明知這位教授並不高明，還得請他別賜高就的。但一想到，如果提出此議，本學期的功課便就誤了。並且，校方若不採納，（往往如此），則又如何？因此，只好忍氣吞聲，馬虎過去。筆者以爲，若由教部或教廳派專員，到學校來，實行學生無記名投票，以測驗教授之好壞，則獎懲可以有準，濫竽充數的人亦不至於混跡最高學府之中了。

何謂好教授？

再者，江仁先生說，「教授必須是好教授，不一定爲名教授」。筆者更要說：「不一定是學富五車的，才是好教授」。因爲教授的學問儘管好，如果沒有教授法，學生便會如墮五里霧中。這種教授往往怡然自得，以爲不可一世。學生呢，在課堂上直如同熱鍋上的螞蟻，恨時鐘走得太慢。所以一個好教授，必須能使學生聽得懂，而且消化得了。有名望，有學問的教授，如不能使學生瞭解他所教的「天書」，又有何用呢？

課程要合理化

現在一二三年級的課程，工學院學生平均每週上課在廿四小時以上。再加實驗、繪圖、試驗……等等，算起來，平均每週在三十小時以上，已是精疲力盡了。並且學生大部份是貧寒的，伙食營養不良，往往深夜不眠，健康自然不好。因此每到期中或期考，病假單便一片似的飛到教務處。在這種情況之下，要想獲得課外的進修，是不容易的，也是不容易做好的。

筆者認爲應該刪除與本系無大關係的若干科目。例如學電機的，化學一科，在一年級已讀了不少，從初高中的課本上所學得的知識，已足夠應用，故此科大可刪除。但現在工學院卻列爲必修科，而且二修若不及格，便會因此而滾蛋，豈不冤哉枉也！

畢業論文的改革

筆者覺得四年大學，設置畢業論文，實在不能說明學生有多大的成就。與其如此，不如以一種專門書籍的翻譯，以代畢業論文。譯好後，再經教授審正，選出優秀的，拿去出版。這樣，一方面可使不識洋文的，有書本可讀，自行進修；另一方面，可以補救國家的編譯工作。豈不是一個比較有意義的事情嗎？

應該學以致用

筆者以爲我們是學工程的，應該學以致用。當務之急，要培養學有所用的人才。其次，培養研究的人才，可以把握實際。工程師，他們是否能作無米之炊呢？我們大可不必好高騖遠，必須把握實際。我們決不可依賴舊書本，來個全搬抄襲。否則，結果將會得不償失。因此，我們必須安步就班，做好基礎工作，再去與人競爭。基礎工作也就是先造成學以致用的人才，而不是一出大學門就想上摩天之塔的大學生。

受訓師資先行考試　現任職務必須保障

當教育司署宣佈：本年度繼續舉辦「教師講習班」，調訓「暫准」教師受訓，「暫准」教師的乙種教師，不在「不准」而屬「暫准」的教師，大多數服務在私立學校，觀察教育當局同情的校長，尤其在未必能夠……

[illegible]

許暫准教師取得一個「暫准」教師資格。因此，「暫准」教師的待遇，「校主」們固然不會給予他們以「優越權利」。……

[illegible]

立或津貼學校。在原服務的校主「看來」，這是一大損失。因此，「校主」們以爲與其他們將來請辭，莫如現在將他們調職。依照法定的條例，「暫准」教師申請介紹，係由該教師服務學校的校長間接申請，「校主」們不准。最近，教育當局已經修改了乙級教師考試辦法。今後「暫准」教師打破了……則並無適當保證，……在受訓期間表示，對他們在受訓期間的職務，應該有所保證，……解除「暫准」教師職，或者藉故迫使他們自動辭職，否則，訓練師資將會受到意外的阻礙。

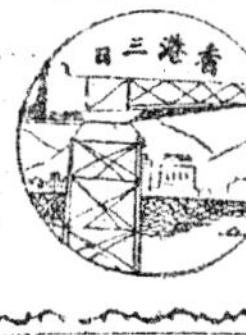

土地改革與農會改進

王承彬著　中國農民服務社發行

祝修衡

台灣土地改革的經過，已爲自由世界許多國家所重視，法國、埃及、義大利、希臘、土耳其，以及印、巴、泰、越、菲律賓諸國，均曾先後派專家訪台，美國的土地學家亦正作長期的研習。土地改革不特是打擊共產主義的有效工具，而且是國民經濟死裡回生的一服特效藥，究竟功效如何？似非三言兩語可作答復。「土地改革與農會改進」一書的作者，在書中提供了許多資料，有助於從事研究台灣土地改革的了解。

（一）

全書共十一章，作者憑其歷年致力於土地改革的經驗，寫成此書。可說讀者明瞭自三七五減租到公地放領，再進而爲耕者有其田，這三個階段的經過。書中指出政府曾在最後這一階段動員了各級技術幹部一萬八千餘名，動支新台幣一千五百餘萬元，以及工作推行的艱鉅情形。該書第二章，敘述三七五減租的眞象，由此促進顯著的增產，打下了今天完成土改的基礎。雖然台灣農業增產數字每年均有報道，但書中所列的較爲具體，可惜書中沒有列表說明，否則更易明瞭。作者對於佃農紛爭的減少，和消弭的原因，也有解釋。其次敘述政府對公地放領與人民受益情形。再次敘述耕者有其田的計劃、開始實行及其過程。對扶植大量自耕農，和如何建立農民經濟基礎，與促進社會經濟繁榮，以至農民在政治上的地位提高，都作了概括的敘述。

（二）

第三章說到農會的改進，對台灣農會的沿革及性質作了具體的敘述；然後介紹光復後台灣農會的演進情形。並提供了改進各級農會組織的意義，又說明改進辦法的基本精神和目的，最後以黨政協調配合全面推動作了結論。

第四章是關於怎樣輔導新建農會的，作者就其領導改進農會的經驗與心得，認爲農民基層組織極關重要。因之對於改進後以及新組織的農會，提供了充分建議。他列出詳細數字，作爲立論根據。原有農會員人數達七十六萬七千零九十四人，經過嚴格審查結果僅及半數。於是他作了一個具體說明，被剔除的會員名額，包括公務員，未成年人，遷出和死亡，而反映出未經改進的農會，組織不夠健全的基本因素。故改進後及新組織的農會，不單革除了過去被人操縱的惡習，且成爲農民自己管理的公衆福利機構。

（三）

新農會的構成分子既屬廣泛的農民，如何使其知識、能力、財力方面能夠充實，作者建議省府設置了一個永久性的輔導機構，由省府各附屬單位就其業務範圍，共同負責策畫，使農會對於指導、推廣、倉儲、加工、購買、配售、農具改良、家畜繁殖、森林保護、災害防治、造林、保健、金融、保險、公庫、調解、文化、康樂、福利等項能獲圓滑進展。農會的組織從此更臻強固。其次對於農會的虧損原因及其補救方法，作者明白地指出了人謀的不臧，與管理的不善，經營不當，稅捐繁重和利率高昂，亦爲重大原因。天災人禍尚在其次。因之他要求人事健全，加強管理、加強管理、整理財產、追究虧損責任，再進一步，減免捐稅和利息等等，都是切合實際的建議。最後關於有待解決的諸如農倉、合作、社會問題等項，均發揮了具體意見。（本書定價新台幣五元）

經濟社會思想叢殘（廿二）

金伯華

吃飯三部曲

是的！無論人們把合作制度的優點說得如何天花亂墜，但總離不了是個吃飯問題，亦即中國合作社法所說「經濟利益」及「生活改善」問題。

當然！「人」雖然並非爲吃飯而生；但不吃飯去誰也活不成的。問題只在世界人類這一鍋飯，大家究竟應該如何吃法，方能不致爾詐我虞，鬧得碗碟飛舞，頭破血流？

於此，可把這個「天下莫如吃飯難」的大問題的分爲三個階段，三種進化的步驟來略加分析：

第一是「大家要吃飯」。這是不成問題的問題。「不成問題」，剛才已經說過了，不吃飯是誰也活不了的。而「成問題」也就恰恰在此！這在近代若干公法學者及社會主義者，就老實不客氣的提出了所謂「生存權」或「工作權」的口號。因爲有些人餓已沒飯吃，但已活不了。而另外有些人則確是吃得太多太好。然則天下又那有這麼多的聖人或傻瓜，餓着肚皮眼見少數人吃得太多太好而絲毫無動於中？他們心中一動，天下即隨而大亂！共產黨所造反作亂，就是以「反飢餓」作爲最初的號召的啊！無可諱言，在目前世界這大動亂中，只知一味自私而沒有顧到這「大家要吃飯」的基本事實，是主要原因之一。

有飯大家吃

由於大家要吃飯而沒有飯吃，於是不逞之徒，有機可乘，對於有飯吃而吃得太多太好的人，製造一種階級的仇恨，喊出「有飯大家吃」的呼聲，揭竿而起，社會騷然。這是所謂歷代「農民革命」的初步現象。其實，簡單的說，都祇是一種「餓民保命運動」而已。孫中山先生有見於此，所以毅然決然的提出了「發民」的民生主義，以謀革除「賺錢」的資本主義的流弊，而合作制度的目的，恰好只在「囊」上的，只在排除經濟上的「剝削關係」，以「預防」社會革命的發生。中山先生之所以提倡合作，確是實行民生主義的最爲妥有效方法。老實說，合作共同經營及運帶負責等互助辦法，還不就是一種「有飯大家吃」的主義？不過合作主義與共產主義比較起來，前者是重在人性的發揚，自助精神的提倡，經濟事業經營技術的組織和改善，以和平方法謀取社會的和諧；而後者則重在獸性的激勵，生產事業奴役技術的精進，以流血鬥爭的殘酷手段，攫取所謂勞工階級的專政，以遂極少數野心家的大欲而已。所以共產主義與資本主義在吃飯問題上所持的態度，完全是半斤八兩，照樣改不了最大多數人沒飯吃而極少數吃得太多太好的情形。要改革這種不合理，不人道的情形，使「大家有飯吃」，實實在在只有合作主義的經濟制度方能做得到。

爲什麼唯有合作方能做到「大家有飯吃」呢？

因爲，眞是奇怪！「飯」之多寡這一個生活問題，在人類心理上，在經濟關係的均衡上，實只居於次要的地位；人類心理及經濟關係，最主要最有刺激性，乃至最有爆發力的問題，確是「吃」之多寡的分配問題。飯少，大家少吃些；飯多，大家吃飽些。少，不夠，固然是問題；但若分配得宜，問題還不太嚴重。雖多而不均，嚴重性卻就大了！「現在世界天天進步，日日改良，如前所講之分配社會化，就是新發明。這種發明叫做合作社。……」（第九章完）

稿約

本報各版園地公開，歡迎讀者投稿，性質不拘。來稿請用稿紙橫寫，勿兩面寫，最好不超二千字，特殊稿件例外。譯文請附原作，如原文不能附寄者，亦請註明出處。來稿不便刊用時需退還者，請附郵票。

關於郭沫若

馬五先生

最近在一本雜誌上，看到翻歡十年前郭沫若在重慶攻訐林語堂講學的文字，指林氏不懂孔子所說「假我數年，五十以學易，可以無大過矣」這些語意，說「易」字是「亦」之誤傳，前人已有此論斷了。因而訕笑林氏仍猶襲說之非，且以林氏謙稱對易經「略窺涯際」為不配談易學云。潛伏在海隅的共黨統戰份子，亦乘機嘲罵林氏一番。

現代中國文人無行而又無恥者，當以郭沫若為首屈一指了。他對於國學的根底原極淺薄，却胆大胡說，任意武斷，而笑別人不通。例如：離騷末尾「亂曰」的「亂」字，不但說文已有「亂，治也，從乙從𤔔，乙，治也」的解詁，亦且有許多學者引經據典，證釋「亂」是曲終之義。但，郭氏乃敢於肯定地說這「亂」字是「辭」字之誤。憑這種抹煞一切的懷疑方法來治學，一孔之見，倘有是處？然他竟洋洋自得，恬不知羞。難怪有些不懂法學的鄙陋之士，亦敢以「法律常識」嚇人哩！

他在重慶榮任政治部第三廳長時，衣錦還鄉，回到樂山祭母，大搞其封建社會的「點主」玩藝，懇請當地「復性書院」院長馬一浮為點主大賓，藉以驕其鄉黨。這是相信唯物史觀的前進思想行為嗎？給他官做，就寫文章歌頌蔣委員長到五體投地，說委員長的手亦特別綿軟。（見郭所寫「轟炸中來去」一文）沒有官做時，又說是「獨裁不民主」了！像這類人，當然可以喊「史達林爺爺」，說「史爺爺」是「不朽的鋼，永恆的太陽」，毫不足怪，他原是倡優畜之的曲學阿世之士啊！

智識份子的立身行己之道，像郭氏這樣，夠說是無所不為了，這正好適合共產社會的生存條件，所以，他就可以貴為「副總理」。凡不能實行多斯安也夫主義的智識份子，在共產社會中就是「階級敵人」，郭氏的知識就只徹底瞭解了這一點而已。

沒有靈魂的刊物

蘇俄卅七年來的出版界
共黨自己的檢討和批評

牛布衣

我們叫共產黨的文章做黨八股，黨八股是千篇一律的刻板文章，此種文章不能讀，讀了使人作嘔。為什麼鐵幕裏頭寫不出好文章呢？理由是這樣的，共產黨注重團體，忽視個人，因此他們寫出來的東西好像廣告文章一樣，沒有個性，沒有靈魂。

蘇聯立國三十七年了。本來俄國民族是富有個性的。二十世紀初期，俄國文豪輩出，聲譽滿天下。現在，他們有報紙七千一百種，雜誌一千五百種，數目之多可說還是甲天下。但內容怎麼樣呢？下面是蘇俄共產黨中央執委員會主辦的機關報『共產黨月報』，對於蘇俄現有出版物的總批評，（譯其大意）。

蘇聯的報紙都是同一無聊的方式唱同一無聊的歌調的。若果把報紙的名稱，所在地區的名稱，工廠和集體農場的名稱通通刪除了，拿到別一個地區，換上該地區的名稱，刊印出來，恐怕沒有一個人讀完報館編輯在內能夠發現這張報紙的資料是由別一個地方移來的。蘇聯報紙上的文字是千篇一律，枯燥無味，充滿官僚味的刻板文章，此種文章之匱使人作嘔。

為什麼蘇俄的報紙會壞到這個程度呢？因為各地的報紙，為了省錢，差不多全數採用莫斯科中央宣傳局發下來的資料。有些報紙雖然也雇用一兩個編輯和作家，可是這些作家最大的本領便是模做莫斯科的宣傳文章。本領高明一點的，能夠寫成和中央一模一樣，無法辨別的文字。

雜誌文章和報紙文章一樣，都是千篇一律，枯燥之味，全無色彩的宣傳文字。

不錯，他們是替黨宣傳，宣傳是刊物的重要任務。可惜的，是他們並沒有能夠善盡宣傳的責職。他們只把舊的，不適用的資料湊串起來，寫成一篇枯燥文章。這一類的宣傳文字能夠發生效力嗎？

報紙上的社論更加可笑。社論上沒有一點使人動聽的議論，都是千篇一律的刻板文字。他們用如下的方法去寫社論。假定社論的題目是『農業』。文章的開始是跟農業的一種泛論，跟着大事稱讚共產黨和共產黨管理下的農業。入題之後一轉，由稱讚改為批評。批評的方式也是刻板的。下面的公式是由許多批評文章裏頭歸納出來的。『好些集體農場都沒有集中他們的精力在耕種方面……』『這種情形實在使人不能夠忍受……』『黨和蘇維埃的組織應該……』

語意學漫談

徐道鄰

這篇文章已在本刊連續刊載了三十四期。四三六期會刊出「全文完」字樣，其實是第十二章刊完之誤，現在繼續刊載第十三章以後各章。　—編者—

十三、『兩值』邏輯的語言和思考

你和弟弟坐在書房裏，聽見外面有人進來。你說，來的一定是爸爸，弟弟說，一定不是爸爸。你們二人，各不以對方的意見為然，但是你們却同時知道，你們二人之中，一定有一個人是對的，有一個人是錯的。而且也祇有一個人是對的，和祇有一個人是錯的。這就是西方傳統邏輯裏三大『定律』的全部內容。（一）因為要是來的真是爸爸，那麼他一定就是爸爸。（『同一律』：甲等於甲）。（二）他不可能又是爸爸，又不是爸爸。（『矛盾律』：甲不可能同時又是真又是假）（三）他一定是爸爸，或者不是爸爸，二者必居其一。（『排中律』：甲非真即假。）因之，同樣的，你們二人之中，一定一個是對的，一個是錯的。你們不可能兩人都是對的，也不可能兩人都是錯的，也不可能兩人都不對，或者兩個人都不錯。

這三個邏輯定律（事實上後二者祇是前一者的引申），雖然祇是在亞里斯多德系中才得到它們的語言範型，事實上它却是世界上所有人類的一切思考的原始基礎。人類思考之依靠『同一律』，好像宇宙現象之依靠『萬有引力』。宇宙間如果沒有萬有引力，地球上還有什麼東西存在？人類如果沒有同一律，一切無所謂『是』，無所謂『不是』；『是』的同時又可以『不是』，『不是』的同時又可以『是』，這樣子，我們還有什麼思考？（只有瘋人院裏的思考，是不受同一律支配的。）也好像拿一個算盤推算，一會兒去掉幾顆算珠，一會兒又加上幾顆算珠，這樣子我們怎麼還能正確的去加減乘除？

這個建立於同一律之上的邏輯系統——過去我們認為惟一可能的思想體系——這一個認定『是非不可並立，真假不容混淆』的系統，我們現在一般稱之為『兩值的』邏輯系統——因為在這個思考體系裏祇有『是』和『不是』，或者『真』和『假』兩個價值，而不容有第三個價值存在——是我們兩千年來用以研究和推進我們人類思考的最主要的工具。（依據我們現代學術的觀點，數學和邏輯，事實上祇是一個體系。）也是我們研究知識論時不容忘記，也不容忘恩的一個事實。但是從語意學的研究來看，這一個邏輯系統，却也給我們人類的思考行為，帶來了很不少的災害。（三五）

花弄影

即雙調天仙子

・王沉裴・

辛卯九日，賃新竹東門城樓，有感。夜聞機聲不成眠，漫然賦此詞。

客裏樓高休獨倚。西望故園逾萬里。重重鐵幕黯森森。偶同記。心已碎。往日淒涼多少事。

斜月半窗霜滿地。碾破寒衾無睡意。機聲軋軋夜盤空。眼纔閉。又驚起。歸國何時人老矣。

贈本際上人

・井塘・

如醉何人似子吟，僧中萬衆一難尋。佛門寂寞春常在，誰謂詩情損道心。

佳句覓來不廢禪，妙疑禪使出言筌。天教偶儻龍公子，老入空山作皎然。

劍底秦庭

歷史小說

莫如

（三）

也就在這一瞬的空隙裏，微姬已經迅速地走出了酒肆的大門。

「好」！怔了半晌的嘉蒙突然一聲大吼：「老子給你這臭寡婦看一點顏色」！

高漸離的興奮是難以形容的。脚步還沒有踏進家裏的籬門，已經忍不先就高叫了兩聲：

「荊大哥！荊大哥」！

「漸離，漸離，我終於看你來了」！

隨着欣悅的迴聲，大門口出現了一個魁梧的身影。雖然面孔上籠罩着一層風霜的顏色，可是，逼人的爍爽神態，却使人覺得那是一座天神的化身——一位可親然而也可畏的天神。

這就是名聞北國的大俠英雄荊軻！

暮色四合的城邊小巷裏，高漸離緊緊地擁抱着前眼這一個久別而又渴想着的刎頸之交，一直看到微姬帶着惱怒的面色踏進了，小園的籬門，兩個人這才放下了手。

「姐姐，你怎麼了」？高漸離有點困惑，習慣於關懷姐姐的感情使到他忍不住在荊軻的面前提出了詢問。

微姬並沒有回答，只是輕輕地搖了搖頭。似乎眼前這一個遠客的影子，足以使她忘懷了一切的憎恨，所有的憤怒。

漸離正要跟着說甚麼，抬起頭來，忽然發覺小廳子裏面，還規規矩矩地坐着一個七八歲的小孩子，一對烏黑的眼睛，正朝着他的身體左右迅速擺動。這使漸離不覺「咦」了一聲，伸手向孩子指了指。

「過來！」荊軻微笑着向廳子裏揮了揮手：「小蒙！過來拜見高叔叔」。

小孩子乖覺地從裏面走了出來，向高漸離俯下身子，跟着就是一聲：「高叔叔」！

「啊！這是小荊蒙呀！我的小娃兒，你就這麼高了麼？大啦！呵呵！七年不見，真快真快！當年我看見荊蒙，正是吃奶的小娃兒呢！」高漸離說話之間流露着無限的感慨，忽然又抬起頭來，向着荊軻：

「大哥，大嫂怎麼沒一道兒來？」

一陣感傷掠過荊軻的眼底，只是輕輕地搖了搖頭。

「怎麼？」高漸離驚訝地放下了按在荊蒙頭上的右手。

「過了」！

「什麼？過了？那一年的事？」

「就是我們到泰山去回來分手後的那一年。」……

一陣人世的感傷，使大家都陷入了低迴沉默之中。世事的變幻，竟是如此的難以逆料。在高漸離的心中，彷彿還記得七年前與荊軻泰山試劍，恍惚還是眼前的事，那時候，荊軻還是剛剛新婚不久的新官。誰想得到，只是短短七年的時光，……

徐樹錚新傳

・邵林宗・

中國近代人物，或以外交地位，或以政治關係，或以學術優長，騰譽國際間的，算其特出人才，康有為，梁啓超，嚴復，李鴻章，孫中山，辜鴻銘以後，徐氏却為國家爭得光榮不少呢！

九、好學不倦尊儒敬賢

徐氏畢生治學，孜孜不息，雖担任國家要政，或在軍務倥傯之中，依然不廢吟誦，舟車往來，亦必載書與俱。對於博學有道之士，尊之敬之，對於舊賢有為青年，獎之掖之，數十年如一日。與同時學人柯鳳孫，馬通伯，林紓，姚仲實，陳伯弢，姚叔節，吳梅，翠南，皆為文字交，久而敬之。

他感覺到國學寖衰，學風日靡，乃在北京創辦正志學校，自任校長，手定規制，又設立經史學社，編書局，禮聘當代名儒，分任講席，及編纂事宜。對於學術上的主張，治經則遵漢儒，古文詞，則溯源班馬，及清代方苞，姚鼐所長，詩推少陵，詞宗白石，夢窗。曾親刊趙注孫子，又以評點古文辭類纂。又以十三經之稱，訓詁並列，未為的當，擬以大學中庸還小戴之附，而以大戴併立，國策附於左氏，而以國語，合為十五經傳後，再於爾雅後，增加釋名，方言，說文，廣雅，共為經訓二十種。他的定稿，有碧夢庵詩文詞，遜雅，北建國詮眞二十三章，純係論政之書。

十、斷片遺句一字千金

生平遺著，除上述三種外，殊不多見，筆者手邊沒有存書，無法抄錄，一時所能記得者有輓孫中山先生聯：「百年之政，孰若民先，一言而得，十稔以還，使無公在，正不知幾人稱帝？幾人稱王？」論者謂此聯恰到是處，要算全國第一了。（三）

（上期本文文末「下」字係「二」之誤，合更正）

廣西詞人況周頤

・紹華・

清季廣西桂林產生兩大詞人，其一為王半塘（鵬運），另一即況周頤，亦許是桂林山水清淑氣所鍾罷。

×　×　×

況周儀，以避宣統御名，後改周頤，字夔笙，別署蕙風。七歲應童子試，十四補上庠，光緒舉人，官內閣中書；既而外仕，旋就端方幕府。保敘浙江知府。辛亥革命時，方在大通稅局事，遂隱居上海，旋移家蘇州，後復徙上海。

周頤天性穎悟，七歲即填詞（集中附存少作），迨居北京，王鵬運益獎掖之，約同校作，詞學益進，初尚由清代入於南宋，繼則格益高，意益深，出入秦淮海，周清眞，姜白石，史梅溪之間，而氣格有過王（半塘）鄭（大鶴）……京師詞人均推重他。

他的作品如永遇樂（自注，吳坊本事和漱玉）闋云：「[illegible]」（上）

自由人
THE FREEMAN
（第四四一期）

是思想領導行政乎？
——談台灣經濟行政的趨勢——

·陳式銳·

台灣經濟，在思想方面，數年來有一致底主張，在制度上就是公營開放民營，這不但輿論如是，且已有立法爲證；骨子裏，就是由重干涉轉向自由。惟實施方面，只見由「耕者有其田」一案而開放四大公司；如以此即爲政策的執行，那也只此而已。當局雖一再宣佈開放，至今只見宣傳；反之，彰化、華南、第一等三個商業銀行，於今春一律改爲公營了。而且，政府近又「考慮加强公營貿易機構，擴大公營貿易」（四月廿七日台北新生報）。

重商主義的歷史

經濟思想的進步在重商主義之後，世界經濟的發達也過此然後突飛猛進。古代印度、希伯來、希臘、乃至羅馬，均以宗教倫理支配人民生活，以奴隸的生產爲當時文化的基礎，以戰爭的刼奪爲當時國富的源泉；在此一狀態之下，經濟思想自無由產生。只在羅馬法中，曾產生「契約的自由」FREEBOM OF CONTRACT，包括處置個人財產的權利，個人主義乃透露一點曙光。整個中世紀，只是孕育人權觀念的轉形期；惟在「文藝復興」之後，人的尊嚴始被承認，繼之乃有「工業革命」。

干涉使人變成機器

重商主義時代，因地理的發現，英法等由武力的征服，羣起建立殖民地；以商場之戰，取代戰場之戰。此時政府對個人底干涉，可謂至於其極；杜魯耶氏 DUNOYER指出：「國家以無限底權力施諸領土內之工業。國家權力的行使，並不顧及工業者的計劃；它但決定何人准許其工作，何物准許其製造，何種原料准許其應用，何種程序應遵循；消費者的風味非所計及，其所司者惟法令的執行……」。人民處此之下，不是木偶即是機器，政府有能而措施得道，當可亦步亦趨，相安無事；惟時間既久，人民依賴成性，一旦政府領導失序，人民就彷徨無措了。所以批之指責者，謂：「重商主義時代所最缺乏者私人的獨立思想及奮鬥精神，因爲無獨立思想及奮鬥精神，政府一失其策，工業即行停滯，已爲常例了」。

經濟動機與人性

經濟思想的演化申張，而經濟的發展，伴隨着「人性」的申張，也以此爲進度，「工業革命」是爲史例。在過程中，我體會到一個眞理，「人性」賦有「選擇」CHOICE與「競爭」COMPETITION，兩者構成「經濟動機」ECONOMIC MOTIVES，「人性」的申張，就是經濟動機的擴大，它也就不斷地推動經濟的發展。干涉就束縛人性，也就抑制經濟動機，它不可能讓經濟生枝開花與結實。況且，重商主義爲着商戰，必以「物價低廉，品質優越」爲利器；因此，它也就不敢輕忽「鼓勵工業及培養原料」。由此看來，它還只干涉（帶積極地鼓勵工農）；倘進而把商、工、農、鑛、金融一切收歸公營，那末政府遥自取而代之，何僅干涉而已，人民尚何有經濟動機之可言？

干涉與不干涉的分際

國父有言：「國人之積」；又說：「政治爲管理衆人之事」。由此演繹出來底道理，總當是國以民爲主，政府只管理衆人的難以——或不宜——自辦底事。農工商該是人民自己經營的事業，政府可辦鐵道（人民難以自辦）及獨占事業（人民不宜自辦）。惟政府對經濟事業並不是全不加干涉，只它的干涉，在消極地防害或積極地鼓勵，有如交叉道上的紅綠燈而已。若「管理衆人之事」被曲解爲工、商、金融等全由政府辦理，且不管政治制度，亦不說經濟動機，人民的企業機會喪失，政府的稅源減少，人民的生活是否由政府負責？一方面，政府在公營事業方面是否有盈餘收入？有可能負担人民的福利嗎？

政府未能作全盤研究

自由中國負有反共抗俄底艱難工作，台灣經濟關係全局甚大；年來經濟情況，如外匯貿易的影響工農生產，乃至物價的波動，都是朝野共同憂慮底問題。當局似仍在審量應付，未曾全盤加以研究；我由新聞了解政府考慮加强公營貿易機構，所爲底是物價波動，所以要「以有效控制物價」。它沒有先查查物價波動的原因，這樣做竟會有效嗎？我以爲經濟有如一個有機體，腦、身、手、足，各有功能，不能搬移倒置，只能順應而治調之。經濟的發達，思想導之於先，制度政策爲思想的歸結；是經濟的改進，乃就制度政策下手。而干涉足以抑制經濟動機，況有甚於干涉（公營）者？我關心台灣經濟，因見當局行政的趨勢，乃就經濟思想而論其得失，以供國人參考。

五月十九日

中共清算梁漱溟思想
——馮友蘭指摘梁氏四大罪狀

·沈棐文·

中共的政治思想清算鬥爭，現在已由胡適轉移到梁漱溟的身上。他們利用馮友蘭撰文，在中共中央機關報「人民日報」批判梁漱溟的政治思想、文化觀、和村治理論。

中共最怕的兩大思想

馮友蘭攻擊梁氏的論斷全以馬、列、史、毛爲依據，這是受命中共，抑眞爲馮氏個人的最近見解，那祇有天曉得。馮氏的文章認爲「在走向社會主義的道路上」，有兩大思想障礙：一爲自由主義（中共稱爲「帝國主義奴化思想」），一爲村治理論（中共稱爲「封建主義復古思想」），前者，以胡適爲代表，後者梁漱溟實爲「罪魁禍首」。這自然是中共一向的理論，並不是馮友蘭自己的見解。

中共曾將梁著：「東西文化及其哲學」，「鄉村建設理論」，「中國文化要義」，「中國民族自救運動之最後覺悟」等書所闡述的論理，統稱爲「梁漱溟思想」，馮友蘭根據這些思想指摘梁漱溟的四大罪狀。

四大罪狀不外是反共

（一）他梁氏在中共正鼓動「階級鬥爭」的時候，竟提出「中國是倫理本位底社會」的論證；强調只有職業分途，否認階級對立；並倡導重情誼，講倫理，崇謙讓等等理論，這是替國民政府及「資產階級」和「地主階級」幫忙，「危害」中共的「人民革命」。

（二）他指梁氏的村治理論和辦法，無論在理論上和行動上「都直接保護了封建主義」；又指梁氏的文化觀「是符合於中國封建文化的傳統的」；梁氏的「調和哲學」是「用來替封建地主階級麻醉農民的反抗意識的」；梁氏的「中國文化的特殊性」及「中國的出路」，是根本否定了俄國共產黨要走的路——無產階級革命。這一切，馮友蘭都認爲梁氏是爲了反抗中共「革命形勢的發展」而提出的。

（三）馮氏指梁漱溟的村治制度，是直接同中共爭奪在農民中的領導權，斥爲企圖以反動農民運動代替中國共產黨所領導的農民運動。並指梁氏在村治制度中主張建立地方武力，更犯了「保護封建秩序」、「反對共產主義」，「反對革命」的大「罪」。

（四）他指梁氏的治國思想，主張由農業引發工業，是「投靠帝國主義」，「招來帝國主義的侵略」。

總之馮友蘭所指的梁氏四大罪歸納起來，便是「反共」兩個大字。

反共精神的象徵

那末中共爲什麼要在此時指使馮友蘭出頭清算所謂「梁漱溟思想」呢？這一點，我們從馮友蘭的長篇大論中，也可窺見他們的眞實用意。

其一、梁氏的政治思想和態度是一向反共的，雖一度參與所謂「民主政團大同盟」干預國共間的交涉，但他的基本立場（村治派領袖立場）是始終不變的，所以根本就不能爲中共所容。梁氏陷身鐵幕以後，中共對他暫時的容忍，不過對外僞示寬容，對內也多顧慮。這幾年來，梁氏始終毅然不屈，已成爲大陸知識份子中的反共精神象徵（中共稱爲「思想毒流」）予中共以極大精神威脅，已至非清除不可的地步。清算梁氏即一面在「教育」和「儆戒」大陸的反共知識份子，一面在造成對梁氏「人人喊殺」的空氣，以爲未來殺害梁氏的地步。

其二、所謂「梁漱溟思想」，其精神在發揚中國固有文化，實行民族自救，維持倫理社會，採取溫和改革。這自然與中共的數典忘宗，一面倒，階級鬥爭，黷武主義等等，根本水火不能相容。中共爲維持其獨裁專制政權，必須對梁氏及其思想根本掃除，免遺後患自屬必然之事。

終將遭中共的毒手

其三、梁氏的治國思想，主張先民富而後國强，主張在農業發達的基礎上逐步發展工業。與中共今日所標榜的社會主義建設固極端相反，更去共產黨的蘇俄爲祖國，實行世界革命的主張，不知十萬八千里。梁氏始終堅執他自己的主張，「曾經一度反對」「社會主義工業化的方針」（馮友蘭語），就無異故意和中共作對，中共也就不能再加容忍了。

梁氏自被中共由四川迫至北平以後，常被中共文特們的包圍、監視、強施「思想改造」，備受精神凌虐。一九五二年，曾一度受文特們公開批判和毆罵。梁氏不僅絕不畏縮，且連發兩文，措詞雖極委婉能事，詞氣仍極堅定，了無遷就之意。此後，即生死不明，傳說不一。中共此次發動清算，似已預示梁氏的最後命運，終不能不遭中共的毒手矣。走筆至此，吾人實不勝對此思想界之屹立長城，寄其無限崇敬與懷念之情。

（五月廿日）

△越南革命委員會已通知四十餘國，該會已廢保大，準備改制共和。保大則仍在法里維拉勝地行獵作樂。▽

誰是亞盟會議的破壞者？

亞洲人民反共聯盟第二次會議，由於南韓代表之臨時爽約失信，拒不出席，突告流產。自由中國方面以邀請國的東道主地位，除將經過內容宣佈外，別無所說，這是顧全大體的態度，未可厚非。唯南韓方面却喋喋不休，既說他們這種臨時拆爛污的行爲，別人不應該批評指摘，又說亞盟會議之夭折，應由日本人負其全責。自說自話，好像理由十足的神氣。在民主世界裏，居然有這種欺天下人以無知的言論姿態，堪稱怪事！誠然，日本政府乃至於若干工商業份子，對共產國家表示獻媚親近的意念，令人憎惡，反共人士還羞與爲伍。可是，共產大帝國俄羅斯的自由人民代表，以及印度緬甸各地區的反共人民代表，亦是應邀以「觀察員」身份來預會的，南韓何以又不一例反對呢？韓人過去受日本的壓迫宰制數十年，血海深仇，不能釋然於懷，這是人情之常。然中國自甲午之役以後，所受日本的禍害又何嘗不深鉅？即以八年抗戰期間的情形而論，南京的大屠殺，重慶的大轟炸，其殘害之狀爲何如者！這次自由中國方面主張邀約日本的反共人民代表，以觀察員身份參加亞盟會議，（事前南韓亦已同意）目的即在挽救日本之趨入歧路，逐漸集結全亞洲人民的反共意志，形成整個力量，故不惜忍小忿以全大謀。同時亦認爲僅憑民族仇恨心理來立國，那是危道，歐洲法德兩國的歷史教訓，足資取鑑。

反共大業是世界性的問題，富強如美國，亦不能包辦這項大事，而可以一意孤行，頤指氣使的。至於誰是領導者，那就要看誰能夠爲大衆服務而不惜自我犧牲，光是想爭取領導地位，又不能好自爲之，即與尼赫魯之死七八顆要作亞洲領袖一樣，行嗎？

我們對於這次不幸事件，除引爲遺憾外，原不欲多所借喙。然近日來南韓方面不斷地對此問題發出高論，且有教訓世人之意，因而不能不提出一個疑問：究竟誰是亞盟會議的破壞者？

半週展望

·雷嘯岑·

小胡佛又發言

美國助理國務長官小胡佛，前次曾答覆共黨周恩來在萬隆發出的和平攻勢，曾代表政府發言，提出談判條件，隔日即由杜爾斯和艾森豪總統予以糾正，指爲言詞上「技術有錯誤」。日前他又發表言論，說中共悍然拒絕「彼等聲明放棄其進攻台澎之意向」，認爲是中共無誠意進行談論。我看這話不特是言詞上技術有錯誤，根本就是一種錯誤的認識！

由於中共叫囂幾聲「解放台灣」的口號，即使英美當局張皇失措，不可終日，因而和平調人滿天飛行，談判代價隨意開示了。它如果聲明不再進攻台澎的話，豈非自動放棄其威脅英美恣意敲詐的有力武器嗎？英美對俄共集團的讓步政策不先放棄，要想在亞洲阻遏共黨的發展，眞可謂「非愚即妄」，永遠是隨着共黨的魔影團團轉，自討沒趣的！

在囚戰犯應予全部釋放

一九四五年代表德國無條件投降的德海軍上將杜尼滋，曾經紐倫堡國際法庭判處十年徒刑。最近他請求開釋，英美法三國駐德使節正在協商處理辦法之中。我們認爲杜尼滋刑期已經快滿了，固然可以開釋，即其他在監的大小戰犯，也應該一律釋放才是。

若干罪孽深重的首要戰犯，早已陸續絞死或自殺了。德日兩國今日且已成爲西方列強的寵兒，親近扶持之不暇，該國內某些曾以「戰犯」責任被處刑或遭黜革的政治人物，如日本的重光葵和鳩山一郎等，亦已重起執政了。僅把一些在囚的人扣住不放，何必呢？國際間原無正義公道可言，成王敗寇而已。要眞正推究戰爭的責任所在，祇有公正的歷史家才可以定讞啊！

星洲的「紅色五月」

國外通訊

·薪客·

【星洲特約航訊】由於福利巴士公司的罷工風潮，而引致五月十二日的暴動事件，造成死傷三十四人的慘劇。（死者四人，其中一名爲美國合衆社的東南亞總經理西曼士。）這一次的軒然大波，目前總算暫告平息了。事情的始末，各方電訊新聞報道，已經很詳盡。這裏不必作多餘的敍述。記者想從另一個角度報道一些當地報章不願意說及，或者認爲無足輕重的消息。

共產黨暗中搗鬼

福利巴士公司是星市內七八家巴士公司中之一，全部職工僅三百多人，以全市有組織的十多萬工人來說，這個數字當然微乎其微；就拿同時另一罷工的一千四百名海港局工人來比較，這個數字還是微乎其後。爲什麼這樣的小小風潮，却會掀起軒然大波？其中大有原因在。

自去月底勞工陣綫政府成立以來，工潮即陸續發生，表面上似乎是工人們要求新政府履行競選諾言，實際上是共產黨在骨子裏賣廣告，叫人提防假冒。偏巧福利巴士公司在這時候另行組織工會，企圖和左翼的工聯會對抗，並且開除工人。有這樣容易取得社會同情的好題目，共產黨的文章自然是揮灑自如了。所不幸的，邯鄲學步的勞工政府，馬上便遭逢了所謂「紅色的五月」的厄運。

巨額罷工救濟金何來

本來這裏的華僑是不輕容易把某件事情牽扯到政治方面去的，但這回却不同了。他們大都搖首嘆息，認爲共黨勢力已日益增加威脅。因爲事實具在，不由你不相信了。這一次每個福利巴士的罷工工人，先後秘密地收到救濟金三百二十元，總計起來，就是十萬元了。根據他們所發表的各界捐助款額祗有三萬多元，還有六萬多元，從那裏得來呢？還有，政府首席部長演說，曾指出罷工工人有數萬元存款，此數萬元又從何而來？每日十多輛大貨車川流不息地到各學校去，載運大批學生赴罷工地點，有秩序地載歌載舞來慰問工友。每部車子一天所費，起碼也得四五十元，十多天來，所費亦屬不貲。這筆款子，又是誰人支持？慰問節目誰人安排？從此種種，縱使不是明眼人，也能一目瞭然的。

有錢使得鬼推車

爲什麼得支付如許巨款救濟金與罷工工人呢？理由很簡單。在五月六日他們曾一度以「一比一」協議復工（即巴士公司僱用人員總額，工聯會工人佔三分二，職工會工人佔三分一），但行車數小時後，即又推翻協議，再度罷工了。此無他，誰人願意坐在烈日下去捱餓？又誰人不樂意有錢可拿，而又不用工作呢？再說一點，他們於五月十日已經嘗過警察們的水龍噴射滋味了，事隔僅二天，難道他們會料不到再接受另一次更猛烈的水龍噴射嗎？這恐怕是「唯物」論者纔有精確解釋的，「有錢使得鬼推車」，因此工潮也便發生了。

有人說，那筆救濟金是來自一些[illegible]們的，因爲他們要[illegible]明，確有人拿出巨量金錢來支撐這個罷工。這一點我們無須爭論，我[illegible]運動，而幕後操縱者便是共黨而已。利用某些運動，或擴大一些事件來「教育羣衆」，吸收黨員，壯大自己，這是共黨一貫的策略。把一點一點的積聚起來，不要盲目消耗，等待時機，才打一個必勝把握的仗。這是共黨向來的作戰方案。星洲這次的暴動事件就是這樣醞成，這樣平息的。現在，工潮算是告一段落，但工潮還是方興未艾，勞工政府雖然不再「諱疾」了，公開指責共黨和他們的同路人，但醫治的方法還未見有擬效地開列出來。這就不能不叫人担心。（五月十九日）

埃及伊拉克唱對台戲

阿拉伯同盟中兩個回教國家，埃及與伊拉克的邦交近來愈益惡化。伊拉克指斥埃及政府的「自由伊拉克之聲」的廣播，而埃及則反指伊拉克政府當局主持的「自由埃及之聲」，日夜攻擊納撒總理領導的政府，彼此互不相讓，而電台的攻擊則一日比一日激烈。不僅此也，自從伊拉克議院議長（前外交部長、國防總理）加瑪里決定訪問自由中國後，埃及不甘寂寞，在周恩來誘惑之下，居然也決定派遣一個部長級的官員赴北平訪問。那位埃及宗教事務部部長巴庫利到現在却仍在中國大陸上留連。

交通大學應在台復校

蕭立坤

由近來新加坡南洋大學的糾紛及「自由人」對台灣高等教育熱烈的討論，使我想起這個題目。

南洋大學的精神

上海交通大學，昔稱南洋公學，有時也稱爲南洋大學，迄今約有五十六年的歷史，是世界公認中國最優良的工程學府。作者是本校民廿六級校友，我們每到一地，開校友會時，常係三代同堂的盛會。我們校友間，從不問官階貧富肥瘦，見面時一片誠懇親切如家人情調，最使人陶醉忘形，我們很[illegible]年。遇見早廿年的校友，即同遇見伯叔一樣，遇見晚廿年的校友，也毫不客氣的以伯叔自居，遇見上下十年內的校友，則執兄弟禮。

雖校友相親如此，交通大學却是國內最無派系的學校，我們各自苦幹，極少僅因同學關係，不論能力而互相提攜吹噓勾結的事。因爲交大校友都有相當的真才實學，在社會上找工作創事業，當自己已够了，無須什麼派系。也正因這緣故，交大沒有產生過大政客。因爲政治是離不開組織的，而我們都不屑於在組織中去攢營。

喜若幹，題結萬，正是誠信篤實的南洋大學精神，不管大政治家及政客們用那一種言語演說，沒有工程師，任何政府及領袖，是無法建設一個現代化國家的。

南洋大學應在台復校

大陸淪陷後，上海母校的情形，已不必提了。她的軀殼可能尚存。但在共匪消滅人性的統治下，她的靈魂必早已死亡。我們流亡海外的校友，實應在台灣把她復活，如同抗戰時在重慶九龍坡復校一樣。

客觀的說，台灣今日也確需一所標準的工程大學，鐵路，電信，陸海空軍，航業，電力廠，日益增加的輕工業及化學工業，都急需大量優秀的工程師。海外千萬華僑經營有許多工廠，也需要從祖國敦請優良工程師去主持。這絕不是台南工學院單獨勝任的。

至於復校的具體計劃，不須我提出。現居台灣的伯叔兄弟很多，一定會擬出圓滿可行的方案來。茲略述淺見，以期拋磚引玉：（目前我是距離母校最遠的一個校友，各位伯叔兄弟，或許因此對我特別痛愛吧）！

復校的幾項辦法

（一）私立爲上　在反共的大原則下，我認爲政府無權干涉人民教育自己子女的權利，尤其是工程大學，中外的大政務官多屬外行。最好不管爲好，過去上海交大，一直在教育，交通，鐵道各部三管三不管的空隙中享受了學術的自由，發揚了唐文治先生的篤誠校訓。直到抗戰勝利，交大才被黨團份子滲入，勝利後幾年交大學生素質的低劣，校風的囂張，也不堪問了。

我並不是說教育部一定辦不好交大，但總以把她交給校友們去辦放心些。所以似可定爲「私立台灣交通大學」。

（二）募集經費　留台校友應速成立一個「交通大學復校委員會」，調查海外及台灣的校友，發起復校啓事，募集基金。照我估計，海外校友，總在一千人以上，如每人捐美金一百元，即得十萬元，再請台灣鐵路局等有關方面捐一些地產，設備，現金，海外工業家予以贊助，大概在一二年內，籌集一百萬美金，不會困難。

（三）教務與教授　基金籌得後，復校委員會即可改組成校董會，公舉一位老伯伯，出來任校長，各位大哥，各就專長，出來担任一二門課程，不管別人說大學教育是否爲了實用，我們交通大學教出的學生，一定要能實用。

（四）院系　量力而爲，先只設一二學系。如鐵道管理，機車工程，土木工程等，以後視教授，設備及需要而逐漸擴充。

恢復一所第一流大學，必較創辦一所第一流大學爲易。過去上海交大，雖係工科，學生中英文都極通順，自然也是唐文治先生諄訓之賜。如果林語堂先生，不嫌薪金微薄，我們大可恭請他來，繼承唐先生，主持老牌南洋大學的中英文教學，豈非事半功倍，名實雙收嗎？（五月十二日）

·人物·評述·

鐵面御史李夢彪

王世昭

李夢彪是怎樣的人物？于右任氏爲之記云：「公以窮學生抱大志，隨軍萬里，涉隴坂，出玉門，踰天山，從軍伊犂。上書伊犂將軍長庚，得委參謀處謀略股委員，兼任報館編輯，學校教員，交結各軍隊官佐士兵。故伊犂起義，一氣而成。」出任軍政司司長。元年加入同盟會，四年加入中華革命黨，五年任衆議院議員，六年任陝西民政廳廳長，代理省長。自此以後十餘年，或讀書，或任教，或爲桑梓服務，嘗主編洵陽縣志，其間曾任兩湖監察使。三十二年任陝西臨時參議會議員，三十五年任副議長，三十七年膺選監察院監察委員」至於卒前，蓋五年矣。

× × ×

最近台灣一位朋友寄了一部書來，題爲「李嘯風先生詩文集」，連忙打開一看，原來是監察院鼎鼎有名的監察委員李夢彪先生的遺著。

本集全部計四卷，第一卷詩，第二卷文，第三卷彈章監稿，第四卷書牘。詩凡一百七十三首，文二十三篇，彈章監稿九件，書牘四十二函，以上共二百四十七篇。于右任先生於篇首有詩一首云：

「大器方能關世運，至人始信出民間；
乾坤震蕩風和雨，太息關中兩少年！」

此外賈景德爲作序，推許甚至，非諛辭也。自序一篇，目曰「劫餘賸稿」。末附「後記」，公子李式玉君所識。計全書約八萬言。

× × ×

李氏對於國家民族的貢獻在什麼地方？第一、是辛亥年在伊犂起義，有功民國。第二、是民國六年公開主張廢止清室優待條例。第三、在監察委員任內彈劾衛立煌、胡宗南、毛邦初三案。綜李氏一生之所言與所守，第一不怕死——如革命；第二敢言人之所不敢言——如主張廢止清室優待條例；第三不避權貴，——如彈劾衛立煌、胡、毛三案。彈劾胡宗南及衛立煌一案其立言尤覺精光外露，鋼勁如山。其中有句云：「昔前清咸豐年間兩江總督何桂清棄蘇常而逃，被劾逮問，桂清以地方士紳具有公禀，請其棄守，清室命曾國藩查覆，曾以身爲大吏，但問守土之得失，安問公禀之有無，在旦不能逃罪，而況貽誤之後，文書散失，無從查考。何遂伏誅，終後統兵大臣，如楊霈、勝保皆以兵敗治罪，遂奏中興之績。今衛立煌，胡宗南，罪與相同，而衛案已逾一年九個月，尚無處分，以此例之，則胡案無期拖延可以預料。是一二人之身命乃重於千萬人生死。而民主國家之處事，反不如衰朝之果斷矣」。

至於彈劾毛邦初之失職抗命，事涉國防部，其措辭亦覺凌厲備至，不可不讀；例如：『毛邦初雖以空軍副總司令參謀團中國代表，仍屬國防部軍職人員之一，主持駐美空軍辦事處，負責採購空軍軍用品事宜，國防部對之自有指揮制裁之權。據政府發言人沈昌煥所發表者而論，自三十八年四月以來，毛邦初失職抗命之事，層見迭出。……國防部知之最早，而又最悉。既無制裁，又不向上級機關報告，迨毛邦初夫叢出國之際，作斷然之處置。……直待其散佈謠言，破壞威信，毅諸外報，騰笑友邦，而後始令其辦理交代。又復把持公款，抗命不交，而後始停其職務。……毛邦初分屬軍人，乃藐視部令，前後至七十九次之多，操縱器材，延宕阻撓，影響戰事，妨礙訓練，袒庇屬員，叛國投匪，甚且破壞政府威信，損害國家利益，把持公款，尚止其次，是嘗主張儀有不同。國防部不制裁於事發之初，養癰貽患，一至於此，令人不解。豈國防部有何隱情，爲毛邦初所挾持，而不敢舉發，抑或毛邦初有何勢力，爲國防部所畏忌，而故作袒縱。又不然，則始狼狽爲奸，既而鄰周交惡，亦非情理所無。惟其眞象究竟如何，責任究由誰負，自非派員徹查，不能明瞭』。

讀李氏彈劾之文，其風骨可見一斑。

× × ×

溯李氏立身行事，自亦有過人處。在地方而言，絕不因當過民政廳長或代理省長對於父母官以及鄉鎮長擺出上官的架子。如：有一次馮生請客，把他列在第一位，李氏於請柬後作批云：

『官職名稱，正言之，爲負責任之等級；戲言之，爲分金錢之符號。解職以後，既無責任可負，亦無金錢可分，此種名稱，當然隨之消滅。老夫身居鄉里以先生見呼，已受榮寵，請不必再書前銜。鄉縣長爲一邑主官，公私宴會，應居首座，不獨不宜書其名，抑且不必書其字，此單另寫。』

又有一次「答盧鶴堂同學」說：

『聞某君云云，不禁大笑。李夢彪性情自來如此，今與昔較，並無絲毫差異。不過所處地位不同，人以爲怪耳。要知官職是官職，李夢彪是李夢彪，本來爲二，何可合而爲一。李夢彪不以偶爾服官，而改異其昔日之性情。猶之男女之形既定，男不可化爲女，女不可變爲男也。吾昔與君同學，頗喜君超脫瀟洒至今敬之，故仍以昔日同學之面目相對，不意君乃以官吏視我，何時十斛俗塵，塞滿君之胸懷，請速濾我，爲君滌之。』凡此均屬小節，但足見其爲人之風趣，與普通一行作吏便覺不可一世者，不能同日語也。

× × ×

說到他的文章，全從經史中得來，故語語有所本，句句有來歷，也都有交代。若論五言古，宗漢魏；律詩，則胎息杜甫，其餘亦多不在唐人下。可是李氏對於自已的創作，時不愜意，謂「率皆浮泛幽渺之作，將拉雜摧燒之矣。」後以友人勸勉以月存，題曰「劫餘賸稿」，即今「李嘯風先生詩文集」中所有之存稿也。

先生諱夢彪，字嘯風，陝西洵陽人。卒於中華民國四十一年六月廿六日，享壽七十有四。高風亮節，令人仰止，因記其顛末如此。

編者與讀者

△今年暑假很快便到，海外青年回國升學的，一定比較往年更多。今年台灣各大學及中學招收海外青年的學額也比較往年增加了許多。回國升學的青年同學如對於有關事項有不明瞭的地方，需要我們代爲查詢的，我們願意竭誠服務，請逕行來函，開列查詢事項，我們一定以最迅速的方法查明奉告。

△仰之，紀震，方嘿，胡蘧之，廖任超，夢山櫻諸位先生：惠稿收到，至深感幸。

△本刊四三八期「失學救濟的建議」一文，頗有錯漏，茲更正如下：

（一）末段第四行「現已有學校三所」句，係「現已有義服中學三所」之誤。

（二）末段第五行，「教育司辦」應改爲「教會所辦」。

（三）末段第五行「社會局所辦的」之下，應加現已改「（由港九救濟委員會接辦）」一句。

香港的阿飛問題

劣等中學實爲阿飛搖籃　學校家庭政府共同負責

王世昭

「阿飛問題」已不是香港教育界獨有問題，也不是所謂資本國家獨有的問題，共產主義的老牌國家蘇聯現在也鬧「阿飛問題」了。最近香港教育界舉行教學會議，提到了這問題，可見教育界對這一問題的重視。

何謂「阿飛」？阿飛不特好出風頭，而且更喜生事，帶三分流氓氣，專向校外滋生事端。例如不久以前，某校學生出去賣花，另一校有組織之學生曰「阿飛黨」者，將其裝錢之鉛鐵罐搶去，搶去做什麼？無下文，亦無結論。學校當局處置之辦法，即將爲阿飛之學生，開除學籍。治安之機關已加注意，某校長則表示：「言論之指摘不够，道德之發揚更爲重要」。此類事情不止一端，無須枚舉。

阿飛多屬中學生

考香港青年之爲阿飛者，無大學生，亦無小學生，其爲中學生無疑矣。

阿飛之行爲，多是大吃小，強吃弱，多吃少，搗亂、擾攘、威嚇、欺詐，目的如何不難明。初出茅廬之小子，如果不懲戒，浸假將成惡棍、匪徒、強盜，爲禍將不堪設想。

假使爲奸黨利用，則貽害更不知伊於胡底！這個責任究竟誰應該去負？

如果說家庭，家庭斷不願使子弟成爲阿飛；如果說學校，學校斷不願學生成爲阿飛，如果說社會，社會當然更不願見到阿飛；但阿飛確已存在，確有阿飛，但阿飛也並非天生，是則阿飛之長成，雖原因複雜，消滅的責任，學校要負最多之責任，學校要多負責任。此卻非一語所能盡。

依我看，學校對於青年，尤有管教養衛的責任，而中學校對於中學生，則管教養衛更加重要。香港的中學校是不是適宜於中學生，這個問題卻太大了。

法國教育對於中學生管理至嚴，由吃飯到屙屎都有學監在傍邊加以指導與監護。因此，學生不能不循規蹈矩，好好地受幾年教育，做個好人。

香港也有許多教會學校，特別注意上列四事。英文官立學校因學費低廉，考取不易，所以學生多也不敢爲非作歹。因此毛病發生多半在普通中學，普通中學也有好的，學生也不敢做阿飛。凡有阿飛者，多數是管教不良的劣等中學，故劣等中學實爲阿飛發生的搖籃。

幾項取締意見

那些是劣等中學？這裏無須指明。我們希望政府當局以及教育視學官，能嚴勤於考查，使劣等中學變爲普通中學，普通中學變爲優良中學，此其一。

其次，中學校長以及主要職教員，對於考取學生不要太濫，太濫則流弊生。壞學生影響好學生，好學生一變壞，將不可收拾，此其二。

其三，學校與家庭要打成一片，對於學生之動情應特別注意。留心學生課外生活，甚至看電影、游泳、打波、跳舞、交友，以及其他社團活動與平常嗜好都要注意到！此其三。

其四，中學生必須穿學校制服，使其外出不敢爲非作歹，不着制服之學生，應予記過。此其四。

其五、學校應定期舉行學生操行檢討會（例如每週一次）凡爲阿飛者，應予勸告，給予悔過自新之機會，不知悔悟者，校長訓育主任班主任或導師應特別注意或監視其行動。此其五。

其六、中學校應時常舉行種種正當娛樂集會，提倡打波、旅行、講演，及其他正當遊戲，與有益心身之種種比賽。此其六。

其七、學校當局應與治安機關取得密切聯繫，凡有可疑之學生，應特別指出，在校外注意其行動。此其七。

以上建議，倘能積極做去，已成阿飛的必可斂跡，未成阿飛的必可減少，甚至從此絕跡。

大陸糧荒日趨嚴重

中共的倉皇應付方法　減配額農民無死所矣

【本報特訊】據最近由大陸鐵幕逃抵澳門的人談稱：大陸人造糧荒，嚴重情形，現已發展至最高峯。中共反以各省縣浪費糧食爲藉口，實行減少配給，置農民生活於不顧，眞可謂毫無人性者也。

據中共「國務院」本月十日的指令透露：山東省三月份銷糧六億三千萬斤，平均每日銷二千一百萬斤；廣西省四月上半月，每月銷糧九百二十七萬斤，每日銷三千萬斤左右。江蘇省三月下旬，如以每人每日供應一斤計，等於供應了全省農村人口的百分之七十至八十。好些縣份供應的人數等於百分之九十以上。但銷糧最多的地方，叫喊「缺糧」的呼聲也最高。

這些數字，實際反映了缺糧的嚴重情形，現已引起農民間「並不缺糧的農民也搶購糧食」，而且在糧食統購以後，又把統購糧食買回去，可見大陸農民對中共統購統銷的抵抗心理。

中共對農民這種反抗和破壞糧食的行動，現已定出種種對付辦法，除加強宣傳外，更要各鄉基層幹部建定五、六、七、八、九月份本鄉糧食銷售新指標，將配售量「堅決地削減下來」，並在節約的原則下，必須按購糧證供應。對於破壞統銷工作的農民，則停止供應，「並不缺糧戶」則「給予打擊」，「並壓縮不合理供應的部份」。在中共這種無情的高壓之下，大陸農民眞是不知死所矣。

上述的指示，又特別指出，勿在執行過程中「形成對中農的擠逼，侵犯中農利益，從而引起農村的混亂，影響春耕生產，擾亂「三定」政策（即定產、定購、定銷），因而產生不利於農民團結」。這無異反映大陸農村中的農民被迫鋌而走險，決非中共的壓迫政策所能收效的。

上述新規定，「國務院」嚴令各級地方政府，必須在廿天內完成按排工作，切實執行，今後大陸農村將發生怎樣的反應，實爲大可注意的事。（裕生）

中共勒索僑胞的新手法

·裕生·

放寬管制在敲搾僑胞　投資大陸才有行動自由

【本報廣州訊】過去中共管制華僑地主的情形，分爲兩類。一類將華僑地主列爲黑戶，管制極嚴厲。不止不許出鄉，即往鄰鄉探親，亦不可能。一舉一動，均有共幹從旁監視。另一類，將華僑地主列爲管制戶，管制較寬，擬到隣鄉探親，祇須向有關機關申請，詳報鄉名，來往時間，及其他事項，經共幹批准，即可成行，但如有虛僞或訛誤，一經發覺，仍隨時有被捕懲罰之可能。

剝削敲榨的新手段

近來中共爲套取外滙，加強剝削僑胞起見，對華僑地主成份，已經改變，對管制華僑戶口，亦較放寬，他們在表面上說，華僑地主已遵守「憲法」，可以享受公民權利，無論居鄉或居港澳，可以得到自由行動，不必再加管制。但同時他們又說，華僑地主必須履行「投資祖國」的義務，而且事實上接二連三的向華僑地主淸算抽剝，可見所謂改變成份，放寬管制，仍不過是一種便利敲搾和剝削的新手段。

根據中共台山僑務辦事處共幹的透露，現時台山開平兩縣華僑地主，已獲放寬管制的共十九鄉，九十一戶。因爲此等地主已「願意投資祖國的建設和生產計劃」。他們又說：「這些華僑地主有等是僑居港澳經營商業的，經過居住內地的眷屬去函說明祖國的偉大新生，都表示同情，熱烈向祖國投資，表示和祖國合作，因此得到政府優待和照顧」。於此可見中共的寬待華僑地主，純粹是一種敲搾的手段。

他們舉出台山開平兩縣獲得「寬待」的華僑地主名單如下：

台山　「廟邊鄉」陳銀英、翁仲芳、翁錦堯、翁錫民。「新一鄉」朱仁偉、馬月娥、余長娣、朱進禮、陳若春、馬玉蘭、朱萬新、伍杰女、陳乃富、陳惠娣，「西職鄉」黃煥屏、黃陳、李生文，「紅星鄉」黃美貞、伍鳳姿、余建法、余丹中、余蔭禮、余毓林、陳明義、余亦雙、余齊、余樂云、陳福文、翁慕瓊、陳盛好，「北聯鄉」鄺氏、陳文明、鄺啓文，「四屏鄉」陳顯文、陳文拉、鄺賢貴、黃娟平、馬女珍、譚六源、胡璧庭、陳應航，「東聯鄉」陳許、陳瑞平、陳明德業、陳棠細、陳文華、陳光宋、陳宗祥、朱民、陳智其，「新潮鄉」伍曾盛、伍子鈞、伍仲堅、伍少培。

開平　第六區「中廟鄉」關崇權，「土聯鄉」伍中明、陳明歌、伍時藉、伍尚新、伍偉林、陳瓊秀、陳明爽，「松鄉」陳月娥、陳紀文、彭玉、伍如春、李壮愛，「石崗鄉」林良建、伍維蝶、林俊華、雷濠芳、伍翠女、梁過金、袁瑞新、林秋德、伍僑太，「上南鄉」伍秋娣、陳德宣、伍泉香、林進娣、李學細、黃錦英、馬遜瑞、黃碧關，「路溪鄉」鄺秋月、黃招娣、伍耀綿、鄺金泉、伍景棠、伍歡利，「玄潭鄉」甄闊芝、黃新韻、黃秋韶、伍妹女、劉穩娣、伍同嬋、伍時暢、李銀燈、黃關思、劉耀思、黃進蓮、伍玉翠，「上坪鄉」何國英、伍烈、伍敬娣、「石油鄉」雷維堆、伍遠洪、李玉英、[illegible]順、黃傳、黃仲權、伍佳章、黃成、伍[illegible]建、李杏娟、伍齡蘭、李玉蘭，「東[illegible]鄉」劉長安、趙耀娟、陳和女、劉維習、劉瓊、伍佩芬。這一批所謂受寬待和照顧的華僑地主，其實都是中共敲搾勒索的對象。（五月十五日）

西德參加聯防

·柏林·

西德每一個政治家提出諾言時，都以統一德國列爲第一，雖然許多西德人民不願以爲毀引了東方貧乏的土地，而損害了他們目前的繁榮。艾登諾爾對這問題的計劃雖然穩健，卻並沒有得到人民的熱烈反應。他主張聯西方的力量團結起來，才能迫使蘇俄讓步，然後在團結自由的歐洲中建立一個統一而自由的德國。

最近由於奧國獨立條約的締結，德國僑又引起一陣波動，大家都有探尋國有沒有其他辦法可導成德國的統一。對於現實的德國人，中立並沒有任何吸引力。蘇俄顯然可能暗示，如果德國也採取中立，它可能和奧國那樣獲得獨立。不過這就是過去主張中立的社會民主黨立場，可是現在社會民主黨也改變態度，反對中立了。它現在的主張是：艾登諾爾與西方所建立的關係，應該逐步解除，以求獲取蘇俄的讓步。

西德聯合政府內的自由民主黨也有它自己的主張，他們雖反對中立，卻贊成將一部份德國領土劃爲非武裝區，使它成爲[illegible]。

西德本身對建軍的設計，也受與蘇俄會商的影響[illegible]。最近發生的所謂「物資事件」便是一個明顯例證。[illegible]

[illegible]

歐洲原子熱

美國已大大的承認，大戰時期，原子彈製造成功，當歸功於歐洲科學家，但西歐國家本身致力於和平時期的核子能用途，則尚不知其詳，上星期，來自十一國的科學家一百人，在比國的列日舉行核子能工業用途第一次會議，現由八個歐洲國家的代表，所獲得的重要消息如下：

英國代表約翰．鄧寬斯說，英國已開始分三個步驟，建築價值八百四十萬美元的反應器大廈計劃，第一步，用十至廿座反應器，每年可生產幾噸比較價廉的鈽，構成第二步的基礎是，集中六七類原子能反應器，包括使用鈾或鈽的瓦斯冷卻模型，第三步，快速反應器和無數的實驗模型，那個主持反應器的鄧寬斯說，我們正在努力，而不限制我們太多的意見。

法國原子能最高委員會委員法郎西斯．波內透露，法國現正開發四處鈾的資源，在質的等級上說，已由貧乏之進到合理的，瑪可洛的第一核子能工廠可生產五千基伏特的動力，和多餘的鈽，在卅個月內的第二期，更獲利可達工廠亦在生產中，此外二萬基羅伏特，法國在馬達加斯加尋獲了重要的鈾的資源，正研究輪船上的核子推進器。

義大利代表沙洛衛蒂報告，他的科學家同事已在米蘭完成天然鈾的反應器，能生產一萬基羅伏特，最近又出售五燭光的反應器（用於製造無線電同位元素）又可能生產二萬基羅伏特，和若干噸重水。

[illegible]再不依賴對進口的煤和油，阿斯基附近已有二百五十基羅伏特的反應器，與丹麥科學家合作管理。紐西蘭亦正發展其他反應器的計劃，其中包括新式懸掛的反應器之設計和建築，爲在鈾鑛苗尋找分子之用。

比利時得天獨厚，比屬剛果可供給巨量鈾鑛苗，比鑛得美國援助少了些麻煩，它那第一個低廉電力的反應器，正在蘊絡建築中，那個反應器使用美國精練的鈾卅噸，和英國石墨五百噸。

瑞典爲提鍊法國鈾元素，用自己低級的鈾鑛苗（每公尺二百格蘭姆鈾）交換，現在瑞典有三百基羅伏特的反應器一座，建築在斯克考荷姆地下，另一座大反應器，[illegible]

[illegible]（羚式譯）

稿約

本報園地公開，歡迎讀者投稿。來稿請用稿紙，勿兩面寫或揮毫。特稿性質，最好不超過二千字，如譯文請附原作，或原文附件。來稿請註明作者姓名地址，如不便用時請另附筆名，請附郵票。

歷史鐵則

馬五先生

蔣百里先生在生時，常對人很自負地聲言他已經把歷史讀通了，說是發現了一項歷史鐵則，即：無論古今中外，凡英雄或流氓式的人物，能夠驅策天下秀才者必成功，否則一定失敗；秀才能為英雄或流氓所用，天下必治，秀才而要自己造反，天下即大亂。

依照人類的歷史紀錄來仔細觀察，互相印證，百里先生這種論斷是正確的。即如在中國歷史上認為最了不起的劉邦與李世民這兩位漢唐的聖主明君，如果不是那一大羣詩云子曰的秀才們，盡被其納入彀中，他有成功之望嗎？尤其是李世民那種不避仇不拒諫以親近信任秀才們的作風，更足以證明蔣氏所發現的鐵則絕對可靠，與自然科學的定律具有同等價值哩！

秀才們幫助別人造反創業，多見其頭頭是道，本領高強，一旦要自己起來造反的話，准是跨棹兒完事，即其張耳陳餘那兩個秀才的結局，就是鐵證。秀才造反不成的致命傷，就是個個要以大好佬的領袖人物自居，勇於同類相殘，自我中心，不但對於雞蟲得失的小利問題，趨避唯恐弗及，攘臂縮首，醜態百出，即令毫無切身利害關係的事，只要是同類人幹的，也必然發抒其「愈者不能修，忌者畏人修」的本能，從事不負責任的破壞行為。唯有在異類的英雄或流氓人物籠取之下，對他稍假顏色，略施小惠，便馴伏如羔羊，再也不想爭領袖，瞎搗蛋了。

西方人士常說中國人是一盤散砂，沒有三個人以上的團體，這原因十九都是產生於我們這類秀才們。所以，近五六年來，我見着一些作英雄狀的秀才先生要搞政治組織那類玩藝，即想到將來打狗散場的景況，避之若浼。滿肚皮唯我主義，毫無為大衆服務的精神，更缺之冒險犯難的勇氣，會有創造事業，自己當家的奇蹟出現嗎？徒然增加社會上的亂象罷了。

肉食漫談

肉類的營養與健康

·陳雪英·

牛肉是人們喜愛的食物。這是很自然的事情。因為它和別種肉類一樣。滋養既豐富。味道又鮮美。在美國。最近舉行了一次調查以測驗牛肉在烹得半生半熟。或者是中等樣子。或者是熟透了三種情形下。究竟選擇那一種的比較多些。從結果知道。在城市和鄉村的人們中。有百分之五十六喜歡熟透了的。百分之卅七喜歡中等樣子。百分之七喜歡半生半熟。不管你是屬於那一類。也許你會喜歡吃烤牛肉片。是否有人以「牛肉」警告你。而當你大嚼這種美味時，感到罪過呢。有人告訴過你的朋友們說是肉食會增加腎臟額外的工作而傷及他的腎臟嗎。肉類應該擔負起高血壓和其他的一些健康狀況的責任嗎。廿年前大家都相信這些事實。但是今天我們知道它的謬誤了。烤牛排和其他的肉類。你可以經常地吃。也可以儘量地吃。肉食有害的觀念。經過研究。已經證明它的錯誤了。事實上。實驗室的發現指出牛肉和他種肉類的確有益於健康。醫學和營養學的權威根據研究的發現。對家庭中的每一個人不論年齡和健康狀況都奉勸食進豐富的肉類。

兒童和肉食關係

為保證嬰兒的生命有一個好的開端。妊娠時期母親的營養狀況最為重要。直到最近妊娠婦女食物中的肉類還認定應該大大的減少。以為可以防止在這種情況下通常有的幾種疾病。現在我們知道肉類的減少所引起的蛋白質的吸收不足是有害於母體的和她未出世的嬰兒的健康。今日的醫生增加高等品質的蛋白質——肉類——的數量以保護妊娠婦的健康和保證一個強健和成長得較好的嬰兒。牛肉在妊娠期中和在幼年期中一樣。佔著非常重要的位置。因為它不但是高級蛋白質的豐富的來源。而且還含有鐵質。和必要的維他命B。假若一個做母親的人在妊娠期中的食物含有適當份量的牛肉而使鐵質攝得適當的供給。則嬰孩如以牛奶為主要的食物。他的肝中所含充份的鐵質便可維持出生後前幾個月的生命。通常發現的嬰兒貧血症。可能是由於鐵質的缺乏。而這鐵質是應該在誕生前的時期中貯積起來的。沒有鐵質的貯蓄以造血。便可能產生貧血症。當嬰兒因為肝臟中鐵質貯積的不足而發生貧血症的時。即早至六個禮拜的年齡。進食肉類可以改正這種情況。用布納斯加大學羅斯M。納佛頓博士曾經研究證明嘗試早期患貧血症的嬰兒。由於其食物中加以肉類而健康遽得大大的增進。無疑的她已發現嬰兒早期的食物中加以肉類一般都獲得益處。

語意學漫談

徐道鄰

兩值思考的危險性

「兩值的」邏輯，誠然是我們人類思考的出發點，但是這種「兩值」的範型，卻無形中控制了我們的思考方式，而使我們常常過份的予以濫用。在我們一般人的字彙裏，通俗的對立字句，全都異常豐富。譬如「眞假」，「有無」，「黑白」，「生死」，「是非」，「大小」，「冷熱」，「長短」等等，無不是在說明我們之充份運用「兩值」字句。而這種字句之運用，也正說明了我們大家之廣泛的趨向於作「兩值思考」。所以小孩子看電影，一定問哪一個是「好人」，哪一個是「壞人」。鄉下人買了東西回來，一定問他這件東西買的是「貴」還是「便宜」。納粹黨人把世界上的一切分成爲「阿里安」的和「非阿里安」的。共產黨人則分之爲「社會主義」的和「資本主義」的。也正是這同一個思想範疇。

兩值思考之所以具有危險性，因爲世上的一切事物，有的是兩值的，有的不是兩值的。遇到兩值的事物，而用兩值的字句（也就是兩值的思考），自然非常合用。譬如聽說朋友生下小孩，你問「是男的還是女的」。電燈保險絲斷了，換了一根新的，你教太太開了電燈，問她「電燈還是亮還是不亮」。作戰時發現附近有軍隊的行動，你要判明「這是敵軍還是友軍」。這種兩值判斷，對於面對的事物，不但非常適合，而且也非常重要。但是世界上有更多的事物，不是屬於兩值性的。而你一定要使用兩值的劃分，則結果必致徒然造出許多困惑。你的朋友才從溫泉中出來，你問他今天的水熱不熱。他說一點都不熱，而在你把一只脚放進去的時候，却把你燙得無法支持。這是因爲你們二人對於「熱」的反應不同。你和朋友在街上散步，碰着了另外一位熟人走過。你問他，這個人算不算是一個「好人」，這個問題，在你這一方面似乎是非常簡單明白，而在你朋友這一方面，却是異常不容易回答。因爲他不知道，你所要問的，是問這個人對你好不好呢？還是對他好不好呢？是問他對他母親好不好，還是問他對他的太太，或者是對他的情人好不好呢？在這種場合上，往往因爲問答之間，一兩個字句使用的不當，而造成許多誤會和麻煩，如同包裹輕傷而不知消毒，本來不算毛病，結果却帶來嚴重的災患。而這種不合式的，引致誤會和災難的字句，百分之九十五是屬於「兩值性」的。（三六）

上巳

·桐綺·

晝惟思食夜思眠。僻處那知上巳天。江畔桃濃紅化浪。陌頭柳滿綠成煙。忽驚異地逢三月。又負芳辰計六年。身上刼塵襟上淚。向何修禊盡潸潸。

上巳後一天小集銀龍酒家晚叙

海隅容易忘芳辰。猶幸今天氣尚新。會是應期同暢敘。飲宜補禊共憐春。樽前帆影歸思動。陸上鄉情消息眞。莫向東風怨遲暮。他年重敘粵江濱。

徐樹錚新傳

·邵林宗·

（上）

張勳復辟失敗以後，不久病死了，這個輓詞，很不易做到「得體」，瞧他的佳構：「仗匹夫節，挽九廟靈，其志堪哀，其愚不可及也。有六尺孤，無一抔土，斯人既逝，斯事誰復問之。」還記得有一二遺句：「萬馬無聲秋塞月，一燈有味夜窗書。」「美人顏色千絲髮，大將功名萬馬蹄。」皆膾炙人口，一時傳誦之佳句。

十一、廊坊遇難

徐氏在歐美考察時是民國十四年，正值北京政府危急之秋，段祺瑞徒擁執政之名，形同傀儡，西北軍馮玉祥控制平津，虎視眈眈，暗中與蘇俄勾結，他看到中國赤化的危急，所以急程回國，想負起力挽狂瀾的責任，一到上海以後，即馳往南通，和張季直密籌大計，預定先行安撫東北張作霖，聯絡東南孫傳芳，遠交近攻，外則與英美日法妥協，反抗蘇俄，重組邊防軍，向英美訂購軍械，團結奉直皖三大系，明令討伐馮玉祥勾結蘇俄叛國的罪狀。

大計議定後，他冒險前往北京，對政府要去覆命，與段氏要作密商，再由京南返時，馮玉祥密令直督張之江，於廊坊車站，劫而殺之，這是民國十四年十二月三十日的事，他享年僅四十有六歲。可是，身爲元首的段祺瑞無力爲他昭雪，只有痛哭而已。張季直輓他聯：「語讖無端，聽大江東去歌殘，忽驚感流不盡英雄血。邊才正亟，嘆蒲海西顧事大，從何處更得此龍虎人」。康有爲挽他的詞有：「其雄略足以橫一世，其霸氣足以臨九州，其才兼乎文武，其識通乎新舊，既營內而拓外，闢杜斷而房謀，又數歷乎域外，增闊識于四洲，其暗鳴廢千人，其洞視無全牛，其飛動高歌擅崑曲，其嫵媚清詞追柳周。……大盜竟殺猛士兮，天人起邦國殄瘁之悲，假生百年之前爲人龍而奈僑。哀世亂而內爭兮，碎明月于九幽，」這樣頌揚之詞，非南海捺筆寫不出來，也非徐氏承當不得的。

假如他不遇難，與張季直所謀成功了，中國今日是甚麼樣局面，誰也不能斷定，毛澤東三個字不見於新經傳，大約是註定的。所以，我對他的慘死，只有一句話：「國家運，蒼生福」的覆亡！然而他的兒子徐道鄰，是殺他父親的兇犯，可是，「刑不上大夫」，所以，結果是有力量，有了之死！然而寃魂未昭，而孝思不匱，在抗戰時期，中央政府選他出任外交部長，辭去公職，向法院控告馮玉祥，張之江，俗，使懦夫有立志的。（完）

劍底秦庭

歷史小說　奚如

（四）

還是荊軻忍住了悲痛，首先掉過頭來，用手按着高漸離寬闊的肩膊：

「老弟，你還是那樣丰神秀逸」！

「你也一樣，大哥」。漸離似乎在倉卒之間也找不到更好的話語，來安慰這位剛剛死去妻子的摯友，只有隨口回答了一句。

「我？哈哈！漸離，你還是那末愛開小玩笑」。荊軻爽朗地笑了一聲，忽然之間，又像是笑聲震觸到了內心的感慨，不自覺地呼了一口氣！「我現在正是有家難歸，有國難投的人呀」！

「大哥，你這話是什麼意思」？漸離感到有點迷惘。

「說起來眞是一言難盡，我們還是今天晚上細細的談吧」！荊軻一面說着，一面下意識地輕輕的用手拍着小震的頭：「快下雪了，我們進去吧」！

「是呀！我這個人也眞糊塗，怎麼一站就站了半天，也忘了來酒，咳」！漸離使勁地敲了敲腦袋，趕着便跨進了燭光搖曳的廳房裏，拉長了嗓子：「姐姐，酒還有吧」？

「在園子的小屋裏放着，我可搬不動那個罈子呀」！微姬在廚房裏迅速地回答。

「我來我來！怎麼還好意思勞動我的姑奶奶呀」！隨着一問一答的聲音後面，漸離早已回轉身來，直向園子的右面角落走去。

久別重逢的歡悅代替了暫時的抑鬱，高漸離和荊軻兩人似乎都正在沉醉於一個舒暢的美夢中，酒從罈子裏倒出來，又向頸子裏傾進去，就像是築城時候，土工們傾運一畚一畚的泥石一樣，廚房裏的微姬，雖然也正在紛忙之中，然而每當罈子外面傳來一陣爽朗的笑聲時，却會不自覺地停下了菜刀，側耳傾聽，分辨出這是荊軻的聲音。對於荊軻，那低沉的笑聲，似乎含有一種不可思議的魅力，會不自覺地在她的心弦上撥出久久的迴響，微微地震撼着她的心房，她的血管，她的肌肉。這是一種微妙的反應，微姬自己也不知道爲甚麼會這樣。在丈夫沒有死去之前，一直沒有同過這自己的家人，雖然根本就沒有和荊軻見過一面，只是從弟弟的口中，聽到了許多關於荊軻的神奇故事，然而也只不過當他是一個神奇的故事而已。想不到到家鄉來的第二年，這一個故事中的英雄的一聲笑，一舉手，一投足，却在短短的半天之間，深深的激起了這古井下面的波紋。

廣西詞人況周頤

·紹羊·

又風入松（自題詞集）又有攤破浣溪沙（自題宋徽宗琴名松風）一闋云：「故宮風雨咽龍吟，法曲惜消沉。獸香錦幄聞箏後，特地情深。十八胡笳淒拍，九重樂洞青。玉笙鶴唳夢寒，客路吞瀟落落。投金零落譜，宋絃怨，年母光陰。宮商不返，隴雲啼損鐙」以上兩闋錄字選聲，情麗，而清光蕩漾，情綿，得未曾有。

生平又長於文字金石之學，著述宏富，有萬縣西南山金石記，等數種，端方所輯陶齋藏石記，亦出其手筆。所輯詞書，有微省同聲集，（粵西詞見二卷），又有撰合刊，數卷爲蕙風詞話五卷，又續記五卷，曰玩金錄記。

晚年客滬賣文爲活，所撰諸文墓志，鋪章甚富，而不願存稿，又爲劉翰怡審刊代詞人考略一百卷，撰輯詞事，詳蒐博采，迄未付印。及卒，書稿歸老人作詩挽之：「幾然抱樑挽詞人，江湖隨去國身，才士豪卿相，活孤芳在，抱古何求萬，傳迴陶公詠貧士，垂老就餓生涯。」頗貼切他的身份。

×　×　×

周儀有弟子武進趙尊嶽，能夠傳其學。（下）

自由人

THE FREEMAN
（第四二四期）
中華民國僑務委員會登記證僑報字第一零二號
中華郵政台字第五〇〇號
執照登記爲第一類新聞紙類
（半週刊每星期三六出版）
每份港幣壹毫
台北市價台幣壹元
督印人：陳文華
地址：香港高士威道二十號四樓
3 rd. fl. 20 CAUSEWAY RD HONG KONG
香港發行及事務接洽處
高士打道66號　電話：七四〇五三
承印者：東南印務出版社
地址：高士打道六十四號
海外總經銷
友聯書報發行公司
香港：德輔道中二十六號A二樓
台灣特派員辦事處
台北市館前街五十號
台灣總經銷處
台北市西寧南路壹壹零號二樓
台郵儲金戶九二二五二

縱談天下大勢

・曾旭軍・

第二次世界大戰初起時，有一個名詞突然很吃香起來，這就是「地緣政治學」（GEOPOLITICS）——從地理上去估評政治。本來這不是個新名詞，在第一次世界大戰以前已創立了，並且在歐洲很流行。在英國百科全書有很詳細的註解。在地緣政治學中有一個很動人的議論，就是所謂「心臟地帶」（HEARTLAND）。據說德國的卡爾．侯豪佛將軍，常向希特拉解說其重要性。這本是英國著名地理學家麥欽德首創的理論。他的理論大意是：地球地理形勢分兩大陣營，一個是陸權國，以歐亞非三大洲的中心地帶爲霸業基礎。另一個海權國，估有海上戰略重要基地，環繞着心臟地帶。德國的地緣政治家主張佔領心臟地帶，便可以稱霸全球，因擁有大量人力與資源，和戰略位置。因此希特拉不去一鼓作氣撲滅英倫三島，反而不惜撕毀德蘇協定，掉首向蘇聯進攻，就是重視心臟地帶。因爲蘇俄位於世界陸地中心，號稱樞機國家，有德國而無俄國之領土不足稱霸世界。

蘇謀建中立地帶

現在西方國家重視德國，亦因有俄國而無德國之領土，亦不能稱霸全球。因此英美在衡量之下，寧願不顧法國之反對，務必要德國在西方陣營重整軍備。西德領袖阿丹諾總理果然明智睿斷，始終不入蘇聯之中立圈套，這是自由世界一大幸事。未來的四强會議，可能也與「心臟地帶」問題有關，因蘇聯既無法吞噬西德，我們可以猜測她會提出建立歐洲中立地帶問題。此等地帶，大約由斯堪的納維亞，丹麥（已中立），經德國、奧國、瑞士（奧瑞均已中立）而至義大利，南斯拉夫。

蘇聯的確已在暗中策劃進行。三巨頭之訪問南斯拉夫，就是這個緣故。看樣子，蘇聯的陰謀可能獲售。因爲歐洲接近鐵幕的國家都想中立，而且英國當政者陶醉於原子均勢和平。艾森豪威爾總統之所謂擬於四國首長會議，提出撤回東歐鐵幕回到蘇俄邊界去，滇已非解放政策，而是謀擴大中立地帶而已。這樣是不利於自由世界，而正中蘇聯之計。因爲假如東歐蘇聯附庸國家劃入中立地帶，表面上蘇聯撤出軍隊，但蘇聯的傀儡政權依然存在，

蘇俄共產特務滲力仍控制着，鐵幕並未捲回到蘇俄邊界，事實上，仍然存在。而附庸國中的人民永無翻身之日。反而令鐵幕更形鞏固，而加多一層保證和合法化。這是未來四國最高級會議中蘇聯準備的一個陷阱，美國大有墮入圈之慮。

中立思想的影響

其禍不祗此，倘有中立思想之蔓延，自由世界陣綫將失去向心力，而變爲離心力，或惶恐不安，試看奧國一中立，義大利便生怯懼心，而要求調原駐奧國之美軍駐義，共同防衛了。南斯拉夫也因此而更爲趨向中立，居然指摘北大西洋公約爲和平之詬病。義大利和約規定義國陸軍不能超過十八萬五千人，加上義大利陸軍察警六萬五千人，海空軍各限於二萬五千人。卽一九五一年，東歐附庸國之爲二次大戰戰敗國者，均已不守和約，而超額建軍。義大利本可不受和約限制，但除警察增加至八萬人以外，其他各軍均未增加。到了今天，義大利感到危險，實有從速整軍之必要。但可憂慮者，爲中立主義之抬頭，及共產勢力之滲入。義大利總理斯爾伯原係一溫和左傾人物，其政府又係一混合內閣。他本人已難於維持其領導權。雖然共產黨目前失勢，但若奧國藩籬既撤，南斯拉夫又脫離西方陣營，則義大利必陷入動搖不安之境。

美國態度過於兒戲

美英以囿於地緣政治學中之心臟地帶的成見，盡力爭取德國，本非無理。但患原子迷，及苟安和平之惰性太重，美國至今還是死守「海洋圍堵戰略」，永患刻舟求劍之弊。

蘇聯則不然，如雖已失去西德，但又取償於中國大陸。美國雖知道重視德國與日本的工業基礎，但以忽視中國大陸與東南亞之人力與資源。美國實過於重視西歐而輕視中國大陸，故目前困處台灣之自由中國，不免因此而份量頓然減輕，因美國之全盤戰略重心，是[illegible]洲與工業化的國家。這也是對遠東不够積極的一個原因。爲了維持西歐的團結，[illegible]願姑息中共，[illegible]得正確點，是[illegible]根本看輕中共，看輕她沒有工業基礎，沒有交通組織。若要決心攤牌，以爲只要擲下幾顆原子彈或[illegible]武器，便可以把中共政權收拾。所以美國被人笑爲紙老虎也不介懷。周恩來叫囂要坐下來談，她也附和。不知者以爲[illegible]，但實是態度太兒戲。杜爾斯不是說過與中共直接談判麼？但他在白宮與[illegible]黨作外交間接談判[illegible]又的確對國黨領袖們說：『美國不打算和中共直接談判台灣停火，而只是用非正式的方法謀事實上的停火而已』。這種朝三暮四的口吻，原因是[illegible]兒戲。[illegible]中共。其所以不解決中共者，是投鼠忌器，恐與蘇聯衝突而已。筆者在本刊曾略論過美國太注意全盤戰略，而輕忽小戰及滲透戰術。不知癬疥之疾，蔓延亦足以致命。今日東南亞之所以岌岌可危，實因美國過重視歐洲而輕視亞洲之錯誤。

蘇俄農工業均落後

蘇俄今後雖不得逞於歐洲，但可以設「中立地帶」以自固吾圉，而安心向東亞侵略。蘇聯之心臟地帶可捨西德而代以中國大陸。蘇聯之工業[illegible]，是由[illegible]不穩而已[illegible]蘇聯之弱[illegible]工業優[illegible]的不穩[illegible]中國[illegible]敢與[illegible]因目[illegible]業比不上美國，（據雜方經濟學專家估計，至一九六〇年，蘇聯依然趕不上。近日奧國赴蘇代表團，亦證實蘇聯勉強製造原子武器已吃不消，弄到經濟基礎動搖。）而且農業基礎亦不穩固，大有崩潰之虞。是故中共傀儡政權一旦崩潰，不但使蘇聯藉心臟地帶稱霸世界之迷夢粉碎，其政權亦可能因此而瓦解。誠非誇張之論。

農業危機影響蘇政策

出世於俄國而爲蘇聯農業研究之權威學者森斯尼氏（NAUM JASNY），其所著「蘇聯社會主義化農業」一書（THE SOCIALIZED AGRICULTURE OF THE U.S.S.R.）已列出許多事實與數字，證明蘇聯目前的經濟機構極不平衡。農業的力量太弱，不足以支持工業。森斯尼說農業是蘇聯經濟機構眞正基礎。但其集體化的農業措施，正是地[illegible]悲[illegible]尼更慘的許多事實證明如：在世界其他各地的社會主義化的農業，亦同樣得到悲慘結局。而隨同樣的從事實上總得到：中共與其他蘇俄附庸國的農業亦遭遇同樣的悲慘命運，因爲强行集體化農業，而破壞家庭化。成果是違反人類「勤勞化，享受」的天性，而退化的農奴制度。共產主義比封建時代的農奴制度還要慘酷千倍。故目前蘇聯主張和平共存，其主要原因係陷於農業經濟危機，便可從此窺見[illegible]。

西方之急務

本來自由世界在經濟上，政治制度上，核子工業武器潛力上，均佔有絕對優勢，[illegible]意志不集中，以至爲蘇俄所乘，而任和平共存作催眠，[illegible]世局前途，[illegible]吾人之警覺，糾正錯誤，一心一意，喚醒人羣，實爲西方今日當務之急！

南蘇交惡的經過

奧國獨立後，蘇聯的外交攻勢，已加緊轉向巴爾幹的舊相好南斯拉夫。赫魯曉夫，布爾加寧等蘇俄巨頭已經定於昨廿七日枉駕南都行兩國談判。值此歐洲情勢漸趨均衡之際，位居東西集團之間的南國，自有其擧足輕重之勢。

狄托自被撤出歐洲共產情報局之後，七年來已獲得美援拾億美元。美援畢竟買狄托的歡心，（他想做巴爾幹盟主），現在他又標榜中立，究其實，仍不過是一曾反覆無常的又一次演出而已。

南蘇正式分家，時在一九四八年六月。南斯拉夫位於亞德里亞海濱，形勢較其它附庸國爲重要，當時狄托抗拒蘇聯，希闖鐵東西兩大間的室子。歐洲共黨情報局遂決心加以驅逐。譴責南國罪狀多至八項，其間的是非，我們無須加以論列。惟南斯拉夫。已因此退出歐洲共黨情報局，並以獨立路綫姿態，結交西方，而獲得美援。

南斯拉夫脫離東歐集團後，蘇南關係，交惡日甚，南國與其它衛星國亦時起磨擦。蘇聯的歐洲東方戰綫——爲蘇聯於二次大戰後併東歐小國的侵略綫，北起波羅的海三小國，經過中歐，迄亞得里亞海岸而止於阿爾巴利亞——變成了一條盲腸左翼缺口暴露，成爲蘇聯的極大煩惱。

蘇聯之所以屯兵奧國，拖延十年，不予奧國以獨立，目的即在監視狄托。

蘇南會談的觀察

李金驊

蘇聯爲何向狄托讓步

南國與希臘、土耳其締結三角盟約後，不僅赤色小國阿巴尼亞受包圍，成爲孤立，三角軍盟亦堵塞了蘇聯向南歐侵略的通路，威脅歐共八軍約國的後門！芒刺在背，蘇聯益覺難以安枕！

因此南斯拉夫與西方關係愈密切，莫斯科就愈感不安。

形勢比人强！蘇聯遂不得不考慮對狄托「讓步」了。

問題是誰先讓步！蘇聯既不願開始即在實際上作退讓，於是先以喊話方式向南兜搭。

去年十一月，赫魯曉夫與南駐蘇大使威迪克會談。不久，蘇部長會議副主席薩布羅夫首先公開表示：願與南國恢復正常關係，「希望得到南國的充份諒解」。

又不久，南斯拉夫有了反響，表示贊成蘇聯召開歐洲安全會議。

跟着，眞理報[illegible]，強調兩國必須修睦。並率直表示（讓步），願以平等和互不干涉內政建立兩國關係。

翌日，馬倫可夫以次，赫魯曉夫、布爾加寧、莫洛托夫、蘇布羅夫等，均親蒞南使館，出席南國國慶紀念酒會，互祝乾杯至再至三。這都是去年底的事。

莫洛托夫自己掌嘴

今年一月，蘇南簽訂了一項共值美元二千萬元的貿易協定。

二月九日，莫洛托夫在最高蘇維埃的報告裏，竟自動證實南國的立[illegible]場，「完全是[illegible]黨國際歐洲情報局[illegible]

[illegible]托狄偉表示投桃報李，亦於二月十一日自訪問印緬歸來，即公開演說，強調持「和平共處」。三月七日再在國民議會發表外交政策報告，宣佈今後外交路綫爲「積極共存」，並謂與蘇聯及東歐國家的關係已取得巨大進步。

到了五月，兩國間的關係更見不斷轉常，蘇聯表示讓步，南國已有對蘇提出要求的發言權了。

狄托的兩面手法

狄托訪問亞洲，與尼赫魯宇努攀，會談建立歐亞中立地帶。蘇聯首先表示歡迎其後狄托返國，蘇聯立邀其赴莫斯科，與其在印緬發表之「和平共處」的演講但狄托予以婉拒了。另經外交途徑表示，除非蘇聯首先允予奧國獨立，南將不考慮在歐設立中立地區。只要奧國能獨立，南能儘速同意對奧和約，並承認兩國所劃的國界，與境內的南斯拉夫少數民族問題和其它懸案，亦保證能獲得滿意解決。這是狄托對蘇的要求。

另一方面，狄托又公開表示，將不脫離西方，南蘇談判不至影響南國和西方的關係。

（下轉第二版）

每週展望

・陳克文・

英保守黨的勝利

英國大選截至記者執筆之時，保守黨已獲決定性勝利，可能有超過六十席的下院控制權。這不僅顯示保守黨將繼續執政五年，更顯示工黨的社會主義已大爲英國選民所擯棄。

保守黨的勝利是西方國家所一致歡迎的，今後英國的外交政策當大致不會和過去多所出入。吾人所希望於首相艾登者，是對於英國的反共政策能作更勇敢澈底的執行。蓋經此勝利，保守黨勢力大增，情勢與昔大不相同，應可放手做事矣。

巨頭會議的惡兆

莫洛托夫已於廿六日答覆英美法三國，表示接納四巨頭會議的提議。在此以前，眞理報曾極力攻擊美國，說美國利用技術問題以破壞四巨頭會議，所謂技術問題即開會地點及時間等問題。本來時間地點，英美法三國還沒有決定的，何以要藉此攻擊美國呢？

這次莫洛托夫的覆照，雖尚未發表，據傳內容還是攻擊美國，說美國統治集團與德可能促使會議開不成。更說到美國關於東歐各國的聲明，說美國干涉他們的內政。但對英法兩國則並未加攻擊。

蘇俄此一態度，又是否眞希望會議能够成功呢？西方預計七月十八左右在洛桑開會，蘇俄則堅持在維也納開會，地點問題還這樣不容易得到妥協，其他問題更可想而知。我們早說過，巨頭會議是不會有結果的，現在已經是[illegible]露惡兆出來了。

何前倨而後恭耶！

蘇聯巨頭赫魯曉夫和布爾加寧等率領代表團百餘人，已於昨廿六日浩浩蕩蕩到了南斯拉夫的首都，狄托也親到機場歡迎，並下令羣衆前來湊熱鬧，同時還提了百餘個所謂不穩份子。七年來兩國的仇恨嫉忌，似乎都可從此一掃而空了。

蘇俄巨頭沒有動身之前，先給狄托發電賀壽，詞意懇摯，赫魯曉夫一下了飛機，便發表談話，說過去兩國反目是死了的貝利亞負責，這不啻對狄托卑詞道歉。去年底，眞正負責破壞南蘇關係的莫洛托夫也有過對南表示歉仄的言詞。凡此種種，使人發生蘇俄何前倨而後恭的印象。

理由也很簡單，蘇俄要利用狄托拉攏歐洲的尼赫魯，要把奧、南、並至德、義造成歐洲的印度、緬甸、印尼。爲達此目的，卑詞厚幣，子女玉帛，都是無可愛惜的。

在原子僵持局面之下，尼赫魯和狄托之流的騎牆政策是必然產生的，今後隨尼狄兩人而起的，當然還大有人在。

重感情而不重現實

亞洲人民反共會議雖流產了，緬甸，巴基斯坦，和日本的人民代表國觀察員還是陸續到了台北。巴基斯坦的婦女界領袖閔瓦拉夫人到台北後，發表談話，認爲反共國家應該消除嫌怨，努力團結，才能有所作爲。她談話中有兩句最令人警惕的話即「東方人過分只重感情，而不重現實」。

這兩句話不僅道出了此次反共會議流產的眞正原因，也指出了東方政治的最大弱點。

其實感情並不是壞東西，惟缺乏理智和遠見，只憑個人的好惡或喜怒來作決定，便非壞事不可。這樣的決定與其說是感情，倒不如說是偏見或衝動。東方政治的大毛病，便在於此。閔拉瓦夫人的話，實在值得東方政治家反覆體味，痛切自省的。

台灣「阿飛」的復活

方曙

台灣通訊

【台北通訊】最近三個月內，台北報紙的社會新聞，自台大學生張銘漢求愛不成，刺傷女同學丁介文一案開始後。有關學生鬧事，或未成年兒童集體鬥毆，或殺人的事件，幾乎層出不窮，常有記載。最近又有基隆市立商科職業學校學生聚衆包圍信義國校校長宿舍，毆打校長太太的事件發生。因此，此間一家民營報紙，便揭出了「嚴重的教育問題」的標題。這可見台灣的青年教育已經發生了一種令人注意的新現象，教育當局和教育家急應正視這新現象，妥籌應付方法了。

太保和太妹復活了

這現象也便是別的地方所說的阿飛問題，阿飛在台灣也稱爲「太保」或「太妹」。台灣有所謂「十三太保」或「太妹」的名稱，差不多在民國卅九年初，就有少數不良學生和紈袴子弟，他們受了舊章回小說的影響，自稱爲「十三太保」或「太妹」。也有稱爲「九天霸」，「十八羅漢」，「四大金剛」的。他們大都仿效美國西部牧童打扮，穿牛仔褲，花襯衫。往往在放學時，成羣結隊呼嘯過市，而且時常發生毆打。那時候，治安和教育當局，曾用靈方法，才在表面上消除了這現象，獲得了兩三年的平靜。最近三個月來，不知怎樣，又漸漸復活起來。眞有野火燒不盡，春風吹又生之勢。

養成阿飛的幾大原因

這種不幸現象的復生，綜合各方意見，大致是因爲：（一）家庭教育不良。（一）不是父母事業繁忙，無暇管教，便是達官貴人的子弟，過於驕縱。（二）學校管理無方。（三）學校和家庭之間缺乏聯絡。（四）有些「太保」「太妹」，也有所謂「組織」和「紀律」的，他們對於「組織」必須絕對服從，如不聽命，輕則一頓毒打，重則性命交關。因此失足加入了「組織」之後，便輕易不能自拔。（五）社會不良風氣的濡染，也是一大原因。台省近年的社會風氣，習於奢華，特種酒家，公共食堂，到處都是。每至華燈初上，男女追逐，嘻笑之聲，揚溢戶外。而且奇裝異服，袒胸露臂，招搖過市。這一切都給血氣未定的青年，以一種不良影響。（六）再加上什麼車啓亮殺妻案，「胡光應詐欺案」等，報章雜誌充滿着「特寫」「專訪」一類文字，繪影繪聲，淋漓盡緻，也無形中給一般青年以極大影響，是好是壞也便一言難盡了。（七）美國若干浪漫或鬥毆影片的影響，這更是大家所知道的。我想上述這幾項原因，都是很正確的。爲了正本清源計，自然要對症下藥，必須從學校、家庭、社會各方面同時着手。正的教育，才是下代的主人翁，我們不要以爲這些祗是青年的問題，或者遲早比我們的問題，或者要比我們所想的還輕忽了這一問題的嚴重性。台北，五月十二。

・人物・評述・

愛因斯坦的人格和政治主張

愛因斯坦在科學上的偉大成就，這裏無需再說，筆者要談的是他的政治見解，和他的人格。

× × ×

一九五二年，羅斯福夫人主辦的每星期播送一次的電視，曾向全球播送愛因斯坦的錄音電影片，內容斥責美蘇兩國的氫彈競賽。這是一篇有關他的政治主張的演講，重要內容有如下各點：

『在現代軍事技術的狀態下，如果想由於各國的擴張軍備來達到安全，那是禍莫大焉。美國因爲首先成功製造原子彈，特別有這幻想，大家似乎都以爲美國最後可以達到有決定性的軍事優勢。』

『軍事上達到有決定的優勢，就可以威脅任何一個敵人，而大家所馨香禱祝以求的安全，就可以降臨到美國和全部人類。我們五年以來所奉的教條，乾脆一句說，是以優勢的軍力求安全，不管代價如何？』

『美蘇之間原本算是預防性質的軍備競賽，已經擴展到瘋狂的田地，尤其蘇俄躲在祕密的幃幕後面，唯恐不及完成大量的毀殺工具！』

『如果蘇俄製造氫氣彈成功的話，那麼以輻射性毒化空氣和消滅地球上所有生命。這一發展有一件像魔鬼之處，便是一發不可收拾，一步跟着一步，到了最後，越來越清楚了，是全人類的淪亡。』

『從基本上說，人類間每一種和平的合作，主要的是基於互相信任，然後才依靠法院和警察這類機構。個人如此，國家也是如此。而信任的基礎，是有取有與的。』

『至於國際管制，可能當成一種次要的方法，但是不必過於重視。這個在禁酒時代已經有前車之鑒，大家是不妨三思的。』

『和平合作』『互相信任』，『有取有與』這便是愛因斯坦的政治主張。

× × ×

說到人格，愛因斯坦也有些非常人所易及的地方：

有一次，他到布魯塞爾去做比利時女皇的上賓。他沒有注意到車站上迎接他的漂亮汽車和衣飾華麗的達官貴人。他祗是一個人靜悄悄的一手提着衣箱，一手拿着他的提琴，往女皇的宮殿走去。

歡迎的人等得不耐煩，回去報告女皇，說愛因斯坦恐怕改變了計劃，也許不來了。女皇聽了也皺起眉頭來。正在說話的時候，一個風塵僕僕的人走了進去，一面走還一面愉快地吹着口哨。女皇正在不高興，看見一個流浪漢闖進來，更是生氣。便厲聲叫滾出去！

然而，且慢！這個流浪漢愈走愈近，女皇看得眞切，不由得怒氣全消，幾乎驚喜得說不出話來。「怎麼，愛因斯坦博士！你好嗎？見到你，使我多麼高興。但是你爲甚麼不等我派來的車子呢？爲甚麼要走這樣遠的路呢？」女皇這樣說。

「怎麼，陛下！我不知道你派了車子接我。」他同時又現出天眞無邪的笑容：「我下車後，便一直走進來了。這一段路倒是走得很愉快的！」

× × ×

據說，還有一次，大西洋上某輪船船長，爲了優待愛因斯坦，特地讓出全船最精美的房間恭候他，不料他竟嚴詞拒絕優待？情願睡在最下等的統艙裏，船上所有旅客都因此對他敬佩不已。

愛因斯坦接受普靈斯敦大學之聘，前往講學，他爲了避免新聞記者的訪問，預先囑咐他的朋友，在船未開到埠以前，便在中途祕密以駁船接去，換乘汽車駛往學校。

愛因斯坦這些地方，眞有點很像我們的吳稚暉先生。

× × ×

愛因斯坦的日常生活尤其簡單，他平日總是穿一套不很整齊的舊衣服，不大歡喜戴帽子，在浴室裏，常吹口哨或哼歌曲。他雖打算解決複雜的宇宙之謎，但他卻認爲人生的享受不要弄得過分複雜。他在洗澡後刮鬍子，不用刮面香皂，而就用洗澡肥皂。他認爲用兩種肥皂，未免浪費。

憑良心說，愛因斯坦要發財，是非常容易的。祗要他肯去演講或寫文章，很可變成巨富。不過在他看來，便宜的玻璃杯和銀杯金杯卻一樣的好，要那麼多的錢幹什麼呢？他相信財富只會使人自私，而且富人多數不善於利用財富。有些朋友和他辯論，指出金錢可以有許多好處，他卻打斷他們的話說：「我絕對相信財富不能幫助人類進步，惟有偉大和高尚的人格，才能使我們產生高尚的觀念和行爲，你能夠想像，摩西、耶穌，或甘地等人會去貪財圖利去嗎？」

愛因斯坦是死了，他的智慧和他的人格是永遠爲人崇拜的。

・胡養之・

原子能的工業用途

各國的試驗計劃

成本太高　八年難實現

・李子平・

本刊上一期，刊載一篇有關原子能工業用途會議的消息，現在這一篇是用原子能發電供工業用途，在未來八年尚不可能的報告。——編者

本年五月中，歐洲十一個國家在比利時舉行原子能會議，討論原子能的工業用途。

根據各方報告，美國準備以八百四十萬美元，對原子能發電，分三個時期，作詳盡試驗。法國擬於最近將來，建立一所能夠產生五千基羅瓦特的原子能電力廠。三十個月後，再建一所二萬基羅瓦特的原子能電廠。意大利第一期擬在米蘭建一所一萬基羅瓦特的原子能電廠。挪威準備先行建立一所二百五十基羅瓦時的原子能電廠，瑞士則擬以七百萬美元建立原子能電廠，預期於一九五八年完成。其他如荷蘭，比利時，瑞典各國，已經擬就試驗方案，正在分頭進行中。

原子能對於發電，其功能等於煤。原子能電力廠，一經裝置完畢，可供應十年使用，並無需增加或改裝原料，眞可說是一勞永逸。而且原子電力廠沒有煤烟，對於公衆衛生絕無防礙。不過，就工業用途說，原子能電力能否於最近的將來取煤斤電力而代之呢？

八年內只能供軍用

美國原子能工業研究會係美國各大企業共同組織成立，專事研究原子能工業用途的一個機構。這個機構於去年開始研究原子能電力問題，而且他們和美國原子能委員會作密切的聯繫，一年多的研究，以期獲得詳盡可靠的結果。這機構經過發表了下面的一段報告：有關原子能的股票，現在已成爲美國最流行股票之一，這證明美國人民對於原子能的工業用途，已抱着極大希望。可是在最近八年內，原子電力只能配合軍事用途，如潛艇，輪船和飛機的發動機等等。美國當局準備於一九五九年開始，每年建造原子推進的航空母艦或巡洋艦一艘。美國郵船公司亦擬計劃建造一艘橫渡大西洋的郵船。（上）

編者　讀者

請教吳康先生

論孔誕與耶誕

讀者立坤先生來函

編輯先生：

近讀本刊四一二期程滄波先生論孔誕與耶誕一文，中有句云：「近六十年來，中國的主要趨勢，是想造成一個現代國家，而結果則至今尚未造成。多年來我們在思想上對各種基本觀念的混淆，不求甚解，或有意曲解，亦是造成混亂的主要原因」。一星期後又在本刊四一四期讀到吳康先生「論中國文化的改造」文內，有下引一段：「孔子代表中國古代文化，爲人道的大聖人，其才德之全，遠非耶穌所及，乃國人最近風氣，竟遺忘八月廿七日孔誕，共湊熱鬧，濫過於十二月廿五日耶誕，聖誕一詞，竟爲耶誕的代名，孔誕早已讓位，夫子九原有知，當復起居夷之歎了」。上述二文，據上一處讀之，益證滄波先生「予豈好辯哉，予不得已也」的心情。孔誕與耶誕是兩件完全不同的事。吳先生把二者相比，即如把一斗米與一尺布相比一樣。因此我對徐道鄰先生的語意學，不能早日刊完，早出單行本，早日人手一冊，猶幸其未長遺憾。我抱着與滄波先生同樣的心情，草此短文，就正於吳康先生。

耶穌是宗教的創立者，他傳教時自謂是神，（生理上他是否神，並不重要），所以我們只可將他與釋迦牟尼，穆罕默德，以及觀音菩薩，白蓮教主，喇嘛教的歡喜佛放在一起相比。我們紀念耶穌，與他的才德無關（新約上說耶穌點水成酒，那是才還是德？）人類的智慧，進化到今日，固然在理智上不再依靠宗教鬼神，但感情上是一刻也離不開它的，（信教，迷信是兩回事，諒不須多解釋），這也是自由制度與共產制度間一個基本的分野。孔子是聖人，被尊爲至聖先師。但他與我們一樣是凡人，他既未自認是神（子不語怪力亂神，只說祭神如神在），後代也未把他神化。（李冉卻不免被後代神化的厄運）。所以將孔誕定爲教師節是極好的。一如將禹誕定爲工程師節，華陀誕定爲醫師節一樣。如果我們後人，硬要將孔誕與耶誕一爭長短，無異將孔子招到觀音寺內爭香火。孔子有靈，才眞會大呼「是可忍，孰不可忍！」

毛病出在聖誕這個「聖」字。但文字的意義本是隨時代增減變化的。「聖」字用在耶誕，即指耶穌。不可因爲流俗用了這「聖誕」，便硬說耶穌爲聖人，而不是神。我們通常稱大禹，孔子也擁，進耶穌爲基督。如果一位有禮貌的小學生恭稱他們爲「米斯特」何感想？還是孔說「耶穌不可菩薩」詞，而吳先生作何感想？害意」呢？卽是說「必先正名」呢？「好行事而亟失時，可謂智乎？」

請你趕快把語意學寫完出版吧！

讀者立坤敬啓　五月十七日

△「經濟思想叢錢」續稿未到，待到即行續刊。

徐立德，陳永，彭楚珩，羅稻仙，徐嘯山，味腴，劉起，黃梓，王恢，徐萍，漢文，王世昭，勛盛，思惟，諸先生：來稿大文，已一一收到，至感謝！

蘇南會談的觀察

（上接第一版）

狄托所玩的手段其目的何在，已不難明白了。

蘇南將談些什麼問題

看樣子，蘇聯已準備對狄托再讓一步，將予南國以經濟援助。赫魯曉夫在赴南國之前已有把握地表示，「蘇聯已具備了一切必要條件」，保證此行能使蘇南的關係更能推進一步。

到底赫魯曉夫所謂已具備一切必要條件，是甚麼呢？若以去年十月赫魯曉夫在北平與中共所談各項公報爲藍本，則此次南蘇會談，其具體事項，可能爲下列各項：

一、南斯拉夫保證仍循獨立外交路線，在歐洲採取中立，蘇聯則進一步改善現有兩國的貿易關係。

二、蘇聯以無條件的經濟援助，易取與南訂立互不侵犯條約。（這等於南國廢除巴爾幹三角盟約，並打擊三月間訂立的英、伊、土中東聯防軍約。）

三、爭取兩國對德國問題的統一步驟，使德國擺脫西方。

四、共申和平共處，反原子戰和裁減軍備。

西方的態度如何

李金曄

西方國家對蘇南會談，迄未見有官方的態度表示。美參院首腦人物如諾蘭、喬治等亦僅表示如南國轉向，則美須重新估量對南的援助。國務院所担心的，也正是狄托有對蘇讓步的可能。

土耳其對三國公約將因蘇南會議而受影響一點，自極關心。土總理訪南的時候，雖狄托有所保證，但並不能就此安心。土外長且認爲蘇聯的和平中立宣傳，已對南國發生影響。

狄托的真正目的

總之，狄托是一個共產黨徒，他的狡猾甚於背信棄義，是和任何一個共產黨徒一樣的。南國駐美大使雖向美國保證，將繼續採取獨立的外交政策，也是不可靠的。且看，狄托一面聲言與蘇謀建立正常關係，一面又對北大西洋公約組織加以誣謗。其眞正的用心何在？大概狄托希望建立歐亞中立緩衝地帶，東西連成一綫，南國則儼然以巴爾幹盟主地位自居，以便從中取利，他眼看尼赫魯在亞洲採其騎牆政策已收到若干漁人之利，他亦何妨在歐洲玩此一套！向東西兩方實施敲搾勒索的法寶呢？

我是一個布廠工人

——一個工人的生活日記——

梅珍

梅珍先生是香港某布廠的工人，他把他的工廠日記抄送本刊，特為發表如後。讀者藉此可以窺見布廠工人生活的一斑，同時也可以知道共黨在香港的工廠中如何做他們操縱和引誘工人的工作。 —編者附誌—

四月××日

飯廳裏的時間，僅有廿五分鐘，小陳利用這短短時間，在飯廳的一角，拉起風琴來，作秧歌舞，許多人都嗤之以鼻，他自己還肉麻當有趣呢！我們廠裏的工友多數是進共產工會的自由工會，小陳便利用這吃飯機會替共產工會作宣傳，所以拉起風琴來。

四月××日

我們的廠長在車間裏看人，總是把兩隻眼睛斜視的，遇到女工友斜度更大。這位廠長很費氣力，一天到晚在車間裏兜圈子。有時，還幫工友們打打結頭，他為人，很有一套，他對自由工會捐過款，也對共產工會捐過款，雙方都敷衍敷衍，不過，聽說他捐給共產工會略愚多點，這不能說他一定偏心，可只說他怕共產多些。

五月×日

今天是我們工人的節日，我們的工廠不但未放假，還在加工。據說，今天增加工資百分之五十，這倒是今年一大德政。

五一勞動節是六十九年前，工人要求「三八」制度的開始，也是世界上工人注意到自己的問題的開始。可是到目前，我們工人羣的現實處境，仍然受到許多虐待，工人羣之中，更有工棍作祟，擬監工人，說出來，真覺傷心。現在有些工廠，每天還要工人連續十二小時作工，婦女和童工的待遇也沒有改良。工廠設備既差，工人待遇又極菲薄，我們為了求生存，也祇有忍耐而已。除了忍耐，更有何法？

五月×日

許多工友都說：赤色工會的合作社和食堂很便宜。最近由大陸運來土產更不錯。因為大衆都可以光顧，並不限於赤色工友，今天得閑，我也前往一試。炒麵一大罐四毫，背心一件一元八角，豬肉一斤二元五角。確比市價便宜。不過，我覺得，我們雖吃了平宜貨，買了平宜貨，但這些都是大陸上我們親友的血汗的結晶。他們自己已經變成鳩形鵠面，衣衫襤褸了，他們把自己辛苦生產的東西被迫捐獻給秧歌王朝，再運到這裏來吸收外滙，同時引誘貪圖小利的工人。想到這裏，我不由得心酸淚下。

五月×日

幾年來，我漸漸體會到，自由工會和赤色工會最大不同的地方，是自由工會處處為工人本身利益着想，不受外來力量支配。赤色工會剛剛相反，處處受它背後的團體組織操縱，事無大小，常常假名開會討論表決，事實一切聽命上級支配。工人的本身福利僅是次要的。

五月×日

我們的廠裏有個女工棍，整日雄糾糾，氣昂昂，有意惹事生非，橫衝直撞，不管大事小事，她都要過問，廠方也奈何她不得。今晚放工的時候，這位女工棍從廠裏提一桶熱水去冲凉，甫抵廠門外，她便把整桶水向另一位女工潑去。幸而該女工閃避得快，僅腿部受點輕傷。當時互相扭作一團，經人勸解作罷。後來我才知道，原來這女工棍曾竭力拉攏該女工參加赤色工會，結果該女工反加入自由工會，因此招致女工棍忌恨，竟乘機出此毒手報復。

五月×日

廠裏廁所的抽水機壞了，許久未修，糞便洋溢，嗅氣逼人，如廁的人，不啻受到一次大刑罰。廠方辦事人置之不理，暑天到了，影響衞生很大。我只好希望衞生局能夠趕快派人來視察一下。

下午，工棍××，根據他們小組開會討論的結果，理直氣壯的向廠方大興問罪之師。因為昨日該棍無故曠工，廠方按例剳她工資二元，因此不服。交涉的結果如何，我不得知。有了工會做後盾，廠規可以不必遵守，這便是赤色工人的特性。（未完）

共黨刑具十五種

——一個共幹的口述

裕生

【本報澳門訊】據最近由大陸逃抵澳門的共幹談稱：共黨對待反共份子及地主——華僑地主，所使用的刑罰，種類繁多，慘酷備至，他們經常使用的計有十五種，分述如下：

「懸腿獨」——掘地約四尺餘，將受刑的人置於其間，用泥土填塞，僅露頭部，俟全身血液漲在頭部後，用十字鎬或其它利器猛擊頭頂，使血液上衝噴出至流盡死亡為止。

「抑鐵石」——在地上舖尖銳三角碎玻璃，行刑時，剝光受刑者衣服，放倒於玻璃上，鮮血淋漓，慘不忍睹。

「三上吊」——反綁受刑者手腳，吊於樑上，在其背上逐一加壓石塊，以逼口供。（據口述本文的共幹某說，他的表弟李伯林，和周興兩人即曾身受此刑，行刑地點係廣州五眼橋，監刑共幹是金輝明）。

「牛角屍」——受刑者兩腿綁在兩條牛腿上，鞭牛奔跑，分屍而死。

「掘黑洞」——用兩小竹籤戳入受刑者眼裏挖出眼球。

「放飛機」——用麻繩緊扣受刑者大姆指和大腳指，高懸空中，使之昏厥。

「穿玻璃衣」——多季行刑時，剝去受刑者衣褲，綁於木柱上，從頭澆以冷水，俟將冰，復用凍水淋灑，冰層逐漸增厚，使受刑者凍斃。

「小和尚拋炸彈」——縛鐵球於受刑者生殖器上，迫其行動。

「大石壓碎」——用大石塊綁在受刑者背上，投入海底。

「活埋」——掘丈餘之深坑，坑底佈滿石灰，將受刑者擲其間，注水入坑，石灰遇水煮沸，發出高熱，受刑者便生生燒死。

「電刑」——用電線套在受刑者姆指上或頸項，先少量通電，受刑者痛得吱吱怪叫，剎那間倒地不省人事。共幹噴以冷水，待醒後，再通電流。中共曾將此刑加諸前上海滬江大學校長凌憲揚博士多次，弄得死去活來，終遭處決。

「絞刑」——共幹行刑時，並不使之速死，時鬆時緊，直至共幹獸性滿足，猛踢受刑者小腹，使暴斃。前山東齊魯大學教務長孫思三博士，即受此刑慘死。

「遊遙椅」——用普通靠背椅，下裝半月球形椅腳，前後搖動，坐位重心處豎立一堅硬木棍，行刑時木棍直戳穀道，此刑多用于婦女。

「快樂床」——用鐵枝做成籠子，籠底離地約二尺，用刑前，先燒紅鐵籠，剝光受刑者衣服，擲入籠中炙死之。

「望中央」——將反共人士衣服剝去，僅留內褲掩體，反綁手腳，高懸於廣場中央高三丈之木桿頂端，監刑共幹喊問：「你天天望中央，現在望到沒有？」受刑者忍痛不住只好喊「望到了」，共幹即謂「現在送你到中央」，遂從高空使之墜下，因地下舖有玻璃和酒樽片，受刑者飽受慘痛以至身亡。

法停止支援反佛朗哥份子

西班牙自與美國訂立協定，以海空軍基地易取美國軍經援助以來，佛朗哥的國際聲譽日見改善，最近美國兩黨議員，鑒於他的堅定反共態度，已提議國會應通過主張西班牙參加大西洋公約組織，吝請國務院極力促成此事。可是佛朗哥對於西班牙若干非共民主人士在海外組織的反對集團，却極感不安，唯恐這些組織終會對他的獨職形成一種威脅。他最感不安的，是懷疑法國仍支援這些流亡人士。法國政府過去是支持西班牙保皇黨共和政府的，據說現在流亡於法國的西班牙反佛朗哥份子，仍能獲得法政府的津貼，甚至巴黎的西班牙共和黨總部，其房租也由法政府負担。法國政府每次更易，西班牙大使訪問法國的外交部，要求如果確有津貼的話，即應取消。

最近佛朗哥又得到一個新的方法，可對法政府加施壓力。在法屬摩洛哥，法國與阿剌伯人爭執日劇，已不得不將不孚衆望的蘇丹葉哀夫加以廢黜，而以親法而在弱的阿拉發代之。這次蘇丹更多，在西屬摩洛哥的阿剌伯人中，引起廣泛不滿，佛朗哥的電台認為這正是駁斥法國政府的良好機會，便極力挑撥而加以利用。

最近，法國外交部發表正式聲明，否認已和佛朗哥獲得妥協，以撤銷對西班牙反佛朗哥人士的援助，以交換西班牙之在西屬摩洛哥停止反法活動。法國自然不便公開承認撤銷對這批西班牙流亡人士的援助，因為這等於承認過去曾給過這樣的津貼。但法國雖然否認與佛朗哥達成互惠的秘密協定，在法國的西班牙民主人士却已在準備應付法國援助的削減了。他們希望並不大，希望可能將佛朗哥推翻，不過流亡外這十六年以來，法國對他們的援助，實際是個公開的秘密。（路易）

方君璧大阪畫展

【東京通訊】名畫家方君璧女士今年二月間曾在東京銀座廣通松屋舉行個人畫展六日，參觀者前後達六萬人，博得東瀛人士極大讚譽，筆者前已為文報導，頃悉，方女士現應彼邦人士之請，將於下月中前往大阪再次舉行畫展一次，並擬於展覽完畢後，攜其作品，前往新大陸，在紐約與彼邦人士相見，惟何時可以成行，正向有關方面接洽中。（五月十五日）

稿約

本報各版園地公開，歡迎讀者投稿，性質不拘。來稿請用稿紙，勿兩面寫或橫寫，最好不超二千字，特殊稿件例外。譯文請附原作，如原文不能附寄，亦請註明出處。來稿不便刊用時需退還者。請附郵票。

當代中國自由文藝

作者：李文　出版者：亞洲出版社

范英

最近亞洲出版社發行「當代中國自由文藝」的第一天，我便買了一本回來，一口氣把它讀完。對于這本書，實在不能不執起筆來談談。這本書的出版，出發點是十分可喜的，作者對自由文藝的理解，是花過許多精神和時間去搜羅材料。總之，這一本專題研究的書籍，對自由文藝的推動，是有相當功用的。

× × ×

這本書共分八章：第一、總論；第二、海外自由文藝運動；第三、台灣自由文藝運動的理論與實踐；第四、自由文藝的新英雄主義；第五、詩歌和戲劇；第六、當前自由文藝運動的弱點；第七、自由文藝運動的理論體系；第八、自由文藝運動發展路向。

作者在書中有意無意地劃分三個不同時期和地域的階段。第一階段，是自由文藝在混亂中的統一期，由大陸撤退，作家各奔前程起，至台灣的中國文藝協會改組完成時止，大致上舉出了愛好自由的作家出奔台灣，和一部份左派作家踏上官場寶座。第二階段，是自由作家沉潛創作時期，列舉：台灣、香港、菲律賓三地的自由作家創作概況及舉出許多位港台作家的作品，並介紹了台灣好幾位新進作家的作品輪廓，兼顧了詩歌、戲劇等文藝活動與及台灣文藝界針對中共作文化的鬥爭。第三階段，則是檢討當前的自由文藝運動的現狀，提出了文藝運動的主張，呼籲作家大團結。

× × ×

誠如前面所說的，這本書的出版，是可喜的，因為藉着這本書，做一面鏡子，可以明顯地看到我們文藝界的現象。這本書的總論中，提及了中國文藝協會的改組完成的經過，對於文協的組織範圍擴大，培育青年作家以及統一文藝的理論基礎的報導，是十分簡明的。惟自由文藝的發展過程，作者僅憑直覺去報導個人的印象，並未能更深入的，對混亂期，轉形期的客觀環境與及作家的思想苦悶，環境苦悶，作親切的感受，這是第一章總論的一大缺點。因為本書既標明為「當代中國自由文藝」，自然應該對自由文藝的轉形期着重一點。海外的文藝青年，在文藝思想上，是最幼稚的，但，求知慾則是充沛的，自由文藝憑什麼力量產生？怎樣造成了這個風氣？在情感上，儘管有許多人同意自由文藝是在共黨的反自由、反人性下滋生的，而在思想上，則未能領略自由文藝從混亂中澄清的因果關係，這是我執筆寫此文時唯一未肯以情感的喜愛這本書而輕于放過的。

× × ×

其次，作者對本書的思想上，許多地方似乎顯得貧乏一些，總論中，自由文藝運動的發展過程，裏面百分之八十都是引述東方既白所著的「在文藝思想與文化政策中」的文字，作者未曾一抒自己的見解。又第七章自由文藝運動的理論體系，關於「三民主義文藝論」，似乎多屬張道藩的文字，未曾做到批判或者闡釋的工作。

第七章內容決定形式，好民族形式兩節，前者失之太簡，「內容決定形式」，是一個大問題，話雖熟習，但不能無所主張，而作者僅以五六百字輕輕帶過，這，實在是遺憾得很。至「民族形式問題」的「民族形式」四字，是抗戰中期郭沫若提出的，共黨所說過的話，雖不必因噎廢食的去避開，但是，香港曾有一位作家提出「民族本位文學」，在內容上除了歌頌極權的肉麻文學必須袪除，村夫俚語不必自成單位，不同於民族形式外，倒可以代替民族形式這個名詞的。

× × ×

有人以為選出了若干作家的代表作來論列，未免有廣告氣味，我却以為不然，因為這樣做是幫助讀者去瞭解作品的情趣，瞭解作者的輪廓，更進一步瞭解文壇的一般現狀。問題在於列舉能否適當罷了。這本書列舉香港作家一本文藝理論，十一本創作，這十二本書，是：東方既白的「在文藝思想與文化政府中」，趙滋蕃的「半下流社會」，格林的「北平三年」，易文的「恩人」，張愛玲的「秧歌」，沙千夢的「長巷」，耿榮的「圍城記」，黃競之的「自然的海洋」，徐速的「星星月亮太陽」，徐訏的「馬倫克夫太太」，黃思騁的「代價」，余非的「鬼把戲」。十二本書都列舉了其中的特色，大致上，這裏所舉出的作品都很中肯。

台灣作家羣中，老作家列舉了王平陵、謝冰瑩、陳紀瀅等，對於王平陵和謝冰瑩近年的作品都有點追不上他們的全盛期，這是本書作者未敢大胆地提出的。台灣青年作家的蓬勃狀，是可圈可點的，因此，對於介紹青年作家的作品部份，為了含有獎勵的意義，自然不能看得太苛刻。而台灣的一般文藝水準，事實上是要比香港、菲律賓、星加坡等地高一點的。而台灣女作家羣出，似乎表示了女性們在這一世紀中站了起來了。

× × ×

第六章散文與報告文學問題，作者對這一點，似顯得特別生疏，固然，散文在香港文壇上是很少見的一種形式，但是，在港的作家，也有好幾位致力於這一方面的，長篇散文已經出版的有徐訏的「彼岸」，這是抒寫一種高尚情操，背後包含着淡淡的形象的作品，曾經連載于星島晚報，獲得一般好評。還有慕容羽軍的「夜曲」，是以現在的悲劇時代為背景，故事運行于幽麗的文學中間。此外，百木的兩本散文集，也有清新奇麗的作風。因此，我們不能完全抹煞散文作家年來的苦鬥成果。

× × ×

這本書，作者和出版者都具了一番苦心的，當然，時間、精神、與及參考材料的限制，這一類書寫起來困難一定很多，像戲劇方面，我們不能單純看「中英文化協會」的演出就可以代表香港的劇運，而實際上還有許多青年劇人在默默地進行話劇運動，而且也演過不少次。

想起紀德的話

馬五先生

法國文學家紀德，在其蘇俄游記中說道：「你跟一個蘇俄人說話，就等於跟全部俄國人說話」。描述極權奴役的社會生活狀態，再沒有比這兩句話更深切簡明的說法了！因此，我們常常聽到大陸來人談及國內一般人民生活情況時，說是至親好友相遇於途中，亦不敢作寒暄語，充其量只是無言的苦笑一下，多數皆表現一種相見如不相識的態度等現象，實爲勢所必至，理有固然。既然不許有說話之自由，大家就祇好緘口以避禍；同時又沒有完全不說話的自由，那除非按照極權奴役階級的教條，像唸咒語式的背誦以外，誰敢表示自己的意思呢？背誦教條的語言，當然是千篇一律的！言爲心聲，要明瞭一個人的眞性情，只有從他的自由說話中可以體察得到。政治原是管理衆人之事，所以，即在君主專制政治之下，也要注意民瘼，勸求民隱，生怕人民不敢說話，而隨時徵求直言極諫之士哩！共產極權主義者是要以思想變更存在，一切都得按照一種欽定的模型臨摹着，否定基本人權，它自然要做到道路以目，偶語棄市的地步。在號稱民主的社會中，如果不讓人民有隨意發言之自由，那你憑甚末理念來教人們反抗共產極權主義呢？大家根本就不必反共了。

言論太隨便了，是否會發生許多弊害呢？這是法治的問題，超出了法定的自由界限，自有法律來制裁。可是，對於執政人物的言論，除對私人造謠誹謗應負法律責任以外，一般主人翁縱然因事駡你這公僕爲「混蛋」，也是言者無罪的。當年麥克阿瑟元帥被撤職後，美國人民大駡杜魯門「混蛋」之聲，洋溢乎全國，有些人並且用稻草紮成杜魯門的形像，拖出它去槍斃，也不犯甚末法啊！替人民作公僕的，那有絕對不做錯事的可能，做錯了事，還不該挨主人的駡？否則，你只要一去做跟一個人說話就等於跟全國人說話那類地區的極權奴役之官，少談民主自由的廢話爲是！

重印南來堂詩集序

程滄波

民國乙酉，抗戰勝利，予持節江南，由渝抵滬，陳先生景韓導謁王校長培孫先生於九[illegible]坊寓樓。握手歡笑，喜極而涕。臨別，先生就几上取書三冊授予，曰：此八年喪亂中著心箋註而刊行者，幸於忙亂中最暇讀之。檢視授書，蓋南來堂詩集也。

其明年丙戌春夏，每於賓督造先生寓樓夜談，先生爲予縷述六十年中事，並及身心性命之道，現世未來諸法。某夕，因蒼雪法師縱論明淸之際高僧軼聞，旁及佛法，且言以予心地瑩澈，終非仕宦中人，世界微塵，曷從我遊乎。予危坐斂容，黯然無語者久之。

是年冬，先生患攝護腺腫脹，入醫院，醫至，曰疾不可爲也。閱三月，病間，仍歸寓樓，旋移居龍華校旁。自丙戌之冬以迄己丑之春，奄臥病榻。每拜謁牀下，先生神明淸朗，絮絮道校事國事如平常，若不知有痼疾之苦者。

己丑之夏，神州再罹浩劫，先生以老病不能行，匿跡海上，一如中日戰時。予渡海南來，伏居丘樊。三原于先生右任讀南來堂詩箋，並問先生起居。于先生嘗言南來堂詩及王先生箋註，此三百年來詩壇變絕也。

壬辰之冬，居合及門弟子，方將規復校友會，而先生之凶問遽至，既設位以祭，相擁而哭。爰謀所以發潛德而垂之久遠者，僉議籌募獎學基金，及重印先生箋註南來堂詩集，所以繼先生之志，而紹其緒餘也。

夫先生生平行誼，所謂風雪當門，孤立不懼者，世間知者多矣。庸陋末學，縱有述作，又豈能宣揚前哲於萬一。昔者蘇子瞻目歐陽公爲天人，予每念吾師，早歲以東南士望，毀家興學，五十年盡瘁於一中學，其神凝，其志一，老歸空門，戒地堅，脚跟實，皆從般若智海中流出。其異人乎，其天人乎。

南來堂詩箋重印始末，具詳於緣起及復讚，詩箋全書，豈足仰窺先生之智與[illegible]，然先生文字之行於世者，僅此一書。及門之士，悉力以求是書之流傳，所以完佛光而報師恩者，將於此爲發軔矣。

語意學漫談

徐道鄰

兩值字句的毛病

兩值字句的毛病有兩種，（一）過於簡單。凡是兩值性的字句，都是具有排他性的字句。凡是具有排他性的字句，都是向人挑情感和挑釁的字句。你說這個人是好人，也就等於說他絕對不是一個壞人。在你說他是一個好人，你本來有很多的理由，都來給你辯護。他和他的太太出來應酬的時候，他對她非常的友好，然而你的朋友卻絕對不承認他是一個好人，因爲你的朋友都常常遭過他的欺負，他曾經好幾次把這個人牢牢地順得。然而你們今天一個說他是好人，就是說凡是認爲他是壞人的人都不對，那麼你們二人爲了自己的自尊心，爲了自己對於自己和對於世界的信仰，焉得而不大吵一頓，和結果來一個不歡而散？

這些字句，多半是主觀性的。一個人和一個人的反應不同，美麗和醜惡，味美和味惡，好和壞，一不小心，我們常常會把主觀的評判說成客觀的事實，而使聽話的人迷惑。（二）兩值字句，往往是一種性質的兩個極端：黑和白，中間還有許多種程度的灰色；冷和熱，是由零下許多度到一百度，幾百度和幾千度。凡是具有程度的性質，而我們具有衡量的標準，我們最好以程度字句來表達。你要託人買一件襯衫，你說「領口要十五吋半的」，不要說「領口要大」。你說「水要四十度」，不要說請你燒得『燙』一點。有人問你，今天外面熱不熱，你去看一看寒暑表，你說「華氏表八十四度」。從語意學來講，這是人類用以表達思想的最『安全』的語辭（也可以說是『消過了毒』的語辭）。但這並不是說，爲了達到某一種目的時最『有效』的語詞。

不但如此，我們爲達到語意的安全，最好儘量避免兩值字句的使用。你的朋友，雅香閣『十二元』的客飯喫不喫，你不要研究那裏的菜是『貴』或『便宜』，你要研究你每月收入，用不着說你的收入太『少』。不但說話如此，思想也是如此（我們知道語句是思想的工具）。你最好也避免兩值的字句。你不要研究他是一個『好人』，還是一個『壞人』，你要研究他是一個怎樣的人；了哪一件事情而對你不滿，不要研究她是否還『愛』你，或者她是爲什麼『不愛』你。（三七）

不打自招文鈔

難弟難兄

以下是從大陸中共刊物上抄來的一首白話詩，是描寫俄共和中共開會情形的。讀了此詩，眞可說蘇俄和中共是難弟難兄也。　文抄公註

在一個會議上……

齋三

前些日子讀了篇好文章，題目叫作：「在一個會議上……」作者本是蘇聯B·奧維秩金，我卻懷疑他是個中國人。（爲什麼）？因爲他寫的那些個現象，在咱們中國，唉！一個樣樣。

我願說一說一次開會的經驗：作報告的不是講而是唸。他的鼻子一分鐘也不離講演稿。他的眼睛一會兒也不向會場瞧。報告的三段公式不模糊：成績——缺點——今後的任務。只是他好苦呵，唸也唸不好，因爲報告不是他起草。幾萬言的長篇唸了三點鐘。會場裏伸腰、哈欠睡意濃。不睡覺的就和鄰座「開小會」，會場就像一窩蜂：這一堆，那一堆。好容易「報告」完了，主席台上先鼓掌。這才驚醒了大半個會場。報告人雖說全部腦子不疲倦，但也苦被肩熱焦，坐下擦汗。主席起立問道：有誰有意見？會場照例十分鐘默默然。主席再問一遍又一遍。

最後無法，指名叫發言。「將了軍」的只得站起來。有勁沒勁慢步走上台。未開言來先咳嗽。毫無準門濫胡謅。於是上下古今都說開。感不着邊際感精彩。「…………」一個坐下又一個起立：「首長的報告我完全同意……」他手之舞之揮動着臂膀。聲音宏亮震動整個大會場。「自我批評」——經描而淡寫。——批評別人——劍拔又弩張。第三個第四個祇簡單地提個議：「大會應該通過一決議」。決議，會前早就準備好，——又是三段公式項項都說到。

秘書朗誦一遍聲音響。剛剛唸完，全場大鼓掌。（不是因爲決議寫的怎麼好，而是高興大會快完了）。但忽有多人很「積極」——張三說：決議裏第二句少了個「之」字。李四說：第四句多了個「的」。老王說：第五行第六字多了一橫。老陳說：第七行第八字少了一直：……發言，討論和修正：……總共又費二時鐘。最後主席起立再開口：「基本上贊成決議的請舉手！」全場一致通過無問題。不等宣佈散會都往門口擠：……事後主持人向上級寫了個彙報：三百人的大會開的好好好。（也是三段公式不模糊）：報告——全面；發言——踴躍；決議——周到。只是到會的三百個人頂倒霉。總計一千五百個小時，你說浪費不浪費!?

劍底秦庭

歷史小說　奚如

（五）

前廳是歡笑和傾倒醉酒的聲浪，後廚房裏，微姬也停止了炊煮的工作，悠閒地轉過身來，向着站在廚房門口的小蒙微笑着招了招手：

「小蒙，你過來」！

小蒙走到了廚房的中心，又站定了。

「過來呀，小蒙，怎麼？還怕姑姑嗎」？微姬把手揩了揩胸前的圍布，伸出來把小蒙牽到了自己懷中。從小蒙的身上，她似乎嗅到了一陣喜悅的氣息。

「小蒙，你幾歲了」？

「八歲」！小蒙木然的回答。

「八歲？你長得眞高！就像你的爸爸一樣」！微姬愛憐地撫掠着小蒙的頭髮：「家還有些甚麼人」？

「沒有……」小蒙搖鼓一樣搖着自己的頭。

「就是你和爸」？

「嗯」！

微姬忽然覺得有點辛酸，面對着這一個孤獨的孩子，不由得不也想起了自己的命運。沉默之間，竟然不自覺地把小蒙緊緊的攬在自己的懷裏。

……

許久許久，微姬忽然用手指托起了小蒙的下巴，笑着對小蒙說：

「小蒙，你喜不喜歡姑姑」？

「喜歡，我喜歡姑姑」！

小蒙把頭倒在微姬的懷中，眼睛望着灰敗的屋頂，他不知道微姬說話的用意，然而卻能領略微姬傾注在他小小心靈上的溫暖。

「眞的喜歡姑姑」？

「眞的」！

微姬是激動的，在過去，她只知道怎樣去回憶着過往的悲涼，然而，在小蒙的回答裏，一陣美麗的憧憬卻開始閃耀在她枯寂的心房前面了。

「小蒙」！

「嗯」！

「告訴姑姑，給姑姑做乾兒子好不好」？

「好」！小蒙的聲音，回答得如此甜暢。

「啊」！微姬輕快的站了起來：「小蒙，你隨姑姑來，和姑姑一起到前廳去，姑姑要告訴你爸爸，就說可愛的小蒙兒呀，已經給了姑姑做兒子了」！

肉食漫談

·陳雪英·

嬰兒血液中的血球和血球素，可以因肉食而增加。嬰兒發育得較快，食慾容易滿足，較爲安靜也睡得較好。納佛頓博士報告說，拒絕其他食物的嬰兒會食肉類，證明他們在極早的年齡便喜歡肉食。在小於幼稚園的兒童及學校裏的兒童的食物研究中，也有已經過對年齡相同的孩子的研究，發現食物中含有較多肉類的，則他們長得較好，健康情況較佳。以對各種年齡的孩子作集體營養的研究著稱的賓夕凡尼亞大學馬克博士曾經說：「富有肉食（包括肝臟）到青年時期，已經發現能促進自幼小到成年的兒童的健康。」因此，當你們的孩子請求肉類時，那孩子就是他的營養上的需要，不應該引導他走向較低的營養。做父母的人，便不應該爲着你們的孩子要求他們所喜愛之物如牛肉餅之類而生氣。這是自然在很聰明的在引導他。羅徹斯特健康計劃營養指導人羅琳·麥伯博士曾說：好牛肉餅是幼年孩童的好食物。

肉食和成年與老年

當我們長大的時候，營養仍是繼續需要的。肉類的供給組織必需的營養以修補人體的健康和維持成年人的主要食物。肉類是一種含蛋白質的主要食物，因爲它含有可以用來修補和建造組織的各種重要的礦物質和維他命，抵抗疾病和傳染病的抗體。肉類中的礦物質如鐵、銅和磷可以造血，也是極重要的食物。含量很多的磷，可以保持牙齒和骨骼良好的健康狀況。並且肉類中還有調節身體作用的維他命B，即新的生血物質的維他命數量比任何其他食物爲多。成年人中的一個問題是貧血者。納佛頓博士已經發現，若是進食較多的肉類，則他們血液中恢復到正常的速度比其他食物中不含此項營養的肉類時要快些。（二）

自由人
THE FREEMAN
（第四三四期）
中華郵政登記認爲第一類新聞紙類　台灣郵政管理局執照
每份港幣壹毫　台北市售價台幣壹元
督印人：陳文華
地址：香港告羅士打道二十號四樓　20 GAUSEWAY RD HONG KONG

政府和法律

陳克文

筆者曾於本刊四二四期裁文介紹美法學家詹姆士馬歇爾「國家與法律的人性基礎」的理論。舉有關政治問題發生之根源，國家法律之基礎，政治運動之中心所在，國家之基本任務諸端，均已有所闡述，惟國家應如何行使其權力，尚未及加以說明，茲再補述，藉窺全貌。

法律的最大效用

國家對於權力的行使，不能缺乏行使的武器，不問武器屬何種類，都不免具有相當的強制力量。試以常人稱爲權力工具之法律爲例，即可見一斑。

法律、教育、及宣傳三者，實爲國家行使權力武器中的三大心理力量。法律的背後特別含有強制性質。但此種強制力並非常用，因爲法治國家，法律已形成一種習慣與普遍觀念，無須動輒使用強制力，已可使人服從。換言之，政府於必要時可以使用強制力，因此人民不得不時時惕，如不守法，強制力量即將隨之而至。故法律對於國家有最大效用，即所以使國民，使知在某種場合或某種環境之下，國家將使用強制力量。

但有不可不知者，國家如濫用強制力量，必將產生人民的惡感，甚至發生反抗，不獨有失公平處置之道，且將損失國家威信，形成獨裁專制之害。

法律限制國家權力

更進一步，時至今日，事實上，國家權力已非至高無上，並非無可加以限制者。對國家權力加以限制亦即爲法律效用之一端。因此國家的統治權力可經由法令的公布，加以明白規定；何者必須限制，何者必須強制，何者必須禁止，何者得受獎勵，何者必須懲罰。某法學家說過：「法庭應該知道，法庭一命令有不適用於若干特殊事件者，此種特殊事件自以留待行政部門全權處理爲便。」例如，政府行使行政法，此即法庭權力範圍以外之事，法庭當然不加過問。又例如，美國的司法與行政是互相獨立的，故法庭對於與行政部門有關之國際法範圍以內的權力是不過問的。法庭有所決定，必須小心避免影響行政部門。蓋司法與行政乃國家的左右兩臂，不應相妨。即行政和立法在美國也是獨立的，因此在某種範圍內，總統與各州州長不僅不受法庭的干涉，也不受立法的干涉。美憲對此等地方均有所規定，此即法律對國家權力加以限制的實例。

心理力量爲武力工具

說到權力一詞，就私意義頗不易明，就法說，所謂「權力」也者，似即明白宣告，在私人妨礙社會和平利益時，國家權力即須加以干涉。換言之，即遇到足以擾亂社會秩序或破壞國家權力的敵對行爲，國家必須加以制裁之謂。此時國家以權力施行賞罰，藉以維持和平，避免使用武力。但鎮壓叛亂仍不能不訴諸武力，故建立武力仍爲國家要政。故有時心理力量的使用，儘成爲武力使用的輔助工具。

國家權力非絕對無上

就公法言，所謂權力乃指國家的權力而言。國家權力的大小，亦不能一概而論，因國家權力，對內須受其被治者的勢力限制，例如人民的意思、消極、反抗、罷工、叛亂、自由投票等權力，無一不影響到國家權力。對外，又受鄰邦統治權力的影響，故時至今日，已不能再說國家權力是絕對無上的了。於此，吾人可以說，今日世界上許多國家的經濟思想，和如何利用人力物力的觀念，大部份都不是出自各國政府或人民自己本身決定的。西方國家便因爲受共產主義國家的威脅，和共產國家的原子武器威脅，而產生各種有關政策。我們也可以說，美國十幾年來的稅率增加，是由於希特勒和史太林所作種種決定而引起的。

法律爲統治的武器

法律的最大任務在能成爲國家統治的武器，國家爲求統治之有效，自必力求統一，不許分裂形勢之存在，也不許敵對勢力之滋長。結果，法律之爲物，便會和拉斯基所說的法律系統傾向於「秩序的建立」，國家能安定有秩序，自較散漫放任，不負責任爲佳。

法律的真正價值

不過，國家使用法律作爲心理力量的武器，其所產生的真實價值如何？也不能一概而論，即不能單純着眼於統治效用之一端。法律對於處理各種不同的利益時，其所表現公道之程度愈大，則其價值亦愈大。否則，價值亦愈小。故法律必須切實避免個人的情感和好惡，避免差別的待遇與乎偏私之見。凡已確定的利益，不能作不合理的變更，否則後果是不堪問的。

法庭的作用

今日的法庭，雖不免有不合時代或浪費之病，有權力的人或因此而忽視法庭，其實法庭仍有其消除敵怨，減少不平的作用。以此，人民仍願負担訟費，求直於法庭。法庭之上，有勝有負，負者雖不免心懷感傷甚或怨憤，然在中立者視之，當事人實已受到公平處理，獲得充分之申訴機會，則失敗者縱有怨憤，社會亦必無人再爲之鳴不平，此即法庭的最大作用，決不宜輕加忽略，隨便濫用權力，作法外的措施。

四強首腦會議的展望

李加雷

兩年前，邱吉爾主張舉行英美蘇三國首腦會議。他認爲這種會議能夠減低世界緊張局勢，以至獲得未來二十年的和平。後來，邱氏對於蘇聯的集體統治，發生懷疑，並認馬倫可夫不能久於其位，便沒有再提此事。

英法的目的

本年春，法國國會討論德國參加盟軍問題，法國人因恐懼德國，遲延不肯投票，當時總理法朗斯允許該案通過後，負責召開四強首腦會議。後來，法朗斯去職，福爾繼任，德國參加盟軍問題仍未解決。福爾再向國會保證，在德軍未着手編練之前，召開四強首腦會議，法國會才把該案通過。第二天，福爾便經廣播向英美呼籲，請同意召開四強首腦會議。當時英美對於福爾呼籲表示冷淡，認爲布爾加寧繼馬倫可夫主持蘇政，但實權操在赫魯曉夫手上，如果和布氏商討國際問題，能夠發生效果嗎？

五月是英國的大選期間，保守黨採取外交做競選主題，艾登認爲還欠一個刺激性宣傳。

杜爾斯的遲疑

英外相麥美倫剛好在維也納參加四國外長會議，於是向美法兩外長提出四強首腦會議的主張，法國外長表示贊成，杜爾斯雖不反對，心裏卻不無懷疑。他覺得過去的首腦會議都給蘇聯利用來施展欺騙，此項會議，對於世界緊張是否有補？他的疑慮是有根據的，因爲依照過去的經驗，首腦會議，把問題解決了，辦法弄好了，再開首腦會議。首腦會議的任務只是吃酒，講交情，和簽字。如果一無準備，率爾舉行首腦會議，何異本末倒置？

但英國大選，急需刺激，於是麥美倫提出折衷方案。他建議先舉行外長會議，把議程等問題弄好了，再開四強首腦會議。首腦對於各項懸案，只作原則決定，其餘事務交由外長繼續商討，作具體的解決。

杜爾斯認爲麥美倫的建議可行，遂電徵求艾森豪威總統同意。經過三十六小時，艾森豪威復電，接納麥美倫建議。同時莫洛托夫也表示歡迎，[illegible]有解決者難時間和地點。到了五月廿六日，蘇俄覆照，也正式贊成此一會議。這是四國首腦會議，過去兩年來的醞釀經過。

美國不願意再上當

艾森豪威爲甚麼取冷靜態度呢？大戰結束時，蘇聯是美國的盟友，但雅爾達會議，羅斯福送上史大林的大禮，蘇聯變了自由世界的敵人。和敵人會議不外討價還價，在討價還價的環境之下，美國能有便宜嗎？這是一件十分嚴重問題，難怪艾總統要採取慎重的態度。

由此，可知法國四國首腦會議，是用來緩和國會的疑慮，英國則利用來應付大選。故在英法兩國眼中，都是一種手段。[illegible]艾總統參加此項會議，[illegible]，一爲敷衍英法盟友，二爲一般人士既認爲該會議能減輕世界緊張，美國參加自係一種對世界和平，不能缺少的姿勢。

對付小人與君子有別

艾總統對該會議雖未決定具體的進行辦法，但希望會議的頭三日，先作一般討論，不編議程，不具計劃，希望在頭三日探出蘇聯意向所在，和他們的領袖對於世界和平的誠意如何，然後再決定，交由外長作具體的商議。

艾氏對於四強首腦會議主張不編議程，和十年前羅斯福和史大林的會議，不擬定議程，相同。但羅斯福參加雅爾達會議，不作任何準備，以至上了史大林的大當。須知蘇聯是最重策略的，代表團未出發，總先詳細準備進行的計劃。他們知道會場的辦法來應付會場的。會議一開始，他們便將發動總攻，直至對方防線爲止。現在，自由國家與蘇聯已由[illegible]，艾總統竟不編議程，胸無城府的只可對付君子，不堪應付小人，更何況敵人，這是值得考慮的。

可能討論的幾項問題

首腦會議爲是減輕世界緊張局勢，下列幾項問題久懸未決，容疑要提出討論：

（一）原子和核子武器問題　英法怕氫彈，怕氫彈毀滅他們的國家。蘇聯現更怕氫彈，因蘇聯現在還沒有此項毀滅性最大的武器。關於此項武器的管制問題，蘇聯曾於上月倫敦裁軍會議提出下列辦法。一九五七年起停止製造原子彈和氫彈，逐步予以消滅，改成民用。蘇聯這提議是一個大圈套，因原子和核子武器是人海戰術的喪鐘，這類武器消滅了，人海戰術便將無往而不利。

（二）裁軍問題　上月蘇聯提出的裁軍計劃，主張美國，蘇聯，和中共各編練武裝隊伍一百五十萬人，英國和法國六十五萬人。這個提議本是英國首先提出的，蘇聯放棄了原來的計劃，改取英國的辦法，西方國家似可認爲滿意。但蘇聯爲什麼肯這樣遷就呢？蘇聯在武裝和人數上遠就西方，其目的在換取西方同意消滅原子武器。徵兵在鐵幕國家是絕不費力的，如果原子和核子武器消滅了，蘇聯和中共的兵員是很容易勝過西方的。

（三）統一德國　統一德國是一件不容易解決的問題，蘇聯屢次暗示，要中立德國，西方國家則認爲那是不能容忍的事。

（四）遠東問題　列寧說過「共產歐洲要建立在亞洲革命後的廢墟之上。」蘇聯在歐洲改取守勢，而主使中共進行亞洲的攻勢，亞洲快要變成廢墟了。這是現時世界局勢最嚴重最不容忽略的事。

（下轉第二版）

本週展望

旭軍

美國智於小而愚於大

中共非法囚禁戰俘，以人爲勒索之待贖票，若美國昭告天下，指出共方不守休戰協定，違反國際公法，責令放人，拒絕談判，則共方無奇貨可居，失去勒索價值，其詭計必不售，亦不過以驅逐出境打圓場而已。杜爾斯之函轉經紹及尼赫魯，感謝搭救之恩，何謂卑躬屈節，自甘示弱。美國不惜以論百億之金錢，十餘萬美國子弟之生命，犧牲在韓國，所爲何來？無非爲抵抗侵略伸張正義而已。今竟因十五個飛行員而屈服於侵略者拋棄正義，僅可爲智於小而愚於大矣！（PENNY WISE BUT POUND FOOLISH）

中共以美國人作勒索票之目的，在求美國撤退第七艦隊，志在消滅台灣之中華民國政府。在周梅之講數中，周必勸梅對美國力言撤退第七艦隊有若干若干的保證，中共永不擴張。今先放四人，稍示信用，以便攝容易於向山叔叔誘惑。一方面打動苟安自私者之心，俾能淆亂世界輿論，分裂西方國家。

中共將僞言放棄攻台

中共對台灣的法術，在強調台灣問題是內政問題。他們明知美國不易放棄防台，但他們看出美之防台係爲防衛美國太平洋堡壘起見。中共很可能提出有保證的停火，甚至聲言不「解放」台灣，而務使美國撤退第七艦隊。他們便不惜以較長久的時間，實行向台灣滲透。一方面準備實力，一有機會，便行突襲，使美國措手不及。

梅農說：「中共政府不反對在內政基礎上與蔣介石談判」。其中當然有許多詭謀。第一，是強調台灣問題是內政問題，謀使苟安自私者與中立者以輿論壓迫美國。第二可引起愚蠢之人幻想中共可能讓步承諾不「解放」台灣。

華府方面人士說，周恩來這一句話是「外交炸彈」，又說這意味着周恩來準備接受台灣投降。其實共產黨的陰謀之所以得逞，完全是自由世界畏戰苟安有以玉成。手段並不見如何的高明，如說高明，祇在抓得着西方國家及一般自私中立者的畏戰這一個弱點而已。如有定識定見，這個「外交炸彈」必然是個濕水炸彈。中華民國對此不屑祇說一聲「不值得批評」便了事。應指斥中共爲替蘇聯作滅華工具的叛賊。政府祇有弔民伐罪爲國討賊，在今天，稍欠堅決明朗，便被人混淆是非，助長姑息妥協！

共黨混淆陣綫的手段

共產黨之所以能玩弄鐵幕外的人者，係因雙方的基本觀點不同。共黨認爲人生是永恆的鬥爭，但鐵幕外的人則不然，幻想與共黨可能共存。故今天蘇聯的策略是在實力上和美國硬拚不過時，便務使反共的陣綫逐漸「晦暗，模糊，而終於消滅。」蘇俄集團今天已改變列寧時代及史太林時代的策略，以前雖然有「退一步進兩步」與「和平與戰爭交替活用」的法術，但尚堅持共產主義最後與資本主義（其實即其他一切非共產主義）誓不兩立的鮮明陣綫。然而今天蘇聯蓄意使此種對立陣綫不鮮明，而以民族主義混淆陣綫。

以往史太林務以莫斯科爲中心，維持其主子的尊嚴，決不肯像赫魯曉夫的降尊紆貴，走到鐵托面前求諒解。中共亦表示歡迎美國人到鐵幕觀察。綜而言之，共黨目前致力於混淆陣綫，務使自由世界忘記共產黨的威脅存在，而反鼓動其自相矛盾。是故南[illegible]之反日，實在是不分緩急輕重的一個實例。實爲蘇聯解決之事。

中共爲甚麼清算胡風

沈秉文

中共清算所謂「胡風思想」，歷時已達五月，現已進入總清算階段，除由「文聯」「作家協會」通過決議，開除胡風會籍，撤銷胡風在文藝界所担任的一切職務，並建議「人民代表大會」撤銷胡風的「全國人民代表大會代表」資格，對胡風的「反革命罪行」進行必要的處理外。同時「人民日報」又連續以整版的篇幅公佈胡風在十餘年來陸續送給舒蕪的私人函件，（中共稱之爲「關於胡風反黨集團的一些材料」）和胡風的「自我檢討」，乃至郭沫若、歐陽予倩、曹禺、周揚、老舍、吳組光等三十餘人所寫長篇大論，喊殺連天，已有非置胡風於死地不可之勢。

胡風的三大罪狀

胡風究竟犯了什麼「大罪」呢？胡風於今年一月間，開始被策動的攻擊，在各藝團內的攻擊，在各報章雜誌猛烈抨擊之後，胡風的罪狀，歸根結底，不外指胡風將二十年來中共所樂用的「文藝政策」看作「機械論的統治勢力」，並且「企圖」使用組織力量，推翻此種統治力，此其罪狀之一。他們又指胡風混淆了工人階級與小資產階級之間的「革命性和立場」，把片面的與現實的普遍的真理，違反了共黨的階級立場；此是罪狀之二。再其次胡風反對作家學習馬列主義，反對作家與工農兵結合，反對思想改造，反對民族形式，反對文藝服從當前的政治任務，且主張解散文藝組織，取消黨的領導，此是罪狀之三。總而言之，胡風的罪狀就是「反黨」「反人民」「反革命」。

這些罪狀是怎樣構成的呢？我們如果根據中共所發表有關清算胡風的大批資料，加以分析，就不難真相大白了。

得罪了中共文化權貴

從人事方面講：一、胡風對郭沫若、茅盾、周揚一流的投機份子是素來輕視的，他曾稱他們爲做「抬轎的市儈」或「小市儈」。但今天郭沫若和茅盾之流已成爲中共的權貴，已掌握了「文聯」表面上的領導權。

二、胡風在上海、桂林、重慶等處替中共從事地下文化工作的時候，何其芳、劉白羽、胡喬木一類中共文特曾一再以「欽差」的姿態予胡風以「指導」，後時在海外活動的共黨文特又公然以胡風「左」得不夠而加以「批判」。當時胡風對此種官僚作風極爲憤慨，曾在私人函件中痛斥他們，稱爲「馬褂」、「老爺們」、「官們」，[illegible]他們決心用筆和組織的力量去推翻他們。但他們正代表了胡風所謂「機械論的統治勢力」，今日中共的文藝政策及實權正在他們的掌握中，因此，形成了門戶之見。得罪了中共的文化權貴。

違反了共黨教條

從理論方面講：一、胡風認爲工人階級、小資產階級亦同樣「革命」，應該保留一點人道精神，不應該一方面利用小資產階級，同時復將小資產階級當作「革命」的對象。但中共則認爲祇有無產階級纔是真正「革命」的，小資產階級必須改造成無產階級。胡風的主張犯了「溫情主義」的錯誤，亦即所謂喪失了「革命立場」。

二、胡風認爲忠於藝術的寫作態度，應該重視作品的真實性，應從現實的反映去求取教訓和進步。作家的認識，須得變成作家自己的血肉要求，否則就會產生用概念來代替實際的錯誤。但中共則認爲藝術須服從「共產主義」的世界觀，不應誇張「過去」的黑暗或弱點，如果要寫實，應該寫出未來的真實——「世界革命」的成功，及「社會主義」的「遠景」。

三、胡風認爲作家應有「主觀戰鬥精神」，不應受教條的八股束縛，反對文藝八股化。但中共則認爲強調作家的「主觀戰鬥精神」，就是違反了唯物論原則和「現實主義」（筆者按，此一名詞應解釋爲「未來的現實」），亦違反了共黨的黨性。換言之：共黨是決不許作家本身有主觀的，祇許有客觀，且所謂客觀，有利於共黨的即爲「現實」，加以反映；不利於共黨的，即非「現實」，須用「遠景」加以鼓勵，作家須爲「遠景」描繪出美麗的天堂。

四、胡風認爲處處有生活，處處有鬥爭，亦處處有題材，因此，他認爲作家不應在「走向工農兵」的口號之下強制接受勞動改造，應在自動的原則下，深入到羣衆中間去。中共認爲這根本就違反了毛澤東的旨意，當然是大逆不道。

竟要求尊重作家人格

胡風就因爲對中共的官僚作風，與門戶之見，憤憤不平，又在政治及文藝上若干見解，自信正確。竟於去年十二月間向中共中央提出一個「關於工作意見的報告」。他竟要求尊重作家的人格力量；反對獨斷理論和宗派主義的做法；主張調整刊物出版，放鬆黨支部的管制；主張廢除對作家進行強迫學習；並主張作家在寫作過程中不受任何干擾。當然胡風此一報告的答復，便是清算。

悲慘命運已定

查胡風未被清算前，在中共黨內原有「文藝理論家」之號，擁有相當地位。二十年前，已爲「左聯」健將，深爲魯迅所賞識，儼然爲入室弟子，其文筆之尖酸刻薄，亦頗肖魯迅。此後在上海、桂林、重慶等地替中共從事地下文化工作，先後主編過「七月」，「希望」，「呼吸」，「泥土」等刊物，出版過「密雲期風習小記」，「劍的路向」，「論民族形式問題」，「在混亂裏面」，「逆流的日子」等五本論文集，及「野花與劍」，「爲祖國而歌」，「我是初來的」等三本詩集；蠱惑青年，頗具魅力。中共竊踞大陸後，即正式担任「全國文學藝術界聯合會」的委員，和上海「文聯」的委員，並兼任「中央文學研究院」的教授等職。二十餘年來胡風雖一貫執行了中共的宣傳政策，做了有力的鼓吹手，但他和何其芳、劉白羽、馮乃超、侯外廬、胡喬木等中共得寵文特，及以前海隅領導文化特務工作的鄭崟麟等，以及矛盾、馬哲民、聞一多（早在昆明死去）等投機文人素有鬩牆。到今日由私人的攻訐開始，終至演成爲共黨的清算，被指爲高饒之外又一「反黨集團」的「罪魁禍首」。看情形，胡風將繼王實味，蕭軍之後，成爲又一次「文藝整風」中的祭羊，其悲慘的結果，恐怕尤有過之。

中共也提倡節育了

【本報訊】據甫由大陸到港的某商人說，避孕本是共黨所禁止的，但現在大陸主要城市如平、津、滬、漢、穗等地，所有可供避孕的藥品和器材都已公開發售，並且公開宣傳節育。

鄧穎超政客部力子早在青年「人代」會席上，便以黨外人的身份，奉命「呼籲」節育。

大概年來因爲天災人禍，嚴重缺糧，中共於百無聊賴之中，想出節育可以解決他們的困難來，也未可定。（王芳）

職位分類能成功否

計劃委員會已成立半年　初步工作亦已大致完畢

徐立德

台灣通訊

【台北通訊】擱置了兩年，直到去年十月職位分類計劃委員會宣告成立，由楊亮功爲主任委員，銓敘部長任副主任委員，委員十一人至十五人，由考試院聘任，其中三人爲專任。該會工作迄今，已過半年。該會的基本工作，例如蒐集各機關現行法規，擬定職位調查規則，表式，及填表須知，以及舉辦職位分類討論會等，均已先後完成。目前調查表已分發各機關人員填寫，各委員並分批出發審查填寫情形。第二步工作，將爲根據調查表以作職務分析，如能依照計劃，繼續前進，將來必可有所成就。

公務員的擔職如何，責任輕重如何，只重視公務員的身份而不重職務，因此，養成了深厚的身份觀念，阻礙了行政的民主化和效率化。同時，每一職位的內容和界說又僅是一種籠統的概念，同工而不同酬，考核亦無標準。國民政府曾於四十二年一月頒佈「公務職位分類計劃」，並正式規定「職位分類計劃」於二年之內完成。後來因爲事實關係，未能實行。

人事制度，積習已深，職官易事。過去談改革者已經不少，卒無成效可言。故此事不僅負改革之責者要有周詳精密，切實可行之計劃，尤要各級機關首長及輿論界共同推動，方不至徒托空言，重蹈過去的覆轍。

未可夫救了馬倫科夫

蘇俄前總理馬倫科夫自遭貶降（副總理兼電力部部長）後，許多外國觀察家紛紛推測此公一定會不久於人世，因爲手段毒辣的俄酋必定會斬草除根，打倒了某人之後，決不會讓之東山復起的。他們認爲赫魯歇夫、布爾加甯一幫將馬倫科夫推下台後，必定會利用種種藉口，對馬倫科夫加以整肅，果也，馬倫科夫下台不久，赫魯歇夫即發表長篇演說，批評舊政權的農業政策，聲色俱厲。許多人都爲馬倫科夫担心，以爲這回必定逃不掉了。

殊不料近一月來，馬倫科夫不僅沒遭殺身之禍，反而有逐漸再起之勢，杯葛了好幾個月之後，莫斯科的報章和電台又逐漸提起馬倫科夫，一切跡象都顯示着，馬倫科夫又已日漸得勢了。

像馬倫科夫這樣的案件，在殺人不眨眼的蘇俄，的確是少之又少的。究竟馬倫科夫怎會有這樣的「運氣」呢？據最近傳出的內幕消息說，是蘇俄現任國防部長朱可夫元帥救了他。原來朱可夫曾被史達林打入冷宮，史魔死後馬倫科夫任總理時，復予重用爲國防部第一副部長，自後朱可夫炙手可熱，掌握軍權，儼然爲紅軍的代表，赫魯歇夫之將馬倫科夫打垮而不敢動刀者，原因就是朱可夫之感念舊恩，在一旁力支撐馬倫科夫，朱可夫正一天天走紅，馬倫科夫之跟着一日一日爬起來，乃是自己的道理。

俄飛彈發展美軍部側目

蘇俄最近突然將德國著名的導向飛彈專家二十人釋回東德，這件事外間雖平淡視之，但美國防部卻特別注意，認爲透露了這點線索，而窺出蘇俄的飛彈已有驚人的進展。他們所根據的理由是：這二十名德國專家是在大戰結束時即爲俄國網羅的，當時敢爲利用，故優遇備至。現在一定是俄國飛彈的進展已超越了這二十人才智之上，否則在東西方備戰正熱的今天，那有一腳踢開來的道理。

麥軍從商美國會不解

美國高級將領退休後，轉入企業界多取高薪水的人已愈來愈多，麥克阿瑟入雷明頓公司担任董事長，年薪十萬美元，這是大家都知道的事。前中國戰區參謀長魏德邁將軍退休後，也成爲商界的巨頭，接着前任第八軍軍長范佛里特將軍出任二十世紀福斯公司的董事，並在某冷飲公司担任高級顧問。現任陸軍參謀長李奇威將軍即將於下月底退休，但在未退休前，他在工商界的新職就已安排好了，不用說，這一總經理的待遇至少要好過他任四星上將的好幾倍。

不僅退休的將軍們這樣，就是好多現役的海軍和陸空軍將領們，據說現在也打算紛紛退役，另就待遇優厚的工作。這些事使得國會議員們大惑不解，據說衆議院已準備加緊調查其原因安在。（孟卿）

編者讀者

△近承讀者函詢，「語意學淺談」倘有多少字數未刊完，將來是否出單行本？頃得作者徐道鄰先生函，未刊字數約三萬字，一俟刊完，即出單行本，謹此奉告。

△再另有讀者建議，「自由人」應改出日刊，並組織公司，公開招股，雅意可感。惟此事牽涉問題甚多，各項條件亦多未具備，一時當做不到，謹復。

△吳生謀先生：函敬悉，報紙遲到，甚歉，已函經銷處改進，謹復。

△台灣惠稿諸先生：來稿請勿附郵票，如欲退稿，請加聲明，自當照辦。

△刁抱石，冷少泉，阿聞，俞敦詩，王況裴，袁覺術，李懷德，郭敏行，小丞，劉鐵如，章磊，思愷，林熙，諸先生：來惠稿已一一收到，至感謝！

四強首腦會議展望

李加雪

（上接第一版）

（五）被奴役民族的解放問題最近在巴黎舉行的北大西洋公約會議，杜爾斯曾提出被奴役民族的解放問題。杜爾斯說，西方國家不能容忍許多民族在鐵幕內被共產國家奴役。他堅持四國首腦會議，將提出討論。杜爾斯認爲以武力解放這些被奴役的國家雖尚非其時，但與國的獨立自主，倒是一個很好的解決方案。

能夠有所成就嗎

四強首腦會議，能夠有所成就嗎？美國共和黨領袖諾蘭是一位「研究共黨的專家」，他的批評說：『蘇聯的三十七年歷史，和中共的五年歷史，都證明他們的諾言是不值一錢的。美國爲什麼再要不憚煩和蘇聯簽訂條約呢？』英國經濟學人周刊，是一個很穩健的刊物，它的社論說，『四國首腦會議可發生兩件不妥當的事情：第一，該會議將妨礙民主國家的團結；第二，史太林死後，這種會議已經失却其意義了。』

其實四國的首腦也沒有一個人對此會議存有信心的，芝加哥每日新聞評論說：『要是首腦會議能有所成就，恐怕艾森豪威和國務院均將感到驚訝。總統之參加該會議係出於無奈，心裏實懷疑慮。作此建議的英法也是沒有信心的，因爲英法人民對於原子戰爭，存深刻的恐怖，他們只希望首腦會議能夠產生奇蹟而已』。華爾街周刊也說：『要求舉行四強首腦會議，全出諸感情作用，一般人的感情以爲艾森威，艾登，福爾，和布爾加甯如果聚集一堂，討論核子戰爭的危機，總不會沒有結果的。可惜，大家忽略了一項最重要的事實，即減輕世界緊張局勢，和恢復世界的安定與和平，其權衡完全操在蘇聯的手上。蘇聯是沒有信用的國家，隨時可以訂約，也隨時可以毀約的。』

我們知道蘇聯是始終懷抱奴役世界決心的，爲了征服世界，蘇聯是不擇手段的，她的諾言是絕對沒有價值的，自由世界對首腦會議的疑慮，不是沒有理由的。（完）

稿約

本報各版園地公開，歡迎讀者投稿，性質不拘。來稿請用稿紙，勿兩面寫或簡寫，最好不超過二千字，特殊稿件例外。譯文請附原作，如原文不能附寄，亦請註明出處。來稿不便刊用時需退還者，請附郵票。

法屬北非的動亂

·波林譯·

法國與其北非屬地突尼西亞已於五月二十九日簽署協定，容許突尼西亞獲得內政自治，而國防及外交則仍由法國控制。這個協定是法國與殖民地關係的歷史性轉捩點，法國希望在這種努力下，再配合武力鎮壓，能使蔓延整個北非法屬地的民族主義動亂宣告平服。至於這希望能否實現，一時尚難預斷，但鑒於法國頑固份子及北非極端民族主義者已開始反對這個協定，一面以爲法國讓步多，一面以爲法國讓步尚太少，動亂的結束，顯然不是短期內所能達成。

最近美國「時代」雜誌刊有一篇通訊，對北非法屬突尼西亞及阿爾及利亞情況報道甚詳，爰特譯述如后，以供讀者參考：

巴黎的「鬥爭報」說：「最近大騷亂疾病了：「每一小時都關係重大，我須以血和動亂來補償」。法國北非屬民地的命運，目前一步步阿剌伯人和法國人雙方對這形勢都很了解。在阿剌伯人方面，是要切實來獲得獨立，而法國則堅決反對。[illegible]

法國總理福爾已同意突尼西亞民族主義者領袖波吉巴重回突境，同時也準備使突尼西亞獲得內政自治權。但當這消息傳來，法國移民立刻湧入突尼斯和摩洛哥，而阿剌伯極端份子也同樣到處發動反對運動。

這批法國人的口號是：「法國沒有北非屬地，其聲威也將黯然無光！」他們的代表紛紛發表演說，對總督拉都爾大施抨擊，摩洛哥的法國頑固派領袖高蒂博士喊道：「突尼西亞被一批懸棍和叛徒出賣了！如果法國棄我們於不顧，我們對祖國的愛將變成憎恨。我們將用能力範圍內一切方法來鬥爭，我們將公開到街頭鬥爭，即使犧牲性命也在所不惜。」

阿剌伯民族主義者也認他們的命運是與突尼西亞問題的解決相關聯，在阿爾及利亞和摩洛哥，恐怖份子的活動突告加劇，他們湧入卜隆，對非籍士兵和法國警察開槍射擊，又對法國人住宅投擲炸彈。

法國人當然歡把阿爾及利亞認作法國本土的一部份，但叛徒[illegible]分成八十至一百人一組活動於君士坦丁區鄉村，已三度攻擊軍營，切斷電報線，[illegible]在摩洛哥[illegible]戰鬥甚爲激烈。阿爾及利亞總督蘇斯戴爾說：「局勢十分嚴重」。

福爾總理在巴黎召開內閣會議，商討北非局勢，幾天都忙於召開會議，各報[illegible]緊急呼籲[illegible]對策。在摩洛哥和阿爾及利亞[illegible]請言，在目前則必須採取緊急措施。他下令增派兵力，[illegible]二千餘人，使該處法軍增達十萬人，比目前在阿爾及利亞的法國軍隊多二萬。內政部長莫諾利警告道：「一切動亂，將以毫無婉惜的手段施以鎮壓。」

同時，福爾總理也緊急處理突尼西亞問題，他一面敦促波吉巴回到突尼斯（波吉巴爲突民族主義領袖），一面下令迅速恢復秩序，對突尼西亞問題完成最後解決。

福爾也知道他的選擇餘地頗爲狹窄。他如不能滿足突尼西亞民族主義者的要求，國會中的五十名議員，可能推翻他的內閣，[illegible]者在國民議會的選舉首[illegible]

份子。但如果他不能滿足阿剌伯溫和份子的要求，最後法國可能喪失整個北非。波吉巴在巴黎提出了一個警告，他說：「突尼西亞協定必須切實執行，而且須予支持，在這一方面不過是我們最後的獨立，否則北非必然再有動亂，[illegible]支持的。」

我是一個布廠工人

香港工人的生活日記

·梅珍·

五月×日

宿舍裏一個女工人，忽然宣布她失落了一只手錶，還有幾十塊錢，也不見了。不知她說的甚麼花樣，

她說她有方法斷定誰是偷竊者。她使用六根簪子，二人相對，各取三根，（各人一根，接着合成一根）左右手二根相接，頂點與另一人之二根頂點相接觸，[illegible]長方形。每人兩手分執一根之一端，另一端放胸前，一根之兩端[illegible]

[illegible]的名字。當兩條相傳的兩端，竟逐漸向內移動，直至形成兩個三角形爲止。恰在此時，她又說出另一個人名字。結果落在一位平素品行端正的女工頭上。這雖滑稽可笑，但不能據以爲真，但不幸的女工竟也流下幾滴淚水。

五月×日

工廠裏，確實有些工人並不把工作看做一回事，胡鬧一場[illegible]

[illegible]好像惟恐天下不亂，上午小陳以五架布機，落了兩架爲理由，請求停工。那位領班先生沒法，允許把已落兩架客機開出去。但他堅持要出去，結果他勝利了。但我們[illegible]陳有保障，[illegible]甚麼不明理由呢？爲甚麼不遵守廠裏規則，一味胡鬧呢？[illegible]他們會開會[illegible]

五月×日

工廠裏所有的[illegible]會用門方式，[illegible]

五月×日

學校裏有「校花」，我們工廠裏也有「廠花」。我們的「廠花」是一位學籍女青年，年方雙十，是一位小姑娘。她受過中學教育，溫文爾雅，天生一副嫻靜的秀麗面孔，討人喜歡，實在惹人歡喜！她曾經受過工會工棍的[illegible]，加入赤色工會做會員，因此她學會了[illegible]，也學會了怎樣做

檢討？怎樣鬥爭！可是，經過了事實的教訓，她明白了，她也懊悔了。當然，她可是兩腳踏入泥淖，輕易拔不出來，退出赤色工會，她必須同時離開安全工廠。因爲家庭負擔，她沒有勇氣這樣做，她不能擺脫，就在錯的束縛，一直聽候命運的安排。說起來，真夠令人傷心的。（二）

上海菜貴魚肉少

——全家排隊也難買到

（范珍）

【本報上海訊】現在上海的小菜場上，蔬菜已比「解放」前平均貴了兩三倍，黃豆芽已變成稀有蔬菜，豆腐則更是珍品，同肉類一樣難買。

中共自己解釋說：這是「人民「消費能力增高了，供不應求」！事實是否如此，天曉得。據說「人民銀行」[illegible]說：「牛肉太少了」，一搶精光」！

禮拜天想打「牙祭」，必須天還未亮便起身，全家動員。太太排隊買肉，先生排隊買魚，小孩子也要參加排隊[illegible]，小孩子往往哭着臉回來！

多吃二三味葷菜，[illegible]裏的存戶儲蓄，數字直線上升，原來人民的勞動代價被凍結住了，共黨卻說，人民節約的目的已經達到了。

讀「流血到天明」

劉朗著　亞洲出版社出版

沈[illegible]著

「流血到天明」，也就是從反共義士帶回來的一部情報和史料，他們所寫的是時間和空間，雖然不是書中獲得全部份，但讀者已不難由於作者文筆的活潑，細膩，生動，並使所述內容增加了它的真實感。

作者劉朗，原爲中共二野十八兵團第六十軍一七九師五三六團的砲兵參謀，在一九五一年四五月間參加有名的韓國戰場「第五次戰役」等工作。他擔任文件保管，傷亡統計，及戰況彙報三年戰俘生活，終於獲得自由，集體歸來祖國，到了台灣，因此本書所述，皆屬真材實料，彌足珍貴。

在反共鬥爭的歷史上，韓國戰場一萬四千反共義士的來歸，當然是值得大書特書的一件大事。由於反共義士的來歸，也爲鐵幕內帶來了不少可泣可歌的實貴史料。

本書內容，從作者考進共軍十八兵團「川西軍政大學」受訓起敘述，直至離韓回台爲止。內分：從參軍到渡江，萬里夜行，鐵鐐的大軍，第五次戰役第二階段，戰俘營生活，在「中立區」鬥爭，漢城不同立，東海歸航，並附有名之戰「自由宣言」（作者係該宣言之起草人之一），全書長達十八萬言。書中，除對中共如何誘迫青年參軍，如何

多有趣的韓蝕及現代戰爭之常識，亦不僅使人可以深刻認識中共之本質，且對西方國家的盟友亦盡了諍諫的苦心。故就是書的效果而論，亦使西方自由民主人士對共產暴人有較深的認識和警覺。

此書描寫得最生動和緊湊的地方，首推「第五次戰役」那一部份，戰爭的恐怖悽慘畫面，躍然紙上，令人有身歷其境，目覩人間悲劇之慨。本書附有許多有關戰爭及戰俘生活的照片，並附若干現場的圖解，更使此書生色不少，予讀者以更鮮明的理解，也一

編輯調工，如何猥褻行事，如何軍心惶恐，如何叛亂部隊，如何瘋狂作戰，如何犧牲慘重，以及如何潰不成軍等情形，有極細膩的描述外，且對北韓戰禍的景象，人海與火海的慘狀，以及中共如何佈置特務橫行戰俘營，反共義士如何堅強團結，盟軍當局對戰俘政策的如何錯誤，與夫中共和部份印度軍如何利用「解釋」加以迫害等，亦有極生動和深刻的記載，乃至於批判。故本書不僅給予吾人以甚

面設計，和封面郵寄遞戰場圖，也一着便令人悅目怡心，殊可珍賞。

惟此書文章，不免有前鬆後緊之嫌，或因字數所限亦未可知。

據悉此書出版後，在香港、台灣、南洋各地，銷路甚好，美國、日本、及南韓等處，銷路亦不弱，如能譯成外國文字，想必能引起國際讀者之注意。

原子能的工業用途

成本太高昂　八年難實現

·李子平·

至於工業用的原子電力廠，一時尚不容易實現。理由是成本太高。若果建立一所大規模原子電力廠，而每一基羅瓦特的成本將達到五百美元，而普通煤斤電力廠，每一基羅瓦特的成本不過一百二十五元而已。原子能推動引擎的成本更鉅，每一基羅達到一千二百五十美元。爲了減低成本，和解決疑難，工業方面仍須經過大規模的試驗。[illegible]企業方面擬建[illegible]電力廠，[illegible]五萬基羅至五百萬基羅的電力，[illegible]約需[illegible]金。[illegible]若需經過多年試驗，到一九六二年，才可能有那時的工業方面成功，因爲原子能的成本可以減低至一基羅一百[illegible]。那時將能往後把原子能電力低減成本，將使私人企業在煤斤大部份使用原子能電力。每年八十二億元電力廠之工業原子能將使用[illegible]。據美國估計，每年電力營業額一九六五年將達到七千億美元，一九六九年將有九千億元[illegible]。美國原子能[illegible]的原子能出口，那時將遠在現在鈾礦的消耗量之上。（下）

本刊第四四〇期已刊完本文第九章，以後續刊第十章。

經濟社會思想叢殘

○○○金伯華

第十章　欲·求·分

從三字經說起

這一本一千一百五十二字，爲民前中國蒙童所必讀的第一册教科書，不知爲何人所作，考者不一其說。（有人相信爲宋朝南海人區適子作；又說王應麟，亦宋朝人，不知孰是？）凡是四五十歲以上的中國人，大概都讀過，或至少都知道有這一本書。中國人對於它的印象，比之近些年來一些什麼ABC的印象，一定還要更普遍，更深刻，——我還要說：更重要，更有用！

爲什麼？因爲這一本比千字文只多一百幾十個字的薄薄的「經」書，首主「性善」，次舉方物事類，又次及經史諸子，而以勉勵勤奮，戒嬉惰——「勤有功，戲無益，戒之哉！宜勉力！」——作全書總結，實具有基本國民教育的至意。這難怪自明清以來，以至民國，有心人迭加增補，以廣流傳。近些年來，文教界人士常有「讀經」與「非經」的論爭，而對於這的確具有國民基本教育價值的三字經獨少提及，這便是三字經的不幸，亦即是世道人心的不幸！

筆者並不想在這裏附和提倡讀經，而人所週知的三字經，更不待於區區的提倡。筆者之所以談到三字經，爲的是要在本文裏引用它的幾句話，所以不能不先有個交代。

三字經說：

「曰喜怒，曰哀懼，愛惡欲，七情具」。這就是我所要引用的話。喜、怒、哀、懼、愛、惡、欲這七種表情，亦即哲學家所稱的「感覺」（SENSATION），是不但人類有，一般動物都是有的。喜是喜歡，快悅；怒是忿怒，不開心；哀是悲傷；懼是恐怖；愛是愛惜；惡是憎惡；欲是貪慕，是企想。這七種情感，原都是與生俱來的心理狀態。人類一切活動，一切行爲，都是這些心理狀態所表見出來的具體結果。尤其人與人間一切的關係，是圓滿或是齟齬，是和樂或是紛爭，也都是由於這些極度複雜而微妙的情感表見成爲行爲之後所互相構成的。同是個「怒」，有的「一怒而天下定」，有的爲了一名美麗的小老婆發怒而把天下搞垮。怒如此，其他六種亦大抵如此。但其中理蘊最深，最不可捉摸，因之亦最爲古今中外哲人學士所悉心鑽研，著書立說，汗牛充棟，而始終存立於每一個人的內心深處，有如獅身女面而又有翅膀的史芬克士（SPHINX）的雄踞於一望無垠的平漠之中，永難索解。是以我們於此，無意專從心理方面及哲學方面去研究「欲」（除非附帶談及），而只想從經濟方面討論。因爲大家知道，「欲」在經濟學的書本中叫做「得喜爾」（DESIR），或意譯「欲望」。欲望是一個名詞。這是一種心理狀態，或指心理上所想望完成或獲得的各種事物。這是全部經濟學的起點。

欲望，需要，與要求

上面剛才說過，欲望是一種心理狀態，或指心理上所想望完成或獲得的各種事物。所謂心理狀態的欲望，是人在心裏的一種想念，一個念頭。佛家所說「欲界」——「色界」及「無色界」稱爲「三界」——是「欲」字極恰當的界說。（二十）

看英國的大選

馬五先生

自由談

英國首相艾登認爲這次大選之平靜經過，是表示民主政治的成熟現象，並非「沉悶」狀態。這話對英國選民說來，是正確的。三千萬具有選舉權的公民，有百分之七十六以上的人數參加投票，又未聞有選舉糾紛事件發生，不但是所謂「選舉訴訟」之說，沒人想到，即如一般實行全民選舉制的國家，因競選而吵鬧爭執，搗毀票櫃那類情形，亦毫無所見。美國上次總統大選中，同黨的候選人艾森豪與塔虎脫，就爲着一州的選民代表問題，臨時爭鬧甚烈哩！可見英國大選的平靜狀態，確是民主憲政的素養已經成熟的象徵，不愧爲「紳士國」也。

最顯明的反證，就是一般選民對於被選人的抉擇，早已胸有成竹，並不受臨時宣傳的催眠麻醉，平時大家對政治現狀切實注意，利害得失之間，看得很淸楚，體驗亦周詳，用不着聽別人講解評判了。一張選票投下去，即將當選衆人之事的政府當局予以取捨，誰也不敢有二話。這是多麼可貴的民權表現！這比那些利用軍隊搞政變，或者以內戰手段來奪取政權的惡作劇，不是好過萬倍嗎？

可是，共產國家亦冒竊「民主」這個美名，搞甚末人民選舉的玩藝，先用警察與特務人員，把人民嚴密箝制住，然後特選幾人與被選人一律由執政者欽定指派，夫是之謂民主！共產極權主義者之令人可憐可恨，莫過於是。但他們却要說英美式的民主政治是虛僞，是資產階級獨佔的政權。大概像英國這次自由投票的兩千多萬選民，在共產黨看來，都是虛僞的選舉了！

光憑選舉這項民權問題看，凡是崇尙自由生活的人，即非反共不可。同時，我們自己就得提高警覺，不要有意無意地墜入共產極權的魔道中去，這才算是個眞正的民主主義者！

天才的腦子

・孟衡輝・

甚麼東西使得人的大腦聰明，譬如一個像愛恩斯坦博士那樣的腦子，科學界要解答這個問題，可能還需要五十至一百年。

對於腦子聰靈的原因，目前已有若干試驗的假定——比如大腦某些部份的過於發達，灰白質豐富，以及腦內的動脈沒有因透支腦力而硬化趨勢等等。固然，這些都不失爲重要的因素，但「天才的腦子」究竟是怎樣，到現在爲止，科學還不能提供一個總括的定理。

以上是美國著名病理學家海瑪爾博士所發表的意見，他是武裝部隊病理研究所神經病理組的主任，他曾研究過各種人物的腦子，對許多知名之士的大腦作過詳細的解剖，對於這一問體，他堪稱最權威的專家之一。

今年四月十八日病逝的一代偉人愛恩斯坦，他在去世前曾留下遺囑，吩咐將他的大腦捐贈給科學界檢驗，在這項研究中，海瑪爾博士將參與其事。

有人問到過去的情形，但海瑪爾拒絕和旁人討論他所已研究過的一些特別的腦子。他說，正因爲沒有人作過充分的研究，所以怎樣纔稱或一個「天才」的大腦，誰也不敢作概括性的聲明。

他說：一個人只能積聚新的證據，依照我們所推斷的估計其價值，然後再設法求取更新更新的證據。由現在算起，在五十至一百年內，一個人可以說出頭腦聰敏在那裏的道理來了。

在情理上說，研究愛恩斯坦教授的腦子是極有價值的工作，因爲這提供我們另一個上好的機會，使我們得以試驗至探求「天才大腦」的眞理。

一般人以爲人的腦愈重，則智力愈爲豐富，但海瑪爾博士則否定這種說法。他說，成年男子的平均腦重大約一千五百克（三磅四盎斯），但是著名的小說家法朗斯則只有一千四百克，而俄國名作家屠格涅夫却遠超過這個水準，他的腦重竟達二千八百克。

不過，在考慮大腦的範型時，有一件事是不應該忘記的，據海瑪爾說，這件事便是：沒有「全面」的天才，天才是一方面的，在某件事上它是名手或專家，但在其他的事上，它或者顯得笨拙。關於這一點，海瑪爾認爲在研究腦子時，終將獲得強有力的證明。

他引比利時著名提琴家伊札葉（一八五八——一九三一）的案件爲例：伊札葉大腦的顳顬骨（即耳門骨）的附近有許多皺紋，這是一般人認爲腦部特別發達的象徵，但是儘管這一區域的皺紋特多，却將他大腦其他部份的皺紋犧牲了。這些腦紋的部位適在雙耳的上面，它們自然與聽覺神經有關，伊札葉拉得一手好提琴者，道理就在這裏。

海瑪爾又說，灰白質的特別豐富，乃意味着腦外膜層神經細胞的發達，這代表另一種天才，但這究是怎樣的一種天才，到今天還不能作確切的定義。

此外，根據以往的研究，不因年齡而發生動脈硬化症者，又是另一種天才，檢查腦的外表時，以及在顯微鏡下切片檢驗時，腦細胞異常光滑者，就屬於這一類。

他說，大多數人的腦子都會異爲收縮，可是若干偉大的人物，他們雖已活了許多年，大腦却無收縮的跡象，換一句話說一是不隨年齡而「衰老」，這些天才的腦子又一」的。

語意學漫談

・徐道鄰・

語意學者有一種理論，說是兩值思考是人類求生時的一種原始反應，就是說，對於求生時的原始人講，世界上只有兩種東西：一種是能吃的，一種是不能吃的，能吃的就是好的，有用的，我所要的，不能吃的，就是不好的，無用的，我所不要的。對於在危險時的原始人講，世界上只有兩種東西，一種是能幫助我，能保護我的，這都是我所追求的，一種是能傷害我的，威脅我的，這都是我所逃避的，是我所懼怕的。世界上的一切，非敵即友，非友即敵，那裏還有在這一類的場合，就再也沒有了。（HAYAKAWA, LTA, P.222）。

引起感情的語言

無論如何，兩値字句和情感語言，確實具有極端密切的關聯。一個人一到了情感衝動的時候，兩值的字句，便脫口而出：「她是世界上最美麗的女人！」，「那是世界上最壞的壞蛋」！「消滅我們民族的敵人」！」一個人的感情愈是衝動，他的兩值語言，也就愈爲明顯和強烈。

同時，倒轉過來，兩値的語言，也最容易引起人類情感的衝動。聽見人家說某小姐美若天仙，你就不覺得心嚮往之。說某人長得醜八怪，你也就不屑聞問。說某人長得高的不得了，你心目中就有一個巨人，說某人是一個和矮子，你心目中就有一個侏儒。凡是兩値的主觀的描寫，總比客觀的程度的描寫，更引起聽者的反應，更挑動聽者的情感。也就是說，更軟化和麻醉聽者的思考。這是極權國家的獨裁者們最初發明和最巧妙使用的語意學。所以他們是最初在政治上並用宣傳的政府，而他們所有一切的宣傳，最後分析起來，就是一切事物的兩值化，就是說，把世間所有的一切，全部歸納於『好』的和『壞』的兩個種類：凡是他們所允許的，所願意的，就是『好』的，凡是他們所不允許的，所不願意的，就是『壞』的。而不容中間有不歸於這兩類的事物存在。同時，他們針對世界上和國內及民間的環境，隨隨選出幾個空洞口號，來爲他們這些『好』的和『壞』的作招牌和符號。他們宣傳的技術，非常高明，非常動人，但是他們一切宣傳的原理，最後說穿，實在只是這一個非常簡單的基本機械（MECHANISM）的多方運用。（三八）

日月潭

・姚味辛・

車行多困頓，信宿息林邱。山合乾坤窄，潭深日月浮。雲霞連碎景，阡陌散翠流。灌溉桑麻美，民生倘解憂。

花弄影

・王沉裳・

乙未正月十八日，文石外弟六十生朝，詞以壽之。

周甲之年寧是老。我覺君顏翻轉少。人生何處是天涯。誰說道。還鄉好。舊日庭中生綠草。

酌酒介眉春正到。且喜膝前兒女繞。嬉游竹馬憶當年。都還小。兩表表。今我頹唐君莫笑。

劍底秦庭

歷史小說　美如

「荊大哥，荊大哥」！微姬笑着拖了小蒙走進廳子裏。

「呀，高家妹妹，辛苦你啦」！荊軻忙着站了起來：「忙了你半天，讓咱們在這兒大塊肉大碗酒的樂，你也得喝上一碗才對呀！來來來」！

「荊大哥，我說呀，你也別客氣啦！就怕這樣的酒菜給你吃喝要你嚥不下肚子，那裏說得上個忙字」！微姬接過了荊軻手上遞過來的酒，捧在手裏，並沒有喝下去，只是在等着荊軻說話。她甚至覺得荊軻的聲音也如此充滿了男性的剛健，如此富於魅力。

「好啦！高家妹妹，荊大哥的客套也就走到此爲止，要再說我也說不下去了。看在今天荊大哥是個遠客面上，你也就把這碗酒乾了，怎麼樣」？

「對呀，我的姑奶奶」！高漸離也臉紅地站了起來：「你常常說，你不是不喝酒，酒要在英雄面前喝；你不是不流淚，淚要在絕境的時候流，今天佳境奇逢，淚不流倒也罷了，而對英雄，這一會可眞叫非喝不可啦」！

「弟弟，別亂嚼舌頭」！微姬含着笑，白了漸離一眼：「咱們酒儘管喝，可是，酒喝過了，却有一件事，要請命於荊大哥的」。

「高妹妹言重了」！荊軻不自禁地抱了拳：「甚麼咐吩，大哥倒願意聽着」。

「眞的」？微姬在微笑裏凝望着荊軻那誠實的面孔。

「當然」！荊軻的答覆是如此堅決有力，眼睛却帶着一點迷惘。

「好呀」！微姬天眞地拍了拍手掌：「小蒙，你過來，剛才咱們怎麼說着的」？

「爸，姑姑說，要我做她的乾兒子，問我願不願意」！

「你怎麼說」？荊軻笑着把手擱在小蒙的肩上。

「我說，我願意」！

「哈哈！好極了，好極了！來，來小蒙，還不趕着給姑姑磕一個頭，叫一聲乾媽」？

「叫是叫過了，就是沒磕頭」！小蒙圓圓的面孔上，忽然泛起了一點童稚的紅暈。

「大哥，我就是歡喜這個小孩子！」微姬有點激動，眼睛噙滿淚光，輕輕的把小蒙擁在懷中。

「這孩子資質倒還不十分壞，就是這些年來給我放縱慣了，少了點管教。難得妹妹看得他起，要是給我把他留在這兒，那我眞是再放心不過了」！荊軻擎着酒器，怔怔地望着[illegible]髮圈，似乎深心裏有着萬千感慨。

「大哥，你要是把小蒙交給姐姐，倒眞的可以做點事情」。高漸離忽然也放下了酒碗，[illegible]地望着荊軻。

「我希望能夠[illegible]」，[illegible]是茫然的，像是回答漸離，也像是對着微姬說。（六）

肉食漫談

・陳雪英・

營養學上最近發現老年人的食物中需要增加肉食。這一發現使老年的過程中更爲快樂。以前當身體的活力隨年齡的增加而衰弱時便減少食物中的肉類以爲能保護腎臟和防止增高血壓。現在已經發現這是沒有根據的。肉類不論是牛羊肉或豬肉雞肉既不會傷害腎臟。也不會升高血壓。事實上有一個權威勸告老年人增加百分之十的蛋白質。鐵質和磷質與百分之二十到二十五的B種維他命。有各種理由讓老人增加肉食，我們衰老時大量需要的營養料素肉是它濃厚的來源。在賓夕凡尼亞所作對老年人營養的研究。已經指出進食豐富肉類的老年人比那些同樣年齡而其食物中僅有小量肉類的人們健康較佳。在第十四個月的末期。肉食較多的比那些食物中肉類較少或其蛋白質大部份係從植物中得來的老年人。血液情況顯現得較佳。皮膚較爲健康。疲勞較少。在黑暗中視力調節較快。上皮細胞組織和舌的情況較佳。這項研究表示在老年人的食物中過份的減少肉類份量對營養學講是不合理而且實際上可能危及健康。

×　×　×

食物中豐富的肉類除對正常的健康甚有價值以外，研究的結果指出，肉類在其他的情況中亦具有特殊的功用。蛋白質含量豐富的肉類，被推薦用在肝臟有病的病況中，而以前是認爲有害的，人類一種最流行的疾病，牙齒腐敗牙疽與營狀態極有關連。

經過對實驗動物的研究，威士康辛州大學的C・A・艾佛金博士發現美國老式定食的肉類，馬鈴薯，牛奶，麵包和進食相當多的肥肉是防止牙疽的食物。T・奧克斯博士在南非作的研究報告指出肉類消耗較多的區域，比進食極少肉類的其他區域或主要靠米穀和甜馬鈴薯爲生活的人們，其患牙疽者要少。

×　×　×

施行外科手術以前和以後，關於營養之需要，今日已比以前的任何時期要重視得多。在外科手術前後，爲傷口的復原，爲創生新的組織和爲促使肌肉恢復其力量，病人的食物中應含有多量的蛋白。（三）

蔡元培與民初教育改革

・雪夫・

民國肇建，萬象更新。教育部長蔡元培，更抱負不凡。他除了上書大總統，把他對於新教育的意見，一股腦兒拿了出來，供給政府採納外。他還擬定了普通教育暫行辦法十四條，把各項學堂的名稱，都改稱學校。所有舊日的監督與堂長等名目，也都改稱校長。又通令全國把舊教科書內避諱抬頭等形式，一律加以修改，用符民主共和的精神。小學廢止讀經，注重手工，也是他的主張。高小學校實行兵式體操，初小學校兼收男女生，也是他創始的。他並且留心社會教育，行文各省，開辦宣講，將共和民主的要義，講給一般民衆聽。同時更籌設中央圖書館，備價收買古書，登報招買。除星期外，每日下午三時至五時，准持標本至南京碑亭巷教育部議價。他更發行「文教雜誌」，以「崇闡學術，周洽文化，振起國民高尚之思想，向上之精神爲宗旨」。凡此皆是蔡先生在開國期間，對於我國教育的革新措施。

自由人

THE FREEMAN

（第四四四期）

中華民國僑務委員會登記證僑字第二〇三號
中華郵政台字第〇〇號執照登記爲第一類新聞紙類
每週三、六出版（半週刊）
每份港幣壹毫　台北市價台幣壹元
督印人：陳文都
地址：香港高士威道二十號四樓　3rd. Fl. 20 CAUSEWAY RD HONG KONG
香港發行事務接洽：高士打道66號七樓　電話：三五〇四〇
承印者：東南印務出版社　地址：高士打道十六號四樓

時局與人才

—反共成敗決於新人才的有無—

左舜生

時局仍在一種慢性的發展中，表面似乎是鬆弛，骨子裏却依然是異常吃緊。

在本刊發行的初期，我們便有一種共同的認識：知道反共問題的全面解決，決不是容易輕鬆，其第一期的計劃，便非有一個十年的打算不可。

我們也曾認識：軍事是反共的主要因素之一，今天無論是共產集團與反共集團的任何一國，都在對軍事力求精進，我們對於這一方面，當然不容有絲毫的忽視。

不過，我們也曾說過：反共比之抗日，其性質要複雜得多，總言之，反共不單是鬥力，而且必須鬥智；鬥力是戰爭，鬥智可能是一種更激烈的戰爭。因此，我們進一步的認識，便是除軍事的一個重點以外，如何使軍事以外的各部門，能與軍事取得密切的配合，並能個別發揮其最高的作用。

老實說：爲了應付今天這樣一個艱難局面，人才是不够的；不只今天不够，即過去的五十年，也一直是不够；不過在當前這樣一個形見勢絀的形勢之下，乃愈顯其嚴重就是了。

人才爲反共之本

假定我們把過去的六年撇開不算，從今天起，重定一個十年的反共計劃，其第一件主要的工作，也就還是在『人才的培養與運用。』

現在我想就這個問題，作一點比較具體的考慮：

今天衡量人才的第一個標準，應該祇談友敵，不談恩怨。這兩句話并老生常談，人人能懂，也人人可以接受，問題只在能否實行。把『友敵』與『恩怨』兩者相提並論，分別友敵還相當的容易，完全拋開恩怨便似乎有些困難。我平常也曾想到，以爲恩怨兩字應用在運用人才的一方面，在某種場合，實在未免言重：古今中外成功的政治家，大抵有一絕大的本領，即他們往往能『化敵爲友，』而斷不肯『逼友爲敵，』至於恩怨，却不是一個眞正的政治人物所十分重視的。但中國歷史上有一

種傳統的觀念，便是『人惟求舊』。這好比一個匠人運用一種工具，用久了，他總覺得十分合手，即有新的，銳利的工具，也往往不肯輕於一試。在這樣一種合手的觀念之下去求人才，或竟埋沒於冥冥之中，恐怕也絕不在少數啊！

人才之成由於歷練

學校可以培養人才，留學可以培養人才，訓練班也偶然可以培養人才，可是一個眞正的人才的出現，畢竟有賴於實際的歷練。換言之，教育只能給予人才的成就以一種基本條件，即良工能示人以規矩，不能示人以巧的意思。因此，一個學校出身的青年，我們只知道他的學業是不是讀得好，却不能斷定他是不是一個可能成爲人才的人；必須等他離開學校有了十年二十年的歷練，我們才能夠瞭解他。

現代強大的民主國家，往往能够人才輩出，不專就政治一方面看，這並沒有什麼巧妙，因爲他們所實行的是一種多黨政治，在朝者不必永遠在朝，在野者也不必一輩子在野，人人有歷練的機會，即人人有成就的機會。在朝者因有在野者隨時可以起而代之，即中材也不致不力爭上游；在野者因必須訴諸國民的選擇，平日也斷不能不留意到國家的一切現實，而每一時代的人才去完成他們每一時代的使命。

極權制度爲人才之敵

共產黨的極權政治，他們在事實上只容許一黨，即令因環境的需要，演出若干偶然的，但這也只是過渡時期的一種現象，其歸結還是非消滅另一黨爲止不可。共產黨統治的表現，便只能劃分兩個階級：一個是統治者階級，一個是被統治者階級。如果一個國家的人才，到底無法歸於一黨，則國家的人才，便只有被消滅一途。

蘇聯建國還不到四十年，而在這四十年中，已不知經過了多少次的清算，中共還不過是一個五六歲的孩子，但內部的各種慘劇，不斷的在演出，在這樣一個極權制度之下，您有什麼方法證明他們那裏有人才？如果您假定他們少有人才，從來不是人才，高級的幹部，一定就不是人才？所可惜者，他們是自己陷於這種極權的制度，因此他們便只能出現蘇聯式之爭，中共式之爭，而決不能變成艾森豪、艾登式之爭，鳩山與吉田之爭，這就是了。

今天的反共工作，已經是急於星火，還高談培養人才，豈不是近於「七年之病，求三年之艾」？可是「七年之病，不得三年之艾，終身不得」！今後的反共大業能否成功，須決於有無新人才的出現，這個形勢已經是極明顯的了。只有民主制度才能期待人才的共存，却只能有人才與人才的對立，也是一種必然的現象。

反共友人的贈言

再抄我一段上月二十七日的日記，作爲我這篇短文的結論吧：

『以來賓資格出席這次在台北開會的亞盟，蘇聯的反共領袖布爾斯基先生對香港時報的記者說：「……我們決不贊成用共黨的方法反共，更不能用法西斯主義來反共，因爲那樣人民會厭棄共產黨，像厭棄共產黨一樣的厭棄我們！」這話似與我們五年來的言論如出一轍……』

維也納四外長會議，蘇俄外長莫洛托夫在各種遊讌酬酢場合上，大大改變了他過去那種冰冷的面孔，和談言笑的態度，轉爲談笑風生，莊諧並作。莫洛托夫爲甚麼會有這樣的改變呢？這因爲蘇俄已改變了她的冷戰策略。

四件大事看蘇俄改變

蘇俄冷戰策略的改變，可從下列四件事情，看見一斑：

（一）訂立奧國獨立條約，兩個月前，莫洛托夫還宣稱，在沒有德國訂約前，不能談到撤退奧國駐軍問題。五月初德國參加了北大西洋公約和西歐聯軍，蘇俄忽改變初衷，和奧國簽訂自主條約，恢復奧國的主權。

（二）裁軍會議的驚人提議，裁軍會議商議了好幾年，蘇聯始終堅持原來主張，不肯作重要讓步。可是兩個月前，蘇俄忽提出一個裁軍新方案，內容竟和英法兩國提案相彷彿。

（三）接納了四國會議的建議。

（四）赫魯曉夫，布爾加寧，親到南斯拉夫，商議兩國友好事宜。

蘇俄似乎已一改過去那種強橫獰獰的面孔，改取一種比較溫和的態度，來和自由國家周旋了，蘇俄爲什麼會有此種改變呢？

蘇俄改變態度的苦衷

李子光

第三次農業革命

蘇俄這種突然的改變，是一種不得已的事情。

二次大戰結束那一年，邱吉爾到莫斯科和史太林會面，商談戰後事宜。提到集體農場，史太林說：『蘇俄集團農場的工人比較特拉國還難於對付。』蘇俄爲了推行第二次農業革命，史太林殺害了超過三百萬的農民，但農產品依然一無進展。戰後，集體農場日見衰壞。近年，蘇聯工人，每週只有一次的人造饑荒。據報，蘇聯工人每禮拜還不能有一次肉食；因此工人營養不足，發生肺病和不勝繁重的工作。赫魯曉夫知道情形嚴重，才在五年時間改革集體農場。所以史太林死後，蘇俄便只好暫時改變態度。

工業和武器均落後

蘇俄第二個痛苦，是重工業的生產。蘇俄史太林時期，第一目標是重工業。甚至今天還沒有做好，便發生大戰。爲了戰後增產日用物品，馬倫可夫把重工業改爲輕工業。去年赫魯曉夫和布爾加寧到北京商討合作問題，曉得中共急需機器，才又忙着改進重工業。蘇俄工業本來沒有甚麼基礎，現在更是一塌糊塗。五月十七日，蘇聯舉行工人代表大會，布爾加寧指出蘇聯重工業的種種缺點，嚴重加以抨擊，跟着宣佈組織國家委員會，負責督導工業技術的改善。蘇俄本身尚且不能解決，更談不上援助中共建設工業。這是蘇俄態度改變的主因。

更大的障礙，便是原子和核子的發展。據邱吉爾報告，蘇俄沒有氫彈，只有極少數的原子武器，好比一隻繡花枕頭，裏頭盡是茅草。如果戰爭發生，將致自身的覆滅，因此只好暫時改變態度。

史太林外交不行了

赫魯曉夫知道史太林式的外交政策，只增加西方國家的團結，爲了應付國內新危機，蘇俄只好改變強硬的策略，莫洛托夫也改變了他個人態度。蘇俄的突然改變，西方國家認爲共存的機會到了，提出舉行四國會議，以解決世界緊張局勢的主張。事實上，蘇俄並沒有改變她原來併吞世界的觀念，所改變的，僅是策略而已。以簽訂奧國自主條約爲例，蘇俄不過想利用奧國做成一個陷阱，引誘德國脫離北大西洋同盟而已。中共之要求美國直接談判，亦不過想不費一彈而佔取台灣而已。

想把盧俊義說回山寨

蘇俄在裁軍會議提出的新建議，在西方國家看來，的確是一種讓步。可是這是蘇俄在無可奈何之中，不得不作的讓步。因爲蘇俄原子武器落後，在將來的戰爭中，處必敗地位，如能分期消毀原子武器，改爲工業用途，這是蘇俄有百利而無一弊的。

四國會議是宣傳和共存的一個好機會，蘇聯當然樂得參加。至於赫魯曉夫，布爾加寧，和米高揚等之到南斯拉夫，蘇俄實在有一種不能告人的苦衷。二次大戰結束後，史太林在共產集團中坐了第一把交椅，狄托坐第二把。若拿水滸來做一個比喻，史太林比宋江，狄托比盧俊義。但那不久，盧俊義離開梁山，另立山寨，而且聲言反抗宋江。在水滸的首領們眼中，盧俊義的背叛是一件絕對不能容忍的事情。因此赫魯曉夫自告奮勇，要跑到南斯拉夫，把狄托說回山寨來。這一着，恐怕是不會成功的。

總之，共產黨的策略是變了，手段也變了，但他們顛覆世界的陰謀是絲毫沒有改變的。

每週展望

•李金曄•

赫魯曉夫失敗了

南蘇首腦會議已逾一週。據六月一日外電報導，兩國尚存歧見，惟截至六月二日記者執筆之時止，南蘇已簽署結束交惡的宣言，至會談內容至今尚保持秘密。

但據報章透露，南斯拉夫在會談中，表示支持中共對台立場，並贊成中共應取得聯合國的席位！

貝爾格來德，早就盛傳，蘇聯首腦訪南之另一目的，在經由西方所信任的狄托，將蘇聯對國際局勢的見解轉知西方；同時也希望狄托將西方的最高與最低的要求告知蘇聯。這分明是兩國在交換情報，蘇聯不僅想從狄托嘴裏探取西方對蘇聯的實際態度，和西方對蘇的容忍程度如何，而且也要利用狄托來迷惑西方。

今後狄托究竟會背棄西方，再和蘇俄恢復過去的關係與否？

現在看來，是不可能的。

蘇南會談剛好結束，狄托便提議繼南蘇會談之後，舉行英、美、法、南四國會議。三國大使已作歸國述職的準備。三國外長可能在短期內到貝爾格來德，與狄托會談，這表示南斯拉夫，是不會再歸蘇俄的懷抱了。赫魯曉夫此行，可以說還是失敗的成份居多。

梅農僕僕何爲

英國全國性的鐵路工潮，並未掩蓋倫敦外交界的活動。除日蘇會議，已由序幕進入第三次會議外，梅農訪問北平後，又已飄然到了唐甯街。

梅農和衛維揚（他是卸任的英駐中共代辦）是先後離開北平的，却同於本月三日抵達倫敦。前者是說客，後者是述職。但他們所要陳述的，則仍然是所謂「台灣問題」！

中共先表示願與美國直接談判，繼又放出不再攻台的空氣，最近釋放（驅逐）四個美空軍俘，以示其「和平誠意」。此外還假梅農做傳聲筒，說可讓「具有探索精神的美國人到共區看看」，想引誘幾個山姆大叔去大陸觀光。騙子的魔術，是永無止境的。

梅農到倫敦遊說後，還要到渥太華，然後到美國晤杜爾斯。就他的行蹤來觀察，顯在向英加兩國大做其政治掮客的勾當。共產國家有這樣的政治掮客，大賣其「和平共存」的狗皮膏藥，當然是最好不過的有用工具。

亞非會議後，中共的外交陰謀，轉而注重拉攏與國民政府有邦交的大英聯邦國家，以自高身價。梅農之東奔西走，也便與此有關，因此我們對於梅農，宇牛之流的活動，是不可不加注意的。

我們對吳廷琰的期望

越南局勢，政府軍現正在發動對教派軍的掃蕩。看趨勢，法軍大部撤出西貢後，吳廷琰政府是會逐漸穩定下來的。

法軍已於六月一日開始退出西貢，並將一切控制權移交南越政府軍。法統帥伊利將軍已於日前過港返法。

教派軍在失去法軍力量的暗中支持後，必成強弩之末，今後爲避免越共利用教派軍起見，吳廷琰開放談判之門，是有其必要的。吳廷琰要獲得統一的領導權，除統一軍事力量外，主要在獲得全越的民心，以談判容納教派意見，更爲必要。

吳氏是個百折不扣的民族主義者，自然共產主義者嫉恨他，殖民主義者也不喜歡他。他的愛國主義比之保大專做法國的傀儡，更受人民尊敬！

在反法反保大的羣衆示威遊行中，來自北越的天主教徒和反共知識份子竟達廿萬之衆，一致表示擁護吳氏，而反對保大復辟，於此可見民情之一斑。

在這樣的情勢之下，法國人不得不走了，吳氏的基礎也就更加穩固。

在亞洲反共戰綫上，北李、南吳，比較起來，吳廷琰似乎更聰明些，氣度也較爲恢宏。越局的安定，對亞洲反共局勢是關係很大的，我們對於吳氏實寄以莫大的希望。

星·洲·當·局·：應付工潮學潮的政策

新客

有人說是民主也有人說是投降 當局說不是用刀子鞭子的時候

【星洲特約通訊】今天已是六月一日了，勞工陣綫政府總算在動盪中渡過了所謂紅色的五月，大可以揮一把汗，舒一口氣了。

在上個月裏，有過軒然大波的罷工風潮，有過死傷至十多人的暴動事件，也有過學生要求無條件復課的學潮。這一連串的事件，都是相因而致，政府的撫綏政策（也有人說這是低頭或投降政策）尙能及時地一一遏止了。如今雨過天靑，正不妨紙上談兵，把事情的經過再爲詳加檢討一下。

國外通訊

共黨用學生領導工人

誠如林語堂博士在生活雜誌上所說，共黨的滲透政策在工人的陣營裏遠不若在學生方面的成功。工人罷工的目的，在所提的要求看出來，有許多確實因爲食飯，所以不能滿足，也很容易「動搖」。這當然對共黨是不利的，於是不能不策動大羣學生爲工人們打氣，打氣不來，就要借端生事，把事情鬧大了來爭取社會人士的同情。這一羣十來廿歲的中學生，正當血氣方剛，滿腦了充滿英雄思想，既無家庭負担，又不愁無書可讀，（共黨宣傳：優待他們光榮回國升學）正好充當共黨的「堅強鬥士」。（寫到這裏，筆者不禁想起中共批評一般學生爲小資產階級，意志不堅定，屬於動搖份子，要接受工人階級的領導，在這裏恰好是一個相反的比對）。這樣，事情就一幕一幕的跟着演出了。

學生的挑釁行動

起初，學生們祇是以食物，歌舞來慰問罷工工人，接着便是演說煽動。鼓勵工人不要讓廠方的巴士開出，不要理會警察的干涉。但局面僵持了多天還得不到更好的效果，便進一步向警察展開挑釁行動。這行動分爲兩個步驟：第一是出言污辱，第二是拋擲石子。筆者曾親見一幕學生戲弄警察的趣劇：一個學生走到「維持秩序」的警察面前，向其中一個說：「早點走吧，不要逗留在這裏了，我願意給你們一點茶錢。」（是賄賂的意思。）說完，便掏出一塊錢來塞進警察的手裏。這警察祇有紅着臉揮手叫他走開。這公然的侮辱，使到一大羣人（包括工人、學生和觀衆）鬨然大笑了。

以民族主義作煽動

這本來是不易容忍的凌辱，警察終於耐住了，但石子的投擲卻迫使受過訓誡不能開槍的警察舉自衛，這自衛的行動，又給共黨以利用的機會。一方面誇大地描寫警察的殘酷，以爭取社會的同情，一方面集中襲擊警察，（死者四人中，有一個是學生，兩個是警務人員。）造成恐怖氣氛，把事情扮演爲民族主義對殖民地主義的鬥爭。共黨所散發的傳單是這樣寫着：

「……我們的大馬來亞——祖國——已被敵人侵略和佔領得非常久了……光榮的犧牲使馬來亞變成紅色。我們鮮紅的血色比以前更紅。勝利，在馬來亞的天空。……」聽，這些口號不是和爲生活而罷工的題目距離得很遠，很遠了嗎？

當局釜底抽薪政策

在未釀成暴動事件以前，當局完全處在被動地位，沒有採取急激的行動，但事情既鬧到如此田地，卻不得不爭取主動的措施了。消極方面：馬上恢復宵禁，劃定戒嚴地帶，抽調軍隊開入市區；積極方面：停止華僑、中正兩校開課，取消廠方組織的職工會，這個釜底抽薪的辦法，一面掃破兩校學生在領導罷工風潮，叫他們急於回師自救，一面減去罷工工人的口實，好讓他們有轉環的餘地。果然蛇無頭不行，這辦法立著奇效，如火如荼的事件就在廿四小時內平息了。巴士的罷工風潮得到解決，社會秩序也恢復過來。政府這一舉措，雖然還帶點撫綏的氣味，但倒不失爲明智之舉。

學潮迅速解決

共黨會坐視兩校停課而平白喪失了他們的溫床嗎？當然不會的。在兔死狐悲的號召下，發動更多學生來要求政府准許兩校復課。政府會任令這兩間著名的學校長久停課下去而激動華人的情感嗎？當然也不會的。過了好幾天，復課令終於頒下了，但要學校當局說明不應該被取銷註冊的理由，還要依據政府開列的名單開除一批滋事的學生。這個命令似乎比不准許復課更糟糕，廣泛地給人以不好的印象。除了政治問題，政府大可爽脆地懲罰那些學生，何必要假手學校當局，這無異給予學校當局以難題，更給予共黨以藉端摧殘華文教育的口實。華僑、中正的兩校學生固然日夜不肯離校，要求無條件復課，其他各校學生也準備出來響應，勢將又掀起一幕洶湧的學潮。幸而政府立刻羅致了各黨派的人士，組織九人調查委員會。由這會建議政府收回成命，准許兩校無條件復課，政府毅然接納了。緊鈴解鈴，學潮便在學生的勝利歡呼中退落了。

爭取華人的信心

這出爾反爾的把戲，自然比解散職工會帶來了更濃厚的撫綏氣息。譽之者，說政府有足夠的民主風度；毀之者，說這是投降政策，甚至譏之爲影響了鄰邦馬來聯邦的剿匪士氣。見仁見智，各有立場，各有道理。這裏且引用首席部長馬紹爾關於政府態度的一節演詞來作結吧：「……我們的兒子是一個病人。他患了水痘，身上發着許多紅疹，愈搔愈易化膿。你們要我怎樣去做呢。用刀去削這紅疹嗎？用鞭子去打他們的身體，然後爲着我們所做的損傷而哭泣麼？現在不是用刀子或用鞭子的時候。「華人是政治的中心。他們是我們血管中的血液。損害了他們，將永久破壞了現已在掌握中的光榮的未來。……我們所面對的是一項極爲艱巨的任務——就是贏得我們華人的信心……」

爭受華人的信心和合作，以抵拒共黨的滲透。這一點，筆者願寄予莫大的期望。（六月一日）

台灣通訊

聯合招生應加改革

李懷德

過去分配方法欠妥善

【台北通訊】聯合招生，從各方面看，都是一個優良而有意義的辦法。但聯合招生，在技術上，頗有困難，最主要的是考生的分配問題，還不論是對學校，抑對考生本身都極關重要。成績好的考生都分配到一間學校去，別的學校當然不願意。考生的分系，如果非其所願，他們自然大爲失望。其次，聯合招生僅有一次的考試機會，但考試總帶一點碰運氣的，因此，有些功課本來好的考生往往因運氣不佳，被拒於大學門外，而功課本差的反而得入大學之門。

就去年聯合招生情形來看，以上兩種情形，實在非常普遍。譬如分配方面：錄取是先以學校爲志願，這樣當然大部份考生都想進台大。於是成績較好的考生都爲台大所取錄。其次在分系方面：就台大情形言，本來某考生第一志願是工學院中某系，結果因成績關係，不能如願以償，分配到文學法等學院去了。如果他早知如此，也許情願讀省立工學院的，但現在卻不能變更了。

試題內容不合理

再說試題內容方面：去年的試題，碰運氣的機會實在太大了。數學很好的考生，往往因考場慌張，或一時大意，把符號寫錯或是數字弄錯，一失就是二三十分，歷史很好的考生，或因年代名詞記得不太清楚，失去許多分數。又去年的英文試題，只需填一二三四的符號，英文本不好的考生，不管三七二十一，亂填一陣，如運氣好，結果也能大得其分，此種現象，眞是不勝枚舉。

以學系爲分校方法

今年聯合招生，我希望當局對此多加注意和改善。第一，在考生分配上，我認爲應廢除先以學校爲分配單位的方法，而改爲學系爲分校之辦法。考生在報名時，可先填第一志願是某校某系，第二志願是某校某系，第三第四類推。這樣我相信至少可顧到考生之選擇與興趣，同時也不至於所有成績好的考生都落到某一間學校內。

試題應注意幾個原則

第二，在試題內容上，我認爲招生當局應特別愼重，仔細研究。不應提起筆來，隨便亂出試題。所出試題，最好應能測驗出考生的程度高低。要達到這一目的，試題的數量，不妨多增加一些。同時，試題最好不祗使用一種方式，加減號選擇法，填充問答法，不妨都有。因爲這些方式各有優點亦各有缺點，如果祗用一種方式，未必能夠測出考生的眞正成績來。同時，使用加減號和選擇法時，亦須附以限制，如弄錯了，就倒扣本大題的分數，這樣才不會使一般考生存投機的念頭。此外，什麼內容用什麼方式，亦極關重要。譬如數學方面，關於理論的東西，可用加減號和選擇法，公式之類，可用填充法，其他可用問答證明或演算。此外歷史地理英文等科，當然也可比照其性質而定出題的方式。能做到如此地步，我相信所出試題必能眞正測出考生的優劣程度，減低僥倖投機心理。當然，照此辦法，不免使招生委員會感到許多麻煩，但如能因此使考試眞能達到判別學生程度的目的，似不應以其麻煩，而不加以採用。（五月廿九日）

布爾加寧顧盼自豪

在中共大舉發動和平攻勢聲中，俄總理布爾加寧最近向一位外交的使節說：周恩來在萬隆會議上提議與美國直接談判，以解決台灣海峽糾紛，完全是他行使壓力的結果，他說，他已向周恩來提出警告，如果不與美國和平談判，蘇俄即停止以軍火供應。這一威脅立即發生了絕大的效力，布爾加寧言下，猶有顧盼自豪的樣子。

布爾加寧的這一番話，固然有意向西方外交界節誇功，但其中尤有三點重要的意義：第一、中共百分之百是蘇俄的傀儡，由此更獲得證明；第二、共產集團確在全面發動和平宣傳，主其事者是赤色最高司令塔——克里姆林宮，更可見聲勢的高大；第三、中共完全仰賴蘇俄，軍需品全靠老大哥接濟，所謂俄帝侵華，確非宣傳，而係事實。

俄收容土失意政客

俄國人進侵中東，近來已日益積極，東土耳其、伊朗西部與伊拉克北部一帶的土匪流氓，月來紛紛逃亡國外，向蘇俄的亞美尼亞集中，據說，俄國已在埃里溫設立了一個大規模訓練中心，由俄特務頭目支持，專門收容中東國家的失意政客與搗亂份子，他們的目標大概是加緊訓練破壞與傾覆活動，特別是在土耳其與伊朗一帶，以備一旦有事時，滲入各國作內應。

雷朋有意一嘗副總統

美國衆議院議長雷朋是民主黨聲望最隆的元老之一，他一向領導衆院（共和黨控制衆議院時代，他是衆院少數黨領袖），對政府作有力的支持。幾年以前，他曾說過願永以在野之身，極力襄助行政當局，不料最近也許是志趣改變，雷朋卻有意於仕途來了。據說：在本屆國會休會後不久，雷朋就會宣佈撤出作民主黨副總統候選人，明年的美國總統大選到現在雖未十分確定，但民主黨由史蒂文生與雷朋出作正副總統候選人，以及共和黨由艾森豪蟬聯競選（副總統是否仍爲尼克遜，很成疑問），似已成爲定局了。

諾蘭地位穩如磐石

艾森豪總統在外交，特別是遠東問題上，與參院共和黨領袖諾蘭的歧見很深，這是大家都知道的事。最近白宮高級人員曾談到艾森豪有意更換參院共和黨領袖，並謂這一改組行動正在進行中，有一兩位與諾蘭稱爲莫逆的高級官員且曾將這件事暗中通知諾蘭，要他特別注意。不料事情傳開以後，其他參議員立表反對，幾乎參院全體共和黨議員都表示，白宮此舉只會獲得參院極少數的支持。據說艾森豪聞訊後，已有打退堂鼓之意，由此可見，諾蘭的眞知灼見，以及敢作敢言的作風，不僅獲得遠東人民的讚揚，即國內人民與參院同事也是極端敬佩的。塔虎脫選他繼任參院領袖，確有知人之明。（孟衡）

天下小事

發酬通告

本刊四〇〇至四一〇期稿酬，已分別寄發通知單，請惠稿諸先生憑單前來支取爲感。

稿約

本報各版園地公開，歡迎讀者投稿，來稿性質不拘。來稿請用稿紙橫寫，勿兩面寫，最好不超過二千字，特殊稿件例外。譯文請附原作，如原文不能附寄，亦請註明出處。來稿不便刊用時需退還者，請附郵票。

編者　讀者

論孔誕與耶誕

——覆蕭立坤先生——

吳康先生來函

編輯先生：讀貴刊四四二期，蕭立坤先生函，說拙作「論中國文化的改造」一文中，不應將孔誕與耶誕相比論，說兩件完全不同的事，如一斗米與一尺布一樣，其誤在由於聖誕的聖字所引也云云（原文大意）。蕭先生的切磋盛意，至所感謝。茲將拙作用語及本旨述如左方，以當作對於蕭先生所提出問題的解答，並藉以釋讀者的疑慮。

凡論事分類，必須根據一同類概念作爲論據，然後能將若干個別事例納入同一範疇去探究。拙作論孔誕與耶誕，即根據「誕辰紀念」一基本概念而納入同一範疇而相提並論。至於「聖」字自是人們加上去的尊崇詞語，形容極至無上之意，並不限於號聖人者始得稱聖，（如老杜稱詩聖，張旭號草聖之例）。若以耶穌爲宗教創立者，與孔子爲人世聖人，一自認爲神，一不自認爲神（姑依蕭先生說），二者之不同，遂至牽涉到其另一相同之概念（誕日紀念）而立論者，而亦推翻之。此猶牛爲反芻類，馬爲非反芻類，二者不同，遂至連牛馬同爲四足獸之另一同類概念，亦予以否認，是烏乎可？以一異類概念，牽涉到一同類概念，彼此轇轕，混而不分，此所以語意學之訓練，確不可少。但必須稍具邏輯分類的常識，卻又尤其重要也。——又就「聖」之一詞而言，事實上耶教徒，早已自將新舊約號爲聖經，耶路撒冷號爲聖地……則以耶穌爲「聖」，乃始於教徒，而非流俗，尤不能竇爲後人誤會也。

至於拙文本旨，係泛論中國文化，本民族的立場，縱論各種問題欲稍抑遏「洋化」潮流偏趨之弊，故不免間有揚中抑西之處。孔誕耶誕之比論，即其一端。要其大旨，在維護民族自尊心，縱令所以倚輕倚重，或所不免，而初不在蕭先生所指在用語上鬧出某種失誤也。即頌撰安

吳康敬啓五月廿九日

△本月廿六日爲聯合國成立十週年紀念，惠稿諸先生如有紀念文稿，請於本月廿三以前寄到爲感。

千奇百怪的大陸勞工生活

每日正點工作祇兩小時　看病理髮上廁共六小時

魯客

「本雜誌」中共天天說，他們怎樣「照顧」工人，工人怎樣愛戴他們的領導，努力生產。因此他們的海外御用報紙，不斷的說，大陸的工廠如何有成績，我們且看看最近大陸報紙所刊載的一個中南電業工程公司電業工地安裝工李景巖的報告罷：以下是李景巖報告的原文：

「一天，當我翻閱操作班的勞動日報表的時候，發現了一張很奇怪的日報表。起初，我還以為是自己眼花弄錯了呢！可是，看過幾遍，還是和第一次一樣。日報表上明顯的寫着：日技工李慶華，正點工作二小時，理髮三小時，醫務室看病二小時，上廁所一小時。

「這是怎麼一回事呢？我愈看愈糊塗。恰好資料員小黃走來，我便問他：「小黃，你看這張表是不是填錯了？」他很快的看了一看，說：「沒錯呢！操作班還比較不錯呢！你再看一看[illegible]班和電源班，就更出奇了。」這時，我順手在桌上拿了另外幾份日報表，一看，的確是更糟！差不多有五分之一的人都是這樣。我怎麼想也想不通。

「我再也憋不住了。吃過晚飯，跑了三、四里路到幹部宿舍去找工地主任。一見到他，我便一口氣把我的見聞都告訴了他。豈知他聽了，把頭一搖，深深的嘆了一口氣道：「沒辦法！」接着又說：「老李，你剛剛來還不知道底細。我不曉得找過多少次行政科和工會啦！可是，跑細了，問題還是得不到解決。」

「為了急於要弄明問題真像，我隨着問道：「為什麼會發生這些問題呢？」看樣子，我們的工地主任也很着急，連比帶說的跟我談起來。

「原來事情是這樣的：

「我們工程公司剛剛到東北這個工地的時候，為了大家方便，在工地上設立了一個理髮室；理一次髮是一千元。後來工人日漸增多，公司找了兩個理髮師，又在工人宿舍設立了一個理髮室，和理一次髮是二千一百元。當然了，兩個理髮室，理髮價錢相差一倍多，大家都願在工地上理髮室理髮，也是很自然的。可是，工地理髮室理髮時間恰恰規定在生產時間；工人休息時間，理髮室也在休息；工人只好在生產時間去理髮。再加上工人很多，一共只有兩個理髮師，這就很難理一次髮，要費三、四個小時了。

「醫務室的情況和理髮室差不了多少，看病的人，每天都擠滿了掛號室和外面走廊上。行政科從來不想辦法搞好環境衛生，讓大家少生病，更不想辦法調整門診時間。

「說到第三個問題就更可笑了。一個工區只有一個廁所，供幾千人使用。每天早晨，廁所外面都要排很長的隊伍，這件事情不但說明了為什麼工人上廁所要用這樣多的時間，也回答了「為什麼工地上到處都是大小便的問題」。

「工地主任談完了這些事實，我問他：「您到行政科和工會去，他們怎麼回答您的？」這時候，他做了一個無可奈何的姿勢說：「兩個人兩個說法，各有各的理由。一個說：「我搞了四、五年的行政工作，這些問題當然曉得，這只不過是一時混亂，慢慢會解決的。」另一個說：「同志，我搞工會工作實在沒有經驗，這些問題只有留待以後慢慢解決。」」

我們讀了這一篇事實的報告，可以想見中共怎樣「照顧」他們的工人，工人過的實際生活怎樣，工人的生產情緒和工作效率如何？都有了實際的證明了。

經濟社會思想叢殘

金伯華

至於心理上所謂需要完成的事或所需獲得的物，那就是孔子所說「無欲速」……「一切欲」——通常說：「人欲橫流」，就可見人類的嗜欲之多，不勝枚舉——生滅起伏，變化無端，不一定都成為經濟上的「需要」。必須人既有某種觀念，而自覺設法達成以謀可能的滿足，乃成為「需要」。欲望是需要的潛機；需要乃欲望的表現。故需要是主觀的。凡感覺有某種欲望的人，使用一種可能的方法，並自以為由於這方法足以使他獲得滿足，獲得好處，不問這滿足或好處的性質如何，一律皆成為經濟的需要。

需要與要求不同

但光是表現欲望——需要的顯露——還是不夠的。為使需要有效的顯現，必須在企圖獲得的愉悅與因而遭受的苦痛之間有所抉擇，而支付或大或小的代價。這種決心支付代價以求欲望之實現的需要，就叫做「要求」。

需要與要求並不是同一的，於此，我得先插一段話來指明「需要」與「要求」，並不是同一的東西。因為這在實際的經濟上是有關係的。大抵：需要的人多（誰不是有需要？），能根據自己確定的需要？）……的人少；需要是主觀的，需要不問其如何迫切，都要通過自身的感覺而提出，才能變為經濟的有效需要。但基本的需要，即通常如食，衣，住等，是可以統計而預定的，但為於同一需要所可提出的要求，即在享受的程度上，在「水準」上，是各人千差萬別，各有不同的。正唯因為要求是要有交換，有代價的，所以任何只須能夠提供交換的代價，便可以自由的提出要求，而且在市場上，往往都能得到滿足。這就是一般所說「市場經濟」或「自由經濟」。亦正唯因為基本需要是可統計的，可預定的，所以任何集團——政府或黨——只須強力採用「國有」，「統制」或「計劃」一類方式便可以大吹法螺，自詡為能夠保障人民的生活和生產。這就是「共產主義經濟」。是以共產經濟至多只能滿足人民的基本需要而決不能滿足人民的自由要求。這是生活的[illegible]！這是文明的摧殘！

欲與求的分析

關於欲　現在我們再回過頭來，對於「欲」與「求」作進一步的分析。

上文所說的「需要」，有些人往往與「要求」混為一談。經濟學上著名的一條定律，「供求律」，有人亦叫作「供需律」，即其一例。依前所述，本文所稱欲、求，即係包括由「欲望」經「需要」，再由「需要」到「要求」三種情態，三個階段而言。「欲」者「需」之機，「求」者「欲」之果：這三者，時而分，時而合，時而走到一半，時而獲得完成，但都以「欲」為基點。

欲，多得出奇！亦怪得出奇！舉一二個著名的近例吧。在英國，平均每九十個人，包括男女老幼在內，便得有一家「酒吧間」以供應他們的酒欲。（廿九）（本文篇次，上期應為「廿八」，誤植「廿」，合更正）

青年學子紛紛墮落

社會應負最大責任

過去一年間，有兩個妙齡女郎遭男友誘出扼殺。這兩個不幸者均出身英文書院。不久之前，又有學生企圖將同學踢入「十四K黨」（黑社會非法組織），這種墮落青年，報載也是英文書院的學生。英文書院管教學生並非不嚴，許多事實證明，英文書院訓導學生，只有比中文學校更嚴。但為甚麼許多令人惋惜不安的事，常出於英文書院學生所為，而中文學校同學較少呢？英文書院的學生，不良份子實際也佔少數，他們所以如此墮落，一般的是因為學業缺乏家庭教育，以致養成驕橫頑劣性格，而他們的家長又多是有錢的人，學校畏其權勢，又不予嚴加管束。這種情形，當然也是少數，在一般學校中並不多見。然影響所及，橫行不法的「飛飛」，却已形成了時下的「時髦」風氣。

當局對學生課外活動，很少注意。因此學生打鬥事件，也只採取規勸排解的消極性態度，以致造成學生殺害警察等情事。此種為害社會的事，學校方面又很少提出檢討。可是，如何挽救這種頹敗風氣，衆口佻佻，尚未見有良策。究其本末，既不應單獨苛責學校教育不善，亦不能單責家庭管教疏忽，萬流歸滙，問題只有一個：社會風氣太壞。任誰都要負起這個責任，庶能挽救這種惡劣風氣。

現社會的許多惡習，諸如引誘學生沈緬色情舞院等，都是促使學生棄正歸邪。那些色情舞院，起初也並非企圖陷人作不道德行為，只因營業清淡，幾乎不以色情號召，便難以苟延殘喘。這種色情販子，利之所趨，固未計及社會利害。警方雖曾嚴格取締不良舞院，且有若干違例舞院遭嚴罰申誡。但僅靠懲罰自非杜絕之根本辦法，根本辦法，應先着眼於如何消弭此等社會罪惡的思想，和給予一條新生之路。其次，家庭舞會原非大惡，但也有青年學生常能引起不良影響，殆非學校與學生家長們所能預料。今年新年以來，「家庭舞會」盛行，已成爲許多學生寒假中的「必修課程」。儘管有人看作一種無傷道德的消遣性質，[illegible]……舞會畢竟不是學生的健康遊戲。

印度青年的赤都印象記（五）

·風行譯·

一九五四年九月二十一日，我自列寧格勒回返莫斯科。我們打算到上次世界大戰的名城史太林格勒，和訪問蘇維埃俄羅斯的若干亞洲方面的共和國，然後回印度。但在莫斯科還有三個印象值得一記的：

列寧圖書館的規模

首先說到俄國最大而歷史最悠久的圖書館，『列寧圖書館』。裏面有座位一千七百五十個。據蘇聯自詡該圖書館藏書一千七百餘萬冊的書籍及雜誌。與三千餘種報紙和定期刊物，以至許多種的兒童讀物。據說裏面所有的書架，若連接並列，可達二百公里之長。書籍中有二百萬本是外國出版的。用印度各種文字著述的，約四千本。

每天來館閱讀的平均五千人，平均每日借出書二萬五千本。若借普通書籍，須出示俄國護照。若要取閱特殊性質的書籍，必須是有「蘇聯境內自由通行證」的人方可。據一位研究印度梵文的學生說：祇有專家和大學教授，才獲准看原文書。其他的人祇可看譯本。國內鐵路為讀者輸送書籍的列寧圖書館亦租借給地方圖書館以大批書籍，為期以若干月計算。該圖書館有十三座閱覽室，預期增加至二十座。職員有二千人。該圖書館每年預算經費五千萬盧布。該館所用之人員在莫斯科列寧格勒，與卡爾柯夫訓練出來。書籍之選擇職員之選派，係由文化部主持。

令人失望的控制

列寧圖書館所儲藏與發出的書籍性質如何，我們無法詳知，但由蘇聯文化部控制，則其令人失望，可以想見。因為蘇聯的文化部就是宣傳部，也就類似希特拉德國的戈培爾主持之部門。我思疑該館的主持人，少不免遵從一九四八年九月四日蘇聯政府頒佈有關作家的法令。該法令稱：「一方面須排斥含有西方布爾喬亞思想的作品，同時須揭發資本主義的包圍蘇聯，和打擊他們的日趨沒落之勢力，並解釋當代帝國主義的性質，其中含有流血戰爭之新威脅。」（原文載一九四八年九月四日「真理報」）可想見列寧圖書館必不准儲藏，更不准傳閱含有西方布爾喬亞思想的著作。固然該館藏有布爾什維克奪取政權之前之經典，但誰又能相信他們能正確的編纂。一九四七年八月二十日蘇聯的「文化雜誌」評論百科全書說：「百科全書不能祇是收羨許多的參考資料，和祇用不偏的中立的與對政治冷淡的態度去解釋。」又說：「蘇維埃的百科全書應該用他們的馬克斯觀點，去解釋人類活動及知識。」

我懷有好奇心去猜想，為什麼特別的書籍，祇能供給那些有蘇聯境內通行證的人借閱呢？他們是特殊階級而有特殊自由麼？

我們一步出列寧圖書館，便被政府派來的熟練攝影師大拍其照片。我們不欲有此種煩擾，而祇想在這蘇聯知識的中心地，沉靜的體會。但我的友人說：在蘇聯想避免蘇維埃攝影者，比要脫離自己的影子還更難。

法庭內的怪現象

我因忙於辦理回國的過境證手續，無暇到蘇聯的法庭參觀。但我的代表團同伴曾去參觀的，告訴我當時的情形。他說：當他們進入民法庭時，庭內正進行訴訟的審訊。但居然為着歡迎他們而停止審訊。此情此景，真是罕見的活劇。一位女法官，和若干的陪審員，連帶那原告和被告，一齊出來迎接他們。我的朋友認為這是非常奇異的事情，因為他們還存着「布爾喬亞階級的法庭觀念」。整個法庭為了一個學生團體參觀而停止審訊。法律的尊嚴何在？這不能不令他們大惑不解。他們以常理看陰陽怪氣的東西。

共黨的法律觀念

蘇聯對法律正義的觀念，另有一套的解釋。試看列寧選集第七卷第八一頁上說：「無產階級獨裁向壓迫階級，資本家，和剝削者施行限制自由。我們必須將他們打垮，必須以武力粉碎其抵抗力。顯然的，有鎮壓必有暴動，沒有自由，沒有民主。」

在一九二〇年史太林公然宣稱：「在無產階級獨裁時期，不能言政治自由。……在我們的國家，不能有普遍的自由，即布爾喬亞階級無言論出版的自由。」從三十年代的清算看，所謂「布爾喬亞」或「剝削者」的定義，是沒有邊際的。

「蘇聯的法官，係選舉出來的，如不獲「選舉者」的信任，即被罷免。但蘇聯的選舉的意義，就是共產黨提名而已。由共產黨決定候選人名單。所謂罷免制，是共產黨策動將失寵的人免職。在蘇聯祇有共產黨尊嚴，沒有司法的尊嚴。

梅農對貝利亞案談話

那時印度駐蘇聯大使是 SRI K.P.S 梅農，他行將請假，定於九月二十三日離去莫斯科。我們在該日和他吃早餐。有一個學生問他關於貝里亞的命運之問題。「在史太林時代曾有一番功績和勢力的貝里亞之被黜及殺戮，蘇聯人民對此事沒有反應？」

當發生貝里亞被捕的消息時，梅農在貝里亞的故鄉佐治亞陪同印第拉甘地夫人（尼赫魯之女）遊歷。在此大事發生之前夕，他看見紀念貝里亞的街名、公園名、和機關的名，急急的改變。

至於蘇聯大衆對此有何反應一問題，梅農答道：在蘇聯沒有所謂民意反應。一個人物被黜，必然湮沒無聞。

又有人問梅農道：蘇聯有沒有因此措施而生不滿潛伏暗流存在？梅農祇援引別人一句語說：「在蘇維埃的制度下，沒有不滿的潛伏暗流存在的可能。」有人知道在貝里亞被黜後不久，百科全書中他所佔的篇幅已填上了哈林（BAHREIN）的增訂材料了。

毋多言！

馬五先生

我們的國家現在是處於「漢厄陽九」的階段中，國際形勢在使我們感受清低氣壓，許多不三不四的所謂「國家也者，竟亦對我們露出蔑視的態度。在這種環境之下，政府當局唯有抱定「殷憂啓聖，多難興邦」的信念，埋頭苦幹，明恥自強，一切言行皆應具有一些控制力，保持不激不隨不亢不卑的立場，對外說話尤其要注意，最好是少發多做，若要說話，必須言之有物，持之得體，足以振奮人心，博取同情，廢話固然不必，空話亦屬無謂，言多必失，負有實際政治責任的人，更有愼言的必要。

最近忽聞行政當局大發「反攻大陸在卽」的謬論，這已經說得太多的不合時宜之談，而外交當局更屢言任何人不能阻止我們反攻復國的行動，但又說除了緊急自衛的行動外，一切軍事行動，自應與友邦協商同意。這類話等於沒有說，也就是廢話。此時此語，我不知其究有何種妙用，若因此而引起國際誤解，或擾我在海外所醞釀的輿論反應，祗是徒增浪費憂傷的情緒而已。國人盼望反攻大陸久矣，年復一年，延跨雖勞。由於國際形勢的關係，師出有待，大家心裏也很瞭解。尤其在目前這樣的國際環境中，誰都不願大規模的軍事行動，殊不可能，然政府當局却像煞有介事，言之不休，罔顧信譽，則人心又何益呢？

最近共匪表示願與蔣總統談判中國的內政問題，這類邪說誘詞，唯有置之不理。要答復的話，那就改稱如遼寧中國應爲「政協」一樣，無代表到中華民國政府所在地來談。因爲中華民國政府是世界大多數國家所承認的合法政府，對大陸的統治權法理上並未喪失，共匪只要悔過自新，接受命令，自然可與談判的。然我們外交當局只說是不值得批評，「不值得批評」云云，就是沒有內容的話，外國記者問到時，何不答以「無可奉告」或「並無所聞」呢？而臨着「毋多言，多言多敗」，而隨意憂患的國運，希望執政者還是沉靜一些的好！

票壇彗星

陳瑛與陳蕙君合演探母抒感

·周景彝·

談起陳瑛與陳蕙君二女士，都是早負盛譽的票友，人所共知，無須多說，茲僅就所睹實況，加以報導，以饗讀者。

四郎探母是家喻戶曉的一齣歷史悠久的好戲，當局曾把它禁演，經過教育當局循着故事內容，加以改編後，最近又重行上演。

×××

五月一日，某機關舉行慶祝晚會，特邀請名票陳瑛、陳蕙君及趙之杰等合演「新四郎探母」，由趙之杰演前四郎，陳蕙君女士串演中四郎，陳瑛飾演鐵鏡公主，李景嵐去楊宗保，孫佑民飾六郎，論陣容相當堂皇，是齣珠聯璧合的好戲。

×××

以各演員的演技來說，其中仍有少數演員素質稍差，不妨舉例試言之。比如前四郎在坐宮一場忘持紙扇，這是美中不足，因此，頭一場就給了觀衆一個極壞的批評。希望趙君此後凡演本劇應當注意此點。就趙君演技言，相當精湛，堪稱上選，唱腔係宗余派，工架似近、寶森一路，音律柔潤勁遒，韻味雋穎，扮相尤佳，至於表情，妙在逼眞，不瘟不躁，恰到好處，渾視酷似行家，而非票友，毫無斑累，洵爲難得。然而，哭堂一場劇情逐漸進入高潮，四郎的表情相當認眞，情節亦極悽慘，動人。六郎的表情較差，似嫌呆板，四郎由八姐九妹扶架哭堂時，六郎的動作應當屈膝作個下跪姿勢，托住四郎的腿，方合理路。他却站在一旁安然不動，眞是大煞風景！這又給了觀衆第二個不好的印象。

×××

中四郎係由名坤陳蕙君女士飾演，矮小精幹的身材，純靑境界的演技，娓娓悅耳的聲韻，使顧曲周郎盼之人、聽，雖能可貴。出關見娘唱做表情，由始至終，均甚精彩，身段神情亦臻佳境，腔調極爲微妙，餘音繞樑，令人感覺舒暢而愉快，這是她表現天才最大的成就。故此值得稱之爲鬚生泰斗，此時此地坤票老生中無出其右者，當非言之過甚，希望好自爲之，前途未可限量也。

李景嵐在楊宗保一角中，演技穩重尙稱職，富於眼神尤值讚賞，繼續貫澈能堪造就矣。

×××

陳瑛去公主，一人到底，不易多見，公主是唱做並重的主角，由坐宮起到回令求情止，相當繁複。綜合全劇的重點由盜令而回令，演來的表情確有獨到之處，接着劇情慢慢發展到高潮，盜令時與太后一段對白的撒嬌表情尤爲逼眞，更顯現出喜怒哀樂的動人情緒，從回令求情且憂而喜，憂的是太后依法斬駙馬，喜的是太后允二舅說情赦了楊延輝，讓她們夫妻破鏡重圓，讓她能慢慢而抓住了劇本的重心，漸漸迫向更高潮，令觀衆的氣氛越看越緊張，值得稱許的是她在全劇中能夠發揮最大的能力，尤其眼神靈活，臉部表情自然，小動作亦可喜，功夫委實已經達到登峯造極。縱觀全劇的過程，各個演員的演技都是熟練，自不待言，其中尤以陳瑛的成就最爲顯著，是日曲終人散已屆凌晨一時矣，出類名票，因此紀之。

顧炎武之事與詩

·彭楚珩·

顧炎武，明末崑山人，字甯人，號亭林。當明之季世，一班亡國大夫，經據典律，顧則屏居山中，潛心經史，明亡遂清，絕不復仕，周遊四方，以書自隨，學宗朱子，而長於考證，著述甚多，日知錄三十卷及天下郡國利病書等爲其最著者。

顧之心志，欲究其極，實非短文之所能盡，欲得其要，則『初刻日知錄自序』中，可窺大概；末段有云：『若欲明學術，正人心，撥亂世，以興太平之事，則有不盡於是刻者，須絕筆之後，藏之名山，以待撫世宰物者之求』。以是知其心志，無可如何於當時，而期諸於千秋後世也。國父遺著中，曾歷道明末三老，王夫之，黃宗羲而外，則顧公也。三老皆爲將民族主義傳諸後世者，黃王著述，顧更積極著述而兼行動，以至於艱險之死而後已。

顧詩甚多，要皆心存故國，不忘華冑，亡國之痛彌深，而激勵之氣尤厲，風神格律之淸雋，實與杜子美，陸放翁並鶩齊驅矣。如其過白下詩云：

『白下西風落葉侵，重來此地一登臨，淸茄皓月秋依塢，野燒寒星夜出林，萬古河山應有主，頻年戈甲苦相尋，從教一掬新亭淚，江水平添白丈深』。詩內『萬古河山應有主』句，不知給予國父革命之啓示，至若何程度也。

於『自由人』獲誦幼椿先生六十自壽暨仲平先生壽幼公詩，輒步仲公韻率成一絕，卽以爲幼公壽，並於兩公略申仰止之忱。

陶元珍

六十飄蕭未老翁，紅酥痛飲酒樽空，名山覇業渾閑事，不負春光羨兩公。

敬和幼椿先生六十自壽詩

陶元珍

琅嶠長春風愜融，綠蕉窗畔杜鵑紅。故園火熱水深際，新邑清歌妙舞中。每冀天心迴國運，惟期人壽伴年豐。韶光四紀卅齡黨，濟濟飄蕭六十翁。

幼兄贈印老詩，有『我亦飄蕭六十翁』之句，謂兄喜和一絕，讀之喟然，敬意。

劉泗英

人生會合最難期，況是相逢年少時，蟠桃初結實，好將消息報春知。

六十賤辰，同事諸友好以盛筵美酒讌我及家人於樂宮樓，復驅車九龍郊外暢遊半日，歸賦長律，用前韻。

李璜

誼情光景氣交融，不覺衰顏借酒紅。高閣臨風春色裏，輕車環海夕陽中。只今袖手看時變，何日歸田樂歲豐？差喜諸君思報國，據鞍我尙恥稱翁。

劍底秦庭

歷史小說

吳如

（七）

夜深了，荊軻和高漸離把燈合移到炕裏，兩個人各自用手圍着膝頭，面對面坐在坑上。長久的分別，使他們有說不完的說話。

「大哥」！漸離舉起碗，呷了一口水：「我想起了一件事」。

「甚麼事」？荊軻的心緒恢復了平靜，下意識地用食指不斷地敲彈着自己手背。

「那一年我們在泰山練劍的時候，你不是曾經一劍把那山頂上的一塊青石砍成兩段，還在上面用劍尖鐫了『荊軻練劍於此。凌弱暴寡者必將有如此石』二十個大字，不知道現在怎樣了」？

「石倒聽說依舊還在那兒，字也依舊有的是。前些日子，碰上遊泰山回來的朋友，還談起這。可惜的倒是我們的志向立了七八年，到今天，還一樣是強凌弱衆暴寡的局面！唉」，荊軻低迴地嘆了一口氣：「我們也太不成了」！

「話是這末說，我倒風聞你回到衛國之後，曾經做了不少的事」，高漸離忽然想起了一個謠傳了許久的傳說：「聽說衛君爲此對你還非常不懇諒」？

「事倒沒有甚麼了不起的事」！荊軻搖了搖頭：「你想，在一個顢頇自用的國君底下，我們的抱負即使再大，報國之心即使再強，又能夠有些甚麼作爲呢？不但想做的，希望別人做的，沒有辦法做到，就連個人的安全，也因爲關懷國事過於操切而失去了保障。漸離，你想一想，這樣的國家，還能夠給予甚麼希望？當然，對於個人的榮辱，我倒並沒有放在心上，即使斧鉞當前，也未必就能使我畏懼。可是，回頭一想，與其以此有用之身，去供作無能的統治者作爲祭祀的犧牲，何如有待於將來？就這樣，我才在衆人三緘其口的情狀之下，獲得了一個『放逐』的輕判，走出了衛國的家鄉啦」！

「你給衛君放逐了」？漸離同情地不住的點着頭。

「放逐的判處畢竟是够輕的，漸離，你說是不是」？荊軻笑了笑。

「也還不壞」！漸離也報以一陣幽默的微笑。

「但是比起我的罪名來，那就太重了」！荊軻又輕輕地吁哨了一聲。

「有沒有甚麼罪名」？

「當然有，怎麼會沒有？你知道這是一個甚麼罪名」？

「甚麼罪名」？

「叫做『危言干聽，故惑君心』八個大字」！

「就這末八個大字」？

「就這末八個大字」！

「哈哈……」荊軻和漸離都不禁在抑憤之中縱聲大笑起來。

肉食漫談

·陳雪英·

當一個人受了嚴重的灼傷。他身體中的蛋白質便受了極大的損失。這種蛋白質的損失，可由吸收多量優良品質的蛋白質如肉類所具有的來補充。如病人得到了豐富的蛋白質，他便能產生抗體以抵抗可能發生的傳染病。進食豐富肉類的病人又得到健康所需要的與蛋白質一個來的維他命B和礦物質不要忘記的是食慾不振的人們喜歡肉食——這是一個很重要的因素。有很多人甚爲健康而身體的容態不好。因爲他們比應該有的重量過多或過少。諺語說：褲帶越長，壽命越短。這句話永遠是對的。因此聰明人保持他個子大小和年齡所應有的正常重量。要達到這項要求，便需要改良食物習慣的意志。流行的食單儘管隨時不同。但高級蛋白質對重量之增減和維持的效用却始終不變。對過重的人，最好是能常吃特別像肉這一類的富於蛋白質的食物。這一類的食物能保護身體不致感染疾病和免除體重減輕太快的危險。豐富的肉類極能滿足食慾的食物能防止很多減少食物的人的饑餓的感覺。有些人需要增加幾磅以使他們達到正常的重量。肉類在這裏又担任一個要角。選擇包含脂肪頗多的肉類而進食豐富的數量則這樣增加的體重較爲耐久。肉食的民族由常比那些依稻穀和蔬菜爲生的民族壽命較長。這可以從各種民族的重要統計表中看出來。在中國，食物中的蛋白質大部份從米飯和蔬菜中得來。平均壽命是卅歲。同樣在印度是廿七歲。但平均每天吃一百一十三點八克的蛋白質。其中百分之六十九係從動物中得來。澳洲人活到六十五歲。美國人吃九十八點六克的蛋白質百分之五十七從動物中得來。平均壽命是六十四歲。主張少食肉類多食五穀的人們還該注意肉食國家的人民的高大的身材。（四）

語意學漫談

徐道鄰

我們現在所生活在的世界，是一個語言的世界，也就是一個宣傳的世界。我們在想影響別人時，固然不妨利用這些方法，來促進我們語言的效力，但是在聽取別人的語句時，我們要密切注意於處處尋求客觀的，說明正確程度的字句，而不要爲情感的單純的兩值字句所迷困，那麼我們在作人和處世上，要少喫好多好多的冤枉的虧呢！（有人說，西方語言，容易促使人們作兩值思考。中國語言和『和皮』HOPI語言，比較有彈性，使人們容易認識一切事物的『多值』性。CHASE POWER OF WORDS，P. 238。不過中國語言的這一點長處，我還沒有十分明確的體會到。）（三九）

自由人
THE FREEMAN
（第四四五期）
中華民國僑務委員會
頒發登記證台新字第一〇二號
中華郵政台字第五〇〇號
執照登記爲第一類新聞紙類
（半週刊每星期三六出版）
每份港幣壹毫
台北市售價台幣壹元
督印人：陳文華
地址：香港高士威道二十二號四樓
3 rd. fl. 20 CAUSEWAY RD
HONG KONG
香港發行及事務接洽
高士打道66號　電話：七四〇五三
承印者：東南印務出版社
地址：高士打道六十四號
海外總經銷
友聯書報發行公司
香港：德輔道中二十六號A二樓
台灣特派員辦事處
台北市館前街五十號
台灣總經銷處
台北市西寧南路壹壹號二樓
台北郵政儲金戶九二五二

蘇共眼中看～～
尼赫魯是什麼東西？

·曾旭軍·

印度總理尼赫魯已啓程前往訪問蘇聯了。新德里方面大吹大擂，說他將[illegible]蘇聯領袖，使用其「影響力」，約束中共，緩和遠東緊急局勢。還說：他可能提攜解散共黨國際情報局。把尼赫魯刻畫成爲一個影響東西關係的重要人物。

蘇聯盡量侮辱甘地

蘇聯共產黨人早已替尼赫魯算命，批定他的「格局」「流年」。儘管莫斯科方面揚言以空前盛大的典禮迎接尼赫魯。但在蘇共眼中看，尼赫魯是什麼東西，早已肚裏有數。可利用時不妨捧一捧。尼赫魯與梅農之流，僞裝致力和平，熱心做居間人，敷衍取巧，苟安圖存，俄共知之甚詳，祇以在冷戰中有此角色，足爲挑撥離間自由世界之用，故暫予優容而已。蘇聯對尼赫魯與印度絕無好感，這是有事實證明的。

蘇聯百科全書之批評印度甘地聖雄，已極盡侮辱之能事，早已引起印度及世界人士的憤怒。蘇聯當局看見形勢不妙，即宣告願將百科全書中有關侮辱甘地的文字删除去。但迄今爲止，印度人未獲通知已履行諾言。百科全書中侮辱甘地之文字依然如故。

尤金痛罵尼赫魯

又蘇聯經濟學家尤金，法加（EUGENE VARGA）所著的『帝國主義的經濟及政策之基本問題』一書，猛烈的抨擊尼赫魯的外交及內政政策。

最近蘇聯稱讚尼赫魯的外交及內政政策，可能引起若干人猜測克姆林宮已改變初衷，不再持尤金的見解了。但事實上『尤金所著那本書，並沒有修改，仍暢銷於蘇聯，還印出新版書，共黨的說話是否可信，這裏又一證明。而且蘇聯統治者對國內和對國外所說的話，往往不同。對國內發行的刊物，極力鼓吹『世界革命』，對國外則極力宣傳『和平共存』。

蘇聯出版的雜誌『文化與生活』說：『甚至如百科全書那一類的參考書籍，也不能純屬智識的彙編，或持不偏不倚的和對政治冷淡的態度去解釋。應從戰鬥性的馬克斯，列寧世界觀去解釋人類的活動及智識。』

僞裝反帝國主義

言歸正傳，茲擇錄尤金所著『帝國主義……基本問題』一書中抨擊尼赫魯之語，略列如下：——

（一）有關印度之外交政策

尤金指責尼赫魯之反帝國主義，係奸雄詭謀。事實上尼隨英國路線。

他說：『假如我們分析今日印度統治者的反帝國主義言論，顯然的，可看見他們對中國及韓國問題的主張，和英國是一致的。英國之承認「中華人民共和國」，係爲貿易利益及避免第三次世界大戰而已。而尼赫魯却向印度人民提出這個承認中華人民共和國的政策當作是「他自己」的反帝國主義政策。「印度的統治階級必然完全同意將印度列入帝國主義的陣營。印度統治階級的迫害共產黨人，便足證明。但全印度人民對英國帝國主義之[illegible]入帝國主義陣營中列，就因此種緣故，尼赫魯不得不宣佈印度實行獨立的外交政策。」又僞說：印度不屬於任何一陣營。印度爲和平而努力。尼赫魯強調印度的反動內政政策，却阻礙實行獨立的和平外交政策。」

維持封建制度的內政

（二）有關印度之內政政策

尤金說：『印度政府的政策是維持封建制度，久延殘喘，順從地主，大資本家和英印獨佔資本的利益者。』[illegible]

如何及得中共

（三）有關印度與中共的比較

尤金屢次表示中共是值得蘇聯培養，而印度必須完全「改造」。

他說：『中共與蘇聯邊界接壤，長凡二千公里，與蘇聯有貿易上及文化上的[illegible]。自從一九二七年以來，共[illegible]軍隊，中共用各種的方法控制其軍隊，造成一獨立的共產黨陸軍。這是中國共產黨革命勝利的重大因素。』

『印度並無一獨立的軍隊。印度的軍官許多是英國人。士兵從最落後的山地區徵來。印度共產黨對軍隊毫無勢力。』

印度必須赤化

（四）爲印度前途診斷

尤金批評印度人須像在中國大陸由共產黨掌握政權，方有前途。他說：『印度如要改善人民生活，必須像中國的建立共產政權。印度無產階級雖然多屬於農民的，但應參與領導進步力量的工作。作領導的共產黨與被剝削的農民合作，是印度民主改革的必具條件。以中共爲例，歷史的自然發展是聰朝這個方向。』

對蘇的無恥恭維

從上觀之，蘇聯陣綫，使自由世界人士懈怠，故必須大捧特捧國際丑角。前兩天新華社消息又說蘇聯出刊了尼赫魯所著『印度的發現』一書的俄文譯本。尼赫魯最近爲此譯本寫序言，當中表示他非常得意。他寫着：『……我期待着，再過幾天訪問蘇聯。訪問這個偉大的國家。……此偉大的和平陣營的對全世界命運有着如此巨大影響的國家。……』尼赫魯諷歌頌讚「偉大」的蘇聯了。但若果他到蘇聯，能看見詆毀甘地的蘇聯百科全書，和抨擊他自己和他的政府，以及企圖以共產黨顛覆他的政權之言論，他又作何感想？

尼赫魯可以休矣

可憐的國際舞台小丑！

現在世界被中立的熱浪激盪着，我寫這篇文章，想給大家知道，蘇聯鼓吹中立主義的陰謀。鼓吹中立而對克姆林宮最賣力的，誰能過於尼赫魯？但蘇聯對尼赫魯及印度的眞正態度，還是如此。則其他欲以中立求苟安或混水摸魚者，可以猛醒了！

海外通訊

本刊四四三期曾刊李加需先生一篇「四強首腦會議的展望」，茲又接安世先生從東京寄來此文，安世先生從英法蘇美德五國對此會議的動機或態度詳加分析，與李先生論點又有不同。結論認爲英法蘇最熱心，會議中心在德國，預測不會有十分結果。——編者——

四巨頭會議面面觀

·安　世·

（東京通訊）這次四巨頭會議，由英國發起，法國附和，但將來能否召開成，開成以後，能否有具體結果，我們於此不可不先將各國態度加以分析。現將英法美蘇態度試爲分析於右：

英國提議的幾種原因

一、英國　這次四巨頭會議，雖然由艾登提倡，其實是保守黨的一貫政策。自史達林死後，一九五三年五月十一日邱吉爾演說，曾有召開四巨頭會議之意，原因：第一要恢復大英帝國國際地位，自一九二二年日內瓦會議破裂以後，英國已變[illegible]大英帝國地位之江河日下，實在不能放心，所以趁美蘇冷戰日趨激烈的時候，忽然擺脫中間路線，于是四巨頭會議之說，即由此而來。其次便是經濟關係，因爲自第二次大戰以後，英國殖民地紛紛瓦解，英國經濟日趨沒落，幸得美國大力援助，始得漸漸恢復，今雖生產會告回復，但貿易一途，[illegible]要稍有緩和東西局面的「哥倫坡開發計劃」，[illegible]後，想入非非。至于艾[illegible]巨頭會議，更有幾種重要原因：第一係選舉關係，艾登知道大多數英國人根本不願談戰。第二與英國獨立以後，如能趁此時機，緩和緊張局勢，則英國又可苟安一二年，總之世界大戰不可避免，英國大多數人早已知道，可是這種緊張局面能夠和緩一天，英國人總是要設法緩和的。

法國最爲熱心

二、法國　法國人對于戰爭的恐怖，比英國還要厲害，所以法國對于四巨頭會議的召集，比英國還要熱心十倍。因爲法國受了德國兩次征服的慘痛教訓，一般人對于德國再起的戒心，並不下于蘇聯。換句話說，法國對于蘇聯在東歐的優勢軍備，固然惴惴不安，但是對西德重整軍備，再加上美國的原子武器，其惶恐不安的心情，也是一樣，所以今天法國一般人對于軍縮問題與安全保障，無論那方面提出，他們都感莫大興趣，所以他們對「德國中立化」也比那一國都熱心，法國人現在最關心的，是軍縮問題，其次便是「安全保障體制」。今天法國人有一共同希望：便是蘇聯在東歐一綫的兵力，雖不再減少，可也不能再增加，同時對于禁用原子武器一層，不特須加以檢討，並將西德再軍備置于四國監督之下；並且對于美蘇競爭，總提出一「停止綫」。總之法國對于四巨頭會議，希望最大，同時也是一位緩和東西緊張局面一個忠實介紹人。

蘇聯的八次外交攻勢

三、蘇聯　最近蘇聯的目標，在巴黎協定批准前，指向法國，在巴黎協定批准以後，指向德國。

從去年九月到今天，蘇聯對于西方，爲西德再軍備問題，曾舉行八次外交攻勢，雖一無結果，但也可驚，試述于下：

第一次　一九五四年九月十日蘇聯爲西德再軍備事，曾發表右列聲明，列舉三點：

一，西德再軍備，係軍國主義再燃，猛烈攻擊倫敦會議。

二、西德再軍備，係一羣國家，結成軍事布洛克，以對抗其他一羣國家，其結果擾亂歐洲之和平。

（下轉第二版）

半週展望

·雷嘯岑·

亞盟反共運動的收穫

亞洲人民反共聯盟第二屆會議臨時流產之後，自由中國以籌備人的立場，仍邀約各個參加單位的代表到台灣作訪問旅行，交換意見，這在實質上，與正式會議並無二致。一種民間性的國際反共運動，即令採取會議的形式，而其結果也不過是交換意見，從事精神上的團結工作而已。

這次應邀來到台灣的外賓，最令人興奮的，是自由俄羅斯聯盟那兩位代表。其所以與奮者並非那兩個人，而是他們所代表的那些可貴之言論，堪爲全世界反共人士的思想寶鑑，使反共鬥爭不致走入以暴易暴的歧途。其次是日本代表之整齊陣營，表現日本民間的反共非共意志甚濃厚而廣泛，並未被政府當局的左右。木村篤太郎呼籲世人對日本的反共精神再認識，決非外交詞令。綜觀全體的日本代表人物，據我所知，個個都具有相當的學識和才幹，在社會上是能夠發生影響力的。流產了的亞盟反共會議，能有這種亡羊補牢的結果，可說是自由中國在反共運動中的一大收穫。

西方列强的解嘲自慰

南斯拉夫外交部長向英美法各國駐南使節聲明，今後南國仍保持其獨立立場，決不參加東歐鐵幕國家的軍事聯盟。如是，西方列强的政治家深以爲慰，認爲狄托並未爲俄共所誘惑，背棄西方。

任何一個國家的執政者，決不肯把關係本國利害安危的秘密國策，告訴別人的。俄共本身現在正玩弄着「和平」「中立」的魔術棍子，他當然不反對狄托的中立姿態。在「南蘇聯合公報」中業已表現當共產主義者的世界觀——外交政策——之一致性，這就够了，何必斤斤於表面的「狄托主義」呢？西方列强所引爲沾沾自喜的「狄托主義」，快要親嘗苦果了。目前的解嘲自慰，正是反映其內心上失望苦悶的情緒，這是不顧大體，專幹損人利己勾當的情性國家者應有的結局啊！

鳩山一郎的投機嘴臉

鳩山一郎登台伊始，即表現其投機作風，一面說日本可以承認「兩個中國」，一面要跟俄共集團復交通商，竟不知國際信義爲何物。但，他對於兩個韓國，却在國會上聲明只能承認一個！

他這種變態的嘴臉，就因爲南韓始終認定日本當政人物的帝國主義本質依然殘存，處處採取對日本警戒防範的措施，連一種民間性組織的亞洲人民反共會議，也表示不與日本同[illegible]的決絕態度。他想和緩南韓的反日情緒，乃不得不作此言。

凡屬沒有政治理想的政客官僚，其心情是怕强欺弱，其行爲是投機取巧。因此，我覺得自由中國現時對鳩山政權的態度與作風，似有再檢討之必要，對付這類人物講信義，攀交情，完全無用。我們應該與日本人民結成道義之交，而不必寄其親善願望於投機取巧的政客也。

政治需要賭博性

由於英美的姑息苟安政策，俄共的「和平」「中立」魔術在國際間正大行其道。英國集團早倡「兩個中國」之說，美國亦以喧賓奪主的態度，包攬所謂「台灣海峽停火問題」的談判。現在中共且暗中向英美表示，只要撤消禁運政策，讓它購買西方的戰略物資，再把金門馬祖兩島嶼交給它，就可以釋放在大陸囚禁中的美國軍民，也可以暫時不喊「解放台灣」的口號。這是俄共集團的「剝蕉戰術」，利用英美的惰性，投其所好，所謂「兩個中國」云云，將來大有成爲正式話題的趨勢。

我們當然絕對不承認這類惡作劇的邪說，然此非口舌所能爭也。除非出以乾坤一擲的作法，則人爲刀俎，我爲魚肉之勢已成，似難挽回。政治行爲本來就具有濃厚的賭博性，而在憂患多端的逆境中，尤其需要有寧爲玉碎毋爲瓦全的冒險精神。南宋偏安局面之未致覆滅，是因爲金人之衰敗崩潰。現時的俄共集團並非金人，這是我們應該特別警惕的！

裁軍增加大戰危機

李加雪

上個月蘇俄在倫敦裁軍會議提出一個新方案，內容差不多都是抄襲英法獨案的。自由國家因此不禁喜氣洋洋，認為蘇俄的態度改變了，世界的緊張局勢可以弛緩了。

英國政治分析專家活特氏 X. A. VOIGT 洞燭蘇俄奸計，在倫敦每日電訊報發表「裁軍增加大戰危機」一文，對於裁軍利害詳加分析，見解有其獨到之處，茲節譯其大意如下。

裁軍和銷除原子武器，在國際上現已成為時髦的主張，任何國家都不敢說反對的話。但事實上，裁軍對於民主國家是有百弊而無一利的。何以言之？

裁軍不合實際

軍備是相對的並非絕對的。假設甲乙兩國各裁減軍備百分之十，相對的力量自然沒有改變，這種比例式的裁軍，對於國家安全並無補益。所以軍備的限制，不論是依照現在的數額，或者是共同商定較低的比額，均不能切合實際。

理由是這種比例並不能夠維持長久，例如，甲乙兩方簽約限制了雙方的軍備，若果甲方發明了一種新武器，或者乙方增加了一個新的盟國，他們的均勢便馬上打破了。

有些人認為若果比例式的裁軍，對於和平不能生效，則軍備的全部消滅便絕對可減少戰爭危機，但這也是一種似是而非的理論。因為實行全部銷滅軍備，則敵人大軍進攻歐亞兩洲的時候，美國將無法派遣軍旅前往各該地區馳援。歐亞自由國家無疑將被共產國家壓倒優勢的人力所征服。

銷滅原子和核子武器，更會加速世界大戰的來臨，因為現在敵人所以未敢發動大戰，是因為原子武器抵消了人力的優勢。

歷史事實可為殷鑒

根據過去經驗！削減軍備，只足增加戰爭危險。歷史上裁軍會議對於削減軍備真正發生效果的，只有一九二一年的華盛頓會議，這一次會議，參加的國家，同意依照比例，裁減他們的海軍，且把太平洋的一部份劃為非武裝區。但結果如何呢？日本把中華民國劃歸了他們的勢力範圍之內。

因此，不是一九二一年的裁軍，日本還不至有力量去發動征服中國的軍事行動，也不至同時跟德國訂立盟約。如果不是英美在華盛頓會議決定放棄太平洋的戰略攻勢，以後中國大陸也不至傾覆到共產黨的手裏了。

言之醜也！

印尼美女計風波聲尾

·川橋·

梭羅一神女賺得五萬盾　官方始終矢口否認其事

國外通訊

【耶加達特約航訊】亞非會議閉幕已久，其所給予國際的影響如何，這裏且勿具論。但確確實實有兩宗事至今還喧騰此間人口的。一宗是印航機喀什米爾公主號的失事，一宗是當局用美女來招待會議代表。關於前者，報章已詳為報導。後者恐尚有讀者所盡知者。這本來是一則很為有趣的花邊新聞，卻因為反對黨利用之以為攻擊執政當局的工具，事情也就莊嚴起來。記者手頭恰好有一些有關的資料，不妨拿出來供讀者們酒後茶餘的談助。

永恆報首揭內幕

四月廿六日，亞非會議代表還留在萬隆市中，椰城永恆報就首先披露這項消息，說印尼政府為了曲盡地主之誼，臨時組織了一個招待委員會來殷勤招待各國貴賓，豐富的節目中，有一項最為特別，即係備有美麗的女郎多名，以供代表享用。這消息立刻引起了萬隆市議員哈蒂亞沙林夫人的質詢。她說她有可靠的情報來證實這消息。

接着四月廿九日印尼報有較為具體的報道：該報記者自警局高級職員及保安工作人員方面獲悉：所謂招待委員會的工作乃係在萬隆市內準備多幢屋宇，及大批美女，以供出席亞非會議的各國代表肉體上的滿足。此項特別招待，並非五國聯合秘書處所安排，而係由印尼政府單獨負責。

這香艷的消息似乎不是無稽之談了，反對派的國會議員夢難安於緘默，由伊伯拉與米氏向有關當局提出一連串的質詢。其中有一項至堪使人發噱的，就是：這批妓女的夜度資，是否也由印尼政府支付。

內閣總理親自調查

內閣總理阿里一面極力否認，說這全是謠言，但一面卻悄悄地於五月三日赴萬隆，親自去調查一下真相。但大印尼報的調查似乎比他更快，在他出發的翌日，又發表消息，略謂：此項特別招待之辦法，先由招待委員在萬隆市之沙利湖酒店內（按：該酒店就在各代表駐節的伊梭拉酒店附近），集中一大羣艷麗妓女，然後還來客所持有之特製咭片予以款接。夜度資為兩百盾。另外，在華貴的住宅內派駐華僑及荷印混血女郎，接待貴賓。每次代價為五百盾至一千盾不等。曾有一名中東代表一度銷魂而付出兩百美元云。

有咭片為憑

該報為證實其事，並將招待委員會所發出之咭片製成電版刊出，（如附圖）咭片上全用英文，寫道：「持此票交與你所喜歡的人。如無需要，請即將此票交還招待委員會。」片上所寫的發出日期是一九五五年四月廿二日，（按即亞非會議開會前四日）至於片上號碼則經抹去，據云保障證件借給人之安全，但據當該片之號碼已超過一百號，即在開會之四日內已發出此類咭片超過一百份以上。

萬隆會議招待委員會所發咭片

梭羅神女證實其事

如此說來，這種招待似乎還有等級之分。但印尼官方依舊矢口否認，說再三調查，沒有其事，所謂招待委員會發之咭片，既無簽字，亦無印鑑，不足為憑。反對黨為了要證實執政黨公「有傷風化」，除大肆抨擊之外，還不斷搜羅證據，陸續發表。上一週反對黨的敏捷報又刊載了一個曾參加被徵入美女團的梭羅神女的談話，她說，在二星期內共賺了五萬盾。因為她所與過從的貴賓大都很闊氣，待其賞金動輒二三千盾云。

智識青年出來說話

此外，全印尼智識青年協會，（包括各黨派青年團體十五單位）召開大會時，通過二項議案：（一）大會對於美女招待亞非會議的各國代表，深表遺憾。因此要求政府對此事採取嚴厲的步驟，並保證下次不再發生類似事件。此外並對所有有傷風化及破壞道德之事件採取嚴厲手段。（二）組織調查委員會徹底清查招待委員會，搜集各種證據及情報以供政府參考。

東道主有深意存焉

事情發展到這一階段，似已接近最高潮了。反對黨似無意追迫政府必須承認這事的。可是責任還可推卸到這個委員會的身上，本來也就衰卻了。歷史上就不少美人醉倒的事，這一套，何況這個會議上，環有過於咬文嚼字的爭執，紅色的懾殺，和加一下貴賓的計火，換來一個友好協定，東道主也許有深意存焉。不過，如果按照孔聖說話，如此招待，難免有損害新興國家的尊嚴了。（六月二日發自耶加達）

·人物·評述·

巴反共婦女領袖　閔瓦拉夫人的生活

劉露如

（一）

從巴基斯坦返國來台參加亞盟會議的閔瓦拉夫人，雖然會議沒有公開成，她在台北已給吾人的印象實在很深。她所發表的理論亦甚精闢，在台灣海峽風雲緊急的今天，風雨如晦，我們誠不勝其空谷足音之感。她對於亞盟會議的感想，對於自由中國的印象，對於反共力量如何團結的議論，報紙上均已有所紀載，這裏筆者無庸多所引述，想讀者亦已能有所了解。閔瓦拉夫人對中國有非常的感情，她說：「我很愛中國」，但她立刻接下去說：「我愛的是自由中國」。她自幼從歷史地理的書上，就了解了有關於中國的故事和知識，她說：「我一直想到中國來看看，誰知道到四十二歲的今天，才實現了這個願望。」

（二）

閔瓦拉夫人，今年四十二歲了，她是一位虔誠的佛教徒，她是巴基斯坦一位傑出的女性，同時又兼任聯合國婦女協會的秘書的職務。一九五二年和一九五四年，她先後代表巴基斯坦，到印度和加拿大去參加國際社會事業會議。她是一位外向的政治婦女，但她的丈夫卻是一位內向的商業先生。她說：

她有一個很美滿的婚姻，雖然丈夫是一個經商的人，但她的政治活動，她丈夫並不反對。朋友們都說她家中的情況有些與眾不同，因此朋友們都很羨慕，也不得不欽佩她。她說：「我的丈夫一天到晚忙於商業，並且照顧家庭。」閔瓦拉夫人表示：她家中並不富有，她過的是小康生活，擁有一女四男，大兒子在英國大學攻讀，次子

（三）

三女在巴基斯坦中學裏，最小的孩子九歲，也快要進中學了。她說：「我非常歡喜這些孩子」，一股慈母的光彩，從她的臉上和笑容裏流露出來。

她的故鄉，是巴基斯坦首都喀拉蚩，那邊的天氣非常炎熱，因為地近沙漠，到處都是駱駝，一切景象，也比較蕭瑟。那邊的建築是宮廷式的，不過她住的卻是西式的洋房，她的生活，仍習脫離不了故鄉的環境。

當她來到台北，看到郊外一片翠綠，她覺得可愛極了，而且感到天氣冷了一點。她對台北的印象很好。

生活並沒有不習慣，亞盟中國總會招待她，她都感到非常滿足了。她有一個觀念，她非常反對西洋奢侈的物質生活的享受，是不應該的。東方人是非常簡樸的，她認為西洋生活搞亂了東方的美德，她說：「我們人類的目的，並不是儘管提高個人的生活水準的。」

四巨頭會議面面觀

（上接第一版）

三、在六月二十四日——八月四日的中間，召開美、英、法、蘇四國會議，以商討歐洲集體安全保障問題，並望三國及早與以回答。

三國回答，適在巴黎協定簽字前後，于是蘇聯於去年十月二十三日又發表聲明：

一、西德再軍備，與一九四二年法蘇盟約相反，法國贊成西德再軍備，即係贊成德國軍國主義復活，法國因此不能負使德國與蘇聯對立之責任。

二、為保障歐洲和平，德國有成立和平的民主國之必要，因此蘇聯贊成將英國所提全德選舉案，與蘇聯所提全德選舉案，加以合併檢討。

三、（甲）為建立和平及民主主義之基礎，應實施全德自由選舉，以回復統一的德國。（乙）東西德境內之四國佔領軍，一律撤退。（丙）檢討樹立歐洲集團安全保障問題，召開全歐會議。為討論該提案，並提議在十一月中召開四國會議。

第三次　三國回答，在各國未將巴黎協定完全批准以前，絕不參加四國會議；召開全歐會議，討論歐洲集體安全保障問題，並要中共參加，三國不理。

第四次　十月廿三日——十二月二日，蘇聯在莫斯科召開全歐會議，除東歐各國外，尚有中共參加，以討論歐洲安全保障問題。

第五次　去年十二月十六日及二十日，蘇聯致英法照會，聲明英法如批准巴黎協定，則一九四四年法蘇互助條約，及一九四二年英蘇互助條約，應即廢棄。

第六次　本年一月十五日，蘇聯對西方聲明，包含三點：一、解決德國問題，不惜再度分裂，但統一德國，須開四國會議，如巴黎協定批准，則四國會議，亦無意義。二、如法國對於巴黎協定，竟與批准，德國再軍備化，即無與商討。三、如巴黎協定批准，蘇聯只有與東歐締結合約，以維持歐洲和平。

第七次　本年一月十三日，蘇聯向英、法、美、比、荷、盧、（大西洋公約六國）致一覺書，聲明，如批准巴黎協定，是與一九二五年羅加諾協定精神相反。

第八次　本年一月廿四日，莫洛托夫對德國代表表示好意，一月二十五日，莫斯科宣佈結束對德國的戰爭狀態。

照以上看來，蘇聯對於德國問題，首先都會議發表「對德戰爭狀態中止宣言」，當然將重要，在這次四國會議中，就是東西德統一問題，而德國中立化問題、歐洲集體安全保障問題等，附帶也可能提及台灣問題。（下轉第三版）

編者　讀者

△關於四巨頭會議的文章，我們收到不少，已發表李加雪先生和安世先生兩篇，以後還要發表羅稻仙先生的一篇。三篇論據各有不同，綜論裏面意見則多有參考的價值，後兩篇更認為是第三次大戰在所不免。這都是研究本問題不可不看的文章，尚祈讀者注意為荷！

△惠稿各文友：來稿請勿一紙兩面繕寫，勿寫橫行，字體請注意清楚易認，這樣我們的編輯和排印工作便受賜多矣，幸希察為感！

△章寫、萬壽堂、冷少泉、穆斯覺、王斌、梅珍、李植柏、振騏、鄒門、胡蓋之、諸先生：承惠稿，已一一收到，至感幸！「語意學」續稿未到，待收到即行續刊。又本期稿擠，「肉食漫談」暫停一期，下期續登。

論香港的專門教育

廖任超

人類個人精力有限，如欲精通百藝，自爲事勢之所不能，是故現代注重分科專門教育之實施，誠爲正確的原則，今後的人們，如果沒有一種專長的技能，將無法生存於社會，這是社會演進的必然結果。

香港是一個商埠，其本身環境乃屬國際自由商場，地窄人稠，只宜於工商業的發展，故一般市民對於就業就學的抉擇，與將來事業的前途，亦僅能從「工」「商」方面發展，方有其用武的機會與發展的前途。是故香港的專門教育政策，實應著重於「工」「商」兩科方面發展爲適當。鄙意如是，其教育的結果，才切實有助於其地方的發展與繁榮。

本港大學教育的缺點

目前，香港已有二百五十萬人的商埠，而正式的「專門」「大學」，實只感過於缺乏；現香港大學一所，工業專門學校二所，（高級與初級各一所），師範專門學校三所，（鄉村師範及葛量洪、羅富國等）與大學一二年級程度的官立書院二所，（皇仁書院、庇理羅士女書院）。至其他私立書院亦不多。尤其關於「工」「商」之專門學校，更感缺乏，此種情形，安足以適應二百五十萬市民的都市前途之需要與發展計劃，除應儘速設法增設一般性的「專門」「大學」教育外，對「工」「商」兩科的專門教育，尤應加強發展。

最近香港高中畢業生，每年約有三千餘人，除官立大學三校共約可容五百人外，計香港大學約二百餘人，三間師範共容二百餘人，高級工業專校亦無確實數字，但以餘人，便有轉升學入無名私立書院，分校收容，其餘二千五百餘人，自己無力升學，多數青年無法負擔，當局應加以重視，近中小學人數逐年劇增，大學、專門教育，益感需要，故應從速設法增設專門大學教育。

工藝教育迫切需要

關於發展香港「工」「商」科專門教育，可分爲三方面進行：（一）發展高等「工」「商」科專門教育，其程度應等於大學的工商學院程度，以培養高級工商專門人才爲目的；（二）發展中等工商科專門教育，其程度等於大學預科程度，專以作育中等工商科專門人才爲目的；（三）初等工商科專門教育，（即初等工藝教育）這是一般工藝教育，是在小學畢業後無法升學者，他們需要學習一種技藝，於短期內，即能獨立自謀生活，此種工藝教育（即初等工商科教育）在目前的香港環境下，是十分需要。因現有市民其中百分之六十以上，都是貧苦的，家庭無力負擔其子弟在小學畢業後繼續升學，且亟須就業謀生，所以工藝教育，爲目前港九市民之迫切需要的東西，當局應加注意。

發展工商教育的計劃

發展工商科專門教育其應注意的，約有下列幾點：（甲）學校設置方面：（一）教育司與工商署，應切實合作，研究調查目前需要多少工商科專門人才（高等專才若干，中等專才若干，初等工藝人才若干）假如十年的工商科專門人才計劃，那麼便要預算，每年應培養此項人才多少，應訂一個具體計劃，（二）應劃分若干期完成之，每期預定設若干商科專校培育若干人才，需要若干經費。（三）規定每期所要完成之工作進度。（例如工科：第一期要培養成紡織人才若干，造船工程人才若干，電機建築等人才若干等。商科：會計、銀行等人才若干，便於有所遵循）。（四）工商等校按照其工作進度而逐期完成之。（五）工商科內各系，應按當地人口職業之需要而劃分之，先後緩急以安排之。（六）官立工商專校若干所，補助及津貼私立工商專校若干所，亦應有適當的分配計劃，並隨時「有效」之達成的方法；（七）各工商專校應設夜班補習教育，以使已就業之工商人員，仍有乘暇再求深造或就學的機會：（A）其性質：可分日科班，全科班，其所授課目與日班相同，唯夜間時間有限，則延長其年期以完成之（如日班四年則夜班改爲六年以上）（B）專修班，則由學生選擇一二科目而專修之（例如工科之電機或土木等，商科之會計，銀行等）以期速成應用，（年限至好以一年或半年爲度）。

怎樣籌集經費

（乙）經費來源：發展專門教育，在香港經濟之來源，自難達成其任務。在目前的環境下，官立工商專校經費，以公帑開支，其來源辦法：（一）增加教育的預算開支，（二）由本港節餘項下，撥一筆經費，以作此項經費，（三）在每年馬會的獎金（大馬票）抽出若干，作發展專門教育經費，（四）在每年馬的獎券（即大馬票）抽出若干作爲發展專門教育之用。（五）私人捐助以加教育經費爲限）（六）其他勸捐辦法，如義賣、演戲等以協助私立工商專校經費，可由政府獎勵一般「社團」「宗教團體」及「個人」自行籌款創辦之，且由政府負指導及協助籌款之責。其次可獎勵各大工廠，大公司多多附設工藝學校，一方面又爲其本身解決人才問題，又可以協助政府達成發展專門教育之計劃，例如最近廠商總會擬籌設一所規模宏大之工業專門學校，以作育大量工業人才，又天主教在牛頭角徙置區，設有工藝學校，以適應當地若干人民之需要，此誠協助政府發展專門教育之最有效的辦法，希望教育當局多多推行，其將來利導之工作，成效定必大有可觀。

以上所述，不過簡單輪廓，至于詳細之實施方案，自應另待詳商，然政府當局，如能採納此項原則，詳訂計劃實施，則對于發展本港專門教育的前途，必有無限的裨助。

×××

滬市饑民麕集

減低口糧配給引起流血

・裕生・

（本報澳門訊）據最近由滬逃抵澳門的人士稱：滬市現因四郊饑民擁入市區，中共已下令戒嚴，即一般市民要通過郊區要道，非有鄉鎮地方「人民委員會」發給的證明，不准放行，進入市區。惟饑民愈來愈多，羣衆擁不回還鄉，已進入上海市區的饑民聚集倉庫門前，勞動局因此被迫作失業登記，以期暫時敷衍。

五月廿七日，滬市寶通路、乩江路哨站亦被炸燬，死傷哨兵多人。事後，連續發生爆炸案件六次！大通港路的據悉有共幹十多人失蹤。附近居民皆相信此爲失蹤共幹會同反共份子所爲。滬共當局爲防止再發生類似事件計，已加強防範地區，爲閘北的虹江路、寶山路、狄思威路、東寶興路、沈家灣、横濱橋、大統路、虹口一帶。

又據該人士稱：浦東和高昌廟的大小工廠，已全部被迫合營，中共藉口節約糧食，工人口糧自五月底起，再減配四分之一。五月廿七日浦東地區有六間工廠工人首先表示不滿，發生怠工，迅即獲得全區工廠工人的響應，共軍奉命武力封鎖各工廠大門，不許工人離廠，結果演成流血慘案，死百餘人，傷者無數。

饑民麕集城市，不僅上海一地爲然，其他附近城市，亦有此現象。因此城市裏飯糧生意特好，往往無法供應。中共爲抵制饑民進城爭食，對飯糧配米已予減少，大的飯店每日配米四十斤，小飯檔只配廿斤。

饑民無所得食，於是發生饑民搶食事件，中共已命無錫軍分區調集共軍向江南各縣鎮進行鎮壓，制止農民進城！但此種鎮壓，並未收効。五月廿八日，滙集在鎮江市區的難民，即因爭乘火車，至車站秩序大亂，共軍竟以[illegible]開槍對付饑民。

廣州的批評胡適思想

——教授自保飯碗的方法——

裕生

【本報廣州訊】批評胡適思想，是中共用來檢查各大學教授思想根源的方法之一。現在亦已成爲共區大學教授用以自保飯碗的手段。

因此，每一個教授語文的和社會科學的教授，必須對胡適思想作一番檢討和反對的表面工夫。

本年五月間，廣州市各大專學校教授，也因此革命舉行座談會，討論「紅樓夢研究問題」，同時進行對胡適思想的批判，要大家發表意見。

出席該座談會的，有華南師範學院院長陳唯實，副院長王延青，教務長陳子明，副教務長葉佩華，中國教育工會華南師範學院委員會主席兼主任阮鏡清，政治系副主任楊友晉；中山大學國文系古典文學教學研究組主任王起，副主任詹安泰；教授容庚、王季子、董每戡、黃海章、陳寂、冼玉清；助教鄭孟彬，及各該學系全體師生，其他系科代表共四百餘名。

該會議席上發言最多的，爲董每戡、王起，他們除堅決反對胡適的考據工作方法外，並表示竭誠擁護以馬列主義的觀點和方法來進行考據工作。中山大學國文系主任詹安泰則從批判俞平伯起直到痛駡胡適爲止。此外發言的尚有林讞、何曼叔、廖子東、劉蕙章、李鏡池、吳三立、吳剛甫等人。所有言論都是千篇一律的共黨八股，不必詳述。

經濟社會思想叢殘

金伯華

。。。

台灣屏東地方最近並有一個六十六歲的老翁林，認玉晴，因畢生嗜酒，以致生活無荒，耗盡家財，終於從從容容的喝了最後一杯，自縊而死！在美國，竟有一個年方廿二歲的大學生蘇德，拒絕繼承一一「不欲」也是一種「欲」——他父親留給他的四十萬美金的遺產！已獲紐約法院。除判准這了一般爲欲望之多寡大小，爲人與動物，野蠻與文明所由分歧的起點以外，並指明在自由世界中，「適欲」也是自由的。愈自由，文明愈進步。此自由之所以可貴歟！

人格完整的表現

我們在正當的欲是人格完整的表見前面已經說到，「欲」是存立於人性之中，與生俱來的。三字經所述「七情」，原係根據禮經而來。禮：「何謂人情？喜怒哀懼愛惡欲」。三字經作者特於「七情」下着一「具」字，就是說，人無欲不得——其實，本不可能——無欲則不成其爲人。只須從正道上發舒出來，則欲也是應該具備而不是一定不好的。這是巨光如炬，國知灼見之談。

中國歷來賢哲每每把「人欲」與「天理」對稱，要「去其人欲而歸於天理」，就須原是很正確的。因爲「歸於天理」，就等於說是「正當」的。正當的欲，不但不是一種「障」，「蔽」或「邪惡」，而應該被視爲是人格的完成。因爲「人心本體原是明瑩無滯的……其次不免有習心，在本體上受蔽」。這「習心」，也就是三字經所說「習相遠」的，已經喪失了本性的私心。故此，我們只須把「一團私心掃除蕩滌，無復絲毫留滯」（均王陽明語），則此心便可明瀅如鏡，廓然大公而「歸於天理」。這叫「正當的欲」。用哲學術語講，這是「情欲理智化」。（三十）

江西饑民大暴動

共幹被殺的三十餘人　上饒糧倉被毀十五座

據中共漏檢而寄到香港的「江西日報」透露消息：最近該省都昌、樂安、上饒、玉山、貴谿、贛縣等六縣，曾因糧荒及「三定政策」而激農民大暴動。

據該報說：上述各縣的鄉村中共幹部在率命展開「三定政策」以後，因將農民的產量（即「定產」），估計過高，預定的「餘糧」收購額（即「定購」）過大，而核定給農民的糧食配售額（即「定銷」）却又過小，原已普遍引起農民的反感，紛紛以怠耕實行反抗，適值此時，「國務院」因鑒於存糧不足，通令各地大量消減糧食配給額。該省迅即執行，通令各縣減售原額三分之二，由是立即引起饑民騷動，紛向當地合作社爭論搶購，秩序大亂。首先在都昌縣二區李泗鄉方面釀成農民與幹部毆鬥，事態逐漸擴大，並迅即波及樂安、上饒等六縣。一時砍殺幹部，焚燒合作社，搶劫糧倉，搗毀鄉村「政府」，情形極爲嚴重。

後來經該省「公安廳」調派大批「公安部隊」，極力鎮壓，方告平靜。據該報初步調查，此次暴動除村級幹部及「積極份子」尚難統計外，僅「鄉長」及合作社主任一類的幹部，即有三十二人被殺或被毆重傷。至於合作社及糧倉的損毀，則僅上饒一縣已達十五座之多，情勢之嚴重可見一斑。（沈瀧）

四巨頭會議面面觀

（上接第二版）

虛與委蛇的美國

四、美國　美國朝野，對于這次四巨頭會議，均不存若干希望，但是無論美、英、法、蘇各國的當局，雖然明知第三次大戰，決難倖免，不過在戰爭未爆發的一刹前，有人談到和平問題，却是沒有人敢明目張胆的公然反對，因爲每一個國家中，大多數國民，總是怕戰爭的，假使把「戰爭販子」的帽子，戴在頭上，對于選舉說是不利的，這種情形，當然在愛好和平的美國，更是不能例外。能了解這一點，我們可以知道美國對于蘇聯的任何和平攻勢，都是不能不虛與委蛇的。這次參議員小喬治（參院外交委員會主席）強生（民主黨）一般人，他們認爲四巨頭會議，對于美國並不吃虧，不過美國只要把握住德國統一問題，不讓一步，並且美國也可以採取政治攻勢，也許是解放東歐的絕好機會，美國國防部提議，對共產黨心理作戰，每年應以六十億元（美金）設一「冷戰戰略本部」，美政府在原則上已予贊成。照艾總統五月十八日對記者談話，認爲「貿易是外交的最大武器」將來四巨頭會議中，美國對共產集團的貿易，也可能放寬尺度，以上便是美國對于四巨頭會議的情勢。

五、德國　德國的兩大政黨，對于四巨頭會議的表示，是非常明顯的。換句話說，他們只希望統一的德國而反對德國中立化。這個問題之來，就因莫洛托夫演說而起，莫氏在維也納演說：「奧國問題的解決方式，可以作爲解決其他重要問題之先例。」這個演說發表以後，在西德曾發生極大反響，五月二十日西德政府表示：「要使德國中立，雖然暫時可以緩和歐洲情勢，但對于將來危險却更增大」。在西德最有勢力的社會民主黨機關報更作露骨的表示：

「德國與奧國，無論從人口方面，經濟方面，國際地位方面看，都有很大區別。奧國人贊成奧國中立化政策的，佔百分之九十，但在德國，不僅西德，就是東德的人民，贊成德國統一的，也佔最大多數。總之，德國統一問題，是德國本身問題」。

現在又傳變特諾將有美國之行，這可以說明西德的態度。照以上看來，對于四巨頭會議最熱心的是英法蘇，美德根本不很熱心，不過爲應付，不得不爾，所以四巨頭會議的前途，是以德國爲中心，但美國對于德國統一問題，不會稍讓一步，除非蘇聯有絕大讓步外，這次會議，就開得成功，也不會有十分結果的。

發酬通告

本刊四〇〇至四一〇期稿酬，已分別寄發通知單，請惠稿諸先生憑單來社支取爲感。

博學與知恥

馬五先生

（自由談）

凡是具有「博學於文，行己有恥」這種修養工夫的士大夫，一方面用世心切，要以天下爲己任，同時又不願隨俗浮沉，有所不爲。因此，常常覺得所如不合，容易發生憤世疾俗的孤獨感。黃仲則說是「十有九人皆白眼，百無一用是書生」，蘇東坡自認「滿肚皮不合時宜」，就是從孤獨感發出來的憤慨激情緒，易卜生所謂「最剛強的人，常是最孤獨的一個」，就是這種道理。癥結只在他們博學知恥，不屑曲學阿世。如果他們像一般半吊子式的小人儒，隨便任人倡優畜之，舐癰嘗糞，無所不爲，還愁在政治上不得意嗎？可是，蘇黃該流人假使在政治上同流合污，蜚黃騰達，到今日即沒有人知道他們的名字了。可見眞正博學知恥的君子儒，自有其不朽的功業，映掩人間，傳之後世的，眼前的榮枯得失，何足道哉！只有那些無恥的小人儒，才以五色瓶子的「搖擺」姿態，朝三暮四，斤斤於個人的功名利祿，自虐自賤。試問當今之世，幾曾見有如酈食其那類讀書人，敢當面教訓踐踏儒生的流氓劉邦者乎？

今日所見到的文化人，多半是像現時在大陸被共黨奴役着的田漢之流，說甚末「殺人無力求人懶，千古傷心文化人」這類沒出息的話，認爲文化人乃是宿命的怯弱者，唯有拱手人格，向權威低頭獻媚，以求生存。所以，他們遇着那賴智識份子的共黨，即乖乖地以奴隸牛馬自安了。我們不能說田漢郭沫若一類人沒有讀書，他們也讀了相當的書，只因其缺乏「行己有恥」的修養，才變成了懦種哩！秀才縱然沒有揮刀舉槍以殺人的力量，卻有口誅筆伐的本能，何況秀才也不是不能造反的，爲甚末要自甘黯然神傷呢？孔子罵「士先器識而後文藝」，士大夫如不具備挺勁的肋骨，沒有不流爲勢利之徒的小人儒者。博學而不知恥，禍烈於洪水猛獸，反不若「絕聖棄智」的老莊主義爲佳也。

石濤畫派及其理論

張大千齊白石等均屬石濤派

·萬香堂·

石濤上人在明末藝壇上是個異軍突起者，他反抗因襲主義，不僅見諸繪畫，而且見諸言論。當時守舊派的領袖王太常却推重地不已，以「大江之南，無出石師右者！」的高帽子加在石濤的頭上。由此我們可知許多守舊派，也不是一味固執盲從的。在他們接觸到新妙的作品的時候，也會很天眞的流露他們傾倒之忱。人類的本性是喜歡「新」的，從飲食、起居、衣服，獲得了證明，而事實上，在人類生活中，如果任誰都沒有新的愛好，當然沒有新的幻想，當更談不到新的創造了！人類歷史又那裏那有今天的榮繁，更談不上明天的錦上添花了！

變化是石濤理論重點

在歷史變化最大戲劇前面的，可說是變化最新奇的，而千變萬化的繪畫。不且趕上政治、軍事、經濟、文學、音樂、僅西洋如此，即老大的中國也如此。石濤上人說：「夫畫，天下變通之大法也，山川形勢之精英也，古今造物之陶冶也，陰陽氣度之流行也，借筆墨以寫天地萬物，而淘泳乎我也！」這是他完全根據繪畫的[illegible]石濤上人創造新繪畫理論的出發點。他認爲「美的創造衝動」與繪畫表現的[illegible]對象，那些山川形勢變化之精英，古今造物變化之陶冶，陰陽氣度變化之流行，無一不含蓄最豐富的繪畫資料，畫家在這種偉大變化之下而發生創造衝動，故「借筆墨以寫天地萬物」而其所獲得功能是「淘泳乎我也！」而石濤之所謂「變通之大法也」其意義中心乃謂繪畫必須時時刻刻變化才可以成爲一個法則的，而「變通」乃出自易經，所謂「化而裁之存乎變，推而行之存乎通」，據註釋「變通者趨時者也」則可知此變化之法則是帶有新時代條件的。

推翻因襲主義

石濤上人生於明末的不平凡時代，既痛祖國之淪亡，哀民族之宰割，而反清復明之反抗力量又漸次消沉，有志之士，其不慎，發爲語言文字，至易罹殺身牢獄之禍，而寓意於畫則可借題發揮，故明末愛國畫人及明宗室公子等，既多抱節守志，不肯臣事新朝，奴顏卑膝，以求顯達，故多用藝術發揮其抑鬱之情，石濤，八大便是其中之表表者。但當明末之季，藝壇之風氣若何，雖仁者見仁，智者見智，據畫史所載稱；「明代繪畫，一壞於浙派之狂肆，再壞於吳派之文弱」，而對石濤八大之新起作風，則以爲『幸有此遺民繪畫，一洗浙派吳派之惡習，而卓然自立於千古，不但爲人間存正氣，而且爲畫道衍正傳』這的確爲平允之論。但石濤的時代是「山水畫發展至元已臻極運，至明已有除崇拜古人外，無路可走之形勢，習之者愈多，派別愈衆，在表面上觀之，似乎燦爛光華，實際上已外強中乾，金玉其外，敗絮其中，實已陷於窮途末路之運矣！」而且「自吳派漸盛，浙派消滅，其間雖亦不免於許多小流派，越不過巧立名目，從事標榜，究其實際，仍爲一丘之貉，無大變化。迨四王而後，臨摹僅限於黃公望一家，不特寫生創作者絕迹於畫壇，甚至臨摹黃公望以外者，咸斥爲狐禪旁門」（見繪畫史）在此環境之下，石濤的確非具有百折不撓之氣魄，不畏是非的磊落昂藏之精神不可，否則不足以言藝術革新運動了！他知道當香光在文藝界的勢力很大，絕不是隨隨便便可以撼動其根深蒂固的力量，董氏不僅詩字畫三絕，而且有藝術理論作宣傳，所以當時石濤上人必已預想到他所提倡的新繪畫很難盛行於當時，所以祇可待諸後世，他銳意致力新藝術理論之著述。他在「苦瓜和尚畫語錄」特著「變化章」，專闢揭繪畫變化之重要，他說：「凡事有經必有權，有法必有化，一知其經，即變其權，一知其法，即工於化。」這眞是相對論的前驅了。他以爲凡事有了道義法則可易者的「經」，必有反「經」合「權」，有了定式以遵循的「法」，必有隨時而變的「化」，所以他認爲要「一知其經，即變其權」，一知其法，即「工於化」，這是想根本把因襲主義派理論全部推翻，把派的藝術從新改造了。

現代畫派與石濤

石濤上人的藝術理論除變化外，以「以一治萬」「絪縕不分」爲最重的中心，當分別另論。以今日世界新藝術理論及各種新派繪畫作風來批判石濤，當然可以成爲世界新藝術的前驅，至少，他的智慧已看透數千年文化的樞紐，再展望及設計下一代的新生，他刻下在現代中國畫史上起最權威的金字，而且獲得國際很高的評價。現代國畫人幾乎人人與石濤結不解緣，留區末逃出之齊白石，潘天授以師石濤之能手，張大千更爲仿石濤之能手，去世不久的高劍父、陳樹人、徐悲鴻等無不推崇石濤，[illegible]石濤的精神是永遠不死了！

劍底秦庭

歷史小說 奚如

抑憤的笑聲過去，荊軻呷了一口水，跟着又感慨地說道：

「到現在，我總算明白了這一點政治上的道理，一個國家的衰弱，決不會無因而至，[illegible]一切皆出個人愛憎，[illegible]衣之士，於國事[illegible]是相將之貴，[illegible]個不是唯唯諾諾，[illegible]家，有甚麽[illegible]地位，不[illegible]我們的國家，[illegible]遷居濮陽以來，[illegible]子過着；國家[illegible]沒有一個穩定的政策，[illegible]事魏，搖搖擺擺，結果，[illegible]住了把柄，進而[illegible]國君，殺一個，立一個，[illegible]個國家的存亡放在眼內！[illegible]不爭氣的國君，[illegible]子蟬弄，還在那裏[illegible]開口便是魏君[illegible]如何如何，一方面仰承色笑，另一方面卻在拼命欺壓國人，不許民間有一句批評的說話，設若暴戾，也就夠充滿暴戾之氣了！老弟，試想一想像這樣的情景，怎樣能夠爲國家留一個人才？怎樣不把政治搞得一團糟」？

「難怪你有的是一腔悲憤，大哥」高漸離聽得只是一直在點頭：「衞國的積弱，固然不是始於今天；就說排斥賢能罷，也不是今天才從你大哥身上開始，如果不是由於衞侯一貫的昏庸，當年[illegible]族庶子的貴介身份，又[illegible]當起一名小吏來；又[illegible]得志而再跑到秦國去[illegible]他，把秦國愈弄愈強？」

「[illegible]強到今天我們每一個國家都受到了嚴重的威脅？所以，嚴格的說起來，今日這個天下危亂的局面，你們的昏庸的國君簡直就要負起一大半的責任」！

「我相當同意你的說法，但是也有不盡然的地方，老弟」！荊軻沉默了一回，接着又說：「天天滔滔，昏憒的也不只是一個衞君，其實，所有列國的君侯，那一個又不是這樣的器量狹隘，視賢如仇的？要不然，衞鞅之外，尉繚是魏人，李斯是楚人，怎麽也給秦君用了去？再說，有名的水利工程家鄭國是韓人，魏冉是楚人，范睢是魏人，更推上一點，由余、百里奚、蹇叔、丕豹、公孫支……這批奠定秦國富強基礎的，有那一個是秦人？偏偏在本國之內，不是被視同廢物，就是橫遭逼害，因此替敵人造就了一個大好的羅致人材機會，這又從那裏說起？就說你們燕國吧，除了昭王當年，能夠開誠舒悃，用了一個樂毅，一個劇辛之外，到如今爲止，又何嘗聽說有甚麽羅致人材的計劃？」（八）

金門路

錢雲菜

時出金門路。隄長風露清。登眺迷故國。佇立看雲生。流水去無意。思鄉別有情。幽因苦長夏。豈獨憶雁行。

病中

前人

殘月中天靜。虛窗樹影稀。一身嶙峋骨。四肢露痕衣。脈動寧神聽。心驚氣息微。鴻毛何足死。蛺蝶夢魂飛。

共黨的宣傳秘訣

·不打自招文鈔·

共黨仁兄是最講究宣傳的，他們的宣傳還有一套秘訣。我們試讀下面黑龍江某工廠工人耿讀在共黨報紙上所發表的大文章，便知道宣傳的秘訣何在，應用這種秘訣所得到的工人反應又如何了。這篇文章的題目是「動員」。

—文抄公—

（以下照鈔原文）

這天，我們又開全體職工大會，爲了爭取超額完成生產任務，我們的工會李主席又登上了講台，他照例先把召開這次大會的重大意義講了一陣，然後他便熟練地開始了他的具體動員：

「職工同志！我們要堅決把這次艱巨而光榮的任務，大張旗鼓地，熱火朝天地，轟轟烈烈地，雷厲風行地，大刀闊斧地，波濤壯闊地……開展起來。」

會場裏靜悄悄的，李主席喘了一口氣，喝了口茶，目光向會場四周掃了一遍，接着講：「這個偉大的、富有政治意義的任務，我們一定要把它廣泛深入地、自上而下地、自下而上地，上下齊動地，家喻戶曉地……貫徹下去。」

主席又粗粗地喘了一口氣，振了振肩膀，吐了口痰，放開嗓子接着講：

「這個任務是神聖的，義不容辭的，我們必須嚴肅認眞地、緊張熱烈地、生龍活虎地、有聲有色地、百花齊放地……搞起來。」李主席慷慨激昂地揮起了拳頭。

「職工同志們！我們必定會愉快勝任地、全面均衡地、徹頭徹尾地、有力地、豐富多采地、迅速敏捷地、乾淨利落地、勝利完成任務。」主席講到這裏，拳頭握得緊了。每講一句，拳頭必然向空中猛力一擊，洪亮的聲門，了嘶啞的尾音。這時會場裏傳出嗡嗡的聲音，也許是人們憐惜主席的喉嚨，許是人們渴望着有用的指示。反正，豐富源亮的形容詞和有力的拳頭，換來掌聲和笑聲。

「職工同志們，我不得不再重複一遍，我們的任務是艱巨而光榮的，我們要……」

李主席講了一個鐘頭可以說力盡詞窮了，但是他仍然掙扎着鼓起精神，最後集中地歸結了一下：

「職工同志們，你們都是工人階級，[illegible]力大無邊的。爲了完成我們光榮的任務，我們要發揮集體的智慧和力量，創造性地出色地超額完成任務……。」

李主席的動員報告結束了。像往常一樣，李主席忙擦汗，聽衆忙拱手。不過總算有幾聲稀稀的掌聲，把他送下了講台。

李主席激動地開過動員會，又不知飛到那裏去了。[illegible]

李主席並不打算深入現場，還準備再作大報告，可是職工們反映說：「老一套，有那工夫不如睡大覺。」

叛逆的兒子

[illegible]（明）

自由人

THE FREEMAN

（第四六四期）

中華民國僑務委員會登記證僑新字第一零二號
中華郵政登記認爲第一類新聞紙類
（半週刊每星期三六出版）
每份售價港幣壹毫
社址：香港高士威道二十號四樓 20 CAUSEWAY RD. 3rd. fl. HONG KONG
香港發行及業務接洽

從蘇南離合中——

看中共無恥嘴臉（上）

罵狄托曾為中共的聖諭廣訓　且問劉少奇如今將何詞自解

張六師

六月三日，蘇俄赫魯曉夫所率領的代表團，在南斯拉夫以打破慣例的卑屈，由國負布爾加甯代表與南國總統狄托共同簽署了一件所謂南蘇聯合公報。東歐的共產附庸國對此並不見得怎樣興奮，惟有遠處亞洲的中共，竟厚顏無恥的把這件事引爲是蘇俄的得意之作。所有中共的報紙，都作一片讚揚言論。使人回想到七年前中共在蘇俄命令之下，圍攻南斯拉夫狄托的潑辣言論。今天我們眞該佩服中共在蘇俄教育下，對打破廉恥的教條，確做到躬行實踐，徹頭徹尾了。

共黨的祖國是蘇俄

本來在列甯的國際主義原則下，所有被領導被控制的共產政權是只能把自己本國的利益列爲次要，必須接受共產國際階級紀律的約束的。（見共產國際綱領第六條中段。）尤其是列甯在其所著的「國家論」，更明白的指出國家不過等於一個雪人，革命進行猶如太陽，太陽之上的雪人終須溶化爲一灘痕跡都沒有的。克里姆林宮的頭子們，拿着這類符籙，只要貼在共產黨人的天靈蓋上，加上內層軍政「顧問」，「專家」的緊緊包圍，和特務人員的普遍深入，這些職業革命份子，便自會伏伏貼貼撤開自己國家的利益而頂上一個「階級利益」的帽子去爲蘇俄効死。因爲不如此便是列甯的「叛徒」，無產階級的「罪人」了。七年前的狄托，便是最顯明的例證。

中共不知人間羞恥事

俄共在一九四八年整肅狄托之時，莫斯科與東歐情報局對狄托的醜詆毒罵，在共黨出身的狄托，現在或者已經冲淡遺忘。但中共攻擊狄托的宣傳與言論，並且曾用來作爲教育中共黨員的文字，到現在大家應該記憶猶新。其實如果他們眞能「冲淡遺忘」倒好，否則到今天，眼睜睜的看着克里姆林宮一批顯貴如此卑躬屈節的去逢迎遷就狄托，國際上把南斯拉夫抬得比蘇俄還高的情形之下，北平這羣六年來就宣稱「一面倒」，「老大哥」，「爺爺」，「太陽」……，甘心和外蒙北韓併肩臣服的「人民共和國」，能不自慚形穢，無地自容！但是，中共對此並無自辱心的羞恥感覺，反在他們的報上替蘇俄自鳴得意，一連串的「意義非常重大」，「並無宣言」……又替蘇俄解釋「讓步」……（六月三日大公報）甚至把南國親蘇聯例有的公報渲染成爲「蘇南聯合宣言」，得意非常。這拿七年來痛罵狄托的言詞來一對照，眞是不知人間有羞恥事。

蘇南破臉的往事

蘇俄和南斯拉夫的決裂，起因於一九四八年三月，是爲了狄托和南共高級人員對在南國的俄共與俄軍時有批評，同時並限制俄國在南斯拉夫特務的活動，南共的特務並且還監視在南國的蘇俄人員行動。雙方地下鬥法的結果，俄共遭受困難和打擊，因此引起史達林撤回軍事「顧問」和「文職」人員與所謂各種「專家」，以後命令狄托出席東歐情報局開會，竟被狄托拒絕，因而名義來開除狄托的黨籍，想迫狄托下台。然後又在南國內部先後策動狄托的副手和一部份蘇俄預置的地下份子叛變擾亂，但一切都歸失敗了。於是狄托從此自由了。但由於蘇俄和所有附庸國一致對南斯拉夫實行經濟封鎖，對狄托一致發動攻擊，於是雙方決裂，直至於今。

南國變爲殖民地了嗎

狄托事件發生後，經過十多天，中共一直是噤若寒蟬的。等到莫斯科的訓令來了，才開始對狄托發動潑辣的漫罵。爲此事件，最出名的有劉少奇「論國際主義與民族主義」一篇矛盾的俄式八股。是到了一九四八年十一月才正式頒發作爲中共幹部的必修文件，因爲這時候中共內部也確因狄托事件而發生「思想混亂」的嚴重現象了。史達林因爲受了狄托的深痛教訓，於是對中共也更特別加深加強其內層和甚層的全面控制；至於對毛澤東踏人的掌握，更如封神榜上的陸壓道人對趙公明一樣的「釘頭七箭書」，只要拿住「釘頭七箭書」，他們便死也不能翻身了。

我們今天不必對當年中共對狄托事件的矛盾和尷尬情形廣徵博引，只須拿中共所謂理論權威的劉少奇所作文章來對照一下，就可看出今天的中共政權是否還是一個有靈魂的組織。

劉少奇罵狄托的文章

劉少奇「論國際主義與民族主義」的文章裏，他開宗明義就說：「保、羅、匈、波、蘇、法、捷、意各國共產黨所參加的情報局，關於南共的決議，斥責了無產階級叛徒狄托集團的反蘇立場，指出狄托集團的反蘇立場乃是從資產階級的民族主義出發，走上了叛變勞動者……使南斯拉夫蛻化爲一般資產階級的共和國，喪失南斯拉夫獨立，變爲帝國主義國家的殖民地。我們中共中央也指出狄托集團由於違反馬列主義一系的基本觀點，陷入民族主義政黨的泥坑。」同時又說：「情報局作出的決議，乃是爲保衛南斯拉夫人民免受美帝國主義的愚弄和侵略所應盡的職責。」

求同志的稱呼而不得

究竟狄托擺脫蘇俄的枷鎖之後，是否已喪失南斯拉夫的獨立，抑或仍是淪爲中共今天所受莫斯科的奴役一樣的悲慘命運？還在今天以無產階級祖國自居的蘇俄共黨頭子們低首下心的朝聘狄托，（因爲非出自南國所請。）甚至赫魯曉夫想巴結狄托取得一個「同志」的稱呼亦不可得的事實看，已足夠表明這個「叛徒」今天已如何給予了被奴役在鐵幕內的共黨徒以何等沉重的刺激，和無情的否定了。而狡猾善變的狄托，和自由民主的美國，又是否會「愚弄」南斯拉夫，使之淪爲殖民地？這在此次南蘇公報中一連串的「兩國」，「平等」、「獨立」、「……等等字眼，已足夠作爲共產黨的自我否定了。

蘇俄還能控制附庸嗎

而最使國際共產黨無法自圓其說的莫過於公報中的下列各點：一、「和平共處而不問各國間的思想體系的不同」。二、「互相尊重，不以任何經濟上、思想上的理由干涉內政」。三、「國內制度、社會主義制度和發展社會的具體形式的不同，是各國人民的事」。四、「譴責任何其他國家的侵略和任何經濟、政治控制的企圖」。（以上均摘自中共大公報）在上述原則中間，我們應值得注意的是，今後東歐所受影響乃至亞洲的附庸國生產地位變化與問題。如果不是蘇俄還另有其一套如我們前述史達林對中共一樣的控制把握；便是蘇俄正在變更今後的世界政策，已決定在歐洲採取守勢，只望達到一個「中立地帶」的目的便算滿足。而另集中全力向亞洲採取攻勢。否則便是蘇俄內部已醞釀有不可告人的危機，是決不止於農業危機，經濟倒退和工業生產落後的程度，而是還另有比危及根本的嚴重問題（也許是原子武器的競爭失敗。）所以克里姆林宮的頭子們才會對狄托不計公開認錯的後果。如此，應該注意這和史達林未死前的情勢，已經發生一百八十度的轉變，是在七年前所不可想像的事。

海外通訊

險象環生的星馬

共黨力量從森林移入城市　政黨主張容共前途至可危

李予光

「星洲特約通訊」星架坡和馬來亞的地形活像一條龍，星架坡是龍睛，馬來亞便是龍的軀體。馬來亞和星架坡是亞洲通印度和非洲的必經之路，可以說是亞非兩洲的門戶。若果星架坡和馬來亞喪失了，越南和泰國固不可守，印尼、印度、和非洲也將遭受極大威脅。因此，共產黨於七年前便在馬來亞發動戰事，準備以武力接收這兩個地方。

遊擊隊消滅了三分二

七年前共產黨在馬來亞有極大力量，遊擊隊人數超過一萬五千人，裏頭差不多都是中國華僑。一萬五千人中，共產黨只佔一小部份，大部是失業工人。馬共目的，想把馬來亞和星洲從英人手裏接收過來，造成一個共產國家，做中共的衛星國。

英國曉得共產黨的計劃，發動三萬五千本土和殖民地的軍隊，五萬名警察，二十二萬五千馬來亞地方保安隊，又使用好幾大隊的飛機，把遊擊隊佔據的森林重重圍困，加以不斷轟炸。數年來，成效並未十分顯著，遊擊隊還能夠從外間得到接濟，作戰和恐怖的力量還是沒有消失。

英國人是聰明的，後來拿共黨的策略對付共黨。勦共司令把附近鄉村，用鐵網欄住，斷絕共黨的食物和必需品接濟。使用飢餓政策，此種新政策，果然收到意外效果。共黨支持不住了，森林裏的遊擊隊紛紛出來投降。近兩年，遊擊隊因爲投降和被擊斃而消滅的，已超過一萬人。依據可靠統計，現在留在森林裏的共黨已不足四千人。游擊隊的主力已經喪失三分之二。因爲沒有接濟，殘餘黨徒多逃避深山大嶺之中。最近解放的森林區域，亦已超過五千英方里，游擊隊的主力已粉碎了。

共黨力量轉移城市

共黨知道戀戰打不過英國人，因此改變策略，轉移他們的力量到城市裏，把活動轉移到街市，實行從內部傾覆星馬的奸計。

爲了實行這個陰謀，共黨採取學生做對象，現在華僑學生受共黨操縱愚弄的已不在少數。

星架坡是一處中國人的城市，人口百分之八十是華僑，馬來亞的華僑，也佔總人口百分之四十以上。馬來亞聯邦共有九個土王，統治實權，完全操在英人手上。星架坡和馬來亞兩區域，華僑人數約合兩地總人口的半數。華僑學生的數目達到好幾十萬人。

英國對於殖民地教育，本來並不重視，學校的設立爲數無多。本世紀初，星馬華僑在各處設立僑校，教育子女，以星架坡而論，二十一歲以下的華僑青年，爲數甚多，僑校學生人數亦超過十萬人。

用民族主義煽動學生

青年學子富衝動力，易受欺騙。共黨便拿民族主義做宣傳口號，鼓勵學生。他們說，中國好把好幾十萬美軍在韓國打到落花流水，美國因此而求和。

（下轉第二版）

阿登諾的謹慎

蘇俄巨頭赫魯曉夫布爾加寧諸人，卑躬屈節的向南斯拉夫狄托總統認罪道歉歸來之後，跟着又正式邀請西德總理阿登諾前往蘇俄訪問。這無疑仍是蘇俄想造成歐洲中立地區的和平攻勢之一部份計劃。

阿登諾早已明白宣布過，西德決不中立，蘇俄這次邀請的陷阱，我們相信他是不會輕易墮入去的。

當然，蘇俄這一攻勢對德國人民是有其相當引誘力量的，阿登諾豈能遽行坦率拒絕？因此，他正式聲明決定接受邀請，但須先得西方各盟邦的同意。這便先打破蘇俄離間西德和西方民主國家之關係的陰謀。艾森豪總統對阿登諾備加推許，認爲他是極可靠的盟友，這確是無可置疑的了。

半年來，蘇俄處心積慮，費盡心機，想使西德脫離西方，但始終沒有成功，此次邀請雖表面上不至於失敗，惟實際的結果如何？恐仍不過是心勞而日絀耳。

於此，我們不僅可以看出阿登諾對盟友的忠實，也看出他處理國際事務的小心謹慎。他決不是一個鹵莽滅裂，輕易給共黨玩弄的人物。

半週展望

●陳克文●

南韓的反日運動

南韓政府因爲反對日本民間代表參加亞盟會議，禁止韓國代表赴台，以至亞盟第二次大會終於流產。

最近漢城又發生反日示威運動，並熱烈擁護政府的反共政策。韓政府發言人且聲言韓日關係已進入一新危機，並指鳩山在下院的聲明是一種「對韓不忠的變節行動」。

日韓間的仇怨自有其長期的歷史背景，非旦夕所能泯除。惟當此赤焰高張，大敵當前之際，兩國間的齟齬杌隉，實非反共前途之福。於此，我們無意爲左右袒，惟希望兩國當局，凡事能從遠處大處着想，對於兩國間的糾紛能以寬恕容忍與互讓反省的精神，詳加討論，求和平之解決，萬勿以一時意氣，各走極端。須知日韓命運均寄於反共大業能否成功之上，合則相成，離則相害。此實淺而易見之理也。

從艾德禮退休說起

英工黨領袖艾德禮，任職已經二十年，因此次工黨競選失敗，決於今年十月該黨全國大會提出辭職。他的辭職不僅因爲競選失敗，也因爲自己年事已高，必須退讓，使較爲年輕的出來肩負國家重任。

英國政治本來是年高德劭，老成持重的人擔負責任的多。但今年老首相邱吉爾退休後，艾登內閣的人選首以年輕見稱，工黨的莫里遜更以此而率先自動退出國會領導地位。「讓年輕的出來」遂一時成爲英國政壇風氣，這確是現代政治大可注意的問題。掌權的人往往口裏嘆才難，自己卻不肯輕易引退，這如何是眞正爲國家造人才呢？

英國對於人才的造就運用還有一事很可重視，此次女皇發表授勳名單二千多人之中，更包括一著名的運動家，和一個在倫敦陰溝裏做工的專家杏爾克氏。

這並不是說「行行可以出狀元」，乃是說現代國家的締造和繁榮，決不是靠若干峨冠博帶，高高在上少數政治人物的力量的。

我們今後如果要注意到培養人才，獎勵人才，眞正做到人盡其才的境地，過去那種褊狹失當的措施，實在非痛加改革不可。

胡風事件株連日廣
大陸智識份子的悲哀

沈秉文

中共清算胡風事件，似乎比清算高饒還要來得厲害。近來「人民日報」又公佈一批胡風的私人函件，並以整張報紙的全部篇幅，刊載內容大同小異，而署名不一的許多聲討胡風文章。署名的人，連一些根本風馬牛不相干的人如梅蘭芳，常香玉，李少春，袁雪芬之流，也都奉命寫上一篇八股，湊熱鬧，可見中共對胡風事件是看得十分嚴重的。

刺痛了共黨瘡疤

其原因大致由於胡風被認爲是有組織的「反黨」行爲，而且胡風和他朋友的筆鋒也確實刺到了中共的瘡疤。胡風等的反共產八股及反文藝特務化和奴役化，這是一股能致中共死命的思想潮流。於是隨着胡風的被清算，凡與胡風志同道合的人也便相繼遭到了厄運。

上海是胡風的根據地

上海被中共指爲「胡風反黨集團」的根據地，目前該地已被揭發和清算的所謂「胡風反黨集團」，其中重要人物，計有劉雪葦，彭柏山，耿庸，羅洛等四人。劉雪葦以前係中共中央華東局宣傳部的文藝處處長，爲華東控制文藝政策的最高負責人。彭柏山以前係「華東軍政委員會」的文化部副部長，爲文藝政策的重要執行人。耿庸羅洛都是中共的老黨員，都在上海担任刊物編輯職務。他們的主要「罪狀」，是：作胡風在黨內代理人，追隨胡風發展反黨集團，傳播胡風文藝思想，竊佔人民刊物，並指在中共實行「文藝整風運動」，及整肅所謂「武訓思想」，與號召作家下鄉下廠時，曾執行胡風的指示，利用職權，對中共此種計劃加以破壞。其中尤以劉雪葦在作家下鄉下廠結果的檢討報告中，竟說此種情形爲「趕鴨子」；彭柏山在副部長任內反對舊劇堅倒話劇，解散以袁雪芬等爲主腦的「華東戲曲研究院」。又耿庸在整肅「武訓思想」時，對「解放日報」編輯批判，這些都成了他們最具體的「罪行」。

胡風傳播反共思想

天津被中共指爲「胡風反黨集團」的北方大本營。目前已被揭發和清算的計有阿壠（即陳亦門），蘆甸、魯黎等三人。在胡風的私人函件中，顯示阿壠原是中共文壇的健將，亦爲胡風的有力同志，曾在天津擔任「文聯」委員，「文協」機關刊物主筆，南開大學講師，醫術學校教員等職。蘆甸及魯黎，均爲中共後期的優秀作家，分別主持天津「文聯」和「文協」的實際工作。中共指此三人「形成了天津胡風集團的核心」，都是胡風先後派遣到天津做「開闢工作」的主將，替胡風在天津傳播「反動思想」，及發展反黨組織的。並說他們五年來在天津所印行的書籍詩文，都是胡風「反黨鋼領」下的產品，都是具體的「罪證」。

株連將繼續不斷

其次在安徽方面亦有所謂「潛伏的胡風份子」一人被攻擊清算。此人爲安徽「文聯」全省委員會的委員張禹。中共指他幾年來在安徽執行了胡風的命令，利用批判「武訓傳」的機會，「向黨進攻」，破壞黨與文藝工作者之間的關係，一再著文向文藝工作方面黨的負責同志進行「人身攻擊」，並在清算胡風開始之後，著文替胡風辯護。

從這些情形看，所謂「胡風反黨集團」，在中共內部實擁有龐大的潛力，中共非使用絕大的力量，不易清除，亦因此可以預測株連殺戮仍將在繼續發展之中，大陸上許多智識分子將因此而受凌辱犧牲，自在意中了。

台灣通訊

李彌和新聞記者

王斌

（台北通訊）去年嘉義各界舉行「歡迎滇緬邊區游擊健兒大會」時。火車上有一位將軍和記者大擺龍門陣，表示願作中國的柯克，他說「七十二行中，還是你們這行無冕之王好，痛快，自由，生活不羈，處處受人歡迎」。這位願做「中國的柯克」的將軍便是大家所熟知的李彌將軍。

李將軍出身黃埔軍校第四期，廿餘年來，從未脫離過軍伍生活。

凡是曾與這位游擊將軍有過一面之緣的，相信都會留下深刻的印象：他待人接物有長者風，與之交談，笑顏常開，個性倜儻不羈，但仍不失軍人本色。他喜和新聞記者接近。每有記者來訪，必親自迎送，他和記者往來，在過去幾年的戎馬生活中，還有一段頗爲有趣的故事，値得輟錄：

× × ×

三十八年正值李將軍任職第十三編練司令，兼×軍軍長，統率數萬健兒，駐防昆明城外的時候。盧漢陰謀投共，中共撤退至滇的軍公教人員，包括西南長官公署張羣長官以次悉爲所扣。消息傳出後，中央派機飛臨昆明，散發傳單，限盧漢三日內將張長官送出，並釋放全部拘留中的中央軍公教人員。盧漢竟不聽命。李奉命率部大舉反攻昆明。當時守軍原係保安部隊，不堪一擊，盧遂倉皇逃遁。城內中央軍公教人員亦獲自由。嗣以形勢變化，李奉命率部突圍，原被羈留在城內之中央軍公教人員，亦大多數隨軍衝出，輾轉撤至滇，緬，泰，越四國交界的地方，並在那裏建立游擊基地。此後李部經常與共軍搏鬥週旋於蠻荒邊緣，予以有力打擊。

× × ×

當李部在滇邊安定下來後，基地上開始整編，於整編中李氏偶與隨軍突圍出來的某地中央日報記者某君晤談，一見如故。當時李氏要爲這位記者分配工作，但感覺困難，幾經考慮，並徵得這位「無冕帝王」的同意，才派他上校秘書職務，不過這位記者仍然幹他的本行，一個人經常負責在軍中出版報畫漫畫，做各種宣傳工作。

當李部幾次大規模的出擊時，又以隨軍記者身份用電影機攝取了許多寶貴紀錄片，在基地上輪迴放映。使游擊健兒們看到自己英勇作戰的鏡頭，人人都因此而奮發勇往。士氣大振。

由於那時候邊區健兒的戰果日益豐碩，聲威日振，各國新聞記者到該地去採訪的，亦日漸衆多。李將軍便請該記者負責招待，於是該記者又成爲李部新聞發言人。

後來李部爲爭取海外華僑支持，並使華僑對滇緬邊區國軍的戰績生活有所了解。四十年間，李將軍又派該記者專程到曼谷創辦報刊，內容以李部孤軍奮鬥的史實爲主。這一宣傳工作成效頗大，獲得了華僑們的廣泛支持。基地的健兒們也藉此而知道了國內外消息。

經過這位記者秘書不斷的努力，李彌將軍便感到宣傳的重要。四十一年，該記者又奉命赴台公幹。臨行，李將軍對他說：「希望你此行不要空手回來，要給我帶點禮物回來！」該記者感覺奇怪，回問道：「將軍要帶什麼東西呢？」李笑着說：「就是你們無冕帝王呀，越多越好，多帶幾個回來。」

嗣後由於國際環境改變，李部撤運來台，李彌與這位記者秘書亦先後來台。該記者秘書無意做官，因他是以新聞工作爲其終身職業的，於是向李彌將軍提出辭呈。李亦欣然准其所請，認爲他回到原來工作崗位，更有意義，并慨贈西服一套以謝其隨軍辛勞和合作的雅誼。

× × ×

李將軍這位秘書離職後，四十二年，李將軍患高血壓症，臥病中心診所，外國記者因見病房門口懸掛白牌，牌上文字無人爲之解釋，誤會李將軍病逝，發電遍傳各地。李在病床聽到這個消息後，亦頗感好笑，他笑着說：「也好，讓外國朋友給我冲冲喜」！

李將軍現居台北近郊，也常常可在台北街市上碰到他。他經常穿一襲長衫，笑容可掬。筆者最近遇到他，他對筆者說：「只要時機到來，反攻號令一下，我隨時準備再率健兒反攻雲南，打回老家去。那時候，我不但需要英勇可愛的戰士，也需要大批的記者兵哩！」

美高級將領紛紛入商界

衿式譯

一個傑出軍人，如果從透過他的軍徽勳章，而看他的內部才幹，他也很可能是一個傑出商界巨頭的人材。老軍人的軍徽勳章，也許已告黯淡，但他們卻不會就此默默無聞，大多數退休的高級將領，以打高爾夫球，釣魚，消磨他們的日子，但有一些人則在商業上，找到了新的重要職務。最近有一個人已準備脫下他的戰袍，換上商人的便服。這就是已決定退休的陸軍參謀長李治威將軍。他上月曾遊覽阿根廷首都，據說在八月間退休後，可能出任阿根廷凱撒汽車公司的董事長。

由兵營轉到董事室，這一步在許多方面是輕而易舉的，在二次世界大戰，和韓戰期間，軍界人士在商業世界裏，結交了許多朋友。由友誼而牽連到聘請，那是具有吸引力的。這種情形，對他們提供機會，使他們仍能做一些建設性工作，加強國家的經濟力量，因而於國家安全亦有貢獻。例如布萊德雷將軍出任波勞瓦公司研究和發展實驗室主席，一般的說就因爲使他有機會繼續對國家防衛有所貢獻。

但是，高級將領進入商界，不是僅爲友誼，商界也因爲他們的才能才聘用他們。例如無論陸軍或海軍的許多將領，與任何商人領袖一樣，經常的跟許多人往來，和處理重要的採購問題，常須經手大數目的款項。克萊將軍當了大陸製罐公司董事長，他對於製罐一概茫無所知，但他認爲，不論是大砲、政府、或製罐，管理的技術是相同的。在軍隊提供了技術方面，優良的訓練與經驗。例如，莫利爾海軍上將組織海軍工程隊，建立了價值以百萬元計的環繞世界的海軍基地，自從他脫離了海軍，這種訓練與經驗便使他得到特爾恩建築公司的首腦地位。他現在是約翰•勞林鋼鐵公司董事長。

高級將領對軍事需要，有深湛知識，那些與政府訂有合同製造國防物資的公司，自能有極大幫助，麥克納將軍是一個高級陸軍和空軍事官員，自從用他了當通勵力公司的康維爾部門首長後，暗中幫了很大的忙。

聲望也有重大關係。傑姆斯•關特聘請麥克阿瑟將軍當雷明頓•關特公司董事會主席，一面當然是爲了業務上的理由，但事實上，一個國家的偉大軍事英雄，躋於公司裏的高位，對於招徠顧客，是不會失敗的。（上）

（上接第一版）可是數逾百字不提。萬的中國同胞在韓國當了砲灰，他們卻一越南法軍請求停火，共黨又宣傳法軍在越南被他們打到屈膝，法國不得不把越南北部奉送胡志明。民族主義打動了青年的心理，參加共黨和傾向共產的，雖然只是少數學生，可是大部份的學生都是怕事的，因此少數左傾學生便能夠橫行星島，而無所恐懼。

險象環生的星馬

李子光

剛好星洲選出的自治政府又是左派工黨，共黨便乘機煽動工人罷工。左派工黨雖然也反共，可不敢壓制工人，也不敢取締左派學生活動。於是左傾學生和罷工工人便聯成一條陣線，五月十二日星架坡的大暴動便是由此產生的。

騎牆的星馬富豪

星架坡和馬來亞的華僑，富翁實在不少。有錢人的恐懼自然比較常人多，他們差不多都是失敗主義者，他們所採的是騎牆政策。

他們雖曉得共黨憎恨富豪，也知道大陸故鄉的田地和房屋都給共黨沒收了。他們心裏憎恨共黨，但也畏懼共黨，他們知道共黨的手段是殘酷的，反對共黨的難免一死，順從共黨的或許可以苟延殘喘。他們因此採取在商言商的政策，不談政治。不錯，商人目的是錢，可是賺錢這件事，共產黨叫做剝削，富有的人在共黨的權下是難以存在的。大陸上許多富豪和地主不是都給共黨消滅了嗎？但陳嘉庚因爲投降，因爲對共黨恭順，卻留下了老命。共黨便利用這種心理，強迫星馬的富豪捐款。提起陳嘉庚，他們都不敢不解囊了。因此，星馬的共黨便財來有方，可以橫行跋扈，肆無忌憚了。

星馬現在已變成一個麻木不仁的局面，任從少數共黨和盲從份子去搗亂，沒有人敢干預，也沒有人敢說話。

同盟會主張容共

星馬的將來會怎樣呢？星架坡現在算是自治了。馬來亞也將於本年七月舉行大選，馬來亞最近出現了由華僑和馬來人共同組織的政黨，叫做「同盟會」。同盟會在馬來亞具有很大的力量，無疑將於本年七月取得馬來半島的政權。同盟會是主張四年後，馬來亞完全脫離英國而獨立的。同時又主張赦免森林裏的叛徒，承認共產黨爲一種合法政黨。

馬來亞同盟會的主張似乎比較星架坡的左派工黨還要傾左。我們覺得一個完全沒有政治經驗的政黨，產生未久，便輕率主張和共黨合作，能夠不遭受詭計多端的共黨傾覆嗎？我們拿蘇聯，捷克，和其他許多受共黨禍害的國家做前例，便覺得星馬前途眞是不堪設想的。（六月五日）

編者 讀者

言論自由的諷刺
台南農校教員來函

編輯先生：

我是台灣省台南農業職業學校的一個教員，也是貴報的一個忠實讀者。幾年來您們堅持着自由的立場，言人民之所欲言，道人民之所欲道，作輿論的先鋒，政府的諍友，您們的精神是偉大無比的，我相信您們對反共抗俄戰爭所作的貢獻，絕不是一般喊喊口號的報刊所能望其項背的。所以貴報得到廣大讀者的支持，貴報的言論，也爲政府當局所重視，並非偶然的。

最近本校滕詠延校長，指定了三數人，開了一次所謂「圖書審查委員會」，竟將貴報列入言論不正確之雜誌類，並將所訂貴報交由教務處保管，不再陳列於閱覽室，此種措施對貴報而言，是一種汚衊，對我們同仁而言，是剝奪閱覽書刊的自由，實在令人不能忍受。有亟應糾正的必要，茲檢奉原始會議記錄通報一件，即請詧收參考爲荷順頌撰安。

台灣省立台南農業職業學校一教員讀者上五月十七日

（附）

四十三學年度第二學期第一次圖書審查委員會紀錄

時　間：四十四年四月九日下午三時半

地　點：本校會議室

出　席：（略）

主　席：滕詠延　　紀錄　趙××

一、報告事項（略）

二、討論事項

一、本校圖書室難免不無反動書刊應如何切實審查免滋流毒案

決　議：一、奉令查禁書籍一律封存並列單報請教廳處理

二、各同仁如發現圖書室有疑問之書刊應即檢送本會審查

三、將來擬購書籍應事先開具名單提經本會審查後再行購買

四、言論不正確之雜誌停止訂閱所訂「自由人」及「自由中國」兩種請教務處保管

二、查「春草」「晦明」「清明時節」「崇高的母性」「兒童節」五書是否反動言論請予審查案

決　議、請魏××秦×王×李××蘇××五委員分別檢查後報會處理

散　會

如此國營鞍鋼公司！

大批鋼鐵銅鉛都變成了垃圾　私商檢收廢金屬發財兩億多

曾客

（本報訊）中共「國營」的鞍山鋼鐵公司，是中共建設宣傳的好招牌，甚麼艾德禮，印尼總理之流外國貴賓，來到北平訪問，「一定要帶他們到那裏看看，好誇耀中共的建設成績。到底那裏的生產情形怎樣呢？且看下面中共報紙上所刊載的，一個鞍山人楊乘玉所寫的報導文章，讀者便知道中共是怎樣的糟撻國家的資源了。以下是楊乘玉所寫文章的原文：

一個月前，我因事到鞍山市郊第二區城郊堡。經過二台子村，道上坑坑窪窪的，舖滿了鞍山鋼鐵公司倒的垃圾，我祗好推着自行車慢慢地走。

喚！前面那些人在做什麼，三三兩兩彎着腰忙亂地在垃圾裏翻騰。我走近了一位中年婦人，忍不住問：「大娘，你們揀啥呀！」「揀，錢」。她沒有抬頭，冷冷地回答了我一聲。「揀錢？」我順着她的手瞧去，哪裏是什麼錢？原來她不斷從垃圾堆裏揀出一些碎鐵塊，碎鋼片和一些機器零件往大蔴袋裏扔。垃圾堆裏會有這麼多廢鋼廢鐵，使我吃了一驚，再想問時，她已拖着大蔴袋走開了。

×　×　×

帶着垃圾的這段路程足足有四、五里長，當我走到城郊堡附近的南台村時，天已經黑了下來。冷丁的在我前方出現了一片閃爍的火光，隱隱還聽到嘈雜的人聲。發生什麼事啦？我感到驚奇。

「老金，」走快些呀。」我被這突如其來的聲音嚇了一跳。定睛一看，對面走來了兩個人。「老魏，等等。」走在後面的一個吃力地說。

「瞧你，只揀了一塊大鋼板，就樂得走不動啦！」老魏笑着說。

「是啊！咱們住的這地方可眞不壞呀！咱們這個垃圾都是鋼的。」姓金的揹着鋼板詼諧地說。

「咱們碰上鞍鋼這個富裕的好鄰居，可算走上運啦！」老魏嘿嘿笑着，接着又說：「聽說東合村的李大眼鏡，從夏天揀到這會，都蓋上三間房子啦。」

說着，說着，他們走過了火車的汽笛。突然一個場面又展露在眼前了。「來啦！來啦！」載垃圾的火車來啦！快讓路！」「大夥，往後點，當心碰着人！」一、二百名男男女女，老老少少，有的提着燈籠，有的打着電筒，維持秩序，還有的在拍手，好像迎接貴賓似的。火車迅速地卸下了「垃圾」，揀垃圾的人們也迅速地把成綑的鋼絲、大塊的鐵板、鋼管、鐵蛋……往大車上，手推車上和抬筐裏裝。人們的笑聲，鋼鐵的撞擊聲，馬的嘶叫聲變成一片。那靜的鄉村一剎那，如豐收的日子！「老李，快來呀！幫我把這塊鋼板抬到車上。」「老劉的運氣眞好，一下子就揀了一塊值錢的紫金銅，起碼有八十斤重！」

×　×　×

當天晚上，我和城郊堡村王子欽村長見了面，我談到這奇怪的發現。村長默默聽完我的話，平靜地說：「這已不是什麼新聞了。」

「難道由來已久？」

「可不是。」村長點了頭，接着就談了起來：打從一九五三年三、四月起，就像你剛才看到的，垃圾裏經常有這種有用的金屬材料，不僅有幾十斤的，還有幾百斤重的哪！這一下大家你串我，我邀你，揀起垃圾來了。前幾天東合村的金文山揀了一塊六十多斤的紫金銅，賣了三十多萬；我們村前街姓王的還揀了塊八百三十多斤重的大鐵板。像幾十斤重的鐵管、鉛塊，那可就太多了。

「這些東西揀來賣給誰哪？」

「有的賣給了私商，有的賣給了供銷合作社。聽說岫岩縣從這裏就撈了四、五千萬。就拿村的合作社來說吧，從去年七月到現在就收買了廢金屬三十六萬多斤，鉛五千多斤，其中廢銅一萬多斤，值兩億還多哩！這一大堆寶貴的鋼鐵，是賣給鞍鋼嗎？」

讀者論壇

學術與人心

·章羣·

（一）

中國學術界近今有一趨向，就是希望學術與政治隔絕。誠然，學術應有它的分際，不能作爲政治的附庸。二者在態度上，必然有其差異，政治可以講權宜，而學術作品則須具有永久價値。因此，學術必先擺脫政治的干涉，而後始能有成就。但假如因此而說學術與政治毫無關聯，自然也不盡然。世界上進步的國家，一方面儘量予學術研究以良好的環境，一方面亦莫不善用研究的成果。中國則兩者都辦不到。但就中國的學術傳統講，其與人生關係的密切，較之世上任何一個國家，是有過之而無不及的。

（二）

中國的學術，出於六經，六經是三代的政典，亦即是當時實際政治措施的紀錄，此等政典，皆出王官，官守之，而世傳其學。春秋之時，管子嘗有書矣，然較一時的典章政教，亦猶周公之有官禮。政令不能普及，到了東周，是孔子申明六藝於孔子修春秋，寓以義法，而寄其理想的制度，漢立五經博士，春秋是其一，漢儒多據春秋斷獄，換句話說，孔子的理想制度，在西漢時是相當實行了的，章實齋說，六藝雖失官守，而猶賴有師教。實際上，至少在西漢，已不僅是師教，而是以孔子之教與政治結合起來了的。後人稱歷史可以資治，不知歷史原最與章成法。所謂通經致用，中國學者沒有一天不想以一己之所學，有所用於天下的。後世雖然不明經義，然而猶講修身，通經致用是一條路，格知修齊到治平是另一條路。從宋儒以下，毋寧是後一條路更行於世的。

（三）

民國以來的學術，一方面承自前淸的考據之學，一方面吸收了外來的西洋文化，於是其弊有二：第一，因爲沈浸於狹隘的學術研究中，學者對人世缺少一種悲憫之情，且使學術與國事顯然分爲二橛。第二，因爲新舊文化的爭論，三十多年來，祇是便宜了共產黨，得以乘間而入。

自然，政府也有其責任，政府未能深切了解學術的重要，甚至有人以爲有了三民主義，一切盡在於是，而不知道從各方面來團結人心。這許多年來，也許是由於戰亂，政府對學者不曾稍措於心，是無可否認的。因此，在中國做一個純正的學人甚難，有志於道者，先須安於貧困，縱使其貢獻甚多，亦未嘗荷政府些微的關懷。就是一點而論，此次學術獎金的頒發，其最大意義，即在予學人應有的尊重，故一人得獎，全體與榮，而個人的得失爲次要。但要使這樣的措施，眞正有益於國是，尤有賴於學者優美的風度，以爲世道的表率。

（四）

學術上的爭論，或者因於門戶，或者因於是非。所謂門戶，是指見解不同，在思想問題上，往往有之。至於考據之學，祗能有是非，不能有門戶。但即使在思想上，實際上亦祗是一是非，舉例說，朱陸之爭，在當時，二人心中何嘗不是各有是非，後人因其不同，而並存之，遂有所謂門戶。自然，爭門戶之見，是不會有客觀的態度的，但鵝湖之會，陸九淵辭旨高亢，事後頗有悔意，其雅量爲如何？如果祗是爭是非，態度正不妨從容。至於政府，雖然獎金已經頒發，但對於一切異議，亦當認眞審辨，要有恢宏的氣象，先要有開廓的心胸，使人心不致因辯難而窒息，相反地顯見其活力，這是很要緊的。

（五）

我於台灣今日的人心，嘗有一感慨，就是島國民性的日漸顯著。學者或者能免於此，但就一般人說，確是如此。這樣下去，徒然增加內部的紛擾，以至於互相排擠，而將共同的目標，置諸腦後，日漸淡落。台灣今日最重要之事，是要發揚國民的精神，不要太爲一已的利害打算。其次，要實行眞正民主政治，尙法自爲必須之事，然若由此而至於對人對事，在心底缺少了一種平恕之情，似乎也是一偏頗，使人覺得這社會過于冷酷。我這樣說，並不是爲任何人請命，而是覺得除了法治精神以外，還應該在積極方面，做些工作，鼓舞一般人的愛國精神與進取精神，尤不希望當位者皆是鄉愿。

（六）

學術不僅是思想之事，其影響必及於實際生活，純粹的研究工作，與人心似不相關，而實相通，學術之道多端，要當以此爲旨歸。不要以爲反攻大陸，祗是軍事問題，而忽略了學術與人心的振頹。

就事論事，半年來，教育部的措施，即使沒有做到盡善盡美，也還是值得稱道的。我們從這裏，看到了中興氣象，然而學術獎金的頒發，不過是始倡其事，眞正學術上的中興，實有賴於全體學人的共同努力。

讀「赤地」

陳紀瀅著

台北文友出版社出版

李金曄

本書作者掌握了史實，像白頭宮女話天寶那樣，把中國近十年來的演變，在書裏描繪了出來。

由民國卅四年到卅九年，是中國近代史上多變而又富歷史教訓的一個階段，本書的重心，亦即在此。

一口氣讀完了這本書，心頭覺得沉沉的！我佩服作者一枝鐵筆，也體會到作者是用沸騰的心血和顫抖的手寫下來的。作者如果沒有十分眞實的情感，又怎能寫下這樣的文章。

×　×　×

書中范家的興衰，實際上是那五年社會現象的縮影。范家每個人的活動，也代表了當時社會上的每一種不同角色的典型。

著者說：「……我不是歷史家……不想把小說變成歷史……」但這一本書，卻是在「代大陸淪陷前的中國歷史作註腳，爲反共復國的警師吹起前進的號角！」因此，我們可以說，「赤地」雖不是一本歷史，卻實在是一本歷史小說。它的眞實性，更增强了它幫助了解近十年中國歷史的演變。

×　×　×

羅素對歷史發展演變的主因，認爲是由於經濟技術、政治理論、重要人物和機緣的作用（即多種具有重大影響的細小事變）。近十年中國歷史的演變，也確未脫離過這歷史四等分的軌跡。

關於這一點，著者在「著者自白」中，也說得很淸楚，他解釋這幾年的變幻說：「其中固然由於經濟與制度種種因素，大家卻忘記了共產思想才是重要原因……我們的文化傳統並不輕視下級社會生活，可是現實政治往往只注重上層社會動態。」當然，大家都往「上層社會」鑽營的時候，固有的社會基礎，就會成爲眞空，暴露在共產主義者的面前，等待腐蝕了。

因爲如此，另一方面，像「赤地」裏的方志英，封子龢，冷方，這些赤胆忠魂，甘願忍受而又盡其在我，有作有爲的人們，就像被棄置的淸血糊一樣，無從發揮其效用了！

在這樣變亂的社會裏，追求理想和追逐現實，成爲每個人生活鬥爭的中心。曲芳蕾的靈魂能夠昇華，固是可敬，但金二小姐的利慾薰心，也正是現實社會造成的自然結果。范大爺與范三爺之間的不同，也就更不足爲怪了。

殘酷的歷史，畢竟要有一些殘酷無人性的「人」才能造成。當我們讀到范二爺長跪不起，痛哭涕涕要求他的女兒志婉脫黨，反爲女兒推倒，冷笑一聲，揚長而去。又美鳳爹媽的慘死，和洪熙街之成爲死谷時，眞有不知此身究在人間，抑在地獄之感！因此，豆汁兒張講的雖是人間的鬼故事，可是卻比聊齋富有眞實感。

×　×　×

放開這些不說。「赤地」頗具紅樓夢的風格，又從另一角度看，也有點像托爾斯泰的復活。

文學作品之所以能比社會科學著作壽命更長久些，往往是因爲它裏面注入了當時代人的血和淚！也就是說，小說的本身往往就是一部活的歷史，它具有生命的價值。「赤地」正是具備了這些條件的作品。

本書的「著者自白」是值得一讀的。它不僅是著者個人的自白，也實在是現實政治的警鐘！他說：「如果社會進步是歷史的產物，無論今天的傷痛與明天的希望，卻與過去的身心有關。若得保持今天和明天的健康，則非澈底檢查舊病，施行根治不爲功。」澈底檢查和施行根治，這正是著者所以要寫「赤地」的一點心事罷！

最後，要說的，是本書純粹用北京話寫成，它和過去許多成功的小說，例如水滸，儒林外史，紅樓夢等之充分運用方言一樣成功。即此一點也可窺見著者在文學技巧上是如何有其獨特的修養了。

四巨頭會艾克不為已甚

世界上一部份姑息人士所寄望的所謂「四巨頭會議」，英美法三國已決定下月十八日假日內瓦舉行。並擬於日內向蘇俄提出聯合邀請，俄國是否接受，現雖不知，但在美英法三强幕後磋商中，對於巨頭會的時間問題，也曾有一點內幕。

原來當初巨頭會議於何時召開，美英法頗有一些爭執，後來艾森豪總統分電法總理傅耳和英首相艾登，表示從國會休會的前十天起至休會後十天止，他必須留在國內，不能赴國外參加任何會議，這也就是說，祗有七月中或是九月初，他纔有時間出席國際會議。後來有些人主張在九月初召開，幾經往返磋商，才決定選在七月十八日，因爲英法認爲時間太久固然夜長夢多，同時九月初距離聯合國會期太近，恐怕予共黨以良好的宣傳機會。艾森豪本來不願這麼倉促從事，經不起英法一再要求，終於答應下來。（孟衡）

高中畢業會考前夕

學校困惑學生苦惱

過去一年間，人們對於會考制度存廢，各有不同見解。有人指摘這種制度的威脅太重，有人認爲對於學生心理上不應存在；也有人認爲應該將會考尺度放寬。但是教育當局爲了提高學生學業水準，堅決不允廢撤，只是作了部分修正；修正辦法迄未公布。可以透露的消息，不過是對於小學免費生學齡縮短，和對於若干限制予以放寬。大體說來，本年度高中畢業會考，比去年的情形大同小異，並無特殊差異。在一般人看來，會考對於高中畢業學生出路，確是很有關係，他們取得了畢業證書之後，求職的，就不妨去輔政司署要求登記爲備用人員；然則去年輔政司署門前爭先恐後的登記者，至今獲得安置一分差事的，卻寥寥無幾。這說明了會考及格的學生，經教育司發給了一張畢業證書，並不是一種職業保證。

現時距離本屆會考已經日近，各個將屆高中畢業學生，對於橫在眼前的許多問題，已經大爲苦惱，而學校當局，也是深感困惑；至於學生家長，他們認爲會考制度既無取消可能，自不能不令自己子女參加會考。但是否可以參加，仍爲一大疑問；因爲若干私立學校允許學生全體參加會考的，畢竟並非多數，有等學校自知辦理不善，倘若參加會考；則成績落後，不僅有損校譽，而且影響下年度就讀學生人數，因此就乾脆不讓學生參加會考；但是也有比較優的學校，他們以選拔方式，使成績特優的學生報名參加。

除此以外，更有若干學校，採取隨便態度，需要參加會考與否，任令學生自由抉擇，這是學校招徠學生的一種手段。不過另一種使學生及其家長們所深痛惡絕的學校，在教學方面與學生成績說來，一般都是很好，但是這間學校對於學生參加會考卻有一個限制，因爲校方需要接受請託，容納非本校的學生，而套用了該校學生身份，去參加會考；於是就無形中剝佔了該校一部分或大部分應考的學生名額；那些被剝佔的不令參加會考的學生，大多數均係淸寒勤讀與成績優異者，他們目前正感徬徨失措。這種弊病，教育當局亦恐難以發覺。就一般情況反映，許多令人不易想到的惡劣手法，正在若干私校滋長。處此會考前夕，教育當局力求確立這一健全的制度，尤須及時考慮採取一種興利除弊辦法，庶能歷久不墮！

香港三日

爭取自由

馬五先生

胡適之先生年前回台灣作學術講演時，談到自由問題，說是要爭取而得的，才是眞正的自由權利，別人賜予的，那就靠不住。這話當然很對。今天歐美諸先進文明各國的人民自由生活福利，那一國不是經過許多自由主義者流血奮鬥而來的呢？

我們中國人爭自由的過程，也有四十年以上的時間了。可是，自由生活的基礎一點亦未建立起來，連最起碼的言論自由也還在虛無縹渺之間，因而胡先生最近更倡導「寧鳴而死，不默而生」的主張。千年前的中國人已有了「寧鳴而死」的壯士，最著名的就是說「崔杼弑其君」的那幾位編「官報」的記者，（古之史官，等於今之政府機關報記者地位。）第一個說此話的，被暴君殺了，第二個又是這末說，也遭到同樣下場，第三個呢？不含糊，還是照樣地說「弑其君」，你殺罷！第四個再說「弑其君」時，民衆齊聲贊許，暴君却不敢濫淫威了。這是古代中國士大夫爭取言論自由的好榜樣——以不怕犧牲的精神，即把言論自由的權威樹立起來，光被史册，垂訓後世。

近代爭取自由的壯士，我知道日本明治維新時代的板垣退助，亦是個了不起的角色。因爲他力倡自由主義，見忌於一般封建頑固之輩，派人實施暗殺手段，他被刺客用利刃刺倒地下尙未畢命之際，大呼：「板垣雖亡，自由不死」！像這種爭取自由的精神，同時代只要有三數人，即可以蔚成風氣，任何暴虐的權力者，亦將無可奈何的！

中國自由主義不容易生根的基因，即爲生產力衰弱，工商業不發達，一般士大夫皆以從政作官爲生路。貧賤時高談自由，侈稱民主，一旦涉足仕途，即不知自由爲何物，一味以脅肩諂笑，逢迎權勢爲急務，而抹煞獨立意志與尊嚴人格。如果沒有獨立意志，還講甚末爭取自由呢？所以，中國人講自由主義，多半是躬自厚而薄責於人，講民主主義，是自我中心，罔顧理性。不能發展工商企業，開拓智識人士獨立生活的途徑，則中國人的自由人權，總是別人賜予的多，自己爭取的少，這是必然的結論。

張文襄與湖北

．中文。

張文襄，名之洞，字孝達，號香濤。爲清末名臣。其學問，識見，事功，非當時一般人士所能及。「中學爲體西學爲用」之有名口號，即張所倡。其言雖毀譽參半，然實能揭出當時人士對西洋事務之整個看法。非頭痛醫頭，脚痛醫脚，枝枝節節之識見所能及也。

文襄爲直隸（河北）南皮人，然其事功成就多在湖北。自光緒十五年十一月蒞鄂履湖廣總督任，至三十三年，前後凡十九年。清季疆吏任職一地之久，未有如文襄者。故文襄一生精力，幾盡用之于鄂，而鄂人對文襄之紀念亦獨深。鄂名儒張春霆，曾撰「張文襄公治鄂記」，言其事業及生平事蹟甚詳。

×　×　×

文襄才情縱逸

起居習慣亦多與人殊。據傳：文襄好夜談達旦，興猶未已，僚屬體弱者視爲苦事。光緒三十三年，黃仲弢以提學使來鄂，文襄姪女婿也。每夜文襄必招之劇談，仲弢一致疾不起。文襄挽之：「靑藍敎澤留……」，生死交情痛絕翠。」又據陳石遺書文襄遺事稱，文襄每日凌晨披閱文書，有事，則遲明。尋常辰已見客，午，而罷。然後食，有事，未而罷。或留客食，食必以酒，酒黃白具，有蔬菓並設，一飯，一粥，微醺進內解衣寢。入夜，復興。閱文書見客。子，而罷。有事，丑而罷，然後食，悉如日中。不解衣寢，或不進內，多寒坐藤椅以睡。夾以火爐，蓋分一日若兩日也。

×　×　×

文襄與湖北緣份極深，早在督鄂以前，曾於同治間任湖北學政。文襄督試之房師即爲湖北鄂城之范鶴生。其事頗富曲折，一時傳爲佳話。先是文襄於同治壬戌會試，出范鶴生房，奇其文薦之，以額滿見遺，挑取方略館謄錄。次年癸亥恩科中式，仍出范氏門下。范氏喜出望外，王少鶴奉常貽書，有此樂何止得的之語。范氏賦詩徵和，有「適來已自驚非分，再到居然爲此人」之句。文襄和詩云：「憶昨青門別，戎裝稽稭幗。橫刀洞路曲，飲馬宋州城。已覺封侯去，東借箸計行。大憐眞宰許，更遣作門生。滄海橫流世，何人惜散材。遲延勞一顧，微祓有餘哀。神髓能摸索，窮途仗挽回。獨憐李方叔，掉首不重來。十載稽蓬累，輪困氣不磨。朝端今負扆，江介尚稱戈。一命雖微末，平生恥婀娜。心知甄錄意，不唱感恩多。」文襄之才情抱負，溢於言表。非文襄不能爲此詩也。

×　×　×

文襄喜撰楹聯，武漢各勝地，均有其手跡。與切雌混，兩湖書院正膾炙人口。兩湖書院學堂云：「志在春秋，行在孝經，此爲臣子綱；雖有文事，必有武備，法我先聖先師。」經心書院二門云：「宋學積分三舍法；楚材惟冒九卿書。」銀元局云：「楚國以爲寶，天用莫如龍。」織布局云：「布衣興國，藍縷開疆。」黃鶴樓云：「昔賢騎鶴乾坤造，先從江漢起。今日交通文軌，一登臨不覺歐亞。」漢陽晴川閣云：「大地龍蛇循軌道；靑春鸚鵡起樓台。」

劍底秦庭

歷史小說　奚如

「燕王？」高漸離聳了聳肩頭：「我們的國君呀，大概也和你們的衛侯差不多，挺多也不過五十步與百步之別。昏庸的人主大概總是一樣昏庸的。要不然，也不至北困於山戎，連當年齊桓公賢人情餽贈的燕留之地也不克保有。東厄於東胡，使遼東地區長年告警，至今襄平一帶，還是時有戰事。另一方面，還不時在南方爲了一些小問題，與趙齊兩國屢起紛爭。前憂後患，終年擾擾，試想，這種情形，還有甚麼辦法談到建設，還有甚麼辦法不是坐視西秦坐大？就不知那一年那一天，我們都得變成西秦的奴隸罷了！」

「聽說你們的太子丹還有點中興圖霸的抱負？」荆軻忽然想起了年前在道途之中，曾經聽說燕國的太子因爲質於秦國，受到了秦王多次的侮辱，已經間關逃返薊城，廣招賢能，勵修國政，頗有與日漸强大的西秦一相頡抗的雄心，因此，不禁提起了來問了問高漸離。

「這個人，你相信他能够中興圖霸嗎？」用懷疑的眼光的覷着荆軻。

「我也是在道途聽說，實情怎樣，也不大了了。你的觀察怎樣？」荆軻顯然要在漸離的口裏，更淸楚的去了解燕國的政治情況，最少，他還以爲燕國是可以一展個人抱負的地方的。

「這個人，照我看來，也不過是一個好大喜名，急功近利的短視人物。談不上甚麼作爲。」漸離並沒有覺得荆軻的心意，只是直覺地把個人的觀感說了出來。

「怎樣見得？」荆軻緊接着又問了一句。

「怎樣見得？」漸離望了荆軻一眼：「你知道他從秦國逃回薊都這三年來，做了些甚麼事？」

「你說說看。」

「說來也好笑，這三年來，燕王把實際的國政交付了他，當然是希望他在政治上有些積極的表現。不料這位太子上了台，第一件大政，就是把修築北部邊城的常年款項，拿來建了一座空前宏偉的招賢館。」

「那不是很有意思」？荆軻插了一句。

「這家招賢館，要是眞的爲了廣攬天下賢士，像昭王當年一樣，倒也罷了。可就是招了三年，竟招進了無數偷鷄摸狗的傢伙，據說這就是準備用來對秦王報復的『死士！』吃的是山珍海錯，住的是崇樓傑構，一天到晚，就曉得到處欺侮百姓，爭權恃寵，動不動就是一句：『你知不知道我是太子的人？』很像太子豢他們幾年，就是爲了搗亂燕國而來的，你說使人生氣也不生氣？」

「嗯！」荆軻有點默然了。（九）

春草三首

穆斯曼

山繞平蕪水繞村，酒旗歌板對金樽。明妃有塚遺青恨，隋苑無人長綠痕。緩緩東郊歸仕女，萋萋南浦送王孫。參差三月連綿色，極目鄉關欲斷魂！

其二

爲訪吳宮豔跡留，夕陽閒伴故人遊。一當迷野漁舟岸，十里橫塘牧笛洲。裊裊紅香流紫陌，蕭蕭碧影上青樓。如絲燕薊懷歸地，回首東風起暮愁！

其三

凭欄一望畫橋西，深淺遺痕印馬蹄。鋪棟迴川思郢楚，纖纖繡野憶梁齊。天涯人去尋芳豔，湖畔鶯飛掠翠堤。指點停驂留別處，年年煙雨總凄迷！

肉食漫談

陳雪英

肉類研究的貢獻

肉類對各種年齡及健康或疾病的營養價值之證明，是多年來廣泛研究的最新的收穫。且是畜牧業和製肉工業合作品之一部分，遂得使事實呈現於公衆之前。廿五年以前的人們不知肉類中含有很多的維他命B。不知肉類中含有所有各種主要的礦物質的重要來源。不知肉類是前酸。當肝臟和腎臟患病或妊娠時期而醫生勸其少食或禁食肉類時。無法證明他們的錯誤。然而今日經過國內各醫院各專科學校各學院多年的研究，在各種健康和疾病情況下，食物中的肉類的重要，業經證明。但研究尙未完成，很多現象方面尙未明瞭。其中一個便是微量元素問題，有許多極微的礦物質，業已證明。食物中所含份量極微的礦物質，和其對身體具有重要的作用。但是都

植食物含有微量元素而含量又究有若干，尙不明瞭。現在肉類中牛肉、小牛肉、豬肉、羊肉，有用一種微量元素的份量正在決定中。另一問題是關於維他命B，維他命B12方面，已獲得肉類營養價值的理論。就目下現象講，肉類是對來源。最近肉類營養價值的研究之前，正不斷的努力，實踐是一項重要的信仰。若此項知識推廣，大家營養研究是以改良國民健康水準必[illegible]。

我們討論肉類時便不得不令有人反對了。（完了）

食粥談趣（上）

小丞

我國醫家認爲白粥白飯最能益人，養生家亦主此說。張曾國藩家書，教子弟早起餐白飯兩碗，謂補益勝於參茸。蘇軾帖云：夜飢甚，吳子野勸食白粥云，能推陳致新，利腸益胃。粥既快美，粥後一覺，妙不可言也。又張來粥記云：每晨起食粥一大碗，空腹胃虛，穀氣便作，所補不細。又極柔膩，與腸胃相得，最爲飲食之妙訣。

×　×　×

齊和尙說，山中僧徒時日，一粥甚繫利害，如不食則終日覺臟腑燥涸，蓋粥能暢胃氣生津液也。大抵養生求安樂，亦無深瑤難知之事，不過寢食之間耳，故此勸人每日食粥勿大笑也。

陸放翁有食粥詩，且曬食粥可致神仙。詩曰：「世人個個學長年，不悟長年在目前，我得宛丘平易法，只將食粥致神仙。」又張方賢亦有煮粥詩，平易如白話，且極富有人情味。詩云：「煮飯何如煮粥强，好同兒女熟商量，一升可作二升用，兩日堪爲六日糧。有客只須添水火，無錢不必問羹湯，莫言淡薄少滋味，淡薄之中滋味長。」張方賢的詩中所指，似乎有點因貧而食粥的表示，這種以食粥而形容其窮乏的，古之賢哲，頗不乏人。如顏眞卿乞米帖云：「拙於生事，舉家食粥。」又秦少游春日遣錢穆父詩云：「三年京國鬢如絲，又見新花發故枝；日典春衣非爲酒，舉家食粥已多時。」

×　×　×

又宋鄭俠爲相，儉約自奉，弟鄭爲學士，遊宴奢華，以十重錦帳圍座，爲長夜之遊。鄭使人謂曰：「寄語學士，記得當年讀書某山，夜半啜冷粥時否？」鄭答曰：「傳語相公，試問當日夜半啜冷粥，是爲甚的？」他們後來雖志趣各有不同，但貧時吃粥，是一段的遺過。再則爲張京江夜臥，從不解衣，未辨色即起，每食粥一甌，或多春米飯數匙，炒米少許，山藥極薄者五七片，日不過兩餐。至於實在窮困之至，中秋佳節還有食粥的，則有明末詩人杜茶村先生。他的詩在淸初是禁版，很難得到原本，同光以後，才有刻本行世。鄭齋藏有鄧石如手抄杜詩一卷，用小行楷書，書法瀟逸，若蟠螭，其中有一首曾說到他的食粥。原註云：「中秋日一粥，閉門睡矣，忽聞叩門聲，乃柳叟敬亭，走千力送酒，並靑蚨一千，感而有紀，詩云：「中秋無食戶變扁，叩戶爲誰柳敬亭，……酒仍送酒，……直教明夜也休醒。」這一個食粥的故事，說明柳敬亭的高義，以一藝人而有此古道，殊爲可貴。另一方面杜茶村之曠達爲懷，在食粥的窮乏之下，仍然有此逸興，所謂貧而無怨難，杜茶村之風趣，該是食粥的佳話。

中山先生對徐樹錚的期許

萬香堂

近在本刊讀「徐樹錚新傳」，對徐更有新的認識，昔年曾一見其人，氣象萬千，才華光寶，當時政壇稱爲「小徐」。

徐氏在北洋軍閥中，確是獨立鷄羣的。他受知於段祺瑞，段曾一度傾向革命，當時似受徐的影響而止。徐於收復蒙古後，曾托凌鉞向中山先生進書，書有如下一段：「徐之收回蒙古，擬之於孫總理遣散文獻中，民國八年復湊鉞書傳介子，班超等實，其功何如，公論自有，不可沒，撰其功而咨其罪，實其前愆。果能傳改，文當無所不容，彼如情其愆而終不悛，則大議俱存，自無所謂曲有之也。彼又何得而利用之乎？」由此可見徐氏此時已有悔悟，欲投身於革命，後來中山先生終於電徐，予以獎勉。電云：「北京徐又錚先生鑒：比得來電，敬悉外蒙回向內屬，吾國久無陳湯班超以功於國，此之舉不愧傳介子其人，未知熟慮，自四五年來，幾於日隳國百，外蒙紛紛，亦陷七年，一旦復歸，重見五族共和之盛。此宜舉國權忻鼓舞之不已。」從此中山先生對徐之期許甚高，而徐對革命似亦已發信不疑矣。

中山先生以班超許徐氏，徐氏當以此爲榮，據傳中山先生去世之前，徐正努力策劃一新局面，不幸中山先生逝世，遂成畫餅。故徐氏輓中山先生聯云：「百年之政，孰若民先，何居乎一言而得，一言而喪。十稔以還，使無公在，正不知幾人稱帝幾人稱王。」實乃揮寫當時的感慨也。

自由人

THE FREEMAN

（第四四七期）

每份港幣壹毫

社址：香港高士威道二十號四樓 3 rd. fl. 20 CAUSEWAY RD HONG KONG

錢大昕論梁武帝

保天下必自納諫始

徐復觀

錢大昕之所以成爲有清一代的大史學家，不僅在于其廿二史考異等著作的精勤業績，尤在于他對史學本身的觀點。他在史學上的地位，有似于黑格爾歷史哲學以後而興起的蘭克（RANKE），把史學從觀念的糾纏中澄清出來，歸還到客觀事實的忠實敘述之上，使史學得到實證的基礎。

並不重視筆削書法

我國史學傳統中「春秋一字褒貶」之說，所給與史學的糾纏與歪曲的影響，殆有類于黑格爾的歷史哲學。朱元晦雖已認爲『欲推求一字之間，以爲聖人褒善貶惡，事在于是，竊恐不是聖人之意』（語類八十三）；但他作綱目，仍落入「書法」「筆削」等觀念的窠臼，而不能自拔。錢氏雖不否定春秋褒貶的說法，可是，他根本不相信孔子是以「書法」「筆削」來實行褒貶，如書崩、書薨、書卒、書死等，與善惡等並無關係。他認爲所謂褒貶者，只是『直書其事，使人之善惡無所隱而已』（潛研堂文集卷二春秋論）。因爲他認爲『史者紀實之書』（同上），『紀實』即是史學家的最高任務，犯不着先從預定的觀念出發，把觀念作敘述時筆削的標準，以致流於武斷歪曲，甚至以爲歷史事實，不過爲某種觀念實現之一例，致使歷史成爲不是人自身的歷史。

史學上的證實態度

我在這裏不能詳論錢大昕的史學，而只想指出錢氏在史學上的實證態度，對於歷史的了解，常比觀念論的史學家，更爲深切。他處在異族專制鼎盛的時代，已明白指出「以一人治天下，不若使天下各自治其身。故曰與國人交，天子之視庶人，猶友朋也」（同上，大學論上）。又說「大學論平天下，至於民之所好好之，民之所惡惡之，帝王之能事畢矣」（同上，大學論下）。他對於我國歷史中的政治問題，可謂已探驪得珠，無形中說明了過去的甘苦；同時也指出了將來的方向。眞正有史學修養的人，一定能把握歷史問題的關鍵，所以也一定能論史。錢氏文集中的史論，皆精透可讀。我這裏特提出他「論梁武帝」（同上）一文來作一個例證。

梁亡於拒諫自滿

他在這篇文章中說『梁武帝以雄才手定大業，在位四十餘年，修禮正樂。迹其生平，無大失德，而終於國破身亡，爲天下僇，史臣以爲耄年委任權倖之故』，亦即因讒信朱異而納侯景之故。但錢氏認爲『權倖之臣，必乘人主之昏怠淫侈始得售其奸。武帝博通經史，洞燭物情，不可云昏。三更理事，日昃就食，至於百司，莫不奏事，不可云怠。布衣蔬食，五十外便斷房室，不可云淫與侈。』[illegible]

納諫拒諫的影響

[illegible]

說的內容，因爲進諫者所說的內容，無論如何切當，也不過指的是一件事情兩件事情而已。一件事情，兩件事情，即使如何的壞，也不致于亡國亡身；亡國乃在于拒諫這一事實的本身。所以他說：『夫所諫四事者，（含穢、蒸猜、殘刻、煩費）雖中當時之弊，猶不至 [illegible] 』虛美飾心，實關閉塞；這便完全變成了鬼混，鬼打架的世界。這種世界，『雖無侯景，亦不免于禍。何也，元氣衰，則百病皆得而殺之，不必癰疽之能殺其身也』。所以納諫與拒諫，不在于諫者所指陳的一二事情的得失是非，而在于由納諫或拒諫的本身所形成的整個政治的本質。這才算說到了問題的核心，增加我們對歷史進一步的了解。

自信太過拒諫必力

但是，人君必須納諫，拒諫必致亡國，凡是認上百字以上的中國人，都可以接觸到這種道理。古今許多讀書人，做官以後，常常屈于一人之下，忝雖于萬人之上，並不是這類讀書人沒有明白這些起碼的道理，只是因爲他們覺得天下不是自己的，亡不亡與自己無大關係；只好用上諂下做的方法，固寵希榮，以便在天下未亡以前，好撈些油水，這也情有可原。至於梁武帝，則博通古今，天下是他自己的，爲什麼連這種起碼的道理也不懂得？錢氏對於這一點也有十分扼要的分析。他說：『以武帝之聰明才畧，豈不知爲其身與國計？特以自信太過，視諫諍之言，皆浮而不切于務，徒足以損己之名，故拒之甚力也。庸詎知禍之一至於斯哉』。用現在的話說，梁武帝認爲自己的經驗比旁人多，對於事情的內容比旁人清楚，大家不聽他皇帝的話，而偏偏要說東說西，說的又多言過其實，這當然是有意與他皇帝爲難。有意丟皇帝地國家的醜，這簡直是「家賊」；家賊比侯景還可惡，他自然會『拒之甚力』了。

仇恨輿論即仇恨社會

可憐的梁武帝，你把問題完全弄死了局，納言受善是舜禹；飾非拒諫是桀紂；直言極諫是忠貞，阿諛逢迎是奸佞，這是中國幾千年歷史上的定論，你怎麼可以做得了翻案文章。並且如前所述，納諫不僅在一二事情的是非，主要是培養政治人物的人格與責任心轉移政治風氣，且以此來與社會通氣，使朝廷能與社會站在一起，以得到政治的力量。因爲皇帝自己不會變出什麼力量，力量是要從社會來的。仇恨輿論（諫）的朝廷，實際就是仇恨社會。社會不可能與仇恨它的人合作，于是皇帝便會名符其實的成了『寡人』『獨夫』。『寡人』『獨夫』，無不亡國之理。所以錢氏在這篇文章的收尾處沉痛的說『是故有天下而能保之者，必自納諫始』。

從蘇南離合中看中共無恥嘴臉（下）

張六師

蘇俄要賠償南國損失

蘇南公報還特別提出：「發展雙邊的國際經濟合作，消除經濟關係中一切妨礙交換和阻滯世界上以及在各國經濟實際生產力發展的因素」，和「通過聯合國機構以及用符合於聯合國原則的其他方式（指美英），對各國經濟及經濟落後地區給予幫助。」這就是蘇俄已承認自身和各附庸國必須取消對南斯拉夫的經濟封鎖，而南斯拉夫可以自由和會 [illegible]「妨礙」，「阻滯」它的國家，「發展 [illegible]」。至所謂「在聯合國之下以及其他方式的援助」，也就是蘇俄承認南國應得美英援，乃至根據南蘇的「雙邊經濟合作」，蘇俄還應對南斯拉夫 [illegible]。正和外間盛傳蘇俄已承認以經濟貿易方式賠償七年來封鎖南國的經濟損失，將來如成事實，那就等於 [illegible] 對南斯拉夫已訂了一次「城下之盟」了。

同時在宣傳上，過去狄托所受俄共與各附庸政權和國際共產黨及同路人的宣傳攻勢，曾大感頭痛過。所以這次公報中特別提出：「終止散佈不信任和在任何方面有礙於造成建設性的國際合作，和任何形式的宣傳，錯誤報導以及其他行動。」[illegible]

究竟是誰讓步

以上公報中的各項原則，我們判斷必 [illegible] ，他何嘗不明白今日的中共，正和他一樣是七年前「籠內之獸」；中共對台灣地位的「合法」與否，還不正如七年前狄托在莫斯科驅使下所援助的希臘叛軍要推翻希臘政府一樣的「合法」嗎？

[illegible]

南斯拉夫的隱憂

就客觀的看法，預測蘇俄對南斯拉夫的陰謀，並不在於目前，而是在將來。目前蘇俄爲了應付美國爭取遠東，他的戰略是儘量減少敵人，拆散西方，孤立美國。我們只看公報後尾所舉出：一、兩國要從此「建立正常條約關係」，「擴大合作」。二、「消除由於兩國經濟關係中正常條約狀態的破裂而產生的後果。」三、「締結必要條約以調整和促進經濟關係的發展」四、「發展文化關係，兩國準備締結文化合作公約。」五、「締結新聞報導公約。」六、「對和平使用原子能方面建立相互合作。」七、「締結條約解決雙方公民國籍。」八、「協助兩國社會團體，通過建立接觸，交流社會主義經驗和自由交換意見。」

（下轉第二版）

半週展望

左舜生

蘇聯對日德的爭取

在去今三年乃至四年以前，我們即曾在本刊不斷提出：民主集團與共產集團間的冷戰，終於會走到一個接近終點的階段，屆時將爲雙方竭全力所爭取的，在歐洲爲德國，在亞洲爲日本。

現在西德總理阿登諾，於其正式決定是否接受蘇聯邀請前往莫斯科以前，已於本星期一抵達華盛頓；而日本代表松本俊一與蘇方代表馬立克間的日蘇復交談判，則早已於倫敦開始。

我們過去曾大膽的指出：爲了破壞美日間的合作，蘇聯將不惜對日本表示重大的讓步，甚至連千島羣島和南庫頁的交還問題，也不在絕對不能考慮之列；爲了防止西德的加入北大西洋公約而成爲有力的一員，蘇聯也將不惜投下一枚令人欣羨的鈎餌：即不反對德國的統一。

可是果眞要蘇聯讓步到這一程度，她所希望取得的代價，也將着實可驚：第一，對日，她將要求美日安全協定撤銷，美國在日本的駐軍完全撤退，基地廢止，甚至連琉球也歸還日本。爲了加強對日本的誘惑，日本與中國大陸間的貿易，蘇聯也將表示不惜與日本以助力。假定南韓與日本間的關係繼續惡化，則將更增加蘇聯一個運用的機會：她將不惜促成中共北韓與日本間某種程度的合作，以加強對南韓的壓力。第二，對德，她將要求德國只能作有限度的建軍，而且不能與北大西洋公約國打成一片，即令不能辦到絕對的中立，但也決不願使德國成爲蘇聯一個更大的威脅。

在日本德國和蘇聯的關係調整以後，蘇聯將不復反對日、德進入聯合國，這自然也算是對日德兩國一項共同的誘惑。

對蘇聯這樣一個雙管齊下的和平攻勢，我們且看英美的當局如何應付，目前我們所能預測的，即日德都不會脫離民主的基本立場而倒向蘇聯，但對民主集團的關係則可能冲淡，在英美的諒解之下，與蘇聯作成某種程度的妥協，以加強其自身的地位，並取得較多的利益，這可能是日德一致所希望的。

四強首腦會議決定召開

蘇聯已接受美英法三國的共同提議，決於下月十八日在日內瓦召開四強首腦會議。美英法三國的外長，已着手在舊金山先做一番預備工夫，以求得三國對蘇態度的一致。

我們對這個會議不必作預先的悲觀或樂觀，因爲我們的問題在這個會議中，即令可能提出，其所佔的地位也並不太大。中華民國第一屆國民大會代表，曾分別電致美英法三國，表示在該項會議中，不能損及中華民國的主權及其他權益。我們覺得這是一個適合時宜的舉動，而且足以增加若干的民主氣氛，比較由一二政府當局表示態度要有力得多。

既有這一巨頭會議的舉行，我們感到周恩來前此所表示願和美國坐下來談談的說法，美國更無理會的必要。因爲自從中共放棄了中華民國，而另行採用『中華人民共和國』的這一名義，她的附庸地位便早已確定，爲了中共問題，美國有和蘇聯談話的必要，而並無與這『附庸』本身談話的必要。果眞要談，談到緊要關頭，中共還是離不了要向莫斯科請示，請問以美國今天所處的地位，向這樣一個『妾身未分明』的政權打交道，豈不是太損身份？

亞盟再開？

最近在台北所召集的亞盟會議，不幸沒有開成，據說自漢城傳來的消息，南韓乃有於一個月內另行召開之說。

我們自然希望這一亞洲人民的反共同盟，能夠好好的繼續工作，可是在各方的諒解沒有完全消釋以前，我們也不能同意即由南韓另行召集；同時，我們還是覺得並無把日本的反共人民，一定要排斥在這一同盟以外的任何道理。

老鴇鬥不過紅妓女

赫魯曉夫南國受辱

狄托同志刀下無情

牛布衣

當代人物給別國駡得最多，和駡得最露的，要算是南斯拉夫的狄托了。由一九四八年至一九四九年，整整一年，蘇聯的報紙雜誌沒有一天不駡他。蘇聯當朝的要人沒有一個不公開斥責他。只是布爾加寧在文藝公報上，布爾加寧撰文駡狄托道：『忘恩負義的猶大狄托，他把南斯拉夫改變成一所特務統治的大監獄。全世界的進步人類對於這個賣黨賣國的賊子無不憤恨塡胸。』猶大是耶穌的門徒，他出賣耶穌。[illegible]共產黨。赫魯曉夫是當時俄共的副書記，他駡狄托道，『狄托是一個可鄙的叛黨叛國的賊子，是英美帝國主義僱用的間諜和謀殺凶犯。』若果把當時蘇聯駡狄托的文章裝訂起來，實可以集成好幾本大書。

鎖匠出身的狄托

狄托是一個南斯拉夫的農家孩子。弟兄十五人，他排行第七，家道貧窮。七歲時，狄托出來謀生幫助家計。他是一個自愛的孩子，雖然沒有進學校，倒學會了念書和寫字。他原想去美國，沒有旅費，學做鎖，是一個鎖匠。

世界第一次大戰的時候，他投效奧國皇家陸軍，升遷到小隊長。在俄國邊境受傷被俘。俄國把他送到西伯利亞。剛好那時，俄國發生革命，狄托參加了國際紅軍、加入共產黨。

一九三○年狄托回到南斯拉夫，因為共產嫌疑，被囚獄中，在獄裏過了五年生活。一九三四年，狄托出獄，做了南國共產黨中共執行委員會委員，被派到莫斯科研究馬克斯主義。一九三七年，莫斯科派他回到南斯拉夫，做該國共產黨書記長。狄托在南斯拉夫進行清黨，訓練地下活動，和游擊等工作。

世界二次大戰的時候，德軍侵入南斯拉夫。狄托率領游擊隊逃入山裏。經過兩年時間，他的游擊隊擴充到十五萬人，成為二次大戰中最成功的游擊戰士。一九四四年，狄托解放了南國，改變南斯拉夫成為一個共產國家。

老鴇對妓女的兇狠

鎖匠出身的狄托，做了南斯拉夫的獨裁者，對於蘇聯，依然恭順異常，對於蘇聯派駐南國的顧問，也能夠奉命唯謹。在國際共黨山寨裏，狄托坐的是第二把交椅。

南斯拉夫是共產集團下第一個人民共和國。蘇聯說，人民共和國是一個自主的國家，可是經過沒有幾個月，克里姆林宮的命令斥責狄托不能奉行顧問的意旨。

狄托和莫斯科文書往還，經過了好幾個月，是非才得大白。狄托說，我雖然愛蘇聯，我可不能不愛南斯拉夫。克里姆林宮說，你只能愛蘇聯，和奉行蘇聯的命令。再經幾個月，蘇聯把南斯拉夫逐出國際情報局，同時命令其他衛星國，招兵包圍南國邊境，準備以武力傾覆狄托。

這時候，狄托才如夢初醒。原來人民共和國是蘇聯的搖錢樹，是賣斷了賣身契的妓女，蘇聯是老鴇，是一個十分兇狠的老鴇婆。幾年來，狄托因[illegible]好幾年。

狐狸精大施妖惑

狄托醒悟了，他雖然是鎖匠出身，在莫斯科學會了共黨策略。他把南國的親蘇份子一萬多人逮捕了，並改組了他的政府。他指斥蘇聯並不是共產主義[illegible]

老鴇毋着急

[illegible]

不願意再墮火坑

[illegible]曉得老鴇此來不懷好意，他說：討論兩國邦交尚無不可，可不能涉及黨和主義。狄托曉得黨是克里姆林宮的鐐銬。討論到黨，赫魯曉夫便能夠鐐銬他，重新把他推入火坑。

狄托穿了一身金碧輝煌的軍服到機場迎接赫魯曉夫。飛機到了，赫魯曉夫頭一個跑出來，拉着狄托的手，另一隻手在狄托背上不停的拍，表現出一種鴇兒的假親熱。檢閱儀仗隊的時候，赫魯曉夫對狄托指手劃脚，說個不停，狄托祇有蹙着眉頭。

赫魯曉夫代表蘇聯致詞，他說道，『親愛的狄托同志和南斯拉夫的領袖們，』他一面用眼角瞟着狄托，狄托絕無表情地站在旁邊。赫魯曉夫繼續念道，『狄托同志被逐係一極大的錯誤，我們研究過所有的資料，原來全是貝[illegible]的。我們此來準備用全力解決以往的錯誤。』

可怕的緘默

此時站在傍邊的狄托，兩手插在口袋，眼睛半閉，表現出深思的樣子。赫魯曉夫認為狄托受了感動，於是提高聲調說：『我們抱着平等，不干涉，和尊重主權的原則來到南斯拉夫。蘇聯和南國同樣信奉馬克斯和列甯，我們兩國應該言歸於好，同心協力打倒資本主義的束縛。』

赫魯曉夫說完了退後數步，等候狄托答詞。狄托跑到赫氏傍邊，一言不發，指着停在前面的汽車，指揮赫氏等人上車。赫氏只好遵命上車。公路兩邊站了不少南國的人民，他們齊聲高呼，『狄托，狄托，』並沒有人理會赫魯曉夫一行。

提不得黨和主義

第二天，蘇南代表在貝爾格來德的軍人俱樂部舉行會議。狄托在會場上表現種種不高興的態度；擯眉蹙額，高聲責斥會場主理人員，毫不客氣地首先坐到席上，不把蘇聯代表放在眼裏。

赫魯曉夫倒具有老鴇的本領，他對於狄托的飛揚跋扈，一點不以為意。開會的時候，他首先提出，在未討論正常化兩國政治經濟關係之前，應先討論正常化兩國黨和主義的關係。狄托立刻從席上站起來，似乎要走了，赫魯曉夫登時撤銷他的提議，同時又向狄托道歉。姑娘太紅了，脾氣也變壞了，鴇兒不能不順順她。

一開刀得二億美元

狄托却提出舊債來，六年前，蘇南兩國的貿易覆服，蘇聯還欠南國二億美元，赫魯曉夫不得不答應償還。

談了幾天，遊覽了幾日風景，會議告結束。蘇俄代表所到的地方，只聽見高呼，『狄托，狄托，狄托，』鴇兒們喊丟盡了臉面。

閉幕宣言裏頭，狄托倒替同幫的姊妹中共講了幾句話，狄托還是念念不忘日的妓女生活。世界上好些人，狄托表示懷疑。其實[illegible]

名女藝人——張正芬嫁給庾家麟

小丞

【台北通訊】[illegible]

愛國藝人享盛譽

[illegible]

名人藝嫁給國大代表

[illegible]

菊壇有寥落之感

[illegible]……她的新娘的張正芬小姐，穿的是一件雪白色的[illegible]旗袍，[illegible]美麗的[illegible]，更[illegible]華貴，[illegible]曾經在戲台上，但一旦眞正[illegible]，她却反覺得[illegible]，[illegible]當她[illegible]禮堂的剎那，[illegible]台北市的郊區中[illegible]紅袖佐讀，靜享[illegible]菊壇，又少了一[illegible]有寥落之感？

（上接第一版）

[illegible]正式[illegible]南斯拉夫的門戶，以後再逐漸利用外交特權，地下滲透，實際利害的矛盾等……進[illegible]分化南斯拉夫，[illegible]只要看赫魯曉夫等到了南國以後，[illegible]小山蘇俄教育長大的中共伍修權以大使身份同日到南國，其他附屬政權使節之接踵而來，自在意中了。

從蘇南離合中看中共無恥嘴臉

中共要替蘇俄打仗

一向對蘇俄忠心，一邊倒的中共政權，誠如劉少奇在「國際主義與民族主義」中所說：「……我們中國共產黨人是徹底的無產階級的國際主義者……反對一切賣國賊的革命的愛國主義者。」劉少奇這類話，如果世人要想獲得答案，只要在今天大陸餓死或殺死千千萬萬中國人而無動於衷的中共，仍然不斷的，把糧食運到蘇俄，運到他們所稱的資本主義國家去換取戰略物資，預備再替蘇俄打世界性戰爭，便足證明。

劉少奇反對共存

至於西方國家和狄托與印度各國還夢想歐洲出現「中立」國家，[illegible]此和平共存，[illegible]劉少奇在[illegible]際主義與民族主義中的措詞來[illegible]的結論，他說：「……在兩個營陣處在這種緊張互相鬥爭的時候，人們不站這邊便是站在那一邊，即是說，你不站在帝[illegible]主義陣營幫助美國帝國主義及其走狗去奴役自己民族，便就要站在反帝國主義營陣去幫助世界一切被壓迫民族爭取解放，從[illegible]解放的鬥爭。……不站在這一邊，又不站在那一邊，而實行中立，是不可能的。[illegible]如毛澤東同志在新民主主義論所早已指出的：所謂『中立』，只是一種騙人的鬼話，不管你主觀上是否有意騙人。」劉少奇和毛澤東之流，明明是反對「中立」反對「共存」的，現在周恩來卻出來大放烟幕，說他們要和西方共存，鼓勵印度印尼類的國家中立。尼赫魯、宇牛、梅農之流從旁幫腔作勢，西方政治家也竟有入半半疑。眞可謂不見棺材淚不流，淺見短視，勢非墮入共黨的圈套不止。（續完）

美高級將領紛紛入商界

矜式譯

[illegible]

中共加強控制教師

輪訓教師廿四萬人 施行嚴格特務訓練

【本報廣州訊】中共為灌輸馬列思想，實行奴化教育計，對於教師的控制和訓練，極為重視。訓練教師和訓練特務無異，現時對整日教課的教師，晚間還要強迫他們拿[illegible]教育部特設的課本，[illegible]育廳，進行學習，[illegible]月會考一次。

最近僞教育部又制定計劃，自一九五五年至一九五六年，全國要輪訓二十四萬名教師。[illegible]

裕生

編者讀者

△本刊文字，歡迎轉載，但轉載時請註明轉載本刊字樣，爲感！

△吳人、吳文蔚、蔡若羽、竹青、王耕，諸先生：惠稿已一一收到，謝謝！

△金仁先生：函悉，另日詳覆。

△李智誠先生：函悉，附札已代轉交，請釋念！

赫魯曉夫爭取狄托
共黨發生內鬨

伯譯

當世界共黨第一號頭子說，某項文件是「參入我們的黨的人民之敵和帝國主義特務以欺騙方法偽造的」，一個參與籌備這文件的共產黨徒自然應該閉嘴不響，但的港的共魁維達里却不是這樣的人。他讀到蘇俄共魁赫魯曉夫對狄托的道歉聲明後，立刻發動反擊，極力否認。他撰文反駁道：「我們對這聲明的驚訝是巨大的，我們的黨的震動，猶如南斯拉夫方面吹來的大風震撼我們的樹一樣激烈。」

維達里所感震驚的，是赫魯曉夫所說蘇俄與南國的決裂，應由「貝利亞、阿巴柯莫夫及其他若干人」負責，而這樁工作，實際就是維達里親自做的。維達里是個老共黨，西班牙內戰中曾失了他的右手大姆指，後來一直是史達林秘密警察的爪牙，一九四○年他逃到墨西哥，也參與籌劃暗殺托洛斯基，義大利反共領袖特雷斯加洛亡於紐約時慘遭槍殺，他也是幕後策動者之一。

維達里是在的港出生的，當他奉命將狄托稱為叛徒時，曾對這工作感到榮幸。他的一位助手曾說：「剷除狄托是一個難得的任務，我們之間有人能得到此機會便是幸運的。」一九四八年國際共產情報局將狄托驅逐時所讀的文件，就是他和義大利共黨陶里亞蒂共同籌備的，所以當他讀到這些文件是出於偽造，又怎能不傷害了他的自尊心而起反感。

維達里說：「我們不能對赫魯曉夫的聲明表示同意，我們深感難過。」克里姆林宮路線的迅速轉變，使維達里這樣個腦筋單的人，有窮以應付之苦，他先也被對的命令是宣傳把的港歸併給南斯拉夫，但狄托反叛克里姆林後，共黨路線又要他宣傳的港保持獨立，最後到去年，他又必須合作將的港交與義大利，雖然他的共黨黨員中有許多是反義大利的斯洛維尼人。而他自己也奉命必須服從義大利共魁陶格里亞蒂的指揮，這兩個步驟都是他所不願接受的。最近赫魯曉夫那篇聲明發表後，他曾將他的反駁送到義共機關報「團結報」希望刊出，但該報拒絕刊登，他起了反感，便在自己的的港「自由報」予以發表。義共上下對這事都大為震驚，但共黨當局的譴責又齊外的溫和。

義共的第二號領袖朗哥予以答辯時，只指維達里「表示了錯誤的態度，大致是由於估計草率。」朗哥顯然是不敢作進一步的譴責，這有兩點理由，第一是義大利許多共黨也都對赫魯曉夫向狄托道歉一事大為震驚，正和維達里一樣。第二是朗哥自己也不知道赫魯曉夫是不是做得太過火，將來或許又會收回前言。

但無論如何，這件事卻使共黨內部遭遇了重大困難，現在狄托已成為朋友，不能再加責罵，但狄托主義也不要對抗嗎？而且反叛一旦加以讚揚，又將引起何種後果？這些問題顯然都不易解答，像維達里這樣的人，也只好高喊：「不要搖撼我們的樹」了。（譯自時代週刊）（按：關於赫魯曉夫訪問狄托情形，請參閱本刊第二版）

讀者論壇
談台大的法律專科

陋聞

筆者係台大學生，讀「自由人」有年，近見「自由人」刊載有關教育問題之文章甚多，不覺技癢，謹就個人對台大附設法律專修科的意見，略論如後，以求教於讀者：

台灣大學自四十二年度起附設法律專修科，每年招收學生一班，現已有學生兩班，約共一百五十人。該科設立原由司法行政部提議，商得教育部同意後，委託台大法學院辦理。該科學生與台大其他院系學生受同等的待遇，經常費由司法行政部撥給，照此看來，行政上則仍屬於司法行政部。似此，該科學生將來畢業，學生的資格證明書，究由台灣大學發給？抑由司法行政部發給？現在尚不得而知。不知主事者曾否考慮及此。如由台灣大學發給，則該科學生修業期限，只規定三年，按照現行大學法規，修業三年的學生，豈能發給大學的畢業證書？如由司法行政部發給，那便是台灣大學有了兩個頂頭上司了，一個是教育部，一個是司法行政部。這樣司法行政部也管起大學來了。殊實容易淆亂，辦事必多困難。這是教育行政上值得考慮的地方。

其實政府如果因為司法人才缺乏，非多加訓練不可，也不必另設專修科，才能達到目的。大可經由教育部命令原有法律科系的學校增添班次，加招學生。否則，大學開設法律學系，又果何為耶？今不此是圖，叠床架屋，增添專修科，適見自亂體制，破壞教育之行政系統耳。

一國教育，應由最高教育機關，統一辦理，否則職責難分，事權不一，必難期成效，也便是說制度不健全，必然窒礙多端，弊竇叢生。此應為今日談教育者所宜注意之事。

經濟社會思想叢談

金伯華

○○

合於天理的欲，正當的欲，我們認為不但非障，非蔽，非邪惡，而且是越多越好，越強越好。情欲越多越強，則見諸行為亦必越熱烈有力而漸足以達「天人合一」的境界。在經濟範圍來講，亦惟有合作主義方能庶幾企及於這種境界。

上文所說「天人合一」的境界，就經濟社會思想而言，即是十八、九世紀西儒所揭櫫的「全球協社」（聖西蒙），「新和諧」（歐文）或「逍遙自得的樂園世界」（傅理一）等一類的「人間天堂」。天國？是的！因為這裏面誠實，仁愛，沒有詐欺，沒有剝削。然而各人都可以本着自由意志，發揮他的情欲。所以這仍是人間。至如共產主義那一種禁欲，只禁人民大衆的情欲的生活，與剛剛相反，是「人間地獄」！因為那裏面只有一小撮頭兒高踞上位，獨裁一切，而全體人民則被當作牛馬不如的機械來處理。

欲的種類

前面說過，欲是很多很多的。佛家把人類分為「情欲」，「色欲」，「貪欲」，「淫欲」四種。有些西洋學者則把無數的欲望歸納為較基本的兩大類：「繁異欲」（DÉSIR DE VARIÉTÉ）與「優越欲」（DÉSIR DE DISTINCTION）。傅理一則在他所發現的八百一十種情欲中分為下列三大類：「神通欲」，好私微等趣味屬之；「翻翔欲」，翻覆變易等趣味屬之；「旋律欲」，各種智力體力的愛好之混合和諧的趣味屬之。他的著名的「佛廊士戴爾」（LE PHALANSTERE），或意譯「合社國」或「和諧國」，便係根據於這將近千種的情欲研究，設計配合而成的。他的理想雖迄今未能實現；但是他想依據人欲，因勢利導來改造社會，確是一種別開生面的思想而為後來合作主義者所共宗。

經濟學者對欲的分類

欲不限於經濟的欲或且多於經濟的欲。非經濟的欲，人對於天地一切事物，總不外喜歡或不喜歡兩種情感：凡是喜歡的都想取得；凡是不喜歡的都想規避。前者如食用享受；後者如勞苦減免。是以凡人由自己的努力或獲得財貨的滿足，去工作的苦痛的，就是經濟的欲。經濟的欲往時間及屬性各方面又各有不同：個人的欲以滿足個人為目的，公共的欲以滿足公共為目的：——這是屬於主體方面的區分。現在的欲以直接以之滿足為目的，未來的欲以其預期為目的：——這是屬於時間方面的區分（這往往就是人們生活經驗和先見的區分）。物質的欲以官能享受為目的，精神的欲以性靈享受為目的：——這是屬於性質方面的區分。在經濟的社會的範圍內，欲雖多而大別不外此。依上述三方面的簡單分析而觀，[illegible]不同，則人與人間由於欲的牽涉所形成的社會關係之複雜程度[illegible]，與我國之「大同」如出一轍。

再談需要

需要是由於欲望的具體表現所形成的一種經濟現象。經濟現象之所以異於心理現象：前者是必須透過交換行為的關係，其需要方能得到滿足；後者則往往不須任何交換，亦能使需要獲得滿足的。因此，我們這裏所談的需要，只限於經濟的需要。

需要在政治經濟學裏，什麼叫做需要？這是值得探討的課題，我們將在下文略加探討。

我們想先就構成需要的定義的要求說一說，隨後再分析需要與一般通俗所講的需要的不同。因為「需要」在人類實際生活和經濟關係中所佔的地位，實在太大太廣了。「人生開門七件事：米柴油鹽醬醋茶」，這兩句極為流行的俗話，實尚不足以形容為一個現代人的生活需要之萬一。這七件事一樣不得——以及其他更多的——任何人每日都缺一樣不得。設也像「柴米油鹽醬醋茶，七般都在別人家」，[illegible]

什麼叫做需要？

要給需要下一個定義，還先找明它的意義。[illegible]

從代議觀點看需要

說這一個人餓了，那等於說這人識得他所經驗到的缺乏的知覺，通告他：「你應該吃了」。[illegible]（三十一）

試行集體保健制度
似可利用地下醫生

香港幅員極小，人口衆多，其密度似非世界任何城市可與比擬的。由於人烟稠密，對於環境衞生，一般普通市民幾不遑兼顧；尤其在時屆夏令，市民患病驟增。但是比照一般都市看來，香港醫療設施，應該首屈一指，無疵可求，祇是人口過多，儘管官民竭力講求充實，各個公私慈善醫療設備，仍維持現狀。因此，香港健康制度不但無法建立，與英國國民保健自難望其項背。最近，社會人士對於市民健康問題，香港大學經濟系主任居比教授，在港大學季刊發表一篇論著，呼籲推行「市民健康計劃」後，似乎特別加以注視，若干公司商行，紛紛聘請中西醫師擔任顧問，與此同時，也有人主張開辦一個「醫藥保險公司」，但是這些到底不是市民集體保健的計劃，祇是[illegible]

[illegible]

大陸奴工近三百萬
——奴工生活無異人間地獄——

【本報訊】[illegible]

裕生

我們的思想問題

馬五先生

自由談

上期本刊揭載了一篇台灣讀者來函，檢示台南農業專校的校務會議紀錄，認定本刊是屬於「思想不正確」的出版物，應在禁止閱讀之列。人們對於坊間發行的書報雜誌，有所好惡取捨，原係應有的自由意志，該校當局不顧教職員學生們閱讀本刊，倒無所謂。但對本刊所加「思想不正確」的考語，我們覺得茲事體大，不能不敬謹請教，以開茅塞，因爲我們決不敢自認其思想是絕對正確，幽昧闇識的，很希望該校當局以先知先覺的教育家地位，將正確思想的定義與界說，明白指示，俾有遵循焉。

本刊創立伊始，即訂有若干信條，第一項就是「擁護中華民國」，因此，我們的言論方針，始終堅守着兩大任務，即反對共產主義，鼓吹民主憲政是也。這反共與民主兩項理念，原是相生相成，互爲因果的，也就是本刊同人的共同思想，是否正確，願聞明教。如果有那點不正確的話，其故安在？該校當局所認定的正確思想，又是甚末內涵呢？須知頭上，「思想不正確」的帽子實在戴不起，輕則隨便坐監，重則可能殺頭，不是好玩兒的。我們爲遵「言寡尤，行寡悔」起見，切盼該校當局不吝循循善誘之勞，有以語我來！

不錯，我們對於國家庶政得失和時代政治人物，不時有所批評臧否，這是行使憲法上所賦予的基本人權，亦爲民主憲政社會中之新聞記者所應有的職責，難道說這樣就是思想不正確嗎？

「思想」這玩藝，雖然具有時空的因素，但亦須有爲社會大衆所同感共鳴的法則，才可以發生作用，形成權威，不能當作兒語魔術，隨意玩弄的。台南農校校長既以師表人倫之責，評定本刊的思想不正確，自有其正確的思想體系，堪以準訓世人，樹之楷模。對於我們的問題質疑，相信他一定能給以滿意的解答，敢予望之！

孔子五十學易解

王沉裴

頃閱自由人第四四零期，馬五先生自由談，關於郭沫若一則，頗令人解頤。其言孔子五十學易之「易」字，係「亦」字同音誤傳者，並非郭的創解，不過竊取前人陳說而已。足見郭於論學，亦仍不脫其匪盜行爲欺騙技倆，可恥孰甚？筆者早歲（三十年前）亦嘗究心易理，著有玄空正則一書，其間關於孔子此語，另有新解，自謂探驪得珠，切合宣聖立言本意。因覺前人注釋此語，都係望文生義，或牽扯傅會不根之談，大失聖人立言本意之所在。曾繫以一詩云：「吳合燕石褒貢締，敝帚千金理亦奇；道術本因河洛立，人情終是古今迷；妄心各類纏鑽紙，曲說誰防蟻潰堤；探驪得珠從我始，昭昭聖意復奚疑。」茲將拙著中此一段原文錄後，就正有道，用博馬五先生一粲焉。

×××

謹按論語述而篇：「子曰：『加我數年，五十以學易，可以無大過矣。』」自漢儒以來，釋此章者，約分三說：（拙著爲第四說）第一注疏說：注改「易」作「亦」，「加」作「假」：「加我數年，五十以學，亦可以無大過矣。」（即郭說所本）謂孔子作此語時，年四十餘歲。邢疏更定爲孔子四十七歲時所說。第二集註說：朱子四書集註引劉聘君說，謂：「元城劉忠定公自言見一本，加作假，五十作卒，蓋加假聲相近而誤讀，卒與五十形相近而誤分也。」（朱子自稱）按：「此章之言，史記作『假我數年，若是我於易則彬彬矣。』『加』正作假，而無五十字，蓋是時孔子年已七十矣，五十字誤無疑也。學易則明乎吉凶消長之理，進退存亡之道，故可以無大過也。」

第三正義說：劉寶楠作論語正義，謂：「孔子五十前得易，讀於五十時，學之，明易廣大悉備，未可遽學之也。及晚年贊易既竟，復述從前假我數年之言，故曰若是我於易則彬彬矣。史記與論語所述不在一時，解者多失之。」

×××

蕊某子曰：「解經者，乃至變改經文，以圓己說，此妄人也。上述三說，均非的解，不足信從。惟朱子集註，不作肯定之詞，爲合多聞闕疑之義焉。愚按第一說謂孔子四十餘歲時作此語，此就五十兩字上望文生義耳。至邢昺定爲孔子四十七歲所說，更屬傅會肌造。須知所謂加我數年者，其意若恐其未必能有如許之年也，正是七十八十老翁語氣。朱子因孔子晚而喜易之語，定爲七十歲時所說，可謂近乎情理；倘如注疏所云，豈孔子在四十幾歲時，便顧慮到未必能達五十之年乎？何其大失聖人知命之義也？按第二說，劉忠定所見之本，妄改經文，益屬肌說，必不可信。朱子雖疑五十字誤，但亦未必認爲果係因卒字形近而誤也。不過述之以備一解耳。所以但曾五十字誤，而不曰五十爲卒字之誤無疑也。乃不知五十兩字，至正至精，絲毫不誤，（是爲王蘧果說見後，是爲第四說。）晦翁殆亦未加精思也。按第三說云云，不過爲第一第二兩說作注脚耳。惟其不以五十兩字爲誤文，則爲合乎說經之正道。余謂經文一字不訛，義尤顯明易見。蓋五十兩字爲學易之原則原理，惜乎前賢不悟此中奧妙，但齎意於一「年」字上耳。所以牽扯傅會，幼稚可笑，愈說愈不可通，且愈與孔子立言本意相逕庭矣。

×××

易曰：「河出圖，洛出書，聖人則之。」蓋伏羲畫卦，本諸河圖；文王演易，根據洛書。河圖立先天八卦之體，洛書宏後天八卦之用。學易者必從河圖以探其源，就洛書以究其變。此必然之道也。伏羲氏王天下，龍馬負圖出於河，遂則其文以畫八卦。其文：一六居下，二七居上，三八居左，四九居右，而五十居中。大禹治水，神龜負文列於背，有數至九，禹遂因而第之，以成九疇。其文：戴九履一，左三右七，二四爲肩，六八爲足，而五居中。試察河圖之象：（參看甲圖）一六居下，二七居上，三八居左，四九居右，五十居中，若就其本位兩數而消之，則六中消去一，七中消去二，八中消去三，九中消去四，十中消去五。是上下左右和中央，所餘存者，皆「五」矣。故「五」者河圖本位兩數相消之結果也。

×××

再觀洛書之文：（參看乙圖）戴九履一，左三右七，二四爲肩，六八爲足，而居五中，則是一與九相對，二與八相對，三與七相對，四與六相對。若就其相對兩數而合之，則一加九，二加八，三加七，四加六。是上下左右皆「十」也。而「五」居中以御之。故「十」者洛書相對兩數相加之結果也（加即是長）而「五」居中爲之主宰。此「五」「十」兩數者，正一奇一偶，一陰一陽，一差一合，（即一消一長）而一部易經，蘊羅萬象，陰陽變化之理，吉凶消長之道，盡於此矣。就河洛兩象言之，則河圖之根基於「五」，而洛書之用顯於「十」。就洛書一象言之，則中央之主宰爲五，而四方之運用爲「十」。是則「五」「十」者，河洛精微之所寄，而易學根本之所繫也。孔子晚而喜易，韋編三絕，其於河洛五十相消相長陰陽變化之理，玩索而有得焉，既作十翼以贊之矣，而猶慊其尚有未盡之蘊也。故喟然歎曰：「加我數年，俾究此河洛「五」「十」之妙理，以窮極易學陰陽消長之變化，於公明乎盛衰存亡進退取舍之要道。庶幾可以無大過矣。」其言之深切著明如此，奈何後人猶有不語其立言本意所在，而牽扯傅會其說以遺誤後學哉！彼郭沫若者，竊取陳說，以訛傳訛，尚自鳴得意，更卑鄙不足道矣。

（甲）河圖

（乙）洛書

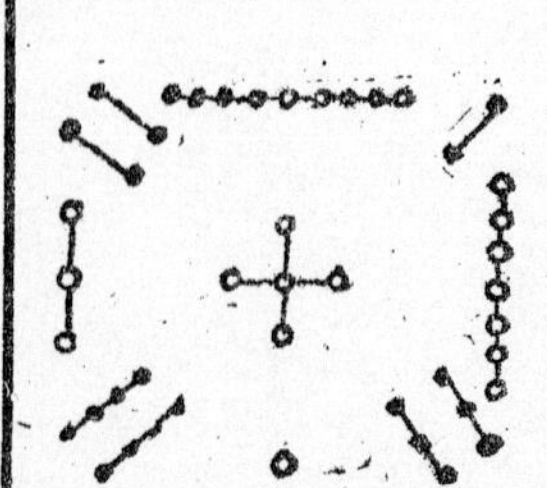

萬斯年

（即雙調平韻天仙子）

舟泊沙市寄百辰　王沉裴

有恨閑愁不展眉。夾岸猿聲著意啼。輕舟一霎過秭歸。漂泊久。總堪悲。何況歸期未有期。

睡起惺忪強自支。又到西風撲蝎時。經秋顛顇爲相思。從別後。怨歸遲。明月何心照別離。

萬斯年

戊辰冬，唐山雪後曉發　王沉裴

客舍殘燈一點青。積雪凝暉冷畫屏。寒衾展轉夢難成。修竹影。拂窗櫺。孤月凌空分外明。

月落烏號旅夢驚。踏雪行如絮上輕。朔風吹斷馬嘶聲。雞塞遠。若爲行。衝過長亭又短亭。

劍底秦庭

歷史小說　奚如

「難道豢士養了須末多時候，也沒有幾個可以做能事的人？」荆軻對漸離的激憤，似乎一時還不能够有更深切的理解。

「的確沒有！」漸離感慨的擺了擺手。

「我聽說夏扶、武陽、宋意他們都在這裏？」荆軻隨便舉了幾個比較知名的人物。

「是在這裏！」漸離點了點頭：「但是，依我看來，卻沒有一個够得上國士的條件。」

「爲什麼？」

「說起他們，我可以告訴你一個近日流行的笑話。」漸離忽然笑了笑，然後又接着說：「據說有一天，夏扶、武陽和宋意三個人吃飽了飯，喝够了黃酒，臂挽着臂，出得門來，就到處去尋開心去了。不知怎的，大家竟然在路子裏爭風起來，鬧作一團，險些兒不要拔劍而鬥，殺人而食！好容易鴇母勸住了，三個人的面孔卻早已氣得一個黃，一個白，一個紅，還在那裏自吹自擂，把自己的本事，誇張到天上有地下無，末了，還要厚起臉皮，搶着那個鴇母的目標夏姬——夏姬是那時挺有名氣的粉頭啦！要夏姬替他們評評誰是最了不起的英雄。你猜夏姬對他們怎麼說？」

「怎麼說？」荆軻聽出了興趣來。

「夏姬說，三個人都算不得英雄，眞正的英雄，是泰山崩於前而神色不變的，決不會因爲爭一個幸人便把臉孔氣成焦黃紫紅和蒼白的顏色，這末沒修養的，實在够不上英雄。說得三個人都滿臉羞慚，狼狽而走。後來消息傳了出來，還有人編了一首歌來挖苦他們，說是：『英雄三傑，怒不可遏，視其顏色，三色各別。於戲！英雄三傑！』大哥，你說好笑不好笑？」

「哈哈！有趣極了！」荆軻仰天一笑，驚雷震動着瓦椽：「這三個人倒也罷了！倒是那夏姬倒有意思，竟然知人善辯。那一天，我們倒不妨找到她，談個半天。」

「我倒和她混得挺熟的！」漸離也天眞的笑了笑：「那一天和大哥去玩玩，她爽快得很，不像鴇子一般，滿是娘兒腔調。」

「好的，」荆軻：「你剛才所說了的太子雖敢，只說了一件，還有些甚麼沒有？」荆軻又把話題引入了正題。雖然窗外已是沉沉的一陣靜寂，可是，兩個人都似乎忘了這漫漫長夜是爲了睡眠而存在的，愈談便愈高興。

「多得很，要說，五十天也說不完。」漸離歎了口氣，懶懶地搖了搖頭。（十）

小象誕生目擊談

・牛布衣・

熱帶森林裏，象爲萬獸之王，獸王的誕生是一件講究儀式而且極爲有趣的事情。

錫蘭的耶拉是一處禁止狩獵的地方。那裏有一所大森林，森林裏頭堆滿石塊，一天晚上，一位森林的引導者安底里斯在那裏目擊一隻小象誕生的情形，下面一段資料，是他報告錫蘭野獸管理處的一篇文章。

×××

在沒有臨盆以前，產象先把臨盆的地方選擇好。一天晚上，產象連同八隻類似穩婆的象羣，齊集耶拉濱海的一塊小平地上。平地的四周都是稠密的森林。產象先橫臥地，八隻象羣環繞着她，把鼻子在她的身體上撫觸。時刻快到了，產象現出緊張的情態，一會她從地上站了起來，向前移動數步，又復臥下，如是者多次。那時象羣中有七隻退回樹林裏，只剩下資格最老的一隻陪伴着產象。每經過一個短時間，七隻母象便由樹林裏排隊走到產象前面，用鼻子在她的體上作檢驗的姿態，然後又退回林裏。

不久小象臨了盆，產象在地下站了起來，向前移動大約十步，吹動鼻子，呼叫一聲。林裏的象羣又排隊出現，發出歡聲，跑到產象面前，把鼻子在她的軀體上觸撫。

大概是累了，產象便臥地上。八隻母象齊集小象面前，其中一隻把小象扶了起來。八隻母象羣環繞着小象，吸取地上幼沙用鼻子向小象身上吹去。這種儀式繼續半小時。那時小象已經能够站立地上了。

×××

休息過了，產象站了起來，跑到小象那裏，用鼻子捲起小象，跑到草地的一角，把小象放到膝部，使其吸食奶水。完了，產象呼叫一聲，捲起小象，高舉到頭上，然後慢步向樹林進發，八隻充當穩婆的象羣亦排隊跟在後面。

食粥談趣

・小丞・（中）

還有因貧而諱言食粥的，據清異錄說：「單公潔，恥言貧，有嘗親訪所之，留食粥，但云：『啜少許糜弓米可否？』」這位先生實在太不够坦白了。

×××

至於中國各地的食粥之考究，已不是以貧家的食品，則仍以廣東的粥爲最有名。在廣州市的荔枝灣，粥艇最多，在夏天的時候，所煮的粥，叫「魚生粥」，因爲成了一種著名的食品，所以有人又叫「艇仔粥」，配料是魚片、海蜇、油炸花生、生菜絲、葱、魷魚絲等等，都是很普通的東西，但煮來都特鮮美，另有風味，人客多數是食完又添，二三四碗，毫不爲奇的。

自由人
THE FREEMAN
（第四八四期）
中華民國僑務委員會登記證僑發新台字第二零一號 中華郵政台字第五〇〇〇號執照登記爲第一類新聞紙類
（半週刊每星期三六出版）
每份港幣壹毫 台市售價台幣壹元
社址：香港高士威道二十號四樓 3 rd. fl. 20 CAUSEWAY RD HONG KONG

人性問題的鬥爭

·李加雪·

艾森豪認爲目前東西鬥爭是人性問題的鬥爭，可是他走的卻是中間路綫，中間路綫是怎樣產生的？共產黨雖高唱和平共存，卻極力咒咀中間路綫。

今年一月，艾森豪威爾總統在國會宣布國策，他說：「東西的鬥爭不限於經濟理論，也不限於政府形式，和軍事力量。東西鬥爭實關涉到人性的問題。」他繼續指出：「共產主義認爲人類沒有靈魂，只是一種機器，因此，共產黨奴役人類，拿人民當做國家工具。目前世界的鬥爭已歸根到人類的靈魂，足以影響到人類未來的命運。」然而，艾森豪對付這一偉大壯嚴的鬥爭，又採取怎樣的策略呢？他說：「美國週談：（一）維持和加強自由國家的聯係，以應付共產黨的威脅；（二）參加任何能夠增進世界和平的會議；（三）維持西敵的軍力使共產黨曉得武力侵略是得不到效果的」。艾總統這一項方法，可以說極盡妥協之能事。我們更可以說，艾氏這一項策略是一條中間路綫的策略。

美國的左右派

艾總統旣採中間路綫，美國便顯有左右派的存在了。[illegible]美國的左派呢？美國的左派人士不多，而且還要知道，美國的左派不祇在國內而且在國外，左派的力量很大，能夠左右美國的決策。

以韓戰爲例：中共介入韓戰，[illegible]被打破了，聯軍再度衝入北韓，此時解決中共軍隊是易如反掌，[illegible]此主張，可是盟邦認爲再度深入，可能引起第三次大戰，於是美國把統帥換了，祇守南韓邊境一條戰綫，繼續打了一年多，沒有勝利的佈，最後和敵人訂了和約，[illegible]是左派意見的勝利。韓戰結束後，共黨跟着在安南發動戰爭，日內瓦會議，共黨要求半個越南，美國[illegible]雖反對，但盟邦認爲共黨已算十分客氣，採取中間路綫的美國，也祇好答應了。

中間路綫與自由中國

美國的中間路綫，對自由中國也發生了一段離奇曲折，令人難以索解的事實。艾氏宣布國策沒有幾天，敵人便攻佔一江山。當時記者問杜爾斯，台灣海峽戰事，是否適用停火辦法。杜爾斯認爲問題太複雜，原則上，美國是同情用和平方法解決糾紛的。第二天，記者以同一問題詢問艾總統。他的答覆說：「我希望聯合國能夠設法調停。戰爭總是危險的。」於是世界輿論，認爲台灣海峽停火，係由美國主動。亞洲各國對於美國這種求和態度，發生極不良好的反應。亞洲的自由人士，不免發生疑問，假使韓國，安南，一江山，和大陳，都不是和敵人作戰的地方，究竟和敵人作戰的地方何在呢？

艾總統看見情形不對，他糾正世界的視聽，於是向參議會提出授權總統的咨文，要求國會授權使用三軍防守台灣及澎湖羣島，和其他有關地區。國會以四〇九對三票絕對多數通過了。

協防金馬問題

有關地區又是那些地方？是大陳，還是金馬？但不久，美國又要求國民政府撤退大陳，[illegible]宣佈協防金馬。[illegible]理由是美國不想因此而增加英國的疑慮。但艾總統私人會[illegible]他在記者招待會上說：「現在沒有人會懷疑美國對於防衛這個[illegible]作爲太平洋屏藩的決心，[illegible]不容許國際共產黨[illegible]這個屏藩。」（時代周報二月十四）大陳撤退後，杜爾斯[illegible]

些島嶼，如果是爲進攻台灣的開始，[illegible]美國對於協防金馬的態度改變了。五月十日，杜爾斯在巴黎參加三國外長會議時提到金馬，卻說道，「除非中共攻擊金馬時同時分兵進攻台灣，否則美國對於這兩個島嶼不負任何責任。」因爲左派抗議，杜爾斯對金馬問題前後判若兩人了。

艾總統的停火妙論

[illegible]萬隆會議，周恩來表示願意和美國[illegible]談判[illegible]和平方法，[illegible]美國作戰。周恩來所設的和平方法，無疑要美國[illegible]給他，這一來可是左派認這是一[illegible]，美國不應[illegible]

五月初旬，艾[總統在記]者招待席上[說：「我]們不想在國[民政府背]後討論他們[的事情。]……要是中[共所指的]會議，是討[論停火，]而不涉及中[華民]國，我們倒樂意[接受。」爲]什麼呢？因[爲停火不]涉及國民政府。國民政府向中共開火，是爲了自衛，除了報復，國民政府並沒有攻擊大陸。停火問題在國府方面，係屬理論性質，所以停火先全是中共一方面的問題，我們能夠和中共談停火，而不至影響到國民政府的利益。」（時代周報五月九日）

但雖爲艾總統想到這樣一種旣能夠敷衍自由中國，同時又能顧到盟邦意見的妙論，這便是中間路綫的眞面目。

共產咒詛中間路綫

中間路綫是很不容易跑的，爲了顧到左派意見，這半年來美國走的一直是曲綫，但因此引起輿論不滿。自由中國和香港都發出許多憤憤不平的論調，對於美國政策發生不少疑問，認爲美國的中間路綫是行不通的。

共產國家的反應如何呢？且看中國共產黨手册的話：「現在的世界，已分成兩個敵對的集團。反帝國主義集團的領導是蘇聯；帝國主義集團的領導是美國。」「美國領導的反動集團，早已呈現被動和孤立的狀態。這個集團的消滅——整個資本主義的消滅——祇是時間問題而已。」「這兩集團的鬥爭，已達到極度嚴重階段，任何一個國家，任何一個階級，均不能避免捲入鬥爭的漩渦。」「任何一個人都得選定立場，不屬反帝集團，便屬擁帝集團，其間絕無第三路綫可走。」這便是共黨的眞面目，他們宣傳「和平共存」，「兩種不同制度共存」，都是違心之論。尼赫魯，梅農，宇努之流爲「和平共存」奔走，固屬可憐可笑，艾森豪的中間路綫，自然也是危險的。

阿根廷起了革命之火

由於貝隆獨裁政治不見容於天主教會，貝隆早已視天主教會爲眼中釘。七個月以來，與天主教會[illegible]，已激起變本加厲，遂入二年來最嚴重的政治危機。十五日貝隆[illegible]捕教會反抗獨裁領袖。例如天主教徒領袖戴托主教及布宜諾斯艾里斯大主教堂神甫諸伏羅，皆被警察以政治罪名逮捕，[illegible]宣佈將貝隆逐出教會。

但阿國大多數人信仰天主教，[illegible]十六日海軍部份軍人以飛機轟炸總統府，從事革命推翻貝隆政權者宣佈阿根廷三軍與正統[illegible]以進攻政府大廈，[illegible]阿根廷人民一同奪取政權。阿國內亂，亦與世界大局有密切之關係。

阿根廷在歷史上是有西班牙的血統，早已[illegible]主義的傳統，自居南美洲富庶之地，常以「美洲的牛耳」自居，[illegible]阿根廷[illegible]。

[illegible]貝隆的終極目標是英雄主義，如法西斯主義不行，他祇要能維持其政權的，他會與共產主義勾結，他是不擇手段的。他會與墨西哥，智利的左傾政客勾結，會成爲反美而不擇手段。有人說貝隆曾經拜納粹，但反共很堅決。筆者認爲這種論調是靠不住的。我們固然不想樹敵。但作爲一個自由的立場，必須把握得堅定。有英雄思想和政治慾的人是不以極權爲然的，這樣的敵，很難化爲我們的友！

四巨頭會議會有結果嗎

·羅稻仙·

四巨頭會議的時間地點，現在都已經決定了，今年七月十八日起在日內瓦舉行，還爭論未決的是議程的範圍，我們如能理解美蘇兩巨頭參加這個會議的起因，就不難推測這個會議的將來結局了。

和外安內乃蘇俄用意

一九五三年春天，史達林暴斃後，[illegible]於是漫天放出和平共存的烟幕。[illegible]始則於五月主張召開百慕達美英法三巨頭會議，[illegible]則於十月主張召開美英法蘇四外長會議，討論德奧和約問題；又碰了蘇俄一個硬釘子。蘇俄十一月三日覆牒，不僅置會議於不理，而且提出了[illegible]六個先決條件。終乃於十二月四日至七日召開百慕達美英法三巨頭會議，祇做了一件事——核可了一九五四年一月四日舉行柏林四外長會議。[illegible]此次當然也不例外。直到今年馬林可夫被踢開，西德又決於七月間始建軍後；蘇俄內外情勢危急，較一九五三年馬林可夫時代爲尤甚。事實逼着赫魯歇夫，布加寧非走和外以安內的老路不可；因而想藉四巨頭會議喘一口氣。五月十七日杜爾斯國務卿在華府廣播說：「現在人人都詫異爲什麼蘇聯竟願改變他們的策略呢」？其實這僅是馬林可夫一九五三年春季和平攻勢的復活而已。

美國的測驗作用

過去美國一直反對邱翁四巨頭會議的觀念；爲什麼此次忽然表示同意呢？據杜爾斯說：「舉行一次國家元首會議，藉以測驗蘇聯有無和平誠意的時候，或許已經到臨了。」其實這種測驗也是多餘的，不過作給英國人看罷了。

艾森豪總統一九五三年四月十六日發表一篇有名的誘和演詞，提出了應付冷戰的戰略原則——就是「和平行動化」。一則曰：「最重要的是事實表現，而非僅爲言語」。再則曰：「考驗眞理的方法最簡單，就是事實勝於雄辯」。三則曰：「我們歡迎每一忠實的和平措施，而置任何巧言飾詞於不顧」。接着他又循循善誘地舉出若干輕而易舉的習題，叫蘇俄去做。他說：「有許多行動，不待訂立繁複的條約，祇要有了行動的意志即可。諸如蘇聯參與對奧和約，釋放二次大戰戰俘，即足充分表現其誠意」。對於鐵幕現狀，他沒說承認，也沒說不承認。亦與邱翁均勢妥協方案並行不悖，其爲存心誘導蘇俄相安一時，已可概見。

有希望也有危險

無奈蘇俄慣於和平言語化，正與和平行動化背道而馳。你要它先拿出行動來看，它沒有；它祇好反噬一口，先要看你的行動。其答覆，便如一九五三年十一月三日覆牒六條件所稱，要求西方國家放棄一切安全措施。若非最近西德建軍案無法挽回之理；它是不肯欲取姑與，拿中立奧國方式，作中立德國的釣餌了。中立一詞，即孫子所謂「伐交」，亦即「伐大國而其交不得合」。這是蘇俄今後在冷戰上「孤立美國」的唯一狡計。艾森豪雖明知其狡計；祇因蘇俄畢竟從行動上允許奧國獨立，也算做對了一個習題。故不妨再從四巨頭會議進一步測驗蘇俄對其他緊張問題，有無同樣和平解決的誠意。杜爾斯說得好：「這一種會議旣有希望，同時也有危險。最大的危險，就是希望太高而不能實現。」一語破的了。因爲在此紛擾時期，爭取英國的合作；也是大部分美國人士所同感的。

中共竟想做「五强」

美蘇對四巨頭會議旣各有副產物——主產物原是沒有的——不用說英法自願敬陪末座了。不過現已爆出一個不大不小的波折，就是中共夢想把四强會議變爲「五强會議」。

（下轉第二版）

半週展望

·旭軍·

蘇聯的微笑攻勢

不持政治理想而終日以權勢爲念，滔滔者天下皆是，此共產主義之所以得逞。蘇聯共的戰略是要把世界赤化，讓他們容易征服。務使鐵幕外形成混亂紛爭，最近蘇聯的「微笑新面貌攻勢」，便是如此。共產黨一方面用蠶食，滲透，分化，傾覆，的手段奪取政權，一方面鼓吹和平和不干涉內政。其實他們何嘗不干涉內政，實際上無日不進行傾覆政權。可憐自私的國家終日以避免大戰爲理由，而實行犧牲別人。他們說爲了金門馬祖而掀起大戰實在不值得。但不知他會記憶當日張伯倫之不惜爲了阻止三百萬蘇台丹日耳曼人併歸納粹德國，而引起歐洲戰爭，遂遺恨千秋呢？

替中共遊說的人

四國會議快要開了。美國執政者，把握不定，正如麥卡錫所說：明知蘇聯毫無信義，而與其談判，便是美國大戰後最悲慘的錯誤。其原因在蘇聯共產集團的統戰工作正遍及全球無孔不入。

最近有一統戰宣傳，即「強調中共與蘇聯矛盾」。竟有人謂蘇聯忌中共強大，故而謀與西方妥協。此等消息我等不必問，而自然知係是來自倫敦。其愚可笑亦可憐。中共朝無蘇聯夕死可也。妄稱其爲強斗，不知何所根據。現和平掮客梅農在華府亦高唱此調，無他，爲中共遊說而已。

馬力克開高價

至於日俄和約談判觸礁，爲共黨談判三部曲所應有之一曲，不足爲奇。假如不如此，便是奇了。馬力克提出無理對案，在日代表團看來，似出乎意料之外，大失所望。但在板門店談判經驗看來，這是開始開高價，待你還價，再出難題，終於藕斷絲連的談下去。現日本對蘇聯談判，持有三大原則：（一）收回日本領土。（二）遣返日俘。（三）不與西方脫離。蘇聯先表示拒絕（一）（二）兩項，其實蘇聯的目的還在使日本放棄第三項，吾人拭目觀之可也！

埃及吞了中共的釣鉤

—將派工商代表團赴大陸—

·方劍·

海外通訊

【本報開羅特約航訊】報載埃及宗教部長前赴赤色中國大陸訪問，與中共簽訂文化協定，引起國際人士之注意，惟事實上外間所傳尚多出入。惟埃及已上中共圈套，則爲事實。

埃棉購買已成釣餌

埃及政情複什，無可諱言，加以近來國際形勢，姑息妥協之空氣日益高漲，以至影響自由中國聲望。於此，我外交當局與駐埃使節遂亦苦於應付。埃及當局，重視眼前利害，採取實現主義，以爲其對外政策之指導方針，亦與他國無異。例如與埃及經濟最有關係之棉花出口問題，現時在國際市場上，埃棉幾陷於無路可走之境。本來埃棉銷英最爲大宗，現時英國已完全拒絕收買。同時美政府對於美棉出口，且用津貼制度，以與埃棉競爭，埃棉遂陷於絕大之困境。美埃之間，對此問題意見自不免多所衝突，我國駐埃使節曾對此從中盡力調處。希望得到合理解決，使埃及經濟不至發生重大影響，美國駐埃官員亦非見不及此，惟美國國會意見，頗多紛歧，政府主張受所牽制，故美國駐埃官員不能作切實肯定答復，以此遷延多時，始終未得解決。埃政府以切身利害所關，自不能坐以待斃，急不暇擇，拚命推銷，不問東西，凡肯購買埃棉者，均所歡迎。中共即利用此種時機，乘機佈放釣餌，表示願意購買，埃政府之甘於上鈎，自在意中，宗教部長之前往大陸亦即爲此種動機所促成。

文化協定尚未簽訂

至外傳埃政府與中共簽訂文化協定一節，據熟悉政情之權威人士稱，埃外長對此事曾加否認。據埃外長談，宗教部長之訪問中共，純爲社交性質，埃政府絕未授權簽訂任何協定，報紙所傳，實爲渲染過當，殊不可信。以記者觀察，目前階段，埃外長所談當係事實，惟將來如何，此時固不可輕加判斷也。

對英美表示報復

埃外長近會對某國駐埃使節表示，埃棉賣給中共，乃埃及經濟命脈所關，勢迫爲此，如果英美能改變政策，使埃棉銷有着落，則埃政府亦可立即與共黨斷絕此種交易之談判。惟吾人實不能束手待斃，任令國家經濟之惡化。公平論之，埃外長此種表示，自屬實情。一方面爲事實所迫，一方面亦爲對英美之報復。故西方國家能從事實與感情雙方着手，埃及自不至走向極端。

要和中共做生意

六月九日埃政府內閣會議，又宣佈將派工商部副部長率領代表團於六月底前往中共大陸商討互相貿易問題。有人以埃政府既未承認中共，自由中國尚有使節駐在開羅，此種行動是否矛盾爲言者。埃政府人士則力言，埃及現與西德保持外交關係，但與東德亦有商務關係。故承認中共與否，與通商實爲兩事。此論雖屬勉強，亦可見埃人重視現實利益，道義精神已置諸腦後。惟中共對此，恐又將大事宣傳，以自高身價矣。記者覺得今後中埃關係必須注視此等現實問題，外交壇坫之折衷，在今日之國際關係上，誠非口舌之爭，道義之論，所能輕易轉變者矣。（六月九日，開羅）

英國的百年外交政策

李加雪

美名作家巴東（Bruce Barton）在美國郵報發表『英國的外交政策』一文，他只引用兩位英國名人的說話，便把百年來的外交政策描畫得瞭如指掌，確是一篇不可多得的文章，茲節譯如下：

三十五年前，英國的史學家威爾斯來到美國，筆者（巴東自稱）和他會面，他對我講了一段話，使我感到迷惑，許多年來，他的話還留在我心中。

×××

威爾斯說：『世界和平最好的希望，是英語國家密切合作。斯堪的納維亞和我們同血統，經濟利益和民主傳統也跟我們相同。將來對於德國的憎惡和緊張情緒冷靜下來之後，我們應該把德國拉到民主集團來。那時我們便可構成一個強有力的和平集團。』他又說：『英法同盟是不健全的，法國人民屬拉丁族，我們是盎格魯撒遜。拉丁民族的心理和盎格魯撒遜是不同的。』我忍不住了，質問威爾斯道，『你們英國人時常告訴我們，（美國人）德國是匈奴族，是野蠻民族。現在你卻告訴我說，法國人靠不住，德國才是我們將來的同盟國家。』威爾斯聳聳肩膀說：『史學家的意見是客觀的，史學家對於情感不發生興趣。』

×××

三十五年過去，現在的世界情勢剛好和威爾斯當年的判斷相符合。若果威爾斯現在還健在的話，他一定會說美國外交政策過重情感。

童年的時候，我們時常替那些被土耳其凌虐的歐洲民族捐款相助。那時我們痛恨土耳其，可是，現在土耳其却變成了我們一等的同盟國家。一九〇四年，日本和俄國作戰，美國對於日本高聲稱讚，那時我們實在異常憎恨野蠻的俄國。過了不久，野蠻的俄國又成了我們的同盟，和我們一道攻打軸心國家。但現在我們又希望日本做我們的盟友，聯成一條陣線，來對付蘇聯了。

美國人眼中，歷史是一套驚險的誘人故事。我們發動了許多次的十字軍。美國人不注意遠程利益，總想把歷史納入聖經所說的一千個幸福年。

×××

英國人對於國際關係却懷抱着一種完全不同的觀念。英國帕麥斯頓爵士說：『英國沒有長久的敵人，也沒有長久的友人，英國眼中只有利益。』英國人只認爲能夠給予他們以利益的國家，便是他們的友人。

人物評述

最近幾天，阿根廷總統貝隆和天主教徒衝突的消息，一天嚴重一天。貝隆已經表示要用最大的力量對付教徒，這是一個政治問題，並非宗教問題，將來的演變如何，尚在未知之數。於此我們不妨談談貝隆總統這許多年來對阿國的種種措施，也可以藉此明瞭他發動排斥天主教的原因。

貝隆公開反美

阿根廷總統貝隆，是一個公開反美的人物，幾年前，他聲稱：「第三次大戰時，阿根廷絕不幫助美帝。」貝隆這個人野心很大，據說他已貴爲總統，富甲南美，並不想好好的享受，口口聲聲要與美國過不去。他也曾說過：「不救死亡中的美帝」。

貝隆爲甚麼排斥天主教？

。胡養之。

最近幾年來，貝隆極力伸張其勢力於其他南美國家，他的作法有兩種：一種是情感鼓動南美各國工人反美，一種是用金錢收買南美各國軍人充當爪牙。在工人團體中，貝隆非常活躍，他派遣了一批積有訓練的煽動家，給以「勞工武官」的名義，隨同阿國駐南美各國使節到處活動。他煽動南美各國工人反美的論調很簡單，他對各國工人說：「我們當然也反共，但是我們最大的仇敵仍是洋吉帝國主義者（指美國）。一日不趕走洋吉帝國主義，則南美洲一日不能工業化，我們工人大衆的生活也一日不能提高」。

會不會和共黨合作

貝隆會不會偏目的而不擇手段，竟與南美各國的共黨聯合起來，以達到他所高唱的「打倒洋吉帝國主義」呢？就目前情形看，這種可能固然不大，然而誰也不能說這是不可能的，在阿根廷國內，共黨和貝隆是時常攜手合作的，爲什麼他們不能擴大這種合作，推及全部南美呢？阿根廷共黨領袖普萊燕再三替貝隆辯護，足見他們都是偏目的而不擇手段的野心家，他們爲了打倒他們的公敵——所謂洋吉帝國主義，誰敢担保他們會將來不擴大合作以與美國作對呢？

貝隆的五年計劃

貝隆如何造成今日的獨裁地位呢？一九四三年再度發生軍人政變時，貝隆便做了希特勒在拉丁美洲的應聲虫，蓄意阻止阿根廷參加盟約國。德國失敗後，貝隆在國外失掉了靠山，轉而設計仿法西斯的內政計劃，希望博取小資本階級和無產階級的支持。一九四六年貝隆頒佈了一份五年計劃，裏面的目標，一是農業機械化，以求增加農產；二是由政府包辦農產品出口，以所得利潤來提高燃料和電力生產；三是改良運輸，四是由外間購入原料和機器。這計劃倘若誠意推行，確可實現進步的革命阿國。當時的牛肉、植物油、漆類出口佔全球第一，羊肉出口第二，羊毛出口第三。所存的外滙，戰後達十七億美元。國內的輕工業，由一九三五年起大見發達，製造食品，織造品，皮革，玻璃及其他千百種消費品。由一九三五年到一九四一年，工廠由四萬間增到五萬八千間。

五年計劃落空了

但是到了今天，阿根廷的外滙似乎已經空了，五年計劃的目標，也一項沒有實現。原有的機器已經破舊。以前是世界第一位牛肉和五穀出口的國家，現在每星期兩天不准吃肉，白麵包也早已絕跡。一九〇八年已經開墾的土地約四千七百萬英畝，現在僅存四千萬英畝。前年和去年都沒有餘糧出口，肉類出口數量也極減小。論工業，則電力實行配給，失業人數，由一九五〇年到現在增加到三萬人。生活要比一九四六年高六倍。售賣食品的商店，門口顧客經常排列長蛇陣，跟現在的鐵幕國家差不多。

通貨澎漲貪汚風行

截至目前爲止，貝隆只有乞靈於印刷機，來抵擋一切。爲博取工人的擁護，實行提高工資，可是錢幣購買力大跌。一九四三年市面流通的鈔票是二十億比索，一九五三年是一百四十億。工人薪水表面上的增加，敵不住通貨膨脹的影響。而且以前的出超現象，前年變成三千三百萬的入超。

貝隆政權的無能和腐敗，是不可否認的。外滙於購買軍火的時候流進貪官汚吏的荷包，農村人民在通貨膨脹之下，擁擠到城市裏面。貝隆的應付方法，祗是用隔靴搔癢的工業化政策，不敢動及大地主的利益。貝隆的小舅子，經常大開宴會，自命爲世界上最富的獨身漢。貝隆已死去的夫人從前的親閥同伴，分沾各種專賣權的利益。例如中國茶葉，便由女優摩里羅包辦進口。

貝隆未來的命運

各大學裏，擁護貝隆的學生，教授們不敢不予以及格。法院法官於判案前，要向省政府或警察局請示。反對貝隆政權的人，往往無緣無辜的被抓進監獄處酷刑。連婦女們咒駡物價高漲的都不免被逮捕。

貝隆看到人心漸漸的背叛，他可能走的有兩條路，一條是由反共轉而要求美國收買，投靠反共陣線；一條是希望發生第三次大戰，提高出口價格來紓解財政困難。可是阿根廷的國家主義份子，對於貝隆的第一條路是大不以爲然的。軍人中也正醞釀事變，以期犧牲貝隆一個人，來保全陸軍的勢力。但是反貝隆份子，左右兩派的觀點，也並未能一致。設使軍人在保守派的協助之下，發動政變成功，阿根廷的政治糾紛，也不過是再行拖延而已。現在貝隆極力排斥天主教，可能也是他想藉此挽回民心，鞏固地位的一種策略。

南美洲的共黨勢力，現在十分囂張，阿根廷的獨裁總統貝隆又如此狂妄，如果美國不能劍及屨及拿出一個良好的對策，仍然姑息養奸的話，這個心腹之患，恐怕有一天要使美國後悔的。

（編者按：本刊過去幾個月曾刊載立坤先生有關阿根廷的通訊若干篇，蕭先生的報導與本文所述情形頗多出入。讀者可參閱。）

發酬通告

本刊四一一至四二一期稿酬通知單，已分別寄發，請惠稿諸君憑單前來支取爲荷。

四巨頭會議會有結果嗎？

羅稻仙

（上接第一版）僞總理周恩來在萬隆亞非會議發出願與美國直接談判的空頭支票後；一直裝聾做啞，沒有下文。直到四巨頭會議萌芽後，他纔再開腔：「中共和美國並無戰爭、用不着談停火……如果要談，可採用蘇聯提議的十國會議方式，亦可考慮其他方式：」似此節外生枝，已明明關了美共直接談判之門，同時也轉了「五強會議」之論調，也是蘇俄一九五三年提條件之一。其後百慕達亦彩排表示以優先討論中共參加「五強會議」。雖未經柏林四外長會議，但紀錄上還掛着這一串中共舊事重提。蘇俄爲中共的前途，雖未必以去就力爭，總不免成爲一塊絆脚石。

永遠談不攏的議題

在此兩個世界尖銳的對立之下：自由國家的安全措施，就是極權國家的緊張原因，任何大小問題，除了最後訴諸一戰外，終不能在會議桌上獲得解決，然而雙方也不能不暫時揭出一些問題，作爲交涉。艾森豪五月十八日在記者招待會中已暗示兩個攻勢的建議和一個守勢的建議：一是促蘇俄捲起東歐鐵幕；二是解散共黨國際工具。後者是保守門戶開放，可能考慮歐洲從北至南設一通中立國家的意見；但須包含東歐附庸國家在內。此外對英法還表示一個消極性的態度，即美國決不支持任何姑息政策，出賣其他民族的利益。

擺龍門陣做結局

蘇俄至今雖未明白表示，但它將來可能提出的議題，也可從一九五三年十一月三日照牒所提案件及莫洛托夫在奧所作談話中推測得到的。第一當爲中立德國問題；第二當爲停止完成西歐團結計劃及防禦組織問題；第三當爲肅清美國在歐亞非三洲所訂安全條約及一切軍事基地問題。

似此針鋒相對，當然永遠談不攏。無怪杜爾斯乾脆承認「會議的宗旨：是設法覓致解決若干問題的途徑，新方法，新秩序；而非企圖解決這些問題」。從而這個會議的結局：說得典雅一點，就是「杯酒言歡」；說得通俗一點，就是「擺龍門陣」；說得沉痛一點，更是「清談誤國」——直足激成第三次世界原子決戰。

編者讀者

敬答讀者

本刊四四六期刊出台南省立農校讀者來書後，紛接各地讀者郵函，對該校妄指本刊爲思想不正確，表示極大憤慨，並對本刊備加勗勉，更有在其他報刊撰著文字，作不平之鳴者。同人於此，感奮莫銘。惟言論自由之確立，決非旦夕可期，必須言論界與廣大之讀者羣共同努力維護。本刊同人今後自當一本過去方針，益加黽勉，以期無負讀者愛護之至意。來書不克一一奉復，謹此致謝，祈爲亮察是幸！

本刊編輯部謹啓六月十七日

▲辛植柏，小丞，周光雄，廖斗星，夢山樓，劉成韶，穆斯曼，王斌，諸先生：惠稿已一一收到，謹此致謝！

▲司宏楠先生：函悉，俟查明再覆。

中共的特務組織及其活動

◎裕生◎

「本報澳門特訊」中共的特務機構，到目前已經五次改革。第一次，是在長征途中開始之前夕，中共將不能隨軍行動的幹部，給予特殊工作。散佈在白區內作種種活動，總部則設於上海。當時因缺乏中心領導，各地共特在抵擋絕望下，紛向國民政府投誠，幾完全陷於停頓。

由周恩來到康生

第二次，中共派實到了貴州，遵義派周恩來至滬負責特工，從事調整，並將實際領導集中於中央領導。由此中共特工方上軌道。

中共到達延安後，又作第三次整頓，毛高特工組織緊縮，將特工領導機構設延安，遂將特工表現大不滿，緊度和營造改革，接周恩來另調職務，特工領導權移交給康生與王首道。中共中央特工部改名為白區工作部，並成立中共中央政治保衞局。第五次的改革，王首道另有任用。中央特務領導機構由康生兼任。入計劃就在社會部實行，共黨政權一變而為特務政權，使一個共產黨人都必須兼特務工作，成為嚴密的特務集團，其工作範圍擴大，表面上則不用任何特務名稱。

特務大頭子李克農

經五次改組後的中共特工組織，至此始確定其最高領導機構為中共中央社會部。負責領導人那是有名的大特務頭子李克農，李去職後由安子文接替。以社會部為中心，以社會部幹部直接領導黨政機構的大特務社會部，其工作重心，直接管轄各軍政機關的社會部，下設分站，支站，小組，及各別擬員，以小組為基層，小組織限量為不過五人。這些組織大量滲透到各階層，尤其在黨政軍機構中，更有嚴密的節制，一部門直屬於中共中央社會部。而中共的特務機構

「省委」「政委」，以至「縣委」以下的「社會部」「社會幹事」，均屬社會分部領導。

統戰部 ◎活躍海外

一九四一年三月廿三日中共又成立一個受中央政治局直屬的統一戰線工作部，第一任部長李維漢，化名羅邁。至一九四九年又派劉格平等三人為副部長，中共的統戰部任務是專門負責中共對付黨外各黨派以及漢族之外的各民族與華僑的特務工作。

這個機構的組織在一九四一年成立，至一九四九年，工作人員只有二三處一室，至一九四九年擴大編制，現已增至七處一室十部二會及一統戰工作部，內勤人員約八十五人，外派特工人員有千人以上，其中的份子好似水銀瀉地，無孔不入，已滲透到海外活動各個角落，用各種方式分化，以及他們所謂民主黨派，以及他們所謂的各個工作委員會，從事特務活動。

軍政的諜報組織

中共行政方面的特工組織，為公安部。中共中央公安部內設有六局一部一總隊。

中共軍事方面的特務組織，也就是它們自己所稱解放軍的軍事情報業務，在五個野戰軍及各兵團，設有「保衛部」和「敵工部」，師設有「保衛科」和「敵工科」，團設有「保衛股」和「敵工股」。軍分區，縣指揮部亦均有上述組織。中共軍事特工除了以上這些特務機構外，還有一個專門性質的特工組織，直屬於國防委員會名叫「軍事科學研究委員會」，專以蒐集應用科學兵器技術及蒐集科學研究為主要任務。該委員會主委為何長工，該會內部主要機構為聯絡顧問處，此外設有秘書，技術，研究三室和各專門委員會及辦公廳。直屬該會的單位有化學兵幹訓班，該組織在東南亞方面的活動頗為積極，專以蒐集東南亞各國的反共軍事情報為業務。

馬來亞應効法香港

◎王世昭◎

馬來亞有了一個陳平，共產遊擊隊便不容易消滅了。馬來亞有了六十個共黨職業學生，於是工人罷工的事件便從此接踵而來。馬來亞有了六十個共黨職業學生，於是八萬五千的青年學生便隨時有了逃回大陸的事情。現在我們要問，香港與中國大陸近在咫尺，都安定得下來的，這是什麼緣故？香港有沒有陳平式的人物？沒有六十個職業學生？我相信事實上也許多過馬來亞若干倍。然而，香港比馬來亞究竟安靜得多，當然香港政府有辦法，處置得宜，而且對於學生與工人這些有形的實際力量，香港還有無形的實際力量，或者未嘗為許多人所注意。這種無形的力量是什麼？是數不清，說不盡，在口頭上，在文字上，在行動上，為政府作後盾的許多人士。共黨在馬來亞的人數不過少數，已經把政府鬧得頭昏眼花，而商學生搗亂，工人罷工，外面遊擊隊到處橫行。我真不明白，英國殖民部懂得調用官吏及警政人員到英屬地，為甚麼不懂得用有知識的中國流亡份子到各地去辦理文化，教育，新聞等事業，以爭取無形的反共勝利！

在時間上說，現在似乎還不太遲。我希望馬來亞和星洲政府，以及英國殖民部注意這個問題。我覺得中國的流亡智識份子，對於海外的反共工作，一定是樂於効力的。祇要殖民地政府真正有決心壓制共黨的叛亂，真正決心讓殖民地得到獨立自治，我想他們一定是樂於合作的。如果說反共工作不是留英學生或受殖民地教育的青年，恐怕會靠不住，這是不合理的判斷。幾年來香港的事實，便是一個切實的證明。

當局提高國語效率

抽調暫准教師受訓

從內地出來的人，國語不一定說得很好。相反的，甚多粵籍或外國人，以國語談話或發表演講，卻非常流利。雖然，說話是一種天賦本能；國人的國語說得不好，毋寧是一大語病。二三十年前，國內若干知名學者，曾經倡言將國語列為「大衆語」。這一建議的主要目標：為消除國人鄉土觀念。因為同是中國人，每因方言隔閡，不備滋生誤言，甚至隔斷了人與人之間的情感，歷來糾紛擾，恒皆由語言不通而起。以致人們對於鄉土觀念，愈益深重，甚至造成歧視。這非但是國人損失，在任何一方面看來，沒有不遭致損害的。然此，迄今為止，國語仍不能作為中國普遍的「大衆語」。

香港各間私立小學，通常均採用粵語教授課本。雖然也有若干高級小學的課程中，也有國語課的，教授對於國語的造詣，即令並不太深，最少比一般不會講的，自然好得多。但是大多數學生對這一課的成績，似乎並不太好。因為他們對於硬學語言，覺得很少發生興趣。這是用不到解釋的，教學方法並不高明。然而有一位國語教師卻偏偏反對此說；不過他承認「缺點」並非沒有，這個未被人注意的缺點：課本太深。一課書的字數太多，上慣了粵語課，說慣了廣東話，要強辨國語，好比咬菜根一樣咬不動了。如果字數少一些，學生們自然會感到興趣。這樣看來，小學的國語課本，雖然有修改必要，但能否配合其他課程呢？

教育司署對於這個問題，也曾作過深刻研究，其結果是經已審定的課本，實際是否適用，暫且不管，先決的條件：訓練一百五十名國語教師。這還用說嗎，教學方法顯然存有疑問。不過教育司例並不硬性規定：每一國語教師都得受訓。中間自然有很多自問教學方法很好。一百五十名教師將會包括一百五十間學校，這些學校担任國語授課的教師，如果經當局認可的「暫准教師」，願參加受訓的，可以向教育司署申請，進修的時間是今年九月十五日至十月廿七日，每星期四下午三時十分至五時，課程內容括有中國語文教學的一般原則，本港常見的國語教學病例；以及讀本教學方法，作文、默書等等，包羅極為詳盡。從釐訂此一進修課程的全般計畫看來，當局事先曾經作過深入了解透徹，誰也相信：下學年各校國語課程，由於這一次「暫准（國語）教師」受訓的結果，在本港教育史上，將展開新的一頁。

讀「文藝論壇」周報

◎馬丁◎

近五年來，自由中國的文藝界，對於理論與批評工作，多被忽視。大家似乎都認為創作第一，理論與批評之有無，無關輕重，因此，四十一年間曾由文協之文藝論評委員會，借「公論報」刊行「文藝論評週刊」，由黃公偉先生主編，不久即告夭折。現在，台北又出現一份「文藝論壇」周報，讀後，不免有些感觸。

文藝論評之被忽視，其見解以為有創作然後需要理論與批評，殊不知，即使沒有創作，我們對文藝遺產的接受，也不能不有批評的態度。文藝理論與批評作用前後，都是不可缺少的。

「文藝論壇」的「社論」主張，作家們須懷抱藝術的良心與國族意識，要以文藝復興來迎接偉大的民族復興。這是正派文藝要理論的透徹抱負，也是令人感佩的。

其中趙明先生在「文藝理論的創立問題」一文，提出「文藝理論是從無量數的文藝作品中，抽繹歸納出來的原理原則，可以幫助欣賞者更深刻地去了解文藝作品……文藝理論這東西，它並不打算給文藝創作以束縛，但它確能使創作者少做許多摸索的工夫，確能供給創作者以一些衡量自己作品的尺度，也確能提示創作者以一些新的可能發展的創作路綫。」這種見解是正確的，它指出文藝理論與批評的意義，實在令人心折。

另外韓愈先生的「文壇之「昧」」一文，也頗能深切道出文藝批評的重要。

該周刊不僅重視批評，也重視創作。它對於理論的要求：是「言必有物。」對批評的要求：是「言必中肯。」對創作的要求：是「言必出衷。」這種簡單說明了態度也是很正確的。它還提出「既不自立門戶，也不閉關自守；律己的戒條是言必符行。」這都是切中時弊的精闢之論，因此「文藝論壇」我認為是一份有希望的文藝週刊。此時此地，也確實需要這一個刊物。

× × ×

最後，我還有點小建議：第一版「現實面」一欄的「奇怪的感覺」一文，談汽車與偽造問題，似與文藝的關係無多，可以不必硬拉關係。第二版，以創作為主。第三版，當在人物速評，但又不似，所謂不似者，因有尹雪曼先生的「散文」——貓與狗，故此版性質欠明朗。第四版以關於電影的論評及書評為主。就各版內容看，「論壇」名稱，似未能名實相符，不如命名「文藝周報」較為妥善。此外各版內容，也有些選擇欠精到的地方，不必一一指陳，總之，我們希望批評不要流於「捧」和「罵」的兩極端，或者作廣告。而理論必須不抱殘守缺，或「藝經驗的新綜合」，應該審缺排濫，說到做到，最為重要。

關於編輯方面，有賴「專家」，與「內行人」，此乃普通常識。「文藝論壇」的編委共三十位之多，「專家」與「內行人」自然不少，如能充分合作，盡技發揮，必能滋滋日上，何待煩言。

筆者深盼此一刊物之出世，又嚮其前途抱無窮之希望，故不惜絮絮如上，該刊諸先生諒不為怪也。

四四年五月十五日夜

經濟社會思想叢殘

◎金伯華◎

至於這好處，在社會看來，到底是不是道德的，或甚至對於他本人到底是不是會貽患於未來的，當他沉湎於這需要的想像之海時，均所不暇顧及。俗語說：「口渴抓鹽吃」。代識性有時是並不正確的！

積極的觀點

第三、從積極的觀點看需要，就這一個人說了，那是表示這人於需要的充分意識之上，再加以滿足方法的認識，而內使他採取行動，以期獲得他所需求的食物。這足見他有決心使用財產以求需要的滿足。從這個角度看需要，我們認為需要乃是行動的刺激。這是走向獲取方法（財產）的一種意志。

基於上述這三角形的觀察，我們立即可以發見我們的這位經濟主體，這位饑寒，正深深的陷入於心理上多方權衡和多方抉擇的漩渦之中。何以故？進退兩難故也！為謀需要的滿足，這固然是高興的；但同時卻連帶生出另一種困苦，他得提供一補勞力。舉例以明之，他應該工作。於是從某一時期起，他又碰上另一個需要，甚且可以說是「反需要」：休息的需要。經濟主體之所以被迫的必須有所抉擇，這因為是無所從使用（處分）的方法（財產），是有普通的限度的。（三十二）

美高級將領紛紛入商界

羚式譯

他在柏林主管美國佔領任務有二年之久，以大膽的姿態衝過柏林封鎖。他是世界著名的一個理業混亂的人，他改組大陸公司分支機構。經這次改革以後，公司的營業數字去年已由一九五〇年的三億九千八百萬元，一躍而達六億一千六百萬元，這計劃的成功，他是推動力之一。他一年拿十萬八千元薪金。

莫里爾在一九四七年任約翰・勞林公司的董事長兼總經理，使這物理工廠成為現代化的和有競爭力的企業，這位體格魁梧（六尺高、二百磅重）而又溫和的海軍上將耗費了五億元增加鋼鐵產量，並增加收入百分之五十。他服務是不拘禮節的，甚至還保持海軍四星上將那種樣子。一九五二年他辭去了董事長，仍任總經理，一年要拿十萬元。

麥克納尼被選為康維爾公司的董事長，因為他對航空與行政都有深湛智識。他那沉靜而堅實的態度已使他獲得優越進展。他已成立一個長期的設計機構，附設於最高經理部門。他把合作與分配程序，加以徹底改革，並創立核算制度，及革新財政。他每年拿薪金十萬元。

史密斯將軍去年十月離開國務院後，因為他有廣大行政經驗，被聘為美國機器鑄造公司海外部副總經理，現在又兼任該公司原子部門的董事長，這個附屬新機構，將來負責原子能工作。

這些人當然在棄軍從商的人中，還屬少數。他們脫下了制服，換上商人便服，還有些人無疑亦將追隨其後。而且美國解職的陸海軍將領已愈來愈多，全國的公司又要積極爭取這些新人，為商界服務了。

（完）

不屑理會的人

馬五先生

有朋友問我：過去李宗仁每有政治性的言論發出，你皆有所批判，最近李氏主張解除台灣國軍武裝，與中共和談，又說台灣應保持自由生活環境，以免他（李氏）在外面做罪民。如此謬妄離奇之談，何以不聞閣下出聲呢？

對曰：我過去認爲李宗仁還像是個有政治常識的人兒，他縱然胡言亂語，還有予人以信譽，受人以德，他忽恕之道，尙有跟他辯難質疑的價值。今他已變成一個尸居餘氣的活死人，還自己以爲是「老幾」，那不是淸楚了。如其還要跟他評理我法，實非浪費唇舌，自找晦氣乎？

我們對於一個親友，祇要是心理上尙未昏頹，我們希望他，盼望他有所成就的話，即隨時勸導規過，聊盡友道。假使對方始終有如爛泥扶不上牆，自相作踐，那就只好聽他自生自滅，隨得理會了。所以，一個人在社會上，最怕是好壞沒人來理你，提起你這人，大家祇有嗤的一聲，說是「不要理他」！這樣，你這人的前程就全部宣告完結，永無翻身之望了！昔伍員投老不得志，無所不爲，別人問他何以如此？他很坦然答道：「吾日暮途遠，故倒行而逆施之」。說這話尙不失其爲有擔當的模樣，及我胡來，我亦有胡來的理由。李宗仁呢？因爲官慾薰迷，語無倫次，還値得評論嗎？

李宗仁「俱往矣」，用不着再提。只希望一般擁政治，居樞位的人，時刻一頂箴言：千萬不可拒諫自是，仇視社會大衆的逆耳之言。人們既顧意批評你的得失，十九都是對你存着一種良好意念，希望你學成功。否則他們盡無聊，儘可以找其他的許多刺激來消遣，何必向政治找麻煩呢？所以，一個主政人士對於輿論之不關心，好壞皆不屑理會，就是對與政之絕望，天下即非大亂不可！

民初的斷爛朝報

·狷士·

——中山先生當選臨時總統及就職情形一段珍貴史料——

平一晉夫在香港一家書店買到一些書，所用包書紙竟是民初前後的民立報，有的已殘缺，有的還算完整，將些舊報紙攤平，覺其珍貴，記其於下：

後，由各省代表會，電請中山到南京，那時中山寓上海環龍路寓所，（中山係辛亥十一月初六日上午到上海）初九日即被選。

×××

各省代表原電云：「民國臨時大總統孫中山先生鑒：今日十七省代表南京舉行選舉臨時大總統典禮，先生當選，乞即日移駕來寧，組織臨時政府，並由本會議長湯爾和，副議長王寵惠至滬歡迎，特此奉告，各省代表叩，蒸。」

×××

中山當選後，黃興復有電致于右任先生云：「民立報轉于右任先生鑒：今日中山先生當選，以明日由滬歡迎就職，定明年一月一日爲中華民國元年，孫大總統來寧發表臨時政府之組織，黃興叩文。」

×××

中山當選後通電各省云：「以諸公力戰經營，光復神州，文得受賜歸國，且慚且懼，今日代表選舉，乃謬以文爲臨時大總統，自顧材力，誠難以當，惟念北方未靖，民國初基，同濟艱難，文敢不勉，從諸公之後，當刻日赴寧就職，孫文叩。」另一電云：「南京各省代表鑒：電悉，光復中華，皆我軍民之力，文孑身歸國，毫髮無功，竟承選舉，何以克當，諸公不計功，加文以重任，敢不勉力從國民之後，當刻日赴寧就職，先此敬復，孫文叩。」

×××

民立報記中山先生就任情形云：「昨晚（十三日十一時）大總統臨大公堂，海陸軍代表與各省公民代表齊集，歡呼共和萬歲之際，奮勵天地，……誓詞如下：「顚覆滿洲專制政府，鞏固中華民國，圖謀民生幸福，此國民之公意，文實遵之，以忠於國，爲衆服務，至專制政府既倒，國內無變亂，民國卓立於世界，爲列邦公認，斯時文當解臨時大總統之職，以此誓於國民。」代表君繼續歡迎詞大意：毋違憲法，毋用非人，非德云云。隨致總統印綬，總統答詞略謂竭心力，勉副國民公意，隨由代表及海陸軍人大聲三呼中華共和萬歲，禮成，奏軍樂而散。

×××

我們在當時的報紙上，看到了我們民國開國的氣象，和中山先生那種，功成不居，寬容謙退的民主政治風度，眞足令人感動。他一生言行，以爲民服務爲目的，以公僕自居，固然値得欽敬，而當時代表監督回報君的歡迎詞，也居然當仁不讓地以主人的立場，對公僕致殷切的告誡，而總統也表示敬謹受，一片民主氣氛，洋溢着當時的新政府之中，這是何等値得回憶的一件大事了。

風入松

清明　·懷冰·

槐烟新散入春城，燕麥正青青。杜鵑喚起愁多少，聽風雨，一霎淸明。芳草天涯懷遠，梨花院落傷情。

誰分賓主占林亭，乍暖又寒生。雕花撥柳爭先看，有行人翠袖珠纓。飛過牆頭粉蝶，忙來葉底黃鶯。

題趙少昂先生蟬嫣畫集

鄧鏡人

胸有才華筆有情，別饒風致紙錚錚。絕憐古柳斜陽外，寫出高枝第一聲。

萬怪蟠胸筆底開，一枝一葉遠凡胎，高家兩傑成名後，（高奇峯劍父兩先生）藝苑于今見霸才。

記秋丹閣吟草拾遺

·湯鍾瑤·

（一）

民國二十七年抗戰初期，先君避地入蜀，賃居重慶新聞街一貨舖二樓，時史料已被燬，北碚留龍寺，公餘多暇，乃以平生所爲詩存四百餘首，多散失，迄未彙刻成帙。遂就記憶之所得，輯爲「秋丹閣吟草」二卷。

民國二十八年四月三日，敵機初襲渝城，新聞街中彈，波及寓樓，衣物悉被焚，僅以身免，至詩稿則倖未損，擱置筆硯，倒屣歸檐，以年高不堪避難，飲食起居，胥賴扶持，秋丹閣吟草之稿存，重寫幾爲之，竟成廣陵散絕響矣人間。

余以稽築之課，日夕趨庭侍少，吟草之編，未能躬任鈔胥，唯得先君有所吟詠，輒乞留手稿。或奉家書手論，曾先後錄存之。

焚餘劫後之拾遺，大約只有所作之一部份，首，是「自題詩稿」，其中紀事之作，有十首，又余所記憶者，共得五十四首，可謂秋丹閣吟草之拾遺。

先君諱堃，字公介，以西曆一八八二年八月生。一九零五年留學日本早稻田大學。一九零七年入同盟會，任民報社編輯，時主社務者爲章太炎先生。辛亥之役，隻身回國，至武漢，任湖北軍政府秘書，值武漢退守，隨軍轉入長沙，爲黃漢湘報等主筆。旋任三十餘年南京留守府秘書，克強先生事敗去，遂乃辦報歸，終農耕耘。

劍底秦庭

歷史小說　奚如

「你試隨便說一點。」荊軻已經逐漸明白漸離的憤激，決不是一時的牢騷。

「好的，在這裏，我不妨告訴你一點關於太子對外政策方面的嚴重失着」。漸離談了半晚，加上酒力的上湧，顯得有點困倦，已經打了好幾個呵欠，可是，一談到燕國的現行對外政策的錯誤時候，突然又從頹憊之中轉爲激昂：「大哥，不說你也知道，我們這個國家本來就是一個四戰之地，偏偏歷代的人君，也都是好戰的政治領袖，所以，在我們的有生之年，不但一直在經歷戰爭，戰爭！微天之幸，國家要是不亡於外敵，還補無盡的戰爭，恐怕還得一直要延續到我們的子孫的日子裏去。從八十多年前噲王時代由於子之之亂，被齊宣王乘機入侵起，中歷昭王三十多年，幾乎無日不在和齊國處於戰爭狀態之中；到了惠王，竟然變本加厲，連一向引爲盟友的趙國，也企圖把人家消滅，誰想到反被趙國的廉頗一個反擊，幾乎黐都亦不克自保。自此之後，一直就如此把兩國的友誼喪盡。眼看着西面的秦國，已在一天天的壯大，眈眈虎視之頃，照說，怎樣也應該捐棄前嫌，共謀自保之道了。誰想到太子『回到薊都第二年，竟然還乘趙國有邯鄲之難，逕續進兵侵取趙國邊鄙的子女玉帛數大。一方面，又拒絕了齊國重修舊好之議，甚至把當年自齊國隨溜蹦來的寶器遷到北歸，以示相絕之堅決。這種四面樹敵的自殺政策，我眞不明白太子究竟是何居心！現在，大敵當前，秦兵下邯鄲後，距燕邊最遠的地方也不過二百里，唉！說起來，我們在可見的將來，眞不知道如何死法」！

「漸高，照這樣看來，固然燕國也不免於一場空前的禍刼。可是，我很懷疑，以你的才具，爲什麼也如此消沉悲觀，不想辦法做一番驚天動地的事業」？荊軻忽然若有所感地抬起頭來，把稜稜的眼光注視着漸離頹喪的面部。

「我？」漸離苦笑地用手指點了下自己的鼻子：「報國之心，我是中心藏之，無日忘之。可是，大哥，我要問你，爲驗當道，對我在室，即使我有漸離有個三頭六臂，試問這一點能力，又到甚麼地方去貢獻？」

「難道整個政府裏面，就再沒有一個高瞻遠矚的人？」荊軻也不禁有點黯然了。

「有不是沒有，然而，也都是放在養老院中拿來作案頭清供的『元老』了。譬如說，鞠武就是一個。」

「鞠武？他是太子的老師。」

「他是太子的老師，現在是一名的中大夫。」漸離想了想，跟着又說：「鞠武你不認識，總應該認識一位親田光吧？」

「嗯呼！『田光先生』居然還健在？」荊軻驚愕地從坑上跳起來。

「嗯！他現在就是以處士的身份在襄贊着太子，可是從來不發表任何的政見。」

「忘年交了，我們是忘年交了。」荊軻沉吟了半晌，忽然感慨地敲了敲桌子：「漸離，讓我明天去看看他去。」

（十一）

食粥談趣

（下）。小丞。

說也奇怪，在馬路上許多食品店，如法泡製，一樣大賣「艇仔粥」，就算現在香港地方，粥店裏也有「艇仔粥」出售的，但是一經營到，味同嚼蠟，與荔枝灣的艇粥比較，確有天淵之別，這還是別有緣因。

×××

廣東的革命元勳王寵惠博士就是最歡喜食粥的一個，他不但喜食荔枝灣的「艇仔粥」，就是香港市中之出售鹹瘦肉粥店，他常是據案大嚼，一食便四五碗。當時物價便宜，每碗所値不過一二毫，倘是懷着一塊錢，便食之不盡」。

王博士既嗜鹹瘦肉粥，一時報章傳爲佳話，胡展堂先生女公子胡木蘭，知博士有此嗜好，特恭執世姪女之禮，妙高台公館，延博士到肉粥款之，博士認之而甘，實不絕口，認爲遠非常品，比之在市店中所食，獨勝千萬倍。因以詢胡小姐，據答稱，這是女僕阿周所煮的，阿周善烹飪，而煮粥尤有獨到之處。

×××

一般的「臘八粥」，這是從人所習知的，在北方隨爲盛行的。但是現在寒食節的時候，亦有所謂「寒食粥」，這是寒食節的弄的，據「玉燭寶典」載，「研杏仁爲酪，以餳和之」，以餳和之，朱松詩：「大氣欲淸明，寒在粥餳」。照這樣說來，所謂「寒食粥」，又名「寒食」，實在不是一般的米粥，而實在的杏仁糊，這是粥中另一種珍品。

笑話三則

靜文

（一）

有一個因戰功獲擢升的排長，軍營中自修苦學過，但仍是一知半解，祇是多少認識幾個字而已。當他接事大點名時，點名簿上第一名是「于孝顯」，這位新排長竟叫出「干老頭」來，于孝顯不會答應。新排長繼續點第二名「潘過求」，他又喊作「翻過來」。潘過求以爲這位新排長點名未按次序，不是他的名字，亦未答應。

剛在排長正要開口點第三名的時候，第三名恐怕排長再把他的名字叫錯了，馬上立正舉手，大聲報告：「我是第三名」，排長跟着說：「你不講，我還當你是『馬的必』呢！」

（二）

抗戰時期，中美雙方合作，美國人在中國服務，爲了便利，有的專心學習中國語，當他們……

自由人

THE FREEMAN

（第四四九期）

中華民國內政部登記證內警台誌字第二號
中華郵政台字第五〇〇〇號執照登記爲第一類新聞紙類
（半週刊每星期三、六出版）
每份港幣壹毫　台幣壹元

社址：香港高士威道廿二號四樓 3 rd. fl. 20 CAUSEWAY RD HONG KONG
承印者：東南印務出版社　地址：高士打道六十四號
友聯書報發行公司　海外總經銷
香港：彌敦道中二十六號A二樓
台灣特派員辦事處　台北市館前街五十號
台灣總經銷處　台北市西寧南路壹叁號二樓
台郵儲金戶九二五二

聯合國成立經過及其基本精神

·王聿修·

（一）起源

聯合國雖然是在十年前六月二十六日於舊金山正式簽字成立，但聯合國並不是由這一次會議成功的。這個國際組織和它的基本原則，是起源於二次大戰期間由羅斯福總統與邱吉爾首相在一九四一年八月十四日宣佈的大西洋憲章。其中重要的原則是：不尋求土地或其他的擴張（第一條）；領土的改變須依照當地人民自由表示的願望（第二條）；人民有權自由選擇他們的政治制度（第三條）；維持和平，因之可以使一切國家都享有安全，使一切人都生活在沒有恐懼沒有匱乏之中（第六條）；廢除使用武力；成立一個國際間的永久安全制度（第八條）。

自從大西洋憲章的原則宣佈後，深受聯盟國方面的廣大歡迎，成爲聯盟國對軸心國作戰的最高目標。一九四二年一月一日，中美英蘇等二十六國在華盛頓簽署了一個宣言，名爲「聯合國宣言」。這個宣言中說明：奉行大西洋憲章的目標與原則；此次作戰是爲保衛生命、自由、獨立、人權。截至一九四五年聯合國成立前，這個宣言又有二十一個國家加入。

（二）三個國際條約

到一九四二年五月二十六日，大英聯邦與蘇俄簽訂了一個聯盟條約，其中序文說明：對於戰後的重建工作，是要依照大西洋憲章的原則。並且在條約本文的第五條中特別規定，簽約國遵守兩個原則：一是不擴張領土；二是不干涉他國內政。這個條約的簽字人是艾登與莫洛托夫。

一九四三年十月三十日，中美英蘇在莫斯科簽訂了一個國際安全四國宣言，第四條說，簽字的四國認爲應早日成立一個較大的國際組織，以一切愛好和平的國家都有平等主權的原則，並歡迎無論大小的愛好和平的國家加入，以此國際組織維持國際的和平與安全。這一條特別注重加入的國家必須是愛好和平的國家。

一九四三年十一月，羅斯福邱吉爾與史太林在德黑蘭開三巨頭會議，訂了一個宣言。這宣言的第六段中提出，這三國要與一切大小國家合作，消滅一切暴政、奴隸、壓迫、不容忍。三簽約國歡迎這樣的國家共同組織一個民主國家的世界。這時蘇俄也儼然以民主國家自居。

（三）聯合國的雛形

一九四四年頓巴頓橡園會議的結果，建議成立一個國際組織，定名爲聯合國。這個建議的內容很長很詳細，是在華盛頓公佈的，一九四四年十月七日，共分十二章，這可以說是聯合國的原則和組織已具雛形。這個建議的第一章說明聯合國的目的有四：一、維持國際和平與安全，制止侵略行爲；二、發展國際間的友好關係；三、經由國際合作解決經濟社會以及其他關於人類福利的國際問題；四、使聯合國成爲協調各國行動的中心。第二章聯合國的原則，其中重要的有：各會員國主權平等；會員以和平方法解決爭端；會員國家彼此不得用武力或武力的威脅，去達到與聯合國原則不相符的目的（第四條）；會員國不得幫助聯合國正在加以制裁的國家（第六條）。

一九四五年二月，聯軍的勝利已在望，羅邱史三巨頭又在克里米亞開了八天會議，議了一個報告，促開聯合國會議。這報告說：美英俄三國爲早日與各盟國成立一個維持和平與安全的國際組織，三國同意於本年四月二十五日在舊金山召開聯合國會議，根據頓巴頓橡園非正式會議所訂的大綱，正式起草聯合國憲章。並說明立刻與中國政府和法國臨時政府共同邀請他國到舊金山開會。這文件的最末第二段說：「必須英美俄三國以及一切愛好和平的國家之間，繼續合作與諒解，增多人類的相互最高理想才可實現——持久的和平——正如大西洋憲章中所說，保證一切國家的一切人民過無恐懼無匱乏的自由。」

（四）舊金山開會

在同年三月五日，美國向聯合國的三十九個國家發出請帖，說美國與中英俄三國邀請各國派代表來舊金山開會，在四月二十五日起草聯合國憲章，並說明會議討論以頓巴頓橡園會議的建議爲基礎。

舊金山會議在一九四五年六月廿六日通過聯合國憲章，聯合國於是正式成立。聯合國現在經十年了，雖然聯合國未能有了多大的成就，但也有過不少表現，最值得喝彩的例如一九五〇年出兵制止北韓與中共侵略南韓，正式宣佈中共爲侵略者，這是人類歷史上以大規模的武力組織制止侵略的第一次。但最重要的是聯合國憲章的原則與基本精神，值得我們擁護。

（五）基本原則

聯合國憲章的序文說明了幾個基本原則：第一是重申基本人權的信仰；人的價值與尊嚴，男女平等，大小國平等。第二是遵守條約義務與其他國際法。第三是促進社會進步，藉擴大自由以改進生活水準。第四是實行容忍，彼此以好鄰相處。第五是維持和平與安全。第六是除爲共同利益外，不得使用武力。第七是利用國際機構促進一切人民的經濟與社會進步。

這些都是不可改變的最高原則。此外，人類的共同目標，聯合國憲章把前面大西洋憲章所述的，以至頓巴頓橡園建議的基本要點，都包括在內了。可以還有一點值得提出的，是關於聯合國會員國的規定，須遵行聯合國憲章第四條第一節規定，再破壞憲章中的會員國義務的，得由安全理事會建議，由大會通過，開除會員國。但這個規定有一個最大的漏洞，就是安全理事會中有否決權，等於使蘇聯將近百次利用否決權，保護它的附庸國進入聯合國。

（六）共產主義完全違反聯合國的精神

到這裏我們不得不說到，在過去聯合國中，蘇俄一直以自由民主自居，自恬不知恥，國家內時英美蘇俄所作所爲的行爲，完全違反了所簽訂的這些文件，證明它是根本不守條約義務的。

共產主義國家在簽任何條約時，就未打算遵守，與聯合國的基本精神根本衝突，要維持聯合國的理想，共產主義國家，不但不能再加入，而且應將已有的共產國家開除，它們不配作聯合國的會員。

中共怎樣造成大陸飢荒

蘇聯印度錫蘭亦應負責任

國民政府應向聯合國呼籲

·辛植柏·

輸出糧食造成飢餓

目前中共統治的大陸已發生了一個嚴重的飢荒現象。我們從飢民湧向廣州等候出口，從中共飢民出口放寬限制，從出口飢民所報告的內地飢荒慘況，從海外多方所獲得的共區人民吃草根樹皮、乃至以觀音粉充飢以及各地飢民發生暴動等情形看，即可知目前大陸飢荒確是到了極度嚴重的階段。

缺糧四個月

筆者再從統計數字加以研究，知道共區缺糧的時間約近四個月。因爲大陸人口，照中共所發表的數字六億，除僑居國外及台灣的人口外，亦有五億七千多萬。若以此爲準，據統計，每年所需糧食量總爲三千五百七十餘億斤，否則不敷供應。去年共區生產的糧食，前據中國新聞社報導爲三千三百五十億斤，比前年增產百分之三。照此數字，係根據中共農業部長廖魯言所宣佈的糧食產量計算，而去年因災減產的數量最低百分之十，及輸出量估計總數約二百四十億斤，其實際所用以供應民食的糧食僅二千四百七十餘億斤。以前項所需糧食之比較，相差約一千一百億斤之鉅。故不足民需的糧食，從其缺糧的數字及時間看，可知目前大陸飢荒，顯到了一個極嚴重的境地。

但中共乃是一個最不講人道的集團，在一連數年（一九四九到一九五四年）的天災人禍，糧產量大減的情況下，仍不顧人民死活，每年都執行其飢餓輸出的政策，把糧食大量運往國外，以換取戰略物資，至造成國內目前這樣嚴重的飢荒慘象。

警告印度和錫蘭

現在我們首先要警告的是印度，錫蘭等國當局，你們應此時體體中國大陸農村人民的饑饉色。印度，錫蘭當局每年向大陸運去幾十萬噸的糧食（以一九五二年爲例，印度於十個月之內即運去六十六萬多噸，去年運去數量當亦不少。錫蘭與中共所訂五年貿易協定，每年由中共售予大米八萬噸，（據香港大公報說，每年實售額數二十七萬噸）雖說是以貨易貨，但你們這種行爲，乃是割中國人民的肉，來補你們自己的瘡。你們的糧食不够，儘可從其他有餘的地方去取得補救，何以一定要向強盜手中去佔便宜？一定借強盜的手把中國人民的肉割下，來補自己的瘡呢？這一點點人道，你們都不顧及嗎？尤其印度總理尼赫魯，標榜不暇，高唱所謂和平共存，難道你只要中共一小集團統治階級的人共存就算了嗎？中國內地幾萬萬的平民就可以餓死嗎？

蘇聯運去千萬噸

其次我們要警告蘇聯及其東歐附庸國，你們與中共的易貨貿易，每年向中共手中運去近千萬噸的糧食，間接即等於對中國大陸人民實施慢性的屠殺。例如一九五〇年，僅東北一區運往蘇聯的糧食，就有七百九十二萬噸之多，自是年起你們與中共之間，即建立了經常的貿易往來，你們所訂的貿易協定，並均有由中共以糧食償付的規定。所以你們蘇聯及你們的東歐附庸，實爲中國大陸糧食一個大漏洞，必然要你們負一點人道責任，才有縮小可能。否則勢必造成一種民族間的仇恨，恐終非彼此民族之福。尤其蘇聯與中國壤地相接，兩國人民原無什麼深仇大恨，如果蘇聯當局一定要年年強迫移運中國人民的口糧，絕滅中國人民的生機，則中國人民亦必記恨在心，千秋萬世永難消滅。蘇聯當局，儘可臣僕中共，但絕不可遺害中國人民。移糧一事，就是遺害中國人民的事。我們必須嚴重警告，蘇聯當局，移糧的惡果，你們必須負其責任。

國民政府不宜坐視

如今中國大陸，已成了一饑荒世界。中共眼看人民啼饑號餓，竟不一顧，且竭力爲饑荒現象作掩飾，藉口節約，轉移外間視綫，坐視饑荒而不救，是誠千古暴虐昏君之所不敢爲也。國民政府爲憫念大陸饑荒，雖一時無救荒善策，最低限度必須將大陸饑荒慘狀，急告世界。尤其對過去或現在許多向大陸移糧的國家，應由我駐聯合國代表團向聯合國提出人道的呼籲，請聯合國警告向大陸移糧的會員國，必須顧存人道，中止移糧行爲。同時必須呼籲救濟，庶大陸同胞不至顛連無告，轉死溝壑。

每週展望

·李金畔·

聯合國十週年紀念

艾森豪威爾在廿日聯合國十週年紀念會的演詞，好像是一個牧師的祈禱文，充滿和平與道義的呼聲，這從對共產主義的鬥爭哲學來說，能夠發生怎樣的勁力？實在難說。

艾克呼籲，勿對他國政府予以傾覆，威逼，滲透或破壞；又強調無一國有權運用武力侵略別國，自然這都是有爲而發的。但是，這十年來，除了蘇聯爲首的侵略集團之外，普天之下，究竟有誰曾以武力侵略別國呢？

聯合國成立以來，蘇聯在安理會席上，使用了七十次以上的否決權，把聯合國弄成毫無作爲，難怪杜爾斯先生要慨乎言之。認爲聯合國對和平的維護不能作直接的行動了，其實聯合國組織在蘇聯集團看，也是宣傳鬥爭的講場，如只是對「資本主義」國家作國際事務「和平」鬥爭的講壇而已。

威爾斯（H. G. WELLS）說得好：發起國際聯盟的人曾受過舊式法律的訓練，而缺乏現代生物學的頭腦。所以爲個當作救星的國聯，除了面面討好的公式外，從未能產生過更多好的東西。聯合國似乎也因此而不能有所作爲，今天大家還要呼籲和平，高喊道義，以此來紀念聯合國的成立，豈非莫大的諷刺？從第一次大戰到第二次大戰，人類究竟又有了多少進步呢？

莫洛托夫笑臉迎人

從莫洛托夫所率領到舊金山的代表團來看，他此行不像是爲慶祝聯合國而來，他似乎準備和西方外交家團展開新的外交攻勢。他到舊金山後，待會晤聯合國的秘書長韓馬修，又出席哥倫比亞外長招待會，還舉行過單獨招待阿拉伯國家的代表午餐，到處笑臉迎人，一改以往的冰霜態度，其有求於人是顯而易見的。

看樣子，他志在拉攏與國，造成和平攻勢，以削弱西方，自亦不言而喻。

從現階段的蘇聯對外活動言，蘇俄所怕的，不懼是原子武器的威脅，而是更怕西方力量把她孤立起來。赫魯曉夫現不惜向狄托屈膝，那莫洛托夫之假裝笑臉，自亦不足爲奇了。

貝隆和共產黨

正當中共派遣貿易官員到阿根廷去的時候，阿國內部卻發生了政變！現時政變雖已暫時停止，貝隆政權已發生了動搖，大權旁落到陸軍部長魯契洛的手裏。

世人對貝隆的評價不一，但他存心討好共產集團則是事實。一九五一年十月開始，他已公開同美國對立，兩國間的關係因此逐漸惡化，到一九五三年二月，阿國甚至禁止美國通訊社發佈消息！同年且與蘇聯簽訂了一億五千萬美元的貿易協定。跟着又與所有蘇聯附庸國通商。

我們雖不能說，貝隆已有意投共，至少他是想利用美蘇對立以自重。想在美蘇矛盾中，自成爲南美洲盟主，奪取美國對泛美的領導權。

貝隆是否將因此一蹶不起，現在還不可知，中共和其他共產國家對阿國的垂涎，至少要因此而受到一大挫折。

赫魯又將訪英

尼赫魯訪蘇，還未完畢，倫敦却急電邀請，要他回程經過倫敦，到唐寧街談一談。尼赫魯如此被人重視，亦足自豪矣！艾登顯然想在七月十八日四巨頭會議之前先向尼赫魯探聽一下蘇聯的實際態度。

其實，這是多餘的，艾登未必能從尼赫魯口中得到甚麼。倒是蘇聯可藉尼赫魯這媒婆，向艾登說一番花言巧語，出賣和平寶樂。艾登或許有意使尼赫魯變成他的蔣幹，須知八十三萬曹軍的覆滅，禍根還是出於蔣幹盜書啊！老謀深算的大英外交，我想不至於輕易上老媒婆的當罷。

謹向我聯合國代表進一言

·黃文坤·

中華民國是聯合國憲章明文規定的五強之一，安理會的永久理事國，同美英法蘇四國一樣享有否決權，[illegible]

十幾億人民的發言人

所以我們的代表[illegible]蔣廷黻，正是全世界十四萬萬有色人種唯一擁有否決權的人，他是五萬萬中國人合法的代表，也是亞非二洲數十個大小國家民族十幾億貧窮人口合情合理的代言人，他的權利與責任，比世界上任何個人更大！

近年來雖遭蘇聯及少數西方投機國家的挑戰，共匪打入聯合國強盜式的威脅，中華民國在聯合國安[illegible]

然而我們有了這樣的一個國際地位，應該還有許多工作要做的，試就個人所見，擇要列舉如下：

保護有色人種的利益

（一）我們的代表應不放棄任何機會，用盡一切心思，揭發共黨集團的殘暴無人性，揭發四十年來中歐細亞數十個弱小國家民族淪為共黨奴割，呼籲其解放與獨立。[illegible]

（二）我們的代表，應義不容辭自認是全世界有色人種的代表，凡遇一切種族歧視[illegible]，應向全人類的理性申訴。[illegible]

請聯合國制裁中共

（三）我們的代表，是五萬萬中華人民的合法代表，應時刻不停地爭取我國政府及人民之利益。[illegible]

國外通訊

印尼的經濟危機

·唐璜·

【耶加達航訊】印尼經濟狀況現正日趨不安，據政府公佈：二月份輸出，所得為九億盾；三月份降為八億四千萬盾；四月再降至七億盾，且仍在繼續下降中。由於輸出收入減少，表示印尼政府的外匯收入情況惡化，外匯準備日益稀薄。[illegible]進口貨及消費品相率漲價！

財經衰落的癥結

據印尼大學教授蘇米特羅的分析：[illegible]

輿論的指摘

[illegible]

議，召集全國有才智而又忠實的各個領袖[illegible]商，促使大家合作，[illegible]之策。[illegible]是代表印尼人民的共同要求。[illegible]的顯然[illegible]

責任。

大印尼統一黨總幹事旺梭納哥羅，對政府現狀也同樣表示不滿。他對記者說：國內經濟情形一再惡化，不僅犧牲平民的利益，更忽視了中下級公務員生活的安定。因此大部分公務員不顧公務而為己牟利！

他更表示，內閣的經濟部長羅中諾雖然是本黨黨員；但是他在內閣裏由於種種因素和阻撓，不能得到合作，因此不能克服困難。

旺梭納哥羅的話完全是事實，政府公務員的收入既不穩定，貪污和走單幫就成為普遍的現象。同時也證實了哈林向蘇加諾提出的建議，也不是無的放矢了。

貪污無能求援毛朝

印尼今天所存在的經濟困難，實在是政治因素所造成的。進一步說，還是印尼政府走「北京」路綫所造成的惡果！

內閣總理阿里最近飛赴「北京」，也與經濟危機有關，他要去向毛朝請援，和中共做生意，其實中共自顧不暇，即使生意做成，也不見得對印尼有若何實際補益。

中共的三不收主義

大陸藥材奇缺的原因

沈者

【本報專訊】今年入夏以來，大陸各地人民各種疾病患者，大量激增，以至中西藥物供不應求，藥材市場乃顯恐慌狀態。

據中共「人民日報」指出，自由世界實行禁運政策以後，西藥原料及成藥本已極度缺乏，幾年來全國大力提倡中醫和使用中藥，以應付此種困難。惟近兩月來，藥材需要量大而各地「國營商業」和「合作社」的藥材供應[illegible]，和互相爭購的緊張現象。

該報指出，由於各地「國營商業」部門和「合作社」系統中一般幹部，對藥材[illegible]

據稱：在通常需用的四百八十多種藥材中，野生的有三百九十二種，而這些以前大部分靠農民利用農閒時間進行採挖，數量相當零星。但已被[illegible]的「國營商業」和「合作社」，存有「數量少了不收」，「不懂而不收」，「麻煩而不收」的「三不收」態度，乃使農民對藥材生產灰心[illegible]

人物

蘇俄特務頭子貝利亞被馬倫可夫清算以後，不到兩年，馬倫可夫又受到赫魯曉夫的暗算了。共黨殺共黨，共產黨清算共產黨，本是當慣的事，這裏不必多談。

評述·赫魯曉夫不認妹

由於馬倫可夫的去職，他的太太蘇俄「第一夫人」——愛倫娜，也隨之而卸任了。政治上爭奪，陰險無情，赫魯曉夫並不因愛倫娜是他的妹妹，便對馬倫可夫予以寬假。並且另外還有個消息說：赫魯曉夫已經不認愛倫娜是他的妹妹，到底是真是假，局外人便不得而知了。

據說這位卸位的蘇俄「第一夫人」，未與她丈夫合攝過一張照片。前年美國「觀察」雜誌刊出兩張照片，也不是她與她丈夫合攝的照片。據稱：比較年青的一幅，曾刊載在莫斯科某戲院節目表的封面上。另一幅則是從莫斯科前年出版的「蘇維埃婦女」雜誌上剪來的。

卸位第一夫人 馬倫可夫的太太

劉靄如

莫斯科的紅伶

該雜誌同時發表它的兩位記者從歐洲採訪到的，關於蘇俄第一夫人的消息如下：

蘇聯總理馬倫可夫夫人愛倫娜，曾一度做過莫斯科舞台上的紅人。但今日除了少數記者，知識份子，和克姆林宮的圈內人士外，蘇聯殆無一人知道這一位前任紅伶到那裏去了。二次大戰前一個夏天，馬倫可夫追求並得到了愛倫娜，一般人對今年四十四歲的愛倫娜，種種疑團，就從未消散過，甚至世界上知道馬倫可夫已經結過婚的人也不多吧。

莫洛托夫的女秘書

他倆初次遇見時，馬倫可夫已經使君有婦，馬氏原妻名羅勃左瓦，是一位頗聰明，但不甚有吸引力的婦人。以前原是莫洛托夫的秘書和朋友。她對於馬倫可夫在政界的成名，確實有相當功勞的。

自從馬倫可夫認識[illegible]麗的愛倫娜以後，棄舊迎新，一縷情絲，如膠似漆。他首先不得不與他第一任太太佈置一個離婚，終於一九四〇年，總算辦好了離婚手續，如願以償，而且進行得極為秘密，從無公開紀錄。

秘密結婚

於是，他便與愛倫娜秘密結婚了，在婚後兩年之內，愛倫娜還以原來的字名，在莫斯科舞台上照常演出。後來，馬倫可夫偕同他的秘密夫人和兩個兒子，自酒店遷往克里姆林宮，在未登總理寶座以前，居然能攜同妻子搬入克里姆林宮，這樣的異數，在蘇維埃是很少見到的。此時，這一位紅伶也就突然宣告退休，并且再不在公衆之前出現了。

喜穿男裝兩個孩子

迄今為止，還沒有一個西方國家人士，在招待會或「派對」中見過她。她現在情形怎樣呢？也沒有一個外人可以知道。有人說：她的風韻至今未改，在所有政治局委員的太太中，她算是最漂亮的一個。又據稱：她喜歡穿着巴黎的新時裝，而且穿得很適合，有時還喜歡穿上男裝。

關於她的出身，也一樣傳說紛紜。許多人相信，她就是蘇共中央書記赫魯曉夫的妹妹。但是關於她的出生地點，教育或早期經歷，似乎並無一人知道。現在可知道的，是愛倫娜已為馬倫可夫生了兩個孩子，一個男的八歲，一個女的六歲，名字均不詳。（如果照今年計算，男的應該是十歲，女的應該是八歲了。）

牝雞司晨

另據一種傳說：馬倫可夫為了滿足她的政治慾望，曾經派她去莫斯科大學，給她一個舒適的辦公室，和一份戲劇顧問的職務。在伶人觀之儼然一學者，但教授們視之仍然不過一女優而已。

另有人說，她在克里姆林宮裏，有很大的勢力，有人以為馬倫可夫要求已經停滯了的化粧品工業增加出品三倍，就是愛倫娜的主意。這工業的首長，據稱也是由這位「第一夫人」的一個姪子來充任的。

牛屎上插牡丹花

這以上都是「觀察雜誌」的報導，我們從她這片段的紀錄來分析，她實在是一位多情的徐娘，她經不起馬倫可夫的誘惑，而終於與之結合。較之殘忍而又極謹慎，同時也是善忘的馬倫可夫，（往時與馬倫可夫稱兄道弟的人，一朝用不着了，即忘得一乾二淨），愛倫娜的感情和他倆該極不相同的。

馬倫可夫常穿一件厚呢大衣，和一頂舊式俄羅斯帽子，看來好似一個商人。他身材短小，僅五尺七寸高，活似一個矮胖的侏儒。愛倫娜呢，是碩人頎頎，婀娜多姿。不僅喜歡男裝，而且喜歡巴黎時裝，應該是講究修飾的一位美麗女優。

凡與馬倫可夫有一面之緣的，無不異口同聲說：他語言無味，面目可憎。一個前捷克外交家形容他的面孔，好像一個土耳其太監。然而愛倫娜畢竟是一位為衆生傾倒的女優，笑臉迎人，和藹可親。而且她還是政治局委員太太當中最漂亮的一個。

愛倫娜之與馬倫可夫結合，自然為了仰慕他的權勢，炙手可熱，只是今天由於馬倫可夫垮台，這位美麗多姿的「第一夫人」也隨了而黯淡無光了。

大陳國軍撤退時 一段驚險內幕

有一個隱瞞已數月的內幕故事，到現在已可向外間公佈，這是有關大陳島撤退的。

這件事看來雖小，但影響卻異常重大，為了這件事，美國中央情報局很受過一點震驚，有幾個人[illegible]且可能已遭秘密停職，若不是一位記者先生及發覺時，美國在亞洲的情報活動可能已受到嚴重的破壞，在中共大陸上所進行的地下工作，更要全部停擺。

話說陳大國軍撤退時，不僅全體軍民走得精光，甚至一點一絲有用的物資也全部撤上中美軍艦運走，在國軍這方面來說，做得最徹底不過的。但是百密必有一疏，問題竟出在美國人身上。

美國中央情報局在大陳島上設有一座強力電台，專門指揮美國在大陸進行的情報工作，它們所用的是中央情報局自己的密碼。大陳撤運時，美特務工作人員也跟着撤退，但這些粗心的中央情報局人員竟遺忘一件事——一件十分可怕的事，他們忘記將電台破壞，並遺下了一些密碼本和大陸工作人員的名單。幸好在這千鈞一髮的當兒，竟出現了奇蹟，一位警覺的記者在全島撤運將近完成時，特環島作最後一次的巡遊，實行「詩意」的最後告別，當他走到某地時，他突然發覺了這些無綫電機，名單，密碼本和其他設備，驚異之餘，立即將它們徹底燒燬。後來這件事傳到中美高級軍事首長（那時候，美第七艦隊司令蒲瑞德中將也坐在旗艦上，於大陳島外巡弋指揮撤退）耳中，大家都不禁捏了把汗，因為若不是這位記者立下「一大功」，立刻會產生兩個最嚴重的後果：

第一、美中央情報局的密碼本落入中共手中後，共黨自會利用它偷聽中央情報局的秘密，最後必然迫得要更換全部密碼；

第二、美國在大陸作情報工作人員的名單被中共攫獲後，共黨必會按圖索驥，一網打盡，其後果更是嚴重。

編者讀者

△有關聯合國成立十周年紀念的文字，本期發表三篇，其餘當于以後各期再酌量刊出，惠稿諸君，幸亮察為荷！

△台灣各大學今年招收僑外學生的考試辦法，據有關方面消息，比較往年更為簡便，該項新辦法本月底前即可決定。承讀者函詢，未克一一答復，謹此佈達。

△郭志超先生：來函敬悉，辱承明教，無任感幸，並已轉達有關方面矣，謹復。

△劉靄如、廖任超、韓文、汪天頤、文武郎、崇霄谿先生：惠稿均已收到，至感謝。

工潮動盪——
香港工展在星觸礁

新客

海外通訊

【本報星洲六月十四日特約航訊】香港中華廠商聯合會在星洲舉辦的第三屆華資工業出品展覽會，業於六月十日開幕了。這個會不單純是展覽性質，而兼售貨的。

雙重的重大意義

在赤色大陸貨品源源推進星洲市場的今日，這個會的舉辦一方面具有相當重大的意義，一是更進一步推廣銷場，以挽救香港工商業瀕於崩潰的危機，一方面是說明工商業在自由發展下，能夠產生價廉物美的貨品，給於極權國家的工人在高度壓榨下所造出來的產品，予以事實的答覆。該會的辦事人對這雙重的意義似乎並未完全瞭解得到，祇輕描淡寫說出香港工商業的危機，而歸咎於各地的外滙統制，而歸[illegible]星馬華僑予以援手。至於當地報章（華人報者除外）亦沒有把這重大的意義指陳出來，筆者是十分引為遺憾的。

富有啓示性的演詞

開幕之日，星政府工商部長馬歇爾的演詞，有一節是頗為精采的。他說：「據我所知，祇是幾年以前，貴地（指香港）以外所發生的政變，曾引起貴地的政治騷擾，曾引起貴地民眾同情共產主義，資金開始向島外流出。可是，由於各位的密切注視，和逐漸的明白你們同胞所受到的痛苦，才對共產主義有急激的轉變。因此就大大加强了經濟的穩定，才使貴地的商業有發展的今日。」這番話是一個很好的啓示，但香港的廠商們，還是輕輕地把它忽略過去了。馬歇爾先生說這些話時，慷慨激昂，似乎還帶點欣羨的神氣。於是他把話鋒急轉直落，歡迎香港的工業家到星洲投資，並願予以種種便利，可是，馬歇爾先生的熱誠好意，却給共黨澆上了一盆冷水，弄得香港廠商們啼笑皆非。

罷工風潮的影響

展覽會開幕的第二天，一個電車工人在車中飽一頓老拳，所有的電車工人藉口罷工，而自動停工，屬於電車公司一切車輛都停駛，市內交通陷於癱瘓，遊客大受影響。設在遊樂場內的快樂世界遊藝場內的展覽會，自然使到遠路的觀衆望而却步了。

第三天，是一個良好天氣的星期日，展覽會本來可以希望大大做其一票生意的，可是，情形比前一天更壞。因為有四個工會的負責人和一個中學教師被捕了，[illegible]總罷工來促使政府於四十八小時內[illegible]罷工的電車工人[illegible]，各線巴士停駛，據說是要求政府釋放他們的領袖。於是，全市的主要交通工具，已陷於癱瘓狀態，艱苦維持有愛護僑胞出品的熱情，也不能徒步而往。

第四天，參加罷工的各行業工人更多了。中午時份，突然傳來一個汽油站也準備罷工的消息，[illegible]汽車長龍，輪購汽油，不準備罷工的汽油站，[illegible]，全市[illegible]

無心再談星馬設廠

今天，展覽會開幕已是第五天了，僅餘的巴士汽車也受到共黨的威脅而停駛了，人力的三輪車亦應若晨星，全市動脈已成癱瘓，政府和共黨的爭持，尚不知延續若干時日，[illegible]必須於六月廿七日交還，[illegible]展覽會除[illegible]之夜做了一批比較可觀的生意外，[illegible]收入，雖然在買一送一，大贈禮品，發票號碼開獎等花樣之下，除去成本，恐怕還不夠支付[illegible]廣告費，旅費等更無論矣。[illegible]各廠商的數字加大十倍，以自欺欺人，除此而外，便是天淵地[illegible]，遺憾[illegible]其星馬設廠的計劃了。（六月十四夜）

聯合國蒙塵

讀者論壇

彭楚珩

六月六日，美、英、法三國政府，邀請蘇俄（現已定七月十八日到二十一日的四天之間，在日內瓦開會）舉行四國巨頭會議，這可說是聯合國的蒙塵。筆者要呼籲自由世界各國，舉行一個『護法運動』，以反共的多元會議，以與叛護聯合國的『聯合國憲章』的尊嚴，爲聯合國的『勤王之師』，展開『護法運動』。

×　×　×

因爲，今日之世界，是全人類繁衍滋生的世界；今日之時代，是自由民主步入高潮的時代；而今日的局勢，更是文明和野蠻決勝負的局勢；就此三項：實爲現代的三大綱領，如果缺出這三大綱領的範疇，舉行所謂巨頭會議，任他說得如何天花亂墜，總是百無一是的。

三、幾個人的巨頭會議，要想操縱全人類的生存，要想剝奪全人類的自由，他們自己，早就陷在惡夢之中了；所有的世人們，都有喚醒他們這個惡夢的權利和天職。好好的一個聯合國，正是處理國際糾紛的合法機構，俄帝以前給予聯合國的破壞，我們正深惡而痛絕之，如今聯合國的主要組成國，却要把聯合國放在一邊，不去理它，而另外要搞一個非驢非馬的巨頭會議，使那個以無數血肉培養灌溉而成的聯合國，以及聯合國的憲章，蒙受重大的損害，自由世界各國的人們，誰也不應坐視而不救。

×　×　×

筆者因此提出這個主張：由自由世界各反共國家的元首，發動一個『勤王』『護法』運動，在四國巨頭會議揭幕的前後，選定一個適當地點，邀請亞盟反共集團，東南亞聯防公約集團，阿剌伯集團，可倫坡集團，土希南聯防集團，北大西洋防禦公約集團各反共國的元首，舉行一個普遍的反共多元會議。這個會議，如果真能舉行，可能有下列幾項重大作用：

第一。聯合國的聲威，可以因而復振，因爲這是『勤王之師』，使搗亂聯合國的人們，知所懲戒。

第二。給予共產集團以重大的打擊，使知道反共的力量，不僅是大國的政府，而是廣泛的各自由國家。

第三。參加會議國相互間的國際問題，可就而商取適當的解決途徑。

第四。監視巨頭會議，有無罪惡的決議，以免重演雅爾達會議的罪行。

第五。亞盟會議停開以後的損失，可因而獲得補償，使各國人民的反共觀感，爲之一振。

第六。一切反共工作的佈署，技術、理論，情報等等專題，也可作個重新的檢討和策劃。

總上六項：雖爲筆者個人之見，然『愚者千慮，必有一得』，『狂夫之言，聖人擇焉』。

×　×　×

而且，在自由世界國家的許多領袖們，具有三十年反共歷史的先知先覺者如我國蔣總統，具有反共魄力，智慧，和決心的如大韓民國李承晚總統，菲律賓的麥格塞塞總統，泰國的鑾披汶總理，巴基斯坦總統阿里，錫蘭總理戈特拉瓦拉，伊朗的王巴里維，土耳其巴雅爾總統，西班牙的佛朗哥元帥，西德的愛德諾總統，都是反共陣營中了不起的人物，如果他們能夠聚會一堂，以策劃反共的大計，筆者有理由相信：他們的成就，將會成爲現代文明和野蠻的鬥爭史上的轉捩點。這固然會給予自由世界的人們一種嶄新的觀感，同時也會給予鐵幕內被奴役的人們，一項莫大的慰藉和興奮。全世界的反共人士，盍興乎來，以期有成！

你想投考港大嗎？

陳永昌

【本報專訊】香港大學是香港的最高學府，她不僅在大英聯邦國家內，享有盛譽，在世界學術界上也是有地位的。因此，每年投考港大的學生，人數都很不少，最近幾年尤爲踴躍。今年投考的共達六百餘人。

錄取後大有好處

考生被錄取後，不僅可以升學，得到研究高深學問的機會，即使無力升學，有了入學試及格資格，對於就業，也就有了較優的機會，工商界的職位，固將特別表示歡迎，政府機關的職位，亦可優先錄用。並可獲較高之待遇。且有了此一資格，有志到英國本土或英屬各地大學升學的，或則較爲便利，或則竟可免試。以此投考港大的學生人數，逐年遞增，是不爲無因的。

高中畢業將可投考

據確息，以往投考資格，以本港英文書院英文第六班畢業生爲主，明年起，本港中文學校之高中畢業生。（會考及格）亦將取得投考資格，（詳細辦法尚待公布）港大此種開放措施，實屬明智之舉，值得稱頌，將來投考人數必將更爲踴躍，自亦可想而知。

投考須知

筆者以本屆考生的資格，願將個人的考試經驗，報導讀者，藉供有志投考港大的參考：

（甲）入學一般條例：

（一）考試科目分三組：其一爲英國語言，英國文學、地理、歷史、中國語言文學、中國歷史、拉丁文、法文、西班牙文、葡萄牙文；其二爲純粹數學、應用數學；其三爲物理化學、物理、化學、生物學、植物學、動物學、地理。以上除英國語言、物理化學、純粹數學外，其餘各科皆分高初二級。

（二）選科問題　是根據以下（三）和（四）而定。

（三）入學必要條件　考生一定要有五科合格，在這五科中，兩科一定要屬於高級的；而且在一次考試中，最低限度要合格四科，這四科中，一科必定是英國文學，一科爲其他語言文學，其餘兩科乃爲第二或第三組中的任意兩科

（四）各學系的需要條件

文科系——三年畢業。沒有其他附帶條件。

理學系——三年畢業。但進入大學後，還得再讀一年預科班，[illegible]正式進入理學院。除非是在入學試時，[illegible]化學，高級物理、高級生物、和高級數學中，任意兩科有水準以上的成績。

醫學系和藥劑系——五年和二年畢業，其他情形和理學系同，除了要在高級科目中的任意三科有水準以上的成績才能直接入該系。

工程系——情形與以上三系同，不過直接入該系的考生要以下四科皆有水準以上成績：高級純粹數學、高級應用數學，高級物理和高級化學。

建築系——五年畢業，沒有附帶條件。

（乙）應準備的課程：各科系應考課程不一，難以詳贅，港大有詳細課程表出售，每本一元，可供參閱。

預備投考的方法

（丙）準備考試的方法：

（一）到政府學校或半政府學校攻讀英文第六班（FORM6）這些學校學費不甚高昂，實理想的去處，但這些學校學位不多，很難進入的。

（二）到私立學校攻讀英文第六班（FORM6），這些學校的學費較政府學校高出一倍有奇，而且多是商業性質，成績不甚良好。

（三）到私家補習班。管理頗爲周到，但缺乏教材儀器，且學費奇昂，惟仍不失爲無學校可入時的一個好去處。

（四）自修。這個方法不甚可靠，但筆者目覩自修生有能考進港大，而且成績斐然者。不過應補充一句，這些自修生皆大才聰穎子弟，非平凡之輩可易達目的。以上的準備方法，最好還是進學校，自修補習乃迫不得已時的方法吧了。

港大籌設指導機構
矯正學生心理缺陷

社會風氣良窳，對學生心理上影響極大。因此，對於一般感染不良風氣的學生，儘管學校、家庭嚴格訓導，效果未必會如理想與期待之大。此種缺憾，在現階段似乎非常普遍，倘若不予重視，不謀妥善而適當對策，則其後果至堪虞慮。不久以前，本港高等教育界人士，曾爲此事作過長時期研商，其結果，決定了由香港大學設立一個「教育指導所」，經將詳細計劃送請教育司核准，正式成立。它的目標有四：（一）在學校主任教師，父母或醫生請求下，對心理調查及醫治的學生，提供建議，作初步檢查、調查及諮商。這種指導與檢查，包括學生行爲不佳，愚鈍，精神憂鬱，或對考試閃縮懼怕等有礙青年學生當前切身問題。（二）在學校請求下，提供課程計劃。（三）在父母請求下，替其青年子弟在國外尋求攻讀的學校。（四）在成人有關天資上的問題，在其本人請求下，亦可調查，檢查及指導。這四項目標，不僅極具建設性，而且對於青年學生心理正常的保持，以及成年人天資的改善，可以獲得彌補其先天的缺憾。然青年學生心理正常與否，與其生活環境有直接影響的。家庭及學校方面對於此一問題，似乎並不怎樣重視，通常作爲父母的，對其子女在求學期間，認爲祇要學校管理好，學校設備全，其他並不注意；而學校方面幾乎祇顧到教學範疇能合常規，校外活動，認爲學生的家庭也應該隨時注意。就一般情形看來，學校與學生家庭雙方，甚少協力合作的，年來本港學生成績低劣，雖曾引起社會人士担心，卻從未考慮採取何種對策，更未追究其癥結。此次港大「教育指導所」之設，各方人士亦未曾加以重視，因爲報紙既未充分報道，自非大衆可獲普遍明瞭。由於此種原因，「教育指導所」不僅有普遍設置的必要，更希望於醫學界共同協力，僅憑指導所的力量，似乎還不足解決全般問題。因爲它對於學校、家庭以及學生方面，純係處於輔導地位，祇能提供上述四項，有限度的必要建議，對於問題本身，仍需要當事人自己去決定。話雖如此，無論學校或是學生的家長，今後他們對於一般心理上有問題的青年，將不致感到束手無策，此外，較困難的，莫如國外選擇學校升學問題，亦將獲得解決。遺憾的，當前普遍令人困惑的問題：升學就業，尤盼該所能够兼籌並顧。

經濟社會思想叢殘

金伯華

地球上足以滿足需要的資源，有一定的數量；而每人在他的短促的生存期間，又得決定他的滿足的時期和程序，而感覺性的本身也是有它的界限的。是以需要的顯現，把我們每一個人都放在滿足的快樂與努力的困苦的太平秤上去。這在個人經濟的打算上，實在是一件慘事！插一句題外的話：這就是人生的兩個！人生是支柱，努力與恰意就是他的兩個秤解。

需要原是這麼回事

現在我們既經明白構成需要的三種要素，三個角度，乃可替他立一個定義如下：

經濟的需要是由於覺得有該需要的人，使用一種已知的方法，並認爲這方法足以給他一種好處的欲望。

筆者知道下定義是件很難而亦很危險的事情。即如上述關於需要的定義，有些人說是：人在特定時地，願依特定價格以進行購買特定財貨的數額，叫做需要。有些人則簡直把需要與欲望混作一談，不知在兩者之間有所辨別。（三十三）

談禁書

馬五先生

據說，自由中國現時規定了一批禁止閱讀的書籍，凡屬過去在大陸出版的教科書類及參考書列著，祇要是原著作人或譯述者在大陸未出來的，皆在禁之之列。蓋此以思想鬥爭爲中心的反共救國階段中，這項措施在原則上是無可厚非的，問題祇看方法如何？利害得失之間，應該仔細檢討，不要有如西諺所謂「連嬰兒和沐湯一併倒出去」的毛病才對！

譬如：過去商務印書館和中華書局出版的大學叢書若干種，因其著述人現在大陸，或者已在大陸去世了的，亦一概予以查禁的話，那末，我們至少就得有同樣價值的著作或譯本來代用，方足以彌補文教思想陣地的缺口；而且，這項新的補充兵力，必須具有後來居上的本質，最低限度亦不致降低拉來充數的程度，像自然科學之類的數理化等部門著述，我們是否已有新生而又夠格的代用品呢？如其沒有，勢必使文化精神陷於「空白」狀態，未免得不償失吧！

對日抗戰時期，對於若干留在淪陷區的教授學人，除少數公然附逆于偽府外，未曾隨著政府撤到四川去的文教界人士，政府並未一律視同叛國漢奸，併予查究。今天我們對於陷身大陸共區的若干學人，更應該有所鑑別，因爲他們是沒有絕對行動之自由的。所以，今日若干人在大陸，而不分青紅皂白的將其所著書籍列爲禁書，我認爲大有考慮之必要。現在教育部長張其昀先生是多年來的大學教授，關於上述這些書籍，自然很明白，禁書問題一定要通過教育部才可以作最後決定。如果教育部也是過問，我們希望教育部多負責主持，以指訓理處置，此其至善；假使命令已經頒出，也盼望有所救補。這問題實在關係重大，我們不能不鄭重以論的意啊！

左宗棠的邊功及其他

王悾

左宗棠文武兼資，才氣縱橫，是一個傑出的政治家兼軍事家。在他七十四年的生活奮鬥史上，後三十年間確建立了不少功業：對太平軍的戰事，他實際上主持過湖南的軍政，支持湘軍東征；後來親自平定浙江閩粵，並創辦福州船政局；嗣又綏靖華北捻匪，戡定陝甘回亂，旋以一身承担平定新疆的重任，爲我西北邊疆防奠立了鞏固的基礎。

×××

他出身於一個清苦的半耕半讀人家，嘗以糠屑充饑。同治元年致其子孝威書，曾追述當時的情形說：「吾二十九初度時，在小淹館中曾作詩八首，中有句云：研田終歲營兒哺，糠屑經時當夕餐；乾坤憂患何時畢，忍飈兒孫咬菜根。至今每一諷咏及之，猶悲懷不能自已。」他從小便養成了忍若的習慣，到發達的時候，所以也「不私一錢，不以一錢自奉。」他既不爲物慾所累，自然大公無私，這是他建立偉大功業的最重要因素。

他雖只是一個舉人，但他胸羅古今史地，精通時務，迫於公誼私情，他出了茅廬，進入危城——長沙，替張亮基策劃戰守，後來參贊駱秉章幕府，又兩敗石達開數十萬之衆。他見駱公很信任他，他也盡心竭力，敢作敢爲。有一次轅門舉礮，駱公顧問何事？左右告以「左師爺發軍報摺」，駱公頷首說：「我來看看也好。」戲稱他爲「左都御史」。因爲駱公只有右副都御史銜，他之勇於負責，固然難能可貴，而駱公休休有容，更是難得。

×××

左氏既功高威重，其後校目多出自他的部曲，然往往有不顧廉恥至極鑽營之徒，擁護之。同時，一則出於甘苦，所以部下願作宿，甘追隨。而有一天，命某差官調一藩司，藩司故滿洲世家子，好自尊大，官氣特重，平時對待僚屬，辭色傲慢，竟濱設倨傲無禮，偏嚴，難道不知方伯的尊嚴嗎！次日謁見左氏，陳述其事。左氏立即把那個差官叫來當面責斥說：「你們自恃戰功，在本帥面前隨意坐臥，隨意談笑，固無不可；藩司大人是朝廷大員，體制何等尊嚴，你竟敢肆無忌憚，以待本帥者待藩司大人，何不自量乃爾？趕快叩頭謝罪！違則藩司大人降罪，我不便代你求情的！」差官依命謝罪而退。過了一會，左氏端茶送客，比出中門，差官十餘人，俱穿黃馬掛，紅頂花翎垂手站班，剛才謝罪的那位差官也在其列，藩司大驚，手足無措，趕急上前一一請安，辭謝至轅門外，始乘輿去。藩司到時以爲差弁，不過偽稱將校，也知曉左官都是紅頂黃馬褂之提鎮大員，故不覺慚愧交並了。

×××

話左氏與曾國藩的關係，人多相信曾左交惡之說，大都出自曾氏幕友或門生手筆。左氏一生戎馬，功在邊荒，他幕中既少幫閒的文人，同時他也不大願和文人來往；加之他性行剛介，自不免被人讒毀失實。曾氏幕友薛福成便公然這樣譏諷地寫過：「同治甲子，左曾絕交，嗣左恒與曾爾部爭，曾死後仍詈之不已，並恒自詡諸河工及定西域事」。清朝野史大觀，則謂文襄好以氣凌人，文正時以詼諧出之。閒齋又謂比賊滅平，內洪福瑱一案二公之嫌隙乃大播。但據曾氏致左氏書云：「即閣下亦恐侵佔，弟亦不記憶。」至多也只說他（左氏）求才太急，或聽言稍偏，措辭過峻，不無令人難堪的短處。左氏負早年自署「老亮」，即已目無餘子，對曾氏在家書中曾這樣說過：「……恐終非報德之人。」又云：「與滌師所爭，均軍國要事。」家書尚不過如此，可見兩人並無私見，更談不深仇重怨，何至絕交！再證諸丁卯左氏以陝甘總督入關剿匪，曾氏爲西征軍籌的餉，始終不遺餘力，士馬賴以飽騰；又選良將精卒派劉松山統率供其驅策。左氏之得肅清陝甘，平定新疆，皆賴此軍（老湘營）之力。曾氏死後，左氏撰聯挽之云：「謀國之忠，知人之明，自愧不如元輔；同心若金，攻錯若石，相期毋負平生。」相期毋負，自不會妨功害能，這是曾左之得以收拾亂爛不堪之江山，竟成滿清之中興的最大因素。談復國者不可不知！

×××

他籌兵籌餉籌糧籌運，備歷艱辛，卒能策出萬全，平定新疆。隨即報告清廷要收回被俄國侵佔去的伊犂，決不可任此沃壤供敵糧餉，更不可讓此要地長敵聲勢。收回以後，隨即建省，以安西北全局。清廷雖然依了他的建議，那知派出的使臣崇厚和俄國所訂的條約，除我國賠償銀二百八十萬兩外，並割讓若干土地，尤以伊犂南部特克斯河流域的讓予，在經濟上，軍事上，都陷我于孤危絕境。遠在西陲的左宗棠，聽到這消息，立即激憤地上疏說：一個戰敗國家，固有割地求和的事，但從未聞未交一兵未發一矢就把衝要地方拱手讓人以滿足敵人慾望。他把這回事比作投骨喂犬，骨盡犬仍吠噬。他主張最初不妨和平談判，如果談判不成，便不惜一戰以決勝負；並願以衰老之身，擔任戰鬥任務。疏後，他馬上分兵三路向伊犂推進。他又命人抬一副棺材隨同從肅州進至哈密，準備與俄人決一死戰。

可惜「舉世皆稱和事老」的李鴻章極力反對，認爲左氏絕無勝利把握，甚至責備他不應以一主將倡率一班書生腐儒大言高論。其時朝野已動了公憤，主戰聲勢洶湧，李鴻章無可如何，便又鼓勵協助擊滅太平軍的英將戈登，勸清廷與俄和談。如果僅派曾紀澤赴俄改約，而不急召左氏入京以緩和戰局的話，當不止改約所得的勝利果實。王定安論這次功業，認爲「左宗棠力排衆議，獨任其難，不竭天下全力以爭，其深謀遠慮，拜禍亂于已兆，不愧古之社稷臣。」確屬無濫辭。

現在，整個西北在共匪的民族自決口號下，也未交一兵未發一矢就斷送到赤魔掌裏。我們追念左氏締造的艱辛，遙望天山風雲的慘變，直不知涕淚之何從也。

劍底秦庭

歷史小說

奚如

天亮還沒有許久，荊軻和漸離早已站在田光那「蓽破落茅茨的門首。

「我不進去了，大哥。」漸離沙啞着喉嚨，用手掌圍成一個圓圈，朝荊軻的耳邊輕輕的說了一句，便要向後轉身。

「爲什麼？」荊軻一把拖住了他的衣袖。

「我——嗯，我有點怕見這位老人家，一見面，又是罵我只顧喝酒，又是罵我不務正業，罵這罵那，我實在有點吃不消。」漸離尷尬地笑了笑。

「好的，你去吧」。荊軻會意地放了手，漸離早已急促地走出了巷子外面。

開門的，是一個小孩，睜起了烏溜溜的眼睛。

「找誰？」

「田老先生在家吧？」荊軻才點了點頭，一陣鬱結着的霉氣已衝進了他的鼻孔。

「誰呀！」內房裏泛起了幾聲沉重的咳嗆，是田先的聲音。

「老先生，荊軻看你來了！」帶着無限的喜悅，荊軻把衣衫一撩，早已大踏步直向內房走去。

「啊啊啊！荊卿，是你？」

狹小而陰沉的房子傳出了震盪茅茨的龍鐘笑聲，聲尾雖然含有一點疲憊而蒼涼的音調，可是，在田光的心裏，這倒是近十年來第一次發自心坎的喜笑了。

「老先生，你好？」荊軻俯下身來，緊緊握着躺在床上的田光的雙手。

「好！謝謝你，荊卿，可惜，這幾年來，唉！就不知怎的，一場病後，把身子給癱了半邊，我呀，就這麼半條性命。唉！想不到居然還能夠再見到你，荊卿，這眞叫做，眞叫做——」。感情的激動，淚泉的抽咽，使田光再也說不出話來。

「我也聽說，你這幾年身體有點欠安。我想，好好將息將息，總不難康復的。老先生，你是吉人天相。」荊軻的內心也有點激動，可是，倉猝間却想不出甚麼更好的安慰說話來。

「老了！不行了，老弟！」田光苦笑着搖了搖頭，用眼光示意荊軻在坑邊坐了下來。

「荊卿，那一年我們在臨淄見面，你還是一個小朋友，喜歡飲酒，喜歡打抱不平，喜歡寶劍，現在我聽說你還是一樣，只是劍術比起以前來更精練了。這些——這些，啊，一幌眼便都是廿年前的事了，唉！」田光的談話顯得非常辛苦，然而，每一句他要說的話，都從興奮的掙扎中說出來了，荊軻爲他帶來了一陣生命的新力量，使他從充滿活力的回憶中產生了新的生命力量。（十三）

獅頭山歸途得句

郭敏行

載月披星捲佩回，獅頭山色欠崔嵬。一入門倘有清幽氣，到嶺翻無古峻台。一木一花還巧智，半亭半宇出心裁。從知雅俗眞難共，滅殺天機盡不才！

四月八日夜宿谷關有作

郭敏行

乘輿纔天冷，輕車到谷關。月明花影媚，風軟柳腰彎。地僻山爲抱，樓高翠作環。今宵千慮絕，一枕夢魂閒！

記秋丹閣吟草拾遺

湯鍾瑤

其遭遇偃蹇，抑鬱坷牌之情，或可於民七戊午除夕濟南客次感懷四首中見之，如次：

（其一）一劍霜寒八表驚，故山多夢是今春。餘生憂患橫家國，大壑沉冥有萬蓁。尚想揚鞭凌紫塞，（瑤按：民六年，先君因友召赴西北，事不就即返北京）。無端喚酒賀金貂。泱泱東海觀龍戰，電笑天昏雨作潮。

（其二）猿鶴蟲沙滿大千，年年滄畔看桑田。憂時愧有書成束，談泫終如箭在弦。明日江關新淚潤，今朝鬢髮漸霜深。誰教地氣分南北，橋上鵑聲更惘然。

（其三）鼙鼓昔年滿漢津，我旃譚笑故將軍。（瑤按：二句指辛亥之役黃克強先生。克強先生在東京時，常與先君比鄰而居，即民報社址也。武昌起義，先君倉卒自日歸國至漢口。適革命軍失利，退出漢口南移。一水之隔，無以爲渡。正徘徊江濱間，遇一革命軍砲兵胡某，代爲覓匯鸚鵡洲畔一運煤船中，歷三日夜）。又從人海千波話，實檢湖山一番新。倘許斧柯先留晉，曾貞玉帛辱朝槳。書生若抱迴天策，無奈鈞天醉不醒。

（其四）魂銷江館步虛聲，逝水東流有悔心。雖解菊蘭思絕代，枉致金粉識才名。七年鼎沸牛毛法，一笑波橫馬耳風。偶讀桓寬鹽鐵論，美人鐘鼓化烟塵。（瑤按：民十年間，偶於家藏湘綺樓詩集後頁，得手書一首七律。內有句云：祗許膏衫爲雅樂，不應花雨雜塵心。又末句則爲：「焚香閣謝先生」。似爲北京某伶而作，且語使當時名記者劉少少先生而悔之之意。第四首詩原，可見民初薊門名士文人流風遺韻之一斑，故錄以存頁。又第六句「風」字似出韻。第七句指當時赴魯爲調查膠濟區實業情形而言，並注意日本在膠濟區之經濟侵略云）。

（三）

民十六年以李烈鈞先生之推薦，任八年國民政府秘書。大氏當時府中典章文電，參與密勿。十春，居廬山蓮花洞，間有吟詠，已無存稿，十九年回京晤胡展堂先生。以同盟會革命各役尚存之老同志，散處四方，不易聚首一堂。且黨史蒐輯，亦應成立一專設機構，編纂黨史。故遂爲籌組中央黨史料編纂委員會事宜，任編纂兼秘書。該會成立，時任編纂及採訪者，多爲參與吾黨革命各役之先進。其編纂成功最先者爲「總理年譜長編」。

（二）

法女飛行家受罰

法國前總統顧禮和的媳婦賈克琳（三十七歲），最近駕噴射機，以時速七百〇八哩創立了世界婦女飛行速度的最高新紀錄，轟動世界。

可是在法國的布雷蒂尼機場，她却被官方禁止飛行一個月。理由是：「她飛得太低太快，飛行時亦充滿危險，必須加以處罰，禁止飛行一月。」（汪明譯）

發酬通告

本刊四一一至四二一期稿酬通知單，已分別寄發，請惠稿諸君憑單前來支取爲荷。

自由人

THE FREEMAN

（第四五〇期）

中華民國僑務委員會登記證僑台字第一〇二號
中華郵政台字第五〇〇號執照登記為第一類新聞紙類
（半週刊每星期三、六出版）

每份港幣壹毫
台北市售價台幣壹元

督印人：陳文華
地址：香港高士威道二十號四樓
3 rd. fl. 20 CAUSEWAY RD HONG KONG

香港發行及事務接洽
高士打道66號　電話：七四〇五三
承印者：東南印務出版社
地址：高士打道六十四號

海外總經銷
友聯書報發行公司
香港：德輔道中二十六號A二樓

台灣特派員辦事處
台北市館前街五十號

台灣總經銷處
台北市西寧南路壹叁零號二樓
台郵儲金戶九二五二

和平攻勢與巨頭會議

會議可能有害蘇俄
中國不會被出賣的

（上）

•胡秋原•

去冬今春，是俄帝及其工具對台灣大肆威脅之時。然現在俄帝自顧不暇了。四月以來，莫斯科發動空前的「中立攻勢」——實在是「中立守勢」。有很多人以為俄帝「能屈能伸」，實在厲害。在我看，實在不厲害，實在肉麻有趣，實在使我高興。因為俄帝內憂外患交迫而來，槍法大亂，驚恐之情，業已如見肺肝了。

自由世界未能乘此機會加強壓力，郤要和他開什麼「四巨頭會議」，是甚可惜的。關于雅爾達之往事，不少的人關心自由世界是否落入俄帝圈套，而中國是否又被出賣。但在我看，四巨頭會議不會有甚麼結果，因此中國也不會被出賣。我甚至以為四巨頭會議不僅無益于俄帝，而且可能有害于俄帝。這並不由于艾森豪之才能足以致此，而是俄帝今日困窘之情，已經使他進退維谷。這也不是中國沒有危險，而是這危險別有所在，不在四巨頭會議，也不在尼赫魯與梅農之流的播弄。

俄帝內外情形嚴重

俄國共產主義原是一個荒謬、野蠻，而也不安定的制度。這因韓戰更加惡化。史達林死後，惡化加又惡化。內部之爭權，反映這一點。最近和平攻勢，也反映這一點。自四月起，俄帝同意撤退奧軍，訪問南國狄托，歸還伊朗黃金，對日舉行談判，邀請愛德諾赴俄，盛大歡迎尼赫魯；而走狗周恩來，亦要求和美國談判。大家了解，這些做作，是想在歐洲建立一中立地帶。然我們也知道，共產主義是要以不斷革命與攻勢為生的。到了要求以一個中立踏來保護他，即可見其虛實了。

我相信目前俄帝和平攻勢，是由俄帝內外形勢日益嚴重而來。這嚴重形勢是俄帝制度與政策造成的。這嚴重不是其中立計劃所能解決，而其中立計劃也不會成功。所謂內外形勢之嚴重，主要指四件事情。

人民反抗　農業破產

內部之嚴重有二：一是人民之普遍不滿；二是農業集體化之慘敗。這些情形，我們已知道很多。最近兩個俄國NTS領袖被捕與斯維爾德來台，也證實這些情形。

蘇俄人民之反抗，不會停止過。例如一九五三年的佛爾康塔（VORKUTA）區奴工營大暴動，也許是蘇俄新革命運動之警鐘。大約在一九五三年六月間，這西伯利亞北冰洋區俄國最大的礦業奴工營發生大的暴動。這件事先由若干逃出德國，後由諾爾美伊諾布（NOBLE），一九四五年被俘，一九五五年初被釋，報導[illegible]知。奴工營早先滿爆炸。史達林之死，猶太醫生捉放案，以及東德抗暴運動，貝里亞事件等，成為一連串導火線。此以工營。最初MVD人員會教煽罷工，也許意在[illegible]，而後[illegible]，紅軍不服從開槍命令，當然，終被鎮壓下來。但反響是繼續存在的。而這也許是馬林可夫與莫洛托夫退職之主因。[illegible]但一千三百萬，一千七百萬的奴工，終為全火種。[illegible]即將罷工轉變為一種非武裝的暴動，領導者是這兩個方法所能奏效的。如洛布所說：「一個火花即可引發。」而這一點，俄國共黨總是知道得十分清楚的。

共產理論根本失敗

一九三〇年代，當史達林在烏克蘭推行農業集體化，殺人如麻，一個名作家如一個外交家即曾說：「最後，俄國穆什克（百姓）終將推翻赤色政權，此非以武力，而是以其巨大而無限制的頑抗」。這情形，在史達林死後，已暴露於世。馬林可夫與[illegible]赫魯曉夫承認蘇俄[illegible]國農業之不同，[illegible]制度效率之不同，由[illegible]口之增加而增加，且在若干方面：尤其是牲畜數量較沙皇時代尤低，而一般是品質得下降。論其穀物收穫量，亦較土地私有國家為低落。俄國之衛星國家，都有同類現象。這才有馬林可夫增加消費品之計劃，主張增加農民之私有地，及減少強制征發，以求刺激生產。但馬同志之政策似乎是紙上談兵。俄國一半以上是農民。俄黨在經濟上放鬆統制，必然在政治上放鬆統制。[illegible]的，於是一九五〇年主張「農業城」的赫[illegible]

[illegible]工人生活之改善，[illegible]共產主義根本理論之失敗。

軍備競賽的重壓

外部嚴重，首先是由軍備競賽而來。俄帝因二次戰後之不復員，大得便宜。但美國之擴軍，並使世界由原子時代進入氫子時代。於是形成今日世界上[illegible]

[illegible]和附屬整肅之由來。時至今日，美國還有[illegible]有餘之力，而氫彈更能廉價製造，則[illegible]能且能對世界[illegible]；俄帝對內對附庸之壓搾，則已臨炸裂點了。如上所述，美國軍備動員已將達飽和點。內外之戰，已達一觸即發程度。這便是史達林死後，三度表示強硬，然立即回到和平攻勢，而且三次和平攻勢，一次比一次熱烈之理由。

西德之獨立與整軍

外部嚴重之第二事，亦即俄帝最驚恐之事，乃西德之獨立與整軍。俄帝建國以來，一千年間，總是向東西更迭擴張，搖擺。兩個方向之事，也常引起內爭。結果總是向抵抗最弱方向前進。二次大戰後，俄帝原注意西方。狄托事件及日丹諾夫之死，表示俄帝西進之停止；而以大陸淪陷，韓戰以後，俄帝便在東方愈陷愈深了。俄帝非不知歐洲問題重要性。恰相反，俄帝是不大怕美國，而卻有恐德病的。不過他覺得可以利用利誘威脅，阻止和拖延西德整軍。而且實在也有若干成效。他也希望在解決[illegible]問題以後，還來得及應付西歐問題（在這意義上，孟德斯法朗士也鼓勵了俄帝投機欲）但在今年三月底，西德整軍終于在法國完成批准手續，而在五月五日，德國國旗重見天日了。此時赫魯曉夫莫洛托夫之流將後腦一摸，才在法國批准之前兩天，邀請奧總理談判，並大表慷慨。於是全世界的人，都看見俄國人之前倨後恭。他可以向『叛徒』『匪幫』狄托謝罪，他可以向『希特拉殘餘』愛德諾歡迎。此不僅使世界驚奇，也使東歐及東德傀儡看得呆了。俄國文豪戈果里說：『咱們俄國人是事後有先見之明的』。高爾基說：『咱們俄國真古怪，就是呆子，也是世界上別出心裁的，別國學不到的』。豈不信哉？

鐵幕內文人的悲哀

風行

鐵幕之內做人難

鐵幕內是一大監獄，走進裏面必然喪失自由。懷怨恐而妄闖進入鐵幕享高官厚祿者，簡直是患白癡之人。出賣靈魂，甘為傀儡，不遭殺戮，只算萬幸。

做專制皇帝之順民易，做鐵幕內的「人民」難。

專制君王之順民有不問政治之自由，鐵幕內的人民沒有不問政治之自由。何況身入官場，依附之派系失勢，便難免受誅戮。

眼前的胡風、高崗、饒漱石是明顯淺近之例，固不用說。蘇聯歷年殺戮之政府首腦人物，多不勝計，難道不相信麼？

在鐵幕內思想錯誤便沒有罪，但思想沒有可靠的標準，此等標準由蘇聯攝實權之人規定。此所以鐵幕不易居也。

博洛夫斯基死了兩次

現在我舉一個最重大的例。

蘇聯思想的權威有誰大得過列寧呢？但列寧稱讚的蘇聯歷史學家博洛夫斯基（MICHAEL N. POKROVSKY）在死後第二年，被史太林指為反革命，在一九三四年五月十六日，史太林和莫洛托夫簽署一項法令，有關歷史教學法的。提出一新的布爾扎維克的意識型態，正與以往的相反。那一天大家都稱為博洛夫斯基的二次死亡日。

列寧稱許也成廢話

博洛夫斯基原是沙皇時代官員的兒子，一九〇五年參加布爾扎維克革命失敗後，流浪國外。至一九一七年八月返俄國，極力協助列寧從事革命，不久成為莫斯科蘇維埃主席——一切蘇維埃之首要。——以後被選為共黨中央委員會委員，同時一身兼數重大職位。他在第一次世界大戰前，寫成的俄羅斯史，曾大量刊行，全國及國外許多國書館收藏。此書被稱為蘇維埃歷史家的「聖經」。列寧曾寫信給他說道：「我衷誠的恭祝你的成功。我極愛你的俄羅斯史，其編排與解釋均屬真知灼見。」後書應被繙譯成歐洲各種文字。

當一九三二年博洛夫斯基逝世時，舉行國葬禮於紅場，其屍灰置於克姆林宮下，近列寧墓。無數文章稱頌他為「列寧的忠實信徒」，以及最偉大的布爾扎維克黨人。

但到了一九三四年五月十六日，便完全翻了臉。博洛夫斯基的學說遭根滯蒂拔起，報紙紛紛指責博洛夫斯基的信徒為「人民的敵人」，和可恥的托派，與法西斯特務。

在一九三九年莫斯科科學研究院刊發一書，名為『反對博洛夫斯基的歷史觀念』。

尤金從地獄走上天堂

當這一顆明星隕落後，另一星突現光芒，這就是被稱為『俄國布爾喬亞歷史家』『帝國主義者』『第一次世界大戰時之狂熱愛國主義者』及『反蘇聯而在帝國主義陣前的思想火炬之人』的歷史學家尤金塔爾（EUGENE TARLE）。從地獄忽被捧到天堂。至一九三四年尤金成為蘇聯先進的史家。

（下轉第二版）

本週展望

•陳克文•

莫洛托夫的笑臉

莫洛托夫昨廿二日在聯合國紀念大會席上所作的演講，已經把蘇聯最近在外交上所作的和平攻勢，充分暴露其陰險奸詐的真面目。

英外相麥美倫認為他的講詞是舊調重彈，還沒有把牌攤出來，法外交界亦認為無若何新穎的貢獻。伊拉克、澳洲、菲律賓及其他多數聯合國代表，不是加以痛責，便是表示失望。

其實，莫洛托夫的話是祇舊調重彈而已，他故意在世界各國代表之前描述國際緊張局面之緩和，乃意圖淆混軍要問題，與弛緩西方的戒備而已。法國前總理及外長皮杜爾說得好：西方國家已在嚴重危難中，所謂西方與蘇聯的緊張局面已經鬆弛云者，誑是取悅於西方之選民而已。

他又說，莫洛托夫深知蘇聯面對困難，美險總比以拳擊桌更為有利。這對目前東西形勢的說明，可謂語中肯，一針見血。

在這樣各懷鬼胎的形勢之下，即將來臨的四巨頭會議，其命運如何？尚何待龜蓍！

尼赫魯甘作共黨傀儡

尼赫魯向以東西調人自居，既不願偏袒西方也不願偏袒東方。然而，他此次到了莫斯科，給赫魯曉夫之流大灌迷湯之後，竟和布爾加寧共同發表聲明，甘心充作共黨鷹犬，自己把偽裝調人的面具也撕破了。

他不僅對蘇俄的和平濫調隨聲附和，更對共黨集團的一切要求聲言支持，把國際緊張局勢形成的責任放在西方國家的肩上。尼赫魯簡直已經向共黨投降了。這還不足，他更想把西方國家一氣拖下水去。我們不相信，西方政治家會輕易受他的誆騙，然而，共黨的陰險手段，亦不能不令人嘆觀止矣！

日蘇談判的前途

蘇俄在歐洲，對奧大示讓步，對南前倨後恭，對西德邀請阿登諾訪蘇，商談復交。大家總以為她對東方的日本，也一定會彬彬有禮，以表示她的「和平共存」是真的。然而日蘇的倫敦談判，蘇俄的態度怎樣呢？

據日外相重光葵表示，蘇俄對於遣歸日俘問題始終未肯作讓步的表示。倫敦談判已經舉行六次了，蘇俄倔強如故，據觀察家意見，蘇俄是故意玩弄手法以期引起日本內部糾紛的。可見共黨之所謂「和平共存」實不過陰謀顛覆之另一名稱而已。

蘇俄之堅持可能陷談判於中斷，日本之強硬亦可能使蘇俄給於退讓。將來演變如何，目前雖不可知。所可知者，蘇俄目前對歐洲的態度實較對遠東為溫馴，不僅日本問題如是，其他問題亦然。共黨集團現階段的國際政策，於此已可窺見其一斑。

歡迎道德重整訪問團

世界道德重整訪問團一百七十人，（包括廿六個國籍，使用十二種語言，）已經到了台灣，連日正舉行盛大的歡迎會，他們更將在台出演「永恆之島」的歌劇。

道德重整運動雖不是一個政治運動，但這一運動的力量是足以擊敗世界共產主義的力量。為甚麼這一運動會有如此力量呢？我們祇看這運動所揭櫫的四大道德標準：（一）絕對的誠實，（二）絕對的純潔，（三）絕對的無私，（四）絕對的博愛。人類能發揮這四種偉大的精神力量，共產主義還能夠在人類社會有存在的餘地嗎？共產主義之所以能夠存在和發生作用，恰好和這四項道德標準立於相反的地位。

時至今日，反共運動之必須有精神力量為其支持，已為世人共喻，於此，吾人對於重整道德訪問團之來臨，特寄以無限之歡迎！

中華文物展覽會

古畫精品多贋品亦不少
古瓷甚少宋瓷多有問題

萬香堂

台灣通訊

（台北通訊）台灣省立博物館最近已經換了館長。新館長上台的打泡戲，便在本月十四日出演。這便是大家注目的「中華古代文物展覽會」，該會乃博物館與省文獻會及中華古瓷研究社聯合主辦的。筆者曾前往參觀二次，展品共約三百點，書畫與古瓷各半，以小品爲多，可惜出品均不編號，且不標明作者之姓名，更欠缺各種出品之說明書，至使研究性打了很大的折扣，至於書畫與古瓷不分室陳列，尤使觀衆情緒紛亂。

可疑的石濤作品

第一室陳列名手畫荷數件，計有八大，石濤，藍瑛，白陽，伊秉綬等人，八大所作神韻極佳，但惜荷葉發墨零亂，款字尚有問題，石濤所作似屬似假，石師生平作畫寫字均用中鋒，而是幀所作荷花乃用變鈎，所作花瓣全無工力，其他如葉石等均未表現石師的看家本領，款字可疑之處更多，最可愛的白陽所作了，可謂神妙之至，其次是叔田寫墨卿，二幀均五彩設色，但伊墨卿乃文學吏治，爲江左推重，晚年大行於嶺南，以篆隸名當代，勁秀古媚，間以餘瀋爲山水，簡淡古秀、金石氣、溢於豁墨間，流播絕少，流存[illegible]彩荷花，實第一次看見。珍藏之者不可不慎之。同室中入口右邊第一張乃漸江山水，紙色款字原則上無問題，但其所作仍無漸江之個性存在，漸江雖學倪雲林，但其所作山石有千鈞之力，且用筆較簡，是幀若審定乃屬眞蹟，自乃早年之筆。掛於漸鑒旁有一張王石谷中堂山水，此爲下等贋品，以之作爲展會之中流砥柱，也未免太疏忽了。張大風之題隸圖紙色不佳，用筆幼稚，豈乃大風之筆，大風自甲申後，棄帖括，衣冠後佩纖補，走北都，出盧龍，上谷，覽昌平，天壽諸山，畫乃大進，恬靜閑適，神韻悠然，絕非今日所見之俗品呢！

有精品也有贋品

最令我所傾倒的，是同陳列於該室的惲南田所作的「枯木竹石」，[illegible]至於第二室，所見的白陽手卷，墨筆「山[illegible]次去參觀時，卷已撤去，無法可以再看，[illegible]了，第二室有[illegible]張八大小品，四張石濤山水冊頁，沈周山水，大斗方數件，均爲精品，八大之三鳥圖最精妙，石濤的山水冊頁，不僅畫好，[illegible]云：「石影峭[illegible]濤，孤亭天半夢翩翩，一片雲[illegible]悲欲絕」，彷彿空山有哭聲」，另一張題云：「山雲[illegible]，林下偏[illegible]牧芋栗，不知歧路有西東，方塘種藕看浮[illegible]

四張可注意的古畫

第三室，有四張畫使我注意的，是元代柯九思的鳳尾竹，仲穆爲元代最大之鑒定家，其畫竹師文湖州，說者謂其畫竹償以古木，烟[illegible]與叢篠相映，又謂其[illegible]牙竹，石全師東坡格矣！觀之王蒙[illegible]

[illegible]今觀此作，雖未以[illegible]石濤，但大致與古[illegible]第二張爲趙大年之[illegible]雪景山水中堂，畫面不俗，使人神往，大年乃宋宗室，[illegible]十世孫，美才高[illegible]，生平偶求王維、李思訓、畢宏、韋偃之[illegible]，雪景則世所藏[illegible]，刻意學之，[illegible]王維，今觀此作，[illegible]第三張，[illegible]山水精品，神韻[illegible]第四張沈石田之「雞圖」，氣韻生動[illegible]

[illegible]亦可自見，近時若林[illegible]臨則描寫雜工，然無生意，觀之使人[illegible]，秋舒爽[illegible]籬，幽雅之趣[illegible]客艦，以爲這是王蒙[illegible]雖然，[illegible]學者哉！假我數年，使得以窺其妙界而沉浸焉！[illegible]成化甲辰五月」字[illegible]，不[illegible]以小失大，再吹毛求疵了。

書法和古瓷

書法方面，以唐懷素最爲出色[illegible]，其次[illegible]第二，[illegible]祝允明[illegible]「磊功堂」[illegible]，曲院濺花已近紅」是多麼高妙，石田的斗方冊頁綠潭純，禪閣新奇，允稱神品，新羅爾立軸均佳，金農的竹實在別緻，另有一批紈扇面均爲佳品。[illegible]

參觀後的希望

此次書畫展品多由上海收藏家徐小圃借出，一部分乃林本源的舊藏物，[illegible]乃中華古瓷研究社子孫所保藏者，均其社友出品，古瓷在台之流存極少，張岳軍、羅家倫等均存有極高貴之古瓷，大家應該[illegible]有新收藏觀念，這就是從「象牙之塔」[illegible]出「十字街頭」去；使大家有欣賞中華國寶的機會，也等於文化強調了，也等於向共產主義打了一次勝戰了！希望博物館下次展覽向他們徵求出品！我兩次參觀了出來，却覺愉快心情，這次展出是成功的吧！博物館勇敢一點[illegible]

醞釀中的戲劇學校

——闞鴻賓雄心不減——

文武郎

【台北通訊】台灣教育年來十分發達，現計國民學校有兩千二百餘所，中等學校有四百所，相等於專科學校者有十所，正式大學有六所，在醞釀中即將成立的還有教會人士創辦的東海大學及[illegible]專科學校，但美中不足的，是還沒有一所國劇學校。

[illegible]顧正秋、張正芬這一對姊妹花[illegible]，台灣的平劇舞台，就有點[illegible]寂寞之感。[illegible]關心到平劇[illegible]，也不是沒有其人。那便是顧正秋、張正芬的老師闞鴻賓老先生。

[illegible]風和日麗的中午，筆者在台北近郊中和鄉一幢新建的樓房中，會見了這位兩鬢已斑的老先生，在短短的會晤中，談了許多有關平劇的問題。[illegible]

[illegible]就打算辦學校實現他的理想[illegible]劇的戲迷，經費力贊助，[illegible]若干時日，如此一醞釀中的[illegible]這學校未誕生，最遲也[illegible]劇人士之需[illegible]十本戲考是[illegible]失空斬，（五）鳳[illegible]（七）把[illegible]曹[illegible]堂春，（十[illegible]先生的珍藏[illegible]七月間問世[illegible]導之好消息。

戲攷十本將先出版

[illegible]（六月十五日）

中華日報新社長

曹聖芬

矜式

報載，台北中華日報董事會決定，社長葉明勳辭職照准，另聘曹聖芬繼任，已定七月一日接事，曹聖芬是新聞界老手，廿年前就進入這個圈子裏，中間一度從政，出國前曾任中央日報副社長，今春由美國密蘇里新聞學院學成歸國，對新聞事業有進一步的造就，此次人事更動，將來該報必有一番刷新，自可預卜，而解決當前經濟問題，亦非他不可了。

湖南文風很盛，尤其是益陽，曹家世代書香，在縣中是說得出的一個，曹聖芬的舊文學深得家傳，寫一手好字，筆下亦不同凡響，他在政校新聞系畢業，分發中央通訊社實習，正趕上抗戰爆發，即奉派到桂林分社工作，那時候廣西取消獨立，歸附中央不久，一切還未完全脫去特殊化的色彩，中央人員到了那塊地方，尤其新聞工作的人，立場很難，分社在匆忙中成立，人手不夠，曹是學新聞出身，自然都非外行，他當了內勤，還要幹外勤，夜以繼日的工作，趕上必要的時候，寫上一兩篇文章，更是家常便飯，因爲他學問有根基，寫出的東西，倒是高人一籌，廿多歲的一個青年，能應付了那一種場面，不違不亢，處處得體，所以頗爲黨同茲所器重，後來，他離開新聞界，有人爲他惋惜，認爲他多走了一段路程。

一個人要有抱負，尤其是有爲的青年，更不甘隨波逐流的浮沉下去，所以他毅然離開了中央社，要創出一個新的局面，他追隨蔣總統十多年，朝夕共處，未嘗一日相離，走遍了天下，一時成爲新聞人物，而水漲船高，他亦步步青雲，當上了簡任大員總統府第一局副局長。

由於他追隨蔣總統時間既久，對領袖的一言一行，以及私生活，可謂體驗最深，在卅九年出版一本小冊子，「從日用常行中認識蔣總統」，其中所寫的都是十年來親身經歷，事非外間人所能知，有許多而一字一句，都是由衷之言，沒有一點阿諛，書中有一段描寫總統的話，「一般人以爲蔣總統是一個叱吒風雲的人物，必然威嚴懾人，但見過他的人，……便感覺一種光風霽月的氣象，從他那巨大的明亮的眸子中，有無限的熱情洩露，祇要接觸他的目光，……使你覺得他是一個慮重於威，慈祥愷悌的長者，而無威猛凌人的氣概」，今天有不少見到總統的人，自然都有一種心領神會，足證他所寫的沒有一點虛僞之辭了。

過去，他有一個寫作志願，對人常說，將來要寫一本抗戰史，以他的才華，而提在環境比以前更好，一切有關材料，比外人知道的尤多，如果他今天還不忘那個計劃，一旦能出書的話，相信這一個偉大的珍貴史實，必須流傳久遠，不僅洛陽紙貴而已。

（上接第一版）

民族主義走運了

爲什麼會有此改變呢？這是因爲史太林要排斥托洛斯基的世界革命，而實行其以蘇聯爲中心的帝國主義，故翻革命主義，而舉起民族主義。一九三四年以前博洛夫斯基遵守馬克斯的「歷史鐵則」，而且描寫一九一七年俄國革命以前的俄國如何的腐敗。這些都是有於蘇俄史太林的俄國中心的擴張主義。

第一、馬克斯預言革命從先進國家爆發起。但事實上從落後的俄國爆發，（三十二年後中共更爲國家多難而崛起）蘇聯的擴張要向貧弱衰亂的國家下手。

第二、馬克斯教人知道社會的存在決定人的意識。但社會制度終不能改變人的本性。馬克斯以爲生產手段歸衆人所有，則工人不若以往之祗爲工資而工作，故工作態度必改變，而生產大增。但事實適得其反。生產量減而品質亦劣。

第三、馬克斯以宗教爲社會意識的一部份。生產力改變後，宗教歸於消滅。博克洛夫斯基以宗教爲罪惡。但事實上宗教不能消滅。在第二次世界大戰蘇聯國家政府反要利用教會。

第四、馬克斯認爲國家在革命以後應該消滅，但事實上布爾札維克之國家不但不消滅，反而日趨擴張。

第五、依照馬克斯的理論以無產階級爲現代歷史的決定力量。但事實上無產階級祗爲共產獨裁政治的奴隸。「全世界無產階級聯合起來！」一句標語，已成爲廢話。

博洛夫斯基闡揚的馬克斯之歷史鐵則，完全不適合史太林的蘇聯帝國擴張主義。故史太林雖未明目張膽排斥馬克斯的理論，但博洛夫斯基便變成替罪羔羊。

鐵幕內文人的悲哀

風行

統治者的御用工具

鐵幕內的思想文化永遠是統治者的御用工具。文藝也是一樣，沒有抒發情感、哲理、人生觀的自由。作家就是一羣政工、歐文藝宣傳工作者。受了政綱、政策、政治路線等等限制，和鞭策，而「製造」宣傳文章。因此在鐵幕內之作者一執筆便須思想到不能觸犯政治禁條，否則快要遭受批判，檢討，勒令坦白、認罪、洗腦、勞動改造、清算。你不能任意作諷刺文章。主子是要你諷刺主子的敵人。如果魯迅還在今天的大陸，極可能遭受洗腦，勞動改造，甚至清算，或失蹤。請看今天在鐵幕內的一班氣揣的文人，命運如何？有人說：他們的情感窒息了，他們的靈感源泉枯竭了。恐怕不祗如此，他們還彷徨憂懼。不特心中的話不敢寫出，還要恐懼主子的話沒有寫出！世界最悲慘的事，莫過於奴役思想！

請讀者向附近報販攤或本社訂閱

編者 讀者

△本刊每週出版兩次，爲顧及出版日期，稿件尚須提前交付排印，以此時間性過於短促的文稿，多數不能及期出刊，務請惠稿諸君注意及此，承賜稿件，時間性較爲長遠者爲宜。

△有關詩人節的文字，本刊收到頗多，以篇幅所限，未能一一刊出，敬請各文友諒察爲幸！

△刁抱石，王俠，易敏子，何福同，王斌，劉迅，陳式銳諸先生：惠稿已一一收到，至感謝！

稿約

本報各版園地公開，歡迎讀者投稿，性質不拘。來稿請用稿紙，勿兩面寫或橫寫，最好不超二千字，特殊稿件例外。譯文請附原作，如原文不能附寄，亦請註明出處。來稿不便刊用時需退還者，請附郵票。

上海的仇孝近事

裕生

（本報廣州特訊）上海福州路號稱桂圓大王的「周開民」，因不堪中共嗾使該店夥計誣控清算，在強烈的刺激和憤恨下，使他決心與壓迫者偕亡先備下一桌酒席，親爲這些向「人民立功」的夥計把盞，酒裏暗下毒藥，當大家吃得酩酊大醉後，五六個立功店伴和周開民本人便在當天都嗚呼哀哉了！

上海徐家匯同興罐頭食品公司的總經理李林春被他親生女兒在共幹嗾下鬥爭而死。又上海二馬路老戴春林東主何少甫亦爲他女兒帶同共幹親自槍決。

此外去年秋，粵東澄海縣蘇北區區長林楊標公審其父親林振烈，當場判處死刑。又如潮汕地委會宣傳部長陳卓生親手槍決其父陳萬康，這種滅絕人性慘絕人寰的暴行，在共區內現已成了司空見慣，已爲中共仇孝運動的典型作風了。

中共的清黨與裁員

沈秉文

中共繼「高饒反黨聯盟」事件及清算胡風以後，刻已利用黨內特務組織展開一全面性的清黨運動，大肆整肅「反黨份子」；並藉各級機關的緊縮和裁員，以大事排除異己。

清黨與裁員一事兩面

從表面看，清黨與裁員似爲兩件事；但在實際上：清黨爲「黨紀制裁」，是原則上的決定；裁員爲行政處分，爲整肅的具體手段；實爲一件事的兩面。也可說是雙管齊下。而在黨內的檢舉和行政上的排擠中，又必以所謂高、饒和胡風的「黨羽」爲主要對象，故無[illegible]高、饒及胡風事件的延續與擴大。還都是中共從「四中全會」以來醞釀已久的一系列有計劃行動。清算、整肅（續稱「清黨」或「整風」，原爲中共黨內常事，不足爲奇；惟中共此次的清黨手段，已較歷次大爲不同。其特點，在不採取公開鬥爭方式，以避免恐慌、混亂、和流於形式；而採取秘密檢查、秘密檢舉、和秘密清除的方式，以使被整肅者措手不及，無從抵抗。並藉機關緊縮和裁員一舉，使並無具體「反黨」罪狀，但爲中共當權者所不容的人物，得以巧妙地排斥出去。

新的特務機構

前述中共黨內的檢查檢舉，已在中共黨內新的特務組織嚴密控制之下大力展開。此一新的特務組織，即爲中共「全國代表大會」的決定，用以代替以往各級「紀律檢查委員會」的各級「監察委員會」。此中共爲嚴密黨內的特務控制，不僅賦予此一組織以縱的獨立系統和橫的獨立地位；且賦予對下檢查處理「反黨違紀事件」，對同級與上級檢舉「反黨違紀事件」的三大權力；並硬性規定每一個基層黨員，都有向所管的「監察委員會」密報他所知道的任何「反黨違紀事件」。換言之，各級「監察委員會」已在中共的黨內構成了全面的和上下相通的特務網與特殊的「法庭」。除「領袖」毛澤東以外，所有黨內的任何巨頭，方面大員、將領、機關主管、地方首長、或普通黨員，都有被檢舉和被決定整肅的可能。

數萬人將被犧牲

中共究有多少黨員將被整肅？姑難精確統計。惟「人民日報」透露：一般機關都將裁員百分之二十以上，中央各部會，且將裁員百分之五十之多。因此，僅中共「政務院」系統下的部會，五千人以上的就有五個，四千人以上的一個，三千人以上的四個，其餘的至少都在一兩千人以上。換言之：僅北平一隅，此一系統中被排斥的高級黨員，即有數萬人之多。

甚麼人將被清除

怎樣的中共黨員將被檢舉、整肅，和排斥？中共當然是指有「反黨違紀行爲」的人。所謂「反黨違紀行爲」，即誇大個人作用，造謠欺騙、挑撥離間、收買黨羽、煽動分裂、篡奪領導權、抗拒組織、壓制批評、陷害控告等等皆是。此即說：清算的範圍很廣，清算的對象很多，清算的手段很兇。同時，亦充分暴露了中共黨內問題的嚴重性。高饒被「整肅」以後，中共所以復行大舉清黨者，正因爲其黨內問題之過份嚴重所致。所謂嚴重的問題，我們根據中共「四中全會」以後所透露的有關黨務的資料加以整理，大致可歸納爲下述三大部份：

割據形勢之形成

一、中共自竊據大陸後，爲加強「中央」控制而分區設置「分局」和「軍政委員會」。從此即無形中植下了割據的禍根；且此等大員（例如高崗、饒漱石、林彪、賀龍等等），適又多爲當年替中共打家劫舍，攻城略地之第一流「大功臣」，驕橫縱恣，目無餘子，由是隱然造成了新的封建局面。從此以後，「中央」與地方之間，即產生了集權與分權兩大矛盾暗流，互相衝突，日形尖銳。及至毛澤東稱病，中共召開「四中全會」前夕，此種衝突確已使中共中央「到了不可容忍的地步」（中共「四中全會」公報語）。此在劉少奇大肆指責所謂「獨立王國」時，即已明白說出了。「四中全會」以後，「軍政委員會」雖已改制，若干大員亦紛紛內調，乃至高崗與饒漱石等亦已做了「祭品」；但「中央」集權與地方分權的思想影響，「危機」並未全消。黨內的「團結」依然大有問題。

控制力量日趨薄弱

二、中共的統治區域及黨的組織和幹部的權力等等陸續擴張以後，控制力既必然日趨鬆弛，方面性的人物乃因此抬頭。且由於中共祇職位爲「革命果實」，以黨內的資格爲決定「果實」優劣的依據，以徵績的方面，既已擴有大權的人物，自然形成宗派；積的方面，亦以參加中共的遲早分成了幾個階層（例如：留俄元老、長征功臣、延安中堅、游擊英雄，抗大少壯等等）。迨至中共已發覺的時候，黨內的所謂「派別勢力」已經形成；黨員們的所謂「資格觀念」的包袱亦已背得很重。已不是單憑「堅決反對個人主義傾向和個人崇拜的思想」，及「趕快丟了資格的包袱」等一類標語或口號所能見效了。

內部滋長的反共形勢

三、中共大小黨員隨着權力慾的擴張，生活的享受亦日甚一日。照中共自己招認的情形看：一般中下級幹部的崇尚奢侈既已成風，一般高級幹部的奢靡闊貫，尤遠在所謂「資本主義社會」中的富商大賈之上。此種情形，中共認爲並不純然是生活作風的問題，而是生活意識和政治思想上的問題。尤其認爲一般黨員因此種意識和思想的結果，業已與所謂「國內的殘餘資產階級」在感情上打成一片，從而成爲所謂「國外資產階級」（主要當係指英國和自由中國）的「代理人」，以至造成顛覆共黨的統治運動了。

多行不義必自斃

這些情況顯示：中共此次所以大規模實行黨內清算，並經常保持黨內的嚴密監視組織者，除清除高饒的同道，或懲誡部份曾經擁權自固和傾向分治的方面大員，消除黨內派系，打破黨內小組織，制止黨內的分裂，鬥爭黨內的「資本主義傾向」，清算黨內的所謂「蛻化變質」份子，以鞏固毛澤東的極權統治外；亦所以防止黨內「反叛」勢力的繼續滋生與滋長，及預爲緊鎮壓黨員的思想和行爲。故從中共此次的清算事件看，中共黨內的腐化，分裂，叛亂，已日趨嚴重，多行不義必自斃，清黨裁員能否挽救中共的崩潰，自有待於今後的事實證明了。

中共宣傳政策與運用

作者：金達凱　出版者：現代史研究所

沈秉文

（一）

說到宣傳，語其性質，實有眞、僞、善、惡之分。眞的：據實宣告，或說明事理；僞的：歪曲事實，或造謠虛張，旨在欺騙蒙衆，損人利己；善的：宣揚眞理，辨別是非，用以教育大衆；惡的：花言巧語，顛倒黑白，以蠱惑群衆。

中共過去和現在，都會誇耀他們宣傳工作的「成功」，但是中共的宣傳工作，是一種虛僞和罪惡的工作，中共的歷史，稱之爲一部虛僞和罪惡的宣傳史，亦並不爲過。中共的宣傳政策如何？方式和方法如何？效果怎樣獲致？以及欺騙和蠱惑羣衆的底細又怎樣？如能作全盤底探討，便不難了解其眞面目。「中共宣傳政策與運用」一書，即係爲達此目的而產生的。一讀是書，不僅可對中共過去之種種宣傳瞭如指掌，即對中共今日和未來的種種宣傳，亦可增其辨別和理解的力量。

（二）

此書作者金達凱先生，係一青年作家，歷年來對於中共問題之研究和大陸情況之採探，極爲用心，手頭資料甚多，研究極具心得。關於中共問題的書籍，以往已有多種著述，此書爲其新近的又一力作。

此書首論中共的宣傳策略，次論中共宣傳的基本原則及其機構，再論中共宣傳工作的方針，宣傳工具的運用，宣傳工作的基點與方式，以及宣傳網的建立和發展，然後再列舉中共各種政治運動的宣傳一一加以說明，最後復將中共宣傳工作的運籌與效果加以分析，又將中共宣傳工作的成敗加以評判，并向自由世界對中共宣傳的對策提出了積極的建議。是書共分九章，三十一節，三十四項，約共十五萬言。

（三）

全書敍述中共任何一項的宣傳工作，都具有豐富的資料，可見作者搜集之勤，用心之細，和準備的充分。所有資料皆註明來源，一一可盡。且許多資料，爲一般報章雜誌所少見，極有查考價值。

最末一章探究中共宣傳工作的憑藉，使讀者瞭解中共何以藉謊僞罪惡的宣傳，亦能獲致成就的道理。著者向自由世界提出的建議，亦頗能從大處着眼，見解甚爲正確。

全書着重中共種種宣傳情況的追述，介紹，似缺乏有力的批判和揭發，以致未能充分發揮鬥爭的意味，不無可惜。

大陸工程界——看老大哥的機器

·魯客·

（本報訊）中共不斷誇稱蘇俄老大哥如何幫助他們的工業建設，稱老大哥做「先進」。實情怎樣呢？且看瀋陽螺釘廠一個署名邱仰國的，用「狗公館」爲題，寫下如下一篇妙文，刊載中共自己的報刊上，讀後可以知道老大哥的機器是怎樣不中用的東西。更可以看出現在大陸工程界對老大哥的東西抱着一種怎樣的態度了。以下便是這篇文章的原文：（小題目是編者加上去的）

蘇聯機器只好做狗窩

下了班，老王抱着籃球由鍛工工段走出來，一時高興，順手把球向門口一個大木箱扔過去，「咚」的一聲，撞在箱子上了，接着箱子裏傳出一陣「汪，汪，汪」小狗的驚叫聲。老王不覺納悶，箱子裏怎麼會有狗叫呢？他從已經打開的箱口一看：嘿！原來是兩三隻初生不久的小狗住在裏邊。

不知作何用的東西

這個「狗公館」長二公尺九，寬二公尺四，高二公尺，重十一噸四百公斤，箱外寫有蘇聯運往中國的字樣。原來裝着的是一台價值十億零八百萬元（舊幣）的全新的蘇式B—111型臥式鍛床，雖然已經生了一層厚銹，但對狗來說，畢竟是太闊氣的「公館」了。

這台新式鍛床，是瀋陽螺釘廠廠長在今年一月特派專人由北京調來的。調這台機器到底做什麼用，做什麼產品，事先都沒有很好考慮。廠長就是認爲「大概可以想辦法用」，就調了來。機器到廠後，打開箱子，工程師看了搖搖頭說：「這設備我看不懂，我們廠用不上」。

「快把說明書譯出來吧，研究一下。」有人提醒說。可是說明書仍然躺在爛櫃裏，沒人理睬。從此，這台機器也就無人過問了，還因工程師過目而打開的木板，也忘給釘上了。於是一隻將分娩的母狗，就把它作爲自己的「公館」啦。

工程人員置之不理

瀋陽螺釘廠這種對待新式設備的作風，並非由現在開始的；現在該廠還積壓八台國外設備，其中有五台還是一九五二年運到的。一九五三年，大家想看看機器，箱子都打開後，也不釘上，零件扔的到處都是。這一放就是三年。到去年末，由於設備不安裝，安裝費就要上繳了，所以廠長才命令安裝當時在廠的七台。接着又派了幾個人到京津各廠學習。等到學習的人回來，台台機器都轉開了，問起領導這些機器到底幹什麼活呢？這時才知道廠長還沒有研究過呢？於是廠長叫找計劃科；計劃科推找工程師；工程師又叫找廠長。一直到現在還沒有研究出個結果來。有人主張把它們封起來，以後再說。理由是：「目前還沒閒工夫照顧它們……」

共黨的公審花樣

預先作演習怪狀百出　姪兒在台羅文光致死

·竹青·

【本報訊】前數天一個剛從大陸逃出的朋友，告訴我廣東興寧在共黨統治下的慘狀，眞是令人驚愕。別的不必說了，只說我的朋友羅文光被共黨公審處死的情形，雖事情已過了很久，仍當報告出來，使大家知道共黨是怎樣無人情的魔鬼。

據這位朋友說，我的朋友羅文光，在一九五〇年冬天就給共幹抓去。罪名是「破壞土改，私賣[illegible]營業庫」，坐了二個多月的牢，然後提出公審。初時，大家以爲一經公審，可以無罪的。那曉得，公審前數天，上頭派來一個高級共幹潘時華，事情就不同了。因爲潘姓與羅姓有仇怨的，羅文光又是潘姓的眼中釘。潘時華一到，就作好公審羅文光的安排。公審前兩天，便糾集劉姓、廖姓、王姓三流子，以及許多讒婦，齊集廖姓屋子裏，先來一個鬥爭羅文光的預演。在預演中，潘時華做主審官，另一共幹陳招扮演羅文光（被告）。

潘時華先提醒劉、廖、王各三流子，說羅文光是個善辯的人，你們應該小心應付，應該遵照我的話去控訴他，方能定罪。預演的把戲，一連做了兩晚。

到了公審那天，旁聽的全是異姓婦孺，羅姓則拒諸門外。公審開始時，屋子裏發出一片哭喊聲，都是假裝的，這樣鬧了三天都不能定下羅文光的罪狀，於是把他暫禁牢中。直到一九五二年多天，復查土改，共幹查得羅文光還有兩個姪兒在台灣海軍部隊任職。然後加上一個「特務」的罪名，終於把他槍殺。羅文光臨死還寫遺囑，要寄給台灣的兩位姪兒，說什麼，自然不得知道。共幹自然也不會把它透露的。

羅文光是我多年老朋友，如此不幸收場，我早已聽到噩耗，但總不能知到詳細。如今得到這位朋友的報告，才知道如此悽慘。這樣的血仇不知何時才得報復了。

經濟社會思想叢殘

·金伯華·

我們則認爲欲望是潛在的，需要是感覺的，而要求是公開的。「欲」者「需」之機，「求」者「欲」之果，這是經濟主體——自古代希臘以來，叫做「經濟人」，心理上對於經濟生活三個連續演進的階段。三者之中，以欲望最爲幾微，以要求最難滿足，而以需要最爲重要。從前希臘有某學者似曾說過這樣一句挖苦的話：「君如欲成爲一個第一流的經濟學人，君其養一隻鵡，日夕教以背誦需要與供給二字，即是以解答一切問題」。這固然是一種幽默的說法。但需要之爲生活之門與經濟之鑰已可概見。「門雖設而常關」，問題在你的手中到底有沒有足夠的和適合的鑰匙以打開此門而謀生活的公道與愉快，這正是世界人類當前經濟制度的大課題！我們姑先就需要的經濟學理略加申述，然後再談談關於解決這個課題的方案吧。

需要的經濟學理

如前述所見（本刊第四四八期轉錄「積極的觀點」一節），關於需要的經濟學理，是安置在「愛」與「樂」，「苦痛」與「愉悅」兩個矜辯之上的。這些學理無非是在我們內心的感應之中，給我們以決定基本方位的一種支援。這些學理也是由於若干基本的證明和若干簡化的假定逐漸建立而成的。我們打算先在若干學理的底面上指出某些假定，然後再稍稍提及著名的「顧森律」（LA LOI DE GOSSEN）以明需要的滿足，也確是有其限度的。至於詳細情形，經濟學家往往會有各種圖表可供參閱，茲不贅述。（三十四）

官不聊生

馬五先生

（自由談）

日本東京市政府最近發生了驚人的集體貪污案，大小職員涉嫌被拘訊的不下數十人。據主管機關宣稱，尚有礙爲貪污行爲而於法未便查究的情形，尤爲普遍，如一般職員隨時接受商人致送一二萬元的禮物這類事，因爲法律上沒有視接受禮物爲犯罪行爲之規定，只好姑予免議了。

日本人的教育文化水準，在亞洲可謂首屈一指，我們中國人亦瞠乎其後的。戰前我在日本讀書有年，政治上的貪污情形絕對未聞有戰後這樣厲害。例如內閣總理大臣亦因受賄而坐牢，首都市政府搞出上下集體貪污等新聞，在戰前就未聽說過。難道日本民族的文化道德精神竟敗壞至此，而與亞洲一些剛由殖民地翻身的國家看齊乎？非也。以戰後經濟破產，社會生計艱難，要大眾枵腹從公，啼飢號寒來明禮義，守紀律，辦不到啦！我們回想抗戰時期一般公務員由於生活難過而非法斂財的情況，對於日本東京市府的貪污案，實在不足詫異。

因此，我希望自由中國政府對一般公教人員的生活現狀加以注意，不要祇是爲着大官的特別費與民意代表的加薪問題而嘵嘵嘩咋，一家哭何如一路哭，與其隨時因發生貪污案件而相對大傷腦經，老淚縱橫，憤恨輿論指摘批評，深感有損政府威信，何如未雨綢繆，設法消弭一些貪污的因素呢？假使教我去作公務員，而俸祿所得又不夠維持一家大小的鵠衣菲食之資，除非毫無貪污機會，否則雖刀鋸鼎鑊列於前，夫奚懼哉？官不聊生，奈何以死懼之呢，

懲貪莫如養廉，這是老生常談，可惜人們即因其爲老生常談而習焉不察，忽然置之，此貪污風氣之所以生生不息也歟！

何翽高其人其詩

懷冰

何藻翔，字翽高，晚年自署鄒崖逋者，順德馬齊鄉人，光緒進士，曾官兵部主事，並充任中英劃界專使張蔭棠的參贊，資政院議員，清亡不仕，隱居香港，主講學海書樓，卒年六十餘。遺著有使藏日記，嶺南詩存，順德縣誌，各若干卷，遺詩四卷未刊。

× × ×

翽高的詩名，似不及梁節庵，曾剛甫，黃晦聞三先生。但他的詩才，確有過人的地方。徐菊人所編的晚晴簃詩選，曾摭錄多首，頗致推挹；其他發表於國風雜誌和麗言雜誌的詩篇，亦往往和陳散原，鄭海藏，樊樊山，易實甫抗行，在光宣詩壇中應佔一席地。

他的詩集，共分四卷，按年編次，起於光緒庚子，迄於民國丁卯，計古今體詩二百五十餘首，其中不少傷時嫉俗的作品。他晚年把詩集交給東莞鄧爾雅收藏，並鄭重囑咐要他死後三十年才可面世。友人陳君少漢曾從爾雅家中傳鈔一份，我獲悉校讀的機會，爲珍惜鄉邦文獻計，於是寫下這篇短文，聊盡評介之責。

× × ×

翽高生平以經濟自負，不屑於尋章摘句。甲午中日之戰，軍機大臣孫毓汶主和議，他上書劾孫，康更生曾作詩贈他，稱道其事，比之爲楊椒山。宣統間，他隨張蔭棠入藏，主劃界事，折衝樽俎，亦顯出他的外交長才。辛亥革命後，他纔被彼南歸，隱居於鄉。癸丑二次革命，袁軍南下，廣東都督胡漢民遣古應芬問計，他力主迎岑春煊抗袁。以岑和袁有夙怨，用岑以制袁也。「縱橫計不就，慷慨意猶存，」談近代掌故的人，知道此事的恐怕不多了。

× × ×

他隱居香港一段期間，是生平最感失意的時候。他曾和楊鐵夫，崔伯越創傳經學校於堅道，教授經史詞章。但不久學校關閉，另傳金城及王震西席。曾有自嘲兩首，寫出他滿肚子不合時宜。如「沿街賣唱蓮花落，誰識當年寇白門。」「而今乞食歌姬院，一曲桃花二百錢。」真是與淚併。

翽高的詩，與晚清朝政最有關係的，首推乙未三月間雜感七律二首，庚子六月間感事七律兩首，[illegible]七絕兩首，可作「杜陵詩史」看。他的古體詩，似由杜韓兩家變化而出，[illegible]力摹杜工部玉華宮，然取其神而不襲其貌，故是佳作。七律之中，如江村即事「退潮斷壑分沙影，過雨橫[illegible]」[illegible]風土之美，亦是出色當行之作。

友人吳天任近編翽高年譜，當有更詳盡的紀載，這裏祇略說說。

屈原頌

王世昭

這是一篇紀念詩人節的作品——編者。

今天，
拏什麼來讚頌你。
我的詩人；
好的語言都已說盡！
剩下來的，
只有那——
一滴滴，
一點點，
也許是，
…………！
你的思想，

× × ×

像一顆彗星，
那便是懷疑精神，
影響到無數年代，
從東走到西，
從南走到北，
誰不浴沐在：
你的光輪！

× × ×

你的藝術天才，
如怒濤澎湃，
長篇，中篇，短篇，
從天問到九歌，
從招魂到離騷，
又從九章到……
一言，二言，三言，
以至四五六七八九言，
甚至十五言，
繼往，開來，
還有誰？
比你更偉大！

× × ×

你的立身，
合則留，不合則去，
不妥協，不猶豫，
不通敵，不賣國，
不自私，不自利；
而且：
不貪生，不怕死！
寧可留得清白，
自沈於江水！
爲人類立下好榜樣，
爲自身留得好名氣。

× × ×

現在，餘下什麼？
像白蓮花的濃芬，
像長庚星的閃爍，
像洞庭湖的綠波，
不管在天上，地下，
以及水中，
都活在人們的心底！

贈蔡智光台大醫院

彭楚珩

愛國老志士蔡智光先生，就醫於台大醫院四○六房，曾往探視，適值風雨，爰賦此云：

臥坐病牀一老翁，斜肩辣手氣何雄！當年慷慨吞夷虜，遲暮悲歌賦草蟲。應與弦高論並美，莫教岐伯絕孤蹤。忘家發伏丈夫事，夜半夢回風雨中！

慰友人喪女

姚琮

梅村哭女詩，悽愴淚滿紙。初讀易興悲，轉念一得部。達生東門吳，知命叢花子。萬物自榮枯，妙論齊生死。曇花頃刻春，月季四時美。靜中觀譜化，惘然忘彼此。

發酬通告

本刊四二一至四二一期稿酬通知單，已分別寄發，請惠稿諸君憑單前來支取稿酬。

劍底秦庭

歷史小說　英如

「荊軻，你來得正好！」田光的說話帶着滿腔的期望，然而，也帶着無窮的欣悅。這種欣悅，不像是個人的歡忭，而是象徵着國家命運的轉機的喜樂。

「除了看見了老先生之外，我倒不覺得還有甚麼比這更好的事情了！」荊軻含蓄地笑了笑。

「有的，荊卿！」田光的表情是如此的嚴肅，嚴肅得使荊軻也不禁微微感到一點寒氣。只見他眼瞳凝聚着一股強烈的光芒：「你將會發覺，這是你從未有過的第一件好事情。爲了救蒼生於水火，爲了完成一個俠客的最高使命，我以爲你一定會把這件事情答應下來！」

「我是說，讓着我們廿年的忘年之交，我有理由教你做一點更有益於世人的事業。」

話說得太急促了，田光有點喘噓，堅定沉毅的面孔透露着一抹垂老衰頹的殘紅，坐在身旁的荊軻偶然迴避了他的銳眼，心裏泛起了更濃厚的敬佩情緒，覺得這樣一個渾濁末世之中，還有這樣一個熱心救人的老頭兒，不顧自己的疾病而着想，在東誠地爲國家爲社會[illegible]，[illegible]他自己皆聽的衛君來，一時根觸萬端，也不知道怎樣來答覆田光的說話才好。然而，還沒有等待他的答覆，田光的聲音又響了：

「荊卿，你以爲我的說話對不對？」

「老先生說得很對，可是，」荊軻苦笑了一下：「請你想一想，一個有敬意的人，能夠做些甚麼事呢？」

「荊卿，請原諒我指責你的狹隘思想。」田光陡然微微一笑：「你錯了，[illegible]

[illegible]（十三）

出國起風波

愛因斯坦遺囑執行人

白嶧

二年以來，納穗博士，一直在申請出國遊覽及研究的護照，這期間，得到出國護照的美國人約有二百萬之多，但納穗博士的申請卻有困難。他是紐約大學的經濟教授，愛因斯坦死後，他其他的遺囑執行人。

最近他特別希望參加瑞士伯爾尼舉行的相對論會議，以求獲得各國科學家的合作，維護及發展愛因斯坦的遺著。但國務院首先對他的請求是推託而拖延，後來乾脆加以駁拒。國務院的理由相當含糊，祇表示在檔案有些不利於納穗的資料。

國務院的資料約可歸納爲三點：一、納穗於一九三三年移居美國之前，是德國共產黨員，這一點他自己曾加否認。二、他是歐洲及美國若干共黨外圍組織的份子，對於這個指責，他拒絕正面答覆，認爲太空泛。三、他是兩個共黨附庸國大使的朋友，這一點他也承認。但國務院的拒絕發給他護照，卻牽涉到一個基本原則問題。這是：出國旅行究竟是一種特惠呢？還是一個美國公民（不論是入籍的或土生的）的固有權利？

在今年三月，華盛頓地方法官施惠爾下令國務院立刻對納穗作「適當的傳訊」，但國務院卻申請法庭重新考慮這整個案子，到二週以前，施氏又責國務院「玩弄延宕手段」，且令該院立刻批准納穗的護照。國務院又向上訴法庭上訴，可是該庭又維持施氏的命令，而裁定在五日內納穗必須獲得「一非正式的司法審訊」。如果國務院再延宕納穗的護照，便必須提出採此行動的理由。到這個階段，國務院終於決定不打官司，批准了納穗的護照。納氏聞訊大喜，他說：「國務院這個行動已證明了美國公民都具有旅行的權利。」

記秋丹閣吟草拾遺

馮鍾瑤

初，黨史會實際負責者，爲鄒魯如先生，後殉難於西安之役。此時吟草拾遺，僅得玄闔先生殉國三週年紀念七律四首，及前題代人作二首。茲錄一首於次：

萬里征車氣莽蒼，當年換策指咸陽。黃河浪起魚龍影，華岳雲昏日月光。一劍兒鋒摧玉樹，千秋杜宇泣靈藏。於今百戰艱難日，哭覓西冷且未還。

民二十七年春，余以母喪留萍鄉。時先君由湘首途入川，不及電告，故不知也。途次僅知母病，數書示行程。並錄途中舟次感懷五七言律詩六首。雖或不無中年喪亂頻仍之感，而尚饒有爲國不肯後人之心。茲錄二首如次：

（其一）落日千帆影，滔天萬壘烽。黃河終飲馬，（瑤謹按：二十六年十月間，先君與馮玉祥之邀，與劉治洲先生同赴河南新鄉軍次。僅匝月即回南京，因馮指揮豫中軍事，亦殊棘手故也）白下繞蟠龍。魏餘洛水鐘。斬鯨橫大海，東指欲移篷。

（其二）中原多亂象，懷慨識天烽。揮國思擒虎，入川有臥龍。余懷誰伏櫪，帝夢待鳴鐘。淼淼東流急，征人正倚篷。

（四）文人作品，每月少年壯年晚年三期之分。少壯之時，意氣豪橫，出語雄渾，莫可一世。及夫晚年，則趨漸於簡鍊平淡，閱世既深，視哀樂爲常情矣。「八百里分麾下炙，五十絃翻塞外聲，沙場秋點兵，」此辛稼軒壯年之豪語。及夫晚年，則以「而今識盡愁滋味，欲說還休，欲說還休，却道天涼好箇秋」爲自解。其雄壯與平淡之分有如此！先君居蜀時，已五十有七。故偶吟詠，意每自非壯年之一劍霜寒八馬嘶，而豪竹哀絲亦無復樂懷。所作有北碚紀遊七絕二十六首，選錄十四首拾遺，茲摘四首如次：（三）

自由人
THE FREEMAN
（第四五一期）
每份港幣壹毫
地址：香港高士威道二十號四樓
3 rd. fl. 20 CAUSEWAY RD HONG KONG
海外總經銷 友聯書報發行公司 香港：德輔道中二十六號A二樓
台灣特派員辦事處 台北市館前街五十號
台灣總經銷處 台北市西寧南路登峯號二樓
台郵撥儲金戶九二二五

如何解決台灣的就業問題

台灣經濟不是沒有出路的　經濟好轉就業即可入正軌

陳式銳

台灣近來由於大專及高職學校畢業生的「就業考試」，改爲「任用資格考試」；它的實際意義，就是考試及格的畢業生原來是「分發就業」，現在變爲「介紹就業」，反應出大專畢業生的就業問題已經表面化了。繼之，政府舉行全面失業調查，台北市於六月十八日結束，二十二日發表的數字少到三千六百人，新生報的小標題爲「宣傳不够」，暗示雖以匱信；倘以某文化機關招考一校對員，應考人數多至三百餘人（徵信新聞），可以想像失業的存在了。至於失業人數既意味着相當底數目，何以登記如是其少？我以爲並非宣傳的够與不够，大家明白舉辦了六年底畢業生的「分發就業」尚且改爲「介紹就業」；舊有制度必以無法執行始予放棄，那末，新的辦法究有何實施的遠景，大家不由不發生懷疑，因而關顧不前了。

隱藏的失業

我曾經注意台灣農業的人力問題，發現每一農戶用於耕作底勞力平均只需二百七十一日，每戶實際耕作者平均三．二人，每人每週工作六日，一年五十二週計算，就有三百十二日。由此看來，過剩底人力達二人以上，表面上農民個個有事做，沒法可以指出那一人失業，所以是「隱藏底失業」。因此，這一問題也就被人所忽略。台灣有五十六萬農戶，以每戶二人乘之，隱藏失業的人數，就高達一百十二萬人了。此外，在城市方面，工業的七○%以上屬公營，以政治關係的侵入，層層引用親故而隨處汎濫着隱藏失業；政府自身，以編制之大，又復因臨時、額外、借用人員而膨脹，亦顯現出大量底隱藏失業。如果就政府與公營事業所用底人力與其實際的需要加以核算，其數目必甚可觀。

貧困的惡性循環

隱藏失業的存在，直接的影響是國民所得低落；這一現象，本屬農村方面，而它的出路正是城市的工業。台灣的城市，如上所云，也關着隱藏失業，一方面堵住了解決農村的隱藏失業，另一方面也加重了整個問題的嚴重性。

加之，就今年而言，高職畢業生，受訓屆滿底大專畢業生，及過去就業考試未錄取底畢業生，總數在萬人之衆；他們沿受「分發就業」，就不免增加隱藏失業，否則就直接參加失業行列了。

因隱藏失業而至所得低落，演變的結果是貧困；而貧困足以損壞整個經濟。何以故？它的惡性循環：由所得低而至儲蓄力薄弱（或竟沒有）再至資本缺乏而至生產力低而至所得更低（循環不息）。而益加直接底失業，使整個問題嚴重化了。解放的方向，無疑地要從提高生產力下手。這一點握住，就可以把「貧困的惡性循環」扭轉過來，變爲「經濟發展的循環」。試看：由生產力提高而至所得增加而至儲蓄力強盛而至資本增加而至生產力又提高（循環不息）。

資本的缺乏

提高生產力的方法，在落後地區不無許多限制；第一，資本的缺乏。根據聯合國一九五四年「亞洲及遠東經濟概觀」的資料，亞洲及遠東地區每人平均所得爲一〇〇美元，如欲維持現水準而增加一人則需新投資二五〇美元（資本與產品的比率爲二．五）；現本地區的人口十二億，增加率爲一．六%，一年增加一千九百二十萬人，所需新投資四十八億美元，等於國民所得的四%。惟本地區新資本的形成，估計不過二十億美元，尚有二十億美元須賴外來底資本；而外資綜合各種來源，目下才及十億美元，尚差二十億美元無着落。因此，發展的方向，要顧及資本的稀少，及過剩底人力，有異於西方的以節省勞力爲主，如像手工業及小型工業。一方面，先從事於所謂基本事業Basic services的建設，如交通，電力，水利與防洪等，以奠定工業化的基礎。

行政効率與工業建設

其次，是行政的廉潔與效率。以台灣的公營事業爲例，近來報上發表之弊案，幾乎俯拾即是；就六月二十二日新生報所載工礦公司轉移民營前高級職員配紗舞弊案，提起公訴者竟是總經理，處長，主任等，賄金數字達新台幣十九萬元，他如轟動社會底胡光麃官商勾結一案，猶在偵而臨於提起公訴底階段，尤不待言了。而貪污與無能，每又結了不解之緣。所以儘管有人仍以反邏輯底理論爲公營事業辯護（不公開底資料），我同意聯合國專家的主張，政府負責基本事業的開發（及獨占事業與公用事業的經營），其他工業尤其是消費工業，悉歸私人企業經營。

石門水庫與橫斷公路

明乎此，要談失業問題，首先要知道它的本質，其次尋求它的出路；整個藍本提出之後，所謂解決辦法，才不致落空，人民也才看得出政府的有所作爲了。政府即將實施底石門水庫與計劃實施底橫斷公路，均屬於開發的正確途徑；它們既可以吸取大量底剩餘勞力，尤得以建立農工的發展基礎。石門水庫的經濟價值：（一）增加灌溉面積四萬五千公頃，（二）發電總容量十二萬瓩，（三）可供三十四萬人用水，（四）可防止洪水爲患；橫斷公路的經濟利益：（一）可藉以開發中央山脈，以供應工業原料，（二）可採伐針葉樹每年估計二萬六千方公尺，值新台幣六千萬元，（三）可在大甲溪，立霧溪，宜蘭濁水溪築壩儲水，發電四十六萬瓩，（四）可藉以治山而根絕水患，（五）由台中至花蓮，縮短交通時間自三天至一日，從而刺激當地的農工商業。

（下轉第三版）

和平攻勢與巨頭會議（下）

巨頭會議決難有所成就　對我無害仍別有危險在

本文上篇，已將蘇俄發動和平攻勢的幾項原因，詳加分析。下篇係對四巨頭會議能否有實際結果，及其對自由中國的影響如何，再加探討。——編者

這會議斷無實際結果

這四個原因互相影響，才使俄帝深知形勢不利，採取堅固其已得的大規模的和平守勢，他希望避免冷戰並趨於更緊張的局面。而他希望，藉此迎合姑息主義中立主義潮流，一般的分化自由世界；特別的，以德國之統一換得德國之中立，「非武裝」，而在此過程中，美英邀請蘇俄於七月間巨頭會議，在聯合國十週年紀念之際，四外長特先行接觸，以爲七月十八日巨頭會議之準備。然後八月間將有原子能和平會議，至九月間，又有聯大會，今年便够熱鬧了。

四巨頭會議，原是戰後史達林首先要求，其後邱吉爾十分熱心的。邱吉爾之熱心，亦以對內之意爲多。于今保守黨勝利，熱心已經減少了。艾森豪只願意開四强會，並表示不存厚望。會議的目的，據說是要「緩和緊張情勢」，「結束冷戰」。在這會議中，俄國已表示將要求美國撤銷環球基地，成立全歐安全公約，乃至中共入聯合國。而美國已說到俄國應撤退東歐。必然談到的，是裁軍，包括原子武器在內。而最重要的，自然是德國問題。此外，還有中國，韓國，越南問題。但我相信，這不過是雙方希望對方先解除武裝，不然，便使對方負戰爭責任的會議；沒有一個問題是可以達到協議的。美國既不會撤退其基地，俄國已表示不能談東歐問題。裁軍問題自一九四六年一月聯合國設立『原子能委員會』，十二月設立『通常軍備委員會』，一九五二年合併成立『裁軍委員會』以來，其間曾有若干計劃、方案，談了十年，沒有結果。不要說蘇俄不會同意視察監督，這些複雜技術問題，根本不是巨頭能談的。那麼，必談而可談的是德國問題了。俄國說他願以統一交換中立，法國未嘗不贊成。然西德及美英堅持全德自由選舉然後統一，而這是法國所不能反對的。六月十四日，美德聯合聲明，肯定『德國軍歸統一之必要』，及『中立觀念不適於德國』。在愛德諾領導下，德國今日生產已經超過希特拉時代。這又證明民主制度之效率優于獨裁。愛德諾說，大西洋與太平洋所面臨的是一個敵人，不可區別。德國的力量，無人能迫其中立。而德國的智慧，則知道他不能中立。老實說，要德國中立，首先得有美國中立和俄國中立。『世紀中』的大政治家不是邱吉爾，不是艾森豪，而是愛德諾。莫斯科最希望死的是他。但他一刻不會死的，美俄都不會解除武裝，則中立德國之夢是一定幻滅的。軍備問題和德國問題之不會在此次四巨頭會議內談判而解決，便決定四巨頭會議絕無成就。

中國會被出賣嗎？

然則中國問題呢？美國雖表示不談中國問題，但梅農已在華盛頓。我想至少是會間接談到的。

但我不相信四國會議能對中國問題有何決定。這就是所謂「兩個中國」問題——包括金馬及中共入聯合國問題。第一、俄帝自己情形已甚急迫，已不能支持這冒險了。金馬問題對我們而言是重要的，但在世界全局上，不是重要問題。第二，我不相信美國會爲了十一個美俘，而忘記十三萬子弟之傷亡，即同意漢奸進聯合國。第三，即令美國同意中共進聯合國，也還得先取消聯大譴責中共爲侵略者及禁運決議，美國國會還得撤銷拒絕中共進聯合國決議。這不是四巨頭好談的。第四，中國決心堅守金馬，反攻大陸之意志，也不是四巨頭所能變更的。

這不是說我們可以泰然之意。中國並非沒有危險。我們的危險不在四巨頭會議，而在我們若干表現和世界對我們的若干誤解。關於這一點，以後再談。

在我看來，雅爾達時代美俄有共同敵人，所以能相互協議。今天休戰，相互不是敵人，是和平。誰呢？所以一定，無所成。又今天實力不能希望對比雅爾達及當時四巨頭會議得到任何便宜。反之，附庸國內，無論，還在俄帝有把戲，看四巨頭會議以後，則不僅不能停止冷戰，不能停止軍備競賽，只有使冷戰更加猛烈。不僅不能緩和緊張，只有在一度緩和後趨于更緊張。尼克遜說『四巨頭會議是和戰關頭』，此言相當嚴重。事情還不致如此倉卒。四巨頭也許還產生一個空洞的同意聲明。以後還要談，談，談。但絕對談不出結果的。對與讓步，不是談出來的。欲知後事如何，但看德國。兩年之內，且看歐洲和大陸，究是誰人之天下。（續完）

胡秋原。（六月十八日）

半週展望

雷嘯岑

貿易至上·歐洲第一

英國外交部長麥密倫宣稱：英國之承認中共政權，是爲的商業利益，並非討好殺情。美國參議院外委會主席喬治宣稱：美國應該不阻止日本與中共區域擴展貿易，以免日貨與美國貨在其他的地方相競爭。美國出席聯合國的總代表洛奇亦說：不管某一地區的政治制度如何，能够與之通商營利，總是好的。此外，美國國會議員們爲着放寬日本與共區貿易的限制問題，這幾天正是爭論得很熱烈，不贊成放寬的，似佔少數。

根據英美這些商業政治家的言論主張來觀察世界局勢，祇要俄帝在下月舉行的四巨頭會議中，再表示一些和平的姿態，致中共暫時不要大舉進攻台灣海峽的話，我們相信，英美當局一定認爲世界緊張形勢業已鬆弛，一面強調「實力談判」之說，同時則放寬對共區的貿易限制，聯合國的禁運令縱不撤消，亦必然弄成名存而實亡的玩藝。他們的世界政策是貿易至上，歐洲第一！

俄帝現在對西歐方面是處於招架的地位，所以，艾登首相近日就很自負地說是英美已掌握着冷戰主動力，快要勝利地結束冷戰了。他這種樂觀的看法，就是以西歐爲標準的。俄帝雖然百端引誘西德走上中立之路，亦係徒勞，即令把東德的鐵幕撤掉，讓德人自由選舉，和平統一，也不能博得德國中立的後果，因爲德人還要收復那一大片被俄帝強迫割給波蘭的固有領土呢！德國既不中立，即須積極建軍，目前正與美國商訂軍事協定，西歐的屏藩日趨鞏固了，這就是艾登引爲樂觀的理由和事實，是歐洲第一主義的成功！

其次的大問題，就是如何實現貿易至上主義。西方的國際市場，連同共產區域在內，各個勢力範圍業已劃分得很清楚，而且大半都是有過剩的生產力，要向別處求出路的，要想擴展貿易，祇有亞洲是很好的尾閭。亞洲不安定的唯一因素是中共，而最大的貿易市場也是中國大陸。因此，在英國看來，只要俄共集團不以武力侵佔台灣，藉以鎮定美國的心情，此外即無不可妥協的問題了。「兩個中國」也罷，「台灣托管」也罷，中共進入聯合國也罷，一切都無所謂，但求能够發展貿易，通商漁利，於願足矣。美國呢，國內的經濟情況，日見繁榮，國民的收入與消費力量，普遍增高，（詳見美國商務部最近公佈的經濟報告書）當然希望在「實力談判」之下，維持和平，如要戰爭，即須打全面性的原子大戰，局部小戰是不幹的，而俄共集團又絕對不敢冒全面大戰的險，亦係事實，也就樂得遷就英國的妥協政策，跟中共試行和談。和談萬一成功，美國商人一樣地可以到共區作生意。所以，貿易至上主義的對象是在亞洲，換言之，爲要發展貿易，即不妨犧牲亞洲人民的自由生活。

俄共集團對於上述情況，洞若觀火，因而對亞洲方面到處表示着緊馬彎弓的姿勢，台灣海峽早已形成烽火連天之象，越共胡志明亦正在北平訪問，裝出躍躍欲試的氣概。這些都是冷戰作用，旨在加強英國的姑息思想，使俄帝在四巨頭會議時增加要價還價的政治資本而已。至於眞正的局部戰事，在本屆聯合國大會以前，是不會發生的。

俄共集團這套詭謀，英美當然不會不明白的。可是，現實的經濟繁榮生活，決不願爲反共產極權的政治理想而犧牲。何況共產極權侵略的大患，目前是在遼遠的亞洲地區，英美人並未身受其禍害，他們何苦要爲着亞洲人的自由生活而冒戰爭危險，以致影響自身的安全繁榮呢？

除非英美的現有經濟生活發生恐慌，或者俄共集團實行武力侵略，所謂「實力談判」的勾當，够你搞的，而遠東的緊張局勢也就談不到鬆弛也。

海外通訊

「同情罷工」共黨再失敗

共黨工人集中交通事業　政治鬥爭失去社會同情

・薪客・

【本報星洲特約航訊】此間所謂同情總罷工的浪潮，經過五天來的考驗，終於在十八日宣告暫時復工而平息了。這個浪潮，來勢相當洶湧，在十三，十四這兩天內，大有怒捲全市的氣概，幸而政府持之以鎮定，和得到一般深明大義工人的協助，使到共黨的陰謀不逞，偃旗息鼓，鳴金收兵。我們不妨站在看台上，檢閱下共黨在工人隊伍中的力量。

利用工人作政治鬥爭

這個同情總罷工的起源，是由於海港局的罷工僵持了五十多天。在筆者看來，海港局的罷工是純粹基於改善待遇而採取的和平合法行動，並沒有染上政治色彩。在上月本報「星洲紅色的五月」一篇通訊中，曾略爲說及共黨不可能加以利用了。但共黨能夠不想盡方法爭取這一千三百多名的工人嗎？終於號召了旗下的工人來一個同情總罷工，以希望打進這和平的陣營裏。但事情還在實際手段當中，已有幾個工會負責人的政治行動，給警察當局把握到手，立刻引用緊急法令把他們拘捕起來。於是所謂同情總罷工不能不爆發了。但是進行的指標卻與原來的目的完全相反。假惺惺的慈祥面孔一變而爲猙獰可怕的政治鬥爭，他們再不談海港局的問題而高呼釋放我們的領袖了。

擴大交通陰謀失敗

癱瘓交通，是共黨手上唯一最有利的武器。起先是巴士和電車罷工，繼之停運汽油，的士汽車停駛，然後旁及其他工廠。聲勢洶洶，謠言四起，星洲市面大有惶惶不可終日之慨。政府的應付方法，也針對着交通着手。搶運汽油，源源供應，使得一般自用車能照常行駛，並鼓勵車主，到處歡迎搭車，載運行人。保證的士汽車司機復工，必要時開放營業車司機執照。這樣一來，的士汽車司機聯合會立刻否認罷工，僅停駛了一天的的士汽車又飛駛路上，利市百倍。的士汽車這一環，當然是共黨交通武器中最弱的一環了，但牽一髮動全身，共黨陣腳便開始動搖了。

同情罷工失去同情

其後政府更鼓勵數以千計的貨車，載運沒有參加罷工的工人上班下班，小學生上學。共黨擴大交通的計劃大受打擊，而巴士電車的罷工威脅，逐漸成爲無足輕重，受著的還是工人本身，遠超一般貧苦大衆的痛苦，所謂同情反而得不到民衆的同情，失敗的命運由此註定了。

共黨除麻痺交通的計劃外，又曾向水電工人打主意，但政府極力曉諭，要工人們本良心驅使，顧全大體，在最澎湃的工潮中，水電供應無時或缺。還有，在政府管理下的其他幾個電器部門工人，也從沒有放下工作。這一點很值得在這裏大書而特書的。

罷工結束歡聲雷動

共黨如何來挽回面子及在工人中已失去的威望呢？當政府首席部長馬紹爾發表談話，說這被捕的幾個工人將在十四天內得到公允的處理的時候，這話立刻給共黨抓住了，說成爲政府保證在十四天內合法處理被捕的人，同情總罷工可以暫時結束了，等待十四天後再打算。這個消息，在左翼工人代表的聯席會議席上宣佈時，當堂「歡聲雷動」。（借這四個字是引用一家所謂中間偏左的報紙的標題。）本來這罷工的口號是要求政府先放人後談判，而現在卻變成先復工後談判了，這雷動的歡聲斷不是勝利的高呼，而是厭惡同情總罷工的具體表現。因此馬紹爾雖曾指斥共黨曲解了他的話，但工人們還是我復我的工。

共黨何以急打退堂鼓

在罷工最高潮當中，據政府統計是一萬七千二百九十七人，筆者試爲分析一下，除了二九一九人是原來已在罷工中之外，其中就有四千一百九十一人是屬於交通事業的，差不多佔了全數三分之一，這顯然是共黨工人隊伍的主力所在。當罷工進入第四天的早晨，這一萬七千的數字已不能再維持了，因爲有千多工人已自動返廠復工。共黨之所以不能不急打其退堂鼓者，這當然是一個很大的原因。

威迫罷工瓦解自速

又據共黨非正式的宣佈，罷工工人的總數竟達五萬多名，差不多佔了全市工人總額的半數。這個數字和政府的統計相差很大，無疑的，共黨是過份誇大，但官方的統計也未盡確實。因爲政府的計算以工廠或公司爲單計，個別的或小部份被忽略了。舉例說如女王鎭一帶的上千建築工人，也因爲受到恐嚇而放下工作。這個數字，當然未被政府列入，但共黨卻引爲同情的罷工，舉一反三，同樣的事情想必還有爲筆者所不知道的。以威迫的手段來維持同情的總罷工，其瓦解自是意料中事。

罷工失敗的原因

除了這一點外，這次共黨的罷工失敗還有兩個原因。一、未經醞釀而倉猝舉事，以爲憑一時衝動便可僥倖成功。這是失諸躁進，中共所引爲切戒，而馬共似乎還未曉得的。五月中旬工潮的創傷還未復元，不到一月又來一次更劇烈的鬥爭，無論在士氣上和物力上都顯然不可能。更招來了民衆的厭惡心理。二、一般中學校都放了假，沒有學生來爲他們打氣和煽動，高估了工人隊伍的力量。事實上，工人們對政治的鬥爭還未感到興趣，遠不若改善生活的要求那樣迫切。十四天的時間很快便會過去了，態度如何，似乎還在[illegible]，筆者的報道不再在這裏拉長了，且看下回分解吧。（六月廿二日）

台灣通訊

李彌夫人做過人質

王斌

（台北通訊）李彌將軍是一位叱咤風雲的反共英雄，他的夫人也是一位巾幗英雄，外間知道的似乎還不多。

× × ×

李夫人姓龍名慧娛，籍貫湖北，出身書香之家，受過高等教育，賦性爽直，[illegible]。她和李彌將軍的結合，[illegible]，說起來，也是一件[illegible]的故事。約在民國三十年前後，[illegible]內，在某次[illegible]戰役中，因作戰受傷，入醫院治療。負責看護的護士小姐不是別人，就是目前號稱中國「加里波的」夫人的龍慧娛女士本人。英雄美人相處日久，情愫漸生，由互相敬愛，以至[illegible]，李將軍愈出院後，[illegible]在距醫院不遠的一所禮堂裏[illegible]。此後十餘年間，恩愛夫妻，[illegible]從未分離過。

× × ×

民國三十八年秋，李將軍任職第十[illegible]長，駐防昆明城外。[illegible]盧漢[illegible]扣留中央撤退至滇的軍公[illegible]。盧漢因昆明城內兵力[illegible]，[illegible]張羣，李將軍亦在[illegible]。[illegible]先釋放張羣長官[illegible]余程萬等。但盧漢[illegible]長官的釋放是有條[illegible]眷作爲抵押，保證[illegible]將。在這樣局面之[illegible]士，自然是最重要[illegible]自告奮勇，向盧漢提[illegible]質，請釋放全部人[illegible]，願做人質，盧漢[illegible]。於是，龍女士遂[illegible]穴，換取全軍高級官員的安全，使他們得以安然出險，這眞是一件非平凡的女子所能做得出的大事。

不久，昆明城內，混亂日甚，共軍尚邊，滇省境外，李將軍所部又積極準備反攻，盧漢自身岌岌可危，英勇有謀的龍女士，遂亦乘機化裝逃出，幾經波折，終於逃抵滇緬邊區的游擊基地。重新與李將軍相敍。

× × ×

李部退至滇緬邊區後，着手整編，龍慧娛女士亦負起組訓婦女工作，在軍中從事縫紉、洗濯、及勞軍，與游擊健兒共同出生入死，同甘共苦，往還於崇山峻嶺的不毛之地。這種可歌可泣的動人故事，直可與梁紅玉媲美，而毫無遜色。

李夫人今年三十左右，身體健美，不愛打扮，生活樸素。平常愛吃麵類，尤其喜歡四川的担担麵。現與李將軍同居台北市郊的中和鄉，最小的兒子叫小燕，亦愛担担麵。相夫教子，家庭中融洽快樂，實不失爲是模範家庭的生活。

日蘇交涉的前途（上）

早日成立和約已成必然之勢　其他懸案的解決一時難成功

安世

連日報章電訊，倫敦會議，日本態度強硬，以俘虜釋放爲和約先決條件，否則不惜中止談判，與安世先生此篇報導，頗有出入，究竟眞相如何？殊不易知，讀者當能加以判斷也。——編者——

（本報東京特約通訊）蘇聯爲什麼急於要和日本交涉？這當然是基於整個冷戰戰略的關係，也是整個熱戰戰略的關係。美國在西方要裝備西德，在東方要裝備日本，這無異對蘇聯頭尾兩部都加以很堅固的枷鎖。蘇聯爲要擺脫這兩重枷鎖，於是想在西方中立德國，慨然響允四巨頭會議的邀請，又想在東方中立日本，於是透過英國和中共，促成了日蘇交涉。

說不出的日本苦衷

日本爲什麼與急於和蘇聯交涉？當然也有他們的苦衷，他們不是不知道蘇聯對日的野心，雖是知道，可是因爲有了苦衷，也就沒得辦法。日本的苦衷是什麼？據日本在第二次日蘇交涉中（六月四日）提出來的是五點：（一）歸還日本領土，（千島南樺太等）（二）放回日本俘虜；（三）擴充北洋漁業，（四）聲援日本加入聯合國，（五）日蘇締結正式通商。以上是看得見說得出的苦衷，除此以外，今天日本還有一種說不出的苦衷，就是一面想和蘇聯拉手以見重於美國。

以上種種，可以說是日本的苦衷，也可以說是日本的如意算盤，因爲這些目的，達不到就是苦衷，達得到就是如意算盤，但是這個如意算盤，是不是容易完成，當然是不太容易。

日蘇交涉最難成功

照日本外交三十年的經驗，日蘇交涉是最不容易成功的。大正十四年一月二十日成立的日蘇基本條約，前後經過五年的長時間才告完成，至於日蘇國境交涉，和北洋漁業交涉，也是三十年的雙方外交人員最感頭痛的。何況這次的當日蘇談判主角的馬立克，本是遠東問題專家，也是對日外交的老手，今天把這隻迷路的小肥羊，已經用草引誘到圈門口，那有放鬆的道理，所以比六月十四日第三次會談中蘇聯的全案提出，據日報所載要點是：（外相重光葵十七日在閣僚談話中披露）

一、南樺太，千島（包含色丹島及齒舞諸島）正式爲蘇聯領土。

二、現在滯留在蘇境的日本人，除戰犯外，全部釋放，至於戰犯釋放，須在日蘇正式和約締結成以後。

三、日蘇通商協定，須在日蘇正式和約締結成以後，迅速辦理。

四、北洋漁業，今後由日蘇兩國專家協議決定。

五、兩國爲完成文化交流，應同意迅速結成文化協定。

六、津輕，宗谷，根室，對馬四海峽，列爲非武裝地區，與海峽有關各國之商船，得自由航行，至於軍艦，則限於與日本海鄰接諸國，得以自由航行。

七、賠償要求權，兩國互相放棄。

八、日本不參加「以對日戰爭爲對象的國家」聯合的軍事同盟。

九、日蘇正式和約締結後，蘇聯迅速支持日本加入聯合國。

十、日蘇兩國相互嚴守不干涉內政主義。

以上消息經每日新聞刊出後，除左派人士認爲不足爲異外，全國輿論，無不譁然。

日本希望先復邦交

據十六日外相重光葵在衆議院中外委會的演說，他認爲這次蘇聯的提案，與一九五一年舊金山和會時，蘇聯代表的提案，大同小異。不過

重光又說「這次交涉，雙方都希望迅速成立正式和約，以恢復兩國國交，然後慢慢再談其他問題。不過蘇聯提案的內容，與原來相差甚遠，當然還須努力交涉。日本自有日本主張，交涉前途，至雖逆料，不過無論如何，必須達成國交正常化」。照重光這幾句話看來，卻是允分流露出現政府對於日蘇談判的願意，可是這也並不止是鳩山首相少數人的意思，也可以說是完全代表各黨各派的意思，也可以說就是今天大多數國民的意思。

共黨利用日反美情緒

日本從明治元年到昭和二十年七十七年中，是世界上戰無不勝的強國，如今遇着美國投下兩顆原子彈，並且佔領七年，雖然美國也曾用去美金幾十萬萬，可是一般日本人，對於這點，似乎並不十分注意。一般日本人所最注意的，就是把一等國降爲四等國，殺了七個頭等戰犯，並且經濟上處處非依賴美國不可。

編者讀者

△吳本中先生倫敦來函

編輯先生：……弟最近承大英廣播公司邀請，作十五分鐘的廣播，茲簡單譯成中文，連同英文原稿奉上，祈爲指教。敝校已放暑假，十月後再開學，弟明晨乘輪東歸，定七月廿五抵港……弟此次遊歐，倏已第三年，長安雖好，焉能久居？把晤有期，諸待面罄，「自由人」諸先生均此致意。

吳本中敬啓六月廿三日

吳先生的廣播文章，本刊下期發表。——編者——

△奔流先生瑪德里來函

編輯先生：……兩月來，因功課繁忙，又屆學年大考，未能爲「自由人」多執筆，甚以爲憾，現考試已過，暑假開始，今後當多作報導文字。茲奉上「西德重新武裝的歷史觀」一稿，相信對讀者不無貢獻。貴刊同人，對反共復國，立場堅定，發揚民族精神，不遺餘力，令人敬佩。尚此順頌撰安。

奔流敬上六月十九日瑪德里

奔流先生的通訊稿，下期在本刊發表。——編者——

△靜觀、刁抱石、王斌、文餡，諸先生：承惠稿，均已收到，謝謝！

△何鐵華先生：「文人畫與王維的批判」一稿並未收到，請復！

中共欺騙工人的把戲

魯客

中共欺騙工人的事太多了，現在且舉一件小事，即可概見其餘。一個瀋陽工人名邏華的寫了一篇文章，報告中共怎樣利用優待職工的名義，欺騙工人，推銷不堪應用的收音機的故事，登載在大陸的共產黨報紙上。現將原文照抄如下：（以下是原文，小標題是編者加上去的）

價廉物美引誘職工

去年八月中旬，國營南京無綫電工廠透過工會向我們職工推銷收音機。據說，這批收音機質量很好，在國營商店很難買到，即使碰上類似這樣的收音機，拍合至少也要花上一百八十萬元，而他們這次特別優待職工，只拍合職售一百三十萬元，還可以分期付款。老實說，誰不想買台收音機聽聽呢！因此當時購買，一下子登記了五百一十三台。

職工們登記以後，都眼巴巴地盼望着，有的人甚至把天綫都預備好了。這批特別優待職工的收音機終於在九月間運到了。揭開箱蓋一看，玫瑰紅、蘋果綠、奶黃、銀灰……五光十色的膠殼，簡直教人花了眼睛。每台收音機都附有一份說明書：「五〇二甲型收音機是交流長短波，超等外差式五燈機。本機裝置大方，性能可靠，供家庭及俱樂部等場所使用極爲適宜。……本機能收聽世界各主要電台，輸出電力達三瓦特，發音清晰……」購買收音機的同志歡天喜地捧着收音機，有的還自言自語地說：「眞好！價廉物美。」

所謂優待原來如此

到了第二天，奇怪的事情發生了。昨天高高興興捧回收音機的人，今天有不少愁眉苦臉拿着收音機來找工會。

原來這批「優待職工」的收音機，有很多是除了經常嗡嗡外，有時還有叭叭或嘟嘟的雜音，但是也有一些人根本就連這種噪音也沒有聽到過，因爲買來的收音機本來就是個啞吧。

過了三四個月，「優待」的眞相總算弄清了。原來這批收音機是一些雜七雜八的材料拼湊起來的，質量低劣，這樣的收音機，南京無綫電工廠當然知道無法通過國營商店推銷，於是他們打起「優待職工」的幌子直接向我廠推銷了。

這個南京無綫電工廠還是國營工廠，他們還沒有採用「貨物出門，概不退換」這種做法，因此據該廠領導幹部說：收音機運到不久，就在南京市委託了修理站；最近又由南京派了專人帶着一些材料來廠修理，直到現在「天」不足，收音機幾乎全部仍在「嗡嗡」「叭叭」「嘟嘟嘟」的奏着交響曲，甚至有的還仍然保持着緘默。

可怕的青年心理

——喪失了民族自尊心——

廖斗星

中國衰弱的原因很多，民族自尊心的喪失，也是重要原因之一。喪失了自尊心，便沒有自信力，依賴盲從，諂外媚外，無所不至了。

這裏且舉兩個例子：

有某留美學生，公費出國十年，專攻歷史，早已學有所成，獲得碩士博士銜。現在國家危難的時候，他不僅不思回國，反千方百計，取得美國國籍，以工程師名義，服務於美國地方政府。他的妻子本留居台灣的，竟用美國人眷屬身份，或難民身份，向美國駐港大使館申請赴美。這一位受過高等教育的青年，竟忘記了自己是中國人，更忘記了自己已有個若雖的中華民國，你說可嘆不可嘆！

另一件事是政府遷台後有×銀高級職員某君，公費赴美讀書，到今亦已畢業，學貫中西了。也和前一個留學生一樣，弄得了一個美國國籍。台北某大學想聘他做教授，某機關亦擬委他做個任處長，他都辭而不就。情願在新大陸一中學任語文教師。至於他的妻女，也以難民身份，取得了赴美資格，取得這資格後，竟至欣喜若狂。這也是一個毫無國家觀念，失却民族自尊心的可憐人物。

這樣的卑劣行爲，無恥心理，若出之于一般智識薄弱的普通人，猶可視爲不明事理，今竟出之於受過高等教育的青年，寧不令人嘆息驚異！爲什麼具有五千年悠長文化歷史的中國青年，竟不願作中國人，反以作美國人爲光榮呢？我覺得這就是中國存亡的根本問題。因爲這是民族自尊心和自信力喪失的表現！

五十年前革命先烈秋瑾女士曾於中國女報發刊詞中說「……大道不明，眞理未出，求學者類皆無一捷徑」，今日親美國心理，則反共抗俄的宗旨，無意識，其效果乃以多數聰穎子弟爲人間樂園，而置中華民國之安危於不顧，又何嘗不是五十年前以東瀛爲終南捷徑的學生，「叢成翻譯之材料」，不亦大可哀乎！然而青年如果都抱持此種心理，有可恥，耶？中華民族之復興又向有希望耶？此種心理之養成，當不是簡單的事，負教育責任的當局亦應知所警惕矣！

發酬通告

本刊四一一至四二一期稿酬通知單，已分別寄發，請惠稿諸君憑單前來支取爲荷。

國父家世源流考

著者羅香林　修訂台灣一版　代售處英皇道香港書店

●王君實●

譜牒之學，原本是史學的流裔，周禮奠世系，辨昭穆，掌於小史；史記紀五帝，訖夏殷周秦，並詳述其子孫氏姓，而世本一書，漢志隸春秋家，上古譜學的設立，實在與宗法相維繫，而且和國史互相表裏的。

（一）

自世祿廢，宗法亡，譜學於是曠絕不可稽考。漢代，元首起於草茅，將相出於屠牧，大抵不曉得本系所由來。魏晉至唐，仕宦最重門閥，各姓的譜，都上吏部，那時選舉，必稽簿狀，婚姻必講門第，譜學由是復興。歐陽修撰唐書，設宰相世系表，暗示國史家牒的連環性。五代喪亂以後，譜諜的，多扳附華腴，虛張勛閥，或至不可究詰，譜錄一門，遂爲識者賤薄。然一二通人碩儒，掇拾補苴，禍探古誼，能夠闡明制作精意的亦不少，如清代四明樣湖張氏家譜，九江朱氏家譜，在譜錄門來說，實在是精心結構的著作。

（二）

民國以來，國人諱言宗法，蔑視種姓，數典忘祖，譜諜之學，幾同絕響，然績學之士，獨排俗議，奮起研究的仍不乏人。如清華大學教授潘光旦是根據優生學觀點去研究譜學的，他搜羅了清代一百餘科狀元的家譜，加以分析研究，獲得遺傳特質和人文分佈的結論。筆者友人羅香林教授則根據歷史學的觀點去研究譜學，他研究的對象是特出的英雄式人物，如花縣洪秀全上代的家譜，西林岑春煊上代的家譜，紫金中山孫氏的家譜，揭出遷徙與自然淘汰諸作用下，優勝者之演進定理，可說是當代的「鴻寶」了。

（三）

中山先生是中華民國的開國元勛，是廿世紀的巨人，他的聰明睿智與氣宇所由發揚的根源何在？我們讀完了近人所作的關於孫先生的年譜和傳記，研究他的家世，還沒有獲得滿意的論據。及羅先生這一本國父家世源流考面世，纔獲得正確的解答。

著者根據美人林百克「孫逸仙傳記」引孫先生口述說「孫氏家廟在東江KU NG KUN谷村，移居翠亨，祗不過數代」，並根據孫先生故里所藏列祖生歿紀念簿所紀十二世祖連昌公始居香山縣一世，先以之爲普通諮訪之依據，繼乃分析公館村地望，建立紫金忠壩爲孫先生上代所嘗居止的假設。然後蒐集有關資料，並在紫金作特殊調查，賴當地官民協助，果然在忠壩孫屋排孫桂香家，發現孫氏族譜資料，該譜所記一事，即孫氏十二世祖連昌公，遷居公館背，遭時多艱，遷徙外地。其年代，名諱，世次，及地望，皆與孫先生所述和列祖生歿紀念簿所記相密合。由假設而獲致證明，因此由科學方法治史的功能以顯。本書由著手研究以至成書，經過十年之久，著者用力之勤，於此可見了。

（四）

全書共分十二章，除引論，結論外，其他各章，有些地方除辨正孫氏上世源出東莞說之非是，和辨正孫氏上世與左埗孫氏同源說之非是外並提出孫氏上世源出東紫金縣忠壩公館背之證據，和說明紫金縣忠壩孫氏之源流與遷移背景，有些地方則分敘孫氏上世在紫金和中山兩縣之世次名諱與行實。爲全書最重要證據　有些地方敍述璉昌公父子於順治康熙間，隨明鄭元鐘丁先迎義抗清，相持數載，後以兵敗，散居增城，値清初沿海遷界復界，遂再遷香山，這是重要史實的發現。由是知道孫先生之誕生作革命的導師，一方面由於先代已經含有抗清的血液成份，一方面由於環境的陶冶，養成大雄無畏的精神，引導國人爭取自由民主，足以儀型百世。

著者說：「余文質無底，於時賢所爲關於國父孫公中山之家世追述，雖不能無所論列，然皆奉爲前路，而深致敬意，蓋以余之不才，其能有所闡述，皆由獲遇特殊機緣，與得友人協助之所致，非謂所學無多，蒙昧如余，亦能自爲創獲也。」這種謙遜的態度，著書的旨宗，尤爲學人所當取法的。

天主教徒的節育運動

節制生育並非犯法

●曄●

（本報訊）本港現有一個組織，名爲「香港家庭計劃指導會」，是一個指導家庭生活的社團，和教會人士有關，宗旨爲贊助和推進科學節制生育，和指導婚後不孕者以可能生育的方法，同時該會對於有關家庭及人口問題調查，亦以其研究結果，提供各界人士，智識方面的協助。該會現時在港九及新界等處，共設有指導所八處，專事輔助解答有關節育的指導和治療。該會歡迎各界人士與之聯絡，並盡量解答有關的詢問。

該會最近出版一本刊物，說明宗教界對人口增加及受孕的態度。該刊首先引述世界人口會議上，天主教代表李斯塔比神甫的話，說人口生育率高，而經濟生活發展程度有所不及的國家或政府，應有責任進行或贊成減少生育運動。

該刊認爲基督教方面，並不反對生育節制，上帝並不期望已婚夫婦就生物學上最高能力生育兒女，已婚夫婦的性關係，應有計劃和管制，才能使所生兒女皆是願意生育者，然後能善盡其對兒女的愛護與教養的責任。

該刊又說，聖經亦准許已婚夫婦作暫時的節慾（參看哥林多前書第七章第五節），因此，站在宗教立場來說，節制生育並不犯罪。

該刊一方面宣傳節育，一方面告訴信奉宗教的人士，應該對節制生育採取正確的認識態度，於此可見本港有宗教信仰的一部份人士正從事於節制生育的新運動。

經濟社會思想叢殘

○○○金伯華

假定的基礎是：凡人總是想「以最小勞苦獲得最大快樂」。這叫樂利主義。這原則一經確定，需要的經濟學理即可主觀的在一個三角形的基礎上形成：需要是在苦樂上可權衡的；可分的；可量的。我們前面曾經說過，從感覺性的觀點說，需要是一種心理的狀態。芸芸衆生，永遠不外是在苦樂二字上打轉。而何者是苦？苦到什麼程度？何者是樂？樂到什麼程度？千差萬別，惟有各人自己心裏明白，「心裏有數」。這恒如俗語所說：「寒天飲冷水，點點在心頭」。於是基於需要所引發的經濟行爲，必然是要使所得的快樂超過於所受的勞苦。而是可以不爽毫厘的。這在心理學家就稱爲「基本的感覺習律」。此其一。

需要是可分的

這不再僅僅是對於眞實感覺的一種極其簡單的觀察。這是一種設想。不過這種設想決不會與實際有什麼矛盾。例如仍拿吃飯來說吧。一個從「餓牢」出來的人，他的饑餓狀態，將隨着他所吃的每一口，每一杯，或每一碗飯而趨於緩和。每一部份陸續嚥下肚的飯，都能鎮靜他的饑火。這就是說由於這個餓鬼使用食物所構成的財產之每一份劑，都不多不少，相當於他所感覺到的食物的需要之份劑。范仲淹貧苦的時候，他沒有錢備飯菜。他每天只煮一碗粥。等這碗粥冷了之後，他把它劃作四塊，每天分二次吃下。他再把虀菜切成數十莖，以作下粥的菜肴。其莖數當然是與粥塊配合的。後人把他這種「經濟快餐」的吃法，稱爲「斷虀畫粥」，頗可以作爲吃的需要之可分性的例子。至如「說苑」所載，子思在三十天中祇吃九頓飯，却又不知是如何的分法了？

是以人們設想，需要是可以分成份劑的，而每一需要滿足的程次，都由所用方法的相當份劑來予以保障。申言之，這是由於實際財產的具體而可分，方能假設需要的可分。這種（需要的）可分性，畢竟是表面的多於實在的。這在用以滿足需要的方法（財產）而言，固是得來不易，錙銖必較，但在需要方面而言，則如俗語所說「叫化吃死蟹，隻隻好」，在飽和以前，實際上是前一口飯與後一口飯並無多大分別的。此其二。（三十五）

如何解決台灣的就業問題

陳式銳

外滙問題與手工業

（上接第一版）至於手工業或小型工業，台灣原來已有優良底基礎；現在爲一般人所聞名者，計有台蓆、編帽、海草地毯、珊瑚、蓪草、抽繡、釣魚竿、雕刻木器、貝殼、文石等。它們發展的障礙，因爲是外銷品，至要是外滙問題。如海草地毯，去年港製輸美價格（FOB）平均廿一美元，台製每件成本新台幣五百三十元，照當時官價十五元半折算爲卅三元半，超過港製一二．五美元；照現在比率官價十五元半加結滙證價四．八元（六元八折）合計二〇．三元，折算爲廿六美元，尚超過五美元，自不能與港製競爭。發展台灣的手工業，估計可以安置過剩人力二十萬人以上，又可以爭取外滙起碼一千五百萬美元。由這一點看，誰說台灣經濟沒有出路，問題在眞實地求解決而已。

開發經濟解決失業

大專高職畢業生的出路，無論是「分發就業」或「介紹就業」，就說去實情而言，均不是眞實底解決就業辦法，現在改由「介紹就業」，只不過反映出人浮於事已到極度而已。現在讓大家體認失業的威脅，同時知道卑就存在着隱藏底失業，也可以明瞭社會貧困的由來。由此，我要指出：解決就業問題主要在求經濟的開發，政府集中力量於基本事業，一方面造成有利氣候，讓人民從事於工業，尤其小型工業及手工業；如果全面經濟好轉，「經濟發展的佛」一開始，整個國民的就業也就由此導入正軌了。（六月廿三日）

治水與為政

馬五先生

有人說：為政之道應該取法於治水的原則，纔是高度的政治藝術。夏禹治水秘訣祇是一個「導」字，李冰父子說其義而訂出「深淘灘，淺築堰，逢灣截角，遇灘抽心」這類法則，至今利濟生民，百世不易。

政治原是管理衆人之事，一切以適應衆人的願望為主，決不能教衆人來遷就少數統治階級的私意。這是常識的道理，無論在任何一種政制之下，皆為必然的定律。所以，古人說：「民猶水也，水可以載舟，亦可以覆舟」。政治人物就是行舟的舵手，其不明水性，任意馳騁，沒有不釀成覆沒之禍的。

治水必須因勢利導，使之順流安瀾而下，造成水利。「深淘灘」是擴大容量，「淺築堰」是減少阻碍，「截角」「抽心」是消散冲擊激盪之勢，免其橫決泛濫也。應這種法則以為政，不管你是君主制度也罷，民主制度也罷，一定衆人皆悅，國泰民安。假使灘淺而堰高，那就是毫無容量，事事拂逆水性，而又不知截角抽心，以為搞些水堤鋼骨的防禦工程，即可以使水力遷就堤防，暫時或許有用，一旦山洪暴發，淫雨連綿，水勢洶湧澎湃而來，任何高堤深堰，轉瞬間即決壞破毀無餘了！

剛愎武斷，不顧衆人的好惡，一味自我中心，強衆人以必從，而藉繁苛刻的法令來箝制大衆，這就等於逆水行舟的舵手，不怕觸礁遇浪，盲目鼓棹，與水作對，你想那條船還有不傾覆之理嗎？民意乃是一種不可測度的潛在勢力，祗有採取治水的法則，隨時疏導，不使其趨於橫決，才算是成功的政治家。鹵莽滅裂，昧於政理的人，是不懂得這套政治藝術的，可慨也夫！

讀王蓬纍詞

兼論中調

俞敦詩

（一）

上年偶於自由人報，得讀論王蓬纍先生（沅裴）詞體辯證一文，佩其詞學精湛，獨具慧心，故能發前人所未發。友人嚴霽莽先生（劍）謂蓬纍此作，不特在詞學上具有崇高價值，其在中國文學史，及國學概論，亦為珍貴資料。可謂知言。近來又從自由人讀到蓬纍所為中調詞，據云錄途多至廿闋，而闋闋有境界，有篇有句，前賢得未曾有也。昔張玉田以南浦詠春水一詞，時人呼之曰張春水；賀方回以青玉案梅子黃時雨一句，時人呼之曰賀梅子；而唐人劉文房工於五言近體詩，後人至推尊之為五言長城。足見古人於詩詞一體一篇，甚至於一句之工，而可因之以成名。今蓬纍之於詞，吾人雖稱之曰王中調，或中調長城，殆無不可也。

（二）

五代北宋人詞，其間中調所佔分量已少，名篇更不可多得，如李後主之破陣子，毛文錫之甘州遍，歐陽炯之獻衷心，薛昭蘊之離別難，張子野之一叢花，天仙子，晏小山之臨江仙數闋，蘇子瞻之雙調江城子數闋，秦少游之八六子等名作，可屈指數也。南宋人能中調者，僅辛稼軒李易安二家，但名篇亦各祗數闋耳。今蓬纍先生所為中調，多至如此。以分量言，算是古今第一人矣；以內容言，亦可與上述五代北宋諸名作相媲美，黃季剛先生評蓬纍漱雪詞：「小令擬香二主，長調胎息蘇辛，中調精妙，古今無兩，是能冶蓮峯（後主別號）稼軒於一爐者。」是為的評，未過譽也。蓋其韻律婉雅，得之蓮峯；而氣象軒昂，又得之稼軒者也。

（三）

王靜安先生謂：「近體詩體制，以五七言絕句為最尊，律詩次之，排律最下，蓋此體於寄興言情，兩無所當，殆有韻之駢文耳。詞中小令如絕句，長調似律詩，若長調之百字令，沁園春等，則近於排律矣。」其說至當，所惜靜安不知詞有中調一體，殆惑於萬樹詞律之說者，以為南宋以來，無人亦無法能辨別中調之體制也。其實靜安所指為似律詩者，正是宋人所謂中調；其所指為寄興言情兩無所當，近於排律之百字令等調，方是長調也。於此可見靜安雖不諳中調，而頗重視中調之地位，夫以中調在詞之地位，既重要如此，而前人工於此體者，又如彼其寥寥如晨星也。則現代詞人之應發揚此體，俾能與律詩相媲美，正吾人所應有事也。蓬纍先生實開其先路矣！

（四）

筆者與蓬纍先生尚無一面，但對其詞名，三十年前，印象已深。當民十一二年時，筆者方從先師沈子培先生學為詞，一日論及近代詞人，先師曰：「近代詞人莫古於[illegible]

河梁別

王沅裴

過泥水作

行來戰地失題名。夕陽猶照短長亭。吳頭楚尾。自昔連營。譙樓吹斷笳聲。高閣一登臨。想疇昔，江東子弟。英氣崢嶸。談經說劍縱橫。難將成敗話分明。八公山上。草木皆兵。胡騎百萬都驚。淮上數峯青。問謝老，圍棋賭墅。可奈蒼生。

河梁別

王沅裴

寄倩文校書燕京兼示悲鴻

碧雲天共故宮遙。霓裳一曲太妖嬈。穉寒凝態。微醉多嬌。天涯一見魂銷。紅豆寄無憀。算城北，徐公美少。暗展輕綃。當年似種情苗。月籠萬里夢迢迢。魚戲荷動。鳥散花飄。記曾行樂芳郊。歸來酒未消。倩誰與，謝郎俊句。淺暈深描。

開羅感事詩

勛廬

勛廬先生服務我駐開羅使館，對埃國政情發為吟詠，寫實之作也。—編者—

（一）

蟾月齋燈事有無。黃麾白日葬平蕪。獅高終古蹲金塔。龍去何人弔鼎湖。漫道靈舟乘帝子。難尋玉匣瘞珠襦。東西王氣歸銷歇。始信民權勝獨夫。

註：（此為游金字塔弔古而作。塔前有靈舟遺跡，相傳埃及帝王歿後，乘靈舟脫離苦海）。

（二）

周幽隋煬媿奢驕。一夕烽煙遍翠翹。花蕚夾城無御氣。錦帆隔岸有茶寮。空餘虎士東西立。乍見鴉羣早晚朝。自古禍機生輦轂。黃袍原付侍中貂。

註：（此詠法魯克放逐事。開羅市區遍植相思樹。翠葉絳花。歷歷如畫。故有花蕚夾城之感。埃王游艇泊於尼羅河岸。已改為水上茶館。埃及革命由納吉卜領導。納固指揮法魯克羽林軍者也）。

（三）

革除舊命作新邦。古國俄驚暴富強。第宅公侯喪家犬。京華冠蓋少年場。相煎其豈忘兄弟。奔走東西失主張。聞道周郎能顧曲。者番意氣最飛揚。

註：（埃及革命後。巴沙第宅均被充公。革命委員會均係少壯派。英埃協定簽字之日。發生兄弟會行刺事。釀成大獄。埃外交政策標榜中立。末句蓋及萬隆會議事。）

（四）

一代英雄各白頭。當時高會比葵丘。亞歐並重抗侵略。約法三章崇自由。百戰山河淪鐵幕。十年勝利剩瀛洲。米拿客舍重回首。拒虎迎狼感未休。

註：（此詠三十二年開羅會議而作。當時在開羅之米拿旅館開會。）

劍底秦庭

歷史小說

奚如

「留——在——這——裏」？

荆軻俯下頭來，雙手的手背撐着坑沿，沉吟地望着茅茨灰敗的角落，那無比的黑暗，就像未來的前路一樣，使荆軻自己也不自禁的打了一個寒噤。

「是的，荆卿」！田光一直平用萬分誠懇的眼光凝視着荆軻的面部，再四重複着剛才的說話：「為了天下萬民着想，有抱負有見地的英雄，應該捨身與他所愛的世人，憎惡他們所共同憎惡的敵人。為了除暴安良的理想，為了消滅人類公敵的理想，我都有理由留下你在這兒做一點真正是為萬世開太平的事業。荆卿，你答應我，讓我明天使叫人通知鞠武，請他轉告太子，就說你在這兒。我相信，太子一定會有許多話要和你談，許多國事需要你幫忙的」。

「老先生，謝謝你的好意」。荆軻頓了一頓，繼續又說：「可是一直到現在我還有一點不能夠解釋的疑團……」。

「儘管說，荆卿，你儘管發問，我一定就我所知，給你一個最圓滿的解答」。

「好的，老先生恕怪荆軻無禮。第一件事，我想問一問，以老先生的才智謀慮，尚且困守陋巷，不去參加朝廷計議定命的工作，難道就只是老病兩個字可以解釋」？

「荆卿，你的設想很對」。田光吞了一口涎沫，考慮了許久，才說道：「事實上，太子也曾在鞠武的陪同之下，到過我家來幾次，幾次而且都以國事相囑托。可是，每當我有所感懷，準備對太子一談牢騷的時候，所得到的反應，卻似乎並不如我所想像的那末親切熱烈，所以，也就使我在許多時候，往往都只有欲言又止的份兒。經過一番思慮之後，我自己覺得，也許是自己太老邁了，在太子的心目中，當大任者，似乎決不是我這些老朽們的事情。荆卿，儘管我還有當年那份豪情勝概，老驥伏櫪，志在千里，可是，畢竟是身體衰老了，也就有有力不從心之感。因此之故，我也總覺得我是不足道的了。我不願意出山，而一腔熱誠，一番轟轟烈烈的事情，我這半條性命，還有甚麼一些你所想像不到的事情！總有一天，你會發現可惜的地方？」說到這裏，田光隱然已經忍不住哽咽，又艱難的轉過身來，握着荆軻的手：

「荆卿，你和我不同！你的生命精力，正在最郁最興旺的時候。老大哥雖然不能夠親眼看見你將來輝煌的成就，可是，是九死之志，誰也不能夠阻擋我去傾聽你的救世偉績啊！是不是，荆卿」？

「老先生，我一定聽從你的指教」！荆軻感動地緊緊握着田光枯瘦的手。（十四）

警察學者

章

紐約的澳漢倫是個警察，但也是一個學者，對莎士比亞尤有深湛研究。最近哥倫比亞電視公司舉行「六萬四千元的問答」節目，他以對莎士比亞的知識，贏得八千元。後來他又參加這節目，他以這八千元博取一萬六千元。如果獲勝，他準備把這筆錢替他五個孩子造一所新屋。電台方面對他提出的問題是：最早印行莎士比亞戲劇的二個出版商姓名及出版年份。澳漢倫呆了好久，經過三十秒鐘才答了出來：他們是嘉卡和布蓬特，出版年份是一六二三年。這答案是完全對的，他已贏到了一萬六千元，但如果他願意，還能以這一萬六千元博取二萬三千元呢。

記秋丹閣吟草拾遺

湯鍾瑶

（登程）轉燭出門上壘船，風帆直擁亦雲天。行行頓覺灘猶淺，歸首燈排綵浪前。

（探梅）簇簇紅梅濃濃香，一林如錦漏春光。何人解識溫泉意，肯為寒花釀早芳。

（入寺）紹龍寺外樹參天，四面環山若拱禪。十載美人鐘鼓寂，一枝紅艷笑嫣然。

（聽經）太師說法上經臺，仕女如潮鬥艷來。一帶山門成熱市，清泉狂噴陣雲開。

（五）

就余個人之所處，先君當時在中年與晚年期間之代表作，以春感和朱蓮垞原韻七律四首為選。抗戰之前，南京朝野詩人，組有南音社。時或在玄武湖結集唱和，朱蓮垞先生亦社中人，其生平惜余不知。二十六年寄詩於先君，因抗戰軍興，迄二十七年入川後始收到其書。原註云：「蓮垞原唱，二十八年夏間收到。南音社詩友，以未晤談」。茲全錄原詩，以與民七年戊午除夕濟南客次感懷之作，可資比較。

（其一）失約旗亭共幾回，頻年辜負好花開。非因縱酒身多病，未是逃禪念已灰。西馬關山曾北上，一囊琴劍又西來。只今白下劉郎感，併作夔門杜老哀。（原註：自加入南音社，只作一首七絕，故此詩專就此意而作。）

（其二）沉吟無奈飲無聊，心似巴江夜湧潮。客枕傷春鐵杜宇，小闌宜夏亦[illegible]嫣。和戎肯受千秋詬，算敵權衡一炬焦。（瑤謹按：第五六兩句一指汪精衛艷電，一指長沙大火。或則朱蓮垞先生抗戰前客居南京，而為三湘詩人。）漫笑書生窺大計，談兵說劍慣終朝。

（其三）江南風物繫綢繆，夢裏重尋舊日遊。雕梁未忘詩酒習，還流衛子孫謀。終年閱史雖卒俗，何處笙歌解破愁。悵望紫金山下路，待拚清淚灑松楸。（四）

史地傳記類　PC0269

自由人（四）

編　　者 / 陳正茂
責任編輯 / 邵亢虎
圖文排版 / 彭君浩
封面設計 / 陳佩蓉

法律顧問 / 毛國樑　律師
印製經銷 / 秀威資訊科技股份有限公司
114台北市內湖區瑞光路76巷65號1樓
電話：+886-2-2796-3638　傳真：+886-2-2796-1377
http://www.showwe.com.tw
劃撥帳號 / 19563868　戶名：秀威資訊科技股份有限公司
讀者服務信箱：service@showwe.com.tw
展售門市 / 國家書店（松江門市）
104台北市中山區松江路209號1樓
電話：+886-2-2518-0207　傳真：+886-2-2518-0778
網路訂購 / 秀威網路書店：http://www.bodbooks.com.tw
國家網路書店：http://www.govbooks.com.tw

2012年12月復刻版
定價：2500元

國家圖書館出版品預行編目

自由人 / 陳正茂編. -- 一版. -- 臺北市 : 秀威資訊科技, 2012. 12-

冊； 公分. -- (史地傳記類)

BOD版

ISBN 978-986-326-020-2(第1冊 : 精裝). --
ISBN 978-986-326-016-5(第2冊 : 精裝). --
ISBN 978-986-326-017-2(第3冊 : 精裝). --
ISBN 978-986-326-018-9(第4冊 : 精裝). --
ISBN 978-986-326-019-6(第5冊 : 精裝). --
ISBN 978-986-326-022-6(第6冊 : 精裝). --
ISBN 978-986-326-023-3(第7冊 : 精裝). --
ISBN 978-986-326-024-0(第8冊 : 精裝). --
ISBN 978-986-326-025-7(第9冊 : 精裝). --
ISBN 978-986-326-026-4(第10冊 : 精裝). --

1. 報紙 2. 香港特別行政區

059.92 101021409

讀者回函卡

感謝您購買本書，為提升服務品質，請填妥以下資料，將讀者回函卡直接寄回或傳真本公司，收到您的寶貴意見後，我們會收藏記錄及檢討，謝謝！如您需要了解本公司最新出版書目、購書優惠或企劃活動，歡迎您上網查詢或下載相關資料：http:// www.showwe.com.tw

您購買的書名：______________________________

出生日期：________年________月________日

學歷：□高中（含）以下　□大專　□研究所（含）以上

職業：□製造業　□金融業　□資訊業　□軍警　□傳播業　□自由業

□服務業　□公務員　□教職　□學生　□家管　□其它_____

購書地點：□網路書店　□實體書店　□書展　□郵購　□贈閱　□其他

您從何得知本書的消息？

□網路書店　□實體書店　□網路搜尋　□電子報　□書訊　□雜誌

□傳播媒體　□親友推薦　□網站推薦　□部落格　□其他__________

您對本書的評價：（請填代號　1.非常滿意　2.滿意　3.尚可　4.再改進）

封面設計____　版面編排____　內容____　文／譯筆____　價格____

讀完書後您覺得：

□很有收穫　□有收穫　□收穫不多　□沒收穫

對我們的建議：______________________________

____

____

____

請貼
郵票

11466
台北市內湖區瑞光路 76 巷 65 號 1 樓

秀威資訊科技股份有限公司 收

BOD 數位出版事業部

……………………………………………………………………………………

（請沿線對折寄回，謝謝！）

姓　　名：＿＿＿＿＿＿＿＿＿＿　年齡：＿＿＿＿　性別：□女　□男

郵遞區號：□□□□□

地　　址：＿＿＿＿＿＿＿＿＿＿＿＿＿＿＿＿＿＿＿＿＿＿＿＿＿

聯絡電話：(日)＿＿＿＿＿＿＿＿＿＿＿＿(夜)＿＿＿＿＿＿＿＿＿＿＿＿

E-mail：＿＿＿＿＿＿＿＿＿＿＿＿＿＿＿＿＿＿＿＿＿＿＿＿＿